Frommhold | Hasenjäger

Wohnungsbau-Normen

Begründet von
Hanns Frommhold und Siegfried Hasenjäger
Fortgeführt von
Prof. Dipl.-Ing. Hans Dieter Fleischmann
Prof. Dipl.-Ing. Klaus-Jürgen Schneider
Dipl.-Ing. Torsten Schoch
Prof. Dipl.-Ing. Rüdiger Wormuth
Herausgeber:
DIN Deutsches Institut für Normung e. V.

WOHNUNGSBAU-NORMEN

DIN

Normen, Verordnungen, Richtlinien

26., neu bearbeitete und erweiterte Auflage 2012

Werner Verlag

Beuth

Bibliografische Information Der Deutschen Bibliothek
Die Deutsche Bibliothek verzeichnet diese Publikation in der Deutschen Nationalbibliografie; detaillierte bibliografische Daten sind im Internet über **http://dnb.ddb.de** abrufbar.

ISBN 978-3-8041-1628-3 (Werner Verlag)
ISBN 978-3-410-22133-3 (Beuth)

www.werner-verlag.de
www.wolterskluwer.de
www.beuth.de

Umschlag: futurweiss kommunikationen, Wiesbaden
Satz: RPS Satzstudio, Düsseldorf
Druck: L.E.G.O. S.p.A. – Lavis, Italy
Gedruckt auf säurefreiem und alterungsbeständigem Papier

Vorwort

In der vorliegenden 26. Auflage der *Wohnungsbau-Normen* wird der aktuelle Stand der Normung und Gesetzgebung „rund um den Wohnungsbau" dargestellt. Seit dem Erscheinen der 25. Auflage Ende 2007 sind eine große Anzahl neuer Normen erschienen. Auch das Baugesetzbuch wurde geändert und um etliche übergeordnete Regelungen zum Klimaschutz erweitert.

Beispielhaft seien hier genannt:

- *Kapitel A, Grundnormen:*
  DIN 276-1 (12.2008), Kosten im Bauwesen;
  DIN 18960 (02.2008), Nutzungskosten im Hochbau.
- *Kapitel B, Gesetzliche Vorschriften:*
  Baugesetzbuch (07.2011)
- *Kapitel C, Planung:*
  DIN EN 81-70 (11.2010), Sicherheitsregeln für die Konstruktion von Aufzügen;
  DIN 18040 (09.2011), Barrierefreies Bauen, Wohnungen;
  DIN 18065 (06.2011), Gebäudetreppen.
- *Kapitel D, Technische Gebäudeausrüstung:*
  DIN 1986-100 (05.2008), Entwässerungsanlagen;
  DIN 4261-1 (10.2010), Kleinkläranlagen;
  DIN 18012 (11.2010), Hausanschlusseinrichtungen;
  DIN 18013 (11.2010), Zählerplätze;
  DIN 18015-2 (11.2010), Elektrische Anlagen in Wohngebäuden;
  DIN 18017-3 (09.2009), Lüftung von Bädern und Toilettenräumen ohne Fenster mit Ventilatoren.
- *Kapitel E, Bautenschutz*:
  Energieeinsparverordnung (EnEV) 2009;
  DIN EN ISO 6946 (04.2008), Bauteile-Wärmedurchlasswiderstand und Wärmedurchgangskoeffizient;
  DIN EN ISO 13789 (04.2008), Wärmetechnisches Verhalten von Gebäuden;
  DIN 18195-9 (05.2010), Bauwerksabdichtungen.
- *Kapitel F, Baustoffe und Bauteile:*
  DIN EN 312 (10.2010) Spanplatten;
  DIN EN 520 (12.2009), Gipsplatten;
  DIN EN 548 (05.2011), Linoleum;
  DIN EN 771-1 (07.2011), Festlegungen für Mauersteine – Mauerziegel;

DIN EN 771-2 (07.2011), Festlegungen für Mauersteine – Kalksandsteine;
DIN EN 771-3 (07.2011), Festlegungen für Mauersteine – Mauersteine aus Beton;
DIN EN 771-4 (07.2011), Festlegungen für Mauersteine – Porenbetonsteine;
DIN EN 1304 (07.2008), Dachziegel und Formziegel;
DIN 4108-10 (06.2008), Werkmäßig hergestellte Wärmedämmstoffe;
DIN 18184 (10.2008), Gipsplatten Verbundelemente als Dämmstoff;
DIN 18531 Teile 1 – 3 (05.2010), Dachabdichtungen;
DIN 18560-1 (09.2009), Estriche – Allgemeine Anforderungen;
DIN 18560-2 (09.2009), Schwimmende Estriche.

Bezüglich der Mauersteinnormung beachte man folgenden Hinweis:

Es gibt zurzeit zwei Möglichkeiten für die Ausführung in der Praxis.

1. Möglichkeit:
„Restnormen" DIN V 105-100, DIN V106, DIN V 4165-100 und DIN V 18151-100 bis 18153-100. Diese Normen sind in Kooperation mit der Normenreihe DIN EN 771 anzuwenden.

2. Möglichkeit:
Normenreihe DIN EN 771 in Kooperation mit der Anwendungsnormenreihe DIN V 20 000-401 bis 404.

In dieser Auflage wurde die praxisnahe 1. Möglichkeit dargestellt.

Die Abwägung zwischen möglichst umfangreicher praxisnaher Information und dem noch handlichen Umfang des Werkes bleibt eine Daueraufgabe der Autoren. Die Zustimmung der Leserschaft bestärkt uns bei unserer Arbeit. Konstruktive Kritik ist erwünscht.

Unser Dank gilt den Verlagen *Werner* und *Beuth* für die gute Zusammenarbeit.

Oktober 2011

Hans Dieter Fleischmann
Klaus-Jürgen Schneider
Torsten Schoch
Rüdiger Wormuth

Inhaltsverzeichnis (Gliederung nach Sachgebieten)

D Technische Gebäudeausrüstung

(bearbeitet von Prof. Dipl.-Ing. R. Wormuth)

E Bautenschutz

(bearbeitet von Dipl.-Ing. T. Schoch)

E.1 Brandschutz

E.2 Wärmeschutz

E.3 Schallschutz

E.4 Bauwerksabdichtungen

F Baustoffe und Bauteile

(bearbeitet von Prof. Dipl.-Ing. K.-J. Schneider)

F.1 Mauersteine und Wandbauplatten

F.2 Bauplatten und Dämmstoffe

F.3 Bodenbeläge, Putze, Estriche

F.4 Holz- und Holzwerkstoffe

G Rohbaukonstruktionen

(bearbeitet von Prof. Dipl.-Ing. K.-J. Schneider)

A GRUNDNORMEN

Maßordnung im Hochbau nach DIN 4172 (07.1955)

Die auf dem „Backsteinmaß" (25 cm) aufbauende Maßordnung gilt im nationalen Bereich jetzt wieder allein, nachdem die Norm DIN 18000 „Modulordnung im Bauwesen" ersatzlos zurückgezogen wurde.

Begriffe

Baunormzahl: Baunormzahlen sind die Zahlen für Baurichtmaße und die daraus abgeleiteten Einzel-, Rohbau- und Ausbaumaße.

Baurichtmaß: Baurichtmaße sind zunächst theoretische Maße; sie sind aber die Grundlage für die in der Praxis vorkommenden Baumaße. Sie sind nötig, um alle Bauteile planmäßig zu verbinden.

Nennmaß: Nennmaße sind die Sollmaße für Bauteile und Bauwerke. Sie werden in der Regel in die Bauzeichnungen eingetragen. Sie entsprechen bei Bauarten ohne Fugen den Baurichtmaßen. Bei Bauarten mit Fugen ergeben sich die Nennmaße aus den Baurichtmaßen abzüglich der Fugen.

Kleinmaße

Kleinmaße sind Maße von 2,5 cm und darunter. Diese sind nach DIN 323-1, Reihe R 10 zu wählen in den Maßen:

2,5 cm; 2 cm; 1,6 cm; 1,25 cm; 1 cm;

8 mm; 6,3 mm; 5 mm; 4 mm; 3,2 mm;

2,5 mm; 2 mm; 1,6 mm; 1,25 mm; 1 mm.

Anwendung der Baunormzahlen

Baurichtmaße sind der Tafel zu entnehmen.

Nennmaße sind bei Bauarten ohne Fugen gleich den Baurichtmaßen, z. B.

Baurichtmaß für Dicke geschütteter Betonwände	= 25 cm
Nennmaß für Dicke geschütteter Betonwände	= 25 cm
Baurichtmaß Raumbreite	= 300 cm
Nennmaß Raumbreite	= 300 cm

Nennmaße bei Bauarten mit Fugen sind aus den Baurichtmaßen durch Abzug oder Zuschlag des Fugenanteils abzuleiten, z. B.

Baurichtmaß Steinlänge	= 25 cm
Nennmaß Steinlänge	= 25 – 1 = 24 cm
Baurichtmaß Raumbreite	= 300 cm
Nennmaß Raumbreite	= 300 + 1 = 301 cm

Baunormzahlen

Reihen vorzugsweise für den Rohbau				Reihe vorzugsw. für Einzelmaße	Reihen vorzugsweise für den Ausbau			
a	b	c	d	e	f	g	h	i
25	$\frac{25}{2}$	$\frac{25}{3}$	$\frac{25}{4}$	$\frac{25}{10}=\frac{5}{2}$	5	2 × 5	4 × 5	5 × 5
				2,5				
			6¼	5	5			
		8⅓		7,5				
				10	10	10		
	12½		12½	12,5				
		16⅔		15	15			
			18¾	17,5				
				20	20	20	20	
				22,5				
25	25	25	25	25	25			25
				27,5				
			31¼	30	30	30		
		33⅓		32,5				
				35	35			
	37½		37½	37,5				
		41⅔		40	40	40	40	
			43¾	42,5				
				45	45			
				47,5				
50	50	50	50	50	50	50		50
				52,5				
			56¼	55	55			
		58⅓		57,5				
				60	60	60	60	
	62½		62½	62,5				
		66⅔		65	65			
			68¾	67,5				
				70	70	70		
				72,5				
75	75	75	75	75	75			75
				77,5				
			81¼	80	80	80	80	
		83⅓		82,5				
				85	85			
	87½		87½	87,5				
		91⅔		90	90	90		
			93¾	92,5				
				95	95			
				97,5				
100	100	100	100	100	100	100	100	100

Wenn es nicht möglich ist, alle Baumaße nach Baunormzahlen festzulegen, sollen die Baunormzahlen in erster Linie für die Festlegung der Berührungspunkte und -flächen mit anderen Bauteilen, die nach Baunormzahlen gestaltet sind, verwendet werden.

Fugen und Verband

Bauteile (Mauersteine, Bauplatten usw.) sind so zu bemessen, dass ihre Baurichtmaße im Verband Baunormzahlen sind. Verbandsregeln, Verarbeitungsfugen und Toleranzen sind dabei zu beachten.

Beispiel	Baurichtmaß	Fuge	Nennmaß
Steinlänge	25 cm	1 cm	24 cm
Steinbreite	$\frac{25}{2}$ cm	1 cm	11,5 cm
Steinhöhe	$\frac{25}{3}$ cm	1,23 cm	7,1 cm
und	$\frac{25}{4}$ cm	1,05 cm	5,2 cm

Toleranzen im Hochbau – Bauwerke nach DIN 18 202

Mit Ausgabedatum 10. 2005 ist DIN 18 202 neu erschienen. Die Norm ersetzt die Normen DIN 18 201 und *DIN 18 202, Ausgaben 04.1997. Es wurden einige neue Begriffe eingeführt und ein Abschnitt über Fluchtabweichungen bei Stützen einschl. Grenzwerte-Tabelle und Prüfungsmerkmale aufgenommen.*

Begriffe

Das **Nennmaß** (Sollmaß) gibt die Größe, Gestalt und Lage eines Bauteils oder Bauwerks an und wird in die Zeichnungen eingetragen.

Das **Istmaß** wird durch Messung bestimmt.

Die **Maßabweichung** *(bisher das Istabmaß)* ist die Differenz zwischen Istmaß und Nennmaß, die Winkelabweichung zwischen Ist- und Nennwinkel, die Ebenheitsabweichung die Differenz zwischen Istoberfläche und Ebene, die Fluchtabweichung die Istabweichung von der Flucht (siehe Abb. 1 bis 6).

Die **Grenzabweichung** *(bisher das Grenzabmaß)* ist die Differenz zwischen Höchstmaß und Nennmaß oder zwischen Mindestmaß und Nennmaß. Grenzabweichungen für Bauwerksmaße sowie Grenzwerte für Winkel-, Ebenheits- und Fluchtabweichungen enthalten die folgenden Tabellen 1 bis 4.

Das **Höchstmaß** ist das größte, das **Mindestmaß** das kleinste zulässige Maß.

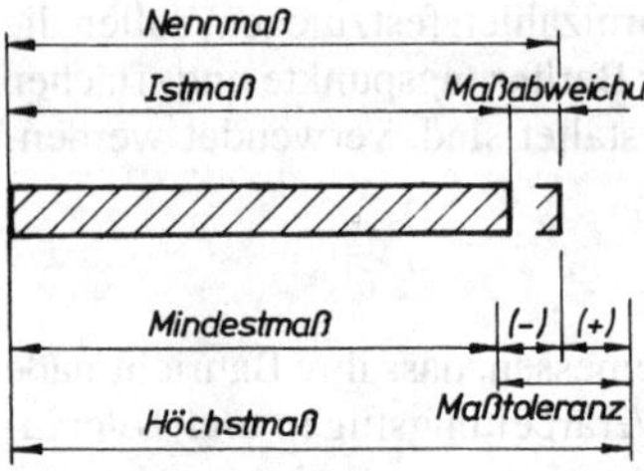

Abb. 1 Anwendung der Begriffe

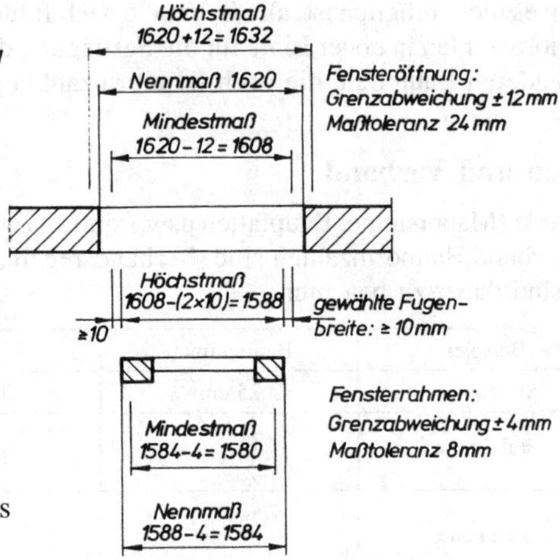

Abb. 2 Passung am Beispiel eines Fensters (Maße in mm)

Die Maßtoleranz ist die Differenz zwischen Höchstmaß und Mindestmaß.

Als **Stichmaß** bezeichnet man den Abstand eines Punktes von einer Bezugslinie; es ist ein Hilfsmittel zur Ermittlung von Winkel-, Ebenheits- oder Fluchtabweichungen (siehe Abb. 5 und 6).

Grundsätze

Toleranzen sollen die Abweichungen von den Nennmaßen der Bauteile und Bauwerke begrenzen. Zeit- und lastabhängige Verformungen werden dabei nicht berücksichtigt. Diese müssen aber in die Passungsberechnung ebenso eingehen wie funktionsbezogene Anforderungen, z. B. Grenzwerte für die zulässige Dehnung einer Fugendichtung.[1)]

Die in DIN 18 202 festgelegten Toleranzen stellen die im Rahmen üblicher Sorgfalt zu erreichende und daher im Regelfall geltende Genauigkeit dar. In besonderen Fällen erforderliche höhere Genauigkeiten und die dafür notwendigen Maßnahmen sind nach wirtschaftlichen Gesichtspunkten festzulegen und in den Vertragsunterlagen zu vereinbaren. Das gilt auch, wenn „erhöhte Anforderungen“ an die Ebenheit von Flächen nach Tabelle 3, Zeilen 2, 4 oder 7, gestellt werden.

Notwendige Bezugspunkte sind vor der Bauausführung festzulegen.

---

1) Bei Bauteilen aus Holz und Holzwerkstoffen gilt das Gleiche für die unter Umständen erheblichen Maßänderungen, die sich aus unterschiedlichen Holzfeuchten sowie aus dem Quellen und Schwinden ergeben können. (Näheres in DIN 18 203-3 auf Seite 12).

Grenzabweichungen

Die Grenzabweichungen für **Bauwerksmaße** gemäß Tabelle 1 gelten für Längen, Breiten, Höhen, Achs- und Rastermaße, Querschnittsmaße sowie für Öffnungen und sind bei Messungen wie folgt zu ermitteln:

- Maße im Grundriss (Zeile 1) zwischen Gebäudeecken und/oder Achsschnittpunkten an der Deckenoberfläche;
- Maße im Aufriss (Zeile 2) an übereinanderliegenden Messpunkten an markanten Stellen, z. B. an Deckenkanten, Brüstungen, Unterzügen, aber jeweils 10 cm von den Kanten entfernt;
- lichte Maße im Grundriss (Zeile 3) in 10 cm Abstand von den Ecken; die gleichen Messpunkte gelten für die Prüfung von Winkeln; die Messungen sind in 2 Höhen, nämlich 10 cm über dem Fußboden und 10 cm unterhalb der Decke vorzunehmen;
- lichte Maße im Aufriss (Zeile 4) wie im Grundriss, Messungen jetzt für jede Wandseite an 2 Stellen in 10 cm Abstand von der Wand; lichte Höhen unter Unterzügen an beiden Kanten jeweils 10 cm von der Auflagerkante entfernt;
- Öffnungsmaße (Zeilen 5 und 6) an den Kanten in 10 cm Abstand von den Ecken.

Tabelle 1: Grenzabweichungen für Bauwerksmaße in mm

Zeile	Bezug zum Bauwerk	Nennmaße in m					
		≤ 1 [1]	> 1 ≤ 3	> 3 ≤ 6	> 6 ≤ 15	> 15 ≤ 30	> 30 [2]
1	Maße im Grundriss, z. B. Längen, Breiten, Achsmaße	± 8	± 12	± 16	± 20	± 24	± 30
2	Maße im Aufriss, z. B. Geschoss- und Podesthöhen	± 10	± 16	± 16	± 20	± 30	± 30
3	Lichte Maße im Grundriss, z. B. zwischen Stützen	± 12	± 16	± 20	± 24	± 30	–
4	Lichte Maße im Aufriss, z. B. unter Decken und Unterzügen	± 16	± 20	± 20	± 30	–	–
5	Öffnungen mit nicht oberflächenfertigen Leibungen	± 8	± 12	± 16	–	–	–
6	Öffnungen mit oberflächenfertigen Leibungen	± 8	± 10	± 12	–	–	–

[1] Diese Spalte ist neu hinzugekommen.
[2] Gilt für Nennmaße bis etwa 60 m; darüber hinaus sind „besondere Überlegungen" nötig.

Als Grenzwerte für **Winkelabweichungen** gemäß Tabelle 2 sind die Stichmaße *t* nach Abb. 3 angegeben. Die Grenzwerte gelten für vertikale, horizontale und geneigte Flächen sowie für Öffnungen. Die Messpunkte sind die gleichen wie bei Messungen der lichten Öffnungen nach Tabelle 1, Zeilen 3 und 4.

Bei Ausnutzung der Grenzwerte nach Tabelle 1 oder nach Tabelle 2 dürfen die Grenzwerte der jeweils anderen Tabelle nicht überschritten werden.

Tabelle 2: Grenzwerte für Winkelabweichungen

Bauwerksteile	Stichmaße *t* in mm bei Nennmaßen in m (Abb. 3)						
	[1] ≤ 0,5	> 0,5 ≤ 1	> 1 ≤ 3	> 3 ≤ 6	> 6 ≤ 15	> 15 ≤ 30	> 30 [2]
Horizontale, vertikale und geneigte Flächen, Öffnungen	3	6	8	12	16	20	30

[1] Diese Spalte ist neu hinzugekommen.
[2] Gilt für Nennmaße bis etwa 60 m; darüber hinaus sind „besondere Überlegungen" nötig.

Als Grenzwerte für **Ebenheitsabweichungen** sind in Tabelle 3 die Stichmaße *t* nach Abb. 3 angegeben. Sie gelten für Flächen von Rohdeckenober- und -unterseiten, fertigen Böden und Deckenunterseiten sowie von Wänden.

Die Grenzwerte gelten *nicht* für spritzrau belassene Spritzbetonoberflächen und *nicht* für die Rückseiten von gemauerten Wänden, deren Dicke gleich einem Steinmaß ist.

Die Ebenheit von Flächen wird durch Einzelmessungen oder durch ein Rasternivellement festgestellt. Stichmaße *t* zu der auf Hochpunkten liegenden Richtlatte gemäß Abb. 3.

Bei flächenfertigen Wänden, Decken, Estrichen und Bodenbelägen sollen Sprünge und Absätze vermieden werden. Hierunter ist aber nicht die durch Flächengestaltung bedingte Struktur zu verstehen. Absätze und Höhensprünge zwischen benachbarten Bauteilen sind gesondert zu regeln.

Die für die Ebenheit von Bau*stoffen* zulässigen Abweichungen sind in den Ebenheitstoleranzen nicht enthalten und daher zusätzlich zu berücksichtigen.

Tabelle 3: Grenzwerte für Ebenheitsabweichungen

Zeile	Bauteile/Funktion	Stichmaße t in mm (Abb. 4) bei Abstand l der Messpunkte[1)] von				
		0,1 m	1 m	4 m	10 m	15 m
1	Nichtflächenfertige Oberseiten von Decken, Unterbeton und Unterböden ohne erhöhte Anforderungen	10	15	20	25	30
2	Nichtflächenfertige Oberseiten von Decken, Unterbeton und Unterböden mit erhöhten Anforderungen, z. B. zur Aufnahme von schwimmenden Estrichen, Industrieböden, Fliesen- und Plattenbelägen, Verbundestrichen Fertige Oberflächen für untergeordnete Zwecke, z. B. in Lagern, Kellern	5	8	12	15	20
3	Flächenfertige Böden, z. B. Nutzestriche, Estriche zur Aufnahme von Bodenbelägen, flächenfertige Boden- und Fliesenbeläge	2	4	10	12	15
4	Flächenfertige Böden nach Zeile 3, jedoch mit erhöhten Anforderungen	1	3	9	12	15
5	Nichtflächenfertige Wände und Unterseiten von Rohdecken	5	10	15	25	30
6	Flächenfertige Wände und Unterseiten von Decken, z. B. geputzte Wände, Wandbekleidungen, untergehängte Decken	3	5	10	20	25
7	Wie Zeile 6, jedoch mit erhöhten Anforderungen	2	3	8	15	20

1) Zwischenwerte sind den Abb. 4 und 5 zu entnehmen und auf ganze mm zu runden. Die Grenzwerte der letzten Spalte gelten auch für Messpunktabstände über 15 m.

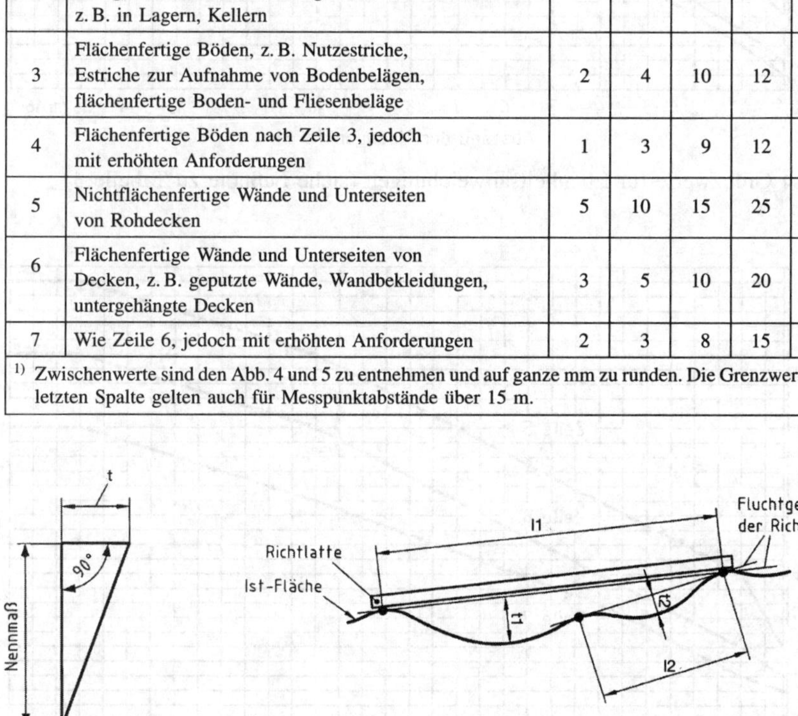

Abb. 3 Stichmaße t bei Überprüfung von Winkel- und Ebenheitsabweichungen (Beispiele)

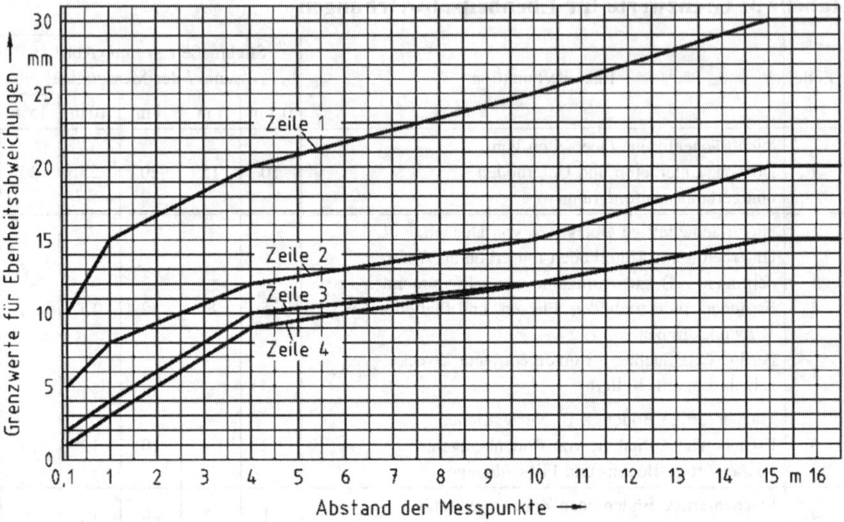

Abb. 4 Grenzwerte für Ebenheitsabweichungen (siehe Fußnote zu Tabelle 3)

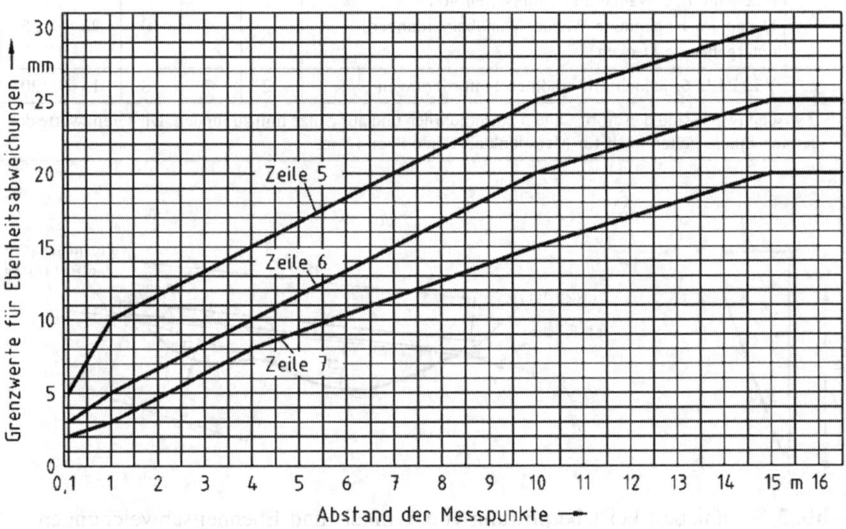

Abb. 5 Grenzwerte wie oben, jetzt aber für erhöhte Anforderungen

Tabelle 4: Grenzwerte für Abweichungen bei Stützenfluchten

Zulässige Abweichungen von der Flucht	Stichmaße *t* in mm bei Messpunktabständen in m (Abb. 3)			
	von 3 bis 6	über 6 bis 15	über 15 bis 30	über 30
	12 mm	16 mm	20 mm	30 mm

Als Grenzwerte für **Fluchtabweichungen** nach Tab. 4 werden die Stichmaße *t* von der Fluchtlinie zur Stützenvorderseite in Stützenachse angegeben. Fluchtlinie ist dabei die horizontale Verbindungslinie zwischen den Ist-Lagen der Endstützen einer Stützenreihe mit mindestens drei Stützen.

Die Verbindungslinie zwischen den Endstützen kann am Stützenkopf oder -fuß angelegt werden, bei Stützen, die bündig in einen Unterzug einmünden, vorzugsweise am Fuß.

Der Messpunkabstand beträgt immer zwei Achsabstände (siehe Abb. 6).

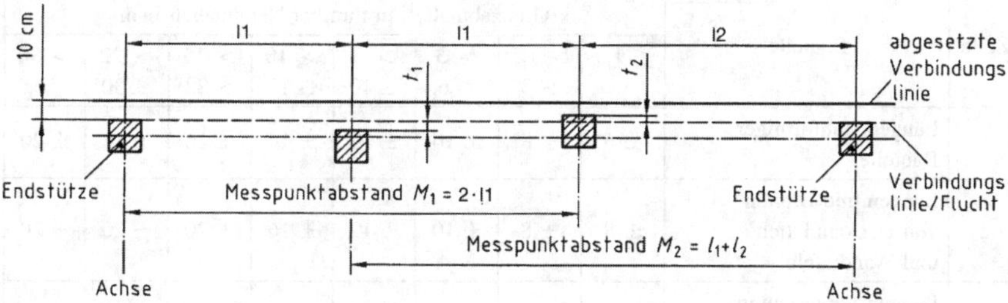

Abb. 6 Prüfung der Stützenflucht

Prüfung

Die Einhaltung von Toleranzen ist nur zu prüfen, wenn es erforderlich ist.

Die Prüfungen sind so früh wie möglich durchzuführen, um zeit- und lastabhängige Verformungen weitgehend auszuschalten, spätestens jedoch bei der Übernahme durch Folgeauftragnehmer oder unmittelbar nach Fertigstellung des Bauwerks.

Nach DIN 18 203-3 muss bei der Prüfung von Holz und Holzwerkstoffen zusätzlich die Holzfeuchte festgestellt und mit der Bezugsfeuchte verglichen werden (siehe Seite 13).

Toleranzen im Hochbau – [Bauteile] nach DIN 18 203

Teil 1: Vorgefertigte Teile aus Beton, Stahl- und Spannbeton
nach **DIN 18 203-1** (04.1997)

Die Toleranzen dieses Normenteils gelten für vorgefertigte Bauteile aus Beton, Stahlbeton und Spannbeton wie Stützen, Wandtafeln, Decken- und Dachplat-ten, Binder, Pfetten und Unterzüge unter Berücksichtigung von DIN 18 202, die auch für Öffnungen und Ebenheitsabweichungen gilt.
Werte für zeit- und lastabhängige Verformungen sind nicht Gegenstand dieser Norm.

Messpunkte für die Prüfung sind sinngemäß nach DIN 18 202 festzulegen.

Tabelle 1: Längen- und Breitenmaße

Zeile	Bauteile	Grenzabmaße[1] in mm bei Nennmaßen in m							
		≤ 1,5	> 1,5 ≤ 3	> 3 ≤ 6	> 6 ≤ 10	> 10 ≤ 15	> 15 ≤ 22	> 22 ≤ 30	> 30
1	Längen stabförmiger Bauteile	± 6	± 8	± 10	± 12	± 14	± 16	± 18	± 20
2	Längen und Breiten von Deckenplatten und Wandtafeln	± 8	± 8	± 10	± 12	± 16	± 20	± 20	± 20
3	Längen vorgespannter Bauteile	–	–	–	± 16	± 16	± 20	± 25	± 30
4	Längen und Breiten von Fassadentafeln	± 5	± 6	± 8	± 10	–	–	–	–

Tabelle 2: Querschnittsmaße

Zeile	Bauteile	Grenzabmaße[1] in mm bei Nennmaßen in m					
		≤ 0,15	> 0,15 ≤ 0,30	> 0,30 ≤ 0,60	> 0,60 ≤ 1,00	> 1,00 ≤ 1,50	> 1,50
1	Dicken von Deckenplatten	± 6	± 8	± 10	–	–	–
2	Dicken von Wand- und Fassadentafeln	± 5	± 6	± 8	–	–	–
3	Querschnittsmaße stabförmiger Bauteile	± 6	± 6	± 8	± 12	± 16	± 20

[1] Nach DIN 18 202 jetzt *Grenzabweichungen* in Tab. 1 und 2, *Winkelabweichungen* in Tab. 3.

Tabelle 3: Winkeltoleranzen[1]

Zeile	Bauteile	Stichmaße in mm bei Nennmaßen in m					
		≤ 0,4	> 0,4 ≤ 1,0	> 1,0 ≤ 1,5	> 1,5 ≤ 3,0	> 3,0 ≤ 6,0	> 6,0
1	Nichtoberflächenfertige Wandtafeln und Deckenplatten	8	8	8	8	10	12
2	Oberflächenfertige Wandtafeln und Fassadentafeln	5	5	5	6	8	10
3	Querschnitte stabförmiger Bauteile	4	6	8	–	–	–

Teil 2: Vorgefertigte Teile aus Stahl nach DIN 18 203-2 (08.2006)

Die folgenden Grenzabweichungen gelten für Längen, Breiten, Höhen und Diagonalen vorgefertigter Zulieferteile aus Stahl wie Stützen, Träger, Binder und Tafeln für Wände, Decken und Dächer. Sie gelten *nicht* für Walzprofile und für im Rollformverfahren hergestellte großflächige Bauelemente und auch *nicht* für Tore, Türen und Zargen.

Die Prüfung erfolgt nach DIN 18 202 (siehe oben).

Grenzabweichungen in mm bei Nennmaßen[2] in mm				
≤ 2 000	> 2 000 ≤ 4 000	> 4 000 ≤ 8 000	> 8 000 ≤ 12 000	> 12 000
± 2	± 4	± 5	± 6	± 8

[1] Siehe links.
[2] Gegenüber der Vorgängerausgabe wurden die Nennmaßbereiche 12 000 bis 16 000 mm sowie > 16 000 mm herausgenommen.

Teil 3: Bauteile aus Holz und Holzwerkstoffen

nach **DIN 18203-3** (08.2008)

Diese Norm legt Toleranzen für Bauteile aus Holz und Holzwerkstoffen fest.

Tabelle 1 enthält Grenzabweichungen für Träger, Binder und Stützen aus Bauschnittholz, Baurundholz und Holzwerkstoffen sowie für daraus hergestellte genagelte, gedübelte, geklebte oder auf andere Art verbundene Bauteile.

Tabelle 2 enthält Grenzabweichungen für die Breite, die Höhe (Kantenlänge) sowie die Dicke von Holztafeln gemäß DIN 1052 (Wand-, Boden-, Decken- und Dachtafeln).

Beide Tabellen berücksichtigen nur die fertigungsbedingten Toleranzen auf der Grundlage der DIN 18202 Die Norm berücksichtigt keine *last- und zeitabhängigen Verformungen.* Diese sind gegebenenfalls zusätzlich einzurechnen.

Das Gleiche gilt für die Verformungen aus *Schwinden und Quellen* bei Änderung der Holzfeuchte. Soweit die einschlägigen Produktnormen keine Toleranzen und Maßänderungen enthalten, kann man Schwind- und Quellmaße für die gebräuchlichsten Holzarten und Holzwerkstoffe der DIN 68 100 entnehmen.

Es gelten die **Begriffe** nach DIN 18 202; dazu kommt die **Messbezugsfeuchte** (Bezugsholzfeuchte) als Mittelwert der Feuchte eines Querschnitts, bei der die angegebenen Toleranzen eingehalten werden müssen.

Die **Winkelabweichungen** von Holztafeln und ihren Öffnungen werden nach DIN 18 202 bestimmt. Gemäß den folgenden Abb. 1 und 2 werden bei der Prüfung Stichmaße *S* ermittelt und den Grenzabweichungen der Tabelle 2, Zeile 1 bzw., bei Abweichungen in der Dicke gemäß Abb. 2, den Grenzwerten der Tabelle 2, Zeile 2 gegenüber gestellt.

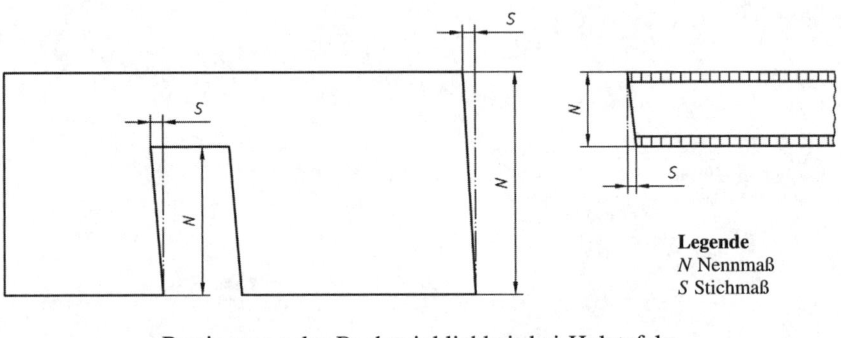

Legende
N Nennmaß
S Stichmaß

Bestimmung der Rechtwinklichkeit bei Holztafeln,

Abb. 1 in der Länge und Breite **Abb. 2** in der Dicke

Tabelle 1: Grenzabweichungen für Träger, Binder und Stützen

Zeile		Messbezugs-feuchte	Grenzabweichungen in mm bei Nennmaßen in m						
			bis 0,10	bis 0,40	bis 0,80	bis 2,00	bis 6,00	bis 20,0	bis 20,0
1	Vollholz, sägerau	20 %	+3 *-1*	+4 *-2*	–	–	–	–	–
2	Vollholz, gehobelt		*± 1*	*± 1,5*	–	–	–	–	–
3	Holzwerk-stoffe	10 %	*± 1*	*± 1,5*	–	–	–	–	–
4	zus.gesetzte Querschnitte	20 %	wie Vollholz		+5 -2	+6 -3	+8 -4	–	–
5	Balken-schichtholz	15 %	*± 1*	*± 1,5*	–	–	–	–	–
6	Brettschicht-holz, Breite	12 %	*± 2*	*± 2*	+ 1 % - 0,5 %			–	–
	Brettschicht-holz, Höhe		+4 -2	+4 -2				–	–
7	Längen, Abst.	wie vor	*± 2*				*± 0,1 %*		*± 20*

Anmerkungen:
Zeilen 1–5 gelten für Breiten- und Höhenmaße; Zeile 6 gilt für einteilige Brettschichtholzbauteile und Zeile 7 für Längen und Abstände, z. B. zwischen Bohrungen.
Die *kursiv* gedruckten Werte der Zeile 1 entsprechen der Maßtoleranzklasse 1 nach DIN EN 336 (09. 03), *kursive* Werte der Zeilen 2 bis 5 entsprechen Maßtoleranzklasse 2 nach DIN EN 336, *kursive* Werte der Zeilen 6 und 7 entsprechen DIN EN 390 (03.95).

Tabelle 2: Grenzabweichungen für Wand-, Boden-, Decken- und Dachtafeln

Tafeln und Öffnungen in Tafeln	Mess-bezugs-feuchte	Grenzabweichungen in mm bei Nennmaßen in m				
		bis 0,10	bis 0,40	über 0,40	bis 1,00	über 1,00
Breite, Höhe Dicke	siehe Tab. 1	– +2/-1	– +3/-2	– +4/-2	± 2 –	± 0,2% v. Nennmaß

Für die **Ebenheit** von Balkenschichtholz und einteiligen Brettschichtholzbauteilen gilt: Die Längskrümmung darf auf 2 000 maximal 4 mm betragen, die Querkrümmung (Schüsseln) höchstens 1/200 der größeren Querschnittsseite.

Die **Prüfung** erfolgt nach DIN 18 202. Zusätzlich muss bei der Prüfung die Holzfeuchte festgestellt werden und gegebenenfalls sind die Istabmaße auf die Messbezugsfeuchte umzurechnen. Die Holzfeuchte ist nach DIN EN 13 183-2 mit einer Einschlagtiefe von max. 40 mm, die Feuchte von Holzwerkstoffen nach DIN EN 322 zu bestimmen.

Kosten im Bauwesen nach DIN 276-1

Die Grundnorm „Kosten im Bauwesen" ist in der Vergangenheit teils als Gesamtnorm DIN 276, teils mit „ausgelagerten" Inhalten, wie z. B. Formularvorschlägen, als DIN 276-1 zusammen mit den Teilnormen DIN 276-2 und -3 erschienen. Das war zuletzt 1981 so. Seitdem sind die Teile -2 und -3 nicht mehr erschienen und inzwischen zurückgezogen.

Stattdessen ist im Aug. 2009 ein Teil 4 „Ingenieurbauwerke und Verkehrsanlagen" erschienen, der allerdings für den Wohnungsbau in der Regel nicht von Bedeutung ist; für den Hochbau gilt DIN 276-1 (12.08). Dieser Normenteil wird im Folgenden, leicht redaktionell bearbeitet, wiedergegeben (Zusätze des Bearbeiters in Kursivschrift). Die Änderungen gegenüber der Ausgabe 11.06 sind fast ausschließlich redaktioneller Art. Die Berichtigung 1 (11.06) und der Änderungsentwurf A 1 (02.08) wurden eingearbeitet.

Die nach meinem Dafürhalten überfälligen Änderungen im Begrifflichen, insbesondere die Einführung des Begriffs „Kostenplanung" (besser wäre noch Baukostenplanung, siehe umseitige Fußnote) als eindeutigen Oberbegriff und die Integration der Kostenkontrolle und -steuerung in die Stufen der Kostenermittlung, wo sie in der Praxis auch notwendig sind (so wie ja auch zur Ablaufplanung – und den dazu notwendigen „Ermittlungen" – die Ablaufkontrolle und -steuerung gehören, ohne die jede Planung sinnlos wäre), diese Änderungen lassen weiter auf sich warten.

1 Anwendungsbereich

DIN 276-1 gilt für die Kostenplanung im Hochbau, insbesondere für Ermittlung und Gliederung der projektbezogenen Kosten aus Neubau-, Umbau- oder Modernisierungsmaßnahmen; für die Ermittlung der Nutzungskosten im Hochbau gilt DIN 18 960 (siehe Seite 41).

Die Norm legt Begriffe der Kostenplanung im Bauwesen sowie Unterscheidungsmerkmale von Kosten fest und schafft damit die Voraussetzungen für die Vergleichbarkeit der Ergebnisse von Kostenermittlungen.. Nach dieser Norm ermittelte Kosten können bei Verwendung für andere Zwecke (z. B. Vergütung von Auftragnehmerleistungen, steuerliche Förderung) den dabei erforderlichen Ermittlungen zugrunde gelegt werden. Eine Bewertung der Kosten im Sinne der entsprechenden Vorschriften nimmt die Norm jedoch nicht vor.

2 Begriffe

2.1 Kosten im Bauwesen

Aufwendungen für Güter, Leistungen, Steuern und Abgaben, die für die Vorbereitung, Planung und Ausführung von Bauprojekten erforderlich sind.

ANMERKUNG: Kosten im Bauwesen werden im Folgenden als Kosten bezeichnet [1)]

2.2 Kostenplanung

Gesamtheit aller Maßnahmen der Kostenermittlung, der Kostenkontrolle und der Kostensteuerung

2.3 Kostenvorgabe

Festlegung der Kosten als Obergrenze oder als Zielgröße für die Planung

2.4 Kostenermittlung

Vorausberechnung der entstehenden Kosten bzw. Feststellung der tastsächlich entstandenen Kosten

Stufen der Kostenermittlung je nach Planungs- und Baufortschritt (siehe 3.4)

2.4.1 Kostenrahmen

Ermittlung der Kosten auf der Grundlage der Bedarfsplanung

2.4.2 Kostenschätzung

Ermittlung der Kosten auf der Grundlage der Vorplanung

2.4.3 Kostenberechnung

Ermittlung der Kosten auf der Grundlage der Entwurfsplanung

2.4.4 Kostenanschlag

Ermittlung der Kosten auf der Grundlage der Ausführungsvorbereitung

2.4.5 Kostenfeststellung

Ermittlung der endgültigen Kosten *auf der Grundlage der Abrechnung*

2.5 Kostenkontrolle

Vergleich aktueller Kostenermittlungen mit Kostenvorgaben und früheren Kostenermittlungen *(Soll-Ist-Vergleich)*

2.6 Kostensteuerung

Eingreifen in die Kostenentwicklung zur Einhaltung der Kostenvorgaben. *Voraussetzung für eine erfolgreiche Steuerung sind regelmäßige Kontrollen. Werden die Sollwerte überschritten, ist zu entscheiden, ob man die Planung unverändert fortsetzen oder eine zielgerichtete Kostensteuerung durchführen soll. Die ergriffenen Steuerungsmaßnahmen sind zu dokumentieren*

2.7 Kostenkennwert

Wert, der das Verhältnis von Kosten zu einer Bezugseinheit darstellt [2)]

---

1) Dadurch werden sie allerdings nicht richtiger: Nach allg. anerkannter Definition sind es keine Kosten (weder im Bauwesen noch anderswo), die nach dieser Norm ermittelt werden, sondern die vom Bauherrn bzw. vom Investor zu zahlenden (Bau-)Preise. Kosten entstehen nur, wenn Leistungen erbracht werden, z. B. Bau- oder Planungsleistungen.

2) Siehe nächste Seite.

2.8 Kostengliederung
Ordnungsstruktur, nach der die Gesamtkosten eines Bauprojekts in Kostengruppen unterteilt werden

2.9 Kostengruppe
Zusammenfassung einzelner, nach den Kriterien der Planung oder des Projektablaufes zusammengehöriger Kosten

2.10 Gesamtkosten
Kosten, die sich als Summe aus allen Kostengruppen ergeben

2.11 Bauwerkskosten
Kosten, die sich als Summe aus den Kostengruppen 300 und 400 ergeben.

2.12 Kostenprognose
Ermittlung der Kosten auf den Zeitpunkt der Fertigstellung[3)]

2.13 Kostenrisiko
Generelle Unsicherheiten bei Kostenermittlungen und -prognosen

3 Grundsätze der Kostenplanung

3.1 Allgemeines
Ziel der Kostenplanung ist es, ein Bauprojekt wirtschaftlich und kostentransparent sowie kostensicher zu realisieren. Kostenplanung auf der Grundlage von Planungs- oder Kostenvorgaben ist kontinuierlich und in allen Phasen der Bauabwicklung zu betreiben. Dazu gibt es die folgenden Möglichkeiten:
– Die Kosten durch Anpassung von Qualitäten und Quantitäten einzuhalten
– oder die Kosten bei definierten Qualitäten und Quantitäten zu minimieren.

3.2 Kostenvorgabe
Ziel der Kostenvorgabe ist es, die Kostensicherheit zu erhöhen, Investitionsrisiken zu verhindern und frühzeitig das Nachdenken über Planungsalternativen zu fördern. Grundlagen einer Kostenvorgabe können Budget- oder Finanzierungsüberlegungen sein. Dabei ist die Realisierbarkeit im Hinblick auf weitere Planungsziele zu überprüfen. Es muss auch ersichtlich sein, ob die Kostenvorgabe als Kostenobergrenze oder als Zielgröße für die Planung gelten soll.

[2)] Diese Begriffsdefinition ist einerseits ziemlich unverständlich, andererseits suggeriert sie, jeder auf eine „Bezugseinheit“, z. B. auf m^2 Wohnfläche, bezogene „Kostenwert“ sei automatisch ein Kennwert. Das wäre schön! Wie mühsam es tatsächlich ist, seriöse Kennwerte zu ermitteln, ist in Fleischmann/Hemmerich, Angebotskalkulation mit Richtwerten, 4. Aufl. 2004, S. 18 (dort heißen sie Richtwerte) oder in der KLR-Bau (hier unter Kennzahlen) nachzulesen.

[3)] Muss eine Kostenprognose immer auf den Fertigungszeitpunkt abstellen oder sind nicht auch Prognosen auf andere Zeitpunkte denkbar?

3.3 Kostenermittlungen

Kostenermittlungen dienen als Grundlagen für Finanzierungsüberlegungen und Kostenvorgaben, für Maßnahmen der Kostenkontrolle und -steuerung, für Planungs-, Vergabe- und Ausführungsentscheidungen sowie zum Nachweis der entstandenen Kosten.

Sie sind in der Systematik der Kostengliederung zu ordnen. Die Kosten sind vollständig zu erfassen und zu dokumentieren, wobei vom **Kostenstand** zum Zeitpunkt der Ermittlung auszugehen ist. Auf den Zeitpunkt der Fertigstellung prognostizierte Kosten sind gesondert auszuweisen.

Die **Grundlagen** der Kostenermittlung sind anzugeben. **Erläuterungen** zum Bauprojekt sind in der Systematik der Kostengliederung zu ordnen.

Besteht ein Bauprojekt aus **mehreren Abschnitten**, die z. B. funktional, zeitlich, räumlich oder wirtschaftlich getrennt sind, so sind für jeden Abschnitt getrennte Kostenermittlungen aufzustellen.

Bei Bauprojekten **im Bestand** sollten die Kosten nach Abbruch-, Instandsetzungs- und Neubaumaßnahmen unterschieden werden. Der Wert vorhandener Bausubstanz und wieder verwendeter Teile ist in den entsprechenden Kostengruppen gesondert auszuweisen.

Der Wert für **Eigenleistungen** ist bei den betroffenen Kostengruppen gesondert auszuweisen. Er besteht aus den Personal- und Sachkosten, die für entsprechende Unternehmerleistungen entstehen würden.

Sofern **besondere Kosten** durch außergewöhnliche Bedingungen des Standorts (z. B. bei Gelände, Baugrund oder Umgebung), durch besondere Umstände des Bauprojekts oder durch Forderungen außerhalb der Zweckbestimmung des Bauwerks anfallen, sind sie bei den betroffenen Kostengruppen gesondert auszuweisen.

Vorhersehbare **Kostenrisiken** sollten in Kostenermittlungen nach Art, Umfang und Eintrittswahrscheinlichkeit benannt werden. Dazu sollte man geeignete Maßnahmen zur Reduzierung, Vermeidung, Überwälzung und Steuerung dieser Risiken aufzeigen.

Bei Kostenermittlungen ist vom **Kostenstand** zum Zeitpunkt der Ermittlungen auszugehen; der Kostenstand ist durch die Angabe des Zeitpunktes zu dokumentieren. Soweit Kosten auf einen anderen Zeitpunkt, z. B. den der Fertigstellung, prognostiziert werden, sind sie gesondert auszuweisen.

Bei Kostenangaben, z. B. bei der Bildung und Verwendung von Kennwerten, ist immer anzugeben, ob die **Umsatzsteuer** enthalten ist („Brutto-Kosten") oder nicht („Netto-Kosten") oder ob die Umsatzsteuer vielleicht nur bei einzelnen, übergeordneten Kostengruppen enthalten ist.

3.4 Stufen der Kostenermittlung

In den folgenden Abschnitten 3.4.1 bis 3.4.5 werden die Stufen der Kostenermittlung nach ihrem Zweck, den erforderlichen Grundlagen und dem Detaillierungsgrad festgelegt.

3.4.1 Kostenrahmen

Der Kostenrahmen *ist* eine Grundlage für die Entscheidung über die Bedarfsplanung sowie für grundsätzliche Wirtschaftlichkeits- und Finanzierungsüberlegungen und zur Festlegung einer Kostenvorgabe.

Grundlagen für den Kostenrahmen sind insbesondere:

- quantitative Bedarfsangaben, z. B. Raumprogramm mit Nutzeinheiten, Funktionselemente und deren Flächen,
- qualitative Bedarfsangaben, z. B. bautechnische Anforderungen, Funktionsanforderungen, Ausstattungsstandards,
- gegebenenfalls auch Angaben zum Standort.

Im Kostenrahmen sind mindestens die Bauwerkskosten innerhalb der Gesamtkosten gesondert auszuweisen.

3.4.2 Kostenschätzung

Die Kostenschätzung *ist* eine Grundlage für die Entscheidung über die Vorplanung.

Grundlagen für die Kostenschätzung sind:

- Ergebnisse der Vorplanung, insbesondere Planungsunterlagen und zeichnerische Darstellungen,
- *Mengenberechnungen, z. B. für Grundflächen und Rauminhalte nach DIN 277, soweit Kosten üblicherweise auf diese Einheiten bezogen werden*[4)]
- erläuternde Angaben zu den planerischen Zusammenhängen, Vorgängen und Bedingungen,
- Angaben zum Baugrundstück und zur Erschließung.

In der Kostenschätzung müssen die Gesamtkosten nach Kostengruppen mindestens bis zur 1. Ebene der Kostengliederung ermittelt werden.

---

4) *Der Originaltext* „Berechnung der Mengen von Bezugseinheiten der Kostengruppen, (nach DIN 277)" *ist nicht nur schlechtes Deutsch, sondern auch ziemlich unverständlich. Der Verweis auf DIN 277 steht nur bei der Kostenschätzung. Bei der Kostenberechnung und erst recht beim Kostenanschlag sollte man versuchen, von den zwangsläufig groben flächen- und raumbezogenen Kostenwerten auf Bauelementbezug umzustellen, z. B. m² Außenwände (siehe dazu „Baukosten und Bauzeiten" in: Wienerberger Baukalender 2007, Bauwerk Verlag Berlin.)*

3.4.3 Kostenberechnung

Die Kostenberechnung *ist* eine Grundlage für die Entscheidung über die Entwurfsplanung.

Grundlagen für die Kostenberechnung sind insbesondere:

- Planungsunterlagen, z. B. durchgearbeitete Entwurfszeichnungen (Maßstab nach Art und Größe des Bauvorhabens), gegebenenfalls auch Detailpläne mehrfach wiederkehrender Raumgruppen,
- *Berechnung der Bezugsmengen nach DIN 277 oder nach Gebäudeelementen*[1)]
- Erläuterungen, z. B. Beschreibung der Einzelheiten in der Systematik der Kostengliederung, die aus den Zeichnungen und den Berechnungsunterlagen nicht zu ersehen, aber für die Berechnung und Beurteilung der Kosten von Bedeutung sind.

In der Kostenberechnung müssen die Gesamtkosten nach Kostengruppen mindestens bis zur 2. Ebene der Kostengliederung ermittelt werden.

3.4.4 Kostenanschlag

Der Kostenanschlag *ist* eine Grundlage für die Entscheidung über die Ausführungsplanung und die Vorbereitung der Vergabe.

Grundlagen für den Kostenanschlag sind insbesondere:

- Planungsunterlagen, z. B. endgültige, vollständige Ausführungs-, Detail- und Konstruktionszeichnungen,
- Berechnungen, z. B. für Standsicherheit, Wärmeschutz, technische Anlagen,
- *Berechnung der Bezugsmengen nach DIN 277 oder nach Gebäudeelementen*[1)]
- Erläuterungen zur Bauausführung, z. B. Leistungsbeschreibungen
- Zusammenstellungen von Angeboten, Aufträgen und bereits entstandenen Kosten, z. B. für das Grundstück, für Baunebenkosten usw.

Im Kostenanschlag müssen die Gesamtkosten nach Kostengruppen mindestens bis zur 3. Ebene der Kostengliederung ermittelt und nach den vorgesehenen Vergabeeinheiten geordnet werden. Der Kostenanschlag kann auch ablaufbedingt in mehreren Schritten aufgestellt werden.

3.4.5 Kostenfeststellung

Die Kostenfeststellung dient *dem* Nachweis der entstandenen Kosten sowie gegebenenfalls zu Vergleichen und Dokumentationen.

Grundlagen für die Kostenfeststellung sind insbesondere:

- geprüfte Abrechnungsbelege, z. B. Schlussrechnungen, Nachweise der Eigenleistungen,
- Planungsunterlagen, z. B. Abrechnungszeichnungen,
- Erläuterungen.

In der Kostenfeststellung müssen die Gesamtkosten nach Kostengruppen bis zur 3. Ebene der Kostengliederung unterteilt werden.

3.5 Kostenkontrolle und Kostensteuerung

Kostenkontrolle und -steuerung dienen der Überwachung der Kostenentwicklung und der Einhaltung von Kostenvorgaben (s.a. *Ziffern 2.6 und 2.7*)

4 Kostengliederung

4.1 Aufbau der Kostengliederung

Die folgende Kostengliederung sieht drei Gliederungsebenen vor; diese sind durch dreistellige Ordnungszahlen gekennzeichnet.

In der 1. Ebene der Kostengliederung werden die Gesamtkosten in folgende sieben Kostengruppen gegliedert:

100 Grundstück
200 Herrichten und Erschließen
300 Bauwerk – Baukonstruktionen
400 Bauwerk – Technische Anlagen
500 Außenanlagen
600 Ausstattung und Kunstwerke
700 Baunebenkosten

Bei Bedarf werden diese Kostengruppen entsprechend der Kostengliederung in die Kostengruppen der 2. und 3. Ebene unterteilt. Die Kostengruppen 300 und 400 können zu Bauwerkskosten zusammengefasst werden.

Über die Kostengliederung dieser Norm hinaus können die Kosten entsprechend den technischen Merkmalen oder den herstellungsmäßigen Gesichtspunkten oder nach der Lage im Bauwerk bzw. auf dem Grundstück weiter untergliedert werden.

Beginnend mit dem Kostenanschlag sollten die Kostengruppen auch projektspezifisch nach Vergabeeinheiten geordnet werden, damit Angebote, Aufträge und Abrechnungen laufend kontrolliert werden können. Das gilt auch für ausführungsorientierte Gliederungen.

4.2 Ausführungsorientierte Gliederung der Kosten

Soweit es die Umstände des Einzelfalls zulassen (z. B. im Wohnungsbau) oder erfordern (z. B. bei Modernisierungen), können die Kosten vorrangig ausführungsorientiert gegliedert werden, d. h. man kann bereits die Kostengruppen der 1. Kostengliederungsebene gewerkeorientiert oder nach anderen Ausführungsstrukturen unterteilen.

Hierfür können die Gliederung in Leistungsbereiche nach dem Textsystem STLB-Bau, nach dem Standardleistungskatalog (STLK) oder vergleichbare Gliederungen verwendet werden. Dies entspricht formal der 2. Kostengliederungsebene.

Im Falle einer solchen ausführungsorientierten Gliederung der Kosten ist eine weitere Unterteilung, z. B. in Teilleistungen,[1)] erforderlich, damit die Leistungen hinsichtlich Inhalt, Eigenschaften und Menge beschrieben und erfasst werden können. Dies entspricht formal der 3. Ebene der Kostengliederung.

---

1) *In der Regel wohl eher in Leistungsgruppen, z. B. nach dem von Fleischmann/Hemmerich in „Angebotskalkulation mit Richtwerten" (Werner Verlag, 2004) vorgeschlagenen Ordnungsschlüssel.*

4.3 Darstellung der Kostengliederung

Die in der Spalte „Anmerkungen" aufgeführten Güter, Leistungen oder Abgaben sind Beispiele für die jeweilige Kostengruppe; die Aufzählung ist nicht abschließend.

	Kostengruppen	Anmerkungen
100	**Grundstück**	
110	**Grundstückswert**	
120	**Grundstücksnebenkosten**	Kosten, die im Zusammenhang mit dem Erwerb eines Grundstücks entstehen
121	Vermessungsgebühren	
122	Gerichtsgebühren	
123	Notariatsgebühren	
124	Maklerprovisionen	
125	Grunderwerbssteuer	
126	Wertermittlungen, Untersuchungen	Wertermittlungen, Untersuchungen zu Altlasten und deren Beseitigung, Baugrunduntersuchungen und Untersuchungen über die Bebaubarkeit, soweit sie zur Beurteilung des Grundstückswertes dienen
127	Genehmigungsgebühren	
128	Bodenordnung, Grenzregulierung	
129	Grundstücksnebenkosten, Sonstiges	
130	**Freimachen**	Kosten, die aufzuwenden sind, um ein Grundstück von Belastungen frei zu machen
131	Abfindungen	Abfindungen und Entschädigungen für bestehende Nutzungsrechte, z. B. Miet- und Pachtverträge
132	Ablösen dinglicher Rechte	Ablösung von Lasten und Beschränkungen, z. B. von Wegerechten
139	Freimachen, Sonstiges	
200	**Herrichten und Erschließen**	Kosten aller vorbereitenden Maßnahmen, *um das Grundstück bebauen zu können*
210	**Herrichten**	Kosten der vorbereitenden Maßnahmen auf dem Baugrundstück
211	Sicherungsmaßnahmen	Schutz von vorhandenen Bauwerken, Bauteilen, Versorgungsleitungen sowie Sichern von Bewuchs und Vegetationsschichten
212	Abbruchmaßnahmen	Abbrechen und Beseitigen von vorhandenen Bauwerken, Ver- und Entsorgungsleitungen sowie Verkehrsanlagen
213	Altlastenbeseitigung	Beseitigen von Kampfmitteln und anderen gefährlichen Stoffen, Sanieren belasteter und kontaminierter Böden

	Kostengruppen	Anmerkungen
214	Herrichten der Geländeoberfläche	Roden von Bewuchs, Planieren, Bodenbewegungen einschließlich Oberbodensicherung, soweit nicht in KG 500 erfasst
219	Herrichten, Sonstiges	
220	**Öffentliche Erschließung**	Anteilige Kosten aufgrund gesetzlicher Vorschriften (Erschließungsbeiträge/Anliegerbeiträge) und Kosten aufgrund öffentlich-rechtlicher Verträge für – die Beschaffung oder den Erwerb der Erschließungsflächen gegen Entgelt durch den Träger der öffentlichen Erschließung, – die Herstellung oder Änderung gemeinschaftlich genutzter technischer Anlagen, z. B. zur Ableitung von Abwasser sowie zur Versorgung mit Wasser, Wärme, Gas, Strom und Telekommunikation, – die erstmalige Herstellung oder den Ausbau der öffentlichen Verkehrsflächen, der Grünflächen und sonstiger Freiflächen für öffentliche Nutzung. Kostenzuschüsse und Anschlusskosten sollen getrennt ausgewiesen werden.
221	Abwasserentsorgung	Anschlussbeiträge, Anschlusskosten
222	Wasserversorgung	Kostenzuschüsse, Anschlusskosten
223	Gasversorgung	Kostenzuschüsse, Anschlusskosten
224	Fernwärmeversorgung	Kostenzuschüsse, Anschlusskosten
225	Stromversorgung	Kostenzuschüsse, Anschlusskosten
226	Telekommunikation	Einmalige Entgelte für die Bereitstellung und Änderung von Netzanschlüssen
227	Verkehrserschließung	Erschließungsbeiträge für die Verkehrs- und Freianlagen einschließlich deren Entwässerung und Beleuchtung
228	Abfallentsorgung	Kostenzuschüsse, Anschlusskosten, z. B. für eine leitungsgebundene Entsorgung
229	Öffentliche Erschließung, Sonstiges	
230	**Nichtöffentliche Erschließung**	Kosten für Verkehrsflächen und technische Anlagen, die ohne öffentlich-rechtliche Verpflichtung oder Beauftragung mit dem Ziel der späteren Übertragung in den Gebrauch der Allgemeinheit hergestellt und ergänzt werden. Kosten von Anlagen auf dem eigenen Grundstück gehören zu der Kostengruppe 500. Soweit erforderlich, kann die Kostengruppe 230 entsprechend der Kostengruppe 220 untergliedert werden.
240	**Ausgleichsabgaben**	Kosten, die aufgrund rechtlicher Bestimmungen aus Anlass des geplanten Bauvorhabens einmalig und zusätzlich zu den Erschließungsbeiträgen entstehen. Hierzu gehört insbesondere das Ablösen von Verpflichtungen aus öffentlich-rechtlichen Vorschriften, z. B. für Stellplätze, Baumbestand.

	Kostengruppen	Anmerkungen
250	**Übergangsmaßnahmen**	
251	Provisorien	Kosten der Erstellung, Anpassung oder Umlegung von Bauwerken und Außenanlagen als provisorische Maßnahme der endgültigen Bauwerke und Außenanlagen einschließlich Wiederentfernen der Provisorien, soweit nicht in den Kostengruppen 398, 498 und 598 erfasst.
252	Auslagerungen	Kosten für die Auslagerung von Nutzungen während der Bauzeit
300	**Bauwerk – Baukonstruktionen**	Kosten von Bauleistungen und Lieferungen zur Herstellung des Bauwerks, jedoch ohne die technischen Anlagen (Kostengruppe 400). Dazu gehören auch die mit dem Bauwerk fest verbundenen Einbauten, die der besonderen Zweckbestimmung dienen, sowie übergreifende Maßnahmen in Zusammenhang mit den Baukonstruktionen. Bei Umbauten und Modernisierungen zählen hierzu auch die Kosten von Teilabbruch-, Instandsetzungs-, Sicherungs- und Demontagearbeiten. Zuordnung zu den betroffenen Kostengruppen.
310	**Baugrube**	
311	Baugrubenherstellung	Bodenabtrag, Aushub einschl. Arbeitsräumen und Böschungen, Lagern, Hinterfüllen, Ab- und Anfuhr
312	Baugrubenumschließung	Verbau, z. B. Schlitz-, Pfahl-, Spund-, Trägerbohl-, Injektions- und Spritzbetonwände einschließlich Verankerung, Absteifung
313	Wasserhaltung	Grund- und Schichtenwasserbeseitigung während der Bauzeit
319	Baugrube, Sonstiges	
320	**Gründung**	Die Kostengruppen enthalten die zugehörigen Erdarbeiten und Sauberkeitsschichten.
321	Baugrundverbesserung	Bodenaustausch, Verdichtung, Einpressung
322	Flachgründungen	Einzel- und Streifenfundamente, Fundamentplatten
323	Tiefgründungen	Pfahlgründung einschließlich Roste, Brunnengründungen; Verankerungen
324	Unterböden und Bodenplatten	Unterböden und Bodenplatten, die nicht der Fundamentierung dienen
325	Bodenbeläge	Beläge auf Boden- und Fundamentplatten, z. B. Estriche, Dichtungs-, Dämm-, Schutz-, Nutzschichten
326	Bauwerksabdichtungen	Abdichtungen des Bauwerks einschließlich Filter-, Trenn- und Schutzschichten
327	Dränagen	Leitungen, Schächte, Packungen
329	Gründung, Sonstiges	
330	**Außenwände**	Wände und Stützen, die dem Außenklima ausgesetzt sind bzw. an das Erdreich oder an andere Bauwerke grenzen
331	Tragende Außenwände	Tragende Außenwände einschließlich horizontaler Abdichtungen

	Kostengruppen	Anmerkungen
332	Nichttragende Außenwände	Außenwände, Brüstungen, Ausfachungen, jedoch ohne Bekleidungen
333	Außenstützen	Stützen und Pfeiler mit einem Querschnittsverhältnis ≤ 1 : 5
334	Außentüren und -fenster	Fenster und Schaufenster, Türen und Tore einschließlich Fensterbänken, Umrahmungen, Beschlägen, Antrieben, Lüftungselementen und sonstigen eingebauten Elementen
335	Außenwandbekleidungen, außen	Äußere Bekleidungen einschließlich Putz-, Dichtungs-, Dämm-, Schutzschichten an Außenwänden und -stützen
336	Außenwandbekleidungen, innen	Raumseitige Bekleidungen, einschließlich Putz-, Dichtungs-, Dämm- und Schutzschichten an Außenwänden und -stützen
337	Elementierte Außenwände	Elementierte Wände, bestehend aus Außenwand, -fenstern, -türen, -bekleidungen
338	Sonnenschutz	Rollläden, Markisen und Jalousien einschließlich Antrieben
339	Außenwände, Sonstiges	Gitter, Geländer, Stoßabweiser und Handläufe
340	**Innenwände**	Innenwände und Innenstützen
341	Tragende Innenwände	Tragende Innenwände einschließlich horizontaler Abdichtungen
342	Nichttragende Innenwände	Innenwände, Ausfachungen, jedoch ohne Bekleidungen
343	Innenstützen	Stützen und Pfeiler mit einem Querschnittsverhältnis ≤ 1 : 5
344	Innentüren und -fenster	Türen und Tore, Fenster und Schaufenster einschließlich Umrahmungen, Beschlägen, Antrieben und sonstigen eingebauten Elementen
345	Innenwandbekleidungen	Bekleidungen einschließlich Putz, Dichtungs-, Dämm- und Schutzschichten an Innenwänden und -stützen
346	Elementierte Innenwände	Elementierte Wände, bestehend aus Innenwänden, -türen, -fenstern, -bekleidungen, z. B. Falt- und Schiebewände, Sanitärtrennwände, Verschläge
349	Innenwände, Sonstiges	Gitter, Geländer, Stoßabweiser, Handläufe, Rollläden einschließlich Antrieben
350	**Decken**	Decken, Treppen und Rampen oberhalb der Gründung und unterhalb der Dachfläche
351	Deckenkonstruktionen	Konstruktionen von Decken, Treppen, Rampen, Balkonen, Loggien einschließlich Über- und Unterzügen, füllenden Teilen wie Hohlkörpern, Blindböden, Schüttungen, jedoch ohne Beläge und Bekleidungen
352	Deckenbeläge	Beläge auf Deckenkonstruktionen einschließlich Estrichen, Dichtungs-, Dämm-, Schutz-, Nutzschichten; Schwing- und Installationsdoppelböden
353	Deckenbekleidungen	Bekleidungen unter Deckenkonstruktionen einschl. Putz, Dichtungs-, Dämm- und Schutzschichten; Licht- und Kombinationsdecken

	Kostengruppen	Anmerkungen
359	Decken, Sonstiges	Abdeckungen, Schachtdeckel, Roste, Geländer, Stoßabweiser, Handläufe, Leitern, Einschubtreppen
360	**Dächer**	Flache oder geneigte Dächer
361	Dachkonstruktionen	Konstruktionen von Dächern, Dachstühlen, Raumtragwerken und Kuppeln einschließlich Über- und Unterzügen, füllenden Teilen wie Hohlkörpern, Blindböden, Schüttungen, jedoch ohne Beläge und Bekleidungen
362	Dachfenster, Dachöffnungen	Fenster und Ausstiege einschließlich Umrahmungen, Beschlägen, Antrieben, Lüftungselementen und sonstigen eingebauten Elementen
363	Dachbeläge	Beläge auf Dachkonstruktionen einschl. Schalungen, Lattungen, Gefälle-, Dichtungs-, Dämm-, Schutz- und Nutzschichten; Entwässerungen der Dachfläche bis zum Anschluss an die Abwasseranlagen
364	Dachbekleidungen	Dachbekleidungen unter Dachkonstruktionen einschließlich Putz, Dichtungs-, Dämm-, Schutzschichten; Licht- und Kombinationsdecken unter Dächern
369	Dächer, Sonstiges	Geländer, Laufbohlen, Schutzgitter, Schneefänge, Dachleitern, Sonnenschutz
370	**Baukonstruktive Einbauten**	Kosten der mit dem Bauwerk fest verbundenen Einbauten, jedoch ohne die nutzungsspezifischen Anlagen (siehe Kostengruppe 470). Für die Abgrenzung gegenüber der Kostengruppe 610 ist maßgebend, dass die Einbauten durch ihre Beschaffenheit und Befestigung technische und bauplanerische Maßnahmen erforderlich machen, z. B. Anfertigen von Werkplänen, statischen und anderen Berechnungen, Anschließen von Installationen
371	Allgemeine Einbauten	Einbauten, die einer allgemeinen Zweckbestimmung dienen, z. B. Einbaumöbel wie Sitz- und Liegemöbel, Gestühl, Podien, Tische, Theken, Schränke, Garderoben, Regale, Einbauküchen
372	Besondere Einbauten	Einbauten, die einer besonderen Zweckbestimmung dienen, z. B. Werkbänke in Werkhallen, Labortische in Labors, Bühnenvorhänge in Theatern, Altäre in Kirchen, Einbausportgeräte in Sporthallen, Operationstische in Krankenhäusern
379	Baukonstruktive Einbauten, Sonstiges	z. B. Rauchschutzvorhänge
390	**Sonstige Maßnahmen für Baukonstruktionen**	Baukonstruktionen und übergreifende Maßnahmen im Zusammenhang mit den Baukonstruktionen, die nicht einzelnen Kostengruppen der Baukonstruktionen zuzuordnen sind oder nicht unter KG 490 oder 590 erfasst sind

	Kostengruppen	Anmerkungen
391	Baustelleneinrichtung	Einrichten, Vorhalten, Betreiben, Räumen der übergeordneten Baustelleneinrichtung, z. B. Material- und Geräteschuppen, Lager-, Wasch-, Toiletten- und Aufenthaltsräume, Bauwagen, Misch- und Transportanlagen, Energie- und Bauwasseranschlüsse, Baustraßen, Lager- und Arbeitsplätze, Verkehrssicherungen, Abdeckungen, Bauschilder, Bau- und Schutzzäune, Baubeleuchtung, Schuttbeseitigung
392	Gerüste	Auf-, Um-, Abbauen, Vorhalten von Gerüsten
393	Sicherungsmaßnahmen	Sicherungsmaßnahmen an bestehenden Bauwerken; z. B. Unterfangungen, Abstützungen
394	Abbruchmaßnahmen	Abbruch- und Demontagearbeiten einschließlich Zwischenlagern wiederverwendbarer Teile, Abfuhr des Abbruchmaterials, soweit nicht in anderen Kostengruppen erfasst
395	Instandsetzungen	Maßnahmen zur Wiederherstellung eines Zustandes, der zum bestimmungsgemäßen Gebrauch geeignet ist, soweit nicht in anderen Kostengruppen erfassbar
396	Materialentsorgung	Entsorgung von Materialien und Stoffen, die beim Abbruch, bei der Demontage und beim Ausbau von Bauteilen oder bei der Erstellung einer Bauleistung anfallen, zum Zweck des Recyclings oder der Deponierung
397	Zusätzliche Maßnahmen	Zusätzliche Maßnahmen bei der Erstellung von Baukonstruktionen, z. B. Schutz von Personen, Sachen; Reinigung vor Inbetriebnahme; Maßnahmen aufgrund von Forderungen des Wasser-, Landschafts-, Lärm- und Erschütterungsschutzes während der Bauzeit; Schlechtwetter- und Winterbauschutz; Erwärmung des Bauwerkes, Schneeräumung
398	Provisorische Baukonstruktionen	Kosten für Erstellung und Beseitigung provisorischer Baukonstruktionen, Anpassung des Bauwerks bis zu seiner Inbetriebnahme
399	Sonstige Maßnahmen für Baukonstruktionen, Sonstiges	Baukonstruktionen, die mehrere Kostengruppen betreffen, z. B. Schließanlagen, Schächte, Schornsteine, soweit nicht in anderen Kostengruppen erfasst
400	**Bauwerk – Technische Anlagen**	Kosten aller im Bauwerk eingebauten, daran angeschlossenen oder damit fest verbundenen technischen Anlagen oder Anlagenteile Die einzelnen technischen Anlagen enthalten die zugehörigen Gestelle, Befestigungen, Armaturen, Wärme- und Kältedämmung, Schall- und Brandschutzvorkehrungen, Abdeckungen, Verkleidungen, Anstriche, Kennzeichnungen sowie die anlagenspezifischen Mess-, Steuer- und Regelanlagen.
410	**Abwasser-, Wasser-, Gasanlagen**	
411	Abwasseranlagen	Abläufe, Abwasserleitungen, Abwassersammel- und Abwasserbehandlungsanlagen, Hebeanlagen

	Kostengruppen	Anmerkungen
412	Wasseranlagen	Wassergewinnungs-, Aufbereitungs-, Druckerhöhungsanlagen, Rohrleitungen, dezentrale Wassererwärmer, Sanitärobjekte
413	Gasanlagen	Gasanlagen für Wirtschaftswärme: Gaslagerungs- und Erzeugungsanlagen, Übergabestationen, Druckregelanlagen und Gasleitungen, soweit nicht zu den Kostengruppen 420 oder 470 gehörend
419	Abwasser-, Wasser-, Gasanlagen, Sonstiges	Installationsblöcke, Sanitärzellen
420	**Wärmeversorgungsanlagen**	
421	Wärmeerzeugungsanlagen	Brennstoffversorgung, Wärmeübergabestationen, Wärmeerzeugung auf der Grundlage von Brennstoffen oder unerschöpflichen Energiequellen einschl. Schornsteinanschlüsse, zentrale Wassererwärmungsanlagen
422	Wärmeverteilnetze	Pumpen, Verteiler; Rohrleitungen für Raumheizflächen, raumlufttechnische Anlagen und sonstige Wärmeverbraucher
423	Raumheizflächen	Heizkörper, Flächenheizsysteme
429	Wärmeversorgungsanlagen, Sonstiges	Schornsteine, soweit nicht in anderen Kostengruppen erfasst
430	**Lufttechnische Anlagen**	Anlagen mit und ohne Lüftungsfunktion
431	Lüftungsanlagen	Ab- und Zuluftanlagen, ohne oder mit einer thermodynamischen Luftbehandlungsfunktion, mechanische Entrauchungsanlagen
432	Teilklimaanlagen	Anlagen mit zwei oder drei thermodynamischen Luftbehandlungsfunktionen
433	Klimaanlagen	Anlagen mit vier thermodynamischen Luftbehandlungsfunktionen
434	Kälteanlagen	Kälteanlagen für lufttechnische Anlagen: Kälteerzeugungs- und Rückkühlanlagen einschließlich Pumpen, Verteilern und Rohrleitungen
439	Lufttechnische Anlagen, Sonstiges	Lüftungsdecken, Kühldecken, Abluftfenster; Installationsdoppelböden, soweit nicht in anderen Kostengruppen erfasst
440	**Starkstromanlagen**	Einschließlich Brandschutzdurchführungen, soweit nicht in anderen Kostengruppen erfasst
441	Hoch- und Mittelspannungsanlagen	Schaltanlagen, Transformatoren
442	Eigenstromversorgungsanlagen	Stromerzeugungsaggregate einschließlich Kühlung, Abgasanlagen und Brennstoffversorgung, zentrale Batterie- und unterbrechungsfreie Stromversorgungsanlagen, photovoltaische Anlagen
443	Niederspannungsschaltanlagen	Niederspannungshauptverteiler, Blindstromkompensations-, Maximumüberwachungsanlagen
444	Niederspannungsinstallationsanlagen	Kabel, Leitungen, Unterverteiler, Verlegesysteme, Installationsgeräte

	Kostengruppen	Anmerkungen
445	Beleuchtungsanlagen	Ortsfeste Leuchten, Sicherheitsbeleuchtung
446	Blitzschutz- und Erdungsanlagen	Auffangeinrichtungen, Ableitungen, Erdungen, Potenzialausgleich
449	Starkstromanlagen, Sonstiges	Frequenzumformer
450	**Fernmelde- und informationstechnische Anlagen**	Die einzelnen Anlagen enthalten die zugehörigen Verteiler, Kabel, Leitungen.
451	Telekommunikationsanlagen	
452	Such- und Signalanlagen	Personenrufanlagen, Lichtruf- und Klingelanlagen, Türsprech- und Türöffneranlagen
453	Zeitdienstanlagen	Uhren- und Zeiterfassungsanlagen
454	Elektroakustische Anlagen	Beschallungsanlagen, Konferenz- und Dolmetscheranlagen, Gegen- und Wechselsprechanlagen
455	Fernseh- und Antennenanlagen	Fernsehanlagen, soweit nicht in den Such-, Melde-, Signal- und Gefahrenmeldeanlagen erfasst, einschl. Sende- und Empfangsantennenanlagen, Umsetzer
456	Gefahrenmelde- und Alarmanlagen	Brand-, Überfall-, Einbruchmeldeanlagen, Wächterkontrollanlagen, Zugangskontroll- und Raumbeobachtungsanlagen
457	Übertragungsnetze	Netze zur Übertragung von Daten, Sprache, Text und Bild, soweit nicht in anderen Kostengruppen, Verlegesysteme, soweit nicht in KG 444 erfasst
459	Informationstechnische Anlagen, Sonstiges	Fernwirkanlagen, Parkleitsysteme
460	**Förderanlagen**	
461	Aufzugsanlagen	Personenaufzüge, Lastenaufzüge
462	Fahrtreppen, Fahrsteige	
463	Befahranlagen	Fassadenaufzüge und andere Befahranlagen
464	Transportanlagen	Automatische Warentransportanlagen, Aktentransportanlagen, Rohrpostanlagen
465	Krananlagen	Einschließlich Hebezeuge
469	Förderanlagen, Sonstiges	Hebebühnen
470	**Nutzungsspezifische Anlagen**	Kosten der mit dem Bauwerk fest verbundenen Anlagen, die der besonderen Zweckbestimmung dienen, jedoch ohne baukonstruktive Einbauten (KG 370) Für die Abgrenzung gegenüber der KG 610 ist maßgebend, dass die nutzungsspezifischen Anlagen technische und planerische Maßnahmen erforderlich machen, z. B. Anfertigen von Werkplänen, Berechnungen, Anschließen von anderen technischen Anlagen.
471	Küchentechnische Anlagen	Einrichtungen zur Speisen- und Getränkezubereitung, -ausgabe und -lagerung einschließlich zugehöriger Kälteanlagen
472	Wäscherei- und Reinigungsanlagen	Einschließlich zugehöriger Wasseraufbereitung, Desinfektions- und Sterilisationseinrichtungen

	Kostengruppen	Anmerkungen
473	Medienversorgungsanlagen	Medizinische und technische Gase, Druckluft, Vakuum, Flüssigchemikalien, Lösungsmittel, vollentsalztes Wasser; einschließlich Lagerung, Erzeugungsanlagen, Übergabestationen, Druckregelanlagen, Leitungen und Entnahmearmaturen
474	Medizin- und labortechnische Anlagen	Ortsfeste medizin- und labortechnische Anlagen
475	Feuerlöschanlagen	Sprinkler- und Gaslöschanlagen, Löschwasserleitungen, Wandhydranten, Handfeuerlöscher
476	Badetechnische Anlagen	Aufbereitungsanlagen für Schwimmbeckenwasser, soweit nicht in KG 410 erfasst
477	Anlage für Prozesswärme, -kälte und -luft	Wärme-, Kälte- und Kühlwasserversorgungsanlagen für Industrie-, Gewerbe- und Sportanlagen, soweit nicht in anderen Kostengruppen erfasst; Farbnebelabscheideanlagen, Prozessfortluftsysteme, Absauganlagen
478	Entsorgungsanlagen	Abfall- und Medienentsorgungsanlagen, Staubsauganlagen
479	Nutzungsspezifische Anlagen, Sonstiges	Bühnentechnische Anlagen, Tankstellen- und Waschanlagen
480	**Gebäudeautomation**	Kosten der anlagenübergreifenden Automation
481	Automationssysteme	Automationsstationen, Bedien- und Beobachtungseinrichtungen, GA-Funktionen, Programmiereinrichtungen, Sensoren und Aktoren, Kommunikationsschnittstellen, Software der Automationsstationen
482	Schaltschränke	Schaltschränke zur Aufnahme von Automationssystemen (KG 481) mit Leistungs-, Steuerungs- und Sicherungsbaugruppen einschließlich zugehöriger Kabel und Leitungen; Verlegesysteme soweit nicht in anderen Kostengruppen erfasst
483	Management- und Bedieneinrichtungen	Übergeordnete Einrichtungen für Gebäudeautomation und Gebäudemanagement mit Bedienstationen, Programmiereinrichtungen, Anwendungssoftware, Lizenzen, Servern, Schnittstellen zu Automationseinrichtungen und externen Einrichtungen
484	Raumautomationssysteme	Raumautomationsstationen mit Bedien- und Anzeigeeinrichtungen, Schnittstellen zu Feldgeräten und andere Automationseinrichtungen
485	Übertragungsnetze	Netze zur Datenübertragung, soweit nicht in anderen Kostengruppen erfasst
489	Gebäudeautomation, Sonstiges	
490	**Sonstige Maßnahmen für technische Anlagen**	Technische Anlagen und übergreifende Maßnahmen im Zusammenhang mit den technischen Anlagen, die keiner der vorstehenden Kostengruppen zugeordnet werden können

	Kostengruppen	Anmerkungen
491	Baustelleneinrichtung	Einrichten, Vorhalten, Betreiben, Räumen der übergeordneten Baustelleneinrichtung für technische Anlagen, z. B. Material- und Geräteschuppen, Lager-, Wasch-, Toiletten- und Aufenthaltsräume, Bauwagen, Misch- und Transportanlagen, Energie- und Bauwasseranschlüsse, Baustraßen, Lager- und Arbeitsplätze, Verkehrssicherungen, Abdeckungen, Bauschilder, Bau- und Schutzzäune, Baubeleuchtung, Schuttbeseitigung
492	Gerüste	Auf-, Um-, Abbauen, Vorhalten von Gerüsten
493	Sicherungsmaßnahmen	Sicherungsmaßnahmen an bestehenden Bauwerken; z. B. Unterfangungen, Abstützungen
494	Abbruchmaßnahmen	Abbruch- und Demontagearbeiten einschließlich Zwischenlagern wiederverwendbarer Teile, Abfuhr des Abbruchmaterials, soweit nicht in anderen Kostengruppen erfasst
495	Instandsetzungen	Maßnahmen zur Wiederherstellung des zum bestimmungsgemäßen Gebrauch geeigneten Zustandes, soweit nicht in anderen Kostengruppen erfasst
496	Materialentsorgung	Entsorgung von Materialien und Stoffen, die bei dem Abbruch, bei der Demontage und bei dem Ausbau von Anlagenteilen oder bei der Erstellung einer Bauleistung anfallen, zum Zweck des Recyclings oder der Deponierung
497	Zusätzliche Maßnahmen	Zusätzliche Maßnahmen bei der Erstellung von Technischen Anlagen, z. B. Schutz von Personen, Sachen; Reinigung vor Inbetriebnahme; Maßnahmen aufgrund von Forderungen des Wasser-, Landschafts-, Lärm- und Erschütterungsschutzes während der Bauzeit; Schlechtwetter- und Winterbauschutz, Erwärmung der technischen Anlagen, Schneeräumung
498	Provisorische technische Anlagen	Kosten für Erstellung und Beseitigung provisorischer technischer Anlagen sowie deren Anpassung bis zur endgültigen Inbetriebnahme
499	Sonstige Maßnahmen für Technische Anlagen, Sonstiges	
500	**Außenanlagen**	
510	**Geländeflächen**	
511	Oberbodenarbeiten	Oberbodenabtrag und -sicherung
512	Bodenarbeiten	Bodenabtrag und -auftrag
519	Geländeflächen, Sonstiges	Entwicklungspflege
520	**Befestigte Flächen**	
521	Wege	Befestigte Fläche für den Fuß- und Radfahrverkehr
522	Straßen	Flächen für den Leicht- und Schwerverkehr; Fußgängerzonen mit Anlieferungsverkehr
523	Plätze, Höfe	Gestaltete Platzflächen, Innenhöfe
524	Stellplätze	Flächen für den ruhenden Verkehr

	Kostengruppen	Anmerkungen
525	Sportplatzflächen	Sportrasenflächen, Kunststoffflächen
526	Spielplatzflächen	
527	Gleisanlagen	
529	Befestigte Flächen, Sonstiges	
530	**Baukonstruktionen in Außenanlagen**	
531	Einfriedungen	Zäune, Mauern, Türen, Tore, Schrankenanlagen
532	Schutzkonstruktionen	Lärmschutzwände, Sichtschutzwände, Schutzgitter
533	Mauern, Wände	Stütz- und Schwergewichtsmauern
534	Rampen, Treppen, Tribünen	Kinderwagen- und Behindertenrampen, Block- und Stellstufen, Zuschauertribünen von Sportplätzen
535	Überdachungen	Wetterschutz, Unterstände; Pergolen
536	Brücken, Stege	Holz- und Stahlkonstruktionen
537	Kanal- und Schachtbauanlagen	Bauliche Anlagen für Medien- oder Verkehrserschließung
538	Wasserbauliche Anlagen	Brunnen, Wasserbecken
539	Baukonstruktionen in Außenanlagen, Sonstiges	
540	**Technische Anlagen in Außenanlagen**	Kosten der technischen Anlagen auf dem Grundstück einschließlich der Ver- und Entsorgung des Bauwerks
541	Abwasseranlagen	Kläranlagen, Oberflächen- und Bauwerksentwässerungsanlagen, Sammelgruben, Abscheider, Hebeanlagen
542	Wasseranlagen	Wassergewinnungsanlagen, Wasserversorgungsnetze, Hydrantenanlagen, Druckerhöhungs- und Beregnungsanlagen
543	Gasanlagen	Gasversorgungsnetze, Flüssiggasanlagen
544	Wärmeversorgungsanlagen	Wärmeerzeugungsanlagen, Wärmeversorgungsnetze, Freiflächen- und Rampenheizungen
545	Lufttechnische Anlagen	Bauteile von lufttechnischen Anlagen, z. B. Außenluftansaugung, Fortluftausblas, Erdwärmetauscher, Kälteversorgung
546	Starkstromanlagen	Stromversorgungsnetze, Freilufttrafostationen, Eigenstromerzeugungsanlagen, Außenbeleuchtungs- und Flutlichtanlagen einschließlich Maste und Befestigung
547	Fernmelde- und informationstechnische Anlagen	Leitungsnetze, Beschallungs-, Zeitdienst- und Verkehrssignalanlagen, elektronische Anzeigetafeln, Objektsicherungsanlagen, Parkleitsysteme
548	Nutzungsspezifische Anlagen	Medienversorgungsanlagen, Tankstellenanlagen, badetechnische Anlagen, leitungsgebundene Abfallentsorgung
549	Technische Anlagen in Außenanlagen, Sonstiges	

	Kostengruppen	Anmerkungen
550	**Einbauten in Außenanlagen**	
551	Allgemeine Einbauten	Wirtschaftsgegenstände, z. B. Möbel, Fahrradständer, Schilder, Pflanzbehälter, Abfallbehälter, Fahnenmaste
552	Besondere Einbauten	Einbauten für Sport- und Spielanlagen, Tiergehege
559	Einbauten in Außenanlagen, Sonstiges	
560	**Wasserflächen**	Naturnahe Wasserflächen
561	Abdichtungen	Einschließlich Schutzschichten, Bodensubstrast und Uferausbildung
562	Bepflanzungen	
569	Wasserflächen, Sonstiges	
570	**Pflanz- und Saatflächen**	
571	Oberbodenarbeiten	Oberbodenauftrag, Oberbodenlockerung
572	Vegetationstechnische Bodenbearbeitung	Bodenverbesserung, z. B. Düngung, Bodenhilfsstoffe
573	Sicherungsbauweisen	Vegetationsstücke, Geotextilien, Flechtwerk
574	Pflanzen	Einschließlich Fertigstellungspflege
575	Rasen und Ansaaten	Einschließlich Fertigstellungspflege, ohne Sportrasenflächen (siehe KG 525)
576	Begrünung unterbauter Flächen	Auf Tiefgaragen, einschließlich Wurzelschutz- und Fertigstellungspflege
579	Pflanz- und Saatflächen, Sonstiges	
590	**Sonstige Außenanlagen**	Außenanlagen und übergreifende Maßnahmen im Zusammenhang mit den Außenanlagen, die nicht einzelnen Kostengruppen der Außenanlagen zugeordnet werden können
591	Baustelleneinrichtung	Einrichten, Vorhalten, Betreiben, Räumen der übergeordneten Baustelleneinrichtung, z. B. Material- und Geräteschuppen, Lager-, Wasch-, Toiletten- und Aufenthaltsräume, Bauwagen, Misch- und Transportanlagen, Energie- und Bauwasseranschlüsse, Baustraßen, Lager- und Arbeitsplätze, Verkehrssicherungen, Abdeckungen, Bauschilder, Bau- und Schutzzäune, Baubeleuchtung, Schuttbeseitigung
592	Gerüste	Auf-, Um-, Abbauen, Vorhalten von Gerüsten
593	Sicherungsmaßnahmen	Sicherungsmaßnahmen an bestehenden baulichen Anlagen, z. B. Unterfangungen, Abstützungen
594	Abbruchmaßnahmen	Abbruch- und Demontagearbeiten einschließlich Zwischenlagern wiederverwendbarer Teile, Abfuhr des Abbruchmaterials, soweit nicht in anderen Kostengruppen erfasst
595	Instandsetzungen	Maßnahmen zur Wiederherstellung des zum bestimmungsgemäßen Gebrauch geeigneten Zustandes, soweit nicht in anderen Kostengruppen erfasst

	Kostengruppen	Anmerkungen
596	Materialentsorgung	Entsorgung von Materialien und Stoffen, die beim Abbruch, bei der Demontage und beim Ausbau von Außenanlagen oder bei der Erstellung einer Bauleistung anfallen, zum Zweck des Recyclings oder der Deponierung
597	Zusätzliche Maßnahmen	Zusätzliche Maßnahmen bei der Erstellung von Außenanlagen, z. B. Schutz von Personen, Sachen; Reinigung vor Inbetriebnahme; Maßnahmen aufgrund von Forderungen des Wasser-, Landschafts-, Lärm- und Erschütterungsschutzes während der Bauzeit; Schlechtwetter- und Winterbauschutz, Erwärmung, Schneeräumung
598	Provisorische Außenanlagen	Kosten für Erstellung und Beseitigung provisorischer Außenanlagen und deren Anpassung bis zur Inbetriebnahme der endgültigen Außenanlagen
599	Sonstige Maßnahmen für Außenanlagen, Sonstiges	
600	**Ausstattung und Kunstwerke**	Kosten für alle beweglichen oder ohne besondere Maßnahmen zu befestigenden Sachen, die zur Ingebrauchnahme, zur allgemeinen Benutzung oder zur künstlerischen Gestaltung des Bauwerks und der Außenanlagen erforderlich sind (siehe Anmerkungen zu den Kostengruppen 370 und 470).
610	**Ausstattung**	
611	Allgemeine Ausstattung	Möbel und Geräte, z. B. Sitz- und Liegemöbel, Schränke, Regale, Tische; Textilien, z. B. Vorhänge, Wandbehänge, lose Teppiche, Wäsche; Hauswirtschafts-, Garten- und Reinigungsgeräte
612	Besondere Ausstattung	Ausstattungsgegenstände, die der besonderen Zweckbestimmung eines Objektes dienen, wie z. B. wissenschaftliche, medizinische und technische Geräte
619	Ausstattung, Sonstiges	Schilder, Wegweiser, Orientierungstafeln, Werbeanlagen
620	**Kunstwerke**	
621	Kunstobjekte	Kunstwerke zur künstlerischen Ausstattung des Bauwerks und der Außenanlagen einschließlich Tragkonstruktionen, z. B. Skulpturen, Objekte, Gemälde, Möbel, Antiquitäten, Altäre, Taufbecken
622	Künstlerisch gestaltete Bauteile des Bauwerks	Kosten für die künstlerische Gestaltung, z. B. Malereien, Reliefs, Mosaiken, Glas-, Schmiede-, Steinmetzarbeiten
623	Künstlerisch gestaltete Bauteile der Außenanlagen	
629	Kunstwerke, Sonstiges	
700	**Baunebenkosten**	
710	**Bauherrenaufgaben**	
711	Projektleitung	Kosten für die Zielvorgabe, deren Überwachung und die Vertretung der Bauherreninteressen

	Kostengruppen	Anmerkungen
712	Bedarfsplanung	Kosten für Bedarfs-, Betriebs- und Organisationsplanung, z. B. zur betrieblichen Organisation, zur Arbeitsplatzgestaltung, zur Erstellung von Raum- und Funktionsprogrammen, zur betrieblichen Ablaufplanung und zur Inbetriebnahme
713	Projektsteuerung	Kosten für Projektsteuerungsleistungen sowie für andere Leistungen, die sich mit der übergeordneten Steuerung und Kontrolle von Projektorganisation, Terminen, Kosten, Qualitäten und Quantitäten befassen
719	Bauherrenaufgaben, Sonstiges	Baubetreuung, Rechtsberatung, Steuerberatung
720	**Vorbereitung der Objektplanung**	
721	Untersuchungen	Standortanalysen, Baugrundgutachten, Gutachten für die Verkehrsanbindung, Bestandsanalysen, z. B. Untersuchungen zum Gebäudebestand bei Umbau- und Modernisierungsmaßnahmen, Umweltverträglichkeitsprüfungen
722	Wertermittlungen	Gutachten zur Ermittlung von Gebäudewerten, soweit nicht in Kostengruppe 126 erfasst
723	Städtebauliche Leistungen	vorbereitende Bebauungsstudien
724	Landschaftsplanerische Leistungen	vorbereitende Grünplanstudien
725	Wettbewerbe	Kosten für Ideenwettbewerbe und Realisierungswettbewerbe
729	Vorbereitung der Objektplanung, Sonstiges	
730	**Architekten- und Ingenieurleistungen**	Kosten für die Planung und Überwachung der Ausführung
731	Gebäudeplanung	
732	Freianlagenplanung	
733	Planung der raumbildenden Ausbauten	
734	Planung der Ingenieurbauwerke und Verkehrsanlagen	
735	Tragwerksplanung	
736	Planung der technischen Ausrüstung	Gemäß Berichtigung 1 zu DIN 276-1, vom Febr. 07
739	Architekten- und Ingenieurleistungen, Sonstiges	
740	**Gutachten und Beratung**	
741	Thermische Bauphysik	
742	Schallschutz und Raumakustik	
743	Bodenmechanik, Erd- und Grundbau	

	Kostengruppen	Anmerkungen
744	Vermessung	Vermessungstechnische Leistungen mit Ausnahme von Leistungen, die aufgrund landesrechtlicher Vorschriften für Zwecke der Landvermessung und des Liegenschaftskatasters durchgeführt werden (siehe Kostengruppe 771)
745	Lichttechnik, Tageslichttechnik	
746	Brandschutz	
747	Sicherheits- und Gesundheitsschutz	
748	Umweltschutz, Altlasten	
749	Gutachten und Beratung, Sonstiges	
750	**Künstlerische Leistungen**	
751	Kunstwettbewerbe	Kosten für die Durchführung von Wettbewerben zur Erarbeitung eines Konzepts für Kunstwerke oder künstlerisch gestaltete Bauteile
752	Honorare	Kosten für geistig-schöpferische Tätigkeit an Kunstwerken oder künstlerisch gestalteten Bauteilen, soweit nicht in der Kostengruppe 620 enthalten
759	Sonstiges	
760	**Finanzierungskosten**	Alle im Zusammenhang mit der Finanzierung des Projektes anfallenden Kosten bis zum Zeitpunkt der Fertigstellung und der Übergabe zur Nutzung
761	Finanzierungsbeschaffung	
762	Fremdkapitalzinsen	
763	Eigenkapitalzinsen	
769	Finanzierungskosten, Sonstiges	
770	**Allgemeine Baunebenkosten**	
771	Prüfungen, Genehmigungen, Abnahmen	Kosten im Zusammenhang mit Prüfungen, Genehmigungen und Abnahmen, z. B. Prüfung der Tragwerksplanung, Vermessungsgebühren für das Liegenschaftskataster
772	Bewirtschaftungskosten	Baustellenbewachung, Nutzungsentschädigungen während der Bauzeit; Gestellung des Baustellenbüros für Planer und Bauherrn sowie dessen Beheizung, Beleuchtung und Reinigung
773	Bemusterungskosten	Modellversuche, Musterstücke, Eignungsversuche, Eignungsmessungen
774	Betriebskosten nach der Abnahme	Kosten für den vorläufigen Betrieb insbesondere der technischen Anlagen, von der Abnahme bis zur Inbetriebnahme
775	Versicherungen	Haftpflicht- und Bauwesenversicherung
779	Allgemeine Baunebenkosten, Sonstiges	Kosten für Vervielfältigung und Dokumentation, Post- und Fernsprechgebühren, Kosten für Baufeiern, z. B. Grundsteinlegung, Richtfest
790	**Sonstige Baunebenkosten**	

Grundflächen und Rauminhalte von Bauwerken im Hochbau nach DIN 277

Die Normenreihe DIN 277 ist zuletzt 2005 in folgenden Teilen erschienen:

DIN 277		Grundflächen und Rauminhalte von Bauwerken im Hochbau
-1	(02.05)	Begriffe, Ermittlungsgrundlagen
-2	(02.05)	Gliederung der Netto-Grundfläche (Nutzflächen, Technische Funktionsflächen und Verkehrsflächen)
-3	(04.05)	Mengen und Bezugseinheiten (berichtigte Fassung 02.05)

*Im **Teil 1** wurde gegenüber der Ausgabe 06. 1987 vor allem Folgendes geändert:*

- *Die Funktionsfläche (FF) heißt nun „Technische Funktionsfläche (TF)“.*
- *Der „Konstruktions-Rauminhalt (KRI)“ wurde neu aufgenommen.*
- *Die getrennte Ermittlung von Grundflächen mit Höhen bis/über 1,50 m entfällt.*

Die Begriffe und Ermittlungsgrundlagen nach DIN 277-1 werden in Abschnitt 1 auszugsweise wiedergegeben.

*Der **Teil 2** enthält die nur redaktionell überarbeitete einheitliche Gliederung der Netto-Grundfläche für Hochbauten unterschiedlicher Nutzung und ist für den Wohnungsbau kaum von Bedeutung. In Abschnitt 2 wird daher nur die Gliederung nach Nutzungsgruppen abgedruckt.*

*Der **Teil 3** wurde ebenfalls nur redaktionell überarbeitet. Er legt Bezugseinheiten für die Kostengruppen nach DIN 276 fest und dient damit der Kostenplanung, der Bildung von Kostenkennwerten und dem Vergleich von Bauwerken. Der folgende Abschnitt 3 enthält eine Kombination der Tabellen 1 und 2 dieses Normenteils.*

*Die **Wohnfläche** wird in DIN 277 weiterhin nicht definiert, die seit längerem zurückgezogene DIN 283 „Wohnflächen“ durch sie also nicht ersetzt. Für den öffentlich geförderten Wohnungsbau waren die Vorschriften für die Ermittlung der Wohnfläche bisher in der Zweiten Berechnungsverordnung (II. BV) enthalten. Seit Beginn des Jahres 2004 gilt dafür die „Verordnung zur Berechnung der Wohnfläche (Wohnflächenverordnung – WoFlV)“ vom 25. November 2003* (siehe Seite 72).

Im frei finanzierten Wohnungsbau kann man also entweder die Wohnfläche ebenfalls nach dieser Verordnung oder anstelle der Wohnfläche die zur Wohnung gehörende Nutzfläche nach DIN 277-1 ermitteln. Die sich dabei ergebenden Unterschiede in der Zuordnung sind der folgenden Gegenüberstellung zu entnehmen.

Außerdem gibt es nach DIN 277-1 keine Möglichkeit, Raumteile mit lichten Höhen zwischen 1 und 2 m sowie unbeheizbare Wintergärten nur zur Hälfte einzrechnen, Balkone, Loggien, Dachgärten und Terrassen sogar nur zu einem Viertel.

Schließlich ist die Vorschrift, aus Rohbaumaßen ermittelte Netto-Flächen um 3 % zu kürzen, nicht aus der II. BV in die WoFlV übernommen worden (siehe dazu § 3, Abs.4).

Zur Nutzfläche nach DIN 277-1 gehören:	*Zur Wohnfläche nach WoFlV gehören:*
Nutzflächen außerhalb der Wohnung wie Wirtschaftskeller, Waschküchen, Abstell-, Trocken- und Bodenräume	*Keine Flächen außerhalb der Wohnung, ausgenommen Schwimmbäder o. Ä. (siehe WoFlV, § 2)*
keine Treppenflächen (= VF)	*Flächen von Treppen mit bis zu drei Stufen und deren Treppenabsätze*
Grundflächen nicht raumhoher Vormauerungen und Bekleidungen	*Grundflächen über 0,1 m² von Vormauerungen, Bekleidungen, frei stehenden Säulen, wenn ihre Höhe > 1,5 m ist*
keine Grundflächen von Nischen	*Grundflächen von über 13 cm tiefen, bis zum Fußboden reichenden Wandnischen*

1 Grundflächen und Rauminhalte nach DIN 277-1

Grundflächen und Rauminhalte sind getrennt nach Grundrissebenen, nach unterschiedlichen Höhen und nach ihrer Zugehörigkeit zu den folgenden Bereichen in m^2 bzw. m^3 zu ermitteln:

- Bereich a: überdeckt und allseitig in voller Höhe umschlossen (z. B. normale Innenräume)
- Bereich b: überdeckt, jedoch nicht allseitig in voller Höhe umschlossen (z. B. Loggien)
- Bereich c: nicht überdeckt (z. B. Balkone und Freisitze).

Konstruktive und gestalterische Vor- und Rücksprünge an den Innen- und Außenwandflächen sowie Fußleisten und vorstehende Teile von Fenster- und Türbekleidungen bleiben bei allen Ermittlungen unberücksichtigt.

1.1 Brutto-Grundfläche (BGF) = NGF + KGF; Summe der Grundflächen aller Geschossebenen eines Bauwerks, ermittelt nach den äußeren Maßen der Bauteile *einschließlich* Bekleidungen, z. B. Putz oder Außenschalen mehrschaliger Wände, in Höhe des Fußbodenbelags. Flächen des Bereichs b sind da, wo sie nicht umschlossen sind, bis zur senkrechten Projektion ihrer Überdeckung zu rechnen.

Nicht zur BGF gehören Flächen, die nur der Wartung oder Instandsetzung dienen, z. B. Dachleitern oder Wartungsstege, sowie nicht genutzte Dachflächen.

1.2 Konstruktions-Grundfläche (KGF); Summe der Grundflächen aufgehender Bauteile in allen Grundrissebenen eines Bauwerks, ermittelt in Höhe des Fußbodenbelags. *Mitgemessen* werden dabei Schornsteine, Installationshohlräume, Wandnischen und -schlitze, Tür- und Fensteröffnungen, Durchgänge sowie „kleine" Installationskanäle und -schächte (mit lichtem Querschnitt bis zu 1 m^2).

KGF zwischen den Bereichen a und b sind dem Bereich a zuzuordnen.

1.3 Netto-Grundfläche (NGF) = NF + TF + VF; Summe der Grundflächen aller Grundrissebenen, ermittelt als lichte Maße zwischen den aufgehenden Bauteilen in Höhe des Fußbodenbelags *einschließlich* der Grundflächen freiliegender Installationen, nicht raumhoher Vormauerungen und Bekleidungen, fest eingebauter Gegenstände wie Öfen, Heiz- und Klimageräte, Bade- oder Duschwannen, Einbaumöbel, nicht ortsgebundener, versetzbarer Raumteiler, sowie von Aufzugsschächten und „großen" Installationsschächten (mit lichtem Querschnitt über 1 m^2). Schächte sind für jede Geschossebene zu erfassen, durch die sie führen.

Treppen und Rampen sind senkrecht auf die darüberliegende Geschossebene zu projizieren, soweit sie keine eigenen Ebenen darstellen und soweit sich keine Überschneidungen mit anderen Grundflächen ergeben. Grundflächen unter der jeweils ersten Treppe oder Rampe werden der darunterliegenden Ebene zugeordnet.

1.4 Nutzfläche (NF); Summe der Grundflächen mit Nutzungen gemäß Tabelle unter Ziffer 2, Zeilen 1 bis 7.

1.5 Technische Funktionsfläche (TF, bisher **FF);** Summe der Grundflächen von Räumen für betriebstechnische Anlagen, z. B. zur Abwasseraufbereitung und -beseitigung, zur Wasser-, Strom- und Gasversorgung (Hausanschlussräume), zur Heizung und Brauchwassererwärmung, für Raumluft-, Fernmelde- und Förderanlagen sowie von Installationsräumen und -schächten.

Ist es die Zweckbestimmung eines Bauwerks, betriebstechnische Anlagen für andere Bauwerke unterzubringen, z. B. bei einem Heizhaus, so sind die entsprechenden Grundflächen Nutzflächen nach Tabelle unter Ziffer 2, Zeile 7.

1.6 Verkehrsfläche (VF); Summe der Grundflächen zur Verkehrserschließung, z. B. Flächen der Flure, Dielen, Windfänge, Treppen und Treppenräume, Aufzugs- und Abwurfschächte (je Geschoss zu erfassen), Durchfahrten, aber *ohne* Bewegungsflächen zwischen Einrichtungsgegenständen.

1.7 Brutto-Rauminhalt (BRI) = NRI + KRI; Summe der Rauminhalte über den Brutto-Grundflächen des Bauwerks, ermittelt mit den dazugehörenden Höhen. Diese rechnen

- im untersten Geschoss von der Unterfläche der konstruktiven Bauwerkssohle bis zur Oberfläche des Fußbodenbelags im folgenden Geschoss,
- in den mittleren Geschossen zwischen den Oberflächen der Fußbodenbeläge,
- im obersten Geschoss bis zur Oberfläche des Dachbelags, *auch* von Oberlichtern und Dachgauben,
- in Flächenbereichen c bis OK der umschließenden Bauteile wie Brüstungen, Attiken, Geländer.

Unberücksichtigt bleiben Fundamente, Lichtschächte, Außentreppen und -rampen, Eingangsüberdachungen, auskragende Sonnenschutzanlagen, Schornsteinköpfe, Lüftungsrohre oberhalb des Dachbelags sowie Dachüberstände, soweit sie nicht zur Überdeckung von Flächenbereichen b dienen.

1.8 Konstruktions-Rauminhalt (KRI); Summe der Rauminhalte aller Bauteile, die Netto-Rauminhalte umschließen, *einschließlich* der Rauminhalte von abgehängten Decken, Doppelböden, mehrschaligen Fassaden sowie Installationsschächten und -kanälen mit lichten Querschnitten bis 1 m^2.

1.9 Netto-Rauminhalt (NRI); Summe der lichten Rauminhalte aller Räume, deren Grundflächen zur Netto-Grundfläche gehören, ermittelt mit den *lichten* Höhen, sinngemäß nach 1.7.

2 Gliederung der Netto-Grundfläche nach DIN 277-2

Die folgende Tabelle enthält die Gliederung nach Nutzungsgruppen gemäß Tabelle 1 des Normenteils. Eine weitere Tabelle der Norm ordnet einzelne Räume beispielhaft diesen Nutzungsgruppen zu. Die Unterscheidung nach Haupt- und Nebennutzflächen ist entfallen.

Zeile	Netto-Grundfläche	Nutzungsgruppen
1	Nutzfläche (NF)	Wohnen und Aufenthalt
2		Büroarbeit
3		Produktion, Hand-, Maschinen-, Laborarbeit
4		Lagern, Verteilen und Verkaufen
5		Bildung, Unterricht und Kultur
6		Heilen und Pflegen
7		Sonstige Nutzflächen
8	Techn. Funktionsfläche (TF)	Technische Anlagen
9	Verkehrsfläche (VF)	Verkehrserschließung und -sicherung

3 Mengen und Bezugseinheiten nach DIN 277-3, Tabelle 1

Diese Norm legt Bezugseinheiten *(sowie die Bezeichnung und Ermittlung der zugehörigen Mengen)* für Kostengruppen (KG) nach DIN 276-1 fest. Sie dient damit der Kostenplanung, der Bildung von Kostenkennwerten und dem Vergleich von Bauwerken.

Die Kostengruppen und Kostengruppen-Nummern (KG-Nr.) entsprechen weitgehend denen aus Tabelle 1 der DIN 276-1, sind also dreistellig (Seite 20ff.). Für die Kostengruppe 400 Bauwerk – Technische Anlagen wird alternativ eine 2. Tabelle mit einer weiteren Gliederungsebene angeboten.

Dem folgenden Auszug aus den beiden Tabellen liegt für die KG-Nr. 400ff. die detaillierte Tabelle 2 zugrunde, soweit sie für den Wohnungsbau relevant ist.

Tabellen 1 und 2 Mengen und Bezugseinheiten (siehe obige Erläuterungen)

KG-Nr.	Kostengruppe	Bezugseinheit, Menge, Mengenermittlung	
100 ff.	**Grundstück**	m^2	Grundstücksfläche nach Grundbuch oder Vermessung
200 ff.	**Herrichten und Erschließen**	m^2	Grundstücksfläche nach Grundbuch oder Vermessung
300	**Baukonstruktionen**	m^2	Brutto-Grundfläche (BGF) nach DIN 277-1
310	**Baugrube**	m^3	Baugrubenrauminhalt einschl. Arbeitsräume und Böschungen
311	Baugrubenherstellung		
312	Baugrubenumschließung	m^2	verbaute Fläche, entsprechend den senkrechten Grenzflächen der Baugrube
313	Wasserhaltung	m^2	Gründungsfläche, entsprechend den Brutto-Grundflächen der untersten Grundrissebenen
319	Baugrube, Sonstiges	m^3	Baugrubenrauminhalt wie 310
320 ff.	**Gründung**	m^2	Gründungsfläche wie vor bzw. anteilige Gründungsfläche
330 ff.	**Außenwände**	m^2	Außenwandfläche als Summe aller Wandflächen, die den Brutto-Rauminhalt nach DIN 277-1 umschließen,[1] bzw. anteilige Außenwandfläche, ausgenommen:
333	Außenstützen	m	Außenstützenlänge, entsprechend der Summe der Längen aller Außenstützen
338	Sonnenschutz	m^2	sonnengeschützte Fläche als anteilige Außenwandfläche
340 ff.	**Innenwände**	m^2	Innenwandfläche als Summe aller Wandflächen, die den Brutto-Rauminhalt des Bereiches a nach DIN 277-1 unterteilen, bzw. anteilige Innenwandfläche, ausgenommen:
343	Innenstützen	m	Innenstützenlänge, entsprechend der Summe der Längen aller Innenstützen
350 ff.	**Decken**	m^2	Deckenfläche als Summe aller Brutto-Grundflächen ohne Gründungsfläche bzw. anteilige Deckenfläche
360 ff.	**Dächer**	m^2	Dachfläche als Summe aller flachen oder geneigten Dachflächen, die den Brutto-Rauminhalt nach oben abgrenzen, zuzügl. Dachüberstände, bzw. anteilige Dachfläche
370 ff.	**Konstr. Einbauten**	m^2	Brutto-Grundfläche (BGF) nach DIN 277-1
390 ff.	**Sonst. Maßnahmen**		
400 ff.	**Technische Anlagen**		

[1] Die Flächen sind in die Bereiche a, b und c nach DIN 277-1 zu unterteilen.

KG-Nr.		Kostengruppe	Bezugseinheit, Menge, Mengenermittlung	
410		**Abwasser-, Wasser-, Gasanlagen**		
411		**Abwasseranlagen**		
	1	Abwasserleitungen, Abläufe	m	Länge der Abwasserleitungen
	2	Grundleitungen, Abläufe	m	Länge der Grundleitungen
	3	AW-Sammel- und Behandlungsanlagen	St	Anzahl der AW-Anlagen
	4	Abscheider	St	Anzahl der Abscheider
	5	Hebeanlagen	St	Anzahl der Hebeanlagen
412		**Wasseranlagen**		
	1	Wassergewinnungsanlagen	St	Anzahl der Anlagen
	2	Wasseraufbereitungsanlagen	St	Anzahl der Anlagen
	3	Druckerhöhungsanlagen	St	Anzahl der Anlagen
	4	Wasserleitungen	m	Länge der Wasserleitungen
	5	Dezentrale Wassererwärmer	St	Anzahl der Erwärmer
	6	Sanitärobjekte	St	Anzahl der Objekte
	7	Wasserspeicher	St	Anzahl der Speicher
413		**Gasanlagen**		
	1	Gaslagerungsanlagen	St	Anzahl der Anlagen
	2	Übergabestationen	St	Anzahl der Stationen
	3	Druckregelanlagen	St	Anzahl der Anlagen
	4	Gasleitungen	m	Länge der Leitungen
414		Löschanlagen	entfällt weitgehend im Wohnungsbau	
419		Abwasser-, Wasser-, Gasanlagen, Sonstiges		
	1	Installationsblöcke	St	Installationsblöcke
	2	Sanitärzellen	St	Sanitärzellen
420		**Wärmeversorgungsanlagen**		
421		**Wärmeerzeugungsanlagen**		
	1	Brennstoffversorgungsanlagen	St	Anzahl der Anlagen
	2	Wärmeübergabestationen	kW	Heizleistung, Wärmeübergabe
	3	Heizkesselanlagen	kW	Kesselleistung
	4	Wärmepumpenanlagen	kW	Heizleistung der Pumpenanlagen
	5	Solaranlagen	kW	Heizleistung der Solaranlagen
	6	Wassererwärmungsanlagen	St	Anzahl der Anlagen
	7	Mess-, Steuer- und Regelanlagen	St	Anzahl der Heizgruppen

KG-Nr.		Kostengruppe	Bezugseinheit, Menge, Mengenermittlung	
422		Wärmeverteilnetze		
	1	Verteilungen	St	Anzahl der Heizgruppen
	2	Rohrleitungen	m	Länge der Rohrleitungen
423		Raumheizflächen		
	1	Heizkörper	St	Anzahl der Heizkörper
	2	Flächenheizsysteme	m^2	Heizsystemfläche (anteil. NGF)
429		Wärmeversorgung, Sonstiges		
	1	Schornsteinanlagen	St	Anzahl der Schornsteinanlagen
430		**Lufttechnische Anlagen**		
431		**Lüftungsanlagen**		
	1	Zuluftanlagen	m^3/h	Volumenstrom der Ventilatoren
	2	Abluftanlagen	m^3/h	wie vor, aber für Abluft
	3	Wärmerückgewinnungsanlagen	St	Anzahl der Anlagen
	4	Zuluftleitungen	m^2	Abwicklungsfläche der Zuluft-
	5	Abluftleitungen	m^2	wie vor, aber der Abluftleitungen
	6	Mess-, Steuer-, Regelanlagen	St	Anzahl der Regelkreise
432		**Teilklimaanlagen**	Gleiche Untergliederungen von 1 – 6 und gleiche Mengen wie KG 431	
433		**Klimaanlagen**		
434		**Prozesslufttechnische Anlagen**	Für Wohnungsbau kaum relevant	
435		**Kälteanlagen**		
440		**Starkstromanlagen**		
441		**Hoch- und Mittelspannungsanl.**		
	1	Schaltanlagen	St	Anzahl der Schaltanlagenfelder
	2	Transformatoren	St	Anzahl der Transformatoren
442		**Eigenstromversorgungsanlagen**		
	1	Rotierende Anlagen	kVA	Nennleistung der Anlagen
	2	Statische Anl. mit Wechselrichter	kVA	Nennleistung der Anlagen
	3	Zentrale Batterieanlagen	Ah	Speicherkapazität der Anlagen
	4	Photovoltaikanlagen	kWp	Nennleistung der Anlagen
443		**Niederspannungsschaltanlagen**		
	1	Niederspannungshauptverteiler	St	Anzahl der Schaltanlagenfelder
	2	Blindstromkompensationsanl.	kvar	Kompensationsleistung
	3	Maximalüberwachungsanlagen	St	Anzahl der Anlagen
444 ff.		**Niederspanungsinstallation**	m^2	BGF nach DIN 277-1
445		**Beleuchtungsanlagen**	m^2	BGF für ortsfeste Leuchten

KG-Nr.	Kostengruppe	Bezugseinheit, Menge, Mengenermittlung
446	**Blitzschutzanlagen**	
1,2	Ableitungen, Erdungen	m^2 BGF
450 ff.	**Fernmeldeanlagen**	m^2 BGF (Tab. 1) bzw. St (Tab. 2)
460	**Förderanlagen**	m^2 BGF
461	Aufzugsanlagen	m^2 BGF bzw. St Haltestellen (Tab. 2)
500	**Außenanlagen**	m^2 Außenanlagenfläche, entsprechend dem für Außenanlagen vorgesehenen Teil der Grundstücksfläche
510 ff.	**Geländeflächen**	m^2 Geländefläche als anteilige Außenanlagenfläche bzw. anteilige Geländefläche, z. B.:
515	Rasen	m^2 Rasenfläche entsprechend dem mit Rasen versehenen Anteil der Geländefläche
520 ff.	**Befestigte Flächen**	m^2 befestigte Fläche als anteilige Außenanlagenfläche bzw. anteilige befestigte Fläche, z. B.:
524	Stellplätze	m^2 Stellplatzfläche als der mit Stellplätzen belegte Anteil der befestigten Fläche
530	**Baukonstruktionen**	m^2 Außenanlagenfläche gemäß KG-Nr. 500
531	Einfriedungen	m^2 Einfriedungsfläche als Summe der wahren Flächen von Einfriedungen
532	Schutzkonstruktionen	m^2 Schutzkonstruktions- bzw. Mauer- oder Wandfläche als Summe der wahren Flächen
533	Mauern, Wände	
534	Rampen, Treppen	m^2 Grundfläche der Rampen, Treppen, Überdachungen, Brücken, Stege als Summen der entsprechenden Grundflächen
535	Überdachungen	
536	Brücken, Stege	
537	Kanal- und Schachtbauanlagen	m Kanal-, Schachtanlagenlänge als Summe der entsprechenden Längen
538	Wasserbauliche Anlagen	m^2 Grundfläche Wasserbau als Summe der Grundflächen wasserbaulicher Anlagen
539	Sonstiges	m^2 Außenanlagenfläche gemäß KG-Nr. 500
540 ff.	**Technische Anlagen**	m^2 Außenanlagenfläche gemäß KG-Nr. 500
550 ff.	**Einbauten**	m^2 Außenanlagenfläche gemäß KG-Nr. 500
590 ff.	**Sonst. Maßnahmen**	m^2 Außenanlagenfläche gemäß KG-Nr. 500
600 ff.	**Ausstattung und Kunstwerke**	m^2 Brutto-Grundfläche (BGF) nach DIN 277-1
700 ff.	**Baunebenkosten**	m^2 Brutto-Grundfläche (BGF) nach DIN 277-1

Nutzungskosten im Hochbau nach DIN 18 960

Im Februar 2008 ist die DIN 18 960 (Nutzungskosten im Hochbau) neu erschienen. Das Hauptanliegen der Neuausgabe die Anpassung an die ebenfalls in 2008 neu erschienene DIN 276-1 (siehe S. 13), vor allem im Begrifflichen und im Grundsätzlichen.

So können über die unten aufgeführten hinaus weitere Begriffe – sowie leider auch die unbefriedigende Hierarchie – aus DIN 276-1, Abschnitt 2, wenn man an die Stelle von Kosten-... Nutzungskosten-... setzt.

Es gibt, in Anlehnung an DIN 276-1, in Zukunft auch fünf Stufen von Nutzungskostenermittlungen, die allerdings nicht so streng an die einzelnen Planungsphasen gebunden sind.

Größte sachliche Änderung ist die nicht näher begründete Wiederaufnahme der (kalkulatorischen) Abschreibung, die in der Ausgabe 08.99 nicht mehr enthalten war, jetzt aber nicht mehr als eigene Kostengruppe (wie in der Ausgabe 08.76), sondern unter den Kapitalkosten, wo sie nun garnicht hingehört.

1 Begriffe und Grundsätze

1.1 Nutzungskosten im Hochbau sind alle in baulichen Anlagen und deren Grundstücken entstehenden, regelmäßig oder unregelmäßig wiederkehrenden Kosten vom Beginn ihrer Nutzbarkeit bis zu ihrer Beseitigung (Nutzungsdauer).

Anmerkung: Die Nutzungsdauer schließt die Übergabephase am Anfang sowie die Zeit bis zum Beginn der Beseitigung am Ende der Nutzung mit ein. Die Kosten der Herstellung, des Umbaues oder der Beseitigung von Gebäuden sind Kosten nach DIN 276-1.

1.2 Nutzungskostenplanung ist die Gesamtheit der Ermittlung, der Kontrolle, der Steuerung sowie des Vergleichs von Nutzkosten einschließlich der vorgegebenen Gebäudemanagementaufgaben.

1.3 Nutzungskostenermittlung im Sinne dieser Norm ist die Vorausberechnung der zukünftigen Nutzungskosten und die Feststellung der tatsächlich entstandenen Nutzungskosten, unter Berücksichtigung von Nutzungskostenrisiken und bezogen auf einen oder mehrere Betrachtungszeiträume.

Weitere Begriffe und Grundsätze sind sinngemäß DIN 276-1 zu entnehmen, so auch die Forderung, dass die Grundlagen, der Zeitpunkt und der Betrachtungszeitraum der Kostenermittlungen anzugeben ist, ebenso ob und wie die Umsatzsteuer berücksichtigt wurde oder werden soll (Seite 13ff.).

2 Arten (Stufen) der Nutzungskostenermittlung

2.1 Der Nutzungskostenrahmen ist eine Grundlage für die Entscheidung über die Bedarfsplanung nach DIN 18 205, für grundsätzliche Wirtschaftlichkeits- und Finanzierungsüberlegungen sowie zur Festlegung von Kostenvorgaben.

2.2 Die Nutzungskostenschätzung ist, in Verbindung mit der Kostenschätzung nach DIN 276-1 eine der Grundlagen für die Entscheidung über die Vorplanung und die Finanzierung und ist mindestens bis zur ersten Ebene der folgenden Kostengliederung zu gliedern.

2.3 Die Nutzungskostenberechnung stellt zusammen mit der Kostenberechnung nach DIN 276-1 eine wichtige Unterlage für die Entscheidung über die Entwurfsplanung dar. Gliederung mindestens bis zur zweiten Ebene; Fortschreibung bis zum Erscheinen des Nutzungskostenanschlags erforderlich.

2.4 Der Nutzungskostenanschlag ist die Zusammenstellung aller bei der Nutzung voraussichtlich anfallenden Kosten und wird bis zum Nutzungsbeginn erstellt. Gliederung mindestens bis zur dritten Ebene.

2.5 Die Nutzkostenfeststellung ist die Zusammenstellung aller bei der Nutzung in einem bestimmten Zeitraum (z. B. in 1 Jahr) angefallenen Kosten.

ANMERKUNG: *Bei der Kostenfeststellung geht es nicht mehr um (voraussichtlich) „anfallende“, sondern um durch Rechnungen o. Ä. tatsächlich nachgewiesene Kosten. Diese Nachweise werden erst im Laufe der ersten Nutzungsperiode zusammenkommen, das heißt, der Kostenanschlag wird nach und nach in die Kostenfeststellung überführt, und das bedeutet, die Gliederung sollte möglichst gleich und die erste Nutzungsperiode nicht zu lang sein.*

3 Kostengliederung

Nutzungskostenermittlungen dienen als Grundlagen für die Kostenkontrolle, für Planungs-, Vergabe- und Ausführungsentscheidungen, zum Nachweis der entstandenen Nutzungskosten sowie auch zur Bildung von Kostenkennwerten.

Die Kostengliederung sieht, in Anlehnung an DIN 276-1, drei Gliederungsebenen vor. In der ersten Ebene werden die Gesamtkosten nach den folgenden Nutzungskostengruppen gegliedert:

100 – Kapitalkosten
200 – Objektmanagementkosten (bisher Verwaltungskosten)
300 – Betriebskosten
400 – Instandsetzungs- (Bauunterhaltungs-) kosten

„Bei Bedarf“ können diese Kostengruppen in der zweiten und dritten Ebene nach Tabelle 1 weiter gegliedert werden.

Tabelle 1 Nutzungskostengruppen

Nr.	Nutzungskostengruppen	Anmerkungen
100	**Kapitalkosten** (Finanzierung und Abschreibung)	
110	**Fremdmittel**	
111	Zinsen	
112	Bürgschaften	
113	Erbpacht	
114	Dienstbarkeiten, Baulasten	
119	Fremdmittel, Sonstiges	
120	**Eigenmittel**	kalkulatorisch
121	Zinsen	
129	Eigenmittel, Sonstiges	
130	**Abschreibung**	Kalkulatorische Abschreibung der Investitions- bzw. Wiederbeschaffungskosten, ohne Grundstück[1)]
131	Abnutzung	Nur anzusetzen, wo die Abnutzung nicht durch entspr. Instandhaltung (KG 400) ausgeglichen wird
200	**Objektmanagementkosten** (nur soweit nicht einzelnen KG zurechenbar)	
210	**Personalkosten**	
220	**Sachkosten**	
290	**Sonstiges**	
300	**Betriebskosten** (Fremd- und Eigenleistungen, Personal- und Sachkosten)	
310	**Versorgung**	
311	Wasser	Leitungs- und Regenwasser
312	Öl	
313	Gas	
314	Feste Brennstoffe	
315	Fernwärme	
316	Strom	Strom aus öffentlichem Netz, aus erneuerbaren Energien, aus KWK
319	Sonstiges	
320	**Entsorgung**	
321	Abwasser	schadstoffbelasstet oder nicht, öffentliches Netz
322	Abfall	Haus-, Sonder- oder Sperrmüll
329	Sonstiges	

Nr.	Nutzungskostengruppen	Anmerkungen
330	**Reinigung und Pflege von Gebäuden**	
331	Unterhaltungsreinigung [2]	
332	Glasreinigung	Außenfenster, Innenverglasung
333	Fassadenreinigung [2]	
334	Reinigung technischer Anlagen	Rohr- und Tankreinigung, Heizkörper, Kaminreinigung, ortsfeste Beleuchtung, Aggregate, Türöffner, Aufzugsanlagen
339	Sonstiges	
340	Reinigung und Pflege von Außenanlagen	
341	Befestigte Flächen	Wege, Straßen, Plätze, Spiel- und Sportplätze
342	Pflanz- und Grünflächen	Rasen, Beete, Gehölze, Bäume
343	Wasserflächen (einschl. Ufer)	
344	Baukonstruktionen im Außenbereich	Mauern, Überdachungen
345	Techn. Anlagen im Außenbereich	Abscheiderreinigung
349	Sonstiges	
350	Bedienung, Inspektion, Wartung	
351	Bedienung der techn. Anlagen	
352 bis 359	Inspektion und Wartung der Baukonstruktionen, der Technischen und der Außenanlagen, der Kunstwerke	Dränagen, Abdichtungen, Wandbekleidungen, Türen, Fenster, Geländer, Einschubtreppen, Dächer
360	**Sicherheits- und Überwachungsdienste**	
370	**Abgaben und Beiträge**	Grundsteuer, Versicherungen
400	**Instandsetzungskosten** (wirken der Abnutzung gemäß KG 131 entgegen)	
410 bis 490	Instandsetzung der Baukonstruktionen, der Technischen und der Außenanlagen und der Ausstattung	

[1] Dabei ergeben sich die Kosten aus der kalkulatorischen Abschreibung je Rechnungsperiode, z. B. je Jahr, *zu* $a = A / n$ mit A = eingesetztes Kapital und n = Jahre der *(voraussichtlichen)* wirtschaftlichen Nutzung

[2] Untergliederung nach Materialoberflächen und nach Nutzungsarten, mit oder ohne Geräteeinsatz, möglich.

B GESETZLICHE VORSCHRIFTEN

*Der Bundestag hat mit Zustimmung des Bundesrates das **Gesetz zur Reform des Wohnungsbaurechts** beschlossen. Es ist am 13. September 2001 im Bundesgesetzblatt veröffentlicht und damit verkündet worden. In Kraft Setzung am 1. Januar 2002.*

*Wegen der Auswirkungen auf andere Gesetze wird das Inhaltsverzeichnis dieses Artikel-Gesetzes abgedruckt. Als wichtigste Artikel werden Artikel 1 mit dem neuen **Wohnraumförderungsgesetz** und Artikel 2 über die **Aufhebung des Zweiten Wohnungsbaugesetzes** abgedruckt. Das **Zweite Wohnungsbaugesetz** ist auszugsweise in der 22. Auflage der Wohnungsbaunormen enthalten.*

*Die durch das neue Gesetz bewirkte Änderung der **Zweiten Berechnungsverordnung** hatte lediglich die Umstellung von Deutscher Mark auf Euro zum Gegenstand. Eine neuerliche Änderung der **Zweiten Berechnungsverordnung** erfolgte durch die neue **Wohnflächenverordnung*** am 25. 11. 2003 (hier im Folgenden abgedruckt). *Die Änderung des **Baugesetzbuchs** ist redaktioneller Art.*

Gesetz zur Reform des Wohnungsbaurechts

(Vom 13. September 2001)

Der Bundestag hat mit Zustimmung des Bundesrates das folgende Gesetz beschlossen:

Inhaltsübersicht

B

Die hier abgedruckten Vorschriften stellen einen Orientierungsrahmen für den Planer dar. Wer Informationen über Finanzierungsbedingungen benötigt, möge die vollständigen Gesetzestexte heranziehen. Es wird daher das komplette Inhaltsverzeichnis abgedruckt.

Artikel 1 Gesetz über die soziale Wohnraumförderung (Wohnraumförderungsgesetz – WoFG)

Inhaltsübersicht

B

Teil 3
Bundesmittel (*ausgelassen*)
§ 38 Bereitstellung und Verteilung von Finanzhilfen
§ 39 Verzinsung und Tilgung
§ 40 Rückflüsse an den Bund

Teil 4
Ergänzungsvorschriften (*ausgelassen*)
§ 41 Berichterstattung
§ 42 Förderstatistik
§ 43 Maßnahmen zur Baukostensenkung
§ 44 Sonderregelungen für einzelne Länder
§ 45 Förderung mit Wohnungsfürsorgemitteln

Teil 5
Überleitungs- und Schlussvorschriften
§ 46 Zeitlicher Anwendungsbereich
§ 47 Darlehen des Bundes und Förderung auf Grund früheren Rechts (*ausgelassen*)
§ 48 Anwendung des Zweiten Wohnungsbaugesetzes
§ 49 Anwendung des Wohnungsbaugesetzes für das Saarland (*ausgelassen*)
§ 50 Anwendung des Wohnungsbindungsgesetzes, der Neubaumietenverordnung und der Zweiten Berechnungsverordnung
§ 51 Anwendung des Gesetzes über den Abbau der Fehlsubventionierung im Wohnungswesen
§ 52 Bußgeldvorschriften

Teil 1
Allgemeines zur Förderung

Abschnitt 1 Zweck und Maßnahmen der Förderung

§ 1
Zweck und Anwendungsbereich, Zielgruppe

(1) Dieses Gesetz regelt die Förderung des Wohnungsbaus und anderer Maßnahmen zur Unterstützung von Haushalten bei der Versorgung mit Mietwohnraum, einschließlich genossenschaftlich genutzten Wohnraums, und bei der Bildung von selbst genutztem Wohneigentum (soziale Wohnraumförderung).

(2) Zielgruppe der sozialen Wohnraumförderung sind Haushalte, die sich am Markt nicht angemessen mit Wohnraum versorgen können und auf Unterstützung angewiesen sind. Unter diesen Voraussetzungen unterstützt

1. die Förderung von Mietwohnraum insbesondere Haushalte mit geringem Einkommen sowie Familien und andere Haushalte mit Kindern, Alleinerziehende, Schwangere, ältere Menschen, behinderte Menschen, Wohnungslose und sonstige hilfebedürftige Personen,

2. die Förderung der Bildung selbst genutzten Wohneigentums insbesondere Familien und andere Haushalte mit Kindern sowie behinderte Menschen, die unter Berücksichtigung ihres Einkommens und der Eigenheimzulage die Belastungen des Baus oder Erwerbs von Wohnraum ohne soziale Wohnraumförderung nicht tragen können.

§ 2
Fördergegenstände und Fördermittel

(1) Fördergegenstände sind:

1. Wohnungsbau, einschließlich des erstmaligen Erwerbs des Wohnraums innerhalb von zwei Jahren nach Fertigstellung (Ersterwerb),
2. Modernisierung von Wohnraum,
3. Erwerb von Belegungsrechten an bestehendem Wohnraum und
4. Erwerb bestehenden Wohnraums, wenn damit die Unterstützung von Haushalten bei der Versorgung mit Mietwohnraum durch Begründung von Belegungs- und Mietbindungen oder bei der Bildung von selbst genutztem Wohneigentum erfolgt.

(2) Die Förderung erfolgt durch

1. Gewährung von Fördermitteln, die aus öffentlichen Haushalten oder Zweckvermögen als Darlehen zu Vorzugsbedingungen, auch zur nachstelligen Finanzierung, oder als Zuschüsse bereitgestellt werden,
2. Übernahme von Bürgschaften, Garantien und sonstigen Gewährleistungen sowie
3. Bereitstellung von verbilligtem Bauland.

§ 3
Durchführung der Aufgaben und Zuständigkeiten

(1) Bund, Länder, Gemeinden und Gemeindeverbände wirken nach Maßgabe dieses Gesetzes bei der sozialen Wohnraumförderung zusammen.

(2) Die Länder führen die soziale Wohnraumförderung als eigene Aufgabe durch. Sie legen das Verwaltungsverfahren fest, soweit dieses Gesetz keine Regelungen trifft. Zuständige Stelle im Sinne dieses Gesetzes ist die Stelle, die nach Landesrecht zuständig ist oder von der Landesregierung in sonstiger Weise bestimmt wird.

(3) Die Länder sollen bei der sozialen Wohnraumförderung die wohnungswirtschaftlichen Belange der Gemeinden und Gemeindeverbände berücksichtigen; dies gilt insbesondere, wenn sich eine Gemeinde oder ein Gemeindeverband an der Förderung beteiligt. Die Länder können bei ihrer Förderung ein von einer Gemeinde oder einem Gemeindeverband beschlossenes Konzept zur sozialen Wohnraumversorgung (kommunales Wohnraumversorgungskonzept) zu Grunde legen.

(4) Gemeinden und Gemeindeverbände können mit eigenen Mitteln eine Förderung nach diesem Gesetz und den hierzu erlassenen landesrechtlichen Vorschriften durchführen, soweit nicht im Übrigen Landesrecht entgegensteht.

§ 4
Bauland, sonstige Rahmenbedingungen

(1) Bund, Länder, Gemeinden, Gemeindeverbände, sonstige Körperschaften, Anstalten und Stiftungen des öffentlichen Rechts und die von ihnen wirtschaftlich abhängigen Unternehmen sollen in ausreichendem Umfang geeignete Grundstücke als Bauland für den Wohnungsbau unter Berücksichtigung der Anforderungen des Kosten und Flächen sparenden Bauens zu Eigentum oder in Erbbaurecht überlassen.

(2) Die Gemeinden sollen im Rahmen der Gesetze dafür Sorge tragen, dass für den Wohnungsbau erforderliche Grundstücke bebaut und erforderliche Modernisierungsmaßnahmen durchgeführt werden können. Dabei soll auf die Anforderungen des Kosten und Flächen sparenden Bauens geachtet werden.

(3) Die Gemeinden sollen Bauwillige, die ein Baugrundstück erwerben wollen, beraten und unterstützen.

(4) Aus den Absätzen 1 bis 3 können Ansprüche nicht hergeleitet werden.

Abschnitt 2 Grundsätze, Voraussetzungen und Förderzusage

§ 5
Anforderungen an die Förderung

(1) Die soziale Wohnraumförderung wird nach diesem Gesetz und hierzu erlassenen Vorschriften des Landes durchgeführt.

(2) Die Länder treffen somit erforderlich auf der Grundlage dieses Gesetzes Bestimmungen, insbesondere über Voraussetzungen der Förderung und deren Durchführung.

(3) Die in den §§ 6 bis 8 und 10 bezeichneten Grundsätze sind bei den Bestimmungen nach Absatz 2 und, soweit solche Bestimmungen nicht getroffen sind, bei Entscheidungen, die zur Förderung ergehen, in der Abwägung und bei der Ermessensausübung zu berücksichtigen. Die Länder können weitere Grundsätze aufstellen.

§ 6
Allgemeine Fördergrundsätze

Die soziale Wohnraumförderung ist der Nachhaltigkeit einer Wohnraumversorgung verpflichtet, die die wirtschaftlichen und sozialen Erfordernisse mit der Erhaltung der Umwelt in Einklang bringt. Bei der Förderung sind zu berücksichtigen:

1. die örtlichen und regionalen wohnungswirtschaftlichen Verhältnisse und Zielsetzungen, die erkennbaren unterschiedlichen Investitionsbedingungen des Bauherrn sowie die besonderen Anforderungen des zu versorgenden Personenkreises;
2. der Beitrag des genossenschaftlichen Wohnens zur Erreichung der Ziele und Zwecke der sozialen Wohnraumförderung;

3. die Schaffung und Erhaltung sozial stabiler Bewohnerstrukturen;
4. die Schaffung und Erhaltung ausgewogener Siedlungsstrukturen sowie ausgeglichener wirtschaftlicher, sozialer und kultureller Verhältnisse, die funktional sinnvolle Zuordnung der Wohnbereiche zu den Arbeitsplätzen und der Infrastruktur (Nutzungsmischung) sowie die ausreichende Anbindung des zu fördernden Wohnraums an den öffentlichen Personennahverkehr;
5. die Nutzung des Wohnungs- und Gebäudebestandes für die Wohnraumversorgung;
6. die Erhaltung preisgünstigen Wohnraums im Fall der Förderung der Modernisierung;
7. die Anforderungen des Kosten sparenden Bauens, insbesondere durch
   a) die Begrenzung der Förderung auf einen bestimmten Betrag (Förderpauschale),
   b) die Festlegung von Kostenobergrenzen, deren Überschreitung eine Förderung ausschließt, oder
   c) die Vergabe von Födermitteln im Rahmen von Wettbewerbsverfahren;
8. die Anforderungen des barrierefreien Bauens für die Nutzung von Wohnraum und seines Umfelds durch Personen, die infolge von Alter, Behinderung oder Krankheit dauerhaft oder vorübergehend in ihrer Mobilität eingeschränkt sind;
9. der sparsame Umgang mit Grund und Boden, die ökologischen Anforderungen an den Bau und die Modernisierung von Wohnraum sowie Ressourcen schonende Bauweisen. Maßnahmen der sozialen Wohnraumförderung, die im Zusammenhang mit städtebaulichen Sanierungs- und Entwicklungsmaßnahmen stehen, sind bevorzugt zu berücksichtigen.

§ 7
Besondere Grundsätze zur Förderung von Mietwohnraum

Bei der Förderung von Mietwohnraum sind folgende Grundsätze zu berücksichtigen:

1. Um tragbare Wohnkosten für Haushalte im Sinne des § 1 Abs. 2 Satz 2 Nr. 1 zu erreichen, können Wohnkostenentlastungen durch Bestimmung höchstzulässiger Mieten unterhalb von ortsüblichen Vergleichsmieten oder durch sonstige Maßnahmen vorgesehen werden. Dabei sind insbesondere die Leistungen nach dem Wohngeldgesetz sowie das örtliche Mietenniveau und das Haushaltseinkommen des Mieters sowie deren Entwicklungen zu berücksichtigen.
2. Wohnkostenentlastungen, die nach Förderzweck und Zielgruppe sowie Förderintensität unangemessen sind (Fehlförderungen), sind zu vermeiden oder auszugleichen. Maßnahmen zur Vermeidung von Fehlförderungen sind Vorkehrungen bei der Förderung, durch die die Wohnkostenentlastung
   a) auf Grund von Bestimmungen in der Förderzusage oder
   b) auf Grund eines Vorbehalts in der Förderzusage

durch Entscheidung der zuständigen Stelle vermindert wird. Eine Maßnahme zum Ausgleich entstandener Fehlförderungen in Fällen der Festlegung von höchstzulässigen Mieten ist die Erhebung von Ausgleichszahlungen nach den §§ 34 bis 37.

3. Bei der Vermeidung und dem Ausgleich von Fehlförderungen sind – soweit erforderlich – Veränderungen der für die Wohnkostenentlastung maßgeblichen Einkommensverhältnisse und der Haushaltsgröße durch Überprüfungen in regelmäßigen zeitlichen Abständen zu berücksichtigen.

§ 8
Besondere Grundsätze zur Förderung der Bildung selbst genutzten Wohneigentums

Bei der Förderung der Bildung selbst genutzten Wohneigentums nach § 1 Abs. 2 Satz 2 Nr. 2 sind folgende Grundsätze zu berücksichtigen:

1. Die Förderung der Bildung selbst genutzten Wohneigentums erfolgt bevorzugt für Familien und andere Haushalte mit zwei und mehr Kindern im Sinne des § 32 Abs. 1 bis 5 des Einkommensteuergesetzes sowie für Haushalte, bei denen wegen einer Behinderung eines Haushaltsangehörigen oder aus sonstigen Gründen ein besonderer baulicher Bedarf besteht.
2. Um eine angemessene Belastung des Bauherrn oder des Erwerbers des selbst genutzten Wohneigentums zu erreichen, sind bei der Festlegung der Förderung insbesondere die Einkommensentwicklung und die Eigenheimzulage nach dem Eigenheimzulagengesetz zu berücksichtigen. Fehlförderungen sind zu vermeiden. Soweit dies durch eine Förderung erfolgt, die auf die Entwicklung des Haushaltseinkommens abstellt, sind Veränderungen der maßgeblichen Einkommensverhältnisse und der Haushaltsgröße durch Überprüfungen in regelmäßigen zeitlichen Abständen zu berücksichtigen.

§ 9
Einkommensgrenzen

(1) Die Förderung darf nur Haushalte begünstigen, deren Einkommen die Grenzen für das jährliche Einkommen, die in Absatz 2 bezeichnet oder von den Ländern nach Absatz 3 abweichend festgelegt sind, nicht überschreiten. Bei der Ermittlung des Einkommens sind die §§ 20 bis 24 anzuwenden.

(2) Die Einkommensgrenze beträgt: für einen Einpersonenhaushalt 12 000 Euro, für einen Zweipersonenhaushalt 18 000 Euro, zuzüglich für jede weitere zum Haushalt rechnende Person 4 100 Euro. Sind zum Haushalt rechnende Personen Kinder im Sinne des § 32 Abs. 1 bis 5 des Einkommensteuergesetzes, erhöht sich die Einkommensgrenze nach Satz 1 für jedes Kind um weitere 500 Euro.

(3) Die Landesregierungen werden ermächtigt durch Rechtsverordnung von den in Absatz 2 bezeichneten Einkommensgrenzen nach den örtlichen und regionalen wohnungswirtschaftlichen Verhältnissen insbesondere

1. zur Berücksichtigung von Haushalten mit Schwierigkeiten bei der Wohnraumversorgung,

2. im Rahmen der Förderung von selbst genutztem Wohneigentum oder
3. zur Schaffung oder Erhaltung sozial stabiler Bewohnerstrukturen Abweichungen festzulegen.

§ 10
Wohnungsgrößen

(1) Bei Bestimmungen der Länder über die Grenzen für Wohnungsgrößen sind folgende Grundsätze zu berücksichtigen:
1. Die Größe der zu fördernden Wohnung muss entsprechend ihrer Zweckbestimmung angemessen sein.
2. Besonderheiten bei Maßnahmen im Gebäudebestand und bei selbst genutztem Wohneigentum sowie besonderen persönlichen oder beruflichen Bedürfnissen von Haushaltsangehörigen und einem nach der Lebenserfahrung in absehbarer Zeit zu erwartenden zusätzlichen Raumbedarf ist Rechnung zu tragen.

(2) Bei der Berechnung der Wohnfläche ist § 19 Abs. 1 anzuwenden.

§ 11
Förderempfänger

(1) Empfänger der Förderung ist
1. bei Maßnahmen des Wohnungsbaus und der Modernisierung derjenige, der das Bauvorhaben für eigene oder fremde Rechnung im eigenen Namen durchführt oder durch Dritte durchführen lässt (Bauherr),
2. beim Ersterwerb vom Bauherrn zur Selbstnutzung der Erwerber des Wohnraums,
3. beim Erwerb aus dem Bestand zur Selbstnutzung der Erwerber des Wohnraums,
4. beim Erwerb von Belegungsrechten der Eigentümer oder der sonstige zur Einräumung von Belegungsrechten an dem Wohnraum Berechtigte.

(2) Soweit Fördermittel an einen Bauträger vergeben werden, ist die Vergabe mit der Auflage zu verbinden, dass der Bauträger den geförderten Wohnraum zu angemessenen Bedingungen dem Erwerber alsbald zur Selbstnutzung überträgt.

(3) Die Gewährung von Fördermitteln setzt voraus, dass
1. der Bauherr Eigentümer eines geeigneten Baugrundstücks ist oder nachweist, dass der Erwerb eines derartigen Grundstücks gesichert ist oder durch die Gewährung der Fördermittel gesichert wird,
2. die Gewähr für eine ordnungsmäßige und wirtschaftliche Durchführung des Bauvorhabens und für eine ordnungsmäßige Verwaltung des Wohnraums besteht,
3. der Bauherr die erforderliche Leistungsfähigkeit und Zuverlässigkeit besitzt,
4. bei der Förderung von selbst genutztem Wohneigentum die Belastung auf Dauer tragbar erscheint und

5. der Bauherr eine angemessene Eigenleistung erbringt, für die eigene Geldmittel, der Wert des nicht durch Fremdmittel finanzierten Baugrundstücks oder Selbsthilfe im Sinne des § 12 Abs. 1 Satz 2 in Betracht kommen. Fördermittel können auch einem Bauherrn oder einem sonstigen Förderempfänger gewährt werden, für den an einem geeigneten Grundstück ein Erbbaurecht von angemessener Dauer bestellt ist oder der nachweist, dass der Erwerb eines derartigen Erbbaurechts gesichert ist.

§ 12
Bevorzugung von Maßnahmen, zusätzliche Förderung

(1) Maßnahmen, bei denen Bauherren in Selbsthilfe tätig werden oder bei denen Mieter von Wohnraum Leistungen erbringen, durch die sie im Rahmen des Mietverhältnisses Vergünstigungen erlangen, können bei der Förderung bevorzugt werden. Selbsthilfe sind die Arbeitsleistungen, die zur Durchführung der geförderten Maßnahmen vom Bauherrn selbst, seinen Angehörigen oder von anderen unentgeltlich oder auf Gegenseitigkeit oder von Mitgliedern von Genossenschaften erbracht werden. Leistungen von Mietern sind die von

1. Mietern für die geförderten Maßnahmen erbrachten Finanzierungsanteile, Arbeitsleistungen oder Sachleistungen und
2. Genossenschaftsmitgliedern übernommenen weiteren Geschäftsanteile, soweit sie für die geförderten Maßnahmen über die Pflichtanteile hinaus erbracht werden.

(2) Eine zusätzliche Förderung für notwendigen Mehraufwand kann insbesondere gewährt werden bei

1. Ressourcen schonenden Bauweisen, die besonders wirksam zur Entlastung der Umwelt, zum Schutz der Gesundheit und zur rationellen Energieverwendung beitragen,
2. besonderen baulichen Maßnahmen, mit denen Belangen behinderter oder älterer Menschen Rechnung getragen wird,
3. einer organisierten Gruppenselbsthilfe für den bei der Vorbereitung und Durchführung der Maßnahmen entstehenden Aufwand,
4. besonderen experimentellen Ansätzen zur Weiterentwicklung des Wohnungsbaus.

§ 13
Förderzusage

(1) Die Förderung wird auf Antrag durch eine Förderzusage der zuständigen Stelle gewährt.

(2) In der Förderzusage sind Bestimmungen zu treffen

1. über Zweckbestimmung, Einsatzart und Höhe der Förderung, Dauer der Gewährung, Verzinsung und Tilgung der Fördermittel, Einhaltung von Einkommensgrenzen und Wohnungsgrößen, Rechtsfolgen eines Eigentumswechsels an dem geförderten Gegenstand sowie

2. bei der Förderung von Mietwohnraum zusätzlich unter Anwendung des Abschnitts 3 des Teils 2 über Gegenstand, Art und Dauer der Belegungsbindungen sowie Art, Höhe und Dauer der Mietbindungen. In die Förderzusage können weitere für den jeweiligen Förderzweck erforderliche Bestimmungen aufgenommen werden.

(3) Die Förderzusage erfolgt durch Verwaltungsakt oder durch öffentlich-rechtlichen Vertrag; sie bedarf der Schriftform. Die sich aus der Förderzusage ergebenden Berechtigungen und Verpflichtungen gehen nach den in der Förderzusage für den Fall des Eigentumswechsels enthaltenen Bestimmungen auf den Rechtsnachfolger über.

(4) Ein Anspruch auf Förderung besteht nicht.

Abschnitt 3 Kooperationsvertrag *(nicht abgedruckt)*

Teil 2
Begriffsbestimmungen, Durchführung der sozialen Wohnraumförderung

Abschnitt 1 Begriffsbestimmungen

§ 16
Wohnungsbau, Modernisierung

(1) Wohnungsbau ist das Schaffen von Wohnraum durch

1. Baumaßnahmen, durch die Wohnraum in einem neuen selbstständigen Gebäude geschaffen wird,
2. Beseitigung von Schäden an Gebäuden unter wesentlichem Bauaufwand, durch die die Gebäude auf Dauer wieder zu Wohnzwecken nutzbar gemacht werden,
3. Änderung, Nutzungsänderung oder Erweiterung von Gebäuden, durch die unter wesentlichem Bauaufwand Wohnraum geschaffen wird, oder
4. Änderung von Wohnraum unter wesentlichem Bauaufwand zur Anpassung an geänderte Wohnbedürfnisse,

(2) Wohnraum oder anderer Raum ist in Fällen des Absatzes 1 Nr. 2 nicht auf Dauer nutzbar, wenn ein zu seiner Nutzung erforderlicher Gebäudeteil zerstört ist oder wenn sich der Raum oder der Gebäudeteil in einem Zustand befindet, der aus bauordnungsrechtlichen Gründen eine dauernde, der Zweckbestimmung entsprechende Nutzung nicht gestattet; dabei ist es unerheblich, ob der Raum oder der Gebäudeteil tatsächlich genutzt wird.

(3) Modernisierung sind bauliche Maßnahmen, die

1. den Gebrauchswert des Wohnraums oder des Wohngebäudes nachhaltig erhöhen,
2. die allgemeinen Wohnverhältnisse auf Dauer verbessern oder

3. nachhaltig Einsparungen von Energie oder Wasser bewirken. Instandsetzungen, die durch Maßnahmen der Modernisierung verursacht werden, fallen unter die Modernisierung.

§ 17
Wohnraum

(1) Wohnraum ist umbauter Raum, der tatsächlich und rechtlich zur dauernden Wohnnutzung geeignet und vom Verfügungsberechtigten dazu bestimmt ist. Wohnraum können Wohnungen oder einzelne Wohnräume sein.

(2) Selbst genutztes Wohneigentum ist Wohnraum im eigenen Haus oder in einer eigenen Eigentumswohnung, der zu eigenen Wohnzwecken genutzt wird.

(3) Mietwohnraum ist Wohnraum, der den Bewohnern auf Grund eines Mietverhältnisses oder eines genossenschaftlichen oder sonstigen ähnlichen Nutzungsverhältnisses zum Gebrauch überlassen wird.

§ 18
Haushaltsangehörige

(1) Zum Haushalt rechnen die in Absatz 2 bezeichneten Personen, die miteinander eine Wohn- und Wirtschaftsgemeinschaft führen (Haushaltsangehörige). Zum Haushalt rechnen auch Personen im Sinne des Absatzes 2, die alsbald in den Haushalt aufgenommen werden sollen.

(2) Haushaltsangehörige sind:

1. der Antragsteller,
2. der Ehegatte,
3. der Lebenspartner und
4. der Partner einer sonstigen auf Dauer angelegten Lebensgemeinschaft sowie deren Verwandte in gerader Linie und zweiten Grades in der Seitenlinie, Verschwägerte in gerader Linie und zweiten Grades in der Seitenlinie und Pflegekinder ohne Rücksicht auf ihr Alter und Pflegeeltern.

§ 19
Wohnfläche, Betriebskosten

(1) Die Wohnfläche einer Wohnung ist die Summe der anrechenbaren Grundflächen der ausschließlich zur Wohnung gehörenden Räume. Die Bundesregierung wird ermächtigt durch Rechtsverordnung mit Zustimmung des Bundesrates Vorschriften zur Berechnung der Grundfläche und zur Anrechenbarkeit auf die Wohnfläche zu erlassen.

(2) Betriebskosten sind die Kosten, die dem Eigentümer oder Erbbauberechtigten durch das Eigentum oder das Erbbaurecht am Grundstück oder durch den bestimmungsmäßigen Gebrauch des Gebäudes, der Nebengebäude, Anlagen, Einrichtungen und des Grundstücks laufend entstehen. Die Bundesregierung wird ermächtigt, durch Rechtsverordnung mit Zustimmung des Bundesrates Vorschriften über die Aufstellung der Betriebskosten zu erlassen.

Abschnitt 2 Einkommensermittlung (*ausgelassen*)

Teil 3
Bundesmittel (*ausgelassen*)

Teil 4
Ergänzungsvorschriften (*ausgelassen*)

Teil 5
Überleitungs- und Schlussvorschriften

§ 46
Zeitlicher Anwendungsbereich

(1) Die §§ 1 bis 45 dieses Gesetzes finden auf Maßnahmen der sozialen Wohnraumförderung Anwendung, für die die Förderzusage
nach dem 31. Dezember 2001 erteilt wird.

(2) Fördermittel können abweichend von Absatz 1 bis zum 31. Dezember 2002 auf der Grundlage des Zweiten Wohnungsbaugesetzes oder des Wohnungsbaugesetzes für das Saarland in der jeweils bis zum 31. Dezember 2001 geltenden Fassung bewilligt werden. Dabei können an Stelle des § 8 des Zweiten Wohnungsbaugesetzes und des § 6 des Wohnungsbaugesetzes für das Saarland § 18 und an Stelle des § 25 Abs. 2 und 3 und der §§ 25a bis 25d des Zweiten Wohnungsbaugesetzes sowie des § 14 Abs. 2 und 3 und der §§ 14a bis 14d des Wohnungsbaugesetzes für das Saarland § 9 Abs. 2 und die §§ 20 bis 24 angewendet werden.

(3) Bis zum Erlass der Rechtsverordnung nach § 19 Abs. 1 Satz 2 sind die §§ 42 bis 44 der Zweiten Berechnungsverordnung in der Fassung der Bekanntmachung vom 12. Oktober 1990 (BGBl. I S. 2178), die zuletzt durch Artikel 8 Abs. 2 des Gesetzes vom 19. Juni 2001 (BGBl. I S. 1149) geändert worden ist, anzuwenden. Bis zum Erlass der Rechtsverordnung nach § 19 Abs. 2 Satz 2 ist hinsichtlich der Betriebskosten § 27 der Zweiten Berechnungsverordnung mit ihrer Anlage 3 anzuwenden.

§ 47
Darlehen des Bundes und Förderung auf Grund früheren Rechts

(*ausgelassen*)

§ 48
Anwendung des Zweiten Wohnungsbaugesetzes

(1) Folgende Vorschriften des Zweiten Wohnungsbaugesetzes in der bis zum 31. Dezember 2001 geltenden Fassung sind weiter anzuwenden:

1. Auf vor dem 1. Januar 2002 und in den Fällen des § 46 Abs. 2 vor dem 1. Januar 2003

a) nach den §§ 42 bis 45 des Zweiten Wohnungsbaugesetzes bewilligte Darlehen für die Bilanzierung von Aufwendungsdarlehen und Annuitätsdarlehen § 42 Abs. 1 Satz 3 in Verbindung mit § 88 Abs. 3 des Zweiten Wohnungsbaugesetzes, für Zinserhöhungen und erstmalige Verzinsungen § 44 Abs. 2 und 3 des Zweiten Wohnungsbaugesetzes, für Tilgungserhöhungen § 44 Abs. 4 Satz 2 und 3 des Zweiten Wohnungsbaugesetzes, für Kündigungen § 44 Abs. 5 Satz 2 und 3 des Zweiten Wohnungsbaugesetzes, für die Bewilligung eines Zusatzdarlehens bei Kaufeigenheimen, Trägerkleinsiedlungen und Kaufeigentumswohnungen § 45 Abs. 3 Satz 2 Halbsatz 2, Abs. 6 Satz 4 und Abs. 7 des Zweiten Wohnungsbaugesetzes, für die Rückzahlung eines Familienzusatzdarlehens § 45 Abs. 8 des Zweiten Wohnungsbaugesetzes;

b) nach § 87a des Zweiten Wohnungsbaugesetzes bewilligte Wohnungsfürsorgemittel § 87a des Zweiten Wohnungsbaugesetzes;

c) nach den §§ 87a und 87b des Zweiten Wohnungsbaugesetzes geförderten Wohnungen § 88f Abs. 1 Satz 2 des Zweiten Wohnungsbaugesetzes mit der Maßgabe, dass sich die Aufgaben der zuständigen Stelle auf den nach § 47 Abs. 3 anzuwendenden § 32 Abs. 2 und 4 beziehen;

d) nach § 88 des Zweiten Wohnungsbaugesetzes bewilligte Aufwendungsdarlehen und -zuschüsse § 88b Abs. 2 bis 4 und § 88c des Zweiten Wohnungsbaugesetzes und für die Ausweisung eines Aufwendungsdarlehens in der Bilanz § 88 Abs. 3 des Zweiten Wohnungsbaugesetzes;

e) nach § 88e des Zweiten Wohnungsbaugesetzes bewilligte einkommensorientierte Förderung § 88e Abs. 2, 3 und 5 Satz 2 und § 88f Abs. 2 des Zweiten Wohnungsbaugesetzes;

2. für die Ablösung von öffentlichen Baudarlehen durch Eigentümer eines Eigenheims, einer Eigensiedlung oder einer eigen genutzten Eigentumswohnung, für die öffentliche Mittel nach dem 31. Dezember 1969 bewilligt worden sind, bis zum 28. Februar 2002 § 69 des Zweiten Wohnungsbaugesetzes;

3. auf den sich ergebenden Ausfall an Rückflüssen durch die Ablösung nach § 69 des Zweiten Wohnungsbaugesetzes § 70 Abs. 1 des Zweiten Wohnungsbaugesetzes.

(2) Auf der Grundlage des Zweiten Wohnungsbaugesetzes wirksame Entscheidungen und sonstige Maßnahmen gelten weiter.

§ 49
Anwendung des Wohnunungsbaugesetzes für das Saarland (*ausgelassen*)

§ 50
Anwendung des Wohnungsbindungsgesetzes, der Neubaumietenverordnung und der Zweiten Berechnungsverordnung

(1) Das Wohnungsbindungsgesetz in der Fassung der Bekanntmachung vom 19. August 1994 (BGBl. I S. 2166, 2319), geändert durch Artikel 7 Abs. 11 des Gesetzes vorn 19. Juni 2001 (BGBl. I S. 1149), die Neubaumietenverordnung in der Fassung der Bekanntmachung vom 12. Oktober 1990 (BGBl. I S. 2203), geändert durch Artikel 2 der Verordnung vom 13. Juli 1992 (BGBl. I S. 1250), und die Zweite Berechnungsverordnung in der Fassung der Bekanntmachung vom 12. Oktober 1990 (BGBl.

I S. 2178), zuletzt geändert durch Artikel 8 Abs. 2 des Gesetzes vorn 19. Juni 2001 (BGBl. I S. 1149), sind in der jeweils ab 1. Januar 2002 geltenden Fassung auf Wohnraum,

1. für den öffentliche Mittel im Sinne des § 6 Abs. 1 des Zweiten Wohnungsbaugesetzes bis zum 31. Dezember 2001 bewilligt worden sind,
2. für den öffentliche Mittel im Sinne des § 3 des Ersten Wohnungsbaugesetzes bewilligt worden sind,
3. für dessen Bau ein Darlehen oder ein Zuschuss aus Wohnungsfürsorgemitteln nach § 87a Abs. 1 Satz 1 des Zweiten Wohnungsbaugesetzes bis zum 31. Dezember 2001 bewilligt worden ist,
4. für den Aufwendungszuschüsse und Aufwendungsdarlehen nach § 88 des Zweiten Wohnungsbaugesetzes bis zum 31. Dezember 2001 bewilligt worden sind,
5. der nach dem Gesetz zur Förderung des Bergarbeiterwohnungsbaus im Kohlenbergbau gefördert worden ist, vorbehaltlich des Absatzes 2 anzuwenden. soweit das Wohnungsbindungsgesetz, die Neubaumietenverordnung und die Zweite Berechnungsverordnung hierfür am 31. Dezember 2001 Anwendung finden. Satz 1 gilt auch, wenn Fördermittel nach § 46 Abs. 2 bewilligt werden.

(2) Verfahren nach dem Wohnungsbindungsgesetz, der Neubaumietenverordnung und der Zweiten Berechnungsverordnung, die vor dem 1. Januar 2002 und im Fall des § 46 Abs. 2 vor dem 1. Januar 2003 förmlich eingeleitet worden sind, werden nach den bis zum 31. Dezember 2001 geltenden Vorschriften abgeschlossen. Auf der Grundlage der jeweils bis zum 31. Dezember 2001 geltenden Fassung des Wohnungsbindungsgesetzes, der Neubaumietenverordnung und der Zweiten Berechnungsverordnung wirksame Entscheidungen und sonstige Maßnahmen gelten weiter. Verfahren, die nach dem 1. Januar 2002 nach § 46 Abs. 2 förmlich eingeleitet worden sind, können nach dem Wohnungsbindungsgesetz, der Neubaumietenverordnung und der Zweiten Berechnungsverordnung in der jeweils ab dem 1. Januar 2002 geltenden Fassung durchgeführt werden.

§ 51
Anwendung des Gesetzes über den Abbau der Fehlsubventionierung im Wohnungswesen

(1) Das Gesetz über den Abbau der Fehlsubventionierung im Wohnungswesen in der Fassung der Bekanntmachung vom 19. August 1994 (BGBl. I S. 2180), zuletzt geändert durch Artikel 7 Abs. 13 des Gesetzes vom 19. Juni 2001 (BGBl. I S. 1149), ist in der ab 1. Januar 2002 geltenden Fassung für den in § 50 Abs. 1 Satz 1 Nr. 1 bis 3 und 5 und Satz 2 bezeichneten Wohnraum anzuwenden, bis das Land für die Erhebung von Ausgleichszahlungen nach Maßgabe des § 15 des Gesetzes über den Abbau der Fehlsubventionierung im Wohnungswesen Vorschriften erlassen hat.

(2) § 50 Abs. 2 gilt für Verfahren sowie für wirksame Entscheidungen und sonstige Maßnahmen nach dem Gesetz über den Abbau der Fehlsubventionierung im Wohnungswesen entsprechend.

§ 52
Bußgeldvorschriften

(1) Ordnungswidrig handelt, wer

1. entgegen § 27 Abs. 1 eine Wohnung zum Gebrauch überlässt,
2. ohne Genehmigung nach § 27 Abs. 7 Satz 1 Nr. 1 oder 2 eine Wohnung selbst nutzt oder nicht nur vorübergehend, mindestens drei Monate, leer stehen lässt,
3. ohne Genehmigung nach § 27 Abs. 7 Satz 1 Nr. 3 eine Wohnung anderen als Wohnzwecken zuführt oder entsprechend baulich ändert,
4. entgegen § 28 Abs. 2 eine Wohnung zum Gebrauch überlässt,
5. entgegen § 28 Abs. 4 eine dort genannte Leistung fordert, sich versprechen lässt oder annimmt oder
6. entgegen § 32 Abs. 3 Satz 1 eine Mitteilung nicht, nicht richtig, nicht vollständig oder nicht rechtzeitig macht.

(2) Die Ordnungswidrigkeit kann in den Fällen des Satzes 1 Nr. 6 mit einer Geldbuße bis zu zweitausendfünfhundert Euro, in den Fällen des Satzes 1 Nr. 1 und 2 mit einer Geldbuße bis zu zehntausend Euro, in den übrigen Fällen mit einer Geldbuße bis zu fünfzigtausend Euro geahndet werden.

Artikel 2
Aufhebung des Zweiten Wohnungsbaugesetzes

Das Zweite Wohnungsbaugesetz in der Fassung der Bekanntmachung vom 19. August 1994 (BGBl. I S. 2137), zuletzt geändert durch Artikel 7 Abs. 8 des Gesetzes vom 19. Juni 2001 (BGBl. I S. 1149), wird aufgehoben; § 48 des Wohnraumförderungsgesetzes bleibt unberührt.

Verordnung über wohnungswirtschaftliche Berechnungen (Zweite Berechnungsverordnung – II. BV)

*Mit Artikel 3 der **Verordnung zur Berechnung der Wohnfläche, über die Aufstellung von Betriebskosten und zur Änderung anderer Verordnungen (WoFlV)** vom 25. November 2003, in Kraft getreten am 1. Januar 2004, wurde auch die **Zweite Berechnungsverordnung** geändert. Es werden jetzt lediglich das geänderte Inhaltsverzeichnis und die Anlage 1 (Aufstellung der Gesamtkosten) und Anlage 2 (Berechnung des umbauten Raumes) abgedruckt, die neue **Wohnflächenverordnung** jedoch im vollen Umfange.*

(Neufassung vom 12. 10. 1990. Veröffentlicht im BGBl. 1990 Nr. 55 vom 18. 10. 1990; geändert am 13. 7. 1992, am 23. 7. 1996, am 25. 6. 2001 und am 25. 11. 2003.)

B

Inhaltsübersicht

Anlage 1 (zu § 5 Abs. 5)

Die Gesamtkosten bestehen aus:

1. Kosten des Baugrundstücks

Zu den Kosten des Baugrundstücks gehören:

1. Der Wert des Baugrundstücks
2. Die Erwerbskosten

Hierzu gehören alle durch den Erwerb des Baugrundstücks verursachten Nebenkosten, z. B. Gerichts- und Notarkosten, Maklerprovisionen, Grunderwerbsteuern, Vermessungskosten, Gebühren für Wertberechnungen und amtliche Genehmigungen, Kosten der Bodenuntersuchung zur Beurteilung des Grundstückswertes.

Zu den Erwerbskosten gehören auch Kosten, die im Zusammenhang mit einer das Baugrundstück betreffenden, freiwilligen oder gesetzlich geregelten Umlegung, Zusammenlegung oder Grenzregelung (Bodenordnung) entstehen, außer den Kosten der dem Bauherrn dabei obliegenden Verwaltungsleistungen.

3. Die Erschließungskosten

Hierzu gehören:

a) Abfindungen und Entschädigungen an Mieter, Pächter und sonstige Dritte zur Erlangung der freien Verfügung über das Baugrundstück,
b) Kosten für das Herrichten des Baugrundstücks, z. B. Abräumen, Abholzen, Roden, Bodenbewegung, Enttrümmern, Gesamtabbruch,
c) Kosten der öffentlichen Entwässerungs- und Versorgungsanlagen, die nicht Kosten der Gebäude oder der Außenanlagen sind, und Kosten öffentlicher Flächen für Straßen, Freiflächen und dgl., soweit diese Kosten vom Grundstückseigentümer auf Grund gesetzlicher Bestimmungen (z. B. Anliegerleistungen) oder vertraglicher Vereinbarungen (z. B. Unternehmerstraßen) zu tragen und vom Bauherrn zu übernehmen sind,
d) Kosten der nichtöffentlichen Entwässerungs- und Versorgungsanlagen, die nicht Kosten der Gebäude oder der Außenanlagen sind, und Kosten nichtöffentlicher Flächen für Straßen, Freiflächen und dgl., wie Privatstraßen, Abstellflächen für Kraftfahrzeuge, wenn es sich um Daueranlagen handelt, d. h. um Anlagen, die auch nach etwaigem Abgang der Bauten im Rahmen der allgemeinen Ortsplanung bestehenbleiben müssen,
e) andere einmalige Abgaben, die vom Bauherrn nach gesetzlichen Bestimmungen verlangt werden (z. B. Bauabgaben, Ansiedlungsleistungen, Ausgleichsbeträge).

2. Baukosten

Zu den Baukosten gehören:

1. Die Kosten der Gebäude

Das sind die Kosten (getrennt nach der Art der Gebäude oder Gebäudeteile) sämtlicher Bauleistungen, die für die Errichtung der Gebäude erforderlich sind.

Zu den Kosten der Gebäude gehören auch,

die Kosten aller eingebauten oder mit den Gebäuden fest verbundenen Sachen, z. B. Anlagen zur Beleuchtung, Erwärmung, Kühlung und Lüftung von Räumen und zur Versorgung mit Elektrizität, Gas, Kalt- und Warmwasser (bauliche Betriebseinrichtungen), bis zum Hausanschluß an die Außenanlagen, Öfen, Koch- und Waschherde, Bade- und Wascheinrichtungen, eingebaute Rundfunkanlagen, Gemeinschaftsantennen, Blitzschutzanlagen, Luftschutzanlagen, Luftschutzvorsorgeanlagen, bildnerischer und malerischer Schmuck an und in Gebäuden, eingebaute Möbel,

die Kosten aller vom Bauherrn erstmalig zu beschaffenden, nicht eingebauten oder nicht fest verbundenen Sachen an und in den Gebäuden, die zur Benutzung und zum Betrieb der baulichen Anlagen erforderlich sind oder zum Schutz der Gebäude dienen, z. B. Öfen, Koch- und Waschherde, Bade- und Wascheinrichtungen, soweit sie nicht unter den vorstehenden Absatz fallen, Aufsteckschlüssel für innere Leitungshähne und -ventile, Bedienungseinrichtungen für Sammelheizkessel (Schaufeln, Schürstangen usw.), Dachaussteige- und Schornsteinleitern, Feuerlöschanlagen (Schläuche, Stand- und Strahlrohre für eingebaute Feuerlöschanlagen), Schlüssel für Fenster- und Türverschlüsse usw.

Zu den Kosten der Gebäude gehören auch die Kosten von Teilabbrüchen innerhalb der Gebäude sowie der etwa angesetzte Wert verwendeter Gebäudeteile.

2. Die Kosten der Außenanlagen

Das sind die Kosten sämtlicher Bauleistungen, die für die Herstellung der Außenanlagen erforderlich sind.

Hierzu gehören

a) die Kosten der Entwässerungs- und Versorgungsanlagen vom Hausanschluß ab bis an das öffentliche Netz oder an nichtöffentliche Anlagen, die Daueranlagen sind (I 3 d), außerdem alle anderen Entwässerungs- und Versorgungsanlagen außerhalb der Gebäude, Kleinkläranlagen, Sammelgruben, Brunnen, Zapfstellen usw.
b) die Kosten für das Anlegen von Höfen, Wegen und Einfriedungen, nichtöffentlichen Spielplätzen usw.
c) die Kosten der Gartenanlagen und Pflanzungen, die nicht zu den besonderen Betriebseinrichtungen gehören; der nicht mit einem Gebäude verbundenen Freitreppen, Stützmauern, fest eingebauten Flaggenmaste, Teppichklopfstangen, Wäschepfähle usw.
d) die Kosten sonstiger Außenanlagen, z. B. Luftschutzaußenanlagen, Kosten für Teilabbrüche außerhalb der Gebäude, soweit sie nicht zu den Kosten für das Herrichten des Baugrundstücks gehören.

Zu den Kosten der Außenanlagen gehören auch,

die Kosten aller eingebauten oder mit den Außenanlagen fest verbundenen Sachen,

die Kosten aller vom Bauherrn erstmalig zu beschaffenden, nicht eingebauten oder nicht fest verbundenen Sachen an und in den Außenanlagen, z. B. Aufsteckschlüssel für äußere Leitungshähne und -ventile, Feuerlöschanlagen (Schläuche, Stand- und Strahlrohre für äußere Feuerlöschanlagen).

3. Die Baunebenkosten

Das sind

a) Kosten der Architekten- und Ingenieurleistungen; diese Leistungen umfassen namentlich Planungen, Ausschreibungen, Bauleitung, Bauführung und Bauabrechnung,
b) Kosten der dem Bauherrn obliegenden Verwaltungsleistungen bei Vorbereitung und Durchführung des Bauvorhabens,
c) Kosten der Behördenleistungen; hierzu gehören die Kosten der Prüfungen und Genehmigungen der Behörden oder Beauftragten der Behörden,
d) folgende Kosten:
    - aa) Kosten der Beschaffung der Finanzierungsmittel, z. B. Maklerprovisionen, Gerichts- und Notarkosten, einmalige Geldbeschaffungskosten (Hypothekendisagio, Kreditprovisionen und Spesen, Wertberechnungs- und Bearbeitungsgebühren, Bereitstellungskosten usw.),

bb) Kapitalkosten und Erbbauzinsen, die auf die Bauzeit entfallen,

cc) Kosten der Beschaffung und Verzinsung der Zwischenfinanzierungsmittel einschließlich der gestundeten Geldbeschaffungskosten (Disagiodarlehen),

dd) Steuerbelastungen des Baugrundstücks, die auf die Bauzeit entfallen,

ee) Kosten der Beschaffung von Darlehen und Zuschüssen zur Deckung von laufenden Aufwendungen, Fremdkapitalkosten, Annuitäten und Bewirtschaftungskosten,

e) sonstige Nebenkosten, z. B. die Kosten der Bauversicherungen während der Bauzeit, der Bauwache, der Baustoffprüfungen des Bauherrn, der Grundsteinlegungs- und Richtfeier.

4. Die Kosten der besonderen Betriebseinrichtungen

Das sind z. B. die Kosten für Personen- und Lastenaufzüge, Müllbeseitigungsanlagen, Hausfernsprecher, Uhrenanlagen, gemeinschaftliche Wasch- und Badeeinrichtungen usw.

5. Die Kosten des Gerätes und sonstiger Wirtschaftsausstattungen

Das sind

die Kosten für alle vom Bauherrn erstmalig zu beschaffenden beweglichen Sachen, die nicht unter die Kosten der Gebäude oder der Außenanlagen fallen, z. B. Asche- und Müllkästen, abnehmbare Fahnen, Fenster- und Türbehänge, Feuerlösch- und Luftschutzgerät, Haus- und Stallgerät usw.

die Kosten für Wirtschaftsausstattungen bei Kleinsiedlungen usw., z. B. Ackergerät, Dünger, Kleinvieh, Obstbäume, Saatgut.

Anlage 2 (zu den §§ 11 a und 34 Abs. 1)

Berechnung des umbauten Raumes

Der umbaute Raum ist in m^3 anzugeben.

1.1 Voll anzurechnen ist der umbaute Raum eines Gebäudes, der umschlossen wird:

1.1.1 seitlich von den Außenflächen der Umfassungen,

1.1.2 unten

1.1.2.1 bei unterkellerten Gebäuden von den Oberflächen der untersten Geschoßfußböden,

1.1.2.2 bei nichtunterkellerten Gebäuden von der Oberfläche des Geländes. Liegt der Fußboden des untersten Geschosses tiefer als das Gelände, gilt Abschnitt 1.1.2.1,

1.1.3 oben

1.1.3.1 bei nicht ausgebautem Dachgeschoß von den Oberflächen der Fußböden über den obersten Vollgeschossen,

1.1.3.2 bei ausgebautem Dachgeschoß, bei Treppenhausköpfen und Fahrstuhlschächten von den Außenflächen der umschließenden Wände und Decken (bei Ausbau mit Leichtbauplatten sind die begrenzenden Außenflächen durch die Außen- oder Oberkante der Teile zu legen, welche diese Platten unmittelbar tragen),

1.1.3.3 bei Dachdecken, die gleichzeitig die Decke des obersten Vollgeschosses bilden, von den Oberflächen der Tragdecke oder Balkenlage,

1.1.3.4 bei Gebäuden oder Bauteilen ohne Geschoßdecken von den Außenflächen des Daches, vgl. Abschnitt 1.3.5.

1.2 Mit einem Drittel anzurechnen ist der umbaute Raum des nichtausgebauten Dachraumes, der umschlossen wird von den Flächen nach Abschnitt 1.1.3.1 oder 1.1.3.2 und den Außenflächen des Daches.

1.3 Bei den Berechnungen nach Abschnitt 1.1 und 1.2 ist:

1.3.1 die Gebäudegrundfläche nach den Rohbaumaßen des Erdgeschosses zu berechnen,

1.3.2 bei wesentlich verschiedenen Geschoßgrundflächen der umbaute Raum geschoßweise zu berechnen,

1.3.3 nicht abzuziehen der umbaute Raum, der gebildet wird von:

1.3.3.1 äußeren Leibungen von Fenstern und Türen und äußeren Nischen in den Umfassungen,

1.3.3.2 Hauslauben (Loggien), d. h. an höchstens zwei Seitenflächen offenen, im übrigen umbauten Räumen,

1.3.4 nicht hinzuzurechnen der umbaute Raum, den folgende Bauteile bilden:

1.3.4.1 stehende Dachfenster und Dachaufbauten mit einer vorderen Ansichtsfläche bis zu je 2 m^2 (Dachaufbauten mit größerer Ansichtsfläche siehe Abschnitt 1.4.2),

1.3.4.2 Balkonplatten und Vordächer bis zu 0,5 m Ausladung (weiter ausladende Balkonplatten und Vordächer siehe Abschnitt 1.4.4),

1.3.4.3 Dachüberstände, Gesimse, ein bis drei nichtunterkellerte, vorgelagerte Stufen, Wandpfeiler, Halbsäulen und Pilaster,

1.3.4.4 Gründungen gewöhnlicher Art, deren Unterfläche bei unterkellerten Bauten nicht tiefer als 0,5 m unter der Oberfläche des Kellergeschoßfußbodens, bei nichtunterkellerten Bauten nicht tiefer als 1 m unter der Oberfläche des umgebenden Geländes liegt (Gründungen außergewöhnlicher Art und Tiefe siehe Abschnitt 1.4.8),

1.3.4.5 Kellerlichtschächte und Lichtgräben,

1.3.5 für Teile eines Baues, deren Innenraum ohne Zwischendecken bis zur Dachfläche durchgeht, der umbaute Raum getrennt zu berechnen, vgl. Abschnitt 1.1.3.4,

1.3.6 für zusammenhängende Teile eines Baues, die sich nach dem Zweck und deshalb in der Art des Ausbaues wesentlich von den übrigen Teilen unterscheiden, der umbaute Raum getrennt zu berechnen.

1.4 Von der Berechnung des umbauten Raumes nicht erfaßt werden folgende (besonders zu veranschlagende) Bauausführungen und Bauteile:

1.4.1 geschlossene Anbauten in leichter Bauart und mit geringwertigem Ausbau und offene Anbauten wie Hallen, Überdachungen (mit oder ohne Stützen) von Lichthöfen, Unterfahrten auf Stützen, Veranden,

1.4.2 Dachaufbauten mit vorderen Ansichtsflächen von mehr als 2 m^2 und Dachreiter,

1.4.3 Brüstungen von Balkonen und begehbaren Dachflächen,

1.4.4 Balkonplatten und Vordächer mit mehr als 0,5 m Ausladung,

1.4.5 Freitreppen mit mehr als 3 Stufen und Terrassen (u. ihre Brüstungen),

1.4.6 Füchse, Gründungen für Kessel und Maschinen,

1.4.7 freistehende Schornsteine und der Teil von Hausschornsteinen, der mehr als 1 m über den Dachfirst hinausragt,

1.4.8 Gründungen außergewöhnlicher Art, wie Pfahlgründungen, und Gründungen außergewöhnlicher Tiefe, deren Unterfläche tiefer liegt, als im Abschnitt 1.3.4.4 angegeben,

1.4.9.1 wasserdruckhaltende Dichtungen.

B

Verordnung zur Berechnung der Wohnfläche, über die Aufstellung von Betriebskosten und zur Änderung anderer Verordnungen

(vom 25. November 2003)

Inhaltsübersicht

Artikel 1
Verordnung zur Berechnung der Wohnfläche (Wohnflächenverordnung – WoFlV)

§ 1
Anwendungsbereich, Berechnung der Wohnfläche

(1) Wird nach dem Wohnraumförderungsgesetz die Wohnfläche berechnet, sind die Vorschriften dieser Verordnung anzuwenden.

(2) Zur Berechnung der Wohnfläche sind die nach § 2 zur Wohnfläche gehörenden Grundflächen nach § 3 zu ermitteln und nach § 4 auf die Wohnfläche anzurechnen.

§ 2
Zur Wohnfläche gehörende Grundflächen

(1) Die Wohnfläche einer Wohnung umfasst die Grundflächen der Räume, die ausschließlich zu dieser Wohnung gehören. Die Wohnfläche eines Wohnheims umfasst die Grundflächen der Räume, die zur alleinigen und gemeinschaftlichen Nutzung durch die Bewohner bestimmt sind.

(2) Zur Wohnfläche gehören auch die Grundflächen von

1. Wintergärten, Schwimmbädern und ähnlichen nach allen Seiten geschlossenen Räumen sowie
2. Balkonen, Loggien, Dachgärten und Terrassen,

wenn sie ausschließlich zu der Wohnung oder dem Wohnheim gehören.

(3) Zur Wohnfläche gehören nicht die Grundflächen folgender Räume:

1. Zubehörräume, insbesondere:

a) Kellerräume,

b) Abstellräume und Kellerersatzräume außerhalb der Wohnung,
c) Waschküchen,
d) Bodenräume,
e) Trockenräume,
f) Heizungsräume und
g) Garagen,
2. Räume, die nicht den an ihre Nutzung zu stellenden Anforderungen des Bauordnungsrechts der Länder genügen, sowie
3. Geschäftsräume.

§ 3
Ermittlung der Grundfläche

(1) Die Grundfläche ist nach den lichten Maßen zwischen den Bauteilen zu ermitteln; dabei ist von der Vorderkante der Bekleidung der Bauteile auszugehen. Bei fehlenden begrenzenden Bauteilen ist der bauliche Abschluss zu Grunde zu legen.

(2) Bei der Ermittlung der Grundfläche sind namentlich einzubeziehen die Grundflächen von
1. Tür- und Fensterbekleidungen sowie Tür- und Fensterumrahmungen,
2. Fuß-, Sockel- und Schrammleisten,
3. fest eingebauten Gegenständen, wie z. B. Öfen, Heiz- und Klimageräten, Herden, Bade- oder Duschwannen,
4. freiliegenden Installationen,
5. Einbaumöbeln und
6. nicht ortsgebundenen, versetzbaren Raumteilern.

(3) Bei der Ermittlung der Grundflächen bleiben außer Betracht die Grundflächen von
1. Schornsteinen, Vormauerungen, Bekleidungen, freistehenden Pfeilern und Säulen, wenn sie eine Höhe von mehr als 1,50 Meter aufweisen und ihre Grundfläche mehr als 0,1 Quadratmeter beträgt,
2. Treppen mit über drei Steigungen und deren Treppenabsätze,
3. Türnischen und
4. Fenster- und offenen Wandnischen, die nicht bis zum Fußboden herunterreichen oder bis zum Fußboden herunterreichen und 0,13 Meter oder weniger tief sind.

(4) Die Grundfläche ist durch Ausmessung im fertig gestellten Wohnraum oder auf Grund einer Bauzeichnung zu ermitteln. Wird die Grundfläche auf Grund einer Bauzeichnung ermittelt, muss diese
1. für ein Genehmigungs-, Anzeige-, Genehmigungsfreistellungs- oder ähnliches Verfahren nach dem Bauordnungsrecht der Länder gefertigt oder, wenn ein bauordnungsrechtliches Verfahren nicht erforderlich ist, für ein solches geeignet sein und

2. die Ermittlung der lichten Maße zwischen den Bauteilen im Sinne des Absatzes 1 ermöglichen.

Ist die Grundfläche nach einer Bauzeichnung ermittelt worden und ist abweichend von dieser Bauzeichnung gebaut worden, ist die Grundfläche durch Ausmessung im fertig gestellten Wohnraum oder auf Grund einer berichtigten Bauzeichnung neu zu ermitteln.

§ 4
Anrechnung der Grundflächen

Die Grundflächen

1. von Räumen und Raumteilen mit einer lichten Höhe von mindestens zwei Metern sind vollständig,
2. von Räumen und Raumteilen mit einer lichten Höhe von mindestens einem Meter und weniger als zwei Metern sind zur Hälfte,
3. von unbeheizbaren Wintergärten, Schwimmbädern und ähnlichen nach allen Seiten geschlossenen Räumen sind zur Hälfte,
4. von Balkonen, Loggien, Dachgärten und Terrassen sind in der Regel zu einem Viertel, höchstens jedoch zur Hälfte

anzurechnen.

§ 5
Überleitungsvorschrift

Ist die Wohnfläche bis zum 31. Dezember 2003 nach der Zweiten Berechnungsverordnung in der Fassung der Bekanntmachung vom 12. Oktober 1990 (BGBl. 1 S. 2178), zuletzt geändert durch Artikel 3 der Verordnung vom 25. November 2003 (BGBl. 1 S. 2346), in der jeweils geltenden Fassung berechnet worden, bleibt es bei dieser Berechnung. Soweit in den in Satz 1 genannten Fällen nach dem 31. Dezember 2003 bauliche Änderungen an dem Wohnraum vorgenommen werden, die eine Neuberechnung der Wohnfläche erforderlich machen, sind die Vorschriften dieser Verordnung anzuwenden.

Artikel 2
Verordnung über die Aufstellung von Betriebskosten (Betriebskostenverordnung – BetrKV)

§ 1
Betriebskosten

(1) Betriebskosten sind die Kosten, die dem Eigentümer oder Erbbauberechtigten durch das Eigentum oder Erbbaurecht am Grundstück oder durch den bestimmungsmäßigen Gebrauch des Gebäudes, der Nebengebäude, Anlagen, Einrichtungen und des Grundstücks laufend entstehen. Sach- und Arbeitsleistungen des Eigentümers oder Erbbauberechtigten dürfen mit dem Betrag angesetzt werden, der für eine gleichwertige Leistung eines Dritten, insbesondere eines Unternehmers, angesetzt werden könnte; die Umsatzsteuer des Dritten darf nicht angesetzt werden.

(2) Zu den Betriebskosten gehören nicht:

1. die Kosten der zur Verwaltung des Gebäudes erforderlichen Arbeitskräfte und Einrichtungen, die Kosten der Aufsicht, der Wert der vom Vermieter persönlich geleisteten Verwaltungsarbeit, die Kosten für die gesetzlichen oder freiwilligen Prüfungen des Jahresabschlusses und die Kosten für die Geschäftsführung (Verwaltungskosten),
2. die Kosten, die während der Nutzungsdauer zur Erhaltung des bestimmungsmäßigen Gebrauchs aufgewendet werden müssen, um die durch Abnutzung, Alterung und Witterungseinwirkung entstehenden baulichen oder sonstigen Mängel ordnungsgemäß zu beseitigen (Instandhaltungs- und Instandsetzungskosten).

§ 2 Aufstellung der Betriebskosten

Betriebskosten im Sinne von § 1 sind:

1. **die laufenden öffentlichen Lasten des Grundstücks,**
   hierzu gehört namentlich die Grundsteuer;
2. **die Kosten der Wasserversorgung,**
   hierzu gehören die Kosten des Wasserverbrauchs, die Grundgebühren, die Kosten der Anmietung oder anderer Arten der Gebrauchsüberlassung von Wasserzählern sowie die Kosten ihrer Verwendung einschließlich der Kosten der Eichung sowie der Kosten der Berechnung und Aufteilung, die Kosten der Wartung von Wassermengenreglern, die Kosten des Betriebs einer hauseigenen Wasserversorgungsanlage und einer Wasseraufbereitungsanlage einschließlich der Aufbereitungsstoffe;
3. **die Kosten der Entwässerung,**
   hierzu gehören die Gebühren für die Haus- und Grundstücksentwässerung, die Kosten des Betriebs einer entsprechenden nicht öffentlichen Anlage und die Kosten des Betriebs einer Entwässerungspumpe;
4. **die Kosten**

a) des Betriebs der zentralen Heizungsanlage einschließlich der Abgasanlage, hierzu gehören die Kosten der verbrauchten Brennstoffe und ihrer Lieferung, die Kosten des Betriebsstroms, die Kosten der Bedienung, Überwachung und Pflege der Anlage, der regelmäßigen Prüfung ihrer Betriebsbereitschaft und Betriebssicherheit einschließlich der Einstellung durch eine Fachkraft, der Reinigung der Anlage und des Betriebsraums, die Kosten der Messungen nach dem Bundes-Immissionsschutzgesetz, die Kosten der Anmietung oder anderer Arten der Gebrauchsüberlassung einer Ausstattung zur Verbrauchserfassung sowie die Kosten der Verwendung einer Ausstattung zur Verbrauchserfassung einschließlich der Kosten der Eichung sowie der Kosten der Berechnung und Aufteilung oder

b) des Betriebs der zentralen Brennstoffversorgungsanlage, hierzu gehören die Kosten der verbrauchten Brennstoffe und ihrer Lieferung, die Kosten des Betriebsstroms und die Kosten der Überwachung sowie die Kosten der Reinigung der Anlage und des Betriebsraumes

oder

c) der eigenständig gewerblichen Lieferung von Wärme, auch aus Anlagen im Sinne des Buchstabens a, hierzu gehören das Entgelt für die Wärmelieferung und die Kosten des Betriebs der zugehörigen Hausanlagen entsprechend Buchstabe a

oder

d) der Reinigung und Wartung von Etagenheizungen und Gaseinzelfeuerstätten, hierzu gehören die Kosten der Beseitigung von Wasserablagerungen und Verbrennungsrückständen in der Anlage, die Kosten der regelmäßigen Prüfung der Betriebsbereitschaft und Betriebssicherheit und der damit zusammenhängenden Einstellung durch eine Fachkraft sowie die Kosten der Messungen nach dem Bundes-Immissionsschutzgesetz;

5. **die Kosten**

a) des Betriebs der zentralen Warmwasserversorgungsanlage, hierzu gehören die Kosten der Wasserversorgung entsprechend Nummer 2, soweit sie nicht dort bereits berücksichtigt sind, und die Kosten der Wassererwärmung entsprechend Nummer 4 Buchstabe a

oder

b) der eigenständig gewerblichen Lieferung von Warmwasser, auch aus Anlagen im Sinne des Buchstabens a, hierzu gehören das Entgelt für die Lieferung des Warmwassers und die Kosten des Betriebs der zugehörigen Hausanlagen entsprechend Nummer 4 Buchstabe a

oder

c) der Reinigung und Wartung von Warmwassergeräten, hierzu gehören die Kosten der Beseitigung von Wasserablagerungen und Verbrennungsrückständen im Innern der Geräte sowie die Kosten der regelmäßigen Prüfung der Betriebsbereitschaft und Betriebssicherheit und der damit zusammenhängenden Einstellung durch eine Fachkraft;

6. **die Kosten verbundener Heizungs- und Warmwasserversorgungsanlagen**

a) bei zentralen Heizungsanlagen entsprechend Nummer 4 Buchstabe a und entsprechend Nummer 2, soweit sie nicht dort bereits berücksichtigt sind,

oder

b) bei der eigenständig gewerblichen Lieferung von Wärme entsprechend Nummer 4 Buchstabe c und entsprechend Nummer 2, soweit sie nicht dort bereits berücksichtigt sind,

oder

c) bei verbundenen Etagenheizungen und Warmwasserversorgungsanlagen entsprechend Nummer 4 Buchstabe d und entsprechend Nummer 2, soweit sie nicht dort bereits berücksichtigt sind;

7. **die Kosten des Betriebs des Personen- oder Lastenaufzugs,**
hierzu gehören die Kosten des Betriebsstroms, die Kosten der Beaufsichtigung, der Bedienung, Überwachung und Pflege der Anlage, der regelmäßigen Prüfung ihrer Betriebsbereitschaft und Betriebssicherheit einschließlich der Einstellung durch eine Fachkraft sowie die Kosten der Reinigung der Anlage;

8. **die Kosten der Straßenreinigung und Müllbeseitigung,**
zu den Kosten der Straßenreinigung gehören die für die öffentliche Straßenreinigung zu entrichtenden Gebühren und die Kosten entsprechender nicht öffentlicher Maßnahmen; zu den Kosten der Müllbeseitigung gehören namentlich die für die Müllabfuhr zu entrichtenden Gebühren, die Kosten entsprechender nicht öffentlicher Maßnahmen, die Kosten des Betriebs von Müllkompressoren, Müllschluckern, Müllabsauganlagen sowie des Betriebs von Müllmengenerfassungsanlagen einschließlich der Kosten der Berechnung und Aufteilung;

9. **die Kosten der Gebäudereinigung und Ungezieferbekämpfung,**
zu den Kosten der Gebäudereinigung gehören die Kosten für die Säuberung der von den Bewohnern gemeinsam genutzten Gebäudeteile, wie Zugänge, Flure, Treppen, Keller, Bodenräume, Waschküchen, Fahrkorb des Aufzugs;

10. **die Kosten der Gartenpflege,**
hierzu gehören die Kosten der Pflege gärtnerisch angelegter Flächen einschließlich der Erneuerung von Pflanzen und Gehölzen, der Pflege von Spielplätzen einschließlich der Erneuerung von Sand und der Pflege von Plätzen, Zugängen und Zufahrten, die dem nicht öffentlichen Verkehr dienen;

11. **die Kosten der Beleuchtung,**
hierzu gehören die Kosten des Stroms für die Außenbeleuchtung und die Beleuchtung der von den Bewohnern gemeinsam genutzten Gebäudeteile, wie Zugänge, Flure, Treppen, Keller, Bodenräume, Waschküchen;

12. **die Kosten der Schornsteinreinigung,**
hierzu gehören die Kehrgebühren nach der maßgebenden Gebührenordnung, soweit sie nicht bereits als Kosten nach Nummer 4 Buchstabe a berücksichtigt sind;

13. **die Kosten der Sach- und Haftpflichtversicherung,**
hierzu gehören namentlich die Kosten der Versicherung des Gebäudes gegen Feuer-, Sturm-, Wasser- sowie sonstige Elementarschäden, der Glasversicherung, der Haftpflichtversicherung für das Gebäude, den Öltank und den Aufzug;

14. **die Kosten für den Hauswart,**
hierzu gehören die Vergütung, die Sozialbeiträge und alle geldwerten Leistungen, die der Eigentümer oder Erbbauberechtigte dem Hauswart für seine Arbeit gewährt, soweit diese nicht die Instandhaltung, Instandsetzung, Erneuerung, Schönheitsreparaturen oder die Hausverwaltung betrifft; soweit Arbeiten vom Hauswart ausgeführt werden, dürfen Kosten für Arbeitsleistungen nach den Nummern 2 bis 10 und 16 nicht angesetzt werden;

15. **die Kosten**

a) des Betriebs der Gemeinschafts-Antennenanlage,
hierzu gehören die Kosten des Betriebsstroms und die Kosten der regelmäßigen Prüfung ihrer Betriebsbereitschaft einschließlich der Einstellung durch eine Fachkraft oder das Nutzungsentgelt für eine nicht zu dem Gebäude gehörende Antennenanlage sowie die Gebühren, die nach dem Urheberrechtsgesetz für die Kabelweitersendung entstehen,

oder

b) des Betriebs der mit einem Breitbandkabelnetz verbundenen privaten Verteilanlage,
hierzu gehören die Kosten entsprechend Buchstabe a, ferner die laufenden monatlichen Grundgebühren für Breitbandkabelanschlüsse;

16. **die Kosten des Betriebs der Einrichtungen für die Wäschepflege,**
hierzu gehören die Kosten des Betriebsstroms, die Kosten der Überwachung, Pflege und Reinigung der Einrichtungen, der regelmäßigen Prüfung ihrer Betriebsbereitschaft und Betriebssicherheit sowie die Kosten der Wasserversorgung entsprechend Nummer 2, soweit sie nicht dort bereits berücksichtigt sind;

17. **sonstige Betriebskosten,**
hierzu gehören Betriebskosten im Sinne des § 1, die von den Nummern 1 bis 16 nicht erfasst sind.

Artikel 3
Änderung der Zweiten Berechnungsverordnung

Die Zweite Berechnungsverordnung in der Fassung der Bekanntmachung vom 12. Oktober 1990 (BGBl. I S. 2178), zuletzt geändert durch Artikel 8 des Gesetzes vom 13. September 2001 (BGBl. I S. 2376), wird wie folgt geändert:

1. Die Inhaltsübersicht wird wie folgt geändert:

a) Die Angabe zu § 43 wird wie folgt gefasst:
„§ 43 (weggefallen)".

b) Die Angabe zu § 44 wird wie folgt gefasst:
„§ 44 (weggefallen)".

c) Die Angabe zu Anlage 3 wird wie folgt gefasst:
„Anlage 3 (weggefallen)".

2. § 11 Abs. 6 wird wie folgt gefasst:
„(6) Modernisierung sind bauliche Maßnahmen, die den Gebrauchswert des Wohnraums nachhaltig erhöhen, die allgemeinen Wohnverhältnisse auf Dauer verbessern oder nachhaltig Einsparungen von Energie oder Wasser bewirken."
3. § 26 Abs. 4 wird wie folgt gefasst:
„(4) Die in den Absätzen 2 und 3 genannten Beträge verändern sich am 1. Januar 2005 und am 1. Januar eines jeden darauf folgenden dritten Jahres um den Prozentsatz, um den sich der vom Statistischen Bundesamt festgestellte Verbraucherpreisindex für Deutschland für den der Veränderung vorausgehenden Monat Oktober gegenüber dem Verbraucherpreisindex für Deutschland für den der letzten Veränderung vorausgehenden Monat Oktober erhöht oder verringert hat. Für die Veränderung am 1. Januar 2005 ist die Erhöhung oder Verringerung des Verbraucherpreisindexes für Deutschland maßgeblich, die im Oktober 2004 gegenüber dem Oktober 2001 eingetreten ist."
4. In § 27 Abs. 1 Satz 2 wird die Angabe „dieser Verordnung beigefügte Anlage 3 ‚Aufstellung der Betriebskosten'" durch die Wörter „Betriebskostenverordnung vom 25. November 2003 (BGBl. I S. 2346, 2347)" ersetzt.
5. § 41 Abs. 3 wird wie folgt geändert:

a) Satz 1 wird wie folgt geändert:
   - aa) In Nummer 1 werden die Wörter „jedoch nicht die Hypothekengewinnabgabe," gestrichen.
   - bb) In Nummer 3 wird das Wort „Müllabfuhr" durch das Wort „Müllbeseitigung" ersetzt.

b) In Satz 2 Nr. 2 wird das Wort „Hausreinigung" durch das Wort „Gebäudereinigung" ersetzt.

6. § 42 wird wie folgt gefasst:
„§ 42 Wohnfläche
Ist die Wohnfläche bis zum 31. Dezember 2003 nach dieser Verordnung berechnet worden, bleibt es bei dieser Berechnung. Soweit in den in Satz 1 genannten Fällen nach dem 31. Dezember 2003 bauliche Änderungen an dem Wohnraum vorgenommen werden, die eine Neuberechnung der Wohnfläche erforderlich machen, sind die Vorschriften der Wohnflächenverordnung vom 25. November 2003 (BGBl. I S. 2346) anzuwenden."
7. Die §§ 43 und 44 werden aufgehoben.
8. Die Anlage 3 wird aufgehoben.

Artikel 4
Änderung der Neubaumietenverordnung

Die Neubaumietenverordnung in der Fassung der Bekanntmachung vom 12. Oktober 1990 (BGBl. I S. 2203), zuletzt geändert durch Artikel 9 des Gesetzes vom 13. September 2001 (BGBl. I S. 2376), wird wie folgt geändert:

1. Die Inhaltsübersicht wird wie folgt geändert:

a) Die Angabe zu § 22a wird wie folgt gefasst:
„§ 22a Umlegung der Kosten der Müllbeseitigung".

b) Die Angabe zu § 24 wird wie folgt gefasst:
„§ 24 Umlegung der Kosten des Betriebs von Aufzügen".

c) Die Angabe zu § 24a wird wie folgt gefasst:
„§ 24a Umlegung der Kosten des Betriebs der mit einem Breitbandkabelnetz verbundenen privaten Verteilanlage und der Gemeinschafts-Antennenanlage".

d) Die Angabe zu § 25 wird wie folgt gefasst:
„§ 25 Umlegung der Betriebs- und Instandhaltungskosten der Einrichtungen für die Wäschepflege".

e) Die Angabe zu § 25b wird wie folgt gefasst:
„§ 25b (weggefallen)".

f) Die Angabe zu § 33 wird wie folgt gefasst:
„§ 33 (weggefallen)".

2. § 1 Abs. 4 Nr. 2 wird wie folgt geändert:

a) Buchstabe a wird wie folgt gefasst:
„a) des Wohnungsbindungsgesetzes ab 1. Januar 2002 in der jeweils geltenden Fassung,".

b) Buchstabe b wird wie folgt gefasst:
„b) der Zweiten Berechnungsverordnung ab 1. Januar 2002 in der jeweils geltenden Fassung und".

3. In § 21 Abs. 1 werden nach den Wörtern „Kosten ihrer Verwendung einschließlich" die Wörter „der Kosten der Eichung sowie" und nach den Wörtern „Kosten der Berechnung und Aufteilung," die Wörter „die Kosten der Wartung von Wassermengenreglern," eingefügt.

4. § 22a wird wie folgt geändert:

a) In der Überschrift wird das Wort „Müllabfuhr" durch das Wort „Müllbeseitigung" ersetzt.

b) Absatz 1 wird wie folgt gefasst:
„(1) Zu den Kosten der Müllbeseitigung gehören namentlich die für die Müllabfuhr zu entrichtenden Gebühren, die Kosten entsprechender nicht öffentlicher Maßnahmen, die Kosten des Betriebs von Müllkompressoren, Müllschluckern, Müllabsauganlagen sowie des Betriebs von Müllmengenerfassungsanlagen einschließlich der Kosten der Berechnung und Aufteilung."

c) In Absatz 2 wird das Wort „Müllabfuhr" durch das Wort „Müllbeseitigung" ersetzt.

5. § 24 wird wie folgt geändert:

a) In der Überschrift werden die Wörter „maschineller Aufzüge" durch die Wörter „von Aufzügen" ersetzt.

b) In Absatz 1 werden die Wörter „durch einen Fachmann" durch die Wörter „durch eine Fachkraft" ersetzt.

6. § 24a wird wie folgt gefasst:

B

„§ 24a
Umlegung der Kosten des Betriebs der mit einem Breitbandkabelnetz verbundenen privaten Verteilanlage und der Gemeinschafts-Antennenanlage

(1) Zu den Kosten des Betriebs der mit einem Breitbandkabelnetz verbundenen privaten Verteilanlage gehören die Kosten des Betriebsstroms und die Kosten der regelmäßigen Prüfung ihrer Betriebsbereitschaft einschließlich der Einstellung durch eine Fachkraft oder das Nutzungsentgelt für eine nicht zur Wirtschaftseinheit gehörende Verteilanlage sowie die Gebühren, die nach dem Urheberrechtsgesetz für die Kabelweitersendung entstehen. Satz 1 gilt entsprechend für die Kosten des Betriebs der Gemeinschafts-Antennenanlage. Zu den Betriebskosten im Sinne des Satzes 1 gehören ferner die laufenden monatlichen Grundgebühren für Breitbandkabelanschlüsse.

(2) Die Kosten nach Absatz 1 Satz 1 und 2 dürfen nach dem Verhältnis der Wohnflächen umgelegt werden, sofern nicht im Einvernehmen mit allen Mietern ein anderer Umlegungsmaßstab vereinbart ist. Die Kosten nach Absatz 1 Satz 3 dürfen nur zu gleichen Teilen auf die Wohnungen umgelegt werden, die mit Zustimmung des Nutzungsberechtigten angeschlossen worden sind."

7. § 25 wird wie folgt geändert:
   a) In der Überschrift werden die Wörter „für maschinelle Wascheinrichtungen" durch die Wörter „der Einrichtungen für die Wäschepflege" ersetzt.
   b) In Absatz 1 werden die Wörter „maschineller Wascheinrichtungen" durch die Wörter „der Einrichtungen für die Wäschepflege" und die Wörter „der maschinellen Einrichtung" durch die Wörter „der Einrichtungen" ersetzt.
   c) In Absatz 2 werden die Wörter „für maschinelle Wascheinrichtungen" durch die Wörter „der Einrichtungen für die Wäschepflege" ersetzt.
8. § 25b wird aufgehoben.
9. § 34 Abs. 3 wird aufgehoben.

Artikel 5
Änderung der Heimmindestbauverordnung

§ 14 Abs. 2 der Heimmindestbauverordnung in der Fassung der Bekanntmachung vom 3. Mai 1983 (BGBl. I S. 550) wird wie folgt gefasst:

„(2) Für die Berechnung der Wohnflächen nach Absatz 1 gelten die Vorschriften der Wohnflächenverordnung vom 25. November 2003 (BGBl. I S. 2346) entsprechend. Beheizbare und unbeheizbare Wintergärten, Schwimmbäder und ähnliche nach allen Seiten geschlossene Räume sowie Balkone, Loggien, Dachgärten und Terrassen werden nicht angerechnet."

Artikel 5a
Änderung der Wohngeldverordnung

Die Wohngeldverordnung in der Fassung der Bekanntmachung vom 19. Oktober 2001 (BGBl. I S. 2722) wird wie folgt geändert:

1. In § la Abs. 3 Satz 3 wird die Angabe „§ 42 Abs. 4 der Zweiten Berechnungsverordnung" durch die Angabe „§ 2 Abs. 3 der Wohnflächenverordnung" ersetzt.
2. § 6 Abs. 1 wird wie folgt geändert:

a) In Nummer 1 wird die Angabe „der Nummer 4 Buchstabe a, b und d sowie der Nummer 5 Buchstabe a und c der Anlage 3 (zu § 27 Abs. 1) der Zweiten Berechnungsverordnung" durch die Angabe „des § 2 Nr. 4 Buchstabe a, b und d sowie Nr. 5 Buchstabe a und c der Betriebskostenverordnung" ersetzt.

b) In Nummer 2 Satz 1 wird die Angabe „der Nummer 4 Buchstabe c und Nummer 5 Buchstabe b der Anlage 3 (zu § 27 Abs. 1) der Zweiten Berechnungsverordnung" durch die Angabe „des § 2 Nr. 4 Buchstabe c und Nr. 5 Buchstabe b der Betriebskostenverordnung" ersetzt.

Artikel 6
Inkrafttreten

Diese Verordnung tritt am 1. Januar 2004 in Kraft.

B

Baugesetzbuch (BauGB) (Auszug)

In der Fassung der Bekanntmachung vom 23. September 2004 (BGBl. I S. 2414), geändert durch das Planungserleichterungsgesetz vom 21. Dezember 2006 (BGBl. I S. 3316), zuletzt geändert durch Artikel 1 des Gesetzes vom 22.7.2011 (BGBl. I S. 1509)

*Es werden abgedruckt: Aus dem ersten Kapitel **Allgemeines Städtebaurecht** der erste Teil zur Bauleitplanung und aus dem zweiten Kapitel **Besonderes Städtebaurecht** die einführenden Bestimmungen über städtebauliche Sanierungs- und über städtebauliche Entwicklungsmaßnahmen sowie die Bestimmungen über Erhaltungssatzungen und städtebauliche Gebote und über den Sozialplan und den Härteausgleich.*

Erstes Kapitel
Allgemeines Städtebaurecht

Erster Teil
Bauleitplanung

Erster Abschnitt
Allgemeine Vorschriften

§ 1
Aufgabe, Begriff und Grundsätze der Bauleitplanung

(1) Aufgabe der Bauleitplanung ist es, die bauliche sonstige Nutzung der Grundstücke in der Gemeinde nach Maßgabe dieses Gesetzbuchs vorzubereiten und zu leiten.

(2) Bauleitpläne sind der Flächennutzungsplan (vorbereitender Bauleitplan) und der Bebauungsplan (verbindlicher Bauleitplan).

(3) Die Gemeinden haben die Bauleitpläne aufzustellen, sobald und soweit es für die städtebauliche Entwicklung und Ordnung erforderlich ist. Auf die Aufstellung von Bauleitplänen und städtebaulichen Satzungen besteht kein Anspruch; ein Anspruch kann auch nicht durch Vertrag begründet werden.

(4) Die Bauleitpläne sind den Zielen der Raumordnung anzupassen.

(5) Die Bauleitpläne sollen eine nachhaltige städtebauliche Entwicklung, die die sozialen, wirtschaftlichen und umweltschützenden Anforderungen auch in Verantwortung gegenüber künftigen Generationen miteinander in Einklang bringt, und eine dem Wohl der Allgemeinheit dienende sozialgerechte Bodennutzung gewährleisten. Sie sollen dazu beitragen, eine menschenwürdige Umwelt zu sichern und die natürlichen Lebensgrundlagen zu schützen und zu entwickeln sowie den Klimaschutz und die Klimaanpassung, insbesondere auch in der Stadtentwicklung zu fördern, sowie die städtebauliche Gestalt und das Landschaftsbild baukulturell zu erhalten und zu entwickeln.

(6) Bei der Aufstellung der Bauleitpläne sind insbesondere zu berücksichtigen:

1. die allgemeinen Anforderungen an gesunde Wohn- und Arbeitsverhältnisse und die Sicherheit der Wohn- und Arbeitsbevölkerung,
2. die Wohnbedürfnisse der Bevölkerung, die Schaffung und Erhaltung sozial stabiler Bewohnerstrukturen, die Eigentumsbildung weiter Kreise der Bevölkerung und die Anforderungen Kosten sparenden Bauens sowie die Bevölkerungsentwicklung,
3. die sozialen und kulturellen Bedürfnisse der Bevölkerung, insbesondere die Bedürfnisse der Familien, der jungen, alten und behinderten Menschen, unterschiedlichen Auswirkungen auf Frauen und Männer sowie die Belange des Bildungswesens und von Sport, Freizeit und Erholung,
4. die Erhaltung, Erneuerung, Fortentwicklung, Anpassung und der Umbau vorhandener Ortsteile sowie die Erhaltung und Entwicklung zentraler Versorgungsbereiche,
5. die Belange der Baukultur, des Denkmalschutzes und der Denkmalpflege, die erhaltenswerten Ortsteile, Straßen und Plätze von geschichtlicher, künstlerischer oder städtebaulicher Bedeutung und die Gestaltung des Orts- und Landschaftsbildes,
6. die von den Kirchen und Religionsgesellschaften des öffentlichen Rechts festgestellten Erfordernisse für Gottesdienst und Seelsorge,
7. die Belange des Umweltschutzes, einschließlich des Naturschutzes und der Landschaftspflege, insbesondere
   a) die Auswirkungen auf Tiere, Pflanzen, Boden, Wasser, Luft, Klima und das Wirkungsgefüge zwischen ihnen sowie die Landschaft und die biologische Vielfalt,
   b) die Erhaltungsziele und der Schutzzweck der Natura-2000-Gebiete im Sinne des Bundesnaturschutzgesetzes,
   c) umweltbezogene Auswirkungen auf den Menschen und seine Gesundheit sowie die Bevölkerung insgesamt,
   d) umweltbezogene Auswirkungen auf Kulturgüter und sonstige Sachgüter,
   e) die Vermeidung von Emissionen sowie der sachgerechte Umgang mit Abfällen und Abwässern,
   f) die Nutzung erneuerbarer Energien sowie die sparsame und effiziente Nutzung von Energie,
   g) die Darstellungen von Landschaftsplänen sowie von sonstigen Plänen, insbesondere des Wasser-, Abfall- und Immissionsschutzrechts,
   h) die Erhaltung der bestmöglichen Luftqualität in Gebieten, in denen die durch Rechtsverordnung zur Erfüllung von bindenden Beschlüssen der Europäischen Gemeinschaften festgelegten Immissionsgrenzwerte nicht überschritten werden,
   i) die Wechselwirkungen zwischen den einzelnen Belangen des Umweltschutzes nach den Buchstaben a, c und d.

8. die Belange
   a) der Wirtschaft, auch ihrer mittelständischen Struktur im Interesse einer verbrauchernahen Versorgung der Bevölkerung,
   b) der Land- und Forstwirtschaft,
   c) der Erhaltung, Sicherung und Schaffung von Arbeitsplätzen,
   d) des Post- und Telekommunikationswesens,
   e) der Versorgung, insbesondere mit Energie und Wasser,
   f) der Sicherung von Rohstoffvorkommen,
9. die Belange des Personen- und Güterverkehrs und der Mobilität der Bevölkerung, einschließlich des öffentlichen Personennahverkehrs und des nicht motorisierten Verkehrs, unter besonderer Berücksichtigung einer auf Vermeidung und Verringerung von Verkehr ausgerichteten städtebaulichen Entwicklung,
10. die Belange der Verteidigung und des Zivilschutzes sowie der zivilen Anschlussnutzung von Militärliegenschaften,
11. die Ergebnisse eines von der Gemeinde beschlossenen städtebaulichen Entwicklungskonzeptes oder einer von ihr beschlossenen sonstigen städtebaulichen Planung.

(7) Bei der Aufstellung der Bauleitpläne sind die öffentlichen und privaten Belange gegeneinander und untereinander gerecht abzuwägen.

(8) Die Vorschriften dieses Gesetzbuches über die Aufstellung von Bauleitplänen gelten auch für ihre Änderung, Ergänzung und Aufhebung.

§ 1 a
Ergänzende Vorschriften zum Umweltschutz

(1) Bei der Aufstellung der Bauleitpläne sind die nachfolgenden Vorschriften zum Umweltschutz anzuwenden.

(2) Mit Grund und Boden soll sparsam und schonend umgegangen werden; dabei sind zur Verringerung der zusätzlichen Inanspruchnahme von Flächen für bauliche Nutzungen die Möglichkeiten der Entwicklung der Gemeinde insbesondere durch Wiedernutzbarmachung von Flächen, Nachverdichtung und andere Maßnahmen zur Innenentwicklung zu nutzen sowie Bodenvesiegelungen auf das notwendige Maß zu begrenzen. Landwirtschaftlich, als Wald oder für Wohnzwecke genutzte Flächen sollen nur im notwendigen Umfang umgenutzt werden. Die Grundsätze nach den Sätzen 1 und 2 sind nach § 1 Abs. 7 in der Abwägung zu berücksichtigen.

(3) Die Vermeidung und der Ausgleich voraussichtlich erheblicher Beeinträchtigungen des Landschaftsbildes sowie der Leistungs- und Funktionsfähigkeit des Naturhaushalts in seinen in § 1 Abs. 6 Nr. 7 Buchstabe a bezeichneten Bestandteilen (Eingriffsregelung nach dem Bundesnaturschutzgesetz) sind in der Abwägung nach § 1 Abs. 7 zu berücksichtigen. Der Ausgleich erfolgt durch geeignete Darstellungen und Festsetzungen nach den §§ 5 und 9 als Flächen oder Maßnahmen zum Ausgleich. Soweit dies mit einer nachhaltigen städtebaulichen Entwicklung und den Zielen der Raumordnung sowie des Naturschutzes und der Landschaftspflege vereinbar ist, können die Darstellungen und Festsetzungen auch an anderer Stelle als am

Ort des Eingriffs erfolgen. Anstelle von Darstellungen und Festsetzungen können auch vertragliche Vereinbarungen nach § 11 oder sonstige geeignete Maßnahmen zum Ausgleich auf von der Gemeinde bereitgestellten Flächen getroffen werden. Ein Ausgleich ist nicht erforderlich, soweit die Eingriffe bereits vor der planerischen Entscheidung erfolgt sind oder zulässig waren.

(4) Soweit ein Gebiet im Sinne des § 1 Abs. 6 Nr. 7 Buchstabe b in seinen für die Erhaltungsziele oder den Schutzzweck maßgeblichen Bestandteilen erheblich beeinträchtigt werden kann, sind die Vorschriften des Bundesnaturschutzgesetzes über die Zulässigkeit und Durchführung von derartigen Eingriffen einschließlich der Einholung der Stellungnahme der Kommission anzuwenden.

(5) Den Erfordernissen des Klimaschutzes soll sowohl durch Maßnahmen, die dem Klimawandel entgegenwirken, als auch durch solche, die der Anpassung an den Klimawandel dienen, Rechnung getragen werden. Der Grundsatz nach Satz 1 ist in der Abwägung nach § 1 Absatz 7 zu berücksichtigen.

§ 2
Aufstellung der Bauleitpläne

(1) Die Bauleitpläne sind von der Gemeinde in eigener Verantwortung aufzustellen. Der Beschluss, einen Bauleitplan aufzustellen, ist ortsüblich bekanntzumachen.

(2) Die Bauleitpläne benachbarter Gemeinden sind aufeinander abzustimmen. Dabei können sich Gemeinden auch auf die ihnen durch Ziele der Raumordnung zugewiesenen Funktionen sowie auf Auswirkungen auf ihre zentralen Versorgungsbereiche berufen.

(3) Bei der Aufstellung der Bauleitpläne sind die Belange, die für die Abwägung von Bedeutung sind (Abwägungsmaterial), zu ermitteln und zu bewerten.

(4) Für die Belange des Umweltschutzes nach § 1 Abs. 6 Nr. 7 und § 1 a wird eine Umweltprüfung durchgeführt, in der die voraussichtlichen erheblichen Umweltauswirkungen ermittelt werden und in einem Umweltbericht beschrieben und bewertet werden; die Anlage 1 zu diesem Gesetzbuch ist anzuwenden. Die Gemeinde legt dazu für jeden Bauleitplan fest, in welchem Umfang und Detaillierungsgrad die Ermittlung der Belange für die Abwägung erforderlich ist. Die Umweltprüfung bezieht sich auf das, was nach gegenwärtigem Wissensstand und allgemein anerkannten Prüfmethoden sowie nach Inhalt und Detaillierungsgrad des Bauleitplans angemessenerweise verlangt werden kann. Das Ergebnis der Umweltprüfung ist in der Abwägung zu berücksichtigen. Wird eine Umweltprüfung für das Plangebiet oder für Teile davon in einem Raumordnungs-, Flächennutzungs- oder Bebauungsplanverfahren durchgeführt, soll die Umweltprüfung in einem zeitlich nachfolgend oder gleichzeitig durchgeführten Bauleitplanverfahren auf zusätzliche oder andere erhebliche Umweltauswirkungen beschränkt werden. Liegen Landschaftspläne oder sonstige Pläne nach § 1 Abs. 6 Nr. 7 Buchstabe g vor, sind deren Bestandsaufnahmen und Bewertungen in der Umweltprüfung heranzuziehen.

§ 2 a
Begründung zum Bauleitplanentwurf, Umweltbericht

Die Gemeinde hat im Aufstellungsverfahren dem Entwurf des Bauleitplans eine Begründung beizufügen. In ihr sind entsprechend dem Stand des Verfahrens

1. die Ziele, Zwecke und wesentlichen Auswirkungen des Bauleitplans und
2. in dem Umweltbericht nach der Anlage zu diesem Gesetzbuch die auf Grund der Umweltprüfung nach § 2 Abs. 4 ermittelten und bewerteten Belange des Umweltschutzes

darzulegen. Der Umweltbericht bildet einen gesonderten Teil der Begründung.

§ 3
Beteiligung der Öffentlichkeit

(1) Die Öffentlichkeit ist möglichst frühzeitig über die allgemeinen Ziele und Zwecke der Planung, sich wesentlich unterscheidende Lösungen, die für die Neugestaltung oder Entwicklung eines Gebiets in Betracht kommen, und die voraussichtlichen Auswirkungen der Planung öffentlich zu unterrichten; ihr ist Gelegenheit zur Äußerung und Erörterung zu geben. Von der Unterrichtung und Erörterung kann abgesehen werden, wenn

1. ein Bebauungsplan aufgestellt oder aufgehoben wird und sich dies auf das Plangebiet und die Nachbargebiete nicht oder nur unwesentlich auswirkt oder
2. die Unterrichtung und Erörterung bereits zuvor auf anderer Grundlage erfolgt sind.

An die Unterrichtung und Erörterung schließt sich das Verfahren nach Absatz 2 auch an, wenn die Erörterung zu einer Änderung der Planung führt.

(2) Die Entwürfe der Bauleitpläne sind mit der Begründung und den nach Einschätzung der Gemeinde wesentlichen, bereits vorliegenden umweltbezogenen Stellungnahmen für die Dauer eines Monats öffentlich auszulegen. Ort und Dauer der Auslegung sowie Angaben dazu, welche Arten umweltbezogener Informationen verfügbar sind, sind mindestens eine Woche vorher ortsüblich bekanntzumachen; dabei ist darauf hinzuweisen, dass Stellungnahmen während der Auslegungsfrist abgegeben werden können, dass nicht fristgerecht abgegebene Stellungnahmen bei der Beschlussfassung über den Bauleitplan unberücksichtigt bleiben können und, bei Aufstellung eines Bebauungsplans, dass ein Antrag nach § 47 der Verwaltungsgerichtsordnung unzulässig ist, soweit mit ihm Einwendungen geltend gemacht werden, die vom Antragsteller im Rahmen der Auslegung nicht oder verspätet geltend gemacht wurden, aber hätten geltend gemacht werden können. Die nach § 4 Abs. 2 Beteiligten sollen von der Auslegung benachrichtigt werden. Die fristgemäß abgegebenen Stellungnahmen sind zu prüfen; das Ergebnis ist mitzuteilen. Haben mehr als fünfzig Personen Stellungnahmen mit im Wesentlichen gleichem Inhalt abgegeben, kann die Mitteilung dadurch ersetzt werden, dass diesen Personen die Einsicht in das Ergebnis ermöglicht wird; die Stelle, bei der das Ergebnis der Prüfung während der Dienststunden eingesehen werden kann, ist ortsüblich bekanntzumachen. Bei der Vorlage der Bauleitpläne nach § 6 oder § 10 Abs. 2 sind die nicht berücksichtigten Anregungen mit einer Stellungnahme der Gemeinde beizufügen.

§ 4
Beteiligung der Behörden

(1) Die Behörden und sonstigen Träger öffentlicher Belange, deren Aufgabenbereich durch die Planung berührt werden kann, sind entsprechend § 3 Abs. 1 Satz 1 Halbsatz 1 zu unterrichten und zur Äußerung auch im Hinblick auf den erforderlichen Umfang und Detaillierungsgrad der Umweltprüfung nach § 2 Abs. 4 aufzufordern. Hieran schließt sich das Verfahren nach Absatz 2 auch an, wenn die Äußerung zu einer Änderung der Planung führt.

(2) Die Gemeinde holt die Stellungnahmen der Behörden und sonstigen Träger öffentlicher Belange, deren Aufgabenbereich durch die Planung berührt werden kann, zum Planentwurf und der Begründung ein. Sie haben ihre Stellungnahmen innerhalb eines Monats abzugeben; die Gemeinde soll diese Frist bei Vorliegen eines wichtigen Grundes angemessen verlängern. In den Stellungnahmen sollen sich die Behörden und sonstigen Träger öffentlicher Belange auf ihren Aufgabenbereich beschränken; sie haben auch Aufschluss über von ihnen beabsichtigte oder bereits eingeleitete Planungen und sonstige Maßnahmen sowie deren zeitliche Abwicklung zu geben, die für die städtebauliche Entwicklung und Ordnung des Gebiets bedeutsam sein können. Verfügen sie über Informationen, die für die Ermittlung und Bewertung des Abwägungsmaterials zweckdienlich sind, haben sie diese Informationen der Gemeinde zur Verfügung zu stellen.

(3) Nach Abschluss des Verfahrens zur Aufstellung des Bauleitplans unterrichten die Behörden die Gemeinde, sofern nach den ihnen vorliegenden Erkenntnissen die Durchführung des Bauleitplans erhebliche, insbesondere unvorhergesehene nachteilige Auswirkungen auf die Umwelt hat.

§ 4 a
Gemeinsame Vorschriften zur Beteiligung

(1) Die Vorschriften über die Öffentlichkeits- und Behördenbeteiligung dienen insbesondere der vollständigen Ermittlung und zutreffenden Bewertung der von der Planung berührten Belange.

(2) Die Unterrichtung nach § 3 Abs. 1 kann gleichzeitig mit der Unterrichtung nach § 4 Abs. 1, die Auslegung nach § 3 Abs. 2 kann gleichzeitig mit der Einholung der Stellungnahmen nach § 4 Abs. 2 durchgeführt werden.

(3) Wird der Entwurf des Bauleitplans nach dem Verfahren nach § 3 Abs. 2 oder § 4 Abs. 2 geändert oder ergänzt, ist er erneut auszulegen und sind die Stellungnahmen erneut einzuholen. Dabei kann bestimmt werden, dass Stellungnahmen nur zu den geänderten oder ergänzten Teilen abgegeben werden können; hierauf ist in der erneuten Bekanntmachung nach § 3 Abs. 2 Satz 2 hinzuweisen. Die Dauer der Auslegung und die Frist zur Stellungnahme kann angemessen verkürzt werden. Werden durch die Änderung oder Ergänzung des Entwurfs des Bauleitplans die Grundzüge der Planung nicht berührt, kann die Einholung der Stellungnahmen auf die von der Änderung oder Ergänzung betroffene Öffentlichkeit sowie die berührten Behörden und sonstigen Träger öffentlicher Belange beschränkt werden.

B

(4) Bei der Öffentlichkeits- und Behördenbeteiligung können ergänzend elektronische Informationstechnologien genutzt werden. Soweit die Gemeinde den Entwurf des Bauleitplans und die Begründung in das Internet einstellt, können die Stellungnahmen der Behörden und sonstigen Träger öffentlicher Belange durch Mitteilung von Ort und Dauer der öffentlichen Auslegung nach § 3 Abs. 2 und der Internetadresse eingeholt werden; die Mitteilung kann im Wege der elektronischen Kommunikation erfolgen, soweit der Empfänger hierfür einen Zugang eröffnet hat. Die Gemeinde hat bei Anwendung von Satz 2 Halbsatz 1 der Behörde oder dem sonstigen Träger öffentlicher Belange auf dessen Verlangen einen Entwurf des Bauleitplans und der Begründung zu übermitteln; § 4 Abs. 2 Satz 2 bleibt unberührt.

(5) Bei Bauleitplänen, die erhebliche Auswirkungen auf Nachbarstaaten haben können, sind die Gemeinden und Behörden des Nachbarstaates nach den Grundsätzen der Gegenseitigkeit und Gleichwertigkeit zu unterrichten. Abweichend von Satz 1 ist bei Bauleitplänen, die erhebliche Umweltauswirkungen auf einen anderen Staat haben können, dieser nach den Vorschriften des Gesetzes über die Umweltverträglichkeitsprüfung zu beteiligen; für die Stellungnahmen der Öffentlichkeit und Behörden des anderen Staates, einschließlich der Rechtsfolgen nicht rechtzeitig abgegebener Stellungnahmen, sind abweichend von den Vorschriften des Gesetzes über die Umweltverträglichkeitsprüfung die Vorschriften dieses Gesetzbuchs entsprechend anzuwenden. Ist bei Bauleitplänen eine grenzüberschreitende Beteiligung nach Satz 2 erforderlich, ist hierauf bei der Bekanntmachung nach § 3 Abs. 2 Satz 2 hinzuweisen.

(6) Stellungnahmen, die im Verfahren der Öffentlichkeits- und Behördenbeteiligung nicht rechtzeitig abgegeben worden sind, können bei der Beschlussfassung über den Bauleitplan unberücksichtigt bleiben, sofern die Gemeinde deren Inhalt nicht kannte und nicht hätte kennen müssen und deren Inhalt für die Rechtmäßigkeit des Bauleitplans nicht von Bedeutung ist. Satz 1 gilt für in der Öffentlichkeitsbeteiligung abgegebene Stellungnahmen nur, wenn darauf in der Bekanntmachung nach § 3 Abs. 2 Satz 2 zur Öffentlichkeitsbeteiligung hingewiesen worden ist.

§ 4 b
Einschaltung eines Dritten

Die Gemeinde kann insbesondere zur Beschleunigung des Bauleitplanverfahrens die Vorbereitung und Durchführung von Verfahrensschritten nach den §§ 2 a bis 4 a einem Dritten übertragen.

§ 4 c
Überwachung

Die Gemeinden überwachen die erheblichen Umweltauswirkungen, die auf Grund der Durchführung der Bauleitpläne eintreten, um insbesondere unvorhergesehene nachteilige Auswirkungen frühzeitig zu ermitteln und in der Lage zu sein, geeignete Maßnahmen zur Abhilfe zu ergreifen. Sie nutzen dabei die im Umweltbericht nach Nummer 3 Buchstabe b der Anlage 1 zu diesem Gesetzbuch angegebenen Überwachungsmaßnahmen und die Informationen der Behörden nach § 4 Abs. 3.

Zweiter Abschnitt
Vorbereitender Bauleitplan (Flächennutzungsplan)
§ 5
Inhalt des Flächennutzungsplans

(1) Im Flächennutzungsplan ist für das ganze Gemeindegebiet die sich aus der beabsichtigten städtebaulichen Entwicklung ergebende Art der Bodennutzung nach den voraussehbaren Bedürfnissen der Gemeinde in den Grundzügen darzustellen. Aus dem Flächennutzungsplan können Flächen und sonstige Darstellungen ausgenommen werden, wenn dadurch die nach Satz 1 darzustellenden Grundzüge nicht berührt werden und die Gemeinde beabsichtigt, die Darstellung zu einem späteren Zeitpunkt vorzunehmen; in der Begründung sind die Gründe hierfür darzulegen.

(2) Im Flächennutzungsplan können insbesondere dargestellt werden:

1. die für die Bebauung vorgesehenen Flächen nach der allgemeinen Art ihrer baulichen Nutzung (Bauflächen), nach der besonderen Art ihrer baulichen Nutzung (Baugebiete) sowie nach dem allgemeinen Maß der baulichen Nutzung; Bauflächen, für die eine zentrale Abwasserbeseitigung nicht vorgesehen ist, sind zu kennzeichnen;
2. die Ausstattung des Gemeindegebiets
   a) mit Anlagen und Einrichtungen zur Versorgung mit Gütern und Dienstleistungen des öffentlichen und privaten Bereichs, insbesondere mit den der Allgemeinheit dienenden baulichen Anlagen und Einrichtungen des Gemeinbedarfs, wie mit Schulen und Kirchen sowie mit sonstigen kirchlichen, sozialen, gesundheitlichen und kulturellen Zwecken dienenden Gebäuden und Einrichtungen sowie die Flächen für Sport und Spielanlagen,
   b) mit Anlagen, Einrichtungen und sonstigen Maßnahmen, die dem Klimawandel entgegenwirken, insbesondere zur dezentralen und zentralen Erzeugung, Verteilung, Nutzung oder Speicherung von Strom, Wärme oder Kälte aus erneuerbaren Energien oder Kraft-Wärme-Kopplung,
   c) mit Anlagen, Einrichtungen und sonstigen Maßnahmen, die der Anpassung an den Klimawandel dienen;
3. die Flächen für den überörtlichen Verkehr und für die örtlichen Hauptverkehrszüge;
4. die Flächen für Versorgungsanlagen, für die Abfallentsorgung und Abwasserbeseitigung, für Ablagerungen sowie für Hauptversorgungs- und Hauptabwasserleitungen;
5. die Grünflächen, wie Parkanlagen, Dauerkleingärten, Sport-, Spiel-, Zelt- und Badeplätze, Friedhöfe;
6. die Flächen für Nutzungsbeschränkungen oder für Vorkehrungen zum Schutz gegen schädliche Umwelteinwirkungen im Sinne des Bundes-Immissionsschutzgesetzes;
7. die Wasserflächen, Häfen und die für die Wasserwirtschaft vorgesehenen Flächen sowie die Flächen, die im Interesse des Hochwasserschutzes und der Regelung des Wasserabflusses freizuhalten sind;

8. die Flächen für Aufschüttungen, Abgrabungen oder für die Gewinnung von Steinen, Erden und anderen Bodenschätzen;
9. a) die Flächen für die Landwirtschaft und
   b) Wald;
10. die Flächen für Maßnahmen zum Schutz, zur Pflege und zur Entwicklung von Boden, Natur und Landschaft.

(2a) Flächen zum Ausgleich im Sinne des § 1 a Abs. 3 im Geltungsbereich des Flächennutzungsplans können den Flächen, auf denen Eingriffe in Natur und Landschaft zu erwarten sind, ganz oder teilweise zugeordnet werden.

(2b) Für die Zwecke des § 35 Abs. 3 Satz 3 können sachliche Teilflächennutzungspläne aufgestellt werden; sie können auch für Teile des Gemeindegebiets aufgestellt werden.

(3) Im Flächennutzungsplan sollen gekennzeichnet werden:

1. Flächen, bei deren Bebauung besondere bauliche Vorkehrungen gegen äußere Einwirkungen oder bei denen besondere bauliche Sicherungsmaßnahmen gegen Naturgewalten erforderlich sind;
2. Flächen, unter denen der Bergbau umgeht oder die für den Abbau von Mineralien bestimmt sind;
3. für bauliche Nutzungen vorgesehene Flächen, deren Böden erheblich mit umweltgefährdenden Stoffen belastet sind.

(4) Planungen und sonstige Nutzungsregelungen, die nach anderen gesetzlichen Vorschriften festgesetzt sind, sowie nach Landesrecht denkmalgeschützte Mehrheiten von baulichen Anlagen sollen nachrichtlich übernommen werden. Sind derartige Festsetzungen in Aussicht genommen, sollen sie im Flächennutzungsplan vermerkt werden.

(4a) Festgesetzte Überschwemmungsgebiete im Sinne des § 76 Absatz 2 des Wasserhaushaltsgesetzes sollen nachrichtlich übernommen werden. Noch nicht festgesetzte Überschwemmungsgebiete im Sinne des § 76 Absatz 3 des Wasserhaushaltsgesetzes sowie als Risikogebiete im Sinne des § 73 Absatz 1 Satz 1 des Wasserhaushaltsgesetzes bestimmte Gebiete sollen im Flächennutzungsplan vermerkt werden.

(5) Dem Flächennutzungsplan ist eine Begründung mit den Angaben nach § 2a beizufügen.

§ 6
Genehmigung des Flächennutzungsplans

(1) Der Flächennutzungsplan bedarf der Genehmigung der höheren Verwaltungsbehörde.

(2) Die Genehmigung darf nur versagt werden, wenn der Flächennutzungsplan nicht ordnungsgemäß zustande gekommen ist oder diesem Gesetzbuch, den aufgrund dieses Gesetzbuchs erlassenen oder sonstigen Rechtsvorschriften widerspricht.

(3) Können Versagungsgründe nicht ausgeräumt werden, kann die höhere Verwaltungsbehörde räumliche oder sachliche Teile des Flächennutzungsplans von der Genehmigung ausnehmen.

B

(4) Über die Genehmigung ist binnen drei Monaten zu entscheiden; die höhere Verwaltungsbehörde kann räumliche und sachliche Teile des Flächennutzungsplans vorweg genehmigen. Aus wichtigen Gründen kann die Frist auf Antrag der Genehmigungsbehörde von der zuständigen übergeordneten Behörde verlängert werden, in der Regel jedoch nur bis zu drei Monaten. Die Gemeinde ist von der Fristverlängerung in Kenntnis zu setzen. Die Genehmigung gilt als erteilt, wenn sie nicht innerhalb der Frist unter Angabe von Gründen abgelehnt wird.

(5) Die Erteilung der Genehmigung ist ortsüblich bekanntzumachen. Mit der Bekanntmachung wird der Flächennutzungsplan wirksam. Ihm ist eine zusammenfassende Erklärung beizufügen über die Art und Weise, wie die Umweltbelange und die Ergebnisse der Öffentlichkeits- und Behördenbeteiligung in dem Flächennutzungsplan berücksichtigt wurden, und aus welchen Gründen der Plan nach Abwägung mit den geprüften, in Betracht kommenden anderweitigen Planungsmöglichkeiten gewählt wurde. Jedermann kann den Flächennutzungsplan, die Begründung und die zusammenfassende Erklärung einsehen und über den Inhalt Auskunft verlangen.

(6) Mit dem Beschluß über eine Änderung oder Ergänzung des Flächennutzungsplans kann die Gemeinde auch bestimmen, dass der Flächennutzungsplan in der Fassung, die er durch die Änderung oder Ergänzung erfahren hat, neu bekannt zu machen ist.

§ 7
Anpassung an den Flächennutzungsplan

Öffentliche Planungsträger, die nach § 4 oder § 13 beteiligt worden sind, haben ihre Planungen dem Flächennutzungsplan insoweit anzupassen, als sie diesem Plan nicht widersprochen haben. Der Widerspruch ist bis zum Beschluß der Gemeinde einzulegen. Macht eine Veränderung der Sachlage eine abweichende Planung erforderlich, haben sie sich unverzüglich mit der Gemeinde ins Benehmen zu setzen. Kann ein Einvernehmen zwischen der Gemeinde und dem öffentlichen Planungsträger nicht erreicht werden, kann der öffentliche Planungsträger nachträglich widersprechen. Der Widerspruch ist nur zulässig, wenn die für die abweichende Planung geltend gemachten Belange die sich aus dem Flächennutzungsplan ergebenden städtebaulichen Belange nicht nur unwesentlich überwiegen. Im Fall einer abweichenden Planung ist § 37 Abs. 3 auf die durch die Änderung oder Ergänzung des Flächennutzungsplans oder eines Bebauungsplans, der aus dem Flächennutzungsplan entwickelt worden ist und geändert, ergänzt oder aufgehoben werden mußte, entstehenden Aufwendungen und Kosten entsprechend anzuwenden; § 38 Satz 3 bleibt unberührt.

Dritter Abschnitt
Verbindlicher Bauleitplan (Bebauungsplan)

§ 8
Zweck des Bebauungsplans

(1) Der Bebauungsplan enthält die rechtsverbindlichen Festsetzungen für die städtebauliche Ordnung. Er bildet die Grundlage für weitere, zum Vollzug dieses Gesetzbuchs erforderliche Maßnahmen.

(2) Bebauungspläne sind aus dem Flächennutzungsplan zu entwickeln. Ein Flächennutzungsplan ist nicht erforderlich, wenn der Bebauungsplan ausreicht, um die städtebauliche Entwicklung zu ordnen.

(3) Mit der Aufstellung, Änderung, Ergänzung oder Aufhebung eines Bebauungsplans kann gleichzeitig auch der Flächennutzungsplan aufgestellt, geändert oder ergänzt werden (Parallelverfahren). Der Bebauungsplan kann vor dem Flächennutzungsplan bekanntgemacht werden, wenn nach dem Stand der Planungsarbeiten anzunehmen ist, dass der Bebauungsplan aus den künftigen Darstellungen des Flächennutzungsplans entwickelt sein wird.

(4) Ein Bebauungsplan kann aufgestellt, geändert, ergänzt oder aufgehoben werden, bevor der Flächennutzungsplan aufgestellt ist, wenn dringende Gründe es erfordern und wenn der Bebauungsplan der beabsichtigten städtebaulichen Entwicklung des Gemeindegebiets nicht entgegenstehen wird (vorzeitiger Bebauungsplan). Gilt bei Gebiets- oder Bestandsänderungen von Gemeinden oder anderen Veränderungen der Zuständigkeit für die Aufstellung von Flächennutzungsplänen ein Flächennutzungsplan fort, kann ein vorzeitiger Bebauungsplan auch aufgestellt werden, bevor der Flächennutzungsplan ergänzt oder geändert ist.

§ 9
Inhalt des Bebauungsplans

(1) Im Bebauungsplan können aus städtebaulichen Gründen festgesetzt werden:

1. die Art und das Maß der baulichen Nutzung;
2. die Bauweise, die überbaubaren und die nicht überbaubaren Grundstücksflächen sowie die Stellung der baulichen Anlagen;

2a. vom Bauordnungsrecht abweichende Maße der Tiefe der Abstandflächen;

3. für die Größe, Breite und Tiefe der Baugrundstücke Mindestmaße und aus Gründen des sparsamen und schonenden Umgangs mit Grund und Boden für Wohnbaugrundstücke auch Höchstmaße;
4. die Flächen für Nebenanlagen, die auf Grund anderer Vorschriften für die Nutzung von Grundstücken erforderlich sind, wie Spiel-, Freizeit- und Erholungsflächen sowie die Flächen für Stellplätze und Garagen mit ihren Einfahrten;
5. die Flächen für den Gemeinbedarf sowie für Sport- und Spielanlagen;
6. die höchstzulässige Zahl der Wohnungen in Wohngebäuden;
7. die Flächen, auf denen ganz oder teilweise nur Wohngebäude, die mit Mitteln der sozialen Wohraumförderung gefördert werden könnten, errichtet werden dürfen;
8. einzelne Flächen, auf denen ganz oder teilweise nur Wohngebäude errichtet werden dürfen, die für Personengruppen mit besonderem Wohnbedarf bestimmt sind;
9. der besondere Nutzungszweck von Flächen;
10. die Flächen, die von der Bebauung freizuhalten sind, und ihre Nutzung;
11. die Verkehrsflächen sowie Verkehrsflächen besonderer Zweckbestimmung, wie Fußgängerbereiche, Flächen für das Parken von Fahrzeugen; Flächen für das Abstellen von Fahrrädern sowie den Anschluss anderer Flächen an die Verkehrsflächen; die Flächen können auch als öffentliche oder private Flächen festgesetzt werden;

12. die Versorgungsflächen, einschließlich der Flächen für Anlagen und Einrichtungen zur dezentralen und zentralen Erzeugung, Verteilung, Nutzung oder Speicherung von Strom, Wärme oder Kälte aus erneuerbaren Energien oder Kraft-Wärme-Kopplung;
13. die Führung von oberirdischen oder unterirdischen Versorgungsanlagen und -leitungen;
14. die Flächen für die Abfall- und Abwasserbeseitigung, einschließlich der Rückhaltung und Versickerung von Niederschlagswasser sowie für Ablagerungen;
15. die öffentlichen und privaten Grünflächen, wie Parkanlagen, Dauerkleingärten, Sport-, Spiel-, Zelt- und Badeplätze, Friedhöfe;
16. die Wasserflächen sowie die Flächen für die Wasserwirtschaft, für Hochwasserschutzanlagen und für die Regelung des Wasserabflusses;
17. die Flächen für Aufschüttungen, Abgrabungen oder für die Gewinnung von Steinen, Erden und anderen Bodenschätzen;
18. a) die Flächen für die Landwirtschaft und
    b) Wald;
19. die Flächen für die Errichtung von Anlagen für die Kleintierhaltung wie Ausstellungs- und Zuchtanlagen, Zwinger, Koppeln und dergleichen;
20. die Flächen oder Maßnahmen zum Schutz, zur Pflege und zur Entwicklung von Boden, Natur und Landschaft;
21. die mit Geh-, Fahr- und Leitungsrechten zugunsten der Allgemeinheit, eines Erschließungsträgers oder eines beschränkten Personenkreises zu belastenden Flächen;
22. die Flächen für Gemeinschaftsanlagen für bestimmte räumliche Bereiche wie Kinderspielplätze, Freizeiteinrichtungen, Stellplätze und Garagen;
23. Gebiete, in denen
    a) zum Schutz vor schädlichen Umwelteinwirkungen im Sinne des Bundes-Immissionsschutzgesetzes bestimmte luftverunreinigende Stoffe nicht oder nur beschränkt verwendet werden dürfen,
    b) bei der Errichtung von Gebäuden oder bestimmten sonstigen baulichen Anlagen bestimmte bauliche und sonstige technische Maßnahmen für die Erzeugung, Nutzung oder Speicherung von Strom, Wärme oder Kälte aus erneuerbaren Energien oder Kraft-Wärme-Kopplung getroffen werden müssen;
24. die von der Bebauung freizuhaltenden Schutzflächen und ihre Nutzung, die Flächen für besondere Anlagen und Vorkehrungen zum Schutz vor schädlichen Umwelteinwirkungen im Sinne des Bundes-Immissionsschutzgesetzes sowie die zum Schutz vor solchen Einwirkungen oder zur Vermeidung oder Minderung solcher Einwirkungen zu treffenden baulichen und sonstigen technischen Vorkehrungen;
25. für einzelne Flächen oder für ein Bebauungsplangebiet oder Teile davon sowie für Teile baulicher Anlagen mit Ausnahme der für landwirtschaftliche Nutzungen oder Wald festgesetzten Flächen

a) das Anpflanzen von Bäumen, Sträuchern und sonstigen Bepflanzungen,
b) Bindungen für Bepflanzungen und für die Erhaltung von Bäumen, Sträuchern und sonstigen Bepflanzungen sowie von Gewässern;

26. die Flächen für Aufschüttungen, Abgrabungen und Stützmauern, soweit sie zur Herstellung des Straßenkörpers erforderlich sind.

(1a) Flächen oder Maßnahmen zum Ausgleich im Sinne des § 1 a Abs. 3 können auf den Grundstücken, auf denen Eingriffe in Natur und Landschaft zu erwarten sind, oder an anderer Stelle sowohl im sonstigen Geltungsbereich des Bebauungsplans als auch in einem anderen Bebauungsplan festgesetzt werden. Die Flächen oder Maßnahmen zum Ausgleich an anderer Stelle können den Grundstücken, auf denen Eingriffe zu erwarten sind, ganz oder teilweise zugeordnet werden; dies gilt auch für Maßnahmen auf von der Gemeinde bereitgestellten Flächen.

(2) Im Bebauungsplan kann in besonderen Fällen festgesetzt werden, dass bestimmte der in ihm festgesetzten baulichen und sonstigen Nutzungen und Anlagen nur

1. für einen bestimmten Zeitraum zulässig oder
2. bis zum Eintritt bestimmter Umstände zulässig oder unzulässig

sind. Die Folgenutzung soll festgesetzt werden.

(2a) Für im Zusammenhang bebaute Ortsteile (§ 34) kann zur Erhaltung oder Entwicklung zentraler Versorgungsbereiche, auch im Interesse einer verbrauchernahen Versorgung der Bevölkerung und der Innenentwicklung der Gemeinden, in einem Bebauungsplan festgesetzt werden, dass nur bestimmte Arten der nach § 34 Abs. 1 und 2 zulässigen baulichen Nutzungen zulässig oder nicht zulässig sind oder nur ausnahmsweise zugelassen werden können; die Festsetzungen können für Teile des räumlichen Geltungsbereichs des Bebauungsplans unterschiedlich getroffen werden. Dabei ist insbesondere ein hierauf bezogenes städtebauliches Entwicklungskonzept im Sinne des § 1 Abs. 6 Nr. 11 zu berücksichtigen, das Aussagen über die zu erhaltenden oder zu entwickelnden zentralen Versorgungsbereiche der Gemeinde oder eines Gemeindeteils enthält. In den zu erhaltenden oder zu entwickelnden zentralen Versorgungsbereichen sollen die planungsrechtlichen Voraussetzungen für Vorhaben, die diesen Versorgungsbereichen dienen, nach § 30 oder § 34 vorhanden oder durch einen Bebauungsplan, dessen Aufstellung förmlich eingeleitet ist, vorgesehen sein.

(3) Bei Festsetzungen nach Absatz 1 kann auch die Höhenlage festgesetzt werden. Festsetzungen nach Absatz 1 für übereinanderliegende Geschosse und Ebenen und sonstige Teile baulicher Anlagen können gesondert getroffen werden; dies gilt auch, soweit Geschosse, Ebenen und sonstige Teile baulicher Anlagen unterhalb der Geländeoberfläche vorgesehen sind.

(4) Die Länder können durch Rechtsvorschriften bestimmen, dass auf Landesrecht beruhende Regelungen in den Bebauungsplan als Festsetzungen aufgenommen werden können und inwieweit auf diese Festsetzungen die Vorschriften dieses Gesetzbuchs Anwendung finden.

(5) Im Bebauungsplan sollen gekennzeichnet werden:

1. Flächen, bei deren Bebauung besondere bauliche Vorkehrungen gegen äußere Einwirkungen oder bei denen besondere bauliche Sicherungsmaßnahmen gegen Naturgewalten erforderlich sind;

2. Flächen, unter denen der Bergbau umgeht oder die für den Abbau von Mineralien bestimmt sind;
3. Flächen, deren Böden erheblich mit umweltgefährdenden Stoffen belastet sind.

(6) Nach anderen gesetzlichen Vorschriften getroffene Festsetzungen sowie Denkmäler nach Landesrecht sollen in den Bebauungsplan nachrichtlich übernommen werden, soweit sie zu seinem Verständnis oder für die städtebauliche Beurteilung von Baugesuchen notwendig oder zweckmäßig sind.

(6a) Festgesetzte Überschwemmungsgebiete im Sinne des § 76 Absatz 2 des Wasserhaushaltsgesetzes sollen nachrichtlich übernommen werden. Noch nicht festgesetzte Überschwemmungsgebiete im Sinne des § 76 Absatz 3 des Wasserhaushaltsgesetzes sowie als Risikogebiete im Sinne des § 73 Absatz 1 Satz 1 des Wasserhaushaltsgesetzes bestimmte Gebiete sollen im Bebauungsplan vermerkt werden.

(7) Der Bebauungsplan setzt die Grenzen seines räumlichen Geltungsbereichs fest.

(8) Dem Bebauungsplan ist eine Begründung mit den Angaben nach § 2 a beizufügen.

§ 9 a
Verordnungsermächtigung

Das Bundesministerium für Verkehr, Bau- und Wohnungswesen wird ermächtigt, mit Zustimmung des Bundesrates durch Rechtsverordnung Vorschriften zu erlassen über

1. Darstellungen und Festsetzungen in den Bauleitplänen über
   a) die Art der baulichen Nutzung,
   b) das Maß der baulichen Nutzung und seine Berechnung,
   c) die Bauweise sowie die überbaubaren und die nicht überbaubaren Grundstücksflächen;
2. die in den Baugebieten zulässigen baulichen und sonstigen Anlagen;
3. die Zulässigkeit der Festsetzung nach Maßgabe des § 9 Abs. 3 über verschiedenartige Baugebiete oder verschiedenartige in den Baugebieten zulässige bauliche und sonstige Anlagen;
4. die Ausarbeitung der Bauleitpläne einschließlich der dazugehörigen Unterlagen sowie über die Darstellung des Planinhalts, insbesondere über die dabei zu verwendenden Planzeichen und ihre Bedeutung.

§ 10
Beschluss, Genehmigung und Inkrafttreten des Bebauungsplans

(1) Die Gemeinde beschließt den Bebauungsplan als Satzung.

(2) Bebauungspläne nach § 8 Abs. 2 Satz 2, Abs. 3 Satz 2 und Abs. 4 bedürfen der Genehmigung der höheren Verwaltungsbehörde. § 6 Abs. 2 und 4 ist entsprechend anzuwenden.

(3) Die Erteilung der Genehmigung oder, soweit eine Genehmigung nicht erforderlich ist, der Beschluß des Bebauungsplans durch die Gemeinde ist ortsüblich bekanntzumachen. Der Bebauungsplan ist mit der Begründung und der zusammenfassenden Erklärung nach Absatz 4 zu jedermanns Einsicht bereitzuhalten; über den Inhalt ist auf Verlangen Auskunft zu geben. In der Bekanntmachung ist darauf hinzuweisen, wo der Bebauungsplan eingesehen werden kann. Mit der Bekanntmachung tritt der Be-

bauungsplan in Kraft. Die Bekanntmachung tritt an die Stelle der sonst für Satzungen vorgeschriebenen Veröffentlichung.

(4) Dem Bebauungsplan ist eine zusammenfassende Erklärung beizufügen über die Art und Weise, wie die Umweltbelange und die Ergebnisse der Öffentlichkeits- und Behördenbeteiligung in dem Bebauungsplan berücksichtigt wurden, und aus welchen Gründen der Plan nach Abwägung mit den geprüften, in Betracht kommenden anderweitigen Planungsmöglichkeiten gewählt wurde.

Zweites Kapitel
Besonderes Städtebaurecht

Erster Teil
Städtebauliche Sanierungsmaßnahmen

§ 136
Städtebauliche Sanierungsmaßnahmen

(1) Städtebauliche Sanierungsmaßnahmen in Stadt und Land, deren einheitliche Vorbereitung und zügige Durchführung im öffentlichen Interesse liegen, werden nach den Vorschriften dieses Teils vorbereitet und durchgeführt.

(2) Städtebauliche Sanierungsmaßnahmen sind Maßnahmen, durch die ein Gebiet zur Behebung städtebaulicher Mißstände wesentlich verbessert oder umgestaltet wird.

Städtebauliche Mißstände liegen vor, wenn

1. das Gebiet nach seiner vorhandenen Bebauung oder nach seiner sonstigen Beschaffenheit den allgemeinen Anforderungen an gesunde Wohn- und Arbeitsverhältnisse oder an die Sicherheit der in ihm wohnenden oder arbeitenden Menschen nicht entspricht oder
2. das Gebiet in der Erfüllung der Aufgaben erheblich beeinträchtigt ist, die ihm nach seiner Lage und Funktion obliegen.

(3) Bei der Beurteilung, ob in einem städtischen oder ländlichen Gebiet städtebauliche Mißstände vorliegen, sind insbesondere zu berücksichtigen

1. die Wohn- und Arbeitsverhältnisse oder die Sicherheit der in dem Gebiet wohnenden oder arbeitenden Menschen in Bezug auf
   a) die Belichtung, Besonnung und Belüftung der Wohnungen und Arbeitsstätten,
   b) die bauliche Beschaffenheit von Gebäuden, Wohnungen und Arbeitsstätten,
   c) die Zugänglichkeit der Grundstücke,
   d) die Auswirkungen einer vorhandenen Mischung von Wohn- und Arbeitsstätten,
   e) die Nutzung von bebauten und unbebauten Flächen nach Art, Maß und Zustand,
   f) die Einwirkungen, die von Grundstücken, Betrieben, Einrichtungen oder Verkehrsanlagen ausgehen, insbesondere durch Lärm, Verunreinigungen und Erschütterungen,

g) die vorhandene Erschließung;

2. die Funktionsfähigkeit des Gebiets in Bezug auf
   a) den fließenden und ruhenden Verkehr,
   b) die wirtschaftliche Situation und Entwicklungsfähigkeit des Gebiets unter Berücksichtigung seiner Versorgungsfunktion im Verflechtungsbereich,
   c) die infrastrukturelle Erschließung des Gebiets, seine Ausstattung mit Grünflächen, Spiel- und Sportplätzen und mit Anlagen des Gemeinbedarfs, insbesondere unter Berücksichtigung der sozialen und kulturellen Aufgaben dieses Gebiets im Verflechtungsbereich.

(4) Städtebauliche Sanierungsmaßnahmen dienen dem Wohl der Allgemeinheit. Sie sollen dazu beitragen, daß

1. die bauliche Struktur in allen Teilen des Bundesgebiets nach den sozialen, hygienischen, wirtschaftlichen und kulturellen Erfordernissen entwickelt wird,
2. die Verbesserung der Wirtschafts- und Agrarstruktur unterstützt wird,
3. die Siedlungsstruktur den Erfordernissen des Umweltschutzes, den Anforderungen an gesunde Lebens- und Arbeitsbedingungen der Bevölkerung und der Bevölkerungsentwicklung entspricht oder
4. die vorhandenen Ortsteile erhalten, erneuert und fortentwickelt werden, die Gestaltung des Orts- und Landschaftsbilds verbessert und den Erfordernissen des Denkmalschutzes Rechnung getragen wird.

Die öffentlichen und privaten Belange sind gegeneinander und untereinander gerecht abzuwägen.

Zweiter Teil
Städtebauliche Entwicklungsmaßnahmen

§ 165
Städtebauliche Entwicklungsmaßnahmen

(1) Städtebauliche Entwicklungsmaßnahmen in Stadt und Land, deren einheitliche Vorbereitung und zügige Durchführung im öffentlichen Interesse liegen, werden nach den Vorschriften dieses Teils vorbereitet und durchgeführt.

(2) Mit städtebaulichen Entwicklungsmaßnahmen nach Absatz 1 sollen Ortsteile und andere Teile des Gemeindegebiets entsprechend ihrer besonderen Bedeutung für die städtebauliche Entwicklung und Ordnung der Gemeinde oder entsprechend der angestrebten Entwicklung des Landesgebiets oder der Region erstmalig entwickelt oder im Rahmen einer städtebaulichen Neuordnung einer neuen Entwicklung zugeführt werden.

(3) Die Gemeinde kann einen Bereich, in dem eine städtebauliche Entwicklungsmaßnahme durchgeführt werden soll, durch Beschluß förmlich als städtebaulichen Entwicklungsbereich festlegen, wenn

1. die Maßnahme den Zielen und Zwecken nach Absatz 2 entspricht,

2. das Wohl der Allgemeinheit die Durchführung der städtebaulichen Entwicklungsmaßnahme erfordert, insbesondere zur Deckung eines erhöhten Bedarfs an Wohn- und Arbeitsstätten, zur Errichtung von Gemeinbedarfs- und Folgeeinrichtungen oder zur Wiedernutzung brachliegender Flächen,
3. die mit der städtebaulichen Entwicklungsmaßnahme angestrebten Ziele und Zwecke durch städtebauliche Verträge nicht erreicht werden können oder Eigentümer der von der Maßnahme betroffenen Grundstücke unter entsprechender Berücksichtigung des § 166 Abs. 3 nicht bereit sind, ihre Grundstücke an die Gemeinde oder den von ihr beauftragten Entwicklungsträger zu dem Wert zu veräußern, der sich in Anwendung des § 169 Abs. 1 Nr. 6 und Abs. 4 ergibt,
4. die zügige Durchführung der Maßnahme innerhalb eines absehbaren Zeitraums gewährleistet ist.

Die öffentlichen und privaten Belange sind gegeneinander und untereinander gerecht abzuwägen.

(4) Die Gemeinde hat vor der förmlichen Festlegung des städtebaulichen Entwicklungsbereichs die vorbereitenden Untersuchungen durchzuführen oder zu veranlassen, die erforderlich sind, um Beurteilungsunterlagen über die Festlegungsvoraussetzungen nach Absatz 3 zu gewinnen. Die §§ 137 bis 141 sind entsprechend anzuwenden.

(5) Der städtebauliche Entwicklungsbereich ist so zu begrenzen, daß sich die Entwicklung zweckmäßig durchführen läßt. Einzelne Grundstücke, die von der Entwicklung nicht betroffen werden, können aus dem Bereich ganz oder teilweise ausgenommen werden. Grundstücke, die den in § 26 Nr. 2 und § 35 Abs. 1 Nr. 7 bezeichneten Zwecken dienen, die in § 26 Nr. 3 bezeichneten Grundstücke sowie Grundstücke, für die nach § 1 Abs. 2 des Landbeschaffungsgesetzes ein Anhörungsverfahren eingeleitet worden ist, und bundeseigene Grundstücke, bei denen die Absicht, sie für Zwecke der Landesverteidigung zu verwenden, der Gemeinde bekannt ist, dürfen nur mit Zustimmung des Bedarfsträgers in den städtebaulichen Entwicklungsbereich einbezogen werden. Der Bedarfsträger soll seine Zustimmung erteilen, wenn auch bei Berücksichtigung seiner Aufgaben ein überwiegendes öffentliches Interesse an der Durchführung der städtebaulichen Entwicklungsmaßnahme besteht.

(6) Die Gemeinde beschließt die förmliche Festlegung des städtebaulichen Entwicklungsbereichs als Satzung (Entwicklungssatzung). In der Entwicklungssatzung ist der städtebauliche Entwicklungsbereich zu bezeichnen.

(7) Der Entwicklungssatzung ist eine Begründung beizufügen. In der Begründung sind die Gründe darzulegen, die die förmliche Festlegung des entwicklungsbedürftigen Bereichs rechtfertigen.

(8) Der Beschluss der Entwicklungssatzung ist ortsüblich bekannt zu machen. § 10 Abs. 3 Satz 2 bis 5 ist entsprechend anzuwenden.

In der Bekanntmachung nach den Satz 1 ist auf die Genehmigungspflicht nach den §§ 144, 145 und 153 Abs. 2 hinzuweisen. Mit der Bekanntmachung wird die Entwicklungssatzung rechtsverbindlich.

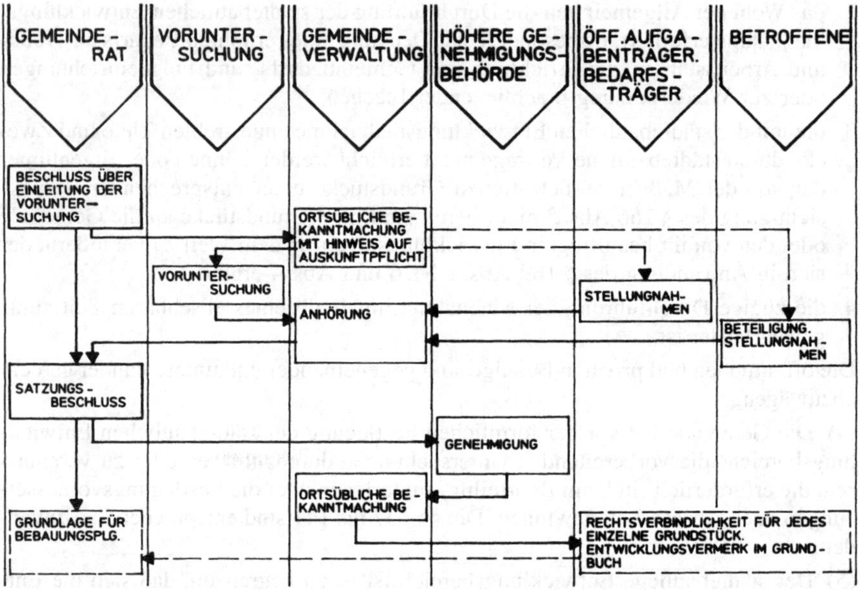

Städtebauliche Entwicklungsmaßnahme nach BauGB § 165 ff. – Verfahrensablauf

(9) Die Gemeinde teilt dem Grundbuchamt die rechtsverbindliche Entwicklungssatzung mit. Sie hat hierbei die von der Entwicklungssatzung betroffenen Grundstücke einzeln aufzuführen. Das Grundbuchamt hat in die Grundbücher dieser Grundstücke einzutragen, daß eine städtebauliche Entwicklungsmaßnahme durchgeführt wird (Entwicklungsvermerk). § 54 Abs. 2 Satz 1 und Abs. 3 ist entsprechend anzuwenden.

Sechster Teil
Erhaltungssatzung und städtebauliche Gebote

Erster Abschnitt
Erhaltungssatzung

§ 172
Erhaltung baulicher Anlagen und der Eigenart von Gebieten (Erhaltungssatzung)

(1) Die Gemeinde kann in einem Bebauungsplan oder durch eine sonstige Satzung Gebiete bezeichnen, in denen

1. zur Erhaltung der städtebaulichen Eigenart des Gebiets aufgrund seiner städtebaulichen Gestalt (Absatz 3),

2. zur Erhaltung der Zusammensetzung der Wohnbevölkerung (Absatz 4) oder
3. bei städtebaulichen Umstrukturierungen (Absatz 5)

der Rückbau, die Änderung oder die Nutzungsänderung baulicher Anlagen der Genehmigung bedürfen. In den Fällen des Satzes 1 Nr. 1 bedarf auch die Errichtung baulicher Anlagen der Genehmigung. Auf die Satzung ist § 16 Abs. 2 entsprechend anzuwenden *(ortsübliche Bekanntmachung einer Veränderungssperre).* Die Landesregierungen werden ermächtigt, für die Grundstücke in Gebieten einer Satzung nach Satz 1 Nr. 2 durch Rechtsverordnung mit einer Geltungsdauer von höchstens fünf Jahren zu bestimmen, daß die Begründung von Wohnungseigentum und Teileigentum (§ 1 des Wohnungseigentumsgesetzes) an Gebäuden, die ganz oder teilweise Wohnzwecken zu dienen bestimmt sind, nicht ohne Genehmigung erfolgen darf. Ein solches Verbot gilt als Verbot im Sinne des § 135 des Bürgerlichen Gesetzbuchs. In den Fällen des Satzes 4 ist § 22 Absatz 2 Satz 3 und 4, Absatz 6 und 8 entsprechend anzuwenden.

(2) Ist der Beschluß über die Aufstellung einer Erhaltungssatzung gefaßt und ortsüblich bekanntgemacht, ist § 15 Abs. 1 auf die Durchführung eines Vorhabens im Sinne des Absatzes 1 entsprechend anzuwenden *(Zurückstellung von Baugesuchen).*

(3) In den Fällen des Absatzes 1 Satz 1 Nr. 1 darf die Genehmigung nur versagt werden, wenn die bauliche Anlage allein oder im Zusammenhang mit anderen baulichen Anlagen das Ortsbild, die Stadtgestalt oder das Landschaftsbild prägt oder sonst von städtebaulicher, insbesondere geschichtlicher oder künstlerischer Bedeutung ist. Die Genehmigung zur Errichtung der baulichen Anlage darf nur versagt werden, wenn die städtebauliche Gestalt des Gebiets durch die beabsichtigte bauliche Anlage beeinträchtigt wird.

(4) In den Fällen des Absatzes 1 Satz 1 Nr. 2 und Satz 4 darf die Genehmigung nur versagt werden, wenn die Zusammensetzung der Wohnbevölkerung aus besonderen städtebaulichen Gründen erhalten werden soll. Sie ist zu erteilen, wenn auch unter Berücksichtigung des Allgemeinwohls die Erhaltung der baulichen Anlage oder ein Absehen von der Begründung von Wohnungseigentum oder Teileigentum wirtschaftlich nicht mehr zumutbar ist. Die Genehmigung ist ferner zu erteilen, wenn

1. die Änderung einer baulichen Anlage der Herstellung des zeitgemäßen Ausstattungszustands einer durchschnittlichen Wohnung unter Berücksichtigung der bauordnungsrechtlichen Mindestanforderungen dient,
2. das Grundstück zu einem Nachlaß gehört und Wohnungseigentum oder Teileigentum zugunsten von Miterben oder Vermächtnisnehmern begründet werden soll,
3. das Wohnungseigentum oder Teileigentum zur eigenen Nutzung an Familienangehörige des Eigentümers veräußert werden soll,
4. ohne die Genehmigung Ansprüche Dritter auf Übertragung von Wohnungseigentum oder Teileigentum nicht erfüllt werden können, zu deren Sicherung vor dem Wirksamwerden des Genehmigungsvorbehalts eine Vormerkung im Grundbuch eingetragen ist,

5. das Gebäude im Zeitpunkt der Antragstellung zur Begründung von Wohnungseigentum oder Teileigentum nicht zu Wohnzwecken genutzt wird oder
6. sich der Eigentümer verpflichtet, innerhalb von sieben Jahren ab der Begründung von Wohnungseigentum Wohnungen nur an die Mieter zu veräußern; eine Frist nach § 577 a Absatz 2 Satz 1 des Bürgerlichen Gesetzbuchs verkürzt sich um sieben Jahre. Die Frist nach § 577 a Absatz 1 des Bürgerlichen Gesetzbuchs entfällt.

In den Fällen des Satzes 3 Nr. 6 kann in der Genehmigung bestimmt werden, daß auch die Veräußerung von Wohnungseigentum an dem Gebäude während der Dauer der Verpflichtung der Genehmigung der Gemeinde bedarf. Diese Genehmigungspflicht kann auf Ersuchen der Gemeinde in das Grundbuch für das Wohnungseigentum eingetragen werden; sie erlischt nach Ablauf der Verpflichtung.

(5) In den Fällen des Absatzes 1 Satz 1 Nr. 3 darf die Genehmigung nur versagt werden, um einen den sozialen Belangen Rechnung tragenden Ablauf auf der Grundlage eines Sozialplans (§ 180) zu sichern. Ist ein Sozialplan nicht aufgestellt worden, hat ihn die Gemeinde in entsprechender Anwendung des § 180 aufzustellen. Absatz 4 Satz 2 ist entsprechend anzuwenden.

§ 173
Genehmigung, Übernahmeanspruch

(1) Die Genehmigung wird durch die Gemeinde erteilt, § 22 Absatz 5 Satz 2 bis 5 ist entsprechend anzuwenden. Ist eine baurechtliche Genehmigung oder an ihrer Stelle eine baurechtliche Zustimmung erforderlich, wird die Genehmigung durch die Baugenehmigungsbehörde im Einvernehmen mit der Gemeinde erteilt; im Baugenehmigungs- oder Zustimmungsverfahren wird über die in § 172 Abs. 3 bis 5 bezeichneten Belange entschieden.

(2) Wird in den Fällen des § 172 Abs. 3 die Genehmigung versagt, kann der Eigentümer von der Gemeinde unter den Voraussetzungen des § 40 Abs. 2 die Übernahme des Grundstücks verlangen. § 43 Abs. 1, 4 und 5 sowie § 44 Abs. 3 und 4 sind entsprechend anzuwenden *(Entschädigung)*.

(3) Vor der Entscheidung über den Genehmigungsantrag hat die Gemeinde mit dem Eigentümer oder sonstigen zur Unterhaltung Verpflichteten die für die Entscheidung erheblichen Tatsachen zu erörtern. In den Fällen des § 172 Abs. 4 und 5 hat sie auch Mieter, Pächter und sonstige Nutzungsberechtigte zu hören.

(4) Die landesrechtlichen Vorschriften, insbesondere über den Schutz und die Erhaltung von Denkmälern, bleiben unberührt.

§ 174
Ausnahmen

(Nicht abgedruckt, da für den Wohnungsbau nicht relevant).

Zweiter Abschnitt
Städtebauliche Gebote

§ 175
Allgemeines

(1) Beabsichtigt die Gemeinde, ein Baugebot (§ 176), ein Modernisierungs- oder Instandsetzungsgebot (§ 177), ein Pflanzgebot (§ 178) oder ein Rückbau- oder Entsiegelungsgebot (§ 179) zu erlassen, soll sie die Maßnahme vorher mit den Betroffenen erörtern. Die Gemeinde soll die Eigentümer, Mieter, Pächter und sonstigen Nutzungsberechtigten im Rahmen ihrer Möglichkeiten beraten, wie die Maßnahme durchgeführt werden kann und welche Finanzierungsmöglichkeiten aus öffentlichen Kassen bestehen.

(2) Die Anordnung, von Maßnahmen nach den §§ 176 bis 179 setzt voraus, daß die alsbaldige Durchführung der Maßnahmen aus städtebaulichen Gründen erforderlich ist; bei Anordnung eines Baugebots nach § 176 kann dabei auch ein dringender Wohnbedarf der Bevölkerung berücksichtigt werden.

(3) Mieter, Pächter und sonstige Nutzungsberechtigte haben die Durchführung der Maßnahmen nach den §§ 176 bis 179 zu dulden.

(4) Die §§ 176 bis 179 sind nicht auf Grundstücke anzuwenden, die den in § 26 Nr. 3 bezeichneten Zwecken dienen, und auf die in § 26 Nr. 3 bezeichneten Grundstücke *(Ausschluß des Vorkaufsrechts)*. Liegen für diese Grundstücke die Voraussetzungen für die Anordnung eines Gebots nach den §§ 176 bis 179 vor, soll auf Verlangen der Gemeinde der Bedarfsträger die entsprechenden Maßnahmen durchführen oder ihre Durchführung dulden, soweit dadurch nicht die Erfüllung seiner Aufgaben beeinträchtigt wird.

(5) Die landesrechtlichen Vorschriften, insbesondere über den Schutz und die Erhaltung von Denkmälern, bleiben unberührt.

§ 176
Baugebot

(1) Im Geltungsbereich eines Bebauungsplans kann die Gemeinde den Eigentümer durch Bescheid verpflichten, innerhalb einer zu bestimmenden angemessenen Frist

1. sein Grundstück entsprechend den Festsetzungen des Bebauungsplans zu bebauen oder
2. ein vorhandenes Gebäude oder eine vorhandene sonstige bauliche Anlage den Festsetzungen des Bebauungsplans anzupassen.

(2) Das Baugebot kann außerhalb der in Absatz 1 bezeichneten Gebiete, aber innerhalb im Zusammenhang bebauter Ortsteile angeordnet werden, um unbebaute oder geringfügig bebaute Grundstücke entsprechend den baurechtlichen Vorschriften zu nutzen oder einer baulichen Nutzung zuzuführen, insbesondere zur Schließung von Baulücken.

(3) Ist die Durchführung des Vorhabens aus wirtschaftlichen Gründen einem Eigentümer nicht zuzumuten, hat die Gemeinde von dem Baugebot abzusehen.

(4) Der Eigentümer kann von der Gemeinde die Übernahme des Grundstücks verlangen, wenn er glaubhaft macht, dass ihm die Durchführung des Vorhabens aus wirtschaftlichen Gründen nicht zuzumuten ist. § 43 Abs. 1, 4 und 5 sowie § 44 Abs. 3 und 4 sind entsprechend anzuwenden *(Entschädigung).*

(5) Ist die Durchführung eines Baugebots nur möglich, wenn zuvor eine bauliche Anlage oder Teile davon beseitigt werden, ist der Eigentümer mit dem Baugebot auch zur Beseitigung verpflichtet. § 179 Abs. 2 und 3 Satz 1, § 43 Abs. 2 und 5 sowie § 44 Abs. 3 und 4 sind entsprechend anzuwenden *(Entschädigung).*

(6) Ist für ein Grundstück eine andere als bauliche Nutzung festgesetzt, sind die Absätze 1 und 3 bis 5 entsprechend anzuwenden.

(7) Mit dem Baugebot kann die Verpflichtung verbunden werden, innerhalb einer zu bestimmenden angemessenen Frist den für eine bauliche Nutzung des Grundstücks erforderlichen Antrag auf Erteilung einer bauaufsichtlichen Genehmigung zu stellen.

(8) Kommt der Eigentümer der Verpflichtung nach Absatz 7 auch nach Vollstreckungsmaßnahmen auf Grund landesrechtlicher Vorschriften nicht nach, kann das Enteignungsverfahren nach § 85 Abs. 1 Nr. 5 auch vor Ablauf der Frist nach Absatz 1 eingeleitet werden.

(9) In dem Enteignungsverfahren ist davon auszugehen, daß die Voraussetzungen des Baugebots vorliegen; die Vorschriften über die Zulässigkeit der Enteignung bleiben unberührt. Bei der Bemessung der Entschädigung bleiben Werterhöhungen unberücksichtigt, die nach Unanfechtbarkeit des Baugebots eingetreten sind, es sei denn, daß der Eigentümer die Werterhöhungen durch eigene Aufwendungen zulässigerweise bewirkt hat.

§ 177
Modernisierungs- und Instandsetzungsgebot

(1) Weist eine bauliche Anlage nach ihrer inneren oder äußeren Beschaffenheit Mißstände oder Mängel auf, deren Beseitigung oder Behebung durch Modernisierung oder Instandsetzung möglich ist, kann die Gemeinde die Beseitigung der Mißstände durch ein Modernisierungsgebot und die Behebung der Mängel durch ein Instandsetzungsgebot anordnen. Zur Beseitigung der Mißstände und zur Behebung der Mängel ist der Eigentümer der baulichen Anlage verpflichtet. In dem Bescheid, durch den die Modernisierung oder Instandsetzung angeordnet wird, sind die zu beseitigenden Mißstände oder zu behebenden Mängel zu bezeichnen und eine angemessene Frist für die Durchführung der erforderlichen Maßnahmen zu bestimmen.

(2) Mißstände liegen insbesondere vor, wenn die bauliche Anlage nicht den allgemeinen Anforderungen an gesunde Wohn- und Arbeitsverhältnisse entspricht.

(3) Mängel liegen insbesondere vor, wenn durch Abnutzung, Alterung, Witterungseinflüsse oder Einwirkungen Dritter

1. die bestimmungsgemäße Nutzung der baulichen Anlage nicht nur unerheblich beeinträchtigt wird,
2. die bauliche Anlage nach ihrer äußeren Beschaffenheit das Straßen- oder Ortsbild nicht nur unerheblich beeinträchtigt oder
3. die bauliche Anlage erneuerungsbedürftig ist und wegen ihrer städtebaulichen, insbesondere geschichtlichen oder künstlerischen Bedeutung erhalten bleiben soll.

Kann die Behebung der Mängel einer baulichen Anlage nach landesrechtlichen Vorschriften auch aus Gründen des Schutzes und der Erhaltung von Baudenkmälern verlangt werden, darf das Instandsetzungsgebot nur mit Zustimmung der zuständigen Landesbehörde erlassen werden. In dem Bescheid über den Erlaß des Instandsetzungsgebots sind die auch aus Gründen des Denkmalschutzes gebotenen Instandsetzungsmaßnahmen besonders zu bezeichnen.

(4) Der Eigentümer hat die Kosten der von der Gemeinde angeordneten Maßnahmen insoweit zu tragen, als er sie durch eigene oder fremde Mittel decken und die sich daraus ergebenden Kapitalkosten sowie die zusätzlich entstehenden Bewirtschaftungskosten aus Erträgen der baulichen Anlage aufbringen kann. Sind dem Eigentümer Kosten entstanden, die er nicht zu tragen hat, hat die Gemeinde sie ihm zu erstatten, soweit nicht eine andere Stelle einen Zuschuß zu ihrer Deckung gewährt. Dies gilt nicht, wenn der Eigentümer auf Grund anderer Rechtsvorschriften verpflichtet ist, die Kosten selbst zu tragen, oder wenn er Instandsetzungen unterlassen hat und nicht nachweisen kann, daß ihre Vornahme wirtschaftlich unvertretbar oder ihm nicht zuzumuten war. Die Gemeinde kann mit dem Eigentümer den Kostenerstattungsbetrag unter Verzicht auf eine Berechnung im Einzelfall als Pauschale in Höhe eines bestimmten Vomhundertsatzes der Modernisierungs- oder Instandsetzungskosten vereinbaren.

(5) Der vom Eigentümer zu tragende Kostenanteil wird nach der Durchführung der Modernisierungs- oder Instandsetzungsmaßnahmen unter Berücksichtigung der Erträge ermittelt, die für die modernisierte oder instandgesetzte, bauliche Anlage bei ordentlicher Bewirtschaftung nachhaltig erzielt werden können; dabei sind die mit einem Bebauungsplan, einem Sozialplan, einer städtebaulichen Sanierungsmaßnahme oder einer sonstigen städtebaulichen Maßnahme verfolgten Ziele und Zwecke zu berücksichtigen.

§ 178
Pflanzgebot
(nicht abgedruckt)

§ 179
Rückbau- und Entsiegelungsgebot

(1) Die Gemeinde kann den Eigentümer verpflichten zu dulden, daß eine bauliche Anlage im Geltungsbereich eines Bebauungsplans ganz oder teilweise beseitigt wird, wenn sie

1. den Festsetzungen des Bebauungsplans nicht entspricht und ihnen nicht angepaßt werden kann oder
2. Mißstände oder Mängel im Sinne des § 177 Abs. 2 und 3 Satz 1 aufweist, die auch durch eine Modernisierung oder Instandsetzung nicht behoben werden können.

Satz 1 Nr. 1 gilt entsprechend für die sonstige Wiedernutzbarmachung von dauerhaft nicht mehr genutzten Flächen, bei denen der durch Bebauung oder Versiegelung beeinträchtigte Boden in seiner Leistungsfähigkeit erhalten oder wiederhergestellt werden soll; die sonstige Wiedernutzbarmachung steht der Beseitigung nach Satz 1 gleich. Diejenigen, für die ein Recht an dem Grundstück oder an einem das Grundstück belastenden Recht im Grundbuch eingetragen oder durch Eintragung gesichert ist, das nicht zur Nutzung berechtigt, sollen von dem Bescheid benachrichtigt werden, wenn sie von der Beseitigung betroffen werden. Unberührt bleibt das Recht des Eigentümers, die Beseitigung selbst vorzunehmen.

(2) Der Bescheid darf bei Wohnraum nur vollzogen werden, wenn im Zeitpunkt der Beseitigung angemessener Ersatzwohnraum für die Bewohner unter zumutbaren Bedingungen zur Verfügung steht. Strebt der Inhaber von Raum, der überwiegend gewerblichen oder beruflichen Zwecken dient (Geschäftsraum), eine anderweitige Unterbringung an, soll der Bescheid nur vollzogen werden, wenn im Zeitpunkt der Beseitigung anderer geeigneter Geschäftsraum unter zumutbaren Bedingungen zur Verfügung steht.

(3) Entstehen dem Eigentümer, Mieter, Pächter oder sonstigen Nutzungsberechtigten durch die Beseitigung Vermögensnachteile, hat die Gemeinde angemessene Entschädigung in Geld zu leisten. Der Eigentümer kann anstelle der Entschädigung nach Satz 1 von der Gemeinde die Übernahme des Grundstücks verlangen, wenn es ihm mit Rücksicht auf das Rückbau- oder Entsiegelungsgebot wirtschaftlich nicht mehr zuzumuten ist, das Grundstück zu behalten. § 43 Abs. 1, 2, 4 und 5 sowie § 44 Abs. 3 und 4 sind entsprechend anzuwenden.

Siebter Teil
Sozialplan und Härteausgleich

§ 180
Sozialplan

(1) Wirken sich Bebauungspläne, städtebauliche Sanierungsmaßnahmen, städtebauliche Entwicklungsmaßnahmen oder Stadtumbaumaßnahmen voraussichtlich nachteilig auf die persönlichen Lebensumstände der in dem Gebiet wohnenden oder arbeitenden Menschen aus, soll die Gemeinde Vorstellungen entwickeln und mit den

Betroffenen erörtern, wie nachteilige Auswirkungen möglichst vermieden oder gemildert werden können. Die Gemeinde hat den Betroffenen bei ihren eigenen Bemühungen, nachteilige Auswirkungen zu vermeiden oder zu mildern, zu helfen, insbesondere beim Wohnungs- und Arbeitsplatzwechsel sowie beim Umzug von Betrieben; soweit öffentliche Leistungen in Betracht kommen können, soll die Gemeinde hierauf hinweisen. Sind Betroffene nach ihren persönlichen Lebensumständen nicht in der Lage, Empfehlungen und anderen Hinweisen der Gemeinde zur Vermeidung von Nachteilen zu folgen oder Hilfen zu nutzen oder sind aus anderen Gründen weitere Maßnahmen der Gemeinde erforderlich, hat die Gemeinde geeignete Maßnahmen zu prüfen.

(2) Das Ergebnis der Erörterungen und Prüfungen nach Absatz 1 sowie die voraussichtlich in Betracht zu ziehenden Maßnahmen der Gemeinde und die Möglichkeiten ihrer Verwirklichung sind schriftlich darzustellen (Sozialplan).

(3) Steht die Verwirklichung einer Durchführungsmaßnahme durch einen anderen als die Gemeinde bevor, kann die Gemeinde verlangen, daß der andere im Einvernehmen mit ihr die sich aus Absatz 1 ergebenden Aufgaben übernimmt. Die Gemeinde kann diese Aufgaben ganz oder teilweise auch selbst übernehmen und dem anderen die Kosten auferlegen.

§ 181
Härteausgleich

(1) Soweit es die Billigkeit erfordert, soll die Gemeinde bei der Durchführung dieses Gesetzbuchs zur Vermeidung oder zum Ausgleich wirtschaftlicher Nachteile – auch im sozialen Bereich – auf Antrag einen Härteausgleich in Geld gewähren

1. einem Mieter oder Pächter, wenn das Miet- oder Pachtverhältnis mit Rücksicht auf die Durchführung städtebaulicher Maßnahmen aufgehoben oder enteignet worden ist;
2. einer gekündigten Vertragspartei, wenn die Kündigung zur Durchführung städtebaulicher Maßnahmen erforderlich ist; dies gilt entsprechend, wenn ein Miet- oder Pachtverhältnis vorzeitig durch Vereinbarung der Beteiligten beendigt wird; die Gemeinde hat zu bestätigen, daß die Beendigung des Rechtsverhältnisses im Hinblick auf die alsbaldige Durchführung der städtebaulichen Maßnahmen geboten ist;
3. einer Vertragspartei, wenn ohne Beendigung des Rechtsverhältnisses die vermieteten oder verpachteten Räume ganz oder teilweise vorübergehend unbenutzbar sind und die Gemeinde bestätigt hat, daß dies durch die alsbaldige Durchführung städtebaulicher Maßnahmen bedingt ist;
4. einem Mieter oder Pächter für die Umzugskosten, die dadurch entstehen, daß er nach der Räumung seiner Wohnung vorübergehend anderweitig untergebracht worden ist und später ein neues Miet- oder Pachtverhältnis in dem Gebiet begründet wird, sofern dies im Sozialplan vorgesehen ist.

Voraussetzung ist, daß der Nachteil für den Betroffenen in seinen persönlichen Lebensumständen eine besondere Härte bedeutet, eine Ausgleichs- oder Entschädigungsleistung nicht zu gewähren ist und auch ein Ausgleich durch sonstige Maßnahmen nicht erfolgt.

(2) Absatz 1 ist entsprechend anzuwenden auf andere Vertragsverhältnisse, die zum Gebrauch oder zur Nutzung eines Grundstücks, Gebäudes oder Gebäudeteils oder einer sonstigen baulichen Einrichtung berechtigen.

(3) Ein Härteausgleich wird nicht gewährt, soweit der Antragsteller es unterlassen hat und unterläßt, den wirtschaftlichen Nachteil durch zumutbare Maßnahmen, insbesondere unter Einsatz eigener oder fremder Mittel abzuwenden.

B

Baunutzungsverordnung (BauNVO)

Verordnung über die bauliche Nutzung der Grundstücke (Neufassung vom 23.1.1990) (geändert durch Art. 3 G v. 22.4.1993)

Auszug. Es sind nur die den Wohnungsbau besonders berührenden Textstellen abgedruckt.

Erster Abschnitt
Art der baulichen Nutzung

§ 1
Allgemeine Vorschriften für Bauflächen und Baugebiete

(1) Im Flächennutzungsplan können die für die Bebauung vorgesehenen Flächen nach der allgemeinen Art ihrer baulichen Nutzung (Bauflächen) dargestellt werden als

1. Wohnbauflächen	(W)
2. gemischte Bauflächen	(M)
3. gewerbliche Bauflächen	(G)
4. Sonderbauflächen	(S).

(2) Die für die Bebauung vorgesehenen Flächen können nach der besonderen Art ihrer baulichen Nutzung (Baugebiete) dargestellt werden als

1. Kleinsiedlungsgebiete	(WS)
2. reine Wohngebiete	(WR)
3. allgemeine Wohngebiete	(WA)
4. besondere Wohngebiete	(WB)
5. Dorfgebiete	(MD)
6. Mischgebiete	(MI)
7. Kerngebiete	(MK)
8. Gewerbegebiete	(GE)
9. Industriegebiete	(GI)
10. Sondergebiete	(SO).

(3) Im Bebauungsplan können die in Absatz 2 bezeichneten Baugebiete festgesetzt werden. Durch die Festsetzung werden die Vorschriften der §§ 2 bis 14 Bestandteil des Bebauungsplans, soweit nicht auf Grund der Absätze 4 bis 10 etwas anderes bestimmt wird. Bei Festsetzung von Sondergebieten finden die Vorschriften über besondere Festsetzungen nach den Absätzen 4 bis 10 keine Anwendung; besondere Festsetzungen über die Art der Nutzung können nach den §§ 10 und 11 getroffen werden.

(4) Gliederung der Baugebiete

(5) Veränderung des Katalogs der allgemein zulässigen Nutzungen in den Baugebieten nach §§ 2, 4 bis 9 und 13

(6) Veränderung des Katalogs der ausnahmsweise zulässigen Nutzungen in den Baugebieten nach §§ 2 bis 9.

(7) bis (10) Weitere Differenzierungsmöglichkeiten

§ 2
Kleinsiedlungsgebiete

(1) Kleinsiedlungsgebiete dienen vorwiegend der Unterbringung von Kleinsiedlungen einschließlich Wohngebäuden mit entsprechenden Nutzgärten und landwirtschaftlichen Nebenerwerbsstellen.

(2) Zulässig sind

1. Kleinsiedlungen einschließlich Wohngebäude mit entsprechenden Nutzgärten, landwirtschaftliche Nebenerwerbsstellen und Gartenbaubetriebe,
2. die der Versorgung des Gebiets dienenden Läden, Schank- und Speisewirtschaften sowie nicht störende Handwerksbetriebe.

(3) Ausnahmsweise können zugelassen werden

1. sonstige Wohngebäude mit nicht mehr als zwei Wohnungen,
2. Anlagen für kirchliche, kulturelle, soziale, gesundheitliche und sportliche Zwecke,
3. Tankstellen,
4. nicht störende Gewerbebetriebe.

§ 3
Reine Wohngebiete

(1) Reine Wohngebiete dienen dem Wohnen.

(2) Zulässig sind Wohngebäude.

(3) Ausnahmsweise können zugelassen werden

1. Läden und nicht störende Handwerksbetriebe, die zur Deckung des täglichen Bedarfs für die Bewohner des Gebiets dienen, sowie kleine Betriebe des Beherbergungsgewerbes,
2. Anlagen für soziale Zwecke sowie den Bedürfnissen der Bewohner des Gebiets dienende Anlagen für kirchliche, kulturelle, gesundheitliche und sportliche Zwecke.

(4) Zu den nach Absatz 2 sowie den §§ 2, 4 bis 7 zulässigen Wohngebäuden gehören auch solche, die ganz oder teilweise der Betreuung und Pflege ihrer Bewohner dienen.

§ 4
Allgemeine Wohngebiete

(1) Allgemeine Wohngebiete dienen vorwiegend dem Wohnen.

(2) Zulässig sind

1. Wohngebäude,
2. die der Versorgung des Gebiets dienenden Läden, Schank- und Speisewirtschaften sowie nicht störende Handwerksbetriebe,
3. Anlagen für kirchliche, kulturelle, soziale, gesundheitliche und sportliche Zwecke.

B

(3) Ausnahmsweise können zugelassen werden
1. Betriebe des Beherbergungsgewerbes,
2. sonstige nicht störende Gewerbebetriebe,
3. Anlagen für Verwaltungen,
4. Gartenbaubetriebe,
5. Tankstellen.

§ 4 a
Gebiete zur Erhaltung und Entwicklung der Wohnnutzung (besondere Wohngebiete)

(1) Besondere Wohngebiete sind überwiegend bebaute Gebiete, die aufgrund ausgeübter Wohnnutzung und vorhandener sonstiger in Absatz 2 genannter Anlagen eine besondere Eigenart aufweisen und in denen unter Berücksichtigung dieser Eigenart die Wohnnutzung erhalten und fortentwickelt werden soll. Besondere Wohngebiete dienen vorwiegend dem Wohnen; sie dienen auch der Unterbringung von Gewerbebetrieben und sonstigen Anlagen im Sinne der Absätze 2 und 3, soweit diese Betriebe und Anlagen nach der besonderen Eigenart des Gebiets mit der Wohnnutzung vereinbar sind.

(2) Zulässig sind
1. Wohngebäude,
2. Läden, Betriebe des Beherbergungsgewerbes, Schank- und Speisewirtschaften,
3. sonstige Gewerbebetriebe,
4. Geschäfts- und Bürogebäude,
5. Anlagen für kirchliche, soziale, gesundheitliche und sportliche Zwecke.

(3) Ausnahmsweise können zugelassen werden
1. Anlagen für zentrale Einrichtungen der Verwaltung,
2. Vergnügungsstätten, soweit sie nicht wegen ihrer Zweckbestimmung oder ihres Umfangs nur in Kerngebieten allgemein zulässig sind,
3. Tankstellen.

(4) Für besondere Wohngebiete oder Teile solcher Gebiete kann, wenn besondere städtebauliche Gründe dies rechtfertigen (§ 9 Abs. 3 des Baugesetzbuchs), festgesetzt werden, daß
1. oberhalb eines im Bebauungsplan bestimmten Geschosses nur Wohnungen zulässig sind oder
2. in Gebäuden ein im Bebauungsplan bestimmter Anteil der zulässigen Geschoßfläche oder eine bestimmte Größe der Geschoßfläche für Wohnungen zu verwenden ist.

§ 5
Dorfgebiete

(1) Dorfgebiete dienen der Unterbringung der Wirtschaftsstellen land- und forstwirtschaftlicher Betriebe, dem Wohnen und der Unterbringung von nicht wesentlich störenden Gewerbebetrieben sowie der Versorgung der Bewohner des Gebiets dienenden Handwerksbetrieben. Auf die Belange der land- und forstwirtschaftlichen Betriebe einschließlich ihrer Entwicklungsmöglichkeiten ist vorrangig Rücksicht zu nehmen.

(2) Zulässig sind

1. Wirtschaftsstellen land- und forstwirtschaftlicher Betriebe und die dazugehörigen Wohnungen und Wohngebäude,
2. Kleinsiedlungen einschließlich Wohngebäude mit entsprechenden Nutzgärten und landwirtschaftliche Nebenerwerbsstellen,
3. sonstige Wohngebäude,
4. Betriebe zur Be- und Verarbeitung und Sammlung land- und forstwirtschaftlicher Erzeugnisse,
5. Einzelhandelsbetriebe, Schank- und Speisewirtschaften sowie Betriebe des Beherbergungsgewerbes,
6. sonstige Gewerbebetriebe,
7. Anlagen für örtliche Verwaltungen sowie für kirchliche, kulturelle, soziale, gesundheitliche und sportliche Zwecke,
8. Gartenbaubetriebe,
9. Tankstellen.

§ 6
Mischgebiete

(1) Mischgebiete dienen dem Wohnen und der Unterbringung von Gewerbebetrieben, die das Wohnen nicht wesentlich stören.

(2) Zulässig sind

1. Wohngebäude,
2. Geschäfts- und Bürogebäude,
3. Einzelhandelsbetriebe, Schank- und Speisewirtschaften sowie Betriebe des Beherbergungsgewerbes,
4. sonstige Gewerbebetriebe,
5. Anlagen für Verwaltungen sowie für kirchliche, kulturelle, soziale, gesundheitliche und sportliche Zwecke,
6. Gartenbaubetriebe,
7. Tankstellen,
8. Vergnügungsstätten im Sinne des § 4 a Abs. 3 Nr. 2 in den Teilen des Gebietes, die überwiegend durch gewerbliche Nutzungen geprägt sind.

(3) Ausnahmsweise können Vergnügungsstätten im Sinne des § 4 a Abs. 3 Nr. 2 außerhalb der in Absatz 2 Nr. 8 bezeichneten Teile des Gebietes zugelassen werden.

§ 7
Kerngebiete

(1) Kerngebiete dienen vorwiegend der Unterbringung von Handelsbetrieben sowie der zentralen Einrichtungen der Wirtschaft, der Verwaltung und der Kultur.

(2) Zulässig sind

1. Geschäfts-, Büro- und Verwaltungsgebäude,
2. Einzelhandelsbetriebe, Schank- und Speisewirtschaften, Betriebe des Beherbergungsgewerbes und Vergnügungsstätten,
3. sonstige nicht wesentlich störende Gewerbebetriebe,
4. Anlagen für kirchliche, kulturelle, soziale, gesundheitliche und sportliche Zwecke,
5. Tankstellen im Zusammenhang mit Parkhäusern und Großgaragen,
6. Wohnungen für Aufsichts- und Bereitschaftspersonen sowie für Betriebsinhaber und Betriebsleiter,
7. sonstige Wohnungen nach Maßgabe von Festsetzungen des Bebauungsplans.

(3) Ausnahmsweise können zugelassen werden

1. Tankstellen, die nicht unter Absatz 2 Nr. 5 fallen,
2. Wohnungen, die nicht unter Absatz 2 Nr. 6 und 7 fallen.

(4) Für Teile eines Kerngebiets kann, wenn besondere städtebauliche Gründe dies rechtfertigen (§ 9 Abs. 3 des Baugesetzbuchs), festgesetzt werden, daß

1. oberhalb eines im Bebauungsplan bestimmten Geschosses nur Wohnungen zulässig sind oder
2. in Gebäuden ein im Bebauungsplan bestimmter Anteil der zulässigen Geschoßfläche oder eine bestimmte Größe der Geschoßfläche für Wohnungen zu verwenden ist.

Dies gilt auch, wenn durch solche Festsetzungen dieser Teil des Kerngebiets nicht vorwiegend der Unterbringung von Handelsbetrieben sowie der zentralen Einrichtungen der Wirtschaft, der Verwaltung und der Kultur dient.

§ 8
Gewerbegebiete

(1) Gewerbegebiete dienen vorwiegend der Unterbringung von nicht erheblich belästigenden Gewerbebetrieben.

(2) Zulässig sind

1. Gewerbebetriebe aller Art, Lagerhäuser, Lagerplätze und öffentliche Betriebe,
2. Geschäfts-, Büro- und Verwaltungsgebäude,

3. Tankstellen,
4. Anlagen für sportliche Zwecke.

(3) Ausnahmsweise können zugelassen werden

1. Wohnungen für Aufsichts- und Bereitschaftspersonen sowie für Betriebsinhaber und Betriebsleiter, die dem Gewerbebetrieb zugeordnet und ihm gegenüber in Grundfläche und Baumasse untergeordnet sind,
2. Anlagen für kirchliche, kulturelle, soziale und gesundheitliche Zwecke,
3. Vergnügungsstätten.

§ 9
Industriegebiete

(1) Industriegebiete dienen ausschließlich der Unterbringung von Gewerbebetrieben, und zwar vorwiegend solcher Betriebe, die in anderen Baugebieten unzulässig sind.

(2) Zulässig sind

1. Gewerbebetriebe aller Art, Lagerhäuser, Lagerplätze und öffentliche Betriebe,
2. Tankstellen.

(3) Ausnahmsweise können zugelassen werden

1. Wohnungen für Aufsichts- und Bereitschaftspersonal sowie für Betriebsinhaber und Betriebsleiter, die dem Gewerbebetrieb zugeordnet und ihm gegenüber in Grundfläche und Baumasse untergeordnet sind,
2. Anlagen für kirchliche, kulturelle, soziale, gesundheitliche und sportliche Zwecke.

§ 10
Sondergebiete, die der Erholung dienen[1)]

(1) Als Sondergebiete, die der Erholung dienen, kommen insbesondere in Betracht
Wochenendhausgebiete,
Ferienhausgebiete,
Campingplatzgebiete.

(2) Für Sondergebiete, die der Erholung dienen, sind die Zweckbestimmung und die Art der Nutzung darzustellen und festzusetzen. Im Bebauungsplan kann festgesetzt werden, daß bestimmte, der Eigenart des Gebiets entsprechende Anlagen und Einrichtungen zur Versorgung des Gebiets und für sportliche Zwecke allgemein zulässig sind oder ausnahmsweise zugelassen werden können.

---

1) Im Rahmen der verbindlichen Bauleitplanung für die Errichtung von Feriendörfern, Hotelkomplexen und sonstigen großen Einrichtungen für die Ferien- und Fremdenbeherbergung muß eine Umweltverträglichkeitsprüfung durchgeführt werden. (Siehe: Auszug aus dem UVP-Gesetz in Kap. B)

(3) In Wochenendhausgebieten sind Wochenendhäuser als Einzelhäuser zulässig. Im Bebauungsplan kann festgesetzt werden, daß Wochenendhäuser nur als Hausgruppen zulässig sind oder ausnahmsweise als Hausgruppen zugelassen werden können. Die zulässige Grundfläche der Wochenendhäuser ist im Bebauungsplan, begrenzt nach der besonderen Eigenart des Gebiets, unter Berücksichtigung der landschaftlichen Gegebenheiten festzusetzen.

(4) In Ferienhausgebieten sind Ferienhäuser zulässig, die aufgrund ihrer Lage, Größe, Ausstattung, Erschließung und Versorgung für den Erholungsaufenthalt geeignet und dazu bestimmt sind, überwiegend und auf Dauer einem wechselnden Personenkreis zur Erholung zu dienen. Im Bebauungsplan kann die Grundfläche der Ferienhäuser, begrenzt nach der besonderen Eigenart des Gebiets, unter Berücksichtigung der landschaftlichen Gegebenheiten festgesetzt werden.

(5) In Campingplatzgebieten sind Campingplätze und Zeltplätze zulässig.

§ 11
Sonstige Sondergebiete[1]

Für den Wohnungsbau bedeutsam sind hier allenfalls Kurgebiete und Gebiete für die Fremdenbeherbergung.

§ 12
Stellplätze und Garagen *(nicht abgedruckt)*

§ 13
Gebäude und Räume für freie Berufe *(nicht abgedruckt)*

§ 14
Nebenanlagen *(nicht abgedruckt)*

§ 15
Allgemeine Voraussetzungen für die Zulässigkeit baulicher und sonstiger Anlagen

(1) Die in den §§ 2 bis 14 aufgeführten baulichen und sonstigen Anlagen sind im Einzelfall unzulässig, wenn sie nach Anzahl, Lage, Umfang oder Zweckbestimmung der Eigenart des Baugebiets widersprechen. Sie sind auch unzulässig, wenn von ihnen Belästigungen oder Störungen ausgehen können, die nach der Eigenart des Baugebiets im Baugebiet selbst oder in dessen Umgebung unzumutbar sind, oder wenn sie solchen Belästigungen oder Störungen ausgesetzt werden.

---

[1] Im Rahmen der verbindlichen Bauleitplanung für die Errichtung von Feriendörfern, Hotelkomplexen und sonstigen großen Einrichtungen für die Ferien- und Fremdenbeherbergung muß eine Umweltverträglichkeitsprüfung durchgeführt werden. (Siehe: Auszug aus dem UVP-Gesetz in Kap. B)

(2) Die Anwendung des Absatzes 1 hat nach den städtebaulichen Zielen und Grundsätzen des § 1 Abs. 5 des Baugesetzbuchs zu erfolgen.

(3) Die Zulässigkeit der Anlagen in den Baugebieten ist nicht allein nach den verfahrensrechtlichen Einordnungen des Bundes-Immissionsschutzgesetzes und der auf seiner Grundlage erlassenen Verordnungen zu beurteilen.

Zweiter Abschnitt
Maß der baulichen Nutzung

§ 16
Bestimmung des Maßes der baulichen Nutzung

(1) Wird im Flächennutzungsplan das allgemeine Maß der baulichen Nutzung dargestellt, genügt die Angabe der Geschoßflächenzahl, der Baumassenzahl oder der Höhe baulicher Anlagen.

(2) Im Bebauungsplan kann das Maß der baulichen Nutzung bestimmt werden durch Festsetzung

1. der Grundflächenzahl oder der Größe der Grundflächen der baulichen Anlagen,
2. der Geschoßflächenzahl oder der Größe der Geschoßfläche, der Baumassenzahl oder der Baumasse,
3. der Zahl der Vollgeschosse,
4. der Höhe baulicher Anlagen.

(3) Bei Festsetzung des Maßes der baulichen Nutzung im Bebauungsplan ist festzusetzen

1. stets die Grundflächenzahl oder die Größe der Grundflächen der baulichen Anlagen,
2. die Zahl der Vollgeschosse oder die Höhe baulicher Anlagen, wenn ohne ihre Festsetzung öffentliche Belange, insbesondere das Orts- und Landschaftsbild, beeinträchtigt werden können.

(4) Bei Festsetzung des Höchstmaßes für die Geschoßflächenzahl oder die Größe der Geschoßfläche, für die Zahl der Vollgeschosse und die Höhe baulicher Anlagen im Bebauungsplan kann zugleich ein Mindestmaß festgesetzt werden. Die Zahl der Vollgeschosse und die Höhe baulicher Anlagen können auch als zwingend festgesetzt werden.

(5) Im Bebauungsplan kann das Maß der baulichen Nutzung für Teile des Baugebiets, für einzelne Grundstücke oder Grundstücksteile und für Teile baulicher Anlagen unterschiedlich festgesetzt werden; die Festsetzungen können oberhalb und unterhalb der Geländeoberfläche getroffen werden.

(6) Im Bebauungsplan können nach Art und Umfang bestimmte Ausnahmen von dem festgesetzten Maß der baulichen Nutzung vorgesehen werden.

B

§ 17
Obergrenzen für die Bestimmung des Maßes der baulichen Nutzung

(1) Bei der Bestimmung des Maßes der baulichen Nutzung nach § 16 dürfen, auch wenn eine Geschoßflächenzahl oder eine Baumassenzahl nicht dargestellt oder festgesetzt wird, folgende Obergrenzen nicht überschritten werden:

1	2	3	4
Baugebiet	Grund-flächenzahl (GRZ)	Geschoß-flächenzahl (GFZ)	Baumassen-zahl (BMZ)
in Kleinsiedlungsgebieten (WS)	0,2	0,4	–
in reinen Wohngebieten (WR) allgemeinen Wohngebieten (WA) Ferienhausgebieten	0,4	1,2	–
in besonderen Wohngebieten (WB)	0,6	1,6	–
in Dorfgebieten (MD) Mischgebieten (MI)	0,6	1,2	–
in Kerngebieten (MK)	1,0	3,0	–
in Gewerbegebieten (GE) Industriegebieten (GI) sonstigen Sondergebieten	0,8	2,4	10,0
in Wochenendhausgebieten	0,2	0,2	–

(2) Die Obergrenzen des Absatzes 1 können überschritten werden, wenn

1. besondere städtebauliche Gründe dies erfordern,
2. die Überschreitungen durch Umstände ausgeglichen sind oder durch Maßnahmen ausgeglichen werden, durch die sichergestellt ist, daß die allgemeinen Anforderungen an gesunde Wohn- und Arbeitsverhältnisse nicht beeinträchtigt, nachteilige Auswirkungen auf die Umwelt vermieden und die Bedürfnisse des Verkehrs befriedigt werden, und
3. sonstige öffentliche Belange nicht entgegenstehen.

Dies gilt nicht für Wochenendhausgebiete und Ferienhausgebiete.

(3) In Gebieten, die am 1. August 1962 überwiegend bebaut waren, können die Obergrenzen des Absatzes 1 überschritten werden, wenn städtebauliche Gründe dies erfordern und sonstige öffentliche Belange nicht entgegenstehen. Absatz 2 Satz 1 Nr. 2 ist entsprechend anzuwenden.

§ 18
Höhe baulicher Anlagen

(1) Bei Festsetzung der Höhe baulicher Anlagen sind die erforderlichen Bezugspunkte zu bestimmen.

(2) Ist die Höhe baulicher Anlagen als zwingend festgesetzt (§ 16 Abs. 4 Satz 2), können geringfügige Abweichungen zugelassen werden.

§ 19
Grundflächenzahl, zulässige Grundfläche[1)]

(1) Die Grundflächenzahl gibt an, wieviel Quadratmeter Grundfläche je Quadratmeter Grundstücksfläche im Sinne des Absatzes 3 zulässig sind.

(2) Zulässige Grundfläche ist der nach Absatz 1 errechnete Anteil des Baugrundstücks, der von baulichen Anlagen überdeckt werden darf.

(3) Für die Ermittlung der zulässigen Grundfläche ist die Fläche des Baugrundstücks maßgebend, die im Bauland und hinter der im Bebauungsplan festgesetzten Straßenbegrenzungslinie liegt. Ist eine Straßenbegrenzungslinie nicht festgesetzt, so ist die Fläche des Baugrundstücks maßgebend, die hinter der tatsächlichen Straßengrenze liegt oder die im Bebauungsplan als maßgebend für die Ermittlung der zulässigen Grundfläche festgesetzt ist.

(4) Bei der Ermittlung der Grundfläche sind die Grundflächen von

1. Garagen und Stellplätzen mit ihren Zufahrten,[2)]
2. Nebenanlagen im Sinne des § 14,[2)]
3. baulichen Anlagen unterhalb der Geländeoberfläche, durch die das Baugrundstück lediglich unterbaut wird,[2)]

mitzurechnen. Die zulässige Grundfläche darf durch die Grundflächen der in Satz 1 bezeichneten Anlagen bis zu 50 vom Hundert überschritten werden, höchstens jedoch bis zu einer Grundflächenzahl von 0,8; weitere Überschreitungen in geringfügigem Ausmaß können zugelassen werden. Im Bebauungsplan können von Satz 2 abweichende Bestimmungen getroffen werden. Soweit der Bebauungsplan nichts anderes festsetzt, kann im Einzelfall von der Einhaltung der sich aus Satz 2 ergebenden Grenzen abgesehen werden

1. bei Überschreitungen mit geringfügigen Auswirkungen auf die natürlichen Funktionen des Bodens, oder[2)]
2. wenn die Einhaltung der Grenzen zu einer wesentlichen Erschwerung der zweckentsprechenden Grundstücksnutzung führen würde.

§ 20
Vollgeschosse, Geschoßflächenzahl, Geschoßfläche

(1) Als Vollgeschosse gelten Geschosse, die nach landesrechtlichen Vorschriften Vollgeschosse sind oder auf ihre Zahl angerechnet werden.

(2) Die Geschoßflächenzahl gibt an, wieviel Quadratmeter Geschoßfläche je Quadratmeter Grundstücksfläche im Sinne des § 19 Abs. 3 zulässig sind.

---

1) Die Grundflächenzahl oder die Grundfläche der Grundstücke, die von baulichen Anlagen überdeckt werden darf, ist nach § 16 (2) stets anzugeben.

2) Hier wird deutlich Bezug auf die Bodenschutzklausel des Baugesetzbuchs (BauGB) § 1 a (2) genommen: Mit Grund und Boden soll sparsam und schonend umgegangen werden.

2) Hier wird deutlich Bezug auf die Bodenschutzklausel des Baugesetzbuchs (BauGB) § 1 a (2) genommen: Mit Grund und Boden soll sparsam und schonend umgegangen werden.

(3) Die Geschoßfläche ist nach den Außenmaßen der Gebäude in allen Vollgeschossen zu ermitteln. Im Bebauungsplan kann festgesetzt werden, daß die Flächen von Aufenthaltsräumen in anderen Geschossen einschließlich der zu ihnen gehörenden Treppenräume und einschließlich ihrer Umfassungswände ganz oder teilweise mitzurechnen oder ausnahmsweise nicht mitzurechnen sind.

(4) Bei der Ermittlung der Geschoßfläche bleiben Nebenanlagen im Sinne des § 14, Balkone, Loggien, Terrassen sowie bauliche Anlagen, soweit sie nach Landesrecht in den Abstandsflächen (seitlicher Grenzabstand und sonstige Abstandsflächen) zulässig sind oder zugelassen werden können, unberücksichtigt.

§ 21
Baumassenzahl, Baumasse *(nicht abgedruckt)*

§ 21 a
Stellplätze, Garagen und Gemeinschaftsanlagen *(nicht abgedruckt)*

Dritter Abschnitt
Bauweise, überbaubare Grundstücksfläche *(nicht abgedruckt)*

Schallschutz im Städtebau
Berechnungsverfahren. Schalltechnische Orientierungswerte für die städtebauliche Planung

Beiblatt 1 zu DIN 18 005-1 (05.87) *(Auszug)*

Baugebiet nach BauNVO §§ 2 bis 11[1] und **Öffentliche Grünflächen** nach BauGB § 9 (1) 15[2]	**Höchstwert (dB)**		
	tags	nachts	
		Industrie-, Gewerbe-, Freizeitlärm	sonstiger Lärm
Reine Wohngebiete, Wochenend- und Ferienhausgebiete	50	35	40
Allgemeine Wohngebiete, Kleinsiedlungsgebiete, Campingplatzgebiete	55	40	45
Besondere Wohngebiete	60	40	45
Dorf- und Mischgebiete	60	45	50
Kerngebiete, Gewerbegebiete	65	50	55
Sonstige Sondergebiete, soweit sie schutzbedürftig sind (z. B. Klinikgebiete), je nach Nutzungsart	45–65	35–65	
Friedhöfe, Kleingartenanlagen, Parkanlagen		55	
Industriegebiete	Emissionen nach DIN 18 005 T 1 (5.87) Immissionswerte werden nicht angegeben		

16. Verordnung zur Durchführung des Bundesimmissionsschutzgesetzes (Verkehrslärmschutzverordnung – 16. BImSchV) (12. 6. 1990) *(Auszug)*

Baugebiet Nutzungsart	**Immissionsgrenzwert (dB – A)**	
	tags	nachts
Krankenhäuser, Schulen, Kur- und Altenheime	57	47
Reine und Allgemeine Wohngebiete, Kleinsiedlungsgebiete	59	49
Misch-, Dorf-, Kerngebiete	64	54
Gewerbegebiete	69	59

[1] Siehe Kap. B: Auszug aus der Baunutzungsverordnung.

[2] Baugesetzbuch § 9 (1) 15:
„Im Bebauungsplan können festgesetzt werden: [...]
15. die öffentlichen und privaten Grünflächen, wie Parkanlagen, Dauerkleingärten, Sport-, Spiel-, Zelt- und Badeplätze, Friedhöfe“

Gesetz über die Umweltverträglichkeitsprüfung (UVPG)

In der Fassung der Bekanntmachung vom 24. Februar 2010 (BGBl. I S. 94), geändert durch Artikel 6 des Gesetzes v. 28. 6. 2011 (BGBl. I S. 1690)

Das UVP-Gesetz ist im Wohnungsbau nur auf die in Anlage 1 Punkt 18.1 benannten Planungen im Bereich der Fremdenbeherbergung anwendbar. Es werden daher nur die Begriffsbestimmungen und der Vorhabenkatalog wörtlich zitiert. Rechtsnatur und Verfahren der UVP werden in stichwortartiger Darstellung zusammengefasst.

B

Teil 1. Umweltverträglichkeitsprüfung in verwaltungsbehördlichen Verfahren.

Abschnitt 1. Allgemeine Vorschriften

§ 1
Zweck des Gesetzes *(nicht abgedruckt)*

§ 2
Begriffsbestimmungen

(1) Die Umweltverträglichkeitsprüfung ist ein unselbständiger Teil verwaltungsbehördlicher Verfahren, die der Entscheidung über die Zulässigkeit von Vorhaben dienen. Die Umweltverträglichkeitsprüfung umfasst die Ermittlung, Beschreibung und Bewertung der Auswirkungen eines Vorhabens auf

1. Menschen, einschließlich der menschlichen Gesundheit, Tiere, Pflanzen und die biologische Vielfalt,
2. Boden, Wasser, Luft, Klima und Landschaft,
3. Kultur- und sonstige Sachgüter, sowie
4. die Wechselwirkung zwischen den genannten Schutzgütern.

Sie wird unter Einbeziehung der Öffentlichkeit durchgeführt. Wird über die Zulässigkeit eines Vorhabens im Rahmen mehrerer Verfahren entschieden, werden die in diesen Verfahren durchgeführten Teilprüfungen zu einer Gesamtbewertung aller Umweltauswirkungen, einschließlich der Wechselwirkungen, zusammengefasst.

(2) Ein Vorhaben ist

1. nach Maßgabe der Anlage 1
   a)
   c) die Durchführung einer sonstigen in Natur und Landschaft eingreifenden Maßnahme,
2. die Änderung einschließlich der Erweiterung,
   (a)... b) ...),
   c) der Durchführung einer sonstigen in Natur und Landschaft eingreifenden Maßnahme.

(3) Entscheidungen im Sinne des Absatzes (1) Satz 1 sind

1. Bewilligung, Erlaubnis, Genehmigung, Planfeststellungsbeschluss und sonstige behördliche Entscheidungen über die Zulässigkeit von Vorhaben, die in einem Verwaltungsverfahren getroffen werden, mit Ausnahme von Anzeigeverfahren,
2. (...),
3. Beschlüsse nach § 10 des BauGB *(Satzungsbeschluss)* über die Aufstellung, Änderung oder Ergänzung von Bebauungsplänen, durch die die Zulässigkeit von bestimmten Vorhaben im Sinne der Anlage 1 begründet werden soll, sowie Beschlüsse nach § 10 des BauGB über Bebauungspläne, die Planfeststellungsbeschlüsse für Vorhaben im Sinne der Anlage 1 zu ersetzen,

(4) bis (6) (nicht abgedruckt)

§ 17
Aufstellung von Bauleitplänen

(1) Werden Bebauungspläne im Sinne des § 2 Abs. 3 Nr. 3, insbesondere bei Vorhaben nach den Nummern 18.1 bis 18.9 der Anlage 1, aufgestellt, geändert oder ergänzt, wird die Umweltverträglichkeitsprüfung einschließlich der Vorprüfung des Einzelfalls nach § 2 Abs. 1 Satz 1 bis 3 sowie den §§ 3 bis 3 f im Aufstellungsverfahren als Umweltprüfung nach den Vorschriften des Baugesetzbuchs durchgeführt. Abweichend von Satz 1 entfällt eine nach diesem Gesetz vorgeschriebene Vorprüfung des Einzelfalls, wenn für den aufzustellenden Bebauungsplan eine Umweltprüfung nach den Vorschriften des Baugesetzbuchs, die zugleich den Anforderungen einer Umweltverträglichkeitsprüfung entspricht, durchgeführt wird.

(2) Besteht für die Aufstellung, Änderung oder Ergänzung eines Bauleitplans nach diesem Gesetz eine Verpflichtung zur Durchführung einer Strategischen Umweltprüfung wird hierfür eine Umweltprüfung einschließlich der Überwachung nach den Vorschriften des Baugesetzbuchs durchgeführt.

(3) Wird die Umweltverträglichkeitsprüfung in einem Aufstellungsverfahren für einen Bebauungsplan und in einem nachfolgenden Zulassungsverfahren durchgeführt, soll die Umweltverträglichkeitsprüfung im nachfolgenden Zulassungsverfahren auf zusätzliche oder andere erhebliche Umweltauswirkungen des Vorhabens beschränkt werden.

Anlage 1
Liste UVP-pflichtige Vorhaben

Nachstehende Vorhaben fallen nach § 3 Abs. 1 Satz 1 in den Anwendungsbereich dieses Gesetzes (...).

18.1 Bau eines Feriendorfes, eines Hotelkomplexes oder einer sonstigen großen Einrichtung für die Ferien- und Fremdenbeherbergung, für den im bisherigen Außenbereich im Sinne des § 35 des BauGB ein Bebauungsplan aufgestellt wird.

(...)

B

Inhalt nach § 6 Abs. (3 u. 4). (Grundsatz der Erheblichkeit)

- **Beschreibung** des Vorhabens: Standort/Art und Umfang des Bedarfs an Grund und Boden/Beschreibung der Anlagen-Verfahren
- **Alternative** Vorhabenkonzepte und deren Bewertung
- Beschreibung der **Emissionen** und **Reststoffe** (Art und Menge)
- Beschreibung der Maßnahmen zur **Vermeidung** von erheblichen **Umweltbeeinträchtigungen** und von **Ersatzmaßnahmen** nach NatSchG
- Beschreibung der erheblichen **Auswirkungen** des Vorhabens auf die Umwelt

Verfahren

- **Auslegung** der Unterlagen (in allgemeinverständlicher Art) bei Beginn eines Verfahrens mit den übrigen Unterlagen (§ 6)
- **Einholung von Stellungnahmen** der durch das Vorhaben berührten Behörden (§ 7)
- **Öffentlichkeitsbeteiligung (Anhörung)** entsprechend den Vorschriften des VwVfG (§ 9)
- Zusammenfassende und umfassende Darstellung der Umweltauswirkungen (§ 11) mit Ergebnis der Stellungnahmen und der Beteiligung der Öffentlichkeit
- **Bewertung** der Umweltauswirkungen (§ 12)
- **Vorbescheid** bzw. **Teilzulassungen** (§ 13)
- **Zulassung** des Vorhabens (§ 14)

Rechtsnatur

Umweltverträglichkeitsprüfung ist unselbständiger Teil verwaltungsbehördlicher Verfahren zur Entscheidung über die Zulässigkeit von Vorhaben:

– **Bewilligung** – **Erlaubnis**	(z. B. wasserrechtl. Art/LWG)
– **Genehmigung**	(z. B. Baugenehmigung/LBO)
– **Planfeststellungsbeschluss**	(n. VwVfG)
– **B-Plan-Beschluss** – **F-Plan-Beschluss**	(... wenn Grundl. f. Zul. v. Vorh.)

Denkmalschutz

Altbausanierung und -modernisierung haben sich oft den Anforderungen des Denkmalschutzes unterzuordnen. Es werden daher beispielhaft einige wichtige Grundsätze und Vorschriften des ***Niedersächsischen Denkmalschutzgesetzes (NDSchG)*** *vom 30. 5. 1978 (Nds. GVBl. S. 515) und des* ***Gesetzes zum Schutz und zur Pflege der Denkmäler im Lande Nordrhein-Westfalen (DSchG)*** *vom 11. 3. 1980 (GV NW S. 716, ber. S. 716/SGV NW 224) und vom 18. 5. 1982 (GV NW S. 248), alphabetisch und thematisch geordnet, gegenübergestellt. Im konkreten Anwendungsfall muss das Denkmalschutzgesetz des entsprechenden Bundeslandes herangezogen werden. Denkmalschutz und Denkmalpflege sind Sache von Ländern und Gemeinden.*

Aufgaben des Denkmalschutzes

(DSchG) § 1
Aufgaben des Denkmalschutzes und der Denkmalpflege

(1) Denkmäler sind zu schützen, zu pflegen, sinnvoll zu nutzen und wissenschaftlich zu erforschen. Sie sollen der Öffentlichkeit im Rahmen des Zumutbaren zugänglich gemacht werden.

(2) (...)

(3) Bei öffentlichen Planungen und Maßnahmen sind die Belange des Denkmalschutzes und der Denkmalpflege angemessen zu berücksichtigen. Die für den Denkmalschutz und die Denkmalpflege zuständigen Behörden sind frühzeitig einzuschalten und so mit dem Ziel in die Abwägung mit anderen Belangen einzubeziehen, daß die Erhaltung und Nutzung der Denkmäler und Denkmalbereiche sowie eine angemessene Gestaltung ihrer Umgebung möglich sind. Ihrerseits wirken Denkmalschutz und Denkmalpflege darauf hin, daß die Denkmäler in die Raumordnung und Landesplanung, die städtebauliche Entwicklung und die Landespflege einbezogen und einer sinnvollen Nutzung zugeführt werden.

(NDSchG) § 1
Grundsatz

Kulturdenkmale sind zu schützen, zu pflegen und wissenschaftlich zu erforschen. Im Rahmen des Zumutbaren sollen sie der Öffentlichkeit zugänglich gemacht werden.

(NDSchG) § 2
Denkmalschutz und Denkmalpflege als öffentliche Aufgaben

(1) Aufgabe des Landes ist es, für den Schutz, die Pflege und die wissenschaftliche Erforschung der Kulturdenkmale zu sorgen. Bei der Wahrnehmung von Denkmalschutz und Denkmalpflege wirken das Land, die Gemeinden, Landkreise und sonstigen Kommunalverbände sowie die in der Denkmalpflege tätigen Einrichtungen und Vereinigungen und die Eigentümer und Besitzer von Kulturdenkmalen zusammen.

(2) (...)

(3) In öffentliche Planungen und bei öffentlichen Baumaßnahmen sind die Belange des Denkmalschutzes und der Denkmalpflege rechtzeitig und so einzubeziehen, daß die Kulturdenkmale erhalten werden und ihre Umgebung angemessen gestaltet wird, soweit nicht andere öffentliche Belange überwiegen.

B

Denkmalliste/Verzeichnis der Kulturdenkmale

(DSchG) § 3
Denkmalliste

(1) Denkmäler sind getrennt nach Baudenkmälern, ortsfesten Bodendenkmälern und beweglichen Denkmälern in die Denkmalliste einzutragen; (...). Mit der Eintragung oder der vorläufigen Unterschutzstellung unterliegen sie den Vorschriften dieses Gesetzes. (...)

(2) Die Denkmalliste wird von der Unteren Denkmalbehörde geführt. Die Eintragung erfolgt im Benehmen mit dem Landschaftsverband von Amts wegen oder auf Antrag des Eigentümers oder des Landschaftsverbandes.

(3) Über die Eintragung ist ein Bescheid zu erteilen.

(4) bis (6) (...)

(NDSchG) § 4
Verzeichnis der Kulturdenkmale

(1) Die Kulturdenkmale sind in ein Verzeichnis aufzunehmen, das durch die zuständige staatliche Denkmalbehörde mit Unterstützung der Gemeinden aufzustellen und fortzuführen ist. (...)

(2) Die unteren Denkmalschutzbehörden und die Gemeinden führen für ihr Gebiet Auszüge aus dem Verzeichnis. Jedermann kann Einblick in das Verzeichnis und die Auszüge nehmen.

Entschädigung

(DSchG) § 33
Entschädigung

Soweit der Vollzug dieses Gesetzes enteignende Wirkung hat, ist eine angemessene Entschädigung in Geld zu gewähren. (...)

(NDSchG) § 29
Entschädigung

(1) Soweit der Vollzug dieses Gesetzes im Einzelfall eine über den Rahmen der Sozialbindung des Eigentums (Artikel 14 Abs. 2 des Grundgesetzes) hinausgehende, enteignende Wirkung hat, hat das Land eine angemessene Entschädigung in Geld zu gewähren. Die Gemeinden und Landkreise sollen zu dem Entschädigungsaufwand beitragen, wenn und soweit durch die zugrundeliegende Maßnahme auch ihre örtlichen Belange begünstigt sind.

(2) (...)

Erhaltung von Denkmälern

(DSchG) § 7
Erhaltung von Denkmälern

(1) Die Eigentümer und sonstigen Nutzungsberechtigten haben ihre Denkmäler instand zu halten, instand zu setzen, sachgemäß zu behandeln und vor Gefährdung zu schützen, soweit ihnen das zumutbar ist. Für die Zumutbarkeit ist auch zu berücksichtigen, inwieweit Zuwendungen aus öffentlichen Mitteln oder steuerliche Vorteile in Anspruch genommen werden können. Die Eigentümer und sonstigen Nutzungsberechtigten können sich nicht auf Belastungen durch erhöhte Erhaltungskosten berufen, die dadurch verursacht worden sind, daß Erhaltungsmaßnahmen diesem Gesetz oder sonstigem öffentlichen Recht zuwider unterblieben sind.

(2) (...)

(DSchG) § 8
Nutzung von Baudenkmälern und ortsfesten Bodendenkmälern

(1) Baudenkmäler (...) sind so zu nutzen, daß die Erhaltung der Substanz auf Dauer gewährleistet ist.

(2) Wird ein Baudenkmal (...) nicht oder auf eine die erhaltenswerte Substanz gefährdende Weise genutzt und ist dadurch eine Schädigung zu befürchten, so kann die Untere Denkmalbehörde Eigentümer und sonstige Nutzungsberechtigte verpflichten, das Baudenkmal (...) in bestimmter, ihnen zumutbarer Weise zu nutzen. Den Verpflichteten ist auf Antrag zu gestatten, das Baudenkmal in einer angebotenen anderen Weise zu nutzen, wenn seine Erhaltung dadurch hinreichend gewährleistet und die Nutzung mit dem öffentlichen Recht vereinbar ist.

(NDSchG) § 6
Pflicht zur Erhaltung

(1) Kulturdenkmale sind instand zu halten, zu pflegen, vor Gefährdung zu schützen und, wenn nötig, instand zu setzen. Verpflichtet sind der Eigentümer oder Erbbauberechtigte und der Nießbraucher; neben ihnen ist verpflichtet, wer die tatsächliche Gewalt über das Kulturdenkmal ausübt.

(2) Kulturdenkmale dürfen nicht zerstört, gefährdet oder so verändert oder von ihrem Platz entfernt werden, daß ihr Denkmalwert beeinträchtigt wird.

(NDSchG) § 7
Grenzen der Erhaltungspflicht

(1) Erhaltungsmaßnahmen können nicht verlangt werden, soweit die Erhaltung den Verpflichteten wirtschaftlich unzumutbar belastet.

(2) Ein Eingriff in ein Kulturdenkmal ist zu genehmigen, soweit

1. der Eingriff aus wissenschaftlichen Gründen im öffentlichen Interesse liegt,

2. ein überwiegendes öffentliches Interesse anderer Art den Eingriff zwingend verlangt,
3. die unveränderte Erhaltung den Verpflichteten wirtschaftlich unzumutbar belastet.

(3) Unzumutbar ist eine wirtschaftliche Belastung insbesondere, soweit die Kosten der Erhaltung und Bewirtschaftung nicht durch die Erträge oder den Gebrauchswert des Kulturdenkmals aufgewogen werden können. Kann der Verpflichtete Zuwendungen aus öffentlichen oder privaten Mitteln oder steuerliche Vorteile in Anspruch nehmen, so sind diese anzurechnen. Der Verpflichtete kann sich nicht auf die Belastung durch erhöhte Erhaltungskosten berufen, die dadurch verursacht wurden, daß Erhaltungsmaßnahmen diesem Gesetz oder sonstigem öffentlichem Recht zuwider unterblieben sind.

(4) Absatz 1 und Absatz 2 Nr. 3 gelten nicht für das Land, die Gemeinden, die Landkreise und die sonstigen Kommunalverbände.

(NDSchG) § 9
Nutzung von Baudenkmalen

Für Baudenkmale ist eine Nutzung anzustreben, die ihre Erhaltung auf Dauer gewährleistet. Das Land, die Gemeinden, die Landkreise und die sonstigen Kommunalverbände sollen die Eigentümer und sonstigen Nutzungsberechtigten hierbei unterstützen.

Erlaubnis und Genehmigung von Maßnahmen

(DSchG) § 9
Erlaubnispflichtige Maßnahmen

(1) Der Erlaubnis der Unteren Denkmalbehörde bedarf, wer

a) Baudenkmäler oder ortsfeste Bodendenkmäler beseitigen, verändern, an einen anderen Ort verbringen oder die bisherige Nutzung ändern will,
b) in der engeren Umgebung von Baudenkmälern oder ortsfesten Bodendenkmälern Anlagen errichtet, verändern oder beseitigen will, wenn hierdurch das Erscheinungsbild des Denkmals beeinträchtigt wird, oder
c) bewegliche Denkmäler beseitigen oder verändern will.

(2) Die Erlaubnis ist zu erteilen, wenn

a) Gründe des Denkmalschutzes nicht entgegenstehen

oder

b) ein überwiegendes öffentliches Interesse die Maßnahme verlangt.

(3) Erfordert eine erlaubnispflichtige Maßnahme nach anderen gesetzlichen Bestimmungen eine Planfeststellung, Genehmigung, Erlaubnis, Bewilligung, Zulassung oder Zustimmung, so haben die dafür zuständigen Behörden die Belange des Denkmalschutzes und der Denkmalpflege entsprechend diesem Gesetz in angemessener Weise zu berücksichtigen. Im Falle einer bauaufsichtlichen oder immissionsschutzrechtlichen Genehmigung oder Zustimmung kann die Erlaubnis nach Absatz 1 auch gesondert beantragt werden.

(DSchG) § 10
Veräußerungs- und Veränderungsanzeige

(1) Wird ein Denkmal veräußert, so haben der frühere und der neue Eigentümer den Eigentumswechsel unverzüglich, spätestens jedoch innerhalb eines Monats, der Unteren Denkmalbehörde anzuzeigen. Die Anzeige eines Pflichtigen befreit den anderen.

(2) Wird ein bewegliches Denkmal an einen anderen Ort verbracht, so hat der Eigentümer oder sonstige Nutzungsberechtigte dies der Unteren Denkmalbehörde innerhalb eines Monats anzuzeigen.

(DSchG) § 26
Erlaubnisverfahren

(1) Der Antrag auf Erteilung einer Erlaubnis nach diesem Gesetz ist schriftlich mit den zur Beurteilung des Vorhabens erforderlichen Unterlagen bei der zuständigen Denkmalbehörde einzureichen.

(2) Eine Erlaubnis nach diesem Gesetz erlischt, wenn nicht innerhalb von zwei Jahren nach ihrer Erteilung mit der Durchführung des Vorhabens begonnen oder wenn die Durchführung zwei Jahre unterbrochen worden ist. Die Frist kann verlängert werden.

(NDSchG) § 10
Genehmigungspflichtige Maßnahmen

(1) Einer Genehmigung der Denkmalschutzbehörde bedarf, wer

1. ein Kulturdenkmal zerstören, verändern, instand setzen oder wiederherstellen,
2. ein Bau- oder Bodendenkmal oder einen in § 3 Abs. 3 genannten Teil eines Baudenkmals von seinem Standort entfernen oder mit Aufschriften oder Werbeeinrichtungen versehen,
3. die Nutzung eines Baudenkmals ändern oder
4. in der Umgebung *(vgl.: Umgebung von Baudenkmalen)* eines Baudenkmals Anlagen, die das Erscheinungsbild des Denkmals beeinflussen, errichten, ändern oder beseitigen

will.

(2) Instandsetzungsarbeiten bedürfen keiner Genehmigung nach Absatz 1, wenn sie sich nur auf Teile des Kulturdenkmals auswirken, die für seinen Denkmalwert ohne Bedeutung sind.

(3) Die Genehmigung ist zu versagen, soweit die Maßnahme gegen dieses Gesetz verstoßen würde. Die Genehmigung kann unter Bedingungen oder mit Auflagen erteilt werden, soweit dies erforderlich ist, um die Einhaltung dieses Gesetzes zu sichern. Insbesondere kann verlangt werden, daß ein bestimmter Sachverständiger die Arbeiten leitet, daß ein Baudenkmal an anderer Stelle wieder aufgebaut wird oder daß bestimmte Bauteile erhalten bleiben oder in einer anderen baulichen Anlage wieder verwendet werden.

B

(4) Ist für eine Maßnahme eine Baugenehmigung oder eine die Baugenehmigung einschließende oder ersetzende behördliche Entscheidung erforderlich, so umfaßt diese die Genehmigung nach Absatz 1. Absatz 3 gilt entsprechend.

(NDSchG) § 11
Anzeigepflicht

(1) (...)

(2) Sind Instandsetzungsarbeiten zur Erhaltung eines Kulturdenkmals notwendig oder droht ihm sonst eine Gefahr, so haben die Erhaltungspflichtigen, wenn sie die Arbeiten nicht ausführen oder die Gefahr nicht abwenden, dies unverzüglich der Denkmalschutzbehörde anzuzeigen.

(3) Die Anzeige eines Pflichtigen befreit die anderen.

(NDSchG) § 24
Genehmigungsverfahren

(1) Der Antrag auf eine Genehmigung nach diesem Gesetz ist schriftlich mit den zur Beurteilung erforderlichen Unterlagen der Gemeinde zuzuleiten, (...). Die Gemeinde leitet den Antrag unverzüglich mit ihrer Stellungnahme an die Untere Denkmalschutzbehörde weiter, wenn sie deren Aufgaben nicht selbst wahrnimmt.

Ordnungswidrigkeiten, Straftaten

(DSchG) § 41
Ordnungswidrigkeiten

(1) Ordnungswidrig handelt, wer vorsätzlich oder fahrlässig

1. eine nach § 10 oder § 15 Abs. 1 erforderliche Anzeige nicht unverzüglich erstattet,
2. Maßnahmen, die nach §§ 9 Abs. 1, 12, 13 Abs. 1 oder 14 Abs. 2 der Erlaubnis bedürfen, ohne Erlaubnis oder abweichend von ihr durchführt oder durchführen läßt,
3. entdeckte Bodendenkmäler oder die Entdeckungsstätte nicht nach § 16 Abs. 1 unverändert läßt,
4. eine nach § 28 Abs. 1 geforderte Auskunft nicht erteilt,
5. seinen Verpflichtungen gemäß § 39 nicht nachkommt.

(2) Die Ordnungswidrigkeiten können mit Geldbußen bis zu 500 000 DM geahndet werden. Wird ohne Erlaubnis nach § 9 Abs. 1 Buchstabe a ein Baudenkmal zerstört, kann eine Geldbuße bis zu 1 000 000 DM festgesetzt werden.

(3) Die Verfolgung der Ordnungswidrigkeit verjährt in fünf Jahren.

(4) Zuständige Behörde im Sinne des § 36 Abs. 1 Nr. 1 des Gesetzes über Ordnungswidrigkeiten ist die Untere Denkmalbehörde.

(NDSchG) § 34
Zerstörung eines Kulturdenkmals

(1) Wer ohne die nach § 10 erforderliche Genehmigung und ohne Vorliegen der Voraussetzungen des § 7 ein Kulturdenkmal oder einen wesentlichen Teil eines Kulturdenkmals zerstört, wird mit Freiheitsstrafe bis zu drei Jahren oder mit Geldstrafe bestraft.

(2) Reste eines Kulturdenkmals, das durch eine Tat nach Absatz 1 zerstört worden ist, können eingezogen werden.

(NDSchG) § 35
Ordnungswidrigkeiten

(1) Ordnungswidrig handelt, wer vorsätzlich oder fahrlässig

1. eine nach § 11 oder § 14 Abs. 1 erforderliche Anzeige nicht unverzüglich erstattet,
2. Maßnahmen, die nach § 10 Abs. 1, § 12 Abs. 1, § 13 Abs. 1 oder § 16 Abs. 2 der Genehmigung bedürfen, ohne Genehmigung oder abweichend von ihr durchführt oder durchführen läßt,
3. Auflagen nach § 10 Abs. 3, § 12 Abs. 2 oder § 13 Abs. 2 nicht erfüllt,
4. die Beschränkung der wirtschaftlichen Nutzung eines Grundstücks (§ 17) nicht einhält,
5. gefundene Gegenstände und die Fundstelle nicht gemäß § 14 Abs. 2 unverändert läßt,
6. eine nach § 27 Abs. 2 geforderte Auskunft nicht erteilt,
7. ein Hinweisschild (§ 28) beschädigt oder beseitigt.

(2) Ordnungswidrig handelt, wer wider besseres Wissen unrichtige Angaben macht oder unrichtige Pläne oder Unterlagen vorlegt, um einen Verwaltungsakt nach diesem Gesetz zu erwirken oder zu verhindern.

(3) Ordnungswidrig handelt, wer einer nach diesem Gesetz erlassenen vollziehbaren schriftlichen Anordnung zuwiderhandelt. Eine Geldbuße darf jedoch nur festgesetzt werden, wenn die Anordnung auf diese Bußgeldvorschrift verweist.

(4) Die Ordnungswidrigkeiten können mit Geldbußen bis zu fünfhunderttausend Deutsche Mark geahndet werden.

(5) Es können eingezogen werden:

1. Reste eines Kulturdenkmals, das durch eine ordnungswidrige Handlung zerstört worden ist,
2. Gegenstände, die durch ordnungswidrige Handlungen unter Verletzung des § 12 Abs. 1, § 13 Abs. 1, § 14 Abs. 1 und 2, § 16 Abs. 2 oder § 17 erlangt worden sind.

§ 23 des Gesetzes über Ordnungswidrigkeiten ist anzuwenden.

(6) Die Verfolgung der Ordnungswidrigkeit verjährt in fünf Jahren.

(7) Zuständige Behörde im Sinne des § 36 Abs. 1 Nr. 1 des Gesetzes über Ordnungswidrigkeiten ist die Denkmalschutzbehörde.

Umgebung von Baudenkmalen

(NDSchG) § 8 *(vgl.: Wiederherstellung – NDSchG § 25 [1])*
Anlagen in der Umgebung von Baudenkmalen
In der Umgebung eines Baudenkmals dürfen Anlagen nicht errichtet, geändert oder beseitigt werden, wenn dadurch das Erscheinungsbild des Baudenkmals beeinträchtigt wird. (...).

(Vgl.: Erlaubnis und Genehmigung von Maßnahmen, DSchG § 9 [1] b.)

Wiederherstellung

(NDSchG) § 25
Wiederherstellung des ursprünglichen Zustandes
(1) Wer diesem Gesetz zuwider in ein Kulturdenkmal oder in dessen Umgebung eingreift, hat auf Verlangen der Denkmalschutzbehörde den bisherigen Zustand wiederherzustellen.

(2) Wer widerrechtlich ein Kulturdenkmal vorsätzlich oder fahrlässig beschädigt oder zerstört, ist auf Verlangen der Denkmalschutzbehörde verpflichtet, das Zerstörte nach ihren Anweisungen zu rekonstruieren.

(DSchG) § 27
Wiederherstellung des ursprünglichen Zustandes
(1) Wer eine Handlung, die nach diesem Gesetz der Erlaubnis bedarf, ohne Erlaubnis, unsachgemäß oder im Widerspruch zu Auflagen durchführt, muß auf Verlangen der Unteren Denkmalbehörde die Arbeiten sofort einstellen und den bisherigen Zustand wiederherstellen.

(2) Wer widerrechtlich ein Denkmal vorsätzlich oder fahrlässig beschädigt oder zerstört, ist auf Verlangen der Unteren Denkmalbehörde verpflichtet, das Zerstörte wiederherzustellen.

(3) Im übrigen finden die Vorschriften des Ordnungsbehördengesetzes Anwendung.

Zuschußmittel, Förderung *(vgl.: Entschädigung)*

(DSchG) § 35
Leistungen
(1) Leistungen nach diesem Gesetz werden aus Mitteln des Landes, der Gemeinden und Gemeindeverbände erbracht. Die Förderung der Pflege von Denkmälern setzt den Antrag des Eigentümers voraus.

(2) Die Förderung geschieht in Form von Zuschüssen, Darlehen und Zinszuschüssen. Die Leistungsfähigkeit des Eigentümers wird bei Festsetzung der Beteiligung bzw. Förderung des Landes berücksichtigt.

(3) Landesmittel werden gewährt als

1. Pauschalzuweisungen an die Gemeinden und Gemeindeverbände zur Förderung privater Denkmalpflegemaßnahmen,
2. Einzelzuschüsse zur Förderung von Denkmälern, die im Eigentum von Gemeinden oder Gemeindeverbänden stehen,
3. Einzelzuschüsse für Denkmäler, die im Eigentum von Kirchen oder Religionsgemeinschaften stehen,
4. Einzelzuschüsse für größere private Denkmalpflegemaßnahmen.

Die Höhe der Pauschalzuweisungen an die Gemeinden soll sich an der Bedeutung des Denkmälerbestandes und am Umfang der Denkmalpflegemaßnahmen ausrichten.

(4) Es können auch Denkmalpflegeorganisationen, gemeinnützige Träger und Einzelpersonen gefördert werden, die denkmalpflegerische Aufgaben wahrnehmen.

(5) Führt die Beteiligung öffentlicher Hände an den Kosten des Denkmalschutzes und der Denkmalpflege zu einer Wertsteigerung des Denkmals, so haben Eigentümer und Nutzungsberechtigte den diesbezüglichen Aufwand zu ersetzen, soweit ihnen dieses zugemutet werden kann.

(DSchG) § 37
Städtebauförderung, Wohnungsmodernisierung

Baudenkmäler und Denkmalbereiche können auch nach den Vorschriften des Bundes und des Landes über den Einsatz von Städtebau- und Wohnungsmodernisierungsmitteln erhalten, erneuert und einer funktionsgerechten Nutzung zugeführt werden. Die Landschaftsverbände wirken hierbei im Rahmen ihrer Aufgaben als Träger öffentlicher Belange mit.

(DSchG) § 40
Bescheinigungen für steuerliche Zwecke

Bescheinigungen für die Erlangung von Steuervergünstigungen werden von der Unteren Denkmalbehörde im Benehmen mit dem Landschaftsverband ausgestellt. Sie dürfen nur erteilt werden, wenn das Denkmal in die Denkmalliste eingetragen ist oder gemäß § 4 Abs. 1 und 2 als vorläufig eingetragen gilt.

(NDSchG) § 32
Zuschußmittel des Landes

Das Land trägt, unbeschadet bestehender Verpflichtungen, zu den Kosten der Erhaltung und Instandsetzung von Kulturdenkmalen nach Maßgabe der im Haushaltsplan bereitgestellten Mittel bei. Zuschüsse des Landes können insbesondere mit der Auflage verbunden werden, ein Kulturdenkmal im Rahmen des Zumutbaren der Öffentlichkeit zugänglich zu machen oder Hinweisschilder anzubringen.

(NDSchG) § 33
Befreiung von der Grundsteuer

Der Erwerb eines Grundstücks, auf dem sich ein Baudenkmal oder ein Bodendenkmal befindet, ist insoweit von der Grunderwerbsteuer befreit, wie der Erwerb nach einer Bescheinigung der Denkmalschutzbehörde der Erhaltung des Kulturdenkmals dient. Die Bescheinigung kann davon abhängig gemacht werden, daß der Erwerber sich zu bestimmten Erhaltungsmaßnahmen verpflichtet, die über das Ausmaß der gesetzlichen Erhaltungspflicht hinausgehen, sowie davon, daß die Erfüllung der Verpflichtung in geeigneter Weise gesichert wird.

B

C PLANUNG

Altenwohnstätten

Im Rahmen dieses Buches sollen nur technische und funktionale Anforderungen an Wohnungen für alte Menschen dargestellt werden. Kenntnisse dieser Anforderungen entbindet den Planer nicht von der Verpflichtung der Auseinandersetzung mit den sozialpsychologischen Bedingungen des Wohnens alter Menschen. Auf die Problematik von Heimen ist hier nur kurz hinzuweisen. Die geläufige Differenzierung in

- Altenwohnungen,
- Altenwohnheime (überwiegend wohnorientiert),
- Altenheime (pflege- und wohnorientiert),

und

- Altenpflegeheime (überwiegend pflegeorientiert)

ist inzwischen von der Praxis der baulichen Umsetzung aufgrund der demografischen und sozialpolitischen Entwicklungen und der Forschungs- und Beratungstätigkeit des **Kuratoriums Deutsche Altershilfe** (KDA)[1] weitgehend überholt.

Empfohlen und gefördert wird eine Vernetzung der verschiedenen Funktionen,um die Übergänge von der Selbständigkeit in die Abhängigkeit der Pflege für die Betroffenen leichter zu gestalten.

Die Anforderungen der **Heimmindestbauverordnung** (HeimMindBauVO; [2]) sind hinter den derzeit erreichten Standards bereits weit zurückgeblieben. Durch das **Bundessozialhilfegesetz** [1] und die seit 1995 geltenden Regeln zur Pflegeversicherung hat die ambulante Pflege eine besondere Bedeutung erlangt und muss als funktionaler Baustein im Gesamtkomplex der Altenbetreuung in Betracht gezogen werden.

Es werden derzeit kaum noch Altenpflegeheime mit ausschließlich stationären Pflegeplätzen eingerichtet. Statt dessen fördert man Verbundeinrichtungen mit teilstationären und zeitlich befristeten stationären Angeboten.

Die im folgenden abgedruckten Planungsempfehlungen waren als Grundlage für Verordnungen in den Bundesländern gedacht. Sie haben inzwischen ihre Aufgabe erfüllt, sind aber dennoch, obwohl nicht mehr dem aktuellen Diskussionsstand entsprechend, gültig.

Bei der Planung von Altenwohnstätten sollten auf jeden Fall die entsprechenden Ministerialerlasse in den einzelnen Bundesländern berücksichtigt werden. Deren Aussagen sind jedoch unterschiedlich. Teils stimmen sie inhaltlich mit diesen Planungsempfehlungen überein, teils sind sie dem aktuellen Diskussionsstand, wie er vom Kuratorium Deutsche Altershilfe (KDA) präsentiert wird, näher. Es wird empfohlen das KDA schon in der Programmplanungsphase zu konsultieren.

---

[1] Kuratorium Deutsche Altershilfe (Wilhelmine-Lübke-Stiftung, An der Pauluskirche 3, 50677 Köln, Tel: 02 21/93 18 47-0; Fax: 02 21/93 18 47-6; Homepage: http://www.kda.de)

Inhalt

1 Begriffe

Altenheim; wohn- und pflegeorientierte Altenwohnstätte.

Altenpflegeheim; überwiegend pflegeorientierte Altenwohnstätte.

Altenwohnheim; überwiegend wohnorientierte Altenwohnstätte,

ambulante Pflege; Pflege von Menschen in ihrer eigenen Wohnung durch ambulante Dienste.

Bezugspflege; Pflege unter Berücksichtigung der besonderen sozialen Bedürfnisse der Pflegebedürftigen.

häusliche Pflege; Pflege von Menschen in ihrer eigenen Wohnung durch *ambulante Dienste* oder Verwandte.

Kurzzeitpflege; zeitlich befristete *stationäre Pflege* (möglichst nur in Einzelzimmern).

Langzeitpflege; *stationäre Pflege.*

stationäre Pflege; dauernde Pflege im *Altenpflegeheim.*

Tagespflege; *stationäre* Pflege vom Morgen bis in den späten Nachmittag mit anschließender Rückkehr in die eigene Wohnung.

teilstationäre Nachtpflege; *stationäre Pflege* in der Nacht mit Rückkehr in die eigene Wohnung.

teilstationäre Pflege: *Tagespflege; zeitlich befristete stationäre Pflege; teilstationäre Nachtpflege.*

Wohnbereich; funktionale Einheit aus mehreren *Wohngruppen*, Gemeinschaftsbereich und Betriebsbereich. Priorität hat das Wohnen.

Wohngruppe; Funktionseinheit aus bis zu 15 individuellen Bewohnereinheiten (Einzelzimmer mit Nasszelle) und einem Wohnessraum bzw. einem Gruppenraum und Sitznischen.

zeitlich befristete stationäre Pflege; (Kurzzeitpflege); *stationäre Pflege* über einen begrenzten Zeitraum von bis zu mehreren Wochen, z. B., wenn zu Hause pflegende Verwandte Urlaub machen.

2 Altenwohnstätten
Planungsempfehlungen des Bundesministers für Städtebau und Wohnungswesen

(jetzt: Bundesminister für Verkehr, Bau und Stadtentwicklung)

Altenwohnungen,
Wohnungen in Altenwohnheimen,
Wohnplätze in Altenheimen

(bearbeitet, Stand 8. 12. 1972).[2]

Die für die Planung von Familienwohnungen geltenden Entwurfs- und Ausstattungsregeln sind in Normen, Richtlinien und Förderungsbestimmungen niedergelegt. Auf die Sonderaufgabe des Wohnungsbaues für ältere Menschen sind diese Regeln nur zum Teil anwendbar. Um den besonderen Gegebenheiten älterer Menschen gerecht zu werden, bedürfen diese Regeln der Ergänzung und teilweisen Abwandlung.

Die Planungsempfehlungen für Altenwohnstätten bauen auf Untersuchungen auf, die das Institut für Bauforschung im Auftrag des Bundesministers für Städtebau und Wohnungswesen durchgeführt hat.

Das Bundesministerium für Verkehr, Bau und Stadtentwicklung fördert zusammen mit der KfW-Förderbank unter dem Stichwort „Altersgerecht umbauen" verstärkt den Umbau des Wohnungsbestands nach den Vorgaben der DIN 18025 – 1 und 2 – Barrierefreie Wohnungen[1]*.*

I Wohnformen

Die bisherige funktionalistische Differenzierung wird aufgegeben und statt dessen folgende Gliederung vorgeschlagen:

Nicht „altenspezifische" Wohnformen;

Wohnung zum „alt werden";

gemeinschaftliche, integrierte Wohnangebote;

gemeinschaftliche, autarke Wohnangebote (Sonderwohnformen).

Wohnformen „selbständigen Wohnens" sollen immer auch

Betreuungsangebote und

Gemeinschaftsangebote

erhalten, damit ältere Menschen, deren Fähigkeit, sich selbst zu versorgen, nachläßt, in ihrer gewohnten Umgebung verbleiben können und überhaupt eine funktionale „Gettoisierung" unterbleibt. Der Betreuungsservice soll nicht standortgebunden sein, sondern flexibel dem Bedarf und der Wohnform angepasst.

Folgende Wohnformen werden unterschieden:

---

[1] DIN 18025–1 und 2 ist inzwischen zurückgezogen worden und ersetzt durch DIN 18040.

[2] Bemerkenswerte Abweichungen zu der in Abschnitt 3 in Kurzfassung abgedruckten Studie des KDA sind als kurze Ergänzungen kursiv eingefügt.

C

a) Altenwohnungen

Altenwohnungen sind Ein- oder Zweipersonenwohnungen, die nach Bemessung, Ausstattung und Lage den Bedürfnissen älterer Menschen besonders entsprechen.

Altenwohnungen können zusammen mit anderen Wohnungen, insbesondere Familienwohnungen, innerhalb ein und desselben Gebäudes angeordnet oder aber auch in Altenwohnanlagen zusammengefaßt sein.

Für die Betreuung der Bewohner selbständiger Altenwohnungen wird die Einrichtung von Sozialstationen oder organisierter Nachbarschaftshilfe empfohlen.

b) Wohnungen in Altenwohnheimen

Sind Altenwohnungen in einem Gebäude zusammengefaßt und haben die Bewohner die Möglichkeit, wirtschaftliche und soziale Betreuung in Anspruch zu nehmen, so bezeichnet man diese Wohnform als Altenwohnheim. Die Betreuung muss durch den Heimträger sichergestellt sein. Gemeinschaftseinrichtungen sind in räumlich enger Beziehung zu den Altenwohnungen vorzusehen.

Bei baulichem und organisatorischem Anschluß eines Altenwohnheimes an ein Altenheim (vgl. c)) ist diese Betreuungsmöglichkeit am einfachsten gewährleistet.

c) Wohnplätze in Altenheimen

Ein Altenheim gewährt seinen Bewohnern ständige wirtschaftliche und soziale Betreuung sowie zeitweilige individuelle Pflege.[3)]

In Altenheimen sind deshalb

- gemeinschaftlich genutzte Räume (z. B. Räume zur Einnahme der Mahlzeiten und Pflege der Geselligkeit, Wandelgänge, Teeküchen, Waschanlagen, Trockenräume, Bäder, Therapieräume, Abstellräume usw.),
- Räume zur Wirtschaftsführung (z. B. Zentralküche mit Zubehörräumen, Werkstätten, Rezeption usw.),
- Räume für das Personal (z. B. Aufenthaltsräume mit Zubehörräumen, Personalwohnplätze bzw. -wohnungen usw.)

vorzusehen. Hierbei ist die Funktionsfähigkeit des Gesamtkomplexes ebenso wichtig wie die richtige Bemessung und Ausstattung des einzelnen Wohnplatzes. Insbesondere ist genügend Bewegungsmöglichkeit innerhalb des Gesamtkomplexes zu schaffen.

Anforderungen an das Wohnumfeld werden unter der Maxime einer selbstverständlichen Integration in ein geeignetes soziales und räumliches Umfeld formuliert, d. h. keine funktionale Spezialisierung des Altenwohnens, sondern Verbesserung des gesamten Wohnumfelds einschließlich der Infrastruktur zugunsten älterer Menschen.

3) Ältere Menschen, die ständig pflegebedürftig sind, sollten Aufnahme in einem Pflegeheim finden.

II Lage und Hausform

Altenwohnstätten sollen innerhalb der normalen Bebauung, möglichst lärmgeschützt und in der Nähe des bisherigen Lebensbereiches ihrer Bewohner gelegen sein. Die Massierung in großen Altenwohnheim- oder Altenheimbereichen ist möglichst zu vermeiden.

Für die Wahl des Standorts und der Hausform ist die städtebauliche Gesamtkonzeption richtungweisend. Die Errichtung von Altenwohnstätten sollte deshalb in der Bauleitplanung von vornherein berücksichtigt werden.[4)]

Nahegelegene Einkaufsgelegenheiten für den täglichen Bedarf sowie leicht und sicher zu erreichende Haltestellen der Nahverkehrsmittel sind erwünscht.

Das Grundstück, auf dem Altenwohnstätten errichtet werden, soll Grünflächen mit Sitzplätzen aufweisen. Hiervon kann abgesehen werden, wenn sich in der Nachbarschaft öffentliche Grünanlagen befinden.

Für Altenwohnstätten sind eingeschossige wie mehrgeschossige Bauten gleich geeignet. Hierbei ist zu berücksichtigen, dass viele Möglichkeiten des Wohnens in mehrgeschossigen Bauten zur Zeit noch nicht genutzt werden.

Geschoßtreppen dürfen nicht gewendelt sein und müssen einen Zwischenpodest aufweisen; eine beidseitige Ausstattung mit Handläufen wird empfohlen. Altenwohnstätten, die höher als im 1. Obergeschoß liegen, müssen über einen Personenaufzug erreichbar sein. Für Altenwohnstätten, die höher als im 4. Obergeschoß liegen, sind Einrichtungen für den Krankentransport in horizontaler Lage zu schaffen.

Es wird empfohlen, den Zugang zu den Erdgeschoßwohnungen – d. h. die Strecke zwischen öffentlichem Fußweg und Haustür sowie zwischen Haustür und Erdgeschoßwohnungen – stufenlos auszuführen.

Die Wohnzimmer von Altenwohnstätten müssen, auch im Winter, ausreichend besonnt werden. Soweit möglich, sollten die Wohnzimmerfenster einen Ausblick auf die Straße gestatten.

III Raumprogramme, Bemessung und Ausstattung

Auch die Anforderungen an die Wohnung gehen tendenziell in die Richtung größerer Vielfalt hinsichtlich der Nutzungsmöglichkeiten und größerer Wohnungen. Behindertengerechte Planung wird vorausgesetzt.

Die Bemessungsregeln für Altenwohnungen (vgl. I a)) und Wohnungen in Altenwohnheimen (vgl. I b)) lehnen sich unmittelbar an die Mindestforderungen der Planungsnormen DIN 18 011[5)] und DIN 18 022[5)] an. Bei den Bemessungsregeln für Wohnplätze in Altenheimen (vgl. I c)) hingegen konnten die Planungsnormen DIN 18 011[5)] und DIN 18 022[5)] nur bedingt zugrunde gelegt werden.

Als Beheizung von Altenwohnstätten kommt nur zentrale Beheizung – mit Heizkörpern bzw. Heizgeräten in allen Aufenthaltsräumen sowie Bad bzw. Sanitärraum – in Frage. Die Heizung ist für eine Raumtemperatur von 22 °C zu bemessen. Eine schnelle Inbetriebnahme der Heizung, z. B. an kalten Sommertagen, muß möglich sein.

---

4) Inzwischen erlaubt die Baunutzungsverordnung (BauNVO v. 23. 1. 1990: siehe Kap. B) selbst im reinen Wohngebiet Altenwohnen und Altenpflegeeinrichtungen. (BauNVO § 3 (4)).

5) Ersatzlos zurückgezogen.

Heizkörper und Heizrohrleitungen sind so anzuordnen, daß sie außerhalb der Mindeststellflächen und -bewegungsflächen liegen. [Redaktioneller Hinweis: Die Empfehlungen bezüglich der Heizung sind auf den heutigen Stand der Technik hin zu überprüfen. Niedertemperaturheizungen (Fußbodenheizungen) sollten aus Gründen der Behaglichkeit, der Bequemlichkeit, der Raumausnutzung und der Energieversorgung auf jeden Fall als Alternative diskutiert werden.]

Ein über die Mindestforderungen von DIN 4108 und DIN 4109 hinausgehender Wärme- und Schallschutz wird empfohlen.

Alle Türen müssen eine lichte Breite von mindestens 80 cm aufweisen. In begründeten Ausnahmen darf dieses Maß bis zu 10 cm unterschritten werden.

1 Altenwohnungen bzw. Wohnungen in Altenwohnheimen

1.1 Folgende Raumprogramme sind zu unterscheiden:

1.1.1 Ein-Personen-Wohnungen

a) Vorraum
   Wohnzimmer
   Küche nach DIN 18 022[5] oder Kleinküche nach 1.2.6
   Schlafzimmer oder Schlafnische
   Bad
   Abstellraum
   oder

b) Vorraum
   Wohnzimmer
   Kleinküche nach 1.2.6
   Schlafzimmer
   Bad
   Abstellraum
   Eine Loggia ist erwünscht.[6]

1.1.2 Zwei-Personen-Wohnungen

Vorraum
Wohnzimmer
Küche nach DIN 18 022[5] oder Kleinküche nach 1.2.6
Schlafzimmer
Bad
Abstellraum
Eine Loggia ist erwünscht.[6]

[6] Soweit besondere klimatische Gegebenheiten (und Immissionen) nicht entgegenstehen.

1.2. Die genannten Räume sind wie folgt zu bemessen[7] bzw. auszustatten:

1.2.1 Vorraum

Der Vorraum darf die Abmessung 1,25 m × 1,25 m (*besser: 1,50 m × 1,50 m*) nicht unterschreiten. Für die Mantelablage ist eine freie Wandfläche von mindestens 100 cm Breite nachzuweisen. *Zusätzlich Pflegemittelschrank.*[8]

1.2.2 Wohnzimmer

Das Wohnzimmer in einer Ein-Personen-Wohnung muß mindestens 18 m^2, in einer Zwei-Personen-Wohnung mindestens 20 m^2 groß sein.

1.2.3 Schlafzimmer

Für folgende Einrichtung sind Stellflächen nachzuweisen:

a) Ein-Personen-Wohnungen

	cm	cm
1. 1 Bett	$b = 205$	$t = 100$
2. 1 Schrank	$b \geq 110$	$t = 65$
3. 1 tischhohes Möbel	$b \geq 110$	$t = 55$

b) Zwei-Personen-Wohnungen

1. 2 Betten	$b = 205$	$t = 100$
2. 1 Schrank	$b \geq 220$	$t = 65$
3. 1 tischhohes Möbel	$b \geq 110$	$t = 55$

c) Die Bewegungsflächen vor den Stellflächen müssen

– so breit wie Stellflächen[9] und

– mindestens 70 cm[10] tief sein.
(Verbesserung: Vor einer Bettseite mindestens 1,20 m × 1,20 m, sonst ≥ 0,90 m Tiefe.)

Zwischen Stellflächen und Wänden sind 5 cm Abstand einzuhalten. Bei Wänden, deren Rohbaumaße zugleich Ausbaumaße sind, genügt ein Abstand von 3 cm.

1.2.4 Schlafnische

Eine Schlafnische – anstelle eines Schlafzimmers – darf nur in Ein-Personen-Wohnungen und nur dann angeordnet werden, wenn die Wohnung eine Küche nach DIN 18 022 oder eine direkt belichtete und belüftete Kleinküche enthält (vgl. 1.1.1 a)).

Es gelten die Festlegungen nach 1.2.3 a) und 1.2.3 c).

---

7) Es ist von Rohbaumaßen auszugehen.
8) Mittel für die Altenpflege.
9) Bei L-förmiger Anordnung der Stellflächen von Bett und tischhohem Möbel genügt vor dem Bett eine Bewegungsfläche von ≥ 150 cm Breite.
10) Erwünscht sind ≥ 90 cm Breite.

1.2.5 Küche

Küchen sind nach DIN 18 022[5)] zu bemessen und auszustatten.

Hierbei sollten unterhalb des Fensters jedoch weder Ausstattungsteile angeordnet noch Stellflächen für Einrichtungsteile eingeplant werden.

1.2.6 Kleinküche

(siehe Studie zur Neufassung der Planungsempfehlungen des BMBau im folgenden Abschnitt)

Folgende Ausstattung ist mindestens einzubauen:

	cm	cm	cm
1. Unterschrank mit Arbeitsplatte	$b \geq 60$	$t = 60$	$t = 85$
2. Spüle	$b \geq 40$	$t = 60$	$h = 85$
3. Unterschrank mit Arbeitsplatte, Schublade und herausziehbarer Arbeitsplatte für Arbeiten im Sitzen	$b \geq 60$	$t = 60$	$h = 85$
4. Herd mit Backofen	$b \geq 50$	$t = 60$	$h = 85$
5. Unterschrank mit Arbeitsplatte	$b \geq 60$	$t = 60$	$h = 85$
6. Kühlschrank	$b \geq 60$	$t = 60$	

Die Ausstattungsteile Nr. 1 bis 5 sind in genannter Reihenfolge auf einer durchlaufenden Platte anzuordnen. Der Kühlschrank (vgl. Nr. 6) ist entweder als Unter-Tisch-Gerät, ebenfalls unter der durchlaufenden Platte, oder in einem Hochschrank einzubauen.

Die Bewegungsflächen vor den Ausstattungsteilen müssen

- so breit wie die Ausstattungsteile und
- mindestens 110 cm tief

sein.

Zwischen Ausstattungsteilen und Wänden sind 3 cm Abstand einzuhalten. Bei Wänden, deren Rohbaumaße zugleich Ausbaumaße sind, braucht kein Abstand eingehalten zu werden.

Unterhalb des Fensters sollten weder Ausstattungsteile noch Stellflächen für Einrichtungsteile eingeplant werden.

Kleinküchen für das Raumprogramm gemäß 1.1.1 a) müssen direkt belichtet und belüftet sein.

Kleinküchen für die Raumprogramme gemäß 1.1.1 b) und 1.1.2 können innenliegend angeordnet werden, wenn sie mit einer leistungsfähigen mechanischen Entlüftung (mindestens 5facher Luftwechsel/Std.) ausgestattet sind.

1.2.7 Bad

Bäder sind nach DIN 18 022[5)] zu bemessen und auszustatten.

Die Tür muß nach außen aufschlagen.

Der Fußbodenbelag muss rutschsicher sein.

Neben dem Spülklosett ist ein Handgriff anzubringen.

Die Wanne (Bade- oder Brausewanne) ist mit Ein- und Ausstieghilfen zu versehen. Altersgerechte Wannenformen sind zu bevorzugen.

In Altenwohnheimen sind die Bäder mit einer Rufanlage auszustatten.

1.2.8 Abstellraum

Innerhalb der Wohnung ist ein Abstellraum[11] von mindestens 1 m^2 Grundfläche – bei mindestens 50 cm und höchstens 101 cm Tiefe – erforderlich. Der Abstellraum sollte dem Vorraum zugeordnet sein.

Türen von Abstellräumen dürfen nicht nach innen aufschlagen.

1.2.9 Loggia

Die Loggia muß eine nutzbare Grundfläche von mindestens 3 m^2 – bei einer nutzbaren Tiefe von mindestens 140 cm – aufweisen.

2 Wohnplätze in Altenheimen[12]

2.1 Der einzelne Wohnplatz muß mindestens folgende Räume umfassen:

Vorraum
Wohnschlafzimmer
Sanitärraum

2.2 Das Raumprogramm kann durch eine Loggia (Bemessung nach 1.2.9) und durch Trennung des Wohnschlafzimmers in Wohnzimmer und Schlafzimmer (vgl. 2.3.2) erweitert werden.

2.3 Die Räume sind wie folgt zu bemessen[13] bzw. auszustatten.

2.3.1 Vorraum

Der Vorraum darf die Abmessung 1,25 m × 1,25 m (*besser: 1,50 m × 1,50 m*) nicht unterschreiten. Für die Mantelablage ist eine freie Wandfläche von mindestens 100 cm Breite nachzuweisen. *Zusätzlich Pflegemittelschrank.*[14]

2.3.2 Wohnschlafzimmer

Das Wohnschlafzimmer muß mindestens 16 m^2 groß sein.

Bei einer Trennung in Wohnzimmer einerseits und Schlafzimmer bzw. Schlafnische andererseits muß das Wohnzimmer mindestens 16 m^2 groß sein; das Schlafzimmer bzw. die Schlafnische sind nach 1.2.3 a) und 1.2.3 c) zu bemessen.

2.3.3 Sanitärraum

Folgende Ausstattung ist mindestens einzubauen:

	cm	cm
1. Waschtisch	$b \geq 55$	t C 45
2. Spülklosett	$b = 40$	t nach Fabrikat[15]

---

[11] Außerhalb der Wohnung ist weiterer Abstellraum erforderlich; er muss ausreichend bemessen, kühl und frostsicher sein (z. B. Keller).

[12] Gemeinschaftlich genutzte Räume zur Wirtschaftsführung vgl. I c).

[13] Es ist von Rohbaumaßnahmen auszugehen.

[14] Mittel für die Altenpflege

[15] Rechnerisch sind 65 cm – gemessen von der Vorderkante des Spülklosetts bis zur dahinterliegenden Wand – anzunehmen.

Die zusätzliche Ausstattung mit einer altersgerechten Bade- oder Brausewanne ist erwünscht.

Die Bewegungsflächen vor den Ausstattungsteilen müssen

- so breit wie die Ausstattungsteile[16] und
- mindestens 75 cm tief sein.

Zwischen der Seitenkante eines Waschtisches und einer Wand müssen mindestens 20 cm Abstand vorhanden sein. Dieser Abstand ist der Breite der vor dem Waschtisch erforderlichen Bewegungsfläche hinzuzurechnen.

Seitlich des Spülklosetts müssen zu anderen Ausstattungsteilen oder zu Wänden mindestens 25 cm Abstand vorhanden sein. Dieser Abstand ist der Breite der vor dem Spülklosett erforderlichen Bewegungsfläche hinzuzurechnen.

Die Tür muß nach außen aufschlagen.

Der Fußbodenbelag muß rutschsicher sein.

Neben dem Spülklosett ist ein Haltegriff anzubringen.

Der Sanitärraum ist mit einer Rufanlage auszustatten.

2.4 Falls ein Wohnplatz in einem Altenheim für die Unterbringung von 2 Personen geplant wird, muß er mindestens folgende Räume aufweisen:
Vorraum
Wohnzimmer
Schlafzimmer
Sanitärraum

Das Raumprogramm kann durch eine Loggia (Bemessung nach 1.2.9) erweitert werden.

Das Wohnzimmer muß mindestens 18 m² groß sein. Der Vorraum ist nach 1.2.1, das Schlafzimmer nach 1.2.3 b) und 1.2.3 c) zu bemessen. Der Sanitärraum ist nach 2.3.3 zu bemessen und auszustatten.

3 Altenwohnungen

Planungsempfehlungen zum Bau und Umbau von Wohnungen für ältere Menschen und für Menschen aller Altersgruppen mit Behinderungen

Studie zur Neufassung der Planungsempfehlungen des BMBau (1972) *(siehe vorhergehender Abschnitt)* des Kuratoriums Deutsche Altershilfe – Wilhelmine-Lübke-Stiftung e. V., An der Pauluskirche 3, 50677 Köln.

16) Vor der Wanne genügt eine Bewegungsfläche von ≥ 90 cm.

Verfasser: H. Stolarz und G. Lenz in Zusammenarbeit mit H. P. Winter und D. Schaarschmidt. Beratung: D. P. Philippen und L. Marx.

Zusammenfassung (unveröffentlicht; Juli 1989)

Altenwohnungen werden so geplant, daß sie nicht nur für alte Menschen nutzbar sind, sondern auch als Normalwohnung für alle Menschen, die bezüglich des Zugangs und der Bewegungsfreiheit in der Wohnung Erleichterungen bedürfen.

Zu I Wohnformen

Die scharfe Abgrenzung zwischen „selbständigen" Altenwohnungen einerseits und „Versorgung" im Heim andererseits wird aufgegeben.

Statt dessen enthalten Wohnformen „selbständigen Wohnens" immer auch

- Betreuungsangebote

und

- Gemeinschaftsangebote.

Die unterschiedlichen Wohnformen – von den einzelnen Altenwohnungen in einem Mehrgenerationenhaus über eine Wohnungsgemeinschaft bis zu einem „Servicehaus" nur für alte Menschen – werden nicht durch das Ausmaß an Betreuungsleistungen bestimmt. Vielmehr paßt sich die Betreuungsorganisation der Wohnform und dem Hilfebedarf an. Die Betreuung kann „hausextern" oder „hausintern" erfolgen. In jedem Fall muß der persönliche Kontakt zwischen Bewohner und Helfer sichergestellt sein. Wohnformen mit unterschiedlichem Angebot an Gemeinschaftseinrichtungen sind sowohl im Normalwohnungsbau als auch als Sonderwohnformen für alte Menschen möglich.

Es werden folgende Wohnformen unterschieden:

- Nichtaltenspezifische Wohnformen – Wohnungen zum „alt werden"
- Gemeinschaftliche, integrierte Wohnangebote
- Gemeinschaftliche, autarke Wohnangebote (Sonderwohnformen)

Zu II Wohnumfeld

Selbständiges, betreutes Wohnen setzt neben der geeigneten Wohnung ein soziales und räumliches Umfeld voraus, das

- selbständigkeitsfördernd

und

- Hilfe aktivierend ist.

Hierfür ist neben der Standortwahl und der geeigneten Bauform häufig auch eine Verbesserung der Infrastruktur des umgebenden Wohnquartiers notwendig.

1. Anforderungen an das Wohnquartier

– Erreichbarkeit „normaler" Infrastruktureinrichtungen in einer Entfernung von 300 m bzw. 10 Gehminuten

C

- Erreichbarkeit öffentlicher Verkehrsmittel: Haltestelle in einer Entfernung von höchstens 300 m, nutzbar auch für Gehbehinderte
- Anschluß an ein sicheres und attraktives Fußgängernetz
- Erreichbarkeit ergänzender Hilfsangebote

2. Anforderungen an das Grundstück

Der Bau von Altenwohnungen und nachbarschaftsfördernden Bauformen insgesamt sollte von vornherein in der Bauleitplanung berücksichtigt werden, insbesondere bezüglich Gebäudetiefe, Erschließung und maßstäbliche Außenräume.

Weitere Anforderungen sind:

- Nutzbarkeit der Außenräume
- stufenlose, sichere Außenerschließung nach DIN 18 025-1[1)]
- Anfahrbarkeit des Gebäudes
- stufenlose Erreichbarkeit der Stellplätze

3. Anforderungen an das Gebäude

- stufenlose und „rollstuhlgängige" Erschließung aller Wohnungen, d. h. Aufzug ab 1. Obergeschoß
- rollstuhlgängige Ausstattung von Aufzügen nach DIN 18 025-2[1)] und DIN EN 81-70
- behindertenfreundliche Treppen
- bequeme und rollstuhlgängige Hauseingänge nach DIN 18 025-1[1)]
- Abstellplatz für Rollstühle
- überschaubare Erschließung der Wohnungen
- individuelle Wohnungseingänge (ausgezont, schwellenlos)

Zu III Anforderungen an die Wohnung

Das wesentliche Merkmal einer Altenwohnung ist nicht, daß sie „klein" ist, sondern daß sie

- für unterschiedliche Wohngewohnheiten,
- bei Gebrechlichkeit und Behinderungen und
- für Pflege und Betreuung

nutzbar ist. Hierfür sind insbesondere ausreichende Stell- und Bewegungsflächen erforderlich.

1. Wohnungsorganisation und -größen

- Ermöglichung von Zweizimmerwohnungen für 1 Person
  Größe: auch über 50 m^2
- Ermöglichung von Dreizimmerwohnungen für 2 Personen
  Größe: auch über 60 m^2

– Ermöglichung von „offenen Grundrissen“, insbesondere das Einbeziehen des Vorflurs in den Wohnraum
– Ausschließung von sog. „Schlafkammern“

2. Behindertenfreundliche Bemessung
Die Wohnung soll nutzbar sein:
– bei sensorischen Behinderungen
– bei Gehbehinderungen, einschl. Verwendung von Gehhilfen
– für Rollstuhlfahrer mit bewegungsfähigem Oberkörper bzw. für teilweise oder vorübergehende Verwendung eines Rollstuhls (eingeschränkte Rollstuhlnutzung, „rollstuhlmöglich“)

Abmessungen in Anlehnung an DIN 18 025-2[1] und DIN EN 81-70:
– 1,20 m zwischen Ausstattungsteilen
– Abbiegen im rechten Winkel:
eine Breite mind. 1,20 m – andere Breite mind. 0,90 m
– lichte Durchfahrtbreite bei Türen:
mind. 0,80 m (Rohbaurichtmaß: 87,5 cm)
– Bewegungsfläche vor oder neben aufgeschlagener Tür: mind. 1,20 m
– Schwellen nur bei Türen ins Freie: max. 0,02 m
– Höhe von Bedienungselementen: 0,85 m

3. Bemessung und Ausstattung einzelner Raumbereiche

(1) Vorraum	Bewegungsfläche 1,50 m × 1,50 m (zusätzliches Angebot eines Pflegemittelschrankes)	
(2) Wohnzimmer	Brüstungshöhe:	max. 0,60 m
	Größe:	
	Ein-Personen-Wohnung	mind. 18 m²
	Zwei-Personen-Wohnung	mind. 20 m²
	Jeweils Vergrößerung um mind. 2 m², wenn Erker statt Balkon.	
(3) Essplatz	nicht in fensterlosem Raum	
	Größe:	mind. 3 m²
(4) Schlafzimmer	– flexible Bettenstellung – 1 Bett dreiseitig zugänglich – Bewegungsfläche vor einer Bettseite: mind. 1,20 m × 1,20 m, sonst mind. 0,90 m – Telefonanschluß – Notruf – vollständige Ausstattung (einschl. Nachttisch)	

	– Stellfläche für Arbeitsplatz Mindestgröße für 1 Person: 12 m^2 Mindestraumbreite: 3 m
(5) Schlafnische	– direkt belichtet – abgeschlossene Küche/Kleinküche Voraussetzung – dreiseitige Zugänglichkeit des Bettes – Bewegungsfläche von 1,20 m × 1,20 m vor einer Bettseite – Nachweis von Stellflächen für fehlende Ausstattung an anderer Stelle Mindestgröße: 7 m^2
(6) Küche/ Kleinküche	Nachweis ausreichender Stellflächen Küche: 5,7 m Kleinküche: 3,6 m – unterfahrbares Element mit Spüle, Arbeitsplatte und Kochmulde (Unterschränke auf Rollen) – Backofen und Kühlschrank auf mittlerer Bedienungshöhe von 1,20 m – Unterschränke mit Schüben – Unterkante Kühlschrank mind. 0,40 m über Fußboden – Arbeitsplatte im Sitzen (Höhe 0,65 m) – direkte Beleuchtung der Arbeitsflächen – leistungsfähige mechanische Belüftung auch bei Küchen mit Fenstern (Kleinküchen ohne Fenster sind als Ausnahme zulässig) – Fenster über Arbeitsflächen müssen eine Höhendifferenz von mind. 0,30 m haben und bedienbar sein. Grundsatz: Einschränkungen dürfen nur die Größe der Ausstattungselemente, nicht aber die Bedienbarkeit und die Bewegungsflächen von mind. 1,20 m betreffen.
(7) Bad	Bequeme Bäder sind kein Luxus, sondern eine Voraussetzung für selbständiges und betreutes Wohnen. Mindestforderung: – bodengleiche Dusche 1,30 m × 1,30 m (inkl. jeweils 0,10 m für Haltegriffe) – Waschbecken im Sitzen (unterfahrbar) Bewegungsfläche: vor Waschbecken 1,20 m neben Waschbecken (für Helfer) 0,65 m – WC Bewegungsfläche: vor WC 1,20 m neben WC 0,90 m

– Schrank für Badeutensilien
– Notruf
– Türaufschlag nach außen

(8) Abstellraum — Größe mind. 1 m²

(9) Loggia — mind. 1,50 m tief
Schwelle max. 0,02 m
Größe mind. 3 m²

4. Technische Anforderungen

- Zentralheizung für Raumtemperatur von 24 °C
- Heizkörper etc. außerhalb der Bewegungsflächen
- Heizkörperventile zwischen 0,85 m und mind. 0,40 m über dem Fußboden
- Schall- und Wärmeschutz über Mindestanforderungen
- technische Voraussetzung für moderne Medien und Fernbedienungssysteme, Notruf

Zu IV Gemeinschafts- und Funktionsräume

Mindestausstattung eines Altenwohnhauses mit ca. 30 Bewohnern, das in ein Wohnquartier integriert ist und „extern" betreut wird.

1. Zentrale Betreuungs- und Gemeinschaftseinrichtungen

1.1 Betreuungsstützpunkt als Relaisstelle für Personaleinsatz:		Größe ca. 25 m²
– Dienstzimmer	ca. 15 m²	
– Abstellraum	ca. 10 m²	
1.2 Bewohnerbad:		Größe ca. 15 m²
1.3 Gemeinschaftsbereich:		Größe ca. 45 m²
– Gemeinschaftsraum	ca. 30 m²	
– Küche	ca. 8 m²	
– WC (behindertengerecht)	ca. 8 m²	
Insgesamt:		Größe ca. 85 m²

2. Wohnungsbezogene Einrichtungen

– Waschen und Trocknen im Bügelraum (zentral möglich)	Größe ca. 20 m²
– Ausgußräume (dezentral, multifunktional)	Größe ca. 4–5 m²/Raum
– Müllsammelräume in Verbindung mit Ausgußraum oder zentral (verzichtbar, wenn wettergeschützter Zugang zu leicht bedienbaren Mülltonnen)	Größe ca. 5 m²/Raum
– Abstellräume (zentral im Keller, teilweise auch dezentral)	Größe ca. 3 m²/Wohnung
– Abstellraum für Rollstuhl (auch für Fahrrad/Kinderwagen)	Größe ca. 15 m²

3. Weitere Einrichtungen in der Nähe
- Begegnungszentrum mit Café, Küche und zusätzlichen Räumen für Therapie, Kurse, Hobby etc.
- Gästewohnungen für alte und junge Bewohner

Zu V Abweichende Anforderungen
Auch bei Einschränkungen, z. B. bei Mehrgenerationenhäusern, Umbauten etc. muß ausreichender Bewegungsraum angeboten werden.

1. Aufzug
- 1 Geschoßtreppe ist möglich, wenn nur 1–2 Wohnungen erschlossen werden
- kleinerer Aufzug: mind. 0,80 m × 1,20 m
- nach Möglichkeit Aufzugsschacht vorsehen.

2. Treppen
Außentreppen müssen geradläufig und wettergeschützt sein.

3. Mindestraumprogramm
- Wohn-/Schlafraum,
- Kochpantry und
- Bad

müssen auf einer Ebene sein.

4. Bewegungsfläche
– zwischen Ausstattungsteilen (außer Küche und vor WC)	mind. 0,90 m

5. Bad
– Stufe zur Duschtasse	max. 0,15 m
– Anfahrbarkeit WC: schräg von vorn, vor WC	mind. 1,20 m × 1,20 m
– Waschbecken: unterfahrbar, vor Waschbecken	mind. 0,90 m
– Dusche	mind. 0,90 m × 0,90 m
– Mindestdurchgangsbreite (bei Übereckstellung)	mind. 0,70 m
– Tür	mind. 0,70 m (RR 0,75 m)

6. Küche/Kochpantry
– Bewegungsfläche vor Ausstattung	mind. 1,20 m
– Arbeitsplatte im Sitzen	
– unterfahrbare Einheit vorsehen (Kochmulde, Arbeitsplatte, Spüle)	
– Unterschränke mit Schüben	

7. Wohnungsgrößen
– 1 Person	mind. 35 m^2
– 2 Personen	mind. 50 m^2

Wenn Gemeinschaftseinrichtungen in unmittelbarer Nähe zur Wohnung liegen.

4 Planung humaner Pflegeheime

Zusammenstellung von Musterraumprogrammen und Funktionsschemata [5]

Es gilt allgemein der Grundsatz, eine Heimunterbringung von alten Menschen so weit wie möglich zu vermeiden bzw. zeitlich hinauszuschieben, um sie in ihrem vertrauten räumlichen und sozialen Erfahrungsfeld zu belassen. Es wird daher folgende Rangfolge der Altenhilfeangebote empfohlen:

- Betreutes Wohnen;
- Ambulante Pflege;
- Teilstationäre Pflege;
  - Tagespflege
  - teilstationäre Nachtpflege
  - zeitlich befristete stationäre Pflege
- Stationäre Pflege.

Letztere ist eine Langzeitpflege. Dabei ist der gerontopsychiatrischen Betreuung altersverwirrter Menschen besondere Aufmerksamkeit zuzuwenden. Ihre Zahl nimmt aufgrund der höheren Lebenserwartung ständig zu.

Um eine Bezugspflege zu ermöglichen, wird empfohlen, Wohngruppen von 12 bis 15 Bewohnern zu konzipieren, da bei größeren Wohngruppen die Distanz zwischen dem Betreuungspersonal und den Bewohnern zunimmt.

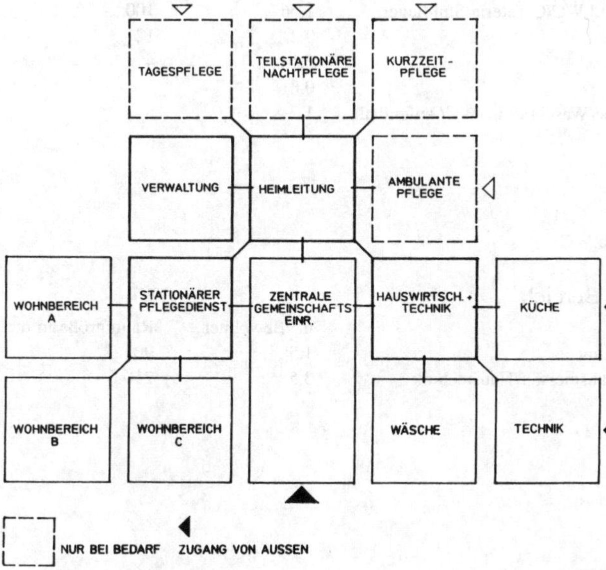

Abb. 1 Funktionale Raumzuordnung in einem Pflegeheim

C

Beispielraumprogramm eines Pflegeheims für 60 Bewohner (2 Wohnbereiche je 30 Bewohner, 4 Wohngruppen je 15 Bewohner, EZ m. Bad u. Vorraum)

I Wohnbereich (Mindestanforderungen)

Raumanzahl/Raumart		m^2/Bewohner	Raumgröße in m^2
60	Einzelzimmer	16	16
60	Bäder n.DIN 18025-2	4	4
60	Vorräume	4	4
4	Gruppenräume	1,07	16
2	Wohn-Essräume	1,33	40
2	Wohnbereichsküchen	0,47	14
2	Pflegebäder	0,6	18
2	Pflegearbeitsräume	0,4	12
2	Diensträume	0,47	14
4	Ausgussräume	0,27	4
2	Putzräume	0,14	4
2	Abstellräume	0,34	10
4	Wäscheräume (rein/unrein)	0,27	4
2	Personal-WC	0,2	6
2	Behinderten-WC	0,14	4
(2	Müllräume	–	4)
(	Tagesbetreuungsraum	–	30–40)

II Zentrale Gemeinschaftseinrichtungen

Raumanzahl/Raumart		m^2/Bewohner	Raumgröße in m^2
1	Eingangsfoyer	0,5	30
	Mehrzweckraum/Behind.WC/Cafeteria/Stuhllager	1,66	100
1–2	Rollstuhl-Wechselstelle	0,2	12
2	Besucher-WC	0,14	4
1–3	Verwaltungsräume	0,8	–
	Personalumkleideräume/Waschräume/WC/Aufenthalt	1,2	–
	(Andachtsraum)		
	(Aufbahrungsraum)		
	(Friseur,Fußpflege)		
	(Kiosk)		
	(Gästezimmer m.Bad u.WC)		

III Hauswirtschaftlicher Bereich

Raumanzahl/Raumart		m^2/Bewohner	Raumgröße in m^2
	Küche incl.Personalräume	1,5	90
	Abstellräume/Lager/Hausmeister/Haustechnik	3,5	210
	(Wäscherei)		
	(Hausmeisterwohnung)		

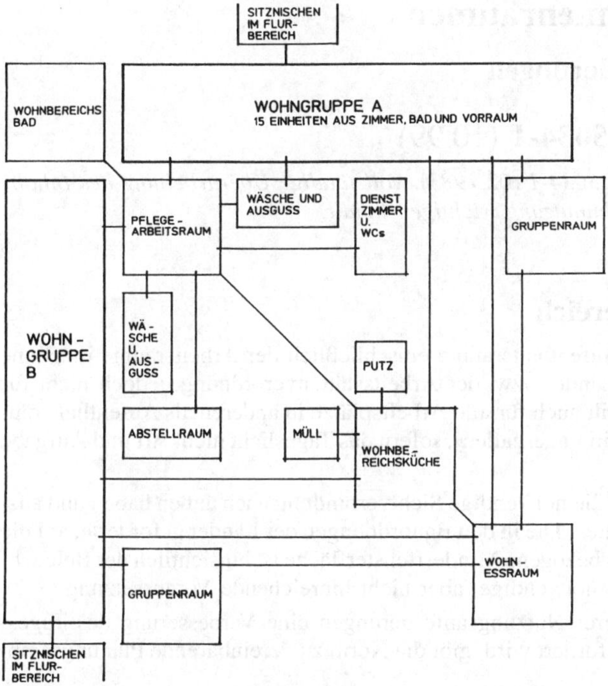

Abb. 2 Funktionale Raumzuordnung für einen Wohnbereich mit 30 Bewohnern

5 Literatur- und Quellenverzeichnis

[1] Bundessozialhilfegesetz (BGB1. I S. 646, 2975) i.d.F. vom 27.12.2003 (BGBl. I S. 3022)

[2] Heimmindestbauverordnung (BGBl. III S. 189//27. 1. 1978) i.d.F. vom 3. 5. 1983 (BGBl.III 2170-5-2), geändert 25.11.2003

[3] Planungsempfehlungen des BMBau „Altenwohnstätten" von 1972

[4] Studie des KDA zur Neufassung der Planungsempfehlungen des BMBau /3/, Köln 4/1989

[5] Architektur + Gerontologie, Heft 1: Planung humaner Pflegeheime – Erfahrungen und Empfehlungen, Hrsg.: Kuratorium Deutsche Altershilfe, Köln 1997

[6] Architektur + Gerontologie, Heft 2: Hausgemeinschaften, Autoren: H.-P. Winter, R. Gennrich, P. Haß. Hrsg.: Kuratorium Deutsche Altershilfe, Köln 1999

[7] Winter, H.-P., Gennrich, R., Haß, P.: BMG Modellprojekte – Hausgemeinschaften. Die 4. Generation des Altenpflegeheimbaus. Hrsg.: Das Bundesministerium für Gesundheit. Erarbeitet vom KDA, 2. Aufl. Köln, 2001

[8] Wohn- und Betreuungsvertragsgesetz (WBVG) vom 1.10.2009

C

Tageslicht in Innenräumen

Allgemeine Anforderungen

Auszug aus **DIN 5034-1** (10.99)

Ersatz für Ausgabe DIN 5034-1 (02.1983). Vollständige Überarbeitung des Inhalts (gekürzt auf den für Wohnnutzung wichtigen Inhalt)

1 Anwendungsbereich

Die Norm gilt für alle Aufenthaltsräume einschließlich der Arbeitsräume im Sinne der Bauordnungen der Länder bzw. der Arbeitsstättenverordnung, jedoch nicht für Sporthallen. Die Norm gilt auch für alle Arbeitsplätze in anderen als Aufenthaltsräumen (z. B. Arbeitsplätze in Lagerhallen), sofern das Tageslicht nicht Art und Aufgabe der Arbeit widerspricht.

Aufenthaltsräume sollen die notwendige Sichtverbindung nach außen haben und ausreichend Tageslicht erhalten. Die in den Bauordnungen der Länder geforderte, auf die Grundfläche des Raumes bezogene Mindestfensterfläche ist hinsichtlich der Beleuchtung mit Tageslicht eine notwendige, aber nicht hinreichende Voraussetzung.

Wenn aufgrund besonderer Nutzungsanforderungen eine Verbesserung des Tageslichts in Innenräumen gefordert wird, gibt die Norm zu vereinbarende Planungsempfehlungen.

Die Norm legt fest, wie in Innenräumen eine akzeptable Sichtverbindung nach außen und eine ausreichende Helligkeit mit Tageslicht zu erreichen sind. Die Norm gibt weiter an, welche Voraussetzungen zu erfüllen sind, damit in Innenräumen angemessene Beleuchtungsverhältnisse durch Tageslicht vorhanden sind.

Die Anforderungen, die an die Tageslichtöffnungen im Hinblick auf die Sichtverbindung nach außen und auf die Beleuchtung zu stellen sind, werden durch Anforderungen an die Besonnungsdauer und den zeitweise erforderlichen Schutz gegen Blendung und Wärmestrahlung sowie durch Planungshinweise ergänzt.

Räume und Raumzonen, in denen man ihrer Art und Bestimmung entsprechend ausschließlich auf künstliche Beleuchtung angewiesen ist, werden in dieser Norm nicht behandelt. Für die Beleuchtung solcher Räume gelten DIN 5035-1 und DIN 5035-2.

2 Normative Verweisungen (nicht abgedruckt)

3 Definitionen

Für die Anwendung dieser Norm gelten die Definitionen von E DIN EN 12 665 und die folgenden Definitionen:

3.1 Aufenthaltsraum

Ein Raum, der zum nicht vorübergehenden Aufenthalt von Menschen bestimmt oder geeignet ist. Im Sinne dieser Norm umfaßt der Begriff Aufenthaltsraum den Wohnraum, den Arbeitsraum und den sonstigen Raum.

3.1.1 Wohnraum

Im Sinne dieser Norm alle Aufenthaltsräume einer Wohnung, wie Wohnzimmer, Schlafzimmer, Arbeitszimmer, Kinderzimmer sowie alle Aufenthaltsräume, welche Zwecken dienen, die dem Wohnen vergleichbar sind. Zu den Wohnräumen zählen auch Räume mit Wohnfunktionen in Heimen, Internaten und ähnlichen Gemeinschaftseinrichtungen sowie Aufenthaltsräume zur Kinderbetreuung, wie Krippen, Tages- und Wochenstätten, nicht aber Räume, die in Beherbergungsbetrieben vorwiegend nur der Übernachtung dienen.

Küchen, Flure und andere Räume, die primär nicht zum mehr als vorübergehenden Aufenthalt bestimmt sind, gelten auch dann nicht als Wohnräume, wenn sie durch Einrichten von Eß-, Ruhe- oder Arbeitsplätzen zum zeitweiligen Aufenthalt genutzt werden.

C

3.1.2 Arbeitsraum

Arbeitsräume im Sinne dieser Norm sind Arbeitsräume im Sinne der Arbeitsstättenverordnung mit Abmessungen, die denen von Wohnräumen vergleichbar sind.

3.1.3 Sonstiger Raum

Sonstige Räume können Unterrichtsräume, Patientenräume in Einrichtungen der ambulanten und stationären medizinischen Betreuung u. ä. sein.

3.2 Beleuchtungsstärke *E*

Die Beleuchtungsstärke E ist der Quotient aus dem auf eine Fläche auftreffenden Lichtstrom und der beleuchteten Fläche [DIN 5031-3:1982-03).

3.3 Besonnungsdauer

Summe der Zeitintervalle (z. B. innerhalb eines gegebenen Tages), während der die Sonne von einem Punkt aus gesehen sowohl mindestens 6° über dem wahren Horizont als auch über dem natürlichen Horizont (Grenzlinie zwischen Himmel und Bergen, Gebäuden, Bäumen usw.) steht. Die meteorologischen Bedingungen bleiben unberücksichtigt.

3.4 Fenster

Tageslichtöffnung in einer seitlichen Begrenzungsfläche des Innenraums gegen den Außenraum.

Anmerkung: Angaben zu den Abmessungen der Fenster beziehen sich auf den Rohbau-Zustand, wenn kein anderer Bezug ausdrücklich genannt wird.

3.5 Helligkeit

Subjektiv empfundene Leuchtdichte.

Anmerkung: Ein angenehmer Raumeindruck setzt ausreichende Helligkeit voraus, wobei anders als Beleuchtungsstärke und Leuchtdichte dies keine physikalisch meßbare Größe ist.

3.6 Leuchtdichte *L*

Die Leuchtdichte *L* ist der Quotient aus dem durch eine Fläche *A* in einer bestimmten Richtung (ε) durchtretenden (auftreffenden) Lichtstrom Φ und dem Produkt aus dem durchstrahlten Raumwinkel O und der Projektion der Fläche A · cos ε auf eine Ebene senkrecht zur betrachteten Richtung [DIN 5031-3:1982-03].

Anmerkung: Der Lichtstrom kann von dieser Fläche ausgehen, von ihr durchgelassen oder reflektiert werden.

3.7 Nutzungszeit t_{Nutz}

Zeitintervall, währenddessen eine vorgegebene Beleuchtungsstärke allein durch Tageslicht an einem Arbeitsplatz oder in einer Raumzone im Innenraum erreicht oder überschritten wird.

Anmerkung: Die Nutzungszeit kann für bestimmte Tage, bestimmte Monate, die Jahreszeiten oder das Jahr ermittelt werden.

3.8 Oberlicht

Tageslichtöffnung in der Decke eines Raumes.

Anmerkung: Es gibt sehr unterschiedliche Bauformen, z. B. Lichtkuppeln, sattel- und gewölbeförmige Oberlichter, Shedoberlichter mit unterschiedlicher Neigung der Verglasung.

3.9 Raumbreite *b*

Die zum Fenster parallele Ausdehnung eines Raumes.

Sofern in einem Raum Fenster in mehreren Wänden vorhanden sind, ist die Raumbreite die zur Wand mit der größten Fensterfläche parallele Raumausdehnung. Bei gleich großen Fensterflächen gilt die Länge der längeren Fensterwand als Raumbreite; bei gleichen Längen der Fensterwände wird eine die Nutzung des Raumes berücksichtigende Raumbreite festgelegt.

3.10 Raumtiefe *a*

Die zur Raumbreite *b* rechtwinklige Ausdehnung der Raumgrundfläche.

3.11 Tageslichtlenksystem

System aus lichtreflektierenden, lichtbrechenden bzw. lichtbeugenden Bauelementen, das das Tageslicht stärker in die Raumtiefe bzw. an die Decke umlenkt, um eine höhere Beleuchtungsstärke in der Raumtiefe und eine bessere Gleichmäßigkeit der Beleuchtung im Innenraum zu erzielen.

Anmerkung: Heliostatische Geräte lenken das Sonnenlicht in innenliegende Räume und Raumbereiche.

3.12 Tageslichtquotient *D* (en: Daylight Factor)

Verhältnis der Beleuchtungsstärke E_P in einem Punkt einer gegebenen Ebene, die durch direktes und/oder indirektes Himmelslicht bei angenommener oder bekannter Leuchtdichteverteilung des Himmels erzeugt wird, zur gleichzeitig vorhandenen Horizontalbeleuchtungsstärke E_a im Freien bei unverbauter Himmelshalbkugel.

$$D = \frac{E_P}{E_a} \cdot 100 \text{ in } \% \qquad (1)$$

Die durch direktes Sonnenlicht bewirkten Anteile beider Beleuchtungsstärken bleiben unberücksichtigt.

Anmerkung: Einflüsse der Verglasung, der Verschmutzung und der Versprossung sind eingeschlossen. Für den Anwendungsbereich nach dieser Norm gilt der Tageslichtquotient für die Beleuchtung durch den bedeckten Himmel. In diesem Fall ist der Tageslichtquotient für jeden Raumpunkt eine konstante Größe.

4 Anforderungen an Tageslichtöffnungen

4.1 Allgemeines

Tageslichtöffnungen sind Fenster und Oberlichter.

Fenster haben zwei Hauptaufgaben, woraus unterschiedliche Anforderungen resultieren. Sie ermöglichen einen Sichtkontakt zwischen Innen- und Außenraum und erzeugen bei Tage ein angenehmes Helligkeitsniveau im Innenraum. Für beide Zwecke müssen die Fenster genügend groß sein.

Oberlichter dienen der natürlichen und gleichmäßigen Beleuchtung von Innenräumen. Für diesen Zweck müssen Oberlichter genügend groß und gleichmäßig in der Dachfläche verteilt sein (siehe 4.3.2.1).

Unberührt davon bleibt die Innenraumbeleuchtung mit Tageslicht für bestimmte Sehaufgaben (siehe 4.3.2).

C

4.2 Sichtverbindung nach außen

4.2.1 Allgemeines

Entwicklungsgeschichtlich ist der Mensch hauptsächlich auf visuelle Wahrnehmungen bei Tageslicht angepaßt. Die Wahrnehmung des mit Tages- und Jahreszeit veränderlichen Hell-Dunkel-Wechsels, der wechselnden Lichtfarben und der Wettererscheinungen ist für sein Wohlbefinden förderlich. Deswegen ist es notwendig, Aufenthaltsräume mit durchsichtig, verzerrungsfrei und möglichst farbneutral verglasten Fenstern in Augenhöhe der im Raum sitzenden bzw. stehenden Personen auszustatten.

Oberlichter erlauben zwar eine Orientierung hinsichtlich Wetter und Tageszeit, tragen aber zur Sichtverbindung nach außen im allgemeinen nicht bei. Oberlichter können daher Fenster im Hinblick auf deren psychische Bedeutung nicht ersetzen, bewirken aber bei zweckmäßiger Anordnung eine gleichmäßigere Beleuchtung als Fenster.

4.2.2 Fenster in Wohnräumen

Damit Wohnräume eine ausreichende Sichtverbindung zwischen Innen- und Außenraum (Ausblick) besitzen, sollten Fenster in Wohnräumen nachstehende Anforderungen erfüllen:

a) Die Oberkante der durchsichtigen Fläche des Fensters (bzw. der Fenster) sollte mindestens 2,2 m über dem Fußboden liegen.

b) Die Oberkante der Fensterbrüstung sollte höchstens 0,9 m, die Unterkante der durchsichtigen Fensterteile höchstens 0,95 m über dem Fußboden liegen.

c) Die Breite des durchsichtigen Teils des Fensters (bzw. die Summe der Breiten aller vorhandenen Fenster) muss mindestens 55 % der Breite des Wohnraumes betragen.

4.2.3 Fenster in Arbeitsräumen (nicht abgedruckt)

4.2.4 Fenster in sonstigen Aufenthaltsräumen

In Krankenzimmern, in Zimmern von Pflegeheimen usw. sind die für Wohnräume geltenden Anforderungen nach 4.2.2 zu berücksichtigen.

Darüber hinaus sind zum ungehinderten Ausblick niedrige Fensterbrüstungen erwünscht. Der untere Rand des durchsichtigen Teils des Fensters sollte dort unter Berücksichtigung der Sicherheitsbestimmungen höchstens in Bettenhöhe, also etwa 0,5 m über dem Fußboden, in Aufenthaltsräumen zur Kinderbetreuung höchstens 0,6 m über dem Fußboden liegen. Ein zeitweiliger Schutz gegen Einblick von außen kann erforderlich sein.

4.3 Beleuchtung mit Tageslicht

4.3.1 Helligkeit

4.3.1.1 Wohnräume

Die Helligkeit in Wohnräumen, die von dem durch die Fenster eindringenden Tageslicht erzeugt wird, ist im Rahmen ihrer psychischen Bedeutung ausreichend, wenn der Tageslichtquotient (siehe Abschnitt 3) auf einer horizontalen Bezugsebene, gemessen in einer Höhe von 0,85 m über dem Fußboden in halber Raumtiefe und in 1 m Abstand von den beiden Seitenwänden, im Mittel wenigstens 0,9 % und am ungünstigsten dieser Punkte wenigstens 0,75 % beträgt.

Anmerkung: Eine Tabelle der bezüglich Sichtverbindung nach außen und ausreichender Helligkeit erforderlichen Fenstergrößen für Wohnräume mit Fenstern in nur einer Wand, die den obigen Bedingungen entsprechen, ist in DIN 5034-4 enthalten.

In Wohnräumen mit Fenstern in zwei aneinandergrenzenden Wänden muß der Tageslichtquotient am ungünstigeren Bezugspunkt mindestens 1 % betragen.

4.3.1.2 Arbeitsräume (nicht abgedruckt)

4.3.2 Beleuchtungsstärke

4.3.2.1 Allgemeines

Wegen der täglichen und jahreszeitlichen Schwankungen des im Freien vorhandenen Tageslichts infolge astronomischer und meteorologischer Gegebenheiten können ausreichende Beleuchtungsstärken auf der Nutzfläche nicht zu allen Zeiten erreicht werden.

Die Überlegungen bei der Planung einer Innenraumbeleuchtung mit Tageslicht müssen sich deshalb darauf konzentrieren, die Zusammenhänge zwischen

- der erforderlichen Beleuchtungsstärke auf der Nutzebene im Bezugspunkt,
- der Lage dieses Bezugspunktes im Raum,
- dem Tageslichtquotienten am Bezugspunkt und
- der Nutzungszeit

zu bestimmen, d. h., in der Regel unter Vorgabe dreier dieser Größen die verbleibende Vierte zu ermitteln (siehe DIN 5034-3).

4.3.2.2 Erforderliche Beleuchtungsstärke

Zur Erfüllung bestimmter Sehaufgaben sind je nach Art der Tätigkeit bestimmte Beleuchtungsstärken erforderlich (siehe DIN 5035-2).

Die spezifischen Eigenschaften einer Innenraumbeleuchtung durch Tageslicht unterscheiden sich grundsätzlich von denen einer künstlichen Beleuchtung. Dies kann zu verschiedenen Bewertungen der Beleuchtungsbedingungen bei Tageslicht und Kunstlicht führen. Die durch das Tageslicht allein gegebene Beleuchtung in Arbeitsräumen mit Fenstern gilt – bedingt durch den seitlichen Lichteinfall – so lange als ausreichend, wie die Beleuchtungsstärke am ungünstigsten Arbeitsplatz mindestens das 0,6fache der in DIN 5035-2 angegebenen Werte der Beleuchtungsstärke beträgt.

4.3.3 Blendungsbegrenzung

Für die Güte einer Beleuchtung von Innenräumen mit Tageslicht ist neben der Beleuchtungsstärke auf der Nutzfläche die Blendungsbegrenzung von wesentlicher Bedeutung.

C

In jedem Raum muß zumindest bei den Tageslichtöffnungen, die besonnt werden können, ein Schutz gegen mögliche Blendung durch die Sonne, den Himmel, besonnte Flächen oder Spiegelungen an externen Verglasungen vorhanden sein.

Bewegliche Vorrichtungen wie z. B. Vorhänge, Rollos, Jalousien und Markisen sind hierzu geeignet, wenn die Blendung nur zeitweise auftritt. Für besonnte Oberlichter ist zur Erzielung einer gleichmäßigeren Leuchtdichteverteilung bzw. zur Reduzierung zu hoher Leuchtdichten im Gesichtsfeld in vielen Fällen stark lichtstreuende Verglasung (siehe auch DIN 5036-4) möglich (siehe auch 5.2), weil die Oberlichter nicht dem Ausblick dienen. Zusätzlich ergibt sich durch lichtstreuende Verglasung eine gleichmäßigere Beleuchtungsstärkeverteilung auf der Nutzebene, vor allem, wenn sie von der Sonne beschienen wird. Oberlichter mit lichtstreuender Verglasung müssen so angeordnet oder mit zusätzlichem Blendschutz, z. B. mit abgehängten Rastern, versehen sein, daß sie bei Besonnung nicht blenden können.

4.4 Besonnung

Ob die Möglichkeit einer Besonnung eines Aufenthaltsraumes erwünscht oder unerwünscht ist, hängt in der Regel von dessen Verwendungszweck ab. Vor allem für Wohnräume ist ein Mindestmaß an Besonnung ein wichtiges Qualitätsmerkmal.

Ein Raum gilt als besonnt, wenn Sonnenstrahlen bei einer Sonnenhöhe von mindestens 6° in den Raum einfallen können. Als Nachweisort gilt die Fenstermitte in Brüstungshöhe und Fassadenebene. Die Besonnung eines Gebäudevorbaus, z. B. eines Erkers, gilt nicht als Besonnung des Raumes.

Ein Wohnraum gilt als ausreichend besonnt, wenn seine Besonnungsdauer am 17. Januar mindestens 1 h beträgt.

Eine Wohnung gilt als ausreichend besonnt, wenn in ihr mindestens ein Wohnraum ausreichend besonnt wird.

4.5 Sonnenschutz

Gegen störende Einflüsse der Sonne, wie Erwärmung zur unerwünschten Zeit oder Blendung (siehe auch 4.4) ist in der Regel ein baulich vorzusehender Schutz notwendig [4].

Durch individuell einstellbaren Sonnenschutz kann zeitweise die grundsätzlich geforderte Sichtverbindung nach außen eingeschränkt sein.

Feststehender Sonnenschutz – auch der bewegliche bei maximaler Öffnung – und Tageslichtlenksysteme dürfen das Blickfeld der Sichtverbindung nach außen und den Tageslichteinfall nicht zu stark einschränken.

Räume sind gegen Sonnenstrahlungswärme im Sommer möglichst durch außen vor der Verglasung liegende, abschirmende Vorrichtungen zu schützen. Die Aufheizung der Innenräume resultiert aus der Absorption der Globalstrahlung an den Gegenständen in den Räumen und den Begrenzungsflächen der Räume. Die absorbierte Strahlung wird in langwellige Infrarot-Strahlung umgewandelt, für die alle Verglasungsmaterialien nahezu undurchlässig sind; das führt zu der im Sommer in der Regel unerwünschten Erwärmung des Raumes.

Als abschirmende Vorrichtungen geeignet sind Vorsprünge über den Fenstern (z. B. Dächer oder Balkone) sowie waagerecht ausladende Raster oder tafelförmige Blenden über oder vor den Fenstern sowie bewegliche Lamellen, Rollos oder Markisen. Sonnenschutzverglasungen können ebenfalls den Eintritt der Strahlungsleistung in den Raum vermindern, verringern jedoch den Tageslichteinfall und damit die Nutzungszeit; sie bedürfen im allgemeinen der Ergänzung durch einen beweglichen Sonnenschutz.

4.6 Schutz vor Schädigung durch kurzwellige Strahlung

Insbesondere die eindringende Sonnenstrahlung kann in den Räumen an empfindlichen Materialien, Waren und Objekten zu Schäden wie Ausbleichung, Austrocknung, Verformung, Vergilbung, Farbveränderung oder Versprödung führen. Diese Schädigungswirkung nimmt mit der Bestrahlungsstärke und der Bestrahlungsdauer zu. Sie ist außerdem um so höher, je geringer die Wellenlänge ist (ultraviolette Strahlung, kurzwellige Strahlung im sichtbaren Bereich).

Zum Schutz sind die in Abschnitt 4.5 genannten Maßnahmen und spezielle UV-Schutz-Folien und Verglasungen geeignet.

4.7 Sonstige bauhygienische Aspekte

Weil Fensterflächen – abgesehen von Spezialverglasungen – während der Heizperiode erheblich höhere Wärmeverluste mit sich bringen können als die undurchsichtigen Teile der Außenwände und die Oberflächentemperaturen des Glases tiefer liegen, müssen die sich daraus ergebenden Konsequenzen (z. B. Beeinträchtigung der thermischen Behaglichkeit durch Wärmeabstrahlung zum Fenster, Kaltluftfall, Zugluft) beachtet werden.

Anmerkung: Neben der tageslichttechnischen Bedeutung des Fensters sind seine Funktionen hinsichtlich Lüftung, Schallschutz und Einbruchsschutz zu berücksichtigen.

5 Planungshinweise

5.1 Räume mit Fenstern

Durch eine gleichmäßige Verteilung der Fenster in der Außenwand ergibt sich eine größere Gleichmäßigkeit der Beleuchtung als bei Anordnung der Fenster am Rand der Fensterwand. In Räumen mit nur einem Fenster wird die Gleichmäßigkeit am größten, wenn das Fenster in der Mitte der Außenwand angeordnet wird. In Räumen mit größerer Raumtiefe kann die Gleichmäßigkeit gegebenenfalls durch Anordnung von Fenstern in einander gegenüberliegenden Wänden verbessert werden.

Die Lage der Fensteroberkante beeinflußt wesentlich den Wert des Tageslichtquotienten. Werden gleiche Fensterflächen vorausgesetzt, ist der Tageslichtquotient um so größer, je höher die Fensteroberkante über dem Fußboden liegt. Fensterflächen unterhalb der Bezugsebene haben nur geringen Einfluß auf den Tageslichtquotienten.

Bauteile im Fensterbereich (z. B. Sonnenschutzvorrichtungen, Balkone, Lichtlenksysteme) beeinflussen den Wert des Tageslichtquotienten und seine Verteilung im Innenraum.

5.2 Räume mit Oberlichtern

Räume mit großer Raumtiefe können mit Tageslicht meist nur durch Oberlichter ausreichend beleuchtet werden.

Je größer der Winkel zwischen der Neigung der Tageslichtöffnung und der Horizontalen, um so geringer ist der Tageslichteinfall bei gleich großen Glasflächen. Sheddächer benötigen daher eine größere Verglasungsfläche als etwa Dächer mit Lichtkuppeln, wenn ein bestimmter mittlerer Tageslichtquotient erreicht werden muß.

Zu große Leuchtdichteunterschiede bei direkter Sonneneinstrahlung lassen sich bei Oberlichtern am einfachsten durch die Verwendung lichtstreuender Verglasungen vermeiden. Besondere Blendschutzmaßnahmen sind zusätzlich erforderlich, wenn Flächen zu hoher Leuchtdichte im Gesichtsfeld liegen (z. B. lichtstreuende Verglasungen, Schachtwände von Oberlichtern).

5.3 Berücksichtigung der Gestalt und der Abmessungen des Gebäudes und der Innenräume

In Räumen mit Fenstern beeinflußt die Raumtiefe die Beleuchtung durch Tageslicht und damit auch die notwendigen Fensterabmessungen. Da eine einseitige Fensteranordnung nur bis zu einer bestimmten Raumtiefe ausreichende Tageslichtquotienten ermöglicht (abhängig von der lichten Höhe des Innenraumes und dem gewünschten Beleuchtungsniveau), ist bei tieferen Arbeitsräumen eine ständige Tageslicht-Ergänzungs-Beleuchtung (in der Regel ein Teil der künstlichen Beleuchtung, siehe DIN 5035-1 und DIN 5035-2) erforderlich, sofern nicht im tieferen Raumbereich zusätzliche Oberlichter oder Fenster an einer zweiten Raumseite angeordnet werden.

Vorbauten oberhalb des Fenstersturzes (Balkone, Vordächer, Dachüberstände) und gegebenenfalls auch seitliche Begrenzungen (vorspringende Wandteile, Trennwände von Balkonen) sowie Tageslichtlenksysteme und Sonnenschutzeinrichtungen (z. B. drehbare, nicht verschiebbare Lamellen) schränken den Tageslichteinfall ein. Bei der Berechnung von Tageslichtquotienten sind deshalb die sichtbaren Kanten dieser Lichthindernisse maßgebend. Lichtundurchlässige Hindernisse müssen möglichst hohe Reflexionsgrade haben.

Durch Sonnenschutzeinrichtungen (z. B. Sonnenschutzgläser, Jalousien, Vorhänge) dürfen sich die Lichtfarbe und die Farbwiedergabeeigenschaft des Tageslichts möglichst nicht ändern (siehe auch DIN 67 507).

5.4 Berücksichtigung der Verbauung

Bei der Planung einer Innenraumbeleuchtung mit Tageslicht müssen die lichtmindernden Einflüsse der vorhandenen oder baurechtlich möglichen Verbauung berücksichtigt werden. Steile Geländeerhöhungen oder Baumbewuchs sind ebenfalls als Verbauung anzusehen.

Bei vorhandener dichter Bebauung, z. B. bei Fenstern, die an Innenhöfen liegen, kann der Verlust an direktem Himmelslicht durch helle Oberflächen im Raum und durch eine helle Fassade der gegenüberliegenden Gebäude etwas ausgeglichen werden.

5.5 Berücksichtigung der Raumnutzung

In Räumen mit Fenstern müssen Arbeitsplätze möglichst in Fensternähe mit einer der Sehaufgabe angepaßten Lichteinfallsrichtung (z. B. für Schreibtische für Rechtshänder möglichst von links) angeordnet werden, da die Tageslichtquotienten zu den Fenstern hin ansteigen. Dabei sollte die Hauptblickrichtung der dort Beschäftigten in der Regel parallel zur Fensterfläche ausgerichtet sein. Dies gilt insbesondere für Bildschirmarbeitsplätze. Sind mehr Arbeitsplätze als Fensterplätze vorhanden, müssen sie je nach Höhe der Ansprüche der Sehaufgabe angeordnet werden.

Hohe Brüstungen ergeben in Fensternähe schlecht beleuchtete Arbeitsplätze. Zudem wirken Wandteile unter hochliegenden Fensterbändern im Vergleich zu der darüber sichtbaren Himmelsfläche fast immer zu dunkel.

Arbeitsplätze müssen so angeordnet werden, daß der Blick während der Arbeit nicht ständig gegen den im Fenster sichtbaren Himmelsausschnitt gerichtet ist; erforderlichenfalls sind zusätzliche Blendschutzmaßnahmen vorzusehen, z. B. Jalousien, Vorhänge, Rollos.

5.6 Ausstattung der Innenräume

Helle Decken und Seitenwände tragen zur Aufhellung der Arbeitsfläche bei, verbessern die Gleichmäßigkeit der Tagesbeleuchtung bei Räumen mit Fenstern und verringern die Leuchtdichteunterschiede zwischen Wand- sowie Deckenflächen und dem sichtbaren Himmelsausschnitt. Deshalb sollte der Reflexionsgrad [DIN 5036] der Decke mindestens 0,7, der der Wände mindestens 0,5 und der des Fußbodens mindestens 0,2 betragen. Der Einfluß der Reflexionsgrade der Einrichtungsgegenstände ist hierbei möglichst zu berücksichtigen.

Speziell in Räumen mit Oberlichtern ist der Einfluß des Reflexionsgrades des Fußbodens auf die Raumhelligkeit in der Regel bedeutend, und zwar um so mehr, je größer der Raum ist; er wirkt sich dort stark auf die Höhe des Innenreflexionsanteils des Tageslichtquotienten aus.

Anhang A (informativ)

Tabellarische Zusammenfassung der Anforderungen aus lichttechnischer Sicht

A.1 Aufenthaltsräume mit Fenstern

Anforderung	Wohnraum	Arbeitsraum (nur definiert für Raumhöhe ≤ 3,5 m, Raumtiefe ≤ 6 m und Raumfläche ≤ 50 m²)	Krankenzimmer
Sichtverbindung nach außen	(Gesamt-)Breite der durchsichtigen Fensterteile mindestens 55 % der Breite der Fensterwand, Brüstungshöhe maximal 0,9 m, Unterkante der durchsichtigen Fensterteile maximal 0,95 m über dem Fußboden, Fensteroberkante mindestens 2,2 m über dem Fußboden.		
		– Höhe der Rohbaufensteröffnung ≥ 1,3 m, auch bei Raumhöhen über 3,5 m. – Breite des durchsichtigen Teils jeden Fensters ≥ 1 m; – Mindestfläche des durchsichtigen Fensterteils für Raumtiefen unter 5 m: 1,25 m^2; für größere Raumtiefen: 1,5 m^2; – durchsichtige (Gesamt-)Fensterfläche mindestens 30 % des Produktes aus Raumbreite und Raumhöhe und mindestens 10 % der Raumfläche.	Im Gegensatz zu den Krankenhaus-Richtlinien einiger Bundesländer zusätzlich: – Unterkante des durchsichtigen Fensterteils 0,5 m über dem Fußboden; – zeitweiliger Sichtschutz gegen Einblick von außen.
Ausreichende Helligkeit	*D* soll in halber Raumtiefe, in 0,85 m über dem Fußboden und in 1 m Abstand von den beiden Seitenwänden betragen: – im Mittel der beiden Punkte mindestens 0,9 %, an einem der beiden Punkte mindestens 0,75 %; – bei Räumen mit Fenstern in zwei benachbarten Wänden 1,0 %. Möglichst hohe Reflexionsgrade der Raumbegrenzungsflächen.		
Erforderliche Beleuchtungsstärke	keine Anforderungen formuliert	Am ungünstigsten Arbeitsplatz minimal 0,6fache Werte der Vorgaben für Beleuchtung mit Kunstlicht in DIN 5035-2.	keine Anforderungen formuliert
Schutz gegen Blendung, Wärmeeinstrahlung und -verluste	z. B. Sonnenschutzeinrichtungen, Rolläden, Jalousien, Vorhänge, Gardinen		

Besonnungsdauer	Ein Fenster eines Wohnraums jeder Wohnung soll am 17. Januar in Brüstungshöhe in seiner Mitte wenigstens 1 h besonnbar sein.	keine Anforderungen formuliert	Ein Fenster jeden Krankenzimmers soll am 17. Januar in Brüstungshöhe in seiner Mitte wenigstens 1 h besonnbar sein.
Lüftung	in ausreichendem Maße vorsehen		
Schallschutz	in ausreichendem Maße vorsehen		

(Tabelle A.2 „Arbeitsräume mit Oberlichtern" ist ausgelassen.)

C

Tageslicht in Innenräumen

Grundlagen

Auszug aus **DIN 5034-2** (02.85)

1 Anwendungsbereich und Zweck

Diese Norm dient der Festlegung einheitlicher Grundlagen für tageslichttechnische Berechnungen. Auf der Basis dieser Grundlagen und der entsprechenden Berechnungsverfahren lassen sich die in Innenräumen zu erwartenden Beleuchtungsstärken, die Tageslichtquotienten an bestimmten Punkten des Innenraumes, Nutzungszeiten und die in einen Raum eintretenden Strahlungsleistungen ermitteln.

Diese Norm dient auch – als Voraussetzung dazu – zur Bestimmung von Beleuchtungs- und Bestrahlungsstärken im Freien. Hierzu werden bestimmte Himmelszustände definiert und die interessierenden lichttechnischen und strahlungsphysikalischen Gegebenheiten für diese Himmelszustände festgelegt.

2 Begriffe

2.1 Sonnenhöhe γ_s

Winkel zwischen dem Sonnenmittelpunkt und dem Horizont, vom Beobachter aus betrachtet; abhängig von Tageszeit, Jahreszeit und geographischer Breite des betreffenden Ortes.

2.2 Sonnenazimut α_s

Winkel zwischen der geographischen Nordrichtung und dem Vertikalkreis durch den Sonnenmittelpunkt (0° bis 360°); abhängig von Tageszeit, Jahreszeit und geographischer Breite des betreffenden Ortes.

2.3 Sonnendeklination δ

Winkel zwischen dem Sonnenmittelpunkt und dem Himmelsäquator; abhängig von der Jahreszeit.

$$+23^\circ\ 26{,}5' \geq \delta \geq -23^\circ\ 26{,}5' \qquad (1)$$

2.4 Zeitgleichung Zgl

Jahreszeitabhängige Differenz zwischen Wahrer Ortszeit (WOZ) und Mittlerer Ortszeit (MOZ) aufgrund von Schwankungen der Länge des Sonnentages.

$$+16\ \text{min}\ 25\ \text{s} \geq Zgl \geq -14\ \text{min}\ 17\ \text{s} \qquad (2)$$

2.5 Sonnenscheindauer

Die Summe der Zeitintervalle innerhalb einer gegebenen Zeitspanne (Stunde, Tag, Monat, Jahr), während derer die Bestrahlungsstärke der direkten Sonnenstrahlung auf eine Ebene senkrecht zur Sonnenrichtung größer oder gleich 120 W/m^2 (etwa 11 000 lx) ist.

Anmerkung: Diese Bestrahlungsstärke wird als Schwellenwert für hellen Sonnenschein von der Welt-Meteorologie-Organisation (WMO) empfohlen [1]. Ältere Datenkollektive basieren auf einem Schwellenwert von etwa 200 W/m^2.

2.6 Mögliche Sonnenscheindauer

Die Summe der Zeitintervalle innerhalb einer gegebenen Zeitspanne, während der die Sonne über dem wirklichen Horizont steht, der durch Berge, Gebäude, Bäume usw. eingeengt sein kann.

C

2.7 Relative Sonnenscheindauer

Verhältnis der Sonnenscheindauer zur möglichen Sonnenscheindauer innerhalb derselben Zeitspanne.

2.8 Sonnenscheinwahrscheinlichkeit

Langjähriges Mittel der Augenblickwerte der relativen Sonnenscheindauer.

2.9 Solarkonstante E_o

Bestrahlungsstärke der extraterrestrischen Sonnenstrahlung auf einer zur Einfallrichtung senkrechten Ebene bei mittlerem Sonnenabstand.

$$E_o = 1{,}37\ kW/m^2 \tag{3}$$

2.10 Globalstrahlung

Summe von direkter und diffuser Sonnenstrahlung. Wenn nicht anders angegeben, ist die Globalstrahlung auf die horizontale Ebene bezogen.

Anmerkung: Die diffuse Sonnenstrahlung wurde früher als (diffuse) Himmelsstrahlung bezeichnet.

2.11 Trübungsfaktor T

Verhältnis der vertikalen optischen Dicke einer getrübten Atmosphäre zur vertikalen optischen Dicke der reinen und trockenen Atmosphäre (Rayleigh-Atmosphäre), bezogen auf das gesamte Sonnenspektrum.

2.12 Klarer Himmel

Wolkenloser Himmel, für den die relative Leuchtdichteverteilung nach Publikation CIE No. 22 (TC-4.2) [2] festgelegt ist.

2.13 Bedeckter Himmel

Vollständig bedeckter Himmel, für den das Verhältnis der Leuchtdichte bei einem Höhenwinkel γ über dem Horizont zur Leuchtdichte L_z im Zenit zu

$$L_\gamma = \frac{L_z(1 + 2\sin\gamma)}{3} \tag{4}$$

festgelegt ist.

2.14 Mittlerer Himmel

Langjähriges Mittel aller Himmelszustände, deren tageslichttechnische und strahlungsphysikalische Daten mit Hilfe der örtlichen Sonnenscheinwahrscheinlichkeit beschrieben werden.

3 Astronomische Grundlagen

Die Tageslichtverhältnisse werden wesentlich durch den Sonnenstand bestimmt, der für den jeweiligen Ort durch Sonnenhöhe γ_s und Sonnenazimut α_s in Abhängigkeit von Tages- und Jahreszeit beschrieben wird. Die folgenden Gleichungen beziehen sich auf den Mittelpunkt der Sonnenscheibe. Üblicherweise wird mit der Wahren Ortszeit (*WOZ*) gerechnet.

Für Angaben in Mitteleuropäischer Zeit (*MEZ*) muß umgerechnet werden nach

$$MEZ = MOZ + 4 \cdot (15^\circ - \lambda) \cdot \text{min}/^\circ \tag{5}$$

und

$$MOZ = WOZ - Zgl \tag{6}$$

Hierin bedeuten

MOZ Mittlere Ortszeit,
λ geographische Länge des Ortes östlich von Greenwich
Zgl Zeitgleichung in min

Eine eventuelle Sommerzeit muß bei den Zeitangaben zusätzlich berücksichtigt werden (Mitteleuropäische Sommerzeit *MESZ* = *MEZ* + 1 h).

Zeitgleichung *Zgl* und die Sonnendeklination δ ändern sich während des Jahres. Sie können aus astronomischen Jahrbüchern [3] entnommen, nach den Gleichungen (7) und (8) [4] berechnet oder aus den Bildern 1 und 2 abgelesen werden. In den Gleichungen (7) und (8) ist *J* der Tag des Jahres (z. B. 1. Januar: *J* = 1, 31. Dezember *J* = 365 bzw. 366).

J' steht für 360° · *J*/365 bzw. *J*/366.

$$Zgl\,(J) = 0{,}0066 + 7{,}3525 \cdot \cos(J' + 85{,}9^\circ) + 9{,}9359 \cdot \cos(2 \cdot J' + 108{,}9^\circ) + 0{,}3387 \cdot \cos(3 \cdot J' + 105{,}2^\circ) \tag{7}$$

$$\gamma\,(J) = \{0{,}3948 - 23{,}2559 \cdot \cos(J' + 9{,}1^\circ) - 0{,}3915 \cdot \cos(2\,J' + 5{,}4^\circ) - 0{,}1764 \cdot \cos(3 \cdot J' + 26{,}0^\circ)\} \tag{8}$$

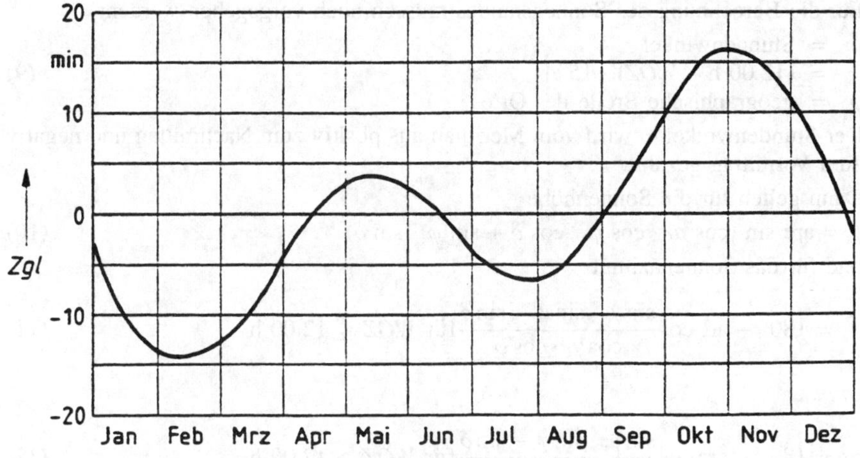

Bild 1. Zeitgleichung *Zgl* im Verlauf des Jahres

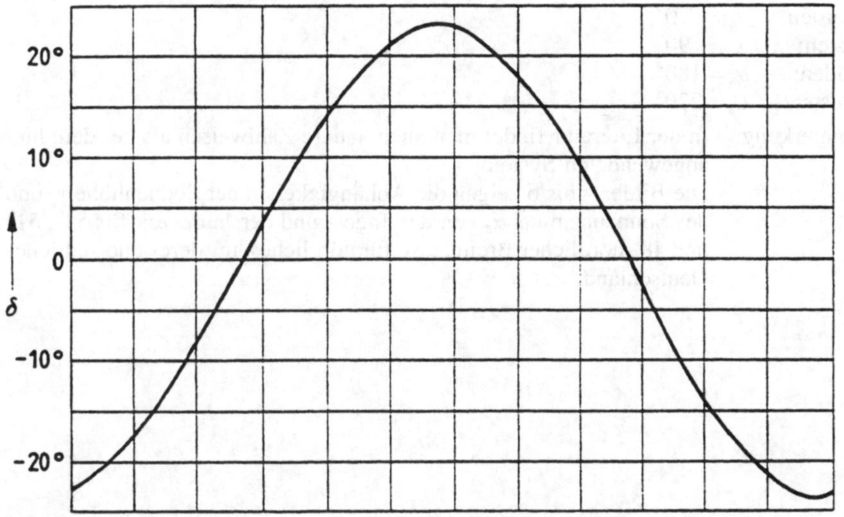

Bild 2. Sonnendeklination γ im Verlauf des Jahres

Für die Berechnung des Sonnenstandes müssen noch vorgegeben werden:

ω = Stundenwinkel

= (12.00 h – *WOZ*) · 15°/h (9)

φ = geographische Breite des Ortes

Der Stundenwinkel ω wird vom Meridian aus positiv zum Nachmittag und negativ zum Vormittag gezählt.

Dann gelten für die Sonnenhöhe

$$\gamma_s = \arc \sin (\cos \omega \cdot \cos \varphi \cdot \cos \delta + \sin \varphi \cdot \sin \delta) \tag{10}$$

und für das Sonnenazimut

$$\alpha_a = 180^\circ - \arccos \frac{\sin \gamma_s \cdot \sin \varphi - \sin \delta}{\cos \gamma_s \cdot \cos \varphi} \text{für } WOZ \leq 12.00 \text{ h} \tag{11}$$

bzw.

$$\alpha_a = 180^\circ - \arccos \frac{\sin \gamma_s \cdot \sin \varphi - \sin \delta}{\cos \gamma_s \cdot \cos \varphi} \text{für } WOZ > 12.00 \text{ h} \tag{12}$$

Die Zählweise für das Sonnenazimut ist dabei (siehe Bild 3)

Norden: $\alpha_s = 0^\circ$

Osten: $\alpha_s = 90^\circ$

Süden: $\alpha_s = 180^\circ$

Westen: $\alpha_s = 270^\circ$

Anmerkung: In der Literatur findet man auch andere Zählweisen als bei dem hier angewendeten System.

Die Bilder 4 bis 6 zeigen die Abhängigkeiten der Sonnenhöhe γ_s und des Sonnenazimuts α_s von der Tages- und der Jahreszeit für 54°, 51° und 48° nördlicher Breite, also für nördliches, mittleres und südliches Deutschland.

Zitierte Normen und andere Unterlagen

DIN 4710 – Meteorologische Daten zur Berechnung des Energieverbrauches von raumlufttechnischen Anlagen

[1] WMO – CIMO Abridged Final Report of the Eighth Session in Mexico City, 19.–30. Oktober 1981, World Meteorological Organization WMO Nr. 590, Genf (1982)

[2] Publication CIE No. 22 (TC–4.2) 1973: Standardization of luminance distribution on clear skies*)

[3] Nautisches Jahrbuch, Ephemeriden und Tafeln für das Jahr 1983, herausgegeben vom Deutschen Hydrographischen Institut 132. Jahrgang (erscheint jährlich neu)

[4] *R. Dogniaux,* Variations géographiques et climatiques des expositions énergétique solaires sur des surfaces réceptrices horizontales et verticales, Institut, Royal Météorologique de Belgique, Serie B, No. 38

[5] CIE-Committee E–3.2: Natural Daylight, Official Recommendations, Compte Rendu, 13. Sitzung, Bd. 2, Paris 1955 (vergriffen)

[6] *S. Aydinli,* Über die Berechnung der zur Verfügung stehenden Solarenergie und des Tageslichtes, Fortschrittberichte der VDI-Zeitschriften, Reihe 6, Nummer 79, VDI-Verlag GmbH, Düsseldorf 1981

[7] *R. W. Schulze,* Strahlenklima der Erde, Steinkopf-Verlag, Darmstadt 1970

[8] *F. Kasten,* A simple parameterization of the pyrheliometric formula for determining the Linke turbidity factor, Meteorologische Rundschau 33, 124–127, 1980

[9] Deutscher Wetterdienst, Meteorologisches Observatorium Hamburg

C

*) Zu beziehen durch: Deutsches Nationales Komitee der CIE, Burggrafenstraße 4–10, 10787 Berlin

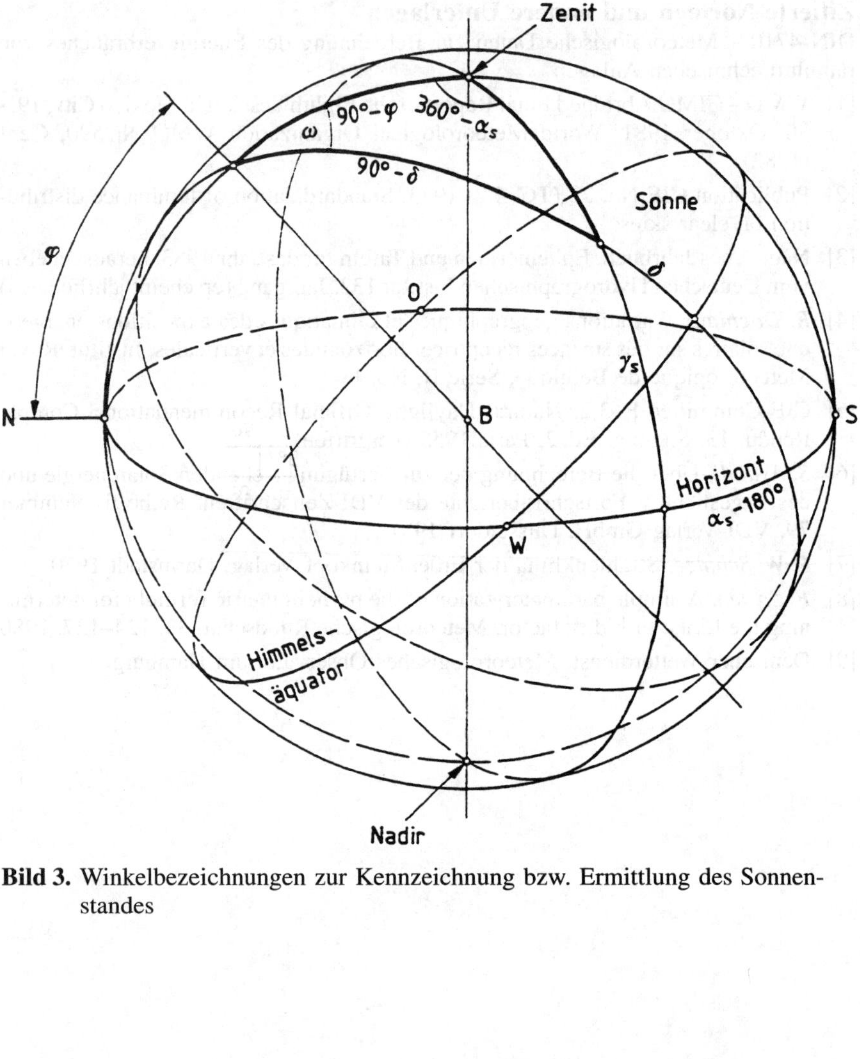

Bild 3. Winkelbezeichnungen zur Kennzeichnung bzw. Ermittlung des Sonnenstandes

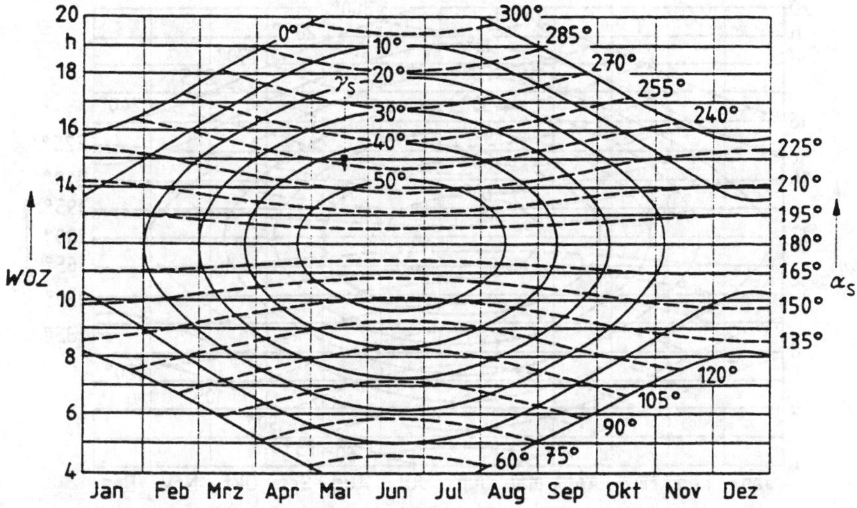

Bild 4. Sonnenazimut α_s und Sonnenhöhe γ_s für 54° nördlicher Breite (nördliches Deutschland, Cuxhaven–Lübeck) in Abhängigkeit von Jahres- und Tageszeit

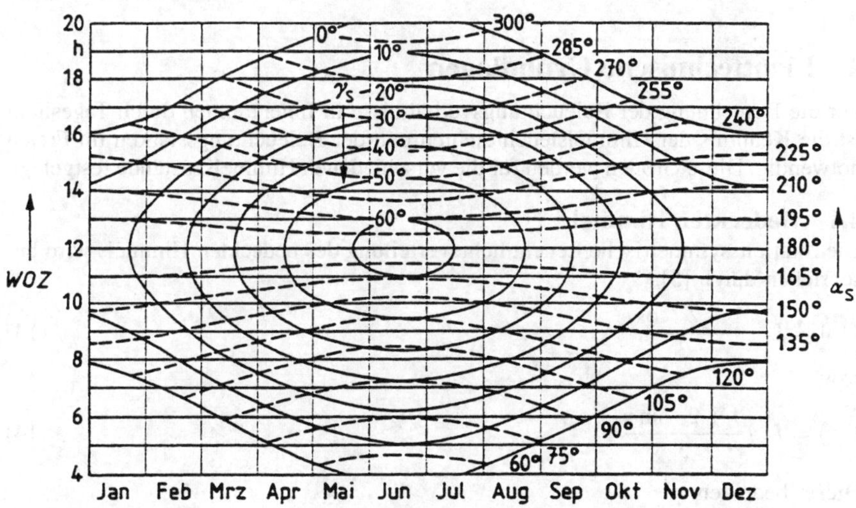

Bild 5. Sonnenazimut α_s und Sonnenhöhe γ_s für 51° nördlicher Breite (mittleres Deutschland, Aachen–Köln–Kassel) in Abhängigkeit von Jahres- und Tageszeit

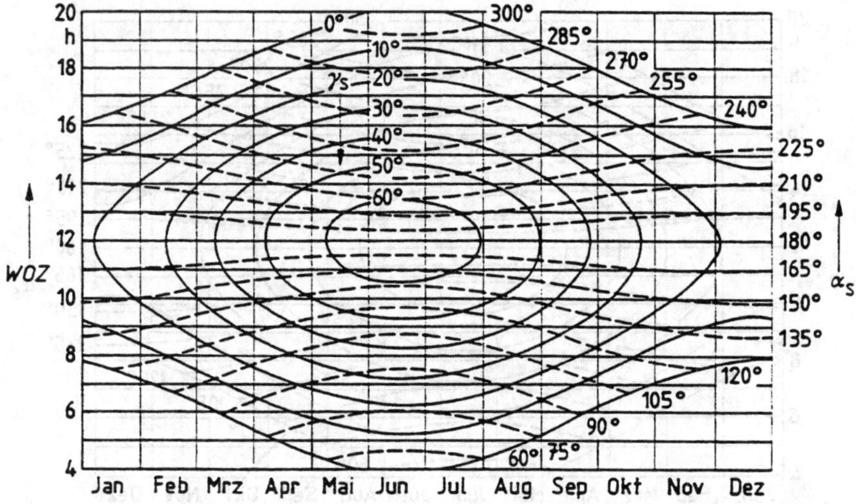

Bild 6. Sonnenazimut α_s und Sonnenhöhe γ_s für 48° nördlicher Breite (südliches Deutschland, Freiburg–München–Traunstein) in Abhängigkeit von Jahres- und Tageszeit

4 Lichttechnische Grundlagen

Für die Berechnung der Beleuchtungsverhältnisse in Innenräumen durch Tageslicht ist die Kenntnis der Himmelsleuchtdichten und der Beleuchtungsstärken im Freien notwendig. Diese Größen werden für die verschiedenen Himmelszustände festgelegt.

4.1 Bedeckter Himmel

Die rotationssymmetrische Leuchtdichteverteilung des bedeckten Himmels wird beschrieben durch [5]:

$$L(\varepsilon) = L_z \cdot \frac{1 + 2 \cdot \cos \varepsilon}{3} \tag{13}$$

bzw.

$$L(\gamma) = L_z \cdot \frac{1 + 2 \cdot \sin \gamma}{3} \tag{14}$$

Hierin bedeuten:

$L(\varepsilon)$ Leuchtdichte von Himmelspunkten, die um den Winkel \epsilon vom Zenit entfernt sind

$L(\gamma)$ Leuchtdichte von Himmelspunkten, die um den Winkel γ vom Horizont entfernt sind

ε Winkel zwischen betrachtetem Himmelspunkt und Zenit

γ Winkel zwischen betrachtetem Himmelspunkt und Horizont.

Die Zenitleuchte L_z wird festgelegt zu

$$L_z = \frac{9}{7\pi} \cdot (300 + 21\,000 \sin \gamma_s) \cdot \text{cd/m}^2 = (123 + 8594 \cdot \sin \gamma_s) \cdot \text{cd/m}^2 \quad (15)$$

Die Horizontalbeleuchtungsstärke E_2 im Freien bei freiem Horizont ist abhängig von der Sonnenhöhe γ_s (siehe Gleichung (10)) und wird festgelegt durch:

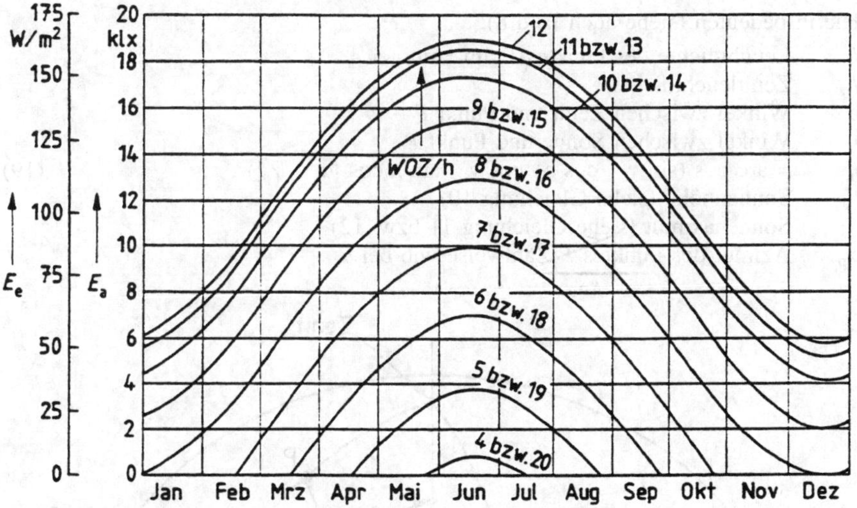

Bild 7. Horizontale Beleuchtungsstärke E_2 und horizontale Bestrahlungsstärke E_e bei bedecktem Himmel für 51° nördlicher Breite in Abhängigkeit von Jahres- und Tageszeit

$$E_2 = (300 + 21\,000 \cdot \sin \gamma_s) \cdot \text{lx} \quad (16)$$

Bild 7 zeigt die Horizontalbeleuchtungsstärke E_2 in Abhängigkeit von der Tages- und der Jahreszeit für 51° nördlicher Breite.

Die Beleuchtungsstärke auf geneigten Flächen $E_{a,F}$ (Neigungswinkel γ_F gegen die Horizontale) setzt sich aus einem vom Himmel kommenden Anteil und dem vom Boden reflektierten Anteil zusammen [6]:

$$E_{a,F} = E_a \cdot \left\{0{,}182 \cdot \left[1{,}178 \cdot (1 + \cos \gamma_F) + \left(\pi - \frac{\gamma_F}{\text{rad}}\right) \cdot \cos \gamma_F + \sin \gamma_F\right] + 05 \cdot \varrho_u \cdot (1 - \cos \gamma_F)\right\} \cdot \text{lx} \quad (17)$$

Ist der Reflexionsgrad des Bodens ϱ_u unbekannt, wird als mittlerer Wert $\varrho_u = 0{,}2$ eingesetzt.

4.2 Klarer Himmel

Der klare Himmel ist als Lichtquelle stets mit der Sonne gekoppelt. Die relative Leuchtdichteverteilung des klaren Himmels wird beschrieben durch [2]:

$$L_p/L_z = \frac{[1-\exp(-0{,}32/\cos\varepsilon)]\cdot[0{,}856+16\cdot\exp(-3\eta/\mathrm{rad})+0{,}3\cdot\cos^2\eta]}{0{,}27385\cdot\left\{0{,}856+16\cdot\exp\left[-3\cdot\left(\frac{\pi}{2}-\frac{\gamma_s}{\mathrm{rad}}\right)\right]+0{,}3\cdot\cos^2\left(\frac{\pi}{2}-\frac{\gamma_s}{\mathrm{rad}}\right)\right\}} \qquad (18)$$

Hierin bedeuten (siehe auch Bild 8):

L_p Leuchtdichte des Punktes P am Himmel,
L_z Zenitleuchtdichte,
ε Winkel zwischen Zenit und Punkt P
η Winkel zwischen Sonne und Punkt P
η $= \arccos(\sin\gamma_s\cdot\cos\varepsilon + \cos\gamma_s\cdot\sin\varepsilon\cos|\alpha_s-\alpha_p|)$ (19)
γ_s Sonnenhöhe (siehe Gleichung 10)
α_s Sonnenazimut (siehe Gleichung 11 bzw. 12)
α_p Azimut des Punktes P Zählweise wie bei α_s

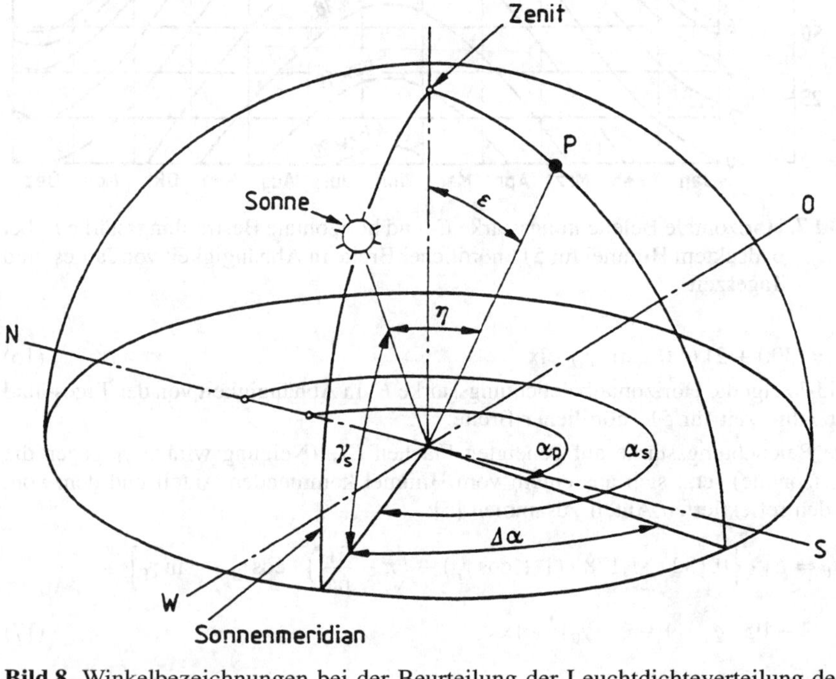

Bild 8. Winkelbezeichnungen bei der Beurteilung der Leuchtdichteverteilung des klaren Himmels

Für das Verhältnis von Horizontalbeleuchtungsstärke durch den Himmel E_H zur Zenitleuchtdichte L_z gilt:

$$\frac{E_H}{L_z} = 7{,}6752 + 6{,}1096 \cdot 10^{-2} \cdot \gamma_s - 5{,}9344 \cdot 10^{-4} \cdot \gamma_s^2 - 1{,}6018 \cdot 10^{-4} \cdot \gamma_s^3$$
$$+ 3{,}8082 \cdot 10^{-6} \cdot \gamma_s^4 - 3{,}3126 \cdot 10^{-8} \cdot \gamma_s^5 + 1{,}0343 \cdot 10^{-10} \cdot \gamma_s^6 \quad (20)$$

Die Horizontalbeleuchtungsstärken durch die Sonne E_s, durch den Himmel E_H und durch Sonne und Himmel E_g hängen von der Sonnenhöhe γ_s ab [6], [7]:

$$E_s = K_s \cdot E_{s0} \cdot \exp\,(-\,T_L \cdot \bar{\delta}_m \cdot m \cdot p/p_o) \cdot \sin \gamma_s \cdot \text{lx} \quad (21)$$

$$E_H = 0{,}5 \cdot K_H \cdot E_{e0}\,[\tau_a^m - \exp\,(-\,T_L \cdot \bar{\delta}_R \cdot m \cdot p/p_o)] \cdot \sin \gamma_s \cdot \text{lx} \quad (22)$$

$$E_g = E_s + E_H \text{ lx} \quad (23)$$

Hierin bedeuten:

K_s photometrisches Strahlungsäquivalent für die Sonnenstrahlung in Abhängigkeit von der Sonnenhöhe γ_s

$$= (17{,}72 + 4{,}4585 \cdot \gamma_s - 8{,}7563 \cdot 10^{-2} \cdot \gamma_s^2 + 7{,}3948 \cdot 10^{-4} \cdot \gamma_s^3$$
$$- 2{,}167 \cdot 10^{-6} \cdot \gamma_s^4 - 8{,}4132 \cdot 10^{-10} \cdot \gamma_s^5)\,\frac{\text{lm}}{\text{W}}\text{qs;(24)}$$

K_H photometrisches Strahlungsäquivalent für die Himmelsstrahlung
$= 125{,}4$ lm/W (25)

E_{e0} Bestrahlungsstärke der extraterrestrischen Sonnenstrahlung

$\bar{\delta}_R \cdot m$ Produkt aus der mittleren optischen Dicke der reinen, trockenen Rayleigh-Atmosphäre und der relativen optischen Luftmasse

$\bar{\delta}_R \cdot m$ $= (0{,}9 + 9{,}4 \cdot \sin \gamma_s)^{-1}$ [8] (26)

p/p_o Luftdruckkorrektion von $\bar{\delta}_R \cdot m$

p/p_o $= \exp\,(-\,H/H_R)$ (27)

H Höhe des Ortes über dem Meeresniveau

H_R $= 8$ km (28)

T_L Trübungsfaktor nach *Linke*; Zahlenwerte aus Tabelle 1

τ_a^m Transmissionsgrad der Atmosphäre bezüglich Absorption

τ_a^m $= (0{,}506 - 1{,}0788 \cdot 10^{-2} \cdot T_L) \cdot (1{,}294 + 2{,}4417 \cdot 10^{-2} \cdot \gamma_s$
$- 3{,}973 \cdot 10^{-4} \cdot \gamma_s^2 + 3{,}8034 \cdot 10^{-6} \cdot \gamma_s^3 - 2{,}2145 \cdot 10^{-8} \cdot \gamma_s^4$
$+ 5{,}8332 \cdot 10^{-11} \cdot \gamma_s^5)$ (29)

Tabelle 1 Mittlere monatliche Trübungsfaktoren T_L in der Bundesrepublik Deutschland [9]

Monat	Monatsmittel von T_L		
	höchstes	mittleres	niedrigstes
Januar	4,8	3,8 ± 1,0	3,2
Februar	4,6	4,2 ± 1,1	3,6
März	5,4	4,8 ± 1,5	4,3
April	5,7	5,2 ± 1,8	4.8
Mai	5,8	5,4 ± 1,7	4,9
Juni	7,4	6,4 ± 1.9	5,6
Juli	6,9	6,3 ± 2,0	5,7
August	6,9	6,1 ± 1,9	5,7
September	6,0	5,5 ± 1,6	5,2
Oktober	4,9	4,3 ± 1,3	4,0
November	4,2	3,7 ± 0,8	3,3
Dezember	4,1	3,6 ± 0.9	3,3
Jahresmittel	5,4	4,9 ± 1,5	4,7

Anmerkung: Mit für die Praxis meist ausreichender Genauigkeit lassen sich auch die Näherungsformeln

$$E_s = [85\,000 - \sin^2 \gamma_s + 6500 - \sin^2 (2\,\gamma_s)]\ \text{lx} \tag{30}$$

und

$$E_H = 280 \cdot \text{arc tan}\ (\gamma_s/^\circ : 18{,}9)\ \text{lx} \tag{31}$$

verwenden. Sie gelten für eine mittlere Trübung von $T = 4{,}9$.
Bild 9 zeigt diese Abhängigkeiten der Beleuchtungsstärken von der Sonnenhöhe.

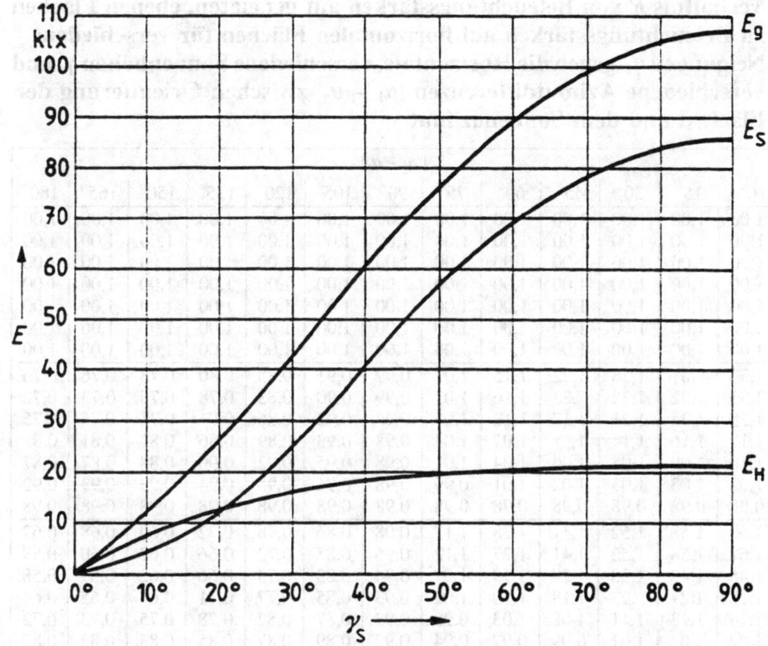

Bild 9. Horizontale Beleuchtungsstärke E_s durch die Sonne, E_H durch den Himmel und E_g durch Sonne und Himmel in Abhängigkeit von der Sonnenhöhe γ_s bei klarem Himmel und einem Trübungsfaktor (nach Linke) von T_L= 4,9

Die Beleuchtungsstärke auf geneigten Flächen E_F (Neigungswinkel γ_F gegen die Horizontale) setzt sich aus einem vom Himmel ($E_{H,F}$), einem von der Sonne ($E_{S,F}$) und einem durch Reflexion am Boden ($E_{B,F}$) erzeugten Anteil zusammen:

$$E_F = E_{H,F} + E_{S,F} + E_{B,F} \tag{32}$$

Tabelle 2 Verhältnis R von Beleuchtungsstärken auf geneigten, ebenen Flächen zu Beleuchtungsstärken auf horizontalen Flächen für verschiedene Neigungen γ_F gegen die Horizontale, verschiedene Sonnenhöhen γ_s und verschiedene Azimutdifferenzen $|\alpha_F - \alpha_s|$ zwischen Orientierung der Flächen und dem Sonnenazimut

γ_F	γ_S	$\lvert\alpha_F - \alpha_s\rvert$												
		0°	15°	30°	45°	60°	75°	90°	105°	120°	135°	150°	165°	180°
0°	0°	1,00	1,00	1,00	1,00	1,00	1,00	1,00	1,00	1,00	1,00	1,00	1,00	1,00
	15°	1,00	1,00	1,00	1,00	1,00	1,00	1,00	1,00	1,00	1,00	1,00	1,00	1,00
	30°	1,00	1,00	1,00	1,00	1,00	1,00	1,00	1,00	1,00	1,00	1,00	1,00	1,00
	45°	1,00	1,00	1,00	1,00	1,00	1,00	1,00	1,00	1,00	1,00	1,00	1,00	1,00
	60°	1,00	1,00	1,00	1,00	1,00	1,00	1,00	1,00	1,00	1,00	1,00	1,00	1,00
	75°	1,00	1,00	1,00	1,00	1,00	1,00	1,00	1,00	1,00	1,00	1,00	1,00	1,00
	90°	1,00	1,00	1,00	1,00	1,00	1,00	1,00	1,00	1,00	1,00	1,00	1,00	1,00
15°	0°	1,32	1,31	1,28	1,22	1,15	1,07	0,99	0,91	0,85	0,80	0,78	0,76	0,76
	15°	1,33	1,32	1,28	1,23	1,16	1,07	0,99	0,90	0,83	0,78	0,75	0,73	0,72
	30°	1,25	1,24	1,21	1,17	1,12	1,05	0,98	0,92	0,86	0,81	0,78	0,76	0,75
	45°	1,17	1,16	1,14	1,11	1,07	1,03	0,98	0,93	0,89	0,86	0,83	0,81	0,81
	60°	1,10	1,09	1,08	1,06	1,04	1,01	0,98	0,95	0,92	0,90	0,88	0,87	0,87
	75°	1,03	1,03	1,03	1,02	1,01	0,99	0,98	0,96	0,95	0,94	0,93	0,93	0,92
	90°	0,98	0,98	0,98	0,98	0,98	0,98	0,98	0,98	0,98	0,98	0,98	0,98	0,98
30°	0°	1,60	1,58	1,52	1,41	1,28	1,13	0,98	0,86	0,78	0,72	0,69	0,68	0,67
	15°	1,61	1,58	1,52	1,41	1,27	1,12	0,96	0,83	0,72	0,66	0,62	0,60	0,59
	30°	1,45	1,43	1,38	1,29	1,19	1,07	0,94	0,83	0,73	0,66	0,62	0,59	0,58
	45°	1,28	1,27	1,23	1,18	1,10	1,02	0,93	0,85	0,77	0,71	0,67	0,65	0,64
	60°	1,14	1,13	1,11	1,08	1,03	0,98	0,92	0,87	0,82	0,78	0,75	0,73	0,72
	75°	1,02	1,02	1,01	0,99	0,97	0,94	0,92	0,89	0,87	0,85	0,83	0,82	0,82
	90°	0,92	0,92	0,92	0,92	0,92	0,92	0,92	0,92	0,92	0,92	0,92	0,92	0,92
45°	0°	1,80	1,77	1,68	1,53	1,34	1,14	0,94	0,80	0,71	0,66	0,64	0,63	0,63
	15°	1,79	1,76	1,67	1,51	1,32	1,11	0,90	0,74	0,63	0,57	0,54	0,52	0,52
	30°	1,56	1,54	1,46	1,35	1,20	1,03	0,87	0,72	0,62	0,55	0,50	0,48	0,48
	45°	1,33	1,31	1,26	1,18	1,07	0,96	0,84	0,73	0,64	0,58	0,53	0,51	0,50
	60°	1,13	1,12	1,08	1,03	0,97	0,90	0,83	0,76	0,69	0,64	0,61	0,59	0,58
	75°	0,96	0,95	0,94	0,92	0,89	0,85	0,82	0,78	0,75	0,72	0,70	0,69	0,69
	90°	0,81	0,81	0,81	0,81	0,81	0,81	0,81	0,81	0,81	0,81	0,81	0,81	0,81
60°	0°	1,90	1,86	1,75	1,57	1,35	1,11	0,89	0,74	0,65	0,61	0,59	0,59	0,59
	15°	1,88	1,84	1,72	1,54	1,31	1,06	0,83	0,66	0,56	0,51	0,48	0,47	0,47
	30°	1,58	1,55	1,46	1,32	1,15	0,95	0,77	0,62	0,52	0,46	0,43	0,42	0,41
	45°	1,29	1,27	1,21	1,11	0,99	0,86	0,73	0,61	0,52	0,47	0,43	0,41	0,41
	60°	1,05	1,04	1,00	0,94	0,87	0,78	0,70	0,62	0,56	0,51	0,48	0,46	0,45
	75°	0,85	0,84	0,82	0,80	0,76	0,73	0,69	0,65	0,61	0,58	0,56	0,55	0,55
	90°	0,68	0,68	0,68	0,68	0,68	0,68	0,68	0,68	0,68	0,68	0,68	0,68	0,68
75°	0°	1,88	1,84	1,71	1,52	1,27	1,02	0,80	0,65	0,58	0,54	0,53	0,53	0,53
	15°	1,85	1,80	1,67	1,47	1,22	0,96	0,72	0,56	0,48	0,44	0,43	0,42	0,42
	30°	1,51	1,48	1,38	1,23	1,04	0,83	0,65	0,51	0,43	0,39	0,37	0,36	0,36
	45°	1,18	1,16	1,09	0,99	0,86	0,72	0,59	0,49	0,42	0,37	0,35	0,34	0,33
	60°	0,91	0,90	0,86	0,80	0,72	0,64	0,56	0,49	0,43	0,39	0,37	0,36	0,35
	75°	0,70	0,69	0,67	0,65	0,61	0,58	0,54	0,50	0,47	0,45	0,43	0,42	0,41
	90°	0,53	0,53	0,53	0,53	0,53	0,53	0,53	0,53	0,53	0,53	0,53	0,53	0,53
90°	0°	1,76	1,71	1,58	1,38	1,14	0,89	0,68	0,55	0,49	0,47	0,46	0,46	0,46
	15°	1,70	1,66	1,53	1,32	1,08	0,82	0,60	0,47	0,40	0,37	0,36	0,36	0,36
	30°	1,35	1,32	1,22	1,06	0,88	0,68	0,52	0,41	0,35	0,32	0,31	0,30	0,30
	45°	1,01	0,99	0,92	0,82	0,70	0,57	0,46	0,38	0,33	0,30	0,28	0,28	0,27
	60°	0,74	0,73	0,69	0,63	0,56	0,49	0,42	0,37	0,33	0,30	0,29	0,28	0,28
	75°	0,53	0,53	0,51	0,49	0,46	0,43	0,40	0,37	0,35	0,33	0,32	0,31	0,31
	90°	0,38	0,38	0,38	0,38	0,38	0,38	0,38	0,38	0,38	0,38	0,38	0,38	0,38

Für die einzelnen Anteile gilt:

$E_{H,F} = E_H \cdot R\ (\gamma_s,\ \gamma_F,\ |\alpha_s - \alpha_F|)$ (33)

Der Umrechnungsfaktor $R\ (\gamma_s,\ \gamma_F,\ |\alpha_s - \alpha_F|)$ kann für einige Kombinationen von $|\alpha_s - \alpha_F|$, γ_s und γ_F der Tabelle 2 entnommen werden. Zwischenwerte sind linear zu interpolieren.

$E_{S,F} = E_s \cdot (\cos \gamma_F + \sin \gamma_F \cdot \cos |\alpha_s - \alpha_F| \tan \gamma_s)$ (34)

$E_{BF} = E_g \cdot 0{,}5\ \varrho_u \cdot (1 - \cos \gamma_F)$ (35)

Der mittlere Reflexionsgrad des Bodens wird $\varrho_u = 0{,}2$ gesetzt, wenn der genaue Wert nicht bekannt ist.

4.3 Mittlerer Himmel

Bedeckter und klarer Himmel im Sinne der Abschnitte 4.1 und 4.2 sind idealisierte Vorstellungen, die in der Praxis nur selten auftreten. Für langfristige Betrachtungen – z. B. für Wirtschaftlichkeitsberechnungen – müssen aber die sich über eine mehrjährige Zeitspanne ergebenden Mittelwerte berücksichtigt werden. Diese können auf der Grundlage der örtlichen Sonnenscheinwahrscheinlichkeit *SSW* berechnet werden. Im allgemeinen wird dabei mit Werten gearbeitet, die für die verschiedenen Stunden des Tages innerhalb des jeweiligen Monats charakteristisch sind (mittlere monatliche Stundenwerte).

In DIN 4710 sind für 13 Orte in Deutschland die mittleren monatlichen Sonnenscheinstunden für die einzelnen Tagesstunden angegeben, aus denen sich leicht die mittleren monatlichen Stundenwerte der *SSW* errechnen lassen.

Beleuchtungsstärken bei mittlerem Himmel setzen sich aus einem von der Sonne und einem vom Himmel erzeugten Anteil zusammen. Diese Anteile werden getrennt berechnet.

Für die Berechnung des von der Sonne direkt und durch Reflexion am Boden erzeugten Anteils $E_{m,F,S}$ ist es erforderlich, die Zeitintervalle ΔT, für die die mittleren monatlichen Stundenwerte der Beleuchtungsstärke berechnet werden, in zwei Zeiträume zu unterteilen:

- den Zeitraum $\Delta T \cdot SSW$
  (Dies entspricht dem Zeitanteil, in dem die Sonne scheint.)
- den Zeitraum $\Delta T \cdot (1 - SSW)$
  (Dies entspricht dem Zeitanteil, in dem die Sonne nicht scheint.)

Beispiel: $\Delta T = 1$ Stunde, $SSW = 40\,\%$ (36)

$\Delta T \cdot SSW = 24$ min (37)

$\Delta T \cdot (1 - SSW) = 36$ min (38)

Im Zeitraum $\Delta T \cdot SSW$ berechnet sich $E_{m,F,S}$ zu

$E_{m,F,S} = [E_{S,F} + E_s \cdot 0{,}5\ \varrho_u \cdot (1 - \cos \gamma_F)] \cdot R_S$ (39)

Hierin bedeuten:

ϱ_u Reflexionsgrad des Bodens

γ_F Neigung der Fläche gegen die Horizontale

$E_{S,F}$ Beleuchtungsstärke, die auf der geneigten Fläche bei klarem Himmel direkt von der Sonne hervorgerufen wird

E_s Horizontalbeleuchtungsstärke durch die Sonne bei klarem Himmel

R_S Korrekturfaktor für den teilweise bedeckten Himmel (u. a. zur Berücksichtigung von systematischen Fehlern bei der Erfassung der Sonnenscheindauern mit Sonnenscheinautographen [6])

$R_S = 1{,}48 - 4{,}07 \cdot SSW + 6{,}92 \cdot SSW^2 - 3{,}34 - SSW^3$ (40)

Im Zeitraum $\Delta T \cdot (1 - SSW)$ gilt:

$E_{m,F,S} = 0$ (41)

Der bei mittlerem Himmel vom Himmel direkt und durch Reflexion am Boden erzeugte Anteil $E_{m,F,H}$ wird aus den entsprechenden Beleuchtungsstärken für den klaren und den bedeckten Himmel berechnet und gilt für das ganze Zeitintervall ΔT, d. h. unabhängig davon, ob die Sonne scheint oder nicht.

Eine Aufteilung derart, daß für den Zeitraum $\Delta T \cdot SSW$ nur der klare Himmel und für den Zeitraum $\Delta T \cdot (1 - SSW)$ nur der bedeckte Himmel berücksichtigt werden, ist nicht möglich, da der mittlere Himmel alle Himmelszustände, insbesondere den teilweise bedeckten Himmel, einschließt. Der teilweise bedeckte Himmel tritt aber sowohl mit als auch ohne Sonnenschein auf.

$E_{m,F,H} = \{[E_{H,F} + E_H \cdot 0{,}5\, \varrho_u \cdot (1 - \cos \gamma_F)] \cdot SSW + E_a{,}F \cdot (1 - SSW)\}\, R_H$ (42)

Hierin bedeuten:

$E_{H,F}$ Beleuchtungsstärke, die auf der geneigten Fläche bei klarem Himmel direkt vom Himmel hervorgerufen wird

E_H Horizontalbeleuchtungsstärke durch den Himmel bei klarem Himmel

$E_{a,F}$ Beleuchtungsstärke, die bei bedecktem Himmel auf der geneigten Fläche direkt vom Himmel und durch Reflexion am Boden hervorgerufen wird

R_H Korrekturfaktor für den teilweise bedeckten Himmel [6]

$R_H = 1 + 2{,}54 \cdot SSW - 2{,}98 \cdot SSW^2 + 0{,}444 \cdot SSW^3$ (43)

Die Beleuchtungsstärke bei mittlerem Himmel auf beliebig geneigten Flächen im Zeitraum $\Delta T \cdot SSW$ ergibt sich dann zu

$E_{m,F} = E_{m,F,S} + E_{m,F,H}$ (44)

Die Beleuchtungsstärke bei mittlerem Himmel auf beliebig geneigten Flächen im Zeitraum $\Delta T \cdot (1 - SSW)$ ergibt sich zu

$E_{m,F}{}^* = E_{m,F,H}$ (45)

Für Nutzungszeitberechnungen sind diese beiden Zeiträume und damit $E_{m,F}$ und $E_{m,F}{}^*$ grundsätzlich getrennt voneinander zu betrachten.

5 Strahlungsphysikalische Grundlagen

Die für die folgenden Berechnungen erforderliche Bestrahlungsstärke der extraterrestrischen Sonnenstrahlung unterliegt wegen der Ellipsenform der scheinbaren Sonnenbahn um die Erde einem jahreszeitlichen Gang, der in Bild 10 dargestellt ist. Der Jahresmittelwert wird Solarkonstante genannt und beträgt E_{e0} = 1,37 kW/m^2.

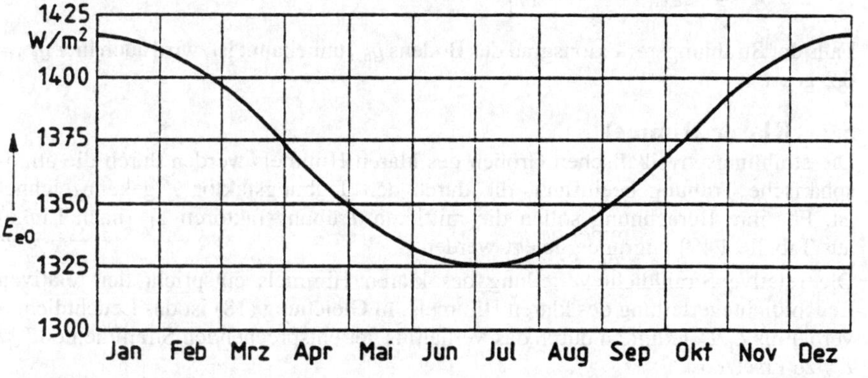

Bild 10. Jahresgang der Bestrahlungsstärke der extraterrestrischen Sonnenstrahlung

Für die Ausnutzung der Solarenergie und für die Bestimmung der äußeren Kühllast von Räumen mit Fenstern oder Oberlichtern ist die Kenntnis der Globalstrahlung von Bedeutung. Die Daten der Globalstrahlung werden für bedeckten, klaren und mittleren Himmel angegeben.

5.1 Bedeckter Himmel

Die relative Strahldichteverteilung des bedeckten Himmels entspricht der Leuchtdichteverteilung des bedeckten Himmels. In den Gleichungen (13) und (14) sind dazu lediglich die Leuchtdichte $L(\varepsilon)$, $L(\gamma)$ und L_Z durch die entsprechenden Strahldichten $L_e(\varepsilon)$, $L_e(\gamma)$ und L_{eZ} zu ersetzen.

Mit dem photometrischen Strahlungsäquivalent der Strahlung des bedeckten Himmels

$K_{bH} = E_a/E_e$

$= 115$ lm/W

ergibt sich – entsprechend Gleichung (15) – die Zenitstrahldichte L_{eZ} zu

$$L_{eZ} = (1{,}068 + 74{,}7 \sin \gamma_s) \quad \text{W/m}^2 \cdot \text{sr} \tag{47}$$

Die Horizontalbestrahlungsstärke E_e wird als Funktion der Sonnenhöhe mit den Gleichungen (16) und (46) beschrieben durch

$$E_e = (2{,}609 + 182{,}609 \cdot \sin \gamma_s) \quad \text{W/m}^2 \tag{48}$$

Bild 7 zeigt die Horizontalbestrahlungsstärke E_e in Abhängigkeit von der Tages- und Jahreszeit für 51° nördlicher Breite.

Die Berechnung der Bestrahlungsstärke auf geneigten Flächen $E_{e,a,F}$ (Neigungswinkel γ_F gegen die Horizontale) erfolgt entsprechend der in Gleichung (17) festgelegten Berechnung der Beleuchtungsstärke auf geneigten Flächen:

$$E_{e,a,F} = E_e \cdot \Big[0{,}1832 \cdot \Big\{1{,}178 \cdot (1 + \cos\gamma_F) + \Big(\tau - \frac{F}{rad}\Big) \cdot \cos\gamma_F + \sin\gamma_F\Big\} + 0{,}5 \cdot \varrho_{e,u} \cdot (1 - \cos\gamma_F)\Big] \quad (49)$$

Falls der Strahlungsreflexionsgrad des Bodens $\varrho_{e,u}$ unbekannt ist, wird auch hier $\varrho_{e,u}$ = 0,2 gesetzt.

5.2 Klarer Himmel

Die strahlungsphysikalischen Größen des klaren Himmels werden durch die atmosphärische Trübung beeinflußt, die durch den Trübungsfaktor T gekennzeichnet ist. Für ihre Berechnung sollen die mittleren Trübungsfaktoren T_L (nach Linke) aus Tabelle 1 [9] zugrunde gelegt werden.

Die relative Strahldichteverteilung des klaren Himmels entspricht der relativen Leuchtdichteverteilung des klaren Himmels. In Gleichung (18) ist das Leuchtdichteverhältnis L_p/L_z lediglich durch das Verhältnis der entsprechenden Strahldichten L_{ep}/L_{ez} zu ersetzen.

Die Horizontalbestrahlungsstärke durch die Sonne E_{eS} wird berechnet aus

$$E_{eS} = E_{e0} \cdot \exp(-T_L \cdot \bar{\delta}_R \cdot m \cdot p/p_o) \cdot \sin\gamma_s \quad (50)$$

Die Horizontalbestrahlungsstärke durch den Himmel E_{eH} wird berechnet aus

$$E_{eH} = 0{,}5 \cdot E_{e0} \cdot \sin\gamma_s\, [\tau_a^m - \exp(-T_L \cdot \bar{\delta}_R \cdot m \cdot p/p_o)] \quad (51)$$

In Gleichung (50) und (51) bedeuten:

$\bar{\delta}_R \cdot m$ siehe Gleichung (26)

τ_a^m siehe Gleichung (29)

Die Globalbestrahlungsstärke E_{eg} ist die Summe der Horizontalbestrahlungsstärke von Sonne E_{eS} und Himmel E_{eH}

$$E_{eg} = E_{eS} + E_{eH} \quad (52)$$

Die Bestrahlungsstärke auf geneigten Flächen $E_{e,g,F}$ (Neigungswinkel γ_F gegen die Horizontale) berechnet sich analog zur entsprechenden Beleuchtungsstärke (siehe Gleichung (31)):

$$E_{e,g,F} = E_{e,H,F} + E_{e,S,F} + E_{e,B,F} \quad (53)$$

Für die einzelnen Anteile gilt:

$$E_{e,H,F} = E_{e,H} \cdot R\,(\gamma_s, \gamma_F, |\alpha_s - \alpha_F|) \quad (54)$$

Der Umrechnungsfaktor ($R\,(\gamma_s, \gamma_F, |\alpha_s - \alpha_F|)$) kann für einige Kombinationen von $|\alpha_s - \alpha_F|$, γ_s und γ_F der Tabelle 2 entnommen werden. Zwischenwerte sind linear zu interpolieren.

Bild 11 zeigt für verschiedene Trübungsfaktoren die Horizontalbestrahlungsstärken durch die Sonne und durch den Himmel in Meereshöhe in Abhängigkeit von der Sonnenhöhe.

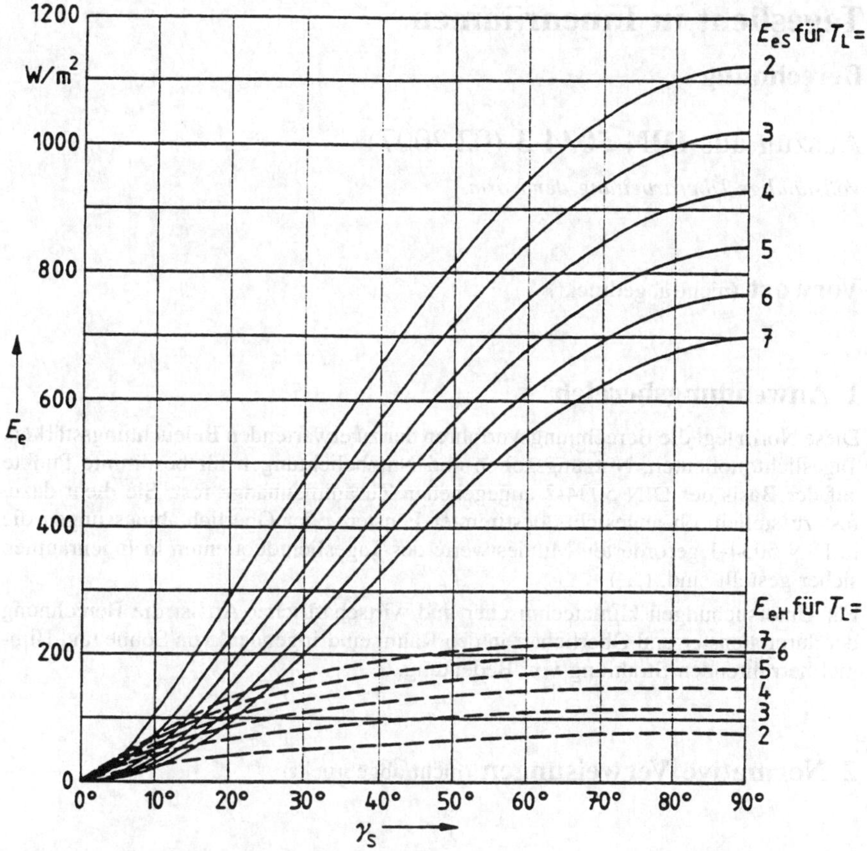

Bild 11. Horizontale Bestrahlungsstärken E_{eS} durch die Sonne und E_{eH} durch den Himmel bei klarem Himmel und verschiedenen Trübungsfaktoren T_L (nach Linke) in Abhängigkeit von der Sonnenhöhe γ_s

$$E_{e,S,F} = E_{e,S} \cdot (\cos \gamma_F + \sin \gamma_F \cdot \cos |\alpha_s - \alpha_F| \; / \tan \gamma_s) \qquad (55)$$

$$E_{e,B,F} = E_{e,g} \cdot 0{,}5 \cdot \varrho_{e,u} \cdot (1 - \cos \gamma_F) \qquad (56)$$

Der mittlere Strahlungsreflexionsgrad des Bodens $\varrho_{e,u}$ wird $\varrho_{e,u} = 0{,}2$ gesetzt, wenn der genaue Wert nicht bekannt ist.

5.3 Mittlerer Himmel

Die Berechnung von strahlungsphysikalischen Daten des mittleren Himmels geschieht nach dem in Abschnitt 4.3 beschriebenen Verfahren.

Tageslicht in Innenräumen

Berechnung

Auszug aus **DIN 5034-3** (02.2007)

Vollständige Überarbeitung der Norm.

Vorwort (nicht abgedruckt)

1 Anwendungsbereich

Diese Norm legt die Berechnungsverfahren der zu erwartenden Beleuchtungsstärken, Tageslichtquotienten, Nutzungszeiten und Nutzbelichtungen für bestimmte Punkte auf der Basis der DIN 5034-2 angegebenen Zusammenhänge fest. Sie dient dazu, fest zu stellen, ob angesichts bestimmter Fenster- oder Oberlichtabmessungen die in DIN 5034-1 geforderten Mindestwerte des Tageslichtquotienten in Innenräumen sicher gestellt sind. (...)

Für Untersuchungen klimatechnischer und wirtschaftlicher Art ist die Berechnung der durch Fenster und Oberlichter in den Raum eindringenden, von Sonne und Himmel herrührenden Strahlung von Bedeutung.

2 Normative Verweisungen (nicht abgedruckt)

3 Baulich geometrische Zusammenhänge für Fenster

3.1 Allgemeines

Alle Längenmaße werden in m und alle Winkelmaße in Altgrad angegeben.

α ist der Höhenwinkel, dessen Scheitelpunkt in der Fenstermitte liegt.

β ist der Breitenwinkel, dessen Scheitelpunkt am Bezugspunkt liegt.

γ ist der Höhenwinkel, dessen Scheitelpunkt am Bezugspunkt liegt.

In den folgenden Abschnitten sind die Größen angegeben, die für die Berechnung erforderlich sind.

3.2 Tageslichtquotient

Der Tageslichtquotient D ist das Verhältnis der Beleuchtungsstärke in einem Punkt einer Bezugsebene, die durch direktes oder indirektes Himmelslicht bei angenommener oder bekannter Leuchtdichteverteilung erzeugt wird, zur Horizontbeleuchtungsstärke bei unverbauter Himmelshalbkugel. Die Anteile des direkten Sonnenlichtes an beiden Beleuchtungsstärken bleiben hierbei unberücksichtigt.

ANMERKUNG 1 Einflüsse der Verglasung, Verschmutzung usw. sind eingeschlossen.

ANMERKUNG 2 Bei der Berechnung der Innenraumbeleuchtung muss der Beitrag des direkten Sonnenlichtes gesondert berücksichtigt werden.

(siehe auch DIN EN 12665)

3.3 Raumkenngrößen

A_R ist die Raumbegrenzungsfläche.

$$A_R = 2 \cdot (a \cdot b + a \cdot h + b \cdot h) \quad (1)$$

Dabei ist

a die Raumtiefe (Begriff siehe DIN 5034-1); in Räumen mit Oberlichtern: Raumlänge (siehe Bild 3);

b die Raumbreite (Begriff siehe DIN 5034-1) (siehe Bild 3);

h die Raumhöhe;

h_P ist die Höhe des Bezugspunktes über der Fußbodenebene. Sofern keine anderen Angaben vorliegen, liegt der Bezugspunkt in einer horizontalen Ebene, der Bezugsebene, 0,85 m über dem fertigen Fußboden (siehe Bild 1).

P ist der Bezugspunkt, an dem der Tageslichtquotient D bestimmt werden soll.

P_1, P_2 sind die Bezugspunkte zur Bestimmung des Tageslichtquotienten im Hinblick auf die ausreichende Helligkeit in Wohnräumen und in Arbeitsräumen, die in ihren Abmessungen Wohnräumen entsprechen, nach DIN 5034-1 (siehe Bild 1).

Die Nutzfläche wird durch einen Linienzug begrenzt, der in 1 m Abstand von den Wänden verläuft. Sie liegt in der Bezugsebene, wenn nichts anderes festgelegt ist.

3.4 Fensterabmessungen

A_F ist die Rohbau-Fläche der einzelnen Fenster

$\sum_{i=1}^{n} A_F$ ist die Summe der Rohbau-Flächen der n Fenster.

$$A_F = b_F \cdot h_F \quad (2)$$

Dabei ist

b_F die Rohbau-Fensterbreite (siehe Bild 1);

h_F die Rohbau-Fensterhöhe (siehe Bild 1).

$$h_F = h_{Fo} - h_{Fu} \quad (3)$$

Dabei ist

h_{Fo} die Höhe der Rohbau-Fensteroberkante über dem fertigen Fußboden (siehe Bild 1);

h_{Fu} die Höhe der Rohbau-Fensterunterkante (Brüstungshöhe) über dem fertigen Fußboden (siehe Bild 1);

$$h_{Fm} = (h_{Fo} + h_{Fu})/2 \tag{4}$$

Bei n rechteckigen Fenstern unterschiedlicher Höhe in einer Fensterwand ist

$$h_{Fm} = \frac{\sum_{i=1}^{n}[b_F \cdot (h_{Fo}^2 - h_{Fu}^2)]}{2 \cdot \sum A_F} \tag{5}$$

Dabei ist

h_{Fm} die Höhe der Fenstermitte über dem fertigen Fußboden (siehe Bild 1).

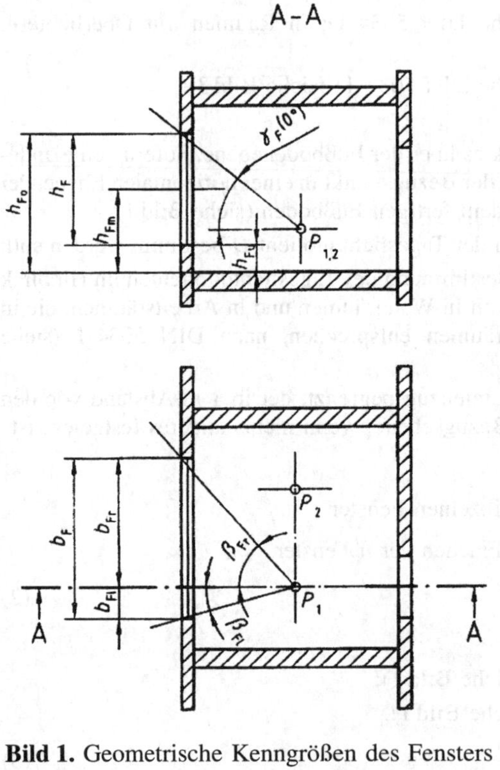

Legende

b_F die Rohbau-Fensterbreite (siehe Bild 1)

b_{Fl}, b_{Fr} der jeweilige horizontale Abstand zwischen der durch den Bezugspunkt P gehenden Fensternormalen und der linken bzw. rechten Rohbau-Fensterlaibung (siehe Bilder 1 und 3)

h_F die Rohbau-Fensterhöhe (siehe Bild 1)

h_{Fo} die Höhe der Rohbau-Fensteroberkante über dem fertigen Fußboden (siehe Bild 1)

h_{Fm} die Höhe der Fenstermitte über dem fertigen Fußboden (siehe Bild 1)

h_{Fu} die Höhe der Rohbau-Fensterunterkante (Brüstungshöhe) über dem fertigen Fußboden (siehe Bild 1)

β_{Fl}, β_{Fr} Winkel zu b_{Fl}, b_{Fr}

γ_F Winkel zu h_F

P jeweiliger Bezugspunkt

Bild 1. Geometrische Kenngrößen des Fensters

ANMERKUNG In Fällen, in denen die Abmessungen der Rohbauöffnung nicht eindeutig sind (z.B. Vorhangfassade), gilt die Fensterfläche einschließlich Rahmen als Rohbauöffnung.

3.5 Geometrische Kenngrößen zur Verbauung

Verbauung sind Lichthindernisse, wie Gebäude, Berge, Bäume usw., die vom jeweiligen Beobachterstandort aus Himmelsausschnitte verdecken. Bei den in dieser Norm angegebenen Berechnungen kann es erforderlich sein, die örtlich zulässige, infolge ausstehender Baumaßnahmen jedoch noch nicht vorhandene Verbauung zu berücksichtigen.

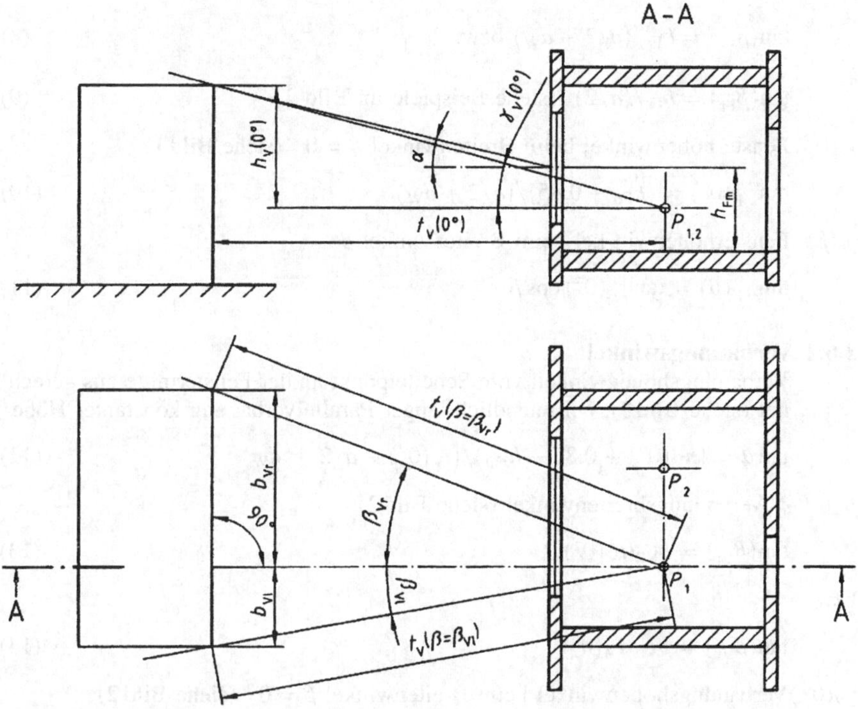

Legende

b_{Vl}, b_{Vr}	Verbauungsbreite, gemessen als seitlicher Abstand der vertikalen (linken bzw. rechten) Verbauungskante von der durch den Bezugspunkt gehenden Fensternormalen (siehe Bild 2)
$h_V(0°)$	Höhe der Verbauung oberhalb der Bezugsebene beim Breitenwinkel $\beta = 0°$ (siehe Bild 2)
$h_V(\beta)$	Höhe der Verbauung oberhalb der Bezugsebene beim Breitenwinkel β (siehe Bild 2)
$t_V(0°)$	Abstand der Verbauung vom Bezugspunkt beim Breitenwinkel $\beta = 0°$ (siehe Bild 2)
$t_V(\beta)$	Abstand der Verbauung vom Bezugspunkt beim Breitenwinkel β (siehe Bild 2)
β_V	Winkel zur jeweiligen Verbauungsbreite
P	jeweiliger Bezugspunkt

Bild 2. Geometrische Kenngrößen von Verbauungen

3.6 Winkelkenngrößen für Fenster und Verbauungen

3.6.1 Fensterwinkel

β_{Fl}, β_{Fr} Fensterbreitenwinkel (siehe Bilder 1 und 3)

$$\tan(\beta_{Fl}) = b_{Fl}/(a/2 + d_W) \text{ bzw.} \qquad (6)$$

$$\tan(\beta_{Fl}) = b_{Fl}/(a/2) \quad \text{(siehe Beispiele im Bild 3)} \qquad (7)$$

$$\tan(\beta_{Fr}) = b_{Fr}/(a/2 + d_W) \text{ bzw.} \qquad (8)$$

$$\tan(\beta_{Fr}) = b_{Fr}/(a/2) \quad \text{(siehe Beispiele im Bild 3)} \qquad (9)$$

$\gamma_F(0\,°)$ Fensterhöhenwinkel beim Breitenwinkel $\beta = 0\,°$ (siehe Bild 1)

$$\tan \gamma_F(0°) = (h_{Fo} - 0{,}85)/(a/2 + d_W) \qquad (10)$$

$\gamma_F(\beta)$ Fensterhöhenwin kel beim Breitenwinkel β

$$\tan \gamma_F(\beta) = \tan \gamma_F(0°) \cos \beta \qquad (11)$$

3.6.2 Verbauungswinkel

α Verbauungshöhenwinkel, vom Scheitelpunkt an der Fenstermitte aus gerechnet (siehe Bild 3); bei unendlich langer Parallelverbauung konstanter Höhe

$$\tan \alpha = (h_V(0°) + 0{,}85 - h_{Fm})/(t_V(0°) - a/2. - d_W) \qquad (12)$$

β_{Vl}, β_{Vr} Verbauungsbreitenwinkel (siehe Bild 2)

$$\tan(\beta_{Vl}) = b_{Vl}/t_V(0°) \qquad (13)$$

bzw.

$$\tan(\beta_{Vr}) = b_{Vr}/t_V(0°) \qquad (14)$$

$\gamma_V(0\,°)$ Verbauungshöhenwinkel beim Breitenwinkel $\beta = 0\,°$ (siehe Bild 2)

$$\tan \gamma_V(0°) = h_V(0°)/t_V(0°) \qquad (15)$$

$\gamma_V(\beta)$ Verbauungshöhen winkel beim Breitenwinkel β

$$\tan \gamma_V(\beta) = h_V(\beta)/t_V(\beta) \qquad (16)$$

Für unendlich lange parallele Verbauung konstanter Höhe gilt:

$$\tan \gamma_V(\beta) = \tan \gamma_V(0°) \cdot \cos \beta \qquad (17)$$

3.7 Minderungsfaktoren

τ_{D65} Transmissionsgrad (Begriff siehe DIN 5036-1) des Verglasungsmaterials für quasi-parallelen, senkrechten Lichteinfall (Berechnung des Transmissionsgrades für Mehrfachverglasung siehe DIN EN 410)

$$k_1 = 1 - \frac{A_F - A'_F}{A_F} = \frac{A'_F}{A_F} \qquad (18)$$

Dabei ist

k_1 Minderungsfaktor für Rahmen und Sprossenwerk. Unter Vernachlässigung der von schrägem Lichteinfall herrührenden Verringerung gilt

$A_F - A'_F$ Fläche der Konstruktionsteile

A_F Fläche der Rohbauöffnungen

A'_F lichtdurchlässige Fläche

k_2 Minderungsfaktor für Verschmutzung (Anhaltswerte siehe Tabelle 1)

Tabelle 1: Abhängigkeit des Minderungsfaktors k_2 vom Maß der Verschmutzung (Anhaltswerte, siehe DIN 5034-1)

Verschmutzung auf der		k_2
Außenfläche	Innenfläche	
gering	gering	0,9
	mittel	0,8
	stark	0,7
mittel	gering	0,8
	mittel	0,75
	stark	0,7
stark	gering	0,7
	mittel	0,6
	stark	0,5

Bei Wohnräumen kann aufgrund kürzerer Reinigungsabstände allgemein mit $k_2 = 0{,}95$ gerechnet werden.

k_2 Korrekturfaktor für nicht senkrechten Lichteinfall. Nach [1] genügt für die übliche Doppelverglasung die pauschale Annahme $k_3 = 0{,}85$

3.8 Reflexionsgrade und Fensterfaktoren

ρ_V Reflexionsgrad der Verbauung. Ist der genaue Wert von ρ_V unbekannt, soll angenommen werden: $\rho_V = 0{,}2$

$\overline{\rho}$ mittlerer Reflexionsgrad der Raumoberfläche

ρ_{SW} mittlerer Reflexionsgrad von Fußboden und Wandunterteil ohne Fensterwand (Wandunterteil bis zur Höhe der Fenstermitte)

ρ_{DW} mittlerer Reflexionsgrad von Decke und Wandoberteil ohne Fensterwand (Wandoberteil oberhalb Höhe der Fenstermitte)

f(α) Fensterfaktor, Verhältnis der vom Verbauungswinkel abhängigen Vertikalbeleuchtungsstärke auf der Fensterfläche $E_V(\alpha)$ zur Horizontalbeleuchtungsstärke E_a (Außentageslichtquotient)

$f_o(\alpha)$ Fensterfaktor, bestimmt durch den aus dem oberen Halbraum außen auf das Fenster fallenden Lichtstrom, abhängig vom Verbauungswinkel α

$$f_o(\alpha) = 0{,}3188 - 0{,}1822 \cdot \sin\alpha + 0{,}0773 \cdot \cos 2\alpha \tag{19}$$

$f_u(\alpha)$ Fensterfaktor, bestimmt durch den aus dem unteren Halbraum außen auf das Fenster fallenden Lichtstrom, abhängig vom Verbauungswinkel α

$$f_u(\alpha) = 0{,}03286 \cdot \cos\alpha' - 0{,}03638 \cdot \alpha' \cdot \pi/180° + 0{,}01819 \cdot \sin(2\alpha') + 0{,}06714 \tag{20}$$

$$f(\alpha) = f_o(\alpha) + f_u(\alpha) = E_V(\alpha)/E_a \tag{21}$$

$$\alpha' = \arctan(2 \cdot \tan\alpha) \tag{22}$$

$$g = \tau_e + q_i \tag{23}$$

Dabei ist

τ_e der Strahlungstransmissionsgrad der Verglasung;

q_i der sekundäre Wärmeabgabegrad nach innen;

g der Gesamtenergiedurchlassgrad;

E_{eF} die Bestrahlungsstärke auf der Außenseite der Verglasung (siehe DIN 5034-2).

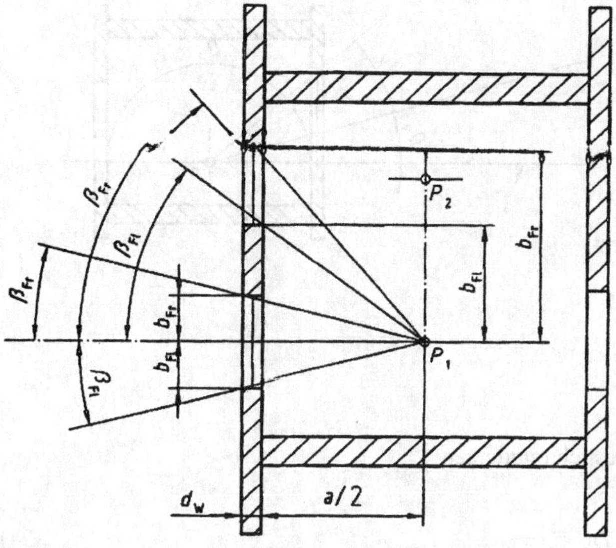

Legende

a	Raumtiefe (Begriffe siehe DIN 5034-1), in Räumen mit Oberlichtern: Raumlänge
b	Raumbreite (Begriff siehe DIN 5034-1)
b_{Fl}, b_{Fr}	der jeweilige horizontale Abstand zwischen der durch den Bezugspunkt *P* gehenden Fensternormalen und der linken bzw. rechten Rohbau-Fensterlaibung bezogen auf das betrachtete Fenster
β_{Fl}, β_{Fr}	Fensterbreitenwinkel bezogen auf das betrachtete Fenster
d_W	Außenwanddicke
P	der Bezugspunkt, an dem der Tageslichtquotient *D* bestimmt werden soll
P_1, P_2	die Bezugspunkte zur Bestimmung des Tageslichtquotienten im Hinblick auf die ausreichende Helligkeit in Wohnräumen und in Arbeitsräumen, die in ihren Abmessungen Wohnräumen entsprechen, nach DIN 5034-1 (siehe Bild 1)

Bild 3. Bestimmung der Fensterbreitenwinkel

4 Berechnung des Tageslichtquotienten für Räume mit Fenstern

4.1 Anteile

Der durch eine klar durchsichtige Verglasung hindurch in einem Punkt erzeugte Tageslichtquotient *D* setzt sich zusammen aus dem direkt vom Himmel erzeugten Himmelslichtanteil D_H, dem durch Reflexion an Verbauung, Gelände usw. erzeugten Außenreflexionsanteil D_V und dem durch Reflexion an den Rauminnenflächen erzeugten Innenreflexionsanteil D_R, wie es Bild 4 am Beispiel eines Raumes mit nur einer Fensterwand zeigt:

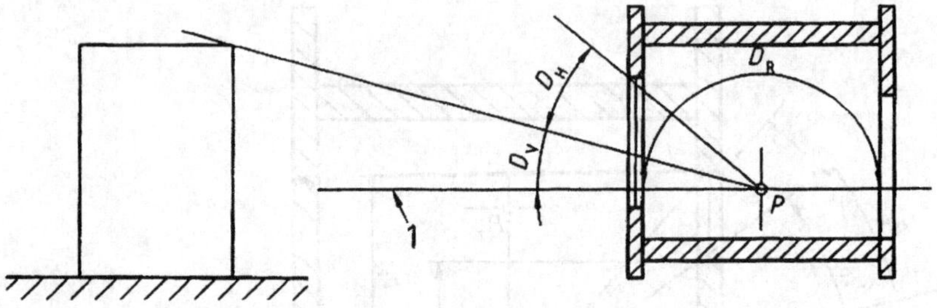

Legende

D_H Himmelslichtanteil
D_R Innenreflexionsanteil
D_V Außenreflexionsanteil
h_P Höhe der Bezugsebene
P Bezugspunkt

Bild 4. Anteile des Tageslichtquotienten

$$D = D_H + D_V + D_R \tag{24}$$

Bei einem Raum mit n Tageslichtöffnungen in m Wänden ergibt sich der Tageslichtquotient D aus:

$$D = \sum_{i=1}^{n} D_H + \sum_{i=1}^{n} D_V + \sum_{i=1}^{m} D_R \tag{25}$$

4.2 Berücksichtigung der Minderungsfaktoren

Bei der Berechnung des Tageslichtquotienten D wird die Lichtminderung durch Verglasung, Konstruktionsteile und Verschmutzung berücksichtigt. In der Phase der Bauplanung sind jedoch meist nur die Rohbaumaße bekannt. Deswegen wird zunächst der Tageslichtquotient D_r (Index r für „Rohbau") aus den entsprechenden Komponenten D_{Hr}, D_{Vr} und D_{Rr} für die Rohbauöffnungen ermittelt (bei mehreren Lichtöffnungen in einer Wand bzw. mehreren Wänden ist eine Erweiterung der Gleichung analog Gleichung (20b) erforderlich). Die Lichtminderung wird durch anschließende Multiplikation mit entsprechenden Minderungsfaktoren berücksichtigt:

$$D_r = D_{Hr} + D_{Vr} + D_{Rr} \tag{26}$$

$$D = (D_{Hr} + D_{Vr} + D_{Rr}) \cdot \tau_{D65} \cdot k_1 \cdot k_2 \cdot k_3 \cdot k_e \tag{27}$$

Dabei ist

D_r der Tageslichtqutient des Rohbaues;

D_{Hr} der Himmelslichtanteil des Tageslichtquotienten;

D_{Vr} der Außenreflexionsanteil des Tageslichtquotienten;

D_{Rr} der Innenreflexionsanteil des Tageslichtquotienten;

D der Tageslichtquotient;

τ_{D65} der Transmissionsgrad für Normlichtart D65 beim senkrechten Lichteinfall nach DIN EN 410;

k_1, k_2, k_3, k_4, k_e die jeweiligen Minderungsfaktoren.

4.3 Berechnung des Himmellichtanteils des Tageslichtquotienten D_{Hr}

Der Himmelslichtanteil D_{Hr} wird bei bedecktem Himmel für ein vom Bezugspunkt P unter den Winkeln γ_F,β_{Fl} und β_{Fr} gesehenes Fenster (siehe Bild 1 und Bild 3) berechnet aus

$$D_{Hr} = \frac{3}{7\pi} \cdot \int\limits_{\beta=\beta_{Fl}}^{\beta_{Fr}} \left[\frac{2}{3} \cdot (\sin^3 \gamma_F - \sin^3 \gamma_V) + \frac{1}{2} \cdot (\sin^2 \gamma_F - \sin^2 \gamma_V)\right] \cdot d\beta \cdot 100 \tag{28}$$

ANMERKUNG 1 Bei mehreren Fenstern werden die Anteile der einzelnen Fenster addiert.

ANMERKUNG 2 Im Zweifelsfall sollte die baurechtlich zulässige Verbauung statt der vorhandenen Verbauung berücksichtigt werden.

ANMERKUNG 3 D_{Hr} kann auch mit graphischen Hilfsmitteln bestimmt werden, wie z.B. dem Himmelslichtdiagramm (Anwendungsbeispiel siehe [2]), der stereographischen Projektion nach Tonne [3] oder dem so genannten Daylight Profactor [4].

4.4 Berechnung des Außenreflexionsanteils des Tageslichtquotienten D_{Vr}

Der Außenreflexionsanteil D_{Vr} in % wird bei bedecktem Himmel für einen Bezugspunkt P unter den Winkeln γ_V, β_{Vl} und β_{Vr} gesehenen Verbauungsausschnitt berechnet aus

$$D_{Vr} = 0{,}75 \cdot \rho_V \cdot \frac{3}{7\pi} \cdot \int\limits_{\beta=\beta_{Vl}}^{\beta_{Vr}} \left[\frac{2}{3} \cdot \sin^3 \gamma_V + \frac{1}{2} \cdot \sin^2 \gamma_V\right] \cdot d\beta \cdot 100 \tag{29}$$

ANMERKUNG 1 Bei mehreren Fenstern werden auch hier die Anteile der einzelnen Fenster addiert.

ANMERKUNG 2 D_{Vr} kann ebenfalls mit den in 4.3 genannten Hilfsmitteln bestimmt werden.

ANMERKUNG 3 Auch bei der Berechnung von D_{Vr} sollte im Zweifelsfall die baurechtlich zulässige Verbauung statt der tatsächlich vorhandenen Verbauung berücksichtigt werden.

C

4.5 Berechnung des Innenreflexionsanteils des Tageslichtquotienten D_{Rr}

Der Wert des Innenreflexionsanteils D_{Rr} in % wird für die einzelnen Fensterwände berechnet aus

$$D_{Rr} = \frac{\sum b_F \cdot h_F}{A_R} \cdot \frac{1}{1 - \overline{\rho}} \cdot (f_o \cdot \rho_{BW} + f_u \cdot \rho_{DW}) \cdot 100 \qquad (30)$$

ANMERKUNG Bei ungleichmäßiger Verbauung (unter gleichmäßiger Verbauung wird hier unendlich lange Parallelverbauung konstanter Höhe verstanden) und bei dem Vorhandensein von Balkonen kann der mittlere Verbauungswinkel nach [5] bestimmt werden.

4.6 Berechnung des Tageslichtquotienten für Räume mit streuenden Verglasungen

Der Direktanteil D_{Hr} sowie die Reflexionsanteile D_{Vr} und D_{Rr} des Tageslichtquotienten können nach [6] ermittelt werden.

5 Mittelwert des Tageslichtquotienten in Räumen mit Oberlichtern

Der Mittelwert des Tageslichtquotienten kann bei bekannten Abmessungen der Oberlichter nach DIN 5034-6 ermittelt werden. Außerdem kann für die Berechnung des Tageslichtquotienten in Räumen mit Oberlichtern das Verfahren nach [7] verwendet werden. Es entspricht dem Wirkungsgradverfahren, das bei der Beleuchtung mit Kunstlicht angewandt wird [8]. Die entsprechenden Wirkungsgradtabellen sind in [9] angegeben.

6 Besonnungsdauer

Die Einhaltung der für Wohnräume in DIN 5034-1 angegebenen möglichen Besonnungsdauer ist mit Hilfe der Darstellungen des Sonnenazimutes α_S und der Sonnenhöhe γ_S in DIN 5034-2 zunächst überschlägig möglich. Man kann den Verlauf des Sonnenstandes entnehmen und prüfen, während welcher Zeiten die Sonne von der tatsächlichen bzw. zulässigen Verbauung nicht gehindert wird, ihre Strahlen auf einen Punkt in Fenstermitte in 0,85 m über dem Fußboden und in der Fassadenebene des betreffenden Raumes zu werfen. Genauere Ergebnisse bringt die entsprechende Anwendung der Gleichungen zur Bestimmung von α_S und γ_S in DIN 5034-2. Himmelsrichtung und Maßangaben zur Verbauung müssen bekannt sein.

ANMERKUNG Zur Vereinfachung der Nachweisführung können graphische Hilfsmittel Verwendung finden [3], [10].

7 Nutzungszeit und relative jährliche Nutzungszeit

Während der Nutzungszeit t_{Nutz} (siehe auch [9]) ist eine künstliche Beleuchtung einer Raumzone oder eines Arbeitsplatzes, der in der Berechnung durch einen charakteristischen Bezugspunkt repräsentiert wird, nicht erforderlich. Damit kann gegenüber einer ganzjährigen künstlichen Beleuchtung ein Betriebskostenanteil eingespart werden, der der relativen jährlichen Nutzungszeit $t_{Nutz,a,rel}$ entspricht.

Die Nutzungszeit t_{Nutz} ist das Zeitinterval, während dessen bestimmte, noch zu erläuternde Anteile der nach DIN 5035-2, DIN 5035-3, DIN 5035-4, DIN 5035-7 oder DIN EN 12464-1 für bestimmte Arten des Innenraumes bzw. der Tätigkeit notwendigen Beleuchtungsstärken E_n bzw. $\overline{E}_m$ durch Tageslicht an einem oder mehreren Bezugspunkten im Innenraum erreicht und überschritten werden.

Es ist sinnvoll, die Nutzungszeit t_{Nutz} auf einen bestimmten täglichen Zeitraum zu beziehen, der der täglichen Arbeitszeit t_A (einschließlich früheren Arbeitsbeginns und späteren Arbeitsendes infolge Gleitzeit, Arbeitspausen usw.) entspricht. Daraus ergibt sich die relative tägliche Nutzungszeit $t_{Nutz,d,rel}$ in %:

$$t_{Nutz,d,rel} = t_{Nutz}/t_A \cdot 100 \tag{31}$$

Für Arbeitszeiten ist die Mitteleuropäische Zeit (MEZ), für meteorologische Angaben die wahre Ortszeit (WOZ) zugrunde zu legen. Setzt man die Jahressumme der täglichen Arbeitszeiten zu 100 %, dann erhält man als relative jährliche Nutzungszeit $t_{Nutz,a,rel}$ den Anteil der jährlichen Arbeitszeit, während dessen die Beleuchtung ausschließlich mit Tageslicht möglich ist.

Die Berechnung der Beleuchtungsstärke im Innenraum bei mittlerem Himmel sowie der relativen jährlichen Nutzungszeit ist in [10] angegeben.

Ein anderes Verfahren auf der Grundlage von Testreferenzjahren nach DIN 4710 ist in [11] angegeben.

8 Nutzbelichtung und relative Nutzbelichtung

Die Nutzbelichtung H_{Nutz} bezeichnet das Integral der Beleuchtungsstärke durch Tageslicht an einem Arbeitsplatz oder in einer Raumzone im Innenraum über die Arbeitszeit, wobei Überschreitungen des Wartungswertes der Beleuchtungsstärke $\overline{E}_m$ nicht zählen. Die jährliche relative Nutzbelichtung $H_{Nutz,A,rel}$ ist das Verhältnis der jährlichen Nutzbelichtung zum Produkt aus dem Wartungswert der Beleuchtungsstärke $\overline{E}_m$ und jährlicher Arbeitszeit ($t_A \cdot N_A$ in %) (siehe auch [12]).

$$H_{Nutz,A,rel} = \frac{\sum_{i=1}^{12} N_i \left(\int_{T_A}^{T_E} E_p \cdot dt \right)}{\overline{E}_m \cdot t_A \cdot N_A} \cdot 100 \tag{32}$$

mit

$$E_p \overline{E}_m \; wenn \; E_p \geq \overline{E}_m \tag{33}$$

Dabei ist

$H_{Nutz,A,rel}$ die relative jährliche Nutzbelichtung;
N_i die Anzahl der Arbeitstage des jeweiligen Monats;
N_A die Anzahl der jährlichen Arbeitstage;
$t_A = T_E - T_A$ die tägliche Arbeitszeit;
T_A der Zeitpunkt des Arbeitsbeginns (z.B. 8:00 Uhr);
T_E der Zeitpunkt des Arbeitsendes (z.B. 18:00 Uhr);
E_P die Beleuchtungsstärke durch Tageslicht;
$\overline{E}_m$ der Wartungswert der Beleuchtungsstärke (siehe DIN EN 12 464-1).

Grundlage für die Berechnung nach Gleichung (32) sind die Beleuchtungsstärken bei mittlerem Himmel nach DIN 5034-2 und [9].

Ein anderes Verfahren zur Ermittlung der Nutzbelichtung auf der Grundlage von Testreferenzjahren kann [13] entnommen werden.

9 Solarer Eintrag

Die in den Raum im Zusammenhang mit der Tageslichtnutzung eindringende Gesamtleistung P_{ges} setzt sich zusammen aus dem eindringenden Strahlungsfluss φ_e und aus der sekundären Wärmeabgabe Q_i nach innen.

$$P_{ges} = \Phi_e + Q_i = E_{eF} \cdot \Sigma A_F \cdot \tau_e + E_{eF} \cdot \Sigma A_F \cdot q_i = E_{eF} \cdot \Sigma A_F \cdot (\tau_e + q_i) = \\ = E_{eF} \cdot \Sigma A_F \cdot g \quad (34)$$

Dabei ist

P_{ges} die Gesamtleistung;
φ_e der eindringende Strahlungsfluss;
Q_i die sekundäre Wärmeabgabe;
E_{eF} die Bestrahlungsstärke auf der Außenseite der Verglasung (siehe DIN 5034-2);
A_F die Summe der Rohbau-Flächen der Lichtöffnungen;
τ_e der Strahlungstransmissionsgrad der Verglasung;
q_i der Sekundäre Wärmeabgabegrad nach innen;
g der Gesamtenergiedurchlassgrad, berechnet nach DIN EN 410 aus den spektralen Transmissions- und Reflexionsgraden des Verglasungsmaterials sowie aus den Wärmeübergangszahlen.

Abhängig von

- der Art der Verglasung,
- der Orientierung der Verglasung,
- der Neigung der Verglasung,
- der Verbauung,
- dem Strahlungsreflexionsgrad des Bodens,
- der Tageszeit,

- der Jahreszeit,
- dem geographischen Ort und
- dem Himmelszustand

ergeben sich unterschiedliche, durch die Verglasung in den Raum eintretende Strahlungseinflüsse φ_e. Sie können abgeschätzt werden mit Hilfe der Gleichung

$$\Phi_e = \sum (g \cdot E_{eF} \cdot A'_F) \text{ bzw. } \Phi_e = \sum (g \cdot E_{eF} \cdot A'_{OL}) \tag{35}$$

Dabei ist

A'_F, A'_{OL} der strahlungsdurchlässige Teil der Fenster- bzw. Oberlichtfläche.

ANMERKUNG Bei Verwendung von Sonnen- und Blendschutzeinrichtungen sind deren entsprechende Kennzahlen zu berücksichtigen.

C

Literaturhinweise

[1] Fischer, U., Der Transmissionsgrad für Fenster bei Beleuchtung durch den bedeckten Himmel, Lichttechnik 27 (1975), H. 12, S. 461

[2] Fischer, U., Oberlichter – Beleuchtung als Geschenk des Himmels, F. H. Kleffmann Verlag GmbH, Bochum 2003

[3] Tonne, F., Besser bauen mit Besonnungs- und Tageslichtplanung, -1, Verlag Karl Hoffmann, Schorndorf, 1954

[4] Longmore, J., The BRS Daylight Protractor, H.M.S.O., London, 1986

[5] Schmidt, M., Eine Möglichkeit der Berechnung des Tageslichtquotienten bei ungleichmäßiger Verbauung vor senkrecht stehenden Fenstern, Licht 53 (2001), H. 1/2, S. 62–69

[6] Krochmann, J., Lindner, U., Tageslichtbeleuchtung für Fenster mit lichtstreuenden Gläsern, Lichttechnik 23 (1971), H. 3, S. 131

[7] Rattunde, R., Optimierungt der Tageslichtbeleuchtung großer Räume durch Oberlichter unter Berücksichtigung des zur Verfügung stehenden Tageslichts, Dissertation TU Berlin, 1980

[8] Projektierung von Beleuchtungsanlagen nach dem Wirkungsgradverfahren, LiTG-Publikation Nr. 3.5.1988, ISBN 3-927787-01-9

[9] „Tageslicht", aus: Handbuch für Beleuchtung, 5. Auflage 1992, ecomed-Verlagsgesellschaft mbH, Landsberg am Lech

[10] Schmidt, M., Probleme der Mindestbesonnung, FORUM STÄDTE-HYGIENE 47 (1996), H. März/April, S. 89–94

[11]Fischer, U., Mibus, A., Spengler, K., Winkelabhängigkeit des Gesamtenergiedurchlassgrades. Lichtforschung 3 (1981), Nr. 1, S. 17

[12] S. Aydinli, Krochmann, J., Seidl, M., Possibilities for Energy Saving for Electrical Light of Interiors in Consideration of the Visual Task; Proceedings of the European Conference on Architecture, 6–10. April 1987, Munich, Germany

[13] Reinhart, C. F., Daylight Availability and Manual Lightning Control in Office Buildings – Simulation Studies and Analysis of Measurments; Karlsruhe 2001

[14] Eberbach K., Johanni, H., Ein Verfahren zur Berechnung des Himmelslichtanteils und des Außenreflexionsanteils des Tageslichtquotienten, Lichttechnik (21) (1969), H. 6, S. 68A

Tageslicht in Innenräumen

Vereinfachte Bestimmung von Mindestfenstergrößen für Wohnräume

Auszug aus **DIN 5034-4** (09.94)

(Längenmaße in m, Winkel in °)

1 Anwendungsbereich und Zweck

Diese Norm dient zum einfachen Bemessen von notwendigen Fenstern in einseitig beleuchteten Wohnräumen, die nach DIN 5034-1 ausreichendes Tageslicht erhalten sollen. Vorausgesetzt sind übliche, also senkrecht eingebaute, rechteckige Fenster.

Die Tabellen *(abgedruckt in der 22. Aufl. der Wohnungsbau-Normen)* können auch für die zum Erreichen ausreichender Helligkeit notwendigen Fenstergrößen von Arbeitsräumen angewendet werden, die in ihren Maßen Wohnräumen entsprechen. Bei anderen Arbeitsräumen ist die Versorgung mit Tageslicht in jedem einzelnen Fall festzulegen (siehe DIN 5034-1.)

Für die hierfür entwickelten Tabellen *(abgedruckt in der 22. Aufl. der Wohnungsbau-Normen)* in Abschnitt 5 liegen die Begriffe und Benennungen nach DIN 5034-3 vor. Sie sind so aufgestellt, daß sich als gesuchter Wert die lichttechnisch ausreichende Fensterbreite ergibt, weil dieses Maß bei der Bauplanung leichter variiert werden kann als z. B. die Fensterhöhe, die Raumtiefe oder der Verbauungsabstand. Die Tabellenwerte sind unter bestimmten Annahmen (siehe Abschnitt 3) nach den in DIN 5034-3 angegebenen Berechnungsverfahren für Tageslichtquotienten ermittelt

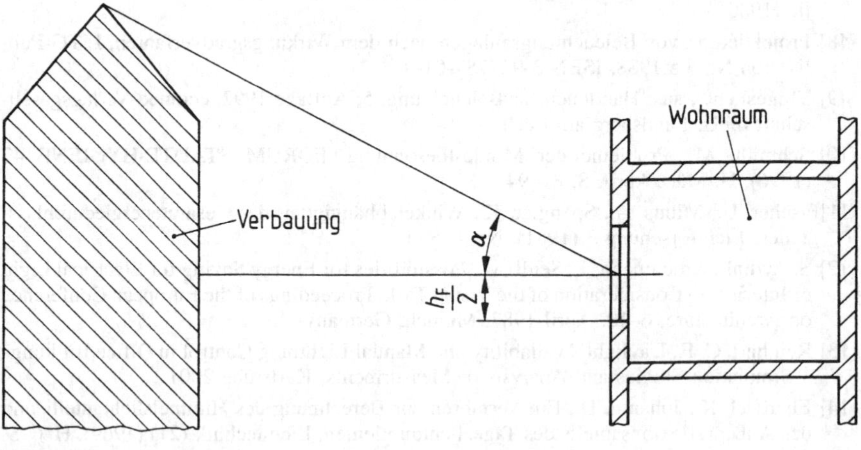

Bild 1. Verbauungswinkel α

worden. Für davon abweichende Voraussetzungen sind entsprechende Informationen ebenfalls nach DIN 5034-3 zu ermitteln. Die in Abschnitt 3.10 genannten Schwächungsfaktoren für Verschmutzung und Versprossung gelten für durchschnittliche Verhältnisse im Wohnungsbau. Sofern die Tabellen für Arbeitsräume oder extreme Verhältnisse angewandt werden, sind entsprechende Zu- oder Abschläge zu berücksichtigen.

Außer der Sicherung einer durch Tageslicht erzeugten Helligkeit und der Sichtverbindung nach außen spielen bei der Bemessung von Fenstern auch andere Gesichtspunkte eine Rolle, wie z. B. gestalterische oder grundrißtechnische Überlegungen. Darauf wird hier nicht eingegangen.

2 Anforderungen

Für die Berechnung der Tabellen sind die Anforderungen nach Abschnitt 2.1 und Abschnitt 2.2 berücksichtigt.

2.1 Tageslichtquotienten

Um eine ausreichende Helligkeit sicherzustellen, wird die Fensterbreite für einen Mittelwert der Tageslichtquotienten D auf einer horizontalen Bezugsebene 0,85 m über dem Fußboden in halber Raumtiefe und in 1 m Abstand von den beiden Seitenwänden von D = 0,9 % berechnet.

2.2 Sichtverbindung nach außen

Die Breite des durchsichtigen Teils des Fensters bzw. die Summe der Breiten aller vorhandenen Fenster beträgt mindestens 55 % der Breite des Wohnraums.

3 Annahmen

Für die Berechnung der Tabellen sind die Verhältnisse nach Abschnitt 3.1 bis Abschnitt 3.10 zugrunde gelegt.

3.1 Himmelszustand

Es wird ein vollständig bedeckter Himmel zugrunde gelegt, für den eine Leuchtdichteverteilung nach DIN 5034-2 gilt.

3.2 Innenreflexionsanteil

Es wird vereinfachend angenommen, dass am Bezugspunkt nach Abschnitt 2.1 der Mittelwert des Innenreflexionsanteils vorhanden ist.

3.3 Reflexionsgrade des Wohnraums

Folgende Reflexionsgrade werden zugrunde gelegt:

für die Decke	$\varrho_D = 0,7$
für die Wand	$\varrho_W = 0,6$
für den Fußboden	$\varrho_B = 0,2$

3.4 Bezugspunkt

Die Bezugsebene des berücksichtigten Tageslichtquotienten liegt 0,85 m über dem Fußboden des Raums. In dieser Höhe liegt der Bezugspunkt (P) in halber Raumtiefe 1 m von der Seitenwand entfernt.

3.5 Lage der Fensterfläche

Den Tabellen sind Fensterflächen zugrunde gelegt, die in der Mitte der Fensterwand mit einer angenommenen Dicke der Fensterwand außerhalb der Fensteröffnung von 0,3 m angeordnet sind. Wird die Fensterfläche in mehrere Teile aufgeteilt, so muß die aus den Tabellen entnommene Fensterbreite entsprechend zerlegt werden.

3.6 Fensterbrüstung

Die Oberkante der Fensterbrüstung liegt 0,85 m über dem Fußboden und damit in der Bezugsebene. Fensterflächen unterhalb dieser Höhe bleiben unberücksichtigt. Bei Fensterbrüstungen, die höher sind als 0,85 m, vermindert sich der Tageslichtquotient nur dann nicht, wenn die aus den Tabellen berechenbare Gesamtfläche des Fensters durch entsprechende Vergrößerung der Fensterbreite erhalten bleibt.

3.7 Oberkante des Fensters

Die Oberkante des Fensters liegt mindestens 2,2 m über dem Fußboden. Bei Räumen mit einer Raumhöhe von mehr als 2,5 m liegt die Oberkante des Fensters in einer Höhe, die der Raumhöhe abzüglich des Fenstersturzes von 0,3 m entspricht.

3.8 Fenstersturz

Die Höhe des Fenstersturzes ist mit 0,3 m, gemessen von Unterkante Sturz bis Unterkante Decke, berücksichtigt, sofern die Raumhöhe wenigstens 2,5 m beträgt. Bei geringeren Raumhöhen ist der Fenstersturz als Differenz zwischen der Raumhöhe und der Oberkante des Fensters in 2,2 m Höhe über dem Fußboden angenommen.

3.9 Verbauung

Da auf andere Weise keine allgemeingültigen Werte für verschiedene Verbauungshöhen errechnet werden können, ist angenommen, daß die Verbauung zur Fensterfläche parallel verläuft, gleichmäßig hoch und seitlich nicht begrenzt ist.

In der Regel sind die von dieser Vereinfachung verursachten Fehler gering; wenn die tatsächliche Verbauung – z. B. durch ein Turmhaus – zu sehr hiervon abweicht, ist eine genaue Berechnung der lichttechnisch ausreichenden Fenstermaße nach DIN 5034-3 notwendig.

Die Tabellen berücksichtigen den Verbauungswinkel α, der sich aus dem Verhältnis der Höhe der Verbauung oberhalb der Fenstermitte und dem Abstand der Verbauung von der Fenstermitte ergibt (siehe Bild 1).

Anmerkung: Die Höhe der Verbauung oberhalb der Fenstermitte bzw. der Abstand der Verbauung von der Fenstermitte kann sich deutlich von anderen in Bauvorschriften verwendeten Größen zur Beschreibung von Abstand und Höhe der Verbauung unterscheiden.

Für die Verbauung ist eine Leuchtdichte von 15 % des durch die Verbauung verdeckten Himmels angenommen. Das entspricht einem Reflexionsgrad der Verbauung von etwa $\varrho_V = 0{,}2$.

3.10 Lichtverluste

Die durch Verglasung auftretenden Lichtverluste sind in den Tabellen für Doppelverglasung mit hellem Flachglas mit $\tau \cdot k_3 = 0{,}75$ berücksichtigt. Für die Lichtverluste durch Konstruktionsteile (Versprossung) wie Rahmen, Pfosten, Kämpfer, Sprossen und ähnliches ist ein Schwächungsfaktor $k_1 = 0{,}7$ berücksichtigt.

Im Hinblick auf Abschnitt 2.2 gilt: Schwächungsfaktor für horizontale Versprossung k_{1h} = Schwächungsfaktor für vertikale Versprossung $k_{1v} = \sqrt{0{,}7}$.

Die durch Verschmutzung der Fensterscheiben auftretenden Lichtverluste sind mit $k_2 = 0{,}95$ berücksichtigt.

C

4 Anwendung der Tabellen

Zur Erfüllung der Anforderungen an die ausreichende Helligkeit in Abschnitt 2.1 sowie der an die Sichtverbindung nach außen in Abschnitt 2.2 sind in Abhängigkeit von den sonstigen geometrischen Verhältnissen im Regelfall zwei unterschiedliche Fensterbreiten b_F erforderlich. Um die gleichzeitige Einhaltung beider Anforderungen sicherzustellen, wird in den Tabellen immer der jeweils größere der beiden sich für b_F ergebenden Werte angegeben; dies ist bei kleineren Raumtiefen immer der Wert von b_F zur Erfüllung der Anforderungen an die Sichtverbindung nach außen. Auf die mehrfache Wiederholung des gleichen Zahlenwertes in einer Zeile wird dabei verzichtet; Bereiche gleichbleibender Zahlenwerte werden stattdessen mit einer geschweiften Klammer gekennzeichnet. Bei großen Raumtiefen ist die Sicherstellung der Anforderungen an die ausreichende Helligkeit teilweise nicht mehr möglich; dies wird dadurch gekennzeichnet, daß keine Zahlenwerte für b_F angegeben werden.

4.1 Parameter

Die Tabellen gehen von folgenden gegebenen Werten aus, die den Bauplänen zu entnehmen sind:

Spalte 1: Verbauungsabstandswinkel α (siehe Bild 1) (von 0 bis 50°)

Spalte 2: Raumhöhe h (von 2,4 bis 3 m) mit einer dazugehörigen Fensterhöhe h_F (von 1,35 bis 1,85 m)

Spalte 3: Raumbreite b (von 2 bis 8 m)

Spalte 4: Raumtiefe a (von 3 bis 8 m)

4.2 Interpolation

Oft werden die Werte für α, h_F, b und a nicht mit den in der Tabelle aufgeführten Werten übereinstimmen. Da die Tabellen Mindestwerte enthalten, kann man in diesen Fällen für die erste grobe Schätzung der notwendigen Fensterbreiten mit den nächst ungünstigeren Werten der Tabellen rechnen, d. h. mit den nächstgrößeren Werten von α, b und a und demjenigen Wert von h, der zu größeren Fensterbreiten b_F führt.

Eine genauere Bestimmung der ausreichenden Fensterbreiten ist nur dadurch möglich, dass zwischen den entsprechenden Tabellenwerten linear interpoliert wird.

4.3 Kontrolle der Fensterbreite

Oft werden die Tabellen nicht zur Ermittlung der ausreichenden Fensterbreite b_F angewandt, sondern zur Kontrolle einer in der Entwurfszeichnung vorläufig festgelegten Fensterbreite. Es empfiehlt sich, diese Kontrolle zunächst nur mit den ungünstigsten Tabellenwerten durchzuführen. Übertrifft das Maß in der Entwurfszeichnung die so ermittelte Fensterbreite, so erübrigt sich eine Interpolation.

Liegen in der Entwurfszeichnung die Fenstermaße fest, so können aus den Tabellen auch die vom lichttechnischen Standpunkt aus noch vertretbaren Raumtiefen abgelesen werden.

5 Tabellen zur Bestimmung der Mindestfensterbreiten b_F für Wohnräume *(siehe Wohnungsbau-Normen, 22. Auflage)*

Zitierte Normen und andere Unterlagen

DIN 4710 – Meteorologische Daten zur Berechnung des Energieverbrauches von raumlufttechnischen Anlagen

[1] WMO – CIMO Abridged Final Report of the Eighth Session in Mexico City, 19.–30. October 1981, World Meteorological Organization WMO Nr. 590, Genf (1982)

[2] Publication CIE No. 22 (TC-4.2) 1973: Standardization of luminance distribution on clear skies*)

[3] Nautisches Jahrbuch, Ephemeriden und Tafeln für das Jahr 1983, herausgegeben vom Deutschen Hydrographischen Institut, 132. Jahrgang (erscheint jährlich neu)

[4] *Dogniaux, R.,* Variations géographiques et climatiques des expositions énergétique solaires sur des surfaces réceptrices horizontales et verticales, Institut Royal Météorologique de Belgique, Serie B, No. 38

[5] ClE-Committee E-3.2: Natural Daylight, Official Recommendations. Compte Rendu, 13. Sitzung, Bd. 2, Paris, 1955 (vergriffen)

[6] *Aydinli, S.,* Über die Berechnung der zur Verfügung stehenden Solarenergie und des Tageslichtes, Fortschrittberichte der VDI-Zeitschriften, Reihe 6, Nummer 79, VDI-Verlag GmbH, Düsseldorf 1981

[7] *Schulze, R. W.,* Strahlenklima der Erde, Steinkopf-Verlag, Darmstadt 1970

[8] *Kasten, F.,* A simple parameterization of the pyrheliometric formula for determining the Linke turbidity factor, Meteorologische Rundschau 33, 124 bis 127, 1980

[9] Deutscher Wetterdienst, Meteorologisches Observatorium Hamburg

DIN 5034-1 Tageslicht in Innenräumen; Allgemeine Anforderungen

DIN 5034-2 Tageslicht in Innenräumen; Grundlagen

DIN 5035-2 Beleuchtung mit künstlichem Licht; Richtwerte für Arbeitsstätten in Innenräumen und im Freien

DIN 5035-3 Innenraumbeleuchtung mit künstlichem Licht; Beleuchtung in Krankenhäusern

DIN 5035-4 Innenraumbeleuchtung mit künstlichem Licht; Spezielle Empfehlungen für die Beleuchtung von Unterrichtsstätten

DIN 5035-7 Innenraumbeleuchtung mit künstlichem Licht; Beleuchtung von Räumen mit Bildschirmarbeitsplätzen und mit Arbeitsplätzen mit Bildschirmunterstützung

DIN 5036-1 Strahlungsphysikalische und lichttechnische Eigenschaften von Materialien; Begriffe, Kennzahlen

DIN 67 507 Lichttransmissionsgrade, Strahlungstransmissionsgrade und Gesamtenergiedurchlaßgrade von Verglasungen

*) Zu beziehen durch:
Deutsches Nationales Komitee der CIE, Burggrafenstraße 4–10, 10772 Berlin.

Barrierefreies Bauen

Planungsgrundlagen, Teil 2: Wohnungen

Auszug aus **DIN 18040-2** (09.2011)

DIN 18040-1 (10.2010) „Barrierefreies Bauen – Planungsgrundlagen, Teil 1: Öffentlich zugängliche Gebäude“ und DIN 18040-2 (09.2011) „Barrierefreies Bauen – Planungsgrundlagen, Teil 2: Wohnungen“ ersetzen DIN 18024-1 und DIN 18025-1 und 2. DIN 18040 wird ergänzt durch DIN EN 81-70 (09.2005), die im Anschluss an DIN 18040-2 abgedruckt ist.
DIN 18040-1 und 2 sind in weiten Bereichen identisch.

Inhaltsverzeichnis

1 Anwendungsbereich (Auszug)

(...)

Die Anforderungen an die Infrastruktur der Gebäude mit Wohnungen berücksichtigen (…) auch die uneingeschränkte Nutzung mit dem Rollstuhl.

Innerhalb der Wohnungen wird unterschieden zwischen

– barrierefrei nutzbaren Wohnungen und
– barrierefrei und uneingeschränkt mit dem Rollstuhl nutzbaren Wohnungen **R***

Für Wohnanlagen für bestimmte Nutzergruppen sowie Wohnungen für spezielle Nutzer können zusätzliche oder andere Anforderungen notwendig sein.

Die Norm gilt für Neubauten. Sie kann sinngemäß für die Planung von Umbauten oder Modernisierungen angewendet werden.

(…)

Alle Maße sind Fertigmaße. Abweichungen sind nur tolerierbar, wenn die in der Norm bezweckte Funktion erreicht wird.

---

* Uneingeschränkte Nutzbarkeit mit dem Rollstuhl bezieht sich auf die geometrischen Anforderungen, die sich aus den Abmessungen von Standardrollstühlen ergeben (Bild 1).
Die zusätzlichen Anforderungen an Wohnungen für eine barrierefreie und uneingeschränkte Rollstuhlnutzung sind mit einem **R** kenntlich gemacht.

3 Begriffe

Für die Anwendung dieses Dokuments gelten die folgenden Begriffe.

3.1 Bedienelement

überwiegend mit der Hand zu betätigende Griffe, Drücker, Schalter, Tastaturen, Knöpfe, Geldeinwürfe, Kartenschlitze u. Ä.

3.2 Bewegungsfläche

erforderliche Fläche zur Nutzung eines Gebäudes und einer baulichen Anlage, unter Berücksichtigung der räumlichen Erfordernisse z. B. von Rollstühlen, Gehhilfen, Rollatoren

3.3 Blindheit

vollständiger Ausfall des Sehvermögens oder eine so minimale Lichtwahrnehmung, dass sich der Betroffene primär taktil und akustisch orientieren und informieren muss und sich in der Regel mit Hilfe des Blindenstocks oder Blindenführhundes bewegt

3.4 Hörbehinderung

Ausfall des Hörvermögens oder erheblich eingeschränktes Hörvermögen

3.5 Leuchtdichtekontrast

im Weiteren als Kontrast bezeichnet, ein relativer Leuchtdichteunterschied benachbarter Flächen; die Kontrastwahrnehmung kann durch Farbgebung unterstützt werden

3.6 motorische Einschränkung

Einschränkung des Bewegungsvermögens, insbesondere der Arme, Beine und Hände; kann die Nutzung von Mobilitätshilfen oder Rollstühlen erfordern

3.7 Orientierungshilfe

Information, die alle Menschen, insbesondere Menschen mit sensorischen Einschränkungen bei der Nutzung der gebauten Umwelt unterstützt

3.8 Sehbehinderung

erhebliche Einschränkung des Sehvermögens, wobei sich der Betroffene noch in hohem Maße visuell orientieren und informieren kann

3.9 sensorische Einschränkung

z. B. Einschränkung des Hörsinnes oder des Sehsinnes

3.10 Zwei-Sinne-Prinzip

gleichzeitige Vermittlung von Informationen für zwei Sinne

BEISPIEL Neben der visuellen Wahrnehmung (Sehen) wird auch die taktile (Fühlen, Tasten z. B. mit Händen, Füßen) oder auditive (Hören) Wahrnehmung genutzt.

4 Infrastruktur

4.1 Allgemeines

Infrastruktur sind die Bereiche eines Gebäudes mit barrierefreien Wohnungen, die – einschließlich ihrer Bauteile und technischen Einrichtungen – seiner Erschließung von der öffentlichen Verkehrsfläche aus bis zum Eingang der barrierefreien Wohnungen dienen (Zugangsbereich, Eingangsbereich, Aufzüge, Flure, Treppen usw.).

Wesentliche Elemente der Infrastruktur sind die Verkehrs- und Bewegungsflächen. Sie müssen für die Personen, die je nach Situation den größten Flächenbedarf haben, in der Regel Nutzer von Rollstühlen oder Gehhilfen, so bemessen sein, dass die Infrastruktur des Gebäudes barrierefrei erreichbar und nutzbar ist.

Die Bewegungsfläche muss ausreichend groß für die geradlinige Fortbewegung, den Begegnungsfall sowie für den Richtungswechsel sein.

Ausreichend groß ist eine Fläche von

- 180 cm Breite und 180 cm Länge für die Begegnung zweier Rollstuhlnutzer;
- 150 cm Breite und 150 cm Länge für die Begegnung eines Rollstuhlnutzers mit anderen Personen;
- 150 cm Breite und 150 cm Länge für Richtungswechsel und Rangiervorgänge.

Ausreichend groß ist eine Fläche von

- 120 cm Breite und geringer Länge, wenn eine Richtungsänderung und Begegnung mit anderen Personen nicht zu erwarten ist, z. B. für Flurabschnitte und Rampenabschnitte;
- 90 cm Breite und geringer Länge, z. B. für Türöffnungen (Bild 1 und Bild 2) und Durchgänge.

(...)

Die erforderlichen Bewegungsflächen dürfen in ihrer Funktion durch hineinragende Bauteile oder Ausstattungselemente, z. B. Briefkästen, nicht eingeschränkt werden.

Bauteile oder einzelne Ausstattungselemente, die in begehbare Flächen ragen, wie z. B. ein Treppenlauf in einer Eingangshalle, müssen auch für blinde und sehbehinderte Menschen wahrnehmbar sein, siehe Bild 3. Zur Erkennbarkeit von einzelnen Ausstattungselementen siehe 4.5.4.

C

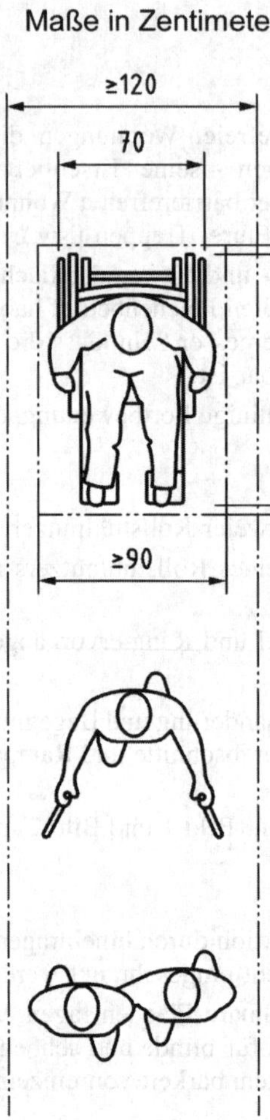

Bild 1. Platzbedarf und Bewegungsflächen ohne Richtungsänderung.

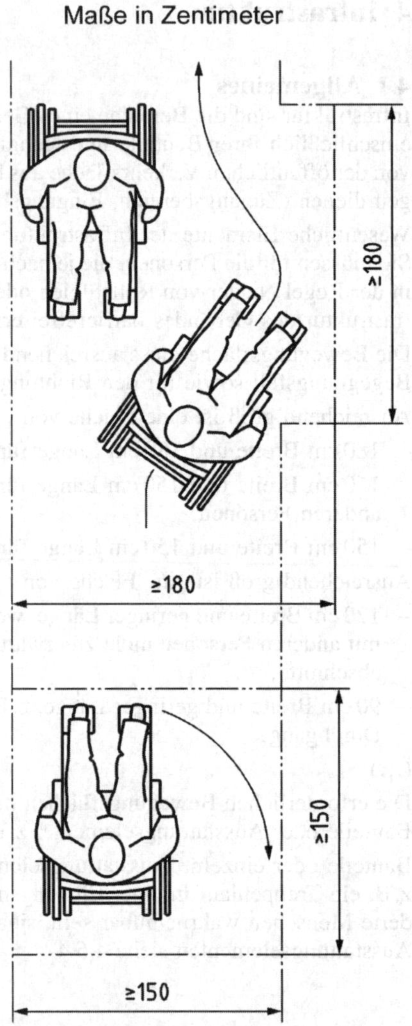

Bild 2. Platzbedarf und Bewegungsflächen mit Richtungsänderung und Begegnung

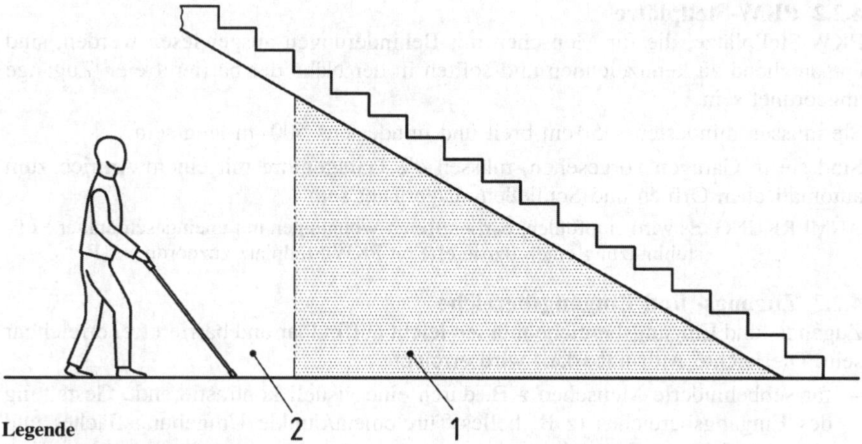

Legende
1 abzusichernder Bereich
2 Gehbereich

Bild 3. Abzusichernder Bereich von Bauteilen am Beispiel Treppen

Zur Verkehrssicherheit, auch für großwüchsige Menschen, darf die nutzbare Höhe über Verkehrsflächen 220 cm nicht unterschreiten, ausgenommen sind Türen, Durchgänge und lichte Treppendurchgangshöhen.

4.2 Äußere Erschließung auf dem Grundstück

4.2.1 Gehwege, Verkehrsflächen

Gehwege müssen ausreichend breit für die Nutzung mit dem Rollstuhl oder mit Gehhilfen, auch im Begegnungsfall, sein.

Für den Weg zum Haupteingang ist es ausreichend, wenn er eine Breite von mindestens 150 cm hat und nach höchstens 15 m Länge eine Fläche von mindestens 180 cm × 180 cm zur Begegnung von Personen mit Rollstühlen oder Gehhilfen aufweist, siehe Bild 2. Für Gehwege zum Haupteingang mit bis zu 6 m Länge ohne Richtungsänderung ist auch die Wegbreite von mindestens 120 cm möglich, soweit am Anfang und am Ende eine Wendemöglichkeit gegeben ist.

Andere Wege auf Grundstücken von Gebäuden mit Wohnungen sollten mindestens 120 cm breit sein und am Anfang und am Ende über eine Wendemöglichkeit verfügen.

Zur gefahrlosen Nutzung müssen Gehwege und Verkehrsflächen eine feste und ebene Oberfläche aufweisen, die z. B. auch Rollstuhl- und Rollatornutzer leicht und erschütterungsarm befahren können. Ist aus topografischen Gründen oder zur Abführung von Oberflächenwasser ein Gefälle erforderlich, dürfen sie keine größere Querneigung als 2,5 % haben. Die Längsneigung darf grundsätzlich 3 % nicht überschreiten. Sie darf bis zu 6 % betragen, wenn in Abständen von höchstens 10 m Zwischenpodeste mit einem Längsgefälle von höchstens 3 % angeordnet werden.

4.2.2 PKW-Stellplätze

PKW-Stellplätze, die für Menschen mit Behinderungen ausgewiesen werden, sind entsprechend zu kennzeichnen und sollten in der Nähe der barrierefreien Zugänge angeordnet sein.

Sie müssen mindestens 350 cm breit und mindestens 500 cm lang sein.

Sind sie in Garagen vorgesehen, müssen die Garagentore mit einem Antrieb zum automatischen Öffnen und Schließen ausgerüstet sein.

ANMERKUNG Es wird empfohlen, barrierefreien Wohnungen mit uneingeschränkter Rollstuhlnutzung einen barrierefreien PKW-Stellplatz zuzuordnen. (**R**)

4.2.3 Zugangs- und Eingangsbereiche

Zugangs- und Eingangsbereiche müssen leicht auffindbar und barrierefrei erreichbar sein. Die leichte Auffindbarkeit wird erreicht:

- für sehbehinderte Menschen z. B. durch eine visuell kontrastierende Gestaltung des Eingangsbereiches (z. B. helles Türelement/dunkle Umgebungsfläche) und eine ausreichende Beleuchtung;
- für blinde Menschen mit Hilfe von taktil erfassbaren unterschiedlichen Bodenstrukturen oder baulichen Elementen wie z. B. Sockel und Absätze als Wegbegrenzungen usw. Die taktile Auffindbarkeit kann auch durch Bodenindikatoren erreicht werden.

Die barrierefreie Erreichbarkeit ist gegeben, wenn

- alle Haupteingänge stufen- und schwellenlos erreichbar sind;
- Erschließungsflächen unmittelbar an den Eingängen nicht stärker als 3 % geneigt sind, andernfalls sind Rampen oder Aufzüge vorzusehen; bei einer Länge der Erschließungsfläche bis zu 10 m ist auch eine Längsneigung bis zu 4 % möglich;
- vor Gebäudeeingängen eine Bewegungsfläche je nach Art der Tür vorgesehen ist;
- die Bewegungsfläche vor Eingangstüren eben ist und höchstens die für die Entwässerung notwendige Neigung aufweist.

4.3 Innere Erschließung des Gebäudes

4.3.1 Allgemeines

Ebenen des Gebäudes, die barrierefrei erreichbar sein sollen, müssen stufen- und schwellenlos zugänglich sein.

Treppen allein sind keine barrierefreien vertikalen Verbindungen. Mit den in dieser Norm genannten Eigenschaften für Treppen (siehe 4.3.6) sind sie jedoch für Menschen mit begrenzten motorischen Einschränkungen sowie für blinde und sehbehinderte Menschen barrierefrei nutzbar.

Zu Anforderungen an die Erschließung innerhalb von Wohnungen siehe Abschnitt 5.

4.3.2 Flure und sonstige Verkehrsflächen

Flure und sonstige Verkehrsflächen müssen ausreichend breit für die Nutzung mit dem Rollstuhl oder mit Gehhilfen sein.

Ausreichend ist eine nutzbare Breite
- von mindestens 150 cm;
- in Durchgängen von mindestens 90 cm.

Es genügt eine Flurbreite von mindestens 120 cm, wenn mindestens einmal eine Bewegungsfläche von mindestens 150 cm × 150 cm zum Wenden vorhanden ist; bei langen Fluren muss diese Bewegungsfläche mindestens alle 15 m angeordnet werden.

4.3.3 Türen

4.3.3.1 Allgemeines

Türen müssen deutlich wahrnehmbar, leicht zu öffnen und schließen und sicher zu passieren sein.

Untere Türanschläge und Schwellen sind nicht zulässig. Sind sie technisch unabdingbar, dürfen sie nicht höher als 2 cm sein.

4.3.3.2 Maßliche Anforderungen (bearbeitet)

Geometrische Anforderungen an Türen (Maße in cm) (in der Norm: Tabelle 1)

Alle Türen:

Durchgänge: lichte Breite > 90; lichte Höhe über OFF (Oberfläche Fertigfußboden) ≥ 205

Leibungstiefe: ≤ 26. Rollstuhlbenutzer können Türdrücker nur erreichen, wenn die Greiftiefe nicht zu groß ist. Für größere Leibungstiefen als 26 cm muss die Nutzbarkeit anders sichergestellt werden.

Drücker, Griff: Abstand zu Bauteilen, Ausrüstungs- und Ausstattungselementen ≥ 50

zugeordnete Beschilderung: Höhe über OFF 120 bis 140

Manuell bedienbare Türen:

Das Achsmaß von Greifhöhen beträgt 85 cm über OFF. Im begründeten Einzelfall, z. B. wenn in dem Wohngebäude keine Wohnung für uneingeschränkte Rollstuhlnutzung vorhanden ist, sind Maße zwischen 85 cm bis 105 cm vertretbar.

Drücker: Mitte Drückernuss über OFF: 85, höchstens 105

Griff waagerecht: Höhe der Achse über OFF: 85, höchstens 105

Griff senkrecht: Greifhöhe über OFF: 85, höchstens 105

Automatische Türsysteme:

Taster: Höhe in Tastermitte über OFF: 85

Taster für Drehflügeltür/Schiebetür bei seitlicher Anfahrt: Abstand zu Hauptschließkanten (bei Drehtüren die senkrechte Türkante an der Schlossseite) ≥ 50

Taster Drehflügeltür bei frontaler Anfahrt: Abstand in Öffnungsrichtung ≥ 250 ; Abstand in Schließrichtung ≥ 150

Taster Schiebetür bei frontaler Anfahrt: Abstand beidseitig ≥ 150

4.3.3.3 Anforderungen an Türkonstruktionen

Das Öffnen und Schließen von Türen muss auch mit geringem Kraftaufwand möglich sein.

Das wird erreicht mit Bedienkräften und -momenten der Klasse 3 nach DIN EN 12217:2004-05 (z. B. 25 N zum Öffnen des Türblatts bei Drehtüren und Schiebetüren).

Andernfalls sind automatische Türsysteme erforderlich (siehe auch DIN 18650-1 und DIN 18650-2).

An Türen mit Türschließern wird das z. B. erreicht:

- an Hauseingangstüren mit Türschließern, die so eingestellt sind, dass das Öffnungsmoment der Größe 3 nach DIN EN 1154 nicht überschritten wird. Es wird empfohlen, Türschließer mit stufenlos einstellbarer Schließkraft zu verwenden. Damit z. B. Menschen mit motorischen Einschränkungen genug Zeit haben, um die Türen sicher zu passieren, können Schließverzögerungen erforderlich sein;
- an Türen, die aus Brandschutzgründen dicht- und selbstschließend sein müssen und bei denen höhere Öffnungsmomente als die der Größe 3 nach DIN EN 1154 auftreten, mit Freilauftürschließern; im Brandfall können höhere Bedienkräfte auftreten;
- bei Feuer- und Rauchschutztüren von Sicherheitsschleusen zu Garagen, die geschlossen gehalten werden müssen, wenn höhere Öffnungsmomente als die der Größe 3 nach DIN EN 1154 auftreten, mit automatischen Türen.

Drückergarnituren sind für motorisch eingeschränkte, blinde und sehbehinderte Menschen greifgünstig auszubilden.

Dies wird z. B. erreicht durch:

- bogen- oder U-förmige Griffe;
- senkrechte Bügel bei manuell betätigten Schiebetüren. Ungeeignet sind:
- Drehgriffe, wie z. B. Knäufe;
- eingelassene Griffe.

4.3.3.4 Bewegungsflächen vor Türen

Bewegungsflächen vor Türen sind nach Bild 4 und Bild 5 zu bemessen. Abweichend davon gilt:

Wird die Bewegungsfläche, in die die Tür nicht schlägt (siehe Bild 4 unterer Teil und Bild 5), durch ein gegenüberliegendes Bauteil, z. B. eine Wand, begrenzt, muss der Abstand zwischen beiden Wänden mindestens 150 cm betragen, damit die mit der Durchfahrt verbundene Richtungsänderung möglich ist.

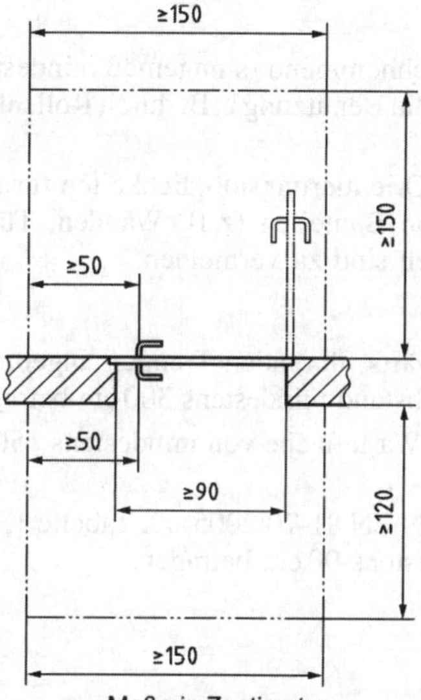

Bild 4. Bewegungsflächen vor Drehflügeltüren

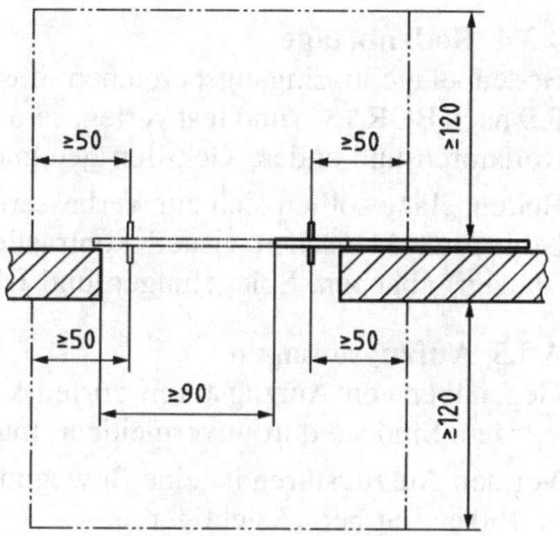

Bild 5. Bewegungsflächen vor Schiebetüren

C

4.3.3.5 Orientierungshilfen an Türen

Auffindbarkeit und Erkennbarkeit von Türen und deren Funktion müssen auch für blinde und sehbehinderte Menschen möglich sein.

Dies wird z. B. erreicht durch

- taktil eindeutig erkennbare Türdrücker, Türblätter oder -zargen;
- visuell kontrastierende Gestaltung, z. B. helle Wand/dunkle Zarge, heller Flügel/ dunkle Hauptschließkante und Beschlag;
- zum Bodenbelag visuell kontrastierende Ausführung von eventuell vorhandenen Schwellen.

Ganzglastüren und großflächig verglaste Türen müssen sicher erkennbar sein durch Sicherheitsmarkierungen, die

- über die gesamte Glasbreite reichen;
- visuell stark kontrastierend sind;
- jeweils helle und dunkle Anteile (Wechselkontrast) enthalten, um wechselnde Lichtverhältnisse im Hintergrund zu berücksichtigen;
- in einer Höhe von 40 cm bis 70 cm und von 120 cm bis 160 cm über OFF angeordnet werden.

BEISPIEL Sicherheitsmarkierungen in Streifenform, mit einer durchschnittlichen Höhe von 8 cm und einzelnen Elementen mit einem Flächenanteil von mindestens 50 % des Streifens.

ANMERKUNG Zu visuellen Kontrasten siehe auch DIN 32975.

4.3.4 Bodenbeläge

Bodenbeläge in Eingangsbereichen müssen rutschhemmend (sinngemäß mindestens R 9 nach BGR 181) und fest verlegt sein und für die Benutzung z. B. durch Rollstühle, Rollatoren und andere Gehilfen geeignet sein.

Bodenbeläge sollten sich zur Verbesserung der Orientierungsmöglichkeiten für sehbehinderte Menschen visuell kontrastierend von Bauteilen (z. B. Wänden, Türen, Stützen) abheben. Spiegelungen und Blendungen sind zu vermeiden.

4.3.5 Aufzugsanlagen

Gegenüber von Aufzugstüren dürfen keine abwärts führenden Treppen angeordnet werden. Sind sie dort unvermeidbar, muss ihr Abstand mindestens 300 cm betragen.

Vor den Aufzugstüren ist eine Bewegungs- und Wartefläche von mindestens 150 cm × 150 cm zu berücksichtigen.

Aufzüge müssen mindestens dem Typ 2 nach DIN EN 81-70:2005-09, Tabelle 1, entsprechen. Die lichte Zugangsbreite muss mindestens 90 cm betragen.

4.3.6 Treppen

4.3.6.1 Allgemeines

Mit nachfolgenden Eigenschaften sind Treppen für Menschen mit begrenzten motorischen Einschränkungen sowie für blinde und sehbehinderte Menschen barrierefrei nutzbar. Das gilt für Gebäudetreppen und Treppen im Bereich der äußeren Erschließung auf dem Grundstück.

Für außen angeordnete Rettungstreppen sind Abweichungen (z. B. hinsichtlich der Setzstufen) möglich.

4.3.6.2 Laufgestaltung und Stufenausbildung

Treppen müssen gerade Läufe haben.

Treppen müssen Setzstufen haben. Trittstufen dürfen über die Setzstufen nicht vorkragen. Eine Unterschneidung bis 2 cm ist bei schrägen Setzstufen zulässig.

ANMERKUNG Zur Vermeidung des Abrutschens von Gehhilfen an freien seitlichen Stufenenden ist z. B. eine Aufkantung geeignet.

Setzstufen mit sich verringernder Höhe oder Trittstufen mit sich verjüngender Tiefe, z. B. aus topografischen oder gestalterischen Gründen im Außenbereich, sind nicht geeignet. Dies gilt auch für Einzelstufen.

4.3.6.3 Handläufe

Beidseitig von Treppenläufen und Zwischenpodesten müssen Handläufe einen sicheren Halt bei der Benutzung der Treppe bieten.

Das wird erreicht, wenn

- sie in einer Höhe von 85 cm bis 90 cm angeordnet sind, gemessen lotrecht von Oberkante Handlauf zu Stufenvorderkante oder OFF Treppenpodest/Zwischenpodest;
- sie an Treppenaugen und Zwischenpodesten nicht unterbrochen werden;

– die Handlaufenden am Anfang und Ende der Treppenläufe (z. B. am Treppenpodest) noch mindestens 30 cm waagerecht weiter geführt werden.

Die Handläufe sind so zu gestalten, dass sie griffsicher und gut umgreifbar sind und keine Verletzungsgefahr besteht. Das wird erreicht mit

– z. B. rundem oder ovalem Querschnitt des Handlaufs und einem Durchmesser von 3 cm bis 4,5 cm;
– Halterungen, die an der Unterseite angeordnet sind;
– abgerundetem Abschluss von frei in den Raum ragenden Handlaufenden z. B. nach unten oder zu einer Wandseite.

4.3.6.4 Orientierungshilfen an Treppen und Einzelstufen

Für sehbehinderte Menschen müssen die Elemente der Treppe leicht erkennbar sein.

Das wird z. B. erreicht mit Stufenmarkierungen aus durchgehenden Streifen, die folgende Eigenschaften aufweisen

– auf Trittstufen beginnen sie an den Vorderkanten und sind 4 cm bis 5 cm breit;
– auf Setzstufen beginnen sie an der Oberkante und sind mindestens 1 cm, vorzugsweise 2 cm, breit;
– sie heben sich visuell kontrastierend sowohl gegenüber Tritt- und Setzstufe als auch gegenüber den jeweils unten anschließenden Podesten ab.

Bei bis zu drei Einzelstufen und Treppen, die frei im Raum beginnen oder enden, muss jede Stufe mit einer Markierung versehen werden. In Treppenhäusern müssen die erste und letzte Stufe – vorzugsweise alle Stufen – mit einer Markierung versehen werden.

Handläufe müssen sich visuell kontrastierend vom Hintergrund abheben.

ANMERKUNG In Gebäuden mit mehr als zwei Geschossen können Handläufe mit taktilen Informationen zur Orientierung, wie z. B. Stockwerksangaben, sinnvoll sein. Hinweise hierzu enthält die Broschüre des Deutschen Blinden- und Sehbehindertenverbandes: „Richtlinie für taktile Schriften" (unter www.qfuv.de).

4.3.7 Rampen

4.3.7.1 Allgemeines

Rampen müssen leicht zu nutzen und verkehrssicher sein. Das gilt bei Einhaltung der nachfolgenden Anforderungen an Rampenläufe, Podeste, Radabweiser und Handläufe als erreicht. (Bilder 6 bis 8)

4.3.7.2 Rampenläufe und Podeste

Die Neigung von Rampenläufen darf höchstens 6 % betragen; eine Querneigung ist unzulässig. Die Entwässerung der Podeste von im Freien liegenden Rampen ist sicherzustellen.

Am Anfang und am Ende der Rampe ist eine Bewegungsfläche von mindestens 150 cm × 150 cm anzuordnen.

Die nutzbare Laufbreite der Rampe muss mindestens 120 cm betragen.

Die Länge der einzelnen Rampenläufe darf höchstens 600 cm betragen. Bei längeren Rampen und bei Richtungsänderungen sind Zwischenpodeste mit einer nutzbaren Länge von mindestens 150 cm erforderlich.

In der Verlängerung einer Rampe darf keine abwärts führende Treppe angeordnet werden.

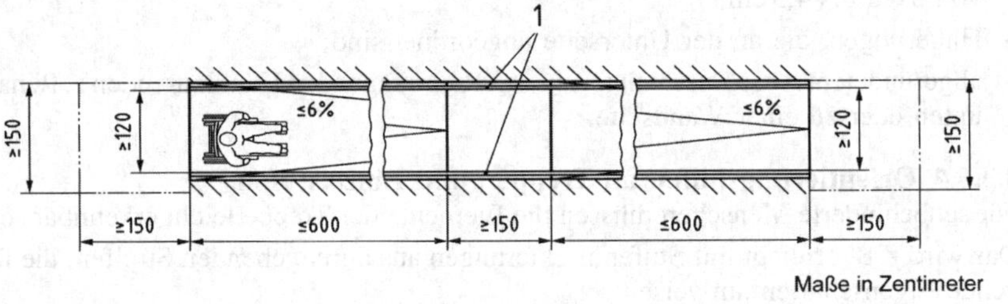

Bild 6. Rampe, Grundriss

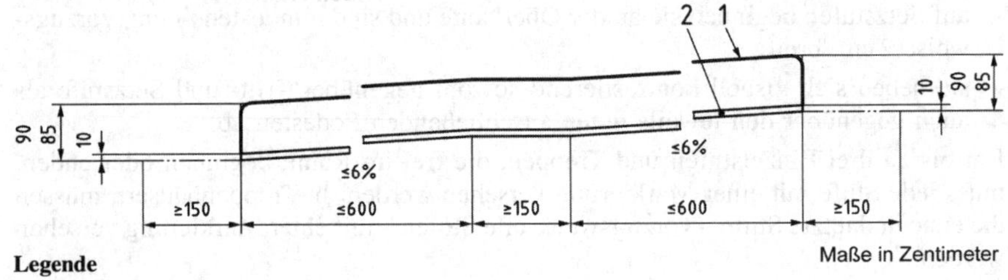

Legende

1 Handlauf
2 Radabweiser

Bild 7. Rampe, Seitenansicht

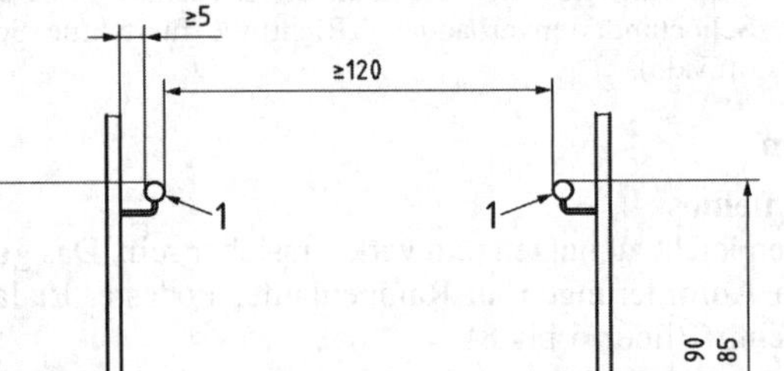

Legende

1 Handlauf
2 Aufkantung als Radabweiser
3 Holm als Radabweiser

Bild 8. Rampe, Querschnitt

4.3.7.3 Radabweiser und Handläufe

An Rampenläufen und -podesten sind beidseitig in einer Höhe von 10 cm Radabweiser anzubringen. Radabweiser sind nicht erforderlich, wenn die Rampen seitlich durch eine Wand begrenzt werden.

Es sind beidseitig Handläufe vorzusehen.

Die Oberkanten der Handläufe sind in einer Höhe von 85 cm bis 90 cm über OFF der Rampenläufe und -podeste anzubringen.

Die Handläufe sind so zu gestalten, dass sie griffsicher und gut umgreifbar sind und keine Verletzungsgefahr besteht. Das wird erreicht mit

- z. B. rundem oder ovalem Querschnitt des Handlaufs und einem Durchmesser von 3 cm bis 4,5 cm;
- einem lichten seitlichen Abstand von mindestens 5 cm zur Wand oder zu benachbarten Bauteilen;
- Halterungen, die an der Unterseite angeordnet sind;
- abgerundetem Abschluss von frei in den Raum ragenden Handlaufenden z. B. nach unten oder zu einer Wandseite.

C

4.3.8 Rollstuhlabstellplätze

Für jede Wohnung mit uneingeschränkter Rollstuhlnutzung ist ein Rollstuhlabstellplatz vor oder in der Wohnung (nicht in Schlafräumen) vorzusehen (**R**).

Ein elektrischer Anschluss zur Batterieaufladung muss vorhanden sein (**R**).

Rollstuhlabstellplätze sind für den Wechsel des Rollstuhls ausreichend groß, wenn sie eine Bewegungsfläche von mindestens 180 cm × 150 cm haben. Vor den Rollstuhlabstellplätzen ist eine weitere Bewegungsfläche von mindestens 180 cm × 150 cm zu berücksichtigen (**R**), siehe Bild 9.

ANMERKUNG 1 Die Bewegungsfläche vor dem Rollstuhlabstellplatz darf sich mit anderen Bewegungsflächen überlagern.

ANMERKUNG 2 Es wird empfohlen, bei barrierefreien Wohnungen Abstellplätze für Elektromobile im Gebäude vorzusehen. Diese können sich an den Anforderungen für Rollstuhlabstellplätze orientieren.

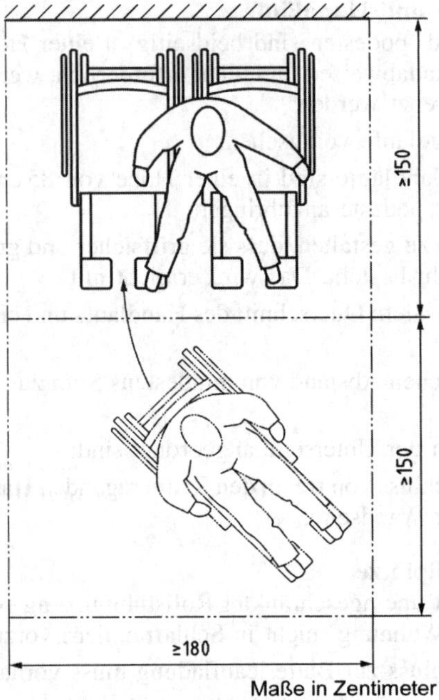

Bild 9. Platzbedarf für den Rollstuhlabstellplatz einer Person, Bewegungsfläche für Rangieren und Wechsel

4.4 Warnen/Orientieren/Informieren/Leiten

4.4.1 Allgemeines

Hinweise für die Gebäudenutzung können visuell (durch Sehen), auditiv (durch Hören) oder taktil (durch Fühlen, Tasten z. B. mit Händen, Füßen, Blindenlangstock) wahrnehmbar gestaltet werden.

Nachfolgend werden zu jeder Wahrnehmungsart Hinweise für eine geeignete Gestaltung der baulichen Voraussetzungen gegeben. Diese beziehen sich typischerweise auf Gebäude mit einfachen Strukturen (wie z. B. Einfamilienhäuser, Reihenhäuser, üblicher Geschosswohnungsbau).

Für komplexe Gebäudeanlagen, die zusätzliche Hilfen zur Orientierung und zum Auffinden der einzelnen Wohnungen erfordern (wie z. B. mehrere Gebäudeeingänge auf einem Grundstück, differenzierte Wege- und Erschließungssysteme, unterschiedliche Eingangsvariationen, große horizontale Ausdehnung), sind weitere Hinweise in DIN 18040-1:2010-10, 4.4, enthalten.

4.4.2 Visuell

Visuelle Informationen müssen hinsichtlich der Leuchtdichte zu ihrem Umfeld einen visuellen Kontrast aufweisen. Je höher der Leuchtdichtekontrast desto besser ist die Erkennbarkeit. Hohe Kontrastwerte ergeben Schwarz/Weiß- bzw. Hell/Dunkel-Kombinationen. Die Kontrastwahrnehmung kann durch Farbgebung unterstützt werden. Ein Farbkontrast ersetzt nicht den Leuchtdichtekontrast.

(…)

Schriftliche Informationen (z. B. Klingelschilder, Hausnummern) müssen auch für sehbehinderte Menschen gut lesbar sein. Dies ist gegeben durch die Wahl geeigneter Schriftarten und -größen. Beeinträchtigungen durch Blendungen, Spiegelungen und Schattenbildungen sind so weit wie möglich zu vermeiden. Dies kann z. B. durch die Wahl geeigneter Materialeigenschaften und Oberflächenformen (z. B. entspiegeltes Glas, matte Oberflächen) erreicht werden.

(…)

Sind schriftliche Informationen nur aus kurzer Lesedistanz wahrnehmbar (z. B. Klingel-/Namensschilder), müssen die jeweiligen Informationsträger für Menschen mit eingeschränktem Sehvermögen oder Rollstuhlnutzer frei zugänglich sein.

4.4.3 Auditiv

Akustische Informationen sollten auch für Menschen mit eingeschränktem Hörvermögen hörbar und verstehbar sein; die sprachliche Verständigung sollte möglich sein.

Beim Einbau entsprechender Vorrichtungen, z. B. Gegensprechanlagen, ist 4.5.3 zu beachten.

4.4.4 Taktil

Werden schriftliche Informationen taktil erfassbar angeboten, müssen sie sowohl durch erhabene lateinische Großbuchstaben und arabische Ziffern („Profilschrift") als auch durch Braille'sche Blindenschrift (nach DIN 32976) vermittelt werden. Sie können durch ertastbare Piktogramme und Sonderzeichen ergänzt werden.

ANMERKUNG 1 Für die Gestaltung der erhabenen, ertastbaren Schrift, der Piktogramme, der Sonderzeichen und der Braille'schen Blindenschrift wird auf die Broschüre des Deutschen Blinden- und Sehbehindertenverbandes: „Richtlinie für taktile Schriften" (unter www.qfuv.de) hingewiesen.

4.5 Bedienelemente, Kommunikationsanlagen sowie Ausstattungselemente

4.5.1 Allgemeines

Bedienelemente und Kommunikationsanlagen die zur zweckentsprechenden Nutzung des Gebäudes mit Wohnungen erforderlich sind, müssen barrierefrei erkennbar, erreichbar und nutzbar sein.

Bedien- und Ausstattungselemente und Bauteile müssen so gestaltet sein, dass scharfe Kanten vermieden werden, z. B. durch Abrundungen oder Kantenschutz.

4.5.2 Bedienelemente

Bedienelemente mit folgenden Eigenschaften sind barrierefrei erkennbar und nutzbar:

- sie sind nach dem Zwei-Sinne-Prinzip visuell kontrastierend gestaltet und taktil (z. B. durch deutliche Hervorhebung von der Umgebung) wahrnehmbar;
- ihre Funktion sollte erkennbar sein, z. B. durch Kennzeichnung und/oder Anordnung der Elemente an gleicher Stelle (Wiedererkennungseffekt);
- die Funktionsauslösung sollte eindeutig rückgemeldet werden, z. B. durch ein akustisches Bestätigungssignal, ein Lichtsignal oder die Schalterstellung;
- die maximal aufzuwendende Kraft bei Bedienvorgängen sollte für Schalter und Taster 2,5 N bis 5,0 N betragen.

Bedienelemente mit folgenden Eigenschaften sind barrierefrei erreichbar:

- sie sind stufenlos zugänglich;
- vor den Bedienelementen ist für Rollstuhlnutzung eine Bewegungsfläche von mindestens 150 cm × 150 cm angeordnet;
- wenn keine Wendevorgänge notwendig sind, z. B. bei seitlicher Anfahrt der Bedienelemente durch den Rollstuhlnutzer, ist eine Bewegungsfläche von 120 cm Breite × 150 cm Länge (in Fahrtrichtung) ausreichend;
- sie müssen für die Rollstuhlnutzung einen seitlichen Abstand zu Wänden bzw. bauseitigen Einrichtungen von mindestens 50 cm aufweisen;
- Bedienelemente, die nur frontal anfahrbar und bedienbar sind, z. B. Hausbriefkasten/Gegensprechanlage in Ecklage, müssen in einer Tiefe von mindestens 15 cm unterfahrbar sein, analog Bild 10;

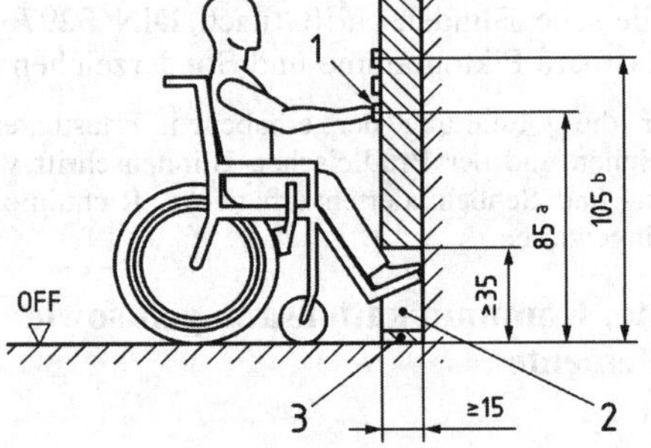

Legende

1 Bedienelemente z.B. auf Bau- oder Ausstattungselement
2 Freiraum im Bereich der Füße
3 taktil erfassbarer Sockel (Bild 11c)
a Greif-/Bodenhöhe 85 cm
b Greif- und Bedienhöhe bei mehreren Bedienelementen übereinander bis max. 105 cm

Bild 10. Erreichbarkeit von Bedienelementen bei frontaler Anfahrt

– das Achsmaß von Greifhöhen und Bedienhöhen beträgt grundsätzlich 85 cm über OFF.

Werden mehrere Bedienelemente, z. B. mehrere Lichtschalter, übereinander angeordnet und in begründeten Einzelfällen, z. B. wenn in dem Wohngebäude keine Wohnung für uneingeschränkte Rollstuhlnutzung vorhanden ist, sind andere Maße in einem Bereich von 85 cm bis 105 cm möglich.

4.5.3 Kommunikationsanlagen

Kommunikationsanlagen, z. B. Türöffner- und Klingelanlagen, Gegensprechanlagen, sind in die barrierefreie Gestaltung einzubeziehen.

Bei Gegensprechanlagen ist die Hörbereitschaft der Gegenseite optisch anzuzeigen.

Bei manuell betätigten Türen mit elektrischer Türfallenfreigabe (umgangssprachlich Türsummer) ist die Freigabe optisch oder durch fühlbare Vibration zu signalisieren.

4.5.4 Ausstattungselemente

Ausstattungselemente, z. B. Briefkästen, Feuerlöscher, dürfen nicht so in Räume hineinragen, dass die nutzbaren Breiten und Höhen eingeschränkt werden. Ist ein Hineinragen nicht vermeidbar, müssen sie so ausgebildet werden, dass blinde und sehbehinderte Menschen sie rechtzeitig als Hindernis wahrnehmen können.

Ausstattungselemente müssen visuell kontrastierend gestaltet und für die Ertastung mit dem Langstock durch blinde Menschen geeignet sein, z. B. indem sie

- bis auf den Boden herunterreichen oder
- max. 15 cm über dem Boden enden oder
- durch einen mindestens 3 cm hohen Sockel, entsprechend den Umrissen des Ausstattungselements, ergänzt werden oder
- mit einer Tastleiste, die max. 15 cm über dem Boden endet, versehen sind.

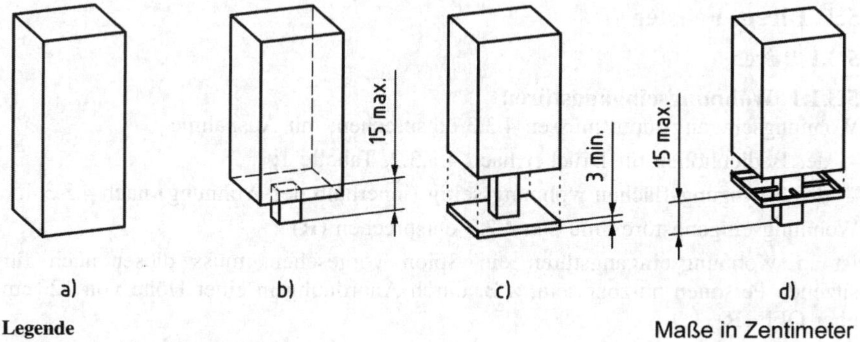

Legende
a Herunterreichen bis zum Boden
b unteres Ende max. 15 cm über dem Boden
c Sockel von mindestens 3 cm Höhe
d Tastleiste max. 15 cm über dem Boden

Bild 11. Beispiele für die Wahrnehmbarkeit von Ausstattungselementen mit dem Langstock

5 Räume in Wohnungen

5.1 Allgemeines

Die Räume innerhalb von Wohnungen sind barrierefrei nutzbar, wenn sie so dimensioniert und bauseits ausgestattet bzw. vorbereitet sind, dass Menschen mit Behinderungen sie ihren speziellen Bedürfnissen entsprechend leicht nutzen, einrichten und ausstatten können. Für Sanitärräume, deren Einrichtung häufig bauseits vorgenommen wird, sind in 5.5 nähere Angaben über die Anordnung von Ausstattungen und Einrichtungen zur barrierefreien Nutzbarkeit enthalten.

Die Anforderungen in Abschnitt 5 werden unterschieden nach

- barrierefrei nutzbaren und
- barrierefrei und uneingeschränkt mit dem Rollstuhl nutzbaren Wohnungen (Markierung **R**).

ANMERKUNG Besteht wegen der Art der Behinderung der Bedarf einer zusätzlichen Individualfläche, sollte diese mit mindestens 15 m² angesetzt werden.

Bedienelemente innerhalb von Wohnungen müssen 4.5.2, Satz 2, entsprechen (**R**). Die maximal aufzuwendende Kraft bei Bedienvorgängen sollte für Schalter und Taster 2,5 N bis 5,0 N betragen (**R**).

5.2 Flure innerhalb von Wohnungen

Flure müssen ausreichend breit sein für die Nutzung mit Gehhilfen bzw. Rollstühlen. Ausreichend ist eine nutzbare Breite von mindestens 120 cm.

Mindestens einmal ist eine Bewegungsfläche von mindestens 150 cm × 150 cm vorzusehen (**R**)

Bewegungsflächen vor Türen sind zu beachten, siehe 4.3.3.4.

Bewegungsflächen dürfen sich überlagern.

5.3 Türen, Fenster

5.3.1 Türen

5.3.1.1 Wohnungseingangstüren

Wohnungseingangstüren müssen 4.3.3 entsprechen, mit Ausnahme

- der Bedienhöhen für Drücker nach 4.3.3.2, Tabelle 1;
- der Bewegungsflächen wohnungsseitig (innerhalb der Wohnung) nach 4.3.3.4.

Wohnungseingangstüren müssen 4.3.3 entsprechen (**R**).

Ist in Wohnungseingangstüren ein Spion vorgesehen, muss dieser auch für sitzende Personen nutzbar sein, z. B. durch Anordnung in einer Höhe von 120 cm über OFF (**R**).

5.3.1.2 Wohnungstüren

Türen innerhalb der Wohnung müssen leicht zu bedienen, sicher zu passieren und ausreichend breit für die Nutzung mit Gehhilfen bzw. Rollstühlen sein.

Sie sind leicht zu bedienen und sicher zu passieren, wenn

- das Öffnen und Schließen mit geringem Kraftaufwand möglich ist;

– Drückergarnituren für motorisch eingeschränkte, blinde und sehbehinderte Menschen greifgünstig ausgebildet sind, z. B. durch bogen- oder U-förmige Griffe, senkrechte Bügel bei manuell betätigten Schiebetüren (ungeeignet sind Drehgriffe, wie z. B. Knäufe, und eingelassene Griffe);
– sie keine unteren Türanschläge oder Schwellen haben.

Wohnungstüren sind ausreichend bemessen, wenn sie
– eine lichte Durchgangsbreite von mindestens 80 cm;
– eine lichte Durchgangshöhe von mindestens 205 cm aufweisen;
– den Maßen der Tabelle 1 in 4.3.3.2 entsprechen (**R**).

Wohnungstüren müssen Bewegungsflächen nach 4.3.3.4 aufweisen (**R**).

5.3.2 Fenster

Mindestens ein Fenster je Raum muss auch für Menschen mit motorischen Einschränkungen bzw. für Rollstuhlnutzer leicht zu öffnen und zu schließen sein. Auch in sitzender Position muss ein Teil der Fenster in Wohn- und Schlafräumen einen Durchblick in die Umgebung ermöglichen.

Leicht zu öffnen und zu schließen sind Fenster, wenn
– der manuelle Kraftaufwand (Bedienkraft) zum Öffnen und Schließen von Fenstern höchstens 30 N, das maximale Moment 5 Nm beträgt (Klasse 2 nach DIN EN 13115);
– der Fenstergriff in einer Greifhöhe von 85 cm bis 105 cm (über OFF) angebracht ist. Ist dies technisch nicht möglich, ist mindestens an einem Fenster je Raum ein automatisches Öffnungs- und Schließsystem vorzusehen (**R**).

Einen Durchblick in die Umgebung ermöglichen Fenster, deren Brüstungen ab 60 cm über OFF durchsichtig sind.

5.4 Wohn-, Schlafräume und Küchen

Wohn-, Schlafräume und Küchen sind für Menschen mit motorischen Einschränkungen bzw. für Rollstuhlnutzer barrierefrei nutzbar, wenn sie so dimensioniert sind, dass bei nutzungstypischer Möblierung jeweils ausreichende Bewegungsflächen vorhanden sind.

Bewegungsflächen dürfen sich überlagern.

In jedem Raum muss zum Drehen und Wenden mit Gehhilfen bzw. Rollstühlen wenigstens eine Bewegungsfläche von mindestens
– 120 cm × 120 cm;
– 150 cm × 150 cm (**R**)

zur Verfügung stehen.

Ausreichende Mindesttiefen von Bewegungsflächen entlang und vor Möbeln sind bei mindestens einem Bett:
– 120 cm entlang der einen und 90 cm entlang der anderen Längsseite;
– 150 cm entlang der einen und 120 cm entlang der anderen Längsseite (**R**);

vor sonstigen Möbeln:
- 90 cm;
- 150 cm (**R**);

vor Kücheneinrichtungen:
- 120 cm;
- 150 cm (**R**).

Bei der Planung der haustechnischen Anschlüsse in einer Küche für Rollstuhlnutzer ist die Anordnung von Herd, Arbeitsplatte und Spüle übereck zu empfehlen (**R**).

5.5 Sanitärräume

5.5.1 Allgemeines

In einer Wohnung mit mehreren Sanitärräumen muss mindestens einer der Sanitärräume barrierefrei nutzbar sein.

Mit den Anforderungen dieses Abschnitts der Norm sind Sanitärräume sowohl für Menschen mit motorischen Einschränkungen bzw. für Rollstuhlnutzer als auch für blinde und sehbehinderte Menschen barrierefrei nutzbar.

Aus Sicherheitsgründen dürfen Drehflügeltüren nicht in Sanitärräume schlagen, um ein Blockieren der Tür zu vermeiden. Türen von Sanitärräumen müssen von außen entriegelt werden können.

Armaturen sollten als Einhebel- oder berührungslose Armatur ausgebildet sein. Berührungslose Armaturen dürfen nur in Verbindung mit Temperaturbegrenzung eingesetzt werden. Um ein Verbrühen zu vermeiden, ist die Wassertemperatur an der Auslaufarmatur auf 45 °C zu begrenzen.

Die Ausstattungselemente sollten sich visuell kontrastierend von ihrer Umgebung abheben (z. B. heller Waschtisch/dunkler Hintergrund oder kontrastierende Umrahmungen).

Die Wände von Sanitärräumen sind bauseits so auszubilden, dass sie bei Bedarf nachgerüstet werden können mit senkrechten und waagerechten Stütz- und/oder Haltegriffen neben dem WC-Becken sowie im Bereich der Dusche und der Badewanne.

Ist ein Sanitärraum ausschließlich über ein Fenster zu lüften, ist zur Bedienbarkeit 5.3.2 zu beachten.

5.5.2 Bewegungsflächen

Jeweils vor den Sanitärobjekten wie WC-Becken, Waschtisch, Badewanne und im Duschplatz ist eine Bewegungsfläche anzuordnen.

Ausreichend ist eine Mindestfläche von
- 120 cm × 120 cm;
- 150 cm × 150 cm, siehe Bild 12, Bild 15 (**R**).

Bewegungsflächen dürfen sich überlagern, siehe Bilder 14 und 15.

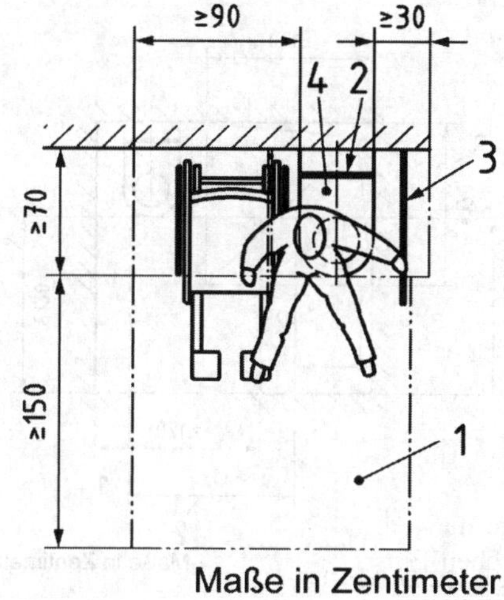

Legende

1 Bewegungsfläche vor dem WC-Becken
2 Rückenstütze
3 Stützklappgriff
4 WC-Becken

Bild 12. Beispiel für Bewegungsflächen vor und neben dem WC-Becken für Rollstuhlnutzer

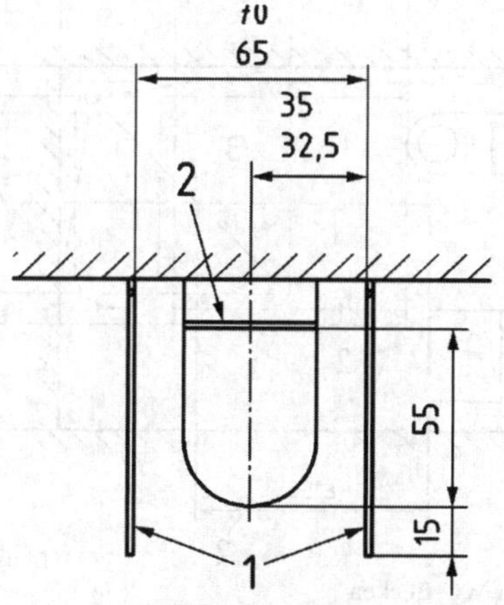

Legende

1 Stützklappgriff
2 Rückenstütze

Bild 13. Anordnung von Stützklappgriffen und Rückenstützen

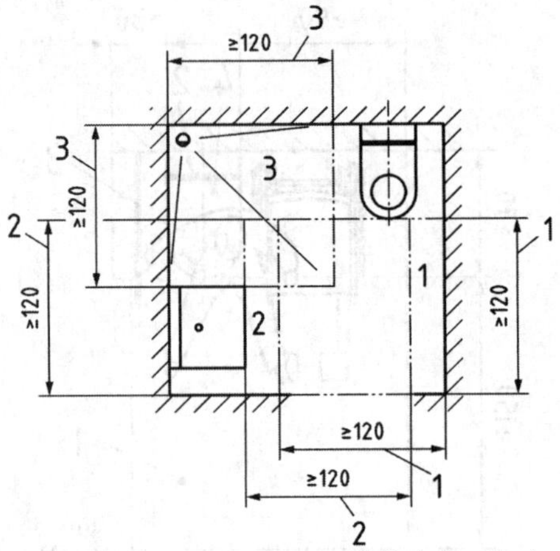

Maße in Zentimeter

Legende
1 Bewegungsfläche vor dem WC-Becken
2 Bewegungsfläche vor dem Waschtisch
3 Bewegungsfläche im Duschplatz

Bild 14. Beispiel der Überlagerung der Bewegungsflächen in Sanitärräumen

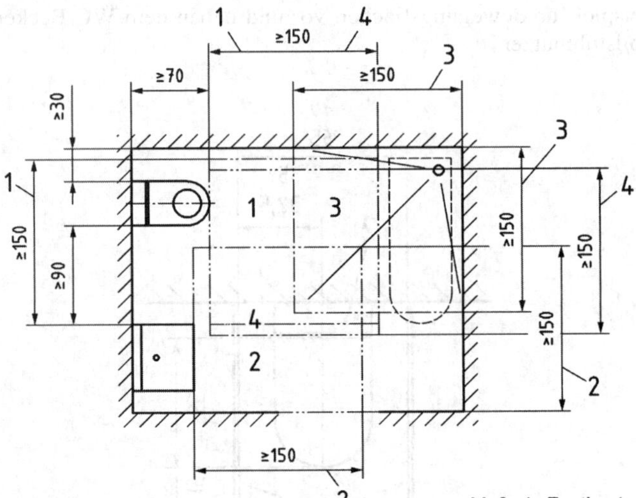

Maße in Zentimeter

Legende
1 Bewegungsfläche vor dem WC-Becken
2 Bewegungsfläche vor dem Waschtisch
3 Bewegungsfläche im Duschplatz
4 Bewegungsfläche vor der Badewanne, falls diese vorhanden

Bild 15. Beispiel der Überlagerung der Bewegungsflächen in Sanitärräumen für Rollstuhlnutzer

5.5.3 WC-Becken

Zur leichteren Nutzbarkeit des WC-Beckens ist ein seitlicher Mindestabstand von 20 cm zur Wand oder zu anderen Sanitärobjekten einzuhalten.

Zweckentsprechend angeordnet sind WC-Becken mit

- einer Höhe des WC-Beckens einschließlich Sitz zwischen 46 cm und 48 cm über OFF (**R**).

Ausreichende Bewegungsflächen neben WC-Becken sind

- mindestens 70 cm tief, von der Beckenvorderkante bis zur rückwärtigen Wand (**R**);
- mindestens 90 cm breit an der Zugangsseite und für Hilfspersonen mindestens 30 cm breit an der gegenüberliegenden Seite (siehe Bild 12) (**R**).

In Gebäuden mit mehr als einer Wohneinheit für uneingeschränkte Rollstuhlnutzung sind die Zugangsseiten abwechselnd rechts oder links vorzusehen.

Folgende Bedienelemente und Stützen sind erforderlich:

- Rückenstütze, angeordnet 55 cm hinter der Vorderkante des WC-Beckens. Der WC-Deckel ist als alleinige Rückenstütze ungeeignet (**R**);
- Spülung, mit der Hand oder dem Arm bedienbar, im Greifbereich des Sitzenden, ohne dass der Benutzer die Sitzposition verändern muss. Wird eine berührungslose Spülung verwendet, muss ihr ungewolltes Auslösen ausgeschlossen sein (**R**);
- Toilettenpapierhalter, erreichbar ohne Veränderung der Sitzposition (**R**);
- Stützklappgriffe (**R**).

Stützklappgriffe müssen folgende Anforderungen erfüllen (siehe auch Bild 13):

- auf jeder Seite des WC-Beckens montiert (**R**);
- hochklappbar (**R**);
- 15 cm über die Vorderkante des WC-Beckens hinausragend (**R**);
- bedienbar mit wenig Kraftaufwand in selbst gewählten Etappen (**R**);
- Abstand zwischen den Stützklappgriffen 65 cm bis 70 cm (**R**);
- Oberkante über der Sitzhöhe 28 cm (**R**);
- Befestigung, die einer Punktlast von mindestens 1 kN am Griffende standhält (**R**).

ANMERKUNG Es wird z. B. unterschieden zwischen Stützklappgriffen mit und ohne Feder. Die Klappgriffe mit Feder können mit geringerem Kraftaufwand beim Hochklappen bedient werden.

C

5.5.4 Waschplätze

Waschplätze müssen so gestaltet sein, dass eine Nutzung auch im Sitzen möglich ist. Dies wird mit folgenden Maßnahmen erreicht:

- bauseitige Möglichkeit, einen mindestens 100 cm hohen Spiegel bei Bedarf unmittelbar über dem Waschtisch anzuordnen;
- Beinfreiraum unter dem Waschtisch;
- Vorderkantenhöhe des Waschtisches von max. 80 cm über OFF (**R**);
- Unterfahrbarkeit von mindestens 55 cm Tiefe und Abstand der Armatur zum vorderen Rand des Waschtisches von höchstens 40 cm (siehe Bild 16) (**R**);
- Beinfreiraum unter dem Waschtisch mit einer Breite von mindestens 90 cm (axial gemessen); Angaben zu den erforderlichen gestaffelten Höhen und Tiefen (siehe Bild 16) (**R**);
- einen mindestens 100 cm hohen Spiegel, der unmittelbar über dem Waschtisch angeordnet ist (**R**).

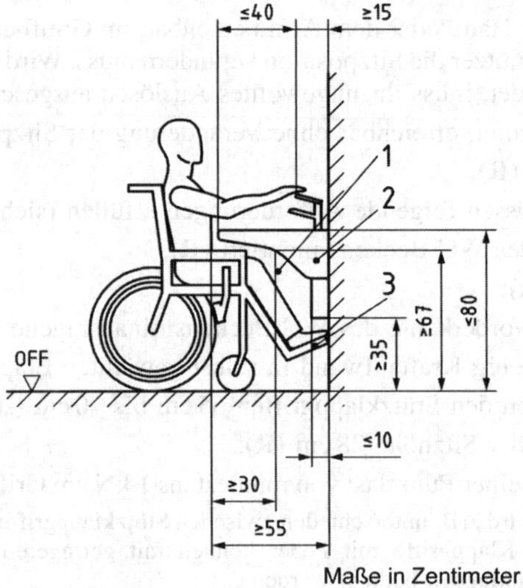

Legende

1 Beinfreiraum im Bereich der Knie

2 Bau-, Ausrüstungs- oder Ausstattungselement

3 Beinfreiraum im Bereich der Füße

Maße in Zentimeter

Bild 16. Bewegungsräume, Beinfreiraum

5.5.5 Duschplätze

Duschplätze müssen so gestaltet sein, dass sie barrierefrei z. B. auch mit einem Rollator bzw. Rollstuhl nutzbar sind.

Dies wird erreicht durch

- die niveaugleiche Gestaltung zum angrenzenden Bodenbereich des Sanitärraumes und einer Absenkung von max. 2 cm; ggf. auftretende Übergänge sollten vorzugsweise als geneigte Fläche ausgebildet werden;
- rutschhemmende Bodenbeläge im Duschbereich (sinngemäß nach GUV-I 8527 mindestens Bewertungsgruppe B);
- die Nachrüstmöglichkeit für einen Dusch-Klappsitz, in einer Sitzhöhe von 46 cm bis 48 cm (**R**);
- beidseitig des Dusch-Klappsitzes eine Nachrüstmöglichkeit für hochklappbare Stützgriffe, deren Oberkante 28 cm über der Sitzhöhe liegt (**R**).

Die Fläche des Duschplatzes kann in die Bewegungsflächen des Sanitärraumes einbezogen werden, wenn

- der Übergang zum Duschplatz bodengleich gestaltet ist;
- die zur Entwässerung erforderliche Neigung max. 2 % beträgt.

Eine Einhebel-Duscharmatur mit Handbrause muss aus der Sitzposition in 85 cm Höhe über OFF erreichbar sein (**R**).

Um Verletzungsgefahren insbesondere für blinde und sehbehinderte Menschen beim Vorbeugen zu vermeiden, sollte der Hebel von Einhebel-Dusch-Armaturen nach unten weisen.

5.5.6 Badewannen

Das nachträgliche Aufstellen einer Badewanne z. B. im Bereich der Dusche sollte möglich sein.

Das nachträgliche Aufstellen einer Badewanne z. B. im Bereich der Dusche muss möglich sein. Sie muss mit einem Lifter nutzbar sein (**R**).

5.5.7 Zusätzlicher Sanitärraum

In Wohnungen mit mehr als drei Wohn-/Schlafräumen ist ein Sanitärraum, der nicht barrierefrei sein muss, mit mindestens einem Waschtisch und einem WC-Becken zusätzlich zum barrierefreien Sanitärraum vorzusehen (**R**).

5.6 Freisitz

Wenn der Wohnung ein Freisitz (Terrasse, Loggia oder Balkon) zugeordnet wird, muss dieser barrierefrei nutzbar sein.

Er muss dazu von der Wohnung aus schwellenlos (siehe 5.3.1.2) erreichbar sein und eine ausreichende Bewegungsfläche haben.

Ausreichend ist eine Bewegungsfläche von mindestens

- 120 cm × 120 cm;
- 150 cm × 150 cm (**R**).

Brüstungen von Freisitzen sollten mindestens teilweise ab 60 cm über OFF eine Durchsicht ermöglichen.

C

Sicherheitsregeln für die Konstruktion und den Einbau von Aufzügen

Besondere Anwendungen für Personen- und Lastenaufzüge – Teil 70: Zugänglichkeit von Aufzügen für Personen einschließlich Personen mit Behinderungen

Auszug aus **DIN EN 81-70** (09.05)

Vor dem Hintergrund der zunehmenden Überalterung der Bevölkerung in Europa und damit auch altersbedingter Behinderungen hat die Arbeitsgruppe 7 des Technischen Komitees 10 „Aufzüge, Fahrtreppen und Fahrsteige" des Europäischen Komitees für Normung diese Norm ausgearbeitet.

Ziel auch dieser Norm sei „die Schaffung einer Umgebung, die auf bequeme, sichere und angenehme Art jedermann, einschließlich Personen mit Behinderungen zur Verfügung steht. (...) Jedermann muss in der Lage sein, die bauliche Umgebung unabhängig und nicht diskriminiert zu benutzen" (Anlage A).

Es werden Auszüge aus den Sicherheitsanforderungen, Tabelle 1 mit Mindestabmessungen für Fahrkörbe und Tabelle 2 mit Anforderungen an die Befehlsgeber sowie Anhang E „Leitfaden für Maßnahmen für blinde und sehbehinderte Personen" abgedruckt.

0 – 4 (nicht abgedruckt)

5 Sicherheitsanforderungen und / oder Schutzmaßnahmen

5.1 Allgemeines (nicht abgedruckt)

5.2 Zugänge – Türöffnungen

5.2.1 Die lichte Zugangsbreite muss mindestens 800 mm betragen. (...) Fahrkorb- und Schachttüren müssen als waagerecht bewegte selbsttätig kraftbetätigte Schiebetüren ausgeführt sein.

5.2.2 Alle Haltestellen, für die eine Zugangsberechtigung besteht, müssen hindernisfrei zugänglich sein.

5.2.3 – 5.2.4 (nicht abgedruckt)

5.3 Fahrkorbabmessungen und -einrichtungen (...)

5.3.1 Fahrkorbabmessungen (siehe Tabelle 1)

Tabelle 1: Mindestabmessungen für Fahrkörbe mit einem einzelnen Zugang oder mit zwei gegenüberliegenden Zugängen

Aufzugs-typ	Mindestabmessungen des Fahrkorbs[a]	Zugänglichkeits-grad	Bemerkungen
1	**450 kg** Fahrkorbbreite: 1 000 mm Fahrkorbtiefe: 1 250 mm	Dieser Fahrkorb nimmt einen Rollstuhlbenutzer auf.	Typ 1 ermöglicht den Zugang für Personen, die einen Rollstuhl nach EN 12183 oder einen elektrisch angetriebenen Rollstuhl der Klasse A nach EN 12184 benutzen.
2	**630 kg** Fahrkorbbreite: 1 100 mm Fahrkorbtiefe: 1 400 mm	Dieser Fahrkorb nimmt einen Rollstuhlbenutzer mit einer Begleitperson auf.	Typ 2 ermöglicht den Zugang für Personen, die einen Rollstuhl nach EN 12183 oder einen elektrisch angetriebenen Rollstuhl der Klassen A oder B nach EN 12184 benutzen. Rollstühle der Klasse B sind für den Einsatz in Innenbereichen vorgesehen und in der Lage, auch einige Hindernisse in Außenbereichen zu überwinden.
3	**1 275 kg** Fahrkorbbreite: 2 000 mm Fahrkorbtiefe: 1 400 mm	Dieser Fahrkorb nimmt einen Rollstuhlbenutzer und weitere Personen auf. Er ermöglicht weiterhin das Wenden eines Rollstuhls.	Typ 3 ermöglicht den Zugang für Personen, die einen Rollstuhl nach EN 12183 oder einen elektrisch angetriebenen Rollstuhl der Klassen A, B oder C nach EN 12184 benutzen. Rollstühle der Klasse C sind nicht unbedingt für den Innenbereich vorgesehen, sondern auch in der Lage, längere Strecken zurückzulegen und einige Hindernisse im Außenbereich zu überwinden. Der Typ 3 stellt einen ausreichenden Wenderaum für Personen mit Rollstühlen der Klassen A oder B und mit Gehhilfen (Gehgestelle, Rollgestelle usw.) zur Verfügung.

a Die Breite des Fahrkorbs ist der waagerechte Abstand zwischen der inneren Oberfläche der Fahrkorbwände, parallel zur Seite des vorderen Zugangs gemessen.
Die Tiefe des Fahrkorbs ist der waagerechte Abstand zwischen der inneren Oberfläche der Fahrkorbwände, im rechten Winkel zur Breite gemessen.

5.3.2 Einrichtungen im Fahrkorb

5.3.2.1 An mindestens einer Seitenwand des Fahrkorbs muss ein Handlauf angebracht werden. Die Kontur des Querschnitts der Griffleiste dieses Handlaufs muss zwischen zwei konzentrischen Kreisen von 30 mm und 45 mm liegen und mit Krümmungsradien von mindestens 10 mm abgerundet sein. Der freie Abstand zwischen der Wand und der Griffleiste muss zwischen 35 mm und 45 mm betragen. Die Oberkante der Griffleiste muss sich innerhalb von 900 mm ± 25 mm über dem Fußboden befinden.

Der Handlauf muss dort unterbrochen sein, wo das Fahrkorbtableau an derselben Wand angebracht ist, um das Verdecken von Tasten des Befehlsgebers zu vermeiden.

Die vorspringenden Ecken von Handläufen müssen geschlossen und zur Innenwand hin gebogen sein, um ein Verletzungsrisiko möglichst niedrig zu halten.

5.3.2.2 Falls ein Klappsitz vorhanden ist (...), muss er folgende Merkmale aufweisen:
a. Sitzhöhe über dem Boden: 500 mm ± 20 mm;
b. Tiefe: 300 mm – 400 mm;
c. Breite: 400 mm – 500 mm;
d. Tragfähigkeit: 100 kg

5.3.2.3 – 5.3.3 (nicht abgedruckt)

5.4 Befehlsgeber und Anzeigen

Konstruktive Anforderungen für Befehlsgeber und Signale siehe Tabelle 2

Tabelle 2: Befehlsgeber – Anforderungen

	Merkmale	Befehlsgeber in der Haltestelle	Befehlsgeber im Fahrkorb
a	Mindestfläche des aktiven Teils des Befehlsgebers	490 mm^2	
b	Mindestabmessungen des aktiven Teils des Befehlsgebers	In-Kreis mit einem Durchmesser von 20 mm	
c	Erkennbarkeit des aktiven Teils des Befehlsgebers	optischer und fühlbarer Kontrast zur Deckplatte oder zu seiner Umgebung	
d	Erkennbarkeit der Deckplatte	Farbkontrast zu ihrer Umgebung (siehe E.2)	
e	Stellkraft	2,5 N bis 5,0 N	
f	Rückmeldung über die Befehlsabgabe	erforderlich, um den Benutzer über die Betätigung des Befehlsgebers zu informieren	
g	Rückmeldung über die Befehlsannahme	seh- und hörbar, zwischen 35 dB(A) und 65 dB(A)[b] einstellbar. Das hörbare Signal muss bei jeder Betätigung des Befehlsgebers ertönen, selbst wenn ein solcher Befehl bereits angenommen war.	
h	Befehlsgeber für die Haltestelle für den Gebäudeausgang	nicht zutreffend	5 mm ± 1 mm über andere Befehlsgeber hinausragend (vorzugsweise grün)
i	Anordnung des Symbols	auf dem aktiven Teil (oder 10 mm bis 15 mm links davon)	
j	Symbol	zum Hintergrund kontrastierendes Relief mit 15 mm bis 40 mm Zeichenhöhe	
k	Höhe des Reliefs	mindestens 0,8 mm	
Fortsetzung siehe nächste Seite.			

Tabelle 2 (Fortsetzung)			
	Merkmale	**Befehlsgeber in der Haltestelle**	**Befehlsgeber im Fahrkorb**
l	Abstand zwischen aktiven Teilen von Befehlsgebern	mindestens 10 mm	
m	Abstand zwischen Gruppen von Fahrbefehlsgebern und anderen Befehlsgebern[a]	nicht zutreffend	mindestens entsprechend dem doppelten Abstand zwischen den aktiven Teilen der Fahrbefehlsgeber
n	Mindesthöhe vom Fußboden zur Mittellinie von Befehlsgebern	900 mm	
o	größte Höhe vom Fußboden zur Mittellinie des am höchsten angeordneten Befehlsgebers	1 100 mm	1 200 mm (vorzugsweise 1 100 mm)
p	Anordnung der Befehlsgeber	senkrecht übereinander	siehe 5.4.2.2
q	seitlicher Mindestabstand zwischen der Mittellinie von Befehlsgebern und Ecken im Fahrkorb	500 mm	400 mm

[a] z.B. zwischen dem Taster für den Notruf/Tür und Fahrbefehlsgebern
[b] einstellbar zwecks Anpassung innerhalb der Grenzen der Umgebungsbedingungen

5.4.1 – 5.4.4 (nicht abgedruckt)

6 + 7 (nicht abgedruckt)

Anhang A bis **Anhang D** und **Anhang F** (nicht abgedruckt)

C

Anhang E
(informativ)

Leitfaden für Maßnahmen für blinde und sehbehinderte Personen

E.1 Allgemeines
Zur bestmöglichen Nutzung des verbliebenen Sehvermögens können Farbkontraste und – noch wichtiger – unterschiedliche Farbtöne nutzbringend eingesetzt werden, um Gegenstände zu erkennen und Gefährdungen zu vermeiden. Eine angepasste Beleuchtung ist in Verbindung mit Farben unentbehrlich. Blinde Personen benötigen tastbare und hörbare Hilfsmittel, um unabhängig tätig sein zu können.

E.2 Farb-/Farbtonkontrastierung und Oberflächenbeschaffenheit

E.2.1 Oftmals sind Farben, die im Sinne von Farben (chromatisch) sehr unterschiedlich aussehen, wie zum Beispiel Grün und Braun oder Grau und Pink, im Farbton sehr ähnlich und bieten deshalb keinen ausreichenden Kontrast, um nützlich zu sein. Ein einfaches Verfahren zur Bestimmung der Kontrastierung einer Farbzusammenstellung ist die Erstellung einer Schwarz-Weiß-Kopie oder Photographie. Eine gute Kontrastierung stellt sich als schwarz und weiß dar, eine schlechte Kontrastierung als grau in grau.

E.2.2 Kontrast ist der Unterschied zwischen der Reflexion an einer Oberfläche und einer anderen. 100 % Kontrast sind weiß/schwarz, da eine matte schwarze Oberfläche das gesamte Licht absorbiert (0 % Reflexion) und eine weiße Oberfläche das gesamte Licht reflektiert (100 % Reflexion).

E.3 Beleuchtung

E.3.1 Reflexion und Blendung führen zu Sehverwirrung und Missbehagen. Blendung kann durch falsch angeordnete Lichtquellen hervorgerufen werden, besonders wenn der Sichtwinkel so ist, dass die Sehrichtung sich in Richtung der Leuchte befindet. Der behutsame Einsatz nicht-reflektierender innerer Oberflächen und sorgfältig gestaltete Beleuchtungseinrichtungen kann das Auftreten von Blendungen verringern. Tageslicht kann ebenfalls die Ursache von Blendungen sein.

E.3.2 Der sorgfältige Einsatz von indirekter Beleuchtung, wie z. B. Deckenfluter, kann zur Vermeidung von Blendungen hilfreich sein. Schatten erzeugen oftmals optische Täuschungen und können potenzielle Gefährdungen verdecken. Große Beleuchtungsunterschiede zwischen den einzelnen Bereichen sollten vermieden werden. Änderungen in der Beleuchtungsstärke sollten graduell erfolgen.

E.3.3 Punktstrahler sollten nicht als einzige Lichtquelle in einem Bereich eingesetzt werden, da diese Beleuchtungsart Stellen mit hellem und dunklen Kontrast erzeugt. Punktstrahler können wirksam zur Ergänzung einer bereits bestehenden Beleuchtung eingesetzt werden.

E.3.4 Mit Effektbeleuchtungen, wie z. B. Tiefstrahler, sollte sorgfältig umgegangen werden, um sicherzustellen, dass keine Schatten auf den Gesichtern von Personen entstehen, wodurch insbesondere das Lippenlesen erschwert wird.

E.4 Tastbare Zeichen und Symbole, Braille

E.4.1 Tastbare Zeichen sind sowohl sichtbar als auch fühlbar. Sie sollten einen guten Kontrast aufweisen. Eine schwarze Zahl oder Buchstaben auf weißem Hintergrund ist am einfachsten zu erkennen. Wenn das Zeichen jedoch beleuchtet ist, sollte der Kontrast genau entgegengesetzt sein, damit Blendungen vermieden werden. Damit tastbare Zeichen leicht wahrnehmbar sind, sollten sie nicht unter 15 mm hoch sein. Die Kontur eines erhabenen Zeichens sollte ein abgerundetes und auf dem Kopf stehendes „V" mit einer Höhe von mindestens 0,8 mm sein.

E.4.2 Braille-Schrift kann als zusätzliches und unabhängiges Mittel zu tastbaren Zeichen eingesetzt werden und sie ist vor allem nützlich, wenn längere Texte erforderlich sind.

E.5 Haltestelle

E.5.1 Farbe und Farbton von Schachttüren sollten zu den umgebenden Wandabschlüssen kontrastieren, um das Auffinden der Schachttüren zu erleichtern.

E.5.2 Die Taster für den Fahrkorbruf sollten in Farbe und Farbton zu den umgebenden Oberflächen kontrastieren. Dies kann durch ein kontrastierendes Paneel oder einen kontrastierenden Rand um die Deckplatte erreicht werden.

E.5.3 Eine sich von ihrer Umgebung unterscheidende Fußbodenoberfläche vor den Aufzugstüren – ungefähr 1 500 mm × 1 500 mm – hilft bei deren Auffindung. Dies kann durch unterschiedliche Farben oder Oberflächen des Bodens erreicht werden. Änderungen zwischen unterschiedlichen Oberflächen sollten flächenbündig ausgeführt werden.

E.6 Fahrkorb

E.6.1 Die Fahrkorbbeleuchtung sollte eine auf dem Fußboden gleichmäßig verteilte Beleuchtung von mindestens 100 Lux unter Vermeidung des Einbaus von Punktstrahlern erzeugen.

E.6.2 Innenwände sollten nicht-reflektierend und mattierend sein und zu dem Fußboden, der ebenfalls mattierend ausgeführt sein sollte, in Farbe und Farbton kontrastieren.

E.6.3 Der Fahrkorbboden sollte eine ähnliche Beschaffenheit wie der Fußboden der Haltestelle aufweisen.

E.6.4 Die Befehlsgeber sollten einige Millimeter aus der Fahrkorbwand herausragen.

E.6.5 Der Einsatz der Sprache wird für hörbare Anzeigen empfohlen. Durch eine Sprachansage können unter anderem Angaben über Geschäfte und Büros auf dem Stockwerk bereitgestellt werden. Optische Anzeigen sind ebenfalls sinnvoll.

Gebäudetreppen

Begriffe, Messregeln, Hauptmaße

Auszug aus **DIN 18065** (06.2011)

Ersatz für DIN 18065 (01.2001)

DIN 18065 bezieht ausdrücklich allgemeine Anforderungen der Landesbauordnungen an Treppen in Gebäuden ein, allerdings ohne deren Sondervorschriften z. B. für Versammlungsstätten, Geschäftshäuser, Krankenhäuser, Gaststätten, Garagen, Schulen und Hochhäuser zu berücksichtigen. Es wird dem Anwender der Wohnungsbaunormen daher dringend empfohlen, diese Sondervorschriften ggf. in die Planung einzubeziehen. Sonderanforderungen an Treppen aus dem Arbeitsschutzrecht und anderen Rechts- und Verwaltungsvorschriften sind ebenfalls nicht berücksichtigt. Sie haben ggf. Vorrang vor den Empfehlungen dieser Norm. In der Norm wird differenziert in Wohngebäude mit bis zu zwei Wohnungen und Gebäude im Allgemeinen, zu denen auch Gebäude mit mehr als zwei Wohnungen gehören. Die Bedürfnisse von Menschen mit Behinderungen und der Schutz von Kleinkindern vor dem Abstürzen an Treppen erfordern besondere Beachtung. Nicht behandelt werden: Einschubtreppen, Rolltreppen und Treppen in Freianlagen.

Inhaltsverzeichnis

3.1 Treppe

fest mit dem Bauwerk verbundenes, unbewegbares Bauteil, bestehend aus mindestens einem Treppenlauf zum Überwinden von Höhenunterschieden zwischen mindestens zwei unterschiedlichen Ebenen durch stufenweises Steigen

(...)

3.2 Geschosstreppe

Treppe, die zwei Geschosse miteinander verbindet

3.3 notwendige Treppe

Treppe, die nach den behördlichen Vorschriften (z. B. Bauordnungen der Länder) als Teil des Rettungsweges vorhanden sein muss

ANMERKUNG Siehe § 33 und § 34 MBO, siehe auch Bild A.1.

3.4 nicht notwendige Treppe

zusätzliche Treppe, die gegebenenfalls auch der Hauptnutzung dient

(...)

3.5 Treppenlauf

ununterbrochene Folge von mindestens drei Treppenstufen (drei Steigungen) zwischen zwei Ebenen

3.6 Treppenlauflinie

Konstruktionslinie, die den üblichen Weg der Benutzer einer Treppe angibt und im Gehbereich liegt

ANMERKUNG Dieser nach ISO 3880-1:1977 „mittlere" oder „ausgemittelte" Weg der Benutzer ist nicht eindeutig zu definieren. Der tatsächlich von Benutzern einer Treppe gewählte Weg ist abhängig von der Breite der Treppe, der Lage des Handlaufes, der Aufwärts- oder Abwärtsbewegung, dem Alter und der Größe des Benutzers sowie von seinem körperlichen Zustand. Unabhängig vom tatsächlichen Weg der Benutzer kann die Lauflinie bei geraden Treppen in der Laufmitte angenommen werden. Bei verzogenen Antritt- oder Austrittstufen, bei gewendelten Läufen sowie bei Wendel- und Spindeltreppen kann die Lauflinie auch außermittig liegen (siehe Abschnitt 8).

3.7 Treppenpodest

Treppenabsatz am Anfang oder Ende eines Treppenlaufes, oft Teil der Geschossdecke

(...)

3.8 Zwischenpodest

Treppenabsatz zwischen zwei Treppenläufen, Anordnung zwischen den Geschossdecken

3.9 Treppenstufe

Teil einer Treppe, bestehend aus Steigung und Auftritt, das zur Überwindung von Höhenunterschieden üblicherweise mit einem Schritt begangen werden kann

3.10 Treppenantrittsstufe

Treppenantritt (Bild A.2)

3.11 Treppenaustrittsstufe

Treppenaustritt

letzte (oberste) Stufe eines Treppenlaufes (Bilder A.2, B.15 und B.16)

(...)

3.12 Ausgleichsstufe

Stufe zwischen zwei Nutzungsebenen mit geringem Höhenunterschied

(...)

3.13 Trittstufe (Bild A.2)

waagerechtes oder annähernd waagerechtes Stufenteil

3.13.1 Wendelstufe

gewendelte Trittstufe (Bild A.12)

(...)

3.13.2 gerade Trittstufe
Trittstufe, deren Vorderkante parallel zur Vorderkante der Folgestufe liegt
(...)

3.14 Trittfläche (Bild A.2)
(...)

3.15 Setzstufe (Bild A.2)
(...)

3.16 Treppenauge
von Treppenläufen und Treppenpodesten und Treppengeländern umschlossener freier Raum

3.17 Treppenöffnung
Treppenloch
Aussparung in der Geschossdecke für Treppen

3.18 Treppengeländer
Umwehrung
Schutzeinrichtung gegen Absturz an Treppenläufen und Treppenpodesten

3.19 Treppenhandlauf
griffsicheres Bauteil als Gehhilfe für Personen, angebracht am Treppengeländer und/ oder an der Wand bzw. Spindel, bei sehr breiten Treppen auch als Zwischenhandlauf im Treppenlauf
(...)

3.20 Treppenwange
Bauteil, das die Stufen seitlich trägt und den Lauf meistens auch seitlich begrenzt

3.21 Treppenholm[1)]
Bauteil, das Stufen trägt oder unterstützt; auch Treppenbalken

3.22 Treppenspindel
Kern als tragendes Bauteil in der Mitte einer Spindeltreppe

3.23 offene Treppe
Treppe mit Öffnungen zwischen den Trittstufen

3.24 geschlossene Treppe
Treppe ohne Öffnungen zwischen den Trittstufen

---

1) *Die Definition der Norm ist missverständlich. Nach allgemeinem Sprachgebrauch ist Holm eine Stange zum Anfassen (Barrenholm, Axtholm, Leiterholm) (vergl.: Duden und Wahrig)*

C

4 Messregeln

4.1 Allgemeines (nicht abgedruckt)

4.2 Treppensteigung *s*

Das Maß *s* wird lotrecht von der Vorderkante der Trittfläche einer Stufe bis zur Vorderkante der Trittfläche der folgenden Stufe im Gehbereich gemessen (Bild A.2).

4.3 Treppenauftritt *a*

Das Maß *a* wird waagerecht von der Vorderkante einer Treppenstufe bis zur Projektion der Vorderkante der folgenden Treppenstufe in der Lauflinie gemessen (Bild A.2).

(...)

4.4 Steigungsverhältnis

Das Steigungsverhältnis wird als Verhältnis von Treppensteigung zu Treppenauftritt *s/a* angegeben; dieses Verhältnis ist ein Maß für die Neigung einer Treppe (Bild A.1).

(...)

4.5 Unterschneidung *u*

Die Unterschneidung ist das waagerechte Maß *u*, um das die Vorderkante einer Stufe über die Breite der Trittfläche der darunter liegenden Stufe vorspringt (Bild A.2).

4.6 Lichte Treppendurchgangshöhe (Bild A.5)

4.7 Lichter Stufenabstand

Der lichte Stufenabstand als lotrechtes Fertigmaß wird bei Plattenstufen zwischen Trittfläche und Unterfläche der darüber liegenden Stufe gemessen (Bild A.2 und Bild A.3).

4.8 Seitenabstand

Der Seitenabstand wird als lichtes Fertigmaß zwischen Treppenlauf, Treppenpodest oder Treppenhandlauf und angrenzenden Bauteilen, z B. Wänden (Wandoberflächen), Treppengeländern, Spindeln u. ä. gemessen (Bild A.9 und Bild A.10).

4.9 Treppenlauflänge

Die Treppenlauflänge wird an der Lauflinie gemessen als Grundrissmaß von Vorderkante Antrittstufe bis Vorderkante Austrittstufe (siehe auch Bild A.2).

4.10 Treppenlaufbreite (...)

4.11 Nutzbare Treppenlaufbreite

Die nutzbare Treppenlaufbreite als lichtes Fertigmaß (gemessen in gebrauchsfertigem Zustand) wird waagerecht gemessen zwischen begrenzenden Oberflächen, Bauteilen und/oder Handlaufinnenkanten bzw. deren Projektionen (Bilder A.7 und A.8).

4.12 Nutzbare Treppenpodestbreite

Die nutzbare Treppenpodestbreite wird als lichtes Fertigmaß zwischen begrenzenden Bauteilen (z. B Wänden oder Treppengeländern) und den Innenkanten von Handläufen bzw. den Stufenvorderkanten (Bild A.15 sowie Bilder B.2 bis B.9) gemessen.

4.13 Nutzbare Treppenpodesttiefe

Die nutzbare Treppenpodesttiefe wird als lichtes Fertigmaß zwischen begrenzenden Bauteilen (z. B. Wänden oder Treppengeländern) und den Innenkanten von Handläufen bzw. den Stufenvorderkanten (Bild A.15 sowie Bilder B.2 bis B.9) gemessen.

4.14 Treppengeländerhöhe

Die Höhe des Treppengeländers wird als lotrechtes Fertigmaß von Vorderkante Trittstufe bzw. Oberfläche Podest bis Oberkante Treppengeländer gemessen (Bilder A.9 und A.10).

4.15 Stufenlänge *l*

Die Stufenlänge *l* ist die Länge des kleinsten umschriebenen Rechteckes, das der Stufenvorderkante (bezogen auf die Einbaulage) anliegt (Bild A.6).

4.16 Stufenbreite *b*

Die Stufenbreite *b* ist die Breite des kleinsten umschriebenen Rechteckes, das der Stufenvorderkante (bezogen auf die Einbaulage) anliegt (Bild A.6).

4.17 Stufendicke *d*

Die Stufendicke *d* ist die größte Höhe (Dicke) bei Blockstufen, Keilstufen und Plattenstufen und bei winkelförmigen Stufen die größte Dicke der Trittstufe (Bild A.2).

4.18 Lage der Trittflächen (nicht abgedruckt)

5 Darstellung, Drehrichtung (Links- und Rechtsbezeichnung)

5.1 Darstellung

Die Darstellung von Treppen, insbesondere der Lauflinie, ist in DIN 1356-1:1995-02, Tabelle 5, festgelegt. (Bilder B.1 bis B.14)

(...)

5.2 Drehrichtung

Treppen werden nach ihrer Drehrichtung (Bewegung beim Aufwärtsschreiten) als Links-Treppen oder Rechts-Treppen bezeichnet (siehe DIN 107:1974-04, 6.1).

C

6 Hauptmaße (bearbeitet)

Hauptmaße in Gebäuden und Wohngebäuden

6.1 Nutzbare Treppenlaufbreite, Treppensteigung, Treppenauftritt, Steigungsverhältnisse

6.1.1 Grenzmaße für nutzbare Treppenlaufbreite, Treppensteigung, Treppenauftritt

Die in der folgenden Tabelle angegebene nutzbare Laufbreite notwendiger Treppen ist eine Mindestgröße. Baurechtliche Anforderungen und Anforderungen bei Sonderbauten bleiben unberührt.

Die angegebenen minimalen und maximalen Maße dürfen durch Fertigungs- und Einbautoleranzen nicht unter- bzw. überschritten werden. Toleranzen nach Abschnitt 7 dürfen auf die Grenzmaße nicht angerechnet werden.

Im Fußraum darf die nutzbare Treppenlaufbreite z. B. durch Treppenwangen eingeschränkt werden (Bild A.7 und Bild A.8).

Innerhalb eines Laufes darf die Treppenlaufbreite bei Einhaltung des Mindestmaßes variieren.

Bei mehrläufigen Treppen sind unterschiedliche nutzbare Treppenlaufbreiten bei Einhaltung des Mindestmaßes zulässig.

		Nutzbare Laufbreite, min. (cm)	Steigung *s* (mm)		Auftritt *a* (mm)	
			min.	max.	min.	max.
Baurechtlich notwendige Treppe	Gebäude im Allgemeinen	100	140	190	280	370
	Wohngebäude mit bis zu 2 Whg. und in Wohnungen	80	140	200	230	370
Baurechtlich nicht notwendige (zusätzliche) Treppe	Gebäude im Allgemeinen	50	140	210	210	370
	Wohngebäude mit bis zu 2 Whg. und in Wohnungen	50	140	210	210	370

6.1.2 Steigungsverhältnis

Das Steigungsverhältnis ist bei allen Gebäuden mit der Schrittmaßregel geplant werden:

Schrittmaß = 2 s + a (Schrittmaß = mittlere Schrittlänge = 590 mm bis 650 mm; s = Treppensteigung; a = Treppenauftritt)

6.2 Wendelstufen und Wendelung

6.2.1 Nutzbare Laufbreite

Wendelstufen müssen an der schmalsten Stelle der inneren Begrenzung der nutzbaren Laufbreite bei Gebäuden im Allgemeinen einen Auftritt von mindestens 100 mm und bei Wohngebäuden mit bis zu zwei Wohnungen und in Wohnungen von mindestens 50 mm haben.

6.2.2 Auftritt

Der Auftritt muss für jede Stufe an der schmalsten Stelle zur Wendelungsecke hin gleichbleibend sein oder stetig abnehmen (Bild A.13 und Bild A.14). Gemessen wird an der inneren Begrenzung der nutzbaren Laufbreite (Bild A.12) oder bei Tragbolzentreppen nach DIN 18069 oder vergleichbaren Konstruktionsarten in der Bolzenkonstruktionslinie (Bild A.14).

6.2.3 Mindestauftritt von Wendelstufen

Er wird an der schmalsten Stelle parallel zur inneren Begrenzung des Gehbereichs gemessen. Im Bogen oder der Winkelausbildung gilt das Sehnenmaß als Mindestauftritt (Bild A.12).

6.2.4 Stufen von Spindeltreppen

Sie müssen bei Gebäuden im Allgemeinen an der inneren Begrenzung der nutzbaren Laufbreite einen Auftritt von mindestens 100 mm haben (Bild A.28). Bei Wohngebäuden mit bis zu zwei Wohnungen und in Wohnungen gibt es keine Festlegung des Mindestauftritts (Bild A.29).

6.2.5 Verziehungen

Im geradläufigen Bereich eines Treppenlaufes dürfen aus einer Wendelung heraus nur bis zu einer Länge von $3,5 \times a$ gewendelte Stufen angeordnet werden. Das Maß $3,5\ a$ wird an der kürzesten Seite der inneren Begrenzungslinie des geradläufigen Gehbereichs genommen (Bild A.13 und Bild A.14).

Wird bei der Verziehung einer gewendelten Treppe eine allgemein anerkannte handwerkliche Verziehungsregel angewandt, insbesondere Verhältnis-, Winkel- oder Kreisbogenmethode, gelten diese Anforderungen nicht. In einem Treppenlauf dürfen keine unterschiedlichen Verziehungsregeln angewandt werden.

6.3 Treppenpodeste

6.3.1 Nutzbare Treppenpodestbreite und -tiefe

Die nutzbare Podestbreite und -tiefe müssen mindestens der nutzbaren Laufbreite nach Abschnitt 6.1.1 (Tabelle) entsprechen (Bild A.15, Bilder B.2 bis B.9), auch wenn das Podest Teil der Geschossdecke ist.

6.3.2 Anordnung von Zwischenpodesten

Bei Gebäuden im Allgemeinen muss nach max. 18 Steigungen notwendiger Treppen ein Zwischenpodest als Ruhe- und Ausweichstelle vorgesehen werden. Bei Wohngebäuden mit bis zu zwei Wohnungen werden keine Forderungen gestellt.

C

6.3.3 Krankentransport
Bei Gebäuden im Allgemeinen müssen die notwendigen Treppen den Transport von Personen auf einer Trage nach DIN EN 1865 zulassen. An Treppen in Wohngebäuden mit bis zu zwei Wohnungen werden keine Anforderungen gestellt.

6.3.4 Auftritt bei Podesten
Der Podestauftritt soll bei Gebäuden im Allgemeinen mindestens 3 Auftritte des Treppenlaufs (3 *a*) (Bild A. 16) und bei Wohngebäuden mit bis zu 2 Wohnungen 2,5 Auftritte (2,5 *a*) des kleinsten Auftritts der anschließenden Läufe betragen.

6.3.5 Absätze vor Türen
Eine Treppe darf nicht unmittelbar vor einer Tür enden, die in Richtung der Treppe aufschlägt. In diesem Fall muss zwischen Türöffnung und Treppe ein Treppenabsatz von mindestens der Türbreite angeordnet werden.

6.4 Lichte Treppendurchgangshöhe
Die lichte Durchgangshöhe muss mindestens 200 cm betragen (Bild A.5 und Bild A.7). In Wohngebäuden mit maximal 2 Wohnungen darf sie sich jedoch auf einen mittleren Bereich von mindestens 50 cm Breite beschränken (Bild A.5 und Bild A.8).

6.5 Seitenabstand
Der Seitenabstand von Läufen und Podesten zu Wänden und/oder Geländern darf höchstens 6 cm betragen (Bild A.9 und Bild A.10)

6.6 Unterschneidung

6.6.1 Unterschneidung bei offenen Treppen
Stufen offener Treppen sind um mindestens $u = 30$ mm zu unterschneiden (Bild A.2).

6.6.2 Unterscheidung bei geschlossenen Treppen mit $a < 260$ mm
Für baurechtlich notwendige Treppen in Gebäuden im Allgemeinen nicht zutreffend. Bei Wohngebäuden mit bis zu 2 Wohnungen und in Wohnungen muss bei Stufen baurechtlich notwendiger Treppen auch bei Auftritten unter 260 mm eine Trittfläche von mindestens 260 mm ($a + u > 260$ mm) erreicht werden.
Für baurechtlich nicht notwendige Treppen muss bei Auftritten unter 240 mm die Unterschneidung mindestens so groß sein, dass eine Trittfläche von mindestens 240 mm (a + w$>$240 mm) verbleibt.

6.7 Lichter Stufenabstand
Öffnungen zwischen Stufen dürfen in einer Richtung nicht größer als 12 cm sein (Bild A.3). Für Treppen in Wohngebäuden mit höchstens 2 Wohnungen gibt es keine Anforderungen.

6.8 Geländer

6.8.1 Allgemeines

Bei Treppenläufen und -podesten sind freie Seiten mit Geländern als Absturzsicherung zu versehen, wenn sie an mehr als 100 cm tiefer liegende Flächen angrenzen.

6.8.2 Geländerhöhen

Die folgende Tabelle enthält Angaben über Geländerhöhen bei verschiedenen Absturzhöhen nach den Landesbauordnungen und dem Arbeitsschutzrecht.

Gebäude im Allgemeinen	Gebäude, die nicht der ArbeitsstättenVO unterliegen	Absturzhöhen (m)	Treppengeländerhöhe min. (cm)
		≤ 12	90*
	Arbeitsstätten	≤ 12	100**
	alle Gebäudearten	≥ 12 ***	110
Wohngebäude mit bis zu 2 Wohnungen und in Wohnungen		≤ 12	90
		≥ 12***	110

* nach Bauordnungsrecht
** nach Arbeitsstättenrecht
*** bei Treppenaugenbreiten ≤ 20 cm Geländerhöhe mindestens 90 cm

6.8.3 Öffnungen in Geländern und Umwehrungen

In Gebäuden, in denen mit der Anwesenheit unbeaufsichtigter Kleinkinder zu rechnen ist, darf der lichte Abstand von Geländerteilen in einer Richtung nicht mehr als 12 cm betragen. Ein Überklettern der Geländer soll z. B. durch die Anordnung senkrechter Stäbe, einer geschlossenen Scheibe bis zu einer Höhe von 70 cm über den Stufenvorderkanten oder eines um mindestens 15 cm nach innen geführten Handlauf (Bild A.11) erschwert werden. An Treppen in Wohngebäuden mit max. 2 Wohnungen werden keine Anforderungen gestellt.

6.8.4 Geländer neben Treppenläufen oder Treppenpodesten

Liegt das Geländer neben dem Treppenlauf oder -podest, darf der Abstand zwischen dem Lauf oder dem Podest und dem Geländer nicht mehr als 6 cm betragen (Bild A.9 und Bild A.10).

Bei Gebäuden im Allgemeinen muss die Unterkante des Geländers an Treppenläufen bis zu einer gedachten Verbindungslinie, die durch die halbe Auftrittsbreite (*a*/2) der Stufen verläuft, heruntergezogen werden (Bild A.18). Der lichte Abstand von Treppenpodestkanten zu Geländerunterkanten darf höchstens 6 cm betragen (Bild A.18). Liegt die Geländerunterkante unter der Trittfläche von Stufen oder Podesten, dann muss deren lichter Abstand mindestens 2 cm betragen (Bild A.9).

C

6.9 Treppenhandläufe

6.9.1 Allgemeines

Treppen müssen mindestens auf einer Seite einen festen und griffsicheren Handlauf in einer Höhe von 80 bis 115 cm haben, dessen Breite mindestens 2,5 cm und höchstens 6 cm sein sollte. Auch Oberkanten von Geländern können als Handlauf ausgebildet werden. Höhere Geländer als 115 cm benötigen einen eigenen tiefer liegenden Handlauf.

6.9.2 Seitenabstand des Treppenhandlaufs

Der Seitenabstand von Handläufen zu benachbarten Bauteilen muss mindestens 5 cm betragen (Bild A.7 und Bild A.8).

6.9.3 Höhenversetzter und/oder unterbrochener Handlauf

In Gebäuden im Allgemeinen sollten Handläufe durchgehend sein.

Bei Wohngebäuden mit höchstens 2 Wohnungen und in Wohnungen können bei gewendelten Treppen die Handläufe im Wendelungsbereich unterbrochen sein. Bei notwendigen Treppen nach der Tabelle in Abschnitt 6.1.1 muss die Handlaufunterbrechung mindestens 5 cm und darf höchstens 20 cm betragen bei einem Höhenversatz der Handläufe von höchstens 20 cm (Bild A.20). Die Höhe des aufsteigenden Handlaufs darf nicht über dem weiterfuhrenden liegen.

7 Toleranzen (bearbeitet)

7.1 Die maximale Treppensteigung und der kleinste Treppenauftritt (Tabelle in Abschn. 6.1.1) dürfen nicht über- bzw. unterschritten werden, d. h., die Toleranzen dürfen hier nicht angewendet werden.

7.2 Die Istmaße der Steigung (*s*) und des Auftritts (*a*) eines fertigen Treppenlaufs dürfen gegenüber dem Nennmaß (Sollmaß) um nicht mehr als 5 mm abweichen (Bild A.21 und Bild A.22).

Bei Treppen in Wohngebäuden mit höchstens 2 Wohnungen und in Wohnungen sind Antrittsstufen von dieser Regel ausgenommen.

7.3 Die Istmaße von benachbarten Stufen dürfen nicht mehr als 5 mm voneinander abweichen. Bei Treppen in Wohngebäuden mit nicht mehr als 2 Wohnungen und in Wohnungen sind Steigungen von Antrittsstufen von dieser Regel ausgenommen.

7.4 Bei Gebäuden im Allgemeinen darf das Istmaß der Steigung der Antrittsstufe höchstens 5 mm vom Nennmaß (Sollmaß) abweichen (Bild A.21), in Wohngebäuden mit nicht mehr als 2 Wohnungen und in Wohnungen allerdings um max. 15 mm (Bild A.22).

7.5 Bei gewendelten Treppen darf im Bereich der gewendelten Stufen der Treppenauftritt bis zu 15 mm über das Nennmaß vergrößert werden, wenn dadurch ein stetiges Stufenbild erreicht wird.

7.6 Im eingebauten Zustand dürfen die Auftrittsflächen der Stufen von der Waagerechten in der Laufbreite um maximal ± 5 % und in der Auftritttiefe um maximal ±1 % abweichen.

7.7 und **7.8** Gegenläufige Neigungen sind innerhalb der Toleranzen von 7.6 zulässig. Die Neigungstoleranzen von 7.6 und 7.7 müssen die Toleranzgrenzen von 7.2 und 7.3 einhalten.

7.9 Im eingebauten Zustand (Ist-Lage) dürfen die Auftrittsflächen der Zwischenpodeste von der Waagerechten in jede Richtung maximal ± 0,5 %, jedoch nicht mehr als 1 cm abweichen.

7.10 Steigungen und Auftritte einzelner Geschosstreppen dürfen bei Gebäuden im Allgemeinen voneinander abweichen, müssen innerhalb einer Geschosstreppe jedoch gleich sein. Bei Treppen in Wohngebäuden mit nicht mehr als 2 Wohnungen und in Wohnungen wird diese Regel auf Treppenläufe angewandt.

7.11 Trittflächen von Stufen und Podesten dürfen durch Bauteile in ihrer Fläche, z. B. durch Stufenkantenzusätze, Höhendifferenzen von maximal 2 mm aufweisen.

C

8 Anforderungen an Gehbereich, Lauflinie

8.1 Bei nutzbaren Treppenlaufbreiten bis 100 cm hat der Gehbereich (Bilder A.23 bis A.31) eine Breite von 2/10 der nutzbaren Treppenlaufbreite und liegt im Mittelbereich der Treppen (Bilder A.26 und A.27).

(...)

8.2 Bei nutzbaren Treppenlaufbreiten über 100 cm – außer bei Spindeltreppen – beträgt die Breite des Gehbereiches 20 cm. Der Abstand des Gehbereiches von der inneren Begrenzung der nutzbaren Treppenlaufbreite beträgt maximal 40 cm (Bilder A.26 und A.27).

8.3 Bei gewendelten Treppen müssen die Krümmungsradien der Begrenzungslinien des Gehbereiches mindestens dem Abstandsmaß zur Begrenzung der nutzbaren Laufbreite auf der Seite der kleinen Stufenbreiten entsprechen. Bei unterschiedlichen nutzbaren Laufbreiten innerhalb einer Treppe bildet das kleinere der beiden Abstandsmaße den Radius (Bild A.23 und Bild A.24). Dies gilt auch bei Treppen mit Podesten, bei denen ein Richtungswechsel durch den Benutzer erfolgt (Bilder A.15 bis A.17).

8.4 Bei Spindeltreppen beträgt der Gehbereich 2/10 der nutzbaren Treppenlaufbreite. Die innere Begrenzung des Gehbereiches liegt bei einer nutzbaren Treppenlaufbreiten bis 130 cm in der Mitte der nutzbaren Treppenlaufbreite. Der Abstand des Gehbereiches von der äußeren Begrenzung der nutzbaren Treppenlaufbreite beträgt maximal 40 cm (Bilder A.28 bis A.31).

8.5 Der Auftritt ist in der Lauflinie zu messen. Im Krümmungsbereich der Lauflinie bei gewendelten Treppen ist der Auftritt gleich der Sehne, die sich durch die Schnittpunkte der gekrümmten Lauflinie mit den Stufenvorderkanten ergibt.

8.6 Die Lauflinie kann vom Treppenplaner bei Treppen mit gewendelten Läufen frei innerhalb des Gehbereiches gewählt werden. Sie muss stetig sein und darf keine Knickpunkte haben. Ihre Richtung entspricht der Laufrichtung der Treppe (Bild A.24).

8.7 Krümmungsradien der Lauflinie entsprechen mindestens dem kleinsten Radius des zugehörigen Gehbereiches.

Anhang A (normativ)

Bilder (Legenden z. T. bearbeitet)

Wie im Textteil der Norm wird bei den Abbildungen des Anhangs A differenziert in Treppen in Gebäuden im Allgemeinen (I) und Treppen in Wohngebäuden mit bis zu zwei Wohnungen und innerhalb von Wohnungen (II). Fehlt dieser Hinweis (I bzw. II), dann bezieht sich die Abbildung auf alle Gebäudearten.

Maße im mm

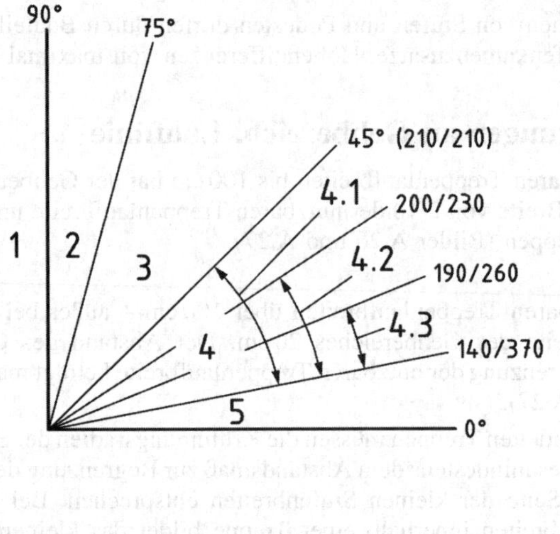

Legende

1 Steigeisen
2 Leitern
3 Leitertreppen
4 Treppen
4.1 baurechtlich nicht notwendige (zusätzliche) Treppen
4.2 baurechtlich notwendige Treppen für Wohngebäude mit nicht mehr als zwei Wohnungen und innerhalb von Wohnungen
4.3 baurechtlich notwendige Treppen in Gebäuden im Allgemeinen
5 Rampen

Bild A.1. Abgrenzung Rampen, Treppen, Leitern

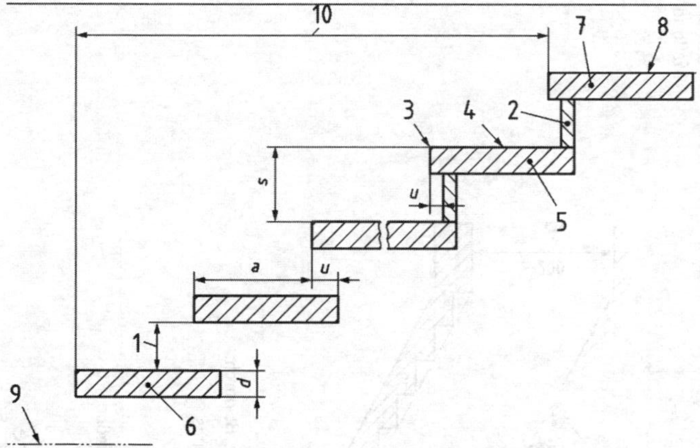

Legende
a Auftritt
u Unterschneidung
s Steigung
d Stufendicke
1 Lichter Stufenabstand
2 Setzstufe
3 Trittkante
4 Trittfläche
5 Trittstufe
6 Antritt oder Antrittstufe
7 Austritt oder Austrittstufe
8 Trittfläche der Austrittstufe
9 z. B. Treppenpodest, Geschossdecke, Zwischenpodest
10 Treppenlauflänge

Bild A.2. Benennungen einzelner Teile von Treppen

Maße im cm

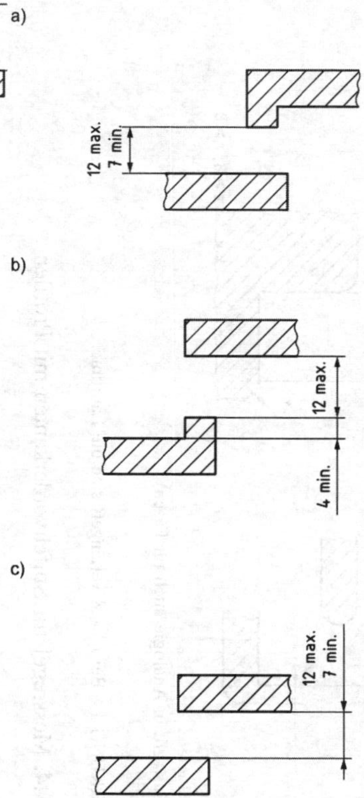

Bild A.3 (I). Beispiele für Öffnungen zwischen Stufen

C

Maße in mm

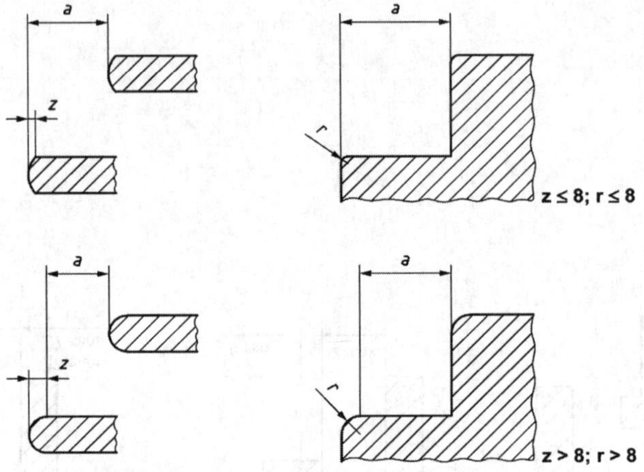

Legende

z Profiltiefe

r Radius (gilt in Analogie auch für Fasen)

a Auftritt

ANMERKUNG 1 Bei $r > 8$ verlängert sich die Lauflinie.

Bild A.4. Messregel für Stufenvorderkanten mit Profilen

Maße in cm

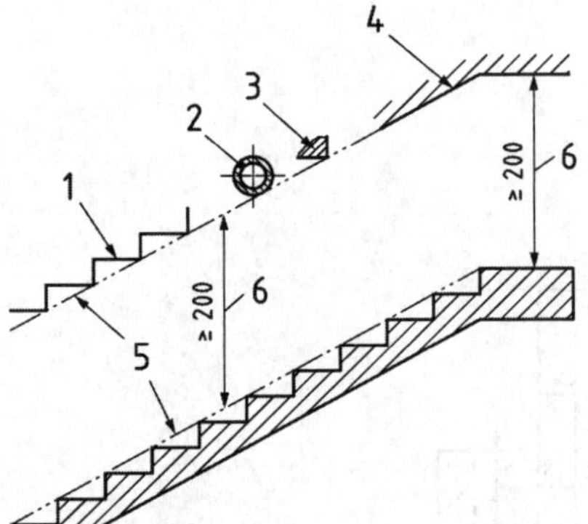

Begrenzung der lichten Treppendurchgangshöhe z. B. durch:

1 Unterseite eines darüber liegenden Treppenlaufes
2 Rohr, Leuchte
3 Balken
4 Dachschräge, Deckenunterseite
5 Messebenen für die lichte Treppendurchgangshöhe
6 lichte Treppendurchgangshöhe

Bild A.5. Lichte Treppendurchgangshöhe

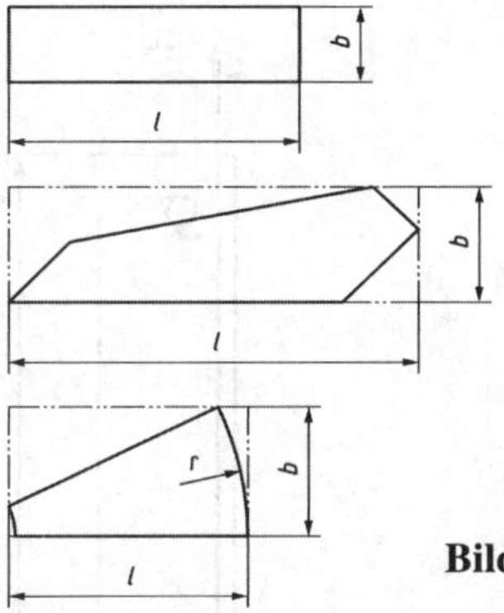

Legende
l Stufenlänge
b Stufenbreite
r Radius

Bild A.6. Abmessungen von Trittstufen

Maße in cm

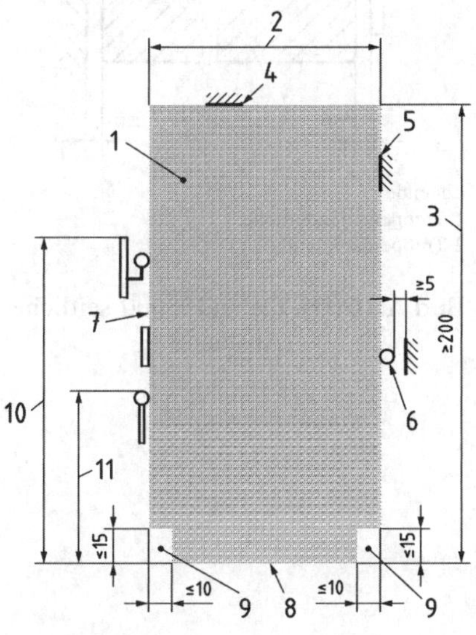

Bild A.7 (I).
Lichtraumprofil für Treppen

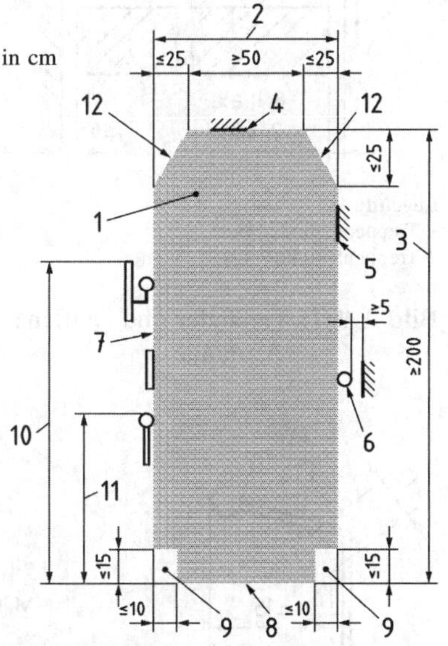

Bild A.8 (II).
Lichtraumprofil für Treppen

Legende
1 Lichtraumprofil
2 nutzbare Laufbreite
3 lichte Treppendurchgangshöhe
4 obere Begrenzung des Lichtraumprofils, z.B. Unterseite des darüber liegenden Treppenlaufes
5 seitliche Begrenzung des Lichtraumprofils, z.B. durch Oberfläche der fertigen Wand
6 seitliche Begrenzung des Lichtraumprofils durch Innenkante des Handlaufes
7 seitliche Begrenzung des Lichtraumprofils durch Innenkante des Geländers oder des geländerseitigen Handlaufs
8 untere Begrenzung des Lichtraumprofils durch die Messebenen für die lichte Treppendurchgangshöhe nach **Bild A.5**
9 untere Begrenzung (Einschränkung) des Lichtraumprofils durch z.B. Treppenwangen
10 Treppengeländerhöhe (I = Bild A.9, II = Bild A.10)
11 Treppenhandlaufhöhe (I = Bild A.9, II = Bild A.10)
12 obere Begrenzung des Lichtraumprofils z.B. durch Dachschrägen

Maße in cm

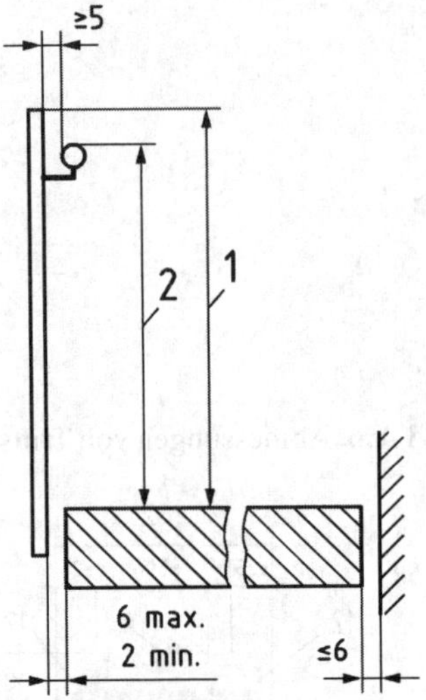

Legende
1 Treppengeländerhöhe
2 Treppenhandlaufhöhe

Bild A.9 (I). Geländer und seitliche Abstände

Maße in cm

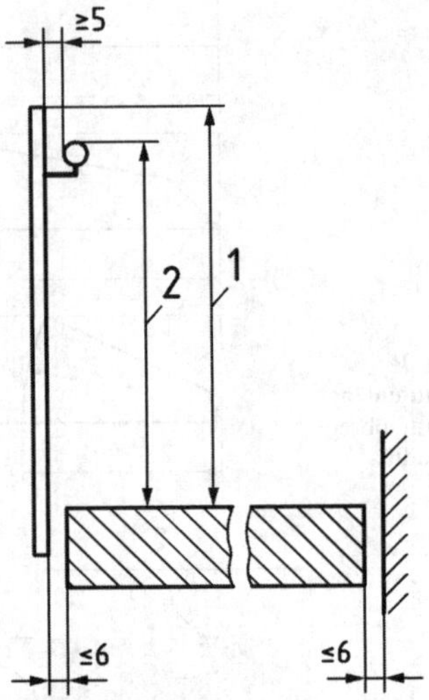

Legende
1 Treppengeländerhöhe
2 Treppenhandlaufhöhe

Bild A.10 (II). Geländer und seitliche Abstände

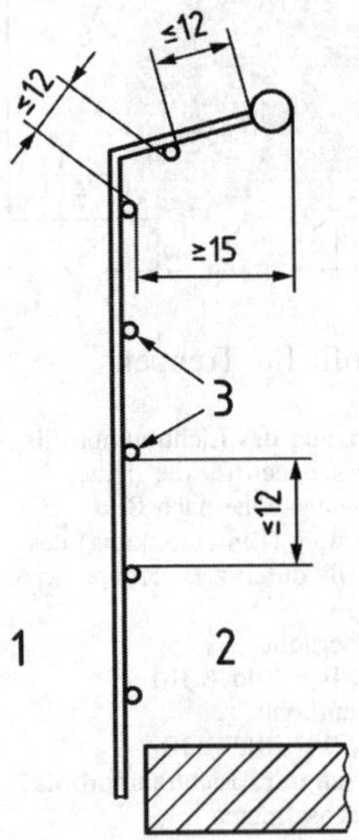

Maße in cm

Legende
1 Außenseite (Absturzbereich)
2 Innenseite (Gehbereich)
3 Geländerfüllung (z. B. waagerechte Geländergurte)

Bild A.11 (I). Beispiel für die Erschwerung des Überkletterns bei waagerechten Geländergurten

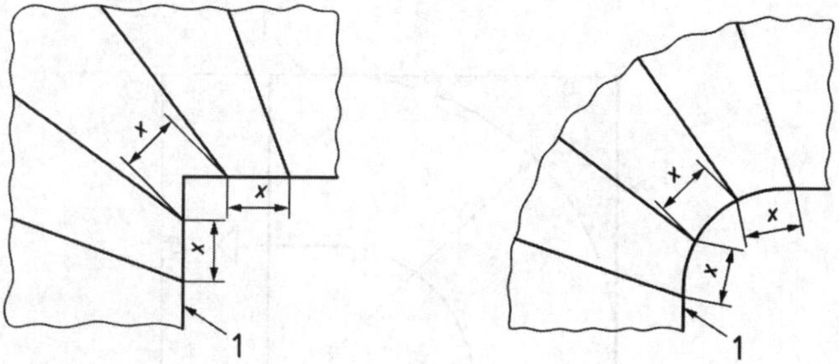

Legende
x kleinster Auftritt
1 innere Begrenzung nutzbare Laufbreite

Bild A.12. Auftritt von Wendelstufen an der schmalsten Stelle

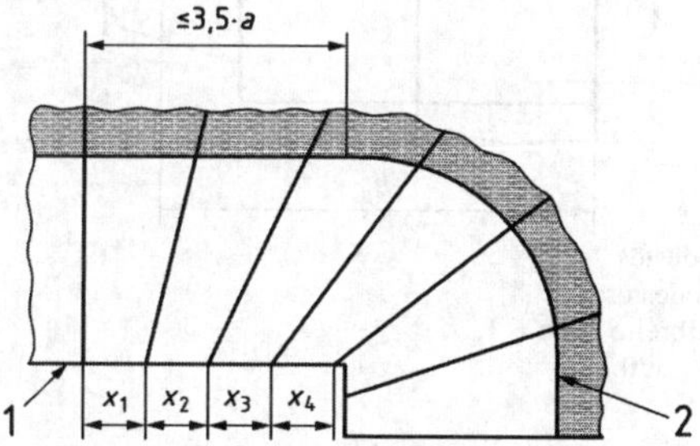

Legende
$X_1 \geq X_2 \geq X_3 \geq X_4$
a Treppenauftritt
1 innere Begrenzung nutzbare Laufbreite
2 innere Begrenzung des Gehbereichs

Bild A.13. Messregel für den Auftritt an der schmalsten Stelle bei gewendelten Treppen

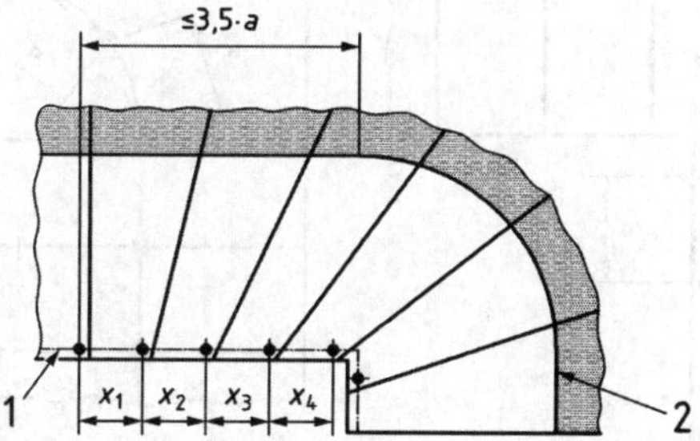

Legende
$X_1 \geq X_2 \geq X_3 \geq X_4$
a Treppenauftritt
1 Bolzenkonstruktionslinie
2 innere Begrenzung des Gehbereichs

Bild A.14. Messregel für den Auftritt an der schmalsten Stelle bei gewendelten Tragbolzentreppen

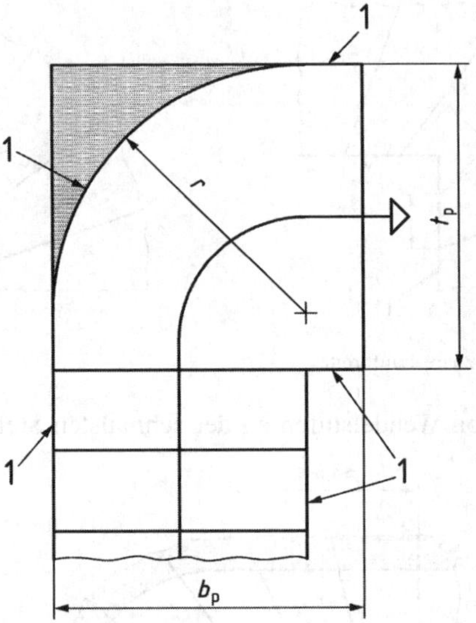

Legende
tp Tiefe des Treppenpodestes
bp Breite des Treppenpodestes
r = min. nutzbare Laufbreite nach 6.1.1
1 Begrenzung nutzbare Laufbreite

Bild A.15. nutzbare Treppenpodestbreite und -tiefe

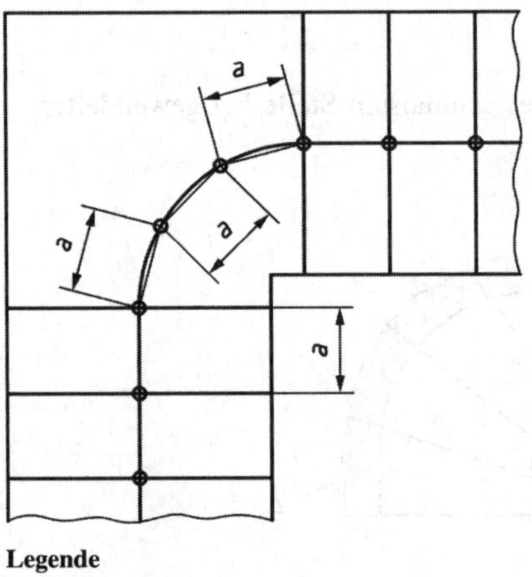

Legende
a Treppenauftritt

Bild A.16 (I). Messregel für den Mindestauftritt bei Podesten am Beispiel 3 · a

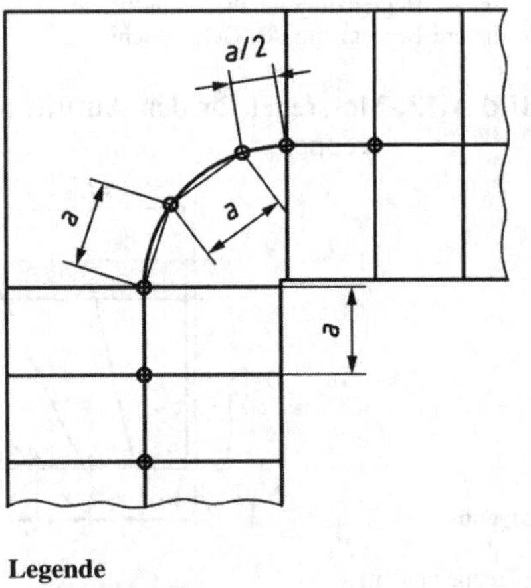

Legende
a Treppenauftritt

Bild A.17 (II). Messregel für den Mindestauftritt bei Podesten am Beispiel 2.5 · a

Maße in cm

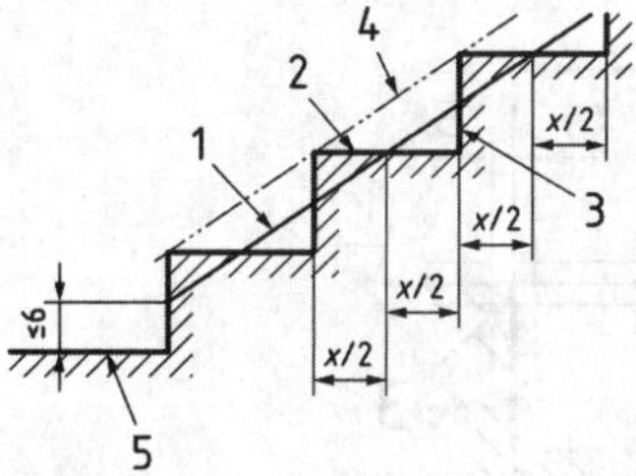

Legende

x kleinster Auftritt
1 Unterkante Treppengeländer nach 6.8.4
2 Trittfläche (Auftritt)
3 Setzstufe
4 Messebene für Treppengeländerhöhe bzw. Treppenhandlaufhöhe
5 Podest

Bild A.18 (I). Treppengeländer neben Treppenläufen und Treppenpodesten

Maße in cm

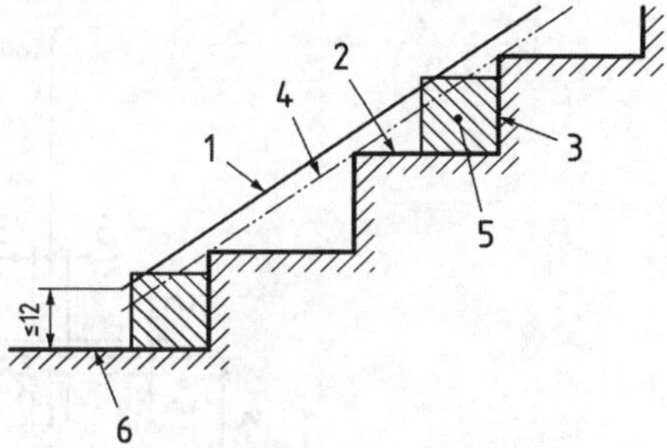

Legende

1 Unterkante Treppengeländer nach 6.8.5, z. B. durchlaufender Untergurt
2 Trittfläche (Auftritt)
3 Setzstufe
4 Messebene für Treppengeländerhöhe bzw. Treppenhandlaufhöhe
5 Würfel, Kantenlänge 15 cm
6 Podest

Bild A.19 (I). Treppengeländer über Treppenläufen und Treppenpodesten

Maße in cm

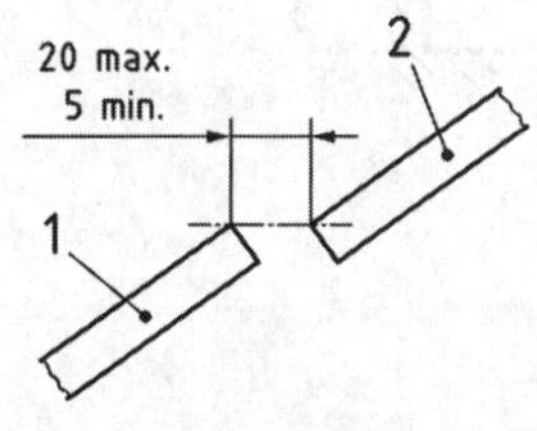

weiterführender Handlauf (2) mindestens auf gleicher Höhe mit ankommendem Handlauf (1)

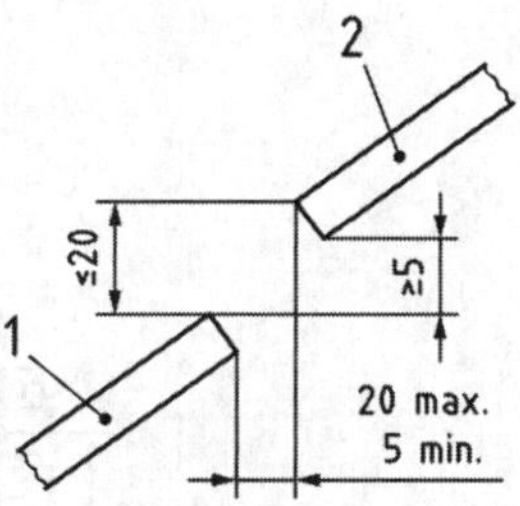

lichte Abstandsmaße bei Handlaufunterbrechung

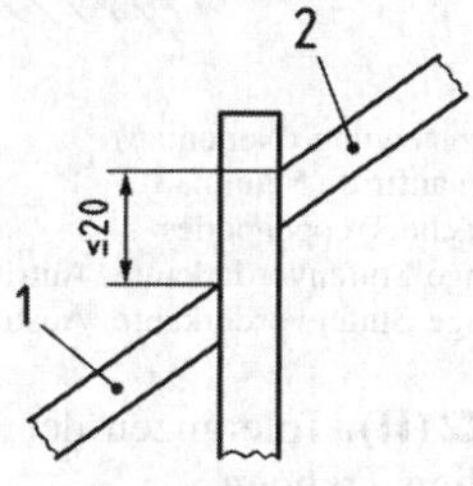

Handlaufunterbrechung durch andere Bauteile

Legende

1 ankommender Handlauf
2 weiterführender Handlauf

Bild A.20. Beispiele für Handlaufunterbrechungen bei gewendelten Treppen

Maße in mm

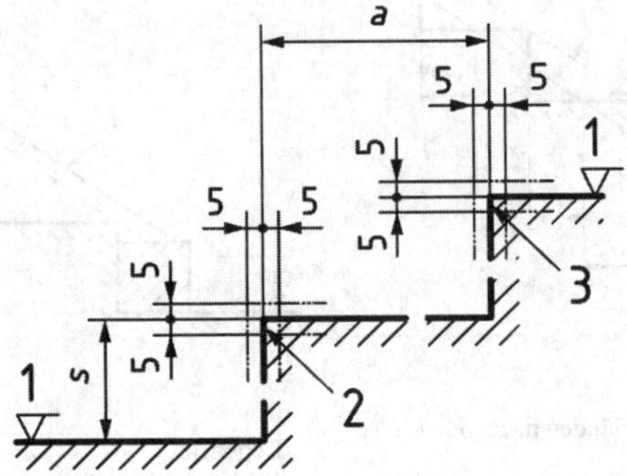

Legende

s Treppensteigung (Nennmaß)
a Treppenauftritt (Nennmaß)
1 Oberfläche Treppenpodest
2 Nennlage Stufenvorderkante, Antrittstufe
3 Nennlage Stufenvorderkante, Austrittstufe

Bild A.21 (I). Toleranzen der Lagen der Stufenvorderkanten für notwendige Treppen

Maße in mm

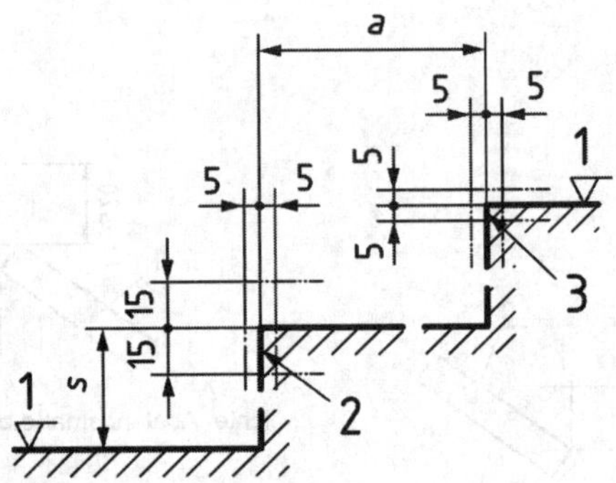

Legende

s Treppensteigung (Nennmaß)
a Treppenauftritt (Nennmaß)
1 Oberfläche Treppenpodest
2 Nennlage Stufenvorderkante, Antrittstufe
3 Nennlage Stufenvorderkante, Austrittstufe

Bild A.22 (II). Toleranzen der Lagen der Stufenvorderkanten für notwendige Treppen

Maße in cm

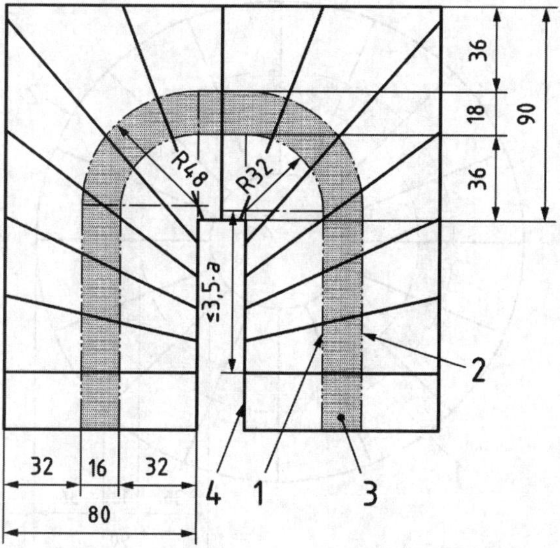

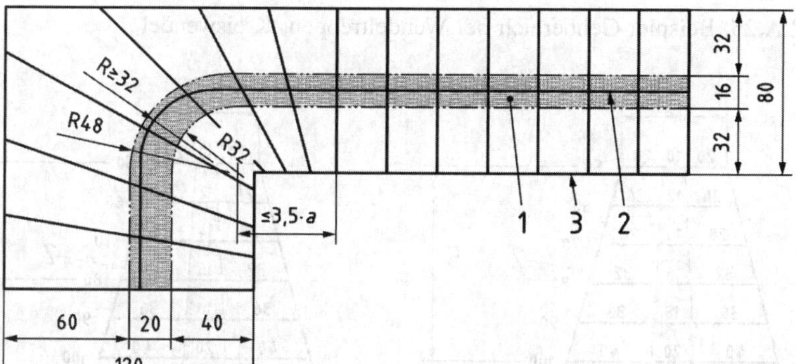

Legende
1 innere Begrenzung Gehbereich
2 äußere Begrenzung Gehbereich
3 Gehbereich
4 innere Begrenzung nutzbare Laufbreite

ANMERKUNG Die dargestellte Stufenverziehung ist lediglich beispielhaft. Nach Wahl der Lauflinie sind die handwerklichen Verziehungsregeln zur Erzielung sicher begehbarer und gut gestalteter Treppen zu beachten.

Bild A.23. Beispiel für Gehbereich bei halbgewendeltem Lauf

Bild A.24. Beispiel Gehbereich bei viertelgewendeltem Lauf

Maße in cm

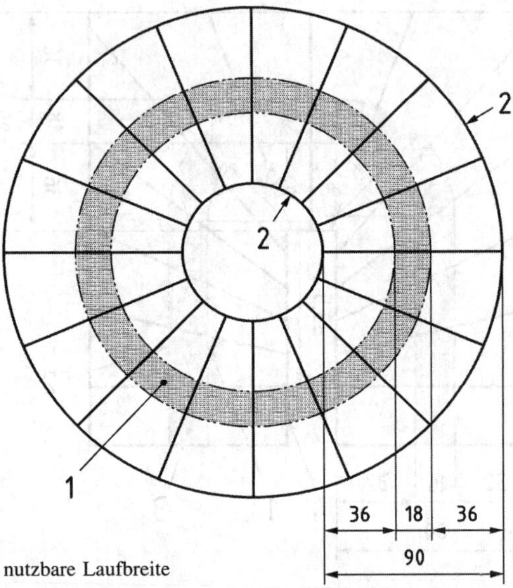

Legende
1 Gehbereich
2 äußere Begrenzung nutzbare Laufbreite

Bild A.25. Beispiel Gehbereich bei Wendeltreppen, Kreiswendel

Maße in cm

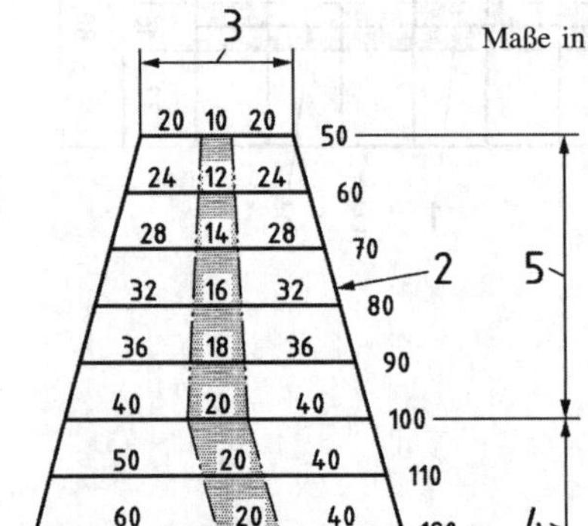

Legende
1 Gehbereich
2 Handlaufseite
3 nutzbare Treppenlaufbreite
4 notwendige Treppe
5 nicht notwendige Treppe

Bild A.26 (I). Diagramm des Gehbereiches für gewendelte Treppen

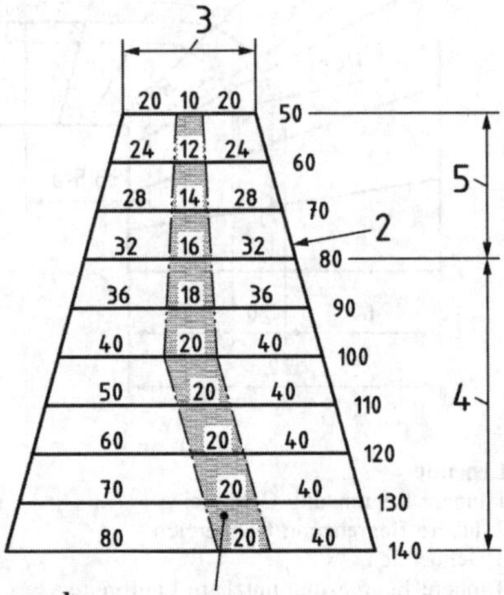

Legende
1 Gehbereich
2 Handlaufseite
3 nutzbare Treppenlaufbreite
4 notwendige Treppe
5 nicht notwendige Treppe

Bild A.27 (II). Diagramm des Gehbereiches für gewendelte Treppen

Maße in cm

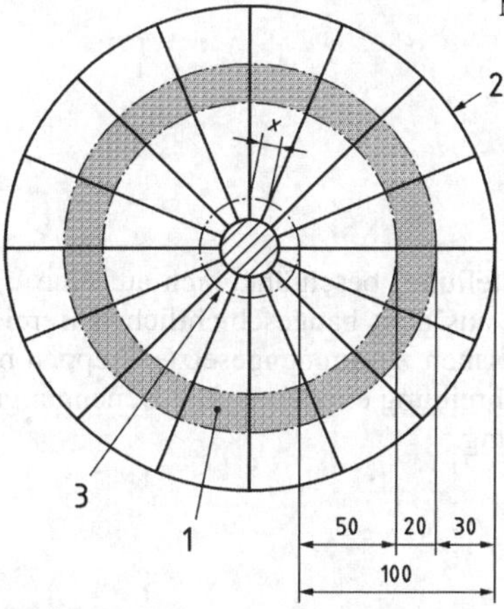

Legende
- *x* kleinster Auftritt bei Wendelstufen
- 1 Gehbereich
- 2 äußere Begrenzung nutzbare Laufbreite
- 3 innere Begrenzung der nutzbaren Laufbreite

Bild A.28 (I). Beispiel für Gehbereich bei Spindeltreppen

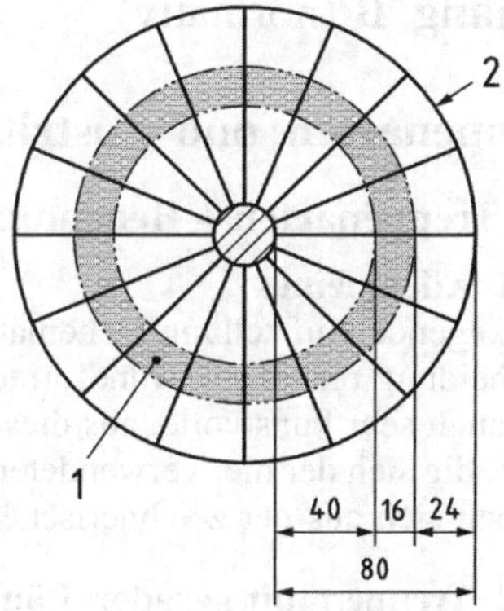

Legende
- 1 Gehbereich
- 2 äußere Begrenzung nutzbare Laufbreite

Bild A.29 (II). Beispiel für Gehbereich bei Spindeltreppen

Maße in cm

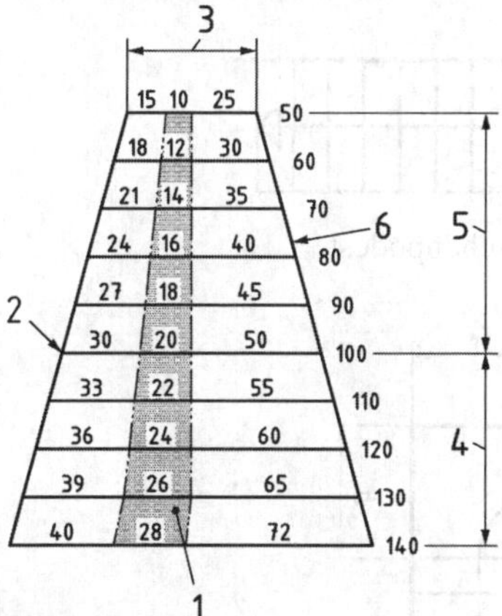

Legende
- 1 Gehbereich
- 2 Handlaufseite
- 3 nutzbare Treppenlaufbreite
- 4 notwendige Treppe
- 5 nicht notwendige Treppe
- 6 Spindelseite

Bild A.30 (I). Diagramm des Gehbereiches für Spindeltreppen

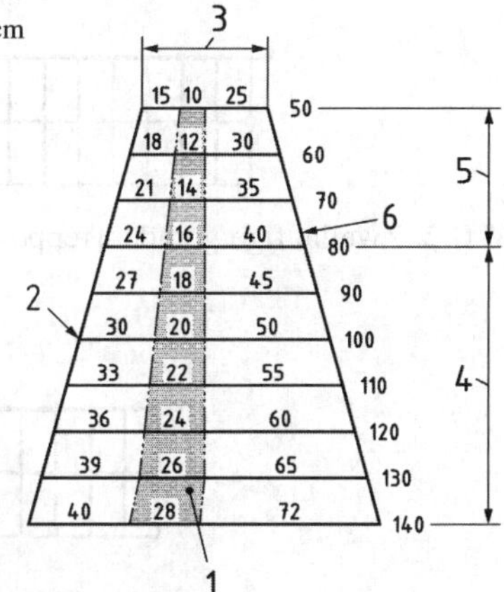

Legende
- 1 Gehbereich
- 2 Handlaufseite
- 3 nutzbare Treppenlaufbreite
- 4 notwendige Treppe
- 5 nicht notwendige Treppe
- 6 Spindelseite

Bild A.31 (II). Diagramm des Gehbereiches für Spindeltreppen

Anhang B (normativ)

Treppenarten und Austrittstufen

B.1 Treppenarten – Benennung

B.1.1 Allgemeines

Die folgende Aufstellung (schematische Darstellung) beschränkt sich auf eine Unterscheidung einzelner Grundformen. Gerade aus dem baugeschichtlichen Bereich sind auch sehr kunstvolle, aus diesen Grundformen zusammengesetzte Treppen bekannt, die sich der hier verwendeten Kurzbeschreibung entziehen. Die Benennungen ergeben sich aus der zeichnerischen Darstellung.

B.1.2 Treppen mit geraden Läufen

t_p Tiefe des Treppenpodestes
b_p Breite des Treppenpodestes

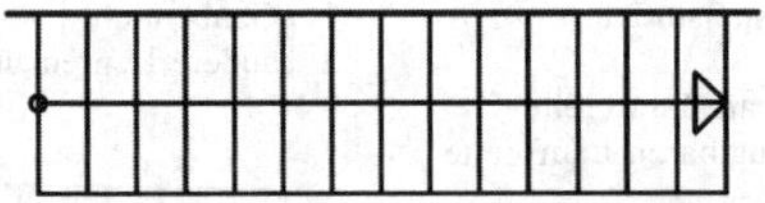

Bild B.1. Einläufige gerade Treppe

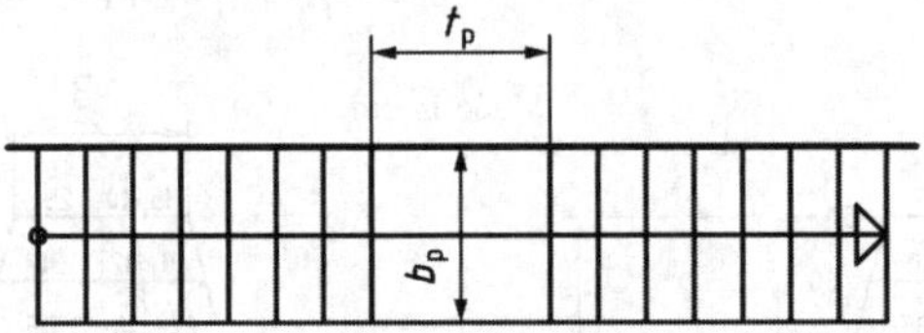

Bild B.2. Zweiläufige gerade Treppe mit Zwischenpodest

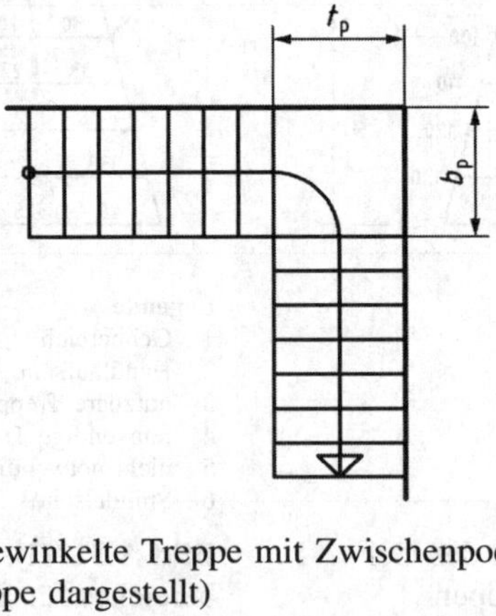

Bild B.3. Zweiläufige gewinkelte Treppe mit Zwischenpodest (als Rechtstreppe dargestellt)

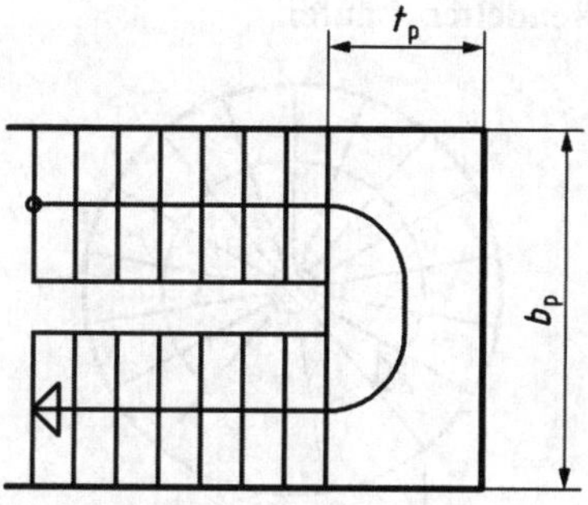

Bild B.4. Zweiläufige gegenläufige Treppe mit Zwischenpodest (als Rechtstreppe dargestellt)

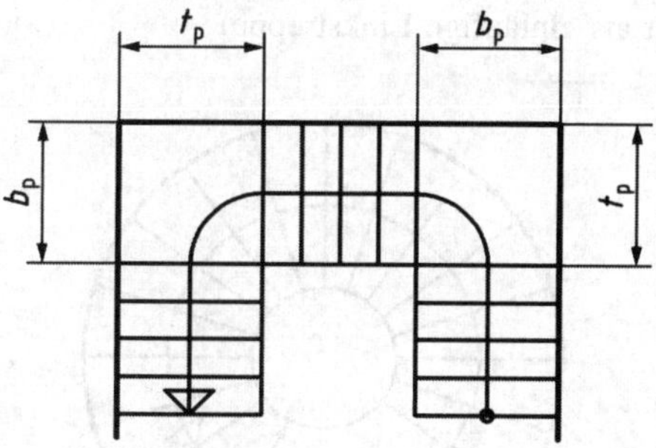

Bild B.5. Dreiläufige zweimal gewinkelte Treppe mit Zwischenpodesten (als Linkstreppe dargestellt)

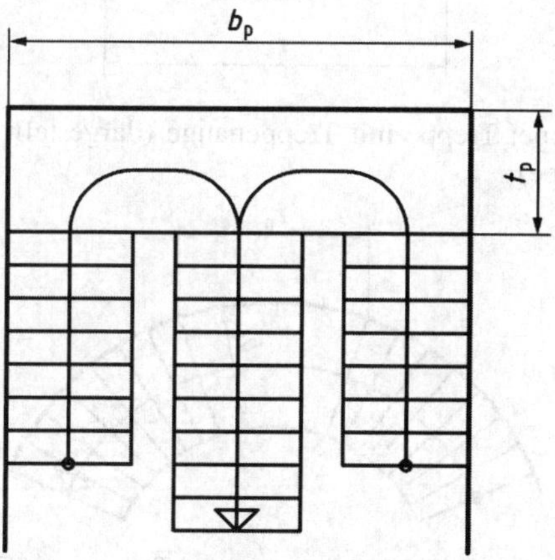

Bild B.6. Dreiläufige gegenläufige Treppe mit Zwischenpodest

C

B.1.3 Treppen mit gewendelten Läufen

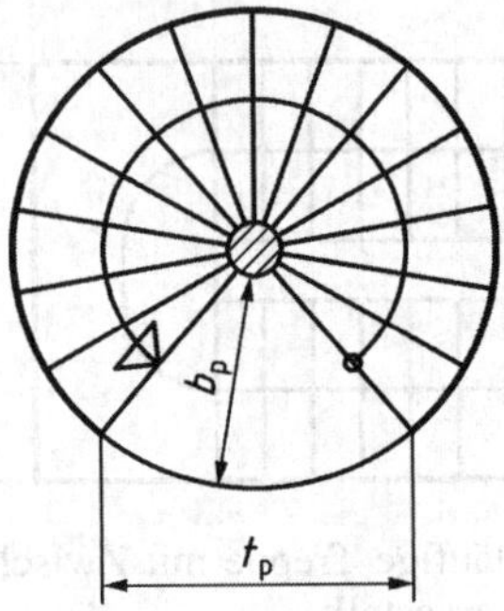

Bild B.7. Spindeltreppe; Treppe mit Treppenspindel (dargestellt als einläufige Linkstreppe)

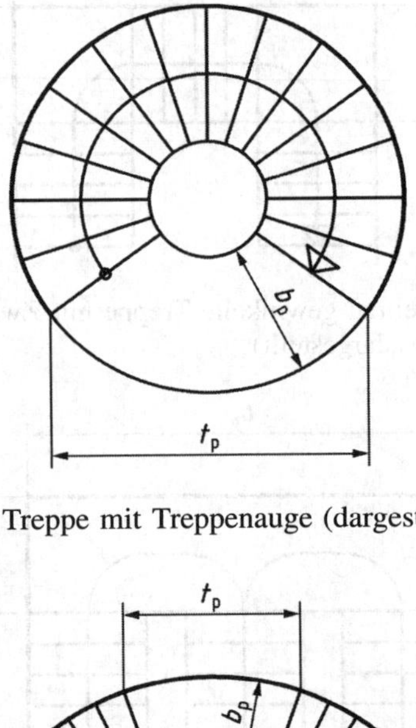

Bild B.8. Wendeltreppe; Treppe mit Treppenauge (dargestellt als einläufige Rechtstreppe)

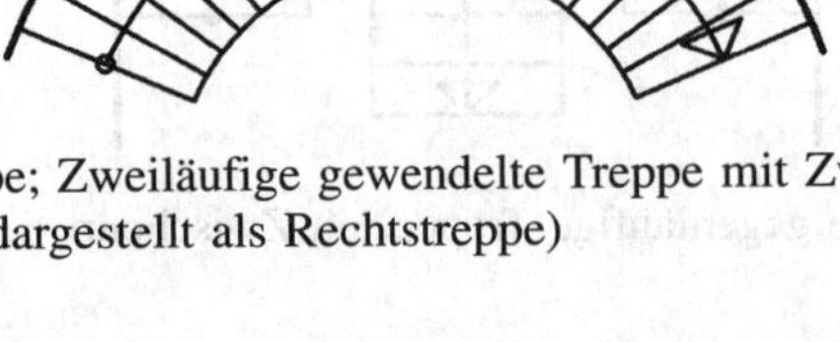

Bild B.9. Bogentreppe; Zweiläufige gewendelte Treppe mit Zwischenpodest (Bogentreppe dargestellt als Rechtstreppe)

B.1.4 Treppen mit geraden und gewendelten Laufteilen

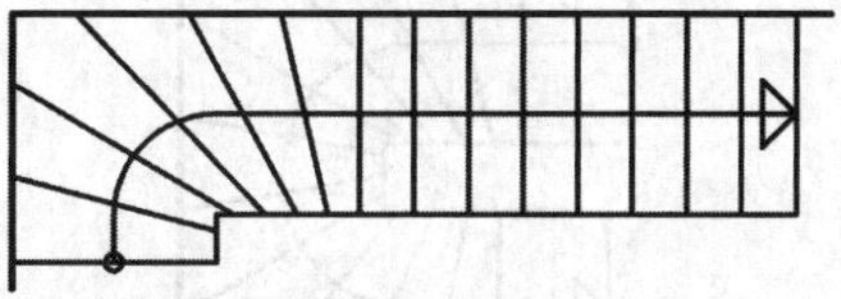

Bild B.10. Einläufige, im Antritt viertelgewendelte Treppe (dargestellt als Rechtstreppe)

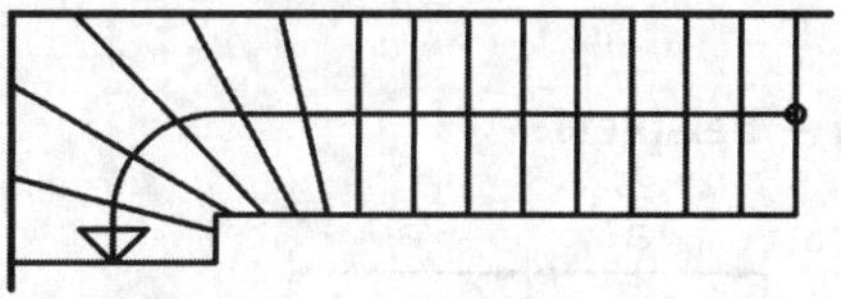

Bild B.11. Einläufige, im Austritt viertelgewendelte Treppe (dargestellt als Linkstreppe)

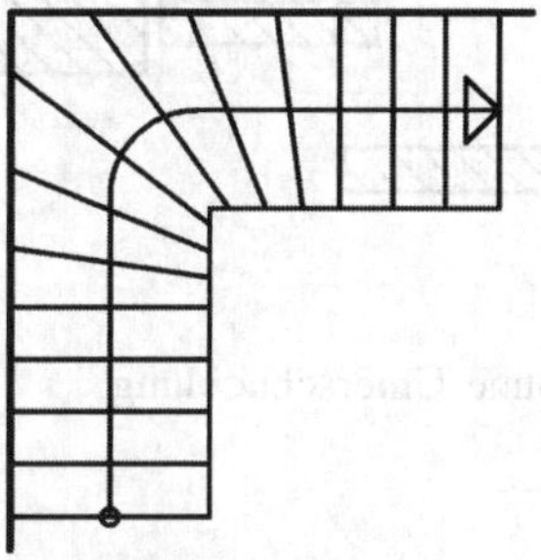

Bild B.12. Einläufige viertelgewendelte Treppe (dargestellt als Rechtstreppe)

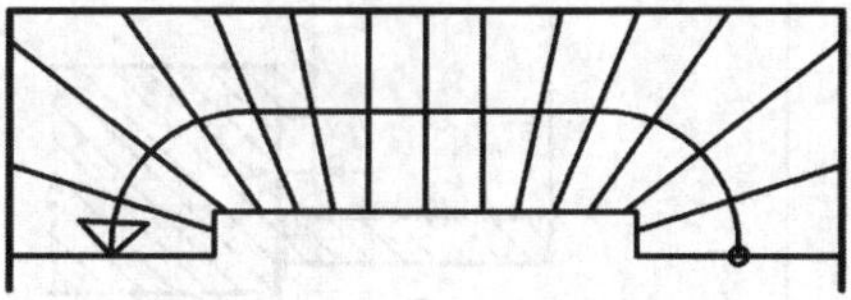

Bild B.13. Einläufige, zweimal viertelgewendelte Treppe (dargestellt als Linkstreppe)

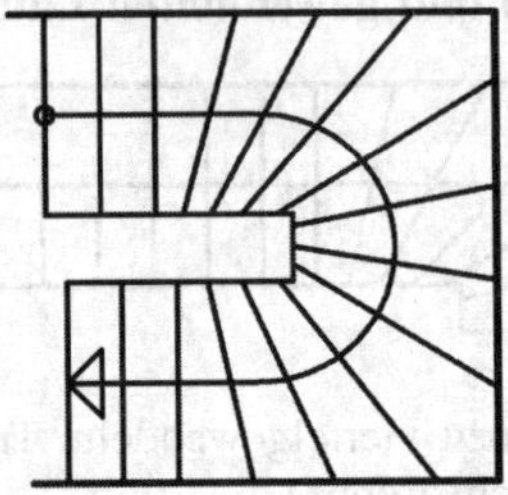

Bild B.14. Einläufige, halbgewendelte Treppe (dargestellt als Rechtstreppe)

B.2 Austrittstufen – Beispiele

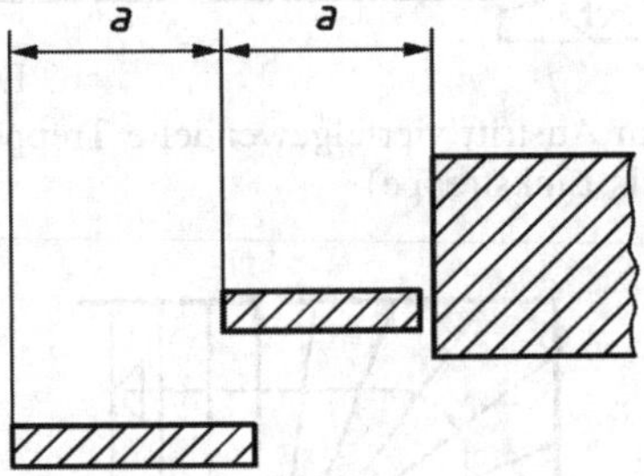

Legende
a Auftritt

Bild B.15. Treppenaustritt ohne Unterschneidung

Legende
a Auftritt
u Unterschneidung

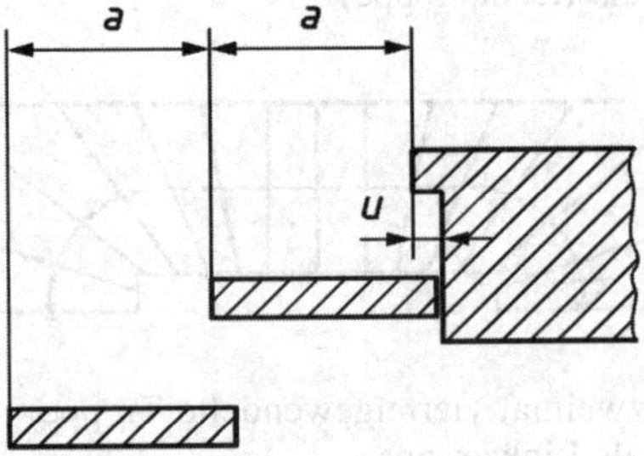

Bild B.16. Treppenaustritt mit Unterschneidung

Spielplätze und Freiräume zum Spielen

Anforderungen und Hinweise für die Planung und den Betrieb

Auszug aus **DIN 18034** (12.99)

1 Anwendungsbereich und Zweck

Diese Norm enthält Anforderungen und Hinweise für die Planung und den Betrieb von Spielplätzen und Freiräumen zum Spielen für Kinder, Jugendliche und Erwachsene.

Dazu gehören außer den zum Spielen ausgewiesenen Plätzen und Flächen auch solche Freiräume, die neben anderer Nutzung teil- oder zeitweise zum Spielen geeignet sind, z. B.

- Wohnumfeld (Blockinnenbereiche, Abstandsflächen, Eingangsbereiche, Wohnwege),
- Schulhöfe, Schulfreiflächen, Schulsportanlagen (siehe auch die Bestimmungen der Träger der gesetzlichen Unfallversicherung),
- Freiflächen von Einrichtungen für Kinder und Jugendliche,
- Freizeiteinrichtungen (Grünanlagen, Sportplätze, Freibäder u. ä.),
- Brachflächen,
- Spielstraßen, Stadtplätze.

Die Festlegungen dieser Norm können auch bei Beurteilungen der Kinderfreundlichkeit herangezogen werden.

2 Normative Verweisungen *(nicht abgedruckt)*

3 Definitionen[1)]

Für die Anwendung dieser Norm gelten die folgenden Definitionen:

3.1 Gemeinde-; Ortsteilbereich

Bereich, der Spielflächen mit zentraler Versorgungsfunktion für eine Gemeinde oder einen Ortsteil und alle Altersstufen umfaßt.

---

1) Den folgenden Definitionen mangelt es an der Übereinstimmung mit den Begriffen in den einschlägigen Gesetzen.

C

3.2 Quartiersbereich

Bereich, der Spielflächen mit begrenzter Versorgungsfunktion für einen Wohnbereich, vorzugsweise für schulpflichtige Kinder, umfaßt.

3.3 Nachbarschaftsbereich

Bereich, der Spielflächen im Nahbereich mit Versorgungsfunktion für einen Wohnblock oder eine Hausgruppe, vorzugsweise für Vorschulkinder, umfaßt.

3.4 Spielfläche; Spielplatz

Fläche, die durch Bebauungsplan oder § 34 Baugesetzbuch, Baugenehmigung oder Vertrag (innerhalb privater Grundstücke) eigens zum Spielen ausgewiesen und abgesichert ist.

3.5 Spielmöglichkeit; Spielort

Möglichkeit, Ort, die bzw. der Gelegenheit zu Spiel ohne planungsrechtliche Ausweisung bietet (z. B. Hauseingangsbereiche, Treffpunkte in Fußgängerzonen).

3.6 Spielbereich

Bereich für einzelne Spielfunktionen innerhalb eines Spielplatzes/einer Spielfläche.

3.7 Naturnaher Bereich

Bereich mit einem hohen Anteil an natürlichen Spiel- und Erlebniselementen wie standortgerechten und möglichst regenerationsfähigen Pflanzen und Pflanzenteilen, Steinen und offenen Bodenflächen.

Anmerkung 1: Bei kleinflächiger Ausprägung und intensiver Nutzung wird er ähnlich herkömmlichen Spielangeboten gehandhabt.

Anmerkung 2: Ein großflächiger, extensiv genutzter Bereich setzt sich aus unterschiedlich weit entwickelten Vegetationsflächen und -elementen, offenen Boden- und gegebenenfalls Wasserflächen zusammen. Die Gestaltung erfolgt je nach Bedarf hauptsächlich in Form von Modellierung sowie gezielten Mäh- und Schnittmaßnahmen.

3.8 Pädagogisch betreute Spielfläche; pädagogisch betreuter Spielplatz

Eine Spielfläche, ein Spielplatz mit ständiger pädagogischer Betreuung und mit offenem Angebot.

4 Planung

4.1 Ziele

4.1.1 Erreichbarkeit

Anzustreben ist die Erreichbarkeit ausreichender und altersgerechter Spielflächen und Spielorte in Wohnungsnähe.

Spielflächen im Gemeinde- oder Ortsteilbereich für Kinder und Jugendliche ab 12 Jahre sollten sich in einer Entfernung bis 1000 m Fußweg befinden.

Spielflächen im Quartiersbereich für Kinder von 6 bis 12 Jahren sollten sich in einer Entfernung bis 400 m Fußweg befinden.

Spielflächen im Nachbarschaftsbereich für Kinder unter 6 Jahren sollten sich in Sicht- und Rufweite der Wohnung in einer Entfernung bis 200 m Fußweg befinden.

Kinder sollten ihre Spielflächen selbständig erreichen können. Es ist anzustreben, alle Spielflächen in ein Grünflächen- sowie Fuß- und Radwegesystem einzubeziehen (Vernetzung), um eine Verkehrsgefährdung der Nutzer nach Möglichkeit zu vermeiden.

Anmerkung: Die Planung und das Betreiben von Spielplätzen und Spielflächen sollten mit verkehrsplanerischen Maßnahmen zugunsten der Kinder gekoppelt werden. Die zu benutzenden Straßen sollten möglichst verkehrsarm sein. Geschwindigkeitsbegrenzung und Verkehrsberuhigung sind anzustreben. Es sollte vermieden werden, daß stark befahrene Straßen gekreuzt werden müssen.

C

4.1.2 Vielfalt

4.1.2.1 Allgemeines

Um die körperliche, geistige und seelische Entwicklung von Kindern und Jugendlichen in ganzheitlicher Hinsicht zu fördern, sollten Spielflächen und Freiräume zum Spielen in vielfältiger Hinsicht vorhanden sein und gestaltet werden. Vielfalt in der Nutzung und im Erleben setzt entsprechend große Freiräume voraus, die durch Elemente wie Modellierung, Raumbildung, Ausstattung mit Spielgeräten, Vegetation usw. erreicht werden.

4.1.2.2 Sinnes- und Bewegungsförderung

Die Sinne zur Wahrnehmung der Außenwelt – Riechen, Schmecken, Fühlen, Hören, Sehen – werden gefördert durch verschiedene, naturnahe Gestaltungselemente wie Sand, Steine, Erde, Rinde, Holz, Kies sowie Pflanzen in ihren jahreszeitlichen Erscheinungs- und Entwicklungsformen. Maßstäblichkeit, Proportionalität, Oberflächenbeschaffenheit und Farbgebung sind zu bedenken.

Die Sinne der Selbstwahrnehmung – Gleichgewicht, Motorik, Koordination – werden durch Möglichkeiten zum Laufen, Klettern, Rutschen, Balancieren, Schaukeln, Springen u. ä. gefördert.

4.1.2.3 Bewegungsangebote für Jugendliche

Für Jugendliche sind spezielle Bewegungsangebote anzubieten, wie z. B. Flächen zum Skateboard-Fahren, Streetball- oder Tischtennis-Spielen sowie die dazugehörigen Flächen mit Aufenthaltsqualität.

Für Skateeinrichtungen ist DIN 33 943 zu beachten.

4.1.2.4 Gestaltbarkeit
Vielfältige Erfahrungen, Kreativität und entdeckendes Lernen werden durch Gestaltungsangebote mit Sand, Wasser, Lehm, Steinen und Pflanzen ermöglicht. Die Möglichkeit, sich den Raum zu gestalten, zu verändern und sich anzueignen, sollte neben den üblichen Spielgeräten eröffnet werden.

4.1.2.5 Modellierung
Erdmodellierungen, z. B. die Anlage von Hügeln, Mulden, Nischen, Höhlen und Pfützen, bieten natürliche Bewegungsanreize und Rückzugsmöglichkeiten. Spielflächen für Kleinkinder müssen einsehbar sein.

4.1.2.6 Raumbildung
Die Gliederung, z. B. durch Bäume, Sträucher, Stauden und Gräser, ermöglicht unterschiedliche Spielaktivitäten und gibt Kindern Geborgenheit. Auch Mauern oder andere bauliche Freiraumelemente dienen der Raumgliederung. Große, zusammenhängende Flächen ermöglichen großräumiges und selbstbestimmtes Bewegen und Austoben.

4.1.2.7 Barrierefreiheit
Spielflächen sollten so gestaltet werden, daß sie barrierefrei zugänglich sind. Spiel- und Erlebnismöglichkeiten für alle, auch für Menschen mit eingeschränkten Fähigkeiten, sollten in das Gesamtkonzept integriert werden.
DIN 18 024-1 und DIN 33 942 sind zu berücksichtigen.

4.1.2.8 Nutzungsvielfalt
Die Anpassung von Spielflächen infolge sich ändernder Spielwünsche oder Alters- und Gruppenstrukturen muß möglich sein. Sie sollten sowohl im Sommer als auch im Winter nutzbar sein und besonnte, beschattete, windgeschützte sowie regengeschützte Bereiche umfassen.

4.1.2.9 Förderung von Sozialkontakten
Zur Pflege von Sozialkontakten sollten Treffpunkte für alle Altersgruppen auf Spielflächen und an Spielorten vorhanden sein. Diese können z. B. auch an Freizeiteinrichtungen, Sportanlagen, Jugendheime, Kleingartenanlagen angebunden sein.

4.1.2.10 Rückzugsbereiche
Durch differenzierte Gestaltung (z. B. durch Nischen, Hecken, Bodenmodellierungen) sind für ruhiges, ungestörtes Spielen Rückzugsmöglichkeiten sowohl für einzelne als auch für Gruppen von Kindern zu schaffen.

4.1.2.11 Sicherheit
Sicherheit und Gesunderhaltung der Nutzer sind bei allen Maßnahmen der Planung, Gestaltung, Ausstattung und Unterhaltung zu beachten (siehe Abschnitt 5).

4.2 Flächengrößen

Um die unterschiedlichen Bedürfnisse an die verschiedenen Spiel- und Betätigungsmöglichkeiten zu erfüllen, sind unterschiedliche Flächengrößen erforderlich:

– eine zum Spielen ausgewiesene Fläche im Nachbarschaftsbereich erfordert eine Gesamtfläche von mindestens 500 m^2;
– eine zum Spielen ausgewiesene Fläche im Quartiersbereich erfordert eine Gesamtfläche von mindestens 5000 m^2. – Bei großflächigen, naturnahen Bereichen (siehe 3.7) ist in der Regel von Flächengrößen von über 10 000 m^2 auszugehen;
– eine zum Spielen ausgewiesene Fläche im Ortsbereich erfordert eine Gesamtfläche von mindestens 10 000 m^2. – Bei großflächigen, naturnahen Angeboten (siehe 3.7) ist von einer Flächengröße auszugehen, bei der die Erlebnisvielfalt und die Regenerationsfähigkeit erhalten werden können. Bei pädagogisch betreuten Spielflächen ist von einer Flächengröße auszugehen, bei der den Anforderungen dieser Spielflächen (siehe auch 4.3.8) Rechnung getragen wird.

Anmerkung: Die angegebenen Flächengrößen stellen Orientierungswerte für den Flächenbedarf dar. Der Bedarf richtet sich vor allem nach den spezifischen örtlichen Gegebenheiten (z. B. Einwohnerdichte, Art der Bebauung); siehe auch Mustererlaß (Entwurf) der ARGE BAU, Ziffer 4.

Es handelt sich um Flächen, die in der Regel mehrere unterschiedliche Spielbereiche umfassen; sie sollten im Bebauungsplan als Flächen für Spielanlagen festgesetzt werden.

4.3 Anforderungen

4.3.1 Sand- und Sandmatschspiele

Diese Spielbereiche sollten teils sonnig, teils schattig und windgeschützt sein, nicht aber im Schlagschatten von Gebäuden liegen und von Spielplatzgebäuden, Sitzplätzen und Wegen und – soweit möglich – von der angrenzenden Bebauung gut einsehbar sein.

Ein Teil des Sandspielbereiches kann als Sandmatschecke ausgebildet sein. Die Wasserentnahme ist zu begrenzen, überschüssiges Wasser ist abzuführen.

4.3.2 Wasserspiele

Die unterschiedlichen Spiel- und Erlebnismöglichkeiten von natürlichen und künstlichen Gewässern sollten genutzt bzw. angeboten werden.

Die größte Wassertiefe sollte 40 cm nicht überschreiten.

Uferbereiche sollten so beschaffen sein, daß ein sicherer Zu- und Abgang möglich ist. Böschungsneigungen sind so anzulegen, daß die Wassertiefe langsam zunimmt.

Bei Wasserbecken muß die Bodenfläche rutschhemmend und leicht zu reinigen sein. Die Bodenneigung sollte nicht mehr als 6 % betragen. Der Wasseraustausch muss leicht möglich sein.

Anmerkung 1: Hinsichtlich der Bodenmaterialien sollte das Merkblatt GUV 26.17 beachtet werden.

Anmerkung 2: Bei natürlichen Gewässern sollten gegebenenfalls wechselnde Strömungs- und Fließgeschwindigkeiten und Wasserstände beachtet werden.

4.3.3 Spielplatzgeräte

Spielplatzgeräte und natürliche Spielelemente sollten so angeordnet werden, dass vielfältige, z. B. Gruppen- und Einzelspiele, sowie sinnvolle Spielabläufe möglich sind.

4.3.4 Ballspiele

Flächen für Ballspiele erfordern eine funktionsgerechte Größe.

Wettkampfregelgerechte oder normgerechte Spielfeldmaße sind nicht Voraussetzung.

Es ist eine möglichst große Nutzungsvariabilität anzustreben, z. B. durch Maße der Spielfläche, Ausführung des Bodens und Ausstattung mit Geräten (z. B. Tore, Netze, Körbe und Ballwände).

Anmerkung: Richtgrößen für spielerisch sportliche Freizeitbetätigung enthält Abschnitt 6 von DIN 18035-1 : 1979-07.

4.3.5 Spezielle Angebote

Für Bewegung mit mobilen Geräten wie z. B. Dreirad, Fahrrad, Rollschuhe werden größere, zusammenhängende und befestigte Flächen benötigt. Die Flächen sollten funktionsgerecht sein.

4.3.6 Bereiche für Kommunikation

Bereiche für Kommunikation sind so zu gestalten, daß sie für unterschiedliche Nutzergruppen erreichbar sind (z. B. mit Rollstühlen, Kinderwagen) und zur Kommunikation sowie zum Aufenthalt auffordern.

4.3.7 Bereiche zur Förderung des Naturerlebens

In naturnahen Bereichen wird der Bestand in besonderem Maße bei der Gestaltung und Pflege berücksichtigt.

Bei großflächigen, extensiv genutzten Bereichen ist insbesondere die Erlebnisvielfalt, die Gestaltbarkeit sowie die Regenerationsfähigkeit zu fördern. Dem jeweiligen Spielbedarf ist durch entsprechende Pflege- und Entwicklungsmaßnahmen (Anpassung der inneren Erschließung, der intensiver bespielbaren Flächen, der Ausstattung mit natürlichen Elementen) Rechnung zu tragen.

4.3.8 Pädagogisch betreute Spielfläche; pädagogisch betreuter Spielplatz

Diese Bereiche sollten

- soweit möglich Innen- und Außenräume für unterschiedliche Aktivitäten (z. B. Werken, Malen, Theater- und Singspiele) haben,
- soweit möglich Flächen (angelegt oder naturbelassen) für Pflanzenanbau und Ställe für Tierhaltung vorsehen,
- eine Unterkunft zum Aufenthalt der Betreuer mit Geräteraum für Spielmaterial und sonstiges Gerät (transportable Sitzgelegenheiten, Tische und ähnliches) sowie Toiletten haben,
- Anschlüsse für Wasser, Strom und Kanalisation erhalten,
- bei Nutzung als Bau- oder Abenteuerspielplatz durch Pflanzungen oder Zäune abgegrenzt werden (Schutz des Spieles und des Spielergebnisses gegen Fremdeinwirkung).

Beim Betrieb einer Feuerstelle ist über die Aufsichtspflicht die Beachtung der Sicherheitsbestimmungen zu kontrollieren.

C

4.4 Natürliche und gestaltete Landschaftselemente

Vorhandene Landschaftselemente (Hügel, Bäume, Sträucher, Bachläufe usw.) sind in die Gestaltung einzubeziehen.

4.4.1 Böden

4.4.1.1 Allgemeines

Die Wahl der Bodenarten und Oberflächen, bzw. deren Gestaltung, ist für die vorgesehene Spielnutzung und für die Sicherheit von besonderer Bedeutung.

Die vorhandene Bodenqualität und Oberflächenprofilierung sind unter Beachtung einer landschaftstypischen Gestaltung und in Abwägung ihrer Eignung für die vorgesehenen Nutzungen soweit wie möglich zu verwenden oder nicht mehr als nötig zu verändern.

Für die unterschiedlichen Nutzungen kommen unterschiedliche Bodenarten und Oberflächen, z. B. Naturboden, Sand, Rasen, Wiese und gebundene Flächen, in Betracht.

4.4.1.2 Sand

Spielsand zum Formen und Backen sollte im Korngrößenbereich 0 mm bis 2 mm liegen und sollte bindige Bestandteile enthalten. Bei wasserundurchlässigem Untergrund ist für eine Entwässerung zu sorgen.

Sand im Aufprallbereich um Spielgeräte muß Anhang D, Tabelle D.1 von DIN EN 1177 : 1997-11 entsprechen.

4.4.2 Vegetation

4.4.2.1 Rasen

Rasenflächen zum Spielen sind entsprechend den Ansprüchen an ihre Strapazierfähigkeit herzustellen (siehe DIN 18917).

4.4.2.2 Bepflanzung und Spontanvegetation

Für Neuanpflanzungen und Nachpflanzungen sollten in großer Artenvielfalt standortgerechte, widerstandsfähige und rasch wachsende Gehölze gewählt werden. Sträucher und Bäume mit genießbaren Früchten sollten Spielwert und Naturerlebnis erweitern (zu vermeidende Pflanzen siehe 5.6). Anpflanzungen sollten die Funktion des Witterungsschutzes erfüllen, d. h. Minderung des Windes, der Sonneneinstrahlung und von Niederschlägen.

Bei entsprechender Größe können Flächen auch der natürlichen Sukzession überlassen werden.

5 Sicherheit und Wartung

5.1 Allgemeines

Sicherheitsmaßnahmen sind zusammen mit der Anforderung zu sehen, daß zum Spielen ausgewiesene Flächen, abgestuft nach Altersgruppen, vor allem auch eine erzieherische Funktion ausüben. Freude am Abenteuer und Bestehen eines Risikos als Bestandteil des Spielwertes sind im Rahmen kalkulierter spielerisch-sportlicher Betätigung erwünscht. Für Kinder nicht erkennbare Gefahrensituationen sind zu vermeiden.

5.2 Einfriedungen

Zum Spielen ausgewiesene Flächen sind gegenüber Straßen, Kraftfahrzeugstellplätzen, Gleiskörpern, tiefen Wasserläufen, Abgründen und ähnlichen Gefahrenquellen mit einer wirksamen Einfriedung (dichte Hecken, Zäune u. ä.) zu versehen.

Pädagogisch betreute Spielplätze (siehe 4.3.8) sind mit einer Einfriedung, die nicht ohne weiteres überstiegen werden kann, zu umgeben, wenn die Sicherheit außerhalb der betreuten Spielzeit gefährdet ist.

Ballspielbereiche sind gegebenenfalls mit Schutzgittern von mindestens 4 m Höhe gegen Verkehrsflächen und Nachbargrundstücke abzuschirmen. Bei Ausmuldung des Geländes kann die Höhe entsprechend geringer sein.

5.3 Zugänge

Der Eingang bei zum Spielen ausgewiesenen Flächen sollte abseits vom Durchgangsverkehr liegen; zum Verkehrsbereich hin sollte eine ausreichende Abstandszone vorhanden sein.

Ein- und Ausgänge sind so zu sichern, daß den Kindern das Verlassen des Platzes bewußt wird. Die Barrierefreiheit ist sicherzustellen.

Für Pflege- und Hilfsfahrzeuge sind Zufahrten vorzusehen. Die hierfür notwendigen Flächen sind mit einem tragfähigen Aufbau (Unterkonstruktion) auszustatten.

5.4 Spielplatzgeräte und Ausstattungselemente

Für Einbau, Sicherheitsbereiche und Bodenarten für bzw. unter Spielplatzgeräten gelten DIN EN 1176-1 bis DIN EN 1176-6, DIN EN 1177 sowie DIN 33 942.

Dies gilt sinngemäß auch für bauliche Anlagen, deren Einbeziehung in das Spiel vorgesehen ist.

Anmerkung: Spielplätze und Freiräume zum Spielen, die vor dem 1. Januar 1999 errichtet wurden, brauchen nicht nachgerüstet zu werden.

Ausstattungselemente für Ballspiele (siehe 4.3.4) müssen die Sicherheitsanforderungen der jeweils geltenden Gerätenorm erfüllen (z. B. Fußballtore siehe DIN 7900, Handballtore siehe DIN EN 749, Tischtennistische siehe DIN 7898-1).

Für nicht zum Spielen hergerichtete oder bestimmte Ausstattungselemente (z. B. Hütten, Brücken, Pavillons, Bänke, Geländer an Treppen und Höhenunterschieden, Überdachungen, Fassadenbegrünungen, Lampen, Abfallbehälter, Müllcontainerplätze) gelten die allgemeinen Grundsätze für die Verkehrssicherungspflicht.

C

5.5 Wasser

Die Wasserqualität sollte mindestens der Qualität von Badewasser entsprechen; bei Brunnen und Wasserzapfstellen wird Trinkwasserqualität empfohlen.

Im übrigen sind für die Wasserqualitäten die gesetzlichen bzw. behördlichen Bestimmungen zu beachten.

Bei Wasserbecken sollte der Wasseraustausch situationsabhängig in kurzen Abständen erfolgen.

5.6 Giftpflanzen

Im Bereich von zum Spielen ausgewiesenen Flächen dürfen folgende Pflanzenarten nicht gepflanzt werden oder vorhanden sein:

- Euonymus europaea (Pfaffenhütchen),
- Daphne mezereum (Seidelbast),
- Ilex aquifolium (Stechpalme),
- Laburnum anagyroides (Goldregen).

5.7 Wartung

Zum Spielen ausgewiesene Flächen bedürfen einer regelmäßigen Wartung und Kontrolle.

Einzelheiten regelt DIN EN 1176-7.

Bei naturnaher Gestaltung sind Einrichtungen und Pflanzen in die Sicherheitsvorsorge mit einzubeziehen.

Eine qualifizierte Pflege sollte den konzeptionellen Zielvorstellungen der Planung gerecht werden.

D TECHNISCHE GEBÄUDEAUSRÜSTUNG

Entwässerungsanlagen für Gebäude und Grundstücke

Ersatz für DIN 1986-100 (03.2002) und DIN 1986-100 Berichtigung 1 (12.2002) mit Neugliederung des Inhalts nach besonderen Schwerpunkten.

Bestimmungen in Verbindung mit DIN EN 752[1] und DIN EN 12 056[2]:

Auszug aus **DIN 1986-100** (05.2008)

(gekürzt auf den für den Wohnungsbau notwendigen Inhalt)

Inhalt

D

[1] Entwässerungssysteme außerhalb von Gebäuden

[2] Schwerkraftentwässerungsanlagen innerhalb von Gebäuden

D

Anmerkung des Bearbeiters:
Das komplizierte Berechnungsverfahren zur Bemessung von Regenentwässerungsanlagen wird, da es inzwischen mit seinen vielen Parametern weit über den Arbeitsbereich eines Planers hinausgeht und über elektronische Rechenprogramme abgewickelt werden kann, nicht abgedruckt (Ziffern 14.2.4 bis 14.9.4 sowie Anhänge A und B).
DIN EN 12056-3 enthält ebenfalls ein Berechnungsverfahren, das nicht abgedruckt wird. Es gibt allerdings im Anhang zu den „Flachdachrichtlinien", die vom Zentralverband des Deutschen Dachdeckerhandwerks in St. Augustin herausgegeben werden, mit dem „Merkblatt zur Bemessung von Entwässerungen" eine übersichtlichere Darstellung zur Bemessung von Rinnen, Fallrohren und Zubehörgrößen (Verlag R. Müller, Köln 2009)

1 Anwendungsbereich

Diese Norm gilt für Entwässerungsanlagen zur Ableitung von Abwasser in allen Gebäuden und auf Grundstücken in Verbindung mit DIN 1986-3, DIN 1986-4, DIN 1986-30, DIN EN12 056-1 bis DIN EN 12 056-5, DIN EN 752-1 bis DIN EN 752-7 sowie DIN EN 1610, die überwiegend mit Freispiegelleitungen betrieben werden. Die Norm legt im Interesse der öffentlichen Sicherheit einheitliche technische Bestimmungen für Planung, Bau, Betrieb und Instandhaltung von Entwässerungsanlagen zur Ableitung von Abwasser in Gebäuden und auf Grundstücken in Ergänzung zu DIN EN 12 056-1, DIN EN 12 056-2, DIN EN 12 056-3, DIN EN 12 056-4 und DIN EN 12 056-5 fest (siehe Bild 1).

Anschlusskanäle werden in dieser Norm nicht behandelt. Die Nennweite des Anschlusskanals wird von der zuständigen Behörde festgelegt.

Festlegungen zur Versickerung sind nicht Gegenstand dieser Norm (siehe auch 5.4.1.3). Zu Regenwassernutzungsanlagen siehe DIN 1989-1. Zur Regenwasserrückhaltung, Regenwasserableitung und Abflussverzögerung siehe 14.9.2.

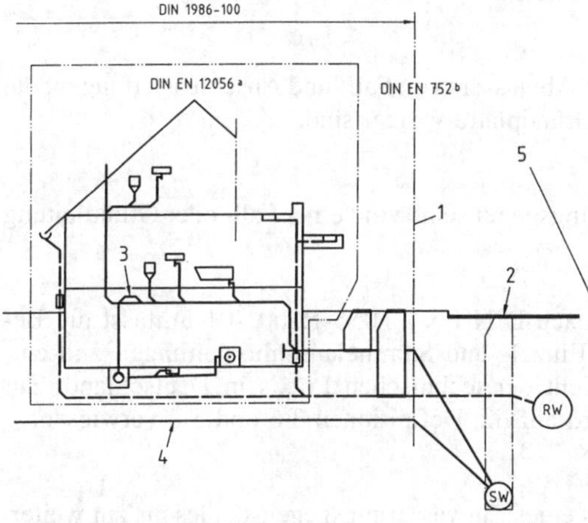

Legende

a Schwerkraftentwässerungsanlagen innerhalb von Gebäuden
b Schwerkraftentwässerungsanlagen außerhalb von Gebäuden
1 Grundstücksgrenze
2 Rückstauebene, wenn von der zuständigen Behörde nicht anders festgelegt
3 Rückstauschleife
4 Grundleitung von anderen Gebäuden
5 Öffentlicher Grund, öffentliche Abwasseranlage

Bild 1. Prinzipskizze zum Anwendungsbereich der jeweiligen Regelwerke

2 Normative Verweisungen (nicht abgedruckt)

3 Begriffe

Für die Anwendung dieses Dokuments gelten die in DIN EN 12056-1, DIN EN 12056-2 und DIN EN 12056-3 angegebenen und die folgenden Begriffe.

3.1 Grundstücksentwässerungsanlage

bauliche Anlage zur Sammlung, Ableitung, Beseitigung und Behandlung von Abwasser in Gebäuden und auf Grundstücken
[DIN 4045 : 2003-08, modifiziert]

3.2 Anschlusskanal

Kanal zwischen dem öffentlichen Abwasserkanal und der Grundstücksgrenze bzw. der ersten Reinigungsöffnung (z. B. Übergabeschacht) auf dem Grundstück
[DIN 4045 : 2003-08, modifiziert]

3.3 Grundleitung

Im Erdreich oder in der Grundplatte unzugänglich verlegte Leitung, die das Abwasser in der Regel dem Anschlusskanal zuführt.

3.4 Sammelleitung

liegende Leitung zur Aufnahme des Abwassers von Fall- und Anschlussleitungen, die nicht im Erdreich oder unter der Grundplatte verlegt sind.

3.5 Anschlussleitung

Entwässerungsrohr, das Entwässerungsgegenstände mit einer Fall- oder Grundleitung verbindet
[DIN EN 12056-1:2001-01]

ANMERKUNG Die Definition nach DIN EN 12056-1:2001-01 umfasst die Bedeutungen von Einzel- und Sammelanschlussleitungen und entspricht damit nicht der technischen Praxis in Deutschland. Zur Klarstellung wird auf die Definitionen 3.6 und 3.7 verwiesen:

3.6 Einzelanschlussleitung

Leitung von dem Geruchverschluss eines Entwässerungsgegenstandes bis zur weiterführenden Leitung oder bis zu einer Abwasserhebeanlage.

3.7 Sammelanschlussleitung

Leitung zur Aufnahme des Abwassers mehrerer Einzelanschlussleitungen bis zur weiterführenden Leitung oder bis zu einer Abwasserhebeanlage

3.8 Verbindungsleitung

Leitung zwischen Ablaufstelle und Geruchverschluss

3.9 Umgehungsleitung

Leitung zur Aufnahme von Anschlussleitungen im Staubereich einer Fallleitungsverziehung bzw. im Bereich des Übergangs einer Fallleitung in eine Sammel- oder Grundleitung

3.10 Regenwasser
Wasser aus natürlichem Niederschlag, das nicht durch Gebrauch verunreinigt wurde [DIN EN 12056-1:2001-01]

3.11 Regenwasserfallleitung
innen- oder außenliegende lotrechte Leitung, gegebenenfalls mit Verziehung, zum Ableiten des Regenwassers von Dachflächen, Balkonen und Loggien.

3.12 planmäßig vollgefüllt betriebene Dachentwässerungsanlage
Dachentwässerungsanlage, in der die Abläufe und Leitungen unter Planungsbedingungen vollgefüllt betrieben werden und die Strömung durch das Ausnutzen der gesamten Druckhöhe zwischen den Abläufen und dem Übergang auf die Freispiegelströmung aufrechterhalten wird
[DIN EN 12056-3:2001-01, modifiziert]

3.13 Notentwässerung
zusätzliche Regenentwässerung über Notab- oder Notüberläufe mit freiem Auslauf auf das Grundstück

3.14 Notablauf
Ablaufstelle einer Notentwässerung als Dach-, Attika- bzw. Rinnenablauf

3.15 Notüberlauf
Überlaufeinrichtung einer Notentwässerung

ANMERKUNG Z. B. in Form einer Öffnung in der Attika.

3.16 Berechnungsregenspende
$r_{(D,T)}$

im Geltungsbereich dieser Norm ein nach Regendauer (D) und Jährlichkeit (T) definiertes Regenereignis

3.17 Drosselabfluss
durch Einrichtung zur Begrenzung oder Verminderung des Abflusses (z. B. Drosselstrecke, Drosselschieber) reduzierter Spitzenabfluss aus einer vorübergehenden Speicherung (Rückhaltung) auf dem Grundstück

3.18 Abwassersammelgrube
unterirdischer wasserundurchlässiger Behälter ohne Ablauf zur Sammlung von häuslichem Schmutzwasser mit regelmäßiger Abwasserabfuhr zu einer Übergabestelle mit Anschluss an die kommunale Abwasserbeseitigung
[DIN EN 1085:2007-05, modifiziert]

3.19 Abwasserbehandlungsanlage
Einrichtung bzw. Anlage, die dazu dient, die Schädlichkeit des Abwasser zu vermindern oder zu beseitigen; ihr steht eine Einrichtung gleich, die dazu dient, die Entstehung von Abwasser ganz oder teilweise zu verhindern [DIN 4045:2003-08, entsprechend AbwAG § 2 (3) modifiziert]

D

3.20 Absturzschacht

Verbindung von Abwasserleitungen unterschiedlicher Tiefenlagen mit einer senkrechten Leitung in einem Schacht bzw. unmittelbar davor

[DIN 4045:2003-08, modifiziert]

4 Zeichnerische Darstellung

Sinnbilder und Zeichen nach Tabelle 1.

Bild 2 zeigt eine schematische Darstellung einer Entwässerungsanlage.

Linienbreiten für Entwässerungsgegenstände und Sanitärausstattungsgegenstände:	0,5 mm für den Maßstab 1:50
	0,25 mm für den Maßstab 1:100
Linienbreiten für Rohrleitungen:	1,0 mm für den Maßstab 1:50
	0,5 mm für den Maßstab 1:100
Schriftgröße (Schriftform B, gerade, nach DIN 1451-2)	5,0 mm für den Maßstab 1:50

Tabelle 1: Sinnbilder und Zeichen für Entwässerungsanlagen

Nr	Benennung	Grundriss	Aufriss
1 Abwasser- und Lüftungsleitungen			
1.1	Schmutzwasserleitung Druckleitung wird mit DS gekennzeichnet.	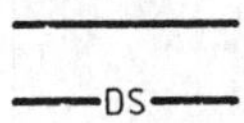	
1.2	Regenwasserleitung Druckleitung wird mit DR gekennzeichnet.		
1.3	Mischwasserleitung		
1.4	Lüftungsleitung		
1.5	Lüftungsleitung, Richtungshinweise wie Nr. 1.7, z. B. beginnend und aufwärts verlaufend		
1.6	Fallleitung		je nach Leitungsart
1.7	Richtungshinweise: a) hindurchgehend b) beginnend und abwärts verlaufend c) von oben kommend und endend d) beginnend und aufwärts verlaufend		je nach Leitungsart
1.8	Nennweitenänderung	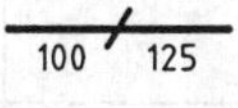	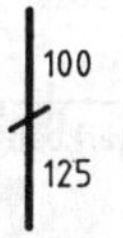
1.9	Werkstoffwechsel		

Fortsetzung siehe nächste Seite.

D

Tabelle 1: (Fortsetzung)			
Nr	Benennung	Grundriss	Aufriss
1.10	Reinigungsrohr mit runder oder rechteckiger Öffnung		
1.11	Reinigungsverschluss	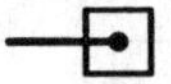	
1.12	Rohrendverschluss		
1.13	Geruchverschluss		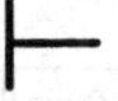
1.14	Belüftungsventil		
2	**Abläufe, Abscheider, Abwasserhebeanlagen, Schächte**		
2.1	Ablauf oder Entwässerungsrinne ohne Geruchverschluss	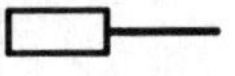	
2.2	Ablauf oder Entwässerungsrinne mit Geruchverschluss		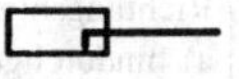
2.3	Ablauf mit Rückstauverschluss für fäkalienfreies Abwasser		
2.4	Schlammfang	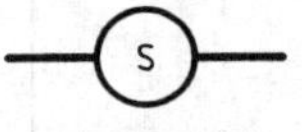	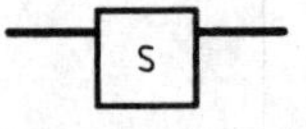
2.5	Fettabscheider	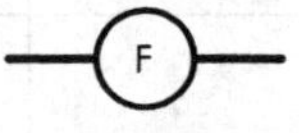	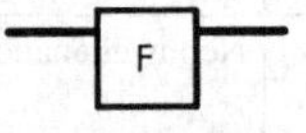
2.6	Stärkeabscheider	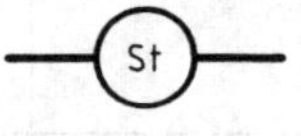	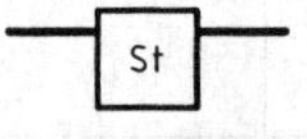
2.7	Benzinabscheider (Abscheider für Leichtflüssigkeiten)	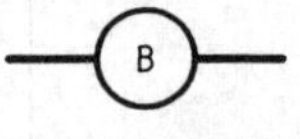	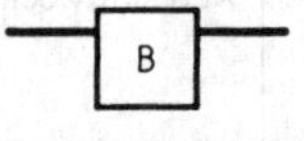
2.8	Heizölabscheider (Abscheider für Leichtflüssigkeiten)	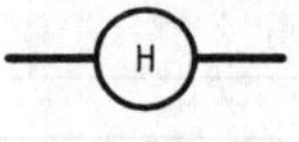	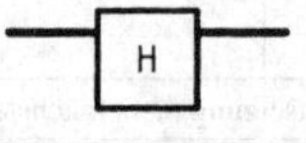
Fortsetzung siehe nächste Seite.			

Tabelle 1: (Fortsetzung)			
Nr	Benennung	Grundriss	Aufriss
2.9	Probenahmeschacht	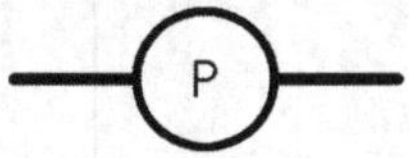	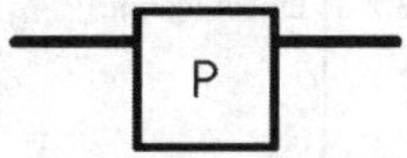
2.10	Heizölsperre	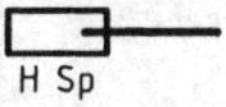	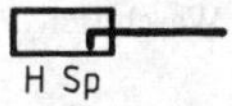
2.11	Heizölsperre mit Rückstauverschluss		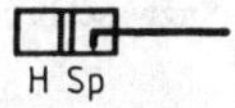
2.12	Rückstauverschluss für fäkalienfreies Abwasser	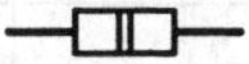	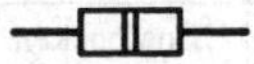
2.13	Rückstauverschluss für fäkalienhaltiges Abwasser		
2.14	Abwasserhebeanlage für fäkalienfreies Abwasser	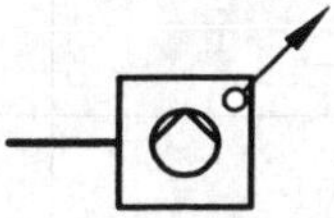	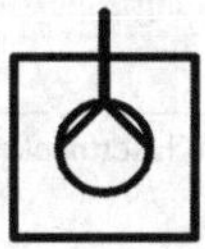
2.15	Abwasserhebeanlage für fäkalienhaltiges Abwasser	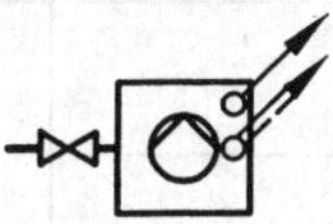	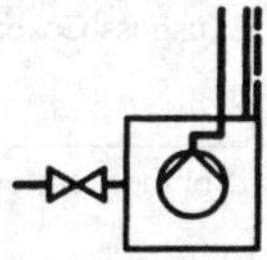
2.16	Abwasserhebeanlage zur begrenzten Verwendung	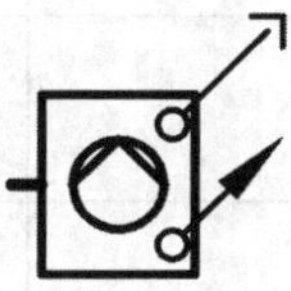	
2.17	Schacht mit offenem Durchfluss (dargestellt mit Schmutzwasserleitung)	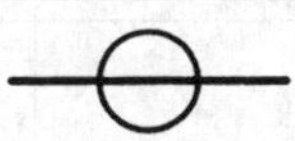	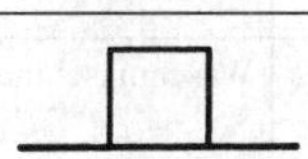
2.18	Schacht mit geschlossenem Durchfluss	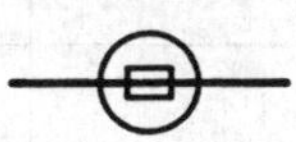	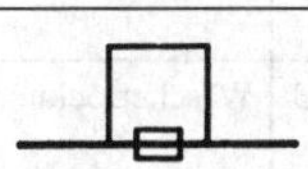
3	**Sanitär-Ausstattungsgegenstände**		
3.1	Badewanne	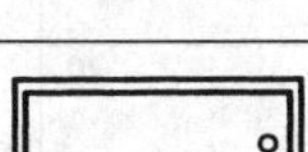	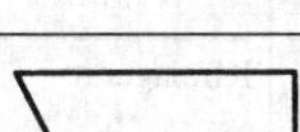
Fortsetzung siehe nächste Seite.			

D

Tabelle 1: (Fortsetzung)			
Nr	Benennung	Grundriss	Aufriss
3.2	Duschwanne	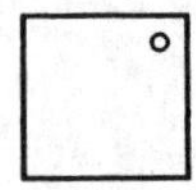	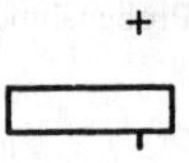
3.3	Waschtisch, Handwaschbecken	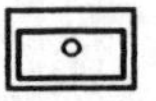	
3.4	Sitzwaschbecken	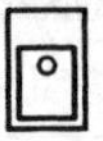	
3.5	Urinalbecken		
3.6	Urinalbecken mit automatischer Spülung		
3.7	Klosettbecken	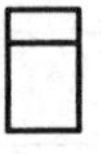	
3.8	Ausgussbecken	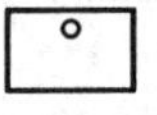	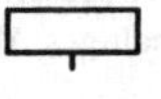
3.9	Spülbecken, einfach	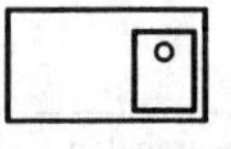	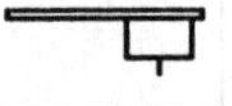
3.10	Spülbecken, doppelt	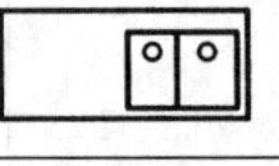	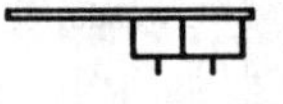
3.11	Geschirrspülmaschine	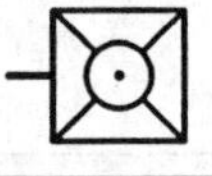	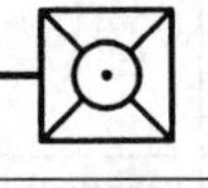
3.12	Waschmaschine	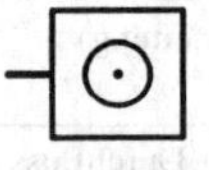	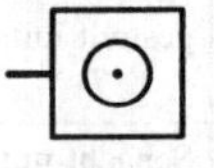
3.13	Wäschetrockner	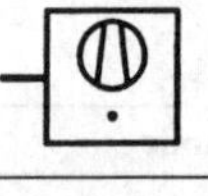	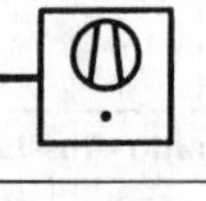
3.14	Klimagerät	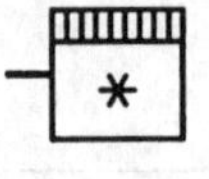	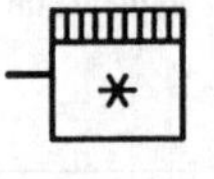

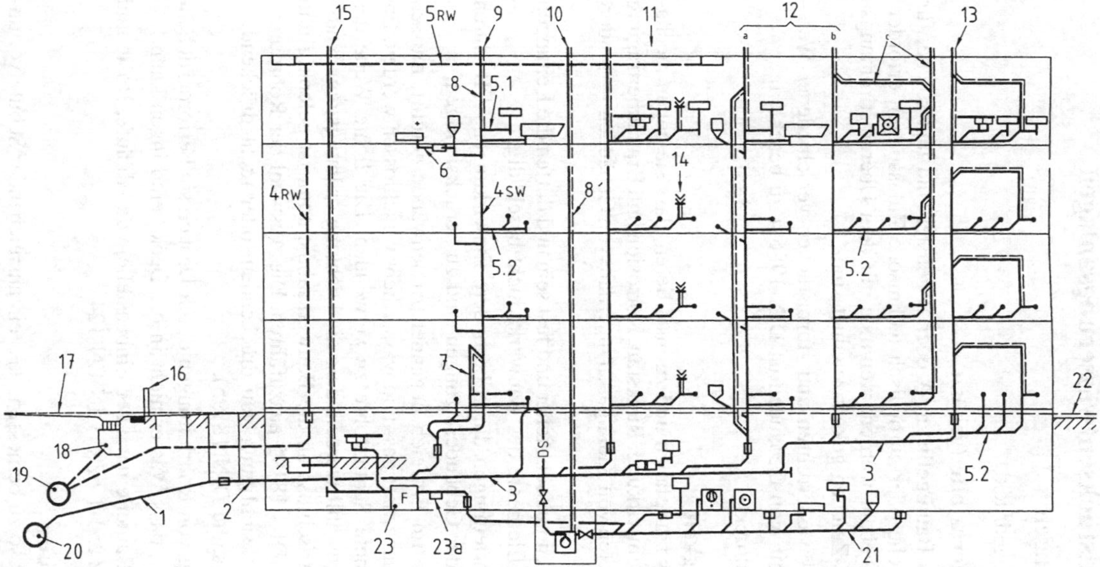

Legende

1 Anschlusskanal
2 Grundleitung
3 Sammelleitung
4 Fallleitung
5 Anschlussleitung
5.1 Einzelanschlussleitung
5.2 Sammelanschlussleitung
6 Verbindungsleitung
7 Umgehungsleitung
8 Lüftungsleitung
9 Hauptlüftung
10 Lüftung der Fäkalienhebeanlage
11 Hauptlüftung mit Beispiel Lüftungsventil
12 Nebenlüftung a) direkt, b) indirekt, c) wahlweise
13 Umlüftung
14 Belüftungsventil (Beispiel)
15 Lüftung der Fettabscheideranlage
16 Grundstücksgrenze
17 Straßenoberkante
18 Straßenablauf
19 Regenwasserkanal
20 Schmutzwasserkanal
21 Sammelanschlussleitung als Grundleitung verlegt
22 Beispiel für Rückstauebene
23 Fettabscheider mit Entleer- und Spül- sowie Probenahmeeinrichtung
23a Probenahmeeinrichtung

Die Leitungsbezeichnungen können jeweils mit dem Zusatz Schmutzwasser (SW) oder Regenwasser (RW) ergänzt werden, wie in dem Beispiel teilweise ausgeführt.

Bild 2. Schematische Darstellung einer Entwässerungsanlage

D

5 Planung von Grundstücksentwässerungsanlagen

5.1 Allgemeine Festlegungen

5.1.1 Allgemeines (nicht abgedruckt)

5.1.2 Bauprodukte und Werkstoffe (gekürzt)

(...) Bauprodukte, die in den Bauregellisten A oder B gelistet sind und solche, für die allgemeine bauaufsichtliche oder europäisch technische Zulassungen erforderlich sind (...) dürfen nur eingebaut werden, wenn sie mit dem Übereinstimmungszeichen Ü oder mit dem CE-Zeichen gekennzeichnet sind.

Für die Verwendung von Abwasserrohren und -formstücken verschiedener Werkstoffe innerhalb und außerhalb von Gebäuden ist DIN 1986-4 zu beachten.

ANMERKUNG (nicht abgedruckt)

5.1.3 Sicherheit und Festigkeit

Entwässerungsanlagen sind so zu planen und zu installieren, dass sie gegen mechanische Beanspruchung, Frosteinwirkung, Rückstau, Korrosion und Brandübertragung geschützt sind und das Austreten von Kanalgasen innerhalb von Gebäuden verhindert wird.

Die Rohrleitungsbefestigungen müssen sicher und fest sein und dürfen die Leitungen und alle anderen Teile oder Elemente des Bauwerks nicht beschädigen.

Die Beanspruchung der Rohrleitungen durch besondere Einwirkungen, z. B. durch Temperaturveränderungen oder Gebäudesetzungen sind zu berücksichtigen.

Werden Leitungen durch die im Erdreich liegenden Außenwände geführt, müssen diese Durchführungsstellen dauerhaft gas- und wasserdicht verschlossen werden. Erforderlichenfalls sind geeignete Schutzrohre zu verwenden. Die lichte Weite des Schutzrohres muss so groß gewählt werden, dass die Dichtung ordnungsgemäß ausgeführt werden kann. Der Anschluss an die Bauwerksabdichtung ist gelenkig und nach den Normen der Reihe DIN 18195 auszuführen. Die Auswahl der Rohrdurchführungen muss unter Berücksichtigung von drückendem oder nicht drückendem Wasser im Boden erfolgen (siehe DIN 18195).

Öffnungen zur Durchführung von Rohrleitungen durch Decken sind erforderlichenfalls bauseits so abzudichten, dass Wasser nicht in die Decke eindringen kann.

Für die Klassifizierung der Bauteile nach der Einbaustelle, wie Abläufe, Roste und Abdeckungen gilt DIN EN 1253-1 bzw. DIN EN 124.

5.1.4 Schutz vor Überflutung

Die Entwässerungsanlage ist so zu bemessen, dass ein ausreichender Schutz vor unplanmäßiger Überflutung gegeben ist (siehe auch DIN EN 752).

Folgenden Gefahren durch unplanmäßige Überflutungen ist entgegenzuwirken:

- Überflutung durch Wasseraustritt im Gebäude;
- Überflutung von außen wegen ungünstiger Einbindung des Gebäudes in das Gelände;
- Überflutungen wegen nicht ausreichend bemessener Entwässerungsanlagen oder

– Überflutung von Flächen, auf denen z. B. wassergefährdende Stoffe oder andere Schutzgüter lagern.

Der Schutz gegen Rückstau aus der Kanalisation ist entsprechend Abschnitt 13 auszuführen.

5.1.5 Vermeidung von Ablagerungen, Selbstreinigung von Abwasserleitungen

Abwasserleitungen sind so zu planen und herzustellen, dass dauerhafte Feststoffablagerungen bei bestimmungsgemäßem Betrieb vermieden werden.

5.2 Schmutzwasseranlagen

5.2.1 Allgemeines

In Deutschland sind Entwässerungsanlagen für die Schmutzwasserableitung entsprechend dem Systemtyp I nach DIN EN 12056-2 zu planen, herzustellen und zu betreiben.

Zur Vermeidung von Geruchsbelästigungen durch Kanalgase und der Übertragung von Fließgeräuschen müssen die Sperrwasservorlagen in Geruchverschlüssen stabil sein. Die Be- und Entlüftung der Entwässerungsanlage nach den Anforderungen dieser Norm sind sicherzustellen. Werden Ablaufstellen außer Betrieb genommen, sind die Anschlussstellen an die Entwässerungsanlage gas- und wasserdicht zu verschließen und die entsprechenden Zapfstellen vom Versorgungsnetz zu trennen.

5.2.2 Wassersparende Klosett- und Urinalanlagen

Die Verwendung von wassersparenden Klosettanlagen nach DIN EN 997 ist möglich. Die zugehörige Spüleinrichtung sollte auf mindestens 6 l Spülwasservolumen einstellbar sein.

Bei Verwendung von Klosettanlagen mit Spülwasservolumina von 4 l bis 6 l sind ergänzende Festlegungen bei der Bemessung von Anschluss-, Fall-, Sammel- und Grundleitungen zu berücksichtigen. Siehe auch Anmerkungen zu Tabelle 6.

Für Urinalbecken ohne Wasserspülung muss für jedes Beckenmodell ein Verwendbarkeitsnachweis vorliegen.

5.3 Regenentwässerungsanlagen

5.3.1 Planungsanforderungen

Bei Planung und Bemessung von Anlagen zur Regenwasserableitung sollten vorrangig alle Möglichkeiten der dezentralen Regenwasserbewirtschaftung genutzt werden, um die Einleitung von Regenwasser (siehe DIN 1986-3) in die öffentliche Abwasseranlage zu reduzieren.

Möglichkeiten der dezentralen Regenwasserbewirtschaftung sind:

- Speicherung und Nutzung;
- Versickerung, gegebenenfalls in Kombination mit Teileinleitung in die Kanalisation;
- Einleitung in ein oberirdisches Gewässer.

Als weitere Grundlage für die Planung muss festgestellt werden, welcher Abfluss in die Kanalisation eingeleitet werden darf. Die Einleitungsbeschränkungen (Rückhaltung/gedrosselte Ableitung) des Kanalnetzbetreibers sind zu berücksichtigen.

Wenn eine Beschränkung des Volumenstroms für die Einleitung in ein Gewässer oder die Kanalisation festgelegt ist, muss eine Regenwasserrückhaltung auf dem Grundstück geplant werden.

Das Regenwasservolumen, welches sich aus der Differenz zwischen dem Abfluss aus der maßgebenden Berechnungsregenspende und dem zulässigen Abfluss in die Kanalisation oder in das Gewässer ergibt, muss auf dem Grundstück vorübergehend kontrolliert zurückgehalten werden.

Die Sicherheit gegen Überflutung bzw. einer kontrollierten schadlosen Überflutung des Grundstücks, muss rechnerisch nachgewiesen werden (siehe 14.9.2).

Die Entwässerung von Flächen unterhalb der Rückstauebene, mit der Gefahr des Eindringens von Wasser in das Gebäude, wie Lichtschächte, Garageneinfahrten und Innenhöfe muss unter Berücksichtigung des Jahrhundertregens erfolgen.

Das auf Dächern anfallende Regenwasser muss, soweit im Einzelfall nicht anders festgelegt, aufgefangen und über die Entwässerungsanlage abgeleitet werden. Im Einzelfall darf Regenwasser auch auf andere Art abgeführt werden, wenn Vorsorge getroffen wird, dass Gebäude gegen Durchfeuchtung geschützt sind und das Regenwasser ungehindert und ohne Beeinträchtigung Dritter ablaufen oder versickern kann. Regenwasser darf planmäßig nicht auf öffentliche Verkehrs- bzw. Wegeflächen abgeleitet werden.

Jede Dachfläche bzw. jeder durch die Dachkonstruktion vorgegebene Tiefpunkt muss über eine Notentwässerung verfügen. Bei planmäßig vorgesehener Regenrückhaltung auf dem Dach kann auf eine Notentwässerung verzichtet werden. Die Dachflächen sind in diesem Fall mindestens bis zur Überflutungshöhe abzudichten.

Die aus den Aufstauhöhen resultierenden Lasten sind bei der statischen Bemessung der Dach- und Tragkonstruktion zu berücksichtigen.

Regenwasser, auch von kleinen Dachflächen, Balkonen usw., darf im Gegensatz zu DIN EN 12056-3:2001-01, 6.4 nicht in Schmutzwasserfallleitungen eingeleitet werden.

Bei Abläufen in unbefestigten Flächen von Verkehrsbereichen, Höfen, Gärten usw., ist die Fläche um den Ablauf im Umkreis von 0,5 m zu befestigen.

Zur Vermeidung von Kalkinkrustationen in der Entwässerungsanlage müssen Regeneinzugsflächen aus zementgebundenen Werkstoffen versiegelt werden. Die Einleitung von Sickerwasser aus kalkhaltigen Bettungsmaterialen ist zu vermeiden.

5.3.2 Planungshinweise

Die Regenentwässerung kann über Freispiegelsysteme oder planmäßig vollgefüllt betriebene Regenwasserleitungen mit Druckströmung erfolgen.

Freispiegelsysteme werden als druckloses in der Regel teilgefülltes System geplant. Mit Überschreiten der Berechnungsregenspende ist mit Überlastung und gegebenenfalls auch mit Überflutung zu rechnen.

Bei planmäßig vollgefüllt betriebenen Regenwasserleitungen mit Druckströmung kommt es mit Überschreiten der Berechnungsregenspende zur Überflutung der Dachfläche.

5.4 Entwurfsgrundlagen für Grundstücksentwässerungsanlagen

5.4.1 Grundlagen für die Aufstellung des Entwässerungsplanes

5.4.1.1 Allgemeines

In Abhängigkeit von der Größe des Bauobjektes und seiner Nutzung sind bei Neu- und Umbauten oder Sanierungen Entwässerungspläne aufzustellen, die auch Antragsgegenstand bei der zuständigen Behörde sein können. Bei der Planung einer Entwässerungsanlage sind nachfolgende Punkte zu beachten:

- aktueller Auszug aus dem flächenbezogenen Informationssystem (Flurkarte und Eigentümernachweis);
- Angaben des Kanalnetzbetreibers, wie:
  - Auszug (maßstäblich) aus dem Kanalkataster je nach Anwendungsfall für Schmutz-, Regen-, oder Mischwasser (Lage und Höhe des Anschlusskanals, bezogen auf NHN[1]) – sofern von den Landesvermessungsämtern noch nicht umgestellt, auch bezogen auf das vorhandene örtliche System;
  - Rückstauebene;
- Baubeschreibung: Angaben über Art und Zweck des geplanten Bauvorhabens;
- Lageplan mit Darstellung bzw. Angaben der
  - Grundstücksgrenzen, Baulasten, Grunddienstbarkeiten;
  - vorhandene und geplante bauliche Anlagen, wie Schächte, Abscheideranlagen, Kleinkläranlagen, Versickerungsanlagen und Brunnen;
  - von der Maßnahme betroffene schützenswerte Baumbestände, Kultur- und Naturdenkmäler;
  - Lage, Nennweite (DN) und Gefälle der Grundleitungen außerhalb des Gebäudes, Schächte bzw. Inspektionsöffnungen mit Angabe der Höhen (Sohl- und Schachtdeckelhöhen);
  - Lage einer Regenwassernutzungsanlage mit Höhen des Zu- und Ablaufes;
  - Angaben zu befestigten Hof-, Wegeflächen oder gewerblich genutzten Flächen mit Angabe ihrer Nutzung;
  - Entwässerungsrinnen und angrenzende Flächen mit Angabe der Höhen (Geländehöhen);
  - gefällemäßige Abgrenzung der befestigten Flächen und der sich daraus ergebenden Einzugsfläche (m^2) je Ablauf/Wasserscheide;
- Gebäudepläne im Maßstab $\geq$ 1:100 mit Darstellung der Entwässerungsanlage, wie:
  - bei Geschossbauten mit Fallleitungen $\geq$ 10 m (siehe 6.2.2.3) Grundrisse, Schnitte, Dachaufsichten mit Höhenangaben der Entwässerungstiefpunkte, Darstellung aller Sammel-, Fall- und Grundleitungen mit Nennweiten (DN) und Gefälle, einschließlich der Lüftungsleitungen und gegebenenfalls Belüftungsventilen;
  - Höhenangaben der Fertigfußböden im Erdgeschoss, bezogen auf NHN[1];

---

[1] „Normalhöhen im System DHHN 92“

- Abwasserhebeanlagen und/oder andere Einrichtungen zur Rückstausicherung nach DIN EN 12056-4;
- Verwendbarkeitsnachweise der eingesetzten Bauprodukte;
- Nachweis der Bemessung der Entwässerungsanlage.

5.4.1.2 Behandlungsbedürftiges Abwasser (nicht abgedruckt)

5.4.1.3 Regenwasser

Für Regenentwässerungsanlagen ist ein objektspezifischer Nachweis der Funktion zu erbringen. Bei einer abflusswirksamen Fläche > 800 m^2 sind zusätzlich zu den in 5.4.1.1 genannten Entwurfsgrundlagen folgende Angaben erforderlich:

- Grundstücksplan mit Darstellung der abflusswirksamen Flächen und Höhenangaben der Entwässerungstiefpunkte und gegebenenfalls der Regenrückhalteflächen;
- Angaben über die zulässigen statischen Belastungen des Daches;
- Einzelheiten über den Dachaufbau sowie der Abdichtung und Werkstoffe;
- Aufbau der geplanten Dachbegrünung;
- Lage der Notentwässerung mit Ableitung ins Freie;
- Bemessungsregenspenden und Abflussbeiwerte;
- Versickerung nach DWA-A 138 und unter Berücksichtigung von DWA-M 153;
- Beschränkung des Volumenstroms für die Einleitung in die öffentlichen Abwasseranlagen oder ein Gewässer;
- Rückhaltung und gedrosselte Ableitung;
- Ableitungsmöglichkeit von Dränagewasser (siehe 5.5);
- Angaben zur Regenwasserbewirtschaftung;
- Angaben zu Flächennutzung und Wasserscheiden;
- Werkstoffwahl;
- Behandlungsmaßnahmen für verunreinigtes Regenwasser.

5.4.2 Ableitung verschiedener Abwasserarten

Beim Trennsystem müssen Regen- und Schmutzwasser getrennt abgeleitet werden. In Anschluss-, Fall- und Sammelleitungen für Schmutzwasser darf kein Regenwasser, in Regenwasserfall- und Regenwassersammelleitungen darf kein Schmutzwasser eingeleitet werden.

Beim Mischsystem sind Regen- und Schmutzwasser über getrennte Fall-, Sammel- oder Grundleitungen aus dem Gebäude heraus zu führen. Die Grund- bzw. Sammelleitungen müssen aus hydraulischen Gründen außerhalb des Gebäudes zusammen geführt werden, möglichst nahe dem Anschlusskanal an der Grundstücksgrenze. Die Zusammenführung sollte in einem Schacht mit offenem Durchfluss erfolgen. In Ausnahmefällen, z. B. bei Grenzbebauung, ist eine Zusammenführung von Schmutz- und Regenwasserleitungen innerhalb des Gebäudes nur unmittelbar an der Gebäudegrenze zulässig (siehe Bild 3).

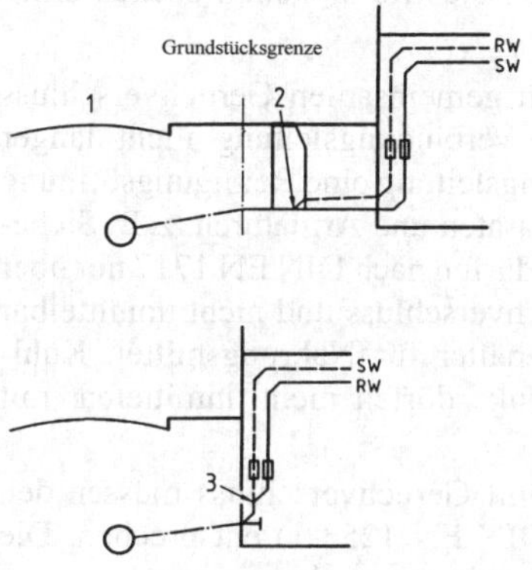

1 Straße
2 DIN EN 12 056-1; Zusammenführung von Schmutzwasser- und Regenwasserleitungen nur außerhalb vom Gebäude zulässig (möglichst nahe am Anschlusskanal)
3 DIN 1986-100; Zusammenfassung von Schmutzwasser- und Regenwasserleitungen bei Grenzbebauung auch im Gebäude zulässig

Bild 3. Zusammenführung von Schmutzwasser- und Regenwasserleitungen

5.5 Dränagewasserableitung

Grundwasser darf grundsätzlich nicht in die öffentlichen Abwasseranlagen eingeleitet werden. Für den Fall, dass die Dränage eines Gebäudes an die Entwässerungsanlage angeschlossen werden soll, ist vor Baubeginn mit der Wasserbehörde bzw. dem Kanalnetzbetreiber die Zulässigkeit der Einleitung abzustimmen. Die Dränageleitung ist in diesem Fall in einen besteigbaren Schacht mit mindestens 0,5 m tiefem Sandfang außerhalb des Gebäudes einzuführen und rückstaufrei an die Entwässerungsanlage anzuschließen. Bei der Dränung des Untergrundes zum Schutz von baulichen Anlagen ist DIN 4095 zu beachten.

5.6 Frosteinwirkung

Außerhalb der Grundfläche von Gebäuden sind Entwässerungsleitungen und Geruchverschlüsse in frostfreier Tiefe einzubauen. Diese ist entsprechend den örtlichen klimatischen Verhältnissen gegebenenfalls in Abstimmung mit der Bauaufsichtsbehörde festzulegen. Die Überdeckung sollte mindestens 800 mm betragen.

5.7 Ablaufstellen

5.7.1 Verhinderung des Austrittes von Gasen – Geruchverschlüsse

Jede Ablaufstelle ist mit einem Geruchverschluss zu versehen. Von dieser Festlegung sind ausgenommen:

a) Ablaufstellen für Regenwasser, die an Regenwasserleitungen im Trennverfahren angeschlossen sind;

b) Ablaufstellen für Regenwasser, die an Regenwasserleitungen im Mischverfahren angeschlossen sind, wenn die Ablaufstellen mindestens 2 m von Fenstern und Türen von Aufenthaltsräumen entfernt sind oder die Leitungen Geruchverschlüsse an frostfreier Stelle erhalten;

c) Bodenabläufe in Garagen, die an Abwasserleitungen im Mischverfahren angeschlossen sind, wenn die Leitungen Geruchverschlüsse an frostfreier Stelle erhalten;

d) Bodenabläufe, die über Abscheideranlagen für Leichtflüssigkeiten entwässern;

e) Überläufe in andere Ablaufstellen.

Mehrere Ablaufstellen gleicher Art können einen gemeinsamen Geruchverschluss erhalten (z. B. Reihenwaschanlagen), wenn die Verbindungsleitung nicht länger als 4 m ist und an der höchsten Stelle der Verbindungsleitung eine Reinigungsöffnung angebracht wird. Überläufe und Abläufe von Apparaten und Armaturen, z. B. Sicherungseinrichtungen einer Trinkwasserinstallation, dürfen nach DIN EN 1717 nur über einen freien Ablauf mit einem Trichter und Geruchverschluss und nicht unmittelbar mit der Abwasserleitung verbunden werden. Behälter für Nahrungsmittel, Kühlschränke, Kühlanlagen, Fischkästen, Speiseschränke dürfen nicht unmittelbar mit der Abwasserleitung verbunden werden.

Einzubauende Geruchverschlüsse oder Bauteile mit Geruchverschluss müssen den dafür geltenden Normen (z. B. DIN EN 274-1, DIN EN 1253-1) entsprechen. Die Geruchverschlusshöhe im Geruchverschluss muss mindestens betragen:

- für Schmutzwasserabläufe 50 mm;
- für Regenwasserabläufe 100 mm.

Bei Abläufen in Räumen mit Über- und Unterdruck (z. B. Klimakammer) sind den Druckverhältnissen entsprechend größere Geruchverschlusshöhen zu wählen. Notfalls sind Bodenabläufe ohne Geruchverschluss vorzusehen, die mit absperrbarer Verbindungsleitung und freiem Auslauf zu einer nicht gefährdeten Ablaufstelle führen.

5.7.2 Schutz des Gebäudes gegen Ab-/Überlaufwasser

5.7.2.1 Wasserentnahmestellen in Gebäuden

Unter jeder Entnahmestelle im Gebäude, außer für Feuerlöschzwecke und für Wasch- und Geschirrspülmaschinen nach 5.7.2.2, muss eine Ablaufstelle vorhanden sein, wenn nicht der Abfluss über wasserdichtem Fußboden ohne Pfützenbildung zu einer Ablaufstelle möglich ist.

Ablaufstellen, deren Ablauföffnungen verschlossen werden können, wie bei Waschtischen, Spülbecken, Badewannen, müssen einen freien Überlauf (bei Duschwannen gilt hierfür auch das Standrohr) mit ausreichendem Abflussvermögen haben. Die Festlegungen in DIN EN 274-1 für die entsprechenden Sanitärarmaturen sind zu beachten.

Wenn in derartigen Fällen ein freier Überlauf aus zwingenden Gründen (z. B. Behandlungsräume und Nassräume in Krankenhäusern) nicht angeordnet werden kann, ist entweder ein Bodenablauf, der als freier Überlauf anzusehen ist, oder eine nicht verschließbare Ablaufvorrichtung vorzusehen.

Schmutzwasser aus Überläufen (z. B. Kühlwasser, Kondensate) darf nicht auf Dächer abgeleitet werden.

5.7.2.2 Wasch- und Geschirrspülmaschinen

Bei Wasch- und Geschirrspülmaschinen, die fest mit der Abwasserleitung verbunden sind oder die über einen in eine Ablaufstelle eingehängten Schlauch das Abwasser abpumpen, ist eine besondere Ablaufstelle unter der Zapfstelle nicht erforderlich. Eingehängte Schläuche müssen durch geeignete Vorrichtungen gegen Herausfallen gesichert sein. Fest angeschlossene Maschinen müssen über einen Geruchverschluss entwässert werden; diese Installationsart sollte vorzugsweise ausgeführt werden.

5.7.2.3 Bodenabläufe

Bodenabläufe sind wasserdicht in die Flächenabdichtung einzubauen (siehe DIN 18195-5).

Sanitärräume in Gebäuden, die für einen wechselnden Personenkreis bestimmt oder allgemein zugänglich sind (z. B. Hotels, Schulen, Sportstätten, Gaststätten), müssen einen Bodenablauf mit Geruchverschluss enthalten.

Bäder in Wohnungen sollten einen Badablauf erhalten. Die ständige Erneuerung des Sperrwassers ist durch Anschluss eines – häufig benutzten – Entwässerungsgegenstandes sicherzustellen.

Bodenabläufe, bei denen größere Mengen an Sinkstoffen (z. B. in der Lebensmittelverarbeitung oder anderen gewerblichen Anlagen) anfallen, müssen über ausreichend große Schmutzeimer verfügen. Rinnenabläufe sind mit Rosten zu versehen.

5.7.3 Dachabläufe

5.7.3.1 Allgemeine Festlegungen

Es dürfen Dachabläufe verwendet werden, die den Anforderungen der DIN EN 1253-1 entsprechen oder Dachabläufe, für die eine allgemeine bauaufsichtliche Zulassung bzw. ein allgemeines bauaufsichtliches Prüfzeugnis vorliegt.

Der Hersteller muss das Abflussvermögen des Dachablaufes in Abhängigkeit von der Druckhöhe in Form einer Tabelle oder eines Diagramms angeben.

Der dichte Anschluss der Abläufe an die Dachhaut muss sichergestellt sein. Nach DIN 18531-1 sind Dachabläufe mit ihren Flanschaußenkanten im Abstand von mindestens 0,30 m zu den Außenkanten anderer Durchdringungen, Fugen, Dachaufbauten oder zu aufgehenden Bauteilen zu planen, es sei denn, es handelt sich um speziell für den Einbau in die Attika vorgesehene Dachabläufe.

Zweiteilige Dachabläufe müssen eine dichte Verbindung zwischen Ablauf und Aufstockelement aufweisen.

Die Festlegungen für Dachabläufe gelten sinngemäß auch für Attika-, Rinnen- und Notabläufe bzw. Notüberläufe.

5.7.3.2 Dachabläufe für planmäßig vollgefüllt betriebene Dachentwässerungsanlagen

Die Dachabläufe müssen für planmäßig vollgefüllt betriebene Dachentwässerungsanlagen geeignet sein. Das Abflussvermögen des Dachablaufes muss ohne Lufteintrag ermittelt werden. Der Einzelwiderstandsbeiwert für den Dachablauf ist nach DIN EN 1253-2 zu ermitteln und vom Hersteller anzugeben.

5.7.4 Dachrinnen

5.7.4.1 Allgemeines

Vorgehängte und innenliegende Dachrinnen können mit Gefälle zu den Abläufen oder waagerecht verlegt werden.

Waagerecht verlegte Rinnen können nach einem Regenereignis nicht vollständig leerlaufen. Wasserrückstände in der Rinne ergeben sich zwangsläufig und müssen toleriert werden.

5.7.4.2 Vorgehängte Dachrinnen

5.7.4.2.1 Allgemeines

Bei Starkregenereignissen oberhalb der Berechnungsregenspende erfolgt die Notentwässerung in der Regel über die Rinnenlängsseite. Eine höhere Berechnungsregenspende sollte dann verwendet werden, wenn überfließendes Wasser zu Beeinträchtigungen führen kann, z. B. über Eingängen von öffentlichen Gebäuden.

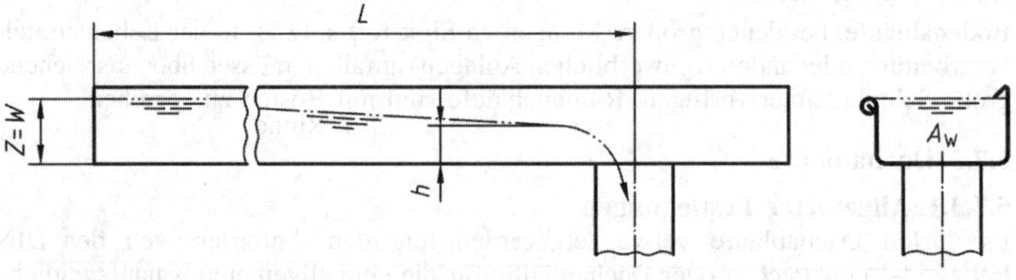

Bild 4. Bezeichnungen an vorgehängten Rinnen

Für halbrunde und kastenförmige Hängedachrinnen aus Metall außerhalb von Gebäuden gelten hinsichtlich Werkstoff und Ausführungen die Festlegungen der DIN EN 612. Für die Anforderungen, Prüfung und Kennzeichnung von Dachrinnen aus PVC-U gilt DIN EN 607.

Der Anschluss der Dachrinne an das Dach sollte soweit erforderlich über ein Traufblech (Rinneneinhang) erfolgen.

Die Dachrinnen sind so anzuordnen, dass bei Starkregenereignissen aufstauendes Wasser über die Rinnenvorderkante ablaufen kann.

5.7.4.2.2 Rinnenabläufe für vorgehängte Rinnen

Es sollten vorzugsweise nach DIN EN 12056-3:2001-01, Anhang A geprüfte Rinnenabläufe (Rinnenstutzen) verwendet werden. Ersatzweise können die Rinnenabläufe auch mittels Tabelle 12 bzw. Tabelle 13 bemessen werden.

5.7.4.3 Innenliegende Rinnen

5.7.4.3.1 Allgemeines

Eine innenliegende Rinne kann in drei Funktionalschichten eingeteilt werden (siehe 14.4.2), nach denen sich auch die Anordnung der Notentwässerung bzw. die Höhe der Rinnenkopfstücke ergeben.

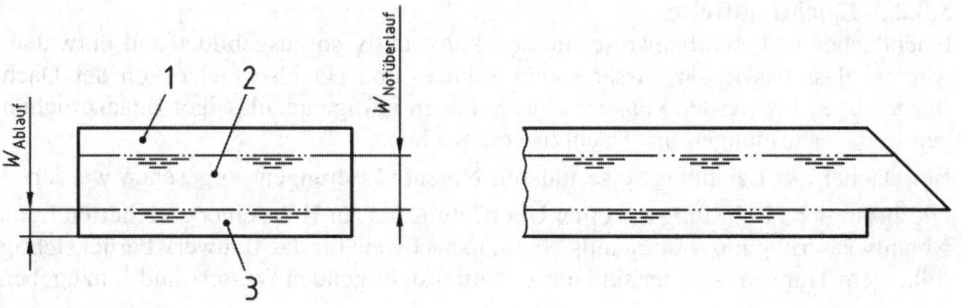

Legende
1 Rinnenfreibord
2 zulässiger Überflutungsbereich
3 Kopfstück

Bild 5. Begriffsbestimmungen an einer innenliegenden Rinne

5.7.4.3.2 Rinnenabläufe für innenliegende Rinnen
Die Entwässerung innenliegender Rinnen sollte unter Verwendung von Abläufen geprüft nach DIN EN 1253-2 erfolgen. Handwerklich gefertigte Rinnenabläufe (Rinnenstutzen) müssen nach DIN EN 12056-3 bemessen werden.

5.8 Dachflächen

5.8.1 Geneigte Dächer
Die Regenwasserableitung von geneigten Dächern kann sowohl mit vorgehängten als auch mit innenliegenden Rinnen vorgenommen werden.

5.8.2 Flachdächer

5.8.2.1 Allgemeines
Flachdächer können über Flachdachabläufe nach DIN EN 1253-1 und/oder über innenliegende Rinnen entwässert werden, die für den Berechnungsregen auszulegen sind. Bei Starkregenereignissen oberhalb des Berechnungsregens kann es zu Überflutungen (Aufstau) auf den Dachflächen kommen. Deshalb müssen grundsätzlich jedem Entwässerungstiefpunkt auf dem Dach neben dem Ablauf eine Notentwässerung zugeordnet werden.

5.8.2.2 Massivbauweise
Flachdächer in Massivbauweise müssen die durch Überflutung oder durch planmäßige Rückhaltung von Regenwasser entstehenden Belastungen sicher aufnehmen können. Für den erforderlichen Standsicherheitsnachweis sind dem Tragwerksplaner die zu berücksichtigenden Wasserstände anzugeben.
Bei Dächern in Massivbauweise, bei denen Regenwasserrückhaltung planmäßig vorgesehen und statisch nachgewiesen ist, kann auf Notentwässerungen verzichtet werden.

D

5.8.2.3 Leichtbauweise

Flachdächer in Leichtbauweise müssen konstruktiv so ausgebildet und entwässert werden, dass das Regenwasser sowie Schnee- und Hagelschmelze von der Dachfläche abgeführt werden können, ohne Schäden infolge unzulässiger Beanspruchungen und Verformungen am Dach zu verursachen.

Bei Dächern in Leichtbauweise müssen Notentwässerungen vorgesehen werden.

Die zusätzliche Belastung aus einer Überflutung bis zur Höhe einer gesicherten freien Notentwässerung muss im Standsicherheitsnachweis für das Bauwerk berücksichtigt sein. Dem Tragwerksplaner sind die zu berücksichtigenden Wasserstände anzugeben.

5.8.3 Dachbegrünung

Dachbegrünungen haben – je nach Aufbau – ein hohes Wasserrückhaltevermögen. Kleinere Regenereignisse können komplett gespeichert und anschließend durch Verdunstung der Luft wieder zugeführt werden. Starkregenereignisse, die nicht vollständig gespeichert werden können, fließen zeitverzögert in die Entwässerungsanlage ab.

Dachbegrünungen mit flächigem Wasseraustausch in der Dränageschicht sind Sonderformen und separat mit Freispiegelsystemen zu entwässern.

Die Dachabläufe sind gegen Zuwachsen durch die Begrünung zu schützen, z. B. durch einen mindestens 50 cm breiten Kiesrand.

Ein statischer Nachweis für Dächer mit Dachbegrünungen muss unter Berücksichtigung der Sollwassertiefe für die Notentwässerung erfolgen.

5.8.4 Sanierung von Dachflächen

Wenn die Dachfläche eines Gebäudes saniert wird, muss das Abflussvermögen der vorhandenen Entwässerungsanlage überprüft werden. Gleichfalls ist zu kontrollieren, ob Notentwässerungen vorhanden, ausreichend bemessen und richtig angeordnet sind.

5.9 Notentwässerung

Die Notentwässerung kann über Notüberläufe oder Notabläufe erfolgen.

Die Notentwässerung darf nicht an die Entwässerungsanlage angeschlossen werden, sondern muss mit freiem Auslauf auf schadlos überflutbare Grundstücksflächen entwässert werden.

Von jedem Dachablauf aus muss ein freier Abfluss auf der Dachabdichtung zu einer Notentwässerung mit ausreichendem Abflussvermögen vorhanden sein. Lässt die Dachgeometrie eine freie Notentwässerung über die Fassade nicht zu, muss zur Sicherstellung der Notentwässerungsfunktion ein zusätzliches Leitungssystem mit freiem Auslauf auf das Grundstück diese Aufgabe übernehmen.

Notabläufe können als Attikaabläufe frei durch die Attika entwässern.

Verrohrte Notablaufsysteme müssen als Freispiegelsysteme oder als planmäßig vollgefüllte Leitungen mit Druckströmung den Anforderungen nach 14.2 und 14.3 genügen.

5.10 Balkone und Loggien

Balkone und Loggien sollten einen Ablauf oder eine vorgehängte Rinne erhalten. Haben Balkone und Loggien eine geschlossene Brüstung, so muss zusätzlich zum Ablauf ein Notablauf oder ein Notüberlauf von mindestens 40 mm lichter Weite in der Brüstung vorhanden sein.

An Regenwasserfallleitungen von Dachentwässerungen dürfen zur Vermeidung von Überflutungen auf den darunterliegenden Etagen keine Balkon-, Loggien- oder Terrassenabläufe angeschlossen werden, auch dann nicht, wenn Notentwässerungen in der Brüstung vorhanden sind.

Wenn Dritte nicht beeinträchtigt werden, darf das Regenwasser auch direkt über Wasserspeier oder Tropfleisten auf das Grundstück abgeleitet werden.

6 Verlegen von Leitungen

6.1 Allgemeines

6.1.1 Verzicht auf Grundleitungen innerhalb von Gebäuden

Aus Gründen der Inspizierbarkeit und der einfacheren Sanierungsmöglichkeit sollten Grundleitungen innerhalb von Gebäuden vermieden und stattdessen als Sammelleitungen verlegt werden. Dies gilt nicht für Gebäude ohne Keller. Hier sollten die Grundleitungen möglichst kurz und geradlinig aus dem Gebäudebereich herausgeführt werden. Bei unterhalb der Rückstauebene liegenden Entwässerungsanlagen mit Anschluss an eine Abwasserhebeanlage oder einem Rückstauverschluss sollten Grundleitungen nur hergestellt werden, wenn der Anschluss an eine Sammelleitung nicht möglich ist (z.B. Fußbodenabläufe, Duschen, Badewannen). Siehe auch DIN 1986-30.

6.1.2 Dichtheit der Abwasserleitungen und ihrer Verbindungen

Abwasserleitungen müssen bei einem inneren und äußeren Überdruck bis 0,5 bar unter den zwischen ihnen und ihrer Umgebung möglichen Wechselwirkungen dauerhaft dicht sein.

Die Dichtheitsprüfung der erdverlegten Abwasserleitung ist nach DIN EN 1610 durchzuführen.

6.1.3 Sicherung der Rohrleitungen gegen Auseinandergleiten

Bei Rohrleitungen mit nicht längskraftschlüssigen Verbindungen, in denen planmäßig Innendruck herrscht oder durch Überlastung Innendruck entstehen kann, sind die Rohre – vor allem bei Richtungsänderungen – gegen Auseinandergleiten und Ausweichen aus der Rohrachse durch geeignete Maßnahmen zu sichern.

Für Leitungen, bei denen ein höherer Über- oder Unterdruck auftreten kann als in 6.1.2 angegeben, z.B. durch Rückstau und im Überlastungsbereich einer Regenwasserfallleitung oder in der Druckleitung einer Hebeanlage, sind besondere Anforderungen an Rohre, Formstücke, Verbindungen und Halterungen zu berücksichtigen; gegebenenfalls sind Sicherungsschellen (längskraftschlüssig) an Verbindungen, auch bei Verwendung druckfester Rohre und Formstücke, einzusetzen.

Die Stützweiten der Rohrleitungen sowie Maßnahmen gegen Auseinandergleiten und Ausweichen aus der Achse sind entsprechend den Verlegeanleitungen der Hersteller der Rohrsysteme festzulegen (siehe 6.3.1).

6.1.4 Schutz vor mechanischer Beschädigung

Abwasserleitungen sind in Bereichen, in denen mit mechanischen Beschädigungen gerechnet werden muss, z. B. in Tiefgaragen, Werks- oder Lagerhallen, zu schützen.

Für Regenfallleitungen sind in Bereichen, in denen mit mechanischen Belastungen gerechnet werden muss, Standrohre aus einem geeigneten Werkstoff zu verwenden (siehe DIN 1986-4).

6.1.5 Einbau von Rohren in tragende Bauteile

Rohrleitungen dürfen in tragende Bauteile einbetoniert werden, wenn die Standsicherheit nicht beeinträchtigt wird. Die Rohrleitungen müssen für die Einbauart geeignet sein.

6.1.6 Ausführung von Richtungsänderungen

Richtungsänderungen von Grund- oder Sammelleitungen dürfen nur mit Bögen $\leq 45°$ ausgeführt werden. In liegenden Leitungen dürfen nur Abzweige $\leq 45°$ eingebaut werden. Doppelabzweige in liegenden Leitungen sind unzulässig. Richtungsänderungen von liegenden Rohrleitungen in offenen und geschlossenen Schachtdurchführungen dürfen ebenfalls nur mit einer Abwinkelung $\leq 45°$ ausgeführt werden.

6.1.7 Übergänge auf andere Nennweiten

Übergänge auf größere Nennweiten müssen mit Übergangsformstücken oder anderen geeigneten Verbindungen (z. B. Übergangsdichtungen) hergestellt werden.

In Sammelanschlussleitungen sollten exzentrische Übergangsformstücke scheitelgleich eingebaut werden.

Aus Gründen der besseren Inspizierbarkeit muss der Einbau in Grundleitungen sohlengleich erfolgen.

6.1.8 Reduzierung der Nennweiten

Reduzierungen der Rohr-Nennweiten in Fließrichtung sind, mit Ausnahme bei planmäßig vollgefüllt betriebenen Regenwasserleitungen, unzulässig.

6.1.9 Abstürze

Größere Höhenunterschiede in Grundleitungen sind als Abstürze in Verbindung mit besteigbaren Schächten auszuführen.

6.2 Schmutzwasserleitungen

6.2.1 Fremdeinspülung

Anschlussleitungen für Klosettbecken, Bade- und Duschwannen sowie für Badabläufe sind so in die Fallleitung einzuführen, dass das Maß $h \geq$ DN der Anschlussleitung ist (h Höhenunterschied zwischen Wasserspiegel im Geruchverschluss und Sohle der Anschlussleitung am Fallleitungsabzweig; siehe Bild 6).

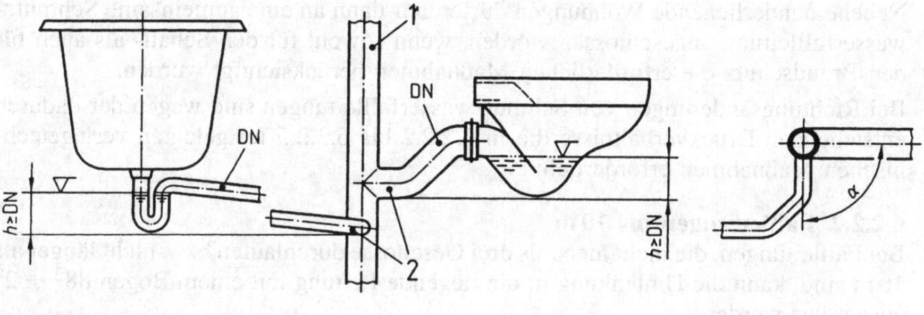

1 Fallleitung
2 Abzweige
α Spreizwinkel (im Grundriss)

Bild 6. Beispiel für die Einmündung benachbarter Anschlussleitungen in eine Fallleitung (Abzweig um 90° versetzt); siehe auch Bild 7

Benachbarte Anschlussleitungen sind so zu verlegen, dass Fremdeinspülungen vermieden werden. Für Anschlussleitungen (von z. B. Bade- und Duschwannen), bei denen mit Fremdeinspülungen aus Klosettbecken gerechnet werden muss, sollten die Maße nach Bild 7a und 7b eingehalten werden.

Bei Anschluss von gegenüberliegenden Klosetts gilt Bild 7c.

Auch für Anschlüsse von Einzelanschlussleitungen an Sammelanschlussleitungen bzw. Sammelleitungen gilt der Grundsatz, dass Fremdeinspülungen zu vermeiden sind.

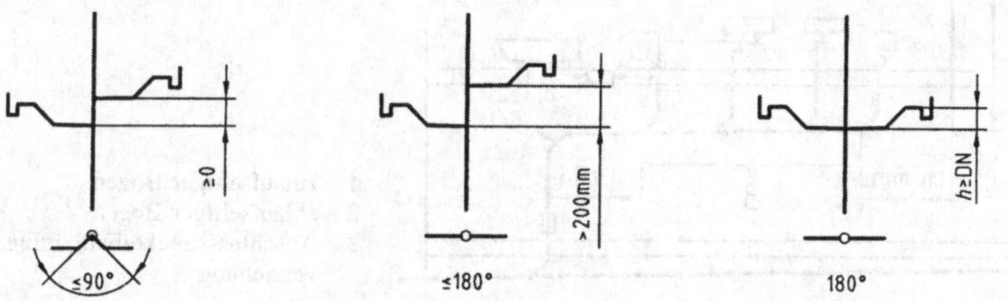

Maße beziehen sich auf die Rohrsohlen der Anschlussleitungen

Bild 7a Bild 7b Bild 7c

Bild 7. Anordnung von Abzweigen in Fallleitungen bei Anschluss von Klosettbecken

6.2.2. Schmutzwasserfallleitungen

6.2.2.1 Allgemeine Festlegungen

Schmutzwasserfallleitungen sind ohne Nennweitenänderung möglichst geradlinig durch die Geschosse bis über Dach zu führen.

Anschlüsse ≤ DN 70 an Fallleitungen müssen mit 88° ± 2°-Abzweigen ausgeführt werden.

Nebeneinanderliegende Wohnungen dürfen nur dann an eine gemeinsame Schmutzwasserfallleitung angeschlossen worden, wenn sowohl für den Schall- als auch für den Brandschutz die erforderlichen Maßnahmen berücksichtigt wurden.

Bei Richtungsänderungen von Schmutzwasserfallleitungen sind wegen der dadurch entstehenden Druckverhältnisse die in 6.2.2.2 bis 6.2.2.5 festgelegten verlegetechnischen Maßnahmen erforderlich:

6.2.2.2 Fallleitungen bis 10 m

Bei Fallleitungen, die nicht mehr als drei Geschosse durchlaufen bzw. nicht länger als 10 m sind, kann die Umlenkung in die liegende Leitung mit einem Bogen 88° ± 2° ausgeführt werden.

6.2.2.3 Fallleitungen über 10 m bis 22 m

Bei Fallleitungen, die vier bis acht Geschosse durchlaufen bzw. 10 m bis 22 m lang sind, sind Maßnahmen nach Bild 8 oder Bild 9 erforderlich.

Die Fallleitung ist oberhalb des zulaufseitigen Bogens einer Verziehung auf eine Höhe von mindestens 2 m von Anschlüssen freizuhalten (siehe Bild 8).

Ausgenommen hiervon sind Fallleitungen mit Richtungsänderungen bis 45° (Sprungbogen, Verziehungen).

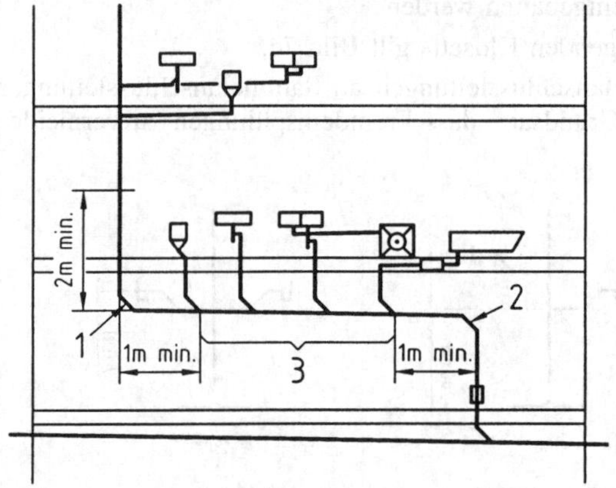

1 zulaufseitiger Bogen
2 ablaufseitiger Bogen
3 Anschlussstrecke/Fallleitungsverziehung

Bild 8. Anschlussfreie Leitungsteile bei Verziehung ohne Umgehung

Anschlüsse im Bereich einer Verziehung sind mit einem Mindestabstand von 1 m hinter dem zulauf- sowie 1 m vor oder hinter dem ablaufseitigen Bogen einer Verziehung an die liegende Leitung zu führen (siehe Bild 8).

Ist die Fallleitungsverziehung < 2 m, ist eine Umgehungsleitung einzubauen (siehe Bild 9).

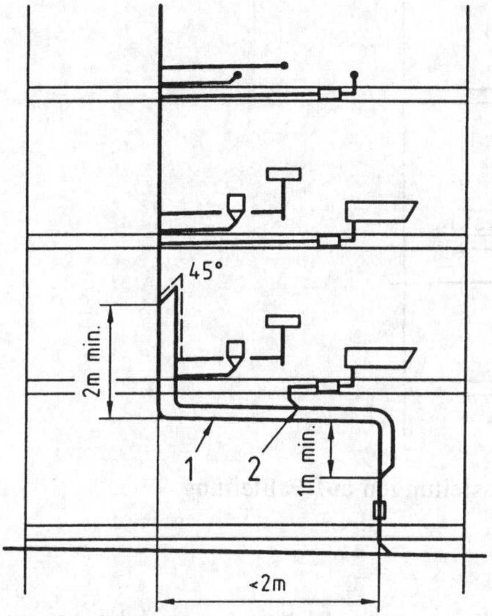

1 Fallleitungsverziehung
2 Umgehungsleitung

Bild 9. Fallleitungsverziehung < 2 m mit Umgehungsleitung

Beim Einbau einer Umgehungsleitung sind die Einzelanschlussleitungen mit dieser zu verbinden.

Bei einer Verziehung der Fallleitung sind die zulauf- und ablaufseitigen Bogen mit einem Zwischenstück von 250 mm Länge aufzulösen (siehe Bild 10).

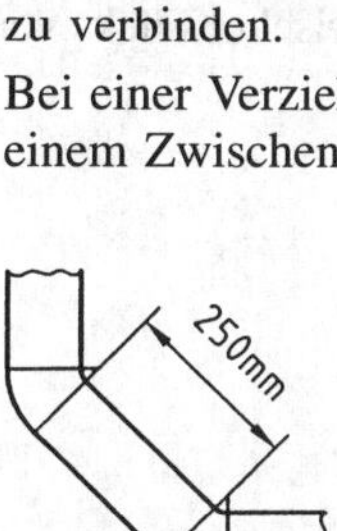

Bild 10. Übergang in eine liegende Leitung

Bei Einbau einer Umgehungsleitung kann auf das Zwischenstück von 250 mm Länge verzichtet werden. Die Umgehungsleitung ist mindestens 2 m oberhalb des zulaufseitigen und 1 m unterhalb des ablaufseitigen Bogens abzuschließen (siehe Bild 9).

Die nach Bild 8 einzeln angeschlossenen Leitungen können auch durch eine unbelüftete Sammelanschlussleitung oder ggf. belüftete Sammelleitung mit der Verziehung oder der Sammel- oder Grundleitung verbunden werden (siehe Bild 11).

D

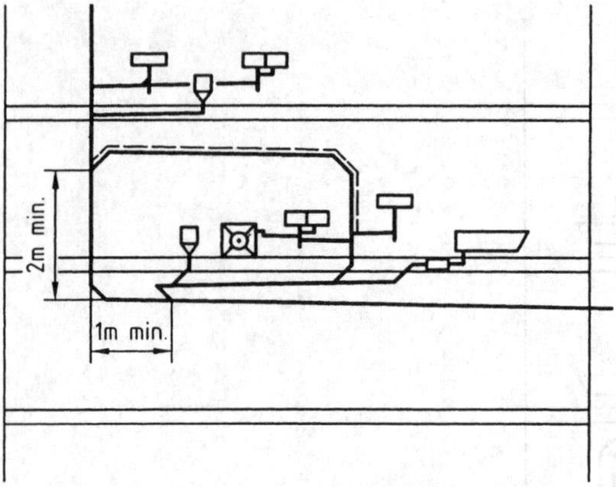

Bild 11. Umlüftung von Sammelanschlussleitungen auf Fallleitung

6.2.2.4 Fallleitungen über 22 m

Bei Fallleitungen, die länger als 22 m sind, müssen bei Fallleitungsverziehungen und bei dem Übergang einer Fallleitung in eine liegende Leitung Umgehungsleitungen eingebaut werden. Wenn die Verziehung < 2 m ist, gilt für die Ausführung Bild 9, bei längeren Verziehungen und bei dem Übergang in eine liegende Leitung gilt Bild 12. In diesen Fällen ist die Umlenkung mit einem Zwischenstück von 250 mm nach Bild 10 auszuführen.

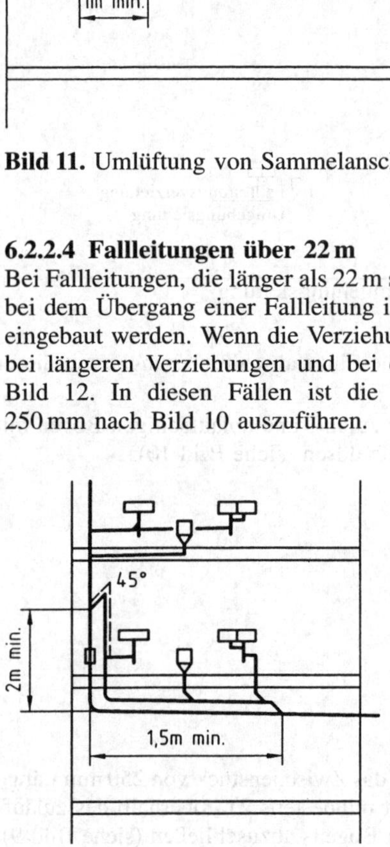

Bild 12. Fallleitungsverziehung ≥ 2 m mit Umgehungsleitung oder Umgehungsleitung für den Übergang einer Fallleitung in eine Sammel- oder Grundleitung

6.2.2.5 Mehrfach verzogene Fallleitungen (Terrassenhäuser)

Mehrfach verzogene Fallleitungen, z. B. in Terrassenhäusern, sind mit einer direkten oder indirekten Nebenlüftung (siehe Bild 13 und Bild 14) auszuführen. Die Entwässerungsgegenstände sind möglichst an liegende Leitungen anzuschließen.

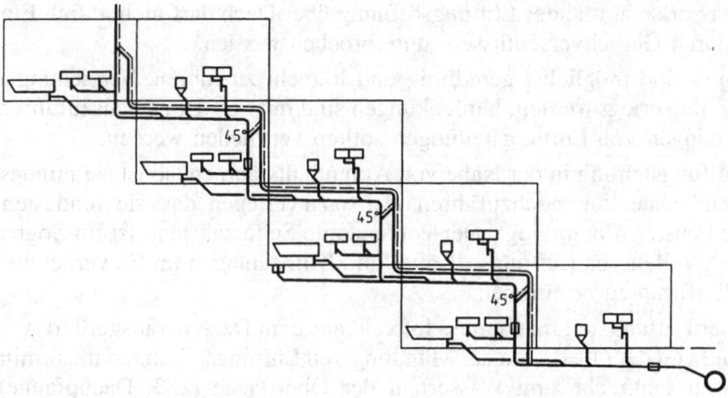

Bild 13. Mehrfach verzogene Fallleitung mit direkter Nebenlüftung

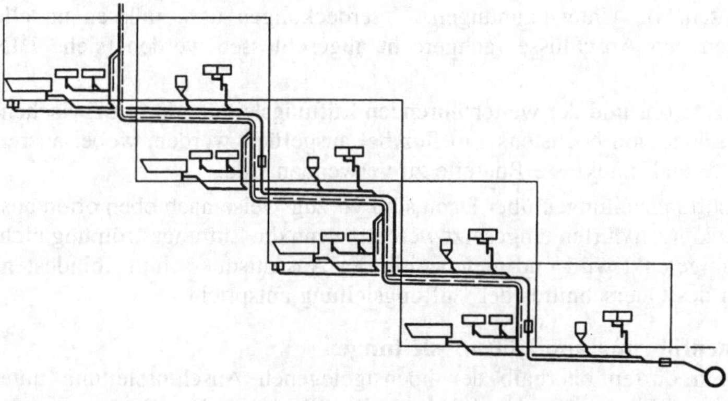

Bild 14. Mehrfach verzogene Fallleitung mit indirekter Nebenlüftung

6.5 Lüftung der Entwässerungsanlage

6.5.1 Allgemeines

Grundsätzlich muss jede Fallleitung als Lüftungsleitung bis über Dach geführt werden (Ausnahme siehe 6.5.5).

Die Mitbenutzung von Abwasserleitungen zur Raumentlüftung ist unzulässig.

In Anlagen ohne Fallleitungen muss für die Be- und Entlüftung der Grund-/Sammelleitungen mindestens eine Lüftungsleitung DN 70 über Dach geführt werden. Innerhalb der so belüfteten Leitungen sind die Anforderungen für Einzel- und Sammelanschlussleitungen einzuhalten (siehe 14.1.3).

Die Be- und Entlüftung einer Schmutz- oder Mischwasserleitung zwischen dem öffentlichen Abwasserkanal und der Lüftungsöffnung über Dach darf nicht durch Einbauten – z. B. durch Geruchverschlüsse – unterbrochen werden.

Lüftungsleitungen sind möglichst geradlinig und lotrecht zu führen. Verziehungen müssen mit Gefälle verlegt werden. Umlenkungen sind mit 45°-Bogen auszuführen. Längere Verziehungen von Lüftungsleitungen sollten vermieden werden.

Mündet eine Lüftungsleitung in der Nähe von Aufenthaltsräumen, so ist sie mindestens 1 m über den Fenstersturz hochzuführen oder so zu verlegen, dass sie mindestens 2 m seitlich der Fensteröffnung liegt. Der vorgenannte Schutzabstand ist im Sogbereich von Ansaugstellen von Lüftungs-, Kälte- und Klimaanlagen im Einvernehmen mit der Herstellerfirma zu bestimmen.

Die Mündung der Lüftungsleitungen muss lotrecht aus dem Dach herausgeführt werden. Der Abstand von der Oberkante der Mündung von Lüftungsleitungen muss mindestens, gemessen senkrecht zum Wasserlauf der Oberfläche (z. B. Dachpfanne), 15 cm von der Dachfläche betragen.

Als Endrohre von Lüftungsleitungen sind nur Bauteile zu verwenden, die einen fach- und funktionsgerechten Anschluss an die Dachhaut ermöglichen. Die luftdichte Schicht oder gleichwertige Funktionsebenen sowie Wärmedämmung und wasserableitende Schichten wie Unterspannungen, Unterdeckungen usw. müssen an alle Durchdringungen und Anschlüsse fachgerecht angeschlossen werden (siehe DIN 4108-3).

Zwischen dem Endrohr und der weiterführenden Lüftungsleitung dürfen Zwischenteile mit einer Länge von höchstens 1 m flexibel ausgeführt werden, wobei ausreichend eigensteife und knickfeste Bauteile zu verwenden sind.

Endrohre von Lüftungsleitungen über Dach sind vorzugsweise nach oben offen auszuführen. Abdeckungen dürfen eingesetzt werden, wenn die Lüftungsströmung nicht mehr als 90° umgelenkt wird und gleichzeitig der Austrittsquerschnitt mindestens dem 1,5-fachen des Querschnittes der Lüftungsleitung entspricht.

6.5.2 Zusammenführung von Lüftungsleitungen

Lüftungsleitungen dürfen oberhalb der höchstgelegenen Anschlussleitung unter einem Winkel von 45° zusammengeführt werden (Bild 19). Die Bemessung der Nennweite der zusammengeführten Lüftungsleitung ergibt sich aus 14.1.6.

6.5.3 Lüftung von Abwasserhebeanlagen

Fäkalienhebeanlagen nach DIN EN 12050-1 müssen über Dach be- und entlüftet werden.

Schmutzwasserhebeanlagen nach DIN EN 12050-2 müssen über Dach be- und entlüftet werden, wenn sie geruchsdicht verschlossen sind, oder ein späterer geruchsdichter Verschluss möglich sein soll.

Hebeanlagen zur begrenzten Verwendung nach DIN EN 12050-3 sind zu lüften. Herstellerangaben sind zu beachten.

Die Lüftungsleitung der Hebeanlagen darf sowohl an Hauptlüftungs- als auch an Sekundärlüftungsleitungen angeschlossen werden, nicht jedoch an Fallleitungen.

6.5.4 Lüftung von Fettabscheidern (nicht abgedruckt)

6.5.5 Belüftungsventile

Belüftungsventile können in Entwässerungsanlagen mit dem Hauptlüftungssystem als Ersatz für Umlüftungen oder indirekter Nebenlüftungen, die dem Abbau von Unterdruck im Leitungssystem dienen, eingebaut werden.

Es dürfen nur Belüftungsventile nach DIN EN 12380 verwendet werden.

In Ein- oder Zweifamilienhäusern oder entwässerungstechnisch vergleichbaren Nutzungseinheiten mit ausschließlich häuslichem Abwasser können Belüftungsventile als Ersatz von Hauptlüftungsleitungen eingesetzt werden, wenn mindestens eine Fallleitung über Dach geführt wird. In diesem Fall ist die Fallleitung mit der größten Nennweite über Dach zu be- und entlüften.

Belüftungsventile sind so zu installieren, dass sie im Falle eines Defekts ohne bauliche Maßnahmen ausgetauscht werden können. Für ausreichenden Luftzutritt ist zu sorgen.

Den Einsatzbereich unter Berücksichtigung der Betriebstemperatur und der Einbaulage regelt Tabelle 2 in Anlehnung an DIN EN 12380.

In rückstaugefährdeten Bereichen und für die Lüftung von Behältern, z.B. Hebeanlagen, dürfen keine Belüftungsventile eingesetzt werden.

D

Tabelle 2: Betriebsbedingungen und Bezeichnung von Belüftungsventilen

Bestimmungsfaktor	Bereich/Position	Bezeichnung
Lage: Unterhalb der Fließebene[a] der Anschlussleitung der angeschlossenen Entwässerungsgegenstände einsetzbar	Ja	**A**
	Nein	**B**
Temperatur	–20 °C bis + 60 °C	**I**
	0 °C bis + 60 °C	**II**
	0 °C bis + 20 °C	**III**

[a] Fließebene im Sinne des Begriffes „Rückstauebene" nach DIN EN 12380.

ANMERKUNG Ventile der Bezeichnung I sind für einen Einsatz vorgesehen, dessen Umgebungstemperatur am Einbauort (z.B. unbeheizter Dachboden) tagelang unter dem Gefrierpunkt liegen kann.

6.6 Reinigungsöffnungen

Reinigungsöffnungen werden zum Zweck der Reinigung, der Kontrolle und, wenn gefordert, zur Prüfung eingesetzt.

Reinigungsöffnungen in Rohrleitungen können ausgeführt werden als:

- Rohrendverschlüsse;
- Reinigungsverschlüsse;
- Reinigungsrohre mit runder/ovaler Öffnung;
- Reinigungsrohre mit rechteckiger Öffnung;
- Reinigungsrohre als Schiebestücke;
- offene Rohrdurchführungen in Schächten.

Reinigungsöffnungen sind wie folgt vorzusehen:

- als Reinigungsverschlüsse in Grundleitungen und Sammelleitungen mindestens alle 20 m;
- als Reinigungs- und Rohrendverschlüsse in Sammelleitungen;
- als Reinigungsrohre unmittelbar am Übergang der Fallleitung in eine liegende Leitung;
- als Reinigungsrohre in Fallleitungen oder als Rohrendverschlüsse an zugänglichen Stellen am Übergang von einer lotrechten Leitung in eine Sammelleitung.

Reinigungsrohre mit rechteckiger Öffnung sind für Grundleitungen zu verwenden, soweit ein offener Durchfluss in einem Schacht außerhalb des Gebäudes nicht möglich ist. Sie können darüber hinaus für alle anderen Leitungen verwendet werden.

Reinigungsrohre mit runder Öffnung dürfen nur für Anschluss-, Fall- und Sammelleitungen verwendet werden.

Wenn zwischen den Reinigungsöffnungen keine Richtungsänderungen vorliegen, kann der Abstand zwischen den Reinigungsöffnungen in Grundleitungen bis DN 150 auf 40 m und in Grundleitungen $\geq$ DN 200 in Schächten mit offenem Durchfluss auf 60 m erhöht werden. Die Zufahrt zu den Schächten mit Fahrzeugen und Geräten ist sicherzustellen, diese Schächte sind als Einsteigschächte (siehe Tabelle 3) auszuführen.

Diese Anforderungen gelten auch bei Richtungsänderungen von Grundleitungen $> 30^\circ$ (ausgenommen ein Axialversprung mit $2 \times 30^\circ$-Bogen), wenn Inspektionsöffnungen zwischen den Reinigungsöffnungen möglichst nahe der Richtungsänderung vorgesehen werden.

Reinigungsöffnungen sind nahe der Grundstücksgrenze, jedoch in der Regel nicht weiter als 15 m vom öffentlichen Abwasserkanal entfernt anzuordnen. Reinigungsöffnungen sind getrennt für das jeweilige Abwassersystem vorzusehen.

Bei Grenzbebauung kann statt eines Schachtes die Reinigungsöffnung im Gebäude in der Sammelleitung vor der Mauerdurchführung installiert werden (siehe Bild 3).

In Arbeitsräumen, in denen Nahrungsmittel be- und verarbeitet oder gelagert werden, dürfen keine Reinigungsöffnungen eingebaut werden.

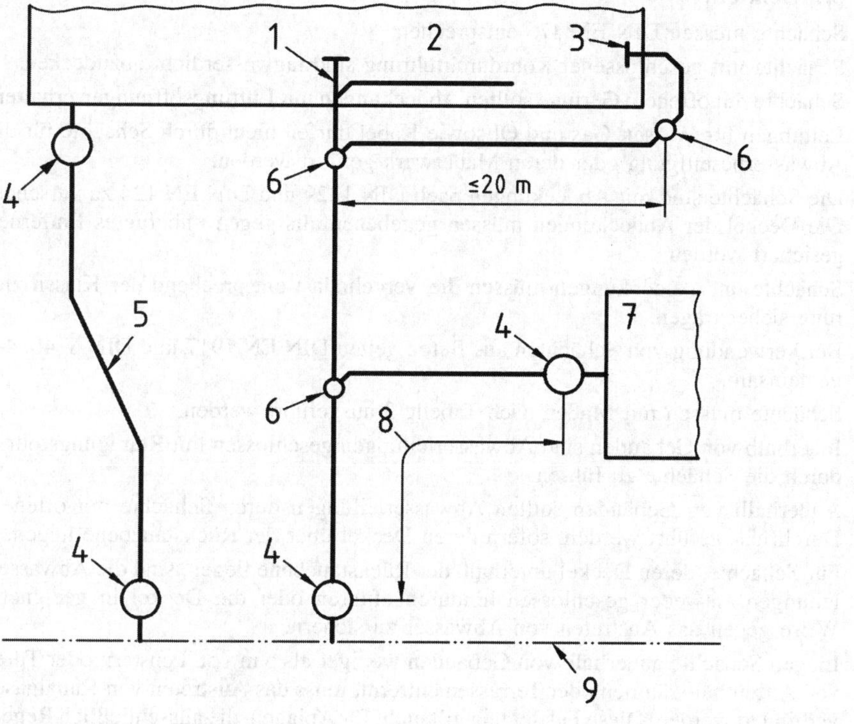

Legende
1 Reinigungs-T-Stück an der Kellerwand
2 Gewerbehalle 1
3 Reinigungs-T-Stück an der Kellerwand
4 besteigbarer Schacht DN 1 000
5 Axialversprung bis ≤ 30°
6 Inspektionsöffnung (z. B. nicht besteigbarer Schacht DN 400)
7 Haus 2
8 Bei NW bis DN 150 40 m Schachtabstand, bei NW ≥ DN 200 bis 60 m, (gilt auch für die Strecke 1 bis 4)
9 Grundstücksgrenze

Bild 15. Beispiele für die Abstände von Reinigungsöffnungen in Grundleitungen

6.7 Schächte

Schächte müssen DIN EN 476 entsprechen.

Schächte mit geschlossener Rohrdurchführung sind tagwasserdicht abzudecken.

Schächte mit offenem Gerinne sollten Abdeckungen mit Lüftungsöffnungen erhalten.

Leitungen für Wasser, Gas und Öl sowie Kabel dürfen nicht durch Schächte für die Abwasserbeseitigung oder deren Mauerwerk geführt werden.

Die Schächte sind mit Abdeckungen nach DIN 1229 und DIN EN 124 zu versehen. Die Deckel der Abdeckungen müssen gegebenenfalls gegen unbefugtes Entfernen gesichert werden.

Schächte und Abdeckungen müssen die Verkehrslast entsprechend der Klassifizierung sicher tragen.

Bei Verwendung von Schächten aus Beton gelten DIN EN 1917 und DIN V 4034-1 gemeinsam.

Schächte müssen mit Maßen nach Tabelle 3 ausgeführt werden.

Innerhalb von Gebäuden sind Abwasserleitungen geschlossen mit Reinigungsrohren durch die Schächte zu führen.

Außerhalb von Gebäuden sollten Abwasserleitungen durch Schächte mit offenem Durchfluss geführt werden, sofern deren Deckel über der Rückstauebene liegen.

Für Schächte, deren Deckel unterhalb der Rückstauebene liegen, sind die Abwasserleitungen entweder geschlossen hindurchzuführen oder die Deckel in geeigneter Weise gegen das Austreten von Abwasser zu sichern.

Liegen Schächte außerhalb von Gebäuden weniger als 5 m von Fenstern oder Türen von Aufenthaltsräumen oder Terrassen entfernt, muss das Austreten von Kanalgasen verhindert werden. Diese Festlegung gilt nicht für Anlagen, die ausschließlich Regenwasser führen und nicht an den Mischwasserkanal angeschlossen sind.

Die Rohrsohle der Schächte mit offenem Durchfluss darf nicht tiefer liegen als die abgehenden Leitungen. Die Schachtsohle ist zur Führung des Abwasserstroms mit einem Gerinne zu versehen, in das seitliche Zuflüsse eingebunden werden können.

Wenn Druckrohrleitungen in Schächte einmünden ist für eine wirksame Energieumwandlung zu sorgen.

Bei Entwässerungsanlagen im Trennsystem sind für Schmutzwasser und Regenwasser getrennte Schächte vorzusehen.

Der Anschluss der Leitungen an den Schacht muss entsprechend DIN EN 1610, gelenkig ausgeführt werden, so dass auftretende Bodenbewegungen und Verlagerungen ohne Nachteile für Rohrleitung und Schachtbauwerk aufgenommen werden können.

Tabelle 3: Maße von Einsteigschächten und Inspektionsöffnungen (Kontrollschächten) für den allgemeinen Verwendungsbereich in der Grundstücksentwässerung

Querschnitte	Maße und Schachttiefen für Schächte	
1	2	
Einsteigschächte 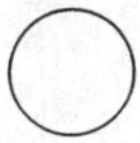	Maße für besteigbare Schächte mit Steighilfen nach DIN EN 476 und freiem Arbeitsraum ≥ 1 800 mm oberhalb des Rohrscheitels: – ≥ DN/ID 1000	
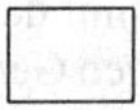	– ≥ 750 mm × 1200 mm	
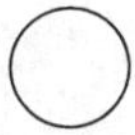	gelegentlich besteigbare Schächte nach DIN EN 476 bis 3 000 mm Tiefe – ≥ DN/ID 800 bis ≤ DN/ID 1000 mit Steighilfen. Einstieg nur angegurtet.	
Inspektionsöffnungen (Kontrollschächte) 	nicht besteigbar	Einbautiefen
	DN/ID ≥ 300 bis < 400	≤ 1500
	DN/ID ≥ 400 bis < 800	≤ 3000
Kontrollschächte innerhalb des Gebäudes 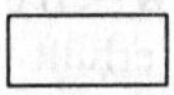	≥ 600 mm × 800 mm zugelassen bis zu einer Tiefe von 800 mm	

Werden Abwasserleitungen mit geschlossener Rohrdurchführung durch Schächte geführt, sollten die Schachtunterteile bis zur Höhe der Dichtung der Reinigungsöffnung mit Beton mit einem leichten Gefälle zur Reinigungsöffnung aufgefüllt werden, so dass im Falle einer Betriebsstörung und/oder Reinigung Abwasser in die Reinigungsöffnung problemlos zurückfließen kann.

Einsteigschächte
- erster Schacht an der Grundstücksgrenze zum öffentlich kanalisierten Weg,
- Regel-Abstand der weiteren Schächte bis 40 m bei DN 100 bis DN 150 und/oder
- Regel-Abstand bis 60 m bei ≥ DN 200 mit offenem Durchfluss.

Schächte oberhalb einer Arbeitshöhe von 1 800 mm, bezogen auf den Rohrscheitel, können auf eine lichte Weite (DN/ID) von ≥ 800 mm eingezogen werden (siehe [5]).

Die lichten Einstiegsweiten und -höhen müssen DIN EN 476 entsprechen. Die Höhen der Ausgleichsringe DN/ID ≥ 600 mm oberhalb des Schachthalses (Konus oder der Abdeckplatte) dürfen jedoch eine Gesamthöhe von 240 mm nicht überschreiten (siehe [5]).

Schächte ≥ DN/ID 800 bis < DN/ID 1 000 nach DIN EN 476 dürfen wegen der eingeschränkten Arbeitsmöglichkeiten im Innenraum nur als Kontrollschacht mit offenem Durchfluss verwendet werden und dürfen nur von Personen begangen werden, wenn diese angegurtet und durch eine zusätzliche Person abgesichert sind.

D

7 Brandschutz

Bei der Planung und Ausführung von Entwässerungsanlagen sind die Brandschutzanforderungen entsprechend der Landesbauordnungen und der Technischen Baubestimmungen bzw. der Richtlinien über brandschutztechnische Anforderungen an Leitungsanlagen der Länder einzuhalten.

8 Schallschutz

Das Geräuschverhalten einer Entwässerungsanlage in Verbindung mit dem Bauwerk ist bei der Planung und Installation zu berücksichtigen. Die zulässigen Geräuschpegel sind in DIN 4109 geregelt.

9 Anforderungen an die Abwasserbehandlung

9.1 Allgemeines

In die öffentlichen Abwasseranlagen darf nur Abwasser im Sinne von DIN 1986-3 eingeleitet werden.

Abwasser, das diesen Anforderungen nicht entspricht und nicht vermieden werden kann, ist in hierfür geeigneten Anlagen so zu behandeln, dass die Anforderungen an das Einleiten von Abwasser nach § 7a Wasserhaushaltsgesetz (WHG) und den Regelungen der Länder bzw. der kommunalen Abwassersatzungen erfüllt werden.

Unmittelbar hinter Abwasserbehandlungsanlagen ist ein Probenahmeschacht bzw. eine andere geeignete Probenahmestelle anzuordnen.

9.2 Abscheider und Sperren für Leichtflüssigkeiten und -stoffe

(nicht abgedruckt)

9.3 Schlammfänge

Sand- oder Schlammfänge sind vorzusehen, wenn Abwasser mit sedimentierfähigen Stoffen anfällt. Die Schlammfänge können sowohl Bestandteil einer in sich geschlossenen Abwasserbehandlungsanlage sein, als auch als separates Bauteil Abwasserbehandlungsanlagen vorgeschaltet werden oder für sich allein ihre Funktion erfüllen. Die Schlammfänge und ihre Dichtungen müssen gegenüber dem abzuleitenden Abwasser beständig sein. Schlammfänge müssen gut zu reinigen und die Schächte besteigbar sein.

9.4 Kondensate

Für das Einleiten von Kondensaten aus Feuerungsanlagen ist ATV-DVWK-A 251 zu berücksichtigen, sofern in den regionalen Abwassersatzungen nichts anderes festgelegt ist.

9.5 Abfallzerkleinerer

Zerkleinerungsgeräte für Küchenabfälle, Müll, Papier, Inkontinenzartikel usw. sowie Handtuchspender mit Spülvorrichtung, bei denen das zerkleinerte Spülgut in die Entwässerungsanlage gelangen kann, dürfen nicht an die Abwasseranlage angeschlossen werden (siehe auch DIN 1986-3).

10 Grundstückskläranlagen

Kleinkläranlagen ($\leq$ 50 EW) müssen der Normenreihe DIN EN 12566 in Verbindung mit DIN 4261-1 entsprechen.

Für die Verwendbarkeit der geregelten Bauprodukte ist die Bauregelliste des Deutschen Instituts für Bautechnik (DIBt) zu beachten (siehe auch 5.1.2).

Es gelten die in den Landesbauordnungen und in die in den Vorschriften aufgrund der Landesbauordnung vorgegebenen Verwendungsbedingungen (siehe Anmerkung).

Für die Gewässereinleitung ist eine wasserrechtliche Erlaubnis erforderlich.

Kleine Kläranlagen ($>$ 50 EW und bis 150 EW) sind nach ATV-A 122 zu bemessen.

Die Anforderungen aus der wasserrechtlichen Erlaubnis sind für die Bemessung der Anlage und den Betrieb zu beachten.

ANMERKUNG Die Verwendbarkeit der zz. in DIN EN 12566-1 und DIN EN 12566-3 geregelten Bauprodukte ist unabhängig von der entsprechenden CE-Kennzeichnungspflicht in Deutschland in der Musterliste der Technischen Baubestimmungen, Teil III und in der Abwasserverordnung (AbwV) Anhang 1 enthalten. In der AbwV Anhang 1 Abschnitt C Absatz 4 ist festgelegt: *„Die Anforderungen nach Absatz 1 für die Größenklasse 1 gelten bei Kleineinleitungen* (Anm. $\leq$ 50 EW) *im Sinne des § 8 in Verbindung mit § 9 Abs. 2 Satz 2 des Abwasserabgabengesetzes als eingehalten, wenn eine durch allgemeine bauaufsichtliche Zulassung, europäische technische Zulassung nach den Vorschriften des Bauproduktengesetzes oder sonst nach Landesrecht zugelassene Abwasserbehandlungsanlage nach Maßgabe der Zulassung, eingebaut und betrieben wird. In der Zulassung müssen die für eine ordnungsgemäße, an den Anforderungen nach Absatz 1 ausgerichtete Funktionsweise erforderlichen Anforderungen an den Einbau, den Betrieb und die Wartung der Anlage festgelegt sein.“*

Sowohl bei Kleinkläranlagen als auch bei kleinen Kläranlagen sind, wenn von der Wasserbehörde gefordert, weitergehende Maßnahmen für die Nährstoffelimination (Denitrifikation) entsprechend der wasserrechtlichen Erlaubnis vorzusehen. Der Nachweis für die weitergehenden Maßnahmen für die Nährstoffelimination nach dem Stand der Technik kann für Kleinkläranlagen durch eine allgemeine bauaufsichtliche Zulassung oder eine Zustimmung im Einzelfall durch die zuständige Behörde erbracht werden.

D

11 Abwassersammelgruben

Auf Grundstücken anfallendes Schmutzwasser, das nicht in eine öffentliche Abwasseranlage eingeleitet werden kann oder mit wasserrechtlicher Erlaubnis über eine Grundstückskläranlage in ein Gewässer eingeleitet werden darf, ist in eine wasserdichte Abwassersammelgrube einzuleiten. Das Schmutzwasser, das nach DIN 1986-3 den Anforderungen für eine Einleitung in die öffentlichen Abwasseranlagen entsprechen muss, ist von den Nutzungsberechtigten durch einen Fachbetrieb mit geeigneten Fahrzeugen rechtzeitig vor Erreichen der maximalen Füllung abfahren zu lassen und an einer von dem für die Abwasserbeseitigung zuständigen Unternehmen bezeichneten Übergabestelle den öffentlichen Abwasseranlagen zuzuführen. Abwassersammelgruben sind nach DIN 1986-3 zu betreiben. Niederschlagswasser darf nicht eingeleitet werden.

Abwassersammelgruben sind so einzubauen, dass

- sie jederzeit von Saugwagen mit einem zulässigen Gesamtgewicht von mindestens 18 t über entsprechend befestigte Wege erreicht werden können und/oder
- eine Länge der für die Abwasserabfuhr auszulegenden Saugschläuche von 30 m möglichst nicht überschritten wird,
- im Falle eines späteren möglichen Kanalanschlusses dieser in gerader Verlängerung zum öffentlichen Abwasserkanal erfolgen kann; an Stelle der Sammelgrube kann dann ein Einsteigschacht für den Kanalanschluss hergestellt werden, wobei die Abstände für Schächte nach 6.7 einzuhalten sind.

Abwassersammelgruben müssen den in DIN EN 12566-1 und DIN 4261-1 genannten Anforderungen entsprechen und sind für den entleerten Betriebszustand auftriebssicher unter Berücksichtigung des höchstmöglichen äußeren Wasserstandes einzubauen.

Bei Abwassersammelgruben aus dem Werkstoff Beton oder Stahlbeton muss der Beton mindestens der Festigkeitsklasse C35/45 nach DIN 1045-2 entsprechen. Vorgefertigte Bauteile müssen DIN V 4034-1 mit den Anforderungen für Typ 2 entsprechen. Neu herzustellende Abwassersammelgruben aus Mauerwerk sind unzulässig. Abdeckplatte und Konus müssen den in DIN V 4034-1 genannten Anforderungen genügen.

Die Schachtabdeckungen müssen DIN EN 124 in Verbindung mit DIN 1229 entsprechen und der Verkehrsbelastung an der jeweiligen Einbaustelle. Es sind nur Abdeckungen ohne Lüftungsöffnungen einzubauen.

Für die Berücksichtigung der Verkehrslasten und Bestimmung des bautechnischen Verhaltens gelten die in DIN EN 12566-1 genannten Anforderungen.

Abwassersammelgruben aus Kunststoffen bedürfen einer allgemeinen bauaufsichtlichen Zulassung, die Einbau, Wartung und Betrieb regelt.

Der Anschluss von Zulaufleitungen (mindestens DN 100) und gegebenenfalls einer Absaugleitung muss gelenkig ausgeführt werden (siehe 6.7). Die einmündende Grundleitung ist entsprechend DIN 4261-1 50 mm bis 100 mm in die Sammelgrube hineinzuführen. Die angeformten Muffen bzw. eingebauten Anschlussstücke müssen den Maßen der anzuschließenden Rohre (Gelenkstücke) entsprechen. Behälterdurchführungen sind bei Sammelgruben wie folgt auszuführen:

- Behälter aus dem Werkstoff Beton: in den Behälter eingegossene Zulaufmuffe oder Kernbohrung mit Einsatz einer Gummi-Mehrfachlippendichtung;
- Behälter aus anderen Werkstoffen: In die Behälterwand werkseitig stabil und dicht eingebaute Rohrstutzen oder Muffen mit Mehrfachlippendichtungen.

Wird auf Grund der Größe oder geringen Tiefe eine Abwassersammelgruben-Anlage aus mehreren hintereinander angeordneten Behältern gebildet, so sind die Verbindungsleitungen in mindestens in DN 150 auszuführen. Die Querbelüftung ist sicherzustellen.

Für die Herstellung von Abwassersammelgruben gelten weiterhin folgende Anforderungen:

a) Zugänglichkeit:
   - Kreisquerschnitt mit einem Mindestdurchmesser von 600 mm;
   - Steigeisen sind nicht zulässig;
   - die Sammelgrube darf nur nach Entleerung und ausreichender Belüftung entsprechend der Unfallverhütungsvorschriften über eine Leiter von Fachpersonal bestiegen werden;

b) Be- und Entlüftung:
   - die Be- und Entlüftung von Abwassersammelgruben erfolgt über die angeschlossene Grundleitung mit Lüftungsleitung ≥ DN 100 über Dach;
   - zur Sicherstellung einer ausreichenden Lüftung der Sammelgrube, um die Anreicherung von Faulgasen zu verhindern, ist der Einsatz von Belüftungsventilen nicht erlaubt;

c) Sicherung gegen Überfüllung:
   - Abwassersammelgruben sollten mit einer Überfüllsicherung (Aufstaumelder) ausgerüstet werden, die bei maximaler Füllung beim Nutzungsberechtigten deutlich sicht- oder hörbar Alarm auslöst;

d) Nutzinhalt:
   - für die Ermittlung des Nutzinhaltes ist die Tiefe der Sammelgrube von Rohrsohle der Zulaufleitung bis zur Beckensohle maßgebend;
   - das notwendige Speichervolumen ergibt sich aus den Bemessungsgrundlagen nach DIN 4261-1;
   - für nicht kanalisierte Gebiete sind nach dem Bauordnungsrecht in der Regel nur Gebäude mit einer abwassertechnischen Nutzung, die der von etwa 2 bis 3 Wohneinheiten entspricht, zulässig;
   - für eine Wohneinheit (EW) mit 4 Personen bei 150 l Wasserverbrauch je Tag und Person errechnen sich 600 l je Tag an Abwasseranfall;
   - bei einer etwa halbmonatlichen Abwasserabfuhr ergibt das hieraus z. B. ein erforderliches Speichervolumen von 9 m^3;
   - bei kleineren Wohneinheiten oder vergleichbaren Nutzungen darf jedoch ein Mindestnutzvolumen von 6 m^3 nicht unterschritten werden;

D

e) Wasserdichtheit:
– für neu hergestellte Anlagen gelten ebenfalls die in DIN 1986-30 genannten Anforderungen.

12 Beseitigung nicht mehr benutzter Entwässerungsanlagen

Nicht mehr benutzte Entwässerungsanlagen sind so zu sichern, dass Gefahren oder unzumutbare Belästigungen nicht entstehen können, wenn die Anlagen nicht völlig entfernt werden. Die Sicherung kann z. B. dadurch vorgenommen werden, dass die Leitungen verschlossen werden. Nicht mehr benutzte Schächte und Gruben (z. B. Abort-, Klär- oder Sammelgruben) sind, nachdem sie ordnungsgemäß entleert wurden, zu beseitigen oder fachgerecht zu verfüllen.

13 Schutz gegen Rückstau

13.1 Ablaufstellen

13.1.1 Allgemeines

Der Rückstau aus der Kanalisation hat vielfältige, in DIN EN 12056-4 näher genannte Gründe, die bereits bei der Planung und Herstellung der Grundstücksentwässerungsanlage im Interesse eines ordnungsgemäßen Betriebes vorausschauend beachtet werden müssen. Ziel der normativen Festlegungen in den Abschnitten 13 und 14 ist, Überflutungen im Gebäude und auf dem Grundstück zu vermeiden. Hierbei sind vorbeugende Maßnahmen gegen den Rückstau aus der Kanalisation durch Installation von Abwasserhebeanlagen oder, unter bestimmten Voraussetzungen, Rückstauverschlüsse genauso in die Planung mit einzubeziehen, wie die Prüfung, ob Ablaufstellen unterhalb der Rückstauebene zwingend erforderlich sind.

Oberhalb der Rückstauebene anfallendes Abwasser ist mit freiem Gefälle in die Kanalisation zu entwässern.

Wenn kein ausreichendes Gefälle zum Kanal besteht, ist das Abwasser mittels Abwasserhebeanlagen in den Kanal zu fördern, auch in diesem Fall gelten die Anforderungen an die Verlegung nach DIN EN 12056-4.

13.1.2 Ablaufstellen für Schmutzwasser

Ablaufstellen für Schmutzwasser, deren Wasserspiegel im Geruchverschluss unterhalb der Rückstauebene liegt, sind durch automatisch arbeitende Abwasserhebeanlagen mit Rückstauschleife nach DIN EN 12056-4 gegen Rückstau aus dem Abwasserkanal zu sichern.

Rückstauverschlüsse müssen DIN EN 13564-1 entsprechen. Nach DIN EN 12056-4:2001-01, Abschnitt 4 dürfen Rückstauverschlüsse nur verwendet werden wenn:

- Gefälle zum Kanal besteht;
- die Räume von untergeordneter Nutzung sind, d. h., dass keine wesentlichen Sachwerte oder die Gesundheit der Bewohner bei Überflutung der Räume beeinträchtigt werden;

- der Benutzerkreis klein ist und diesem ein WC oberhalb der Rückstauebene zur Verfügung steht und
- bei Rückstau auf die Benutzung der Ablaufstelle verzichtet werden kann.

Die Regelungen für Betrieb und Wartung nach DIN 1986-3 sind einzuhalten.

Ablaufstellen oberhalb der Rückstauebene, die im freien Gefälle entwässert werden können, dürfen nicht über eine Hebeanlage oder einen Rückstauverschluss entwässert werden.

Für die Verwendung der in DIN EN 13564-1 enthaltenen Typen ist 13.2 zu beachten.

13.1.3 Ablaufstellen für Regenwasser

Ablaufstellen für Regenwasser von Flächen unterhalb der Rückstauebene dürfen an die öffentliche Kanalisation nur getrennt von häuslichem Abwasser über automatisch arbeitende Abwasserhebeanlagen, die außerhalb des Gebäudes angeordnet werden müssen, rückstaufrei nach DIN EN 12056-4 (heben über die Rückstauebene, Rückstauschleife) angeschlossen werden. Die abflusswirksamen Flächen unterhalb der Rückstauebene, die ein Gefälle zum Gebäude aufweisen, wie Garageneinfahrten, Hauseingänge oder Geländeabtragungen zu Souterrainwohnungen, sind möglichst klein zu halten.

In Ausnahmefällen, z. B. bei Grenzbebauung und innerstädtischen Innenhöfen, kann die Abwasserhebeanlage auch innerhalb des Gebäudes mit einer Doppelanlage installiert werden, wenn das Gebäude in geeigneter Weise durch bauliche Maßnahmen gegen Überflutung geschützt wird.

Bei kleinen Flächen unterhalb der Rückstauebene mit Gefälle zu Eingängen des Gebäudes, z. B. bei Garagenrampen, kann die Abwasserhebeanlage auch innerhalb des Gebäudes installiert werden.

Regenwasser kleiner Flächen (etwa 5 m^2) von Kellerniedergängen und dergleichen kann versickert werden, wenn die Bodenverhältnisse hierfür geeignet sind. Falls dies nicht möglich ist, dürfen solche Flächen bei Vorhandensein natürlichen Gefälles über Rückstauverschlüsse nach DIN EN 13564-1 entwässert werden, wenn geeignete Maßnahmen, z. B. Schwellen bei Kellereingängen, ein Überfluten der tief liegenden Räume durch Regenwasser verhindern, solange der Rückstauverschluss geschlossen ist.

Bei der Regenwasserableitung sind, unabhängig von Maßnahmen des Rückstauschutzes, Überflutungsprüfungen nach 14.9 durchzuführen.

13.2 Rückstauverschlüsse

Bei der Ausführung des Rückstauschutzes durch Rückstauverschlüsse nach DIN EN 13564-1 dürfen für den jeweiligen Anwendungsbereich nur die in Tabelle 4 genannten Typen verwendet werden.

D

Tabelle 4: Anwendungsbereiche für Rückstauverschlüsse

Anwendungsbereich	Zugelassene Typen von Rückstauverschlüssen nach DIN EN 13564-1
Fäkalienfreies Abwasser Regenwasser	Typen 2, 3 und 5
Fäkalienhaltiges Abwasser	Typ 3 mit Kennzeichnung „F“
Regenwassernutzungsanlagen[a]	Typen 0, 1, 2
[a] Nur für Überläufe von Erdspeichern, die an einen Regenwasserkanal angeschlossen werden, zulässig (siehe DIN 1989-1).	

13.3 Abwasserhebeanlagen

Planung und Bemessung müssen nach DIN EN 12056-4 erfolgen.

Druckleitungen von Abwasserhebeanlagen sind an belüftete Sammel- oder Grundleitungen anzuschließen.

Abwasserhebeanlagen für Regenwasser dürfen nur an Grundleitungen außerhalb des Gebäudes angeschlossen werden. Wird in begründeten Ausnahmefällen und bei kleinen angeschlossenen Flächen die Hebeanlage innerhalb des Gebäudes installiert, ist die Druckleitung aus hydraulischen Gründen möglichst nahe an der Gebäudeaußenwand an die Regenwassersammel- bzw. -grundleitung anzuschließen.

Bei Entwässerungsanlagen, bei denen der Abwasserzufluss nicht unterbrochen werden darf, ist eine Doppelhebeanlage entsprechend dem Anwendungsfall nach DIN EN 12050-1 bzw. DIN EN 12050-2 einzubauen.

Für Entwässerungsanlagen dürfen nach DIN EN 12056-4 nur solche Abwasserhebeanlagen verwendet werden, die folgende Anforderungen nachweislich erfüllen:

a) Fäkalienhebeanlagen nach DIN EN 12050-1 müssen

- ohne Zerteilung der Fäkalien im Fördermedium einen Anschluss für die Druckleitung von mindestens DN 80 haben,
- einen Anschluss von mindestens DN 50 für die Lüftungsleitung bei einem Förderstrom bis 12 l/s haben; bei größeren Förderströmen ist der Anschluss mindestens in DN 70 auszuführen,
- bei einem manometrischen Förderdruck von 0,4 bar eine Mindestfließgeschwindigkeit des Mediums in der Druckleitung von 0,7 m/s sicherstellen und
- die Anforderungen an den Explosionsschutz erfüllen.

ANMERKUNG Fäkalienhebeanlagen mit Fäkalienzerteilung sind bei kleinen Querschnitten der Pumpendruckleitung und großen Leitungslängen besonders geeignet. Sie sind grundsätzlich nicht geeignet für die Förderung von Abwasser mit abrasiven Stoffen (z.B. Sand) oder die Entwässerung von Hof- und Parkplätzen, Garagenrampen und die Ableitung von Drainagewasser.

b) Abwasserhebeanlagen für fäkalienfreies Abwasser nach DIN EN 12050-2 müssen bei einem manometrischen Förderdruck von 0,4 bar eine Mindestfließgeschwindigkeit des Mediums in der Druckleitung von 0,7 m/s erreichen,

c) Fäkalienhebeanlagen zur begrenzten Verwendung nach DIN EN 12050-3 dürfen nur eingesetzt werden, wenn der Benutzerkreis klein ist und diesem oberhalb der

Rückstauebene ein weiteres WC zur Verfügung steht. Zusätzlich zu dem WC darf höchstens ein Handwaschbecken, eine Dusche und ein Bidet angeschlossen werden. Alle Entwässerungsgegenstände müssen sich in demselben Raum befinden, Fäkalienhebeanlagen zur begrenzten Verwendung nach DIN EN 12050-3 müssen bei einem manometrischen Förderdruck von 0,3 bar eine Mindestfließgeschwindigkeit des Mediums in der Druckleitung von 0,7 m/s erreichen. Diese Hebeanlagen sollten mit einer statischen Förderhöhe von 2,5 m geprüft worden sein.

14 Bemessung

14.1 Schmutzwasseranlagen

14.1.1 Allgemeines

Den Bemessungsregeln dieser Norm liegen folgende funktionale Anforderungen zu Grunde:

- Der durch den Abflussvorgang verursachte Sperrwasserverlust darf die Geruchverschlusshöhe um nicht mehr als 25 mm reduzieren.
- Das Sperrwasser darf weder durch Unterdruck abgesaugt noch durch Überdruck herausgedrückt werden.
- Für Schmutzwasser- und Mischwasserleitungen sollte keine größere Nennweite als nach dieser Norm errechnet verwendet werden.
- Die Selbstreinigung der Abwasserleitung muss erreicht werden.

Maße in Millimeter

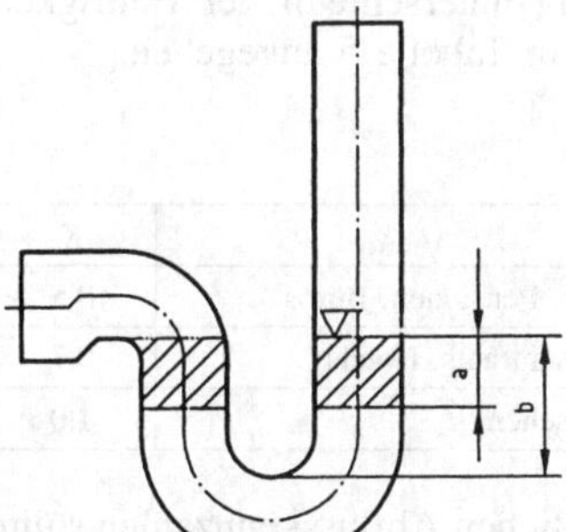

a zulässiger Sperrwasserverlust < 25
b Sperrwasserhöhe

Bild 16. Zulässiger Sperrwasserverlust

14.1.2 Schmutzwasserabfluss

Q_{tot} ist der geplante Gesamtschmutzwasserabfluss in einem Teil oder der gesamten Entwässerungsanlage.

Er umfasst die angeschlossenen sanitären Entwässerungsgegenstände, Entwässerungsgegenstände mit Dauerabfluss und/oder Abwasserhebeanlagen. Dauerabflüsse und Pumpenförderströme müssen zum Schmutzwasserabfluss ohne Abzug hinzugezählt werden. Q_{tot} wird nach Gleichung (1) berechnet.

$$Q_{tot} = Q_{ww} + Q_c + Q_p \qquad (1)$$

Dabei ist

Q_{tot} der Gesamtschmutzwasserabfluss, in Liter je Sekunde, (l/s);

Q_{ww} der Schmutzwasserabfluss, in Liter je Sekunde, (l/s);

Q_c der Dauerabfluss, in Liter je Sekunde, (l/s);

Q_p der Pumpenförderstrom, in Liter je Sekunde, (l/s).

Q_{ww} ist der zu erwartende Schmutzwasserabfluss in einem Teil oder der gesamten Entwässerungsanlage und wird nach Gleichung (2) berechnet.

$$Q_{ww} = K\sqrt{\sum DU} \qquad (2)$$

Dabei ist

Q_{ww} der Schmutzwasserabfluss, in Liter je Sekunde, (l/s);

K die Abflusskennzahl;

$\sum DU$ die Summe der Anschlusswerte.

Typische Abflusskennzahlen unter Berücksichtigung unterschiedlicher Häufigkeit der Benutzung der Entwässerungsgegenstände sind in Tabelle 5 angegeben.

Tabelle 5: Abflusskennzahlen (*K*)

Gebäudeart und Benutzung	*K*
Unregelmäßige Benutzung, z. B. in Wohnhäusern, Altersheimen, Pensionen, Büros	0,5
Regelmäßige Benutzung, z. B. in Krankenhäusern, Schulen, Restaurants, Hotels	0,7
Häufige Benutzung, z. B. in öffentlichen Toiletten und/oder Duschen	1,0

Bei der Bemessung von Teilstrecken mit unterschiedlichen Abflusskennzahlen sollte bei annähernd gleich großen Schmutzwasserabflüssen mit der jeweils größeren Abflusskennzahl gerechnet werden.

Tabelle 6: Anschlusswerte und Nennweite von Einzelanschlussleitungen

Entwässerungsgegenstand	Anschlusswert DU	Einzel-anschlussleitung
Waschbecken, Bidet	0,5	DN 40
Dusche ohne Stöpsel	0,6	DN 50
Dusche mit Stöpsel	0,8	DN 50
Einzelurinal mit Spülkasten	0,8	DN 50
Einzelurinal mit Druckspüler	0,5	DN 50
Standurinal	0,2	DN 50
Urinal ohne Wasserspülung	0,1	DN 50
Badewanne	0,8	DN 50
Küchenspüle und Geschirrspülmaschine mit gemeinsamen Geruchverschluss	0,8	DN 50
Küchenspüle	0,8	DN 50
Geschirrspüler	0,8	DN 50
Waschmaschine bis 6 kg	0,8	DN 50
Waschmaschine bis 12 kg	1,5	DN 56/60
WC mit 4,0/4,5 Liter Spülkasten	1,8	DN 80/DN 90
WC mit 6,0 Liter Spülkasten/Druckspüler	2,0	DN 80 bis DN 100
WC mit 7,5 Liter Spülkasten/Druckspüler	2,0	*)
WC mit 9,0 Liter Spülkasten/Druckspüler	2,5	DN 100
Bodenablauf DN 50	0,8	DN 50
Bodenablauf DN 70	1,5	DN 70
Bodenablauf DN 100	2,0	DN 100
*) Siehe Anmerkung auf d. n. Seite.		

14.1.3 Anschlussleitungen

14.1.3.1 Unbelüftete Einzelanschlussleitungen

In Ergänzung zu DIN EN 12056-2:2001-01, Tabellen 2 und 4 sind in Tabelle 6 Anschlusswerte weitere Entwässerungsgegenstände aufgenommen und die erforderlichen Nennweiten der Einzelanschlussleitungen aufgeführt.

Das Mindestgefälle für unbelüftete Einzelanschlussleitungen beträgt 1 cm/m.

Eine unbelüftete Einzelanschlussleitung darf nicht länger als 4 m sein.

Innerhalb eines Fließweges dürfen maximal drei 90°-Umlenkungen (ohne Anschlussbogen) vorhanden sein.

Die Höhendifferenz Δh zwischen einem Anschluss an einen Entwässerungsgegenstand und der Rohrsohle im Anschlussabzweig an die Fallleitung darf 1 m nicht überschreiten (siehe Bild 17).

Kann eine der vorstehenden Bedingungen nicht erfüllt werden, muss die Einzelanschlussleitung belüftet werden.

14.1.3.2 Belüftete Einzelanschlussleitungen

Das Mindestgefälle für belüftete Einzelanschlussleitungen beträgt 0,5 cm/m.

Eine belüftete Einzelanschlussleitung darf nicht länger als 10 m sein.

Die Höhendifferenz Δh zwischen einem Anschluss an einen Entwässerungsgegenstand und der Rohrsohle im Anschlussabzweig an die Fallleitung darf 3 m nicht überschreiten.

ANMERKUNG Klosetts mit 7,5 Liter Spülungen sind im Anwendungsbereich dieser Norm nicht gebräuchlich. Aus diesem Grunde wurde dem Entwässerungsgegenstand in der Tabelle keine Nennweite für die Einzelanschlussleitung zugeordnet. Bei Klosettanlagen mit Druckspülern können die gleichen Anschlusswerte wie bei Anlagen mit Spülkästen verwendet werden. Auf Grund aktueller Entwicklungen wurden Bemessungsregeln für Klosettanlagen mit 4,0/4,5 Liter Spülwasservolumen in das System I aufgenommen. In Untersuchungen wurde nachgewiesen, dass Klosettanlagen, die für 4,0/4,5 und für 6 Liter Spülwasservolumen geeignet sind, mit den Nennweiten DN 80 (d_i = 75 mm) bzw. DN 90 (d_i = 79 mm) angeschlossen werden können.

14.1.3.3 Sammelanschlussleitungen

In Ergänzung zu DIN EN 12 056-2:2001-01, Tabellen 4 und 5 sind Sammelanschlussleitungen nach Tabelle 7 und unter Berücksichtigung der folgenden Anwendungsgrenzen zu bemessen.

Tabelle 7: Bemessung von Sammelanschlussleitungen

DN	$d_{i, min}$ mm	K = 0,5 ΣDU l/s	K = 0,7 ΣDU l/s	K = 1,0 ΣDU l/s	max. Rohrlänge m
50	44	1,0	1,0	0,8	4,0
56/60	49/56	2,0	2,0	1,0	4,0
70[a]	68	9,0	4,6	2,2	4,0
80	75	13,0[b]	8,0[b]	4,0	10,0
90	79	13,0[b]	10,0[b]	5,0	10,0
100	96	16,0	12,0	6,4	10,0

[a] keine Klosetts
[b] maximal zwei Klosetts

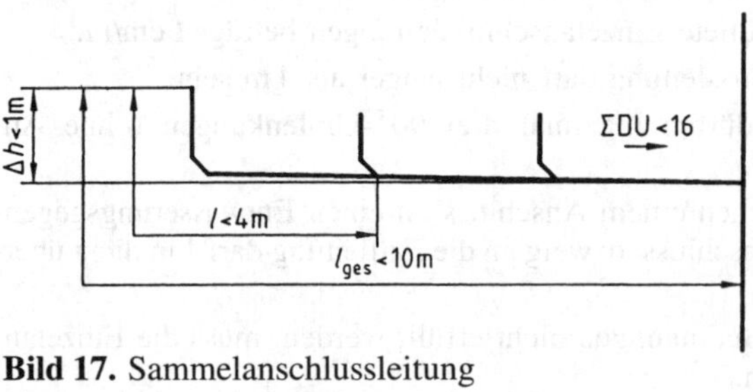

Bild 17. Sammelanschlussleitung

Das Mindestgefälle für unbelüftete Sammelanschlussleitungen beträgt 1 cm/m.

Die Länge eines Fließweges in einer unbelüfteten Sammelanschlussleitung darf die maximale Länge aus Tabelle 7 nicht überschreiten.

Innerhalb der unbelüfteten Sammelanschlussleitung gelten die Festlegungen für Einzelanschlussleitungen.

Kann eine der Anwendungsgrenzen nicht erfüllt werden, handelt es sich um eine Sammelleitung, die belüftet und entsprechend 14.1.5 bemessen werden muss.

14.1.4 Fallleitungen

Fallleitungen sind nach Tabelle 8 zu bemessen.

Es dürfen nicht mehr als vier Küchenablaufstellen an eine gesonderte Fallleitung DN 70 (Küchenstrang) angeschlossen werden.

Anschlüsse an Fallleitungen mit Abzweigen 88° mit 45°-Einlaufwinkel, z. B. nach DIN 19 522, (siehe Bild 18) sind wie Abzweige mit Innenradius (siehe DIN EN 12 056-2:2001-01, Tabelle 11) zu bewerten.

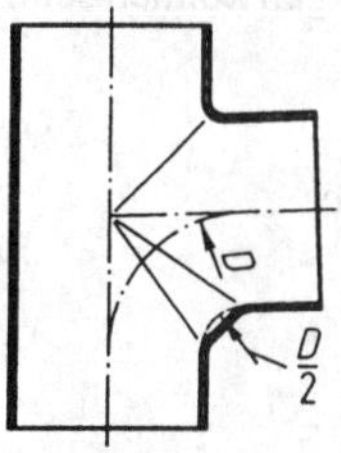

Bild 18. Abzweig 88° mit 45° Einlaufwinkel

14.1.5.2 Sammelleitungen

Innerhalb des Gebäudes sind Sammelleitungen für einen Füllungsgrad von $h/d_i = 0{,}5$ unter Berücksichtigung eines Mindestgefälles von $J = 0{,}5$ cm/m und einer Mindestfließgeschwindigkeit von 0,5 m/s zu bemessen. Hinter der Einleitung eines Volumenstromes aus einer Abwasserhebeanlage kann die Sammelleitung für einen Füllungsgrad von $h/d_i = 0{,}7$ bemessen werden.

Sofern der Gesamtschmutzwasserabfluss Q_{tot} nach DIN EN 12 056-2:2001-01, 6.3.3 kleiner ist als 2,0 l/s kann die Bemessung der Sammelleitung nach Tabelle 7 erfolgen.

14.1.5.3 Grundleitungen

Innerhalb des Gebäudes sind Grundleitungen für einen Füllungsgrad von $h/d_i = 0{,}5$ unter Berücksichtigung eines Mindestgefälles von $J = 0{,}5$ cm/m und einer Mindestfließgeschwindigkeit von 0,5 m/s zu bemessen. Hinter der Einleitung eines Volumenstroms aus einer Abwasserhebeanlage kann die Grundleitung innerhalb des Gebäudes für einen Füllungsgrad von $h/d_i = 0{,}7$ bemessen werden.

Bei der Bemessung von Grundleitungen für Schmutz- bzw. Mischwasser außerhalb des Gebäudes ist eine Mindestfließgeschwindigkeit von 0,7 m/s und eine Höchstgeschwindigkeit von 2,5 m/s zu berücksichtigen. Der zulässige Füllungsgrad beträgt hier h/d_i = 0,7 und das Mindestgefälle J = 1 : DN. Hinter der Einleitung eines Volumenstroms aus einer Abwasserhebeanlage kann die Grundleitung außerhalb des Gebäudes, hinter einem Schacht mit offenem Durchfluss, für einen Füllungsgrad von h/d_i = 1,0 bemessen werden.

Mischwasserleitungen ab DN 150 können hinter einem Schacht mit offenem Durchfluss für die Vollfüllung ohne Überdruck (h/d_i = 1,0) bemessen werden.

Die Grundleitung kann bis zum nächstgelegenen Schacht außerhalb vom Gebäude in der Mindestnennweite DN 80 (d_i = 75 mm) ausgeführt werden, wenn die hydraulische Berechnung dies zulässt. Unabhängig davon ist aus Gründen der besseren Zugänglichkeit der Grundleitung für Inspektion und Reinigung und der Verfügbarkeit von geeigneten, verwendbaren Bauteilen, die Ausführung der Grundleitung in der Nennweite DN 100 zu empfehlen.

Anschlussleitungen < DN 100 können als Grundleitungen verlegt werden, wenn sie möglichst kurz und inspizierbar ausgeführt werden.

Bei Einsatz von Klosettanlagen mit 4,0 l bis 4,5 l Spülwasservolumen in vorhandenen Entwässerungsanlagen ist im Einzelfall zu prüfen, ob die Selbstreinigungsfähigkeit in Leitungen DN 100 oder größer sichergestellt ist. Kriterien dieser Prüfungen können sein:

- Nennweite der Sammel- oder Grundleitung
- ausreichendes Gefälle
- Anzahl und Art der angeschlossenen Entwässerungsgegenstände
- Gleichzeitigkeit des Schmutzwasserabflusses

14.1.6 Lüftungsleitungen

14.1.6.1 Einzel-Hauptlüftungsleitungen

Einzel-Hauptlüftungsleitungen sind mit der Nennweite der zugehörigen Fallleitung auszuführen.

14.1.6.2 Sammel-Hauptlüftung

Der Querschnitt einer Sammel-Hauptlüftung muss mindestens so groß sein wie die Hälfte der Summe der Einzelquerschnitte der Einzel-Hauptlüftung. Die Nennweite der Sammel-Hauptlüftung muss jedoch, ausgenommen bei Einfamilienhäusern, mindestens eine Nennweite größer als die größte Nennweite der zugehörigen Einzel-Hauptlüftung sein (siehe Bild 19).

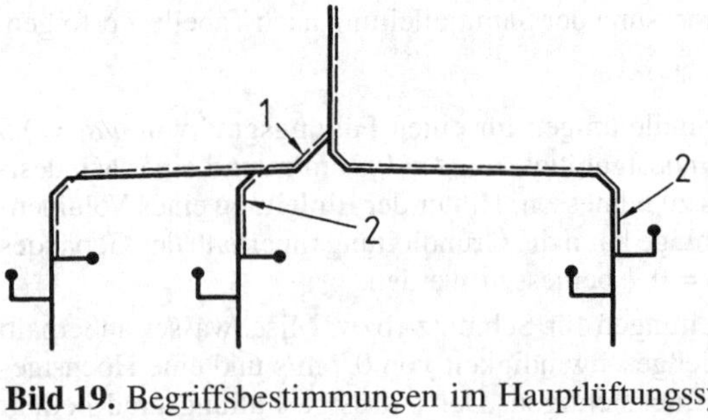

1 Sammel-Hauptlüftung
2 Einzel-Hauptlüftung

Bild 19. Begriffsbestimmungen im Hauptlüftungssystem

14.1.6.3 Umgehungsleitung

Die Umgehungsleitung (siehe Bild 20) ist in der gleichen Nennweite wie die Fallleitung, jedoch höchstens in DN 100, auszuführen. Der Lüftungsteil ist wie eine Umlüftungsleitung nach DIN EN 12 056-2:2001-01, Tabelle 7 zu bemessen.

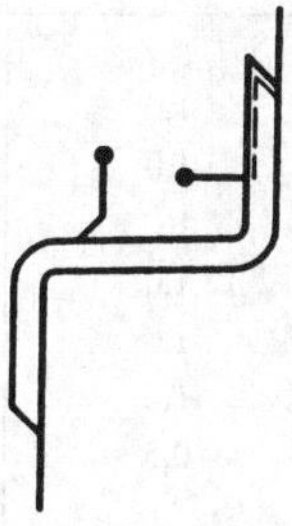

Bild 20. Umgehungsleitung

14.1.6.4 Umlüftungsleitung

Die Umlüftungsleitung (siehe Bild 21) ist in der gleichen Nennweite auszuführen wie die damit belüftete Sammelanschlussleitung an der Einmündung in die Fallleitung, höchstens jedoch in DN 70. Der Leitungsquerschnitt bis zum Beginn der Umlüftung ist ebenfalls in dieser Nennweite auszuführen.

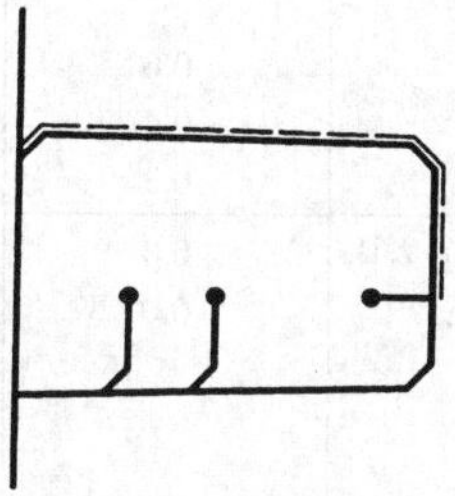

Bild 21. Umlüftungsleitung

D

14.2 Regenentwässerungsanlagen

14.2.1 Regenwasserabfluss

Tabelle 9: Abflussbeiwerte *C* zur Ermittlung des Regenwasserabflusses

Nr	Art der Flächen[1)]	Abflussbeiwert *C*
1	Wasserundurchlässige Flächen, z. B.	
	– Dachflächen	1,0
	– Betonflächen	1,0
	– Rampen	1,0
	– befestigte Flächen mit Fugendichtung	1,0
	– Schwarzdecken (Asphalt)	1,0
	– Pflaster mit Fugenverguss	1,0
	– Kiesdächer	0,5
	– begrünte Dachflächen[a]	
	– für Intensivbegrünungen	0,3
	– für Extensivbegrünungen ab 10 cm Aufbaudicke	0,3
	– für Extensivbegrünungen unter 10 cm Aufbaudicke	0,5
2	Teildurchlässige und schwach ableitende Flächen, z. B.	
	– Betonsteinpflaster, in Sand oder Schlacke verlegt, Flächen mit Platten	0,7
	– Flächen mit Pflaster, mit Fugenanteil > 15 %, z. B. 10 cm × 10 cm und kleiner	0,6
	– wassergebundene Flächen	0,5
	– Kinderspielplätze mit Teilbefestigungen	0,3
	– Sportflächen mit Dränung	
	– Kunststoff-Flächen, Kunststoffrasen	0,6
	– Tennenflächen	0,4
	– Rasenflächen	0,3
3	Wasserdurchlässige Flächen ohne oder mit unbedeutender Wasserableitung, z. B.	0,0
	– Parkanlagen und Vegetationsflächen, Schotter- und Schlackeboden, Rollkies, auch mit befestigten Teilflächen, wie	0,0
	– Gartenwege mit wassergebundener Decke oder	
	– Einfahrten und Einzelstellplätze mit Rasengittersteinen	
[a] Nach Richtlinien für die Planung, Ausführung und Pflege von Dachbegrünungen – Richtlinien für Dachbegrünungen		

$$Q = r_{(D,T)} \cdot C \cdot A \cdot \frac{1}{10\,000} \qquad (1)$$

Dabei ist:

$r_{(D,T)}$ die Berechnungsregenspende in Liter je Sekunde und Hektar (l/(s · ha)), ermittelt auf statistischer Grundlage

C der Abflussbeiwert (nach Tabelle 9)

---

1) *Anmerkung: Bei geneigten Flächen (z.B. bei geneigten Dächern) ist deren in den Grundriss projizierte Fläche maßgeblich.*

A wirksame Niederschlagsfläche in Quadratmeter (m^2) (siehe auch DIN EN 12 056-3:2001-01, 4.3)

Q der Regenwasserabfluss in Liter je Sekunde (l/s)

14.2.2 Berechnungsregen

Für die Ermittlung der Berechnungsregenspenden sind die Werte nach KOSTRA-DWD 2000 zu verwenden.

Die Werte können für jeden Ortspunkt aus KOSTRA-DWD 2000[1]) entnommen werden. Die Wahl des Ortspunktes kann nach Namen oder Koordinaten (Gauss-Krüger oder geodätische) erfolgen. Für den angegebenen Ortspunkt wird das zugehörige KOSTRA-Rasterfeld ermittelt. Bei Angabe von Ortsnamen werden die Koordinaten des Zentrums verwendet. Für jedes Rasterfeld werden Bereiche von statistischen Niederschlagshöhen für jede Kombination von Regendauer (*D*) und Jährlichkeit (*T*) bereitgestellt. Für die Bemessung sind die Werte an der oberen Bereichsgrenze zu verwenden.

Für ausgewählte Orte in Deutschland sind in Tabelle A.1 beispielhaft Regenspenden angegeben, die sich nach dieser Vorgehensweise aus KOSTRA-DWD 2000 ergeben.

Die für die Bemessung maßgebende Regendauer ist mit $D = 5$ Minuten zu berücksichtigen. Die Jährlichkeit (*T*) wird durch die Aufgabenstellung festgelegt und muss unter Beachtung der Art und Nutzung des Gebäudes vorgenommen werden. Sicherheitsfaktoren müssen dann nicht mehr berücksichtigt werden.

Die Jährlichkeit des Berechnungsregens für Grundstücksflächen, ausgenommen Dachflächen, muss für Niederschlagsflächen ohne geplante Regenrückhaltung mindestens einmal in 2 Jahren ($T = 2$) betragen.

Die Jährlichkeit des Berechnungsregens für die Entwässerung von Dachflächen muss mindestens einmal in 5 Jahren ($T = 5$) betragen.

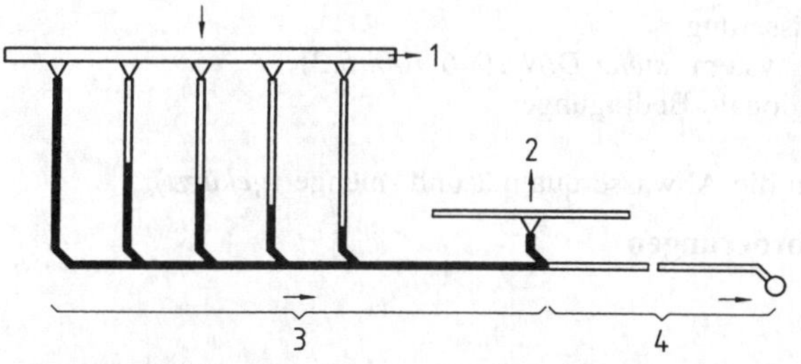

1 Notentwässerungsfunktion
2 Entspannungspunkt: Regenrückhaltung Abflussverzögerung
3 Entwässerungsleitungen bis zum Entspannungspunkt
4 Entwässerungsleitungen hinter dem Entspannungspunkt bid zum Anschlusskanal

Bild 22. Abgrenzung der Bemessungsregeln für Regenwasserleitungen

[1]) KOSTRA-DWD 2000 – **KO**ordinierte **ST**arkniederschlags-**R**egionalisierungs-**A**uswertungen.
Urheber: dwd – Deutscher Wetterdienst;
Bezug: CD-ROM über ITWH, Hannover (http://www.itwh.de/S_kostra.htm)

Schwerkraftentwässerungsanlagen innerhalb von Gebäuden

Allgemeine und Ausführungsanforderungen
Deutsche Fassung der EN 12 056-1 (2000)

Auszug aus **DIN EN 12 056-1** (01.2001)

(gekürzt auf den für den Wohnungsbau notwendigen Inhalt)

Siehe auch redaktionelle Vorbemerkungen zu DIN 1986-100 (S. 267). Soweit inhaltliche Überschneidungen mit DIN 1986-100 vorkommen, wird auf diese Norm verwiesen. Der Gesamtumfang der DIN EN 12 056 mit ihren sämtlichen Teilen wird hier unter „2 Normative Verweisungen" dargestellt.

Inhalt

Vorwort (*nicht abgedruckt*)

Bild 1. Anwendungsbereich (*nicht abgedruckt, siehe DIN 1986-100, Bild 1*)

1 Anwendungsbereich (*gekürzt*)

Diese Europäische Norm gilt für Entwässerungsanlagen, die unter Schwerkraft betrieben werden. Sie gilt für Entwässerungsanlagen innerhalb von Wohngebäuden, Geschäfts-, Instituts- und industriellen Gebäuden. Der Anwendungsbereich dieser Norm ist in Bild 1 dargestellt.

(...)

Alle Zeichnungen in dieser Norm sind nur beispielhaft und schließen andere Anlagenausführungen nicht aus.

2 Normative Verweisungen

Diese Europäische Norm enthält durch datierte oder undatierte Verweisungen Festlegungen aus anderen Publikationen. Diese normativen Verweisungen sind an den jeweiligen Stellen im Text zitiert, und die Publikationen sind nachstehend aufgeführt. Bei datierten Verweisungen gehören spätere Änderungen oder Überarbeitungen dieser Publikationen nur dann zu dieser Europäischen Norm, falls sie durch Änderung oder Überarbeitung in diese Normen eingearbeitet worden sind. Bei undatierten Verweisungen gilt die letzte Ausgabe der in Bezug genommenen Publikation.

EN 12 056-2
Schwerkraftentwässerungsanlagen innerhalb von Gebäuden – Teil 2: Schmutzwasseranlagen, Planung und Berechnung

EN 12 056-3
Schwerkraftentwässerungsanlagen innerhalb von Gebäuden – Teil 3: Dachentwässerung, Planung und Bemessung

EN 12 056-4
Schwerkraftentwässerungsanlagen innerhalb von Gebäuden – Teil 4: Abwasserhebeanlagen, Planung und Bemessung

EN 12 056-5
Schwerkraftentwässerungsanlagen innerhalb von Gebäuden – Teil 5: Installation und Prüfung; Anleitung für Betrieb, Wartung und Gebrauch

3 Begriffe

Für die Anwendung dieser Europäischen Norm gelten die folgenden Definitionen:

D

3.1 Allgemeines

3.1.1 Abwasser

Wasser, welches durch Gebrauch verändert ist, und jedes in die Entwässerungsanlage fließende Wasser, z. B. häusliches Schmutzwasser, industrielles und gewerbliches Abwasser, Kondensate und auch Regenwasser, wenn es in die Entwässerungsanlage abgeleitet wird.

3.1.2 Häusliches Abwasser

Abwasser aus Küchen, Waschküchen, Badezimmern, Toiletten und ähnlichen Räumen.

3.1.3 Industrielles Abwasser

Abwasser, welches nach industriellem oder gewerblichem Gebrauch verändert und verunreinigt ist, einschließlich Kühlwasser.

3.1.4 Grauwasser

Fäkalienfreies Abwasser.

3.1.5 Schwarzwasser

Fäkalienhaltiges Abwasser.

3.1.6 Regenwasser

Wasser aus natürlichem Niederschlag, das nicht durch Gebrauch verunreinigt wurde.

3.1.7 Rückstauebene

Die höchste Ebene, bis zu der das Wasser in einer Entwässerungsanlage ansteigen kann.

3.1.8 Entwässerungsanlage

Anlage, installiert aus Entwässerungsgegenständen, Rohrleitungen und anderen Bauteilen, welche Abwasser sammelt und mittels der Schwerkraft entwässert. Eine Abwasserhebeanlage kann Teil einer Schwerkraftentwässerungsanlage sein.

3.1.9 Mischsystem

Entwässerungsanlage, die Regen- und Schmutzwasser in einer Leitung entwässert.

3.1.10 Trennsystem

Entwässerungsanlage, die Regen- und Schmutzwasser in getrennten Leitungen entwässert.

3.2 Rohre und Formstücke

3.2.1 Sanitärinstallation

Anordnung von Abwasserleitungen, mit oder ohne Entlüftungen, angeschlossen an eine Entwässerungsanlage.

ANMERKUNG Im Sinne dieser Norm bestehen „Abwasserleitungen" aus Rohren und Formstücken.

3.2.2 Nennweite (DN)
Kenngröße, die eine angemessene runde Zahl angibt, die ungefähr gleich ist mit dem Durchmesser in mm.

3.2.3 Innendurchmesser (d_i)
Mittlerer Innendurchmesser des Rohres an jedem beliebigen Querschnitt.

3.2.4 Außendurchmesser (d_a)
Mittlerer Außendurchmesser des Rohres an jedem beliebigen Querschnitt.

3.2.5 Mindestinnendurchmesser ($d_{i\,min}$)
Kleinster zulässiger Innendurchmesser, der mit maximaler Toleranz zugelassen ist.

3.2.6 Anschlussleitung
Entwässerungsrohr, das Entwässerungsgegenstände mit einer Fall- oder Grundleitung verbindet.

3.2.7 Abzweig
Abzweig, der einen Winkel von mehr als 45° aufweist oder der einen Radius in der Mittellinie hat, der kleiner als der Innendurchmesser des Rohres ist.

3.2.8 Abzweig mit Innenradius
Abzweig, der einen Winkel von 45° oder weniger aufweist oder der einen Radius in der Mittellinie hat, der nicht kleiner als der Innendurchmesser des Rohres ist.

3.2.9 Anschlussstutzen/-bogen
Erstes Formstück in Fließrichtung nach dem Geruchverschluss.

3.2.10 Schmutzwasserfallleitung
Fallleitung (im allgemeinen senkrecht), die Schmutzwasser aus den sanitären Entwässerungsgegenständen ableitet.

3.2.11 Fallleitungsverzug
Nicht senkrechter Teil einer Schmutzwasserfallleitung.

3.2.12 Grundleitung
Entwässerungsleitung, die innerhalb eines Gebäudes oder in der Erde unter den Fundamenten verlegt ist, an die Schmutzwasserfallleitungen oder Entwässerungsgegenstände direkt im Kellerbereich angeschlossen sind.

3.2.13 Füllungsgrad
Verhältnis der Wassertiefe (h) zum Innendurchmesser (d_i).

3.3 Lüftungsleitungen

3.3.1 Lüftungsrohr
Rohr, das die Druckschwankungen innerhalb einer Entwässerungsanlage begrenzt.

D

3.3.2 Belüftung einer Anschlussleitung
Lüftungsrohr, das mit einer Anschlussleitung verbunden ist,

3.3.3 Hauptlüftung
Verlängerung einer senkrechten Schmutzwasserfallleitung, deren Ende zur Atmosphäre hin offen ist, oberhalb der letzten Anschlussleitung/des letzten Anschlusses.

3.3.4 Sekundärlüftungsleitung
Senkrechte Lüftungsleitung, die mit einer Schmutzwasserfallleitung verbunden ist, zur Begrenzung der Druckschwankungen innerhalb der Schmutzwasserfallleitung.

3.3.5 Belüftungsventil
Ventil, das Luft in die Entwässerungsanlage einlässt, aber nicht wieder heraus, um Druckschwankungen innerhalb der Entwässerungsanlage zu begrenzen.

3.4 Entwässerungsgegenstände

3.4.1 Häusliche Entwässerungsgegenstände
Fest installierte Entwässerungsgegenstände, die mit Wasser versorgt werden und zum Reinigen oder Waschen dienen. Zum Beispiel: Badewanne, Dusche, Waschbecken, Bidet, Klosett, Urinal, Spülbecken, Spülmaschine, Waschmaschine.

3.4.2 Gewerbliche Entwässerungsgegenstände
Spezielle Entwässerungsgegenstände, die in gewerblich genutzten Küchen, Waschräumen, Laboratorien, Krankenhäusern, Hotels, Schwimmbädern usw. gebraucht werden.

3.4.3 Bodenablauf
Entwässerungsgegenstand, der zum Auffangen von Wasser vom Boden entweder durch Roste/Siebe oder von Rohren, die direkt mit dem Körper des Bodenablaufs verbunden sind, vorgesehen ist. Ein Bodenablauf kann auch einen Geruchverschluss haben.

3.4.4 Geruchverschluss
Eine Einrichtung, die den Austritt von Kanalgasen am Ablauf durch einen Wasserverschluss verhindert.

3.4.5 Geruchverschlusshöhe (*H*)
Die Wassertiefe, die aus einem voll gefüllten Verschluss entfernt werden müsste, bevor Gase und Gerüche unter atmosphärischem Druck durch den Geruchverschluss entweichen können, dargestellt als H in Bild 2.

3.5 Bemessung

3.5.1 Anschlusswert (DU)
Durchschnittlicher Wert des Schmutzwasserabflusses aus einem sanitären Entwässerungsgegenstand, ausgedrückt in Litern je Sekunde (l/s).

3.5.2 Abflusskennzahl (*K*)

Kennzahl, welche die Benutzungshäufigkeit von sanitären Entwässerungsgegenständen in Betracht zieht (dimensionslos).

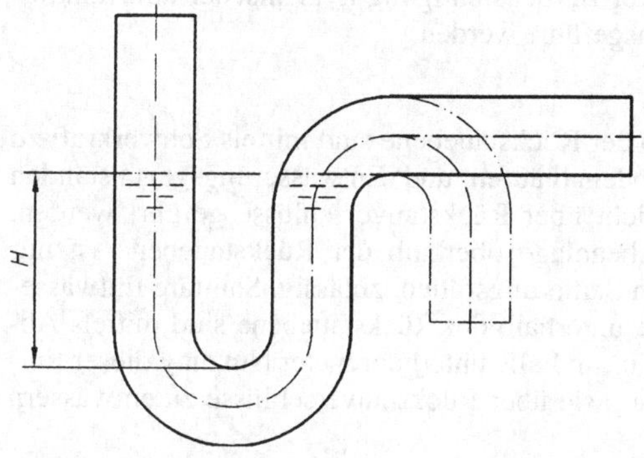

Bild 2. Wasserstandshöhe in einem Geruchverschluss

3.5.3 Schmutzwasserabfluss (Q_{ww})

Gesamtschmutzwasserabfluss aus sanitären Entwässerungsgegenständen in eine Entwässerungsanlage oder einen Teil einer Entwässerungsanlage in Litern je Sekunde (l/s).

3.5.4 Dauerabfluss (Q_c)

Dauerabfluß aller andauernden Abflüsse, z. B. Kühlwasser usw., in Litern je Sekunde (l/s).

3.5.5 Pumpenförderstrom (Q_p)

Schmutzwasserabfluss von Abwasserpumpen in Litern je Sekunde (l/s).

3.5.6 Gesamtschmutzwasserabfluss (Q_{tot})

Gesamtschmutzwasserabfluss ist die Summe aus Schmutzwasserabfluss (Q_{ww}) und Dauerabfluss (Q_c) und Pumpenförderstrom (Q_p) in Litern je Sekunde (l/s).

3.5.7 Zulässiger Schmutzwasserabfluss (Q_{max})

Maximal zulässiger Schmutzwasserabfluss einer Anschluss-, Fall- oder (liegenden Entwässerungs-)Grundleitung in Litern je Sekunde (l/s).

3.5.8 Luftmenge (Q_a)

Luftmenge, die durch ein Lüftungsrohr oder Belüftungsventil in eine Entwässerungsanlage mindestens eintritt, in Litern je Sekunde (l/s), gemessen bei 250 Pascal (Pa) Druckabfall.

4 Allgemeine Anforderungen

4.1 Energie- und Wasserverbrauch

Entwässerungsanlagen müssen unter Berücksichtigung eines möglichst niedrigen Wasser- und Energieverbrauches unter Berücksichtigung hygienischer und funktionaler Anforderungen geplant und ausgeführt werden.

4.2 Schwerkraftentwässerung

Entwässerungsgegenstände oberhalb der Rückstauebene sind mittels Schwerkraft zu entwässern. Das Abwasser von Bodenabläufen und Entwässerungsgegenständen oberhalb der Rückstauebene darf nicht über Rückstauverschlüsse geführt werden. Die Verwendung einer Abwasserhebeanlage oberhalb der Rückstauebene ist nur in außergewöhnlichen Fällen, z. B. in Sanierungsfällen, zulässig. Sanitäre Entwässerungsgegenstände und Bodenabläufe unterhalb der Rückstauebene sind mittels Abwasserhebeanlagen zu entwässern. Nur im Falle untergeordneter Nutzung dieser Entwässerungsgegenstände ist es zulässig, sie über Rückstauverschlüsse zu entwässern (siehe EN 12 056-4).

4.3 Misch- und Trennsystem (*siehe DIN 1986-100, 5.2*)

4.4 Nationale und regionale Bedingungen

Bei der Planung und Installation sind die Auswirkungen von örtlichen klimatischen, geographischen und sozialen Bedingungen in Betracht zu ziehen.

4.5 Kondensate

Kondensate aus Feuerstätten dürfen nur in die Teile der Entwässerungsanlage eingeleitet werden, die gegen Abwasser mit pH-Werten unter 6,5 beständig sind. Nationale und regionale Vorschriften können die Vorbehandlung von Kondensaten vor der Ableitung fordern.

4.6 Anforderungen an die Abwasserqualität und -menge (*gekürzt*)

Die Anforderungen an die Qualität und die Volumenströme von Abwasser, welches direkt in das öffentliche Kanalnetz eingeleitet wird, sind Gegenstand nationaler und regionaler Vorschriften und Technischer Regeln und sind einzuhalten. Das Eindringen von Stoffen in die Anlage, die deren Wirksamkeit stören oder die von den zuständigen Behörden nicht zugelassen sind, ist zu verhindern.

Nationale und regionale Vorschriften und Technische Regeln können den Gebrauch von Abfallzerkleinerern zulassen.

(...)

5 Ausführungsanforderungen

5.1 Allgemeines

Entwässerungsanlagen müssen unter Verwendung von Bauteilen und Werkstoffen geplant und installiert werden, die mit den Anforderungen der anzuwendenden europäischen Richtlinien übereinstimmen. Wo anwendbare Europäische Normen oder europäische technische Zulassungen existieren, müssen Produkte verwendet werden, die mit solchen Normen oder Zulassungen übereinstimmen. Falls Europäische Normen oder europäische technische Zulassungen nicht existieren, müssen die Bauteile mit den anwendbaren nationalen Normen oder nationalen Zulassungen übereinstimmen.

Entwässerungsanlagen sind so zu planen und zu installieren, dass die folgenden Anforderungen erfüllt werden:

- Ableitung des maximal zu erwartenden Abwasservolumenstromes;
- Beständigkeit der Rohre und Formstücke gegenüber den zu entwässernden Flüssigkeiten.

5.2 Funktion

Entwässerungsanlagen sind so zu planen, zu installieren und instand zu halten, dass sie bei normalem ordnungsgemäßen Gebrauch keine Gefahren oder Belästigungen verursachen, noch das Eigentum gefährden, wie das Gebäude selbst, die Versorgungssysteme oder andere Einrichtungen innerhalb des Gebäudes.

Die Rohrleitungen sind so zu planen, dass sie selbst reinigend sind in Übereinstimmung mit EN 12056-2.

5.3 Hygiene

Entwässerungsanlagen sind so zu planen und zu installieren, dass die Gesundheit und Sicherheit der Benutzer und der Personen, die sich im Gebäude aufhalten, nicht beeinträchtigt wird durch:

- Undichtheit in der Anlage;
- Rückstau von Abwasser ins Gebäude;
- Austreten von Kanalgasen ins Gebäude;
- Verunreinigung der Trinkwasseranlage.

5.4 Sicherheit *(gekürzt)*

(...)

5.4.1 Brandschutz

Wo Leitungen durch Wände und Decken mit besonderen Anforderungen hinsichtlich des Feuerwiderstandes führen, müssen besondere Vorkehrungen in Übereinstimmung mit den nationalen und regionalen Vorschriften getroffen werden.

D

5.4.2 Wasser- und Gasdichtheit

Entwässerungsanlagen müssen gegenüber den auftretenden Betriebsdrücken ausreichend wasser- und gasdicht sein. Aus Leitungsanlagen innerhalb von Gebäuden dürfen keine Gerüche und Kanalgase in das Gebäude austreten.

5.4.3 Leitungsführung

Die Leitungsführung ist so zu gestalten, dass die Möglichkeiten von Schäden infolge Undichtheit gering gehalten werden. Anlagen oder Teile von Anlagen mit spezifisch hohem Risiko von Folgeschäden aus Undichtheiten, z. B. Leitungsführung in Krankenhäusern, Computerräumen usw., müssen so geplant werden, dass Undichtheiten sofort erkannt und Reparaturarbeiten ausgeführt werden können.

5.5 Rückstau

5.5.1 Rückstau von der Kanalisation

Wenn das Risiko eines Rückstaus in der Kanalisation besteht, sind entsprechende Maßnahmen vorzusehen, um Wasserschäden im Gebäude zu vermeiden.

Soweit keine anderen Angaben zur Rückstauebene verfügbar sind, muss dies die Straßenoberkante im Bereich des Anschlusskanals sein (siehe auch EN 12 056-4).

5.5.2 Aufstau innerhalb der Entwässerungsanlage

Die Planung der Entwässerungsanlage muss so sein, dass das Risiko von Verstopfungen bei normalem bestimmungsgemäßen Gebrauch gering gehalten wird. Das Überspülen von einem Entwässerungsgegenstand zum anderen muss bei der Planung durch entsprechende Maßnahmen vermieden werden.

5.5.3 Rückstauschutz

Abwasser, welches unterhalb der Rückstauebene anfällt, ist über eine automatische Abwasserhebeanlage der Entwässerungsanlage zuzuführen. In Ausnahmefällen sind Rückstauverschlüsse zulässig (siehe EN 12 056-4).

5.6 Ausführungsgrundsätze

Bei Planung von Entwässerungsanlagen sind die folgenden Ausführungsgrundsätze zu beachten.

5.6.1 Leistung der Anlage

Die Beachtung der anfallenden Volumenströme und der Benutzungshäufigkeit ist eine vordringliche Aufgabe des Planers der Entwässerungsanlage.

Geruchsverschlüsse und Leitungen müssen so sein, dass der Schmutzwasserabfluss von Sanitärenwässerungsgegenständen nicht auf Werte unterhalb der festgelegten Mindest-Volumenströme eingeschränkt wird.

Rohrleitungen, an die mehr als ein Entwässerungsgegenstand angeschlossen ist, sind unter Berücksichtigung des gleichzeitigen Abflusses zu bemessen.

Die Bemessung der Volumenströme für Schmutzwasser, für die Dachentwässerung und Abwasserhebeanlagen muss in Übereinstimmung mit EN 12 056-2, -3 und -4 erfolgen.

5.6.2 Geräusche
Das Geräuschverhalten einer Entwässerungsanlage in Verbindung mit dem Bauwerk ist bei der Planung und Installation in Betracht zu ziehen. Die zulässigen Geräuschpegel werden in den nationalen und regionalen Vorschriften festgelegt.

5.6.3 Lüftung der Entwässerungsanlage
Zur Sicherstellung der ordnungsgemäßen Funktion der Entwässerungsanlage und der öffentlichen Kanäle muss eine ausreichende Lüftung vorgesehen werden. Offene Fallleitungen müssen so außerhalb des Gebäudes enden, dass keine Gerüche und Faulgase in das Gebäude eindringen können. Lüftungsleitungen dürfen nur der Lüftung der Entwässerungsanlage und der öffentlichen Kanäle dienen.

Wo Belüftungsventile angewendet werden, dürfen sie nur entsprechend den Vorgaben der nationalen und regionalen Vorschriften verwendet werden.

5.6.4 Dauerhaftigkeit
Entwässerungsanlagen sind aus Werkstoffen und Bauteilen in einer Weise herzustellen, dass die vorgesehene Lebensdauer eingehalten wird.

5.6.5 Schwitzwasserbildung
Entwässerungsanlagen müssen so ausgeführt werden, dass durch Schwitzwasserbildung weder an den Leitungen noch am Bauwerk Schäden entstehen können.

In Gebäuden müssen Entwässerungsleitungen, die kaltes Wasser führen (z. B. Regenwasserleitungen), gegen Schwitzwasserbildung gedämmt werden, wenn die klimatischen Verhältnisse, die Temperaturen im Gebäude und die Luftfeuchtigkeit dies erforderlich machen.

5.6.6 Zugänglichkeit für Inspektion, Prüfung und Instandhaltung
Um Inspektion, Prüfung und Instandhaltungsarbeiten durchführen zu können, ist ein Zugang zu den Entwässerungsanlagen an den erforderlichen Stellen vorzusehen.

Teile der Anlage, die aus betriebsbedingten Gründen Reparatur oder Austausch benötigen, sollten zugänglich und austauschbar sein.

5.7 Festigkeit und Standsicherheit
Siehe auch EN 12 056-5.

5.7.1 Chemische Beständigkeit und physikalische Festigkeit
Die Oberflächen von Leitungsbauteilen dürfen nicht mit Werkstoffen in Berührung kommen, die geeignet sind, diese zu beschädigen (z. B. elektrolytische oder chemische Reaktion). Bauteile, die in Böden, Decken, Wände oder Aussparungen eingebaut werden, müssen bei Bedarf dauerhaft geschützt sein, wobei die Ausdehnung oder Schrumpfung der umgebenden Werkstoffe sowie der Rohrleitungen zu beachten ist.

5.7.2 Festigkeit während der Installation
Die Anlagen müssen so geplant und gebaut werden, dass sie den möglichen Beanspruchungen während der Installation schadlos standhalten.

5.7.3 Festigkeit während des Betriebes

Die Rohrleitungsbefestigungen müssen sicher und fest sein und dürfen die Leitungen und alle anderen Teile oder Elemente des Bauwerks nicht beschädigen.

Die Auswirkungen von Bewegungen infolge Temperaturänderungen und Innendruck sind zu berücksichtigen.

5.8 Schutz gegen Frost

Entwässerungsanlagen müssen so geplant und installiert sein, dass sie das Risiko von Zerstörung oder Funktionsverlust infolge Frosteinwirkung vermeiden.

6 Prüfung

Sowohl Dichtheitsprüfungen als auch die Prüfung der Ausführung können durch nationale und regionale Vorschriften und Technische Regeln oder aufgrund vertraglicher Vereinbarung gefordert werden.

Schwerkraftentwässerungsanlagen innerhalb von Gebäuden

Schmutzwasseranlagen – Planung und Berechnung
Deutsche Fassung EN 12 056-2 (2000)

Auszug aus **DIN EN 12 056-2** (01.2001)

Soweit inhaltliche Überschneidungen mit der DIN EN 12 056-1 und mit der DIN 1986-100 vorkommen, wird auf diese Normen verwiesen.

Inhalt

D

1 Anwendungsbereich *(siehe DIN 1986-100 und DIN EN 12 056-1)*

2 Normative Verweisungen *(siehe DIN EN 12 056-1, Abschnitt 2)*

3 Begriffe *(siehe DIN EN 12 056-1, Abschnitt 3)*

4 Anlagenarten

4.1 Allgemeines

Es gibt viele Arten von Entwässerungssystemen, die als Ergebnis unterschiedlicher Arten und Anwendungsbereiche von Sanitärausstattungsgegenständen in verschiedenen Ländern sowie unterschiedlicher technischer Gewohnheiten entstanden sind.

4.2 Systemtypen

Die Entwässerungsanlagen können in 4 Systemtypen unterteilt werden, obwohl es im Detail innerhalb eines jeden Systemtyps Variationen gibt (Hieraus ergibt sich die Notwendigkeit, sich an nationale und regionale Vorschriften und technische Regeln zu halten, die in Anhang A (informativ) aufgelistet sind.).

System I **Einzelfallleitungsanlage mit teilbefüllten Anschlussleitungen**

Sanitäre Entwässerungsgegenstände sind an teilbefüllte Anschlussleitungen angeschlossen. Die teilbefüllten Anschlussleitungen sind für einen Füllungsgrad von 0,5 (50 %) ausgelegt und sind an eine einzelne Schmutzwasserfallleitung angeschlossen.

System II **Einzelfallleitungsanlage mit Anschlussleitungen geringer Abmessung**

Sanitäre Entwässerungsgegenstände sind an Anschlussleitungen geringer Abmessung angeschlossen. Die Anschlussleitungen geringer Abmessung weisen einen Füllungsgrad bis 0,7 (70 %) auf und sind an eine einzelne Schmutzwasserfallleitung angeschlossen.

System III **Einzelfallleitungsanlage mit vollgefüllten Anschlussleitungen**

Sanitäre Entwässerungsgegenstände, die über Anschlussleitungen angeschlossen sind, die vollgefüllt betrieben werden. Die vollgefüllten Anschlussleitungen weisen einen Füllungsgrad von 1,0 (100 %) auf, und jede Anschlussleitung ist für sich getrennt an eine einzelne Schmutzwasserfallleitung angeschlossen.

System IV **Anlage mit getrennten Schmutzwasserfallleitungen**

Die Anlagenarten – Systeme I, II und III – können auch aufgeteilt werden in eine Schmutzwasserfallleitung, die Abwasser von Klosetts und Urinalen ableitet, und eine Schmutzwasserfallleitung, die Abwasser von allen anderen Entwässerungsgegenständen ableitet.

D

4.3 Anlagenausführungen

Jede Entwässerungsanlage kann auf verschiedenste Weise ausgeführt werden, bestimmt durch die Notwendigkeit, den Druck in den Leitungen zu kontrollieren, um zu verhindern, dass Kanalgase aus der Entwässerungsanlage in das Gebäude gelangen. Die grundsätzlichen Ausführungen sind nachfolgend beschrieben, jedoch sind Kombinationen und Varianten oftmals notwendig.

4.3.1 Entwässerungsanlage mit Hauptlüftung

Die Kontrolle des Drucks in Fallleitungen wird durch Be- und Entlüftung der Fallleitung und durch die Hauptlüftung erreicht (siehe Bild 2). Alternativ können Belüftungsventile verwendet werden.

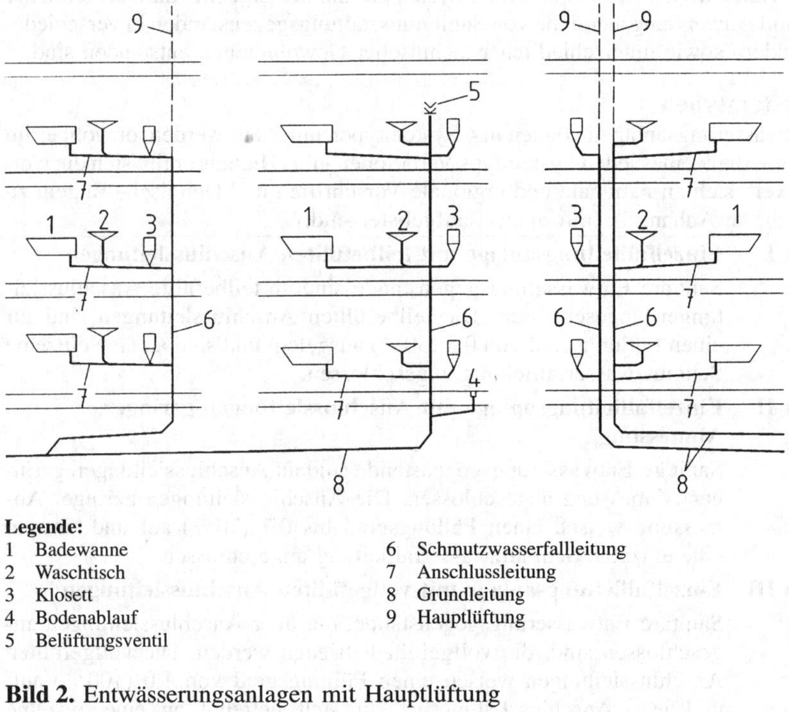

Legende:

1 Badewanne
2 Waschtisch
3 Klosett
4 Bodenablauf
5 Belüftungsventil
6 Schmutzwasserfallleitung
7 Anschlussleitung
8 Grundleitung
9 Hauptlüftung

Bild 2. Entwässerungsanlagen mit Hauptlüftung

4.3.2 Entwässerungsanlage mit Nebenlüftung

Die Kontrolle des Drucks in der Fallleitung wird durch die Verwendung von separaten Nebenlüftungen und/oder durch Belüftung von Anschlussleitungen in Verbindung mit Hauptlüftungen erreicht (siehe Bild 3). Alternativ können Belüftungsventile verwendet werden.

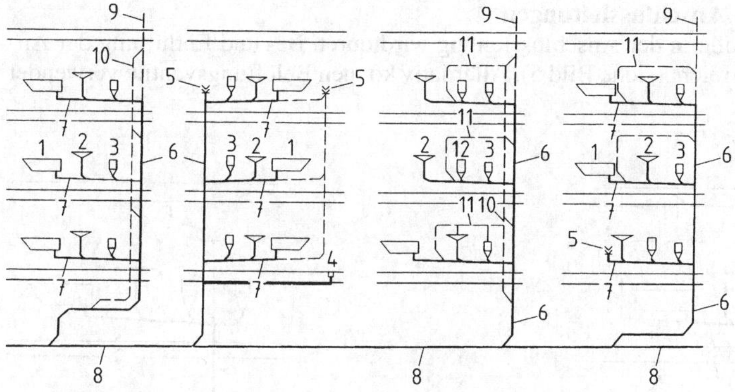

Legende:

1 Badewanne
2 Waschtisch
3 Klosett
4 Bodenablauf
5 Belüftungsventil
6 Schmutzwasserfallleitung
7 Anschlussleitung
8 Grundleitung
9 Hauptlüftung
10 Nebenlüftung
11 Unlüftung
12 Urinal

Bild 3. Entwässerungsanlagen mit Nebenlüftung

4.3.3 Unbelüftete Anschlussleitungen

Die Druckkontrolle in der Anschlussleitung wird durch Be- und Entlüftung der Schmutzwasserfallleitung erreicht (siehe Bild 4).

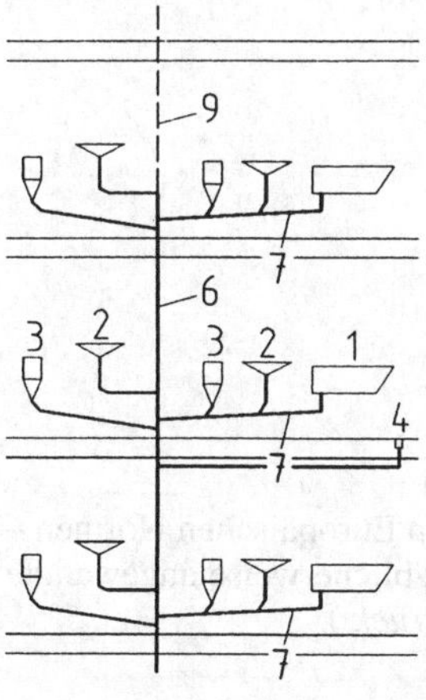

Legende:

1 Badewanne
2 Waschtisch
3 Klosett
4 Bodenablauf
6 Schmutzwasserfallleitung
7 Anschlussleitung
9 Hauptlüftung

Bild 4. Unbelüftete Anschlussleitungen

4.3.4 Belüftete Anschlussleitungen

Die Druckkontrolle in der Anschlussleitung wird durch Be- und Entlüftung der Anschlussleitung erreicht (siehe Bild 5). Alternativ können Belüftungsventile verwendet werden.

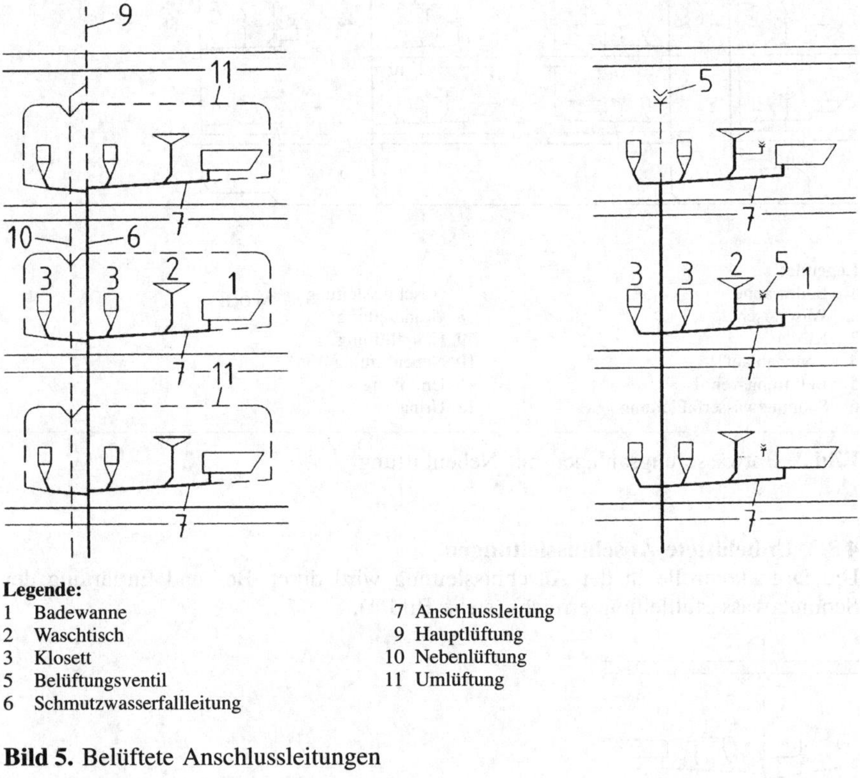

Legende:

1 Badewanne
2 Waschtisch
3 Klosett
5 Belüftungsventil
6 Schmutzwasserfallleitung
7 Anschlussleitung
9 Hauptlüftung
10 Nebenlüftung
11 Umlüftung

Bild 5. Belüftete Anschlussleitungen

5 Planungsregeln

5.1 Übereinstimmung mit Europäischen Normen

Entwässerungsgegenstände, Rohre und Formstücke müssen Europäischen Normen – wo anwendbar – entsprechen. Europäische Normen über üblicherweise angewandte Produkte sind in Anhang D aufgelistet *(Hier nicht abgedruckt).*

5.2 Schutz vor Überflutung

Unter jeder Zapfstelle in Gebäuden muss eine Ablaufstelle vorhanden sein.

5.3 Geruch

Entwässerungsgegenstände, die an eine Entwässerungsanlage angeschlossen sind, müssen mit einem Geruchverschluss angeschlossen sein, um zu verhindern, dass Kanalgase in das Gebäude austreten.

5.4 Geruchverschluss

Die Geruchverschlusshöhe (*H*) darf nicht weniger als 50 mm betragen.

5.5 Reduzierung der Nennweite

Die Nennweite (DN) von Abwasserleitungen darf in Fließrichtung nicht verringert werden.

5.6 Belüftung

Entwässerungsleitungen werden oft verwendet, um externe Grund-/Sammelleitungen oder Entwässerungsanlagen zu be- und entlüften. Deshalb muss darauf geachtet werden, dass Lüftungsleitungen zur Atmosphäre hin offen – wo notwendig – installiert werden.

5.7 Belüftungsventile

Wo Belüftungsventile verwendet werden, um eine Entwässerungsanlage zu belüften, müssen diese Belüftungsventile prEN 12 380 entsprechen. Sie sind in Übereinstimmung mit Tabelle 10 für Anschlussleitungen und mit Tabelle 11 für Schmutzwasserfallleitungen zu bemessen.

D

6 Bemessung

6.1 Allgemeines

Die folgende Bemessungsmethode gilt für alle Schwerkraftentwässerungsanlagen, die häusliche Abwässer ableiten. Entwässerungsanlagen, die gewerbliche Abwässer ableiten, z. B. Entwässerung von Schwimmbädern oder Industriegebäuden, müssen individuell bemessen werden.

6.2 Grundlagen

Die folgenden Daten sind Grundlage für die Bemessung.

6.2.1 Rohrdurchmesser

Alle Leistungsangaben, die in diesem Teil der Norm angegeben werden, beruhen auf dem Mindestinnendurchmesser in Tabelle 1.

Tabelle 1: Nennweite (DN) und zugehöriger Mindestinnendurchmesser ($d_{i\,min}$)

Nennweite DN	Mindestinnendurchmesser $d_{i\,min}$ (mm)
30	26
40	34
50	44
56	49
60	56
70	68
80	75
90	79
100	96
125	113
150	146
200	184
225	207
250	230
300	290

6.2.2 Anschlusswerte

Die Anschlusswerte einer Reihe von sanitären Entwässerungsgegenständen sind in Tabelle 2 angegeben. Die angegebenen Werte sind nur für die Bemessung und beziehen sich nicht auf Anschlusswerte von sanitären Entwässerungsgegenständen in Produktnormen.

6.2.3 Ableitung von Schmutzwasser aus gewerblichen Entwässerungsgegenständen

Ableitungen von Schmutzwasser aus gewerblichen Entwässerungsgegenständen (z. B. gewerbliche Küchen) müssen individuell bestimmt werden.

Tabelle 2: Anschlusswerte (DU)

Entwässerungsgegenstand	System I DU (l/s)	System II DU (l/s)	System III DU (l/s)	System IV DU (l/s)
Waschbecken, Bidet	0,5	0,3	0,3	0,3
Dusche ohne Stöpsel	0,6	0,4	0,4	0,4
Dusche mit Stöpsel	0,8	0,5	1,3	0,5
Einzelurinal mit Spülkasten	0,8	0,5	0,4	0,5
Urinal mit Druckspüler	0,5	0,3	–	0,3
Standurinal	0,2*	0,2*	0,2*	0,2*
Badewanne	0,8	0,6	1,3	0,5
Küchenspüle	0,8	0,6	1,3	0,5
Geschirrspüler (Haushalt)	0,8	0,6	0,2	0,5
Waschmaschine bis zu 6 kg	0,8	0,6	0,6	0,5
Waschmaschine bis 12 kg	1,5	1,2	1,2	1,0
WC mit 4,0 l Spülkasten	**	1,8	**	**
WC mit 6,0 l Spülkasten	2,0	1,8	1,2 bis 1,7***	2,0
WC mit 7,5 l Spülkasten	2,0	1,8	1,4 bis 1,8***	2,0
WC mit 9,0 l Spülkasten	2,5	2,0	1,6 bis 2,0***	2,5
Bodenablauf DN 50	0,8	0,9	–	0,6
Bodenablauf DN 70	1,5	0,9	–	1,0
Bodenablauf DN 100	2,0	1,2	–	1,3

* je Person
** nicht zugelassen
*** abhängig vom Klosett-Typ (gültig nur für Absaugeklosetts)
– nicht angewendet oder keine Daten verfügbar

6.3 Bemessung des Schmutzwasserabflusses

6.3.1 Schmutzwasserabfluss (Q_{ww})

Q_{ww} ist der erwartete Schmutzwasserabfluss in einem Teil oder der gesamten Entwässerungsanlage, wo nur häusliche sanitäre Entwässerungsgegenstände (siehe Tabelle 2) mit der Anlage verbunden sind.

$$Q_{ww} = K \sqrt{\Sigma(DU)} \qquad (1)$$

Dabei ist:

Q_{ww} = Schmutzwasserabfluss (l/s)

K = Abflusskennzahl

$\Sigma\, DU$ = Summe der Anschlusswerte

D

6.3.2 Abflusskennzahl (*K*)

Typische Abflusskennzahlen, verknüpft mit unterschiedlicher Häufigkeit der Benutzung der Entwässerungsgegenstände, sind in Tabelle 3 angegeben.

Tabelle 3: Typische Abflusskennzahlen (*K*)

Gebäudeart	*K*
unregelmäßige Benutzung, z. B. in Wohnhäusern, Pensionen, Büros	0,5
regelmäßige Benutzung, z. B. in Krankenhäusern, Schulen, Restaurants, Hotels	0,7
häufige Benutzung, z. B. in öffentlichen Toiletten und/oder Duschen	1,0
spezielle Benutzung, z. B. Labor	1,2

6.3.3 Gesamtschmutzwasserabfluss (Q_{tot})

Q_{tot} ist der geplante Gesamtschmutzwasserabfluss in einem Teil oder der gesamten Entwässerungsanlage, wo sanitäre Entwässerungsgegenstände, Entwässerungsgegenstände mit Dauerabfluss und/oder Abwasserpumpen mit der Anlage verbunden sind. Dauerabflüsse und Pumpenförderströme müssen zum Schmutzwasserabfluss ohne Abzug hinzugezählt werden.

$Q_{tot} = Q_{ww} + Q_c + Q_p$

Dabei ist:

Q_{tot} = Gesamtschmutzwasserabfluss (l/s)

Q_{ww} = Schmutzwasserabfluss (l/s)

Q_c = Dauerabfluss (l/s)

Q_p = Pumpenförderstrom (l/s)

6.3.4 Bemessungsregeln

Der zulässige Schmutzwasserabfluss eines Rohres (Q_{max}) muss mindestens dem größeren Wert von entweder

a) dem berechneten Schmutzwasserabfluss (Q_{ww}) oder dem Gesamtschmutzwasserabfluss (Q_{tot})

oder

b) dem Schmutzwasserabfluss des Entwässerungsgegenstandes mit dem größten Anschlusswert (siehe Tabelle 2)

entsprechen.

Einige Werte für Q_{ww} oder Q_{tot}, berechnet für verschiedene Abflusskennzahlen (*K*) und Summen von Anschlusswerten (DU), sind in Anhang B aufgelistet.

6.4 Planung von Anschlussleitungen

6.4.1 Unbelüftete Anschlussleitungen

Nennweiten und Anwendungsgrenzen bei unbelüfteten Anschlussleitungen sind in den Tabellen 4 und 5 angegeben. Wo die Anwendungsgrenzen nicht eingehalten werden können, sind unbelüftete Anschlussleitungen zu belüften, sofern nicht nationale und regionale Vorschriften die Verwendung von größeren Nennweiten oder Belüftungsventilen erlauben. Die in Tabelle 5 aufgeführten Anwendungsgrenzen sind Vereinfachungen; weitere Informationen siehe nationale und regionale Vorschriften.

Tabelle 4: Zulässiger Schmutzwasserabfluss (Q_{max}) und Nennweite (DN)

Q_{max} (l/s)	System I	System II	System III	System IV
	DN	DN	DN	DN
0,40	*	30	siehe Tabelle 6	30
0,50	40	40		40
0,80	50	*		*
1,00	60	50		50
1,50	70	60		60
2,00	80**	70**		70**
2,25	90***	80****		80****
2,50	100	90		100

* nicht erlaubt
** keine Klosetts
*** nicht mehr als zwei Klosetts und nicht mehr als eine 90°-Gesamtrichtungsänderung
**** nicht mehr als ein Klosett

Tabelle 5: Anwendungsgrenzen

Anwendungsgrenzen	System I	System II	System III	System IV
maximale Rohrlänge (l)	4,0 m	10,0 m	siehe Tabelle 6	10,0 m
maximale Anzahl von 90°-Bogen	3*	1*		3*
maximale Absturzhöhe (*H*) (mit 45° oder mehr Neigung)	1,0 m	**6,0 m DN > 70 **3,0 m DN = 70		1,0 m
Mindestgefälle	1 %	1,5 %		1 %

* Anschlussbogen nicht eingeschlossen
** Wenn DN kleiner 100 mm ist und ein Klosett an die unbelüftete Anschlussleitung angeschlossen ist, darf kein weiterer Entwässerungsgegenstand im Bereich von 1 m über dem Anschluss an eine belüftete Anlage angeschlossen sein.

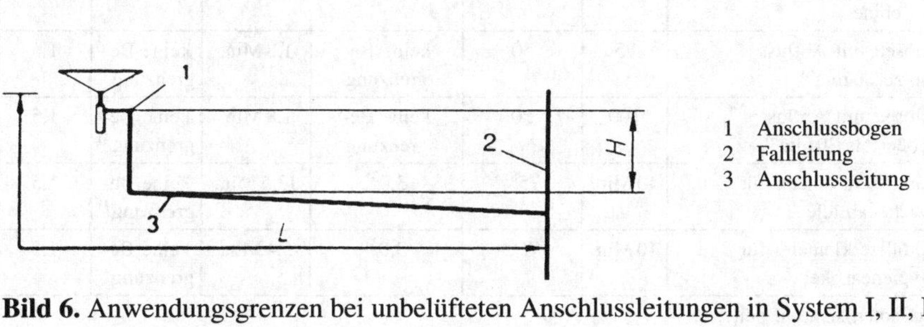

Bild 6. Anwendungsgrenzen bei unbelüfteten Anschlussleitungen in System I, II, IV

Tabelle 6: Anwendungsgrenzen bei unbelüfteten Anschlussleitungen System III

Entwässerungs-gegenstand	Nenn-weite DN	Mindest-geruch-verschluss-höhe mm	Max. abge-wickelte Rohr-länge (*L*) vom Geruchver-schluss zur Fallleitung m	Gefälle %	Max. Anzahl der Bogen Nr.	Max. Absturz-höhe (*H*) m
Waschbecken, Bidet (30 mm Durchmesser Geruchverschluss)	30	75	1,7	2,2[1)]	0	0
Waschbecken, Bidet (30 mm Durchmesser Geruchverschluss)	30	75	1,1	4,4[1)]	0	0
Waschbecken, Bidet (30 mm Durchmesser Geruchverschluss)	30	75	0,7	8,7[1)]	0	0
Waschbecken, Bidet (30 mm Durchmesser Geruchverschluss)	40	75	3,0	1,8 bis 4,4	2	0
Dusche, Badewanne	40	50	keine Begrenzung[2)]	1,8 bis 9,0	keine Begrenzung	1,5
Wandurinal	40	75	3,0[3)]	1,8 bis 9,0	keine Begrenzung[4)]	1,5
Urinalrinne	50	75	3,0[3)]	1,8 bis 9,0	keine Begrenzung[4)]	1,5
Standurinal[5)]	60	50	3,0[3)]	1,8 bis 9,0	keine Begrenzung[4)]	1,5
Küchenspüle (40 mm Durchmesser Geruchverschluss)	40	75	keine Begrenzung[2)]	1,8 bis 9,0	keine Begrenzung	1,5
Haushaltsgeschirrspülmaschine oder Waschmaschine	40	75	3,0	1,8 bis 4,4	keine Begrenzung	1,5
Klosett mit Abfluss bis zu 80 mm[6)]	75	50	keine Begrenzung	1,8 Min.	keine Begrenzung[4)]	1,5
Klosett mit Abfluss größer als 80 mm[6)]	100	50	keine Begrenzung	1,8 Min.	keine Begrenzung[4)]	1,5
Abfallzerkleinerer für Küchenabfälle[7)]	40 Min.	75[8)]	3,0[3)]	13,5 Min.	keine Begrenzung[4)]	1,5
Abfallzerkleinerer für Hygieneartikel	40 Min.	75[8)]	3,0[3)]	5,4 Min.	keine Begrenzung[4)]	1,5
Fußnoten siehe n. Seite.						
Fortsetzung siehe nächste Seite.						

Tabelle 6 (Fortsetzung)

Entwässerungsgegenstand	Nennweite	Mindestgeruchverschlusshöhe	Max. abgewickelte Rohrlänge (*L*) vom Geruchverschluss zur Fallleitung	Gefälle	Max. Anzahl der Bogen	Max. Absturzhöhe (*H*)
	DN	mm	m	%	Nr.	m
Bodenablauf	50	50	keine Begrenzung[3)]	1,8 Min.	keine Begrenzung	1,5
Bodenablauf	70	50	keine Begrenzung[3)]	1,8 Min.	keine Begrenzung	1,5
Bodenablauf	100	50	keine Begrenzung[3)]	1,8 Min.	keine Begrenzung	1,5
4 Becken	50	75	4,0	1,8 bis 4.4	0	0
Wandurinale[8)]	50	75	keine Begrenzung[3)]	1,8 bis 9,0	keine Begrenzung[4)]	1,5
Maximum von 8 Klosetts[6)]	100	50	15,0	0,9 bis 9,0	2	1,5
mit bis zu 5 Sprühköpfen[9)]	30 Max.	50	4,5[3)]	1,8 bis 4,4	keine Begrenzung[4)]	0

1) Ein steileres Gefälle ist erlaubt, wenn das Rohr kürzer ist als die erlaubte maximal abgewickelte Rohrlänge.
2) Falls die abgewickelte Rohrlänge 3 m übersteigt, kann ein geräuschvoller Abfluss die Folge sein mit erhöhtem Verstopfungsrisiko.
3) Sollte so kurz wie möglich sein, um Ablagerungen zu verringern.
4) Enge Bogen sollten vermieden werden.
5) Standurinale für bis zu 7 Personen. Standurinale für mehr Personen müssen mehr als einen Ablauf haben.
6) Zusammenführungen der Klosettanschlussleitung mit der Schmutzwasserfallleitung durch Abzweige mit Innenradius.
7) Beinhaltet kleine Kartoffelschälmaschinen.
8) Nur Röhrengeruchverschlüsse, keine Flaschen- oder sich wieder auffüllende Geruchverschlüsse.
9) Handwaschbecken mit Duschköpfen müssen Abläufe mit flachen Sieben ohne Stöpsel haben.

6.4.3 Belüftete Anschlussleitungen

Nennweiten und Anwendungsgrenzen von belüfteten Anschlussleitungen sind in den Tabellen 7 und 8 aufgeführt.

D

Tabelle 7: Zulässiger Schmutzwasserabfluss (Q_{max}) und Nennweite (DN)

Q_{max} (l/s)	System I	System II	System III	System IV
	DN	DN	DN	DN
	Anschluss/ Belüftung	Anschluss/ Belüftung	Anschluss/ Belüftung	Anschluss/ Belüftung
0,60	*	30/30	siehe Tabelle 6	30/30
0,75	50/40	40/30		40/30
1,50	60/40	50/30		50/30
2,25	70/50	60/30		60/30
3,00	80/50**	70/40**		70/40**
3,40	90/60***	80/40****		80/40****
3,75	100/60	90/50		90/50

* nicht erlaubt
** keine Klosetts
*** nicht mehr als zwei Klosetts und nicht mehr als eine 90°-Gesamtrichtungsänderung
**** nicht mehr als ein Klosett

Anwendungsgrenzen in Tabelle 8 sind Vereinfachungen; zur weiteren Information siehe nationale und regionale Vorschriften.

Tabelle 8: Anwendungsgrenzen

Anwendungsgrenzen	System I	System II	System III	System IV
maximale Rohrlänge (l)	10,0 m	keine Begrenzung	siehe Tabelle 9	10,0 m
maximale Anzahl von 90°-Bogen*	keine Begrenzung	keine Begrenzung		keine Begrenzung
maximale Absturzhöhe (H) (mit 45° oder mehr Neigung)	3,0 m	3,0 m		3,0 m
Mindestgefälle	0,5 %	0,5 %		0,5 %

* Anschlussbogen nicht eingeschlossen

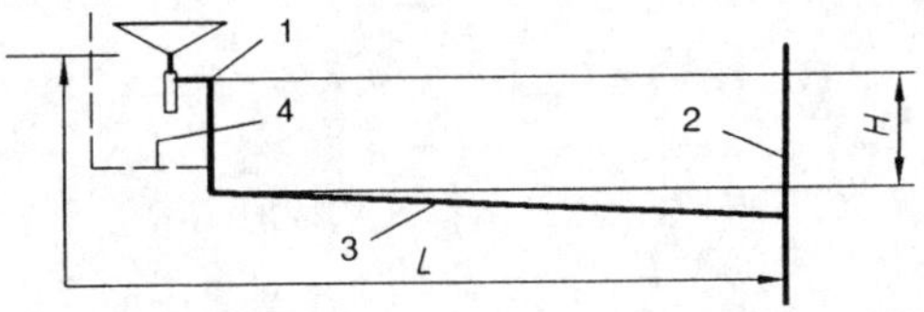

1 Anschlussbogen
2 Fallleitung
3 Anschlussleitung
4 Umlüftung

Bild 7. Anwendungsgrenzen bei belüfteten Anschlussleitungen in System I, II und VI

Tabelle 9: Anwendungsgrenzen bei belüfteten Anschlussleitungen in System III

Entwässerungsgegenstand	Nennweite	Mindestgeruchverschlusshöhe	Max. abgewickelte Rohrlänge (*L*) vom Geruchverschluss zur Fallleitung	Gefälle	Max. Anzahl der Bogen	Max. Absturzhöhe (*H*)
	DN	mm	m	%	Nr.	m
Waschbecken, Bidet (30 mm Durchmesser Geruchverschluss)	30	75	3,0	1,8 Min.	2	3,0
Waschbecken, Bidet (30 mm Durchmesser Geruchverschluss)	40	75	3,0	1,8 Min.	keine Begrenzung	3,0
Dusche, Badewanne	40	50	keine Begrenzung[2)]	1,8 Min.	keine Begrenzung	keine Begrenzung
Wandurinal	40	75	3,0[3)]	1,8 Min.	keine Begrenzung[4)]	3,0
Urinalrinne	50	75	3,0[3)]	1,8 Min.	keine Begrenzung[4)]	3,0
Standurinal[5)]	60	50	3,0[3)]	1,8 Min.	keine Begrenzung[4)]	3,0
Küchenspüle (40 mm Durchmesser Geruchverschluss)	40	75	keine Begrenzung[2)]	1,8 Min.	keine Begrenzung	keine Begrenzung
Haushaltsgeschirrspülmaschine oder Waschmaschine	40	75	keine Begrenzung[3)]	1,8 Min.	keine Begrenzung	keine Begrenzung
Klosett mit Abfluss bis zu 80 mm[6)] u.[14)]	75	50	keine Begrenzung	1,8 Min.	keine Begrenzung[4)]	1,5
Klosett mit Abfluss größer als 80 mm[6)] u.[14)]	100	50	keine Begrenzung	1,8 Min.	keine Begrenzung[4)]	1,5
Abfallzerkleinerer für Küchenabfälle[7)]	40 Min.	75[8)]	3,0[3)]	13,5 Min.	keine Begrenzung[4)]	3,0
Abfallzerkleinerer für Hygieneartikel	40 Min.	75[8)]	3,0[3)]	5,4 Min.	keine Begrenzung[4)]	3,0
Bodenablauf	50	50	keine Begrenzung[3)]	1,8 Min.	keine Begrenzung	keine Begrenzung
Bodenablauf	70	50	keine Begrenzung[3)]	1,8 Min.	keine Begrenzung	keine Begrenzung
Bodenablauf	100	50	keine Begrenzung[3)]	1,8 Min.	keine Begrenzung	keine Begrenzung

Fußnoten siehe n. Seite.

Fortsetzung siehe nächste Seite.

D

Tabelle 9 (Fortsetzung)

Entwässerungs-gegenstand	Nenn-weite DN	Mindest-geruch-verschluss-höhe mm	Max. abge-wickelte Rohr-länge (L) vom Geruchver-schluss zur Fallleitung m	Gefälle %	Max. Anzahl der Bogen Nr.	Max. Absturz-höhe (H) m
5 Becken[9)]	50	75	7,0	1,8 bis 4,4	2	0
10 Becken[9)] und[10)]	50	75	10,0	1,8 bis 4,4	keine Be-grenzung	0
Wandurinal[9)] und[11)]	50	75	keine Be-grenzung[3)]	1,8 Min.	keine Be-grenzung[4)]	keine Be-grenzung
Maximum von 8 Klosetts[6)]	100	50	keine Be-grenzung	0,9 Min.	keine Be-grenzung	keine Be-grenzung
mit bis zu 5 Sprühköpfen[12)]	30 Max.	50	keine Be-grenzung[3)]	1,8 bis 4,4	keine Be-grenzung[4)]	0

1) Für max. Abstand vom Geruchverschluss zur Lüftungsleitung siehe Bild 8.
2) Falls die abgewickelte Rohrlänge 3 m übersteigt ist geräuschvoller Abfluss das Ergebnis mit erhöhtem Verstopfungsrisiko.
3) Sollte so kurz wie möglich sein, um das Problem von Ablagerungen zu verringern.
4) Enge Bogen sollten vermieden werden.
5) Für Standurinale mit bis zu 7 Personen. Standurinale für mehr Personen müssen mehr als einen Ablauf haben.
6) Zusammenführungen der Klosettanschlussleitung mit Schmutzwasserfallleitung durch Abzweige mit gekrümmtem Einlauf.
7) Beinhaltet kleine Kartoffelschälmaschinen.
8) Röhrengeruchverschlüsse, keine Flaschen- oder sich wieder auffüllende Geruchverschlüsse.
9) Siehe Bild 9.
10) Jedes Becken muss einzeln belüftet werden.
11) Jegliche Anzahl.
12) Handwaschbecken mit Duschköpfen müssen Abläufe mit flachen Sieben ohne Stöpsel haben.
13) Die Nennweite von Lüftungsrohren von Anschlussleitungen von Entwässerungsgegenständen können DN 25 betragen, aber falls sie länger als 15 m abgewickelte Länge sind oder mehr als 5 Bogen enthalten, muss ein Rohr DN 30 verwendet werden.
14) Falls der Anschluss der Lüftungsleitung zu Verstopfungen neigt, was sich in Spritzwasser oder Aufstau äußert, sollte er in DN 50 ausgeführt und bis zu 50 mm über die Überlaufhöhe des Entwässerungsgegenstandes hochgeführt sein.

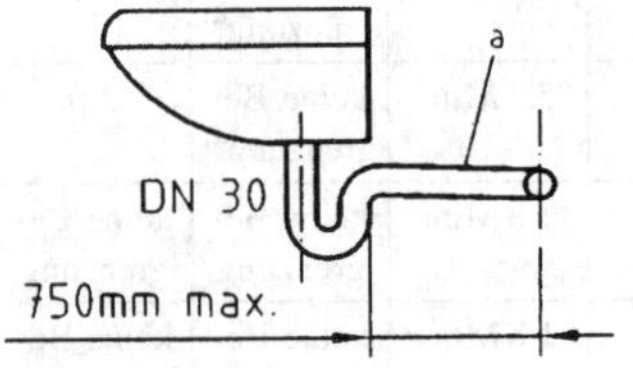

Bild 8. Anwendungsgrenzen bei belüfteten Anschlussleitungen in System III bei Gefälle 1,8 % bis 4,4 %

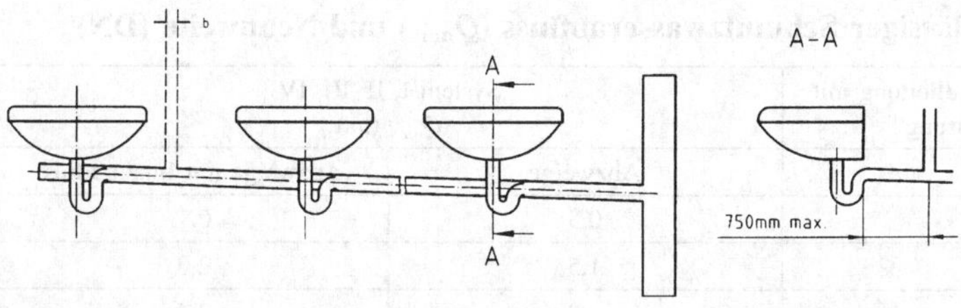

Bild 9. Anwendungsbereich bei belüfteten Anschlussleitungen in System III bei Lüftungsleitung 25 mm min.

6.4.3 Belüftungsventile für Anschlussleitungen

Dort, wo Belüftungsventile zur Belüftung von Anschlussleitungen oder Entwässerungsgegenständen verwendet werden, müssen sie prEN 12 380 entsprechen und in Übereinstimmung mit Tabelle 10 bemessen sein.

6.5 Planung von Schmutzwasserfallleitungen

6.5.1 Schmutzwasserfallleitungen mit Hauptlüftung

Nennweiten und Anwendungsgrenzen von Schmutzwasserfallleitungen sind in Tabelle 11 angegeben.

6.5.2 Schmutzwasserfallleitungen mit Nebenlüftung

Nennweiten und Anwendungsgrenzen der Schmutzwasserfallleitungen mit Nebenlüftung sind in Tabelle 12 angegeben.

Tabelle 10: Minimale Luftmenge für Belüftungsventile in Anschlussleitungen

System	Q_a (l/s)
I	$1 \times Q_{tot}$
II	$2 \times Q_{tot}$
III	$2 \times Q_{tot}$
IV	$1 \times Q_{tot}$

Q_a = Minimale Luftmenge in Litern je Sekunde (l/s)
Q_{tot} = Gesamtschmutzwasserabfluss in Litern je Sekunde (l/s)

D

Tabelle 11: Zulässiger Schmutzwasserabfluss (Q_{max}) und Nennweite (DN)

Schmutzwasserfallleitung mit Hauptlüftung	System I, II, III, IV Q_{max} (l/s)	
DN	Abzweige	Abzweige mit Innenradius
60	0,5	0,7
70	1,5	2,0
80*	2,0	2,6
90	2,7	3,5
100**	4,0	5,2
125	5,8	7,6
150	9,5	12,4
200	16,0	21,0

* Mindestnennweite bei Anschluss von Klosetts an System II
** Mindestnennweite bei Anschluss von Klosetts an System I, III, IV

Tabelle 12: Zulässiger Schmutzwasserabfluss (Q_{max}) und Nennweite (DN)

Schmutzwasserfallleitung mit Hauptlüftung	Nebenlüftung	System I, II, III, IV Q_{max} (l/s)	
DN	DN	Abzweige	Abzweige mit Innenradius
60	50	0,7	0,9
70	50	2,0	2,6
80*	50	2,6	3,4
90	50	3,5	4,6
100**	50	5,6	7,3
125	70	12,4	10,0
150	80	14,1	18,3
200	100	21,0	27,3

* Mindestnennweite bei Anschluss von Klosetts an System II
** Mindestnennweite bei Anschluss von Klosetts an System I, III, IV

6.5.3 Belüftungsventile für Schmutzwasserfallleitungen

Wo Belüftungsventile verwendet werden, um Einzelfallleitungen zu belüften, müssen sie prEN 12 380 entsprechen und mit Q_a nicht kleiner als 8 × Q_{tot} bemessen sein.

6.5.4 Lüftungsleitungen

Hauptlüftungen, Nebenlüftungsleitungen oder Lüftungsleitungen für Anschlussleitungen müssen in der Nennweite vergrößert werden, wenn sie sehr lang sind oder viele Bogen haben. Für weitere Informationen siehe nationale und regionale Vorschriften und technischen Regeln.

6.6 Planung von Grund-/Sammelleitungen

6.6.1 Allgemeines

Der zulässige Schmutzwasserabfluss von Grund- und Sammelleitungen sollte nach anerkannten, eingeführten Formeln berechnet werden. Hierzu können Tabellen oder Diagramme verwendet werden. Jedoch muss in Streitfällen die Prandtl-Colebrook-Gleichung[1] angewendet werden. Zur Vereinfachung sind zulässige Schmutzwasserabflüsse, berechnet nach der Prandtl-Colebrook-Gleichung, in Anhang B angegeben.

Für erdverlegte Grundleitungen außerhalb von Gebäuden siehe EN 752.

Anhang A (informativ) A.1 Nationale und regionale Vorschriften und technische Regeln *(nicht abgedruckt)*

Anhang B (informativ) B.1 Zulässiger Schmutzwasserabfluss von Grund-, Sammelleitungen B.2 Schmutzwasserabflusswerte *(nicht abgedruckt)*

D

Anhang C (informativ)

C.1 Bemessungsbeispiel

Bemessung der Fallleitungen und der Grundleitung, gezeigt in Bild C.1.

C.2 Daten und Parameter

Untergeschoss:	1
Stockwerke:	3
Wohneinheiten:	12 (4 in jedem Stockwerk, 6 an jeder Fallleitung)
Waschküche:	im Untergeschoss
Anschlusswerte:	System I
Abflusskennzahl (*K*)	0,5
Schmutzwasserfallleitung:	2 (eckige Abzweige)
Grundleitung:	1 (Gefälle = 2 %, Füllungsgrad = 0,5)

[1] Die Prandtl-Colebrook-Gleichung ist auch als Colebrook-White-Gleichung bekannt.

C.3 Addition von Anschlusswerten

Tabelle C.1: Summe der Anschlusswerte (ΣDU) einer Wohneinheit

Entwässerungsgegenstand	Menge	DU	ΣDU
WC (7,5 l)	2	2,0	4,0
Waschtisch	3	0,5	1,5
Badewanne	1	0,8	0,8
Dusche (nicht staubar)	1	0,6	0,6
Spülbecken	1	0,8	0,8
Geschirrspüler	1	0,8	0,8
		Summe	8,5

Tabelle C.2: Summe der Anschlusswerte (ΣDU) der Waschküche

Entwässerungsgegenstand	Menge	DU	ΣDU
Waschmaschine 6 kg	2	0,8	1,6
Waschtrog	2	0,5	1,0
		Summe	2,6

C.4 Bemessung der Fallleitung

6 Appartements mit jeweils 8,5 DU = 51,0 DU

$Q_{ww} = 0{,}5 \times \sqrt{51{,}0}$ = 3,6 l/s

Die Nennweite der Fallleitung beträgt (Tabelle 11) = **DN 100**

Beide Fallleitungen sind von gleicher Nennweite.

C.5 Bemessung der Grundleitung

Abschnitt A

Q_{ww} wie berechnet in C.3 = 3,6 l/s

nach Tabelle B.1 beträgt die Nennweite der Grundleitung = **DN 125**

Abschnitt B

$Q_{ww} = 0{,}5 \times \sqrt{51{,}0 + 2{,}6 \text{ (Waschküche)}} = 0{,}5 \times \sqrt{53{,}6}$ = 3,7 l/s

nach Tabelle B. 1 beträgt die Nennweite immer noch = **DN 125**

Abschnitt C

$Q_{ww} = 0{,}5 \times \sqrt{51{,}0 + 2{,}6 + 51{,}0} = 0{,}5 \times \sqrt{104{,}6}$ = 5,1 l/s

nach Tabelle B.1 beträgt die Nennweite immer noch = **DN 125**

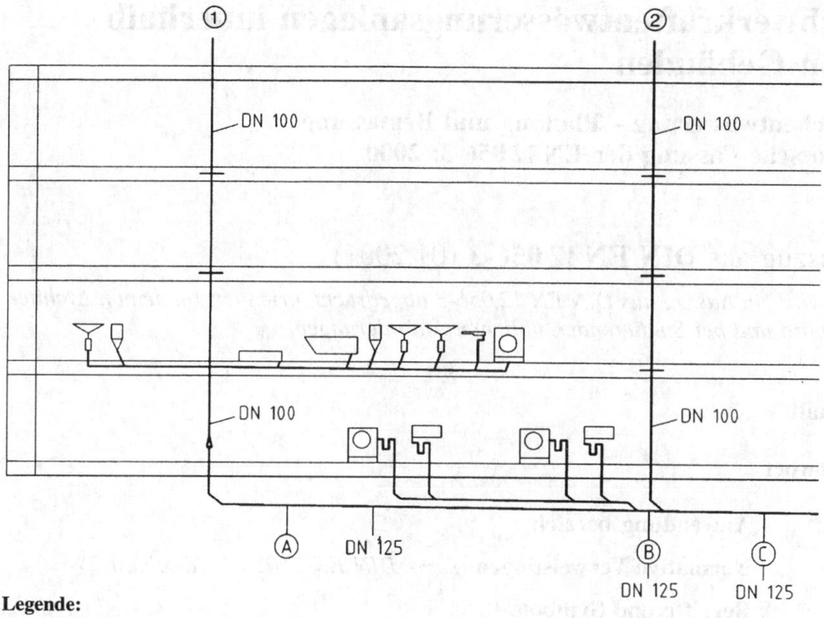

Legende:

- Dusche
- Badewanne
- Waschtisch
- Klosett
- Spültisch
- Waschmaschine oder Geschirrspüler
- Abfluss Waschküche

Bild C.1.: Darstellung des Berechnungsbeispiels

Schwerkraftentwässerungsanlagen innerhalb von Gebäuden

Dachentwässerung – Planung und Bemessung
Deutsche Fassung der EN 12 056-3: 2000

Auszug aus **DIN EN 12 056-3** (01.2001)

Es wird ein Auszug aus DIN EN 12 056-3 abgedruckt, orientiert an den im Architekturbüro und bei Studierenden üblichen Anforderungen.

Inhalt

D

Vorwort *(nicht abgedruckt)*

1 Anwendungsbereich *(nicht abgedruckt)*

2 Normative Verweisungen *(siehe DIN EN 12 056-1, Abschnitt 2)*

3 Begriffe und Symbole

3.1 Begriffe

Für die Anwendung dieser Europäischen Norm gelten die folgenden Definitionen:

3.1.1 Dachrinnenwinkel

Richtungsänderung im Dachrinnenverlauf.

3.1.2 Planmäßige Wassertiefe

Maximale Wassertiefe unter Bemessungsniederschlagsbedingungen.

3.1.3 Entwässerungslänge

Länge der Dachrinne vom Dachrinnenboden bis zum Dachrinnenstutzen/Dachrinnenablauf oder die halbe Entfernung zwischen zwei Dachrinnenstutzen/Dachrinnenabläufen in Millimeter.

3.1.4 vorgehängte Dachrinne

Dachrinne, bei der das Überlaufwasser außerhalb des Gebäudes herabläuft.

3.1.5 flache Sohle

Sohle der Dachrinne, welche im Dachrinnenquerschnitt waagerecht ist und mindestens so breit ist wie die Öffnungsweite des Ablaufstutzens.

3.1.6 Freibord

Gesamtdachrinnentiefe abzüglich der planmäßigen Wassertiefe.

3.1.7 lange Dachrinne

Dachrinne, deren Entwässerungslänge größer ist als 50mal die planmäßige Wassertiefe.

3.1.8 Dachentwässerung

Rohrleitungen und Formstücke, innerhalb und außerhalb des Gebäudes, fest mit dem Gebäude verbunden oder durch die Gebäudestruktur verlaufend, einschließlich Grundleitungen unter dem Gebäude bis zum Anschlusspunkt an die erdverlegte Rohrleitung, die zum Gebäude gehört, welche für die Beseitigung von Niederschlagswasser benutzt werden (siehe Anwendungsbereich von EN 12 056-1).

3.1.9 kurze Dachrinne

Dachrinne, deren Entwässerungslänge nicht größer ist als 50mal die planmäßige Wassertiefe.

3.1.10 planmäßig vollgefüllte Regenwasserleitung

Anlage, in der die Abläufe und Leitungen unter Planungsbedingungen vollgefüllt betrieben werden und die Strömung durch das Ausnutzen der gesamten Druckhöhe zwischen den Abläufen und dem Übergang zur Freispiegelströmung aufrechterhalten wird.

3.1.11 Überlaufhöhe

Höhe, bei der die Dachrinne überläuft.

3.2 Symbole

Für die Anwendung dieser Europäischen Norm gelten die folgenden Symbole:

Symbol	Benennung	Einheit	Verweis
A	Wirksame Dachfläche	m^2	Tabelle 3
A_E	Gesamtquerschnitt der Dachrinne	mm^2	5.1.2
A_W	Dachrinnenquerschnitt unter dem Freibord	mm^2	5.2.3
A_0	Planungsquerschnitt eines Dachrinnenauslasses	mm^2	Tabelle 7
B_R	horizontale Projektion der Dachtiefe von der Traufe bis zum First	m	Bild 1
C	Abflusskennzahl	dimensionslos	4.1
d_i	Rohrinnendurchmesser	mm	Tabelle 8
D	wirksamer Durchmesser eines Dachrinnenauslasses	mm	Bild 9
D_o	tatsächlicher Durchmesser eines Dachrinnenauslasses	mm	Bild 9
F	Füllungsgrad des Regenwasserrohres, welcher gleich ist dem Anteil des Querschnittes des Regenwasserrohres, der mit Wasser gefüllt ist.	dimensionslos	Tabelle 8
F_d	Tiefenfaktor	dimensionslos	Bild 5
F_h	Druckhöhenfaktor	dimensionslos	Bild 10
F_L	Dachrinnen-Abflussbeiwert	dimensionslos	Tabelle 6
F_S	Formfaktor	dimensionslos	Bild 6
H	Druckhöhe am Auslauf	mm	Tabelle 7
H_R	vertikale Projektion der Dachfläche von der Traufe bis zum First	m	Bild 1
h_d	Füllhöhe der Grundleitung	mm	Anhang C
I	Rohrsohlen- oder Dachrinnengefälle	dimensionslos	Anhang C
k_b	Betriebliche Rohrrauheit	mm	Tabelle 8
k_0	Auslasskoeffizient	dimensionslos	Tabelle 7

Fortsetzung siehe nächste Seite.

D

Symbol	Benennung	Einheit	Verweis
L	wirksame Dachrinnenlänge, d. h. Dachrinnenlänge vom Rinnenboden bis zu einem Ablauf oder der Hälfte des Abstandes zwischen zwei benachbarten Abläufen	mm	Tabelle 6
L_r	Trauflänge	m	Bild 1
L_s	Länge des Wasserfangkastens	mm	Bild 11
L_T	Länge des Konus eines konischen Dachrinnenauslasses	mm	Bild 9
L_W	Länge der Ablaufkante, über die das Regenwasser fließt	mm	5.3.5 und Bild 12
Q	Regenwasserabfluss	l/s	4.1
Q_d	Schmutzwasserabfluss von Grund- und Sammelleitungen	l/s	Anhang C
Q_L	Regenwasserabfluss von „kurzen“ Dachrinnen ohne Gefälle	l/s	5.1.2
Q_N	Zulässiger Regenwasserabfluss von Dachrinnen	l/s	5.1.2
Q_o	Gesamtregenwasserabfluss zum Dachrinnenauslass hin (berechnet für die zu entwässernde Fläche durch Multiplikation der wirksamen Dachfläche mit der Regenspende)	l/s	Tabelle 7
Q_{RWP}	Regenwasserabfluss einer Regenwasserleitung	l/s	Tabelle 8
Q_{SE}	Regenwasserabfluss einer gleichwertigen rechteckigen vorgehängten Rinne	l/s	5.1.4 und Bild 3
Q_{SV}	Regenwasserabfluss einer gleichwertigen rechteckigen innenliegenden oder eingebauten Rinne	l/s	5.2.3
R	Radius am Übergang vom Dachrinnenauslass	mm	Bild 9
r	Berechnungsregenspende	$l/(s \times m^2)$	4.2
S	Sohlenbreite der Dachrinne	mm	Bild 4
T	Dachrinnenbreite bei Sollwassertiefe	mm	Bild 4
T_R	Ortganglänge	m	Bild 1
P	benetzter Umfang	mm	Anhang A
V	Fließgeschwindigkeit	m/s	Anhang C
W	Sollwassertiefe	mm	Bild 4
Z	Gesamttiefe der Dachrinne von der Sohle bis zur Überlaufhöhe einschließlich Freibord	mm	Bild 4
ν	Viskosität des Wassers	m^2/s	Anhang C

4 Berechnung des Regenwasserabflusses

4.1 Regenwasserabfluss

Der Regenwasserabfluss, der von einem Dach unter stetigen Bedingungen abgeleitet werden muss, wird durch Gleichung (1) bestimmt:

$$Q = r \cdot A \cdot C \quad (1)$$

Dabei ist:

Q = der Regenwasserabfluss in Litern je Sekunde (l/s)

r = die Berechnungsregenspende, in Litern je Sekunde und Quadratmeter [l/(s × m²)]

A = die wirksame Dachfläche in Quadratmeter (m²)

C = der Abflussbeiwert (1,0, wenn nationale und regionale Vorschriften und technische Regeln nichts anderes vorschreiben), dimensionslos.

4.2 Berechnungsregenspende, *r*

4.2.1 Sofern genaue Daten über die Häufigkeit des Auftretens von Regenereignissen und deren genaue Intensität und Dauer vorliegen, ist diese Berechnungsregenspende *r* in Gleichung (1), entsprechend dem vertretbaren Risiko und unter Beachtung der Art und der Nutzung des Gebäudes, zu verwenden.

Wenn statistische Angaben zur Berechnungsregenspende bei der Berechnung verwendet werden, gilt 4.2.2 nicht.

4.2.2 Wenn keine statistischen Daten über Regenspenden existieren, ist eine minimale Berechnungsregenspende als Basis für die Auslegung aus Tabelle 1 zu wählen, die den örtlichen klimatischen Gegebenheiten und den nationalen und regionalen Vorschriften und den Technischen Regeln entspricht. Sofern nationale und regionale Vorschriften und Technische Regeln nichts anderes festlegen, ist die Berechnungsregenspende zur Verwendung in Gleichung (1) mit einem entsprechenden Sicherheitsfaktor aus Tabelle 2 zu multiplizieren.

Tabelle 1: Berechnungsregenspende

Berechnungsregenspende l/(s · m²)
0,010
0,015
0,020
0,025
0,030
0,040
0,050
0,060

Tabelle 2: Sicherheitsfaktoren

Situation	Sicherheitsfaktor
vorgehängte Dachrinnen	1,0
vorgehängte Dachrinnen, bei denen überfließendes Wasser unangenehme Folgen hat, z. B. über Eingängen von öffentlichen Gebäuden	1,5
innenliegende Dachrinnen und überall dort, wo ungewöhnlich starker Regen oder Verstopfungen in der Dachentwässerungsanlage Wasser in das Gebäude eindringen lässt	2,0
innenliegende Dachrinnen in Gebäuden, wo ein außergewöhnliches Maß an Schutz notwendig ist, z. B. – Krankenhäuser/Theater – sensible Kommunikationseinrichtungen – Lagerräume für Substanzen, die durch Nässe toxische oder entflammbare Gase abgeben – Gebäude, in denen besondere Kunstwerke aufbewahrt werden	3,0

4.3 Wirksame Dachfläche, *A*

4.3.1 Bei der Berechnung der wirksamen Dachfläche wird der Windeinfluss nicht berücksichtigt, sofern nationale und regionale Vorschriften und Technische Regeln nichts anderes vorschreiben.

4.3.2 Dort, wo keine Windeinwirkung besteht, wird die wirksame Dachfläche durch Gleichung (2) bestimmt:

$$A = L_R \cdot B_R \qquad (2)$$

Dabei ist:

A = die wirksame Dachfläche in Quadratmeter (m^2)

L_R = die Trauflänge (siehe Bild 1) in Meter (m)

B_R = die horizontale Projektion der Dachtiefe von der Traufe bis zum First (siehe Bild 1) in Meter (m)

4.3.3 Wenn die Windeinwirkung zu berücksichtigen ist, muss die wirksame Dachfläche in Übereinstimmung mit Tabelle 3 berechnet werden.

4.3.4 In Gebieten, in denen Wind in die Berechnung des Regenwasserabflusses einzubeziehen ist und Regen durch den Wind gegen eine Wand getrieben werden und auf das Dach abfließen kann, müssen 50 % der Wandfläche zur wirksamen Dachfläche addiert werden.

Tabelle 3: Wirksame Dachfläche

Windeinwirkung	Wirksame undurchlässige Dachfläche A (m^2)
Schlagregen 26° zur Senkrechten	$A = L_R \cdot (B_R + \frac{H_R}{2})$
Regen senkrecht zur Dachfläche (Oberfläche des Daches verwenden)	$A = L_R \cdot T_R$
Dabei ist: L_R = die Trauflänge (m) B_R = die horizontale Projektion der Dachtiefe von der Traufe bis zum First (m) H_R = die vertikale Projektion der Dachfläche von der Traufe bis zum First (m) T_R = die Ortganglänge (m) Bild 1 illustriert die Dachabmessungen	

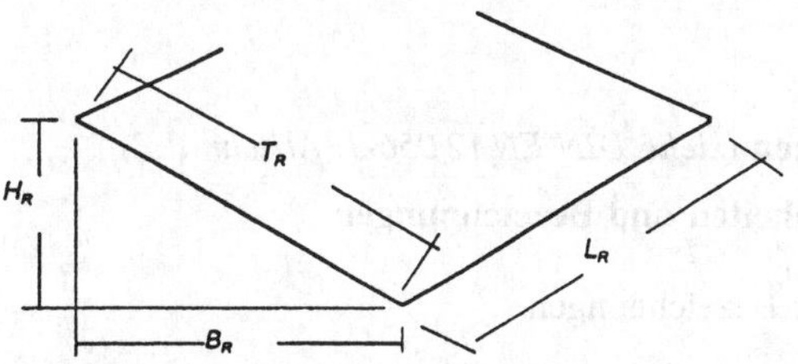

Bild 1. Dachabmessung

5 Planung von Dachentwässerungsanlagen (*nicht abgedruckt*)

6 Regenwasserleitungen (*nicht abgedruckt*)

7 Planung (*nicht abgedruckt*)

Anhang D (informativ)

Ablaufdiagramm

Berechnung des Regenwasserabflusses (*nicht abgedruckt*)

D

Schwerkraftentwässerungsanlagen innerhalb von Gebäuden

Abwasserhebeanlagen – Planung und Bemessung
Deutsche Fassung der EN 12 056-4 (2000)

Auszug aus DIN EN 12 056-4 (01.2001)

Inhalt

Vorwort (*nicht abgedruckt*)

1 Anwendungsbereich (*nicht abgedruckt*)

2 Normative Verweisungen (*siehe DIN EN 12 056-1, Abschnitt 2*)

3 Begriffe, Symbole, Einheiten und Bezeichnungen

Für die Anwendung dieser Norm gelten EN 1085 und die folgenden Begriffe, Symbole, Einheiten und Bezeichnungen:

3.1 Begriffe

3.1.1 Abwasserhebeanlage

Einrichtung für die Gebäude- und Grundstücksentwässerung zum Sammeln und automatischen Heben von fäkalienhaltigem oder fäkalienfreiem Abwasser sowie Regenwasser über die Rückstauebene innerhalb und außerhalb von Gebäuden mit Anschluss an Entwässerungsanlagen.

3.1.2 Rückstau

Zurückdrücken von Abwasser aus dem Kanal in die angeschlossenen Leitungen.

3.1.3 Rückstauebene

Höchste Ebene, bis zu der das Wasser in einer Entwässerungsanlage ansteigen kann.

3.1.4 Rückstauschleife

Teil der Druckleitung einer Abwasserhebeanlage über der Rückstauebene (siehe Bilder 1 und 2).

3.1.5 Förderstrom $\dot{V}_P$

Volumenstrom, den die Fördereinrichtung der Abwasserhebeanlage im Betriebspunkt über die Gesamtförderhöhe pumpt (siehe Bild 6).

3.1.6 Förderhöhe H_P

Druckhöhe, die die Fördereinrichtung der Abwasserhebeanlage im Betriebspunkt zur Überwindung der statischen Höhendifferenz sowie der Gesamtverlusthöhe in der Druckleitung aufbringt (siehe Bild 6).

3.1.7 Sammelbehälter für fäkalienhaltiges Abwasser

Teil einer Fäkalienhebeanlage, in dem das anfallende Abwasser drucklos zwischengespeichert und anschließend gefördert wird (siehe prEN 12 050-1).

D

3.1.8 Nutzvolumen

Förderbares Volumen zwischen Einschaltniveau und Ausschaltniveau (siehe prEN 12 050-1).

3.2 Symbole, Einheiten und Bezeichnungen

Tabelle 1: Symbole

Symbol	Einheit	Bezeichnung
d_i	mm	Innendurchmesser
DN	mm	Nennweite
g	m/s²	Fallbeschleunigung = 9,81 m/s²
H_{geo}	m	statische Förderhöhe
H_P	m	Förderhöhe der Fördereinrichtung im Betriebspunkt
H_{tot}	m	Gesamtförderhöhe
H_V	m	Druckhöhenverlust
$H_{V, A}$	m	Druckhöhenverlust in Armaturen und Formstücken
$H_{V, j}$	–	dimensionsloser Druckhöhenverlust bezogen auf die Rohrlänge
$H_{V, R}$	m	druckseitige Rohrleitungsverluste
L	m	Rohrleitungslänge
P_V	bar (N/m²N)	Druckverlust
$\dot{V}$ (Q_i)	l/s	Abwasserzufluss
$\dot{V}_A$ (Q)	l/s	Förderstrom allgemein
$\dot{V}_P$ (Q_P)	l/s	Förderstrom der Pumpe
$\dot{V}_R$ (Q_R)	l/s	Regenwasserabfluss
T	s	Mindestlaufzeit
v	m/s	Strömungsgeschwindigkeit
V	l	Nutzvolumen
z	–	Verlustbeiwert

4 Schutz gegen Rückstau

Trotz der Bemessung nach den jeweils geltenden allgemein anerkannten Regeln der Technik und des sorgfältigen Betriebs der öffentlichen Kanalisation können öffentliche Misch- und Regenwasserkanäle aus wirtschaftlichen Gründen nicht so dimensioniert werden, dass sie jeden außergewöhnlichen Regen einwandfrei ableiten können.

Es muss deshalb bei starkem Regen mit Stau im Kanal und Rückstau in die Anschlusskanäle und als Folge davon in die Grundstücksentwässerungsanlage gerechnet werden.

Die gleiche Situation kann eintreten, wenn in öffentlichen Schmutzwasserkanälen durch unplanmäßige Einleitungen Überlastungen oder durch andere Hemmnisse Verstopfungen oder Querschnittverengungen hervorgerufen werden und es zum Stau im Schmutzwasserkanal kommt.

Weiterhin können Betriebsausfälle in Pumpwerken einen Rückstau im Kanal auslösen. Aus diesen Gründen müssen Ablaufstellen unterhalb der Rückstauebene gegen Rückstau gesichert werden. Liegen keine Angaben vor, so gilt in ebenem Gelände die Straßenoberfläche[1)] an der Anschlussstelle als Rückstauebene.

Der Schutz gegen Rückstau erfolgt durch Abwasserhebeanlagen mit Rückstauschleife (siehe Bilder 1 und 2). Nur die Ausführung mit Rückstauschleife bietet einen hohen Grad an Sicherheit gegen Rückstau.

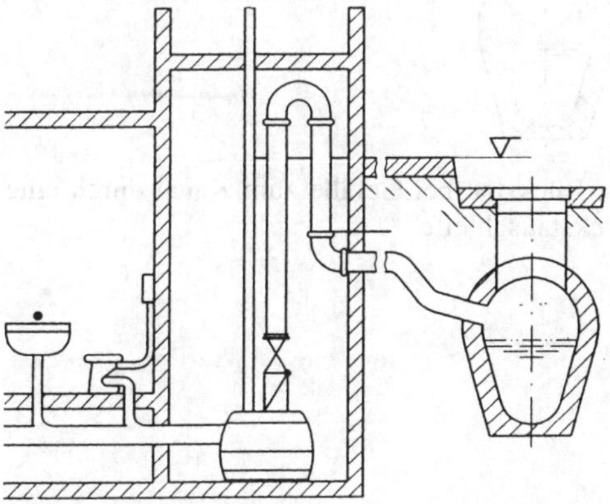

Bild 1. (Prinzipskizze) Schutz gegen Rückstau, wenn der Kanal höher liegt als die Entwässerungsgegenstände

Ein Rückstauverschluss kann eingesetzt werden (siehe Bild 3), wenn
- Gefälle zum Kanal besteht,
- die Räume von untergeordneter Nutzung sind, d. h., dass keine wesentlichen Sachwerte oder die Gesundheit der Bewohner bei Überflutung der Räume beeinträchtigt werden,
- der Benutzerkreis klein ist und diesem ein WC oberhalb der Rückstauebene zur Verfügung steht,
- bei Rückstau auf die Benutzung der Ablaufstelle verzichtet werden kann.

[1)] Unter Straßenoberfläche ist die Fahrbahn einschließlich Gehwege, Seitenstreifen usw. zu verstehen.

D

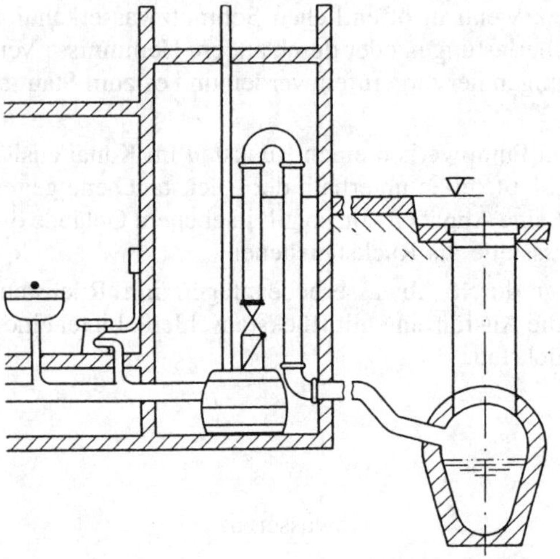

Bild 2. (Prinzipskizze) Schutz gegen Rückstau bei Gefälle zum Kanal durch eine Abwasserhebeanlage mit Rückstauschleife

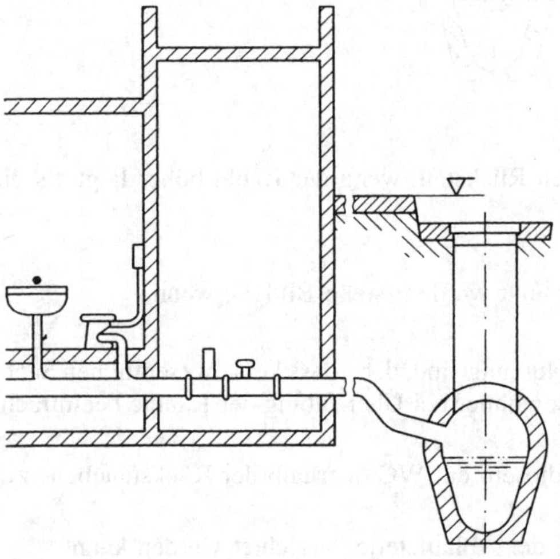

Bild 3. (Prinzipskizze) Schutz gegen Rückstau bei Gefälle zum Kanal von Räumen untergeordneter Nutzung durch einen Rückstauverschluss

5 Installation

5.1 Allgemeines

Abwasserhebeanlagen sind verdrehsicher zu installieren. Auftriebsgefährdete Abwasserhebeanlagen sind auftriebssicher zu befestigen.

Räume für Abwasserhebeanlagen müssen so groß sein, dass neben und über allen zu bedienenden und zu wartenden Teilen ein Arbeitsraum von mindestens 60 cm Breite bzw. Höhe zur Verfügung steht. Der Aufstellungsraum muss ausreichend beleuchtet und gut be- und entlüftet sein. Für die Raumentwässerung bei Fäkalienhebeanlagen nach prEN 12 050-1 ist ein Pumpensumpf anzuordnen.

Alle Leitungsanschlüsse an Abwasserhebeanlagen müssen schalldämmend und flexibel ausgeführt sein.

Sammelbehälter für fäkalienhaltiges Abwasser dürfen nicht baulich mit dem Gebäude verbunden sein. Innerhalb des Gebäudes sind für fäkalienhaltiges Abwasser nur Fäkalienhebeanlagen mit frei aufgestellten Sammelbehältern zulässig.

Nach prEN 12 050-1 ist bei Anlagen, bei denen der Abwasserzufluss nicht unterbrochen werden darf, eine Doppelanlage einzubauen.

Oberflächenwasser, das außerhalb des Gebäudes unterhalb der Rückstauebene anfällt, ist getrennt vom häuslichen Abwasser und außerhalb des Gebäudes über eine Abwasserhebeanlage zu fördern.

5.2 Rohrleitungen

An die Abwasserhebeanlage angeschlossene Installationen unterhalb der Rückstauebene sind in Übereinstimmung mit EN 12 056 auszulegen und entsprechend zu installieren.

Alle Rohrleitungen sind so zu verlegen, dass diese von selbst leer laufen können. Die Leitungen dürfen in Fließrichtung gesehen, nicht verengt werden.

Die Mindestnennweite der Druckleitung muss Tabelle 2 entsprechen.

Die Entwässerungsleitungen sind spannungsfrei an die Hebeanlagen anzuschließen. Das Gewicht der Leitungen ist bauseits entsprechend abzufangen.

Auf der Zuflussseite und auf der Druckleitungsseite hinter dem Rückflussverhinderer ist ein Absperrschieber anzuordnen. Bei Abwasserhebeanlagen nach prEN 12 050-2 oder prEN 12 050-3 kann, wenn die Nennweite der Druckleitung $<$ DN 80 ist, auf den Absperrschieber verzichtet werden. Ist kein Schieber in der Druckleitung vorhanden, muss der Rückflussverhinderer eine Anlüftevorrichtung haben, oder es muss eine anderweitige Entleerung möglich sein.

Die Druckleitung der Abwasserhebeanlage muss mit der, Sohle der Rückstauschleife über die Rückstauebene geführt werden.

An die Druckleitung dürfen keine anderen Anschlüsse vorgenommen werden. Druckleitungen von Abwasserhebeanlagen dürfen nicht an Abwasserfallleitungen, sondern müssen immer an die belüftete Grundleitung oder Sammelleitung angeschlossen werden (siehe Bilder 4 und 5).

D

Tabelle 2: Mindestnennweite der Druckleitung

Typ der Abwasserhebeanlage	Mindestnennweite
Fäkalienhebeanlagen ohne Fäkalienzerteilung nach prEN 12 050-1	DN 80
Fäkalienhebeanlagen mit Fäkalienzerteilung nach prEN 12 050-1	DN 32
Abwasserhebeanlagen für fäkalienfreies Abwasser nach prEN 12 050-2	DN 32
Fäkalienhebeanlagen zur begrenzten Verwendung ohne Fäkalienzerteilung nach prEN 12 050-3	DN 25
Fäkalienhebeanlagen zur begrenzten Verwendung mit Fäkalienzerteilung nach prEN 12 050-3	DN 20

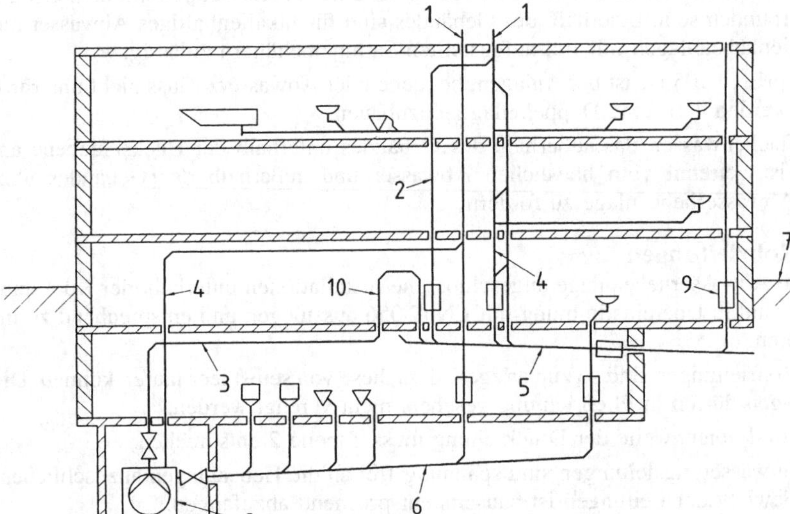

1 Lüftung
2 Abwasserfallleitung
3 Druckleitung der Fäkalienhebeanlage
4 Lüftungsleitung für Fäkalienhebeanlage
5 Sammelleitung
6 Grundleitung
7 Rückstauebene
8 Fäkalienhebeanlage mit Rückflussverhinderer
9 Reinigungsöffnung
10 Rückstauschleife

Bild 4. (Prinzipskizze) Anschluss einer Fäkalienhebeanlage an die Sammelleitung

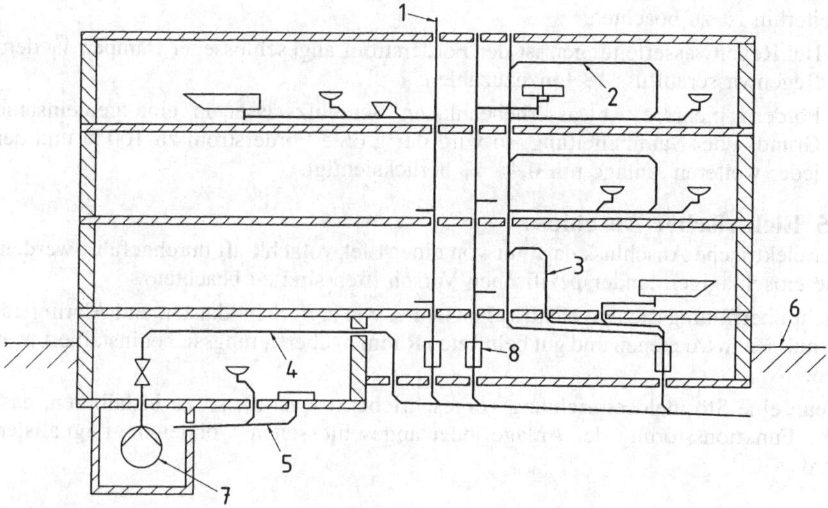

1 Lüftung
2 Umlüftung
3 Umlüftung
4 Druckleitung mit Rückstauschleife
5 Grundleitung
6 Rückstauebene
7 Hebeanlage für fäkalienfreies Abwasser mit Rückflussverhinderer
8 Reinigungsöffnung

Bild 5. (Prinzipskizze) Anschluss einer Abwasserhebeanlage für fäkalienfreies Abwasser an die Grundleitung

Die Anschlüsse der Druckleitung an die Grund- und Sammelleitung sind wie Anschlüsse druckloser Leitungen auszuführen. Reinigungsöffnungen für die Grund- und Sammelleitungen sind vorzusehen. Die Druckleitung muss mindestens dem 1,5fachen des maximalen Pumpendrucks der Anlage standhalten. Belüftungsventile in der Druckleitung sind nicht zulässig.

5.3 Lüftung

Fäkalienhebeanlagen nach prEN 12 050-1 müssen über Dach entlüftet werden. Die Lüftungsleitung darf sowohl in die Haupt- als auch in die Sekundärlüftung eingeführt werden. Die Lüftung von Hebeanlagen darf nicht mit der zulaufseitigen Lüftungsleitung eines Fettabscheiders verbunden sein.

5.4 Grund- und Sammelleitungen

Für die Bemessung der Grund- und Sammelleitungen gelten die Festlegungen nach EN 12 056-2 und EN 12 056-3.

D

Weiterhin ist zu beachten:

a) Bei Regenwasserleitungen ist der Förderstrom angeschlossener Pumpen $\dot{V}_P$ dem Regenwasserabfluss $\dot{V}_R$ hinzuzuzählen.

b) Fördern mehrere Abwasserhebeanlagen Schmutzwasser in eine gemeinsame Grund- oder Sammelleitung, so wird der größte Förderstrom zu 100 % und der jeder weiteren Anlage mit $0{,}4 \cdot \dot{V}_P$ berücksichtigt.

5.5 Elektrischer Anschluss

Der elektrische Anschluss darf nur von einer Elektrofachkraft durchgeführt werden. Die einschlägigen länderspezifischen Vorschriften sind zu beachten.

Nicht überflutungssichere elektrische Geräte, wie z. B. Schaltkasten und Alarmgeräte, müssen in trockenen und gut belüfteten Räumen überflutungssicher installiert werden.

Wenn eine Störmeldeeinrichtung vorgeschrieben ist, ist sie so zu installieren, dass eine Funktionsstörung der Anlage jeder angeschlossenen Wohneinheit signalisiert wird.

6 Bemessung von Abwasserhebeanlagen

Für die Bemessung von Abwasserhebeanlagen müssen der Gesamtzufluss $\dot{V}$ und die Gesamtförderhöhe H_{tot} ermittelt werden. Eine Abwasserhebeanlage mit einem Betriebspunkt ($\dot{V}_P$ und H_P) ist auszuwählen. $\dot{V}_P$ und H_P müssen größer oder gleich $\dot{V}$ bzw. H_{tot} sein.

Bei der Auslegung der Abwasserhebeanlage ist auf geringstmöglichen Energieverbrauch zu achten.

6.1 Förderstrombemessung $\dot{V}_P$

Der Gesamtzufluss $\dot{V}$ wird nach EN 12 056-2 bzw. EN 12 056-3 berechnet.

Über die nach EN 12 056-2 festgelegten Bemessungen hinaus ist zu berücksichtigen, dass die Fließgeschwindigkeit in der Druckleitung 0,7 m/s nicht unterschreiten bzw. 2,3 m/s nicht überschreiten darf.

Allgemein muss $\dot{V}_P$ mindestens gleich $\dot{V}$ sein. Bei Fäkalienhebeanlagen zur begrenzten Verwendung nach EN 12 050-3 kann $\dot{V}_P$ kleiner $\dot{V}$ sein, wenn der Hersteller das Ausmaß der Abweichung angibt.

6.2 Förderhöhenbemessung H_P

Die Förderhöhe H_P muss größer oder gleich der Gesamtförderhöhe H_{tot} sein, die berechnet wird nach

$$H_{tot} = H_{geo} + H_V \quad (1)$$

mit

$$H_V = H_{V,A} + H_{V,R} \quad (2)$$

Dabei ist:

H_{tot} = Gesamtförderhöhe in Meter

H_{geo} = statische Förderhöhe (statischer Anteil des Anlagenwiderstandes) in Meter

H_V = Druckhöhenverlust (dynamischer Anteil des Anlagenwiderstandes) in Meter

$H_{V,A}$ = Druckhöhenverlust in Armaturen und Formstücken in Meter

$H_{V,R}$ = druckseitige Rohrleitungsverluste in Meter.

Bild 6 zeigt die Beziehung zwischen Förderhöhe und Förderstrom und verdeutlicht deren Bestandteile.

6.2.1 Berechnungsverfahren für die Förderhöhe der Fördereinrichtung im Betriebspunkt H_P

Das Berechnungsverfahren für die Höhe H_P ist in Bild 7 aufgezeigt.

6.2.2 Statische Förderhöhe H_{geo}

Die statische Förderhöhe ergibt sich aus der Höhendifferenz zwischen dem Wasserspiegel in der Abwasserhebeanlage und dem höchsten Punkt der Druckleitung. Zur Vereinfachung kann die Höhendifferenz vom Boden des Aufstellungsraumes aus bis zur Sohle der Rückstauschleife gemessen werden (siehe Bild 8).

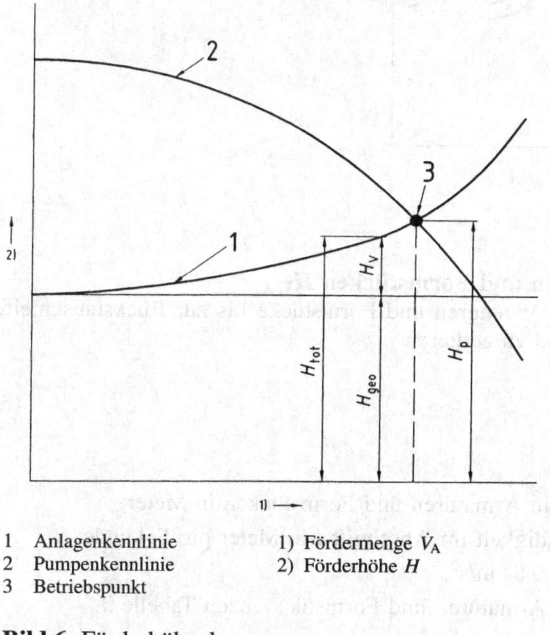

1 Anlagenkennlinie
2 Pumpenkennlinie
3 Betriebspunkt

1) Fördermenge $\dot{V}_A$
2) Förderhöhe H

Bild 6. Förderhöhenbemessung

Bestimmung der Rückstauebene und der statischen Förderhöhe H_{geo}	+	Ermittlung der Verluste in Armaturen und Formstücken $H_{V,A}$ nach Tabelle 3 und Tabelle 4	+	Berechnung der Rohrleitungsverluste der Druckleitung $H_{V,R}$ nach Gleichung 4	=	Gesamtförderhöhe H_{tot} ($\leq H_P$)

Bild 7. Berechnungsmethode für die Gesamtförderhöhe H_{tot} und die Förderhöhe H_P

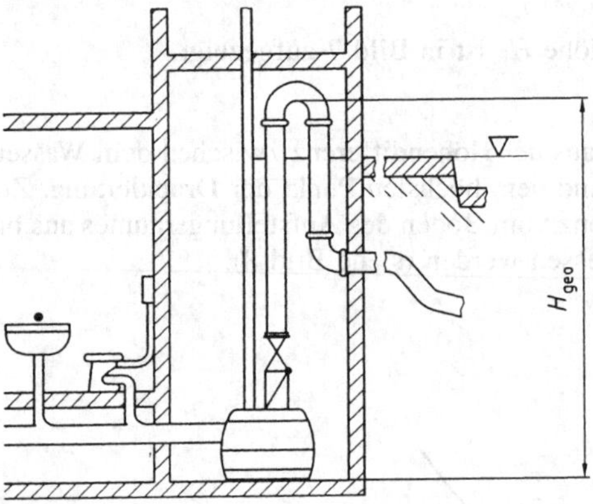

Bild 8. Statische Förderhöhe

6.2.3 Verluste in Armaturen und Formstücken $H_{V,A}$

Die Druckverlusthöhen aller Armaturen und Formstücke bis zur Rückstauschleife sind einzeln zu berechnen und zu addieren.

$$H_{V,A} = \sum_i \zeta_i \frac{V_i^2}{2g} \tag{3}$$

Dabei ist:

$H_{V,A}$ = Druckhöhenverlust in Armaturen und Formstücken in Meter;

V_i = Strömungsgeschwindigkeit im Abschnitt i in Meter pro Sekunde;

g = Fallbeschleunigung 9,81 m/s²;

ζ_i = Verlustbeiwerte für Armaturen und Formstücke nach Tabelle 3.

Tabelle 3: Verlustbeiwerte ζ für Armaturen und Formstücke

Art des Einzelwiderstandes	ζ
Absperrschieber*	0,5
Rückflussverhinderer*	2,2
Bogen 90°	0,5
Bogen 45°	0,3
Freier Auslauf	1,0
T-Stück 45° Durchgang bei Stromvereinigung	0,3
T-Stück 90° Durchgang bei Stromvereinigung	0,5
T-Stück 45° Abzweig bei Stromvereinigung	0,6
T-Stück 90° Abzweig bei Stromvereinigung	1,0
T-Stück 90° Gegenlauf	1,3
Querschnittserweiterung	0,3
* Es sollten vorzugsweise Herstellerangaben verwendet werden.	

Die einzelnen Druckhöhenverluste $H_{V,A}$ in Armaturen und Formstücken sind nach Tabelle 4 oder Herstellerangaben zu ermitteln.

6.2.4 Druckseitige Rohrreibungsverluste $H_{V,R}$

Die Rohrreibungsverluste $H_{V,R}$ werden berechnet nach Bild 9, Anhang A oder Herstellerangaben für alle geraden Rohrstücke in der Druckleitung bis zur Rückstauschleife,

$$H_{V,R} = \sum_{i}(H_{V,j} \times L_j \qquad (4)$$

Dabei ist:

$H_{V,R}$ = Rohrreibungsverlust in Meter

$H_{V,j}$ = dimensionsloser Druckhöhenverlust bezogen auf die Rohrlänge

L_j = Rohrleitungslänge in Abschnitt *i* in Meter.

Alternativ kann $H_{V,j}$ nach der Prandtl-Colebrook-Gleichung[2)] berechnet werden.

Die Werte für den Druckhöhenverlust $H_{V,j}$ gelten für reines Wasser von 10 °C bzw. für Flüssigkeiten gleicher kinematischer Viskosität, bei voller Befüllung der Rohrleitung.

BEISPIEL: gegeben: Rohr DN 80
Fördermenge 20 m^3/h
abgelesen: $H_{V,j} = 0{,}022$

Druckhöhenverlust in einem Rohr der Länge $L_j = 10\,m$:

$H_{V,R} = 0{,}022 \times 10\,m = 0{,}22\,m$

2) Die Gleichung ist auch unter dem Namen Colebrook-White-Gleichung bekannt.

6.3 Bemessung des Nutzvolumens V

Anlagen zur begrenzten Verwendung nach prEN 12050-3 sind hiervon ausgenommen. Das empfohlene Nutzvolumen wird bestimmt nach

$$V = T \times \dot{V}_P \qquad (5)$$

Dabei ist:

V Nutzvolumen in Liter

T Mindestlaufzeit in Sekunden

$\dot{V}_P$ Förderstrom der Pumpe in Liter je Sekunde.

Tabelle 5: Zusammenhang der Motorleistung mit der Mindestlaufzeit

Motorleistung kW	Mindestlaufzeit T_S
bis 2,5	2,2
2,5 bis 7,5	5,5
über 7,5	8,5
ANMERKUNG Diese Faktoren beruhen auf Erfahrungswerten.	

Der Hersteller kann andere Werte für die Mindesttaufzeit T angeben. Das Nutzvolumen muss größer sein als das über dem Rückflussverhinderer bis zur Rückstauschleife anstehende Volumen in der Druckleitung, jedoch mindestens 20 l. Dadurch ist sichergestellt, dass das Volumen in der Druckleitung bei einem Pumpvorgang ausgetauscht wird.

Tabelle 4: Druckhöhenverluste $H_{V,A}$ in Armaturen und Formstücken; Fließgeschwindigkeit v bezogen auf den tatsächlich durchflossenen Querschnitt

V m/s	Verlustbeiwert ζ												
	0,4	0,6	0,8	1,0	1,2	1,4	1,6	1,8	2,0	2,5	3,0	3,5	4,0
	Druckhöhenverluste $H_{V,A}$ m												
0,7	0,010	0,015	0,02	0,025	0,029	0,034	0,039	0,044	0,049	0,061	0,074	0,086	0,098
0,8	0,013	0,019	0,026	0,032	0,038	0,045	0,051	0,058	0,064	0,080	0,096	0,112	0,128
0,9	0,016	0,024	0,032	0,041	0,049	0,057	0,065	0,073	0,081	0,101	0,122	0,142	0,162
1,0	0,02	0,030	0,040	0,050	0,060	0,070	0,080	0,090	0,100	0,125	0,150	0,175	0,200
1,1	0,024	0,036	0,048	0,061	0,073	0,085	0,097	0,109	0,121	0,151	0,182	0,212	0,242
1,2	0,029	0,043	0,058	0,072	0,086	0,101	0,115	0,130	0,144	0,180	0,216	0,252	0,288
1,3	0,034	0,051	0,068	0,085	0,101	0,118	0,135	0,152	0,169	0,211	0,254	0,296	0,338
1,4	0,039	0,059	0,078	0,098	0,118	0,137	0,157	0,176	0,196	0,245	0,294	0,343	0,392
1,5	0,045	0,068	0,090	0,113	0,135	0,158	0,180	0,203	0,225	0,281	0,338	0,394	0,450
1,6	0,051	0,077	0,102	0,128	0,154	0,179	0,205	0,230	0,256	0,320	0,384	0,448	0,512
1,7	0,058	0,087	0,116	0,145	0,173	0,202	0,231	0,260	0,289	0,361	0,434	0,506	0,578
1,8	0,065	0,097	0,130	0,162	0,194	0,227	0,259	0,292	0,324	0,405	0,486	0,567	0,648
1,9	0,072	0,108	0,144	0,181	0,217	0,253	0,289	0,325	0,361	0,451	0,542	0,632	0,722
2,0	0,080	0,120	0,160	0,200	0,240	0,280	0,320	0,360	0,400	0,500	0,600	0,700	0,800
2,1	0,088	0,132	0,176	0,221	0,265	0,309	0,353	0,397	0,441	0,551	0,662	0,772	0,882
2,2	0,097	0,145	0,194	0,242	0,290	0,339	0,387	0,436	0,484	0,605	0,726	0,847	0,968
2,3	0,106	0,159	0,212	0,265	0,317	0,370	0,423	0,476	0,529	0,661	0,794	0,926	1,058
2,4	0,115	0,173	0,230	0,288	0,346	0,403	0,461	0,518	0,576	0,720	0,864	1,008	1,152
2,5	0,125	0,188	0,250	0,313	0,375	0,438	0,500	0,563	0,625	0,781	0,938	1,094	1,250

D

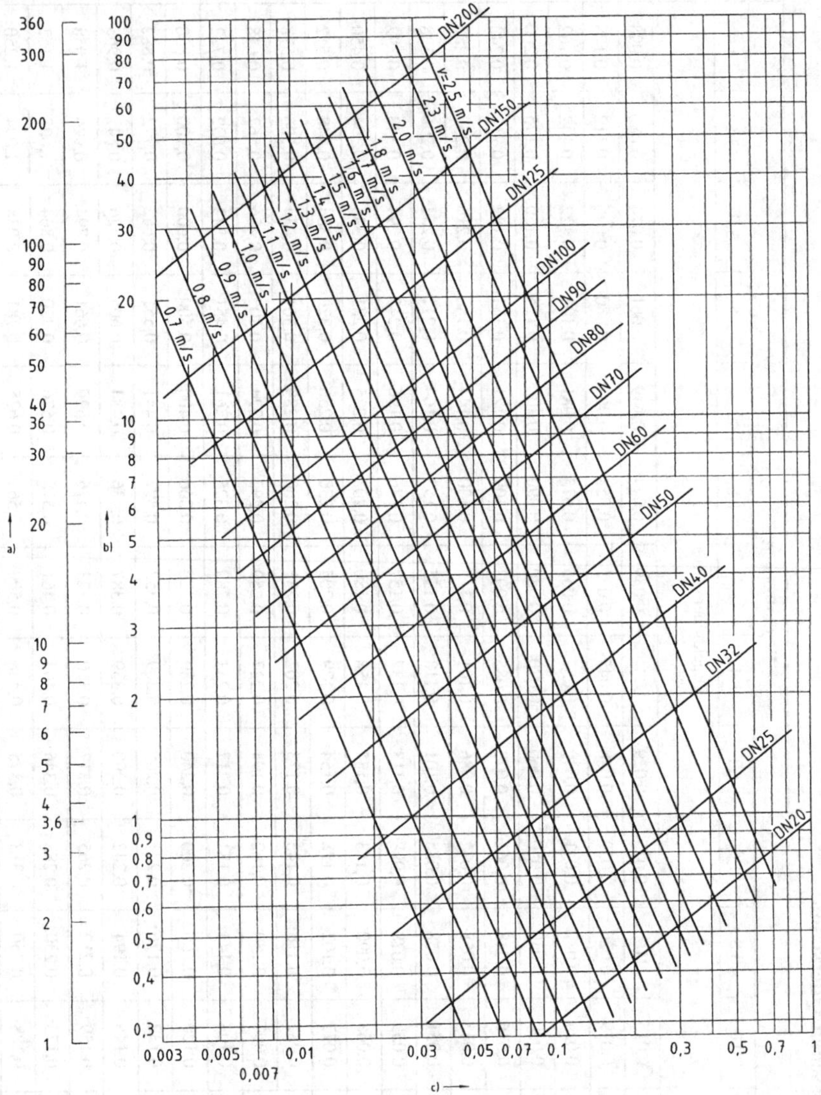

a) Förderstrom $\dot{V}_A$ in m^3/h b) Förderstrom $\dot{V}_A$ in l/s c) Druckhöhenverlust $H_{V,j}$ ohne Maßeinheit

Bild 9. Diagramm zur Ermittlung der dimensionslosen Druckhöhenverluste $H_{V,j}$ in Abhängigkeit von Rohrinnendurchmesser d, Strömungsgeschwindigkeit v und Förderstrom $\dot{V}_A$[3)]

[3)] Eine genaue numerische Darstellung dieses Diagramms befindet sich im Anhang A.

7 Inbetriebnahme

Die Inbetriebnahme muss durch einen hierfür Fachkundigen erfolgen, für dessen Verfügbarkeit der unmittelbare Lieferant der Abwasserhebeanlage verantwortlich ist. Zur Inbetriebnahme ist ein Probelauf mit Wasser über mindestens zwei Schaltspiele erforderlich. Während des Probelaufs ist ein Trockenlauf zu vermeiden. Vor, während bzw. nach diesem Probelauf sind zu prüfen:

a) die elektrische Absicherung der Abwasserhebeanlage nach Vorschriften der IEC bzw. örtlichen Vorschriften;
b) die Drehrichtung des Motors;
c) die Schieber (Betätigung, Offenstellung, Dichtheit)
d) die Schaltung und Einstellung der Schalthöhen im Sammelbehälter, sofern vom Hersteller nicht fest eingestellt;
e) Dichtheit der Anlage, Armaturen und Leitungen;
f) Prüfung der Betriebsspannung und Frequenz;
g) Funktionsprüfung des Rückflussverhinderers;
h) Störmeldeeinrichtung;
i) Befestigung der Druckleitung;
j) Motorschutzschalter; Prüfung durch kurzzeitiges Ausschrauben einzelner Sicherungen (Zwei-Phasen-Lauf);
k) Ölstand (falls Ölkammer vorhanden);
l) Kontrolllampen, Messinstrumente und Zähler;
m) Funktionsprüfung der eventuell installierten Handpumpe.

Die Inbetriebnahme muss schriftlich protokolliert werden, wobei wesentliche Daten, wie z. B. die Einstellung des Motorschutzschalters und des Standes des Betriebsstundenzählers, zu vermerken sind.

D

8 Inspektion und Wartung

8.1 Inspektion

Abwasserhebeanlagen sollten monatlich einmal vom Betreiber durch Beobachtung von mindestens zwei Schaltzyklen auf Betriebsfähigkeit geprüft werden.

8.2 Wartung

Die Anlage muss regelmäßig durch einen hierfür Fachkundigen gewartet werden. Die Zeitabstände dürfen nicht größer sein als

- 1/4 Jahr bei Anlagen in gewerblichen Betrieben;
- 1/2 Jahr bei Anlagen in Mehrfamilienhäusern;
- 1 Jahr bei Anlagen in Einfamilienhäusern.

Bei der Wartung sind im einzelnen folgende Arbeiten auszuführen:

a) Prüfen der Verbindungsstellen auf Dichtheit durch Absuchen des Umfeldes von Anlagen und Armaturen;

b) Betätigen der Schieber; Prüfen auf leichten Gang und Dichtheit, gegebenenfalls nachstellen und einfetten;

c) Öffnen und Reinigen des Rückflussverhinderers; Kontrolle von Sitz und Kugel/Klappe; Funktionsprüfung;

d) Reinigen der Fördereinrichtung und des unmittelbar angeschlossenen Leitungsbereichs; Prüfen des Laufrades und der Lagerung;

e) Ölstandsprüfung, erforderlichenfalls nachfüllen oder Ölwechsel (wenn Ölkammer vorhanden);

f) Innenreinigung des Behälters (bei Bedarf bzw. nach speziellen Erfordernissen);

g) Visuelle Kontrolle des elektrischen Teils der Anlage;

h) Visuelle Kontrolle des Zustandes des Sammelbehälters;

i) Alle zwei Jahre Anlage mit Wasser durchspülen.

Nach Erledigung der Wartungsarbeiten ist die Anlage nach Durchführung eines Probelaufs nach Abschnitt 7 wieder in Betrieb zu nehmen. Über die Wartung ist ein Protokoll anzufertigen mit Angabe aller durchgeführten Arbeiten und der wesentlichen Daten. Soweit Mängel festgestellt werden, die nicht behoben werden können, sind diese dem Anlagenbetreiber von dem die Wartung durchführenden Fachkundigen sofort schriftlich gegen Quittung zu melden.

8.3 Wartungsvertrag

Den Anlagenbetreibern wird empfohlen, für die regelmäßig durchzuführenden Wartungs- und Instandhaltungsarbeiten einen Wartungsvertrag abzuschließen.

Kleinkläranlagen

Anlagen zur Abwasservorbehandlung

Auszug aus **DIN 4261-1 (10.2010)**

(gekürzt auf den für den Wohnungsbau wichtigen Inhalt)

Vorwort

(...)

Die Zulässigkeit des Einbaus und des Betriebes von Kleinkläranlagen unterliegt den baurechtlichen und wasserrechtlichen Vorschriften. Das erforderliche Ausmaß der Abwasserbehandlung ergibt sich aus den örtlichen Gegebenheiten und den Erfordernissen des Gewässerschutzes. Hierüber entscheidet die zuständige Behörde.

Die Normenreihe DIN 4261 „Kleinkläranlagen" besteht aus:

- Teil 1: „Anlagen zur Schmutzwasservorbehandlung"
- Teil 5: Versickerung von biologisch aerob behandeltem Schmutzwasser (in Vorbereitung)

Änderungen

Gegenüber DIN 4261-1 : 12.2002 wurden folgende Änderungen vorgenommen:

a) der Abschnitt 9 „Verbringung von biologisch behandeltem Abwasser in den Untergrund" wird in einem eigenen Teil 5 der Normenreihe DIN 4261 behandelt;

b) die Norm wurde an DIN EN 12566-1 und DIN EN 12566-4 angepasst;

c) die Angaben zu anderen baulichen Anlagen wurden in einer Tabelle im Anhang A zusammengefasst;

d) ein Abschnitt 6.3.1 zur Wirkung von Vorbehandlungsanlagen wurde aufgenommen.

1 Anwendungsbereich

Diese Norm gilt für die mechanische Vorbehandlung des im Trennverfahren erfassten häuslichen Schmutzwassers in Kleinkläranlagen für bis zu 50 EW nach DIN EN 12566-1 und DIN EN 12566-4. Diese Anlagen sind zur alleinigen Behandlung des Schmutzwassers nicht geeignet.

ANMERKUNG Soweit in dieser Norm die Benennung Abwasser verwendet wird, ist hierunter häusliches Schmutzwasser sowie gewerbliches und landwirtschaftliches Schmutzwasser, soweit es häuslichem Schmutzwasser vergleichbar ist, zu verstehen.
Häusliches Schmutzwasser ist Schmutzwasser aus Küchen, Waschräumen, Waschbecken, Badezimmern, Toiletten und ähnlichen Einrichtungen (siehe DIN EN 1085).

D

2 Normative Verweisungen (nicht abgedruckt)

3 Schmutzwasservorbehandlung

3.1 Allgemeines

Schmutzwasservorbehandlungsanlagen nach dieser Norm sind Ein- oder Mehrkammergruben. Andere Anlagen der Vorbehandlung sind auf Grundlage entsprechender Nachweise ebenfalls möglich. Der Nachweis der Gleichwertigkeit ist nach DIN EN 12566-1:2004-05, Anhang B zu führen.

Die Auswahl der Schmutzwasservorbehandlungsanlage ist auf die nachfolgende biologische Reinigung abzustimmen.

3.2 Mechanische Vorbehandlung

In Ein- oder Mehrkammer-Absetzgruben werden absetzbare Stoffe und Schwimmstoffe zurückgehalten. Diese Gruben kommen gegebenenfalls unter Berücksichtigung eines zusätzlich erforderlichen Speicherraumes für Sekundärschlamm als Vorbehandlungsanlage in Kleinkläranlagen mit Abwasserbelüftung und sonstigen biologischen Behandlungsanlagen in Frage.

3.3 Anaerobe biologische Vorbehandlung

Mehrkammer-Ausfaulgruben bewirken zusätzlich zur Entfernung absetzbarer Stoffe und Schwimmstoffe einen teilweisen anaeroben Abbau der im Abwasser enthaltenen organischen Schmutzstoffe.

ANMERKUNG: Außerdem erhöhen sie gegenüber Ein- und Mehrkammer-Absetzgruben die Betriebssicherheit und Wirkung nachgeschalteter biologischer Reinigungsstufen durch besseren Belastungsausgleich und größeren Schlammraum. Jedoch wird auch hier keine vollständige anaerobe Stabilisierung des abgesetzten Schlammes erreicht.

4 Bemessungsgrundlagen

4.1 Bemessungswerte und Schmutzwasserzufluss

Kleinkläranlagen sind zu bemessen nach dem Einwohnerwert (EW)[1] (Summe aus Einwohnerzahl (EZ)[1] und des Einwohnergleichwertes (EGW)[1].

Bei der Festlegung der Bemessungswerte wurde ein Schmutzwasserzufluss von täglich 150 l je Einwohnerwert (EW) und ein stündlicher Schmutzwasserzufluss von $^1/_{10}$ des Tageszuflusses zugrunde gelegt. Ist durch die Nutzung der baulichen Anlagen ein anderer Schmutzwasserzufluss zu erwarten, so sollte dieser bei der Bemessung (siehe Abschnitt 6) berücksichtigt werden.

---

[1] Einwohnerwert, Einwohnerzahl und Einwohnergleichwert siehe DIN 4045

Im häuslichen Rohabwasser sind folgende Schmutzfrachten je Einwohner (E) und je Tag anzusetzen:

- Biochemischer Sauerstoffbedarf in 5 Tagen (BSB_5): 60 g/(E·d);
- Chemischer Sauerstoffbedarf (CSB): 120 g/(E·d);
- Kjeldahl-Stickstoff (TKN): 11 g/(E·d);
- Phosphor: 1,8 g/(E·d).

4.2 Wohngebäude

Kleinkläranlagen für Wohngebäude sind nach der Einwohnerzahl (EZ) zu bemessen. Je Wohneinheit mit einer Wohnfläche über 60 m^2 ist jedoch mit mindestens vier Einwohnern und je Wohneinheit mit einer Wohnfläche bis 60 m^2 mit mindestens zwei Einwohnern zu rechnen.

Bei einem Zusammenschluss von mehr als drei Wohneinheiten oder Gebäuden (Gruppenlösungen) kann für diese zusätzlichen Wohneinheiten von diesen Mindestvorgaben abgewichen werden.

4.3 Andere bauliche Anlagen (nicht abgedruckt)

5 Allgemeine Baugrundsätze

5.1 Einbau

Bei der Wahl des Einbauortes ist darauf zu achten, dass jederzeit die Anlage zugänglich und die Schlammentnahme möglich ist.

Der Abstand der Anlage von vorhandenen und geplanten Wassergewinnungsanlagen sowie von Gebäuden muss so groß sein, dass mit Beeinträchtigungen nicht zu rechnen ist. Die Bestimmungen für Wasserschutzgebiete und aus dem Baurecht sind zu beachten.

5.2 Werkstoffe und Ausführungen

5.2.1 Allgemeines

Zu Festlegungen der Werkstoffe und Ausführungen siehe DIN EN 12566-1 und DIN EN 12566-4.

5.3 Durchströmung

Zu- und Ablaufleitungen und die Verbindungen der Kammern untereinander sind so anzuordnen, dass Kurzschlussströmungen vermieden werden.

5.4 Lüftung

Festlegungen zur Ausführung der Lüftung siehe DIN EN 12566-1 und DIN EN 12566-4.

5.5 Abdeckung

Festlegungen zur Ausführung der Abdeckung siehe DIN EN 12566-1 und DIN EN 12566-4.

Wenn nach DIN EN 476 Vorkehrungen für den Einstieg von Personen erforderlich sind, darf bei Anlagen mit einer Abdeckplatte nach Bild 1 die Erdüberdeckung 300 mm nicht überschreiten. Bei größeren Überdeckungen muss eine Ausführung nach Bild 2 gewählt werden.

Existiert kein direkter Zugang zu den einzelnen Kammern, ist ein lichter Abstand zwischen Trennwand und Abdeckplatte von ≥ 500 mm einzuhalten.

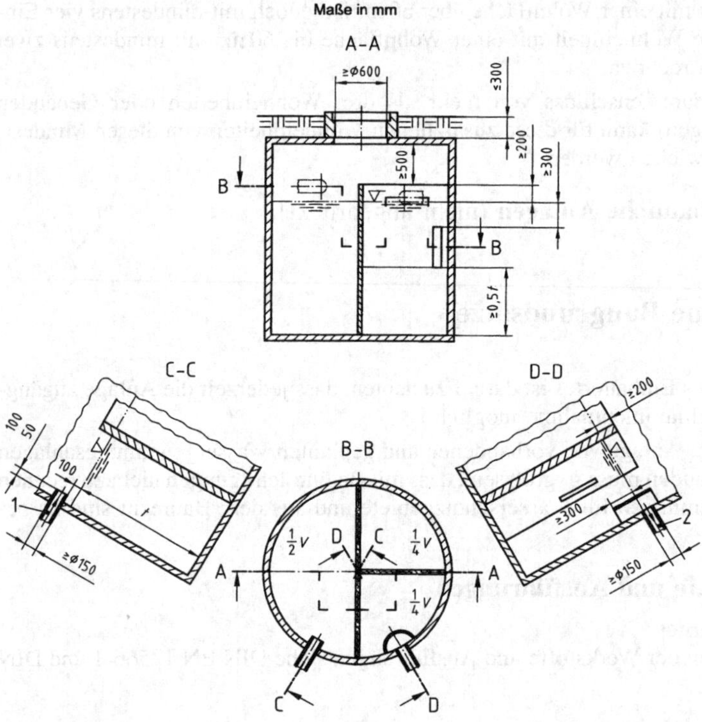

Legende
1 Zulauf
2 Ablauf
t Wassertiefe
V Nutzvolumen

Bild 1. Beispiel einer Dreikammergrube mit horizontaler Abdeckung

6 Bemessung und Ausführung

6.1 Bemessung von Ein- und Mehrkammergruben

6.1.1 Ein- oder Mehrkammer-Absetzgruben

Sie müssen je Einwohnerwert ein Nutzvolumen von 300 l, mindestens jedoch ein Gesamtvolumen von 2000 l haben.

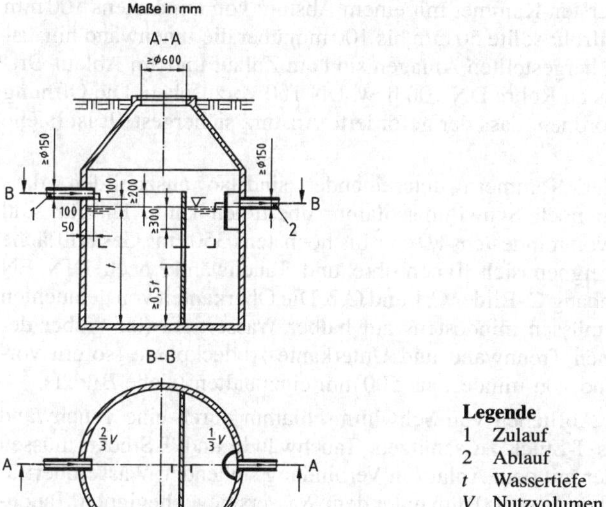

Bild 2. Beispiel einer Zweikammer-Absetzgrube

6.1.2 Mehrkammer-Ausfaulgruben

Sie müssen je Einwohnerwert ein Nutzvolumen von 1500 l, mindestens jedoch ein Gesamtnutzvolumen von 6000 l haben. Sie müssen mindestens als Dreikammergruben ausgebildet sein (siehe Bild 1).

Die Bemessung ist bis zu einer Anlagengröße ≤ 6 EW mit 1500 l/EW vorzunehmen, bis 10 EW ist das zusätzliche Volumen mit 750 l/EW und über 10 EW ist das zusätzliche Volumen mit 500 l/EW zu berücksichtigen. Die setzt voraus, dass Betrieb und Wartung nach Abschnitt 7 durchgeführt werden.

6.1.3 Wirkung von Vorbehandlungsanlagen

Die Reduzierung der Schmutzfracht kann mit 20 g BSB_5/(E·d) angesetzt werden. Bei Einkammergruben nach 6.1.1 ist dieser Wert auf 10 g BSB_5/(E·d) zu verringern.

D

6.2 Ausführung von Mehrkammergruben

a) Bei Mehrkammergruben sollte Nutzvolumen der ersten Kammer etwa die Hälfte des Gesamtnutzvolumens aufweisen. Eine Aufteilung der Anlage in mehrere Behälter ist zulässig, wobei das Nutzvolumen einer Kammer nur bei Parallelschaltung auf mehrere Behälter aufgeteilt werden darf. Eine gleichmäßige Beschickung ist durch bauliche Maßnahmen dauerhaft sicherzustellen.

b) Das Abwasser ist der ersten Kammer mit einem Absturz von mindestens 100 mm zuzuführen. Das Zulaufrohr sollte 50 mm bis 100 mm über die Innenwand hinausragen. Bei werkmäßig hergestellten Anlagen sind am Zulauf und am Ablauf Öffnungen zum Anschluss an Rohre DN 100 bzw. DN 150 vorzusehen. Die Öffnung am Zulauf ist so anzuordnen, dass der geforderte Absturz sichergestellt ist (siehe Bilder 1 und 2).

c) Die Verbindungen der Kammern untereinander sind so auszubilden, dass weder Bodenschlamm noch Schwimmschlamm übertreten kann. Hierfür sind Durchtrittsöffnungen von mindestens 80 cm^2 bis höchstens 350 cm^2 Gesamtfläche auszubilden. Hierfür eignen sich Tauchrohre und Tauchwände nach DIN EN 12566-1 : 2004-05, Anhang C, Bilder C.1 und C.2. Die Oberkanten von getauchten Durchtrittsöffnungen müssen mindestens auf halber Wassertiefe (0,5 t über der Sohle) liegen. Zwischen Trennwand und Unterkante Abdeckplatte (sofern vorhanden) ist ein Abstand von mindestens 500 mm einzuhalten (siehe Bild 1).

d) Der Ablauf ist gegen Abfließen von Schwimmschlamm durch eine Tauchwand oder ein oben offenes T-Stück zu schützen. Tauchwände und T-Stücke müssen mindestens 300 cm^2 der mit dem Ablauf in Verbindung stehenden Wasseroberfläche abgrenzen und mindestens 300 mm unter dem Wasserspiegel beginnen. Tauchwände, T-Stücke und Trennwände müssen mindestens 200 mm über den Wasserspiegel hinausragen (siehe Bild 2).

e) Die Wassertiefe von Absetz- und Ausfaulgruben muss mindestens 1,2 m betragen. Die größte zulässige Wassertiefe richtet sich nach dem Gesamtnutzvolumen der Grube nach Tabelle 1.

Tabelle 1 Wassertiefe von Absetz- und Ausfaulgruben

Gesamtnutzvolumen der Grube m^3	Wassertiefe t_{max} m
2 bis 4	2
über 4 bis 10	2,5
über 10 bis 50	3
über 50	4,5

Für die zusätzliche Speicherung von Sekundärschlamm kann die Grube um eine Speicherhöhe h vertieft werden. Hierbei ist die maximale Saughöhe der Entsorgungsfahrzeuge zu beachten.

Die Unterkante der Durchtrittsöffnungen in den Trennwänden der Grube liegt dann bei $0{,}5\,t + h$.

7 Betrieb und Wartung

7.1 Allgemeines

7.1.1 Grundregeln

Anlagen zur Abwasservorbehandlung sind sachgemäß zu betreiben und regelmäßig zu warten.

Die ordnungsgemäße Vorbehandlung häuslichen Schmutzwassers ist im Interesse des vorbeugenden Gewässerschutzes erforderlich. Hierfür müssen die Anlagen stets betriebsbereit sein.

Betrieb und Wartung sind so einzurichten, dass

a) alle Anlagenteile, die der regelmäßigen Wartung bedürfen, jederzeit sicher zugänglich sind;

b) mit Belästigungen und Gefährdungen der Umwelt nicht zu rechnen ist, besonders bei Entnahme, dem Abtransport und der Unterbringung von Schlamm;

c) die Anlagen zur Abwasservorbehandlung in ihrem Bestand und in ihrer bestimmungsgemäßen Funktion nicht beeinträchtigt oder gefährdet werden;

d) keine nachhaltig belästigenden Gerüche auftreten.

7.1.2 Betrieb

Der Betreiber muss die Arbeiten durch eine von ihm beauftragte sachkundige Person[4] durchführen lassen, wenn er selbst nicht die erforderliche Sachkunde besitzt.

7.1.3 Wartung

Die Wartung ist mindestens einmal jährlich von einem Fachkundigen[5] durchzuführen. Diese Wartung kann im Rahmen der Wartung der Gesamtanlage durchgeführt werden. Dabei ist insbesondere auf Betriebsfähigkeit und Betriebssicherheit zu achten. Verstopfungen, Ablagerungen, undichte Stellen, bauliche Schäden an der Anlage und ihren Teilen müssen unverzüglich beseitigt werden. Außerdem ist die Höhe des Schlammspiegels zu ermitteln und gegebenenfalls die Schlammentsorgung zu veranlassen.

Es sollte ein Wartungsvertrag abgeschlossen werden. Ein Wartungsbericht ist zu erstellen und vom Betreiber aufzubewahren.

7.1.4 Gefahren bei Arbeiten an Anlagen zur Abwasservorbehandlung

Muss beispielsweise zu Reparaturzwecken in die Anlage eingestiegen werden, ist besondere Vorsicht geboten; die entsprechenden Unfallverhütungsvorschriften sind zu beachten.

---

[4] Als „sachkundig“ werden Personen des Betreibers oder beauftragter Dritter angesehen, die auf Grund ihrer Ausbildung, ihrer Kenntnisse und ihrer durch praktische Tätigkeit gewonnenen Erfahrungen gewährleisten, dass sie Eigenkontrollen an Kleinkläranlagen sachgerecht durchführen.

[5] Fachkundige sind Personen, die auf Grund ihrer Berufsausbildung und der Teilnahme an einschlägigen Qualifizierungsmaßnahmen über die notwendige Qualifikation für Betrieb und Wartung von Kleinkläranlagen verfügen.

[6] Normenausschuss Wasserwesen (NAW) im DIN Deutsches Institut für Normung e.V., Burggrafenstr. 6, 10787 Berlin.

7.2 Schlammentnahme

Eine Schlammentnahme hat nach Feststellung von 50 % Füllung des gesamten Nutzvolumens mit Schlamm (Boden- und Schwimmschlamm) zu erfolgen.

Zusätzliches Schlammspeichervolumen nach 6.2 e) ist zu berücksichtigen

Einkammer- und Mehrkammer-Absetzgruben sind vollständig zu entleeren.

Bei Mehrkammer-Ausfaulgruben sind bei oben liegenden Durchtrittsöffnungen in Form von T-Stücken oder Tauchwänden nur die mit Schlamm gefüllten Kammern zu entleeren. Schwimmschlamm ist aus allen Kammern zu entfernen. Anlagen mit getauchten Durchtrittsöffnungen sind vollständig zu entleeren. Die Kammern der Grube sind nach Entleerung umgehend wieder mit Wasser zu füllen.

Zulauf, Übertrittsstellen, Ablauf und Lüftung sind von Schwimmschlamm freizuhalten.

ANMERKUNG Der Ablauf einer nicht rechtzeitig entschlammten Mehrkammergrube kann so stark mit Feststoffen belastet sein, dass sich Sicker- und Filtereinrichtungen zusetzen und erneuert werden müssen.

8 Typprüfung (nicht abgedruckt)

Haus-Anschlusseinrichtungen

Allgemeine Planungsgrundlagen

Auszug aus **DIN 18012** (11.2010)

Ersatz für DIN 18012 (12.2000) mit folgenden Änderungen:

a) die Norm wurde um Aussagen zu den Sparten Kommunikation, Gas, Wasser und Fernwärme erweitert;

b) der Abschnitt Begriffe wurde erweitert;

c) die Anforderungen wurden fachtechnisch überarbeitet;

d) der Abschnitt Grundsätze der Versorgung wurde auf der Grundlage der neuen Verordnungen eingefügt;

e) für die Anordnung der Anschluss- und Betriebseinrichtungen in Hausanschlussräumen und an Hausanschlusswänden wurden beispielhaft bildliche Darstellungen eingefügt;

f) die Norm wurde um Aussagen zu Anschlusseinrichtungen außerhalb von Gebäuden erweitert.

Inhalt

D

3 Begriffe

Für die Anwendung dieses Dokuments gelten die folgenden Begriffe.

3.1 Anschlusseinrichtung (Übergabestelle)

ist bei der

- Trinkwasserversorgung: die Hauptabsperreinrichtung, gegebenenfalls die erste Absperreinrichtung auf dem zu versorgenden Grundstück;
- Entwässerung: die letzte Reinigungsöffnung vor dem Anschlusskanal;
- Stromversorgung: der Hausanschlusskasten mit den Hausanschlusssicherungen;
  - Kommunikationsversorgung
  - Breitbandkabel: Hausübergabepunkt (HÜP)
  - Telekommunikationsversorgung: die Abschlusspunkte der allgemeinen Netze von Telekommunikationsanlagen (APL);
- Gasversorgung: die Hauptabsperreinrichtung, gegebenenfalls bei Anschlusseinrichtungen außerhalb von Gebäuden die entsprechende Absperreinrichtung auf dem kundeneigenen Grundstück;
- Fernwärmeversorgung: die Übergabestelle nach den Festlegungen der jeweiligen Technischen Anschlussbedingungen des Fernwärmeversorgungsunternehmens.

3.2 Hausanschlussraum

begehbarer und abschließbarer Raum eines Gebäudes, der zur Einführung der Anschlussleitungen für die Ver- und Entsorgung des Gebäudes bestimmt ist und in dem die erforderlichen Anschlusseinrichtungen und gegebenenfalls Betriebseinrichtungen untergebracht werden

3.3 Hausanschlusswand

Wand, die zur Anordnung und Befestigung von Leitungen sowie Anschluss- und gegebenenfalls Betriebseinrichtungen dient

3.4 Hausanschlussnische
bauseits erstellte Nische, die zur Einführung der Anschlussleitungen bestimmt ist sowie der Aufnahme der erforderlichen Anschluss- und gegebenenfalls Betriebseinrichtungen dient

3.5 Hausanschlusskasten, -säule, -schrank
Bestandteil des Hausanschlusses/Netzanschlusses

ANMERKUNG Hierin sind die Anschlusseinrichtungen nach 3.1 untergebracht.

3.6 Hauseinführung
Durchführung der Leitungen durch Wand bzw. Bodenplatte

3.7 Zähleranschlusssäule/-schrank
Hausanschluss und Messeinrichtungen sind in einer Säule bzw. einem Schrank untergebracht

ANMERKUNG Zähleranschlusssäule/-schrank werden im Freien aufgestellt.

3.8 Abschlusspunkt Liniennetz APL
Abschlusspunkt des TK-Zugangsnetzes

3.9 Hausübergabepunkt HÜP
Verbindung des regionalen Breitbandverteilnetzes (Netzebene 3) mit dem Hausverteilnetz (Netzebene 4)

3.10 Netzabschlussgerät NTBA
Gerät für die ISDN-Anschlussleitung (Network-Terminal Basic Access)

3.11 Infrastrukturpunkt
Breitbandverteileinrichtung hinter dem HÜP innerhalb des Hausverteilnetzes (Netzebene 4)

3.12 Betriebseinrichtung
technische Einrichtung, die der Anschlusseinrichtung nachgeordnet ist, bei der

- Wasserversorgung: die Messeinrichtung, einschließlich Absperrarmatur und Rückflussverhinderer (KFR-Ventil, (**k**ombiniertes **F**reiflussventil mit **R**ückflussverhinderer));
- Stromversorgung: der Zählerplatz;
- Kommunikationsversorgung
  - Breitbandkabel: Infrastrukturpunkt
  - Telekommunikationsversorgung: NTBA;
- Gasversorgung: die Mess-, Regel- und Sicherheitseinrichtung;
- Fernwärmeversorgung: die Hausstation mit Mess-, Steuer-, Regel- und Sicherheitseinrichtungen.

D

3.13 Funktionsfläche

einzelne Fläche, die für die Montage der Anschlussleitungen sowie der Anschluss- und Betriebseinrichtungen der jeweiligen Versorgungssparte benötigt werden

3.14 Wohngebäude

Gebäude, die überwiegend für Wohnzwecke bestimmt sind.

ANMERKUNG Zu den Wohngebäuden zählen auch gemischt genutzte Gebäude, sofern die Wohnungen überwiegen.

3.15 Nutzungseinheit

kann eine Wohneinheit, Gewerbeeinheit, oder eine Einheit für Allgemeinversorgung sein (Anlage zur Versorgung des Anschlussnutzers nach NAV/NDAV)

ANMERKUNG Beispiel: 3 Wohneinheiten, 1 Allgemeinbedarf und 2 Gewerbeeinheiten sind 6 Nutzungseinheiten.

3.16 Verteilungsnetz

Gesamtheit aller Leitungen und Kabel bis ausschließlich zur elektrischen Anlage des Anschlussnehmers bzw. -nutzers, auch Verbraucheranlage genannt

3.17 Verteilungsnetzbetreiber VNB

natürliche oder juristische Personen oder rechtlich unselbstständige Organisationseinheiten eines Energieversorgungsunternehmens, die Betreiber von Übertragungs- oder Verteilungsnetzen sind

3.18 Versorgungsunternehmen

natürliche oder juristische Personen, die Energie bzw. Wasser an andere liefern, ein Versorgungsnetz betreiben oder an einem Versorgungsnetz als Eigentümer Verfügungsbefugnis besitzen

4 Grundsätze der Versorgung

4.1 Allgemeines

Hausanschlusseinrichtungen (Netzanschlusseinrichtungen) sind auf der Grundlage dieser Norm und erforderlichenfalls in Abstimmung mit den Verteilungsnetzbetreibern/Versorgungsunternehmen so zu planen, dass alle Anschlusseinrichtungen und gegebenenfalls die dort vorgesehenen Betriebseinrichtungen vorschriftsgemäß, entsprechend den einschlägigen technischen Regeln installiert, betrieben und instand gehalten werden können.

Grundsätzlich ist jedes zu versorgende Gebäude/Grundstück, welches über eine eigene Hausnummer verfügt, über einen eigenen Hausanschluss mit dem Netz des Verteilungsnetzbetreibers/Versorgungsunternehmens zu verbinden.

ANMERKUNG 1 Die Sicherstellung der Zugänglichkeit zu den Hausanschlusseinrichtungen und den Betriebseinrichtungen für die Verteilungsnetzbetreiber/Versorgungsunternehmen und die Kunden erfolgt über eine rechtliche Absicherung.

ANMERKUNG 2 Art, Zahl und Lage der Netzanschlüsse/Hausanschlüsse werden entsprechend der Niederspannungsanschlussverordnung (NAV), der Niederdruckanschlussverordnung (NDAV), den AVBWasserV und den AVBFernwärmeV sowie den allgemein anerkannten Regeln der Technik bestimmt.

Die Versorgung mehrerer Gebäude (z.B. Doppelhäuser oder Reihenhäuser) aus einem gemeinsamen Hausanschluss ist dann möglich, wenn die Übergabestelle in einem für alle Gebäude gemeinsamen Hausanschlussraum errichtet wird. Betriebseinrichtungen, insbesondere die Mess-, Steuer-, Regel- und Sicherheitseinrichtungen sind gemeinsam mit den Hausanschlusseinrichtungen anzuordnen.

4.2 Stromversorgung

Werden mehrere Hausanschlüsse/Netzanschlüsse auf einem Grundstück bzw. in einem Gebäude errichtet, haben Planer, Errichter sowie Betreiber der elektrischen Anlagen durch geeignete Maßnahmen sicherzustellen, dass eine eindeutige Trennung der angeschlossenen Anlagen gegeben ist. Der Anschluss an das Verteilungsnetz hat nach den Vorgaben der Niederspannungsanschlussverordnung – NAV zu erfolgen. Die Technischen Anschlussbedingungen (TAB) des Netzbetreibers an die elektrische Anlage des Anschlussnehmers bzw. -nutzers sind einzuhalten.

4.3 Gasversorgung

Der Anschluss an das Gasverteilungsnetz hat nach den Vorgaben der Niederdruckanschlussverordnung – NDAV zu erfolgen. Die Technischen Anschlussbedingungen (TAB) des Netzbetreibers an die Anlage des Anschlussnehmers bzw. -nutzers sind einzuhalten.

4.4 Trinkwasserversorgung

Der Anschluss an das Wasserverteilungsnetz hat nach den Anforderungen der AVBWasserV zu erfolgen. Alle Leitungen hinter der Hauptabsperreinrichtung müssen nach DIN 1988 (alle Teile) errichtet werden.

4.5 Fernwärmeversorgung

Der Anschluss an ein Fernwärmenetz hat nach den Vorgaben der AVBFernwärmeV und den daraus resultierenden Anforderungen des Fernwärme-Versorgungsunternehmens nach seinen veröffentlichten Technischen Anschlussbedingungen (TAB) zu erfolgen.

5 Arten der Ausführung

5.1 Allgemeines

Anschluss- und Betriebseinrichtungen dürfen nicht in Räumen mit explosiblen und/oder leicht entzündlichen Stoffen angeordnet werden.

Sie sind vor mechanischer Beschädigung zu schützen.

Der Raum für die Anschlusseinrichtungen muss trocken und z.B. zur Vermeidung von Schwitzwasser lüftbar sein.

D

ANMERKUNG 1 Sind Feuerstätten im Raum vorhanden, sind für die Lüftung und Verbrennungsluftversorgung des Aufstellraumes die Anforderungen nach DVGW-G 600 (DVGW-TRGI) zu beachten.

Festlegungen zu den einzelnen Sparten sind in 5.4 enthalten.

Messeinrichtungen sind so anzubringen, dass sie leicht abgelesen und ausgewechselt werden können.
Anschlusseinrichtungen und Betriebseinrichtungen sind frei zugänglich und sicher bedienbar anzuordnen.
Für den Raum wird eine ausreichende Entwässerung und eine Kaltwasserzapfstelle empfohlen.

Bei der Planung von Hausanschlusseinrichtungen und gegebenenfalls der Betriebseinrichtungen sind die Anforderungen des baulichen Brandschutzes zu berücksichtigen.

ANMERKUNG 2 Auf die Bauordnung und die „Richtlinie über brandschutztechnische Anforderungen an Leitungsanlagen (Leitungsanlagen-Richtlinie LAR)“ des jeweiligen Bundeslandes wird hingewiesen.

Bei der Planung von Hausanschlusseinrichtungen sind gegebenenfalls die Anforderungen an den Hochwasserschutz zu berücksichtigen.

5.2 Nichtwohngebäude (nicht abgedruckt)

5.3 Hauseinführung

Die Art der Hauseinführung (Kernbohrung, Schutz-, Futter- bzw. Mantelrohr usw.) ist mit den jeweiligen Verteilungsnetzbetreibern/Versorgungsunternehmen abzustimmen.

Bei unterirdischem Anschluss von Gebäuden, ist insbesondere bei Verwendung von Schutz-, Futter- bzw. Mantelrohren, die Abdichtung der Rohre zur Wand sicher herzustellen. Die Hauseinführung ist gasdicht/wasserdicht und gegebenenfalls druckwasserdicht herzustellen.

ANMERKUNG Die gewerkeübergreifenden Arbeiten bei der Verlegung und Abdichtung der Schutzrohre erfordert Berücksichtigung bei der Planung.

5.4 Besonderheiten bei den einzelnen Sparten

5.4.1 Strom

Für die Errichtung von Strom-Hausanschlüssen gelten die Anforderungen nach DIN VDE 0100-732 (VDE 0100-732).

Wird die Umgebungstemperatur von 30 °C in Räumen bzw. an Stellen länger als eine Stunde überschritten, dürfen die Anschluss- und Betriebseinrichtungen für die Stromversorgung nicht untergebracht werden. Auch in feuer- oder explosionsgefährdeten Räumen/Bereichen darf die Unterbringung nicht erfolgen.

Bei der Anbringung der Anschlusseinrichtungen an Hausanschlusswänden und in Hausanschlussräumen werden folgende Maße zugrunde gelegt:

- Höhe Oberkante Anschlusseinrichtung über Fußboden: $\leq$ 1,5 m;
- Höhe Unterkante Anschlusseinrichtung über Fußboden: $\geq$ 0,3 m;
- Abstand der Anschlusseinrichtung zu seitlichen Wänden: $\geq$ 0,3 m.

5.4.2 Gas

Für die Errichtung von Gashausanschlüssen gilt DVGW G 459-1. Für Gasleitungen und -anlagen hinter der Hauptabsperreinrichtung ist DVGW G 600 (TRGI) zu beachten.

Erdverlegte Gasleitungen dürfen ohne zusätzliche Schutzmaßnahmen nicht überbaut werden. Müssen in Ausnahmefällen Hausanschlussleitungen unter Gebäudeteilen (z. B. Wintergärten, Garagen usw.) oder durch Hohlräume geführt werden, so sind sie in einem Schutz-, Futter- bzw. Mantelrohr zu verlegen. Dabei ist sicherzustellen, dass im Falle einer Undichtheit am Gasrohr das Gas nach außen abgeleitet wird. Eine nachträgliche Überbauung einer Gas-Hausanschlussleitung ist ohne zusätzliche Schutzmaßnahmen nicht zulässig.

5.4.3 Trinkwasser

Für die Errichtung von Wasserhausanschlüssen gilt das DVGW W 400-2 in Verbindung mit dem Merkblatt DVGW W 404. Für die der Hauptabsperreinrichtung nachgelagerten Anlagenteile ist DIN 1988 (alle Teile) zu beachten.

Bei Planung und Errichtung von Wasser-Hausanschlüssen sind die Überdeckungen, nach Abstimmung mit dem Versorgungsunternehmen und nach DVGW W 397, zur Sicherstellung einer frostfreien und hygienisch einwandfreien Versorgung zu beachten. Abstände zu Lichtschächten bedürfen der Beachtung. Für Mindestabstände zu Anlagen der Grundstückentwässerung sind die einschlägigen Technischen Regeln zur Sicherstellung der hygienischen Belange zu beachten (siehe DVGW-Merkblatt W 404).

In Kaltwasserleitungen sind aus hygienischen Gründen Wassertemperaturen $\geq 25\,°C$ zu vermeiden.

D

5.4.4 Telekommunikation

Bis 10 Wohneinheiten ist ein APL ausreichend. Bei Gebäuden über 10 Wohneinheiten sind zum Abschluss der ankommenden Adern und zum Verteilen der abgehenden Adern Verteilerkästen entsprechend der benötigten Anzahl der Wohneinheiten vorzusehen. Die Anschlusseinrichtungen und Betriebsmittel sind vor Manipulation zu schützen.

5.4.5 Breitbandkommunikation

Der Infrastrukturpunkt von Breitbandverteilnetzeinrichtungen wird auf Grundlage dieser Norm vorzugsweise in Hausanschlussräumen errichtet. Alle erforderlichen Bauteile des Infrastrukturpunkts sind in einem verschließbaren Metallschrank unterzubringen, um Manipulationen zu vermeiden.

5.5 Hausanschlusseinrichtungen in Gebäuden

5.5.1 Allgemeines

Die Hausanschlusseinrichtungen (Übergabestellen) innerhalb von Gebäuden sind unterzubringen:

– in **Hausanschlussräumen** (siehe 5.5.2), sie sind erforderlich in Gebäuden mit mehr als fünf Nutzungseinheiten. Die Anforderungen an Hausanschlussräume können auch schon in Gebäuden mit bis zu fünf Nutzungseinheiten sinngemäß angewendet werden;

- auf **Hausanschlusswänden** (siehe 5.5.3), sie sind vorgesehen für Gebäude mit bis zu fünf Nutzungseinheiten;
- in **Hausanschlussnischen** (siehe 5.5.4), sie sind vorgesehen für nicht unterkellerte Einfamilienhäuser.

Bei der Festlegung der Lage innerhalb des Gebäudes sind die Mindestanforderungen an den Wärmeschutz nach den Normen der Reihe DIN 4108 und den Schallschutz nach den Normen der Reihe DIN 4109 zu beachten.

In dem Hausanschlussraum, an der Hausanschlusswand und in der Hausanschlussnische, sind die Anschlussfahne des Fundamenterders nach DIN 18014 und die Haupterdungsschiene (Potentialausgleichsschiene) für den Hauptpotentialausgleich anzuordnen.

Die Größe des Hausanschlussraumes bzw. die Anordnung der Hausanschlusswand und der Hausanschlussnische sind so zu planen, dass vor der mit 30 cm Tiefe anzunehmenden Zone für die Anschlusseinrichtungen ein Arbeits- und Bedienbereich vorhanden ist. Dieser hat eine Tiefe von mindestens 1,20 m, eine Breite die die Anschluss- und Betriebseinrichtungen seitlich mindestens um 30 cm überragt und eine Durchgangshöhe von 1,80 m.

Wände, an denen Anschluss- und Betriebseinrichtungen befestigt werden, müssen den zu erwartenden mechanischen Belastungen entsprechend ausgebildet sein und eine ebene Oberfläche aufweisen. Die Wanddicke muss mindestens 60 mm betragen.

5.5.2 Hausanschlussraum

5.5.2.1 Allgemeines

Der Hausanschlussraum muss über allgemein zugängliche Räume, z. B. Treppenraum, Kellergang, oder direkt von außen, erreichbar sein. Er darf nicht als Durchgang zu weiteren Räumen dienen.

Der Hausanschlussraum muss an der Gebäudeaußenwand liegen, durch die die Anschlussleitungen geführt werden.

Die Anordnung der Anschluss- und Betriebseinrichtungen für die Strom- und Telekommunikationsversorgung einerseits und für die Wasser-, Gas- und Fernwärmeversorgung andererseits kann unter Berücksichtigung von 5.5.3.1 und 5.5.3.2 auch gemeinsam auf einer Wand erfolgen.

Der Hausanschlussraum ist mit einer schaltbaren, fest installierten Beleuchtung und mit einer Schutzkontaktsteckdose auszustatten.

Der Hausanschlussraum ist mit einer abschließbaren Tür nach DIN 18100 mit einer Breite von 875 mm und einer Höhe von 2 000 mm zu versehen.

Jeder Hausanschlussraum ist an seinem Zugang mit der Bezeichnung „Hausanschlussraum" zu kennzeichnen.

Die freie Durchgangshöhe unter Leitungen und Kanälen darf im Hausanschlussraum nicht kleiner als 1,80 m sein.

Schutzpotentialausgleich und gegebenenfalls erforderliche Elektroinstallationen sind nach DIN VDE 0100 (VDE 0100) (alle Teile) auszuführen.

Bei Fernwärmeanschlüssen ist bei der Auswahl und Errichtung von elektrischen Betriebsmitteln zusätzlich DIN VDE 0100-737 (VDE 0100-737) zu beachten.

5.5.2.2 Maße

Die Maße eines Hausanschlussraumes richten sich nach der Anzahl der vorgesehenen Anschlüsse (Ver- und Entsorgung), der Anzahl der zu versorgenden Kundenanlagen und nach der Art und Größe der Betriebseinrichtungen, die in dem Hausanschlussraum untergebracht werden sollen.

Ein Hausanschlussraum muss

- min. 2,0 m lang und
- min. 2,0 m hoch sein.

Die Breite muss

- min. 1,50 m bei Belegung nur einer Wand und
- min. 1,80 m bei Belegung gegenüberliegender Wände betragen (siehe auch 5.3).

5.5.3 Hausanschlusswand

5.5.3.1 Allgemeines

Der Raum mit Hausanschlusswand muss über allgemein zugängliche Räume, z. B. Treppenraum, Kellergang, oder direkt von außen erreichbar sein.

Die Hausanschlusswand muss in Verbindung mit einer Außenwand stehen, durch die die Anschlussleitungen geführt werden.

Unmittelbar nach der Hauseinführung sind Hausanschlussleitungen so anzuordnen, dass im weiteren Verlauf ihre kreuzungsfreie Verlegung sichergestellt ist.

Die freie Durchgangshöhe unter Leitungen und Kanälen darf im Bereich der Hausanschlusswand nicht kleiner als 1,80 m sein.

Der Raum mit der Hausanschlusswand ist mit einer schaltbaren, fest installierten Beleuchtung und mit einer Schutzkontaktsteckdose auszustatten.

5.5.3.2 Maße

Die Hausanschlusswand muss über die gesamte Wandfläche mindestens 2,0 m hoch sein.

Die Länge der Hausanschlusswand richtet sich nach der Anzahl der vorgesehenen Anschlüsse, der Anzahl der zu versorgenden Kundenanlagen und nach Art und Größe der Betriebseinrichtungen, die an der Hausanschlusswand untergebracht werden sollen. Der Mindestplatzbedarf für die Anschluss- und Betriebseinrichtungen ist mit den Verteilungsnetzbetreibern/Versorgungsunternehmen abzustimmen.

5.5.4 Hausanschlussnische

5.5.4.1 Allgemeines

Zur Einführung und gegebenenfalls zur Nachrüstung der Anschlussleitungen sind die erforderlichen Schutzrohre vorzusehen, deren Art und Größe vom jeweiligen Vertei-

D

lungsnetzbetreiber/Versorgungsunternehmen festgelegt werden. Die räumliche Anordnung der Schutzrohre ist mit den jeweiligen Verteilungsnetzbetreiber/Versorgungsunternehmen abzustimmen. Die Schutzrohre sind so zu verlegen, dass die Hausanschlussleitungen senkrecht in die Nische führen. Ein Ausführungsbeispiel zeigt Bild A.6.

Die Hausanschlusskabel sind innerhalb der Hausanschlussnische gegen mechanische Beschädigungen zu schützen.

Kaltwasserleitungen müssen aus Gründen der Schwitzwasserbildung wärmegedämmt werden.

5.5.4.2 Bauliche Anforderungen

Die Größe der Hausanschlussnische wird bestimmt durch das Rohbau-Richtmaß der Öffnung einer gängigen Wohnungstür nach DIN 18100 mit einer Breite von min. 875 mm bzw. Hausanschlussnischen mit der Sparte Fernwärme mit einer Breite von min. 1010 mm und einer Höhe von 2 000 mm. Das Richtmaß der Tiefe muss mindestens 250 mm betragen.

Für die Weiterführung der Leitungen aus der Hausanschlussnische sind entsprechende bauliche Maßnahmen zu treffen (z. B. Schlitze, Leerrohre, Kabelkanäle), wobei besonders auf die statisch wirksamen Elemente (z. B. Stürze, Unterzüge) zu achten ist.

Die Anschluss- und Betriebseinrichtungen für Strom, Gas, Wasser, Fernwärme und Telekommunikation nach 3.1 bzw. 3.11 sind in der Hausanschlussnische unter Berücksichtigung ihrer Funktionsflächen nach Bild 1 anzuordnen. Ein Ausführungsbeispiel zeigt Bild A.5a und Bild A.5b.

Türen für Hausanschlussnischen müssen mit ausreichend großen Lüftungsöffnungen ausgestattet sein, um die Temperaturgrenzen nach 5.4.1 und 5.4.3 nicht zu überschreiten.

Türen für Hausanschlussnischen mit Gasversorgungseinrichtungen müssen nach DVGW G 600 oben und unten Lüftungsöffnungen von jeweils mindestens 5 cm^2 haben.

Ein Ausführungsbeispiel für die Einführung einer Mehrsparten-Hauseinführung in eine Hausanschlussnische zeigt Bild A.6.

5.6 Anschlusseinrichtungen außerhalb von Gebäuden

5.6.1 Allgemeines

Die Hausanschlusseinrichtungen außerhalb von Gebäuden sind in Abstimmung mit dem Netzbetreiber/Versorgungsunternehmen unterzubringen:

- an/in Gebäudeaußenwänden;
- in Hausanschlusssäulen/-schränken (gegebenenfalls mit Betriebseinrichtungen).

Bei der Anordnung der Anschlusseinrichtungen in/an der Außenseite der Außenwand sind die Mindestanforderungen an den Wärmeschutz nach den Normen der Reihe DIN 4108 und den Schallschutz nach den Normen der Reihe DIN 4109 zu beachten.

Die Anschlusseinrichtungen und gegebenenfalls die Betriebsmittel sind in ortsfesten und witterungsbeständigen Gehäusen unterzubringen und gegen mechanische Beschädigung zu schützen. Wände, an denen Anschluss- und Betriebseinrichtungen befestigt werden, müssen den zu erwartenden mechanischen Belastungen entsprechend ausgebildet sein und eine ebene Oberfläche aufweisen. Die Wanddicke muss mindestens 60 mm betragen.

Die Aufstellung von Hausanschlusssäulen/-schränken erfolgt vorzugsweise an der Grundstücksgrenze zwischen dem anzuschließenden Grundstück und dem öffentlichen Verkehrsraum.

Die Anforderungen zum Arbeits- und Bedienbereich nach 5.5 sind einzuhalten.

5.6.2 Kommunikation

Die außen liegende Betriebseinrichtung für Kommunikation ist etwa 1,6 m oberhalb der Erdgleiche anzubringen.

5.6.3 Gas

Außenleitungen sind nach DVGW G 600 zu schützen.

5.6.4 Trinkwasser

Die außen liegenden Betriebseinrichtungen und Leitungen müssen gegen Frost, Erwärmung und gegen Korrosion geschützt werden.

ANMERKUNG In Kaltwasserleitungen gelten Temperaturen $< 25\,^{\circ}$C als unbedenklich.

D

Maße in Millimeter

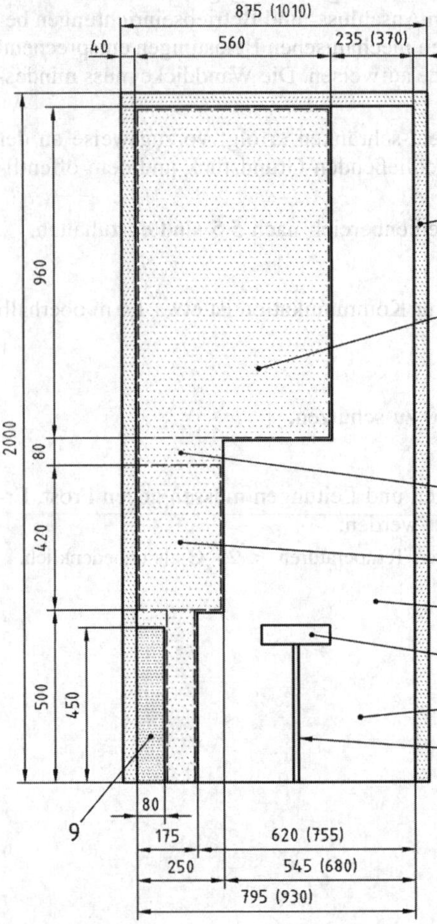

Legende

1 Raum für Zargeneinbau (40 mm angenommen)
2 Zählerschrank nach DIN 43870 (Außenmaße B 550 mm × H 950 mm)
3 Rangierraum 250 mm × 80 mm für Hauptleitung
4 Anschlusskasten DIN 43627-KH00-A Höhe maximal 420 mm Breite maximal 245 mm
5 Gas
6 Haupterdungsschiene (Potentialausgleichsschiene) im Freiraum zwischen Anschluss- und Betriebseinrichtung von Gas und Trinkwasser
7 Trinkwasser
8 Anschlussteil des Fundamenterders
9 Kommunikation

Nischenrichtmaße:
Breite 875 mm (1 010 mm)
Höhe 2 000 mm
Tiefe mindestens 250 mm

ANMERKUNG Spiegelbildliche Anordnung möglich; Maße bei Fernwärme sind in Klammern.

Bild 1. Funktionsflächen der Hausanschlussnische für die Sparten Gas (bzw. Fernwärme), Kommunikation, Strom, Trinkwasser

Anhang A (informativ)

Ausführungsbeispiele *(Die Norm enthält über die hier abgedruckten Beispiele hinaus weitere für Hausanschlusswände und Hausanschlussnischen)*

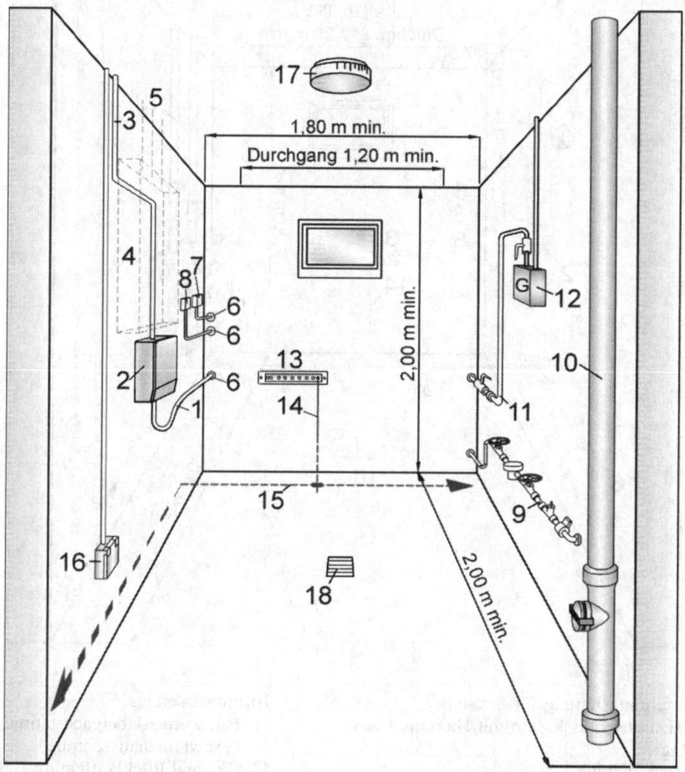

Legende

1 Hauseinführungsleitung für Strom
2 Strom-Hausanschlusskasten mit Hausanschlusssicherungen
3 Strom-Hauptleitung
4 gegebenenfalls Zählerplätze
5 Verbindungsleitung zum Stromkreisverteiler
6 Hauseinführung
7 APL – Abschlusspunkt für Telekommunikationsanlagen
8 HÜP – Hausübergabepunkt für Breitbandkommunikationsanlagen
9 Anschlussleitung für Trinkwasser mit Wasserzähler
10 Entwässerung
11 Anschlussleitung für Gasversorgung mit Hauptabsperreinrichtung zum Gasrohr
12 Gaszähler
13 Haupterdungsschiene (Potentialausgleichsschiene)
14 Erdungsleiter
15 Fundamenterder
16 Schutzkontaktsteckdose
17 Leuchte
18 Bodenablauf

ANMERKUNG Potentialausgleichsleitungen und Sicherheitseinrichtungen sind nicht dargestellt. Weitere oder andere Betriebseinrichtungen (als die dargestellten) können vorhanden sein.

Bild A.1 Hausanschlussraum mit der Anordnung der Anschluss- und Betriebseinrichtungen für die Sparten Gas, Kommunikation, Strom, Trinkwasser

D

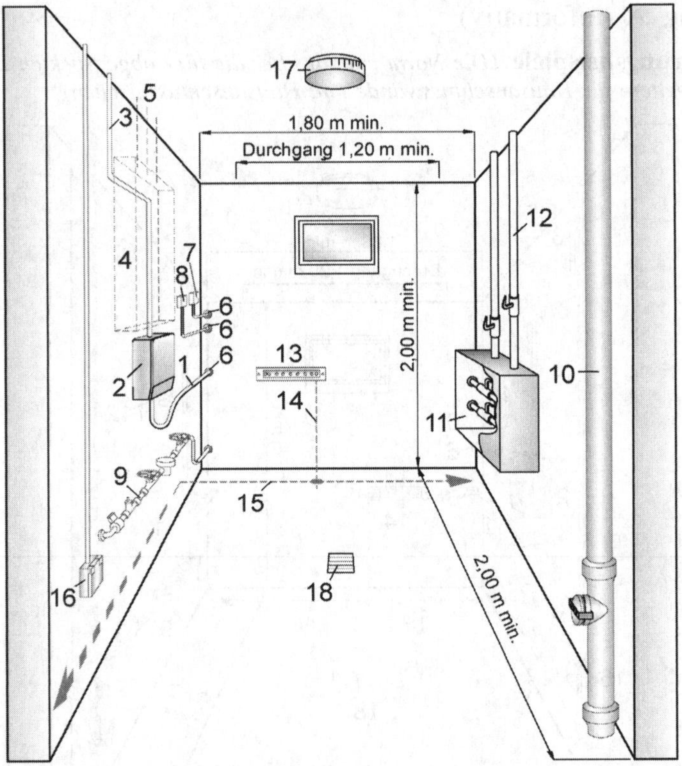

Legende

1 Hauseinführungsleitung für Strom
2 Strom-Hausanschlusskasten mit Hausanschlusssicherungen
3 Strom-Hauptleitung
4 gegebenenfalls Zählerplätze
5 Verbindungsleitung zum Stromkreisverteiler
6 Hauseinführung
7 APL – Abschlusspunkt für Telekommunikationsanlagen
8 HÜP – Hausübergabepunkt für Breitbandkommunikationsanlagen
9 Anschlussleitung für Trinkwasser mit Wasserzähler
10 Entwässerung
11 Fernwärme-Übergabestation/ Fernwärmehauszentrale
12 Vor- und Rücklaufleitung Heizung
13 Haupterdungsschiene (Potentialausgleichsschiene)
14 Erdungsleiter
15 Fundamenterder
16 Schutzkontaktsteckdose
17 Leuchte
18 Bodenablauf

ANMERKUNG Potentialausgleichsleitungen und Sicherheitseinrichtungen sind nicht dargestellt. Weitere oder andere Betriebseinrichtungen (als die dargestellten) können vorhanden sein.

Bild A.2 Hausanschlussraum mit der Anordnung der Anschluss- und Betriebseinrichtungen für die Sparten Fernwärme, Kommunikation, Strom, Trinkwasser

Nischen für Zählerplätze (Zählerschränke) für Elektrizitätszähler

Auszug aus DIN 18013 (11.2010)

1 Anwendungsbereich

Diese Norm gilt für Nischen, die für den Wandeinbau von Zählerplätzen in der Ausführung mit Zählerplatzumhüllung (Zählerschränke) nach DIN 43870-1 und E DIN 43870-1/A1 bestimmt sind.

2 Normative Verweisungen (nicht abgedruckt)

3 Begriffe

Für die Anwendung dieses Dokuments gelten die Begriffe nach DIN VDE 0100-200 (VDE 0100-200) und die folgenden Begriffe.

3.1 Elektroplaner

Planer, der Vorgaben für die Errichtung der elektrischen Anlage und zur bauseitigen Umsetzung erstellt

3.2 Errichter

derjenige, der eine elektrische Anlage errichtet, erweitert oder ändert und die Verantwortung für die ordnungsgemäße Ausführung übernimmt

3.3 Kommunikationsfeld

Platz im Zählerschrank für die Unterbringung von Kommunikationseinrichtungen und informationstechnische Einrichtungen

3.4 Netzbetreiber
NB

Betreiber eines Elektrizitätsverteilungsnetzes der allgemeinen Versorgung im Sinne des Energiewirtschaftgesetzes

3.5 Verteilerfeld

Verteiler in gemeinsamer Umhüllung mit einem Zählerplatz

ANMERKUNG Zählerplätze sind in DIN 43870-1 festgelegt.

3.6 Zählerplatz

Einrichtung zur Aufnahme von Zählern und/oder Tarifschaltgeräten, Steuergeräten, Klemmen, Überstromschutzeinrichtungen usw.

D

3.7 Zählerschrank (teilversenkt, vollversenkt)

Gehäuse zur Unterbringung einer oder mehrerer Zählerplätze sowie weiterer zum Betrieb der elektrischen Anlage erforderlichen Betriebsmittel.

ANMERKUNG Je nach Wanddicke des Mauerwerks und Ausführung des Gehäuses kann der Zählerschrank teil- oder vollversenkt eingebaut werden.

4 Bezeichnung

Zählernischen werden mit der Breite *b*, der Höhe *h* und der Tiefe *t* in mm nach Tabelle 1 bezeichnet.

Bezeichnungsbeispiel für eine Zählernische für Zählerschrank, vollversenkt, mit den Maßen Breite b = 575 mm, Höhe h = 1 125 mm und Tiefe t = 225 mm nach Tabelle 1:

Zählernische DIN 18013 — 575 × 1 125 × 225

5 Anforderungen

5.1 Maße der Nische

Die Größe einer Zählernische richtet sich nach Höhe, Breite und Tiefe eines Zählerschrankes, der die erforderlichen Zählerplätze, gegebenenfalls ein Verteilerfeld und/oder ein Kommunikationsfeld aufnehmen muss. Dabei sind die Anforderungen der Technischen Anschlussbedingungen (TAB) des zuständigen Netzbetreibers (NB) — insbesondere bezüglich Lage und Anordnung — zu berücksichtigen.

Die lichten Maße von Zählernischen müssen den Festlegungen in Tabelle 1 entsprechen.

Sofern Zählernischen mit größeren als in der Tabelle 1 angegebenen Maßen, z. B. mit Nennmaßen nach DIN 4172, für den Rohbau hergestellt werden, sind die nach Einbau der Zählerplätze mit Zählerplatzumhüllung verbleibenden Hohlräume bauseitig zu schließen.

5.2 Anordnung der Nische

Bei der Planung von Zählernischen sind die Anforderungen der Bauordnung sowie der Leitungsanlagenrichtlinie des jeweiligen Bundeslandes zu berücksichtigen. Dies gilt besonders für die Anforderungen an den Brandschutz sowie die Anforderungen hinsichtlich erforderlicher Mindest-Gangbreiten.

ANMERKUNG Die maximale Tiefe von Zählerschränken nach DIN 43 870 beträgt 225 mm.

Für den Abstand von Zählernischen von der Oberfläche des fertigen Fußbodens gilt für die

- Oberkante max. 2 100 mm
- Unterkante min. 400 mm.

Für die Einführung von zugangs- bzw. abgangsseitigen Kabeln/Leitungen ist zur Decke ein Mindestabstand von 200 mm einzuhalten.

5.3 Bautechnische Anforderungen

Eine Zählernische darf einen für die Wand geforderten

- Mindest-Brandschutz nach DIN 4102-2,
- Mindest-Wärmeschutz nach DIN 4108,
- Mindest-Schallschutz nach DIN 4109

bzw. – soweit vereinbart – ein höherer Schutz sowie die Standfestigkeit der Wand nicht beeinträchtigen.

5.4 Leitungsführung

Die Leitungen werden senkrecht von oben oder von unten in die Zählernische eingeführt. Der Leitungsschlitz zur Zählernische muss im Einführungsbereich die gleiche Tiefe wie die Zählernische haben. Die Lage des Leitungsschlitzes in Verbindung mit der Nische ist im Einvernehmen mit dem Errichter der elektrischen Anlage festzulegen.

Ein einwandfreies Einführen der Leitungen in Zählernischen bzw. Zählerschränke darf nicht durch statisch tragende Bauteile, z. B. Stürze, beeinträchtigt werden.

Maße in mm

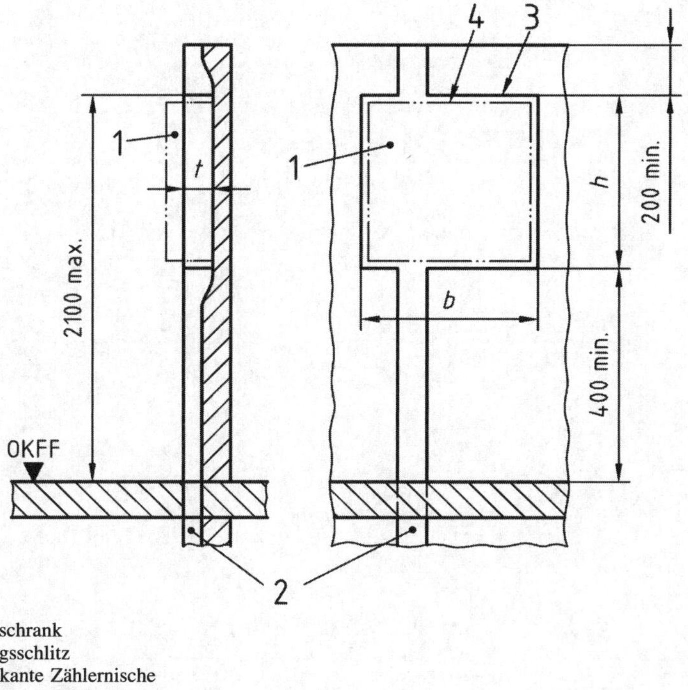

Legende
1 Zählerschrank
2 Leitungsschlitz
3 Außenkante Zählernische
4 Außenkante Zählerschrank

Bild 1. Zählernische

Tabelle 1: Nischenmaße für teilversenkte bzw. vollversenkte Zählerschränke

Anzahl der Zählerplätze nach DIN 43870[a]	Mindestmaße Nische mm			
	Breite	Tiefe	Tiefe	Höhe
	b	*t* teilversenkt	*t* vollversenkt	*h*[b]
1	325	140	225	975, 1 125, 1 275 oder 1 425
2	575	140	225	
3	825	140	225	
4	1 075	140	225	
5	1 325	140	225	

[a] Die Anzahl der Zähler, die auf einen Zählerplatz montiert werden können, sind mit dem Elektroplaner abzustimmen.

[b] In Abhängigkeit von der Bestückung des Zählerschrankes

Elektrische Anlagen in Wohngebäuden

Planungsgrundlagen

DIN 18015-1 (09.2007) (Auszug)

(Ersatz für DIN 18015-1 (09.2002))

Inhalt

D

3 Begriffe

(...)

Elektrische Anlagen in Wohngebäuden

elektrische Anlagen in Wohngebäuden sind:

- Starkstromanlagen mit Nennspannungen bis 1 000 V,
- Telekommunikationsanlagen und Hauskommunikationsanlagen, sowie sonstige Melde- und Informationsverarbeitungsanlagen
- Empfangs- und Verteilanlagen für Radio und Fernsehen sowie für interaktive Dienste mit oder ohne Anschluss an ein allgemein zugängliches Netz eines Netzbetreibers,
- Blitzschutzanlagen

Starkstromanlage

elektrische Anlage mit Betriebsmitteln zum Erzeugen, Umwandeln, Speichern, Fortleiten, Verteilen und Verbrauchen elektrischer Energie mit dem Zweck des Verrichtens von Arbeit — z. B. in Form von mechanischer Arbeit, zur Wärme- und Lichterzeugung oder bei elektrochemischen Vorgängen

ANMERKUNG (...)

Kundenanlage

elektrische Anlage hinter den Übergabepunkten von vorgelagerten Verteilungsnetzen

Verteilungsnetz

die Gesamtheit aller Leitungen und Kabel des vorgelagerten Netzes bis zum Übergabepunkt zur Kundenanlage (Verbraucheranlage)

Anschlusseinrichtung

Übergabestelle der Versorgung z. B. bei der Stromversorgung der Hausanschlusskasten, bei der Telekommunikationsversorgung die Abschlusspunkte (APL) der allgemeinen Netze von Telekommunikationsanlagen und bei Empfangs- und Verteilanlagen für Radio und Fernsehen sowie für interaktive Dienste der Übergabepunkt des Netzbetreibers

Hauptstromversorgung/Hauptstromversorgungssystem

Hauptleitungen und Betriebsmittel hinter der Übergabestelle (Hausanschlusskasten) des Verteilungsnetzbetreibers (VNB), die nicht gemessene elektrische Energie führen

Hauptleitung

Verbindungsleitung zwischen der Übergabestelle des Verteilungsnetzbetreibers (VNB) und der Messeinrichtung (Zähleranlage), die nicht gemessene elektrische Energie führt

Messeinrichtung

Betriebsmittel zum Erfassen des elektrischen Energieverbrauches

Steuereinrichtung

Betriebsmittel (z. B. Rundsteuerempfänger oder Schaltuhr) zur Laststeuerung und Tarifschaltung

Stromkreis

Gesamtheit der elektrischen Betriebsmittel einer Anlage, die von demselben Speisepunkt versorgt und durchdieselbe Überstrom-Schutzeinrichtung geschützt wird

Stromkreisverteiler

Installationskleinverteiler Verteiler der zugeführten Energie auf mehrere Stromkreise, die zur Aufnahme von Betriebsmitteln zum Schutz bei Überstrom und zum Schutz gegen elektrischen Schlag sowie zum Trennen, Schalten, Messen und Überwachen geeignet sind

Überstrom-Schutzeinrichtung

Betriebsmittel zum Schutz von Kabeln oder Leitungen bei Überstrom d. h. gegen zu hohe Erwärmung durch betriebliche Überlastung oder bei Kurzschluss, z. B. Leitungsschutzschalter, Schmelzsicherung

Fehlerstrom-Schutzschalter
Betriebsmittel zum Schutz gegen elektrischen Schlag und zum Brandschutz
Überspannungs-Schutzeinrichtung
Gerät, das dazu bestimmt ist, transiente Überspannungen zu begrenzen und Stoßströme abzuleiten

ANMERKUNG Hierunter fallen Blitzstrom- und Überspannungsableiter.
Elektromagnetische Verträglichkeit EMV
Fähigkeit eines elektrischen Betriebsmittels oder Systems, in seinem elektromagnetischen Umfeld befriedigend zu funktionieren, ohne dabei dieses Umfeld unzulässig zu beeinflussen
Wohnungsübergabepunkt WÜP
Schnittstelle zwischen dem hausinternen Breitbandkabelnetz und der nachgeschalteten Verteilanlage einer Wohnung
Abschlusspunkt Liniennetz APL
Abschlusspunkt des TK-Zugangsnetzes
Telekommunikationsanschlusseinrichtung TAE
Anschluss der TK-Endeinrichtungen
Endleitungsnetz
Teil der Kundenanlage, die am Abschlusspunkt Liniennetz (APL) beginnt und an der Telekommunikationsabschlusseinrichtung (z. B. 1. TAE) endet
Inhousenetz
Wohnungsverteilnetz, Teil der Kundenanlage, die an der Telekommunikationsabschlusseinrichtung (z. B. 1. TAE) beginnt und an den Telekommunikationsanschlusseinrichtungen (weitere TAE) endet
Verteilnetz
Netz, über das in der Kundenanlage Signale verteilt werden für:
- Telekommunikations-, Hauskommunikations- sowie sonstige Melde-und Informationsverarbeitungsanlagen
- Radio, Fernsehen und für interaktive Dienste.

Interaktive Dienste
bidirektionaler Datenaustausch zwischen einem Dienstanbieter und einem Teilnehmer, wie z. B. DSL.

4 Allgemeine Planungshinweise

4.1 Projekt- und Planungsvorbereitung

Im Rahmen der Projekt- und Planungsvorbereitung sind die Anschlussvoraussetzungen für die
- Starkstromanlagen mit dem Verteilungsnetzbetreiber (VNB),
- Telekommunikationsanlagen sowie sonstige Fernmelde-und Informationsverarbeitungsanlagen und Hauskommunikationsanlagen mit dem Netzbetreiber,
- Verteilanlagen für Radio und Fernsehen sowie für interaktive Dienste mit dem Netzbetreiber,
- Notwendigkeit einer Ersatzstromversorgung (Notstromanlage) mit der Bauaufsichtsbehörde

zu klären.

Bei der Planung der elektrischen Anlage ist zu beachten, dass die elektromagnetische Verträglichkeit (EMV) der Systeme untereinander gegeben ist.

ANMERKUNG Bei der Planung der Elektroinstallationsanlage sind die bauordnungsrechtlichen Anforderungen desjeweiligen Bundeslandes zu berücksichtigen. Im Zusammenhang mit den einschlägigen bauordnungsrechtlichen Anforderungen wird auch auf die MLeitungsanlRL, Muster-Richtlinie über brandschutztechnische Anforderungen an Leitungsanlagen (Muster-Leitungsanlagen-Richtlinie – M-LAR) [6] der ARGEBAU (Arbeitsgemeinschaft der für das Bau-,Wohnungs- und Siedlungswesen zuständigen Minister der Länder) in der jeweils gültigen Fassung hingewiesen.

Die Einbringung von Fundamenterdern ist bei der Gebäudeplanung frühzeitig zu berücksichtigen (siehe Abschnitt 8).

Befestigungspunkte für Antennenträger und Einführungen von Antennenleitungen sind insbesondere bei Flachdächern rechtzeitig zu planen.

Elektrische Anlagen in Wohngebäuden sind so zu planen und zu betreiben, dass sie vor Hochwasser geschützt werden.

4.2 Anschlusseinrichtungen

Für die Planung des Raum- und Flächenbedarfs von Anschlusseinrichtungen ist DIN 18012 zu berücksichtigen.

4.3 Schlitze, Aussparungen, Öffnungen

Erforderliche Schlitze, Aussparungen und Öffnungen sind bereits bei der Gebäudeplanung zu berücksichtigen. Sie dürfen die Standfestigkeit sowie Brand-, Wärme- und Schallschutz nicht in unzulässiger Weise mindern. Bei Schlitzen und Aussparungen in tragenden Wänden aus Mauerwerk ist DIN 1053-1 zu beachten.

Bei Öffnungen in bestimmten Wänden und Decken zum Durchführen von Kabeln und Leitungen sind geeignete Vorkehrungen zu treffen, die eine Übertragung von Feuer und Rauch verhindern (siehe Anmerkung in 4.1).

4.4 Rohrnetze

Für die Telekommunikationsanlagen nach Abschnitt 6 und für die Verteilanlage für Radio und Fernsehen nach Abschnitt 7 ist jeweils ein getrenntes Rohrnetz vorzusehen.

4.5 Installationspläne

Für Installationspläne elektrischer Anlagen sind die graphischen Symbole nach den Normen der Reihe DIN EN 60617 und DIN EN 61082-4 zu verwenden.

5 Starkstromanlagen

5.1 Allgemeines

Kabel und Leitungen von Starkstromanlagen sind, sofern sie nicht in Rohren oder Elektroinstallationskanälen angeordnet werden, in Räumen, die Wohnzwecken dienen, grundsätzlich im Putz, unter Putz, in Wänden oder hinter Wandbekleidungen zu installieren.

Bei der Planung ist eine Koordination mit anderen Gewerken nach DIN 18015-3 vorzunehmen.

Die Anordnung von

- Kabeln, Leitungen und Leerrohren in Putz, unter Putz, in Wänden und hinter Wandbekleidungen sowie auf, in und unter Decken
- Schaltern, Steckdosen, Auslässen und Verbindungsdosen

ist nach DIN 18015-3 vorzunehmen.

Für die Auswahl von Kabeln und Leitungen in Bezug auf mechanische, thermische und chemische Einflüsse sind DIN VDE 0100-430 (VDE 0100-430) und DIN VDE 0100-520 (VDE 0100-520), für die Installation in feuchten und nassen Räumen DIN VDE 0100-737 (VDE 0100-737), für Beleuchtungsanlagen im Freien DIN VDE 0100-714 (VDE 0100-714) zu beachten.

Bei dem Einsatz von Erzeugungsanlagen (z. B. Blockheizkraftwerke, Brennstoffzellen, Photovoltaik) sind die dafür notwendigen Maßnahmen für die Einbindung in die Niederspannungsanlage mit den jeweiligen Planern abzustimmen.

In hochwassergefährdeten Gebieten ist der Hausanschlusskasten, die Zählerplätze mit den Mess- undSteuereinrichtungen und die Stromkreisverteiler der zu erwartenden hundertjährigen Überschwemmungshöhe bzw. örtlich festgelegten Überschwemmungshöhe anzubringen. Darunter liegende Stromkreise erhalten einen Zusatzschutz mit Fehlerstrom-Schutzschaltern (RCD), Bemessungsfehlerstrom $\leq$ 30 mA.

5.2 Hausinstallation

5.2.1 Hauptstromversorgung und Hauptleitungen

Der Planer und/oder Errichter legen Querschnitt, Art und Anzahl der Hauptleitungen in Abhängigkeit von der Anzahl der anzuschließenden Kundenanlagen fest. Die vorgesehene Ausstattung der Kundenanlagen mit Verbrauchsgeräten, die zu erwartende Gleichzeitigkeit dieser Geräte im Betrieb sowie die technische Ausführung der Übergabestelle sind bei der Festlegung zu berücksichtigen.

Hauptleitungen sind als Drehstromleitungen auszuführen. Die Leitungsquerschnitte sind auf der Grundlage des Diagramms (siehe Bild 1), jedoch mindestens für eine Belastung von 63 A zu bemessen. Der Leitungsquerschnitt muss dementsprechend mindestens 10 mm^2 Cu betragen.

Bei der Bemessung von Kabeln und Leitungen gilt für die zulässige Strombelastbarkeit DIN VDE 0298-4 (VDE 0298-4).

ANMERKUNG Bei der Ausführung eines TN-Systems im Gebäude ist aus Gründen der elektromagnetischen Verträglichkeit (EMV) eine Aufteilung des PEN-Leiters im Hausanschlusskasten vorteilhaft. Dabei ist die Hauptleitung 5adrig auszuführen.

Hauptstromversorgungssysteme werden als Strahlennetze betrieben.

Hauptstromversorgungssysteme bzw. Hauptleitungen sind in allgemein zugänglichen Räumen anzuordnen.

Bei Kabelanschlüssen dürfen Hauptleitungen im Kellergeschoss vom Hausanschlusskasten an auf der Wand installiert werden. Von der Kellerdecke ab sind Hauptleitungen in Schächten, Rohren oder unter Putz anzuordnen.

Bei Freileitungsanschluss müssen die Zählerplätze und die Hauptleitung so errichtet werden, dass die Anlage im Gebäude im Bedarfsfall problemlos auch über einen Kabelanschluss versorgt werden kann.

Der zulässige Spannungsfall in der elektrischen Anlage zwischen der Übergabestelle (Hausanschlusskasten) des VNB und der Messeinrichtung (Zähleranlage) ist der Niederpannungsanschlussordnung – NAV [1] sowie den „Technischen Anschlussbedingungen für den Anschluss an das Niederspannungsnetz, VDEW TAB 2000 [2] zu entnehmen.

Der Spannungsfall in der elektrischen Anlage hinter der Messeinrichtung bis zum Anschlusspunkt der Verbrauchsmittel sollte 3 % insgesamt nicht überschreiten, dabei ist DIN VDE 0100-520 (VDE 0100-520) zu berücksichtigen. Für die Berechnung des Spannungsfalles in jedem Leitungsabschnitt ist der Bemessungsstrom der jeweils vorgeschalteten Überstrom-Schutzeinrichtung zu Grunde zu legen.

Bei dem Einsatz von Überspannungs-Schutzeinrichtungen im Hauptstromversorgungssystem sind die Anforderungen der VDEW Überspannungsschutzeinrichtungen, „Überspannungs-Schutzeinrichtungen Typ 1 — Richtlinie für den Einsatz von Überspannungs-Schutzeinrichtungen (ÜSE) Typ 1 (bisher Anforderungsklasse B) in Hauptstromversorgungssystemen" [3] zu beachten.

Für die Auswahl von Betriebsmitteln zum Trennen, Schalten, Steuern und Überwachen und deren Errichtung (Anordnung) ist DIN VDE 0100-530 (VDE 0100-530) zu berücksichtigen.

5.2.2 Mess- und Steuereinrichtungen

Für Mess- und Steuereinrichtungen des VNB ist Platz an leicht zugänglicher Stelle, z. B. in besonderen Zählerräumen, in Hausanschlussräumen Hausanschlussnischen und an Hausanschlusswänden nach DIN 18012 oder in Treppenräumen — jedoch nicht über bzw. unter Stufen — vorzusehen. Art und Umfang der Mess- und Steuereinrichtungen sowie ihr Anbringungsort sind in Abstimmung mit dem VNB festzulegen (siehe Anmerkung in 4.1).

Im unteren Anschlussraum von Zählerplätzen sind als Trennvorrichtungen vor jeder Messeinrichtung laienbedienbare, sperr- und plombierbare selektive Überstromschutzeinrichtungen vorzusehen.

Es werden Zählerschränke mit Türen verwendet, die nach DIN 43870-1 und DIN VDE 0603-1 (VDE 0603-1) ausgeführt sind. In Treppenräumen sind Zählerplätze in Nischen nach DIN 18013 anzuordnen. Dabei ist die Einhaltung der erforderlichen Rettungswegbreite zu beachten.

5.2.3 Aufteilung der Stromkreise und Koordination von Schutzeinrichtungen

Die Zuordnung von Anschlussstellen für Verbrauchsmittel zu einem Stromkreis ist so vorzunehmen, dass durch das automatische Abschalten der diesem Stromkreis zugeordneten Schutzeinrichtung (z. B. Leitungsschutzschalter, Fehlerstrom-Schutzschalter) im Fehlerfall oder bei notwendiger manueller Abschaltung nur ein kleiner Teil der Kundenanlage abgeschaltet wird. Hiermit wird die größtmögliche Verfügbarkeit der elektrischen Anlage für den Nutzer erreicht.

Um Selektivität in einer elektrischen Anlage bei einer Hintereinanderschaltung von Schutzgeräten zum Überstromschutz und zum Schutz gegen elektrischen Schlag (wie Leitungsschutzschalter und Fehlerstrom-Schutzschalter) zu erreichen, ist der Einsatz von Geräten mit entsprechenden Selektiveigenschaften (z. B. selektive Haupt-Leitungsschutzschalter am Zählerplatz, selektive Fehlerstrom-Schutzschalter (RCD)) erforderlich.

5.2.4 Gemeinschaftsanlagen

In Gebäuden mit mehr als einer Wohnung ist die Installation so zu planen, dass der Stromverbrauch von Gemeinschaftsanlagen gesondert gemessen werden kann.

5.2.5 Wohnungsanlagen

Innerhalb jeder Wohnung ist in der Nähe des Belastungsschwerpunktes, in der Regel im Flur, ein Stromkreisverteiler nach DIN 43871 und DIN VDE 0603-1 (VDE 0603-1) für die erforderlichen Überstrom-und Fehlerstrom-Schutzeinrichtungen sowie gegebenenfalls weitere Betriebsmittel vorzusehen. Der Stromkreisverteiler ist entsprechend dem Ausstattungsumfang der elektrischen Anlage zu dimensionieren. Zusätzlich sind Reserveplätze vorzusehen. Bei Mehrraumwohnungen sind nach DIN 18015-2 mindestens zweireihige Stromkreisverteiler einzuplanen.

Die Leitung vom Zählerplatz zum Stromkreisverteiler ist als Drehstromleitung für eine Belastung von mindestens 63 A auszulegen. Bei Absicherung dieser Leitungen ist die Selektivität zu vor- und nachgeschalteten Überstrom-Schutzeinrichtungen zu berücksichtigen.

Als Überstrom-Schutzeinrichtungen für Beleuchtungs- und Steckdosenstromkreise sind Leitungsschutzschalter vorzusehen.

ANMERKUNG 1 Für allgemein zugängliche Steckdosen ist der Einsatz von Fehlerstrom-Schutzeinrichtungen (RCD) mit einem Bemessungsfehlerstrom von max. 30 mA als zusätzlicher Schutz gegen elektrischen Schlag nach DIN VDE 0100-410 (VDE 0100-410) gefordert. Festlegungen zum zusätzlichen Schutz sind in DIN VDE 0100-739 (VDE 0100-739) enthalten.

Die Anzahl von Stromkreisen, Steckdosen, Auslässen, Anschlüssen und Schaltern muss mindestens DIN 18015-2 entsprechen.

ANMERKUNG 2 Siehe auch RAL-RG 678.

Bei elektrischer Warmwasserbereitung mit Durchlauferhitzer für Bade- und/oder Duschzwecke ist eine Drehstromleitung mit einer zulässigen Strombelastbarkeit von mindestens 35 A vorzusehen.

Für den Anschluss eines Elektroherdes ist ein Drehstromanschluss für eine zulässige Strombelastbarkeit von mindestens 20 A vorzusehen.

Für Räume mit Badewanne oder Dusche sind besondere Anforderungen nach DIN VDE 0100-701 (VDE 0100-701) und für Becken von Schwimmbädern und andere Becken nach DIN VDE 0100-702 (VDE 0100-702) einzuhalten. Die diesbezüglichen Bestimmungen betreffen insbesondere:

- die Abgrenzung von Schutzbereichen,
- die Einschränkung bzw. das Verbot von Leitungsführungen,
- die Einschränkung bzw. das Verbot zur Anbringung von Steckdosen, Schaltern, Leuchten und anderen Betriebsmitteln,
- die erforderliche Überdeckung der in der Wand installierten Leitungen,
- den zusätzlichen Schutz gegen elektrischen Schlag durch Fehlerstrom-Schutzschalter.

Stromkreise mit Steckdosen im Freien mit einem Bemessungsstrom bis einschließlich 20 A und Steckdosen, an die tragbare Betriebsmittel für den Gebrauch im Freien angeschlossen werden können, sind nach DIN VDE 0100-410 (VDE 0100-410) mit einem Schutz durch Fehlerstrom-Schutzschalter mit einem Bemessungs-Fehlerstrom bis 30 mA zu schützen.

6 Telekommunikationsanlagen, Hauskommunikationsanlagen sowie sonstige Melde- und Informationsverarbeitungsanlagen

6.1 Telekommunikationsanlagen

6.1.1 Allgemeines

Der Abschlusspunkt Liniennetz (APL) und das Endleitungsnetz dürfen im Kellergeschoss auf der Wand installiert werden. Sie sind in allgemein zugänglichen Räumen anzuordnen.

D

Kabel und Leitungen sind auswechselbar, z. B. in Rohren oder Kanälen, zu führen, sofern sie nicht in besonderen Fällen auf der Wandoberfläche installiert werden (siehe T-Com 731 TR 1) [4].

Rohre, Kanäle und Anschlussstellen sind in den Installationszonen nach DIN 18015-3 anzuordnen. Sie sind nach den zu erwartenden mechanischen, thermischen und chemischen Beanspruchungen auszuwählen, darin geführte Kabel und Leitungen nach den thermischen Beanspruchungen.

In Ausnahmefällen dürfen sowohl bei Gebäuden bis zu zwei Wohnungen als auch innerhalb der Wohnungen von größeren Gebäuden Installationsleitungen in Putz oder unter Putz angeordnet werden, wenn aus konstruktiven Gründen der Einbau von Rohrnetzen nicht möglich ist.

Für die Montage von Telekommunikationsdosen sind 60 mm tiefe Unterputz-Geräte-Verbindungsdosen zu verwenden.

6.1.2 Rohrnetze

Für den Wohnungsanschluss an das öffentliche Telekommunikationsnetz ist in dem Gebäude ein Leerrohrsystem (siehe Bilder 2 und 3) vom Abschlusspunkt Liniennetz (APL) bis zur 1. TAE jeder Wohnung vorzusehen.

Hoch- und niederführende Rohre für Anwendungen nach Abschnitt 6 sind entsprechend ihrer Bestückung und ihrer Führung mindestens mit einem Innendurchmesser von 32 mm zu dimensionieren.

Bei unterirdischer Hauseinführung ist 1 Rohr vom Kellergeschoss aus bis zum letzten zu versorgenden Geschoss zu führen. Bei Einführung in den Dachraum sind 2 Rohre bis zum Keller durchzuführen.

Die Hoch- oder Niederführung ist in allgemein zugänglichen Räumen (siehe Anmerkung in 4.1) vorzusehen. Bei mehrgeschossigen Gebäuden sind in jedem Geschoss Aussparungen für Installationsdosen nach Bild 3 anzuordnen.

In Gebäuden mit bis zu acht Wohnungen darf das Rohrnetz auch sternförmig ausgeführt werden (siehe Bild 2). Dabei sind durchgehende Rohre zu den Wohnungen ohne Installationsdosen vorzusehen, sofern sie nicht länger als 15 m sind und in ihrem Verlauf nicht mehr als 2 Bögen aufweisen. Der Innendurchmesser dieser Rohre muss mindestens 25 mm betragen.

6.2 Hauskommunikationsanlagen und sonstige Melde- und Informationsverarbeitungsanlagen

6.2.1 Allgemeines

Hierzu gehören z. B. Klingel-, Türöffner- und Sprechanlagen sowie Anlagen, die dem Schutz von Leben und hohen Sachwerten dienen, z. B. Gefahrenmeldeanlagen.

6.2.2 Hauskommunikationsanlagen

Die Türöffneranlage in Verbindung mit einer Sprechanlage, gegebenenfalls mit Bildübertragung, ist entsprechend DIN 18015-2 vorzusehen.

6.2.3 Meldeanlagen

Meldeanlagen dienen der Übertragung und Anzeige von Zuständen (z. B. von Türen, Toren, Fenstern) bzw. Messgrößen (z. B. Temperatur, Windstärke, Rauch).

Für Gefahrenmeldeanlagen werden besondere zusätzliche Maßnahmen gefordert, die der jederzeitigen Betriebsbereitschaft dienen und die eine sofortige Identifizierung und Lokalisierung von Gefahrenzuständen ermöglichen. Dazu gehören z. B.:

- die Überwachung der Stromkreise, die zur Bildung oder Weiterleitung von Gefahrenmeldungen oder -signalen dienen,
- die Signalisierung von Gefahrenmeldungen an mindestens eine ständig besetzte Kontrollstelle,
- die Installation der Anlagen in einer Weise, die ein unbefugtes Außerbetriebsetzen erschwert,
- die Stromversorgung über zwei voneinander unabhängige Stromquellen.

Gefahrenmeldeanlagen müssen den allgemeinen Festlegungen nach DIN VDE 0833-1 (VDE 0833-1) entsprechen. Für Brandmeldeanlagen (BMA) gilt zusätzlich DIN VDE 0833-2 (VDE 0833-2) und für Einbruch-und Überfallmeldeanlagen zusätzlich DIN VDE 0833-3 (VDE 0833-3).

ANMERKUNG Der Einsatz von Rauchmeldern ist in einzelnen Landesbauordnungen für Neuanlagen gefordert.

7 Empfangs- und Verteilanlagen für Radio und Fernsehen sowie für interaktive Dienste

7.1 Allgemeines

Anlagen zum Empfangen, Verteilen und Übertragen von Radio- und Fernsehsignalen sowie interaktiven Diensten sind nach DIN EN 50083 (VDE 0855) (alle Teile) und den Bestimmungen des Netzbetreibers zu planen.

D

7.2 Antennen

Der Standort der Antennen ist nach

- optimaler Nutzfeldstärke,
- geringsten Störeinflüssen, z. B. Reflexionen,
- möglichst großem Abstand von Störquellen, z. B. Aufzugsmaschinen,
- sicherer Montagemöglichkeit und leichtem Zugang

zu bestimmen.

Der erforderliche Sicherheitsabstand nach DIN EN 50083-1 (VDE 0855-1) zu Starkstromleitungen ist einzuhalten. Der Zugang zu Schornsteinen oder Abluftgebläsen darf durch Antennen nicht behindert werden.

Über Dach angeordnete Antennenträger sind nach DIN EN 50083-1 (VDE 0855-1) über Erdungsleiter mit Erde zu verbinden. Bei Gebäuden mit Blitzschutzanlagen sind besondere Bedingungen nach DIN EN 62305-3 (VDE 0185-305-3) zu berücksichtigen.

7.3 Verstärkeranlagen

Für die Stromversorgung ist ein eigener Stromkreis vorzusehen.

ANMERKUNG Der Platz für Verstärkeranlagen sollte erschütterungsfrei und trocken sowie allgemein zugänglich sein. Umgebungstemperatur und Anordnung der Komponenten sind aufeinander abzustimmen.

7.4 Rohr- und Verteilnetz

Für die Versorgung der Wohnungen ist in dem Gebäude ein Leerrohrsystem (siehe Bilder 2 und 3) vorzusehen.

ANMERKUNG Durch die Installation in einem Leerrohrsystem sind Kabel und Leitungen auswechselbar und gegen Beschädigung geschützt.

In Schächten dürfen die Koaxialleitungen zusammen mit Starkstromleitungen bis 1 000 V Nennspannung unter Beachtung von DIN EN 50174-2 (VDE 0800-174-2) angeordnet werden. Eine Installation direkt in oder unter Putz ist nicht zulässig.

Die Auswahl von Kabeln und Leitungen ist in Bezug auf äußere Einflüsse (z. B. mechanisch, thermisch, chemisch) zu treffen. Die Umgebungstemperatur der Leitung darf im Regelfall + 55 °C nicht überschreiten, dies ist insbesondere bei der Installation in Heizungskanälen oder -schächten und Dachräumen zu beachten.

Zu Ausschöpfung aller Empfangsmöglichkeiten über

- terrestrische Antenne,
- Satellitenantenne und
- Breitband-Kommunikationseinspeisung

sind mindestens 2 Leerrohre zwischen oberstem Geschoss (Dachgeschoss) und unterstem Geschoss (Kellergeschoss) mit einem Innendurchmesser von je mindestens 32 mm vorzusehen, für die Wohnungszuführung solche mit mindestens 25 mm.

Vom zentralen Verteilpunkt sind Stern- (siehe Bild 2) bzw. Etagensternnetze (siehe Bilder 3 und 4) auszuführen. Die hierfür erforderlichen Leerrohre und gegebenenfalls Installationsdosen sind vorzusehen. Für Gebäude mit mehr als 8 Wohneinheiten ist die Verteilung über Etagensternnetze vorzunehmen.

Verteiler, Abzweiger und Verstärker des Hausverteilnetzes sind in allgemein zugänglichen Räumen, z. B. Fluren, Kellergängen, Treppenräumen (ausgenommen Sicherheitstreppenräume) anzuordnen.

Die Verteilung innerhalb einer Wohnung beginnt mit dem Wohnungsübergabepunkt (WÜP), in den vom Hausverteilnetz eingespeist wird.

Die Verteilung vom Wohnungsübergabepunkt (WÜP) zu den einzelnen Antennensteckdosen in den Räumen der Wohnung erfolgt über ein Leerrohrsystem.

Für die Montage von Antennensteckdosen sind 60 mm tiefe Unterputz-Geräte-Verbindungsdosen zu verwenden.

8 Fundamenterder

Bei jedem Neubau ist ein Fundamenterder nach DIN 18014 vorzusehen.

9 Potentialausgleich

Zur Vermeidung Gefahr bringender Potentialunterschiede sind folgende Anlagenteile durch Potentialausgleichsleiter nach DIN VDE 0100-410 (VDE 0100-410) und DIN VDE 0100-540 (VDE 0100-540) über die Haupterdungsschiene (Potentialausgleichsschiene) zu verbinden, z. B.:

- elektrisch leitfähige Rohrleitungen,
- andere leitfähige Bauteile,
- Schutzleiter.

Die Haupterdungsschiene (Potentialausgleichsschiene) ist im Hausanschlussraum bzw. in der Nähe der Hausanschlüsse vorzusehen.

Darüber hinaus sind die Bestimmungen über den örtlichen Potentialausgleich in Räumen mit Badewanne oder Dusche und für Becken in Schwimmbädern und andere Becken zu berücksichtigen (DIN VDE 0100-701 (VDE 0100-701) und DIN VDE 0100-702 (VDE 0100-702)).

10 Blitzschutzanlagen und Überspannungsschutz

10.1 Allgemeines

Maßnahmen zum Äußeren und Inneren Blitzschutz und Überspannungsschutz dienen dem vorbeugenden Brand-, Personen- und Sachschutz. Sofern eine Blitzschutzanlage gefordert wird, gilt für die Planung und Ausführung DIN EN 62305-x (VDE 0185-305-x). Die Notwendigkeit von Blitzschutzanlagen resultiert aus folgenden Punkten:

– Landesbauordnung und nutzungsbedingte Verordnungen
– Risikoanalyse nach DIN EN 62305-2 (VDE 0185-305-2)
– Anforderungen des Versicherers (VdS- Merkblatt 2010)

10.2 Äußerer Blitzschutz

Der äußere Blitzschutz schützt Wohngebäude, bei denen nach Lage, Bauart oder Nutzung Blitzeinschlag leicht eintreten oder zu schweren Folgen führen kann. Der äußere Blitzschutz besteht aus Fangeinrichtungen, Ableitungen und Erdungsanlage. Bei der Installation ist der Trennungsabstand zwischen elektrisch leitenden Teilen und der Blitzschutzanlage nach DIN EN 62305-3 (VDE 0185-305-3) zu beachten.

Wird der Fundamenterder als Blitzschutzerder verwendet, sind die dafür erforderlichen Anschlusspunkte an der Gebäudeaußenseite vorzusehen. Sie müssen korrosionsfest ausgeführt werden (Materialien im Bereichdes Übergangs Beton zu Erdreich z. B. aus nichtrostendem Stahl, Werkstoffnummer 1.4571).

Ableitungen dürfen nach DIN EN 62305-3 (VDE 0185-305-3) auch in der Wand angeordnet werden. Der Korrosionsschutz muss beachtet werden. Bei Stahlskelett- und Stahlbetonbauten sind die Ableitungen vorzugsweise unter Einbeziehung der Armierung in der Wand/in Säulen zu führen. Über Anschlusspunkte (Erdungsfestpunkte oder Anschlussfahnen) ist ein Anschluss zur Fangeinrichtung herzustellen.

10.3 Innerer Blitzschutz und Überspannungsschutz

10.3.1 Allgemeines

Der innere Blitzschutz verhindert die Beschädigung technischer Einrichtungen im Gebäude. Er besteht aus dem Blitzschutzpotentialausgleich und dem Überspannungsschutz. Er ist sowohl für die Energie- als auch Informationstechnik vorzusehen.

Für den Einsatz und die Auswahl von Überspannungs-Schutzeinrichtungen ist DIN V VDE V 0100-534 (VDE V 0100-534) und DIN EN 62305-4 (VDE 0185-305-4) zu berücksichtigen.

10.3.2 Blitzschutz-Potentialausgleich

Der Blitzschutz-Potentialausgleich ist nach DIN EN 62305-3 (VDE 0185-305-3) durchzuführen. Alle elektrisch leitenden Teile sind am Gebäudeeintritt mit der Haupterdungsschiene (siehe Abschnitt 9) zu verbinden. Bei energie- und informationstechnischen Sys-

D

temen wird dies in der Regel durch Einsatz von Blitzstrom-Ableitern erreicht (Ableiter Typ 1 für die Energietechnik und Typ D1 für die Informationstechnik nach DIN EN 61643-11 (VDE 0675-6-11) und DIN EN 61643-21 (VDE 0845-3-1)).

ANMERKUNG 1 Für den Einsatz von Blitzstrom-Ableitern in Hauptstromversorgungssystemen ist die VDEW Überspannungsschutzeinrichtungen „Überspannungs-Schutzeinrichtungen Typ 1 — Richtlinie für den Einsatz von Überspannungs-Schutzeinrichtungen (ÜSE) Typ 1 (bisher Anforderungsklasse B) in Hauptstromversorgungssystemen" [3] zu berücksichtigen.

ANMERKUNG 2 Der Einsatz von Blitzstrom-Ableitern ist auch bei Gebäuden ohne äußeren Blitzschutz zu empfehlen, wenn Dachantennen installiert sind, die Einspeisungen oberirdisch erfolgen oder bei Gebäuden, in deren unmittelbarer Nähe Gebäude die vorgenannten Bedingungen erfüllen.

10.3.3 Überspannungsschutz

Der Überspannungsschutz dient dem Schutz von elektrischen/elektronischen Endgeräten gegen schädlicheÜberspannungen durch Schalthandlungen und ferne Blitzeinschläge. Der Überspannungsschutz wirkt unabhängig von Blitzschutzmaßnahmen. Er wird erreicht durch den Einsatz von Überspannungsableitern in Verteilungen (Ableiter Typ 2 für die Energietechnik und Typ C2 für die Informationstechnik nach DIN EN 61643-11 (VDE 0675-6-11) und DIN EN 61643-21 (VDE 0845-3-1)).

Können in den Zuleitungen der Endgeräte weitere Überspannungen eingekoppelt werden (z.B. Leitungslänge > 5 m, Parallelverlegung von Stark- und Schwachstromleitungen), dann sind weitere Überspannungsableiter Typ 3 für die Energietechnik und Typ C1 für die Informationstechnik nach DIN EN 61643-11 (VDE 0675-6-11) und DIN EN 61643-21 (VDE 0845-3-1) notwendig. Diese sind so nah als möglich vor den Endgeräten einzubauen.

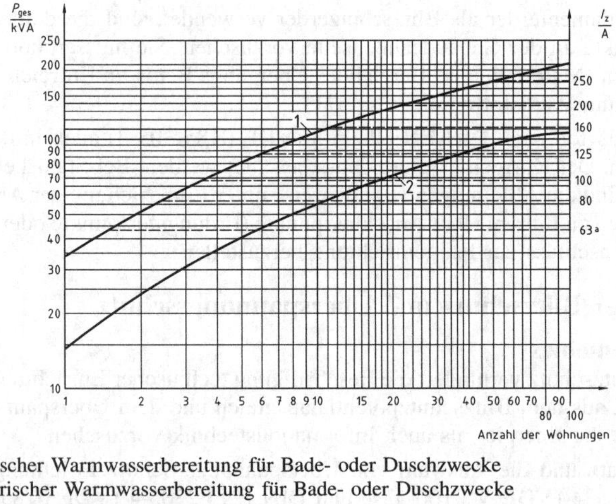

Legende

1 mit elektrischer Warmwasserbereitung für Bade- oder Duschzwecke

2 ohne elektrischer Warmwasserbereitung für Bade- oder Duschzwecke

I_Z mindestens erforderliche Strombelastbarkeit,

– – – geeignete Bemessungsströme von zugeordneten Überstromschutzeinrichtungen

P_{ges} Leistung, die sich aus der erforderlichen Strombelastbarkeit und der Nennspannung ergibt

a Mindestabsicherung zur Sicherstellung der Selektivität bei Schmelzsicherungen

Bild 1. Bemessungsgrundlage für Hauptleitungen in Wohngebäuden ohne Elektroheizung, Nennspannung 230/400 V

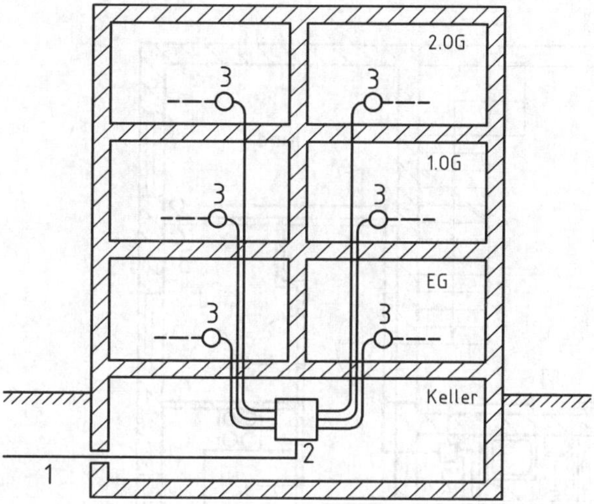

Legende
1 Außenkabel
2 Verteiler
3 Geräte-Verbindungsdose für 1.TAE bzw. Wohnungsübergabepunkt (WÜP)

Bild 2. Beispiel für ein Rohrnetz als Sternnetz (senkrechter Schnitt durch ein Gebäude)

D

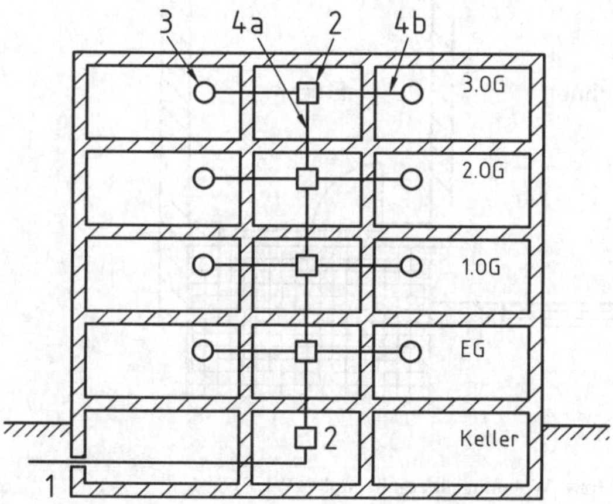

Legende
1 Außenkabel
2 Verteiler
3 Geräte-Verbindungsdose für 1. TAE bzw. Wohnungsübergabepunkt (WÜP)
4a Installationsrohr ∅ mind. 32 mm
4b Installationsrohr ∅ mind. 25 mm

Bild 3. Beispiel für ein Rohrnetz als Etagensternnetz (senkrechter Schnitt durch ein Gebäude)

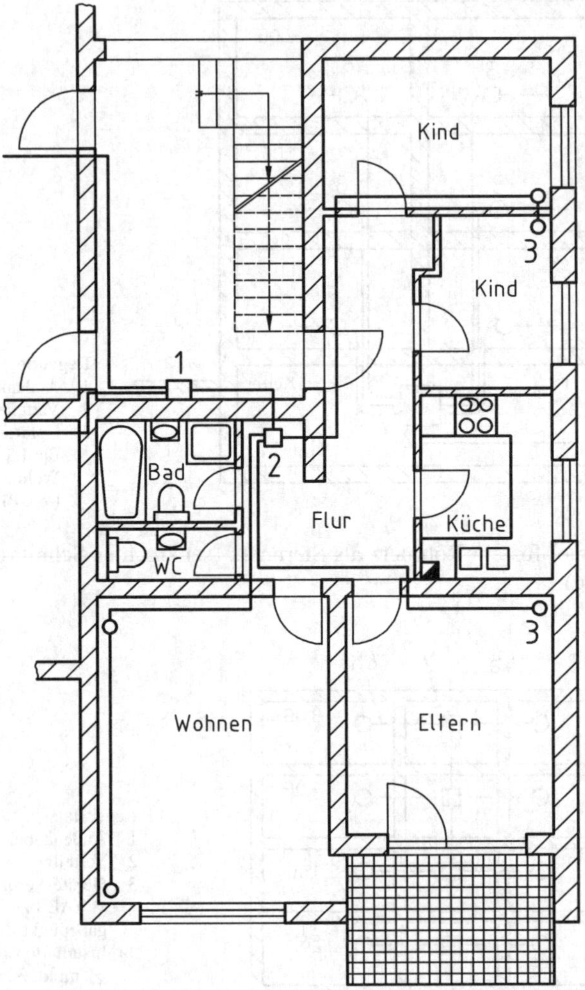

Legende

1 Verteiler
2 Geräte-Verbindungsdose für 1. TAE bzw. Wohnungsübergabepunkt (WÜP)
3 Geräte-Verbindungsdose

Bild 4. Beispiel für ein Rohrnetz als Etagensternnetz (Grundriss)

Literaturhinweise (*nicht abgedruckt*)

Elektrische Anlagen in Wohngebäuden

Art und Umfang der Mindestausstattung

Auszug aus DIN 18015-2 (11.2010)

(Ersatz für DIN 18015-2 (08.2004)

Inhalt

D

1 Anwendungsbereich

Diese Norm ist anzuwenden für die Art und den Umfang der Mindestausstattung elektrischer Anlagen in Wohngebäuden (z. B. Mehrfamilienhäuser, Reihenhäuser, Einfamilienhäuser), ausgenommen die Ausstattung der technischen Betriebsräume und der betriebstechnischen Anlagen.

Sie ist auch anzuwenden für solche Anlagen, die mit Gebäudesystemtechnik ausgerüstet sind.

ANMERKUNG Aussagen zum Ausstattungsumfang von Anlagen der Gebäudesystemtechnik sind in DIN 18015-4 enthalten.

Sie trifft keine Festlegungen bezüglich der Übertragungstechnologien für Informations- und Kommunikationsanwendungen.

2 Normative Verweisungen (nicht abgedruckt)

3 Begriffe

Für die Anwendung dieses Dokuments gelten die Begriffe nach DIN VDE 0100-200 und die folgenden Begriffe.

3.1 elektrische Anlagen in Wohngebäuden

zu den elektrischen Anlagen in Wohngebäuden zählen nach DIN 18015-1:2007-09

- Starkstromanlagen mit Nennspannungen bis 1000 V,
- Telekommunikationsanlagen, Hauskommunikationsanlagen sowie sonstige Melde- und Informationsverarbeitungsanlagen,
- Verteilanlagen für Radio und Fernsehen sowie für interaktive Dienste mit oder ohne Anschluss an ein allgemein zugängliches Netz eines Netzbetreibers,
- Fundamenterder und Potentialausgleich,
- Blitzschutzanlagen und Überspannungsschutz,

sowie

- Anlagen der Gebäudesystemtechnik

3.2 Starkstromanlage

elektrische Anlage mit Betriebsmitteln zum Erzeugen, Umwandeln, Speichern, Fortleiten, Verteilen und Verbrauchen elektrischer Energie mit dem Zweck des Verrichtens von Arbeit — z. B. in Form von mechanischer Arbeit, zur Wärme- und Lichterzeugung oder bei elektrochemischen Vorgängen

ANMERKUNG Starkstromanlagen können gegen elektrische Anlagen anderer Art nicht immer eindeutig abgegrenzt werden. Die Werte von Spannung, Strom und Leistung sind dabei allein keine ausreichenden Unterscheidungsmerkmale.

3.3 Starkstromleitung

Kabel und/oder Leitungen zur Energieversorgung von elektrischen Verbrauchs- und Betriebsmitteln

3.4 Kundenanlage

elektrische Anlage hinter den Übergabepunkten von vorgelagerten Verteilungsnetzen

3.5 Mehrraumwohnung

Wohnung mit mehr als einem Raum für die Nutzungsbereiche Wohnen, Schlafen oder Essen.

ANMERKUNG Küche, Bad, Toilette, Diele, Keller, Speicher oder Abstellraum fallen nicht darunter.

3.6 Stromkreis

Gesamtheit der elektrischen Betriebsmittel einer Anlage, die von demselben Speisepunkt versorgt und durch dieselbe(n) Überstrom-Schutzeinrichtung(en) geschützt wird

3.7 Stromkreisverteiler

Betriebsmittel zur Verteilung der zugeführten Energie auf mehrere Stromkreise, das zur Aufnahme von Einrichtungen zum Schutz bei Überstrom, bei Überspannung und zum Schutz gegen elektrischen Schlag sowie zum Trennen, Schalten, Messen und Überwachen geeignet ist

ANMERKUNG Stromkreisverteiler werden auch als Installationskleinverteiler bezeichnet.

D

3.8 Überspannungs-Schutzeinrichtung

Gerät, das dazu bestimmt ist, transiente Überspannungen zu begrenzen und Stoßströme abzuleiten

3.9 Fehlerstrom-Schutzschalter

Betriebsmittel zum Schutz gegen elektrischen Schlag und zum Brandschutz

3.10 Anschluss

Einrichtung zum festen Anschluss von elektrischen Verbrauchsgeräten, z. B. für Wandleuchten (meist ohne Anschlussdose)

3.11 Gebäudesystemtechnik

elektrische Systemtechnik für Heim und Gebäude nach DIN EN 50090-5-1

3.12 Binary Unit System

BUS

Technik zur Kommunikation zwischen zwei oder mehreren Einrichtungen mit Schnittstellen für die Datenübertragung

3.13 Geräte-Verbindungsdose

Auf- oder Unterputzdose, die außer zur Aufnahme der Schalter und Steckdosen auch zum Verbinden der Leiter dient

3.14 Hauskommunikationsanlage

Anlage zur Kommunikation innerhalb des Gebäudes/der Wohnung mit Klingelanlage, Türöffneranlage, Sprechanlage mit oder ohne Bildübertragung

3.15 Telekommunikationsanlage

Gesamtheit der telekommunikationstechnischen Einrichtungen in der Kundenanlage

3.16 Telekommunikations-Anschluss-Einheit

TAE

Anschluss-Einheit nach DIN 41715-1 für TK-Endgeräte

3.17 Universal-Anschluss-Einheit

UAE

Anschluss-Einheit für TK-Endgeräte nach dem RJ-Standard

3.18 ISDN-Anschluss-Einheit

IAE

Anschluss-Einheit mit RJ45-Buchsen für Endgeräte am S_0-Bus in ISDN-Installationen

3.19 Abschlusspunkt Liniennetz

APL

Abschlusspunkt des Zugangsnetzes

3.20 Wohnungsübergabepunkt

WÜP

Schnittstelle zwischen dem hausinternen Breitbandkabelnetz und der nachgeschalteten Verteilanlage einer Wohnung

3.21 Endleitungsnetz

Teil der Kundenanlage, die am Abschlusspunkt Liniennetz (APL) beginnt und an der Telekommunikationsabschlusseinrichtung (z. B. 1. TAE) endet

3.22 interaktive Dienste

bidirektionaler Datenaustausch zwischen einem Dienstanbieter und einem Teilnehmer, wie z. B. DSL.

3.23 Rundfunk- und Kommunikationstechnik

RuK

Technik zur gemeinsamen Nutzung von Radio,- TV- und Kommunikationsanwendungen

3.24 Informations- und Kommunikationstechnik

IuK

Technik zur gemeinsamen Nutzung von Informations- und Kommunikationsanwendungen

3.25 Internet Protocol Television IPTV

Internet-Übertragung von Fernsehprogrammen und Filmen

ANMERKUNG IPTV ist weder ein Standard noch ein Konzept und damit nur ein Gattungsbegriff, der in sehr vielen unterschiedlichen Ausprägungen anzutreffen ist.

4 Starkstromanlagen und Gebäudesystemtechnik

4.1 Stromkreise, Steckdosen, Anschlüsse und Schaltstellen

Die in dieser Norm festgelegte Anzahl der

- Stromkreise (siehe Tabelle 1),
- Steckdosen, Anschlüsse für z. B. Beleuchtung und Lüfter und Anschlüsse für Verbrauchsmittel mit eigenem Stromkreis (siehe Tabelle 2)

stellen die erforderliche Mindestausstattung dar.

Wird eine darüber hinausgehende Anzahl von Steckdosen, Auslässen und Anschlüssen vorgesehen, muss gegebenenfalls auch die Anzahl der Stromkreise nach Tabelle 1 angemessen erhöht werden.

Bei den Anschlüssen ist festzulegen, ob sie schaltbar eingerichtet werden sollen. Soweit die Schaltbarkeit bestimmt wird, muss auch die Lage (der Anbringungsort) der Schalter festgelegt werden.

Für den Anschluss von Beleuchtungseinrichtungen für Arbeitsflächen in Küchen Kochnischen und Hausarbeitsräumen sind Anschlussstellen derart vorzusehen, dass eine möglichst schatten- und blendfreie Beleuchtung erreicht wird. Sofern Jalousien, Rollläden, Türen und Tore motorisch angetrieben werden sollen, sind die dafür erforderlichen Anschlüsse zusätzlich zu der in Tabelle 2 aufgeführten Anzahl vorzusehen.

Das Schalten und Steuern – z. B. von Beleuchtungsanlagen, Heizungs- und Lüftungsanlagen, von motorischen Antrieben für Jalousien, Rollläden, Türen und Tore – kann auch über Fernbedienungen sowie Gebäudesystemtechnik erfolgen.

4.2 Beleuchtung von Gemeinschaftsräumen und -bereichen

Zugangswege sowie Gebäudeeingangstüren einschließlich der Klingeltaster und der Stufen im Zugangs- und Eingangsbereich sind ausreichend zu beleuchten. Sofern bei Dunkelheit die Beleuchtung nicht ständig sichergestellt ist, sind Einrichtungen wie Dämmerungsschalter, Bewegungsmelder oder vergleichbare automatische Schalteinrichtungen vorzusehen.

ANMERKUNG Zur Berücksichtigung der Anforderungen an barrierefreie Nutzung, siehe DIN 18040-1 und DIN 18040-2

In allgemein zugänglichen Bereichen, wie Treppenräumen, Treppenvorräumen, Fluren und Laubengängen sowie Aufzugsvorräumen von Mehrfamilienhäusern sind Beleuchtungsanlagen vorzusehen. Das Schalten der Beleuchtung kann von Hand oder automatisch, z. B. über Bewegungsmelder, erfolgen. Sofern das Schalten von Hand erfolgt, müssen Schalter und Taster mit eingebautem Leuchtmittel verwendet werden.

D

Bei Beleuchtung mit einstellbarer Abschaltautomatik ist zur Vermeidung plötzlicher Dunkelheit die Abschaltautomatik mit einer Warnfunktion, z. B. Abdimmen, auszustatten.

4.3 Sicherung gegen unbefugte Benutzung und Manipulation

Allgemein zugängliche Anlagen und die im Freien zugänglichen Steckdosen sind gegen unbefugte Benutzung und Manipulation zu sichern.

ANMERKUNG Dieses kann z. B. erreicht werden durch allpoliges Abschalten.

4.4 Leitungsführung und Anordnung von Steckdosen, Anschlüssen und Schaltstellen

Für die Leitungsführung und die Anordnung von Steckdosen, Anschlüssen und Schaltstellen ist DIN 18015-3 anzuwenden.

4.5 Ausstattung

4.5.1 Stromkreise

Die erforderliche Anzahl der Stromkreise für Steckdosen und Beleuchtung richtet sich nach Tabelle 1.

Für Gemeinschaftsräume und -bereiche sind die erforderlichen Stromkreise zusätzlich zu der in Tabelle 1 aufgeführten Anzahl vorzusehen.

Für alle in der Planung vorgesehenen besonderen Verbrauchsmittel ist nach Tabelle 2 ein eigener Stromkreis anzuordnen, auch wenn sie über Steckdosen angeschlossen werden.

In Räumen für besondere Nutzung, z. B. Hobbyräumen, sind zweckmäßigerweise für Steckdosen und Beleuchtung getrennte Stromkreise vorzusehen.

Den Wohnungen zugeordnete Keller- und Bodenräume erhalten Stromkreise zusätzlich zu der in Tabelle 1 aufgeführten Anzahl. Sofern in Mehrfamilienhäusern der Standort für Waschmaschine und Wäschetrockner außerhalb der Wohnung vorgesehen ist, sind für diese Geräte separate Stromkreise zusätzlich zu Tabelle 2 einzuplanen.

In Stromkreisverteilern sind Reserveplätze vorzusehen. Bei Einraumwohnungen sind dazu mindestens dreireihige Stromkreisverteiler, bei Mehrraumwohnungen mindestens vierreihige Stromkreisverteiler zu installieren.

Weiterer Platzbedarf für die Aufnahme von Geräten ist zu planen, wenn Anwendungen wie

- Gebäudesystemtechnik
- Überspannungsschutz
- Kommunikationstechnik

zum Einsatz kommen.

Beispiele für den Einbau von Komponenten der Energietechnik, Gebäudesystemtechnik und Kommunikationstechnik zeigt Anhang B.

Bei mehrgeschossigen Wohnungen sind die notwendigen Schutz- und Schaltgeräte in mehreren Stromkreisverteilern, die in den jeweiligen Stockwerken angeordnet werden, unterzubringen.

ANMERKUNG 1 In Einfamilienhäusern kann nach DIN VDE 0603-1 einer dieser Stromkreisverteiler auch in gemeinsamer Umhüllung mit Zählerplätzen nach DIN 43870-1 angeordnet werden.

Die Zuordnung von Fehlerstrom-Schutzschaltern zu den Stromkreisen ist so vorzunehmen, dass das Abschalten eines Fehlerstrom-Schutzschalters nicht zum Ausfall aller Stromkreise führt. Ausgenommen sind selektive Fehlerstrom-Schutzschalter, die nachfolgenden Fehlerstrom-Schutzschaltern vorgeschaltet sind.

ANMERKUNG 2 Nach DIN VDE 0100-410 wird der zusätzliche Schutz von Steckdosen geregelt. Für den Anwendungsbereich dieser Norm bedeutet das, dass einer Steckdose eine Fehlerstrom-Schutzeinrichtung (RCD) mit einem Bemessungsfehlerstrom von nicht mehr als 30 mA vorgeschaltet wird.

Bedingt durch Ableitströme, die sich im normalen (fehlerfreien) Betrieb ergeben (Leitungskapazitäten, angeschlossene Verbrauchsgeräte) dürfen diese Schutzeinrichtungen nur insoweit vorbelastet werden, dass ein sicherer Betrieb der geschützten Stromkreise möglich ist. Dieses wird erreicht durch eine Aufteilung der Stromkreise auf mehrere Schutzeinrichtungen und durch die Auswahl von geeigneten Ausführungsformen der Fehlerstrom-Schutzeinrichtungen.

Tabelle 1 – Anzahl der Stromkreise für Steckdosen und Beleuchtung

Wohnfläche der Wohnung m^2	Anzahl der Stromkreise für Steckdosen und Beleuchtung mindestens
bis 50	3
über 50 bis 75	4
über 75 bis 100	5
über 100 bis 125	6
über 125	7
Weitere Stromkreise für den Anschluss besonderer Verbrauchsmittel sind zusätzlich vorzusehen.	

4.5.2 Steckdosen, Anschlüsse und Schaltstellen

Die erforderliche Anzahl der Steckdosen, Anschlüsse für z. B. Beleuchtung und Lüfter und Anschlüsse für Verbrauchsmittel richtet sich nach Tabelle 2. Sofern dort nichts anderes angegeben ist, sind die Anschlüsse für Leuchten bestimmt (Beleuchtungsanschlüsse).

Die Anschlüsse für besondere Verbrauchsmittel nach Tabelle 2 sind in den Planungsunterlagen einzutragen. Es wird empfohlen, diese Anschlüsse auch bei der Errichtung der Anlage zu kennzeichnen.

Steckdosen, Anschlüsse und Schaltstellen sind in nutzungsgerechter räumlicher Verteilung anzuordnen. Dabei ist jedem Raumzugang eine Schaltstelle zuzuordnen. Bei Räumen mit mehr als einem Zugang muss mindestens ein Beleuchtungsanschluss von jedem Zugang geschaltet werden können. Bei Geschosstreppen innerhalb einer

Wohnung ist die Schaltmöglichkeit für mindestens einen Beleuchtungsanschluss, der für die Beleuchtung dieser Treppe vorgesehen ist, von jedem Geschoss aus vorzusehen.

Für jeden Bettplatz ist eine Schaltstelle für mindestens einen Beleuchtungsanschluss vorzusehen.

In Tabelle 2 nicht aufgeführte Gemeinschaftsräume von Mehrfamilien-Wohnhäusern, z. B. Treppenräume, sowie Garagen sind nach den Erfordernissen der Zweckmäßigkeit auszustatten.

Tabelle 2 – Anzahl der Steckdosen, Auslässe und Anschlüsse

	Küche[ab]	Kochnische[b]	Bad	WC-Raum	Hausarbeitsraum[b]	Wohnzimmer[a]		Esszimmer	je Schlaf-, Kinder-, Gäste-, Arbeitszimmer, Büro[b]		Flur		Freisitz	Abstellraum	Hobbyraum	Zur Wohnung gehörender Keller-/Bodenraum, Garage	Keller-/Bodengang
						bis 20 m²	über 20 m²		bis 20 m²	über 20 m²	bis 3 m	über 3[m]					je 6 m Ganglänge
Anzahl der Steckdosen, Beleuchtungs- und Kommunikationsanschlüsse																	
Steckdosen allgemein	5	3	2[e]	1	3	4	5	3	4	5	1	1	1	1	3	1	1
Beleuchtungsanschlüsse	2	1	2	1	1	2	3	1	1	2	1	2[g]	1	1	1	1	1
Telefon-/Datenanschluss (IuK)						1		1	1		1						
Steckdosen für Telefon/Daten						1		1	1		1						
Radio-/TV-/Datenanschluss (RuK)	1					2		1	1								
Steckdosen für Radio/TV/Daten	3					6		3	3								
Kühlgerät, Gefriergerät	2	1															
Dunstabzug	1	1															
Anschluss für Lüfter[c]			1	1													

Fortsetzung siehe nächste Seite.

Tabelle 2 (Fortsetzung)

	Küche[ab]	Kochnische[b]	Bad	WC-Raum	Hausarbeitsraum[b]	Wohnzimmer[a] bis 20 m²	Wohnzimmer[a] über 20 m²	Esszimmer	je Schlaf-, Kinder-, Gäste-, Arbeitszimmer, Büro[b] bis 20 m²	je Schlaf-, Kinder-, Gäste-, Arbeitszimmer, Büro[b] über 20 m²	Flur bis 3 m	Flur über 3[m]	Freisitz	Abstellraum	Hobbyraum	Zur Wohnung gehörender Keller-/Bodenraum, Garage	Keller-/Bodengang je 6 m Ganglänge
Anschlüsse für besondere Verbrauchsmittel mit eigenem Stromkreis																	
Elektroherd (3 × 230 V)	1	1															
Mikrowellengerät	1	1															
Geschirrspülmaschine	1	1															
Waschmaschine[f]	1		1		1											1	
Wäschetrockner[f]	1		1		1											1	
Bügelstation, Dampfbügelstation					1												
Warmwassergerät[d]	1	1	1	1													
Heizgerät[d]			1														

[a] In Räumen mit Essecke ist die Anzahl der Anschlüsse und Steckdosen um jeweils 1 zu erhöhen.
[b] Die den Bettplätzen und den Arbeitsflächen von Küchen, Kochnischen und Hausarbeitsräumen zugeordneten Steckdosen sind mindestens als Zweifach-Steckdose vorzusehen. Sie zählen jedoch in der Tabelle als jeweils nur eine Steckdose.
[c] Sofern eine Einzellüftung vorgesehen ist. Bei fensterlosen Bädern oder WC-Räumen ist die Schaltung über die Allgemeinbeleuchtung mit Nachlauf vorzusehen.
[d] Sofern die Heizung/Warmwasserversorgung nicht auf andere Weise erfolgt.
[e] Davon ist eine Steckdose in Kombination mit der Waschtischleuchte zulässig.
[f] In einer Wohnung nur jeweils einmal erforderlich.
[g] Von mindestens zwei Stellen schaltbar.

4.5.3 Gebäudesystemtechnik

Bei der konventionellen Elektroinstallation sind für Steuerung und Regelung von Verbrauchsgeräten neben den Versorgungsleitungen jeweils eigene Steuerleitungen für jede einzelne Funktion erforderlich.

Bei Einsatz der Gebäudesystemtechnik erfolgt die Steuerung und Regelung über BUS-Leitungen und BUS-Komponenten. Durch die BUS-Vernetzung dieser Komponenten ist eine Mehrfachnutzung von erfassten Zuständen möglich. Bei Nutzungsän-

D

derungen und Erweiterungen muss die bestehende Verdrahtung nicht geändert werden, es erfolgt lediglich eine Umparametrierung.

Die „Elektrische Systemtechnik für Heim und Gebäude" nach DIN EN 50090-5-1, DIN EN 50090-5-2 und DIN EN 50090-5-3 (kurz: Gebäudesystemtechnik) beschreiben die Vernetzung von Systemkomponenten und Teilnehmern zu einem auf die Elektroinstallation abgestimmten System, das Funktionen und Abläufe sowie deren Gewerke übergreifende Verknüpfung in einem Gebäude sicherstellt. Die wesentlichen Funktionen dabei sind:

- Bedienen,
- Anzeigen / Melden,
- Überwachen.

Bei der Gebäudesystemtechnik ist neben der Übertragung von Energie auch die Übertragung von Information erforderlich. Die Informationsübertragung kann dabei über unterschiedliche Übertragungswege erfolgen, z. B.

- separate Leitungen,
- drahtlos (z. B. Funk),
- Starkstromleitungen.

Bei einem Einsatz von Gebäudesystemtechnik sind bei der Planung der elektrischen Anlage die erforderlichen Maßnahmen zu berücksichtigen. Hierzu gehören:

- in Abhängigkeit vom Übertragungsweg die Installation von separaten Leitungen zu den Aktoren und Sensoren für die Informationsübertragung,
- die Installation von Starkstromleitungen zu den jeweiligen Aktoren und ggf. Sensoren,
- die Auswahl von Installationskomponenten (Gerätedosen. Geräte-Verbindungsdosen. Gehäuse für Installationsgeräte, Stromkreisverteiler, usw.) unter Berücksichtigung des zusätzlichen Platzbedarfs.

ANMERKUNG Hinweise für die Planung und Ausführung von Gebäudesystemtechnik enthält DIN 18015-4.

4.5.4 Energieeffizienz

Zur Steigerung der Energieeffizienz werden vielfach besondere Maßnahmen in der technischen Ausrüstung von Gebäuden notwendig. Dazu muss auch die Elektroinstallation entsprechend geplant und ausgeführt werden.

Außerdem sind bei der Ausführung der Elektroinstallation gezielte Maßnahmen bezüglich Lüftungs- und Transmissions-Wärmeverlusten zu ergreifen.

Möglichkeiten zur Steigerung der Energieeffizienz sind im Anhang A beschrieben.

4.5.5 Überspannungsschutz

Ein Überspannungsschutz ist erforderlich, wenn empfindliche elektronische Geräte zur Anwendung kommen und die Bedrohung durch ferne Blitzeinschläge und/oder Überspannungen durch Schalthandlungen gegeben sind. Ob diese Gefährdung vorliegt, kann durch eine vereinfachte Risikoanalyse nach DIN VDE 0100-443, normativer Anhang B, ermittelt werden. Bei vielen Gebäuden führt die Berechnung nach DIN VDE 0100-443 zu dem Ergebnis, dass ein Überspannungsschutz erforderlich ist. Berücksichtigt man weiterhin, dass viele elektronische Verbrauchsmittel nur der Überspannungskategorie I nach DIN VDE 0100-443 entsprechen, ergibt sich in vielen Fällen die Notwendigkeit, Überspannungsschutzeinrichtungen vom Typ 2 bzw. Typ 3 in der Energieversorgung einzubauen.

ANMERKUNG 1 Überspannungsschutzeinrichtungen vom Typ 2 werden in der Regel in Stromkreisverteilern, solche vom Typ 3 möglichst direkt vor den Verbrauchsmitteln installiert.

Bei Einsatz von elektronischen Geräten mit mehreren Anschlüssen, z. B. für Energieversorgung und Informationstechnik (Radio- und Fernsehgeräte, Telekommunikations- und informationstechnische Endgeräte), ist dabei jeder Anschluss separat zu schützen.

ANMERKUNG 2 Dies kann durch den Einbau von Überspannungsschutz-Einzelkomponenten oder Überspannungsschutz-Kombigeräten erreicht werden.

Weitere Empfehlungen zum Blitzschutz von Gebäuden und zu Überspannungsschutzmaßnahmen sind in DIN 18015-1 beschrieben.

5 Kommunikationsanlagen

5.1 Hauskommunikationsanlagen

Für jede Wohnung ist eine Klingelanlage, für Gebäude mit mehr als zwei Wohnungen ist ferner eine Türöffneranlage in Verbindung mit einer mithörgesperrten Türsprechanlage, gegebenenfalls mit Bildübertragung, vorzusehen.

ANMERKUNG Für die Nutzung von Kommunikationsanlagen bei barrierefreiem Bauen ist DIN 18040-1 bzw. DIN 18040-2 zu berücksichtigen.

5.2 Telekommunikationsanlagen

5.2.0 Allgemeines

Unterirdisch und oberirdisch ankommende Außenkabel des Liniennetzes (Zugangsnetzes) enden in einem allgemein zugänglichen Raum (siehe DIN 18012) am Abschlusspunkt (APL).

Das Endleitungsnetz der Telekommunikationsanlage beginnt am APL des Hauses und endet jeweils an der Telekommunikationsabschlusseinrichtung (z. B. 1. TAE) in jeder Wohnung.

Die Telekommunikationsabschlusseinrichtung ist der Übergabepunkt der Hausverteilung (Endleitungsnetz) zur Wohnungsverteilung und ist dem WÜP gemäß Abschnitt 6 benachbart anzuordnen.

ANMERKUNG Siehe T-Com 731 TR 1.

5.2.1 Ausstattung

Vom APL sind zu jeder Telekommunikationsabschlusseinrichtung (1. TAE) mindestens zwei Doppeladern in einem Installationsrohr vorzusehen.

Zu jedem weiteren Anschlusspunkt sind mindestens vier Doppeladern in einem Installationsrohr zu installieren.

D

ANMERKUNG 1 Bei gewerblicher Nutzung von Wohnräumen werden die Anzahl der Adern und die Art der Verlegung gesondert ermittelt.

ANMERKUNG 2 Unter dem Gesichtspunkt der Zukunftssicherheit für neue Dienste mit hohen Datenraten wie IPTV empfiehlt sich eine anwendungsneutrale Verkabelung nach DIN EN 50173-4 und die Verwendung von geschirmten Kommunikationskabeln.

5.2.2 Anschlusseinrichtungen für Endgeräte

In jeder Wohnung ist eine Telekommunikationsabschlusseinrichtung (z. B. 1. TAE) vorzusehen. Die Anzahl der weiteren TAE, UAE, IAE für Telefon/Daten (IuK) ist nach Tabelle 2 zu ermitteln.

Der 1. TAE und jeder weiteren TAE, UAE, IAE ist jeweils mindestens eine Schutzkontakt-Steckdose zuzuordnen.

Allgemeine und die im Freien zugänglichen Telekommunikationsanlagen sind gegen unbefugte Benutzung und Manipulation zu sichern.

TAE, Verteiler und Anschlüsse sind in nutzungsgerechter räumlicher Anordnung vorzusehen. Bei Einsatz neuer Dienste mit hohen Datenraten wie IPTV sind entsprechende Anschlusseinrichtungen zu verwenden.

ANMERKUNG DIN EN 50173-4 enthält entsprechende Spezifikationen.

5.2.3 Leitungsführung, Rohrnetze und Anordnung von Geräte-Verbindungsdosen sowie Verbindungskästen

Für die Leitungsführung und die Anordnung von Installationsrohren, Geräte-Verbindungsdosen sowie Verbindungs- und Verteilerkästen gelten DIN 18015-1 und DIN 18015-3.

ANMERKUNG Für Telekommunikationsanschlüsse sind nach DIN 18015-1 60 mm tiefe Geräte-Verbindungsdosen zu verwenden. Diese ermöglichen die Einhaltung der Biegeradien sowie die Bereitstellung des benötigten Klemmraums.

5.3 Informations- und Kommunikationsanwendungen

Um der Bedeutung des Internets für multimediale Anwendungen (einschließlich Telefonie) gerecht zu werden, kann eine anwendungsneutrale Kommunikationskabelanlage erforderlich sein. Das Zusammenwachsen von Informations- und Kommunikationstechnik (IuK für Telefonie, PC-Vernetzung, Internetzugang) mit der Rundfunk- und Kommunikationstechnik (RuK für Radio, Fernsehen (TV), interaktive Multimediadienste) sowie die zunehmende PC-Vernetzung führt in zunehmendem Maße zur Nutzung geschirmter symmetrischer Kupferkabel.

ANMERKUNG 1 DIN EN 50173-4 trägt dieser Entwicklung Rechnung und legt entsprechende Topologien, Übertragungsklassen mit zugehörigen Parametern und die physikalischen Schnittstellen am Anschluss fest.

ANMERKUNG 2 Für eine zukunftssichere Nutzung der Informations- und Kommunikationsanwendungen wird nach DIN 18015-1 ein sternförmiges Rohrsystem gefordert.

ANMERKUNG 3 Gerätedosen für die Anschlusseinrichtungen von IuK sollten einen entsprechenden Raum für die Einhaltung der Biegeradien sowie die Bereitstellung des benötigten Klemmraums haben (spezielle Großraumdosen).

6 Verteilanlage für Rundfunk sowie für Information und Kommunikation

In jeder Wohnung ist ein Wohnungsübergabepunkt (WÜP) festzulegen.

Der WÜP ist im einfachsten Fall der Übergabepunkt der Hausverteilung zur Wohnungsverteilung und beinhaltet den Ausgangspunkt für das Rohrsystem zur sternförmigen Verkabelung in der Wohnung.

Der WÜP und die 1. TAE-Dose sind benachbart anzuordnen.

Die Mindestanzahl der Anschlusseinrichtungen für Radio/TV/Daten (RuK) ist nach Tabelle 2 zu wählen.

Jeder Anschlusseinrichtung für Radio/TV/Daten (RuK) sind mindestens 3 Schutzkontakt-Steckdosen, ggf. mit einer gemeinsamen Abdeckung, zuzuordnen.

Allgemeine und die im Freien zugänglichen Verteilanlagen sind gegen unbefugte Benutzung und Manipulation zu sichern.

ANMERKUNG 1 Anschlusseinrichtungen für Radio/TV/Daten (RuK) werden auch zum Anschluss elektronischer Überwachungseinrichtungen sowie interaktiver und sonstiger Dienste verwendet.

Für die Leitungsführung und die Anordnung von Geräte-Verbindungsdosen sowie Verbindungs- und Verteilerkästen gelten DIN 18015-1 und DIN 18015-3.

ANMERKUNG 2 Für eine zukunftssichere Nutzung der Anwendungen aus Information und Kommunikation wird nach DIN 18015-1 ein sternförmiges Rohrsystem gefordert.

ANMERKUNG 3 Für Antennensteckdosen sind nach DIN 18015-1 60 mm tiefe Unterputz-Geräte-Verbindungsdosen zu verwenden. Diese ermöglichen die Einhaltung der Biegeradien sowie die Bereitstellung des benötigten Klemmraums.

D

Anhang A (informativ)

Energieeffizienz

Energieeffizienz (Gesamtenergieeffizienz von Gebäuden)

Zur Steigerung der Energieeffizienz werden zusätzliche elektrische Installationen notwendig, die im Folgenden beschrieben werden.

Verbrauchs- und Tarifvisualisierung

Für eine Verbrauchs- und Tarifvisualisierung sind ggf. eigene Leitungsanlagen erforderlich, je nach Art der Signalübertragung zwischen den Verbrauchszählern (z. B. für Strom, Gas, Wasser, Wärme) und einer Visualisierungseinheit in der Wohnung.

Stand-By-Verluste

Zur Abschaltung von Verbrauchsmitteln mit „Stand-by"-Verlusten sollte in allen Räumen wenigstens eine Steckdose im Raum schaltbar ausgeführt werden. Alternativ kann die Möglichkeit der nachträglichen Änderung vorgesehen werden. Dies kann z. B. durch Leitungsinstallation mit Reserveadern oder Installationsrohren erfolgen.

Beleuchtung

In Räumen, die nur gelegentlich genutzt werden, sollte eine automatische Abschaltung der Beleuchtung erfolgen.

Beleuchtungen sollten bedarfsorientiert und Energie sparend gesteuert werden. Hierfür können z. B. Bewegungs- und Präsenzmelder, Dämmerungsschalter sowie Zeitschaltuhren, ggf. sonnenauf- und -untergangsgesteuert, verwendet werden.

Ist eine Orientierungsbeleuchtung gewünscht, sollten Energie sparende Leuchtmittel eingesetzt werden.

Sonnenschutz

Sonnenschutz (Jalousien, Markisen, Rollläden) dient der Vermeidung von Überhitzung der Räume. Durch entsprechende elektrische Steuerung wird eine ständige automatische Anpassung an die Witterungsverhältnisse möglich. Die dafür notwendige Leitungsinstallation wird jeweils vom elektrischen Antrieb zu den zugehörigen Bedien- und Automatisierungskomponenten (z. B. Windsensor, Zeitschaltuhr) für Einzel-, Gruppen- oder Zentralsteuerung vorgesehen.

Heizung

Durch Einzelraumtemperaturregelung ist es möglich, die Temperatur jedes Raumes an die individuelle Nutzung anzupassen. Für elektrisch betätigte Ventilstellantriebe ist zwischen dem Raumtemperaturregler und den Ventilstellantrieben sowie den Fensterkontakten eine Leitungsinstallation vorzusehen. Damit wird den Räumen nur die wirklich benötigte Heizenergie, abhängig von Raumbelegung und Tageszeit, zugeführt.

Wärmepumpenheizungsanlagen erhalten einen eigenen Anschluss. Der Verbrauch der Wärmepumpenheizungsanlagen wird ggf. über einen eigenen Zähler erfasst. Neben der Versorgungsleitung für das Wärmepumpenaggregat werden noch Leitungen zu den Hilfsaggregaten (z. B. Umwälzpumpen) und den Regeleinrichtungen benötigt.

Steuern und Regeln von Verbrauchsmitteln

Zu Anschlüssen von besonderen Verbrauchsmitteln mit eigenem Stromkreis und zu solchen mit hohem Jahresenergieverbrauch kann zusätzlich zur Stromkreisleitung ein Installationsrohr mit geeignetem Durchmesser, z. B. M25, vom Stromkreisverteiler ausgehend in Betracht gezogen werden. Dies ermöglicht jederzeit die Aufnahme von Steuerleitungen für die Einbindung oben genannter Verbrauchsmittel in Maßnahmen zur Steigerung der Energieeffizienz.

Wohnungslüftung mit bzw. ohne Wärmerückgewinnung

Gebäude nach Niedrigenergie-Standard verfügen in der Regel über eine hohe Luftdichtigkeit. Zur Vermeidung von Schwitzwasser, Schimmelbildung usw. können für diese Gebäude Raumlüftungsanlagen mit bzw. ohne Wärmerückgewinnung erforderlich werden. In diesem Fall sind die entsprechenden Leitungsanlagen und Anschlussstellen für den elektrischen Anschluss und die regeltechnischen Einrichtungen vorzusehen

Luftdichte und wärmebrückenfreie Elektroinstallation

Eine luftdichte und wärmebrückenfreie Gebäudehülle (wie z. B. in der EnEV beschrieben) darf durch die Elektroinstallationen nicht unzulässig beeinträchtigt werden. Aus diesem Grund werden bei Installationen an der Gebäudehülle (Innen- und Außenseite) luftdichte Geräte- und Verteilerdosen eingesetzt. Bei erforderlichen Rohrverbindungen vom Rauminneren nach außen (z. B. für den Anschluss von außen liegenden Rollläden, Jalousien etc.) ist auf einen luftdichten Abschluss zu achten. Gleiches gilt für die Durchdringung folienartiger luftdichter Schichten (z. B. Dampfbremsen).

Installation an gedämmten Außenfassaden

Elektroinstallationen an gedämmten Außenfassaden sind derart auszuführen, dass die Dämmwirkung nicht unzulässig beeinträchtigt wird. Dies kann durch den Einsatz dafür geeigneter Gerätedosen und Geräteträger erreicht werden.

Elektrische Anlagen in Wohngebäuden

Leitungsführung und Anordnung der Betriebsmittel

DIN 18 015-3 (09.2007) (Auszug)

(Ersatz für DIN 18 015-3 (04.1999))

Zu diesem Dokument sind Berichtigungen erschienen. Sie sind online recherchier- und kostenfrei bestellbar unter www.beuth.de

Inhalt

3 Begriffe

Auslass

Einrichtung zum festen Anschluss von elektrischen Verbrauchsgeräten, z. B. für Wandleuchten (meist ohne Anschlussdose).

Elektrische Betriebsmittel

alle Gegenstände, die zum Zwecke der Erzeugung, Umwandlung, Übertragung, Verteilung und Anwendung von elektrischer Energie benutzt werden, z. B. Maschinen, Transformatoren, Schaltgeräte, Messgeräte, Schutzeinrichtungen, Kabel und Leitungen, Stromverbrauchsgeräte.

Decke

Rohdecke, horizontales, raumabschließendes und tragendes Bauteil.

(...)

Fußboden

oberste Fläche der Beläge auf der Decke (raumseitige Fläche der Nutzschicht).

4 Leitungsführung

4.1 Allgemeines

Bei der Leitungsführung im Sinne dieser Norm wird grundsätzlich unterschieden zwischen

- Leitungsführung in Installationszonen und
- freier Leitungsführung (siehe 5.1).

Die nach 4.2 bis 4.5 festgelegten Installationszonen sind für die Installation elektrischer Leitungen vorgesehen. Sollen diese Installationszonen auch für Leitungen oder Rohre anderer Gewerke (z. B. Heizung, Sanitär) verwendet werden, ist eine Koordination bereits bei der Planung erforderlich. Dabei sind weitere Bestimmungen, z. B. für die Errichtung elektrischer Anlagen (DIN-VDE-Normen) und Richtlinien des ZVSHK zu berücksichtigen.

4.2 Leitungsführung in Wänden

4.2.1 Anordnung

Für die Anordnung der elektrischen Leitungen in Wänden, z. B.

- in gemauerten und betonierten Wänden,
- in Leichtbauwänden,
- bei Vorwandinstallationen oder
- in Ständerwänden,

werden die in 4.2.2 und 4.2.3 aufgeführten Installationszonen (Z) festgelegt (siehe Bilder 1 und 2).

Von der Leitungsführung in den festgelegten Installationszonen darf in Fertigbauteilen und Leichtbauwändennur abgewichen werden, wenn eine Überdeckung der Leitungen von mindestens 6 cm sichergestellt ist oder die Leitungen in ausreichend großen, unverfüllten Hohlräumen so installiert sind, dass sie gegebenenfalls ausweichen können.

Zur Vermeidung von Schädigungen am Mantel und an der Isolierung von Kabeln und Leitungen in Ständerwänden dürfen diese nicht innerhalb der Metallprofile angeordnet werden. Notwendige Durchführungen durch Metallprofile sind mit geeignetem Kantenschutz zu versehen.

4.2.2 Waagerechte Installationszonen (ZW)

Die waagerechten Installationszonen haben eine Breite von 30 cm.

ZW-o Obere waagerechte Installationszone: von 15 cm bis 45 cm unter der Deckenbekleidung

ZW-u Untere waagerechte Installationszone: von 15 cm bis 45 cm über dem Fußboden

ZW-m Mittlere waagerechte Installationszone: von 100 cm bis 130 cm über dem Fußboden

Die mittlere waagerechte Installationszone (ZW-m) wird nur für Räume festgelegt, in denen Arbeitsflächen vor den Wänden vorgesehen sind, z. B. Küchen, Kochnischen, Hausarbeitsräumen.

4.2.3 Senkrechte Installationszonen (ZS)

Die senkrechten Installationszonen haben eine Breite von 20 cm.

ZS-t Senkrechte Installationszonen an Türen: von 10 cm bis 30 cm neben den Rohbaukanten

ZS-f Senkrechte Installationszonen an Fenstern: von 10 cm bis 30 cm neben den Rohbaukanten

ZS-e Senkrechte Installationszonen an Wandecken: von 10 cm bis 30 cm neben den Rohbauecken

Die senkrechten Installationszonen reichen jeweils von der Unterkante der oberen Decke bis zur Oberkante der unteren Decke.

Für Fenster, zweiflügelige Türen und Wandecken werden die senkrechten Installationszonen beidseitig, für einflügelige Türen jedoch nur an der Schlossseite festgelegt.

ANMERKUNG Bei Räumen mit schrägen Wänden, z. B. in ausgebauten Dachgeschossen, verlaufen die von oben nach unten führenden Installationszonen parallel zu den Bezugskanten. Sie gelten als senkrechte Installationszonen nach 4.2.3, auch wenn sie nicht in jeder Betrachtungsebene senkrecht verlaufen.

Maße in Zentimeter

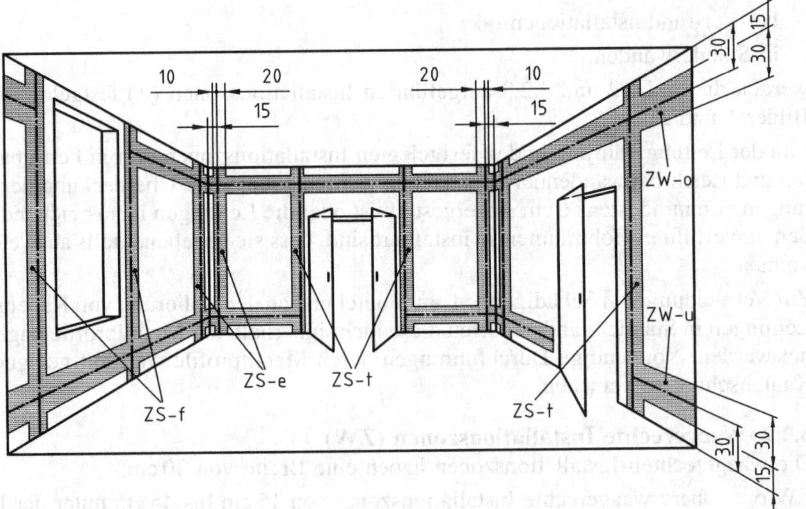

Legende

ZS-t Senkrechte Installationszonen an Türen: von 10 cm bis 30 cm neben den Rohbaukanten
ZS-f Senkrechte Installationszonen an Fenstern: von 10 cm bis 30 cm neben den Rohbaukanten
ZS-e Senkrechte Installationszonen an Wandecken: von 10 cm bis 30 cm neben den Rohbauecken
ZW-u Untere waagerechte Installationszone: von 15 cm bis 45 cm über dem Fußboden
ZW-o Obere waagerechte Installationszone: von 15 cm bis 45 cm unter der Deckenbekleidung

Bild 1. Senkrechte sowie obere und untere waagerechte Installationszonen

Maße in Zentimeter

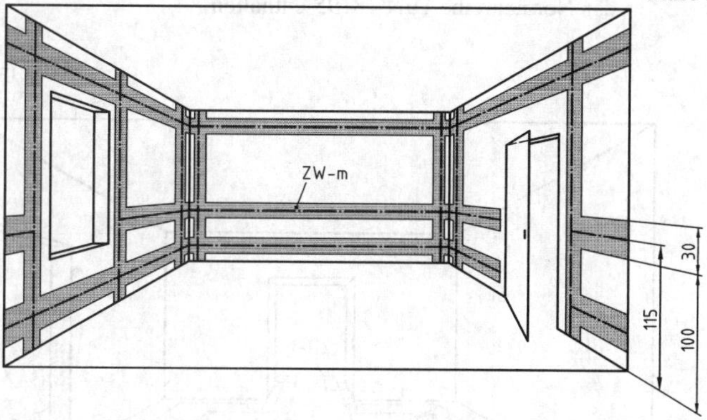

Legende
ZW-m Mittlere waagerechte Installationszone: von 100 cm bis 130 cm über dem Fußboden

Bild 2. Mittlere waagerechte Installationszone

4.3 Leitungsführung auf der Decke

(...)

Um die Stabilität des Estrichs sicherzustellen, sind die nachfolgend festgelegten Mindestwerte für Wandabstände, Zonenbreiten und Zonenabstände wie folgt zu berücksichtigen.

Die Anordnung elektrischer Leitungen auf der Decke erfolgt parallel zu den Wänden.

Mehrere elektrische Leitungen sind grundsätzlich bündig nebeneinander anzuordnen. Mindestabstände nach DIN EN 50174-2 (VDE 0800-174) zu informationstechnischen Leitungen sind zu beachten.

Die Installation von elektrischen Leitungen und Leitungen/Rohre anderer Gewerke ist derart vorzunehmen, dass eine geradlinige, parallele und möglichst kreuzungsfreie Anordnung erreicht wird. Dabei ist immer mindestens eine separate Zone für elektrische Leitungen bereitzustellen.

Schon bei der Planung sollte der Führung von Heizungs- und Wasserleitungen Priorität vor elektrischen Leitungen und Leerrohren eingeräumt werden.

Für die Anordnung von ausschließlich elektrischen Leitungen auf Decken werden folgende Installationszonen (ZD) festgelegt (siehe Bild 3):

ZD-r Installationszone im Raum: mit einer Breite von max. 30 cm mit einem Wandabstand von min. 20 cm

ZD-t Installationszone im Türdurchgang: mit einer Breite von max. 30 cm mit einem Wandabstand von min. 15 cm

Sind mehrere Installationszonen, auch für unterschiedliche Gewerke, nebeneinander erforderlich, ist ein Mindestabstand zwischen den Zonen von 20 cm einzuhalten (siehe Bild 3).

D

ANMERKUNG 3 Anforderungen an eventuell notwendige Bauwerksabdichtungen sind in der Normenreihe DIN 18195 enthalten.

Maße in Zentimeter

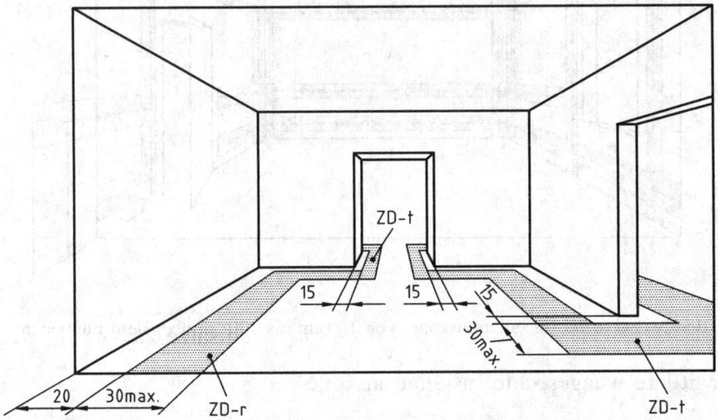

Legende

ZD-r Installationszone im Raum: mit einer Breite von max. 30 cm mit einem Wandabstand von min. 20 cm

ZD-t Installationszone im Türdurchgang: mit einer Breite von max. 30 cm mit einem Wandabstand von min. 15 cm

Bild 3. Leitungsführung auf der Decke bei ausschließlich elektrischen Leitungen

Maße in Zentimeter

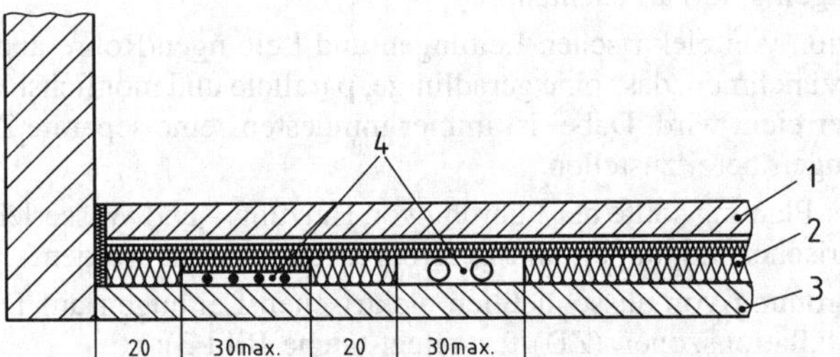

Legende

1 Estrich

2 Dämmung

3 Decke

4 Leitungen

Bild 4. Leitungsführung auf der Decke bei mehreren Gewerken

4.4 Leitungsführung in der Decke

ANMERKUNG Unter Leitungsführung in der Decke ist die Installation direkt oder innerhalb von Leerrohren in der Rohdecke zu verstehen.

Für die Leitungsanordnung in Decken sind keine Installationszonen festgelegt.

4.5 Leitungsführung unter der Decke

Leitungen unter Decken (unter Putz, im Putz, in Hohlräumen und abgehängten Decken) sind mit einem Mindestabstand von 20 cm parallel zu den Raumwänden anzuordnen.

5 Anordnung der Betriebsmittel

5.1 Allgemeines

Bei mittiger Anordnung von Gerätedosen bzw. Geräteverbindungsdosen in der Installationszone sollte auf eine geeignete Zuführung der Leitungen geachtet werden, um eine Beschädigung der Leitungen durch die Geräteeinsätze zu verhindern.

5.2 Leitungen

Die elektrischen Leitungen sind innerhalb der in Abschnitt 4 festgelegten Installationszonen vorzugsweise mittig anzuordnen.

Leitungen zu Stromkreisverteilern dürfen nur senkrecht zu den Verteilern geführt werden.

Leitungen in Wänden zu Betriebsmitteln wie Auslässen, Schaltern, Steckdosen, die notwendigerweise außerhalb der Installationszonen angeordnet werden müssen, sind als senkrecht geführte Stichleitungen aus einer waagerechten Installationszone zu führen.

Die erforderlichen Übergänge von den Installationszonen auf bzw. unter der Decke sind rechtwinklig zu den senkrechten Installationszonen an Wänden auszuführen.

5.3 Auslässe, Schalter, Steckdosen

Schalter sind vorzugsweise neben den Türen in senkrechten Installationszonen so anzuordnen, dass die Mitte des obersten Schalters nicht mehr als 105 cm über dem Fußboden liegt.

ANMERKUNG 1 Nach der Normenreihe DIN 18025 sind bei barrierefreien Wohnungen abweichende Schalterhöhen festgelegt. Auch für den Abstand der Schalter zu den Türen sind andere Maße festgelegt.

Steckdosen in der unteren waagerechten Installationszone sind in einer Vorzugshöhe von 30 cm über dem Fußboden anzuordnen.

Steckdosen und Schalter über Arbeitsflächen vor Wänden sind innerhalb der mittleren waagerechten Installationszone in einer Vorzugshöhe von 115 cm über dem Fußboden anzuordnen.

ANMERKUNG 2 Die Anordnung von Betriebsmitteln wie Auslässe, Schalter, Steckdosen, außerhalb der Installationszonen kann bei individuell geplanter Inneneinrichtung, z. B. in Küchen, notwendig werden.

Graphische Symbole für Schaltpläne

Schaltzeichen für Leiter und Verbinder

Auszug aus **EN 60617-3, -7, -8, -9, -11** (1996)
(Ersatz für DIN 40900)

(Es sind nur im Wohnungsbau gebräuchliche Schaltzeichen dargestellt, sowie einige noch gebräuchliche Zeichen aus DIN 40900-11.)

Verbinder

Nr.	Schaltzeichen	Beschreibung
03-03-01		Buchse Pol einer Steckdose
03-03-03		Stecker Pol eines Steckers
03-03-05		Buchse und Stecker
03-03-07	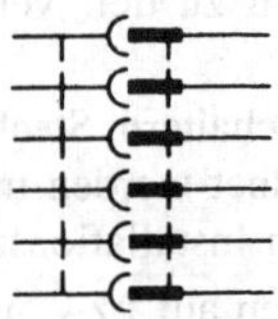	Steckverbindung (Buchse und Stecker), vielpolig (6polig dargestellt) allpolige Darstellung
03-03-08		einpolige Darstellung

Sicherungen und Sicherungsschalter

Nr.	Schaltzeichen	Beschreibung
07-21-01		Sicherung, allgemein
07-21-02		Sicherung Die breite Seite kennzeichnet den netzseitigen Anschluß, der nach einer Auslösung noch Spannung führt.
07-21-03	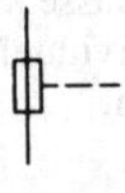	Sicherung mit mechanischer Auslösemeldung (Schlagbolzensicherung)

Nr.	Schaltzeichen	Beschreibung
07-21-04	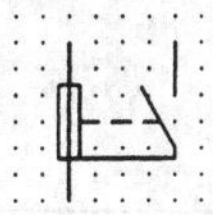	Sicherung mit Meldekontakt und drei Anschlüssen
07-21-05	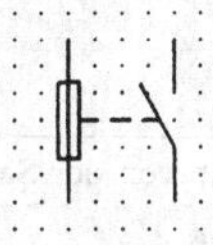	Sicherung mit getrenntem Meldekontakt
07-21-06	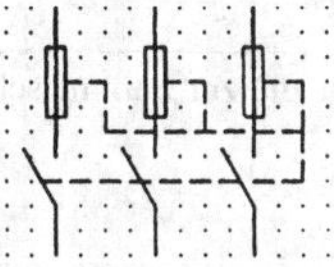	Dreipoliger Schalter mit selbsttätiger Auslösung durch den Schlagbolzen jeder einzelnen Sicherung
07-21-07		Sicherungsschalter
07-21-08	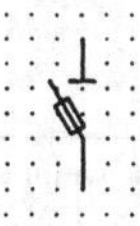	Sicherungstrennschalter
07-21-09	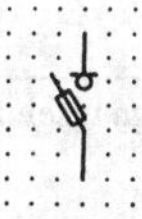	Sicherungs-Lasttrennschalter

Beispiele für integrierende Messgeräte

Nr.	Schaltzeichen	Beschreibung
08-04-01	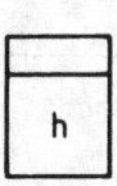	Betriebsstundenzähler
08-04-02	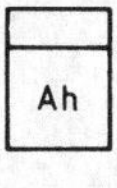	Amperestundenzähler

Nr.	Schaltzeichen	Beschreibung
08-04-03	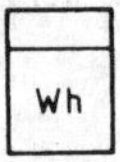	Wattstundenzähler Elektrizitätszähler
08-04-04	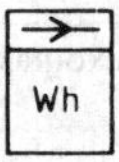	Wattstundenzähler, der nur die in eine Richtung fließende Energie zählt
08-04-05	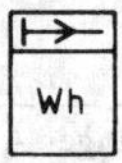	Wattstundenzähler, der nur die von der Sammelschiene abgegebene Energie zählt
08-04-06		Wattstundenzähler, der nur die zur Sammelschiene fließende Energie zählt
08-04-07		Wattstundenzähler, der die von und zur Sammelschiene fließende Energie zählt
08-04-08	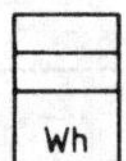	Mehrtarif-Wattstundenzähler, Zweitarifzähler dargestellt
08-04-09	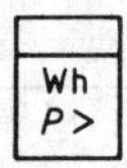	Wattstundenzähler, der nur zählt, wenn ein vorgegebener Wert überschritten wird
08-04-10	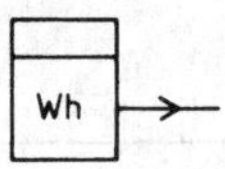	Wattstundenzähler mit Übertragungseinrichtung
08-04-11	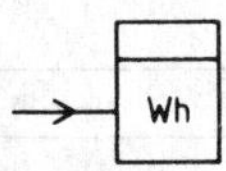	Wattstundenzähler, fernbetätigt (Slave-Wattstundenzähler)

Elektrische Uhren

Nr.	Schaltzeichen	Beschreibung
08-087-01		Uhr, allgemein Nebenuhr
08-08-02		Hauptuhr
08-08-03		Uhr mit Kontaktgeber
08-10-01		Lampe, allgemein Leuchtmelder, allgemein Ist die Angabe der Farbe erwünscht, wird in der Nähe des Symbols eine der folgenden Kennungen angegeben: RD rot YE gelb GN grün BU blau WH weiß Ist die Angabe der Lampenart erwünscht, wird in der Nähe des Symbols eine der folgenden Kennungen angegeben: Ne Neon Xe Xenon Na Natriumdampf Hg Quecksilber I Iod IN Glühfaden EL Lumineszenz ARC Lichtbogen FL Fluoreszenz IR Infrarot UV Ultraviolett LED Leuchtdiode
08-10-02	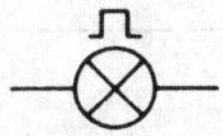	Leuchtmelder, blinkend
08-10-03		Sichtmelder, elektromechanisch Schauzeichen Fallklappe

Fernsprecher

Nr.	Schaltzeichen	Beschreibung
09-05-01	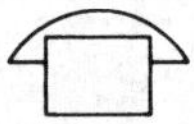	Fernsprecher, allgemein
09-05-02		Fernsprecher für Ortsbatterie-Betrieb
09-05-03	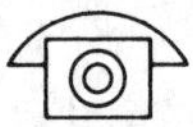	Fernsprecher für Zentralbatterie-Betrieb
09-05-04	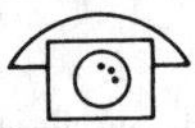	Fernsprecher mit Nummernschalter Die Punkte im Kreis dürfen entfallen, wenn dadurch keine Verwechslung verursacht wird.
09-05-05		Fernsprecher mit Tastenwahlblock
09-05-06	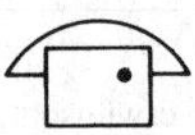	Fernsprecher mit Schalter oder mit Taste für Funktionen, die nicht im Zusammenhang mit der Nummern- oder Leitungswahl stehen
09-05-07		Münzfernsprecher
09-05-08	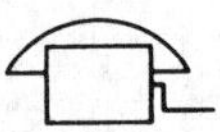	Fernsprecher mit Kurbelinduktor
09-05-09	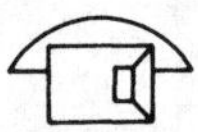	Fernsprecher mit Lautsprecher
09-05-10	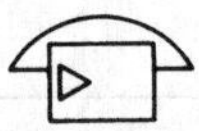	Fernsprecher mit Verstärker
09-05-11		Fernsprecher ohne Speisung Fernsprecher, batterielos
09-05-12	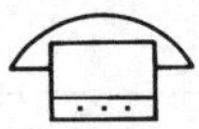	Fernsprecher für zwei oder mehr Amtsleitungen oder Nebenstellenleitungen

Netzwerke
Leiter, Leitungen

Nr.	Schaltzeichen	Beschreibung
11-03-01		Leiter im Erdreich Erdkabel
11-03-02	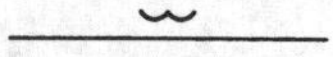	Leiter im Gewässer Seekabel
11-03-03	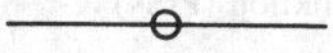	Leiter, oberirdisch Freileitung
11-03-04		Leiter in einem Kabelkanal oder einer Trasse Anmerkung: Die Anzahl der Kabelkanäle, Querschnitte oder andere Angaben, z. B. Kabelbelegungen, dürfen über der Linie, die die Kabelkanalführung darstellt, angegeben werden.
11-03-05	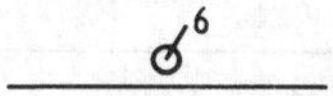	Leiter in einem sechsfachen Kabelkanal
11-03-06	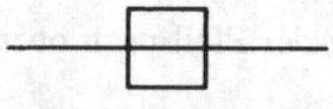	Leiter, der einen Einstiegsschacht kreuzt
11-03-07	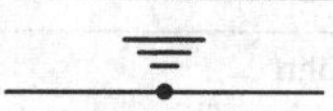	Erdkabel mit Verbindungsstelle

Dosen

Nr.	Schaltzeichen	Beschreibung
11-08-01	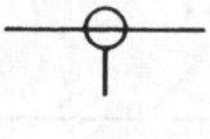	Abzweigdose Das Schaltzeichen zeigt einen einzigen Abzweig von einem Leiter. 1. Die Linie innerhalb des Kreises darf durch eine Bezeichnung ersetzt werden. 2. Die Linie, welche den abzweigenden Leiter darstellt, darf weggelassen werden, wenn dadurch keine Unklarheit verursacht wird.
11-08-02	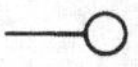	Stichdose
11-08-03	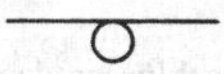	Durchschleifdose

Installationen in Gebäuden
Kennzeichen für besondere Leiter

Nr.	Schaltzeichen	Beschreibung
11-11-01		Neutralleiter (N) Mittelleiter (M)
11-11-02	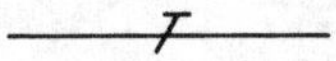	Schutzleiter (PE)
11-11-03	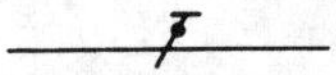	Neutralleiter mit Schutzfunktion (PEN)
11-11-04	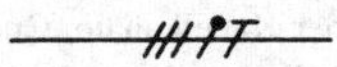	Beispiel: drei Leiter, ein Neutralleiter, ein Schutzleiter

Einspeisungen

Nr.	Schaltzeichen	Beschreibung
11-12-01	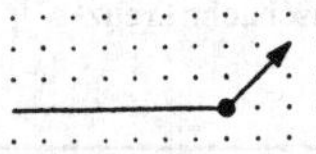	Leitung, die nach oben führt Zeigt auf einer Zeichnung der Pfeil nach oben, führt die Leitung nach oben.
11-12-02	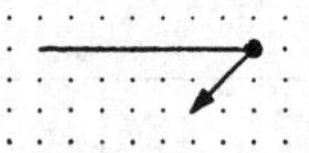	Leitung, die nach unten führt Zeigt auf einer Zeichnung der Pfeil nach unten, führt die Leitung nach unten.
11-12-03	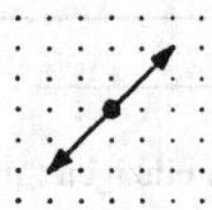	Leitung, die nach unten und oben führt
11-12-04		Dose, allgemein Leerdose, allgemein
11-12-05		Anschlußdose Verbindungsdose
11-12-06	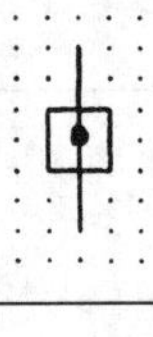	Hausanschlußkasten Das Schaltzeichen ist mit Anschlüssen dargestellt.

Nr.	Schaltzeichen	Beschreibung
11-12-07	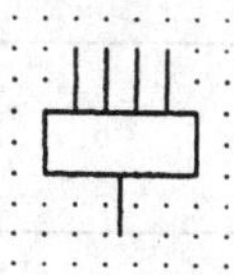	Verteiler Das Schaltzeichen ist mit fünf Anschlüssen dargestellt.

Steckdosen

Nr.	Schaltzeichen	Beschreibung
11-13-01	Es gilt das Schaltzeichen 03-03-01.	Steckdose, allgemein
11-13-02 11-13-02	Form 1 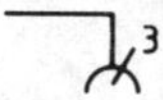 Form 2 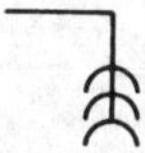	Mehrfachsteckdose, dargestellt als Dreifachsteckdose
11-13-04	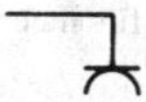	Schutzkontaktsteckdose
11-13-05		Steckdose mit Abdeckung
11-13-06	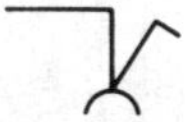	Steckdose, abschaltbar
11-13-07	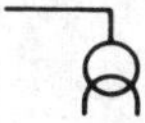	Steckdose mit verriegeltem Schalter
11-13-08	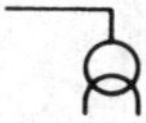	Steckdose mit Trenntrafo, z. B. für Rasier-Apparat
11-13-09	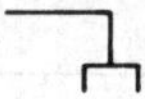	Fernmeldesteckdose, allgemein Anmerkung: Zur Unterscheidung verschiedener Dosen dürfen z. B. folgende Bezeichnungen verwendet werden: TP = Telefon FX = Telefax M = Mikrophon = Lautsprecher FM = UKW-Rundfunk TV = Fernsehen TX = Telex

Schalter

Nr.	Schaltzeichen	Beschreibung
11-14-01		Schalter, allgemein
11-14-02		Schalter mit Kontrolleuchte
11-14-03		Zeitschalter, einpolig
11-14-04		Schalter, zweipolig
11-14-05	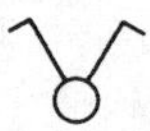	Serienschalter, einpolig
11-14-06	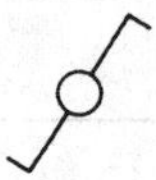	Wechselschalter, einpolig, z. B. für mehrere Helligkeitsstufen
11-14-07	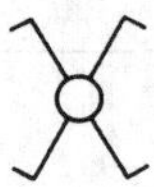	Kreuzschalter
11-14-08		Dimmer
11-14-09		Schalter mit Zugschnur
11-14-10		Taster
11-14-11		Taster mit Leuchte
11-14-12		Taster mit eingeschränkter Zugänglichkeit, z. B. mit Glasabdeckung
11-14-13	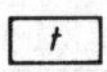	Zeitrelais

Nr.	Schaltzeichen	Beschreibung
11-14-14	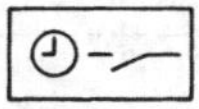	Schaltuhr
11-14-15		Schlüsselschalter Wächtermelder

Auslässe und Installationen für Leuchten

Nr.	Schaltzeichen	Beschreibung
11-15-01	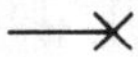	Leuchtenauslaß, dargestellt mit Leitung
11-15-02		Leuchtenauslaß auf Putz, dargestellt mit nach links führender Leitung
11-15-03	Es gilt das Schaltzeichen 08-10-01.	Leuchte, allgemein Anmerkung: Das Schaltzeichen darf durch zusätzliche Angaben ergänzt werden.
11-15-04		Leuchte für Leuchtstofflampe, allgemein
11-15-05	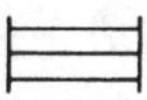	Beispiele:Leuchte mit drei Leuchtstofflampen
11-15-06	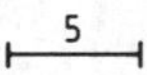	Leuchte mit fünf Leuchtstofflampen
11-15-07		Scheinwerfer, allgemein
11-15-08	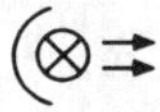	Punktleuchte
11-15-09		Flutlichtleuchte
11-15-10		Vorschaltgerät für Entladungslampen Anmerkung: Das Vorschaltgerät wird nur dargestellt, wenn es nicht in der Leuchte untergebracht ist.
11-15-11		Sicherheitsleuchte Notleuchte mit getrenntem Stromkreis Rettungszeichenleuchte
11-15-12		Sicherheitsleuchte mit eingebauter Stromversorgung

D

Verschiedene Geräte

Nr.	Schaltzeichen	Beschreibung
11-16-01	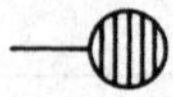	Heißwassergerät, dargestellt mit Leitung
11-16-02	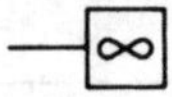	Ventilator, dargestellt mit Leitung
11-16-03		Zeiterfassungsgerät
11-16-04	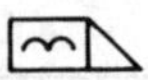	Türöffner
11-16-05	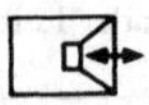	Wechselsprechstelle, z. B. Haus- oder Torsprechstelle

Elektro-Hausgeräte[1)]

Nr.	Schaltzeichen	Beschreibung
111-06-01		Elektrogerät, allgemein
111-06-02		Küchenmaschine
111-06-03		Elektroherd, allgemein
111-06-04		Mikrowellenherd
111-06-05	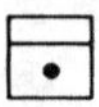	Backofen
111-06-06		Wärmeplatte
111-06-07		Friteuse

1) Nach DIN 40900-11 (03.88).

Elektro-Hausgeräte[1]

Nr.	Schaltzeichen	Beschreibung
111-06-08	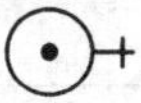	Heißwasserspeicher
111-06-09		Durchlauferhitzer
111-06-10		Infrarotgrill
111-06-11		Futterdämpfer
111-06-12		Waschmaschine[2]
111-06-13		Wäschetrockner[2]
111-06-14		Geschirrspülmaschine[2]
111-06-15		Händetrockner Haartrockner
111-06-16		Speicherheizgerät
111-06-17		Infrarotstrahler
111-06-18		Klimagerät[2]
111-06-19		Kühlgerät Tiefkühlgerät
111-06-20		Gefriergerät

[1] Nach DIN 40 900-11 (03.88).
[2] Vergl. auch DIN 1986-100, Tabelle 1.

Schalter, Steckdosen, Leuchten, Sprechstelle[1]

Nr.	Schaltzeichen	Beschreibung
111-07-01		Schalter 1/1 (Ausschalter, einpolig)
111-07-02		Stromstoßschalter
111-07-03		Schutzkontaktsteckdose, dargestellt für Drehstrom, 5polig
111-07-04		Antennensteckdose
111-07-05		Leuchte mit Schalter
111-07-06		Leuchte mit veränderbarer Helligkeit
111-07-07		Sicherheitsleuchte in Dauerschaltung
111-07-08		Leuchte, dargestellt mit zusätzlicher Sicherheitsleuchte in Dauerschaltung
111-07-09		Leuchte, dargestellt mit zusätzlicher Sicherheitsleuchte in Bereitschaftsstellung
111-07-10	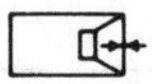	Gegensprechanlage
111-07-11		Dämmerungsschalter
111-07-12	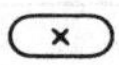	Leuchte für Entladungslampe, allgemein

[1] Nach DIN 40 900-11 (03.88).

Lüftung von Bädern und Toilettenräumen ohne Außenfenster mit Ventilatoren

Auszug aus **DIN 18017-3** (09.2009)

Inhalt

D

Vorwort (nicht abgedruckt)

1 Anwendungsbereich

Diese Norm gilt für Entlüftungsanlagen mit Ventilatoren zur Lüftung von Bädern und Toilettenräumen ohne Außenfenster in Wohnungen und in ähnlichen Aufenthaltsbereichen, z. B. Wohneinheiten in Hotels. Andere Räume innerhalb von Wohnungen, z. B. Küchen oder Abstellräume, können ebenfalls über Anlagen nach dieser Norm entlüftet werden.

Die Lüftung von fensterlosen Küchen ist nicht Gegenstand dieser Norm.

Die Norm gilt nicht für Entlüftungsanlagen mit denen mehr als die doppelten, planmäßigen Mindest-Abluftvolumenströme gefördert werden.

Diese Norm setzt voraus, dass ein dem Abluftvolumenstrom entsprechender Außenluftstrom über Undichtheiten in der Gebäudehülle und gegebenenfalls über Außenluftdurchlässe, vom Freien über die Wohn- und Aufenthaltsräume in die Ablufträume nachströmen kann.

2 Normative Verweisungen (nicht abgedruckt)

3 Art der Anlagen und deren Betriebsweise

3.1 Einzelentlüftungsanlagen

3.1.1 Allgemeines

Einzelentlüftungsanlagen sind Entlüftungsanlagen mit eigenen Ventilatoren für jede Wohnung. Einzelentlüftungsanlagen ermöglichen die Entlüftung von Räumen einer Wohnung nach Bedarf. Die Ventilatoren werden entweder durch den Nutzer nach Bedarf betätigt oder durch Raumluftsensoren automatisch gesteuert.

3.1.2 Einzelentlüftungsanlagen mit eigenen Abluftleitungen

Diese Entlüftungsanlagen haben je Wohnung mindestens eine Abluftleitung ins Freie, siehe Bild 1.

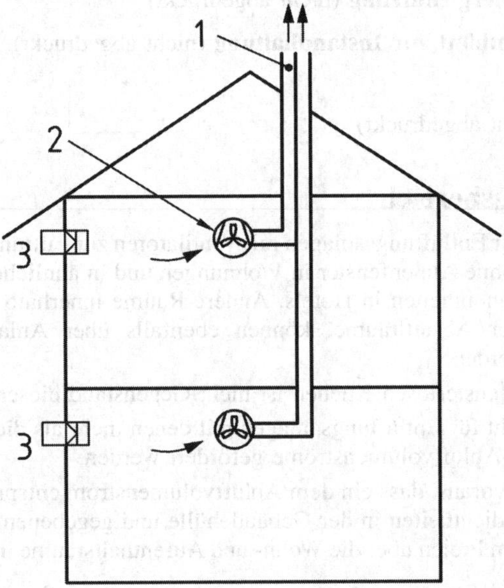

Legende
1 Abluftleitung
2 Ventilator
3 ALD (Außenluftdurchlass)

Bild 1. Einzelentlüftungsanlagen mit eigenen Abluftleitungen

3.1.3 Einzelentlüftungsanlagen mit gemeinsamer Abluftleitung

Diese Entlüftungsanlagen haben für mehrere Wohnungen eine gemeinsame Abluftleitung (Hauptleitung), durch die Abluft unter Überdruck ins Freie geleitet wird, siehe Bild 2. Die Entlüftungsanlage entspricht dem in DIN 1946-6:2009-05, Bild A.4, dargestellten Abluftsystem.

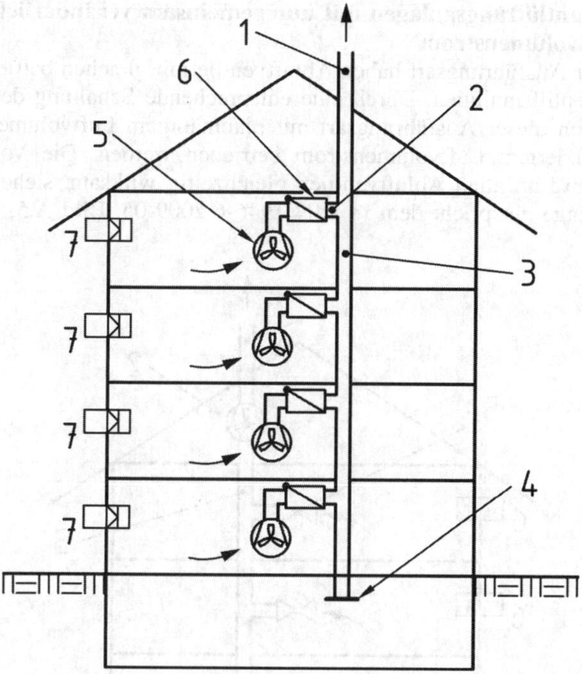

Legende
1 Ausblasleitung
2 Anschlussleitung
3 gemeinsame Abluftleitung
4 Reinigungsverschluss
5 Ventilator
6 Rückschlagklappe
7 ALD

Bild 2. Einzelentlüftungsanlagen mit gemeinsamer Abluftleitung (Hauptleitung)

3.2 Zentralentlüftungsanlagen

3.2.1 Allgemeines

Zentralentlüftungsanlagen sind Entlüftungsanlagen mit gemeinsamem Ventilator für mehrere Wohnungen.

Zentralentlüftungsanlagen ermöglichen je nach Ausführungsart:

– eine dauernde Entlüftung der Räume mit Volumenströmen, die für die angeschlossenen Wohnungen nur gemeinsam dem Bedarf der Bewohner angepasst werden können (im Folgenden genannt „Zentralentlüftungsanlagen mit nur gemeinsam veränderlichem Gesamtvolumenstrom");

– eine Entlüftung der Räume mit Volumenströmen, die wohnungsweise dem Bedarf der jeweiligen Bewohner angepasst werden können (im Folgenden genannt „Zentralentlüftungsanlagen mit wohnungsweise veränderlichen Volumenströmen").

3.2.2 Zentralentlüftungsanlagen mit nur gemeinsam veränderlichem Gesamtvolumenstrom

Anlagen dieser Ausführungsart haben Abluftventile mit gleichen betrieblich unveränderlichen Ventilkennlinien. Durch eine entsprechende Schaltung des Ventilators können Anlagen dieser Ausführungsart mit planmäßigem Luftvolumenstrom oder zeitweise reduziertem Luftvolumenstrom betrieben werden. Die Volumenstromreduzierung wird an allen Abluftventilen gleichzeitig wirksam, siehe Bild 3. Die Entlüftungsanlage entspricht dem in DIN 1946-6:2009-05, Bild A.5, dargestellten Abluftsystem.

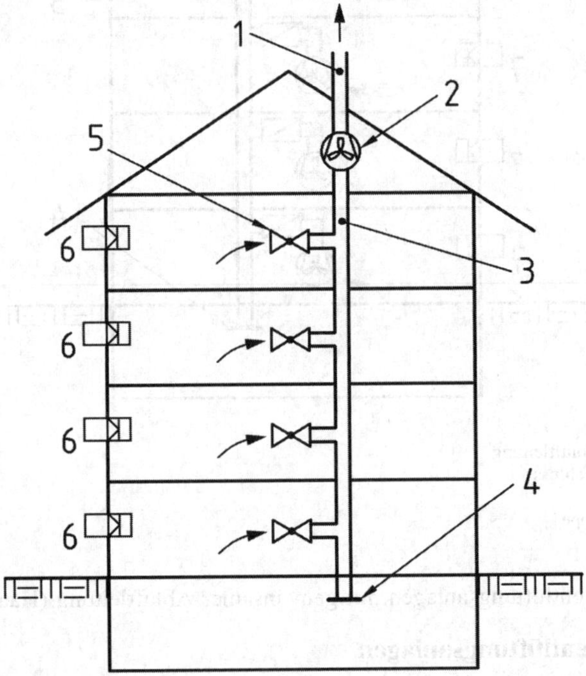

Legende
1 Ausblasleitung
2 Ventilator
3 gemeinsame Abluftleitung (Hauptleitung)
4 Reinigungsverschluss
5 Ventile mit gleicher betrieblich unveränderlicher Kennlinie
6 ALD

Bild 3. Zentralentlüftungsanlage mit nur gemeinsam veränderlichem Gesamtvolumenstrom

3.2.3 Zentralentlüftungsanlagen mit wohnungsweise veränderlichen Volumenströmen

Anlagen dieser Ausführungsart haben einstellbare Abluftventile mit veränderlichen Kennlinien. Die Abluftventile werden durch den Nutzer nach dem Bedarf betätigt oder automatisch durch Raumluftsensoren gesteuert, wodurch die Volumenströme wohnungsweise bzw. raumweise dem jeweiligen Bedarf angepasst werden, siehe Bild 4.

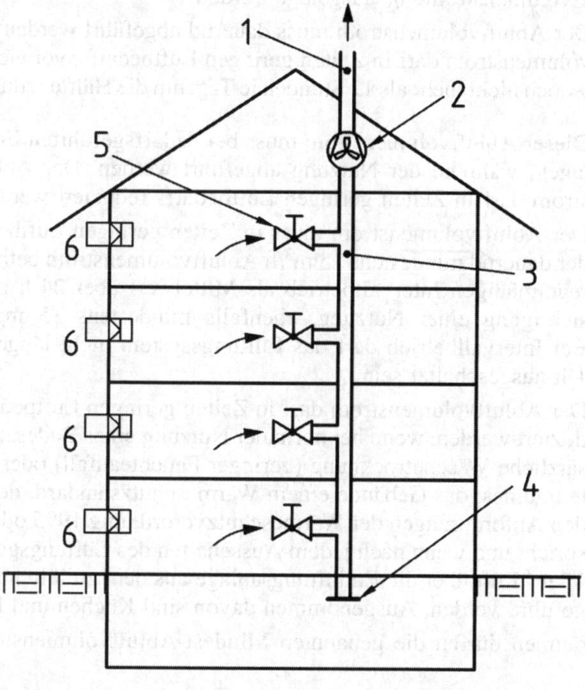

Legende
1 Ausblasleitung
2 Ventilator
3 gemeinsame Abluftleitung (Hauptleitung)
4 Reinigungsverschluss
5 Ventile mit verstellbarer Kennlinie (von den Bewohnern einstellbar)
6 ALD

Bild 4. Zentralentlüftungsanlage mit wohnungsweise veränderlichen Volumenströmen

D

4 Grundsätzliche lüftungstechnische und hygienische Anforderungen

4.1 Abluftvolumenströme

4.1.1 Planmäßige Mindest-Abluftvolumenströme

Entlüftungsanlagen zur Entlüftung von Bädern, auch mit Klosettbecken, können wahlweise, je nach Ausführungsart und Betriebsweise für folgende planmäßigen Mindest-Abluftvolumenströme q_V ausgelegt werden:

- 40 m^3/h: Der Abluftvolumenstrom muss dauernd abgeführt werden. Der Abluftvolumenstrom darf in Zeiten geringen Luftbedarfs, vorwiegend nachts, jedoch nicht mehr als 12 Stunden je Tag, um die Hälfte reduziert werden.

oder:

- 60 m^3/h: Dieser Abluftvolumenstrom muss bei bedarfsgeführten Entlüftungsanlagen, während der Nutzung abgeführt werden. Der Abluftvolumenstrom darf in Zeiten geringen Luftbedarfs reduziert werden.

  Der Abluftvolumenstrom muss in Zeiten geringen Luftbedarfs entweder dauernd mindestens 15 m^3/h Abluftvolumenstrom betragen oder im regelmäßigen Intervallbetrieb als Mittelwert über 24 h ohne Berücksichtigung einer Nutzung, ebenfalls mindestens 15 m^3/h betragen. Bei Intervallbetrieb darf das Lüftungssystem nicht länger als jeweils 1 h ausgeschaltet sein.

  Der Abluftvolumenstrom darf in Zeiten geringen Luftbedarfs auf 0 reduziert werden, wenn bei normaler Nutzung eines Bades, z. B. ohne zusätzliche Wäschetrocknung (geringer Feuchteanfall) oder eines Toilettenraumes, das Gebäude einem Wärmeschutzstandard, der mindestens den Anforderungen der Wärmeschutzverordnung 1995 oder besser entspricht und wenn nach jedem Ausschalten des Lüftungsgerätes weitere 15 m^3 Luft über die Entlüftungsanlage aus dem zu lüftenden Raum abgeführt werden. Ausgenommen davon sind Küchen und Kochnischen.

Bei Toilettenräumen dürfen die genannten Mindest-Abluftvolumenströme halbiert werden.

Für Kochnischen und Küchen mit Fenstern können die Mindest-Abluftvolumenströme für Bäder angesetzt werden. Für die Lüftung von Küchen mit und ohne Fenster, siehe auch DIN 1946-6.

Bedarfsgeführte Entlüftungsanlagen, die mit einem geeigneten Raumluftsensor nach Bedarf gesteuert werden, sollen dauernd Abluftvolumenströme zwischen den Werten bei Nutzung und mindestens 15 m^3/h fördern.

4.1.2 Größte Volumenströme

Größere planmäßige Abluftvolumenströme als die doppelten Volumenströme nach 4.1.1 sind durch die Aufgabe, innen liegende Bäder und Toilettenräume ordnungsgemäß zu entlüften, nicht gerechtfertigt.

4.1.3 Volumenstromabweichungen

Die Abluftvolumenströme dürfen sich gegenüber den planmäßigen Volumenströmen durch Wind und thermischen Auftrieb um nicht mehr als ± 15 % ändern. Anstatt mit dem tatsächlichen Einfluss von Wind und thermischem Auftrieb ist bei der Planung einer Anlage damit zu rechnen, dass sich die Unterschiede der statischen Drücke zwischen den entlüfteten Räumen und den Außenseiten der Auslassöffnungen (Stördrücke) um 40 Pa vergrößern bzw. verringern, wenn der Abluftvolumenstrom lotrecht über Dach austritt, andernfalls um 60 Pa, siehe Bild 5.

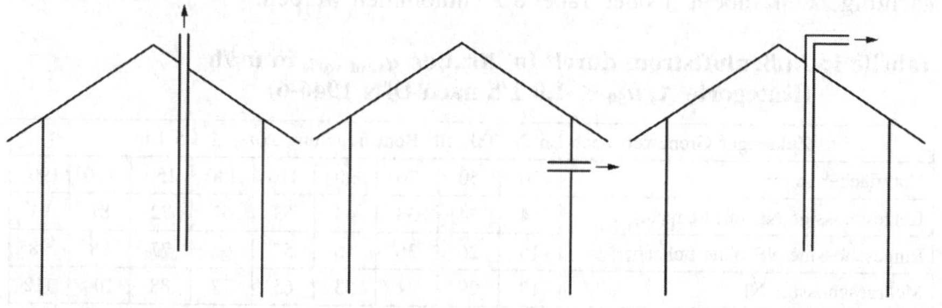

a) Abluftvolumenstrom lotrecht und über Dach, Stördruck 40 Pa **b) Abluftvolumenstrom nicht lotrecht, Stördruck 60 Pa**

Bild 5. Stördruck in Abhängigkeit von der Führung des Abluftvolumenstromes

Bei Einzelentlüftungsanlagen mit gemeinsamer Hauptleitung muss bei alleinigem Betrieb des untersten Lüftungsgerätes von diesem Gerät der Mindest-Abluftvolumenstrom nach 4.1.1 erreicht werden. Bei gleichzeitigem Betrieb aller Lüftungsgeräte darf sich der Luftvolumenstrom am untersten Gerät gegenüber dem planmäßigen Abluftvolumenstrom um höchstens 10 % verringern.

Bei Zentralentlüftungsanlagen mit nur gemeinsam veränderlichem Gesamtvolumenstrom nach 3.2.1 muss am untersten Abluftventil wenigstens der Mindest-Abluftvolumenstrom nach 4.1.1 erreicht werden. Am obersten Abluftventil darf der Luftvolumenstrom höchstens 10 % höher liegen als am untersten Abluftventil.

Bei Zentralentlüftungsanlagen mit wohnungsweise veränderlichem Luftvolumenstrom nach 3.2.2 muss bei alleinigem Offenstehen des untersten Abluftventils an diesem Ventil der Mindest-Abluftvolumenstrom nach 4.1.1 erreicht werden. Bei Offenstehen aller Abluftventile darf sich der Luftvolumenstrom am untersten Abluftventil um höchstens 10 % verringern.

4.2 Nachströmen der Außenluft (Zuluftführung)

4.2.1 Allgemein

Ein dem Abluftvolumenstrom entsprechender Außenluftstrom muss durch Infiltration und gegebenenfalls durch eigene Außenluftdurchlässe (ALD) über die Gebäudehülle von außen in die Wohn- und Aufenthaltsräume nachströmen und über Überströmluftdurchlässe (ÜLD) den Ablufträumen als Zuluftstrom zugeführt werden.

4.2.2 Außenluftdurchlässe (ALD)

Die Bemessung der gegebenenfalls notwendigen Außenluftdurchlässe erfolgt für einen Außenluftstrom, der dem notwendigen Mindest-Abluftvolumenstrom entspricht, abzüglich des wirksamen Außenluftstromes durch Infiltration, für Entlüftungsanlagen.

Der Außenluftstrom durch Infiltration kann nach DIN 1946-6 berechnet werden. Sofern die Dichtheit der Gebäudehülle nicht bekannt ist, kann der Außenluftstrom durch Infiltration für Entlüftungsanlagen für den Anwendungsbereich der Norm aus der nachfolgenden Tabelle 1 oder Tabelle 2 entnommen werden.

Tabelle 1: Außenluftstrom durch Infiltration $q_{v,inf\ wirk}$ in m³/h (Kategorie A, $n_{50} \leq 1{,}0$ 1/h nach DIN 1946-6)

Zulässiger Grenzwert nach EnEV 2007 für Bonusregelung[a], ($n_{50} \leq 1{,}5$ 1/h)									
Nutzfläche[b] in m²	30	50	70	90	110	130	150	170	190
Eingeschossige NE mit Schacht	14	24	33	43	53	62	72	81	91
Eingeschossige NE ohne Schacht	15	26	36	46	57	67	77	88	98
Mehrgeschossige NE	18	29	41	53	65	77	88	100	112

[a] Basis der Berechnung nach DIN 1946-6,
für Kategorie A – n_{50} = 1,0 1/h,
für Kategorie B – n_{50} = 1,5 1/h,
Differenzdruck 8 Pa,
eingeschossige NE, mit Schacht $f_{wirk,Komp}$ = 0,65, eingeschossige NE, ohne Schacht $f_{wirk,Komp}$ = 0,70
mehrgeschossige NE $f_{wirk,Komp}$ = 0,80

[b] Fläche der Nutzungseinheit in m², nach DIN EN 12831.

Tabelle 2: Außenluftstrom durch Infiltration $q_{v,inf\ wirk}$ in m³/h (Kategorie B, $n_{50} \leq 1{,}5$ 1/h nach DIN 1946-6)

Zulässiger Grenzwert nach EnEV 2007[a], ($n_{50} \leq 3{,}0$ 1/h)									
Nutzfläche[b] in m²	30	50	70	90	110	130	150	170	190
Eingeschossige NE mit Schacht	22	36	50	65	79	93	108	122	136
Eingeschossige NE ohne Schacht	23	39	54	70	85	101	116	131	147
Mehrgeschossige NE	27	44	62	80	97	115	133	150	168

[a] Basis der Berechnung nach DIN 1946-6,
für Kategorie A – n_{50} = 1,0 1/h,
für Kategorie B – n_{50} = 1,5 1/h,
Differenzdruck 8 Pa,
eingeschossige NE, mit Schacht $f_{wirk,Komp}$ = 0,65, eingeschossige NE, ohne Schacht $f_{wirk,Komp}$ = 0,70
mehrgeschossige NE $f_{wirk,Komp}$ = 0,80

[b] Fläche der Nutzungseinheit in m², nach DIN EN 12831.

Ermittlung der Anzahl der notwendigen Außenluftdurchlässe (ALD) in der Gebäudehülle:

$$n_{ALD} = [q_V - q_{V,inf.wirk}]/q_{V,ALD} \quad (1)$$

Dabei ist

n_{ALD} die Anzahl der notwendigen ALDs in der Gebäudehülle;

q_V der planmäßige Mindest-Abluftvolumenstrom je NE (Einzelventilator oder Abluftventil);

$q_{V,inf.wirk}$ der Luftvolumenstrom durch Infiltration je NE, siehe Tabelle 1 oder Tabelle 2;

$q_{V,ALD}$ der Luftvolumenstrom je ALD beim Auslegungs-Differenzdruck (nach Herstellerangabe).

Der Auslegungs-Differenzdruck darf in Nutzungseinheiten (Wohnungen)

- nicht mehr als 4 Pa betragen, wenn raumluftabhängige Feuerstätten installiert sind und
- nicht mehr als 8 Pa betragen, in allen anderen Nutzungseinheiten.

4.2.3 Überströmluftdurchlässe (ÜLD)

Die notwendige Größe der unverschließbaren ÜLD ist nach Tabelle 3 aus dem notwendigen Überströmluftvolumenstrom beim Auslegungs-Differenzdruck, zu ermitteln.

Ermittlung des notwendigen Überströmluftvolumenstromes:

$$q_{V,ÜLD} = [q_{V,IL} - q_{V,inf.wirk}] \quad (2)$$

Dabei ist

$q_{V,ÜLD}$ der notwendige Luftvolumenstrom der ÜLD beim Auslegungs-Differenzdruck;

$q_{V,IL}$ der planmäßige Mindest-Abluftvolumenstrom je WE (Einzelventilator oder Abluftventil);

$q_{V,inf.wirk}$ der Luftvolumenstrom durch Infiltration. Der Wert kann nach DIN 1946-6 berechnet werden. Näherungsweise können die in Tabelle 1 oder Tabelle 2 angegebenen Werte eingesetzt werden.

Der Auslegungs-Differenzdruck darf nicht mehr als 1,5 Pa betragen.

Tabelle 3: Freie Mindestfläche $A_{ÜLD}$ von Überströmluftdurchlässen (ÜLD)[1]

Überström-Luftvolumenstrom $q_{V,ÜLD}$ in m^3/h	40	50	60	70	80	90	100
Freie Fläche $A_{ÜLD}$ in cm^2	100	125	150	175	200	225	250

Bei Türen ohne umlaufende Dichtung, darf eine Fläche von 25 cm^2 angerechnet werden.

[1] Berechnungen nach DIN 1946-6.

D

Liegen keine Angaben vom Hersteller vor, sollte der freie Querschnitt des Überströmluftdurchlasses (ÜLD) bis zu einem Abluftvolumenstrom von höchstens 60 m^3/h mindestens 150 cm^2 betragen.
Überströmluftdurchlässe sollten in Bädern oben, im Bereich der Türen bzw. der Wände angeordnet werden.

4.3 Abluftführung

Aus dem zu entlüftenden Raum ist die Abluft möglichst nahe der Decke abzuführen. Die Abluft ist ins Freie zu führen.

4.4 Einregulierung der Anlagen

Die Bauteile der Entlüftungsanlagen sind lüftungstechnisch so zu gestalten, dass die planmäßigen Volumenströme erreicht werden, ohne dass die Anlagen durch Drosseleinrichtungen oder ähnliche Bauteile in den Wohnungen einreguliert werden müssen. Abluftventile von Anlagen nach 3.2.2 bleiben davon unberührt.

4.5 Übertragung von Gerüchen und Staub

Die Entlüftungsanlagen sind so herzustellen und zu betreiben, dass Gerüche und Staub von Wohnung zu Wohnung nicht übertragen werden können. Werden außer Bädern und Toilettenräumen andere Räume an eine Entlüftungslage angeschlossen, so ist diese so herzustellen und zu betreiben, dass in die anderen Räume Gerüche und Staub nicht übertragen werden können.

4.6 Ventilatoren

4.6.1 Ventilatorkennlinie

Die Ventilatorkennlinie darf bis zu Drücken in Höhe des planmäßigen Arbeitsdruckes zuzüglich des doppelten Stördruckes nach 4.1.3 nur einen Arbeitspunkt haben (Bild 6, nicht abgedruckt).

4.6.2 Ausführung und Schaltung der Ventilatoren

Die Ventilatoren müssen für den planmäßigen Betrieb ausreichend korrosionsbeständig sein und für Dauerbetrieb bei allen Laststufen geeignet sein. Sie müssen so eingebaut sein, dass sie leicht zugänglich sind. Wartung und Austausch müssen möglich sein.

Die Ventilatoren sollten mehrere Schaltstufen haben oder stufenlos regelbar sein. Dabei muss mindestens eine Schaltstufe den Anforderungen nach 4.1.1 entsprechen; der Luftvolumenstrom bei der höchsten Schaltstufe sollte die Festlegung nach 4.1.2 nicht überschreiten. Es ist zweckmäßig, den Betriebszustand der Ventilatoren an ihrer Schaltstelle optisch erkennbar zu machen; mindestens muss erkennbar sein, ob die Ventilatoren in Betrieb sind.

Ventilatoren mit nur einer Schaltstufe sind nur dann zulässig, wenn die in 4.1.1 genannten Anforderungen eingehalten werden.

Ventilatoren von Einzelentlüftungsanlagen und Abluftventile von Zentralentlüftungsanlagen mit wohnungsweise veränderlichem Luftvolumenstrom müssen von der zugehörigen Wohnung schaltbar sein, z. B. kann über den Lichtschalter der Ventilator so in Betrieb gesetzt bzw. das Abluftventil so geöffnet werden, dass mindestens die nach 4.1.1 vorgegebenen Mindest-Abluftvolumenströme gefördert werden. Die Ventilator- bzw. Ventilschaltung muss sicherstellen, dass entsprechend 4.1.1 auch in Zeiten geringen Luftbedarfs die Entlüftungsanlage betrieben wird oder wenn sie abgeschaltet wird, mindestens weitere 15 m^3 Abluft abführt.

Ventilatoren von Zentralentlüftungsanlagen müssen an zentraler Stelle schaltbar sein. Ventilatoren von Zentralentlüftungsanlagen mit veränderlichen Gesamtvolumenströmen können eine Schaltung haben, durch die der Gesamtvolumenstrom nachts reduziert werden kann; der Luftvolumenstrom darf auch tagsüber reduziert werden, wenn keiner der angeschlossenen Räume genutzt wird.

4.7 Filter, Außenluftdurchlässe, Überströmluftdurchlässe, Abluftventile, Drosseleinrichtungen, Rückschlagklappen und Reinigungsverschlüsse

Außenluftdurchlässe, Überströmluftdurchlässe, Abluftventile, Drosseleinrichtungen, Rückschlagklappen und Reinigungsverschlüsse müssen leicht zugänglich, leicht zu warten und leicht austauschbar sein und müssen ausreichend korrosionsbeständig sein und bei planmäßigem Betrieb durch Verschmutzung nicht funktionsunfähig werden. Hinsichtlich der Ausführung der Luftdurchlässe siehe auch DIN 1946-6.

Filter müssen ohne Werkzeug austauschbar sein. Rückschlagklappen müssen dicht und bei Druckdifferenzen von weniger als 10 Pa geschlossen sein. Ihr Leckluftvolumenstrom darf höchstens 0,01 m^3/h bei einer Druckdifferenz von 50 Pa betragen.

4.8 Abluftleitungen

Abluftleitungen müssen dicht und standsicher sein. Abluftleitungen müssen so beschaffen oder wärmegedämmt sein, dass Kondensatschäden nicht entstehen können. In den Abluftleitungen sind Reinigungsöffnungen mit dichten Verschlüssen in ausreichender Anzahl so anzubringen, dass die Abluftleitungen leicht gereinigt werden können. Einschraubbare Reinigungsverschlüsse sind nicht zulässig.

Reinigungsöffnungen sind entbehrlich, wenn die Abluftleitungen von Abluftöffnungen aus gereinigt werden können.

4.9 Auswahl eines Lüftungssystems (Lüftungskonzept)

Entlüftungsanlagen nach dieser Norm sind für die Entlüftung von einzelnen Räumen bestimmt. Sie können auch die Lüftung von Wohn- und Aufenthaltsräumen übernehmen, wenn die weitergehenden Anforderungen der DIN 1946-6 eingehalten werden. Wenn dies gewünscht wird, ist dies mit dem Bauherrn zu vereinbaren.

D

5 Anlagenspezifische Anforderungen

5.1 Einzelentlüftungsanlagen mit eigenen Abluftleitungen

5.1.1 Allgemeines

Nach 4.1.3, erster Absatz, ist der Nachweis zu führen, dass sich die planmäßigen Volumenströme infolge von Stördrücken nur innerhalb der zulässigen Grenzen ändern. Dieser Nachweis kann anhand der Kennlinie des vollständigen Lüftungsgerätes mit Anschlussleitung und der Anlagenkennlinie geführt werden (Bild 7, nicht abgedruckt).

5.1.2 Anordnung und Ausführung der Abluftleitungen

Leitungsabschnitte, die an der Druckseite des Lüftungsgerätes angeschlossen sind und durch andere als die entlüfteten Räume oder durch andere Wohnungen führen, müssen auch unter Überdruck dicht sein.

5.1.3 Anschluss mehrerer Räume einer Wohnung

Andere Räume einer Wohnung dürfen nicht über denselben Ventilator entlüftet werden, über den Bad und Toilettenraum entlüftet werden. Mehrere Lüftungsgeräte einer Wohnung dürfen an eine gemeinsame Abluftleitung angeschlossen werden. Dabei muss hinter jedem Lüftungsgerät vor dem Anschluss an die gemeinsame Leitung eine dicht schließende Rückschlagklappe eingebaut werden, soweit sie nicht Bestandteil des Lüftungsgerätes ist.

5.2 Einzelentlüftungsanlagen mit gemeinsamer Abluftleitung

5.2.1 Allgemeines

Nach 4.1.3, erster und zweiter Absatz, ist der Nachweis zu führen, dass sich die planmäßigen Volumenströme infolge von Stördrücken und durch die gegenseitige Beeinflussung der Lüftungsgeräte nur innerhalb der zulässigen Grenzen ändern. Der Nachweis der Anforderungen nach 4.1.3, zweiter Absatz, ist notwendig, um einen ausreichenden Querschnitt der Hauptleitung sicherzustellen.

Die Volumenstromänderung infolge von Stördrücken (siehe 4.1.3, erster Absatz) kann ausreichend genau anhand der Kennlinie eines einzelnen vollständigen Lüftungsgerätes mit Anschlussleitung überprüft werden, da der Druckabfall in der Hauptleitung bei Betrieb nur eines Gerätes vernachlässigbar klein ist (Bild 8, nicht abgedruckt). Dabei ist die Kennlinie des vollständigen Lüftungsgerätes einschließlich seiner Anschlussleitung an die Hauptleitung anzusetzen.

Die Volumenstromverminderung durch gleichzeitigen Betrieb aller Lüftungsgeräte (siehe 4.1.3, zweiter Absatz) ist am untersten Lüftungsgerät am größten.

Die Volumenstromverminderung am untersten Lüftungsgerät kann durch die Berechnung des statischen Druckabfalls in der Hauptleitung bei Betrieb aller Geräte und der Kennlinie eines Lüftungsgerätes ausreichend genau ermittelt werden (Bild 9, nicht abgedruckt). Liegt die Volumenstromverminderung innerhalb des zulässigen Bereichs, so ist die Hauptleitung ausreichend groß dimensioniert; liegt sie außerhalb des zulässigen Bereiches, so muss der Querschnitt der Hauptleitung vergrößert werden. Eine Überprüfung ist erneut durchzuführen.

Der statische Druckverlust Δp_s in der Hauptleitung vom Anschluss des untersten Lüftungsgerätes bis zur Mündung kann nach folgender Gleichung ausreichend genau berechnet werden:

$$\Delta p_s = R_A \cdot l_s \cdot [\{(n_1 + 1)(2n_1 + 1)/6n_1\} + l_A/l_s - 1] + 0{,}77 p_{dA} \text{ in Pa} \quad (3)$$

Dabei ist

R_A der Druckabfall je m in der Ausblasleitung (siehe Bild 2) beim maßgeblichen Gesamtvolumenstrom, in Pa/m;

n_1 die Anzahl der Geschosse;

l_s die Länge der Hauptleitungsabschnitte zwischen 2 Geräteanschlüssen, in m;

l_A die Länge der Ausblasleitung, in m;

p_{dA} der dynamische Druck in der Ausblasleitung beim maßgeblichen Gesamtvolumenstrom, in Pa;

Δp_s der statische Druckverlust in der Hauptleitung bei Betrieb aller Lüftungsgeräte;

$\Delta q_{v,s}$ die Volumenstromverminderung am untersten Lüftungsgerät bei gleichzeitigem Betrieb aller Lüftungsgeräte;

$q_{v,f}$ der Volumenstrom des aus der Anschlussleitung frei ausblasenden Lüftungsgerätes.

Der maßgebliche Gesamtvolumenstrom $q_{v,m\,gesamt}$ bei Betrieb aller Geräte ist geringer als die Summe der Volumenströme der frei ausblasenden Lüftungsgeräte. Der Minderungsfaktor beträgt etwa 0,93. Der maßgebliche Gesamtvolumenstrom beträgt:

$$q_{v,mgesamt} = 0{,}93 \cdot n_2 \cdot q_{v,f} \quad \text{in m}^3/\text{h} \quad (4)$$

Dabei ist

$q_{v,f}$ der Luftvolumenstrom des aus der Anschlussleitung frei ausblasenden Lüftungsgerätes, in m³/h (siehe Bild 8);

n_2 die Anzahl der angeschlossenen Lüftungsgeräte.

5.2.2 Anordnung und Ausführung der Abluftleitungen

Die Abluftleitungen bestehen aus

- den Anschlussleitungen für die Ventilatoren und
- der gemeinsamen Abluftleitung (Hauptleitung).

Der Leitungsabschnitt oberhalb des obersten Geräteanschlusses wird als Ausblasleitung bezeichnet.

Die Ausblasleitung ist über Dach zu führen. Zwischen der untersten und der obersten Anschlussleitung soll die Hauptleitung gerade und lotrecht geführt werden und muss einen gleichbleibenden Querschnitt haben. Bei einer eventuellen Abweichung der Hauptleitung von der Lotrechten ist der rechnerische Nachweis zu führen, dass die Anforderung nach 4.1.3, zweiter Absatz, erfüllt ist; dabei ist der rechnerische Nachweis nach 5.2.1 nicht ausreichend. Bei der Bemessung der Hauptleitung ist vorauszusetzen, dass alle Ventilatoren gleichzeitigund mit größtmöglicher Förder-

D

leistung betrieben werden. Wegen des Überdruckes in den Leitungen müssen diese auch gegen Überdruck dicht sein.

5.2.3 Rückschlagklappe

In oder nach jedem Lüftungsgerät muss vor dem Zusammenschluss von Anschluss- und Hauptleitung eine Rückschlagklappe eingebaut werden.

5.2.4 Betriebsweise und Steuerung der Geräte

Keine Schaltstufe darf einem höheren Luftvolumenstrom entsprechen, als der Bemessung der gemeinsamen Hauptleitung zugrunde liegt.

5.2.5 Anschluss mehrerer Räume einer Wohnung

Andere Räume einer Wohnung dürfen nicht über denselben Ventilator entlüftet werden, über den Bad und Toilettenraum entlüftet werden.

5.3 Zentralentlüftungsanlagen mit nur gemeinsam veränderlichem Gesamtvolumenstrom

5.3.1 Allgemeines

Nach 4.1.3, erster und dritter Absatz, ist der Nachweis zu führen, dass sich die planmäßigen Volumenströme infolge von Stördrücken nur innerhalb der zulässigen Grenzen ändern und die Volumenstromdifferenz zwischen dem untersten und dem obersten Ventil einer gemeinsamen Abluftleitung (Hauptleitung) den max. Wert nicht überschreitet. Der Nachweis der Anforderungen nach 4.1.3, dritter Absatz, ist notwendig, um einen ausreichenden Querschnitt der Hauptleitung sicherzustellen.

Die Volumenstromänderung infolge von Stördrücken (siehe 4.1.3, erster Absatz) kann anhand der Ventilatorkennlinie und der Anlagenkennlinie überprüft werden (Bild 10, nicht abgedruckt).

Die Volumenstromdifferenz zwischen dem untersten und dem obersten Ventil einer Hauptleitung (siehe 4.1.1, dritter Absatz) kann anhand des statischen Druckverlustes zwischen diesen beiden Ventilen und der Ventilkennlinie ermittelt werden (siehe Bild 1). Liegt die Volumenstromdifferenz innerhalb des zulässigen Wertes, so ist die Hauptleitung ausreichend groß dimensioniert; liegt sie außerhalb, so muss der Querschnitt der Hauptleitung vergrößert werden. Eine Überprüfung ist erneut durchzuführen.

Der statische Druckverlust Δp_s in der Hauptleitung zwischen dem untersten und dem obersten Ventilanschluss kann ausreichend genau nach folgender Gleichung berechnet werden:

$$\Delta p_s = R_A \cdot l_s \cdot [\{(n_1 + 1)\ (2n_1 + 1)/6n_1\} - 1] + 0{,}77\ p_{dA} \quad \text{in Pa} \tag{5}$$

Dabei ist

R_A der Druckabfall je m in der Ausblasleitung (siehe Bild 3) beim maßgeblichen Gesamtvolumenstrom, in Pa/m;

n_1 die Anzahl der Geschosse mit angeschlossenen Lüftungsventilen;

l_s die Länge der Hauptleitungsabschnitte zwischen 2 Geschossen mit angeschlossenen Ventilen, in m;

p_{dA} der dynamische Druck in der Ausblasleitung beim maßgeblichen Luftvolumenstrom, in Pa.

Der maßgebliche Gesamtvolumenstrom $q_{v,m\ gesamt}$ kann ausreichend genau wie folgt berechnet werden:

$$q_{v,m\ gesamt} = 1{,}05 \cdot n_2 \cdot q_{v,p} \quad \text{in m}^3\text{/h} \qquad (6)$$

Dabei ist

$q_{v,p}$ der planmäßige Luftvolumenstrom an den Abluftventilen, in m^3/h;

n_2 die Anzahl der Ventile.

5.3.2 Anordnung und Ausführung der Abluftleitungen

Die Abluftleitungen bestehen aus

- den Anschlussleitungen für die Abluftventile und
- einer oder mehreren Hauptleitungen.

Zwischen der untersten und der obersten Anschlussleitung soll jede Hauptleitung gerade und lotrecht geführt werden und muss einen gleichbleibenden Querschnitt haben. Bei einer eventuellen Abweichung einer Hauptleitung von der Lotrechten ist der rechnerische Nachweis zu führen, dass die Anforderung nach 4.1.3, dritter Satz, erfüllt ist; dabei ist der rechnerische Nachweis nach 5.3.1 nicht ausreichend.

Werden mehrere gemeinsame Hauptleitungen vor einem gemeinsamen Ventilator zusammengeführt, so muss die Zusammenführung über einen Sammelkasten erfolgen.

5.3.3 Abluftventile und Drosseleinrichtungen

Alle Abluftventile in einer Anlage müssen die gleiche Kennlinie besitzen und dürfen nicht verstellbar sein.

Weitere Drosseleinrichtungen dürfen nur an zugänglichen Stellen außerhalb von Wohnungen, z.B. am Eintritt von Hauptleitungen in den Sammelkasten angeordnet werden.

5.3.4 Betriebsweise und Steuerung der Anlagen

Die Anlagen müssen dauernd betrieben werden. Die Förderleistung des Ventilators muss sich selbsttätig der Betriebsweise anpassen.

Wegen der besonderen Funktionsweise der Abluftventile ist eine raumweise Volumenstromreduzierung nicht möglich.

5.4 Zentralentlüftungsanlagen mit wohnungsweise veränderlichen Volumenströmen

5.4.1 Allgemeines

Nach 4.1.3, erster und vierter Absatz, ist der Nachweis zu führen, dass sich die planmäßigen Volumenströme infolge von Stördrücken und durch die gegenseitige Beeinflussung der Abluftventile nur innerhalb der zulässigen Grenzen ändern. Der Nach-

D

weis der Anforderungen nach 4.1.3, vierter Absatz, ist notwendig, um einen ausreichenden Querschnitt der Hauptleitung sicherzustellen.

Die Volumenstromänderung infolge von Stördrücken (siehe 4.1.3, erster Absatz) kann anhand der Ventilatorkennlinie und der Anlagenkennlinie bei Offenstehen aller Abluftventile überprüft werden.

Die Volumenstromverminderung bei Offenstehen aller Abluftventile gegenüber dem Betrieb mit nur einem offenen Abluftventil (siehe 4.1.3, vierter Absatz) ist am untersten Abluftventil am größten. Die Volumenstromverminderung am untersten Abluftventil kann durch die Berechnung des statischen Druckabfalls in der Hauptleitung bei Offenstehen aller Abluftventile und der Ventilkennlinie ermittelt werden (Bild 11, nicht abgedruckt). Liegt die Volumenstromverminderung innerhalb des zulässigen Bereichs, so ist die gemeinsame Abluftleitung (Hauptleitung) ausreichend groß dimensioniert; liegt sie außerhalb, so muss der Querschnitt vergrößert werden. Eine Überprüfung ist erneut durchzuführen.

Der statische Druckverlust Δp_s in der Hauptleitung vom Anschluss des untersten Abluftventils bis zur Mündung bei Offenstehen aller Abluftventile kann nach Gleichung (3) berechnet werden.

Der maßgebliche Gesamtvolumenstrom $q_{v,m\,gesamt}$ bei Offenstehen aller Abluftventile kann wie folgt berechnet werden:

$$q_{v,m\,gesamt} = 0{,}95 \cdot n_2 \cdot q_{v,p} \tag{7}$$

Dabei ist

$q_{v,p}$ der planmäßige Luftvolumenstrom an den Abluftventilen, in m^3/h;

n_2 die Anzahl der Ventile.

Hat der Ventilator eine Regeleinrichtung, mit der ein konstanter Unterdruck an einem Messort zwischen dem obersten Abluftventil und dem Ventilator sichergestellt wird, so ist in dem aufgeführten Verfahren zur Berechnung des statischen Druckverlustes Δp_s für die Länge l_A nicht die Ausblasleitung vom obersten Abluftventil bis zur Mündung, sondern vom obersten Abluftventil bis zum Druckmessort einzusetzen.

5.4.2 Anordnung und Ausführung der Abluftleitungen

Die Abluftleitungen bestehen aus

- den Anschlussleitungen für die Abluftventile und
- der gemeinsamen Anschlussleitung (Hauptleitung).

Zwischen der untersten und der obersten Anschlussleitung soll die Hauptleitung gerade und lotrecht geführt werden und muss einen gleichbleibenden Querschnitt haben. Bei einer eventuellen Abweichung der Hauptleitung von der Lotrechten ist der rechnerische Nachweis zu führen, dass die Anforderung nach 4.1.3, vierter Absatz, erfüllt ist; dabei ist der rechnerische Nachweis nach 5.4.1 nicht ausreichend.

5.4.3 Abluftventile

Alle Abluftventile in einer Anlage müssen gleichen Typs und gleicher Bauart sein (siehe auch 3.2.2).

Die Abluftventile müssen so beschaffen sein, dass ihre Funktion durch Schmutz und Korrosion nicht beeinträchtigt wird.

5.4.4 Betriebsweise und Steuerung der Anlagen

Die Förderleistung des Ventilators muss sich selbsttätig dem zu fördernden Gesamtvolumenstrom anpassen. Sind alle Abluftventile einer Anlage geschlossen, so kann der Ventilator abgeschaltet werden, wenn sich hinter jedem Abluftventil eine Rückschlagklappe befindet.

5.5 Brandschutz

Wenn die Entlüftungsanlagen nach den Vorgaben dieser Norm aufgebaut sind, gelten die in der „Muster-Richtlinie über brandschutztechnische Anforderungen an Lüftungsanlagen (M-LüAR)“, Abschnitt 7 – „Besondere Bestimmungen für Lüftungsanlagen nach DIN 18017-3“, genannten Anforderungen.

6 Messung der Volumenströme (nicht abgedruckt)

7 Prüfung von Ventilatoren, Lüftungsgeräten, Außen- und Überströmluftdurchlässen und Abluftventilen

(nicht abgedruckt)

Abgasanlagen

Planung und Ausführung

Auszug aus **DIN V 18 160-1** (01.2006)

Ersatz für DIN 18 160-1 (12.2001)

Inhalt

Vorwort

Einleitung

D

Vorwort (*Auszug*)

Diese Vornorm wurde vom NABau-Arbeitsausschuss 11.39.00 „Abgasanlagen" erstellt.

Eine Vornorm ist das Ergebnis einer Normungsarbeit, das wegen bestimmter Vorbehalte zum Inhalt oder wegen des gegenüber einer Norm abweichenden Aufstellungsverfahrens vom DIN noch nicht als Norm herausgegeben wird.

Zur vorliegenden Vornorm wurde kein Entwurf veröffentlicht.

Erfahrungen mit dieser Vornorm sind erbeten

(...)

(...)

In DIN V 18160-1 Beiblatt 1 werden ergänzende Festlegungen für die Verwendung von metallischen Abgasanlagen nach DIN EN 1856-1 und DIN EN 1856-2 getroffen.

In DIN V 18160-1 Beiblatt 2 werden ergänzende Festlegungen für die Verwendung von keramischen Innenrohren nach DIN EN 1457 getroffen.

In DIN V 18160-60 werden die Verfahren für den Nachweis der Feuerwiderstandsdauer von außen nach außen aufbauend auf den bisher geltenden nationalen Regeln beschrieben.

Änderungen

Gegenüber DIN 18160-1:2001-12 wurden folgende Änderungen vorgenommen:

a) Anpassung der Kennzeichnungssysteme an EN 1443;

b) dadurch bedingt Änderungen der entsprechenden Tabellen für die Klasseneinteilung der verschiedenen Eigenschaften;

c) der Wärmedurchlasswiderstand TR entfällt, er wird als Zusatzinformation zur Kennzeichnung angegeben;

d) Abstandsklasse C entfällt. Der Abstand zu brennbaren Baustoffen wird als Abstandsmaß zur Rußbrandbeständigkeitsklasse angegeben.

Einleitung (*nicht abgedruckt*)

1 Anwendungsbereich

Diese Norm gilt für die Planung und Ausführung von Abgasanlagen für die Abführung von Abgasen von Feuerstätten, die mit festen, flüssigen oder gasförmigen Brennstoffen betrieben werden, sowie z. B. für die Abführung von Abgasen von Wärmepumpen, Blockheizkraftwerken und ortsfesten Verbrennungsmotoren.

Die Norm regelt die Verwendung von Bauprodukten für Abgasanlagen.

Die Norm gilt nicht für:

- Luft-Abgas-Schornsteine,
- Schornsteine im Überdruckbetrieb,
- Verbindungsstücke für Feuerstätten für feste Brennstoffe im Überdruckbetrieb und
- freistehende Abgasanlagen.

2 Normative Verweisungen (*nicht abgedruckt*)

3 Begriffe

Für die Anwendung dieses Dokuments gelten die folgenden Begriffe:

3.1 Abgasanlage

aus Bauprodukten hergestellte bauliche Anlage wie Schornstein, Verbindungsstück, Abgasleitung oder Luft-Abgas-System für die Ableitung der Abgase von Feuerstätten; zu den Abgasanlagen zählen auch Anlagen zur Abführung von Verbrennungsgasen von Blockheizkraftwerken, Wärmepumpen und ortsfesten Verbrennungsmotoren

3.2 Schornstein

Abgasanlage, die rußbrandbeständig ist

3.3 Verbindungsstück

aus Bauprodukten hergestellte bauliche Anlage zwischen dem Abgasstutzen der Feuerstätte und dem senkrechten Teil der Abgasanlage

3.4 Abgasleitung

Abgasanlage, die nicht rußbrandbeständig sein muss

3.5 Schacht für Abgasleitung

die Abgasleitung umschließende bauliche Anlage

3.6 Luft-Abgas-System

Abgasanlage mit nebeneinander oder konzentrisch angeordneten Schächten, führt den Feuerstätten Verbrennungsluft über den Luftschacht aus dem Bereich der Mündung der Abgasanlage zu und führt deren Abgase über den Abgasschacht über Dach ins Freie ab

3.7 Feuerstätte

in oder am Gebäude ortsfest benutzte Anlage oder Einrichtung, die dazu bestimmt ist, durch Verbrennung Wärme zu erzeugen

3.7.1 raumluftabhängige Feuerstätte

Feuerstätte, welche nicht raumluftunabhängig ist

3.7.2 raumluftunabhängige Feuerstätte

Feuerstätte, der die Verbrennungsluft über Leitungen direkt aus dem Freien zugeführt wird und bei der bei einem statischen Überdruck in der Feuerstätte gegenüber dem Aufstellraum kein Abgas in gefahrdrohender Menge in den Aufstellraum austreten kann

3.8 Montage-Abgasanlage

Abgasanlage, die auf der Baustelle montiert oder eingebaut wurde unter Verwendung einer Kombination kompatibler Bauprodukte, die von einem oder verschiedenen Herstellern kommen dürfen

3.9 System-Abgasanlage

Abgasanlage, die unter Verwendung kompatibler Bauteile zusammengesetzt wurde, die von einem Hersteller, der die Produkthaftung für die gesamte Anlage übernimmt, bezogen oder bestimmt wurde

3.10 Abgasanlage für Unterdruck

Anlage, bei deren bestimmungsgemäßem Betrieb der statische Druck im Inneren niedriger ist als der statische Druck in der Umgebung der Abgasanlage in gleicher Höhe

3.11 Abgasanlage für Überdruck

Anlage, bei deren Betrieb der statische Druck im Inneren höher sein darf als der statische Druck in der Umgebung der Abgasanlage in gleicher Höhe

3.12 Abgasanlage für trockene Betriebsweise

Anlage, bei deren bestimmungsgemäßen Betriebszuständen die Temperatur an der inneren Oberfläche über der Wasserdampftaupunkttemperatur des Abgases liegen muss

3.13 Abgasanlage für feuchte Betriebsweise

Anlage, bei deren Betrieb die Temperatur an der inneren Oberfläche unterhalb der Wasserdampf-Taupunkttemperatur des Abgases liegen darf

3.14 Einfachbelegung
ein Schornstein, ein Verbindungsstück, eine Abgasleitung oder ein Luft-Abgas-System verfügt nur über einen Anschluss

3.15 Mehrfachbelegung
ein Schornstein, ein Verbindungsstück, eine Abgasleitung oder ein Luft-Abgas-System verfügt über mehrere Anschlüsse

3.16 Gemischtbelegung
Mehrfachbelegung mit Feuerstätten für unterschiedliche Brennstoffe

3.17 Mehrschalige Abgasanlage
Abgasanlage, die aus der abgasführenden Schale und mindestens einer zusätzlichen Schale besteht

3.18 Reinigungsöffnung
mit einem Reinigungsverschluss versehene Öffnung in Abgasanlagen, die der Reinigung und Prüfung dient

3.19 Nebenluftvorrichtung
Bauteil nach DIN 4795, durch das einer Abgasanlage bei ausreichendem Unterdruck Nebenluft zugeführt wird

3.20 Messöffnung
verschließbare Öffnung in Abgasanlagen zu Messzwecken (die der Messung von Abgasparametern dient)

3.21 Absperrvorrichtung gegen Brandübertragung
Bauprodukt, das bei einer Abgasleitung aus brennbaren Baustoffen eine Brandübertragung zwischen den Geschossen während eines definierten Zeitraumes verhindert

3.22 Aufsatz
an der Mündung von Abgasanlagen angeordnetes Bauprodukt

3.23 Verlängerung
abgasführendes Teil zur Erhöhung der Abgasanlage über Dach

3.24 Abgasventilator
gegen Abgas beständiger Ventilator einschließlich der erforderlichen Anschlüsse, der dazu beiträgt, dass notwendige Förderdrücke zur Verfügung stehen und der Widerstandsdruck der Abgasanlage überwunden wird

3.25 Verkleidung
zusätzliche äußere Schale zum Schutz gegen Wärmeableitung oder Witterung oder für dekorative Zwecke

3.26 Senkrechter Teil der Abgasanlage
vom Baugrund oder von einem Unterbau oder von einer Konsole ins Freie führender Teil einer Abgasanlage

3.27 Sohle
unterer Abschluss des senkrechten Teils der Abgasanlage

3.28 Nenn-Betriebstemperatur
während des Betriebes der Feuerstätte bei Nennwärmeleistung erzielte durchschnittliche Abgastemperatur

4 Symbole, Benennungen und Einheiten

Tabelle 1: Symbole und Abkürzungen

Symbol	Benennung	Einheit
a_{Schaft}	kleinste Schaftbreite	m
A	Querschnitt des Abgasschachtes	m^2
A_L	Querschnitt des Luftschachtes	m^2
b_{Kopf}	größte Breite des Kopfes der Abgasanlage (Windangriffsfläche)	m
C_f	Beiwert für den Windangriff	–
D_h	innerer hydraulischer Durchmesser	m
D_{ha}	äußerer hydraulischer Durchmesser	m
$D_{h,\,L}$	hydraulischer Durchmesser des Luftschachtes	m
g_{Mantel}	Gewicht des Außenmantels	$kN \cdot m^{-1}$
g_{Kopf}	Gewicht der Kopfverkleidung bzw. der Kopfummauerung	$kN \cdot m^{-1}$
G_1	Gewicht der Abdeckplatte	kN
G_2	Gewicht der Kragplatte	kN
h_o	Teillänge von H unterhalb der Dachfläche	m
h_1	Dicke der Abdeckplatte	m
h_2	Dicke der Kragplatte	m
h_3	Abstand zwischen horizontaler Abstützung und Unterkante Kragplatte	m
H	Höhe des Abschnittes der Abgasanlage über der höchsten seitlichen Abstützung	m
L	Abstand zwischen zwei horizontalen Haltepunkten	m
M_{Stand}	Standmoment	$kN \cdot m$
M_{Wind}	Windmoment	$kN \cdot m$
q	Windstaudruck	$kN \cdot m^{-2}$
t_e	Abgastemperatur in der Abgasanlage	°C
t_u	Umgebungslufttemperatur	°C
V_{Rd1}	Bemessungswert der aufnehmbaren Querkraft	kN
α_i	innerer Wärmeübergangskoeffizient	$W \cdot m^{-2} \cdot K^{-1}$
α_a	äußerer Wärmeübergangskoeffizient	$W \cdot m^{-2} \cdot K^{-1}$
β_M	Nennfestigkeit von Mauerwerk	$MN \cdot m^{-2}$
β_R	Rechenwert der Nennfestigkeit	$MN \cdot m^{-2}$
γ_F	Teilsicherheitsbeiwert für Einwirkungen	–
γ_M	Teilsicherheitsbeiwert für Widerstände	–
$1/\Lambda$, $1/\Lambda_{aa}$	Wärmedurchlasswiderstand	$m^2 \cdot K \cdot W^{-1}$
$1/\Lambda_{bBt}$	Wärmedurchlasswiderstand einer Wand aus oder mit brennbaren Baustoffen	$m^2 \cdot K \cdot W^{-1}$
$1/\Lambda_{Däm}$	Wärmedurchlasswiderstand der Wärmedämmung	$m^2 \cdot K \cdot W^{-1}$
$1/\Lambda_n$	Wärmedurchlasswiderstand der n-ten Schale	$m^2 \cdot K \cdot W^{-1}$
σ_u	Druckspannung im Schaft	$MN \cdot m^{-2}$

5 Klassifizierung, Verwendung, Kennzeichnung

5.1 Klassifizierung und Verwendung

5.1.1 Allgemeines

Bauprodukte für Abgasanlagen werden je nach Anwendungsbereich nach den nachstehenden Leistungskenngrößen klassifiziert:

- Temperaturklasse (siehe 5.1.2)
- Gasdichtheitsklasse/Druckklasse (siehe 5.1.3)
- Kondensatbeständigkeitsklasse (siehe 5.1.4)
- Korrosionswiderstandsklasse (siehe Tabelle 5.1.5)
- Rußbrandbeständigkeitsklasse (siehe 5.1.4)
- Feuerwiderstandsklasse[1] (siehe Tabelle 5.1.7)
- Baustoffklasse (siehe 5.1.8).

5.1.2 Temperaturklasse

Die Temperaturklasse gibt an, bis zu welcher Nennbetriebstemperatur das Bauprodukt für die ausgeführte Anlage einsetzbar ist.

Tabelle 2: Temperaturklasse

Temperaturklasse	Nenn-Betriebstemperatur in °C
T080	≤ 80
T100	≤ 100
T120	≤ 120
T140	≤ 140
T160	≤ 160
T200	≤ 200
T250	≤ 250
T300	≤ 300
T400	≤ 400
T450	≤ 450
T600	≤ 600

5.1.3 Gasdichtheitsklassen/Druckklasse

Die Gasdichtheitsklasse nach DIN EN 1443/Druckklasse gibt an, für welche Betriebsweise das Produkt geeignet ist.

[1] Die Feuerwiderstandsklasse wird entweder mit L (gefolgt von der Zahl der Minuten der Widerstandsdauer) nach DIN 4102-6 oder mit EI (gefolgt von der Zahl der Minuten der Widerstandsdauer) nach DIN EN 13501-1 angegeben (für DIN EN 13501-1 ist dies zurzeit nicht möglich, da EN 13501-1 zurzeit nur für Schornsteine nur die Prüfung und Kennzeichnung der Rußbrandbeständigkeitsklasse Gxx vorsieht.

Tabelle 3: Gasdichtheitsklasse/Druckklasse

Klasse	Leckrate in $l \cdot s^{-1} \cdot m^{-2}$	Nominaldruck PA	Betriebsweise	Verwendung
N1	2,0	–40	Unterdruck	im Gebäude/im Freien
N2	3,0	–20	Unterdruck	im Gebäude/im Freien
P1	0,006	200	Über-/Unterdruck[a]	im Gebäude/im Freien
P2	0,120	200	Über-/Unterdruck[a]	im Freien[c]
H1	0,006	5000	Über-/Unterdruck[b]	im Gebäude/im Freien
H2	0,120	5000	Über-/Unterdruck[b]	im Freien[c]

[a] Überdruck maximal 200 Pa
[b] Überdruck maximal 5000 Pa
[c] bei Unterdruck auch im Gebäude

5.1.4 Kondensatbeständigkeitsklasse

Kondensatbeständigkeitsklassen sind:

W, für Abgasanlagen, die planmäßig feucht betrieben werden dürfen;

D, für Abgasanlagen, die planmäßig unter Trocken-Bedingungen betrieben werden müssen.

5.1.5 Korrosionswiderstandsklasse

Die brennstoffabhängigen Korrosionswiderstandsklassen für Abgasanlagen sind in Tabelle 4 angegeben

Tabelle 4: Korrosionswiderstandsklasse

Korrosions-widerstands-klassen	1	2	3
mögliche Brennstoff-arten	Gas: Schwefelgehalt $\leq$ 50 mg/m³, Erdgas: L + H, Flüssiggas	Gas Erdgas: L + H Flüssiggas	Gas Erdgas: L + H Flüssiggas
	Öl und Kerosin: Schwefelgehalt $\leq$ 50 mg/m³	Öl und Kerosin: Schwefelgehalt $\leq$ 0,2% Massenanteil	Öl und Kerosin
	–	Holz für ausschließlich offen betriebene Feuerstätten	Holz Kohle Torf

Anmerkung: Tabelle 4 berücksichtigt nicht Prozessgase oder -flüssigkeiten

D

5.1.6 Rußbrandbeständigkeitsklasse

Rußbrandbeständigkeitsklassen sind:

Oxx für Abgasanlagen ohne Rußbrandbeständigkeit;

Gxx für Abgasanlagen mit Rußbrandbeständigkeit.

Die Bezeichnung des Abstands der äußeren Oberfläche der Abgasanlage zu brennbaren Stoffen erfolgt durch xx, wobei xx der Zahlenwert des Abstandes in gerundeten Millimeter ist.

5.1.7 Feuerwiderstandsklasse

Die Feuerwiderstandsklasse gibt die Zeitspanne an, der die Abgasanlage bei Brandbeanspruchung widersteht. die möglichen Klassen sind der Tabelle 5 zu entnehmen.

Tabelle 5: Feuerwiderstandsklasse nach DIN V 18160-60

Anforderungen	Feuerwiderstandsklasse nach DIN 4102-6
kein Feuerwiderstand	L00
feuerhemmend	L30
hochfeuerhemmend	L60
feuerbeständig	L90
hochfeuerbeständig	L120

5.1.8 Baustoffklasse

Die Baustoffe werden nach ihrem Brandverhalten in die Klassen nach Tabelle 6 eingeteilt.

Tabelle 6: Baustoffklasse nach DIN 4102-1

Baustoffklasse	Benennung
A[a] A1 A2	Nichtbrennbare Baustoffe[a]
B B1[a] B2	brennbare Baustoffe schwerentflammbare Baustoffe[a] normalentflammbare Baustoffe

[a] Die Kurzzeichen und Benennungen dürfen nur dann verwendet werden, wenn das Brandverhalten nach DIN 4102-1 ermittelt worden ist.

Die Klassifikation des Brandverhaltens ist für normalentflammbare Baustoffe (Klasse E nach DIN EN 13501-1) möglich.

5.2 Kennzeichnung und Zusatzinformationen für die ausgeführte Anlage

5.2.1 Kennzeichnung

Die Kennzeichnung einer ausgeführten Abgasanlage muss mindestens aus folgenden Leistungskenngrößen bestehen:

Abgasanlage DIN 18 160-1 T400 P1 W 1 O50 L90

Nummer der Norm
Temperaturklasse (siehe 5.1.2)
Gasdichtheits-/Druckklasse (siehe 5.1.3)
Kondensatbeständigkeitsklasse (siehe 5.1.4)
Korrosionswiderstandsklasse (siehe 5.1.5)
Rußbrandbeständigkeitsklasse (siehe 5.1.6) mit Angabe eines Abstandes zu brennbaren Baustoffen
Feuerwiderstandsklasse (siehe 5.1.7)

5.2.2 Wesentliche Zusatzinformationen zur Bezeichnung

Folgende wesentlichen Zusatzinformationen sollten gegeben werden:

- Wärmedurchlasswiderstand in m^2 K/W;
- Strömungswiderstand (siehe DIN EN 13384-1);
- Frost-Tauwechselbeständigkeit.

6 Allgemeine Anforderungen an Abgasanlagen

6.1 Abgasanlagen, Feuerstätten

Die Abgase von Feuerstätten müssen bei allen bestimmungsgemäßen Betriebszuständen ordnungsgemäß ins Freie abgeführt werden. Dazu sind Abgasanlagen in solcher Anzahl, Beschaffenheit und Lage herzustellen, dass die vorgesehenen Feuerstätten in den Gebäuden ordnungsgemäß an Abgasanlagen angeschlossen und betrieben werden können. An Abgasanlagen dürfen nur ordnungsgemäß beschaffene Feuerstätten angeschlossen werden, die durch ihre Beschaffenheit oder durch ihre Ausrüstung sicherstellen, dass keine explosionsfähigen Stoffe eingeleitet werden und keine höheren Anforderungen auftreten können, als aufgrund der Klassifizierung der verwendeten Bauprodukte und der Bezeichnung der Abgasanlage nach 5.2 zulässig ist.

6.2 Brandschutz

Abgasanlagen sind so herzustellen, dass Feuer und Rauch nicht in andere Geschosse oder Brandabschnitte übertragen werden können. Die Übertragung von Feuer und Rauch gilt als ausgeschlossen, wenn Abgasanlagen bei Brandbeanspruchung von außen eine Feuerwiderstandsdauer von mindestens 90 min aufweisen. Wenn an die Abgasanlage nur Feuerstätten für flüssige und/oder gasförmige Brennstoffe angeschlossen sind, genügt in *Wohngebäuden geringer Höhe (siehe Abschnitt „Begriffe" in den Bauordnungen der Länder)* eine Feuerwiderstandsdauer von mindestens 30 min. Abgasanlagen müssen durchgehend sein; sie dürfen insbesondere nicht durch Decken unterbrochen sein.

Abgasanlagen müssen so wärmegedämmt oder so angeordnet sein, dass durchströmendes Abgas sowie gegebenenfalls Rußbrände im Innern einen Brand im Gebäude nicht auslösen können. Dies gilt als erfüllt, wenn die Anforderungen an die Bauart nach den Abschnitten 7 bis 10 und die Anforderungen an die Abstände zu Bauteilen aus oder mit brennbaren Baustoffen nach 6.9 eingehalten sind.

Schornsteine müssen unmittelbar auf dem Baugrund gegründet oder auf einem feuerbeständigen Unterbau errichtet sein; es genügt ein Unterbau aus nichtbrennbaren Baustoffen für Schornsteine in *Gebäuden geringer Höhe*, für Schornsteine, die oberhalb der obersten Geschossdecke beginnen, sowie für Schornsteine an Gebäuden.

6.3 Dichtheit

Aus den äußeren Wänden von Abgasanlagen darf Abgas nicht in Gefahr drohender Menge austreten können. Dies gilt als erfüllt, wenn die Anforderungen an die Bauart nach den Abschnitten 7 bis 10 eingehalten sind.

6.4 Feuchteschutz

Der konstruktive Aufbau mehrschaliger Abgasanlagen, insbesondere der Dampfdiffusionswiderstand der einzelnen Schichten, sowie Anordnung, Art und Dicke der Wärmedämmung müssen sicherstellen, dass es zu keiner schädigenden Feuchteansammlung in den Baustoffen kommt. Dies gilt sinngemäß auch für den Dampfdiffusionswiderstand zusätzlicher äußerer Beschichtungen, nicht hinterlüfteter Ummantelungen und nicht hinterlüfteter Verkleidungen, die Abgasanlagen großflächig bedekken.

6.5 Überprüfung

6.5.1 Allgemeines

Abgasanlagen müssen leicht und sicher gereinigt bzw. auf ihren freien Querschnitt hin überprüft werden können. Dies wird in der Regel ermöglicht durch untere und gegebenenfalls obere Reinigungsöffnungen, deren Unterkanten jeweils in einem Bereich von 0,4 bis 1,4 m über einer Standfläche[2] liegen und die 6.5.2 bis 6.5.5 entsprechen.

Schächte für Abgasleitungen, die wegen des Betriebs mit Überdruck oder wegen der notwendigen Abstände zu brennbaren Baustoffen hinterlüftet sein müssen, sowie Schächte zur Verbrennungsluftzuführung müssen überprüft werden können.

6.5.2 Anordnung der unteren Reinigungsöffnung

Die untere Reinigungsöffnung ist unterhalb des untersten Feuerstättenanschlusses an der Sohle des senkrechten Teils der Abgasanlage anzuordnen.

---

[2] Die Anforderungen an die Standfläche sind in DIN 18160-5 geregelt.

Bei Abgasleitungen darf die untere Reinigungsöffnung auch
- im senkrechten Teil der Abgasanlage direkt oberhalb der Einführung des Verbindungsstückes oder
- seitlich im Verbindungsstück höchstens 0,3 m entfernt von der Umlenkung in den senkrechten Teil der Abgasanlage (siehe Bild 1) oder
- an der Stirnseite eines geraden Verbindungsstückes höchstens 1,0 m entfernt von der Umlenkung in den senkrechten Teil der Abgasanlage (siehe Bild 2)

angeordnet werden.

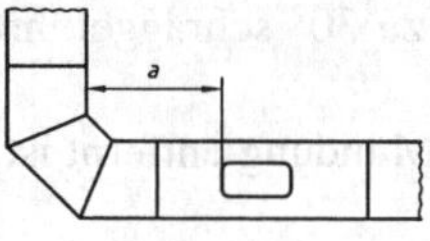

Bild 1. Abstand Reinigungsöffnung – seitliche Anordnung

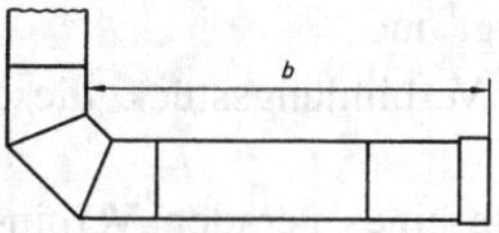

Bild 2. Abstand Reinigungsöffnung – Anordnung an der Stirnseite eines geraden Abschnittes

6.5.3 Anordnung der oberen Reinigungsöffnung

Abgasanlagen, die nicht von der Mündung aus gereinigt werden können, müssen eine weitere (obere) Reinigungsöffnung bis zu 5 m unterhalb der Mündung haben.

Bei Abgasanlagen mit einem Abstand zwischen Mündung und unterer Reinigungsöffnung von höchstens 5 m kann auf die obere Reinigungsöffnung verzichtet werden.

Schornsteine, die eine Schrägführung
- größer 15° zwischen der Achse und der Senkrechten und
- einen seitlichen Versatz größer zweimal dem hydraulischen Durchmesser des Schornsteines, gemessen von Achse zu Achse,

aufweisen, benötigen in einem Abstand von höchstens 1,0 m zu den Knickstellen Reinigungsöffnungen.

Senkrechte Teile von Abgasleitungen, die eine Schrägführung größer 30° zwischen der Achse und der Senkrechten aufweisen, benötigen in einem Abstand von höchstens 0,3 m zu den Knickstellen Reinigungsöffnungen.

Ist die untere Reinigungsöffnung im senkrechten Teil der Abgasanlage angeordnet, kann auf die obere Reinigungsöffnung auch verzichtet werden, wenn
- an die Abgasanlage nur Feuerstätten für gasförmige Brennstoffe in derselben Nutzungseinheit (z. B. Wohneinheit, Gewerbeeinheit) angeschlossen sind, und
- der hydraulische Durchmesser des senkrechten Teils der Abgasanlage höchstens 0,20 m beträgt, und

– der senkrechte Teil der Abgasanlage höchstens einmal bis zu 30° schräggeführt (gezogen) und dann wieder senkrecht geführt ist, und
– die untere Reinigungsöffnung nicht mehr als 15 m von der Mündung entfernt ist.

Ist die untere Reinigungsöffnung im Verbindungsstück angeordnet, kann auf die obere Reinigungsöffnung auch verzichtet werden, wenn

– an die Abgasanlage nur Feuerstätten für gasförmige Brennstoffe in derselben Nutzungseinheit (z. B. Wohneinheit, Gewerbeeinheit) angeschlossen sind, und
– der hydraulische Durchmesser des senkrechten Teils der Abgasanlage höchstens 0,15 m beträgt, und
– der senkrechte Teil der Abgasanlage höchstens einmal bis zu 30° schräggeführt (gezogen) und dann wieder senkrecht geführt ist, und
– die untere Reinigungsöffnung nicht mehr als 15 m von der Mündung entfernt ist, und
– die Umlenkung in den senkrechten Teil durch einen Bogen mit einem Biegeradius gleich oder größer dem Durchmesser des senkrechten Teils der Abgasanlage und einer für die Reinigung vergleichbaren Geometrie erfolgt und
– bei seitlicher Anordnung der Reinigungsöffnung im Verbindungsstück diese höchstens 0,3 m vom senkrechten Teil entfernt ist oder
– bei Anordnung der Reinigungsöffnung an der Stirnseite eines geraden Verbindungsstücks diese höchstens 1,0 m von der Umlenkung in den senkrechten Teil entfernt ist.

6.5.4 Reinigungsöffnung in Verbindungsstücken

In Verbindungsstücken ist mindestens eine Reinigungsöffnung erforderlich. Reinigungsöffnungen sind im Bereich der Umlenkungen größer 45° anzuordnen.

Die Abstände zwischen den Reinigungsöffnungen sollten die in Tabelle 7 angegebenen Werte nicht überschreiten.

Tabelle 7: Maximaler Abstand zwischen Reinigungsöffnungen in Abhängigkeit vom Brennstoff und der Anordnung

Brennstoff	Maximaler Abstand in m	
	bei seitlicher Anordnung	bei Anordnung an der Stirnseite eines geraden Abschnitts
bei festen und flüssigen Brennstoffen	2	4
bei gasförmigen Brennstoffen	4	4

Gegebenenfalls ist eine weitere Reinigungsöffnung in der Nähe der Feuerstätte erforderlich, wenn Kehrrückstände nicht in die Feuerstätte gelangen dürfen.

Reinigungsöffnungen sind nicht erforderlich in Verbindungsstücken, die zum Zwecke der Reinigung und Überprüfung leicht und sicher de- und montierbar sind.

6.5.5 Maße von Reinigungsöffnungen

Die Maße der Reinigungsöffnungen im senkrechten Teil der Abgasanlage müssen Tabelle 8, in Verbindungsstücken Tabelle 9 entsprechen. Wird auf die obere Reinigungsöffnung nach 6.5.3 verzichtet, gilt bei Anordnung der unteren Reinigungsöffnung im Verbindungsstück für die Maße dieser Reinigungsöffnung Tabelle 8.

Tabelle 8: Maße für Reinigungsöffnungen in senkrechten Teilen der Abgasanlagen

Lichte Weite oder lichter Durchmesser d der Abgasanlage in m	Fläche bzw. Maße der Reinigungsöffnung			
	Abgasanlagen für Feuerstätten für feste Brennstoffe		Abgasanlagen für Feuerstätten für flüssige und gasförmige Brennstoffe	
	Rechteckige/ ovale Öffnung: Fläche A in m^2 Breite b und Höhe h in m	Runde Öffnung: Durchmesser in m	Rechteckige/ ovale Öffnung: Fläche A in m^2 Breite b und Höhe h in m	Runde Öffnung: Durchmesser d in m
$d < 0{,}10$	–	–	$b \geq 0{,}04$ und $h \geq 0{,}07$	$\geq 0{,}06$
$0{,}10 \leq d < 0{,}14$	$A \geq 0{,}0180$ bei $b \geq 0{,}09$ und $h \geq 0{,}18$	–	$A \geq d^2$ bei $b \geq 0{,}09$ und $h \geq d$	Entsprechend Durchmesser d der Abgasanlage
$0{,}14 \leq d \leq 0{,}20$	$A \geq 0{,}0180$ bei $b \geq 0{,}09$ und $h \geq 0{,}18$	$\geq 0{,}14$	$A \geq 0{,}0180$ bei $b \geq 0{,}09$ und $h \geq 0{,}14$ m	$\geq 0{,}14$
$0{,}20 < d \leq 0{,}35$	$A \geq 0{,}0180$ bei $b \geq 0{,}09$ und $h \geq 0{,}18$	$\geq 0{,}18$	$A \geq 0{,}0180$ bei $b \geq 0{,}09$ und $h \geq 0{,}18$	$\geq 0{,}18$
$0{,}35 < d \leq 0{,}50$	$A \geq 0{,}0570$ bei $b \geq 0{,}20$ und $h \geq 0{,}24$	$\geq 0{,}24$	$A \geq 0{,}0570$ bei $b \geq 0{,}20$ und $h \geq 0{,}24$	$\geq 0{,}24$
	$A \geq 0{,}0180$[a] bei $b \geq 0{,}09$ und $h \geq 0{,}18$[a]	$\geq 0{,}18$[a]	$A \geq 0{,}0180$[a] bei $b \geq 0{,}09$ und $h \geq 0{,}18$[a]	$\geq 0{,}18$[a]
$d > 0{,}50$	$A \geq 0{,}2350$ bei $b \geq 0{,}40$ und $h \geq 0{,}50$	$\geq 0{,}50$	$A \geq 0{,}0570$ bei $b \geq 0{,}20$ und $h \geq 0{,}24$	$\geq 0{,}24$
			$A \geq 0{,}0400$[a] bei $b \geq 0{,}20$ und $h \geq 0{,}20$[a]	$\geq 0{,}20$[a]

[a] Gilt nur für untere Reinigungsöffnungen, wenn eine obere Reinigungsöffnung vorhanden ist oder die Reinigung von der Mündung aus durchgeführt werden kann.

Tabelle 9: Maße für Reinigungsöffnungen in einwandigen Verbindungsstücken

Lichte Weite oder lichter Durchmesser d des Verbindungsstückes in m	Maße der Reinigungsöffnung	
	Rechteckige/ovale Öffnung: Breite und Höhe in m	Runde Öffnung: Durchmesser in m
$d < 0{,}10$	0,06 · 0,035[a]	0,06[a]
$0{,}10 \leq d < 0{,}12$	0,075 · 0,045	0,09
$0{,}12 \leq d < 0{,}14$	0,075 · 0,045	0,10
$0{,}14 \leq d < 0{,}15$	0,09 · 0,065	0,10
$0{,}15 \leq d < 0{,}225$	0,09 · 0,065	0,13
$0{,}225 \leq d < 0{,}35$	–	0,13
$0{,}35 \leq d < 0{,}50$	–	0,20

[a] nur bei Verbindungsstücken für Feuerstätten für flüssige und gasförmige Brennstoffe.

6.5.6 Messöffnungen

Verbindungsstücke für messpflichtige Feuerstätten, z. B. nach dem Bundesimmissionsschutzgesetz, müssen eine Messöffnung haben, falls die Feuerstätte nicht bereits damit ausgestattet ist; diese sollte etwa im doppelten Abstand des hydraulischen Durchmessers des Abgasstutzens hinter diesem liegen und verschlossen werden können. Die Messöffnung darf durch zusätzliche Wärmedämmung, Ummantelungen, Verkleidungen oder Befestigungsmittel nicht verdeckt werden. Sie muss so zugänglich sein, dass Messungen ordnungsgemäß ausgeführt werden können.

6.6 Fremde Bauteile und Einrichtungen an und in Abgasanlagen

Die Funktions-, Brand- und Standsicherheit von Abgasanlagen darf durch fremde Bauteile und Einrichtungen nicht gemindert werden.

6.7 Sohle

Die Abführung der Abgase darf durch Verbrennungsrückstände und Ablagerungen an der Sohle nicht beeinträchtigt werden. Deshalb soll der senkrechte Teil der Abgasanlage eine unterhalb des untersten Feuerstättenanschlusses angeordnete Sohle haben. Der Abstand zwischen dieser Sohle und der Unterkannte des Feuerstättenanschlusses sollte mindestens 20 cm betragen.

Eine Sohle ist nicht erforderlich bei

- Abgasanlagen für nur vorübergehend benutzte Feuerstätten mit einer Nennwärmeleistung von nicht mehr als 10 kW in freistehenden, eingeschossigen Gebäuden, die nur für einen vorübergehenden Aufenthalt bestimmt sind, wie Wochenendhäuser, Unterkunftshütten, Baubuden und Unterkünfte auf Baustellen,
- Abgasanlagen für offene Kamine nach DIN EN 13229.

Ein Abstand zwischen der Sohle und der Unterkante des Feuerstättenanschlusses bzw. des Verbindungsstückanschlusses ist bei Abgasleitungen nicht erforderlich, wenn

- die unterste angeschlossene Feuerstätte über eine Differenzdrucküberwachung verfügt und das Verbindungsstück überdruckdicht ausgeführt ist, oder

– die unterste angeschlossene Feuerstätte planmäßig mit Überdruck betrieben werden kann und das Verbindungsstück überdruckdicht ausgeführt ist.

6.8 Einheitlichkeit von Bauarten und zulässige Abweichungen

Die senkrechten Teile von Abgasanlagen sind durchgehend mit einheitlichen Baustoffen, mit einheitlichen Abmessungen in einheitlicher Bauart und lotrecht herzustellen. Davon abweichend sind zulässig:

– aus statischen oder bauphysikalischen Gründen abschnittsweise unterschiedlich dick bemessene Wände,
– bei Abgasanlagen und Außenschalen aus Mauersteinen abschnittsweise unterschiedliche Mauersteine, sofern dies aus Gründen der Wärmedämmung oder des Witterungsschutzes erforderlich ist,
– Verlängerungen von Abgasanlagen (Baustoffe und Abmessungen) über Dach nach 6.11.7,
– Schrägführungen mit größerem Winkel als 30° zwischen der Achse und der Senkrechten, wenn Abgasanlage und Feuerstätte für Überdruck geeignet sind.

Putzen, Ummanteln und Verkleiden der Außenflächen von Abgasanlagen oder einzelnen Abschnitten sind zulässig, soweit die Funktionsfähigkeit hiervon nicht beeinträchtigt wird (siehe 6.11.3).

Bei unterschiedlicher Ausführung des Verbindungsstückes und des senkrechten Teils der Abgasanlage sind für den Anschlussbereich geeignete Formstücke zu verwenden.

6.9 Abstände von Abgasanlagen und Schächten von Abgasleitungen zu angrenzenden Bauteilen aus oder mit brennbaren Baustoffen[3]

6.9.1 Allgemeines

Abgasanlagen und Schächte von Abgasleitungen müssen von brennbaren Baustoffen so weit entfernt sein, dass an diesen bei Nennwärmeleistung der Feuerstätten keine höheren Temperaturen als 85 °C und bei Rußbränden im Inneren von Schornsteinen keine höheren Temperaturen als 100 °C auftreten können.

Bauteile aus oder mit brennbaren Baustoffen müssen zu den Außenflächen von Abgasanlagen mindestens einen Abstand einhalten, der dem mit der Rußbeständigkeitsklasse angegebenen Abstand zu brennbaren Baustoffen entspricht (siehe 5.1.4 sowie Abschnitte 7 bis 9). Die Zwischenräume zwischen den Bauteilen aus oder mit brennbaren Baustoffen und der Abgasanlage sind zu belüften bzw. durchgehend offen zu halten oder unter Berücksichtigung der Herstellerangaben mit formbeständigen nicht brennbaren Baustoffen mit geringer Wärmeleitfähigkeit auszufüllen. Ist der Wärmedurchlasswiderstand der Bauteile aus oder mit brennbaren Baustoffen größer als 2,5 $m^2 \cdot K \cdot W^{-1}$ oder sind die Bauteile außenseitig entsprechend wärmegedämmt, ist der Abstand zu belüften, sofern nicht anderweitig nachgewiesen wird, dass bei Nennwärmeleistung die Temperatur an den Bauteilen 85 °C und bei Rußbränden im Inneren von Schornsteinen 100 °C nicht überschreitet. Der Wärmeleitfähigkeitskoeffizient

[3] Landesbauordnungen der jeweiligen Länder beachten.

der Baustoffe, die zur Ausfüllung der Zwischenräume verwendet werden, sollte $\leq 0{,}04\ W \cdot m^{-1} \cdot K^{-1}$ bei 20 °C betragen.

Im Übrigen gelten abhängig von Bauart und Betriebsweise nachfolgende ergänzende Regelungen:

6.9.2 Abstände von Abgasanlagen zu brennbaren Bauteilen

Für Schornsteine, deren mit der Rußbrandbeständigkeitsklasse angegebener Abstand zu brennbaren Baustoffen höchstens 50 mm beträgt, genügt gegenüber Holzbalken und Bauteilen entsprechender Abmessungen aus brennbaren Baustoffen ein Abstand von mindestens 2 cm. Zu Bauteilen, die nur mit geringer Fläche an Schornsteine angrenzen, wie Fußleisten oder Dachlatten, benötigen diese Schornsteine keinen Abstand, wenn diese Bauteile außenseitig frei liegen oder außenseitig nicht zusätzlich wärmegedämmt sind.

Zwischenräume in Decken sind mit nichtbrennbaren Baustoffen mit geringer Wärmeleitfähigkeit auszufüllen.

Zu Holzbalkendecken, Dachbalken aus Holz, weichen Bedachungen und ähnlichen, streifenförmig an Schornsteine angrenzenden Bauteilen aus oder mit brennbaren Baustoffen ist kein Abstand erforderlich, wenn die Schornsteine im Bereich dieser Bauteile zusätzlich mit mindestens 11,5 cm Mauerwerk verkleidet sind.

6.9.3 Abstände von Abgasleitungen oder von Schächten für Abgasleitungen zu brennbaren Bauteilen

6.9.3.1 Abgasleitungen in Schächten mit Feuerwiderstandsklasse L30 oder L90

Bei Temperaturklassen bis T120 ist zwischen den Schächten und angrenzenden Bauteilen aus oder mit brennbaren Baustoffen kein Abstand erforderlich.

Bei Temperaturklassen bis T200 ist kein Abstand zu angrenzenden Bauteilen aus oder mit brennbaren Baustoffen erforderlich, wenn die Schächte aus nichtbrennbaren Baustoffen bestehen, der Zwischenraum zwischen Abgasleitung und Schacht dauernd hinterlüftet ist und der Abstand zwischen Abgasleitung und Schacht

- bei rundem lichten Querschnitt der Abgasleitung im Schacht mit rechteckigem Querschnitt mindestens 2 cm,
- bei rundem lichten Querschnitt der Abgasleitung im Schacht mit rundem Querschnitt mindestens 3 cm und
- bei rechteckigem lichten Querschnitt der Abgasleitung im Schacht mit rechteckigem lichten Querschnitt mindestens 3 cm

beträgt. Die Größe der Luftein- und -austrittsöffnungen für die Hinterlüftung muss mindestens der durch die vorstehend festgelegten Abstände sich ergebenden Querschnittsfläche entsprechen.

Bei Temperaturklassen über T200 ist nachzuweisen, dass an den Bauteilen aus oder mit brennbaren Baustoffen keine höheren Temperaturen als 85 °C auftreten können. Der Nachweis ist entbehrlich für Temperaturklassen bis T400, wenn:

- der Zwischenraum zwischen Abgasleitung und Schacht nach dem zweiten Absatz hinterlüftet ist und von den Außenflächen des Schachtes zu Bauteilen aus oder mit brennbaren Baustoffen 5 cm Abstand eingehalten werden, oder
- der Wärmedurchlasswiderstand des Schachtes mindestens 0,12 $m^2 \cdot K \cdot W^{-1}$ beträgt und von den Außenflächen des Schachtes zu Bauteilen aus oder mit brennbaren Baustoffen ein Abstand von mindestens 5 cm eingehalten wird.

6.9.3.2 Abgasleitungen für Unterdruck mit Feuerwiderstandsdauer von 30 min oder 90 min

Abgasleitungen mit einer Feuerwiderstandsdauer von 30 min oder 90 min benötigen bei einer Temperaturklasse bis T120 keinen Abstand zu Bauteilen aus oder mit brennbaren Baustoffen, im Übrigen gelten die Festlegungen nach 6.9.1 entsprechend.

6.9.3.3 Abgasleitungen außerhalb von Schächten

Abgasleitungen mit Temperaturklassen bis T300 außerhalb von Schächten müssen von Bauteilen aus oder mit brennbaren Baustoffen einen Abstand von 20 cm einhalten. Es genügt ein Abstand von mindestens 5 cm, wenn die Abgasleitungen mit mindestens 2 cm dicken nichtbrennbaren Dämmstoffen ummantelt sind oder wenn die Abgastemperatur der Feuerstätten bei Nennwärmeleistung nicht mehr als 160 °C beträgt.

Bei Abgasleitungen mit Temperaturklassen über T300, die mit nichtbrennbaren Dämmstoffen mit einer Dicke von mindestens 2 cm ummantelt sind, ist ein Abstand von 20 cm einzuhalten. Wenn auf die Dämmung verzichtet wird, muss der Abstand mindestens 40 cm betragen.

6.9.4 Abstände von Reinigungsöffnungen zu brennbaren Bauteilen

Bauteile aus oder mit brennbaren Baustoffen müssen von Reinigungsöffnungen in Schornsteinen mindestens 40 cm entfernt sein; es genügt ein Abstand von 20 cm, wenn ein Schutz gegen Wärmestrahlung vorhanden ist. Bauteile aus oder mit brennbaren Baustoffen müssen von Reinigungsöffnungen in Abgasleitungen oder in Schächten für Abgasleitungen bei Temperaturklassen bis T160 mindestens 5 cm, bei Temperaturklassen T160 ≤ T400 mindestens 20 cm Abstand einhalten.

Fußböden aus brennbaren Baustoffen unter Reinigungsöffnungen von Schornsteinen sind durch nichtbrennbare Baustoffe zu schützen, die nach vorn mindestens 50 cm und seitlich mindestens je 20 cm (FeuVO der Länder sind zu beachten) über die Öffnungen ragen.

6.9.5 Abstände von Verbindungsstücken zu brennbaren Bauteilen

Zwischen Verbindungsstücken für Feuerstätten mit festen Brennstoffen und Bauteilen aus oder mit brennbaren Baustoffen ist ein Abstand von mindestens 40 cm einzuhalten. Es genügt ein Abstand von 10 cm, wenn die Verbindungsstücke mindestens 2 cm dick mit nicht brennbaren Dämmstoffen ummantelt sind. Bei Verbindungsstücken für Feuerstätten mit flüssigen oder gasförmigen Brennstoffen genügt bei Abgastemperaturen > 160 °C ≤ 400 °C ein Abstand von 20 cm, > 85 °C ≤ 160 °C ein Abstand von mindestens 5 cm, bei Abgastemperaturen bis 85 °C ist kein Abstand erforderlich.

D

Für Verbindungsstücke, welche die Anforderungen an Schornsteine mit einer Feuerwiderstandsdauer von 90 min erfüllen, sind abweichend vom ersten und zweiten Absatz die Abstände zu Bauteilen aus oder mit brennbaren Baustoffen nach 6.9.2 einzuhalten.

Für Verbindungsstücke aus Bauprodukten für Abgasleitungen gelten die Abstände zu brennbaren Bauteilen nach 6.9.3.

6.9.6 Wanddurchführung von Verbindungsstücken

Verbindungsstücke müssen, soweit sie durch Bauteile aus oder mit brennbaren Baustoffen führen,

- in einem Abstand von mindestens 20 cm mit einem belüfteten Schutzrohr aus nichtbrennbaren Baustoffen versehen sein oder
- soweit aufgrund der Werkstoffeigenschaften zulässig, in einem Umkreis von mindestens 20 cm mit nichtbrennbaren, formbeständigen Baustoffen mit geringer Wärmeleitfähigkeit ummantelt sein.

Andere Bauausführungen sind möglich, wenn die sichere Benutzbarkeit nachgewiesen wurde.

Abweichend hiervon genügt ein Abstand von 5 cm, wenn die Abgastemperatur der Feuerstätten bei Nennwärmeleistung nicht mehr als 160 °C betragen kann.

6.9.7 Abstände von Luft-Abgas-Systemen zu brennbaren Bauteilen

Bauteile aus oder mit brennbaren Baustoffen müssen zu Luft-Abgas-Systemen einen Abstand einhalten, der mindestens dem mit der Rußbeständigkeitsklasse angegebenen Abstand zu brennbaren Baustoffen entspricht.

Für Luft-Abgas-Systeme gelten für die Bestimmung der Abstände zu brennbaren Baustoffen 6.9.2 bis 6.9.5 entsprechend.

Luft-Abgas-Systeme mit einer Feuerwiderstandsklasse L90 benötigen bei Abgastemperaturen bis 120 °C keinen Abstand zu Bauteilen aus oder mit brennbaren Baustoffen.

Für konzentrische Verbindungsstücke zu Luft-Abgas-Systemen gelten die in 6.9.3.1 festgelegten Abstände sinngemäß.

Für nebeneinander angeordnete Verbindungsstücke von Luft-Abgas-Systemen gelten die in 6.9.3.3 festgelegten Abstände sinngemäß.

6.10 Anordnung von Abgasanlagen

6.10.1 Lage der Mündung

Abgasanlagen müssen so angeordnet sein, dass ihre Mündungen nicht in unmittelbarer Nähe von Fenstern, Zuluftöffnungen und Balkonen liegen. Abgasanlagen von terrassenförmigen Gebäuden sollten aus dem Dach des höchsten Gebäudeteils austreten. Mündungen von Abgasanlagen dürfen über Dachflächen mit allseitig geschlossener Brüstung von mehr als 50 cm Höhe nur liegen, wenn die Brüstungen Öffnungen haben, die ein gefährliches Ansammeln von Abgasen verhindern.

Abgasanlagen in oder an Gebäuden mit Dächern, die eine größere Neigung als 20° haben, sollten so angeordnet werden, dass die Mündungen in der Nähe der höchsten Dachkante liegen.

6.10.2 Höhe der Mündungen über Dach

Die Mündungen von Abgasanlagen müssen

- den First um mindestens 40 cm überragen oder von der Dachfläche mindestens 1 m entfernt sein; bei raumluftunabhängigen Gasfeuerstätten genügt ein Abstand von der Dachfläche von 40 cm, wenn die Gesamtnennwärmeleistung der Feuerstätten nicht mehr als 50 kW beträgt und das Abgas durch Ventilatoren abgeführt wird,
- Dachaufbauten, Gebäudeteile und Öffnungen zu Räumen, auch an Nachbargebäuden, um mindestens 1 m überragen, soweit deren Abstand zu den Abgasanlagen weniger als 1,5 m beträgt,
- ungeschützte Bauteile aus brennbaren Baustoffen, ausgenommen Bedachungen, um mindestens 1 m überragen oder von ihnen mindestens 1,5 m entfernt sein,
- bei Feuerstätten für feste Brennstoffe in Gebäuden mit weicher Bedachung am First austreten und diesen um mindestens 80 cm überragen.

Die Mündungen der Abgasanlagen sollten Dachaufbauten auch dann um mindestens 1 m überragen, wenn deren Abstand zur Abgasanlage kleiner als deren 1,5fache Höhe über Dach ist.

Weitergehende Anforderungen an die Höhe der Mündungen über Dach können aufgrund bauaufsichtlichter Vorschriften, aus Gründen des Umweltschutzes oder der örtlichen Gegebenheiten erforderlich sein.

Geringere Höhen der Mündungen über Dach sollten bei raumluftunabhängigen Feuerstätten nur vorgesehen werden, wenn durch geeignete Maßnahmen oder Nachweise sichergestellt ist, dass die Funktion der Feuerstätten nicht durch die bei dieser Anordnung zu erwartenden Winddruckschwankungen beeinträchtigt wird.

6.10.3 Abgasanlagen und angrenzende Bauteile

Abgasanlagen dürfen in tragende oder aussteifende Bauteile des Gebäudes nur so eingreifen, dass die Standsicherheit des Gebäudes nicht gefährdet wird. Wo Abgasanlagen großflächig an tragende Wände, Pfeiler oder Stützen oder an aussteifende Bauteile angrenzen, müssen solche Abstände eingehalten werden, dass die Standsicherheit dieser Bauteile bei einer Eintrittstemperatur der Abgase in die Abgasanlage entsprechend der betriebsmäßig höchsten Temperatur am Abgasstutzen der Feuerstätte nicht gefährdet werden kann.

Abgasanlagen und Schächte für Abgasleitungen dürfen in Bauteile, die wegen des Raumabschlusses feuerwiderstandsfähig sein müssen, nur so eingreifen, dass die Feuerwiderstandsfähigkeit dieser Bauteile und der Raumabschluss nicht gefährdet werden. Zwischenräume zu vorgenannten Bauteilen müssen durch formbeständige, nichtbrennbare Baustoffe dicht und brandsicher abgeschlossen sein. Bauprodukte, Bauteile und Anordnung der Abgasanlagen müssen gemeinsam sicherstellen, dass

D

Behinderungen des Schwindens oder der Wärmedehnung nicht zu gefährlichen Schäden an Abgasanlagen oder an angrenzenden Bauteilen führen.

6.10.4 Führung von Verbindungsstücken

Das Abgas soll mit geringem Druckverlust und geringem Wärmeverlust abgeleitet werden. Deshalb soll das Verbindungsstück kurz und ansteigend geführt werden. Abweichend hiervon dürfen Teile von Verbindungsstücken fallend geführt werden, wenn die Feuerungsanlage mit Gebläsebrenner oder Saugzuggebläse ausgerüstet ist und die Feuerstätten in Heizräumen oder in anderen Aufstellräumen mit Lüftungseinrichtungen wie in Heizräumen aufgestellt sind. Diese Abweichung gilt nicht für mehrfach belegte Abgasanlagen.

Verbindungsstücke für feuchte Betriebsweise müssen mit einem Gefälle zur Kondensatableitung von mindestens 3° angeordnet werden. Es ist darauf zu achten, dass das Kondensat auf der gesamten Länge ungehindert abfließen kann. Sofern die Ableitung von anfallendem Kondensat nicht über die Feuerstätte erfolgen kann, ist im Verbindungsstück ein Kondensatablauf anzuordnen. Der Kondensatablauf ist gegen den Austritt von Abgas mit einer Abgassperre zu versehen, z. B. durch einen Siphon mit ausreichend großer Sperrwasserhöhe. Der Innendurchmesser des Kondensatablaufs sollte mindestens 15 mm betragen.

Verbindungsstücke dürfen nicht in Decken, Wänden oder unzugänglichen Hohlräumen angeordnet oder in andere Geschosse geführt werden.

Durch Wände, die wegen des Raumabschlusses feuerwiderstandsfähig sein müssen, dürfen Verbindungsstücke nur so geführt werden, dass die Feuerwiderstandsfähigkeit der Wand nicht vermindert wird.

Verbindungsstücke und Abgasleitungen müssen in Räumen, in denen leicht entzündliche oder explosionsgefährliche Stoffe verarbeitet oder gelagert werden oder in denen solche Stoffe entstehen können, so gesichert werden, dass eine Entzündung oder Explosion dieser Stoffe weder durch strahlende Wärme (z. B. Strahlungsschutz, Sicherheitsabstand) noch durch die Oberflächentemperatur (z. B. Wärmedämmung) möglich ist.

6.11 Teile von Abgasanlagen im Freien und in Kalträumen

6.11.1 Schutz gegen Niederschlagswasser

Die Oberflächen der Abgasanlagen und der Schächte von Abgasleitungen müssen, soweit sie ans Freie grenzen, gegen das Eindringen von Niederschlagswasser geschützt werden, z. B. mit witterungsbeständigem Außenputz nach DIN EN 998-1, mit Verkleidung oder aus witterungs- und frostbeständigen Baustoffen.

Verkleidungen der Wangen der Abgasanlagen für feste Brennstoffe gegen Eindringen von Niederschlagswasser an der Mündung sind darüber hinaus aus nichtbrennbaren Baustoffen herzustellen.

6.11.2 Zusätzliche Wärmedämmung

Ist eine Abgasanlage für feuchte Betriebsweise erforderlich, ist sicherzustellen, dass der Taupunkt an keiner Stelle außerhalb der abgasführenden Schale unterschritten wird bzw. eine Unterschreitung zu keinen Schäden führt. Dies kann in Kaltbereichen

z. B. bei dreischaligen Abgasanlagen mit Belüftung der Dämmstoffschicht durch eine äußere Wärmedämmung erreicht werden. Bei Luft-Abgas-Systemen kann aufgrund einer Tauwassergefährdung im Bereich des Luftschachtes an den Außenoberflächen zusätzlich eine Dampfsperre erforderlich werden (siehe auch 9.3.3).

Für die zusätzliche Wärmedämmung von Abgasanlagen und Verlängerungen sind formbeständige und nichtbrennbare Dämmstoffe zu verwenden.

Der Dampfdiffusionswiderstand zusätzlicher, außen an der Abgasanlage angebrachter Dämmstoffe darf nicht zu einer unplanmäßigen Feuchteansammlung in der Konstruktion der Abgasanlage führen. Dies gilt bei Platten oder Matten aus mineralischen Dämmstoffen ohne Dampfdiffusionssperrschicht oder anderweitige Beschichtung als sichergestellt.

6.11.3 Dampfdiffusionsverhalten

Der Dampfdiffusionswiderstand zusätzlicher Verkleidungen zum Freien bzw. zu Kalträumen darf nicht zu einer Feuchteansammlung in der Baukonstruktion der Abgasanlage führen. Dies gilt als sichergestellt, wenn zwischen Abgasanlage und Verkleidung ein belüfteter Zwischenraum mit einer Breite von mindestens 1,5 cm angeordnet ist. Auf die Belüftung darf verzichtet werden, wenn durch eine feuchtetechnische Berechnung für alle planmäßigen Betriebszustände nachgewiesen wird, dass der Taupunkt nicht unterschritten wird.

6.11.4 Verkleidungen für Abgasanlagen und für Schächte von Abgasleitungen

6.11.4.1 Baustoffe

Für Verkleidungen der Oberfläche von Schornsteinen dürfen bis zu einem Abstand von 1 m von der Mündung ohne weiteren Nachweis nur nichtbrennbare Baustoffe verwendet werden.

Für Verkleidungen von Oberflächen, die an das Freie grenzen, dürfen brennbare Baustoffe ohne Abstand zu den Außenflächen der Abgasanlagen oder der Schächte für Abgasleitungen verwendet werden, wenn an die Abgasanlage nur Feuerstätten für flüssige und gasförmige Brennstoffe angeschlossen sind, die Abgastemperatur in diesem Bereich nicht mehr als 200 °C beträgt und die Verkleidungsmaterialien keinen höheren Wärmedurchlasswiderstand als die Abgasanlage – gegebenenfalls einschließlich des Schachtes – besitzen. Andernfalls ist ein Abstand von 5 cm einzuhalten. Bei belüfteten Zwischenräumen genügt ein Abstand von 2 cm.

Als nichtbrennbare Baustoffe für Verkleidungen von Oberflächen von Abgasanlagen oder von Schächten für Abgasleitungen kommen zum Beispiel in Betracht:

- Mauerwerk nach DIN V EN V 1996-1-1.
- Schieferplatten, Schieferschindeln
- Faserzementplatten, Faserzementschindeln
- Faserzement-/Faserbetonstülpköpfe
- Titanzink
- Kupfer

D

– Edelstahl
– Aluminium
– verzinkter Stahl

6.11.4.2 Befestigung

Verkleidungen aus Schieferplatten, Schieferschindeln, Faserzement, Titanzink, Kupfer, Edelstahl, Aluminium, verzinktem Stahl können auf Unterkonstruktionen genagelt oder geschraubt sein.

Die Unterkonstruktion kann rahmenartig anliegen oder mit Dübeln an Abgasanlagen mit Außenschalen aus Mauerwerk oder Beton oder an Schächten von Abgasleitungen befestigt sein.

Für die Unterstützung von Verkleidungen aus Mauerziegeln können z. B. Auskragungen aus Leichtbeton verwendet werden.

6.11.4.3 Unterkonstruktionen

Für Unterkonstruktionen von Verkleidungen an Abgasanlagen mit Außenschalen aus Mauerwerk oder Beton oder an Schächten für Abgasleitungen dürfen Holzlatten verwendet werden. Großflächige Unterkonstruktionen aus brennbaren Baustoffen dürfen verwendet werden, wenn diese die erforderlichen Abstände nach 6.9 einhalten. Zusätzlich müssen Unterkonstruktionen mit brennbaren Baustoffen bei Anschluss von Feuerstätten für feste Brennstoffe zum Schutz gegen Entflammen durch Flugfeuer oder strahlende Wärme dicht mit nichtbrennbaren Baustoffen abgedeckt sein.

6.11.4.4 Belüftung

Wenn zur Vermeidung von Feuchteansammlungen eine Belüftung eingesetzt wird, muss zwischen den Abgasanlagen bzw. den Schächten von Abgasleitungen und der Verkleidung ein Zwischenraum von mindestens 1,5 cm ausgebildet sein.

Zu- und Abluftöffnungen müssen jeweils mindestens 75 cm^2 groß sein. Hierbei wird empfohlen, die Öffnungen möglichst gleichmäßig verteilt über den äußeren Umfang der Abgasanlagen bzw. der Schächte von Abgasleitungen anzuordnen.

Bei Stülpköpfen, die oberhalb der Dachhaut beginnen, genügt ein umlaufender Abstand zur Dachfläche und zur Abgasanlage bzw. zum Schacht von Abgasleitungen von mindestens 2 cm.

Durch Befestigungsmittel für die Unterkonstruktion der Verkleidung darf der Luftzwischenraum nur so weit unterbrochen werden, als eine gleichmäßige Belüftung der gesamten Oberfläche der Abgasanlage bzw. des Schachtes von Abgasleitungen sichergestellt ist. Durch die Befestigungsmittel darf der Luftzwischenraum nicht unzulässig eingeschränkt werden. Dies gilt als erfüllt, wenn die Oberfläche zu nicht mehr als 20 % von den Befestigungsmitteln abgedeckt wird.

6.11.5 Abdeckungen der Schalen der Abgasanlage an der Mündung

Für den Schutz der Schalen der Abgasanlage bzw. der dazugehörigen Schächte gegen Eindringen von Niederschlagswasser an der Mündung kommen als abgasbeständige Bauteile z. B. in Betracht:

- Abdeckplatten aus Beton,
- Abdeckplatten aus Faserzement,
- Abdeckplatten aus Edelstahl Werkstoffnummer 1.4301 nach DIN EN 10028-7 oder aus höherwertigeren nichtrostenden Stählen.

Abdeckplatten dürfen die Wärmedehnung der Innenschale mehrschaliger Abgasanlagen nicht behindern und die Austrittsöffnungen von Abgasanlagen nicht unzulässig verengen. Dies gilt bei hinterlüfteten Abgasanlagen auch für die Austrittsöffnungen für die Hinterlüftung und bei Luft-Abgas-Systemen auch für die Lufteintrittsöffnungen.

6.11.6 Dachdurchführung

Bei Fertigteilköpfen und örtlich angebrachten Verkleidungen, die oberhalb der Dachfläche enden, kann die Abdeckung der Fuge im Bereich der Dachdurchführung vor der Montage des Kopfes oder der örtlich angebrachten Verkleidung direkt an der Abgasanlage bzw. am Schacht angebracht werden. Die Anschlussstelle wird dann vom Kopf bzw. der Verkleidung überdeckt. Die Abdeckung sollte dabei etwa 20 cm bis 30 cm an der Abgasanlage bzw. am Schacht hochgezogen werden.

6.11.7 Aufsätze, Verlängerungen und Düsen

Aufsätze, Verlängerungen und Düsen auf Abgasanlagen dürfen die Betriebssicherheit der Feuerstätten sowie die Brand- und Standsicherheit der Abgasanlage nicht beeinträchtigen. Sie müssen sicher auf der Abgasanlage befestigt sein.

Aufsätze, Verlängerungen und Düsen auf Abgasanlagen dürfen in der Abgasanlage keinen unzulässigen Überdruck erzeugen. Der strömungstechnische Widerstand von Aufsätzen, Verlängerungen und Düsen ist bei der Querschnittsbemessung der Abgasanlage zu berücksichtigen, wenn der Querschnitt oder die Richtung des Abgasweges durch den Aufsatz verändert wird.

Aufsätze, Verlängerungen und Düsen auf Abgasanlagen für trockene Betriebsweise müssen so ausgebildet sein, z. B. so wärmegedämmt sein, dass durch kondensierende Feuchte keine Schäden an der Abgasanlage entstehen.

Aufsätze, Verlängerungen und Düsen dürfen auf Abgasanlagen für feuchte Betriebsweise nur aufgesetzt werden, wenn sie nicht zur Vereisung an der Mündung der Abgasanlage führen.

Bei Anschluss von Feuerstätten für feste Brennstoffe müssen Aufsätze, Verlängerungen und Düsen aus abgasbeständigen und nichtbrennbaren Baustoffen bestehen. Bei Anschluss von Feuerstätten für flüssige und gasförmige Brennstoffe gelten die einschlägigen Produktnormen.

Aufsätze, Verlängerungen und Düsen dürfen die Wärmedehnung der Innenschale mehrschaliger Abgasanlagen nicht behindern. Sie dürfen die Querschnitte der Belüftungsschächte hinterlüfteter Abgasanlagen nicht unzulässig verengen.

Die lichte Querschnittsfläche von Verlängerungen auf Abgasanlagen muss ohne rechnerischen Nachweis der lichten Querschnittsfläche der Abgasanlage entsprechen. Änderungen der Querschnittsform sind mit strömungsgünstigen Übergangsformstücken auszuführen.

D

7 Bauart der Schornsteine

7.1 Schornsteine aus Mauerwerk

Zur Herstellung des Mauerwerks dürfen verwendet werden:

- Mauerziegel nach DIN 105-1 und DIN 105-3 außer Hochlochziegel B und C
- Kalksand-Vollsteine nach DIN 106-1
- Hütten-Vollsteine nach DIN 398

Die Schornsteine sind in fachgerechtem Verband zu mauern; Zungen müssen eingebunden sein. Die Mauersteine sind an den Schornsteininnenflächen bündig zu legen. Zum Vermauern ist Mörtel der Gruppe M 2.5 nach DIN V EN 998-2 zu verwenden. Die Wangendicke muss mindestens 11,5 cm, bei lichten Querschnitten von mehr als 400 cm^2 mindestens 24 cm betragen; Zungen müssen mindestens 11,5 cm dick sein. Zur Herstellung von runden Öffnungen, insbesondere von Anschlussöffnungen, sind Doppelwandfutter oder Rohrhülsen ringsum dicht in den Schornstein einzusetzen. Im Übrigen gilt DIN V ENV 1991-1-1 sinngemäß.

Schornsteine dieser Bauart erfüllen die Anforderung der Feuerwiderstandsdauer von 90 min und sind wie folgt zu kennzeichnen:

Abgasanlage DIN V 18160-1 – T400 N2 D 3 G50 L90

Der Wärmedurchlasswiderstand von Schornsteinen aus Mauerwerk kann Tabelle 10 entnommen werden.

Tabelle 10: Wärmedurchlasswiderstand von Schornsteinen aus Mauerwerk

Mauersteine	Rohdichte der Mauersteine $kg \cdot dm^{-3}$	Wangendicke mm	Wärmedurchlasswiderstand[a] $m^2 \cdot K \cdot W^{-1}$
Mauerziegel nach DIN 105-1 und DIN 105-3 außer Hochlochziegel B und C	≤1,8 ≤1,4	≥115 ≥240	0,12 0,22
Kalksand-Vollsteine nach DIN V 106-1	≤1,6	≥115	0,12
Hütten-Vollsteine nach DIN 398	≤2,0	≥115	0,12
[a] bezogen auf eine mittlere Temperatur der inneren Oberfläche von 200 °C.			

7.2 Montageabgasanlagen

7.2.1 Allgemeines

Montageabgasanlagen bestehen aus der Innenschale, der Außenschale und der Dämmschale. Auf die Dämmschale kann bei Verwendung der in 7.2.3 aufgeführten Außenschalen verzichtet werden, wenn deren Wanddicke mindestens 10 cm beträgt.

Es muss sichergestellt werden, dass die freie Beweglichkeit der Innenschale mehrschaliger Abgasanlagen nicht behindert wird.

Bauarten von Montageabgasanlagen aus den in 7.2.2 bis 7.2.5 benannten Bauprodukten erfüllen die Anforderung an die Feuerwiderstandsdauer von 90 min.

7.2.2 Bauprodukte für die Innenschale

Für die Herstellung von Innenschalen für Abgasanlagen gelten Bauprodukte mit Kennzeichnung nach Tabelle 11 als geeignet. Innenschalen aus Formstücken nach DIN EN 1457 bzw. DIN EN 1857 dürfen nur mit an der äußeren Wandung des Innenrohres vollständig anliegender Dämmschale nach 7.2.4 verwendet werden.

Innenschalen nach DIN EN 1856-1 bzw. DIN EN 1856-2 mit einer Wärmedämmung von mindestens 30 mm können in Verbindung mit den in 7.2.3 benannten Außenschalen ohne weitere Dämmung verwendet werden, wenn die Außenschale selbst eine Feuerwiderstandsdauer von 90 min hat.

Tabelle 11: Kennzeichnungsklassen für Innenschalen von Montageabgasanlagen

Klassen	Merkmale
Temperatur	T400 oder höher
Gasdichtheit/Druck	N1, N2, P1, P2, H1 oder H2
Kondensatbeständigkeit	D oder W
Korrosionswiderstand	3
Rußbrandbeständigkeit	G oder Gxx

7.2.3 Bauprodukte für die Außenschale

Für die Herstellung von Außenschalen sind Wände aus Mauerwerk, Außenschalen aus Beton nach DIN EN 1858 oder DIN EN 12446, sofern sie eine Feuerwiderstandsdauer von 90 min aufweisen, geeignet. Darüber hinaus dürfen auch Bauprodukte, die einen bauaufsichtlichen Verwendbarkeitsnachweis zur Herstellung der Außenschale von Schornsteinen mit einer Feuerwiderstandsdauer von 90 min aufweisen, verwendet werden.

Zur Herstellung der Außenschalen aus Mauerwerk dürfen verwendet werden:

- Mauerziegel nach DIN 105-1 und 105-3 außer Hochlochziegel C mit einer Wanddicke ≥ 11,5 cm;
- Kalksandsteine nach DIN V 106-1 oder DIN 106-2 mit einer Wanddicke ≥ 11,5 cm;
- Hüttensteine nach DIN 398 mit einer Wanddicke ≥ 11,5 cm;
- Porenbeton-Blocksteine nach DIN 4165 mit einer Wanddicke ≥ 10 cm;
- Hohlblocksteine aus Leichtbeton nach DIN 18 151 mit einer Wanddicke ≥ 17,5 cm;
- Vollsteine aus Leichtbeton nach DIN 18 152 mit einer Wanddicke ≥ 11,5 cm gelten als gleichwertig.

Für die Bauart der Außenschale gilt Abschnitt 7.1 singgemäß.

D

7.2.4 Bauprodukte für die Dämmschale

Für die Dämmschale von Montageschornsteinen dürfen verwendet werden:

- Dämmplatten nach DIN 18147-5
- mineralische Dämmstoffe nach allgemeiner bauaufsichtlicher Zulassung für Abgasanlagen.

Die Dicke der Dämmstoffschicht nach DIN 18147-5 muss mindestens 3 cm, bei einer Wärmeleitfähigkeit von höchstens 0,04 W · m^{-1} · K^{-1} (bei 20 °C) und einer Rohdichte von 70 kg · m^{-3} bis 120 kg · m^{-3} betragen. Zugelassene Dämmstoffe müssen einen äquivalenten Wärmedurchlasswiderstand erreichen.

7.2.5 Versetzmittel

Für die Innenschale und die Außenschale sind die vom jeweiligen Hersteller der Bauprodukte angegebenen Versetzmittel zu verwenden. Sofern vom Hersteller keine Versetzmittel vorgegeben sind, dürfen zum Vermauern mineralischer Innen- oder Außenschalen Mörtel der Gruppe M 2.5 nach DIN EN 998-2 verwendet werden.

7.2.6 Wärmedurchlasswiderstand von Montageabgasanlagen

Der Wärmedurchlasswiderstand von nicht belüfteten Montageabgasanlagen ist aus dem Wärmedurchlasswiderstand der einzelnen Schalen mit Gleichung (1) (siehe 12.3) zu ermitteln. Für Schornsteine mit geschlossenen Luftschichten mit Abstandhaltern ist der Wärmedurchlasswiderstand der Luftschicht mit 0 anzusetzen.

Vereinfachend kann für nicht belüftete Montageabgasanlagen nach 7.2 der Wärmedurchlasswiderstand mit 0,12 m^2 · K · W^{-1}, bei einer Dämmschale nach 7.2.4 mit 0,40 m^2 · K · W^{-1} angesetzt werden.

7.2.7 Kennzeichnung

Abgasanlagen dieser Bauart sind wie folgt zu kennzeichnen:

Abgasanlage DIN V 18160-1 – T400 N2 D 3 G50 L90

7.3 Systemabgasanlagen

Systemabgasanlagen sind entsprechend ihrer Produktklassifizierung verwendbar.

Abgasanlagen sind entsprechend ihrer Klassifizierung z. B. wie folgt zu kennzeichnen:

Abgasanlage DIN V 18160-1 – T400 N2 D 3 G50 L90

8 Abgasleitungen

8.1 Bauart

8.1.1 Abgasleitungen aus Bauprodukten für Montage-Abgasanlagen mit Feuerwiderstand

8.1.1.1 Allgemeines

Montageabgasleitung bestehend aus der Innenschale, der Außenschale und gegebenenfalls der Dämmschale. Es muss sichergestellt werden, dass die freie Beweglichkeit der Innenschale mehrschaliger Abgasanlagen nicht behindert wird.

Bauarten von Montageabgasleitungen aus den in 8.1.1.2 bis 8.1.1.5 benannten Bauprodukten erfüllen die Anforderungen and die Feuerwiderstandsdauer von 90 min.

8.1.1.2 Bauprodukte für die Innenschale

Für die Herstellung von Innenschalen für Abgasleitung gelten Bauprodukte mit Kennzeichnung nach Tabelle 12 als geeignet.

Innenschalen aus Formstücken nach DIN EN 1457 bzw. DIN EN 1857 dürfen nur mit an der äußeren Wandung des Innenrohres vollständig anliegender Dämmschale nach 8.1.1.4 verwendet werden.

Tabelle 12: Kennzeichnungsklasse für Innenschalen von Montage-Abgasanlagen

Klasse	Merkmale
Temperatur	T80 oder höher
Gasdichtheit/Druck	N1, N2, P1, P2, H1 oder H2
Kondensatbeständigkeit	D oder W
Korrosionswiderstand	1, 2 oder 3
Rußbrandbeständigkeit	Gxx oder G, Oxx oder O

8.1.1.3 Bauprodukte für die Außenschale

Für die Herstellung von Außenschalen sind Bauprodukte nach 7.2.3 oder für Abgasleitungen bis zu Temperaturklassen T200 Schächte für Abgasleitungen mit einer Feuerwiderstandsdauer von 30 min bzw. 90 min verwendbar. Darüber hinaus dürfen auch Bauprodukte, die einen bauaufsichtlichen Verwendbarkeitsnachweis zur Herstellung der Außenschale von Abgasleitungen mit einer Feuerwiderstandsdauer von 30 min bzw. 90 min aufweisen, verwendet werden.

8.1.1.4 Bauprodukte für die Dämmschale

Für die Dämmschale von Montageabgasleitungen dürfen verwendet werden:

- Dämmplatten nach DIN 18 147-5
- mineralische Dämmstoffe nach allgemeiner bauaufsichtlicher Zulassung für Abgasanlagen.

Die Dicke der Dämmstoffschicht nach DIN 18 147-5 muss mindestens 3 cm, bei einer Wärmeleitfähigkeit von höchstens 0,04 W · m^{-1} · K^{-1} (bei 200 °C) und einer Roh-

D

dichte von 70 kg · m^{-3} bis 120 kg · m^{-3} betragen. Zugelassene Dämmstoffe müssen einen äquivalenten Wärmedurchlasswiderstand erreichen.

Abgasleitungen aus oder mit brennbaren Baustoffen dürfen nur zusätzlich wärmegedämmt sein, wenn dies in den maßgeblichen technischen Spezifikationen vorgesehen ist.

8.1.1.5 Versetzmittel

Für die Innenschale und die Außenschale sind die vom jeweiligen Hersteller angegebenen Versetzmittel oder Dichtungen zu verwenden. Sofern vom Hersteller keine Versetzmittel vorgegeben sind, darf zum Versetzen mineralischer Innenschalen von Montageabgasleitungen für trockene Betriebsweise und Unterdruck und Außenschalen Mörtel der M 2.5 nach DIN EN 998-2 verwendet werden.

8.1.1.6 Wärmedurchlasswiderstand von Montageabgasleitungen

Der Wärmedurchlasswiderstand von nicht belüfteten Montage-Abgasleitungen ist aus dem Wärmedurchlasswiderstand der einzelnen Schalen mit Gleichung (1) (siehe 12.3) zu ermitteln. Der Wärmedurchlasswiderstand der Schalen ist vom Hersteller für die jeweilige Temperaturklasse anzugeben. Für Abgasleitungen mit geschlossenen Luftschichten und Abstandhaltern ist der Wärmedurchlasswiderstand der Luftschicht mit 0 anzusetzen.

Vereinfachend kann für die Innen- und die Dämmschale die Materialtemperatur entsprechend der Temperaturklasse der Abgasanlage gesetzt werden, maximal entsprechend T200. Für die Außenschale kann vereinfachend die Materialtemperatur gleich 20 °C gesetzt werden. Bei Montage-Abgasleitungen mit Außenschalen, die Tabelle 10 entsprechen, dürfen für die Abgasanlage ohne weiteren Nachweis die dort aufgeführten Werte für den Wärmedurchlasswiderstand in Ansatz gebracht werden. Für Abgasleitungen mit Außenschalen entsprechend den Spiegelstrichen in 7.2.3 kann der Wärmedurchlasswiderstand 0,12 $m^2 \cdot K \cdot W^{-1}$ angesetzt werden.
Für den Wärmedurchlasswiderstand hinterlüfteter Abgasleitungen ist nur der Wärmedurchlasswiderstand der innerhalb der Hinterlüftung liegenden Schalen anzusetzen.

8.1.1.7 Kennzeichnung für Montage-Abgasleitungen

Montageabgasleitungen sind z. B. wie folgt zu kennzeichnen:

Abgasanlage DIN V 18160-1 – T160 P1 W 1 O50 L90

8.1.2 Abgasleitungen ohne definierte Feuerwiderstandsdauer

8.1.2.1 Allgemeines

Diese Abgasleitungen bestehen nur aus der Innenschale und gegebenenfalls einer Dämmschale. Hierfür gelten die Festlegungen nach 8.1.1.2, 8.1.1.4 und 8.1.1.5 analog.

8.1.2.2 Kennzeichnung

Abgasleitungen ohne Feuerwiderstand sind z. B. wie folgt zu kennzeichnen:

Abgasanlage DIN V 18160-1 – T160 P1 W 1 O20 L00

8.1.3 System-Abgasleitungen

System-Abgasleitungen sind entsprechend ihrer Produktklassifizierung verwendbar.

System-Abgasleitungen sind entsprechend ihrer Klassifizierung z. B. wie folgt zu kennzeichnen:

Abgasanlage DIN V 18160-1 – T120 H1 W 1 O00 L00

8.2 Betriebsweise

8.2.1 Abgasleitungen für Überdruck

Abgasleitungen dürfen nur mit Überdruck betrieben werden, wenn die Bauprodukte der Gasdichtheits-/Druckklasse P1, P2, H1 oder H2 entsprechen. Der Überdruck in der Abgasanlage darf bei allen bestimmungsgemäßen Betriebszuständen den in Tabelle 3 angegebenen Prüfdruck nicht überschreiten.

Innerhalb von Gebäuden müssen Abgasleitungen für Überdruck den Gasdichtheits-/Druckklassen P1 oder H1 entsprechen und entweder

- vollständig in vom Freien dauernd gelüfteten Räumen liegen, oder
- in Räumen liegen, die eine ins Freie führende Öffnung mit einem lichten Querschnitt von mindestens 150 cm^2 oder zwei Öffnungen von je 75 cm^2 oder Leitungen ins Freie mit strömungstechnisch äquivalenten Querschnitten aufweisen, oder
- über die gesamte Länge und über den ganzen Umfang hinterlüftet sein. Der Abstand zwischen den Außenwandungen der Abgasleitung bzw. einer eventuell vorhandenen Dämmschicht und der Innenseite des Schachtes muss
  - bei rundem lichten Querschnitt der Abgasleitung im Schacht mit rechteckigem Querschnitt mindestens 2 cm,
  - bei rundem lichten Querschnitt der Abgasleitung im Schacht mit rundem Querschnitt mindestens 3 cm und
  - bei rechteckigem lichten Querschnitt der Abgasleitung im Schacht mit rechteckigem lichten Querschnitt mindestens 3 cm

betragen. Für rechteckige Querschnitte kann gegebenenfalls der hydraulische Durchmesser zu Grunde gelegt werden, wobei dann ein Mindestabstand von 5 cm sichergestellt sein muss. Die Größe der Luftein- und -austrittsöffnungen für die Hinterlüftung muss mindestens der durch die vorstehend festgelegten Abstände sich ergebenden Querschnittsfläche entsprechen.

Bei Verbrennungsluftansaugung ausschließlich von der Mündung über den Ringspalt kann der Ringspalt auch geringer ausgeführt werden, sofern das Gebläse der Feuerstätte die saugseitigen Widerstände überwindet.

Innerhalb des Aufstellraums der Feuerstätte ist der Schacht entbehrlich, wenn der Aufstellraum eine ins Freie führende Öffnung mit einem lichten Querschnitt von mindestens 150 cm^2 oder zwei Öffnungen von je mindestens 75 cm^2 oder Leitungen ins Freie mit strömungstechnisch äquivalentem Querschnitt aufweist.

8.2.2 Feuchte Betriebsweise

Abgasleitungen aus Bauprodukten nach 8.1.1 dürfen feucht betrieben werden, wenn die Abgasleitung in der Kondensatbeständigkeitsklasse mit W und in der Druckklasse mit P1, P2, H1 oder H2 gekennzeichnet ist. Sind die Bauteile der Abgasleitung mit N1 oder N2 und in der Kondensatbeständigkeitsklasse mit W gekennzeichnet, ist die Abgasleitung in einem dauernd hinterlüfteten Schacht anzuordnen. Der Abstand zwischen den Außenwandungen der Abgasleitung bzw. einer eventuell vorhandenen Dämmschicht und der Innenseite des Schachtes muss den Bestimmungen nach 8.2.1, dritter Spiegelstrich entsprechen. Auf die Hinterlüftung kann verzichtet werden, wenn der Feuchtestrom der Abgasleitung maximal 2 g/(m^2 · h) beträgt. Die Führung der Abgasleitung muss einen vollständigen und kontinuierlichen Kondensatrückfluss sicherstellen.

8.3 Von der Anordnung abhängige Anforderungen

8.3.1 Abgasleitungen in Gebäuden

In Gebäuden muss jede Abgasleitung, die Geschosse überbrückt, in einem eigenen Schacht angeordnet sein. Die Schächte müssen eine Feuerwiderstandsdauer von mindestens 90 min, in *Wohngebäuden geringer Höhe* von mindestens 30 min haben. Der erste Satz gilt nicht für die Abgasleitungen im Aufstellraum der Feuerstätte sowie für Abgasleitungen, die selbst eine Feuerwiderstandsdauer von mindestens 90 min, in *Wohngebäuden geringer Höhe* eine Feuerwiderstandsdauer von mindestens 30 min, haben.

Die Anordnung mehrerer Abgasleitungen in einem gemeinsamen Schacht ist zulässig, wenn

- die Abgasleitungen aus nichtbrennbaren Baustoffen bestehen oder
- die zugehörigen Feuerstätten in demselben Geschoss aufgestellt sind oder
- eine Brandübertragung zwischen den Geschossen durch selbsttätige Absperrvorrichtungen oder andere Maßnahmen verhindert wird.

8.3.2 Abgasleitungen im Freien

Abgasleitungen an Gebäuden müssen zu Fenstern und anderen Wandöffnungen einen Abstand von mindestens 20 cm einhalten.

8.3.3 Berührungsschutz außerhalb des Aufstellraums und außerhalb des Schachtes

Abgasleitungen, die bei bestimmungsgemäßem Betrieb der Feuerungsanlagen Oberflächentemperaturen haben können, müssen gegen unbeabsichtigte Berührung geschützt sein, gegebenenfalls sind die Werte der Produktnormen zu beachten.

Tabelle 13: Maximal erlaubte äußere Oberflächentemperaturen, wo versehentlicher menschlicher Kontakt möglich ist

Material der äußeren Oberfläche	Maximal erlaubte Temperatur °C
Blankes Metall	70
Metall, lackiert, Schichtdicke 50 µm	80
Metall, emailliert, Schichtdicke 160 µm	78
Metall, kunststoffbeschichtet, Schichtdicke 400 µm	98
Kunststoff	93
Keramik, Glas	85
Beton, Marmor	80
Anmerkung: Die Werte basieren auf prEN ISO 13 732-1 für einen Verbrennungsschwellwert von 1 s.	

9 Luft-Abgas-Systeme für Feuerstätten, die mit Gas oder Öl betrieben werden

9.1 Bauart

9.1.1 Allgemeines

Luft-Abgas-Systeme müssen getrennte Luft- und Abgasschächte haben. Die Luft-Abgas-Systeme werden aufgrund der Anordnung der Schächte in zwei Ausführungen unterteilt:

- Konzentrische Anordnung – der Abgasschacht wird vom Luftschacht umschlossen.
- Nebeneinander liegende Anordnung – der Abgasschacht liegt neben dem Luftschacht.

Der Luftschacht muss der Gasdichtheitsklasse N2 entsprechen. Bei mineralischen Baustoffen ohne Nachweis gilt diese Dichtheitsanforderung als erfüllt, wenn der Luftschacht geschlämmt oder verputzt ist.

Bei konzentrischer Anordnung muss der Luftschacht eine Feuerwiderstandsdauer von mindestens 90 min, in *Wohngebäuden geringer Höhe* von mindestens 30 min haben.

Bei nebeneinander liegender Anordnung der Schächte müssen der Abgasschacht und der Luftschacht jeweils eine Feuerwiderstandsdauer von mindestens 90 min, in *Wohngebäuden geringer Höhe* von mindestens 30 min haben.

Für Luft-Abgas-Systeme ist der Wärmedurchlasswiderstand sowohl für den Abgasschacht als auch für den Luftschacht zu ermitteln und anzugeben.

9.1.2 Konzentrische Anordnung

9.1.2.1 Luft-Abgas-Systeme aus Bauprodukten für Montage-Abgasanlagen in konzentrischer Anordnung

Konzentrische Luft-Abgas-Systeme aus Bauprodukten für Montage-Abgasanlagen bestehen aus dem Abgasschacht, dem Luftschacht sowie ggf. einer Dämmschicht für den Abgasschacht. Für diese Luft-Abgas-Systeme sind z. B. die Bauprodukte für Abgasleitungen nach 8.1.1 sinngemäß zu verwenden. Hierbei entspricht die Innenschale der Abgasleitung dem Abgasschacht und die Außenschale dem Luftschacht.

Luft-Abgas-Systeme aus Bauprodukten für Montage-Abgasanlagen in konzentrischer Anordnung werden beispielhaft wie folgt gekennzeichnet:

Luft-Abgas-System DIN V 18160-1 – T160 P1 W 1 O50 L90

9.1.2.2 Luft-Abgas-Systeme aus Bauprodukten für System-Abgasanlagen in konzentrischer Anordnung

Für Luft-Abgas-Systeme aus Bauprodukten für System-Abgasanlagen in konzentrischer Anordnung gelten Bauprodukte mit Kennzeichnung nach Tabelle 14 als geeignet.

Tabelle 14: Kennzeichnungsklasse für Bauprodukte für Luft-Abgas-Systeme

Klasse	Merkmale
Temperatur	T80 oder höher
Gasdichtheit/Druck	N1, N2, P1, P2, H1 oder H2
Kondensatbeständigkeit	D oder W
Korrosionswiderstand	1, 2 oder 3
Rußbrandbeständigkeit	Oxx oder Gxx
Feuerwiderstand	L90 oder L30

Luft-Abgas-Systeme aus Bauprodukten für System-Abgasanlagen in konzentrischer Anordnung werden entsprechend ihrer Klassifizierung z. B. wie folgt gekennzeichnet:

Luft-Abgas-System DIN V 18160-1 – T160 P1 W 1 O50 L90

9.1.3 Nebeneinander liegende Anordnung

9.1.3.1 Luft-Abgas-Systeme aus Mauerwerk

Luft-Abgas-Systeme aus Mauerwerk bestehen aus zwei nebeneinander liegenden Schächten, dem Abgasschacht und dem Luftschacht. Für die Herstellung der Schächte gilt 7.1 sinngemäß. Abweichend davon sind die Luft-Abgas-Systeme aus Mauerwerk wie folgt zu kennzeichnen:

Luft-Abgas-System DIN V 18160-1 – T400 N2 D 2 O50 L90

9.1.3.2 Luft-Abgas-Systeme aus Bauprodukten für Montage-Abgasanlagen in nebeneinander liegender Anordnung

Luft-Abgas-Systeme aus Bauprodukten für Montage-Abgasanlagen bestehen aus zwei nebeneinander liegenden Schächten – dem Abgasschacht und dem Luftschacht. Für den Abgasschacht können die Bauprodukte für Abgasleitungen mit einer Feuerwiderstandsdauer von 90 min bzw. in *Wohngebäuden geringer Höhe* von 30 min nach 8.1.1 oder die Bauprodukte für Montageschornsteine nach 7.2 verwendet werden. Für den Luftschacht können die Bauprodukte für die Außenschale nach 8.1.1.2 verwendet werden.

Luft-Abgas-Systeme aus Bauprodukten für Montage-Abgasanlagen in nebeneinander liegender Anordnung sind z. B. wie folgt zu kennzeichnen:

Luft-Abgas-System DIN V 18 160-1 – T200 N2 W 1 O50 L90

9.1.3.3 Luft-Abgas-Systeme aus Bauprodukten für System-Abgasanlagen in nebeneinander liegender Anordnung

Für Luft-Abgas-Systeme aus Bauprodukten für System-Abgasanlagen in nebeneinander liegender Anordnung gelten Bauprodukte mit Kennzeichnung nach Tabelle 15 als geeignet.

Tabelle 15: Kennzeichnungsklasse für Bauprodukte für Luft-Abgas-Systeme in nebeneinander liegender Anordnung

Klasse	Merkmal
System	Luft-Abgas-System
Temperatur	T80 oder höher
Gasdichtheit/Druck	N1, N2, P1, P2, H1 oder H2
Kondensatbeständigkeit	D oder W
Korrosionswiderstand	1, 2 oder 3
Rußbrandbeständigkeit	Oxx oder Gxx
Feuerwiderstand	L90 bzw. L30

Luft-Abgas-Systeme aus Bauprodukten für System-Abgasanlagen in nebeneinander liegender Anordnung sind entsprechend ihrer Klassifizierung z. B. wie folgt zu kennzeichnen:

Luft-Abgas-System DIN V 18 160-1 – T 200 N2 W 1 O50 L90[1)]

9.2 Eignung der Feuerstätten

An Luft-Abgas-Systeme dürfen nur raumluftunabhängige Feuerstätten angeschlossen werden. Die Feuerstätten müssen für die geplante Betriebsweise (einfach, mehrfach belegt, Unter- oder Überdruck) geeignet sein.

1) entsprechend der Feuerwiderstandsklasse der Bauprodukte für den Abgasschacht bzw. der Feuerwiderstandsklasse der Bauprodukte für den Luftschacht. Der kleinere der beiden Werte ist anzugeben.

D

9.3 Bauliche Anforderungen

9.3.1 Überströmöffnungen bei Anschluss von Gasfeuerstätten

Bei Mehrfachbelegung und Betrieb mit Unterdruck sind der Abgasschacht und der Luftschacht im Sockelbereich durch eine Überströmöffnung zu verbinden. Die Größe der Überströmöffnung sollte zwischen 15 % und 25 % der Größe des lichten Querschnittes des Abgasschachtes betragen. Auf die Überströmöffnung darf bei Betrieb mit Unterdruck verzichtet werden, wenn an das Luft-Abgas-System nur Feuerstätten angeschlossen sind, die für Mehrfachbelegung bei Überdruckbetrieb geeignet sind und [1][2] entsprechen.

Die Rückströmung von Abgasen über die Überströmöffnung ist auch im Anfahrzustand einer Feuerstätte zu vermeiden. Dies gilt für Anschlüsse unter einem Winkel von 90° als erfüllt, wenn zwischen der Überströmöffnung und der untersten an das Luft-Abgas-System angeschlossenen Gasfeuerstätte folgende lotrechte Abstände eingehalten werden:

- mindestens 1,5 m für Gasfeuerstätten, die den Abgaswertegruppen U_{01}, G_{01}, U_{11}, G_{11}, U_{21}, G_{21}, U_{31}, G_{31}, U_{41} und G_{41} nach [2][3] zuzuordnen sind,
- mindestens 1,5 m für Gasfeuerstätten, die den Abgaswertegruppen U_{02}, G_{02}, U_{12}, G_{12}, U_{22}, G_{22}, U_{32}, G_{32}, U_{42} und G_{42} nach [1][2] zuzuordnen sind,
- mindestens 2,5 m für Gasfeuerstätten, die den Abgaswertegruppen U_{51}, G_{51}, U_{61} und G_{61} nach [2][3] zuzuordnen sind,
- mindestens 2,5 m für Gasfeuerstätten, die den Abgaswertegruppen U_{52}, G_{52}, U_{62} und G_{62} nach [1][2] zuzuordnen sind.

Diese Abstände können halbiert werden, wenn die in dem genannten Bereich liegenden Gasfeuerstätten mit einem 45°-Formstück an den senkrechten Abschnitt des Luft-Abgas-Systems angeschlossen sind.

Bei Einfachbelegung ist eine Überströmöffnung nicht erforderlich.

Bei Ableitung der Abgase mit Überdruck im Abgasschacht muss die Überströmöffnung entfallen.

9.3.2 Abstände zwischen Feuerstättenanschlüssen

Gegenseitige Beeinflussungen von Feuerstätten sind zu vermeiden. Dies gilt als erfüllt, wenn die übereinander angeordneten Anschlüsse der Feuerstätten an den Abgasschacht einen Abstand von mindestens 0,6 m aufweisen oder die in gleicher Ebene um 90° versetzt angeordneten Anschlüsse mit einem Abstand von 0,3 m vorgesehen werden. Bei Verwendung von Anschlussformstücken von 45° kann auf das versetzte Anordnen verzichtet werden. Bei Überdruck-Betrieb mit Feuerstätten nach [1][2] ist ein Mindestabstand zwischen zwei Anschlüssen von 2,5 m erforderlich.

---

2) [1] DVGW-Merkblatt G 635:1997 Gasgeräte für den Anschluss an ein Luft-Abgas-System für Überdruckbetrieb (standardisiertes Verfahren) – Wirtschafts- und Verlagsgesellschaft Gas und Wasser mbH, Postfach 14 01 51, 53056 Bonn

3) [2] DVGW-Merkblatt G 636:1997 Gasgeräte für den Anschluss an ein Luft-Abgas-System für Unterdruckbetrieb (standardisiertes Verfahren) – Wirtschafts- und Verlagsgesellschaft Gas und Wasser mbH, Postfach 14 01 51, 53056 Bonn

9.3.3 Feuchte- und Wärmeschutz

Der Luftschacht muss so ausgebildet, insbesondere so wärmegedämmt sein, dass durch die Führung der Verbrennungsluft keine Durchfeuchtung der Schachtwand und gegebenenfalls der angrenzenden Wände auftritt.

Für Luft-Abgas-Systeme aus Bauprodukten für Montage-Abgasanlagen ist der Nachweis zu führen, dass sich auf der raumseitigen Oberfläche des Luft-Abgas-Systems und gegebenenfalls der angrenzenden Wände im Kalt- und Warmbereich des Gebäudes keine Raumluftfeuchte niederschlägt. Hierbei sind die Randbedingungen nach Tabelle 16 zu berücksichtigen.

Bei konzentrischen Systemen ist ein Nachweis nicht erforderlich, wenn die Höhe über Dach mindestens 1 m und der Wärmedurchlasswiderstand des Luftschachtes mindestens 0,12 $m^2 \cdot K \cdot W^{-1}$ beträgt und dieses System nicht durch Feuchträume geführt wird.

Bei einer zusätzlichen äußeren Dämmung des Luftschachtes kann das Anbringen einer Feuchtesperre außen auf der Dämmung erforderlich sein.

Tabelle 16: Randbedingungen für den Feuchteschutznachweis

Lage im Gebäude	Raum- bzw. Umgebungstemperatur °C	Relative Luftfeuchte %	Minimale raumseitige Oberflächentemperatur °C
im Freien	–10	80	–
im Kaltbereich	0	80	–2,8
im Warmbereich	20	50	9,3
im Feuchtbereich	24	60	15,8

9.3.4 Mündung

Die Mündung ist so auszubilden, dass Abgas nicht in gefahrdrohender Menge in den Luftschacht angesaugt wird und windbedingte Druckschwankungen sich möglichst gleichmäßig auf den Luft- und Abgasschacht auswirken.

Diese Anforderungen gelten für Gasgeräte der Art C_4 und C_6 nach CR 1749 als erfüllt, wenn die geometrischen Bedingungen nach Bild 3 eingehalten sind.

Bei vergitterten Lufteintrittsöffnungen ist der freie Öffnungsquerschnitt gegenüber den in Bild 3 festgelegten Zuluftquerschnitten um mindestens 20 % zu vergrößern. Die Maschenweite vergitterter Öffnungen sollte 10 mm nicht unterschreiten.

D

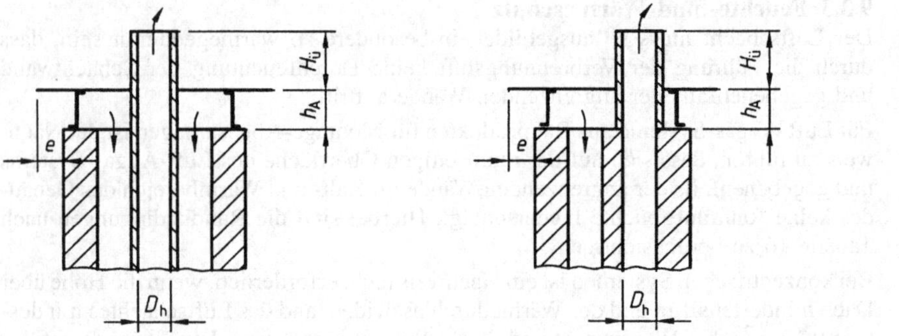

a) konzentrische Anordnung mit Abströmplatte und seitlichem Zulufteintritt
Bedingungen:
$H_Ü \geq D_h$
$h_A = 5/8\ D_h$ und $h_A \geq 10$ cm
0 cm $\leq e \leq 8$ cm

Legende

$H_Ü$ Abstand der Mündung von der Abströmplatte
h_A Abstand der Abströmplatte vom Kopf des Zuluftschachtes
e Überstand der Abströmplatte von den Außenwandungen
D_h Innendurchmesser des Innenrohres

b) nebeneinander liegende Anordnung mit Abströmplatte und umlaufendem seitlichen Zulufteintritt
Bedingungen:
$H_Ü \geq 2D_h$
$h_A = 5/8\ D_h$ und $h_A \geq 10$ cm
0 cm $\leq e \leq 8$ cm

Legende

$H_Ü$ Abstand der Mündung von der Abströmplatte
h_A Abstand der Abströmplatte vom Kopf des Zuluftschachtes bzw. des Abgasschachtes
e Überstand der Abströmplatte von den Außenwandungen
D_h Innendurchmesser des Innenrohres

Bild 3. Geometrische Bedingungen für die Ausbildung des Schachtkopfes für konzentrische und nebeneinander liegende Schachtanordnungen

9.3.5 Gruppen von Luft-Abgas-Systemen und anderen Abgasanlagen

Gruppen von Luft-Abgas-Systemen und anderen Abgasanlagen sind so auszuführen, dass die Anlagen sich nicht gegenseitig unzulässig beeinflussen. Insbesondere ist darauf zu achten, dass

- über die Zungen oder die Wände der Abgasanlagen Abgas nicht in solchen Mengen in den Luftschacht übertreten kann, dass die Funktion der Feuerstätte beeinträchtigt wird,
- durch das Abgas anderer Feuerstätten die Verbrennungsluft nicht unzulässig erwärmt wird,
- die Baustoffe des Luft-Abgas-Systems durch die Abgase anderer Feuerstätten nicht unzulässig erwärmt werden,
- an der Schachtmündung Abgas anderer Feuerstätten nicht in solchen Mengen in den Luftschacht übertreten kann, dass die Funktion der Feuerstätte beeinträchtigt wird,
- durch die Gestaltung des Schachtkopfes der anderen Abgasanlagen keine unzulässigen Druckschwankungen im Luft-Abgas-System auftreten.

9.4 Betriebsweise

9.4.1 Luft-Abgas-Systeme für Überdruck

Bauprodukte für den Abgasschacht von Luft-Abgas-Systemen, die unter Überdruck betrieben werden, müssen der Gasdichtheits-/Druckklasse P1, P2, H1 oder H2 entsprechen.

Innerhalb von Gebäuden müssen Luft-Abgas-Systeme für Überdruck der Gasdichtheits-/Druckklasse P1 oder H1 entsprechen und über die gesamte Länge und über den ganzen Umfang hinterlüftet bzw. von Verbrennungsluft umspült sein. Bei nebeneinander liegenden Schächten sind für den Abgasschacht die Anforderungen an die Hinterlüftung nach 8.2.1 einzuhalten.

Bezüglich der Anschlüsse der Feuerstätten an das Luft-Abgas-System sind die Anforderungen von 10.3 zu berücksichtigen.

9.4.2 Feuchte Betriebsweise

Luft-Abgas-Systeme aus Bauteilen für Montage-Abgasanlagen nach 9.1.2.1 oder 9.1.3.2 dürfen feucht betrieben werden, wenn die Bauteile in der Kondensationsbeständigkeits-Klasse mit W und in der Gasdichtheits-/Druckklasse mit P1, P2, H1 oder H2 gekennzeichnet sind. Sind die Bauprodukte in der Gasdichtheits-/Druckklasse mit N1 oder N2 und in der Kondensationsbeständigkeits-Klasse mit W gekennzeichnet, sind bei feuchter Betriebsweise die Anforderungen nach 8.2.2 zu beachten.

Bei feuchter Betriebsweise sind alle Anschlüsse an den Abgasschacht kondensatdicht auszuführen. Die Überströmöffnung ist so auszuführen, dass Kondensat nicht in den Luftschacht eindringen kann, oder die Sohle des Luft-Abgas-Systems ist auch im Bereich des Luftschachts kondensatdicht auszuführen.

Die Ausführung des Luft-Abgas-Systems muss eine vollständige und kontinuierliche Kondensatableitung sicherstellen.

D

10 Verbindungsstücke

10.1 Bauart der Verbindungsstücke für raumluftabhängige Betriebsweise und betrieben im Unterdruck

Für Verbindungsstücke, an die Feuerstätten für gasförmige und flüssige Brennstoffe angeschlossen sind, gelten Bauprodukte mit Kennzeichnung nach Tabelle 17 als geeignet.

Tabelle 17: Kennzeichnungsklasse für Verbindungsstücke für Feuerstätten für gasförmige und flüssige Brennstoffe

Klasse	Merkmale
Temperatur	T80 oder höher
Gasdichtheit/Druck	N1, N2, P1, P2, H1 oder H2
Kondensatbeständigkeit	D oder W
Korrosionswiderstand	1, 2 oder 3
Rußbrandbeständigkeit	Oxx oder Gxx

Für Verbindungsstücke, an die Feuerstätten für feste Brennstoffe angeschlossen sind, gelten Bauprodukte mit Kennzeichnung nach Tabelle 18 als geeignet.

Tabelle 18: Kennzeichnungsklasse für Verbindungsstücke für Feuerstätten für feste Brennstoffe

Klasse	Merkmale
Temperatur	T400 oder höher
Gasdichtheit/Druck	N1, N2, P1, P2, H1 oder H2
Kondensatbeständigkeit	D oder W
Korrosionswiderstand	3
Rußbrandbeständigkeit	Gxx

Für die Herstellung von Verbindungsstücken aus Bauprodukten für Schornsteine gilt Abschnitt 7 sinngemäß. Für die Herstellung von Verbindungsstücken aus Bauprodukten für Abgasleitungen gilt Abschnitt 8 sinngemäß.

10.2 Überdruck in Verbindungsstücken

Bauprodukte für Verbindungsstücke, die mit Überdruck betrieben werden, müssen 8.2.1 entsprechen.

10.3 Anschlüsse von Verbindungsstücken

Verbindungsstücke sind so in den senkrechten Teil der Abgasanlage einzuführen, dass sie möglichst nahe an den lichten Querschnitt der Abgasanlage reichen, in diesen jedoch nicht hineinragen.

Verbindungsstücke sind so in den senkrechten Teil der Abgasanlage einzuführen, dass die Anschlüsse für die vorgesehene Betriebsweise ausreichend gas- und gegebenenfalls kondensatdicht sind. Durch die Wärmedehnung des Verbindungsstücks dürfen keine unzulässigen Kräfte auf die Abgasanlage einwirken. Dies kann beispielsweise bei einschaligen Abgasanlagen aus mineralischen Baustoffen durch die Verwendung von Doppelwandfuttern für den Anschluss der Verbindungsstücke erfüllt werden; bei mehrschaligen Abgasanlagen kann der Zwischenraum zwischen dem Verbindungsstück und dem Anschlussformstück bzw. der Wandung der Abgasanlage mit nicht brennbaren und wärmedämmenden Stoffen ausgefüllt werden.

Bei mehrfach belegten Abgasanlagen sind die Anschlüsse so auszubilden, dass ihre Dichtheit durch die im senkrechten Teil auftretende Wärmedehnung nicht beeinträchtigt wird.

11 Zubehör

11.1 Nebenluftvorrichtungen

Nebenluftvorrichtungen nach DIN 4795 sind entsprechend ihres Verwendungszwecks in Abgasanlagen für Unterdruck zulässig, wenn sichergestellt ist, dass

- die einwandfreie Ableitung der Abgase nicht beeinträchtigt wird,
- die Abgase bei Stau oder Rückstrom nicht in gefahrdrohender Menge austreten können,
- die Prüfung und Reinigung der Abgasanlage nicht beeinträchtigt wird,
- sie für den Verwendungszweck ausreichend korrosionsbeständig sind und Kondensataustritt verhindert wird.

Nebenluftvorrichtungen dürfen nur im Aufstellraum der Feuerstätte oder in angrenzenden mit dem Aufstellraum im Verbrennungsluftverbund stehenden Räumen angeordnet werden. In mehrfachbelegten Abgasanlagen dürfen Nebenluftvorrichtungen nur eingebaut werden, wenn alle Feuerstätten im selben Raum aufgestellt sind.

Im senkrechten Teil der Abgasanlage angeordnete Nebenluftvorrichtungen sollen mindestens 40 cm oberhalb der Sohle liegen, wenn an die Abgasanlage Feuerstätten für feste Brennstoffe angeschlossen sind.

11.2 Abgasventilatoren

Abgasventilatoren müssen für den jeweiligen Anwendungsfall ausgelegt und entsprechend ihres Verwendungszwecks geeignet sein.

Abgasanlagen können in Verbindung mit einem Abgasventilator errichtet werden, wenn die angeschlossenen Feuerstätten schnell regelbare Feuerungseinrichtungen haben und Sicherheitseinrichtungen sicherstellen, dass die Feuerstätten bei ungenügender Förderleistung des Abgasventilators nicht betrieben werden können.

Abgasanlagen für Feuerstätten, die mit festen Brennstoffen betrieben werden, müssen einen so großen lichten Querschnitt haben, dass die Feuerstätten bei Ausfall des Abgasventilators eine Leistung von mindestens 1/5 ihrer Nennwärmeleistung erreichen. Bei gebläseunterstützten Feuerstätten, die mit festen Brennstoffen betrieben werden, muss bei Ausfall des Abgasventilators das Gebläse abgeschaltet werden. Abgasventilatoren dürfen statischen Überdruck in Abgasanlagen nur bewirken, wenn die Abgasanlage für Überdruckbetrieb geeignet ist. Dies gilt auch für die Ventilatoranschlussleitungen. Bei Abgasanlagen für Unterdruck sind Abgasventilatoren so anzuordnen, dass durch den Abgasventilator kein Überdruck in der Abgasanlage erzeugt werden kann.

Die Abgasventilatoren und Anschlussleitungen sind so anzuordnen, dass die Abgasanlage leicht und sicher geprüft bzw. gereinigt werden kann.

D

12 Feuerungstechnische Anforderungen

12.1 Anschluss von Feuerstätten

12.1.1 Allgemeines

Beim Anschluss von Feuerstätten an eine Abgasanlage muss eine sichere Abgasabführung sichergestellt sein. Die Abgasanlagen müssen nach lichtem Querschnitt, Höhe und Wärmedurchlasswiderstand so bemessen sein, dass die Abgase bei allen bestimmungsgemäßen Betriebszuständen ins Freie abgeleitet werden, kein gefährlicher Überdruck auftritt.

12.1.2 Mehrfachbelegung

Mehrere Feuerstätten dürfen an einen gemeinsamen Schornstein, an eine gemeinsame Abgasleitung oder ein gemeinsames Verbindungsstück nur angeschlossen werden, wenn

- durch die feuerungstechnische Bemessung die Ableitung der Abgase für jeden Betriebszustand sichergestellt ist,
- eine Übertragung von Abgasen zwischen den Aufstellräumen und ein Austritt von Abgasen über nicht in Betrieb befindliche Feuerstätten ausgeschlossen ist,
- die gemeinsame Abgasleitung aus nicht brennbaren Baustoffen besteht oder eine Brandübertragung zwischen den Geschossen durch selbsttätige Absperrvorrichtungen oder andere Maßnahmen verhindert wird,
- der sichere Betrieb aller Feuerstätten sowie die sichere Abführung der Abgase nicht durch luftabsaugende Anlagen, die sich auch in Räumen, Wohnungen oder Nutzungseinheiten befinden können, beeinträchtigt wird.

12.1.3 Anschluss von raumluftabhängigen Feuerstätten an eine mehrfach belegte Abgasanlage

Der Abstand zwischen der Einführung des untersten und des obersten Verbindungsstückes sollte nicht mehr als 6,5 m betragen. Die Abgasanlagen dürfen hinsichtlich der Brennstoffart gemischt belegt werden, wenn die Verbindungsstücke der Feuerstätten für feste oder flüssige Brennstoffe eine senkrechte Anlaufstrecke von mindestens 1 m Höhe unmittelbar hinter dem Abgasstutzen haben.

Sofern eine der Feuerstätten mit festen Brennstoffen betrieben werden kann, müssen der senkrechte Teil der Abgasanlage die Anforderungen an Schornsteine und sämtliche Verbindungsstücke die Anforderungen an Verbindungsstücke für Feuerstätten für feste Brennstoffe erfüllen.

An mehrfach belegte Abgasanlagen sollen nicht angeschlossen werden:

- raumluftabhängige Feuerstätten gemeinsam mit raumluftunabhängigen Feuerstätten, sofern sie nicht den Anforderungen nach [5][1)] entsprechen,

---

1) [5] DVGW-Merkblatt G 637 Teil 1:1993 Anschluss von Gasfeuerstätten mit mechanischer Abgasführung ohne Strömungssicherung an Hausschornsteine; Gasgeräte der Art D – Wirtschafts- und Verlagsgesellschaft Gas und Wasser mbH, Postfach 14 01 51, 53056 Bonn

- Feuerstätten mit Gebläse gemeinsam mit Feuerstätten ohne Gebläse,
- Feuerstätten mit Gebläse, soweit nicht alle Feuerstätten im selben Aufstellraum angeordnet sind oder soweit nicht alle Feuerstätten in derselben Bauart ausgeführt sind,
- Feuerstätten, die oberhalb des 5. Vollgeschosses angeordnet sind, soweit nicht alle Feuerstätten im selben Raum aufgestellt sind,
- Feuerstätten mit Abgastemperaturen über 400 °C,
- offene Kamine nach DIN EN 13 229,
- Kaminöfen nach DIN 13 240,
- Feuerstätten in Aufstellräumen mit ständig offener Verbindung zum Freien, z. B. mit Lüftungsöffnungen, ausgenommen Feuerstätten im selben Aufstellraum.

12.1.4 Anschluss von raumluftunabhängigen Gasfeuerstätten der Art C_8 an eine mehrfach belegte Abgasanlage

An eine mehrfach belegte Abgasanlage dürfen raumluftunabhängige Gasfeuerstätten der Art C_8 nach Maßgabe nach [5][1)] angeschlossen werden.

12.2 Grundlagen für die Bemessung des lichten Querschnitts

Der lichte Querschnitt einfach belegter Abgasanlagen sollte nach DIN EN 13 384-1, der lichte Querschnitt mehrfach belegter Abgasanlagen nach DIN EN 13 384-2 bemessen werden.

12.3 Berechnung des Wärmedurchlasswiderstandes für Montagegasanlagen

Der Wärmedurchlasswiderstand einer Abgasanlage $\frac{1}{\Lambda_{\mathrm{Aa}}}$ kann aus den Wärmedurchlasswiderständen der einzelnen Bauteile mit der Gleichung (1) ermittelt werden:

$$\frac{1}{\Lambda_{\mathrm{Aa}}} = D_{\mathrm{h}} \cdot \sum_{\mathrm{n}} \left(\frac{1}{\Lambda_{\mathrm{n}}} \cdot \frac{1}{D_{\mathrm{h,n}}} \right) \quad \text{in m}^2 \cdot \mathrm{K} \cdot \mathrm{W}^{-1} \qquad (1)$$

Dabei ist:

$\frac{1}{\Lambda_{\mathrm{n}}}$ der Wärmedurchlasswiderstand nach den Angaben eines Herstellers nach den einschlägigen Produktnormen einer Schale bezogen auf deren innere Mantelfläche, in $\mathrm{m}^2 \cdot \mathrm{K} \cdot \mathrm{W}^{-1}$;

D_{h} der innere hydraulische Durchmesser in m;

$D_{\mathrm{h,\,n}}$ der hydraulische Durchmesser der Innenseite der Schicht n, in m;

n die Anzahl der Schalen.

Bei Verwendung einer durchgehenden zwischen Innenschale und Außenschale angeordneten Wärmedämmschicht mit einer Dicke von mindestens 3 cm, mit einer Wärmeleitfähigkeit von höchstens 0,04 $\mathrm{W} \cdot \mathrm{m}^{-1} \cdot \mathrm{K}^{-1}$ (bei 20 °C) und einer Rohdichte von 80 $\mathrm{kg} \cdot \mathrm{m}^{-3}$ bis 120 $\mathrm{kg} \cdot \mathrm{m}^{-3}$ darf, ohne weiteren Nachweis, mit einem Wärmedurchlasswiderstand von 0,40 $\mathrm{m}^2 \cdot \mathrm{K} \cdot \mathrm{W}^{-1}$ gerechnet werden. Beträgt die durchgehende

---

1) DVGW-Merkblatt – G 637 Teil 1:1993

Dicke dieser Wärmedämmschicht mindestens 4 cm mit einer Wärmeleitfähigkeit von höchstens 0,04 $W \cdot m^{-1} \cdot K^{-1}$ (bei 20 °C) und einer Rohdichte von 80 $kg \cdot m^{-3}$ bis 120 $kg \cdot m^{-3}$ darf, ohne weiteren Nachweis, mit einem Wärmedurchlasswiderstand von 0,65 $m^2 \cdot K \cdot W^{-1}$ gerechnet werden.

13 Standsicherheit

13.1 Allgemeines

Die Standsicherheit von Abgasanlagen und Schächten für Abgasleitungen ist unter Berücksichtigung der thermischen Einflüsse nachzuweisen. Ein vereinfachter Nachweis kann entsprechend den Berechnungsgrundlagen nach 13.1 und 13.2 durchgeführt werden. Eventuell erforderliche Nachweise bezüglich Erdbebensicherheit sind gesondert zu führen (siehe DIN 4149-1).

13.2 Grundlagen der statischen Berechnung

13.2.1 Teilsicherheitsbeiwerte

Beim Nachweis der Standsicherheit wird zwischen Einwirkungen auf das Bauwerk und Widerständen unterschieden, die den Einwirkungen entgegenwirken. Der Standsicherheitsnachweis gilt als erbracht, wenn nachgewiesen wird, dass die mit dem Faktor $1/\gamma_M$ multiplizierten Widerstände (siehe Tabelle 20) mindestens so groß wie die mit dem Faktor γ_F multiplizierten Einwirkungen (siehe Tabelle 19) sind.

Tabelle 19: Teilsicherheitsbeiwerte γ_F für die Einwirkungen

Einwirkung	γ_F
Eigenlast, ungünstig wirkend	1,35
Eigenlast, günstig wirkend, Mindestrohdichte nicht sichergestellt	0,9
Eigenlast, günstig wirkend, Mindestrohdichte sichergestellt	1,0
Wind und sonstige nicht ständig wirkende Lasten	1,2
Temperatur	1,25; aber höchstens T[a] + 100 °C
[a] *T* ist die Nenn-Betriebstemperatur beim Eintritt in die Abgasanlage.	

Tabelle 20: Teilsicherheitsbeiwerte γ_M für die Widerstände

Widerstände	β_M
Beton	1,5 gegenüber $\alpha \cdot f_{ck}$
Mauerwerk	2,0 gegenüber β_M
Schamotte/keramische Erzeugnisse	2,0
Stahl	1,15 gegenüber f_{yk}
Aluminium	1,15 gegenüber $\beta_{0,2}$

13.2.2 Rechenwerte der Festigkeiten

Für Normalbeton und Leichtbeton mit geschlossenem Gefüge gilt DIN 1045-1. Zur Berücksichtigung von Langzeitwirkungen auf die Druckfestigkeit sind die klassifizierten Zylinderdruckfestigkeiten f_{ck} mit dem Faktor α zu multiplizieren.

Für Normalbeton ist $\alpha = 0{,}85$ und für Leichtbeton mit geschlossenem Gefüge $\alpha = 0{,}80$ zu setzen. Für Leichtbeton mit haufwerksporigem Gefüge gilt DIN EN 1520 und sofern dort nichts anderes angegeben, gilt $\alpha = 1{,}00$.

Bei Mauerwerk ist der Wert β_M der Nennfestigkeit auf den Rechenwert β_R (siehe Tabelle 21) abzumindern.

Bei Stahl ist die Streckgrenze f_{yk} und bei Aluminium die $\beta_{0,2}$-Grenze einzusetzen. Die Streckgrenze f_{yk} für Stahl ist DIN 1045-1 bzw. DIN 18 800 zu entnehmen. Für Aluminium gelten die relevanten Anwendungsnormen.

Tabelle 21: Rechenwert der Festigkeit bei Mauerwerk

Festigkeitsart	Einteilung der Festigkeitswerte		
Nennfestigkeit β_M MN · m^{-2}	1 bis 9	11 und 13	16 bis 25
Rechenwert β_R	$0{,}93 \cdot \beta_M$	$0{,}85 \cdot \beta_M$	$0{,}80 \cdot \beta_M$

13.2.3 Temperaturabhängiges Materialverhalten

Die Materialfestigkeiten sind temperaturabhängig, so dass die Festigkeiten f_k bei Normaltemperatur von $T_o = 20\,^\circ$C je nach der jeweilig herrschenden Materialtemperatur T abgemindert werden müssen. Sofern es sich nicht um feuerfeste oder hochfeuerfeste Materialien handelt ($\geq 1500\,^\circ$C), ist vom Hersteller der temperaturabhängige Festigkeitsabfall verbindlich anzugeben und zu garantieren. Liegen keine Herstellerangaben vor, so kann der Abminderungsbeiwert nach Bild 4 für die dort angegebenen Materialien angesetzt werden.

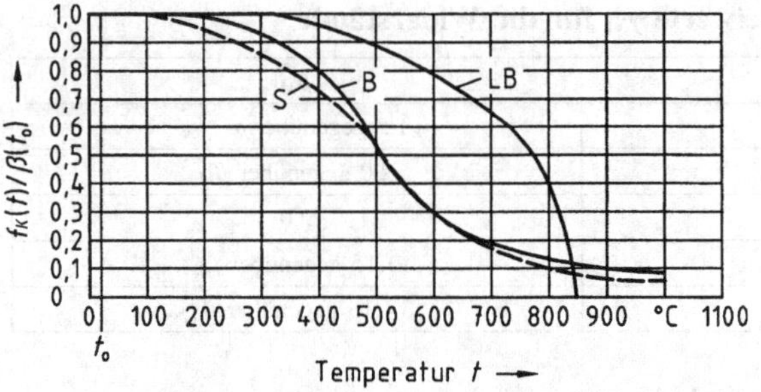

Legende

S Stahl
B Beton
LB Leichtbeton

Bild 4. Abminderungsbeiwert $f_k(t) / \beta(t_o)$ für die Festigkeit in Abhängigkeit von der Temperatur (nach [3])[1)]

13.3 Vereinfachte Nachweisverfahren

Bei nicht schwingungsanfälligen Abgasanlagen und nicht schwingungsanfälligen Schächten für Abgasleitungen kann das vereinfachte Nachweisverfahren unter Zugrundelegung von DIN 1055-4 angewendet werden.

13.3.1 Standsicherheit von Abgasanlagen aus Mauerwerk oder Beton

13.3.1.1 Allgemeines

Als nicht schwingungsanfällig gelten massive Abgasanlagen (statisch tragender Teil), die folgende Bedingungen erfüllen:

a) Die Höhe des Abschnittes über der obersten horizontalen Abstützung darf nicht mehr als 3,00 m betragen und den 5fachen Wert der kleinsten Schaftbreite nicht übersteigen.

b) Eine zweite horizontale Abstützung von der Mündung aus gezählt muss vorhanden sein. Sie darf nicht mehr als 5,00 m unter der obersten horizontalen Abstützung liegen.

c) Die horizontalen Abstützungen müssen nahezu unverschieblich sein. Die von der Abgasanlage auf die Abstützungen abgegebenen Kräfte müssen sicher in das Gebäude weitergeleitet und bis in den Untergrund abgeleitet werden können. Der Zwischenraum zwischen der Stützkonstruktion und der Außenfläche der Abgasanlage oder Schächte muss kraftschlüssig (z. B. Beton) ausgefüllt werden. Die thermischen Bewegungen dürfen jedoch nicht behindert werden.

d) Bei außen angebauten Abgasanlagen darf der Abstand vom Gebäude 1,00 m nicht überschreiten.

Wenn diese Bedingungen nicht erfüllt sind, gilt für den Nachweis der Standsicherheit von massiven Abgasanlagen DIN 1056 bzw. E DIN EN 13084-2.

---

1) [3] W. Klingsch: Tragwerksanalyse brandbeanspruchter tragender Bauteile. Kordina-Festschrift, Forschungsbeiträge für die Baupraxis. Verlag Ernst & Sohn, Berlin München Düsseldorf

13.3.1.2 Vereinfachter Nachweis der Standsicherheit von nicht schwingungsanfälligen Abgasanlagen und Schächten

13.3.1.2.1 Vereinfachter Nachweis der Standsicherheit der Innenschale
Der vereinfachte Nachweis der Standsicherheit der Innenschale kann durch den Nachweis geführt werden, dass die 5fache Eigenlast der Innenschale nicht größer ist als die hierfür anrechenbare Bruch- oder Prüflast des schwächsten Teils der jeweiligen Innenschale. Die Bruch- oder Prüflast ist durch Versuche nachzuweisen.

13.3.1.2.2 Vereinfachter Nachweis der Standsicherheit der unbewehrten windbelasteten Schalen und Schächte
Es gelten folgende Algorithmen zum Vergleich von Windeinwirkung und Schubwiderstand der Abgasanlage.
Es gilt für das Windmoment:

$$W_{\mathrm{SWind}} = 0{,}5 \cdot c_{\mathrm{f}} \cdot q \cdot b_{\mathrm{Kopf}} \cdot (H - h_{\mathrm{o}}) \quad (4)$$

$$M_{\mathrm{SWind}} = 0{,}5 \cdot W_{\mathrm{SWind}}\,(H + h_{\mathrm{o}}) \quad (5)$$

wobei für den Windangriff

c_{f} = 1,3 bei quadratischen oder rechteckigen angeströmen Außenformen für eine Schlankheit Höhe/Breite ≤ 5 der vom Wind angeströmten Fläche

c_{f} = 1,6 bei Schlankheiten ≥ 10 (Zwischenwerte können linear interpoliert werden)

c_{f} = 0,7 bei kreisrunden Außenformen

und die Windzonen nach DIN 1055-4 anzusetzen sind.

Tabelle 22: Geschwindigkeitsdruck *q* für Bauwerke bis zu 25 m Höhe über GOK

Windzone		Geschwindigkeitsdruck q in kN/m² bei einer Gebäudehöhe h in Grenzen von		
		$\leq$ 10 m	10 m < $h \leq$ 18 m	18 m < $h \leq$ 25 m
1	Binnenland	0,50	0,65	0,75
2	Binnenland	0,65	0,80	0,90
	Küste und Inseln der Ostsee	0,85	1,00	1,10
3	Binnenland	0,80	0,95	1,10
	Küste und Inseln der Ostsee	1,05	1,20	1,30
4	Binnenland	0,95	1,15	1,30
	Küste der Nord- und Ostsee und Inseln der Ostsee	1,25	1,40	1,55
	Inseln der Nordsee	1,40	–	–

Es gilt für das Standmoment:

$$\Sigma G = G_1 + G_2 + g_{Kopf} \cdot (H - h_1 - h_2 - h_3) + g_{Mantel} \cdot (H - h_1 - h_2) \quad (5)$$

$$M_{Stand} = \Sigma G \cdot a_{Schaft}/2 \quad (6)$$

Es sind vier Bedingungen zu erfüllen:

a) $V_{Rd1} \geq W \cdot \gamma_F$ (7)

b) $M_{Stand} \geq M_{Wind} \cdot \gamma_F$ (8)

c) Maximale Druckspannung in der Schale $\sigma_U \leq \beta_{R(T)}/\gamma_M$ (9)

13.2.3 ist zu beachten.

(Der Nachweis darf nach [4][1)] geführt werden) – lineare Spannungsverteilung –

d) Der Mindestabstand L zwischen den beiden horizontalen Abstützungen wird durch den Bemessungswert der aufnehmbaren Querkraft V_{Rd1}[2)] begrenzt.

$$V_{Rd1} \geq M_{SWind} \cdot \gamma_F/L \quad (10)$$

Dabei ist

H	die Höhe des Abschnittes der Abgasanlage über der höchsten seitlichen Abstützung, in m;
L	der Abstand zwischen den beiden horizontalen Haltepunkten, in m;
h_o	die Teillänge von H unter der Dachfläche, in m;
h_1	die Dicke der Abdeckplatte, in m;
h_2	die Dicke der Kragplatte, in m;
h_3	der Abstand zwischen horizontaler Abstützung und Unterkante Kragplatte, in m;
a_{Schaft}	die kleinste Schaftbreite, in m;
b_{Kopf}	die größte Breite des Kopfes der Abgasanlage (Windangriffsfläche), in m;
g_{Mantel}	das Gewicht des Außenmantels, in kN/m, ohne Innenschale und Wärmedämmung;
g_{Kopf}	das Gewicht der Kopfverkleidung bzw. der Kopfummauerung, in kN/m;
G_1	das Gewicht der Abdeckplatte, in kN;
G_2	das Gewicht der Kragplatte, in kN.

1) [4] Busjaeger, Quast: Heft 415 DAfStB

2) V_{Rd1} ist die Schubwiderstandskraft eines unbewehrten Querschnittes nach DIN 1045-1 bzw. E DIN EN 1520.

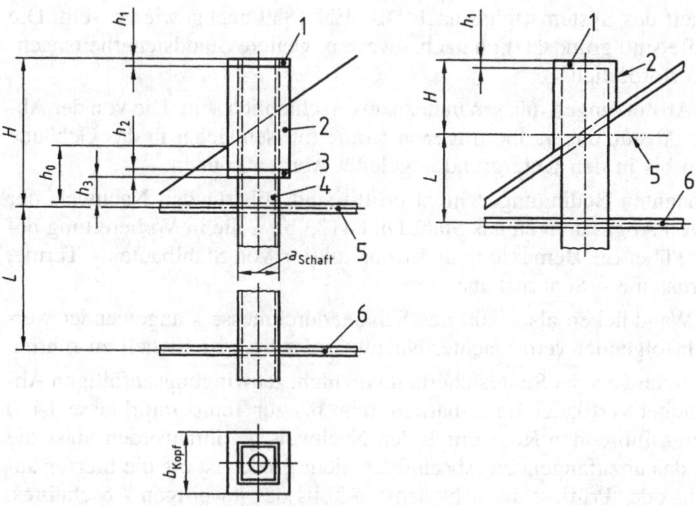

a) oberste Abstützung in letzter Deckenebene   b) oberste Abstützung in Dachebene

Legende

1 G_1
2 g_{Kopf}
3 G_2
4 g_{Mantel}
5 1. Halterung
6 2. Halterung

Bild 5. Ausgangswerte für den Nachweis der Standsicherheit; bei massiver Abgasanlage L = max. 5,00 m, H = max. 2,50 m

13.3.2 Standsicherheit von nicht schwingungsanfälligen Abgasanlagen aus Metall

Als nicht schwingungsanfällig gelten Abgasanlagen aus Metall mit einer Materialdicke der tragenden Schale von mindestens 1/200 des Schalendurchmessers, deren freie Höhe über der obersten horizontalen Halterung nicht mehr als 1,50 m beträgt und die darunter mindestens alle 2,00 m horizontale Halterungen aufweisen. Bei außen angebauten Abgasanlagen darf der Abstand vom Gebäude 1,00 m nicht übersteigen. Die Verankerungskräfte sind nachzuweisen, weitere Standsicherheitsnachweise sind nicht erforderlich.

Als nicht schwingungsanfällig gelten ferner Abgasanlagen aus Metall, wenn:

- die freie Höhe über der obersten horizontalen Halterung nicht mehr als 3,0 m beträgt,
- der Abstand der darunter liegenden horizontalen Halterungen 4,0 m nicht überschreitet,
- der Abstand bei außen angebauten Abgasanlagen vom Gebäude 1,0 m nicht übersteigt.

Die Standsicherheit des Systems muss nach DIN EN 1859 nachgewiesen sein. Die Verankerungskräfte sind grundsätzlich nachzuweisen, weitere Standsicherheitsnachweise sind nicht erforderlich.

Die horizontalen Abstützungen müssen nahezu unverschieblich sein. Die von der Abgasanlage auf die Abstützungen übertragenen Kräfte müssen sicher in das Gebäude weitergeleitet und bis in den Untergrund abgeleitet werden können.

Wenn die vorgenannten Bedingungen nicht erfüllt sind, gilt für den Nachweis der Standsicherheit von Abgasanlagen aus Stahl DIN 4133 bzw. die in Vorbereitung befindliche Vornorm über die Bemessung und Konstruktion von Stahlbauten – Türme, Maste und Schornsteine – Schornsteine.

Wenn geringere Wanddicken als 1/200 des Schalendurchmessers angewendet werden, ist zusätzlich folgender vereinfachter Nachweis der Standsicherheit zu führen:

Der vereinfachte Nachweis der Standsicherheit von nicht schwingungsanfälligen Abgasanlagen gegenüber vertikaler Belastbarkeit kann bis zur Temperaturklasse T400 bei tragendem abgasführenden Rohr durch den Nachweis geführt werden, dass die 4fache Eigenlast des abzufangenden Abschnittes nicht größer ist als die hierfür anrechenbare Bruch- oder Prüflast des schwächsten Teils des jeweiligen Abschnittes.

Für nicht mit Abgas beaufschlagte Tragschalen gilt die 3fache Eigenlast.

Bei mit Abgas beaufschlagten Tragschalen von Abgasanlagen mit Ausbrennmöglichkeit darf die 5fache Eigenlast nicht mehr als die Bruch- oder Prüflast betragen.

Die Bruch- oder Prüflast ist durch Versuche nachzuweisen.

Alternativ kann auch mit Hilfe von Bild 4 nachgewiesen werden, dass

$$\textbf{Eigenlast} \cdot \gamma_F \cdot \gamma_M \leq \textbf{(Bruch- oder Prüflast)} \cdot f_k\,(T)\,/\,\beta\,(T_o)$$

wobei T nominale Betriebstemperatur · 1,25 ≤ nominale Betriebstemperatur + 100 K ist.

13.4 Anforderungen für die Einleitung der Haltekräfte

Die Einleitung der Haltekräfte in das Bauwerk darf die freie vertikale Beweglichkeit der Abgasanlage nicht beeinträchtigen. Die auftretenden horizontalen Kräfte sind unmittelbar in das Bauwerk einzuleiten. Dies gilt als erfüllt, wenn der umlaufende Bewegungsspalt nicht größer als 2 mm ausgeführt ist (kein Wärmedämmstreifen).

13.5 Aufsätze, Verlängerungen und sonstige außen angebrachte Gegenstände

Werden an einer Abgasanlage Aufsätze, Verlängerungen oder sonstige Gegenstände angebracht, die dem Wind ausgesetzt sind, so muss die Standsicherheit der Abgasanlage unter diesen Einflüssen gesondert nachgewiesen werden. Werden Steigleitern bzw. Steigeisen an der Abgasanlage angebracht, so ist beim Standsicherheitsnachweis eine außermittig angreifende Personenlast von 1,5 kN zusätzlich zu berücksichtigen.

13.6 Bauzustände

Die Standsicherheit ist in allen Bauzuständen sicherzustellen. Gegebenenfalls sind verstärkende Sicherungsmaßnahmen durch zusätzliche abstützende Hilfskonstruktionen anzubringen. Die Windlast kann dabei um folgenden Faktor je nach zeitlicher Dauer des vorübergehenden Zustands abgemindert werden.

- ohne zusätzliche Sicherungsmaßnahmen:
  Faktor 0,5 bei einer Dauer bis zu 3 Monaten von Mai bis August
  Faktor 0,6 bei einer Dauer bis zu 12 Monaten
  Faktor 0,7 bei einer Dauer von 24 Monaten
- mit zusätzlichen Sicherungsmaßnahmen:
  Faktor 0,3 bei einer Dauer bis zu 12 Monaten
  Faktor 0,4 bei einer Dauer bis zu 24 Monaten.

Die Eignung der abstützenden Hilfskonstruktion ist statisch nachzuweisen.

13.7 Anforderungen an Schächte für Abgasleitungen

Die Standsicherheit von Schächten für Abgasleitungen darf durch thermische Einflüsse aus der Abgasleitung nicht unzulässig beeinflusst werden. Dies gilt z. B. für Abgasleitungen bis zur Temperaturklasse T400 als erfüllt, wenn die Schächte aus mineralischen, nicht brennbaren Baustoffen bestehen und durchgehend ausgeführt werden.

Literaturhinweise (*siehe Fußnoten*)

D

E BAUTENSCHUTZ

E.1 Brandschutz

Brandverhalten von Baustoffen und Bauteilen

Baustoffe; Begriffe, Anforderungen und Prüfungen

Auszug aus **DIN 4102-1** (05.98) unter Berücksichtigung Berichtigung (08.98)

Inhalt

3 Baustoffklassen

Die Baustoffe werden entsprechend ihrem Brandverhalten in die Baustoffklassen nach Tabelle 1 eingeteilt:

Tabelle 1: Baustoffklassen

Baustoffklasse	Bauaufsichtliche Benennung
A	nichtbrennbare Baustoffe
A1	
A2	
B	brennbare Baustoffe
B1	schwerentflammbare Baustoffe
B2	normalentflammbare Baustoffe
B3	leichtentflammbare Baustoffe

E

Die Kurzzeichen und Benennungen dürfen nur dann verwendet werden, wenn das Brandverhalten auf der Grundlage dieser Norm (siehe Abschnitt 4) ermittelt worden ist.

4 Ermittlung der Baustoffklassen

4.1 Ermittlung der Baustoffklassen durch Brandprüfungen

Die Baustoffklasse wird auf der Grundlage von Prüfungen nach dieser Norm ermittelt.

Baustoffe, die unter den Begriff Bauprodukt nach den Landesbauordnungen fallen und die zwar die allgemeinen Anforderungen an die jeweilige Baustoffklasse erfüllen,

- für deren Klassifizierung jedoch die Prüfergebnisse nach dieser Norm allein nicht ausreichen (siehe 5.1.2.1, 5.2.2.1 und 6.1.2.1) oder
- bei denen die Voraussetzungen für die Klassifizierung jedoch durch Ergebnisse aus zusätzlichen Prüfungen nach anderen Prüfverfahren erfüllt werden sollen,

bedürfen zusätzlicher Beurteilungen[1)].

4.2 Ermittlung der Baustoffklassen ohne Brandprüfungen

Die in DIN 4102-4 genannten Baustoffe sind ohne weitere Brandprüfungen in die dort angegebene Baustoffklasse eingereiht.

5 Feuerwiderstandsklassen, Anforderungen

5.1 Allgemeines

Es werden die in Tabelle 1 genannten Feuerwiderstandsklassen unterschieden.

Tabelle 1: Feuerwiderstandsklassen F

Feuerwiderstandsklasse	Feuerwiderstandsdauer in Minuten
F 30	≥ 30
F 60	≥ 60
F 90	≥ 90
F 120	≥ 120
F 180	≥ 180

1) Diese Baustoffe bedürfen als bauaufsichtlichen Verwendbarkeitsnachweis einer allgemeinen bauaufsichtlichen Zulassung oder einer Zustimmung für den Einzelfall.

Tabelle 2

	1	2	3	4	5
Zeile	Feuerwiderstandsklasse nach Tabelle 1	Baustoffklasse nach DIN 4102 Teil 1 der in den geprüften Bauteilen verwendeten Baustoffe für		Benennung[2]	Kurzbezeichnung
		wesentliche Teile[1]	übrige Bestandteile, die nicht unter den Begriff der Spalte 2 fallen	Bauteile der	
1	F 30	B	B	Feuerwiderstandsklasse F 30	F 30 – B
2		A	B	Feuerwiderstandsklasse F 30 und in den wesentlichen Teilen aus nichtbrennbaren Baustoffen[1]	F 30 – AB
3		A	A	Feuerwiderstandsklasse F 30 und aus nichtbrennbaren Baustoffen	F 30 – A
4	F 60	B	B	Feuerwiderstandsklasse F 60	F 60 – B
5		A	B	Feuerwiderstandsklasse F 60 und in den wesentlichen Teilen aus nichtbrennbaren Baustoffen[1]	F 60 – AB
6		A	A	Feuerwiderstandsklasse F 60 und aus nichtbrennbaren Baustoffen	F 60 – A
7	F 90	B	B	Feuerwiderstandsklasse F 90	F 90 – B
8		A	B	Feuerwiderstandsklasse F 90 und in wesentlichen Teilen aus nichtbrennbaren Baustoffen[1]	F 90 – AB
9		A	A	Feuerwiderstandsklasse F 90 und aus nichtbrennbaren Baustoffen	F 90 – A
10	F 120	B	B	Feuerwiderstandsklasse F 120	F 120 B
11		A	B	Feuerwiderstandsklasse F 120 und in den wesentlichen Teilen aus nichtbrennbaren Baustoffen[1]	F 120 – AB
12		A	A	Feuerwiderstandsklasse F 120 und aus nichtbrennbaren Baustoffen	F 120 – A
13	F 180	B	B	Feuerwiderstandsklasse F 180	F 180 – B
14		A	B	Feuerwiderstandsklasse F 180 und in den wesentlichen Teilen aus nichtbrennbaren Baustoffen[1]	F 180 – AB
15		A	A	Feuerwiderstandsklasse F 180 und aus nichtbrennbaren Baustoffen	F 180 – A

1) Zu den wesentlichen Teilen gehören:

a) alle tragenden oder aussteifenden Teile, bei nichttragenden Bauteilen auch die Bauteile, die deren Standsicherheit bewirken (z. B. Rahmenkonstruktionen von nichttragenden Wänden);

b) bei raumabschließenden Bauteilen eine in Bauteilebene durchgehende Schicht, die bei der Prüfung nach dieser Norm nicht zerstört werden darf. Bei Decken muss diese Schicht eine Gesamtdicke von mindestens 50 mm besitzen; Hohlräume im Innern dieser Schicht sind zulässig.

Bei der Beurteilung des Brandverhaltens der Baustoffe können Oberflächen-Deckschichten oder andere Oberflächenbehandlungen außer Betracht bleiben.

2) Diese Benennung betrifft nur die Feuerwiderstandsfähigkeit des Bauteils; die bauaufsichtlichen Anforderungen an Baustoffe für den Ausbau, die in Verbindung mit dem Bauteil stehen, werden hiervon nicht berührt.

Tabelle 3: Erläuterungen der Klassifizierungskriterien und der zusätzlichen Angaben zur Klassifizierung des Feuerwiderstands nach DIN EN 13501-2, DIN EN 13501-3*

Herleitung des Kurzzeichens	Kriterium	Anwendungsbereich
R (Résistance)	Tragfähigkeit	zur Beschreibung der Feuerwiderstandsfähigkeit
E (Étanchéité)	Raumabschluss	
I (Isolation)	Wärmedämmung (unter Brandeinwirkung)	
W (Radiation)	Begrenzung des Strahlungsdurchtritts	
M (Mechanical)	Mechanische Einwirkung auf Wände (Stoßbeanspruchung)	
S (Smoke)	Begrenzung der Rauchdurchlässigkeit (Dichtheit, Leckrate)	Rauchschutztüren (als Zusatzanforderung auch bei Feuerschutzabschlüssen), Lüftungsanlagen einschließlich Klappen
C ... (Closing)	Selbstschließende Eigenschaft (ggf. mit Anzahl der Lastspiele) einschl. Dauerfunktion	Rauchschutztüren, Feuerschutzabschlüsse (einschließlich Abschlüsse für Förderanlagen)
P	Aufrechterhaltung der Energieversorgung und/oder Signalübermittlung	Elektrische Kabelanlagen allgemein
G	Rußbrandbeständigkeit	Schornsteine
K_1, K_2	Brandschutzvermögen	Wand- und Deckenbekleidungen (Brandschutzbekleidungen)
I_1, I_2	unterschiedliche Wärmedämmungskriterien	Feuerschutzabschlüsse (einschließlich Abschlüsse für Förderanlagen)
... 200, 300, ... (°C)	Angabe der Temperaturbeanspruchung	Rauchschutztüren
i → o i ← o i ↔ o (in – out)	Richtung der klassifizierten Feuerwiderstandsdauer	Nichttragende Außenwände, Installationsschächte/-kanäle, Lüftungsanlagen/-klappen
a ↔ b (above – below)	Richtung der klassifizierten Feuerwiderstandsdauer	Unterdecken
f (full)	Beanspruchung durch „volle" ETK (Vollbrand)	Doppelböden
f_e, h_o (vertical, horizontal)	für vertikalen/horizontalen Einbau klassifiziert	Lüftungsleitungen/-klappen
u/u (uncapped/uncapped)	Rohrende offen innerhalb des Prüfofens/ Rohrende offen außerhalb des Prüfofens	Rohrabschottungen
c/u (capped/uncapped)	Rohrende geschlossen innerhalb des Prüfofens/Rohrende offen außerhalb des Prüfofens	Rohrabschottungen

* Zur Zeit Entwurf, anwendbar mit Erscheinen der Norm

Anlage 0.1.2 (2004/1) Bauregelliste

Die nach DIN EN 13 501-2 und DIN EN 13 501-2[1)] klassifizierten Eigenschaften zum Feurwiderstandsverhalten entsprechenden folgenden Anforderungen in bauaufsichtlichen Verwendungsvorschriften:

Tabelle 1: Feuerwiderstandsklassen von Bauteilen nach DIN EN 13 501-2 und ihre Zuordnung zu den bauaufsichtlichen Anforderungen

Bauaufsichtliche Anforderung	Tragende Bauteile		Nichttragende Innenwände	Nichttragende Außenwände	Doppelböden	Selbstständige Unterdecken
	ohne Raumab.	mit Raumab.				
feuerhemmend	R 30	REI 30	EI 30	E 30 (i→o) und EI 30 (i←o)	REI 30 ETK (f)	EI 30 (a↔b)
hochfeuerhemmend	R 60	REI 60	EI 60	E 60 (i→o) und EI 60 (i←o)		EI 60 (a↔b)
feuerbeständig	R 90	REI 90	EI 90	E 90 (i→o) und EI 90 (i←o)		EI 90 (a↔b)
Feuerwiderstandsfähigkeit 120 Min.	R 120	REI 120	–	–		–
Brandwand	–	REI-M 90	EI-M 90	–		–

1) Zur Zeit Entwurf, anwendbar mit Erscheinen der Norm

Brandverhalten von Baustoffen und Bauteilen

Zusammenstellung und Anwendung klassifizierter Baustoffe, Bauteile und Sonderbauteile

Auszug aus **DIN 4102–4** (03.94)[1)]

Inhalt

---

1) Unter Berücksichtigung aller Änderungen bis einschließlich A 1-2004/11

Zitierte Normen und andere Unterlagen

1 Allgemeines

1.1 Anwendungsbereich

1.1.1 Die Norm enthält Angaben über Baustoffe, Bauteile und Sonderbauteile, die nach ihrem Brandverhalten auf der Grundlage von Prüfungen nach DIN 4102 Teil 1[2], Teil 2, Teil 3, Teil 5, Teil 6, Teil 7, Teil 11, Teil 13, Teil 17 und Teil 18 klassifiziert wurden.

Für Baustoffe, Bauteile und Sonderbauteile, die in dieser Norm erfasst sind, ist der Nachweis über das Brandverhalten damit erbracht.

Wegen der Einflussgrößen auf die Feuerwiderstandsdauer und die Möglichkeit der Interpolation siehe Abschnitt 1.2.

1.1.2 Die Angaben dieser Norm beziehen sich im Allgemeinen nur auf Baustoffe, Bauteile und Sonderbauteile, deren Eigenschaften auf der Grundlage der zitierten Normen beurteilt werden können.

Für Baustoffe, Bauteile und Sonderbauteile, die nicht behandelt sind, ist das Brandverhalten durch Prüfungen nach DIN 4102 Teil 1 bis Teil 3 bzw. Teil 5 bis Teil 18 nachzuweisen; wegen der Zulassungsbedürftigkeit von Bauprodukten siehe Bauregelliste A.

1.1.3 Die Angaben aller folgenden Abschnitte in dieser Norm gelten nur in brandschutztechnischer Sicht. Aus den für die Bauteile gültigen technischen Baubestimmungen können sich weitergehende Anforderungen ergeben – z. B. hinsichtlich Mindestabmessungen, Betondeckung der Bewehrung aus Korrosionsgründen, aus Gründen der Bauphysik o. Ä.

1.2 Grundlagen zur Brandschutzbemessung

1.2.1 Die Feuerwiderstandsdauer und damit auch die Feuerwiderstandsklasse eines Bauteils hängen im Wesentlichen von folgenden Einflüssen ab:

a) Brandbeanspruchung (ein- oder mehrseitig),
b) verwendeter Baustoff oder Baustoffverbund,
c) Bauteilabmessungen (Querschnittsabmessungen, Schlankheit, Achsabstände usw.),
d) bauliche Ausbildung (Anschlüsse, Auflager, Halterungen, Befestigungen, Fugen, Verbindungsmittel usw.),
e) statisches System (statisch bestimmte oder unbestimmte Lagerung, 1achsige oder 2achsige Lastabtragung, Einspannungen usw.),

[2] Unter Berücksichtigung von DIN 4102 Teil 14, Teil 15 und Teil 16.

f) Ausnutzungsgrad der Festigkeiten der verwendeten Baustoffe infolge äußerer Lasten und

g) Anordnung von Bekleidungen (Ummantelungen, Putze, Unterdecken, Vorsatzschalen usw.).

1.2.2 Die in den Abschnitten 3 bis 8 angegebenen Feuerwiderstandsklassen gelten immer nur in Abhängigkeit von den aufgezählten Einflussgrößen a) bis g) – das heißt von den in den Abschnitten 3 bis 8 jeweils angegebenen Randbedingungen bzw. Voraussetzungen.

1.2.3 Sofern die Mindestbauteilabmessungen in den Abschnitten 3 bis 8 in Abhängigkeit von der Spannung angegeben werden, dürfen Zwischenwerte für Wanddicken, Balkenbreiten, Balkenhöhen und Stützendicken durch geradlinige Interpolation ermittelt werden.

1.3 Feuerwiderstand von Gesamtkonstruktionen

Die Klassifizierung von Einzelbauteilen nach den Abschnitten 3 bis 8 setzt voraus, dass die Bauteile, an denen die klassifizierten Einzelbauteile angeschlossen werden, mindestens derselben Feuerwiderstandsklasse angehören; ein Träger gehört z. B. nur dann einer bestimmten Feuerwiderstandsklasse an, wenn auch die Auflager – z. B. Konsolen –, Unterstützungen – z. B. Stützen oder Wände – sowie alle statisch bedeutsamen Aussteifungen und Verbände der entsprechenden Feuerwiderstandsklasse angehören.[3)]

2 Klassifizierte Baustoffe

2.1 Allgemeines

Die in dieser Norm angegebenen Baustoffklassen gelten nur für die genannten Baustoffe oder Baustoffverbunde. Nichtgenannte Verbunde, z. B. Verbunde von Baustoffen der Klasse B mit anderen Baustoffen der Klasse A oder B nach DIN 4102 Teil 1, können ein anderes Brandverhalten und damit eine andere Baustoffklasse besitzen.

ANMERKUNG: Wegen der Kennzeichnungspflicht für die Baustoffe siehe DIN 4102 Teil 1.

2.2 Baustoffe der Klasse A

ANMERKUNG: Die Baustoffklasse A bleibt bei den in den Abschnitten 2.2.1 und 2.2.2 genannten Baustoffen auch dann erhalten, wenn sie oberflächlich mit Anstrichen auf Dispersions- oder Alkydharzbasis oder mit üblichen Papier-Wandbekleidungen (Tapeten) versehen sind.

3) Weitere Angaben siehe z. B. [1].

2.2.1 Baustoffe der Klasse A 1

Zur Baustoffklasse A 1 gehören:

a) Sand, Kies, Lehm, Ton und alle sonstigen in der Natur vorkommenden bautechnisch verwendbaren Steine.

b) Mineralien, Erden, Lavaschlacke und Naturbims.

c) Aus Steinen und Mineralien durch Brenn- und/oder Blähprozesse gewonnene Baustoffe, wie Zement, Kalk, Gips, Anhydrit, Schlacken-Hüttenbims, Blähton, Blähschiefer sowie Blähperlite und -vermiculite, Schaumglas.

d) Mörtel, Beton, Stahlbeton, Spannbeton, Porenbeton, Leichtbeton, Steine und Bauplatten aus mineralischen Bestandteilen, auch mit üblichen Anteilen von Mörtel- oder Betonzusatzmitteln – siehe DIN 1053 Teil 1, DIN 1045 und DIN 18 550 Teil 2.

e) Mineralfasern ohne organische Zusätze.

f) Ziegel, Steinzeug und keramische Platten.

g) Glas.

h) Metalle und Legierungen in nicht fein zerteilter Form mit Ausnahme der Alkali- und Erdalkalimetalle und ihrer Legierungen.

2.2.2 Baustoffe der Klasse A 2

Zur Baustoffklasse A 2 gehören:

Gipskartonplatten nach DIN 18 180 mit geschlossener Oberfläche.

2.3 Baustoffe der Klasse B

2.3.1 Baustoffe der Klasse B 1

Zur Baustoffklasse B 1 gehören:

a) Holzwolle-Leichtbauplatten (HWL-Platten) nach DIN 1101[4)].

b) Mineralfaser-Mehrschicht-Leichtbauplatten (Mineralfaser-ML-Platten) nach DIN 1101 aus einer Mineralfaserschicht und einer ein- oder beidseitigen Schicht aus mineralisch gebundener Holzwolle[4)].

c) Gipskartonplatten nach DIN 18 180 mit gelochter Oberfläche.

d) Kunstharzputze nach DIN 18 558 mit ausschließlich mineralischen Zuschlägen auf massivem mineralischem Untergrund.

e) Wärmedämmputzsysteme nach DIN 18 550 Teil 3.

f) Rohre und Formstücke aus

- weichmacherfreiem Polyvinylchlorid (PVC-U) nach DIN 19 531 mit einer Wanddicke (Nennmaß) $\leq$ 3,2 mm,
- chloriertem Polyvinylchlorid (PVCC) nach DIN 19 538 mit einer Wanddicke (Nennmaß) $\leq$ 3,2 mm,
- Polypropylen (PP) nach DIN V 19 560.

---

4) Die Platten können auch ein- oder beidseitig mit mineralischem Porenverschluss der Holzwollestruktur als Oberflächen-Beschichtung versehen werden.

g) Fußbodenbeläge:
   - Eichen-Parkett aus Parkettstäben sowie Parkettriemen nach DIN 280 Teil 1 und Mosaik-Parkett-Lamellen nach DIN 280 Teil 2, jeweils auch mit Versiegelungen.
   - Bodenbeläge aus Flex-Platten nach DIN 16 950 und PVC-Bodenbeläge nach DIN 16 951, jeweils aufgeklebt mit handelsüblichen Klebern auf massivem mineralischem Untergrund.
   - Gussasphaltestrich nach DIN 18 560 Teil 1 ohne weiteren Belag bzw. ohne weitere Beschichtung.
   - Walzasphalt nach DIN 55 946 Teil 1/12.83, Nr. 3.2, und DIN 18 317/09.88, Abschnitt 3.3.1, ohne weiteren Belag und ohne weitere Beschichtung.

2.3.2 Baustoffe der Klasse B 2

Zur Baustoffklasse B 2 gehören:

a) Holz sowie genormte Holzwerkstoffe, soweit in Abschnitt 2.3.2 nicht aufgeführt, mit einer Rohdichte 400 kg/m^3 und einer Dicke $>$ 2 mm oder mit einer Rohdichte von $\geq$ 230 kg/m^3 und einer Dicke $>$ 5 mm.

b) Genormte Holzwerkstoffe, soweit in Abschnitt 2.3.2 nicht aufgeführt, mit einer Dicke $>$ 2 mm, die vollflächig durch eine nicht thermoplastische Verbindung mit Holzfurnieren oder mit dekorativen Schichtpressstoffplatten nach DIN EN 438 Teil 1 beschichtet sind.

c) Kunststoffbeschichtete dekorative Flachpressplatten nach DIN 68 765 mit einer Dicke $\geq$ 4 mm.

d) Kunststoffbeschichtete dekorative Holzfaserplatten nach DIN 68 751 mit einer Dicke $\geq$ 3 mm.

e) Dekorative Schichtpressstoffplatten nach DIN EN 438 Teil 1.

f) Gipskarton-Verbundplatten nach DIN 18 184.

g) Hartschaum-Mehrschicht-Leichtbauplatten (Hartschaum-ML-Platten) nach DIN 1101 aus einer Hartschaumschicht und einer ein- oder beidseitigen Schicht aus mineralisch gebundener Holzwolle).

h) Tafeln aus weichmacherfreiem Polyvinylchlorid nach DIN 16 927.

i) Rohre und Formstücke aus
   - weichmacherfreiem Polyvinylchlorid (PVC-U) nach DIN 8061 mit einer Wanddicke (Nennmaß) $>$ 3,2 mm,
   - Polypropylen (PP) nach DIN 8078,
   - Polyethylen hoher Dichte (PE-HD) nach DIN 8075 und DIN 19 535 Teil 2,
   - Styrol-Copolymerisaten (ABS/ASA/PVC) nach DIN 19 561,
   - Acrylnitril-Butadien-Styrol (ABS) oder Acrylester-Styrol-Acrylnitril (ASA) nach DIN 16 890.

j) Gegossene Tafeln aus Polymethylmethacrylat (PMMA) nach DIN 16 957 mit einer Dicke $\geq$ 2 mm.

k) Polystyrol-(PS-)Formmassen nach DIN 7741 Teil 1, ungeschäumt, plattenförmig, mit einer Dicke ≥ 1,6 mm.

l) Gießharzformstoffe nach DIN 16 946 Teil 2 auf Basis von Epoxidharzen oder von ungesättigten Polyesterharzen.

m) Polyethylen-(PE-)Formmassen nach DIN 16 776 Teil 1, ungeschäumt, mit einer Rohdichte ≤ 940 kg/m³ und einer Dicke > 1,4 mm sowie mit einer Rohdichte > 940 kg/m³ und einer Dicke ≥ 1,0 mm.

n) Polypropylen-(PP-)Formmassen nach DIN 16 774 Teil 1, ungeschäumt, Typ PP-B, M, mit einer Dicke ≥ 1,4 mm.

o) Polyamid-(PA-)Formmassen nach DIN 16 773 Teil 1 und Teil 2 mit einer Dicke ≥ 1,0 mm.

p) Fugendichtstoffe im Sinne von DIN EN 26 927, ungeschäumt, auf der Basis Polyurethan ohne Teer- oder Bitumenzusätze sowie Polysulfid, Silikon und Acrylat, jeweils im eingebauten Zustand zwischen Baustoffen mindestens der Klasse B 2.

q) Fußbodenbeläge auf beliebigem Untergrund:
   - Bodenbeläge aus Flex-Platten nach DIN 16 950 (z. Z. Entwurf),
   - PVC-Beläge nach DIN 16 951 und DIN 16 952 Teil 1 bis Teil 4,
   - homogene und heterogene Elastomer-Beläge nach DIN 16 850,
   - Elastomer-Beläge mit profilierter Oberfläche nach DIN 16 852,
   - Linoleum-Beläge nach DIN 18 171 und DIN 18 173,
   - textile Fußbodenbeläge nach DIN 66 090 Teil 1.

r) Hochpolymere Dach- und Dichtungsbahnen nach DIN 16 729, DIN 16 730, DIN 16 731, DIN 16 734, DIN 16 735, DIN 16 737, DIN 16 935, DIN 16 937 und DIN 16 938.

s) Bitumen-, Dach- und Dichtungsbahnen nach DIN 18 190 Teil 4, DIN 52 128, DIN 52 130, DIN 52 131, DIN 52 132, DIN 52 133 und DIN 52 143.

ANMERKUNG: Sofern es für bestimmte Anwendungsfälle erforderlich ist, ist der Nachweis, dass Bitumen-, Dach- und Dichtungsbahnen nicht „brennend abfallen“, gesondert zu führen. Das brennende Abfallen, festgestellt bei Prüfungen nach DIN 4102 Teil 1, ist mit dem „brennenden Ablaufen“, festgestellt bei Prüfungen nach DIN 4102 Teil 7, nicht gleichzusetzen.

t) Kleinflächige Bestandteile von Bauprodukten (z. B. in oder an Feuerstätten oder Feuerungseinrichtungen).

u) Elektrische Leitungen.

Tabelle 3: Mindestbreite und Mindeststegdicke von maximal 3-seitig beanspruchten, statisch bestimmt gelagerten Stahlbeton- und Spannbetonbalken aus Normalbeton

Spalte	1	2	3	4	5	6
Zeile	Konstruktionsmerkmale	Feuerwiderstandsklasse-Benennung				
	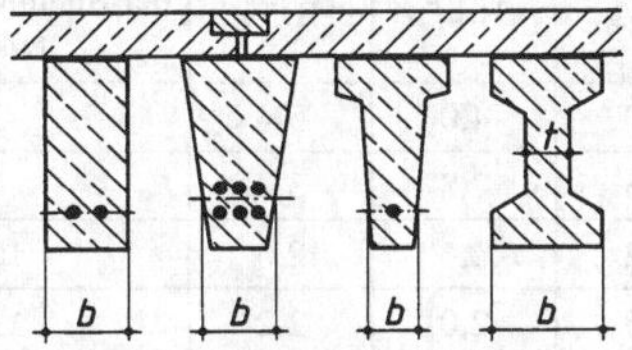	F 30-A	F 60-A	F 90-A	F 120-A	F 180-A
1	Mindestbreite b in mm unbekleideter Balken in der **Biegezugzone** bzw. in der vorgedrückten Zugzone mit Ausnahme der Auflagerbereiche					
1.1	Stahlbeton- und Spannbetonbalken mit crit $T \geq 450\,°C$ nach Tabelle 1	80[1)2)]	120[2)]	150	200	240
1.2	Spannbetonbalken mit crit $T = 350\,°C$ nach Tabelle 1	120[2)]	160	190	240	280
2	Mindestbreite b in mm unbekleideter Balken in der **Druck-** oder **Biegedruckzone** bzw. in der **vorgedrückten Zugzone in Auflagerbereichen**	90[1)2)] bis 140[2)] Die Bedingungen von Tabelle 4 sind einzuhalten.			160	240
3	Mindeststegdicke t in mm unbekleideter Balken mit I-Querschnitt in der					
3.1	Biegezugzone bzw. in der vorgedrückten Zugzone mit Ausnahme der Auflagerbereiche	80[1)2)]	90[1)2)]	100[1)2)]	120[2)]	140[2)]
3.2	Druck- oder Biegedruckzone bzw. in der vorgedrückten Zugzone in Auflagerbereichen	90[1)2)] bis 140[2)] Die Bedingungen von Tabelle 4 sind einzuhalten.				140[2)]
4	Mindestabmessungen b und t von **Balken mit Bekleidungen** aus	b nach den Zeilen 1 bis 1.2 und 2, t nach den Zeilen 3 bis 3.2, Abminderungen nach Tabelle 2 sind möglich, b und t jedoch nicht kleiner als 80 mm				
4.1	Putzen nach den Abschnitten 3.1.6.1 bis 3.1.6.5					
4.2	Unterdecken	b und $t \geq 50$ mm; Konstruktion nach Abschnitt 6.5				

1) Bei Betonfeuchtegehalten, angegeben als Massenanteil, > 4 % (siehe Abschnitt 3.1.7) sowie bei Balken mit sehr dichter Bügelbewehrung (Stababstände < 100 mm) müssen die Breite b oder die Stegdicke t mindestens 120 mm betragen.

2) Wird die Bewehrung in der Symmetrieachse konzentriert und werden dabei mehr als zwei Bewehrungsstäbe oder Spannglieder übereinander angeordnet, dann sind die angegebenen Mindestabmessungen unabhängig vom Betonfeuchtegehalt um den zweifachen Wert des verwendeten Bewehrungsstabdurchmessers – bei Stabbündeln um den zweifachen Wert des Vergleichsdurchmessers d_{sV} – zu vergrößern (zu verbreitern). Bei Dicken b oder $t \geq 150$ mm braucht diese Zusatzmaßnahme nicht mehr angewendet zu werden.

Tabelle 4: Mindest-k_h Werte bei Stahlbetonbalken und maximal zulässige Betondruckspannungen σ bei Spannbetonbalken in Abhängigkeit von der Mindestbalkenbreite b bzw. der Mindeststegdicke t

Mindestbalkenbreite b in mm bzw. Mindeststegdicke t in mm	Mindest-k_h-Werte bei Stahlbetonbalken[1)] bei der Betonfestigkeitsklasse					Maximal zulässige Betondruckspannung σ bei Spannbetonbalken N/mm²
	B 15	B 25	B 35	B 45	B 55	
90	3,7	3,4	3,0	4,0	5,4	3,5
100	3,1	3,0	2,5	2,8	3,7	7,0
110	2,2	2,4	2,2	2,3	2,6	10,0
120		1,7	1,5	2,0	2,2	13,5
130				1,4	1,9	16,5
140					1,3	20,0
≥ 150	Keine Begrenzung					

[1)] Siehe Heft 220 des Deutschen Ausschusses für Stahlbeton.

Tabelle 6: Mindestachsabstände sowie Mindeststabzahl der Zugbewehrung von 1- bis 4seitig beanspruchten, statisch bestimmt gelagerten Stahlbetonbalken[4)] aus Normalbeton

Zeile	Konstruktionsmerkmale	Feuerwiderstandsklasse				
	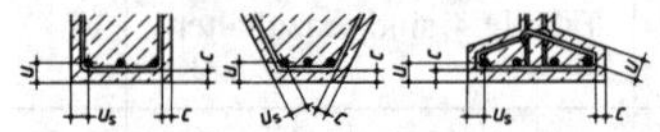	F 30	F 60	F 90	F 120	F 180
1	Mindestachsabstände u[1)] und u_s[1)] sowie Mindeststabzahl n[2)] der Zugbewehrung **unbekleideter, 1lagig bewehrter Balken**					
1.1	bei einer Balkenbreite b[5)] in mm von	80	≤ 120	≤ 150	≤ 200	≤ 240
1.1.1	u in mm	25	40	55[3)]	65[3)]	80[3)]
1.1.2	u_s in mm	35	50	65	75	90
1.1.3	n	1	2	2	2	2
1.2	bei einer Balkenbreite b in mm von	120	160	200	240	300
1.2.1	u in mm	15	35	45	55[3)]	70[3)]
1.2.2	u_s in mm	25	45	55	65	80
1.2.3	n	2	2	3	3	3
1.3	bei einer Balkenbreite b in mm von	160	200	250	300	400
1.3.1	u in mm	10	30	40	50	65[3)]
1.3.2	u_s in mm	20	40	50	60	75
1.3.3	n	2	3	4	4	4
1.4	bei einer Balkenbreite b in mm von	≥ 200	≥ 300	≥ 400	≥ 500	≥ 600
1.4.1	$u = u_s$ in mm	10	25	35	45	60[3)]
1.4.2	n	3	4	5	5	5

Fortsetzung siehe nächste Seite.

Tabelle 6 (Fortsetzung)						
Zeile	Konstruktionsmerkmale	Feuerwiderstandsklasse				
	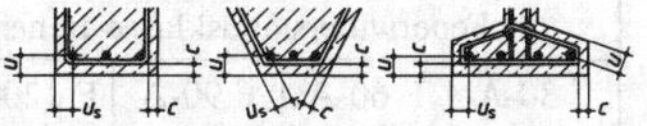	F 30	F 60	F 90	F 120	F 180
2	Mindestachsabstände *u*, u_m und u_s sowie Mindeststabzahl *n* der Zugbewehrung bei **unbekleideten, mehrlagig bewehrten Balken**					
2.1	u_m nach Gleichung (4)	$u_m \geq u$ nach Zeile 1 bis 1.4.2				
2.2	*u* und u_s	*u* und $u_s \geq u_{F30}$ nach Zeile 1 bis 1.4.2 sowie *u* und $u_s \geq 0{,}5\ u$ nach Zeile 1 bis 1.4.2				
2.3	Mindeststabzahl *n*	keine Anforderungen				
3	Mindestachsabstände *u* und u_s bzw. u_m von **Balken mit Bekleidungen** aus					
3.1	Putzen nach den Abschnitten 3.1.6.1 bis 3.1.6.5	*u*, u_m und u_s nach den Zeilen 1 bis 1.4.2 und 2 bis 2.3, Abminderungen nach Tabelle 2 sind möglich, *u* jedoch nicht kleiner als für F 30				
3.2	Unterdecken	*u* und $u_s \geq 10$ mm Konstruktion nach Abschnitt 6.5				

1) Zwischen den *u*- und u_s-Werten von Zeile 1 bis 1.4.2 darf in Abhängigkeit von der Balkenbreite *b* geradlinig interpoliert werden.

2) Die geforderte Mindeststabzahl *n* darf unterschritten werden, wenn der seitliche Achsabstand u_s je entfallendem Stab jeweils um 10 mm vergrößert wird; Stabbündel gelten in diesem Falle als ein Stab.

3) Bei einer Betondeckung $c > 50$ mm ist eine Schutzbewehrung nach Abschnitt 3.1.5.2 erforderlich.

4) Die Tabellenwerte gelten auch für **Spannbetonbalken;** die Mindestachsabstände *u*, u_m und u_s sind jedoch nach den Angaben von Tabelle 1 um die Δu-Werte zu erhöhen.

5) Bei den Balkenbreiten für F 60 bis F 180 sind kleinere Balkenbreiten möglich, wenn die Balkenbreite z. B. nach Tabelle 3, Zeile 4.1, abgemindert wird.

Tabelle 7: Mindestbreite von 3seitig beanspruchten, statisch unbestimmt gelagerten Stahlbeton- und Spannbetonbalken aus Normalbeton

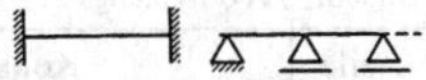

Zeile	Konstruktionsmerkmale	Feuerwiderstandsklasse-Benennung				
	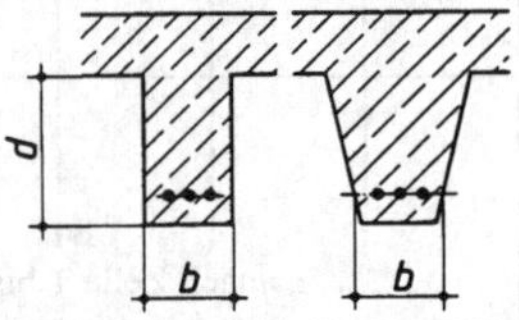	F 30-A	F 60-A	F 90-A	F 120-A	F 180-A
1	Mindestbreite *b* in mm unbekleideter Balken in der **Biegezugzone** bzw. in der vorgedrückten Zugzone mit Ausnahme der Auflagerbereiche bei					
1.1	Stahlbeton- und Spannbetonbalken mit crit $T \geq 450\,°C$ nach Tabelle 1	80[1)2)]	120[2)]	150	220	400
1.2	Spannbetonbalken mit crit $T = 350\,°C$ nach Tabelle 1	120[2)]	160	190	240	400
2	Mindestbreite *b* in mm unbekleideter Balken in der **Druck-** oder **Biegedruckzone** bzw. in der **vorgedrückten Zugzone in Auflagerbereichen** bei					
2.1	$d/b \leq 2$	90[1)2)]	100[1)2)]	150	220	400
2.2	$d/b > 2$	110[2)] bis 140[2)]	120[2)] bis 140[2)]	170	240	400
		Die Bedingungen von Tabelle 4 sind einzuhalten.				
3	Mindestbreite *b* in mm von **Balken mit Bekleidungen** aus					
3.1	Putzen nach den Abschnitten 3.1.6.1 bis 3.1.6.5	*b* nach den Zeilen 1 bis 1.2 und 2 bis 2.2, Abminderungen nach Tabelle 2 sind möglich, *b* jedoch nicht kleiner als 80 mm				
3.2	Unterdecken	$b \geq 50$ mm; Konstruktion nach Abschnitt 6.5				

1) Bei Betonfeuchtegehalten, angegeben als Massenanteil, > 4 % (siehe Abschnitt 3.1.7) sowie bei Balken mit sehr dichter Bügelbewehrung (Stababstände < 100 mm) muss die Breite *b* mindestens 120 mm betragen.

2) Wird die Bewehrung in der Symmetrieachse konzentriert und werden dabei mehr als zwei Bewehrungsstäbe oder Spannglieder übereinander angeordnet, dann sind die angegebenen Mindestabmessungen unabhängig vom Betonfeuchtegehalt um den zweifachen Wert des verwendeten Bewehrungsstabdurchmessers – bei Stabbündeln um den zweifachen Wert des Vergleichsdurchmessers d_{sV} – zu vergrößern (zu verbreitern). Bei Dicken $b \geq 150$ mm braucht diese Zusatzmaßnahme nicht mehr angewendet zu werden.

Tabelle 8: Mindestachsabstand sowie Mindeststabzahl der Feldbewehrung von maximal 3seitig beanspruchten, statisch unbestimmt gelagerten Stahlbetonbalken[4)] aus Normalbeton

Zeile	Konstruktionsmerkmale	Feuerwiderstandsklasse				
		F 30	F 60	F 90	F 120	F 180
1	Mindestachsabstände u[1)] und u_s[1)] sowie Mindeststabzahl n[2)] der Feldbewehrung **unbekleideter, 1lagig bewehrter Balken** bei Anordnung der Stütz- bzw. Einspann-bewehrung	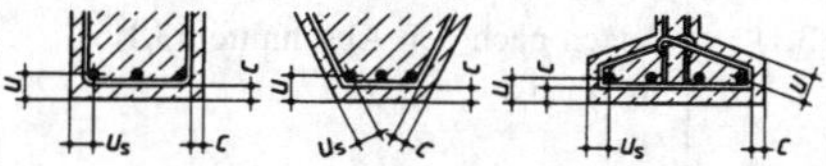				
1.1	nach DIN 1045	u, u_s und n sind nach Abschnitt 3.2.4 (siehe Tabelle 6, Zeile 1 bis 1.4.2) zu bestimmen.				
1.2	nach Abschnitt 3.3.4.2, sofern das Stützweitenverhältnis min. $l \geq 0{,}8$ max. l ist					
1.2.1	bei einer Balkenbreite b[5)] in mm von	80	≤ 120	≤ 150	≤ 220	≤ 400
1.2.1.1	u in mm	10	25	35	45	60[3)]
1.2.1.2	u_s in mm	10	35	45	55	70
1.2.1.3	n	1	2	2	2	2
1.2.2	bei einer Balkenbreite b in mm von	≥ 160	≥ 200	≥ 250	≥ 300	> 400
1.2.2.1	u in mm	10	10	25	35	50
1.2.2.2	u_s in mm	10	20	35	45	60
1.2.2.3	n	2	3	4	4	4
1.3	nach Abschnitt 3.3.4.2, sofern das Stützweitenverhältnis min. $l \geq 0{,}2$ max. l ist	Interpolation zwischen Tabelle 6, Zeilen 1 bis 1.4.2, und Tabelle 8, Zeile 1.2				
2	Mindestachsabstände u, u_m und u_s sowie Mindeststabzahl n der Feldbewehrung **unbekleideter, mehrlagig bewehrter Balken** bei einer Anordnung der Stütz- bzw. Einspannbewehrung					
2.1	nach DIN 1045	u, u_m und u_s sind nach Abschnitt 3.2.4 (siehe Tabelle 6, Zeilen 2 bis 2.3) zu bestimmen.				
2.2	nach Abschnitt 3.3.4.2, sofern das Stützweitenverhältnis min. $l \geq 0{,}8$ max. l ist					
2.2.1	u_m nach Gleichung (4) in Abschnitt 3.2.4	$u_m \geq u$ nach Zeilen 1 bis 1.3				
2.2.2	u und u_s	u und $u_s \geq u_{F30}$ nach den Zeilen 1 bis 1.3 sowie u und $u_s \geq 0{,}5\ u$ nach den Zeilen 1 bis 1.3				
2.2.3	n	Keine Anforderungen				

Fortsetzung siehe nächste Seite.

Tabelle 8 (Fortsetzung)

Zeile	Konstruktionsmerkmale	Feuerwiderstandsklasse				
		F 30	F 60	F 90	F 120	F 180
3	Mindestachsabstände u und u_s bzw. u_m von **Balken mit Bekleidungen** aus					
3.1	Putzen nach den Abschnitten 3.1.6.1 bis 3.1.6.5	u, u_m und u_s nach den Zeilen 1 bis 2.2.3, Abminderungen nach Tabelle 2 sind möglich, u jedoch $\geq$ 10 mm				
3.2	Unterdecken	u und u_s $\geq$ 10 mm; Konstruktion nach Abschnitt 6.5				

1) Zwischen den u- und u_s-Werten der Zeilen 1.2 bis 1.2.2.3 darf in Abhängigkeit von der Balkenbreite b geradlinig interpoliert werden.
2) Die geforderte Mindeststabzahl n darf unterschritten werden, wenn der seitliche Achsabstand u_s je entfallendem Stab jeweils um 10 mm vergrößert wird; Stabbündel gelten in diesem Falle als ein Stab.
3) Bei einer Betondeckung $c > 50$ mm ist eine Schutzbewehrung nach Abschnitt 3.1.5.2 erforderlich.
4) Die Tabellenwerte gelten auch für **Spannbetonbalken;** die Mindestachsabstände u, u_m, u_s und u_o sind jedoch nach den Angaben von Tabelle 1 um die Δu-Werte zu erhöhen.
5) Bei den Balkenbreiten für F 60 bis F 180 sind kleinere Balkenbreiten möglich, wenn die Balkenbreite z. B. nach Tabelle 3, Zeile 4.1, abgemindert wird.

Tabelle 9: Mindestdicken von Stahlbeton- und Spannbetonplatten aus Normalbeton ohne Hohlräume

Zeile	Konstruktionsmerkmale	Feuerwiderstandsklasse-Benennung[3]				
		F 30-A	F 60-A	F 90-A	F 120-A	F 180-A
1	Mindestdicke d in mm unbekleideter Platten ohne Anordnung eines Estrichs bei					
1.1	statisch bestimmter Lagerung 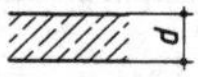	60[1)2)]	80[2)]	100	120	150
1.2	statisch unbestimmter Lagerung 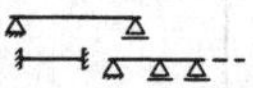	80[1)2)]	80[1)2)]	100	120	150
2	Mindestdicke d in mm punktförmig gestützter Platten unabhängig von der Anordnung eines Estriches bei					
2.1	Decken mit Stützenkopfverstärkung 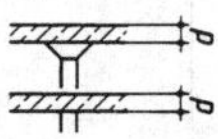	150	150	150	150	150
2.2	Decken ohne Stützenkopfverstärkung	150	200	200	200	200
3	Mindestdicke d in mm unbekleideter Platten mit Estrich der Baustoffklasse A, Gussasphaltestrich oder Walzasphalt 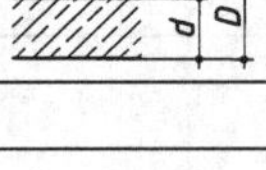	50	50	50	60	75

Fortsetzung siehe nächste Seite.

Tabelle 9 (Fortsetzung)

Zeile	Konstruktionsmerkmale	Feuerwiderstandsklasse-Benennung[3)]				
		F 30-A	F 60-A	F 90-A	F 120-A	F 180-A
4	Mindestdicke D in mm = d + Estrichdicke bei					
4.1	statisch bestimmter Lagerung	60[1)2)]	80[2)]	100	120	150
4.2	statisch unbestimmter Lagerung 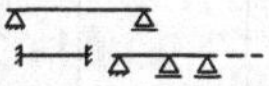	80[1)2)]	80[1)2)]	100	120	150
5	Mindestdicke d in mm unbekleideter Platten mit schwimmendem Estrich bei einer Dämmschicht nach Abschnitt 3.4.2.2 bei					
5.1	statisch bestimmter Lagerung 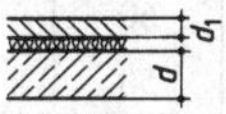	60[1)2)]	60[1)2)]	60[1)2)]	60[1)2)]	80[2)]
5.2	statisch unbestimmter Lagerung 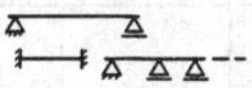	80[1)2)]	80[1)2)]	80[1)2)]	80[1)2)]	80[1)2)]
6	Mindestestrichdicke d_1 in mm bei Estrichen aus Baustoffen der Baustoffklasse A, Gussasphaltestrich[3)] oder Walzasphalt[3)]	25	25	25	30	40
7	Mindestdicke d in mm von Platten nach den Zeilen 1 und 3 bis 6 **mit Bekleidungen** aus					
7.1	Putzen nach den Abschnitten 3.1.6.1 bis 3.1.6.5 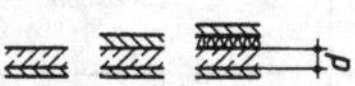	Mindestdicke d nach den Zeilen 1 bis 1.2, 3 und 5 bis 5.2, Abminderungen nach Tabelle 2 sind möglich, d jedoch nicht kleiner als 50				
7.2	Holzwolle-Leichtbauplatten nach Abschnitt 3.1.6.6 auch ohne Putz bei					
7.2.1	einer Dicke der Holzwolle-Leichtbauplatten ≥ 25 mm	50	50	–	–	–
7.2.2	einer Dicke der Holzwolle-Leichtbauplatten ≥ 50 mm	50	50	50	50	50
7.3	Unterdecken	$d \geq 50$; Konstruktion nach Abschnitt 6.5				

1) Bei Betonfeuchtegehalten, angegeben als Massenanteil, > 4 % (siehe Abschnitt 3.1.7) sowie bei sehr dichter Bewehrungsanordnung (Stababstände < 100 mm) sind die Mindestdicken d nach den Zeilen 1 bis 1.2 und 5 bis 5.2 sowie die Mindestdicken D nach Zeile 4 bis 4.2 um 20 mm zu vergrößern.

2) Bei Platten mit mehrseitiger Brandbeanspruchung – z. B. bei auskragenden Platten – müssen die Mindestdicken d nach den Zeilen 1 bis 1.2 und 5 bis 5.2 sowie die Mindestdicken D nach den Zeilen 4 bis 4.2 jeweils ≥ 100 mm sein.

3) Bei Anordnung von Gussasphaltestrich, Walzasphalt, bei Verwendung von schwimmendem Estrich mit einer Dämmschicht der Baustoffklasse B und bei Verwendung von Holzwolle-Leichtbauplatten nach Zeile 7.2 muss die Benennung jeweils F 30-AB, F 60-AB, F 90-AB, F 120-AB und F 180-AB lauten.

E

Tabelle 10: Mindestdicken von Stahlbeton- und Spannbetonplatten aus Normalbeton mit Hohlräumen

Zeile	Konstruktionsmerkmale	Feuerwiderstandsklasse-Benennung[2)]				
	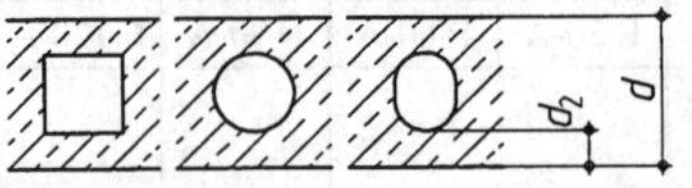	F 30-A	F 60-A	F 90-A	F 120-A	F 180-A
1	Mindestdicken von Hohlplatten **ohne brennbare Bestandteile**					
1.1	Mindestdicke d_2 in mm von Platten mit					
1.1.1	statisch bestimmmter Lagerung – wegen Einfeldplatten mit Kragarm siehe Zeile 1.1.2 – bei Hohlräumen mit 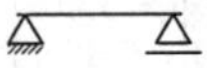					
1.1.1.1	Rechteckquerschnitt	60	60	60	60	60
1.1.1.2	Kreis- oder Ovalquerschnitt	50	50	50	50	50
1.1.2	statisch unbestimmmter Lagerung – ohne Massiv- und Halbmassivstreifen[1)] sowie bei Einfeldplatten mit Kragarm bei Hohlräumen mit 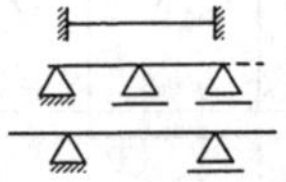					
1.1.2.1	Rechteckquerschnitt	80	80	80	80	80
1.1.2.2	Kreis- oder Ovalquerschnitt	70	70	70	70	70
1.2	Mindestgesamtdicke d in mm unabhängig vom statischen System	$A_{Netto}/b \geq d$ nach Tabelle 9				
2	Mindestdicken von Hohlplatten **mit brennbaren Bestandteilen**					
2.1	Mindestdicke d_2 in mm von Platten mit					
2.1.1	statisch bestimmter Lagerung bei Hohlräumen mit 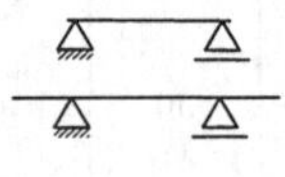					
2.1.1.1	Rechteckquerschnitt	80	80	80	80	80
2.1.1.2	Kreis- oder Ovalquerschnitt	70	70	70	70	70
2.1.2	statisch unbestimmter Lagerung, unabhängig vom Hohlraumquerschnitt 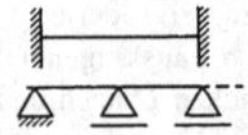	80	80	100	120	150
2.2	Mindestgesamtdicke d in mm unabhängig vom statischen System	$A_{Netto}/b \geq d$ nach Tabelle 9				

Fortsetzung siehe nächste Seite.

Tabelle 10 (Fortsetzung)

Zeile	Konstruktionsmerkmale	Feuerwiderstandsklasse-Benennung[2)]				
	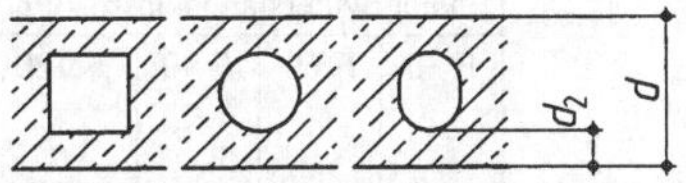	F 30-A	F 60-A	F 90-A	F 120-A	F 180-A
3	Mindestdicke d_2 von **Hohlplatten mit Bekleidungen** aus					
3.1	Putzen nach den Abschnitten 3.1.6.1 bis 3.1.6.5	Mindestdicke d_2 nach den Zeilen 1.1 und 2.1, Abminderungen nach Tabelle 2 sind möglich, d_2 jedoch nicht kleiner als 50 mm				
3.2	Holzwolle-Leichtbauplatten nach Abschnitt 3.1.6.6 auch ohne Putz bei					
3.2.1	einer Dicke der Holzwolle-Leichtbauplatten $\geq$ 25 mm	50	50	–	–	–
3.2.2	einer Dicke der Holzwolle-Leichtbauplatten $\geq$ 50 mm	50	50	50	50	50
3.3	Unterdecken	$\mathbf{d_2} \geq 50$; Konstruktion nach Abschnitt 6.5				

1) Bei Hohlplatten mit Massiv- oder Halbmassivstreifen bis zu den Momentennullpunkten dürfen die Werte von Zeile 1.1.1 verwendet werden.

2) Bei Verwendung von Füllkörpern oder Holzwolle-Leichtbauplatten nach Zeile 3.2 jeweils der Baustoffklasse B muss die Benennung jeweils F 30-AB, F 60-AB, F 90-AB, F 120-AB und F 180-AB lauten.

3.4.4 Mindestachsabstand der Bewehrung von frei aufliegenden Platten

3.4.4.1 Die Feldbewehrung frei aufliegender Stahlbeton- und Spannbetonplatten aus Normalbeton muss unter Beachtung der Abschnitte 3.4.4.2 bis 3.4.4.4 die in Tabelle 11 angegebenen Mindestachsabstände besitzen. Die Tabellenwerte beziehen sich immer auf die untere Lage der Tragbewehrung.

3.4.4.2 Bei einer Feldbewehrung mit unterschiedlichen Stabdurchmessern und bei mehrlagiger Feldbewehrung darf nach den Angaben von Bild 6 statt des Achsabstandes u der mittlere Achsabstand u_m nach Gleichung (4) verwendet werden. u_m muss $\geq u$ nach Tabelle 11 sein und der Achsabstand des zur Oberfläche am nächsten liegenden Einzelstabes muss ≥ 10 mm und $\geq 0{,}5\ u$ nach Tabelle 11 sein.

Tabelle 11: Mindestachsabstand der Feldbewehrung von frei aufliegenden Stahlbetonplatten[3)] aus Normalbeton

Zeile	Konstruktionsmerkmale	Feuerwiderstandsklasse-Benennung[2)]				
	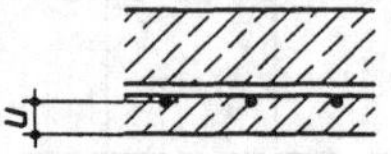	F 30	F 60	F 90	F 120	F 180
1	Mindestachsabstand *u* in mm **1achsig** gespannter Platten 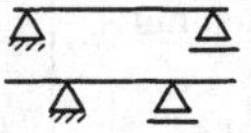					
1.1	**Stahlbeton, unbekleidet**	10	25	35	45	60[1)]
1.2	Stahlbetondecken mit Stahlblech als verlorene Schalung (Profilhöhe der Stahlbleches $\leq$ 50 mm)	10	20	30	40	55
1.3	**Platten mit konstruktivem Querabtrag** bei einer Plattenbreite *b* mit					
1.3.1	$b/l \leq 1{,}0$[2)]	10	10	20	30	40
1.3.2	$b/l \geq 3{,}0$[2)]	10	25	35	45	60[1)]
2	Mindestachsabstand *u* in mm **unbekleideter 2achsig** gespannter Platten bei					
2.1	3seitiger Lagerung mit $\frac{l_y}{l_x} > 1{,}0$ 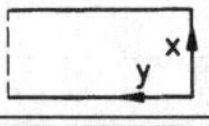	10	25	35	45	60[1)]
2.2	3seitiger Lagerung mit $1{,}0 \geq \frac{l_y}{l_x} \geq 0{,}7$ 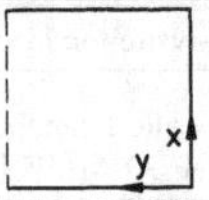	10	20	30	35	45
2.3	3seitiger Lagerung mit $0{,}7 > \frac{l_y}{l_x}$ 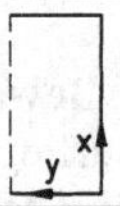	10	15	25	30	40
2.4	4seitiger Lagerung[2)] mit $1{,}5 \geq \frac{l_y}{l_x}$	10	10	15	20	30
2.5	4seitiger Lagerung[2)] mit $\frac{l_y}{l_x} \geq 3{,}0$	10	25	35	45	60[1)]
3	Mindestachsabstand *u* in mm von **Platten mit Bekleidungen** aus					
3.1	Putzen nach den Abschnitten 3.1.6.1 bis 3.1.6.6	Mindestachsabstand *u* nach den Zeilen 1 bis 1.3.2 und 2 bis 2.5, Abminderungen nach Tabelle 2 sind möglich, *u* jedoch nicht kleiner als 10				
3.2	Holzwolle-Leichtbauplatten nach Abschnitt 3.1.6.6 auch ohne Putz bei					
3.2.1	einer Dicke der Holzwolle-Leichtbauplatten $\geq$ 25 mm	10	10	–	–	–
3.2.2	einer Dicke der Holzwolle-Leichtbauplatten $\geq$ 50 mm	10	10	10	10	15
3.3	Unterdecken	$u \geq 10$; Konstruktion nach Abschnitt 6.5				

1) Bei einer Betondeckung $c > 50$ mm ist eine Schutzbewehrung nach Abschnitt 3.1.5 erforderlich.
2) Zwischenwerte zwischen den Zeilen 1.3.1 und 1.3.2 bzw. 2.4 und 2.5 dürfen geradlinig interpoliert werden.
3) Die Tabellenwerte gelten auch für **Spannbetonplatten;** die Mindestachsabstände *u* sind jedoch nach den Angaben von Tabelle 1 um die Δu-Werte zu erhöhen.

Tabelle 12: Mindestachsabstand der Bewehrung durchlaufender oder eingespannter sowie punktförmig gestützter Stahlbetonplatten[2] aus Normalbeton

Zeile	Konstruktionsmerkmale	Feuerwiderstandsklasse-Benennung[2]				
	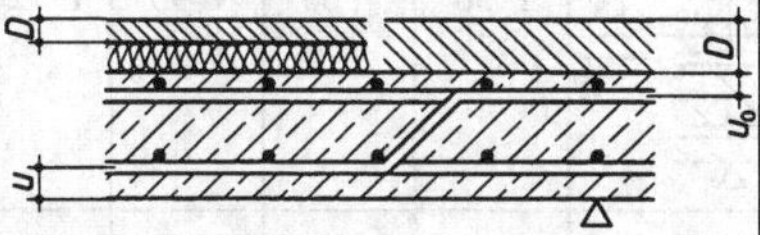	F 30	F 60	F 90	F 120	F 180
1	Mindestachsabstand u_o in mm der Stütz- bzw. Einspannbewehrung[2]					
1.1	ohne Anordnung von Estrichen	10	10	15	30	50
1.2	bei Anordnung eines nichtbrennbaren Estrichs, eines Gussasphaltestrichs oder von Walzasphalt	10	10	10	15	20
2	Mindestdicke des Estrichs D in mm bei Wahl von u_o nach Zeile 1.2	–	–	10	15	30
3	Mindestachsabstand u in mm der Feldbewehrung[2]					
3.1	**unbekleideter, 1achsig gespannter Platten** bei einer Anordnung der Stütz- bzw. Einspannbewehrung					
3.1.1	nach DIN 1045					
3.1.1.1	2seitig gelagert	10	25	35	45	60[1]
3.1.1.2	Platten mit konstruktivem Querabtrag bei einer Plattenbreite b mit					
3.1.1.2.1	$b/l \leq 1{,}5$[3]	10	10	20	30	40
3.1.1.2.2	$b/l \geq 3{,}0$[3]	10	25	35	45	60[1]
3.1.2	nach Abschnitt 3.4.5.3 bei einem Stützweitenverhältnis					
3.1.2.1	min. l < 0,8 max. l[3]	10	10	25	35	55[1]
3.1.2.2	min. $l \geq$ 0,8 max. l[3]	10	10	10	25	45
3.2	**unbekleideter, 2achsig gespannter Platten** bei einer Anordnung der Stütz- bzw. Einspannbewehrung nach DIN 1045 unabhängig vom Seitenverhältnis bei					
3.2.1	3seitiger Lagerung	10	15	25	30	40
3.2.2	4seitiger Lagerung	10	10	15	20	30
3.3	**unbekleideter, punktförmig gestützter Platten** unabhängig vom Seitenverhältnis	10	15	25	35	45

Fortsetzung siehe nächste Seite.

Tabelle 12 (Fortsetzung)

Zeile	Konstruktionsmerkmale	Feuerwiderstandsklasse-Benennung[2)]				
	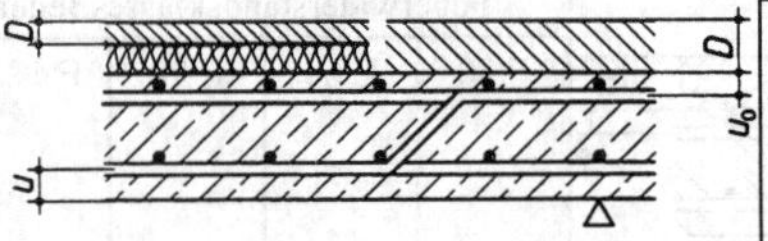	F 30	F 60	F 90	F 120	F 180
4	Mindestachsabstand u der Feldbewehrung von **Platten mit Bekleidungen** aus					
4.1	Putzen nach den Abschnitten 3.1.6.1 bis 3.1.6.5	Mindestachsabstand u nach den Zeilen 3 bis 3.3.2 Abminderungen nach Tabelle 2 sind möglich, u jedoch nicht kleiner als 10 mm				
4.2	Holzwolle-Leichtbauplatten nach Abschnitt 3.1.6.6 auch ohne Putz bei					
4.2.1	einer Dicke der Holzwolle-Leichtbauplatten ≥ 25 mm	10	10	–	–	–
4.2.2	einer Dicke der Holzwolle-Leichtbauplatten ≥ 50 mm	10	10	10	10	15
4.3	Unterdecken	$u \geq 10$ mm; Konstruktion nach Abschnitt 6.5				

1) Bei einer Betondeckung $c > 50$ mm ist eine Schutzbewehrung nach Abschnitt 3.1.5 erforderlich.
2) Bei **Spannbetonplatten** aus Normalbeton sind die u-Werte um die Δu-Werte nach Tabelle 1 zu erhöhen.
3) Zwischenwerte dürfen geradlinig interpoliert werden.

Tabelle 13: Mindestdicken von Stahlbetonhohldielen und Porenbetonplatten

Zeile	Konstruktionsmerkmale	Feuerwiderstandsklasse-Benennung[2)]				
		F 30-A	F 60-A	F 90-A	F 120-A	F 180-A
1	Mindestdicke d in mm **unbekleideter Stahlbetonhohldielen aus Normalbeton** 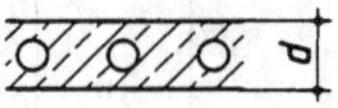					
1.1	unabhängig von der Anordnung eines Estrichs	80[1)]	100	120	140	170
1.2	bei Anordnung eines Estrichs der Baustoffklasse A oder eines Gussasphaltestrichs 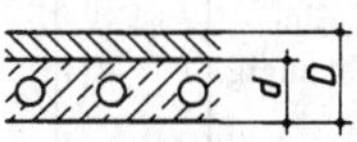	80[1)]	80[1)]	80[1)]	80[1)]	80[1)]
1.3	bei Anordnung eines schwimmenden Estrichs mit einer Dämmschicht nach Abschnitt 3.5.2.2	80[1)]	80[1)]	80[1)]	80[1)]	80[1)]
2	Mindestdicke D in mm = d + Estrichdicke bei Estrichen nach Zeile 1.2	80[1)]	100	120	140	170
3	Mindestestrichdicke d_i in mm bei Estrichen aus Baustoffen der Baustoffklasse A oder Gussasphaltestrich	25	25	25	30	40

Fortsetzung siehe nächste Seite.

Tabelle 13 (Fortsetzung)						
Zeile	Konstruktionsmerkmale	Feuerwiderstandsklasse-Benennung[2]				
		F 30-A	F 60-A	F 90-A	F 120-A	F 180-A
4	Mindestdicke *d* in mm **unbekleideter Stahlbetonhohldielen aus haufwerksporigem Leichtbeton** unabhängig von der Anordnung eines Estrichs bei Fugen 					
4.1	nach DIN 4028/01.82, Bild 2 a,	75	75	75	100	125
4.2	nach DIN 4028/01.82, Bild 2 b und Bild 2 c	75	75	100	125	150
5	Mindestdicke *d* in mm **unbekleideter Porenbetonplatten** unabhängig von der Anordnung eines Estrichs bei Fugen					
5.1	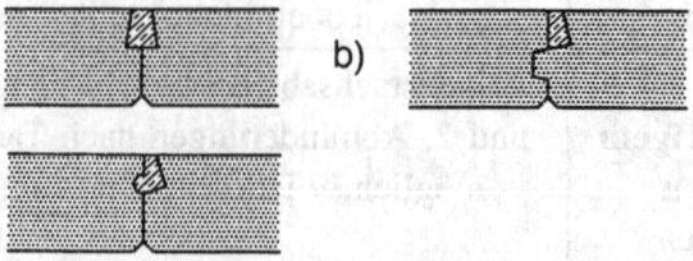 a) b) c)	75	75	75	100	125
5.2	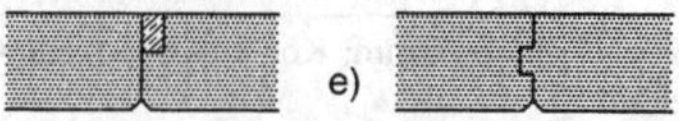 d) e)	75	75	100	125	150
6	Mindestdicke *d* in mm nach den Zeilen 1 bis 1.3 bei **Stahlbetonhohldielen aus Normalbeton mit Putzen** nach den Abschnitten 3.1.6.1 bis 3.1.6.5 	Mindestdicke *d* nach den Zeilen 1 bis 1.3, Abminderungen nach Tabelle 2 sind möglich, *d* jedoch nicht kleiner als 80 mm				
7	Mindestdicke *d* in mm nach den Zeilen 4 bis 4.2 und 5 bis 5.2 bei **Stahlbetonhohldielen** aus **haufwerksporigem Leichtbeton und bei Porenbetonplatten mit Putzen** nach den Abschnitten 3.1.6.1 bis 3.1.6.5 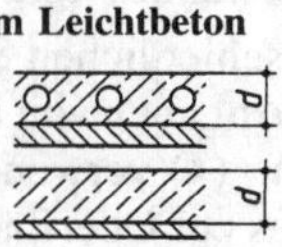	Mindestdicke *d* nach den Zeilen 4 bis 4.2 und 5 bis 5.2, Abminderungen nach Tabelle 2 sind möglich, *d* jedoch nicht kleiner als				
		50	50	75	100	125
8	Mindestdicke *d* in mm nach den Zeilen 1 bis 5 bei Hohldielen und Porenbetonplatten mit Unterdecken	$d \geq 50$ mm; Konstruktion nach Abschnitt 6.5				

1) Bei Betonfeuchtegehalten, angegeben als Massenanteil, > 4 % (siehe Abschnitt 3.1.7) sowie bei Hohldielen mit sehr dichter Bewehrungsanordnung (Stababstände < 100 mm) muss die Dicke mindestens 100 mm betragen.

2) Bei Anordnung von Gussasphaltestrich und bei Verwendung von schwimmendem Estrich mit einer Dämmschicht der Baustoffklasse B nach Zeile 1.3 muss die Benennung jeweils F 30-AB, F 60-AB, F 90-AB, F 120-AB und F 180-AB lauten.

E

Tabelle 14: Mindestachsabstand der Bewehrung von Stahlbetonhohldielen und Porenbetonplatten

Zeile	Konstruktionsmerkmale	Feuerwiderstandsklasse				
	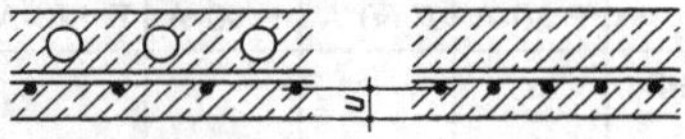	F 30	F 60	F 90	F 120	F 180
1	Mindestachsabstand *u* in mm **unbekleideter Stahlbetonhohldielen** aus					
1.1	Normalbeton	10	25	35	45	60[1)]
1.2	haufwerksporigem Leichtbeton	10	10	23	33	48
2	Mindestachsabstand *u* in mm **unbekleideter Porenbetonplatten**	10	20	30	40	55[1)]
3	Mindestachsabstand *u* in mm von Stahlbetonhohldielen aus **Normalbeton mit Putzen** nach den Abschnitten 3.1.6.1 bis 3.1.6.5	Mindestachsabstand *u* nach Zeile 1.1, Abminderungen nach Tabelle 2 sind möglich, *u* jedoch nicht kleiner als 10				
4	Mindestachsabstand *u* in mm von Stahlbetonhohldielen aus **haufwerksporigem Leichtbeton** und von **Porenbetonplatten jeweils mit Putzen** nach den Abschnitten 3.1.6.1 bis 3.1.6.5	Mindestachsabstand *u* nach den Zeilen 1.2 und 2, Abminderungen nach Tabelle 2 sind möglich, *u* jedoch nicht kleiner als 10				
5	Mindestachsabstand *u* in mm von Stahlbetonhohldielen und Porenbetonplatten jeweils mit Unterdecken	$u \geq 10$ mm; Konstruktion nach Abschnitt 6.5				

1) Bei einer Betondeckung $c > 50$ mm ist eine Schutzbewehrung nach Abschnitt 3.1.5 erforderlich.

3.5.3 Mindestachsabstand der Bewehrung von Stahlbetonhohldielen und Porenbetonplatten

3.5.3.1 Die Bewehrung von Stahlbetonhohldielen und Porenbetonplatten muss die in Tabelle 14 angegebenen Mindestachsabstände besitzen.

3.5.3.2 Bei einer Bewehrung mit unterschiedlichen Stabdurchmessern und bei einer mehrlagigen Bewehrung darf nach den Angaben von Bild 6 statt des Achsabstandes *u* der mittlere Abstand u_m nach Gleichung (4) verwendet werden. u_m muss $\geq u$ nach Tabelle 14 sein, und der Achsabstand des zur Oberfläche am nächsten liegenden Einzelstabes muss ≥ 10 mm und $\geq 0{,}5\ u$ nach Tabelle 14 sein.

3.6 Feuerwiderstandsklassen von Stahlbeton- und Spannbetondecken bzw. -dächern aus Fertigteilen aus Normalbeton

3.6.1 Anwendungsbereich, Brandbeanspruchung

3.6.1.1 Die folgenden Angaben gelten für von unten oder oben beanspruchte Stahlbeton- und Spannbetondecken aus Fertigteilen aus Normalbeton nach DIN 1045/07.88, Abschnitt 19, sowie für gleichzustellende Dächer, soweit diese Decken und Dächer nicht bereits in den Abschnitten 3.4 und 3.5 behandelt wurden.

3.6.1.2 Bei Anordnung von Bekleidungen und Fußbodenbelägen oder Bedachungen sowie bei Durchführung von elektrischen Leitungen gelten die Bestimmungen der Abschnitte 3.4.1.2 und 3.4.1.3.

3.6.2 Decken aus Fertigteilplatten

3.6.2.1 Decken aus Fertigteilplatten müssen hinsichtlich der Mindestdicken und -achsabstände die in Abschnitt 3.4 wiedergegebenen Bedingungen erfüllen.

3.6.2.2 Fugen zwischen Fertigteilplatten sind nach den Angaben von Bild 9 mit Mörtel oder Beton der Baustoffklasse A zu schließen.

Gefaste Kanten dürfen unberücksichtigt bleiben, wenn die Fasung ≤ 4 cm bleibt. Bei Fasungen > 4 cm ist die Mindestdicke *d* nach Abschnitt 3.4.2 bzw. nach Abschnitt 3.4.3 auf den Endpunkt der Fasung zu beziehen.

3.6.2.3 Fugen zwischen Fertigteilplatten dürfen bis zu einer Breite von 3 cm auch offenbleiben, wenn auf der Plattenoberseite ein im Fugenbereich bewehrter Estrich oder Beton jeweils aus Baustoffen der Klasse A nach den Angaben von Bild 10 und Tabelle 15 angeordnet wird.

Der Estrich oder Beton darf zur Erzielung einer Sollbruchfuge auf der Oberseite einen maximal 1,5 cm tiefen Einschnitt erhalten. Der Einschnitt darf mit Fugendichtstoffen im Sinne von DIN EN 26 927 geschlossen werden.

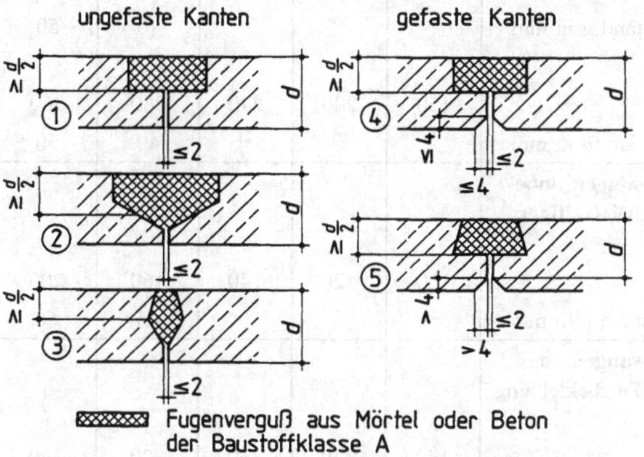

Maße in cm

Bild 9. Geschlossene Fugen zwischen Fertigteilplatten (Schema für die Ausführungen 1 bis 5)

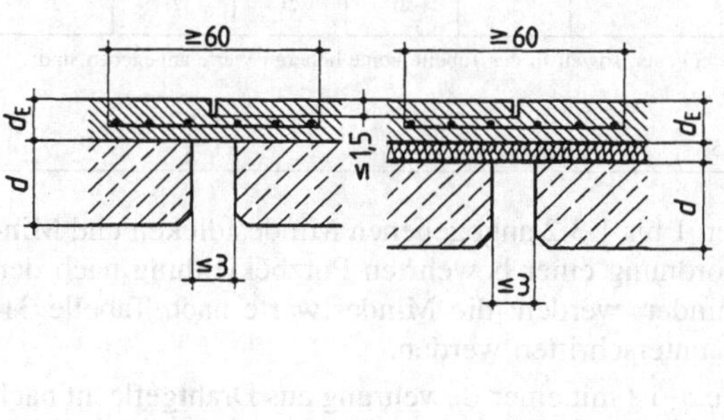

Maße in cm

Bild 10. Offene Fugen zwischen Fertigteilplatten (Schema)

Tabelle 31: Mindestdicke und Mindestachsabstand von Stahlbetonstützen aus Normalbeton

Zeile	Konstruktionsmerkmale[1]	Feuerwiderstandsklasse-Benennung				
	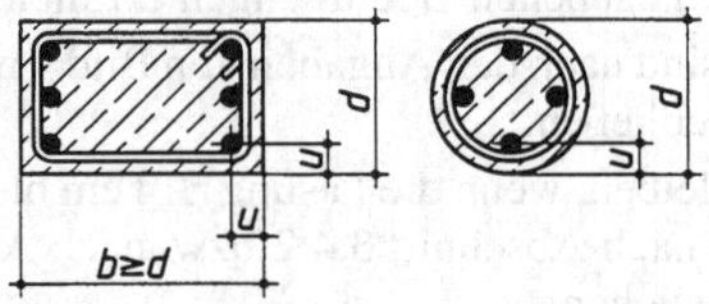	F 30-A	F 60-A	F 90-A	F 120-A	F 180-A
1	**Mindestquerschnittsabmessungen unbekleideter** Stahlbetonstützen bei **mehrseitiger** Brandbeanspruchung bei einem					
1.1	Ausnutzungsfaktor $\alpha_1 = 0{,}3$					
1.1.1	Mindestdicke *d* in mm	150	150	180	200	240
1.1.2	zugehöriger Mindestachsabstand *u* in mm	2)	2)	2)	40	50
1.2	Ausnutzungsfaktor $\alpha_1 = 0{,}7$					
1.2.1	Mindestdicke *d* in mm	150	180	210	250	320
1.2.2	zugehöriger Mindestachsabstand *u* in mm	2)	2)	2)	40	50
1.3	Ausnutzungsfaktor $\alpha_1 = 1{,}0$					
1.3.1	Mindestdicke *d* in mm	150	200	240	280	360
1.3.2	zugehöriger Mindestachsabstand *u* in mm	2)	2)	2)	40	50
2	**Mindestquerschnittsabmessungen unbekleideter** Stahlbetonstützen bei **1seitiger** Brandbeanspruchung					
2.1	Mindestdicke *d* in mm	100	120	140	160	200
2.2	zugehöriger Mindestachsabstand *u* in mm	2)	2)	2)	45	60
3	**Mindestquerschnittsabmessungen** von Stahlbetonstützen mit einer Putzbekleidung nach Abschnitt 3.13.2.9					
3.1	Mindestdicke *d* in mm	140	140	160	220	320
3.2	Mindestachsabstand	2)	2)	2)	2)	2)

1) Mindestabmessungen für umschnürte Druckglieder, soweit in der Tabelle keine höheren Werte angegeben sind:
F 30 d = 240 mm
F 60 bis F 180 d = 300 mm
2) Bezüglich *c*: Mindestwerte nach DIN 1045

3.13.2.9 Die in Tabelle 31, Zeilen 1 bis 1.3.2 angegebenen Mindestdicken und Mindestachsabstände dürfen bei Anordnung einer bewehrten Putzbekleidung nach den Angaben von Tabelle 32 abgemindert werden; die Mindestwerte nach Tabelle 31, Zeilen 3.1 und 3.2, dürfen nicht unterschritten werden.

Der Putz mit der gewählten Dicke d_1 ist mit einer Bewehrung aus Drahtgeflecht nach DIN 1200 mit 10 mm bis 16 mm Maschenweite zu umschließen, wobei Quer- und Längsstöße sorgfältig zu verrödeln und die Längsstöße gegeneinander zu versetzen sind. Nach dem Anbringen der Bewehrung ist die Bekleidung mit einem Glättputz $\geq$ 5 mm dick abzuschließen.

Tabelle 32: Putzdicke d_1 bei bewehrten Putzen als Ersatz für 10 mm Normalbeton von Stützen Putzart

Zeile	Putzart	Erforderliche Putzdicke d_1 als Ersatz für 10 mm Normalbeton mm
	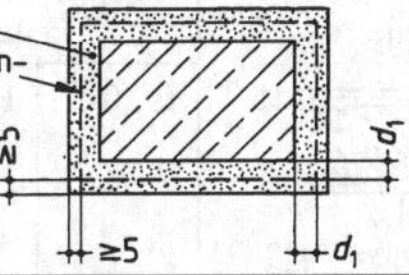	
1	Putzmörtel der Gruppe P II und P IVa bis P IV c nach DIN 18 550 Teil 2	8
2	Putz nach Abschnitt 3.1.6.5	5

Tabelle 33: Mindestquerschnittsabmessungen von Stahlbeton- und Spannbeton-Zuggliedern aus Normalbeton

Zeile	Konstruktionsmerkmale	Feuerwiderstandsklasse-Benennung				
	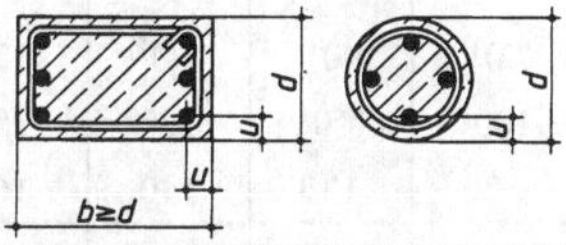	F 30-A	F 60-A	F 90-A	F 120-A	F 180-A
1	Unbekleidete Zugglieder					
1.1	Mindestdicke *d* in mm					
1.1.1	Stahlbeton- und Spannbeton-Zugglieder mit einer Bewehrung mit crit $T \leq 450\,°C$ nach Tabelle 1	80[1)]	120	150	200	240
1.1.2	Spannbeton-Zugglieder mit einer Bewehrung mit crit $T = 350\,°C$ nach Tabelle 1	120	160	190	240	280
1.2	Mindestquerschnittsfläche A	$2\,d^2$; *d* siehe Zeilen 1 bis 1.3.2.1				
1.3	Mindestachsabstand *u*[2)3)]					
1.3.1	bei einer Zuggliedicke *d* in mm von	80	≤ 120	≤ 150	≤ 200	≤ 240
1.3.1.1	*u* in mm	35	50	65[4)]	75[4)]	90[4)]
1.3.2	bei einer Zuggliedicke *d* in mm von	≥ 200	≥ 300	≥ 400	≥ 500	≥ 600
1.3.2.1	*u* in mm	20	35	45	55[4)]	70[4)]
2	Mindestquerschnittsabmessungen von Zuggliedern **mit** einer **Putzbekleidung** nach Abschnitt 3.14.2.2					
2.1	Mindestdicke *d* in mm	80	80	110	160	200
2.2	Mindestquerschnittsfläche A	$2\,d^2$; *d* siehe Zeile 2.1				
2.3	Mindestachsabstand *u*[3)] in mm	18	18	25	35	50

1) Bei Betonfeuchtegehalten, angegeben als Massenanteil, > 4 % (siehe Abschnitt 3.1.7) muss die Mindestdicke *d* mindestens 120 mm betragen.

2) Zwischen den *u*-Werten der Zeilen 1.3.1.1 und 1.3.2.1 darf in Abhängigkeit von der Zuggliedicke geradlinig interpoliert werden.

3) Die Tabellenwerte gelten auch für **Spannbeton-Zugglieder.** Die Mindestachsabstände *u* sind jedoch nach den Angaben von Tabelle 1 um die Δu-Werte zu erhöhen.

4) Bei einer Betondeckung $c > 50$ mm ist bei nicht senkrecht angeordneten Zuggliedern eine Schutzbewehrung nach Abschnitt 3.1.5 erforderlich.

Tabelle 35: Tragende und nichttragende, raumabschließende Beton- und Stahlbetonwände aus Normalbeton (1seitige Brandbeanspruchung)

Zeile	Konstruktionsmerkmale	Feuerwiderstandsklasse-Benennung				
		F 30-A	F 60-A	F 90-A	F 120-A	F 180-A
1	Unbekleidete Wände					
1.1	Zulässige Schlankheit = Geschosshöhe/ Wanddicke = h_s/d	nach DIN 1045				
1.2	Mindestwanddicke d in mm bei					
1.2.1	nichttragenden Wänden	80[1)]	90[1)]	100[1)]	120	150
1.2.2	tragenden Wänden					
1.2.2.1	Ausnutzungsfaktor $\alpha_1 = 0,1$	80[1)]	90[1)]	100[1)]	120	150
1.2.2.2	Ausnutzungsfaktor $\alpha_1 = 0,5$	100[1)]	110[1)]	120	150	180
1.2.2.3	Ausnutzungsfaktor $\alpha_1 = 1,0$	120	130	140	160	210
1.3	Mindestachsabstand u in mm der Längsbewehrung bei					
1.3.1	nichttragenden Wänden	10	10	10	10	35
1.3.2	tragenden Wänden bei einer Beanspruchung nach DIN 1045 von					
1.3.2.1	Ausnutzungsfaktor $\alpha_1 = 0,1$	10	10	10	10	35
1.3.2.2	Ausnutzungsfaktor $\alpha_1 = 0,5$	10	10	20	25	45
1.3.2.3	Ausnutzungsfaktor $\alpha_1 = 1,0$	10	10	25	35	55
1.4	Mindestachsabstände u und u_s in mm in Wandbereichen über Öffnungen mit					
1.4.1	einer lichten Weite $\leq 2,0$ m	10	15	25	35	55
1.4.2	einer lichten Weite $> 2,0$ m	10	25	35	45	65
2	Wände mit beidseitiger Putzbekleidung nach den Abschnitten 3.1.6.1 bis 3.1.6.5					
2.1	Zulässige Schlankheit = Geschosshöhe/ Wanddicke = h_s/d	nach DIN 1045				
2.2	Wanddicke d nach Zeile 1.2; Abminderungen nach Tabelle 2 sind möglich; Mindestwanddicke d in mm jedoch bei					
2.2.1	nichttragenden Wänden	60				
2.2.2	tragenden Wänden	80				
2.3	Achsabstände u der Längsbewehrung sowie Achsabstände u und u_s in Wandbereichen über Öffnungen nach den Angaben der Zeilen 1.3 und 1.4; Abminderungen nach Tabelle 2 sind möglich; u und u_s jedoch nicht kleiner als 10 mm					

[1)] Bei Betonfeuchtegehalten, angegeben als Massenanteil, > 4 % (siehe Abschnitt 3.1.7) sowie bei Wänden mit sehr dichter Bewehrung (Stababstände < 100 mm) muss die Wanddicke mindestens 120 mm betragen.

Tabelle 36: Tragende nichtraumabschließende Beton- und Stahlbetonwände aus Normalbeton (mehrseitige Brandbeanspruchung)

Zeile	Konstruktionsmerkmale	Feuerwiderstandsklasse-Benennung				
		F 30-A	F 60-A	F 90-A	F 120-A	F 180-A
1	Unbekleidete Wände					
1.1	Mindestwanddicke *d in mm*					
1.1.1	Ausnutzungsfaktor $\alpha_1 = 0{,}1$	120	120	120	140	170
1.1.2	Ausnutzungsfaktor $\alpha_1 = 0{,}5$	120	120	140	160	200
1.2.3	Ausnutzungsfaktor $\alpha_1 = 1{,}0$	120	140	170	220	300
1.2	Mindestachsabstand *u* in mm der Längsbewehrung bei					
1.2.1	Ausnutzungsfaktor $\alpha_1 = 0{,}1$	10	10	10	10	35
1.2.2	Ausnutzungsfaktor $\alpha_1 = 0{,}5$	10	10	10	25	45
1.2.3	Ausnutzungsfaktor $\alpha_1 = 1{,}0$	10	10	25	35	55
1.3	Mindestachsabstände *u* und u_s in mm in Wandbereichen über Öffnungen mit					
1.3.1	einer lichten Weite $\leq 2{,}0$ m	10	15	25	35	55
1.3.2	einer lichten Weite $> 2{,}0$ m	10	25	35	45	65
2	Wände mit beidseitiger Putzbekleidung nach den Abschnitten 3.1.6.1 bis 3.1.6.5					
2.1	Wanddicke *d* nach Zeile 1.1; Abminderungen nach Tabelle 2 sind möglich; Mindestwanddicke *d* in mm jedoch	80				
2.2	Achsabstände *u* der Längsbewehrung sowie Achsabstände *u* und u_s in Wandbereichen über Öffnungen nach den Angaben der Zeilen 1.2 und 1.3; Abminderungen nach Tabelle 2 sind möglich; *u* und u_s jedoch nicht kleiner als 10 mm					

4.2 Feuerwiderstandsklassen von Beton- und Stahlbetonwänden aus Normalbeton

4.2.1 Anwendungsbereich

4.2.1.1 Die Angaben von Abschnitt 4.2 gelten für Beton- und Stahlbetonwände aus Normalbeton nach DIN 1045.

4.2.1.2 Bei tragenden Wänden gelten die Angaben jedoch nicht für Wände mit einer Breite $b \leq 0{,}40$ m bzw. $\leq 5\ d$, wobei *d* die nach Tabelle 35 brandschutztechnisch notwendige Dicke ist. Derartige Wände sind wie Stützen nach Abschnitt 3.13 bzw. gegliederte Wände aus Stahlbeton nach Abschnitt 4.3 zu bemessen.

4.2.1.3 Wegen der Bemessung von Brandwänden siehe Abschnitt 4.8.

4.2.2 Randbedingungen

4.2.2.1 Beton- und Stahlbetonwände aus Normalbeton müssen unter Beachtung der Bedingungen von Abschnitt 4.2.2 die in den Tabellen 35 und 36 angegebenen Bedingungen erfüllen. Hinsichtlich des Ausnutzungsfaktors α_1 gilt Abschnitt 3.13.2.2 sinngemäß.

4.2.2.2 Fugen zwischen Fertigteilen müssen nach Bild 21, Ausführung 1, so mit Mörtel nach DIN 1053 Teil 1 oder Beton nach DIN 1045 ausgefüllt sein, dass die Mörtel- oder Betontiefe der Mindestwanddicke nach Tabelle 35, Zeile 1.2.2.1, entspricht. Gefaste Kanten dürfen unberücksichtigt bleiben, wenn die Fasung ≤ 3 cm bleibt. Bei Fasungen > 3 cm ist die Mindestwanddicke auf den Endpunkt der Fasung zu beziehen.

Bei Fugen mit Nut- und Feder-Ausbildung nach Bild 21, Ausführung 2, genügt eine Vermörtelung der Fugen in den äußeren Wanddritteln.

Fugen mit einer Mineralfaser-Dämmschicht müssen den Angaben von Bild 21, Ausführung 3 a) oder 3 b), entsprechen.

Die Fasungen und die Abschlüsse von Mineralfaser-Dämmschichten dürfen mit Fugendichtstoffen nach DIN EN 26927 geschlossen werden.

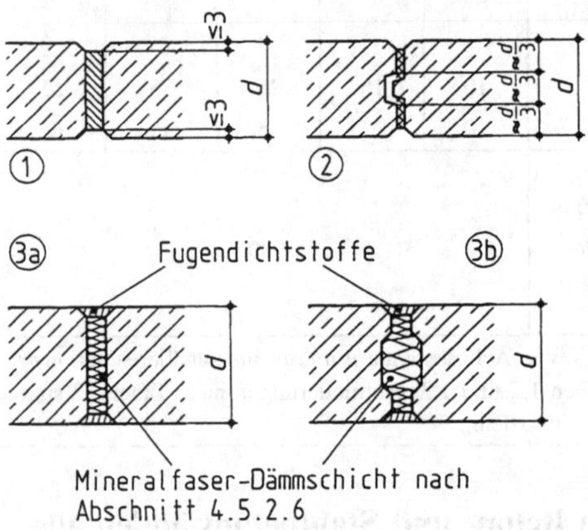

Bild 21. Wandfugen (Schema-Skizzen für die Ausführungen 1 bis 3 b)

Tabelle 38: Mindestdicke *d* nichttragender, raumabschließender Wände aus Mauerwerk oder Wandbauplatten (1-seitige Brandbeanspruchung)
Die ()-Werte gelten für Wände mit beidseitigem Putz nach Abschnitt 4.5.2.10

Zeile	Konstruktionsmerkmale 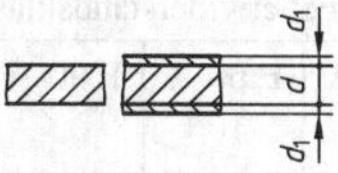 Wände	Mindestdicke *d* in mm für die Feuerwiderstandsklasse-Benennung				
		F 30-A	F 60-A	F 90-A	F 120-A	F 180-A
1	Porenbetonsteine nach DIN V 4165 (Plansteine und Planelemente) Porenbeton-Bauplatten und Porenbeton-Planbauplatten nach DIN 4166	75[4)] (50)	75 (75)	100[5)] (75)	115 (75)	150 (115)
2	Hochwandplatten aus Leichtbeton nach DIN 18 148 Hohlblöcke aus Leichtbeton nach DIN 18 151 Vollsteine und Vollblöcke aus Leichtbeton nach DIN 18 152 Mauersteine aus Beton nach DIN 18 153 Wandbauplatten aus Leichtbeton nach DIN 18 162	50 (50)	70 (50)	95 (70)	115 (95)	140 (115)
3 3.1	Mauerziegel nach DIN V 105-1 Voll- und Hochziegel, DIN V 105-2 Wärmedämmziegel und Hochlochziegel, DIN 105-3 hochfeste Ziegel und hochfeste Klinker, DIN 105-4 Keramikklinker DIN V 105-6 Planziegel	115 (70)	115 (70)	115 (100)	140 (115)	175 (140)
3.2	Mauerziegel nach DIN 105 Teil 5 Leichtlanglochziegel und Leichtlangloch-Ziegelplatten	115 (70)	115 (70)	140 (115)	175 (140)	190 (175)
4	Kalksandsteine nach DIN V 106-1 Voll-, Loch-, Block-, Hohlblock- und Plansteine, Planelemente, Bauplatten, DIN V 106-2 Vormauersteine und Verblender	70 (50)	115[6)] (70)	115[7)] (100)[8)]	115 (115)	175 (140)
5	Mauerwerk nach DIN 1053 Teil 4 Bauten aus Ziegelfertigbauteilen	115 (115)	115 (115)	115 (115)	165 (140)	165 (140)
6	Wandbauplatten aus Gips nach DIN 18 163 für Rohdichten $\geq 0{,}6\,kg/dm^3$	60	80	80	80	100

1) Normalmörtel
2) Dünnbettmörtel
3) Leichtmörtel
4) Bei Verwendung von Dünnbettmörtel: $d \geq 50\,mm$
5) Bei Verwendung von Dünnbettmörtel: $d \geq 75\,mm$
6) Bei Verwendung von Dünnbettmörtel: $d \geq 70\,mm$
7) Bei Verwendung von Steinen der Rohdichteklasse $\geq 1{,}8$ und Dünnbettmörtel $d \geq 100\,mm$
8) Bei Verwendung von Steinen der Rohdichteklasse $\geq 1{,}8$ und Dünnbettmörtel $d \geq 70\,mm$

E

Tabelle 39: Mindestdicke *d* tragender, raumabschließender Wände aus Mauerwerk (1-seitige Brandbeanspruchung)
Die ( )-Werte gelten für Wände mit beidseitigem Putz nach Abschnitt 4.5.2.10

Zeile	Konstruktionsmerkmale 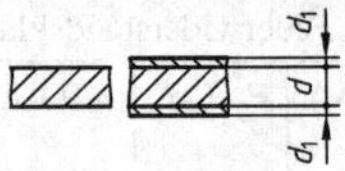 Wände	Mindestdicke *d* in mm für die Feuerwiderstandsklasse-Benennung				
		F 30-A	F 60-A	F 90-A	F 120-A	F 180-A
1	Porenbetonsteine nach DIN V 4165 (Plansteine und Planelemente[8]), Rohdichteklasse ≥ 0,4 unter Verwendung von [2]					
1.2	Ausnutzungsfaktor α_2 = 0,6	115 (115)	115 (115)	150 (115)	150 (150)	175 (175)
1.3	Ausnutzungsfaktor α_2 = 1,0	115 (115)	150 (115)	175 (150)	175 (175)	200 (200)
2	Hohlblöcke aus Leichtbeton nach DIN V 18 151, Vollsteine und Vollblöcke aus Leichtbeton nach DIN V 18 152 Mauersteine aus Beton nach DIN 18 153, Rohdichteklasse ≥ 0,5 unter Verwendung von[1) 3]					
2.1	Ausnutzungsfaktor α_2 = 0,2	115 (115)	115 (115)	115 (115)	140 (115)	140 (115)
2.2	Ausnutzungsfaktor α_2 = 0,6	140 (115)	140 (115)	175 (115)	175 (140)	190 (175)
2.3	Ausnutzungsfaktor α_2 = 1,0	175 (140)	175 (140)	175 (140)	190 (175)	240 (190)
3	Mauerziegel nach					
3.1	DIN 105 Teil 1 Voll- und Hochlochziegel Lochung: Mz, HLz A, HLz B unter Verwendung von[1)]					
3.1.1	Ausnutzungsfaktor α_2 = 0,2	115 (115)	115 (115)	115 (115)	115 (115)	175 (140)
3.1.2	Ausnutzungsfaktor α_2 = 0,6	115 (115)	115 (115)	140 (115)	175 (115)	240 (140)
3.1.3	Ausnutzungsfaktor α_2 = 1,0[4)]	115 (115)	115 (115)	175 (115)	240 (140)	240 (175)

Fortsetzung siehe nächste Seite.

Tabelle 39 (Fortsetzung)

Zeile	Konstruktionsmerkmale	Mindestdicke d in mm für die Feuerwiderstandsklasse-Benennung				
	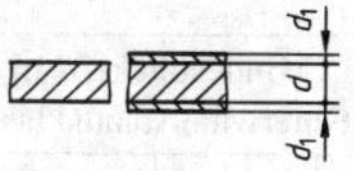 Wände	F 30-A	F 60-A	F 90-A	F 120-A	F 180-A
3.2	Mauerziegel nach DIN V 105-2 und DIN V 105-6[8] Rohdichteklasse ≥ 0,8 unter Verwendung von[1, 2, 3]					
3.2.1	Lochung A und B					
3.2.1.1	Ausnutzungsfaktor $\alpha_2 = 0{,}2$	175[5] (115)	175[5] (115)	175[5] (115)	240[6] (115)	– (140)
3.2.1.2	Ausnutzungsfaktor $\alpha_2 = 0{,}6$	175[5] (115)	175[5] (115)	175[5] (115)	240[6] (115)	– (140)
3.2.1.3	Ausnutzungsfaktor $\alpha_2 = 1{,}0$	175[5, 7]) (115)	175[5, 7] (115)	175[5, 7] (115)	240[6, 7] (140)	– (175)
3.2.2	Leichthochlochziegel W					
3.2.2.1	Ausnutzungsfaktor $\alpha_2 = 0{,}2$	(115)	(115)	(140)	(175)	(240)
3.2.2.2	Ausnutzungsfaktor $\alpha_2 = 0{,}6$	(115)	(140)	(175)	(300)	(300)
3.2.2.3	Ausnutzungsfaktor $\alpha_2 = 1{,}0$	(115)	(175)	(240)	(300)	(365)
4	Kalksandsteine nach DIN V 106-1 Voll-, Loch-, Block-, Hohlblock- und Plansteine, Planelemente[8], Bauplatten DIN V 106-2 Vormauersteine und Verblender unter Verwendung von[1, 2],					
4.1	Ausnutzungsfaktor $\alpha_2 = 0{,}2$	115 (115)	115 (115)	115 (115)	115 (115)	175 (140)
4.2	Ausnutzungsfaktor $\alpha_2 = 0{,}6$	115 (115)	115 (115)	115 (115)	140 (115)	200 (140)
4.3	Ausnutzungsfaktor $\alpha_2 = 1{,}0$[4]	115 (115)	115 (115)	115 (115)	200 (140)	240 (175)
5	Mauerwerk nach DIN 1053 Teil 4 Bauten aus Ziegelfertigbauteilen	115 (115)	165 (115)	165 (165)	190 (165)	240 (190)

1) Normalmörtel
2) Dünnbettmörtel
3) Leichtmörtel
4) Bei $3{,}0\,N/mm^2 < \text{vorh}\,\sigma \leq 4{,}5\,N/mm^2$ gelten die Werte nur für Mauerwerk aus Voll-, Block- und Plansteinen.
5) Rohdichteklasse ≥ 0,9
6) Rohdichteklasse ≥ 1,0
7) Gilt nicht bei Verwendung von Fußnote 2).
8) Bemessung nach allgemeiner bauaufsichtlicher Zulassung.

Tabelle 40: Mindestdicke *d* tragender, nichtraumabschließender Wände aus Mauerwerk (mehrseitige Brandbeanspruchung)
Die ( )-Werte gelten für Wände mit beidseitigem Putz nach Abschnitt 4.5.2.10

Zeile	Konstruktionsmerkmale	Mindestdicke *d* in mm für die Feuerwiderstandsklasse-Benennung				
	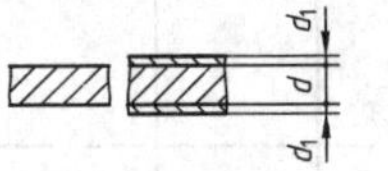 Wände	F 30-A	F 60-A	F 90-A	F 120-A	F 180-A
1	Porenbetonsteine nach DIN V 4165 (Plansteine und Planelemente[6]), Rohdichteklasse ≥ 0,4 unter Verwendung von[2])					
1.1	Ausnutzungsfaktor α_2 = 0,2	115 (115)	150 (115)	150 (115)	150 (115)	175 (115)
1.2	Ausnutzungsfaktor α_2 = 0,6	150 (115)	175 (150)	175 (150)	175 (150)	240 (175)
1.3	Ausnutzungsfaktor α_2 = 1,0	175 (150)	175 (150)	240 (175)	300 (240)	300 (240)
2	Hohlblöcke aus Leichtbeton nach DIN V 18 151, Vollsteine und Vollblöcke aus Leichtbeton nach DIN V 18 152 Mauersteine aus Beton nach DIN 18 153, Rohdichteklasse ≥ 0,5 unter Verwendung von[1) 3)]					
2.1	Ausnutzungsfaktor α_2 = 0,2	115 (115)	140 (115)	140 (115)	140 (115)	175 (115)
2.2	Ausnutzungsfaktor α_2 = 0,6	140 (115)	175 (140)	190 (175)	240 (190)	240 (240)
2.3	Ausnutzungsfaktor α_2 = 1,0	175 (140)	175 (175)	240 (175)	300 (240)	300 (240)
3	Mauerziegel nach					
3.1	DIN 105 Teil 1 Voll- und Hochlochziegel Lochung: Mz, HLz A, HLz B unter Verwendung von[1)]					
3.1.1	Ausnutzungsfaktor α_2 = 0,2	115 (115)	115 (115)	175 (115)	240 (115)	240 (175)
3.1.2	Ausnutzungsfaktor α_2 = 0,6	115 (115)	115 (115)	175 (115)	240 (115)	300 (200)
3.1.3	Ausnutzungsfaktor α_2 = 1,0[4)]	115 (115)	115 (115)	240 (115)	365 (175)	490 (240)

Fortsetzung siehe nächste Seite.

Tabelle 40 (Fortsetzung)

Zeile	Konstruktionsmerkmale	Mindestdicke d in mm für die Feuerwiderstandsklasse-Benennung				
	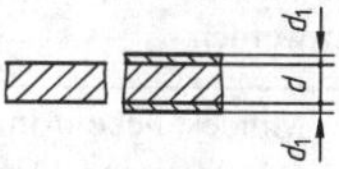 Wände	F 30-A	F 60-A	F 90-A	F 120-A	F 180-A
3.2	Mauerziegel nach DIN V 105-2 und DIN V 105-6[6]) Rohdichteklasse ≥ 0,8 unter Verwendung von [1), 2), 3)]					
3.2.1	Lochung A und B					
3.2.1.1	Ausnutzungsfaktor $\alpha_2 = 0{,}2$	(115)	(115)	(115)	(115)	(175)
3.2.1.2	Ausnutzungsfaktor $\alpha_2 = 0{,}6$ (zusätzlich auch unter Verwendung von[2)])	(115)	(115)	(155)	(115)	(200)
3.2.1.3	Ausnutzungsfaktor $\alpha_2 = 1{,}0$	(115)	(115)	(115)	(175)	(240)
3.2.2	Leichthochlochziegel W					
3.2.2.1	Ausnutzungsfaktor $\alpha_2 = 0{,}2$	(175)	(175)	(175)	(175)	(240)
3.2.2.2	Ausnutzungsfaktor $\alpha_2 = 0{,}6$	(175)	(175)	(240)	(240)	(300)
3.2.2.3	Ausnutzungsfaktor $\alpha_2 = 1{,}0$	(240)	(240)	(240)	(300)	(365)
4	Kalksandsteine nach DIN V 106-1 Voll-, Loch-, Block-, Hohlblock- und Plansteine, Planelemente[6)], Bauplatten DIN V 106-2 Vormauersteine und Verblender					
4.1	Ausnutzungsfaktor $\alpha_2 = 0{,}2$	115 (115)	115 (115)	115 (115)	140 (115)	175 (140)
4.2	Ausnutzungsfaktor $\alpha_2 = 0{,}6$	115 (115)	115 (115)	140[5)] (115)	150 (115)	200 (175)
4.3	Ausnutzungsfaktor $\alpha_2 = 1{,}0$[4)]	115 (115)	115 (115)	140[5)] (115)	200 (175)	240 (190)
5	Mauerwerk nach DIN 1053 Teil 4 Bauten aus Ziegelfertigbauteilen	115 (115)	165 (115)	165 (165)	190 (165)	240 (190)

1) Normalmörtel
2) Dünnbettmörtel
3) Leichtmörtel
4) Bei 3,0 N/mm² < vorh σ ≤ 4,5 N/mm² gelten die Werte nur für Mauerwerk aus Voll-, Block- und Plansteinen.
5) Bei Verwendung von Dünnbettmörtel ist d mindestens 115 mm.
6) Bemessung nach allgemeiner bauaufsichtlicher Zulassung.

Tabelle 41: Mindestdicke *d* und Mindestbreite *b* tragender Pfeiler bzw. nichtraumabschließender Wandabschnitt aus Mauerwerk (mehrseitige Brandbeanspruchung)
Die ( )-Werte gelten für Pfeiler mit allseitigem Putz nach Abschnitt 4.5.2.10. Der Putz kann 1- oder mehrseitig durch eine Verblendung ersetzt werden.

Zeile	Konstruktionsmerkmale 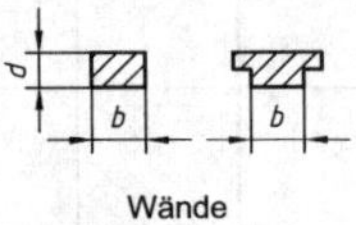	Min-dest-dicke *d* mm	Mindestdicke *d* in mm für die Feuerwiderstandsklasse-Benennung				
			F 30-A	F 60-A	F 90-A	F 120-A	F 180-A
1	Porenbetonsteine nach DIN V 4165 (Plansteine und Planelemente[10)], Rohdichteklasse ≥ 0,4 unter Verwendung von[2)]						
1.1	Ausnutzungsfaktor α_2 = 0,6						
1.1.1		175	365	365	490	490	615
1.1.2		200	240	365	365	490	615
1.1.3		240	240	240	300	365	615
1.1.4		300	240	240	240	300	490
1.1.5	Ausnutzungsfaktor α_2 = 0,6	365	175	175	240	240	365
1.2	Ausnutzungsfaktor α_2 = 1,0						
1.2.1		175	490	490	–[8)]	–[8)]	–[8)]
1.2.2		200	365	490	–[8)]	–[8)]	–[8)]
1.2.3	Ausnutzungsfaktor α_2 = 1,0	240	300	365	615	730	730
1.2.4		300	240	300	490	490	615
1.2.5		365	240	240	365	490	615
2	Hohlblöcke aus Leichtbeton nach DIN V 18 151, Vollsteine und Vollblöcke aus Leichtbeton nach DIN V 18 152, Mauersteine aus Beton nach DIN 18 153, Rohdichteklasse ≥ 0,5 unter Verwendung von[1) 3)]						
2.1	Ausnutzungsfaktor α_2 = 0,6						
2.1.1		175	240	365	490	–[8)]	–[8)]
2.1.2		240	175	240	300	365	490
2.1.3		300	190	240	240	300	365
2.2	Ausnutzungsfaktor α_2 = 1,0						
2.2.1		175	365	490	–[8)]	–[8)]	–[8)]
2.2.2.0		240	240	300	365	–[8)]	–[8)]
2.2.3		300	240	240	300	365	490

Fortsetzung siehe nächste Seite.

Tabelle 41 (Fortsetzung)

Zeile	Konstruktionsmerkmale 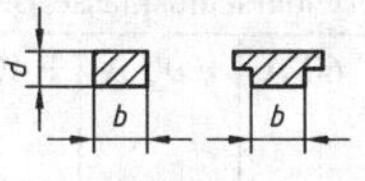 Wände	Mindestdicke d mm	Mindestdicke d in mm für die Feuerwiderstandsklasse-Benennung				
			F 30-A	F 60-A	F 90-A	F 120-A	F 180-A
3	Mauerziegel nach						
3.1	DIN 105 Teil 1 Voll- und Hochlochziegel[9] Lochung: Mz, HLz A, HLz B unter Verwendung von[1]						
3.1.1	Ausnutzungsfaktor $\alpha_2 = 0{,}6$						
3.1.1.1		115	615[5]	730[5]	990[5]	–[8]	–[8]
3.1.1.2		175	490	615	730[5]	990[5]	–[8]
3.1.1.3		240	200	240	300	365	490
3.1.1.4		300	200	200	240	365	490
3.1.2	Ausnutzungsfaktor $\alpha_2 = 1{,}0$[4]						
3.1.2.1		115	990[5]	990[5]	–[8]	–[8]	–[8]
3.1.2.2		175	615	730	990[5]	–[8]	–[8]
3.1.2.3		240	365	490	615	–[8]	–[8]
3.1.2.4		300	300	365	490	–[8]	–[8]
3.2	Mauerziegel nach DIN V 105-2 und DIN V 105-6[10], Lochung A und B, Rohdichteklasse $\geq 0{,}8$ unter Verwendung von[1,3]						
3.2.1	Ausnutzungsfaktor $\alpha_2 = 0{,}6$ (zusätzlich auch unter Verwendung von[2])						
3.2.1.1		115	(365)	(490)	(615)	(730)	–[8]
3.2.1.2		175	(240)	(240)	(240)	(300)	–[8]
3.2.1.3		240	(175)	(175)	(175)	(240)	(300)
3.2.1.4		300	(175)	(175)	(175)	(175)	(240)
3.2.2	Ausnutzungsfaktor $\alpha_2 = 1{,}0$						
3.2.2.1		115	(490)	(615)	(730)	–[8]	–[8]
3.2.2.2		175	(240)	(240)	(365)	(365)	–[8]
3.2.2.3		240	(175)	(175)	(240)	(240)	(365)
3.2.2.4		300	(175)	(175)	(200)	(240)	(300)
3.3	Mauerziegel nach DIN V 105-2 Leichthochlochziegel W Rohdichteklasse $\geq 0{,}8$ unter Verwendung von[1,3]						

Fortsetzung siehe nächste Seite.

Tabelle 41 (Fortsetzung)

Zeile	Konstruktionsmerkmale	Mindestdicke d mm	Mindestdicke d in mm für die Feuerwiderstandsklasse-Benennung				
	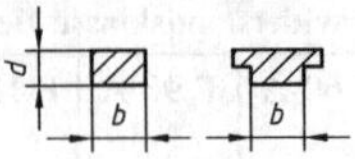 Wände		F 30-A	F 60-A	F 90-A	F 120-A	F 180-A
3.3.1	Ausnutzungsfaktor $\alpha_2 = 0{,}6$						
3.3.1.1	Ausnutzungsfaktor $\alpha_2 = 0{,}6$	240	(240)	(240)	(240)	(240)	(365)
3.3.1.2		300	(175)	(175)	(175)	(240)	(240)
3.3.1.3		365	(175)	(175)	(175)	(240)	(240)
3.3.2	Ausnutzungsfaktor $\alpha_2 = 1{,}0$						
3.3.2.1	Ausnutzungsfaktor $\alpha_2 = 1{,}0$	240	(240)	(240)	(300)	(365)	(365)
3.3.2.2	Ausnutzungsfaktor $\alpha_2 = 1{,}0$	300	(240)	(240)	(240)	(240)	(300)
3.3.2.3		365	(240)	(240)	(240)	(240)	(240)
4	Kalksandsteine nach DIN V 106-1 Voll-, Loch-, Block-, Hohlblock- und Plansteine, Planelemente[10], Bauplatten DIN V 106-2 Vormauersteine und Verblender unter Verwendung von[1), 2)]						
4.1	Ausnutzungsfaktor $\alpha_2 = 0{,}6$						
4.1.1		115	365	490	(615)	(990)	–[8)]
4.1.1.1	Ausnutzungsfaktor $\alpha_2 = 0{,}6$	150	300	300	300	365	898
4.1.2		175	240	240	240	240	365
4.1.3		240	175	175	175	175	300
4.2	Ausnutzungsfaktor $\alpha_2 = 1{,}0$[4)]						
4.2.1		115	(365)	(490)	(730)	–[8)]	–[8)]
4.2.1.1	Ausnutzungsfaktor $\alpha_2 = 1{,}0$[4)]	150	300	300	300	490	–[8)]
4.2.2		175	240	240	300[6)7)]	300[7)]	490
4.2.3		240	175	175	240	240	365

1) Normalmörtel
2) Dünnbettmörtel
3) Leichtmörtel
4) Bei $3{,}0\,N/mm^2 <$ vorh $\sigma \leq 4{,}5\,N/mm^2$ gelten die Werte nur für Mauerwerk aus Vollsteinen, Block- und Plansteinen.
5) Nur bei Verwendung von Vollziegeln.
6) Bei $h_k/d \leq 10$ darf $b = 240$ mm betragen.
7) Bei Verwendung von Dünnbettmörtel, $h_k/d \leq 15$ und vorh $\sigma \leq 3{,}0\,N/mm^2$, darf $b = 240$ mm betragen.
8) Die Mindestbreite ist $b > 1{,}0$ m; Bemessung bei Außenwänden daher als raumabschließende Wand nach Tabelle 39 – sonst als nichtraumabschließende Wand nach Tabelle 40.
9) Die ()-Werte nach Zeile 3.2 gelten auch für Zeile 3.1.
10) Bemessung nach allgemeiner bauaufsichtlicher Zulassung.

Tabelle 42: Mindestbreite *b* und Mindesthöhe *h* von vorgefertigten Flachstürzen, ausbetonierten U-Schalen und Porenbetonstürzen nach Abschnitt 4.5.3.5
Die ( )-Werte gelten für Stürze mit 3seitigem Putz nach Abschnitt 4.5.2.10
Auf den Putz an der Sturzunterseite kann bei Anordnung von Stahl- oder Holz-Umfassungszargen verzichtet werden.

Zeile	Konstruktionsmerkmale	Mindest-		Mindestbreite *b* in mm Feuerwiderstandsklasse-Benennung				
		Betondeckung mm	Höhe *h* mm	F 30-A	F 60-A	F 90-A	F 120-A	F 180-A
1	Vorgefertigte Flachstürze							
1.1	Mauerziegel nach DIN 105 Teil 1 bis Teil 5	–	71	(115)	(115)	(115)	–	–
			113	115	115	175 (115)	–	–
1.2	Kalksandsteine nach DIN 106 Teil 1 und Teil 2	–	71	115	115	175 (115)	– (175)	–
			113	115	115	115	(175)	–
1.3	Leichtbeton	–	71	115	115	175	–	–
			113	115	115	115		
1.4	Flachstürze und Kombistürze aus Porenbeton	–	124	175 (115)	175 (115)	240 (175)	–	–
2	Ausbetonierte U-Schalen aus							
2.1	Porenbeton	–	199	175	175	175	–	–
2.2	Leichtbeton	–	240	175	175	175	–	–
2.3	Mauerziegeln	–	240	115	115	175	–	–
2.4	Kalksandsteinen 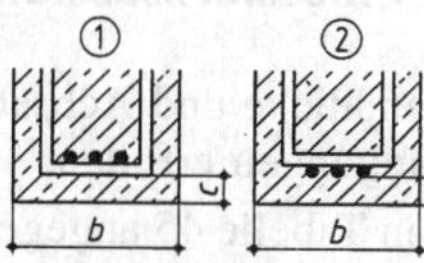 Mindeststabzahl $n = 3$	–	240	115	115	175	–	–
3	Porenbetonstürze							
3.1		10	240	175 (175)	240 (200)	–	–	–
3.2		20	240	175 (175)	240 (200)	300[1] (240)	–	
3.3		30	240	175 (175)	175 (175)	200 (175)	–	–

1) Mindeststabzahl $n = 4$

4.8 Brandwände

4.8.1 Anwendungsbereich

Die Angaben von Abschnitt 4.8 gelten für Wände aus

a) Normalbeton nach DIN 1045,

b) Leichtbeton mit haufwerksporigem Gefüge nach DIN 4232,

c) bewehrtem Porenbeton und

d) Mauerwerk nach DIN 1053 Teil 1 sowie Teil 2/07.84, Abschnitte 6 bis 8, und Teil 4,

die die Anforderungen an Brandwände nach DIN 4102 Teil 3 erfüllen.

ANMERKUNG: Wände aus Porenbeton-Wandplatten bedürfen zur Zeit einer allgemeinen bauaufsichtlichen Zulassung; die dort angegebenen Bedingungen sind zu beachten.

4.8.2 Randbedingungen

4.8.2.1 Aussteifungen von Brandwänden – z. B. aussteifende Querwände, Decken, Riegel, Stützen oder Rahmen – müssen mindestens der Feuerwiderstandsklasse F 90 entsprechen; Stützen und Riegel aus Stahl, die unmittelbar vor einer Brandwand angeordnet werden, müssen darüber hinaus die in den Bildern 27 bis 29 angegebenen Randbedingungen erfüllen.

4.8.2.2 Wandbereiche bzw. Stürze über Öffnungen, sofern diese nach bauaufsichtlichen Bestimmungen gestattet werden, müssen ebenfalls mindestens der Feuerwiderstandsklasse F 90 angehören – siehe Abschnitte 1.3 sowie 4.1.6.4 und 4.2 bis 4.7.

4.8.2.3 Brandwände müssen weitere, im Folgenden nicht aufgeführte allgemeine Anforderungen erfüllen; sie sind den bauaufsichtlichen Bestimmungen der Länder zu entnehmen.

4.8.3 Zulässige Schlankheit, Mindestwanddicke und Mindestachsabstand der Längsbewehrung

4.8.3.1 Brandwände müssen hinsichtlich Schlankheit, Wanddicke und Achsabstand der Längsbewehrung, die in Tabelle 45 angeführten Bedingungen erfüllen.

4.8.3.2 Bekleidungen dürfen nicht zur Verminderung der in Tabelle 45 angegebenen Mindestwanddicken in Ansatz gebracht werden. Soweit Wandbauarten in der Praxis, z. B. aus bauphysikalischen Gründen, nicht ohne Putz ausgeführt werden, sind in der Tabelle auch Werte für Wände mit Putz angegeben.

4.8.4 Anschlüsse von Ortbeton- und Mauerwerkswänden an angrenzende Massivbauteile

Statisch erforderliche Anschlüsse (Anschlüsse, die die Stoßbeanspruchung nach DIN 4102 Teil 3 aufzunehmen haben) an angrenzende Massivbauteile müssen bei Wänden aus Stahlbeton oder Mauerwerk vollfugig mit Mörtel nach DIN 1053 Teil 1 oder Beton nach DIN 1045 bzw. DIN 4232 oder nach den Angaben der Bilder 19, 20 und 24 ausgeführt werden.

Statisch nicht erforderliche Anschlüsse können nach den Angaben der Bilder 17 und 18 ausgeführt werden.

Anschlüsse:

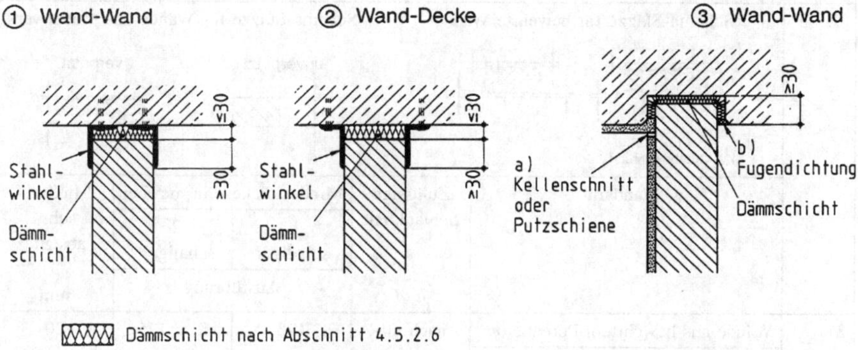

Bild 24. Statisch erforderliche Anschlüsse von Brandwänden aus Mauerwerk oder Stahlbeton an angrenzende Stahlbetonbauteile (Beispiele)

Tabelle 45: Zulässige Schlankheit, Mindestwanddicke und Mindestachsabstand von 1- und 2-schaligen Brandwänden (1-seitige Brandbeanspruchung)
Die ()-Werte gelten für Wände mit Putz nach Abschnitt 4.5.2.10.

Zeile	Schema-Skizze für bewehrte Wände		Schema-Skizze für Wände aus Mauerwerk		
	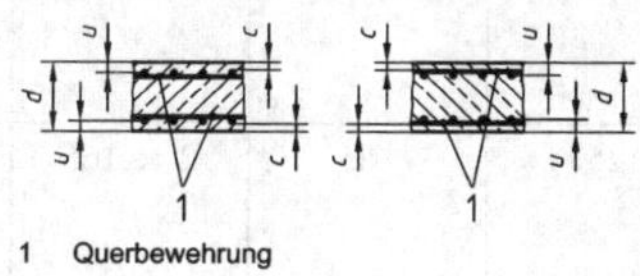		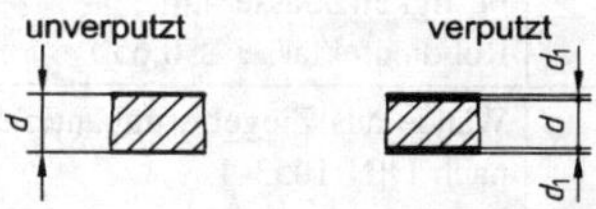		
	Wandart	Zulässige Schlankheit h_s/d	Mindestdicke d in mm bei 1-schaliger (Ausführung)	Mindestdicke d in mm bei 2-schaliger[9)] (Ausführung)	Mindest-achs-abstand u mm
1	Wände aus Normalbeton nach DIN 1045	Bemessung nach DIN 1045	200	2 × 180	nach DIN 1045
1.1	Unbewehrter Beton				
1.2	Bewehrter Beton	Bemessung nach DIN 1045	120	2 × 100	nach DIN 1045
1.2.1	Nichttragend				
1.2.2	Tragend	25	140	2 × 120[1)]	25
2	Wände aus Leichtbeton mit haufwerksporigem Gefüge nach DIN 4232 der Rohdichteklasse	Bemessung nach DIN 4232			entfällt
2.1	≥ 1,4		250	2 × 200	
2.2	≥ 0,8		300	2 × 200	

Fortsetzung siehe nächste Seite.

Tabelle 45 (Fortsetzung)

Zeile	Schema-Skizze für bewehrte Wände		Schema-Skizze für Wände aus Mauerwerk		
	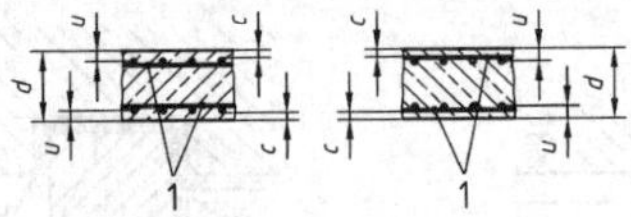 1 Querbewehrung		unverputzt / verputzt 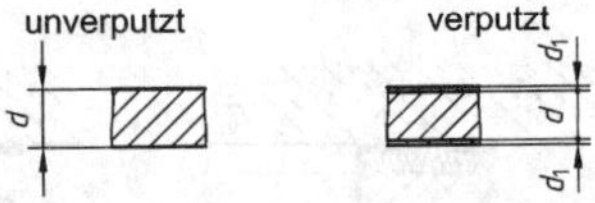		
	Wandart	Zulässige Schlankheit h_s/d	Mindestdicke d in mm bei 1-schaliger (Ausführung)	Mindestdicke d in mm bei 2-schaliger[9)] (Ausführung)	Mindest-achs-abstand u mm
3	Wände aus bewehrtem Porenbeton	nach allgemeiner bauaufsichtlicher Zulassung	175	2 × 175	20
3.1	Nichttragende Wandplatten der Festigkeitsklasse 4,4, Rohdichteklasse ≥ 0,55				
3.2	Nichttragende Wandplatten der Festigkeitsklasse 3,3, Rohdichteklasse ≥ 0,55		200	2 × 200	30
3.3	Tragende, stehend angeordnete, bewehrte Wandtafeln der Festigkeitsklasse 4,4, Rohdichteklasse ≥ 0,65		200[2)]	2 × 200[2)]	20[2)]
4	Wände aus Ziegelfertigbauteilen nach DIN 1053-4	25	165	2 × 165	nach DIN 1053-4
4.1	Hochlochtafeln mit Ziegeln für vollvermörtelte Stoßfugen				
4.2	Verbundtafeln mit zwei Ziegelschichten	25	240	2 × 165	
5	Wände aus Mauerwerk[8)] nach DIN 1053-1 unter Verwendung von Normalmörtel der Mörtelgruppe II, IIa oder III, IIIa	Bemessung nach DIN 1053-1[3)]			entfällt
5.1	Mauerziegel nach DIN V 105-1 der Rohdichteklasse				
5.1.1	≥ 1,4		240 (175)	2 × 175	
5.1.2	≥ 1,2		300 (175)	2 × 200 (2 × 150)[11)]	
5.1.3	Mauerziegel nach DIN V 105-2 Lochung A und B der Rohdichteklasse ≥ 0,9		(175)	(2 × 150)[11)]	
5.1.4	≥ 0,8		365[6)] (240)	2 × 240 (2 × 175)	

Fortsetzung siehe nächste Seite.

Tabelle 45 (Fortsetzung)

Zeile	Schema-Skizze für bewehrte Wände		Schema-Skizze für Wände aus Mauerwerk		
	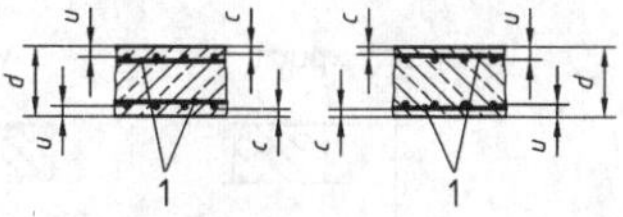		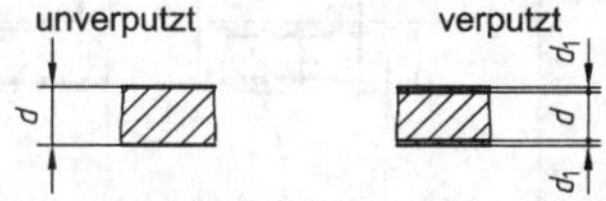		
	Wandart	Zulässige Schlankheit h_s/d	Mindestdicke d in mm bei 1-schaliger Ausführung	Mindestdicke d in mm bei 2-schaliger[9)] Ausführung	Mindestachsabstand u mm
5.1.5	Lichthochlochziegel W der Rohdichteklasse ≥ 0,8	Bemessung nach DIN 1053-1[3)]	(240)	(2 × 175)	entfällt
5.1.6	Mauerziegel nach DIN V 105-6[5)] der Rohdichteklasse ≥ 0,9	nach allgemeiner bauaufsichtlicher Zulassung	240[12)] (240)[13)]	(2 × 175)	
5.2	Kalksandsteine nach DIN V 106-1[4)] sowie DIN V 106-2	Bemessung nach DIN 1053-1[3)]			entfällt
5.2.1	Voll-, Loch, Block- und Plansteine der Rohdichteklasse				
5.2.1.1	≥ 1,8		175[5)]	2 × 150[5)]	
5.2.1.2	≥ 1,4		240	2 × 175	
5.2.1.3	≥ 0,9		300 (300)	2 × 200 (2 × 175)	
5.2.1.4	= 0,8		300	2 × 240 (2 × 175)	
5.2.2	Planelemente der Rohdichteklasse	nach allgemeiner bauaufsichtlicher Zulassung			entfällt
5.2.2.1	≥ 1,8		175[11)] 200	2 × 150[11)] 2 × 175	
5.3	Porenbetonsteine nach DIN V 4165[5)] der Rohdichteklasse	Bemessung nach DIN 1053-1[3)]			entfällt
5.3.1	Plansteine der Rohdichteklasse				
5.3.1.1	≥ 0,55		300	2 × 240	
5.3.1.2	≥ 0,55[7)]		240	2 × 175	
5.3.1.3	≥ 0,40[10)]		300	2 × 240	
5.3.1.4	≥ 40[11) 14)]		240	2 × 175	

Fortsetzung siehe nächste Seite.

Tabelle 45 (Fortsetzung)

Zeile	Schema-Skizze für bewehrte Wände		Schema-Skizze für Wände aus Mauerwerk		
	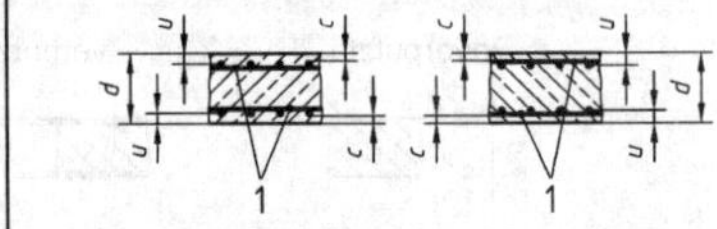		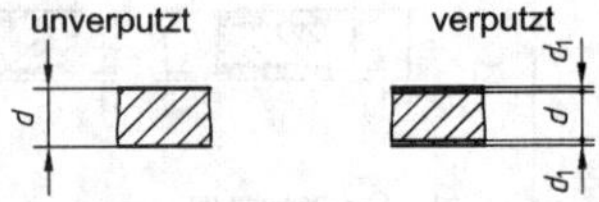		
	Wandart	Zulässige Schlankheit	Mindestdicke d in mm bei		Mindest-achs-abstand u
			1-schaliger	2-schaliger 9)	
		h_s/d	Ausführung		mm
5.3.2	Planelemente der Rohdichteklasse	nach allgemeiner bauaufsichtlicher Zulassung			entfällt
5.3.2.1	≥ 0,55		240 11) 15)	2 × 175 11) 15)	
5.3.2.2	≥ 0,45		300	2 × 240	
5.4	Steine nach DIN V 18 151, DIN V 18 152, DIN 18 153	Bemessung nach DIN 1053-1 3)			entfällt
5.4.1	der Rochdichteklasse ≥ 0,8		240 (175)	2 × 175 (2 × 175)	
5.4.2	≥ 0,6		300 (240)	2 × 240 (2 × 175)	

ANMERKUNG Weitere Angaben siehe auch [2].

1) Sofern infolge höheren Ausnutzungsfaktors nach Tabelle 35 keine größeren Werte gefordert werden.
2) Sofern infolge hohen Ausnutzungsfaktors nach Tabelle 44 keine größeren Werte gefordert werden.
3) Exzentrizität $e \leq d/3$.
4) Auch mit Dünnbettmörtel.
5) Bei Verwendung von Dünnbettmörtel und Plansteinen.
6) Bei Verwendung von Leichtmauermörtel, Ausnutzungsfakror $\alpha_2 \leq 0{,}6$.
7) Bei Verwendung von Dünnbettmörtel und Plansteinen mit Vermörtelung der Stoß- und Lagerfugen.
8) Weitere Angaben siehe z. B. [1].
9) Hinsichtlich des Abstandes der beiden Schalen bestehen keine Anforderungen.
10) Bei Verwendung von Dünnbettmörtel und Plansteinen ohne Stoßfugenvermörtelung.
11) Mit aufliegender Geschossdecke mit mindestens F 90 als konstruktive obere Halterung.
12) Ausnutzungsfaktor $\alpha_2 \leq 0{,}6$.
13) Bei Ausnutzungsfaktor $\alpha_2 \leq 0{,}6$ gilt: (175).
14) Bei Verwendung von Dünnbettmörtel und Plansteinen mit glatter, vermörtelter Stoßfuge.
15) Bei Verwendung von Dünnbettmörtel und Planelementen mit Vermörtelung der Stoß- und Lagerfugen.

Tabelle 50: Tragende, nichtraumabschließende[1] Wände in Holztafelbauart

Zeile	Konstruktionsmerkmale	Holzrippen: Mindestmaße nach Abschnitt 4.12.2	Holzrippen: Zulässige Spannung nach Abschnitt 4.12.3	Beplankung(en) und Bekleidung(en) Mindestdecke von: Holzwerkstoffplatten (Mindestrohdichte ϱ = 600 kg/m³) nach Abschnitt 4.12.4	Beplankung(en) und Bekleidung(en) Mindestdecke von: Gipskarton-Feuerschutzplatten (GKF) nach Abschnitt 4.12.4		Feuerwiderstandsklassen-Benennung
		$b_1 \times d_1$ mm × mm	zul σ_D N/mm²	d_2 mm	d_2 mm	d_3 mm	
1	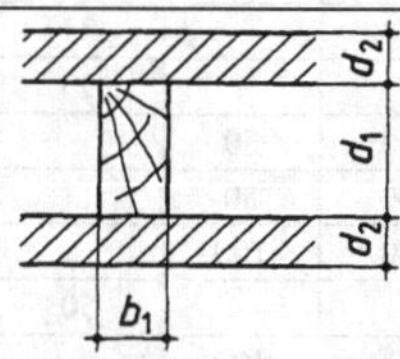	50 × 80	2,5	25 oder 2 × 16			F 30-B
2		100 × 100	1,25	16[5]			
3		40 × 80	2,5		18		
4		50 × 80	2,5		15[2]		
5		100 × 100	2,5		12,5[3]		
6	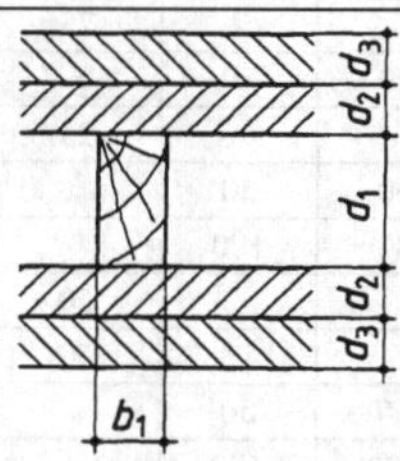	40 × 80	2,5	8		12,5[3]	
7		40 × 80	2,5	13		9,5[4]	
8		40 × 80	2,5		12,5	9,5[4]	
9		40 × 80	2,5	22		18[2]	F 60-B
10		50 × 80	2,5		15	12,5[3]	

1) Wegen tragender oder nichttragender, jeweils raumabschließender Wände siehe Tabellen 51 bis 54 (siehe auch „Wandarten, Wandfunktionen" in Abschnitt 4.1.1).
2) Anstelle von 15 mm dicken GKF-Platten dürfen auch GKB-Platten mit $d \geq 18$ mm verwendet werden.
3) Anstelle von 12,5 mm dicken GKF-Platten dürfen auch GKB-Platten mit $d \geq 15$ mm oder $d \geq 2 \times 9{,}5$ mm verwendet werden.
4) Anstelle von GKF-Platten dürfen auch GKB-Platten verwendet werden.
5) 1seitig ersetzbar durch Bretterschalung nach Abschnitt 4.12.4.1, Aufzählungen f) bis i), mit einer Dicke nach Bild 39 von $d_W \geq 22$ mm.

ANMERKUNG: In Wänden in Holztafelbauart nach den Angaben von Tabelle 50 ist brandschutztechnisch keine Dämmschicht notwendig. Es bestehen daher hinsichtlich Dämmschicht-Art, -Dicke, -Befestigung usw. keine Bedingungen. Die klassifizierten Wände dürfen mit und ohne Dämmschicht ausgeführt werden. Sofern eine Dämmschicht angeordnet wird, muss diese mindestens der Baustoffklasse B 2 angehören.

E

Tabelle 51: Raumabschließende[1] Wände in Holztafelbauart

Zeile	Konstruktionsmerkmale Abkürzungen: MF Mineralfaser-Platten oder -Matten HWL Holzwolle-Leichtbauplatten	Holzrippen: Mindestmaße nach Abschnitt 4.12.2 $b_1 \times d_1$ mm × mm	Holzrippen: Zulässige Spannung nach Abschnitt 4.12.3 zul σ_D N/mm²	Beplankung(en) und Bekleidung(en) Mindestdicke: Holzwerkstoffplatten (Mindestrohdichte ϱ = 600 kg/m³) nach Abschnitt 4.12.4 d_2 mm	Beplankung(en) und Bekleidung(en) Mindestdicke: Gipskarton-Feuerschutzplatten (GKF) nach Abschnitt 4.12.4 d_3 mm	Dämmschicht Mindest-dicke von Mineralfaser-Platten oder -Matten nach Abschnitt 4.12.5 D mm	Dämmschicht Mindest-rohdichte von Mineralfaser-Platten oder -Matten nach Abschnitt 4.12.5 ϱ kg/m³	Dämmschicht Mindest-dicke von Holzwolle-Leichtbauplatten nach Abschnitt 4.12.5 D mm	Feuerwiderstandsklasse-Benennung
1	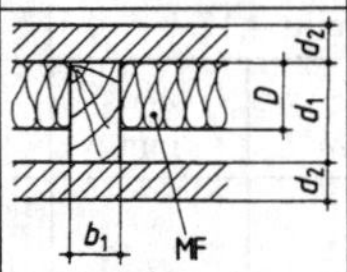	40 × 80[2]	2,5	13[3]		80	30		F 30-B
2			2,5	13[3]		40	50		
3			1,25	8[3]		60	100		
4			2,5	13[3]				25	
5			1,25	8[3]				50	
6	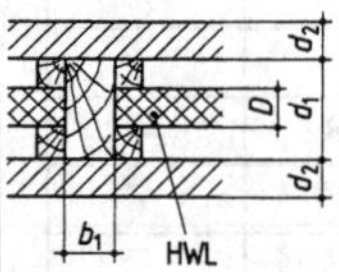		2,5	2 × 16[4]		80	30		F 60-B
7			2,5	2 × 16[4]		60	50		
8			1,25	19[5]		80	100		
9			1,25	19[5]				50	
10			0,5	2 × 19[6]		100	100		F 90-B
11			0,5	2 × 19[6]				75	
12	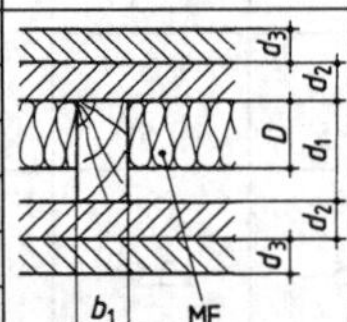	40 × 80[2]	2,5	0	12,5[7]	40	30		F 30-B
13			2,5	0	12,5[7]			25	
14			1,25	13	12,5[7]	60	50		F 60-B
15			0,5	8	12,5[7]	80	100		
16			1,25	13	12,5[7]			50	
17			0,5	8	12,5[7]			50	
18	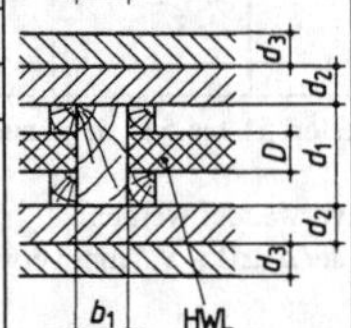		0,5	2 × 16[4]	15[8]	60	50		F 90-B
19			0,5	19	15[8]	100	100		
20			0,5	19	15[8]			75	

1) Wegen tragender, nichtraumabschließender Wände siehe Tabelle 50 (siehe auch „Wandarten, Wandfunktionen" in Abschnitt 4.1.1).

2) Bei nichttragenden Wänden muss $b_1 \times d_1 \geq 40\,mm \times 40\,mm$ sein.

3) 1seitig ersetzbar durch GKF-Platten mit $d \geq 12{,}5$ mm oder GKB-Platten mit $d \geq 18$ mm oder $d \geq 2 \times 9{,}5$ mm oder Bretterschalung nach Abschnitt 4.12.4.1, Aufzählungen f) bis i), mit einer Dicke nach Bild 39 von $d_W \geq 22$ mm.

4) Die jeweils raumseitige Lage darf durch Gipskarton-Bauplatten nach Fußnote 3 ersetzt werden.

5) 1seitig ersetzbar durch GKF-Platten mit $d \geq 18$ mm.

6) Die jeweils raumseitige Lage darf durch Gipskarton-Feuerschutzplatten (GKF) mit $d \geq 18$ mm ersetzt werden.

7) Anstelle von 12,5 mm dicken GKF-Platten dürfen auch GKB-Platten mit $d \geq 18$ mm oder $d \geq 2 \times 9{,}5$ mm verwendet werden.

8) Anstelle von 15 mm dicken GKF-Platten dürfen auch 12,5 mm dicke GKF-Platten in Verbindung mit $\geq 9{,}5$ mm dicken GKB-Platten verwendet werden.

Tabelle 52: Raumabschließende[1)] Außenwände in Holztafelbauart F 30-B

Zeile	Konstruktionsmerkmale	Holzrippen nach den Abschnitten 4.12.2 und 4.12.3	Innen-Beplankung(en) oder Bekleidung(en) nach Abschnitt 4.12.4 aus			Dämmschicht nach Abschnitt 4.12.5 aus			Außen-Beplankung oder -Bekleidung nach Abschnitt 4.12.4 aus		
	Abkürzungen: MF Mineralfaser-Platten oder -Matten HWL Holzwolle-Leichtbauplatten		Holzwerkstoffplatten (Mindestrohdichte ϱ = 600 kg/m³)	Gipskarton-Feuerschutzplatten (GKF)		Mineralfaser-Platten oder -Matten		Holzwolle-Leichtbauplatten	Bretter oder Holzwerkstoffplatten mit $\varrho \geq$ 600 kg/m³	Faserzementplatten	Putz auf Holzwolle-Leichtbauplatten $d \geq$ 25 mm
			Mindestddicke			dicke	Mindest-rohdichte	dicke	Mindestdicke		
		$b_1 \times d_1$ und zul σ_D	d_2 mm	d_2 mm	d_3 mm	D mm	ϱ kg/m³	D mm	d_4 mm	d_4 mm	d_4 mm
1	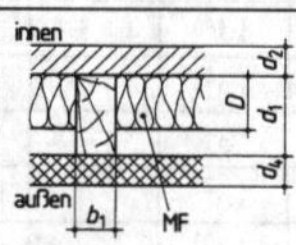		13			80	30		13[2)]		
2			13			40	50		13[2)]		
3			13					25	13[2)]		
4				12,5[4)]		80	30		13[2)]		
5				12,5[4)]		40	50		13[2)]		
6	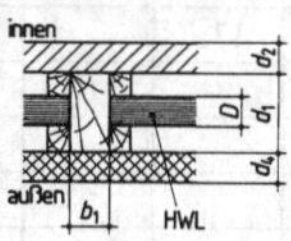			12,5[4)]				25	13[2)]		
7			16			80	100			6	
8			16					50		6	
9				15[4)]		80	100			6	
10				15[4)]				50		6	
11			13			80	30				15[3)]
12			13			40	50				15[3)]
13			13					25			15[3)]
14				12,5[4)]		80	30				15[3)]
15				12,5[4)]		40	50				15[3)]
16				12,5[4)]				25			15[3)]

Fortsetzung siehe nächste Seite.

E

Tabelle 52 (Fortsetzung)

Zeile	Konstruktionsmerkmale Abkürzungen: MF Mineralfaser-Platten oder -Matten HWL Holzwolle-Leichtbauplatten	Holzrippen nach den Abschnitten 4.12.2 und 4.12.3	Innen-Beplankung(en) oder Bekleidung(en) nach Abschnitt 4.12.4 aus			Dämmschicht nach Abschnitt 4.12.5 aus			Außen-Beplankung oder -Bekleidung nach Abschnitt 4.12.4 aus		
			Holzwerkstoffplatten (Mindestrohdichte ϱ = 600 kg/m³)	Gipskarton-Feuerschutzplatten (GKF)		Mineralfaser-Platten oder -Matten		Holzwolle-Leichtbauplatten	Brettern oder Holzwerkstoffplatten mit $\varrho \geq$ 600 kg/m³	Faserzementplatten	Putz auf Holzwolle-Leichtbauplatten $d \geq$ 25 mm
			Mindestdicke			Mindest-dicke	Mindest-rohdichte	dicke	Mindestdicke		
		$b_1 \times d_1$ und zul σ_D	d_2 mm	d_2 mm	d_3 mm	D mm	ϱ kg/m³	D mm	d_4 mm	d_4 mm	d_4 mm
17	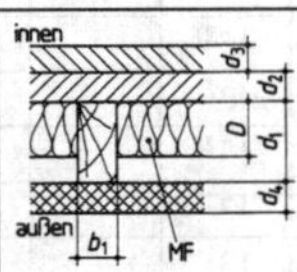		10		9,5	80	30		13[2)]		
18			10		9,5	40	50		13[2)]		
19			10		9,5			25	13[2)]		
20				12,5	9,5[5)]	80	30		13[2)]		
21				12,5	9,5[5)]	40	50		13[2)]		
22				12,5	9,5[5)]			25	13[2)]		
23	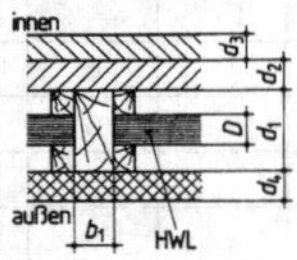		13		9,5	80	100			6	
24			13		9,5			50		6	
25				12,5	9,5[5)]	80	100			6	
26				12,5	9,5[5)]			50		6	
27			8		12,5	80	30				15[3)]
28			8		12,5	40	50				15[3)]
29			8		12,5			25			15[3)]
30				12,5	9,5[5)]	80	30				15[3)]
31				12,5	9,5[5)]	40	50				15[3)]
32				12,5	9,5[5)]			25			15[3)]

1) Wegen tragender, nichtraumabschließender Außenwände (Außenwände – auch Bereiche zwischen zwei Öffnungen – mit einer Breite von $\leq$ 1,0 m) siehe Tabelle 50.

2) Bei Verwendung von vorgesetztem Mauerwerk nach DIN 1053 Teil 1 mit $d \geq 115$ mm dürfen auch Holzwerkstoffplatten mit $d_4 \geq 4$ mm verwendet werden. Bei Bretterschalung siehe Bild 39.

3) d_4 Mindestputzdicke; der Putz muss DIN 18 550 Teil 2 entsprechen.

4) Es dürfen auch GKB-Platten mit $d \geq 18$ mm oder $d \geq 2 \times 9{,}5$ mm verwendet werden.

5) Es dürfen auch GKB-Platten verwendet werden.

6) Bei nichttragenden Wänden muss $b_1 \times d_1 \geq 40\,\text{mm} \times 40\,\text{mm}$ sein.

Tabelle 53: Raumabschließende[1] Außenwände in Holztafelbauart F 60-B

Zeile	Konstruktionsmerkmale Abkürzungen: MF Mineralfaser-Platten oder -Matten HWL Holzwolle-Leichtbauplatten	Holzrippen nach den Abschnitten 4.12.2 und 4.12.3	Innen-Beplankung(en) oder Bekleidung(en) nach Abschnitt 4.12.4	Innen-Beplankung(en) oder Bekleidung(en) nach Abschnitt 4.12.4	Innen-Beplankung(en) oder Bekleidung(en) nach Abschnitt 4.12.4	Dämmschicht nach Abschnitt 4.12.5 aus	Dämmschicht nach Abschnitt 4.12.5 aus	Dämmschicht nach Abschnitt 4.12.5 aus	Außen-Beplankung oder -Bekleidung nach Abschnitt 4.12.4 aus	Außen-Beplankung oder -Bekleidung nach Abschnitt 4.12.4 aus	Außen-Beplankung oder -Bekleidung nach Abschnitt 4.12.4 aus
			Holzwerkstoffplatten (Mindestrohdichte ϱ = 600 kg/m³)	Gipskarton-Feuerschutzplatten (GKF)	Gipskarton-Feuerschutzplatten (GKF)	Mineralfaser-Platten oder -Matten	Mineralfaser-Platten oder -Matten	Holzwolle-Leichtbauplatten	Brettern oder Holzwerkstoffplatten mit $\varrho \geq$ 600 kg/m³	Faserzementplatten	Putz auf Holzwolle-Leichtbauplatten $d \geq$ 25 mm
			Mindestddicke	Mindestddicke	Mindestddicke	Mindestdicke	Mindestrohdichte	Mindestdicke	Mindestdicke	Mindestdicke	Mindestdicke
		$b_1 \times d_1$ und zul σ_D	d_2 mm	d_2 mm	d_3 mm	D mm	ϱ kg/m³	D mm	d_4 mm	d_4 mm	d_4 mm
1	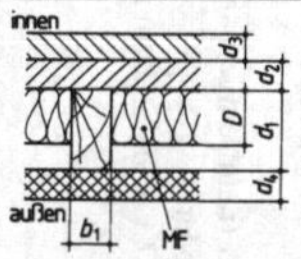		22		12,5	80	100		13[2]		
2			22		12,5			50	13[2]		
3				12,5	12,5	80	100		13[2]		
4				12,5	12,5			50	13[2]		
5			22		12,5	80	100			6	
6	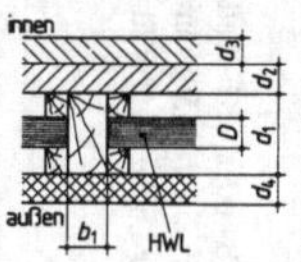		22		12,5			50		6	
7				12,5	12,5	80	100			6	
8				12,5	12,5			50		6	
9			22		12,5	80	30				15[3]
10			22		12,5	40	50				15[3]
11			22		12,5			25			15[3]
12				12,5	12,5	80	30				15[3]
13				12,5	12,5	40	50				15[3]
14				12,5	12,5			25			15[3]
15			19		12,5	80	100				15[3]
16			19		12,5			50			15[3]
17				15	9,5[4]	80	100				15[3]
18				15	9,5[4]			50			15[3]

1) Wegen tragender, nichtraumabschließender Außenwände (Außenwände – auch Bereiche zwischen zwei (Öffnungen – mit einer Breite von $\leq$ 1,0 m) siehe Tabelle 50.
2) Bei Verwendung von vorgesetztem Mauerwerk nach DIN 1053 Teil 1 mit $d \geq$ 115 mm dürfen auch Holzwerkstoffplatten mit $d_4 \geq$ 4 mm verwendet werden. Bei Bretterschalung siehe Bild 39.
3) d_4 Mindestputzdicke; der Putz muss DIN 18 550 Teil 2 entsprechen.
4) Es dürfen auch GKB-Platten verwendet werden.
5) Bei nichttragenden Wänden muss $b_1 \times d_1 \geq$ 40 mm × 40 mm sein.

Tabelle 56: Decken in Holztafelbauart mit brandschutztechnisch notwendiger Dämmschicht

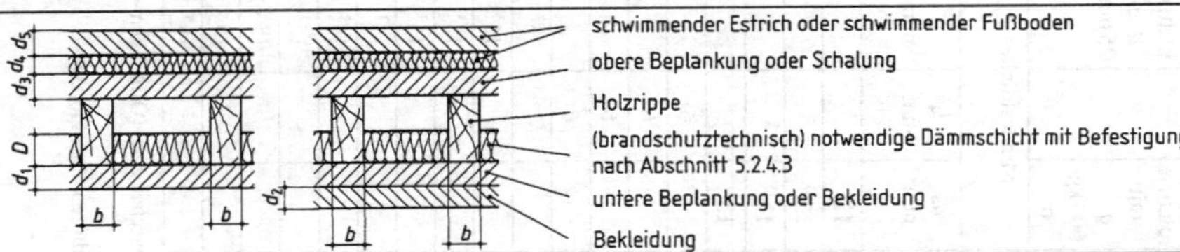

Zeile	Holzrippen nach Abschnitt 5.2.2	Untere Beplankung oder Bekleidung nach Abschnitt 5.2.3				Notwendige Dämmschicht nach Abschnitt 5.2.4 aus Mineralfaser-Platten oder -Matten		Obere Beplankung oder Schalung nach Abschnitt 5.2.3 aus Holzwerkstoffplatten mit $\varrho \geq$ 600 kg/m³	Schwimmender Estrich oder schwimmender Fußboden nach Abschnitt 5.2.5 aus				Feuerwiderstandsklasse-Benennung
		Holzwerkstoffplatten mit $\varrho \geq$ 600 kg/m³	Gipskarton-Feuerschutzplatten (GKF)		Zul. Spannweite[6]				Dämmschicht mit $\varrho \geq$ 30 kg/m³	Mörtel, Gips oder Asphalt	Holzwerkstoffplatten, Brettern oder Parkett	Gipskartonplatten	
	Mindestbreite	Mindestdicke				Mindest-dicke	Mindest-rohdichte	Mindestdicke	Mindestdicke				
	b mm	d_1 mm	d_1 mm	d_2 mm	l mm	D mm	ϱ kg/m³	d_3 mm	d_4 mm	d_5 mm	d_5 mm	d_5 mm	
1	40	16[1]			625	60	30	13[2]	15[3]	20			F 30-B
2		16[1]			625	60	30	13[2]	15[3]	[3]	16		
3		16[1]			625	60	30	13[2]	15[3]			9,5	
4	40		12,5 + 12,5		500	60	30	13[2]	15[3]	20			F 60-B
5			12,5 + 12,5		500	60	30	13[2]	30[4]		25		
6			12,5 + 12,5		500	60	30	13[2]	15[3]			18[5]	

[1] Ersetzbar durch
a) ≥ 13 mm dicke Holzwerkstoffplatten (untere Lage) + 9,5 mm dicke GKB- oder GKF-Platten (raumseitige Lage) oder
b) ≥ 12,5 mm dicke Gipskarton-Feuerschutzplatten (GKF) mit einer Spannweite $l \leq 500$ mm oder
c) Bretterschalung nach Abschnitt 5.2.3.1, Aufzählungen f) bis i), mit einer Dicke nach Bild 47 von $d_D \geq 16$ mm.

[2] Ersetzbar durch Bretterschalung (gespundet) mit $d \geq 21$ mm.

[3] Ersetzbar durch ≥ 9,5 mm dicke Gipskartonplatten.

[4] Ersetzbar durch ≥ 15 mm dicke Gipskartonplatten.

[5] Erreichbar z. B. mit 2 × 9,5 mm.

[6] Siehe Abschnitte 5.2.3.7 und 5.2.3.8.

Tabelle 57: Decken in Holztafelbauart mit brandschutztechnisch nicht notwendiger Dämmschicht

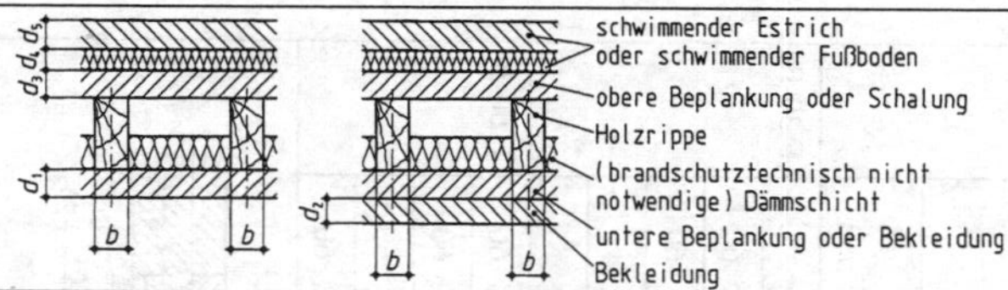

Zeile	Holzrippen nach Abschnitt 5.2.2	Untere Beplankung oder Bekleidung nach Abschnitt 5.2.3				Obere Beplankung oder Schalung nach Abschnitt 5.2.3 aus Holzwerkstoffplatten mit $\varrho \geq 600\,kg/m^3$	Schwimmender Estrich oder schwimmender Fußboden nach Abschnitt 5.2.5 aus				Feuerwiderstandsklasse-Benennung
		Holzwerkstoffplatten mit $\varrho \geq 600\,kg/m^3$	Gipskarton-Feuerschutzplatten (GKF)		Zul. Spannweite[6]		Dämmschicht mit $\varrho \geq 30\,kg/m^3$	Mörtel, Gips oder Asphalt	Holzwerkstoffplatten, Brettern oder Parkett	Gipskartonplatten	
	Mindestbreite	Mindestdicke				Mindestdicke	Mindestdicke				
	b mm	d_1 mm	d_1 mm	d_2 mm	l mm	d_3 mm	d_4 mm	d_5 mm	d_5 mm	d_5 mm	
1	40	19[1]			625	16[2]	15[4]	20			F 30-B
2		19[1]			625	16[2]	15[4]		16		
3		19[1]			625	16[2]	15[4]			9,5	
4	40		12,5 + 12,5		400	19[3]	15[4]	20			F 60-B
5			12,5 + 12,5		400	19[3]	30[5]		25		
6			12,5 + 12,5		400	19[3]	15[4]			18[6]	

[1] Ersetzbar durch
a) ≥ 16 mm dicke Holzwerkstoffplatten (untere Lage) + 9,5 mm dicke GKB-oder GKF-Platten (raumseitige Lage) oder
b) ≥ 12,5 mm dicke Gipskarton-Feuerschutzplatten (GKF) mit einer Spannweite $l \leq 400$ mm oder
c) ≥ 15 mm dicke Gipskarton-Feuerschutzplatten (GKF) mit einer Spannweite $l \leq 500$ mm oder
d) ≥ 50 mm dicke Holzwolle-Leichtbauplatten mit einer Spannweite $l \leq 500$ mm oder
e) ≥ 25 mm dicke Holzwolle-Leichtbauplatten mit einer Spannweite $l \leq 500$ mm mit ≥ 20 mm dickem Putz nach DIN 18 550 Teil 2 oder
f) ≥ 9,5 mm dicke Gipskarton-Putzträgerplatten (GKP) mit einer Spannweite $l \leq 500$ mm mit ≥ 20 mm dickem Putz der Mörtelgruppe P IVa bzw. P IVb nach DIN 18 550 Teil 2 oder
g) Bretterschalung nach Abschnitt 5.2.3.1, Aufzählungen f) bis i), mit einer Dicke nach Bild 47 von $d_D \geq 19$ mm.

[2] Ersetzbar durch Bretterschalung (gespundet) mit $d \geq 21$ mm.
[3] Ersetzbar durch Bretterschalung (gespundet) mit $d \geq 27$ mm.
[4] Ersetzbar durch ≥ 9,5 mm dicke Gipskartonplatten.
[5] Ersetzbar durch ≥ 15 mm dicke Gipskartonplatten.
[6] Erreichbar z. B. mit 2 × 9,5 mm.
[7] Siehe Abschnitte 5.2.3.7 und 5.2.3.8.

Tabelle 61: Holzbalkendecken mit 3seitig dem Feuer ausgesetzten Holzbalken ohne schwimmenden Estrich oder schwimmenden Fußboden

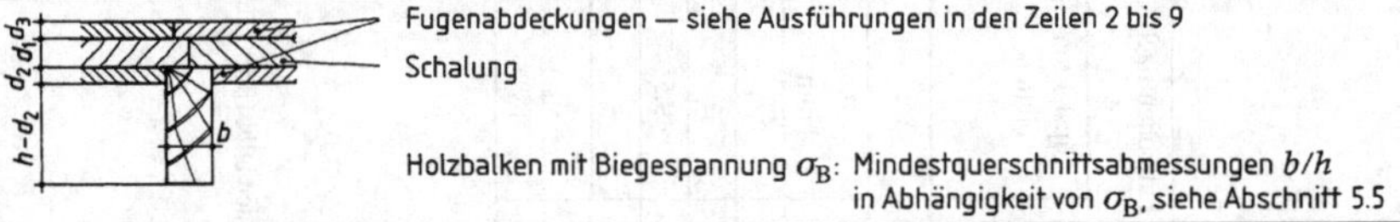

Zeile	Schalung nach Abschnitt 5.2.3.2 aus				Fugenabdeckung					Feuer-widerstands-klasse-Benennung
	Holzwerkstoffplatten mit $\varrho \geq 600\,kg/m^3$		Brettern oder Bohlen		aus Holzwerkstoffplatten	aus Gipskartonplatten	aus Mineralfaser-Platten[4] Mindest-		Mindestfugenversatz	
	Fugenausbildung	Mindestdicke	Fugenausbildung	Mindestdicke			dicke	rohdichte		
		d_1 mm		d_1 mm	d_2 mm	d_3 mm	d_3 mm	ϱ kg/m^3	e mm	
1			Bild a)	50	keine Anforderungen					F 30-B
2			Bild b)	40		9,5[3]			60	
3							15	30	60	
4	Bild c)	40[1]			30[2]					
5	Bild d)	40[1]			30[2]					
6	Bild e)	70[1]			30[2]	9,5[3]			60	F 60-B
7					30[2]		15	30	60	
8			Bild f)	70		9,5[3]			60	
9							15	30	60	

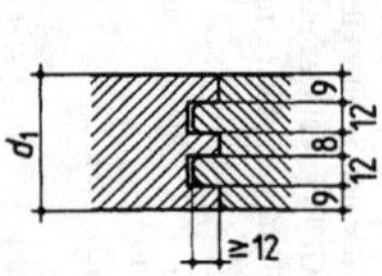

Bild a)

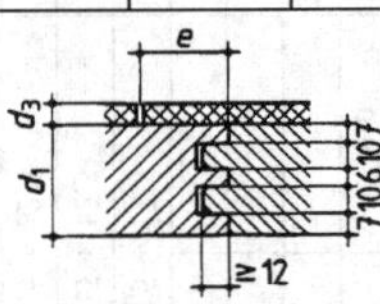

Bild b)

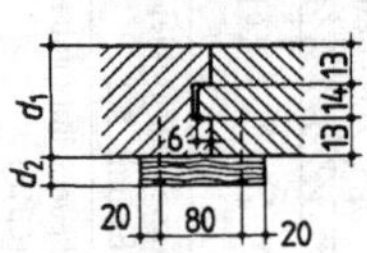

Bild c)

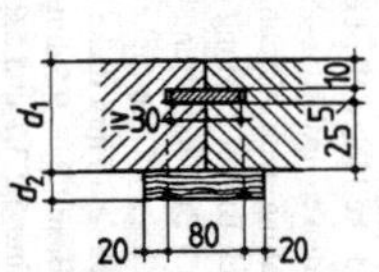

Bild d)

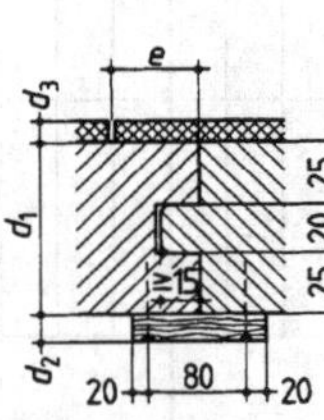

Bild e)

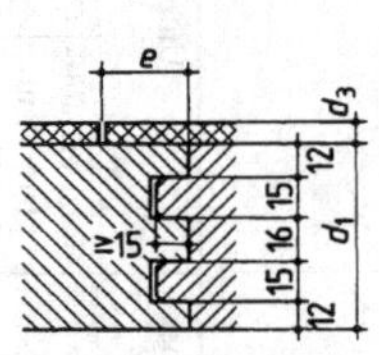

Bild f)

[1] Bei Holzwerkstoffplatten der Baustoffklasse B 1 darf die Mindestdicke um 10 % verringert werden.
[2] Befestigungsabstände in Fugenrichtung ≤ 200 mm; es darf auch Holz verwendet werden.
[3] Ersetzbar durch ≥ 13 mm dicke Holzwerkstoffplatten.
[4] Nach DIN 18 165 Teil 2/03.87, Abschnitt 2.2; Baustoffklasse mindestens B 2.

Tabelle 62: Holzbalkendecken mit 3seitig dem Feuer ausgesetzten Holzbalken mit schwimmendem Estrich oder schwimmendem Fußboden

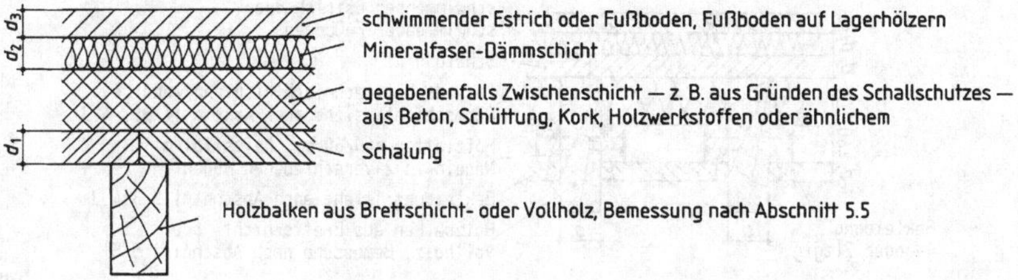

Zeile	Schalung nach Abschnitt 5.2.3.2 Mindestdicke bei Verwendung von		Mineralfaser-Dämmschicht mit $\varrho \geq 30\,kg/m^3$ Mindestdicke	Fußboden[2)] Mindestdicke bei Verwendung von		Feuerwiderstandsklasse-Benennung
	Holzwerkstoffplatten mit $\varrho \geq 600\,kg/m^3$	Brettern und Bohlen		Holzwerkstoffplatten mit $\varrho \geq 600\,kg/m^3$	Brettern, gespundet	
	d_1 mm	d_1[1)] mm	d_2 mm	d_3 mm	d_3 mm	
1	25	28	15	16	21	F 30-B
2	19 + 16[3)]	22 + 16[3)]	15	16	21	
3	45	50	30	25	28	F 60-B
4	35 + 19[3)]	40 + 19[3)]	30	25	28	

[1)] Dicke nach Bild 47 mit $d_D \geq d_1$.

[2)] Anstelle der hier angegebenen Fußböden dürfen auch schwimmende Estriche oder schwimmende Fußböden mit den in Tabelle 56 angegebenen Mindestdicken verwendet werden.

[3)] Die erste Zahl gilt für die tragende Schalung; die zweite Zahl gilt für eine zusätzliche, raumseitige Bretterschalung mit einer Dicke nach Bild 47 von $d_D \geq d_1$.

Tabelle 64: Holzbalkendecken mit teilweise freiliegenden Holzbalken mit brandschutztechnisch nicht notwendiger Dämmschicht

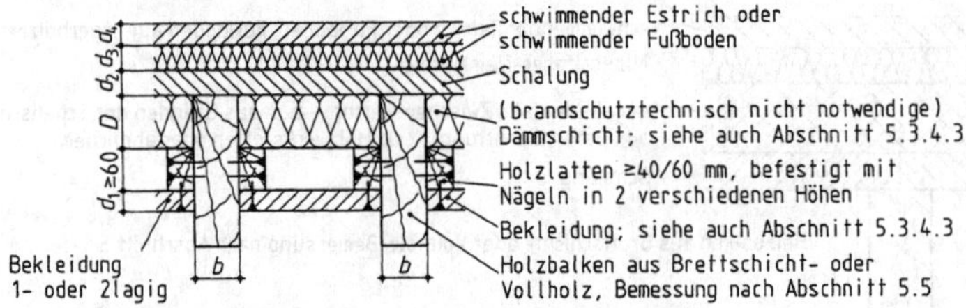

Zeile	Bekleidung nach Abschnitt 5.3.4.2			Schalung nach Abschnitt 5.3.4.4 aus Holzwerkstoffplatten mit $\varrho \geq$ 600 kg/m³ Mindestdicke	Schwimmender Estrich oder schwimmender Fußboden nach Abschnitt 5.2.5				Feuerwiderstandsklasse-Benennung
	aus Holzwerkstoffplatten mit $\varrho \geq$ 600 kg/m²	aus Gipskarton-Feuerschutzplatten (GKF)	Zul. Spannweite[7)]		Dämmschicht mit $\varrho \geq$ 30 kg/m³	Mörtel, Gips oder Asphalt	Holzwerkstoffplatten, Bretter oder Parkett	Gipskartonplatten	
					Mindestdicke				
	d_1 mm	d_1 mm	l mm	d_2 mm	d_3 mm	d_4 mm	d_4 mm	d_4 mm	
1	19[1)]		625	16[2)]	15[4)]	20			F 30-B
2	19[1)]		625	16[2)]	15[4)]		16		
3	19[1)]		625	16[2)]	15[4)]			9,5	
4		2 × 12,5	400	19[3)]	15[4)]	20			F 60-B
5		2 × 12,5	400	19[3)]	30[5)]		25		
6		2 × 12,5	400	19[3)]	15[4)]			18[6)]	

1) Ersetzbar durch
a) ≥ 16 mm dicke Holzwerkstoffplatten (obere Lage) + 9,5 mm dicke GKB-oder GKF-Platten (raumseitige Lage) oder
b) ≥ 12,5 mm dicke Gipskarton-Feuerschutzplatten (GKF) mit einer Spannweite $l \leq$ 400 mm oder
c) ≥ 15 mm dicke Gipskarton-Feuerschutzplatten (GKF) mit einer Spannweite $l \leq$ 500 mm oder
d) ≥ 50 mm dicke Holzwolle-Leichtbauplatten mit einer Spannweite $l \leq$ 500 mm oder
e) ≥ 21 mm dicke Bretter (gespundet).

2) Ersetzbar durch Bretter (gespundet) mit $d \geq$ 21 mm.

3) Ersetzbar durch Bretter (gespundet) mit $d \geq$ 27 mm.

4) Ersetzbar durch ≥ 9,5 mm dicke Gipskartonplatten.

5) Ersetzbar durch ≥ 15 mm dicke Gipskartonplatten.

6) Erreichbar z. B. mit 2 × 9,5 mm.

7) Siehe Abschnitte 5.2.3.7 und 5.2.3.8.

Tabelle 65: Dächer mit Sparren oder ähnlichem mit bestimmten Abmessungen

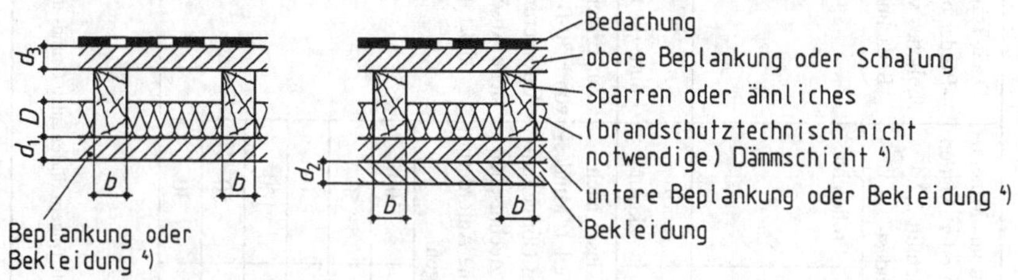

Zeile	Sparren oder Ähnliches nach Abschnitt 5.2.2 Mindestbreite	Untere Beplankung oder Bekleidung nach Abschnitt 5.2.3				Obere Beplankung oder Schalung nach Abschnitt 5.2.3 aus Holzwerkstoffplatten mit $\varrho \geq 600\,kg/m^3$ Mindestdicke	Bedachung	Feuerwiderstandsklasse-Benennung
		aus Holzwerkstoffplatten mit $\varrho \geq 600\,kg/m^3$	aus Gipskarton-Feuerschutzplatten (GKF)		Zul. Spannweite[5]			
		Mindestdicke						
	b mm	d_1 mm	d_1 mm	d_2 mm	l mm	d_3 mm	–	
1	40	19[1]			625	16[2]	siehe Abschnitt 5.4.1.4	F 30-B
2	40		12,5	12,5	400	19[3]		F 60-B

[1] Ersetzbar durch
   a) ≥ 16 mm dicke Holzwerkstoffplatten (obere Lage) + 9,5 mm dicke GKB- oder GKF-Platten (raumseitige Lage) oder
   b) ≥ 12,5 mm dicke Gipskarton-Feuerschutzplatten (GKF) mit einer Spannweite $l \leq 400$ mm oder
   c) ≥ 15 mm dicke Gipskarton-Feuerschutzplatten (GKF) mit einer Spannweite $l \leq 500$ mm oder
   d) ≥ 50 mm dicke Holzwolle-Leichtbauplatten mit einer Spannweite $l \leq 500$ mm.
   e) ≥ 25 mm dicke Holzwolle-Leichtbauplatten mit einer Spannweite $l \leq 500$ mm mit ≥ 20 mm dickem Putz nach DIN 18 550 Teil 2 oder
   f) ≥ 9,5 mm dicke Gipskarton-Putzträgerplatten (GKP) mit einer Spannweite $l \leq 500$ mm mit ≥ 20 mm dickem Putz der Mörtelgruppe P IVa bzw. P IVb nach DIN 18 550 Teil 2 oder
   g) Bretter nach Abschnitt 5.2.3.1, Aufzählungen f) bis i), mit einer Dicke nach Bild 47 mit $d_D \geq 19$ mm.

[2] Ersetzbar durch Bretter (gespundet) mit $d \geq 21$ mm.

[3] Ersetzbar durch Bretter (gespundet) mit $d \geq 27$ mm.

[4] Siehe auch Abschnitt 5.4.2.4.

[5] Siehe Abschnitt 5.4.3.2, vgl. Abschnitte 5.2.3.7 und 5.2.3.8.

Tabelle 66: Dächer F 30-B mit unterseitiger Plattenbekleidung

① 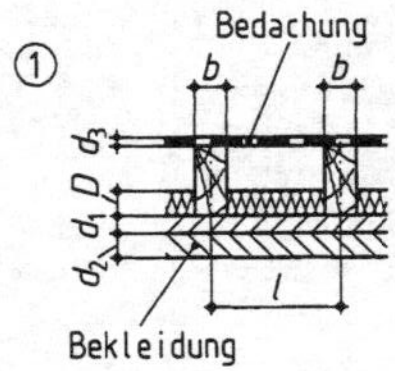

② 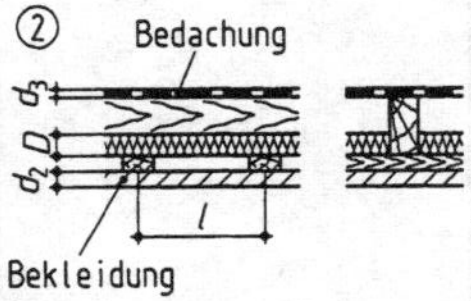

③ 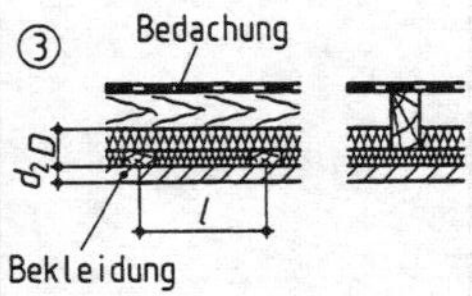

Zeile	Konstruktionsmerkmale[4], Ausführungsmöglichkeiten 1 bis 3	Beplankung bzw. Bekleidung nach Abschnitt 5.2.3					Dämmschicht aus Mineralfaser-Platten oder -Matten nach Abschnitt 5.2.4 Mindest-		Dach-Träger, -Binder oder ähnliches sowie Bedachung	
		aus Holzwerkstoffplatten mit $\varrho \geq 600\,kg/m^3$	aus Gipskarton-Feuerschutzplatten (GKF)	aus Gipskarton-Putzträgerplatten (GKP)	aus Putz der Mörtelgruppe P IVa oder P IVb Mindestdicke	Zulässige Spannweite	dicke	rohdichte		
		d_1 mm	d_2 mm	d_1 mm	d_2 mm	l mm	D mm	ϱ kg/m³	b mm	d_3 mm
1	②	16 + 12,5[1]				625	Baustoffklasse nach DIN 4102 Teil 1: Mindestens B 2; im Übrigen aus brandschutztechnischen Gründen keine Anforderungen		Zur Erzielung von F 30-B keine Anforderungen, siehe Abschnitt 5.4.1.4	
2		13 + 15[1]				625				
3		0	2 × 12,5			500				
4				9,5[2]	15[3]	400				
5	③	0	15			400	40	100		
6		0	15			400	60	50		
7		0	15			400	80	30		
8		13 + 12,5[1]				625	40	100		
9		13 + 12,5[1]				625	60	50		
10		13 + 12,5[1]				625	80	30		

1) Die Gipskartonplatten sind auf den Holzwerkstoffplatten ($l \leq 625$ mm) mit einer zulässigen Spannweite von 400 mm zu befestigen.
2) Ersetzbar durch ≥ 50 mm dicke Holzwolle-Leichtbauplatten nach DIN 1101 mit einer Spannweite $l \leq 1000$ mm.
3) Ersetzbar durch > 10 mm dicken Vermiculite- oder Perliteputz nach Abschnitt 3.1.6.5.
4) Die Bekleidung kann 1- oder 2lagig bei den Ausführungsmöglichkeiten 1 bis 3 angebracht werden; zwischen der Bekleidung und den Dach Trägern dürfen auch Grund- und Traglattungen vorhanden sein, vgl. Abschnitt 5.4.3.2.

Tabelle 67: Dächer F 30-B mit unterseitiger Drahtputzdecke nach DIN 4121

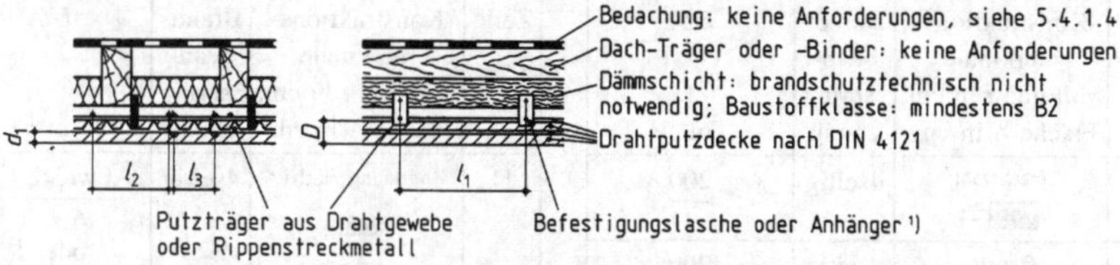

Drahtputzdecke nach DIN 4121						
Zulässige Spannweite der			Zulässige Abstände der		Mindesputzdicke[2)] bei Verwendung von	
Tragstäbe $\varnothing \geq 7$[1)]	Putzträger aus Drahtgewebe	Putzträger aus Rippenstreckmetall	Querstäbe $\varnothing \geq 5$[1)]	Putzträgerbefestigungspunkte	Putz der Mörtelgruppe P II, P IVa, P IVb oder P IVc nach DIN 18 550 Teil 2	Vermiculite- oder Perlite-Putz nach Abschnitt 3.1.6.5
mm	l_1 mm	l_1 mm	l_2 mm	l_3 mm	d_1 mm	d_1 mm
750	500	1000	1000	200	15	10

1) Die Quer- und Tragstäbe dürfen unter Fortlassen der Befestigungslaschen oder Abhänger auch unmittelbar unter den Dach-Trägern oder -Bindern mit Krampen befestigt werden.

2) d_1 über Putzträger gemessen; die Gesamtputzdicke muss $D \geq d_1 + 10$ mm sein – das heißt, der Putz muss den Putzträger ≥ 10 mm durchdringen.

Tabelle 68: Dächer F 30-B mit Dämmschichten aus Schaumkunststoffen nach DIN 18 164 Teil 1

Konstruktionsmerkmale, Ausführungsmöglichkeiten 1 bis 3

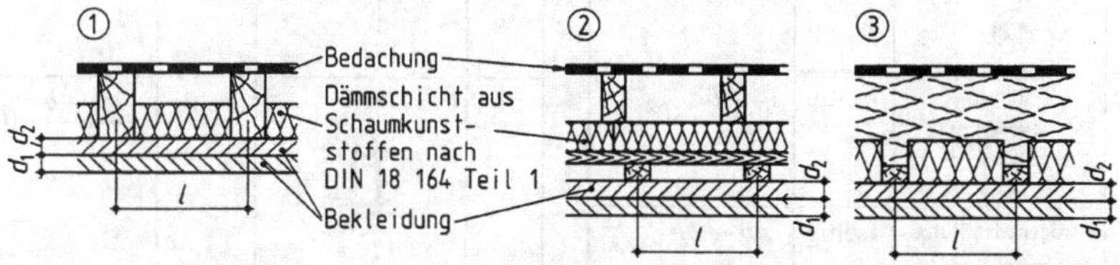

Zeile	Bekleidung nach Abschnitt 5.4.3.2 aus Holzwerkstoffplatten mit $\varrho \geq 600$ kg/m³	Bekleidung nach Abschnitt 5.4.3.2 aus Gipskarton-Feuerschutzplatten (GKF)	Zulässige Spannweite	Dämmschicht	Dach-Träger, -Binder oder Ähnliches sowie Bedachung
	d_1[1)] mm	d_2[1)] mm	l mm		
1	19 + 12,5		625	Schaumkunststoff nach DIN 18 164 Teil 1	Für F 30-B keine Anforderungen siehe Abschnitt 5.4.1.4
2	16 + 15,0		625		
3	0	2 × 12,5	500		

1) Die Reihenfolge d_1 und d_2 ist beliebig.

Tabelle 89: Beispiele für *U/A-Berechnungen*

Zeile	Konstruktionsmerkmale b, h und t in cm, Fläche A in cm²	Brandbeanspruchung	U/A m^{-1}
1	Flachstahl 	4seitig	$\frac{200}{t}$
2	Flansch 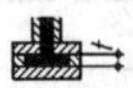	4seitig	$\frac{200}{t}$
3	Flansch, Beton oder Mauerwerk 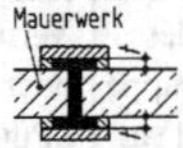	3seitig	$\frac{100}{t}$
4	Winkel 	4seitig	$\frac{200}{t}$
5	Winkel 	4seitig	$\frac{2b+2h}{A} \cdot 10^2$
6	Doppelwinkel 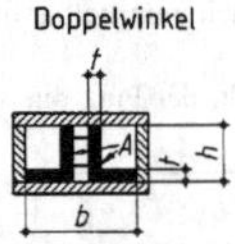	4seitig	$\frac{2b+2h}{A} \cdot 10^2$
7	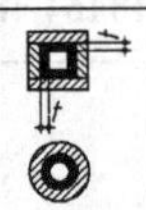	4seitig	$\frac{100}{t}$
8	Hohlprofile, Stützen 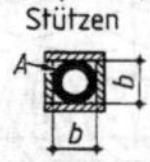	4seitig	$\frac{4b}{A} \cdot 10^2$
9	Träger oder Stütze 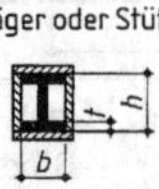	4seitig	$\frac{2b+2h}{A} \cdot 10^2$
10	Träger oder Stütze 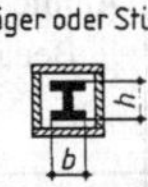	4seitig	$\frac{2b+2h}{A} \cdot 10^2$
11	Abwicklung, Fläche A  Träger oder Stütze	4seitig	$\frac{\text{Abwickl.}}{A} \cdot 10^4$ oder [1] $\frac{200}{t}$
12	Träger oder Stütze 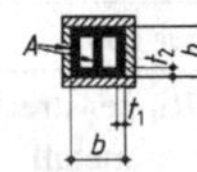	4seitig	$\frac{2b+2h}{A} \cdot 10^2$
13	Träger oder Stütze 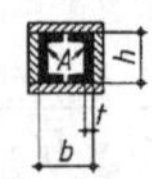	4seitig	$\frac{2b+2h}{A} \cdot 10^2$
14	Träger 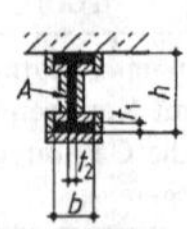	3seitig	$\frac{\text{Abw.} - \frac{b}{10^2}}{A} \cdot 10^4$ oder [1) 2)] $\frac{200}{t_1}$
15	Träger 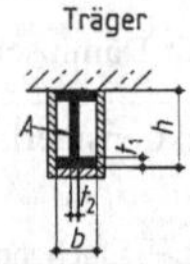	3seitig	$\frac{2h+b}{A} \cdot 10^2$
16	Träger 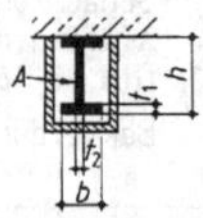	3seitig	$\frac{2h+b}{A} \cdot 10^2$
17	Träger 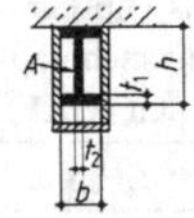	3seitig	$\frac{2h+b}{A} \cdot 10^2$

1) Der größere Wert ist maßgebend.
2) Bei Trägerhöhen > 600 mm kann auch $\frac{U}{A} = \frac{200}{t_2}$ maßgebend werden.

6.2 Feuerwiderstandsklassen bekleideter Stahlträger

6.2.1 Anwendungsbereich, Brandbeanspruchung

6.2.1.1 Die Angaben von Abschnitt 6.2 gelten für statisch bestimmt oder unbestimmt gelagerte, auf Biegung beanspruchte, bekleidete Stahlträger nach DIN 18 800 Teil 1 mit maximal 3seitiger Brandbeanspruchung. Letztere liegt vor, wenn die Oberseite der Träger durch Platten oder Hohldielen nach den Angaben der Abschnitte 3.4 bis 3.6 jeweils mindestens der geforderten Feuerwiderstandsklasse vollständig abgedeckt ist – siehe Schema-Skizzen in den Tabellen 90 bis 92.

6.2.1.2 Die Angaben von Abschnitt 6.2 gelten unter Berücksichtigung des *U/A*-Wertes auch für entsprechende Träger mit 4seitiger Brandbeanspruchung, wenn die Träger 4seitig entsprechend der beschriebenen Bekleidungsart ummantelt sind. Eine 4seitige Brandbeanspruchung liegt vor, wenn die Oberseite der Träger andere Abdeckungen – z. B. aus Stahl, Holz oder Kunststoff – erhält oder frei liegt.

6.2.1.3 Die Angaben von Abschnitt 6.2 gelten auch für Fachwerkträger, wenn die einzelnen Stäbe, Knotenbleche usw. unter Berücksichtigung der *U/A*-Werte entsprechend der beschriebenen Bekleidungsart ummantelt sind.

6.2.1.4 Für alle bekleideten Träger wird vorausgesetzt, dass auch Kippverbände und sonstige statisch erforderliche Aussteifungen unter Berücksichtigung der *U/A*-Werte entsprechend der beschriebenen Bekleidungsart ummantelt sind. Ausgenommen hiervon sind Verbände, die nur für den Montagezustand erforderlich sind.

6.2.1.5 Bei den klassifizierten Trägern ist die Anordnung von zusätzlichen Bekleidungen – Bekleidungen aus Stahlblech ausgenommen – erlaubt; gegebenenfalls sind bei Verwendung von Baustoffen der Klasse B jedoch bauaufsichtliche Anforderungen zu beachten.

6.2.2 Putzbekleidungen

6.2.2.1 Putzbekleidungen von Trägern ohne Ausmauerung der Flächen zwischen den Flanschen müssen die in Tabelle 90 angegebenen Mindestputzdicken besitzen. Die nichtbrennbaren Putzträger aus Rippenstreckmetall, Streckmetall oder Drahtgewebe müssen die in den Schema-Skizzen von Tabelle 90 angegebenen Abstandhalter aufweisen, damit der Putz den Putzträger ≥ 10 mm durchdringen kann. Anstelle der abstandhaltenden Bügel dürfen auch entsprechend wirksame Trägerklammern, Blechprofile, Schellen oder ähnliches verwendet werden.

Die Putzträger sind z. B. mit Klemm- oder Schraubbefestigung ausreichend zu verankern oder bei 4seitiger Bekleidung wie beim Untergurt um den Obergurt herumzuführen.

6.2.2.2 Für Putzbekleidungen von Trägern mit Ausmauerung der Flächen zwischen den Flanschen gelten die Angaben von Abschnitt 6.2.2.1 sinngemäß; die Mindestputzdicken nach Tabelle 90 brauchen jedoch nur im Bereich des Untergurts eingehalten zu werden. Die Mindestdicke der Ausmauerung geht aus den Angaben von Tabelle 91 hervor.

E

6.2.3 Gipskartonplattenbekleidungen

Gipskartonplattenbekleidungen müssen hinsichtlich der Platten-Anordnung und -Mindestdicke die in Tabelle 92 angegebenen Bedingungen erfüllen. Die Spannweite der Platten – das heißt die Abstände der Stahlhalteprofile – muss ≤ 400 mm sein. Fugen 1lagiger Bekleidungen sind mit Gipskartonplattenstreifen zu hinterfüttern. Fugen mehrlagiger Bekleidungen sind ≥ 400 mm zu versetzen. Jede Bekleidungslage ist für sich an der Unterkonstruktion zu befestigen und zu verspachteln. Im Übrigen gilt für die Befestigung und Verspachtelung der Fugen DIN 18 181.

Tabelle 90: Mindestdicken von Putzen bekleideter Stahlträger ohne Ausmauerung

U/A nach Abschnitt 6.1.2	Mindestputzdicke[2] *d* in mm über Putzträger (Rippensteckmetall, Streckmetall oder Drahtgewebe) nach nebenstehender Schema-Skizze – Gesamtputzdicke $D \geq d + 10$ mm – bei Verwendung von Putz[1] aus					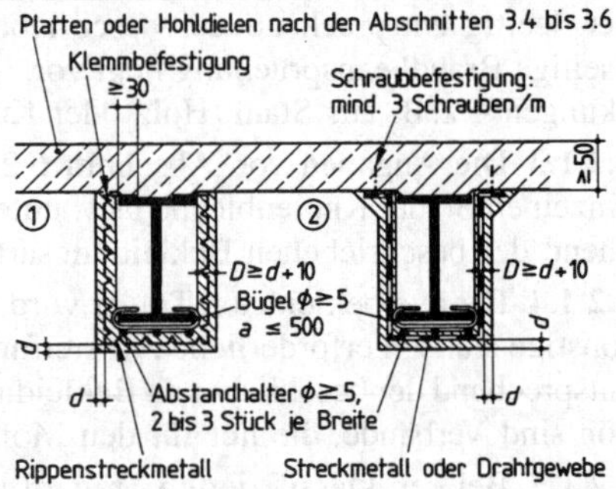									
m^{-1}	Mörtelgruppe P II oder P IVc nach DIN 18 550 Teil 2					Mörtelgruppe P IVa oder P IVb nach DIN 18 550 Teil 2					Vermiculite- oder Perlite-Mörtel nach Abschnitt 3.1.6.5				
	F 30	F 60	F 90	F 120	F 180	F 30	F 60	F 90	F 120	F 180	F 30	F 60	F 90	F 120	F 180
< 90	5	15	–	–	–	5	5	15	15	25	5	5	15	15	25
90 bis 119	5	15	–	–	–	5	5	15	25	–	5	5	15	25	–
120 bis 179	5	15	–	–	–	5	15	15	25	–	5	5	15	25	–
180 bis 300	5	15	–	–	–	5	15	25	–	–	5	5	25	25	–

[1] Die Benennungen lauten jeweils F 30-A, F 60-A, F 90-A, F 120-A und F 180-A.
[2] Sofern eine brandschutztechnische Bemessung nicht möglich ist, sind die betreffenden Fälle mit „–" gekennzeichnet.

Tabelle 91: Mindestdicke d_M in mm der Ausmauerung von Stahlträgern mit Putzbekleidung der Untergurte[1)]

Zeile	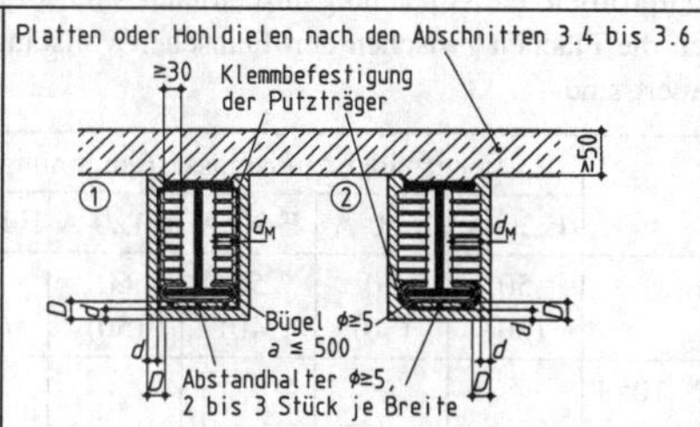 Mauerwerk nach DIN 1053 Teil 1 oder Plattenbekleidung nach DIN 4103 Teil 2 aus	Mindestdicke d_M[2)3)] der Ausmauerung für die Feuerwiderstandsklasse-Benennung				
		F 30-A	F 60-A	F 90-A	F 120-A	F 180-A
1	Porenbeton-Blocksteinen oder Bauplatten nach DIN 4165 und DIN 4166 oder Hohlblock- oder Vollsteinen bzw. Wandbauplatten aus Leichtbeton nach DIN 18 151, DIN 18 152, DIN 18153 und DIN 18 162	50	50	50	50	75
2	Mauerziegeln nach DIN 105 Teil 1 oder Kalksandsteinen nach DIN 106 Teil 1	50	50	50	70	115
3	Wandbauplatten aus Gips nach DIN 18 163	60	60	60	60	60

1) Die Mindestputzdicken *d* und *D* für den Bereich der Untergurte sind den Angaben nach Tabelle 90 zu entnehmen.
2) Bei hohen Trägern können aus Gründen der Standsicherheit gegebenenfalls größere Dicken notwendig werden.
3) Lochungen von Steinen oder Ziegeln dürfen nicht senkrecht zum Trägersteg verlaufen.

Tabelle 92: Mindestbekleidungsdicke *d* in mm von Stahlträgern mit $U/A \leq 300\,m^{-1}$ mit einer Bekleidung aus Gipskarton-Feuerschutzplatten (GKF) nach DIN 18 180 mit geschlossener Fläche

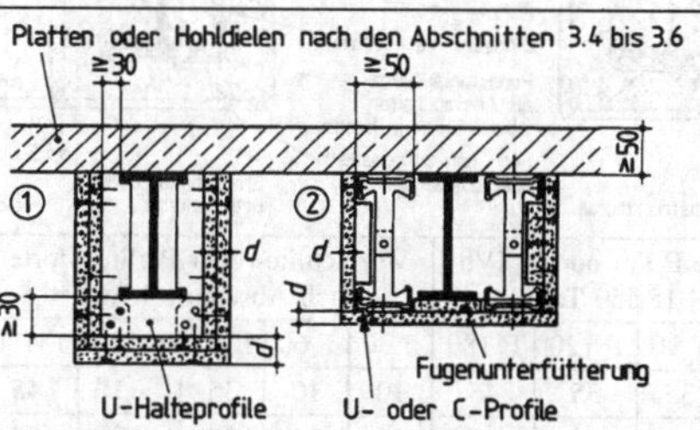	Feuerwiderstandsklasse-Benennung			
	F 30-A	F 60-A	F 90-A	F 120-A
	12,5	12,5 + 9,5	2 × 15	2 × 15 + 9,5[1)]

1) Die raumseitige, 9,5 mm dicke Bekleidungsschale darf auch aus Gipskarton-Bauplatten (GKB) nach DIN 18 180 bestehen.

E

Tabelle 93: Mindestbekleidungsdicke *d* in mm von Stahlstützen mit *U/A* $\leq 300\,\text{m}^{-1}$ mit einer Bekleidung aus Beton, Mauerwerk oder Platten
Die ( )-Werte gelten für Stützen aus Hohlprofilen, die vollständig ausbetoniert sind, sowie für Stützen mit offenen Profilen, bei denen die Flächen zwischen den Flanschen vollständig ausbetoniert, vermörtelt oder ausgemauert sind.

Zeile	Bekleidung aus	Feuerwiderstandsklasse-Benennung				
		F 30-A	F 60-A	F 90-A	F 120-A	F 180-A
1	Stahlbeton nach DIN 1045 oder bewehrtem Porenbeton nach DIN 4223	50 (30)	50 (30)	50 (40)	60 (50)	75 (60)
2	Mauerwerk oder Wandbauplatten nach DIN 1053 Teil 1 bzw. DIN 4103 Teil 1 unter Verwendung von					
2.1	Porenbeton-Blocksteinen oder -Bauplatten nach DIN 4165 bzw. DIN 4166 oder Hohlblocksteinen, Vollsteinen bzw. Wandbauplatten aus Leichtbeton nach DIN 18 151, DIN 18 152, DIN 18 153 und DIN 18 162	50 (50)	50 (50)	50 (50)	50 (50)	70 (50)
2.2	Mauerziegeln nach DIN 105 Teil 1 oder Kalksandsteinen nach DIN 106 Teil 1 und Teil 2	70 (50)	50 (50)	70 (50)	70 (70)	115 (70)
2.3	Wandbauplatten aus Gips nach DIN 18 163	60 (60)	60 (60)	80 (60)	100 (80)	120 (100)

Tabelle 94: Mindestdicken von Putzen bekleideter Stahlstützen

U/A nach Abschnitt 6.1.2 — Mindestputzdicke *d* in mm über Putzträger (Rippenstreckmetall, Streckmetall oder Drahtgewebe) nach nebenstehender Schema-Skizze bei Verwendung von Putz[1)] aus

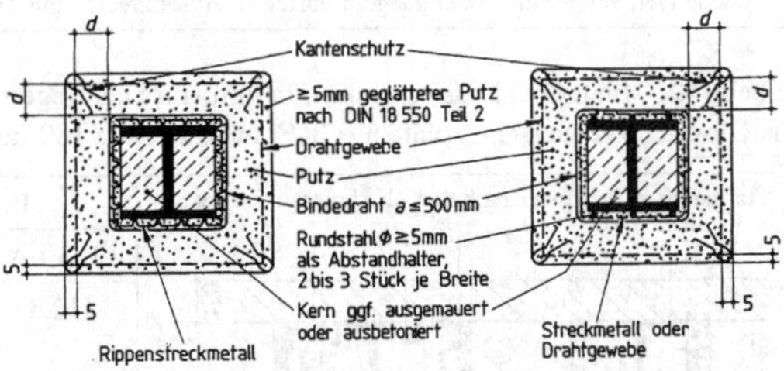

m^{-1}	Mörtelgruppe P II oder P IVc nach DIN 18 550 Teil 2					Mörtelgruppe P IVa oder P IVb nach DIN 18 550 Teil 2					Vermiculite- oder Perlite-Mörtel nach Abschnitt 3.1.6.5[2)]				
	F 30	F 60	F 90	F 120	F 180	F 30	F 60	F 90	F 120	F 180	F 30	F 60	F 90	F 120	F 180
< 90	15	25	45	45	65	10	10	35	35	45	10	10	35	35	45
90 bis 119	15	25	45	55	65	10	20	35	45	60	10	20	35	45	55
120 bis 179	15	25	45	55	65	10	20	45	45	60	10	20	35	45	55
180 bis 300	15	25	55	55	65	10	20	45	60	60	10	20	45	45	55

1) Die Benennungen lauten jeweils F 30-A, F 60-A, F 90-A, F 120-A und F 180-A.
2) Der in Abschnitt 3.1.6.5 geforderte 5 mm dicke Vermiculite- bzw. Perlite-Oberputz darf durch einen Putz nach DIN 18 550 Teil 2 ersetzt werden.

Tabelle 95: Mindestbekleidungsdicke *d* in mm von Stahlstützen mit $U/A \leq 300\ m^{-1}$ mit einer Bekleidung aus Gipskarton-Feuerschutzplatten (GKF) nach DIN 18 180 mit geschlossener Fläche

Konstruktionsmerkmale	Feuerwiderstandsklasse-Benennung				
	F 30-A	F 60-A	F 90-A	F 120-A	F 180-A
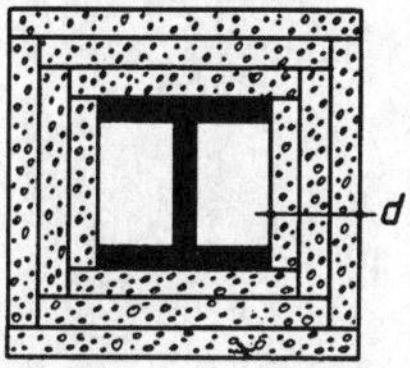	12,5[1)]	12,5 + 9,5	3 × 15	4 × 15	5 × 15

[1)] Ersetzbar durch ≥ 18 mm dicke Gipskarton-Bauplatten (GKB) nach DIN 18 180.

E.2 Wärmeschutz

Wärmeschutz im Hochbau

Mindestanforderungen an den Wärmeschutz

Auszug aus **DIN 4108-2** (07.2003)

Inhalt

5 Mindestanforderungen an den Wärmeschutz wärmeübertragender Bauteile

5.1 Wärmedurchlasswiderstand und Wärmedurchgangskoeffizient der Bauteile

Die Bestimmung des Wärmedurchlasswiderstandes und des Wärmedurchgangskoeffizienten der Bauteile erfolgt nach DIN EN ISO 6946.

Hierzu gehören die Werte nach DIN V 4108-4:2002-02, Tabelle 6 sowie die im Rahmen von Übereinstimmungsnachweisen festgelegten Werte.

5.2 Mindestwerte der Wärmedurchlasswiderstände nichttransparenter Bauteile

5.2.1 Anforderungen an ein- und mehrschichtige Massivbauteile

Die Grenzwerte, die bei Räumen nach Abschnitt 1 an Einzelbauteile mit einer flächenbezogenen Gesamtmasse von mindestens 100 kg/m^2 gestellt werden, sind in Tabelle 3 angegeben.

5.2.2 Anforderungen an leichte Bauteile, Rahmen- und Skelettbauarten

Für Außenwände, Decken unter nicht ausgebauten Dachräumen und Dächern mit einer flächenbezogenen Gesamtmasse unter 100 kg/m^2 gelten erhöhte Anforderungen mit einem Mindestwert des Wärmedurchlasswiderstandes $R \geq 1{,}75\ m^2 \cdot K/W$. Bei Rahmen- und Skelettbauarten gelten sie nur für den Gefachbereich. In diesen Fällen ist für das gesamte Bauteil zusätzlich im Mittel $R = 1{,}0\ m^2 \cdot K/W$ einzuhalten. Gleiches gilt für Rollladenkästen. Für den Deckel von Rollladenkästen ist der Wert von $R = 0{,}55\ m^2 \cdot K/W$ einzuhalten.

Die Rahmen nichttransparenter Ausfachungen dürfen höchstens einen Wärmedurchgangskoeffizienten der Rahmenmaterialgruppe 2.1 nach DIN V 4108-4:2002-02 aufweisen.

Der nichttransparente Teil der Ausfachungen von Fensterwänden und Fenstertüren, die mehr als 50 % der gesamten Ausfachungsfläche betragen, muss mindestens die Anforderungen nach Tabelle 3 erfüllen. Bei Flächenanteilen von weniger 50 % muss der Wärmedurchlasswiderstand $R \geq 1{,}0\ m^2 \cdot K/W$ sein.

5.2.3 Anforderungen für Gebäude mit niedrigen Innentemperaturen

Für Gebäude mit niedrigen Innentemperaturen ($12\ °C \leq \theta_i < 19\ °C$) gelten die Werte nach Tabelle 3. Hiervon ausgenommen ist der Wärmedurchlasswiderstand von Bauteilen nach Tabelle 3, Zeile 1. $R = 0{,}55\ m^2 \cdot K/W$ ist der Mindestwert für den Wärmedurchlasswiderstand. Die Anforderungen an den sommerlichen Wärmeschutz nach Abschnitt 8 sollten sinngemäß angewendet werden.

5.2.4 Anforderungen an Bauteile mit Wärmebrücken

Der Wärmedurchlasswiderstand wird nach DIN EN ISO 10 211-1 und DIN EN ISO 10 211-2 oder im Fall transparenter Bauteile nach DIN EN ISO 10 077-1 berechnet.

E

Tabelle 3: Mindestwerte für Wärmedurchlasswiderstände von Bauteilen

<table>
<tr><td colspan="2">Spalte</td><td colspan="2">1</td><td>2</td></tr>
<tr><td colspan="2">Zeile</td><td colspan="2">Bauteile</td><td>Wärmedurchlasswiderstand, R
$m^2 \cdot K/W$</td></tr>
<tr><td colspan="2">1</td><td colspan="2">Außenwände; Wände von Aufenthaltsräumen gegen Bodenräume, Durchfahrten, offene Hausflure, Garagen, Erdreich</td><td>1,2</td></tr>
<tr><td colspan="2">2</td><td colspan="2">Wände zwischen fremdgenutzten Räumen; Wohnungstrennwände</td><td>0,07</td></tr>
<tr><td colspan="2">3</td><td rowspan="2">Treppenraumwände</td><td>zu Treppenräumen mit wesentlich niedrigeren Innentemperaturen (z. B. indirekt beheizte Treppenräume); Innentemperatur $\theta > 10\,°C$, aber Treppenraum mindestens frostfrei</td><td>0,25</td></tr>
<tr><td colspan="2">4</td><td>zu Treppenräumen mit Innentemperaturen $\theta_i > 10\,°C$ (z. B. Verwaltungsgebäuden, Geschäftshäusern, Unterrichtsgebäuden, Hotels, Gaststätten und Wohngebäude)</td><td>0,07</td></tr>
<tr><td colspan="2">5</td><td rowspan="2">Wohnungstrenndecken, Decken zwischen fremden Arbeitsräumen; Decken unter Räumen zwischen gedämmten Dachschrägen und Abseitenwänden bei ausgebauten Dachräumen</td><td>allgemein</td><td>0,35</td></tr>
<tr><td colspan="2">6</td><td>in zentralbeheizten Bürogebäuden</td><td>0,17</td></tr>
<tr><td colspan="2">7</td><td rowspan="2">Unterer Abschluss nicht unterkellerter Aufenthaltsräume</td><td>unmittelbar an das Erdreich bis zu einer Raumtiefe von 5 m</td><td rowspan="4">0,90</td></tr>
<tr><td colspan="2">8</td><td>über einen nicht belüfteten Hohlraum an das Erdreich grenzend</td></tr>
<tr><td colspan="2">9</td><td colspan="2">Decken unter nicht ausgebauten Dachräumen; Decken unter bekriechbaren oder noch niedrigeren Räumen; Decken unter belüfteten Räumen zwischen Dachschrägen und Abseitenwänden bei ausgebauten Dachräumen, wärmegedämmte Dachschrägen</td></tr>
<tr><td colspan="2">10</td><td colspan="2">Kellerdecken; Decke gegen abgeschlossene, unbeheizte Hausflure u. Ä.</td></tr>
<tr><td rowspan="2">11</td><td>11.1</td><td rowspan="2">Decken (auch Dächer), die Aufenthaltsräume gegen die Außenluft abgrenzen</td><td>nach unten, gegen Garagen (auch beheizte), Durchfahrten (auch verschließbare) und belüftete Kriechkeller[a]</td><td>1,75</td></tr>
<tr><td>11.2</td><td>nach oben, z. B. Dächer nach DIN 18 530, Dächer und Decken unter Terrassen; Umkehrdächer nach 5.3.3
Für Umkehrdächer ist der berechnete Wärmedurchgangskoeffizient U nach DIN EN ISO 6946 mit den Korrekturwerten nach Tabelle 4 um ΔU zu berechnen.</td><td>1,2</td></tr>
<tr><td colspan="5">[a] Erhöhter Wärmedurchlasswiderstand wegen Fußkälte.</td></tr>
</table>

6 Mindestanforderungen an den Wärmeschutz im Bereich von Wärmebrücken

6.1 Vermeidung extrem niedriger Innenoberflächen-Temperaturen

Wärmebrücken können in ihrem thermischen Einflussbereich zu deutlich niedrigeren raumseitigen Oberflächentemperaturen und zu Tauwasserniederschlag und zur Schimmelbildung sowie zu erhöhten Transmissionswärmeverlusten führen. Um das Risiko der Schimmelbildung durch konstruktive Maßnahmen zu verringern, sind die in 6.2 angegebenen Anforderungen einzuhalten. Eine gleichmäßige Beheizung und ausreichende Belüftung der Räume sowie eine weitgehend ungehinderte Luftzirkulation an den Außenwandoberflächen werden vorausgesetzt.

6.2 Maßnahmen zur Vermeidung von Schimmelpilzbildung

Ecken von Außenbauteilen mit gleichartigem Aufbau, deren Einzelkomponenten die Anforderungen nach Tabelle 3 erfüllen, bedürfen keines gesonderten Nachweises. Alle konstruktiven, formbedingten und stoffbedingten Wärmebrücken, die beispielhaft in DIN 4108 Beiblatt 2 aufgeführt sind, sind ausreichend wärmegedämmt. Es muss kein zusätzlicher Nachweis geführt werden. Für alle davon abweichenden Konstruktionen muss der Temperaturfaktor an der ungünstigsten Stelle die Mindestanforderung $f_{Rsi} \geq 0{,}70$ erfüllen, d. h., bei den unten angegebenen Randbedingungen ist eine raumseitige Oberflächentemperatur von $\theta_{si} \geq 12{,}6\,°C$ einzuhalten. Fenster sind davon ausgenommen. Für sie gilt DIN EN ISO 13788.

Der Temperaturfaktor f_{Rsi} ergibt sich nach DIN EN ISO 10211-2, d. h.

$$f_{Rsi} = \frac{\theta_{si} - \theta_e}{\theta_i - \theta_e}$$

Dabei ist

θ_{si} die raumseitige Oberflächentemperatur;

θ_i die Innenlufttemperatur;

θ_e die Außenlufttemperatur.

Es liegen folgende Randbedingungen zu Grunde:

- Innenlufttemperatur $\theta_i = 20\,°C$;
- relative Luftfeuchte innen $\varphi_i = 50\,\%$;
- auf der sicheren Seite liegende kritische zugrunde gelegte Luftfeuchte nach DIN EN ISO 13788 für Schimmelpilzbildung auf der Bauteiloberfläche $\varphi_{si} = 80\,\%$;
- Außenlufttemperatur $\theta_e = -5\,°C$;
- Wärmeübergangswiderstand, innen;
  $R_{si} = 0{,}25\ m^2 \cdot K/W$ (beheizte Räume);
  $R_{si} = 0{,}17\ m^2 \cdot K/W$ (unbeheizte Räume);
- Wärmeübergangswiderstand, außen $R_{se} = 0{,}04\ m^2 \cdot K/W$.

Bei Wärmebrücken in Bauteilen, die an das Erdreich oder an unbeheizte Kellerräume und Pufferzonen grenzen, muss von den in Tabelle 5 angegebenen Randbedingungen ausgegangen werden.

E

Tabelle 5: Temperaturrandbedingungen zur Wärmebrückenberechnung

Gebäudeteil bzw. Umgebung	Temperatur[a], θ °C
Keller	10
Erdreich	10
Unbeheizte Pufferzone	10
Unbeheizter Dachraum	–5

[a] Randbedingung nach DIN EN ISO 10211-1

Die Tauwasserbildung ist vorübergehend und in kleinen Mengen an Fenstern sowie Pfosten-Riegel-Konstruktionen zulässig, falls die Oberfläche die Feuchtigkeit nicht absorbiert und entsprechende Vorkehrungen zur Vermeidung eines Kontaktes mit angrenzenden empfindlichen Materialien getroffen werden.
Für übliche Verbindungsmittel, wie z. B. Nägel, Schrauben, Drahtanker, sowie beim Anschluss von Fenstern an angrenzende Bauteile und für Mörtelfugen von Mauerwerk nach DIN 1053-1 braucht für den Mindestwärmeschutz kein Nachweis der Wärmebrückenwirkung geführt zu werden. Siehe hierzu auch DIN 4108 Beiblatt 2.

6.3 Vermeidung erhöhter Transmissionswärmeverluste

6.3.1 Wärmebrücken können in Gebäuden hohe Transmissionswärmeverluste bewirken. Wegen der begrenzten Flächenwirkung kann der Wärmeverlust dreidimensionaler Wärmebrücken in der Regel vernachlässigt werden; derjenige von zweidimensionalen Wärmebrücken ist jedoch zu überprüfen. Der Nachweis erhöhter Transmissionswärmeverluste erfolgt bauteilbezogen nach DIN EN ISO 10211-2 bzw. mittels eines pauschalisierten Ansatzes für das gesamte Gebäude nach DIN V 4108-6.

6.3.2 Für die Berechnung der Transmissionswärmeverluste sind Korrekturwerte nach DIN EN ISO 6946 zu berücksichtigen.

6.3.3 Bauteile nach DIN 4108 Beiblatt 2 gelten als ausreichend gedämmt. Ohne zusätzliche Wärmedämm-Maßnahmen sind auskragende Balkonplatten, Attiken, freistehende Stützen sowie Wände mit $\lambda > 0{,}5$ W/(m · K), die in den ungedämmten Dachbereich oder ins Freie ragen, unzulässig

Wärmeschutz im Hochbau

Klimabedingter Feuchteschutz; Anforderungen, Berechnungsverfahren und Hiweise für Planung und Ausführung

Auszug aus **DIN 4108-3** (07.2001)

Unter Berücksichtigung der Berichtigung von 04.2002

Inhalt

E

4 Tauwasserschutz

4.1 Kritische Oberflächenfeuchte von Bauteilen

4.1.1 Anforderungen und Ausführungshinweise

Die Anforderungen zur Vermeidung kritischer Oberflächenfeuchte sind in DIN 4108-2:2001-03, 6.2 aufgeführt.

Planungs- und Ausführungsbeispiele sind in DIN 4108, Bbl. 2 angegeben.

4.1.2 Angaben zur Berechnung

Die Berechnung ist nach Anhang A durchzuführen.

4.2 Tauwasserbildung im Inneren von Bauteilen

4.2.1 Anforderungen

Tauwasserbildung im Inneren von Bauteilen, die durch Erhöhung der Stoff-Feuchte von Bau- und Wärmedämmstoffen zu Materialschädigungen oder zu Beeinträchtigungen der Funktionssicherheit führt, ist zu vermeiden. Sie gilt als unschädlich, wenn die wesentlichen Anforderungen, z. B. Wärmeschutz, Standsicherheit, sichergestellt sind. Dies wird in der Regel erreicht, wenn die in a) bis e) aufgeführten Bedingungen erfüllt sind:

a) Die Baustoffe, die mit dem Tauwasser in Berührung kommen, dürfen nicht geschädigt werden (z. B. durch Korrosion, Pilzbefall).

b) Das während der Tauperiode im Innern des Bauteils anfallende Wasser muss während der Verdunstungsperiode wieder an die Umgebung abgegeben werden können, d. h. $m_{W,T} \leq m_{W,V}$.

c) Bei Dach- und Wandkonstruktionen darf eine flächenbezogene Tauwassermasse $m_{W,T}$ von insgesamt 1,0 kg/m² nicht überschritten werden. Dies gilt nicht für die Bedingungen nach d).

d) Tritt Tauwasser an Berührungsflächen mit einer kapillar nicht wasseraufnahmefähigen Schicht auf, so darf eine flächenbezogene Tauwassermasse $m_{W,T}$ von 0,5 kg/m² nicht überschritten werden. Festlegungen für Holzbauteile siehe DIN 68 800-2:1996-05, 6.4.

e) Bei Holz ist eine Erhöhung des massebezogenen Feuchtegehaltes u_m um mehr als 5 %, bei Holzwerkstoffen um mehr als 3 % unzulässig (Holzwolle-Leichtbauplatten und Mehrschicht-Leichtbauplatten nach DIN 1101 sind hiervon ausgenommen).

4.2.2 Angaben zur Berechnung der Tauwassermasse

Die Berechnung der Tauwassermasse infolge von Diffusionsvorgängen ist nach Anhang A durchzuführen, sofern das Bauteil nicht die Bedingungen nach 4.3 erfüllt. Konvektionsbedingte Tauwasserbildung ist durch luftdichte Konstruktionen nach DIN 4108-2 und DIN V 4108-7 zu vermeiden.

Tritt in der Berechnung nach A.6.2 in mehreren Ebenen Tauwasser auf, ist die Summe der flächenbezogenen Tauwassermassen $m_{W,T}$ für den Vergleich mit den Bedingungen nach 4.2.1 maßgebend.

4.3 Bauteile, für die kein rechnerischer Tauwasser-Nachweis erforderlich ist

4.3.1 Allgemeines

Für die in 4.3.2 und 4.3.3 aufgeführten Bauteile mit ausreichendem Wärmeschutz nach DIN 4108-2 und luftdichter Ausführung nach DIN V 4108-7 ist kein rechnerischer Nachweis des Tauwasserausfalls infolge Wasserdampfdiffusion nach den in Anhang A genannten Klimabedingungen erforderlich, da kein Tauwasserrisiko besteht oder der Feuchtetransport, z. B. bei kapillaraktiven Materialien, wesentlich durch Kapillaritätseffekte beeinflusst und nur zum Teil durch Diffusionsvorgänge bestimmt wird.

4.3.2 Außenwände

4.3.2.1 Ein- und zweischaliges Mauerwerk nach DIN 1053-1 (auch mit Kerndämmung), Wände aus Normalbeton nach DIN EN 206-1 bzw. DIN 1045-2, Wände aus gefügedichtem Leichtbeton nach DIN 4219-1 und DIN 4219-2, Wände aus haufwerkporigem Leichtbeton nach DIN 4232, jeweils mit Innenputz und folgenden Außenschichten.

- Putz nach DIN 18 550-1 oder Verblendmauerwerk nach DIN 1053-1;
- angemörtelte oder angemauerte Bekleidungen nach DIN 18 515-1 und DIN 18 515-2, bei einem Fugenanteil von mindestens 5 %;
- hinterlüftete Außenwandbekleidungen nach DIN 18 516-1 mit und ohne Wärmedämmung;
- Außendämmungen nach DIN 1102 oder nach DIN 18 550-3 oder durch ein zugelassenes Wärmedämmverbundsystem.

4.3.2.2 Wände mit Innendämmung, in den unter a) und b) genannten Konstruktionsvarianten:

a) Wände, wie unter 4.3.2.1. aber mit Innendämmung mit einem Wärmedurchlasswiderstand der Wärmedämmschicht $R \leq 1{,}0\,m^2 \cdot K/W$ sowie einem Wert der wasserdampfdiffusionsäquivalenten Luftschichtdicke der Wärmedämmschicht mit Innenputz bzw. Innenbekleidung $s_{d,i} \geq 0{,}5\,m$;

E

b) Wände aus Mauerwerk nach DIN 1053-1 und Wände aus Normalbeton nach DIN EN 206-1 bzw. DIN 1045-2, jeweils mit den unter 4.3.2.1 genannten Außenschichten (ohne Außendämmung), mit Innendämmung aus verputzten bzw. bekleideten Holzwolle-Leichtbauplatten nach DIN 1101 mit einem Wärmedurchlasswiderstand der Innendämmung $R \leq 0{,}5\,m^2 \cdot K/W$.

4.3.2.3 Wände in Holzbauart nach DIN 68 800-2:1996-05, 8.2, mit vorgehängten Außenwandbekleidungen, zugelassenen Wärmedämmverbundsystemen oder Mauerwerk-Vorsatzschalen, jeweils mit raumseitiger diffusionshemmender Schicht mit $s_{d,i} \geq 2\,m$.

4.3.2.4 Holzfachwerkwände mit Luftdichtheitsschicht, in den unter a) bis c) genannten Konstruktionsvarianten:

a) mit wärmedämmender Ausfachung (Sichtfachwerk);

b) mit Innendämmung (über Fachwerk und Gefach) mit einem Wärmedurchlasswiderstand der Wärmedämmschicht $R \leq 1{,}0\,m^2 \cdot K/W$ und einer wasserdampfdiffusionsäquivalenten Luftschichtdicke (gegebenenfalls einschließlich Luftdichtheitsschicht) mit Innenputz und Innenbekleidung $1{,}0\,m \leq s_{d,i} \leq 2\,m$;

c) mit Innendämmung (über Fachwerk und Gefach) aus Holzwolleleichtbauplatten nach DIN 1101;

d) mit Außendämmung (über Fachwerk und Gefach) als Wärmedämmverbundsystem oder Wärmedämmputz, wobei die wasserdampfdiffusionsäquivalente Luftschichtdicke der genannten äußeren Konstruktionsschicht $s_{d,e} \leq 2\,m$ ist oder mit hinterlüfteter Außenwandbekleidung.

4.3.2.5 Kelleraußenwände aus einschaligem Mauerwerk nach DIN 1053-1 oder Beton nach DIN EN 206-1 bzw. DIN 1045-2 mit außen liegender Wärmedämmung (Perimeterdämmung) – siehe auch DIN 4108-2.

4.3.3 Dächer

4.3.3.1 Allgemeines

Folgende Dach-Konstruktionen werden grundsätzlich unterschieden:

- nicht belüftete Dächer: Bei nicht belüfteten Dächern ist direkt über der Wärmedämmung keine belüftete Luftschicht angeordnet. Zu nicht belüfteten Dächern gehören auch solche, die außenseitig im weiteren Dachaufbau angeordnete Luftschichten oder Lüftungsebenen haben.
- belüftete Dächer: Bei belüfteten Dächern ist direkt über der Wärmedämmung eine belüftete Luftschicht angeordnet.

Bezüglich Deckungen bzw. Abdichtungen gelten folgende Kennzeichnungen:

a) Dachdeckungen:

Dachdeckungen müssen regensicher sein. Kennzeichnend für Dachdeckungen sind die sich überlappenden Deckwerkstoffe, z. B. Dachziegel, Dachsteine, Schiefer, Metallbleche.

Es werden unterschieden:

– belüftete Dachdeckungen: Dachdeckungen auf linienförmiger Unterlage, z. B. Lattung und Konterlattung;

– nicht belüftete Dachdeckungen: Dachdeckungen auf flächiger Unterlage, z. B. Schalung.

Regensicherheit wird im Normalfall erreicht, wenn die Regeldachneigungen (siehe auch [1]) und Werkstoffüberdeckungen eingehalten werden. Bei Dächern mit Wärmedämmung zwischen, unter und/oder über den Sparren müssen in der Regel zusätzliche regensichernde Maßnahmen, z. B. Unterdächer, Unterdeckungen, Unterspannungen, geplant und ausgeführt werden (siehe 4.3.3.2 a)).

b) Dachabdichtungen:

Dachabdichtungen müssen wasserdicht sein. Kennzeichnend für Dachabdichtungen sind die wasserdicht verbundenen Dachabdichtungswerkstoffe, z. B. Bitumenbahnen, Kunststoffbahnen, Elastomerbahnen, Flüssigdachabdichtungen. Dachabdichtungen müssen bis zur Oberkante der An- und Abschlüsse wasserdicht sein. Dies erfordert auch wasserdichte Anschlüsse an Dachdurchdringungen sowie die Einhaltung bestimmter Anschlusshöhen (siehe DIN 18 531 und 4.3.3.2 b)).

4.3.3.2 Nicht belüftete Dächer

Der Wärmedurchlasswiderstand der Bauteilschichten unterhalb einer raumseitigen diffusionshemmenden Schicht darf bei Dächern ohne rechnerischen Nachweis höchstens 20 % des Gesamtwärmedurchlasswiderstandes betragen (bei Dächern mit nebeneinander liegenden Bereichen unterschiedlichen Wärmedurchlasswiderstandes ist der Gefachbereich zugrunde zu legen).

Folgende nicht belüftete Dächer bedürfen keines rechnerischen Nachweises:

a) Nicht belüftete Dächer mit Dachdeckungen

– nicht belüftete Dächer mit belüfteter Dachdeckung oder mit zusätzlich belüfteter Luftschicht unter nicht belüfteter Dachdeckung und einer Wärmedämmung zwischen, unter und/oder über den Sparten und zusätzlicher regensichernder Schicht bei einer Zuordnung der Werte der wasserdampfdiffusionsäquivalenten Luftschichtdicken s_d nach Tabelle 1;

Tabelle 1: Zuordnung für Werte der wasserdampfdiffusionsäquivalenten Luftschichtdicken der außen- und raumseitig zur Wärmedämmschicht liegenden Schichten

Wasserdampfdiffusionsäquivalenten Luftschichtdicke s_d m	
außen $s_{d,e}$ a)	innen $s_{d,i}$ b)
$\leq 0{,}1$	$\geq 1{,}0$
$\leq 0{,}3$ c)	$\geq 2{,}0$
$> 0{,}3$	$s_{d,i} \geq 6 \cdot s_{de,e}$

a) $s_{d,e}$ ist die Summe der Werte der wasserdampfdiffusionsäquivalenten Luftschichtdicken aller Schichten, die sich oberhalb der Wärmedämmschicht befinden bis zur ersten belüfteten Luftschicht.

b) $s_{d,i}$ ist die Summe der Werte der wasserdampfdiffusionsäquivalenten Luftschichtdicken aller Schichten, die sich unterhalb der Wärmedämmschicht bzw. unterhalb gegebenenfalls vorhandener Untersparrendämmungen befinden bis zur ersten belüfteten Luftschicht.

c) Bei nicht belüfteten Dächern mit $s_{d,e} \leq 0{,}2$ m kann auf chemischen Holzschutz verzichtet werden, wenn die Bedingungen nach DIN 68 800-2 eingehalten werden.

E

– nicht belüftete Dächer mit nicht belüfteter Dachdeckung und einer diffusionshemmenden Schicht mit $s_{d,i} \geq 100$ m unterhalb der Wärmedämmschicht.

ANMERKUNG Bei nicht belüfteten Dächern mit belüfteter oder nicht belüfteter Dachdeckung und äußeren diffusionshemmenden Schichten mit $s_{d,e} \geq 2$ m kann erhöhte Baufeuchte oder später z. B. durch Undichtheiten eingedrungene Feuchte nur schlecht oder gar nicht austrocknen.

b) Nicht belüftete Dächer mit Dachabdichtung

– nicht belüftete Dächer mit Dachabdichtung und einer diffusionshemmenden Schicht mit $s_{d,i} \geq 100$ m unterhalb der Wärmedämmschicht, wobei der Wärmedurchlasswiderstand der Bauteilschichten unterhalb der diffusionshemmenden Schicht höchstens 20 % des Gesamtwärmedurchlasswiderstandes betragen darf. Bei diffusionsdichten Dämmstoffen (z. B. Schaumglas) auf starren Unterlagen kann auf eine zusätzliche diffusionshemmende Schicht verzichtet werden;
– nicht belüftete Dächer aus Porenbeton nach DIN 4223 mit Dachabdichtung und ohne diffusionshemmende Schicht an der Unterseite und ohne zusätzliche Wärmedämmung;
– nicht belüftete Dächer mit Dachabdichtung und Wärmedämmung oberhalb der Dachabdichtung (so genannte „Umkehrdächer") und dampfdurchlässiger Auflast auf der Wärmedämmschicht (z. B. Grobkies).

4.3.3.3 Belüftete Dächer:

Folgende belüftete Dächer bedürfen keines rechnerischen Nachweises:

a) Belüftete Dächer mit Dachabdichtung und einer Dachneigung $< 5°$ und einer diffusionshemmenden Schicht mit $s_{d,i} \geq 100$ m unterhalb der Wärmedämmschicht, wobei der Wärmedurchlasswiderstand der Bauteilschichten unterhalb der diffusionshemmenden Schicht höchstens 20 % des Gesamtwärmedurchlasswiderstandes betragen darf.

b) Belüftete Dächer mit einer Dachneigung $\geq 5°$ unter folgenden Bedingungen:
– Die Höhe des freien Lüftungsquerschnittes innerhalb des Dachbereiches über der Wärmedämmschicht muss mindestens 2 cm betragen.
– Der freie Lüftungsquerschnitt an den Traufen bzw. an Traufe und Pultdachabschluss muss mindestens 2 ‰ der zugehörigen geneigten Dachfläche betragen, mindestens jedoch 200 cm²/m.
– Bei Satteldächern sind an First und Grat Mindestlüftungsquerschnitte von 0,5 ‰ der zugehörigen geneigten Dachfläche erforderlich, mindestens jedoch 50 cm²/m.

ANMERKUNG 1 Bei klimatisch unterschiedlich beanspruchten Flächen eines Daches (z. B. Nord/Süd-Dachflächen) ist eine Abschottung der Belüftungsschicht im Firstbereich zweckmäßig.

ANMERKUNG 2 Bei Kehlen sind Lüftungsöffnungen im Allgemeinen nicht möglich. Solche Dachkonstruktionen – auch solche mit Dachgauben – sind daher zweckmäßiger ohne Belüftung auszuführen.

– Der s_d-Wert der unterhalb der Belüftungsschicht angeordneten Bauteilschichten muss insgesamt mindestens 2 m betragen.

4.3.4 Fenster, Außentüren und Vorhangfassaden

Werden Fenster, Außentüren und Vorhangfassaden ausschließlich aus wasserdampfdiffusionsdichten Elementen gefertigt, ist kein Tauwassernachweis erforderlich.

5 Schlagregenschutz von Wänden

5.1 Allgemeines

Schlagregenbeanspruchungen von Wänden entstehen bei Regen und gleichzeitiger Windanströmung auf die Fassade. Das auftreffende Regenwasser kann durch kapillare Saugwirkung der Oberfläche in die Wand aufgenommen werden oder infolge des Staudrucks z. B. über Risse, Spalten oder fehlerhafte Abdichtungen in die Konstruktion eindringen. Die erforderliche Abgabe des aufgenommenen Wassers durch Verdunstung, z. B. über die Außenoberfläche, darf nicht unzulässig beeinträchtigt werden.

Der Schlagregenschutz einer Wand zur Begrenzung der kapillaren Wasseraufnahme und zur Sicherstellung der Verdunstungsmöglichkeiten kann durch konstruktive Maßnahmen (z. B. Außenwandbekleidung, Verblendmauerwerk, Schutzschichten im Inneren der Konstruktion) oder durch Putze bzw. Beschichtungen erzielt werden. Die zu treffenden Maßnahmen richten sich nach der Intensität der Schlagregenbeanspruchung, die durch Wind und Niederschlag sowie durch die örtliche Lage und die Gebäudeart bestimmt wird (siehe dazu Festlegungen zu den Beanspruchungsgruppen in 5.2 sowie Beispiele für die Zuordnung konstruktiver Ausführungen in 5.4).

5.2 Beanspruchungsgruppen

5.2.1 Allgemeines

Zur überschlägigen Ermittlung der Beanspruchungsgruppen ist die Übersichtskarte zur Schlagregenbeanspruchung nach Anhang C zu verwenden. Lokale Abweichungen sind möglich und müssen im Einzelfall berücksichtigt werden.

5.2.2 Beanspruchungsgruppe I – geringe Schlagregenbeanspruchung

In der Regel gilt diese Beanspruchungsgruppe für Gebiete mit Jahresniederschlagsmengen unter 600 mm sowie für besonders windgeschützte Lagen auch in Gebieten mit größeren Niederschlagsmengen.

5.2.3 Beanspruchungsgruppe II – mittlere Schlagregenbeanspruchung

In der Regel gilt diese Beanspruchungsgruppe für Gebiete mit Jahresniederschlagsmengen von 600 mm bis 800 mm oder für windgeschützte Lagen auch in Gebieten mit größeren Niederschlagsmengen sowie für Hochhäuser oder für Häuser in exponierter Lage in Gebieten, die auf Grund der regionalen Regen- und Windverhältnisse einer geringen Schlagregenbeanspruchung zuzuordnen wären.

E

5.2.4 Beanspruchungsgruppe III – starke Schlagregenbeanspruchung

In der Regel gilt diese Beanspruchungsgruppe für Gebiete mit Jahresniederschlagsmengen über 800 mm oder für windreiche Gebiete auch mit geringeren Niederschlagsmengen (z. B. Küstengebiete, Mittel- und Hochgebirgslagen, Alpenvorland) sowie für Hochhäuser oder für Häuser in exponierter Lage in Gebieten, die auf Grund der regionalen Regen- und Windverhältnisse einer mittleren Schlagregenbeanspruchung zuzuordnen wären.

5.3 Putze und Beschichtungen

Die Regenschutzwirkung von Putzen und Beschichtungen wird durch deren Wasseraufnahmekoeffizienten w, deren wasserdampfdiffusionsäquivalente Luftschichtdicke s_d und durch das Produkt aus beiden Größen ($w \cdot s_d$) nach Tabelle 2 bestimmt.

Tabelle 2: Kriterien für den Regenschutz von Putzen und Beschichtungen

Kriterien für den Regenschutz	Wasseraufnahmekoeffizient w kg/(m² · h^{0,5})	Wasserdampfdiffusionsäquivalenten Luftschichtdicke s_d m	Produkt $w \cdot s_d$ kg/(m · h^{0,5})
wasserhemmend	$0,5 < w < 2,0$	a)	a)
wasserabweisend	$w \leq 0,5$	$\leq 2,0$	$\leq 0,2$

a) Keine Festlegung bei wasserhemmenden Putzen bzw. Beschichtungen; siehe hierzu auch DIN 18 550-1 sowie den Hinweis auf die Sicherstellung von Verdunstungsmöglichkeiten in 5.1

5.4 Beispiele und Hinweise zur Erfüllung des Schlagregenschutzes

5.4.1 Außenwände

Beispiele für die Anwendung von Wandbauarten in Abhängigkeit von der Schlagregenbeanspruchung sind in Tabelle 3 angegeben, die andere Bauausführungen entsprechend gesicherter praktischer Erfahrungen nicht ausschließt.

Tabelle 3: Beispiele für die Zuordnung von Wandbauarten und Beanspruchungsgruppen

Zeile	Beanspruchungsgruppe I geringe Schlagregenbeanspruchung	Beanspruchungsgruppe II mittlere Schlagregenbeanspruchung	Beanspruchungsgruppe III starke Schlagregenbeanspruchung
1	Außenputz ohne besondere Anforderungen an den Schlagregenschutz nach DIN 18 550-1 auf	Wasserhemmender Außenputz nach DIN 18 550-1 auf	Wasserabweisender Außenputz nach DIN 18 550-1 bis DIN 18 550-4 oder Kunstharzputz nach DIN 18 558 auf
	– Außenwänden aus Mauerwerk, Wandbauplatten, Beton u. Ä. – Holzwolle-Leichtbauplatten und Mehrschicht-Leichtbauplatten nach DIN 1101, ausgeführt nach DIN 1102		

Fortsetzung siehe nächste Seite.

Tabelle 3 (Fortsetzung)			
Zeile	Beanspruchungsgruppe I geringe Schlagregen-beanspruchung	Beanspruchungsgruppe II mittlere Schlagregen-beanspruchung	Beanspruchungsgruppe III starke Schlagregen-beanspruchung
2	Einschaliges Sichtmauerwerk nach DIN 1053-1 mit einer Dicke von 31 cm (mit Innenputz)	Einschaliges Sichtmauerwerk nach DIN 1053-1 mit einer Dicke von 37,5 cm (mit Innenputz)	Zweischaliges Verblendmauerwerk nach DIN 1053-1 mit Luftschicht und Wärmedämmung oder mit Kerndämmung (mit Innenputz)
3	Außenwände mit im Dickbett oder Dünnbett angemörtelten Fliesen oder Platten nach DIN 18 515-1		Außenwände mit im Dickbett oder Dünnbett angemörtelten Fliesen oder Platten nach DIN 18 515-1 mit wasserabweisendem Ansetzmörtel
4	Außenwände mit gefügedichter Betonaußenschicht nach DIN EN 206-1 bzw. DIN 1045-2 sowie DIN 4219-1 und DIN 4219-2		
5	Wände mit hinterlüfteten Außenwandbekleidungen nach DIN 18 516-1, DIN 18 516-3 und DIN 18 516-4[a)]		
6	Wände mit Außendämmung durch ein Wärmedämmputzsystem nach DIN 18 550-3 oder durch ein zugelassenes Wärmedämmverbundsystem		
7	Außenwände in Holzbauart mit Wetterschutz nach DIN 68 800-2:1996-05, 8.2		

[a)] Offene Fugen zwischen den Bekleidungsplatten beeinträchtigen den Regenschutz nicht.

5.4.2 Fugen und Anschlüsse

Der Schlagregenschutz eines Gebäudes muss auch im Bereich der Fugen und Anschlüsse sichergestellt sein. Zur Erfüllung dieser Anforderungen können die Fugen und Anschlüsse entweder durch Fugendichtstoffe (siehe auch DIN 18 540) oder durch konstruktive Maßnahmen gegen Schlagregen abgedichtet werden. Beispiele für die Anwendung von Fugenabdichtungen sind in Abhängigkeit von der Schlagregenbeanspruchung in Tabelle 4 angegeben.

Die Möglichkeit der Wartung von Fugen, einschließlich der Fugen von Anschlüssen, ist vorzusehen.

Bei Außenwandbekleidungen ist nach DIN 18 515-1, DIN 18 515-2, DIN 18 516-1 und DIN 18 516-3 zu verfahren.

ANMERKUNG Siehe auch Literaturhinweise [1] und [2]

Wärmeschutz und Energie-Einsparung von Gebäuden

Wärme- und feuchteschutztechnische Bemessungswerte

Auszug aus **DIN V 4108-4** (06.2007)

Inhalt

Tabelle 1: Bemessungswerte der Wärmeleitfähigkeit und Richtwerte der Wasserdampf-Diffusionswiderstandszahlen

Zeile	Stoff	Rohdichte[a),b)] ρ kg/m³	Bemessungswert der Wärmeleitfähigkeit λ W/(m · K)	Richtwert der Wasserdampf-Diffusionswiderstandszahl[c)] μ
1	Putze, Mörtel und Estriche			
1.1	Putze			
1.1.1	Putzmörtel aus Kalk, Kalkzement und hydraulischem Kalk	(1800)	1,0	15/35
1.1.2	Putzmörtel aus Kalkgips, Gips, Anhydrit und Kalkanhydrit	(1400)	0,70	10
1.1.3	Leichtputz	< 1300	0,56	15/20
1.1.4	Leichtputz	≤ 1000	0,38	
1.1.5	Leichtputz	≤ 700	0,25	
1.1.6	Gipsputz ohne Zuschlag	(1200)	0,51	10
1.1.7	Wärmedämmputz nach DIN 18 550-3			
	Wärmeleitfähigkeitsgruppe			
	060	≥ 200	0,060	5/20
	070		0,070	
	080		0,080	
	090		0,090	
	100		0,100	
1.1.8	Kunstharzputz	(1100)	0,70	50/200
1.2	Mauermörtel			
1.2.1	Zementmörtel	(2000)	1,6	15/35
1.2.2	Normalmörtel NM	(1800)	1,2	
1.2.3	Dünnbettmauermörtel	(1600)	1,0	
1.2.4	Leichtmauermörtel nach DIN 1053-1	≤ 1000	0,36	
1.2.5	Leichtmauermörtel nach DIN 1053-1	≤ 700	0,21	
1.2.6	Leichtmauermörtel	250	0,10	5/20
		400	0,14	
		700	0,25	
		1000	0,38	
		1500	0,69	

Fortsetzung siehe nächste Seite.

E

Tabelle 1 (Fortsetzung)

Zeile	Stoff	Rohdichte[a),b)] ρ kg/m³	Bemessungswert der Wärmeleitfähigkeit λ W/(m · K)	Richtwert der Wasserdampf-Diffusionswiderstandszahl[c)] μ
1.3	Estriche			
1.3.1	Asphalt	Siehe DIN EN 12 524		
1.3.2	Zement-Estrich	(2000)	1,4	15/35
1.3.3	Anhydrit-Estrich	(2100)	1,2	
1.3.4	Magnesia-Estrich	1400	0,47	
		2300	0,70	
2	Beton-Bauteile			
2.1	Beton nach DIN EN 206-1	Siehe DIN EN 12 524		
2.2	Leichtbeton und Stahlleichtbeton mit geschlossenem Gefüge nach DIN EN 206 und DIN 1045-2, hergestellt unter Verwendung von Zuschlägen mit porigem Gefüge nach DIN 4226-2, ohne Quarzsandzusatz[d)]	800	0,39	70/150
		900	0,44	
		1000	0,49	
		1100	0,55	
		1200	0,62	
		1300	0,70	
		1400	0,79	
		1500	0,89	
		1600	1,0	
		1800	1,3	
		2000	1,6	
2.3	Dampfgehärteter Porenbeton nach DIN 4223-1	350	0,11	5/10
		400	0,13	
		450	0,15	
		500	0,15	
		550	0,18	
		600	0,19	
		650	0,21	
		700	0,22	
		750	0,24	
		800	0,25	
		900	0,29	
		1000	0,31	

Fortsetzung siehe nächste Seite.

Tabelle 1 (Fortsetzung)				
Zeile	Stoff	Rohdichte[a),b)] ρ kg/m³	Bemessungswert der Wärmeleitfähigkeit λ W/(m · K)	Richtwert der Wasserdampf-Diffusionswiderstandszahl[c)] μ
2.4	Leichtbeton mit haufwerkporigem Gefüge			
2.4.1	mit nichtporigen Zuschlägen nach DIN 4226-1, z. B. Kies	1600	0,81	3/10
		1800	1,1	
		2000	1,4	5/10
2.4.2	mit porigen Zuschlägen nach DIN 4226-2, ohne Quarzsandzusatz[d)]	600	0,22	5/15
		700	0,26	
		800	0,28	
		1000	0,36	
		1200	0,46	
		1400	0,57	
		1600	0,75	
		1800	0,92	
		2000	1,2	
2.4.2.1	ausschließlich unter Verwendung von Naturbims	400	0,12	5/15
		450	0,13	
		500	0,15	
		550	0,16	
		600	0,18	
		650	0,19	
		700	0,20	
		750	0,22	
		800	0,24	
		900	0,27	
		1000	0,32	
		1100	0,37	
		1200	0,41	
		1300	0,47	

Fortsetzung siehe nächste Seite.

E

Tabelle 1 (Fortsetzung)

Zeile	Stoff	Rohdichte[a),b)] ρ kg/m³	Bemessungswert der Wärmeleitfähigkeit λ W/(m · K)	Richtwert der Wasserdampf-Diffusionswiderstandszahl[c)] μ
2.4.2.2	ausschließlich unter Verwendung von Blähton	400	0,13	5/15
		450	0,15	
		500	0,16	
		550	0,18	
		600	0,19	
		650	0,21	
		700	0,23	
		800	0,26	
		900	0,30	
		1000	0,35	
		1100	0,39	
		1200	0,44	
		1300	0,50	
		1400	0,55	
		1500	0,60	
		1600	0,68	
		1700	0,76	
3	Bauplatten			
3.1	Porenbeton-Bauplatten und Porenbeton-Planbauplatten, unbewehrt, nach DIN 4166			
3.1.1	Porenbeton-Bauplatten (Ppl) mit normaler Fugendicke und Mauermörtel, nach DIN 1053-1 verlegt	400	0,20	5/10
		500	0,22	
		600	0,24	
		700	0,27	
		800	0,29	
3.1.2	Porenbeton-Planbauplatten (Pppl), dünnfugig verlegt	350	0,11	5/10
		400	0,13	
		450	0,15	
		500	0,16	
		550	0,18	
		600	0,19	
		650	0,21	
		700	0,22	
		750	0,24	
		800	0,25	

Fortsetzung siehe nächste Seite.

Tabelle 1 (Fortsetzung)

Zeile	Stoff	Rohdichte[a),b)] ρ kg/m³	Bemessungswert der Wärmeleitfähigkeit λ W/(m · K)	Richtwert der Wasserdampf-Diffusionswiderstandszahl[c)] μ
3.2	Wandplatten aus Leichtbeton nach DIN 18 162	800	0,29	5/10
		900	0,32	
		1000	0,37	
		1200	0,47	
		1400	0,58	
3.3	Wandbauplatten aus Gips nach DIN 18 163, auch mit Poren, Hohlräumen, Füllstoffen oder Zuschlägen	750	0,35	5/10
		900	0,41	
		1000	0,47	
		1200	0,58	
3.4	Gipskartonplatten nach DIN 18 180	800	0,25	4/10
4	Mauerwerk, einschließlich Mörtelfugen			
4.1	Mauerwerk aus Mauerziegeln nach DIN V 105-1, DIN V 105-2, DIN V 105-3, DIN V 105-4, DIN V 105-5 und DIN V 105-6 bzw. Mauerziegel nach DIN EN 771-1 in Verbindung mit DIN 20 000-401			
			NM/DM[f)]	
4.1.1	Vollklinker, Hochlochklinker, Keramikklinker	1800	0,81	50/100
		2000	0,96	
		2200	1,2	
		2400	1,4	
4.1.2	Vollziegel, Hochlochziegel, Füllziegel	1200	0,50	5/10
		1400	0,58	
		1600	0,68	
		1800	0,81	
		2000	0,96	
		2200	1,2	
		2400	1,4	

Fortsetzung siehe nächste Seite.

E

Tabelle 1 (Fortsetzung)					
Zeile	Stoff	Rohdichte[a),b)] ρ kg/m³	Bemessungswert der Wärmeleitfähigkeit λ W/(m · K)		Richtwert der Wasserdampf-Diffusions-widerstands-zahl[c)] μ
			LM21/ LM36[f)]	NM/DM[f)]	
4.1.3	Hochlochziegel mit Lochung A und B nach DIN V 105-2, DIN V 105-100 bzw. LD-Ziegel nach DIN EN 771-1 in Verbindung mit DIN 20 000-401	550	0,27	0,32	5/10
		600	0,28	0,33	
		650	0,30	0,35	
		700	0,31	0,36	
		750	0,33	0,38	
		800	0,34	0,39	
		850	0,36	0,41	
		900	0,37	0,42	
		950	0,38	0,44	
		1000	0,40	0,45	
			LM21/ LM36[f)]	NM[f)]	
4.1.4	Hochlochziegel HLzW und Wärmedämmziegel WDz nach DIN V 105-2, bzw. LD-Ziegel nach DIN EN 771-1 in Verbindung mit DIN 20 000-401, Sollmaß h = 238 mm	550	0,19	0,22	5/10
		600	0,20	0,23	
		650	0,20	0,23	
		700	0,21	0,24	
		750	0,22	0,25	
		800	0,23	0,26	
		850	0,23	0,26	
		900	0,24	0,27	
		950	0,25	0,28	
		1000	0,26	0,29	
4.2	Mauerwerk aus Kalksandsteinen nach DIN V 106 Mauerwerk aus Kalksandsteinen DIN EN 771-2 in Verbindung mit DIN 20 000-402	1000	0,50		5/10
		1200	0,56		
		1400	0,70		
		1600	0,79		15/25
		1800	0,99		
		2000	1,1		
		2200	1,3		
Fortsetzung siehe nächste Seite.					

Tabelle 1 (Fortsetzung)							
Zeile	Stoff		Rohdichte[a),b)] ρ kg/m³	Bemessungswert der Wärmeleitfähigkeit λ W/(m · K)			Richtwert der Wasserdampf-Diffusions-widerstands-zahl[c)] μ
4.3	Mauerwerk aus Hüttensteinen nach DIN 398		1000	0,47			70/100
			1200	0,52			
			1400	0,58			
			1600	0,64			
			1800	0,70			
			2000	0,76			
4.4	Mauerwerk aus Porenbeton-Plansteinen (PP) nach DIN V 4165-100 in Verbindung mit DIN 20 000-404		350	0,11			5/10
			400	0,13			
			450	0,15			
			500	0,16			
			550	0,18			
			600	0,19			
			650	0,21			
			700	0,22			
			750	0,24			
			800	0,25			
4.5	Mauerwerk aus Betonsteinen						
	Hohlblöcke (Hbl) nach DIN V 18 151, Gruppe 1[e)]			LM21[f)]/ DM[f),i)]	LM36[f),i)]	NM[f)]	
4.5.1	Steinbreite, in cm	Anzahl der Kammerreihen	450	0,20	0,21	0,24	5/10
			500	0,22	0,23	0,26	
			550	0,23	0,24	0,27	
			600	0,24	0,25	0,29	
	17,5	2	650	0,26	0,27	0,30	
	20	2	700	0,28	0,29	0,32	
	24	2–4	800	0,31	0,32	0,35	
	30	3–5	900	0,34	0,36	0,39	
	36,5	4–6	1000			0,45	
	42,5	6	1200			0,53	
	49	6	1400			0,65	
			1600			0,74	

Fortsetzung siehe nächste Seite.

E

Tabelle 1 (Fortsetzung)

Zeile	Stoff		Rohdichte[a),b)] ρ kg/m³	Bemessungswert der Wärmeleitfähigkeit λ W/(m · K)			Richtwert der Wasserdampf-Diffusions-widerstands-zahl[c)] μ
				LM21[f)]/ DM[f),i)]	LM36[f),i)]	NM[f)]	
4.5.2	Hohlblöcke (Hbl) nach DIN V 18 151 und Hohlwandplatten nach DIN 18 148, Gruppe 2		450	0,22	0,23	0,28	5/10
	Steinbreite, in cm	Anzahl der Kammerreihen	500	0,24	0,25	0,29	
			550	0,26	0,27	0,31	
			600	0,27	0,28	0,32	
			650	0,29	0,30	0,34	
	11,5	1	700	0,30	0,32	0,36	
	15	1	800	0,34	0,36	0,41	
	17,5	1	900	0,37	0,40	0,46	
	30	2	1000			0,52	
	36,5	3	1200			0,60	
	42,5	5	1400			0,72	
	49	5	1600			0,76	
4.5.3	Vollblöcke (Vbl, S-W) nach DIN V 18 152		450	0,14	0,16	0,18	5/10
			500	0,15	0,17	0,20	
			550	0,16	0,18	0,21	
			600	0,17	0,19	0,22	
			650	0,18	0,20	0,23	
			700	0,19	0,21	0,25	
			800	0,21	0,23	0,27	
			900	0,25	0,26	0,30	
			1000	0,28	0,29	0,32	

Fortsetzung siehe nächste Seite.

Tabelle 1 (Fortsetzung)						
Zeile	Stoff	Rohdichte[a),b)] ρ kg/m³	Bemessungswert der Wärmeleitfähigkeit λ W/(m · K)			Richtwert der Wasserdampf-Diffusions-widerstands-zahl[c)] μ
			LM21[f)]/ DM[f),i)]	LM36[f),i)]	NM[f)]	
4.5.4	Vollblöcke (Vbl) und Vbl-S nach DIN V 18 152 aus Leichtbeton mit anderen leichten Zuschlägen als Naturbims und Blähton	450	0,22	0,23	0,28	5/10
		500	0,23	0,24	0,29	
		550	0,24	0,25	0,30	
		600	0,25	0,26	0,31	
		650	0,26	0,27	0,32	
		700	0,27	0,28	0,33	
		800	0,29	0,30	0,36	
		900	0,32	0,32	0,39	
		1000	0,34	0,35	0,42	
		1200			0,49	
		1400			0,57	
		1600			0,62	10/15
		1800			0,68	
		2000			0,74	
4.5.5	Vollsteine (V) nach DIN V 18 152	450	0,21	0,22	0,31	5/10
		500	0,22	0,23	0,32	
		550	0,23	0,25	0,33	
		600	0,24	0,26	0,34	
		650	0,25	0,27	0,35	
		700	0,27	0,29	0,37	
		800	0,30	0,32	0,40	
		900	0,33	0,35	0,43	
		1000	0,36	0,38	0,46	
		1200			0,54	
		1400			0,63	
		1600			0,74	10/15
		1800			0,87	
		2000			0,99	

Fortsetzung siehe nächste Seite.

Tabelle 1 (Fortsetzung)

Zeile	Stoff	Rohdichte[a),b)] ρ kg/m³	Bemessungswert der Wärmeleitfähigkeit λ W/(m · K)	Richtwert der Wasserdampf-Diffusionswiderstandszahl[c)] μ
4.5.6	Mauersteine nach DIN 18 153-100 aus Beton bzw. DIN EN 771-3 in Verbindung mit DIN V 20000-403	800	0,60	5/15
		900	0,65	
		1000	0,70	
		1200	0,80	
		1400	0,90	20/30
		1600	1,1	
		1800	1,2	
		2000	1,4	
		2200	1,7	
		2400	2,1	
5	Wärmedämmstoffe – siehe Tabellen 2 und 3			
6	Holz- und Holzwerkstoffe	Siehe DIN EN 12 524		
7	Beläge, Abdichtstoffe und Abdichtungsbahnen			
7.1	Fußbodenbeläge	Siehe DIN EN 12 524		
7.2	Abdichtstoffe	Siehe DIN EN 12 524		
7.3	Dachbahnen, Dachabdichtungsbahnen			
7.3.1	Bitumendachbahn nach DIN 52 128	(1200)	0,17	10 000/80 000
7.3.2	Nackte Bitumenbahnen nach DIN 52 129	(1200)	0,17	2000/20 000
7.3.3	Glasvlies-Bitumendachbahnen nach DIN 52 143	–	0,17	20 000/60 000
7.3.4	Kunststoff-Dachbahn nach DIN 16 729 (ECB)	–	–	50 000/75 000
				(2,0K)
				70 000/90 000
7.3.5	Kunststoff-Dachbahn nach DIN 16 730 (PVC-P)	–	–	100 000/ 30 000
7.3.6	Kunststoff-Dachbahn nach DIN 16 731 (PIB)	–	–	400 000/ 1 750 000

Fortsetzung siehe nächste Seite.

Tabelle 1 (Fortsetzung)

Zeile	Stoff	Rohdichte[a),b)] ρ kg/m³	Bemessungswert der Wärmeleitfähigkeit λ W/(m · K)	Richtwert der Wasserdampf-Diffusionswiderstandszahl[c)] μ
7.4	Folien	Siehe DIN EN 12524		
7.4.1	PTFE-Folien, Dicke $d \geq 0{,}05$ mm	–	–	10000
7.4.2	PA-Folie, Dicke $d \geq 0{,}05$ mm	–	–	50000
7.4.3	PP-Folie, Dicke $d \geq 0{,}05$ mm	–	–	1000
8	Sonstige gebräuchliche Stoffe[g)]			
8.1	Lose Schüttungen, abgedeckt[h)]			
8.1.1	aus porigen Stoffen:			
	Blähperlit	(≤ 100)	0,060	3
	Blähglimmer	(≤ 100)	0,070	
	Korkschrot, expandiert	(≤ 200)	0,055	
	Hüttenbims	(≤ 600)	0,13	
	Blähton, Blähschiefer	(≤ 400)	0,16	
	Bimskies	(≤ 1000)	0,19	
	Schaumlava	(≤ 1200)	0,22	
		(≤ 1500)	0,27	
8.1.2	aus Polystyrolschaumstoff-Partikeln	(15)	0,050	3
8.1.3	aus Sand, Kies, Splitt (trocken)	(1800)	0,70	3
8.2	Fliesen	Siehe DIN EN 12524		
8.3	Glas			
8.4	Natursteine			
8.5	Lehmbaustoffe	500	0,14	5/10
		600	0,17	
		700	0,21	
		800	0,25	
		900	0,30	
		1000	0,35	
		1200	0,47	
		1400	0,59	
		1600	0,73	
		1800	0,91	
		2000	1,1	

Fortsetzung siehe nächste Seite.

E

Tabelle 1 (Fortsetzung)

Zeile	Stoff	Rohdichte[a),b)] ρ kg/m³	Bemessungswert der Wärmeleitfähigkeit λ W/(m · K)	Richtwert der Wasserdampf-Diffusionswiderstandszahl[c)] μ
8.6	Böden, naturfeucht	Siehe DIN EN 12 524		
8.7	Keramik und Glasmosaik			
8.8	Metalle			

a) Die in Klammern angegebenen Rohdichtewerte dienen nur zur Ermittlung der flächenbezogenen Masse, z. B. für den Nachweis des sommerlichen Wärmeschutzes.

b) Die bei den Steinen genannten Rohdichten entsprechen den Rohdichteklassen der zitierten Stoffnormen.

c) Es ist jeweils der für die Baukonstruktion ungünstigere Wert einzusetzen. Bezüglich der Anwendung der μ-Werte siehe DIN 4108-3.

d) Bei Quarzsand erhöhen sich die Bemessungswerte der Wärmeleitfähigkeit um 20 %.

f) Bezeichnung der Mörtelarten nach DIN 1053-1
- NM – Normalmörtel;
- LM21 – Leichtmörtel mit λ = 0,21 W/(m · K);
- LM36 – Leichtmörtel mit λ = 0,36 W/(m · K);
- DM – Dünnbettmörtel.

e) Die Bemessungswerte der Wärmeleitfähigkeit sind bei Hohlblöcken mit Quarzsandzusatz für 2 K Hbl um 20 % und für 3 K Hbl bis 6 K Hbl um 15 % zu erhöhen.

i) Wenn keine Werte angegeben sind, gelten die Werte der Spalte „NM“.

g) Diese Stoffe sind hinsichtlich ihrer wärmeschutztechnischen Eigenschaften nicht genormt. Die angegebenen Wärmeleitfähigkeitswerte stellen obere Grenzwerte dar.

h) Die Dichte wird bei losen Schüttungen als Schüttdichte angegeben.

Tabelle 2: Zeile 5 von Tabelle 1 für Wärmedämmstoffe nach harmonisierten Europäischen Normen

Zeile	Stoff	Kategorie I		Kategorie II		Richtwert der Wasserdampf-Diffusionswiderstandszahl[a)] μ
		Nennwert W/(m · K) λ_D	Bemessungswert W/(m · K) $\lambda^{b)}$	Grenzwert W/(m · K) $\lambda_{grenz}{}^{c)}$	Bemessungswert W/(m · K) $\lambda^{d)}$	
5.1	Mineralwolle (MW) nach DIN EN 13 162	0,030 0,031 0,032 0,033 0,034 0,035 ⋮ 0,050	0,036 0,037 0,038 0,040 0,041 0,042 ⋮ 0,060	0,0290 0,0299 0,0309 0,0319 0,0329 0,0338 ⋮ 0,0480	0,030 0,031 0,032 0,033 0,034 0,035 ⋮ 0,050	1

Fortsetzung siehe nächste Seite.

Tabelle 2 (Fortsetzung)

Zeile	Stoff	Kategorie I		Kategorie II		Richtwert der Wasser-dampf-Diffusions-widerstandszahl[a)] μ
		Nennwert W/(m · K) λ_D	Bemes-sungswert W/(m · K) λ[b)]	Grenzwert W/(m · K) λ_{grenz}[c)]	Bemes-sungswert W/(m · K) λ[d)]	
5.2	Expandierter Polystyrol-schaum (EPS) nach DIN EN 13 163	0,030 0,031 0,032 0,033 0,034 0,035 ⋮ 0,050	0,036 0,037 0,038 0,040 0,041 0,042 ⋮ 0,060	0,0290 0,0299 0,0309 0,0319 0,0329 0,0338 ⋮ 0,0480	0,030 0,031 0,032 0,033 0,034 0,035 ⋮ 0,050	20/100
5.3	Extrudierter Polystyrol-schaum (XPS) nach DIN EN 13 164	0,026 0,027 0,028 0,029 0,030 ⋮ 0,040	0,031 0,032 0,034 0,035 0,036 ⋮ 0,048	0,0252 0,0261 0,0271 0,0280 0,0290 ⋮ 0,0385	0,026 0,027 0,028 0,029 0,030 ⋮ 0,040	80/250
5.4	Polyurethan-Hartschaum (PUR) nach DIN EN 13 165[e)]	0,020 0,021 0,022 0,023 0,024 0,025 ⋮ 0,040	0,024 0,025 0,026 0,028 0,029 0,030 ⋮ 0,048	0,0195 0,0204 0,0214 0,0223 0,0233 0,0242 ⋮ 0,0428	0,020 0,021 0,022 0,023 0,024 0,025 ⋮ 0,045	40/200
5.5	Phenolharz-Hartschaum (PF) nach DIN EN 13 166	0,020 0,021 0,022 0,023 0,024 0,025 ⋮ 0,035	0,024 0,025 0,026 0,028 0,029 0,030 ⋮ 0,042	0,0195 0,0204 0,0214 0,0223 0,0233 0,0242 ⋮ 0,0338	0,020 0,021 0,022 0,023 0,024 0,025 ⋮ 0,035	10/60
5.6	Schaumglas (CG) nach DIN EN 13 167	0,038 0,039 0,040 ⋮ 0,055	0,046 0,047 0,048 ⋮ 0,066	0,0366 0,0375 0,0385 ⋮ 0,0529	0,038 0,039 0,040 ⋮ 0,055	[f)]

Fortsetzung siehe nächste Seite.

Tabelle 2 (Fortsetzung)

Zeile	Stoff	Kategorie I		Kategorie II		Richtwert der Wasserdampf-Diffusionswiderstandszahl[a)]
		Nennwert W/(m · K) λ_D	Bemessungswert W/(m · K) $\lambda^{b)}$	Grenzwert W/(m · K) $\lambda_{grenz}^{c)}$	Bemessungswert W/(m · K) $\lambda^{d)}$	μ
5.7	Holzwolle-Leichtbauplatten nach DIN EN 13 168					
5.7.1	Holzwolle-Platten (WW)	0,060 0,061 0,062 0,063 0,064 0,065 ⋮ 0,10	0,072 0,073 0,074 0,076 0,077 0,078 ⋮ 0,12	0,0576 0,0585 0,0595 0,0604 0,0614 0,0623 ⋮ 0,0957	0,060 0,061 0,062 0,063 0,064 0,065 ⋮ 0,10	2/5
5.7.2	Holzwolle-Mehrschichtplatten nach DIN EN 13 168 (WWC)					
	mit expandiertem Polystyrolschaum (EPS) nach DIN EN 13 163	0,030 0,031 0,032 0,033 0,034 0,035 ⋮ 0,050	0,036 0,037 0,038 0,040 0,041 0,042 ⋮ 0,060	0,0290 0,0299 0,0309 0,0319 0,0329 0,0338 ⋮ 0,0480	0,030 0,031 0,032 0,033 0,034 0,035 ⋮ 0,050	20/50
	mit Mineralwolle (MW) nach DIN EN 13 162	0,030 0,031 0,032 0,033 0,034 0,035 ⋮ 0,050	0,036 0,037 0,038 0,040 0,041 0,042 ⋮ 0,060	0,0290 0,0299 0,0309 0,0319 0,0329 0,0338 ⋮ 0,0480	0,030 0,031 0,032 0,033 0,034 0,035 ⋮ 0,050	1
	Holzwolledeckschicht(en) nach DIN EN 13 168	0,10 0,11 0,12 0,13 0,14	0,12 0,13 0,14 0,16 0,17	0,0957 0,1090 0,1190 0,1280 0,1380	0,10 0,11 0,12 0,13 0,14	2/5
5.8	Blähperlit (EPB) nach DIN EN 13 169	0,045 0,046 0,047 ⋮ 0,065	0,054 0,055 0,056 ⋮ 0,078	0,0432 0,0443 0,0452 ⋮ 0,0624	0,045 0,046 0,047 ⋮ 0,065	5

Fortsetzung siehe nächste Seite.

Tabelle 2 (Fortsetzung)

Zeile	Stoff	Kategorie I		Kategorie II		Richtwert der Wasserdampf-Diffusionswiderstandszahl[a)] μ
		Nennwert W/(m · K) λ_D	Bemessungswert W/(m · K) λ[b)]	Grenzwert W/(m · K) λ_{grenz}[c)]	Bemessungswert W/(m · K) λ[d)]	
5.9	Expandierter Kork (ICB) nach DIN EN 13 170[g)]	0,040	0,049	0,0368	0,040	5/10
		0,041	0,050	0,0377	0,041	
		0,042	0,052	0,0386	0,042	
		0,043	0,053	0,0395	0,043	
		0,044	0,054	0,0404	0,044	
		0,045	0,055	0,0413	0,045	
		⋮	⋮	⋮	⋮	
		0,055	0,067	0,0504	0,055	
5.10	Holzfaserdämmstoff (WF) nach DIN EN 13 171[g)]	0,032	0,039	0,0303	0,032	5
		0,033	0,040	0,0312	0,033	
		0,034	0,042	0,0322	0,034	
		0,035	0,043	0,0331	0,035	
		0,036	0,044	0,0340	0,036	
		0,037	0,045	0,0350	0,037	
		0,038	0,046	0,0359	0,038	
		0,039	0,048	0,0368	0,039	
		0,040	0,049	0,0378	0,040	
		⋮	⋮	⋮	⋮	
		0,060	0,073	0,0565	0,060	
5.11	Wärmedämmputz nach DIN EN 998-1 der					5/20
	Kategorie			0,057	0,060	
	T1			0,066	0,070	
	T1			0,075	0,080	
	T1			0,085	0,090	
	T1		0,120	0,094	0,100	
	T2			0,113	0,120	
	T2			0,132	0,140	
	T2		0,192	0,150	0,160	

a) Es ist jeweils der für die Baukonstruktion ungünstigere Wert einzusetzen. Bezüglich der Anwendung der μ-Werte siehe DIN 4108-3.

b) $\lambda = \lambda_D \cdot 1{,}2$

c) Der Wert λ_{grenz} ist im Rahmen der technischen Spezifikationen des jeweiligen Dämmstoffs festzulegen.

d) $\lambda = \lambda_{grenz} \cdot 1{,}05$

e) die alternative Ermittlung von λ ist möglich nach Anhang C

f) praktisch dampfdicht, DIN EN 12 086 oder DIN EN ISO 12 572: $S_d \geq 1500\,m$

g) in den Zeilen 5.9 und 5.10 ist die Umrechnung der Feuchte bereits realisiert; in der Zeile 5.9 ist die Umrechnung $\lambda = \lambda_D \times 1{,}23$ und $\lambda_{grenz} \times 1{,}1$ sowie in der Zeile 5.10 $\lambda = \lambda_D \times 1{,}23$ und $\lambda_{grenz} \times 1{,}07$

Tabelle 3: Wärmedämmstoffe nach nationalen Normen

Zeile	Stoff	Rohdichte ρ kg/m³	Bemessungswert der Wärmeleitfähigkeit λ W/(m · K)	Richtwert der Wasserdampf-Diffusionswiderstandszahl[a] μ
1	Schaumkunststoffe, an der Verwendungsstelle hergestellt			
1.1	Polyurethan (PUR)-Ortschaum nach DIN 18 159-1 (Treibmittel CO_2)			
	Wärmeleitfähigkeitsgruppe			
	035	(> 45)	0,035	30/100
	040		0,040	
1.2	Harnstoff-Formaldehyd (UF)-Ortschaum nach DIN 18 159-2			
	Wärmeleitfähigkeitsgruppe			
	035	(≥ 10)	0,035	1/3
	040		0,040	
1.3	Holzfaserdämmstoffe nach DIN 68 755			
	Wärmeleitfähigkeitsgruppe			
	035	(110 bis 450)	0,035	5
	040		0,040	
	045		0,045	
	050		0,050	
	055		0,055	
	060		0,060	

[a] Es ist der jeweils für die Baukonstruktion ungünstigere Wert einzusetzen. Bezüglich der Anwendung der μ-Werte siehe DIN 4108-3.

4.2 Ausgleichsfeuchtegehalte

Die Bemessungswerte der Wärmeleitfähigkeit λ in Tabelle 1 sind aufgrund der Ausgleichsfeuchtegehalte im Klima 23/80 relative Luftfeuchte nach Tabelle 4 und den Umrechungsfaktoren für den Feuchtegehalt nach Tabelle 5 festgelegt worden.

Tabelle 4: Ausgleichsfeuchtegehalte von Baustoffen

Zeile		Baustoffe	Feuchtegehalt μ kg/kg
1		Beton mit geschlossenem Gefüge mit porigen Zuschlägen	0,13
2	2.1	Leichtbeton mit haufwerkporigem Gefüge mit dichten Zuschlägen nach DIN 42 261	0,03
	2.2	Leichtbeton mit haufwerkporigem Gefüge mit porigen Zuschlägen nach DIN 42 262	0,045
3		Gips, Anhydrit	0,02
4		Gussasphalt, Asphaltmastix	0
5		Holz, Sperrholz, Spanplatten, Holzfaserplatten, Schilfrohrplatten und -matten, organische Faserdämmstoffe	0,15
6		Pflanzliche Faserdämmstoffe aus Seegras, Holz-, Torf- und Kokosfasern und sonstige Fasern	0,15

Weitere Ausgleichsfeuchtegehalte sind EN 12 524:200007, 2, zu entnehmen.

4.3 Umrechnungsfaktoren für den Feuchtegehalt und Zuschlagswerte

Tabelle 5: Wandbaustoffe

Zeile	Mauerwerk und Wandkonstruktionen, Mörtel, Estriche	Umrechnungs-faktor F_m [a]
1	Mauerziegel	1,13
2	Kalksandstein	1,27
3	Porenbeton	1,20
4	Beton mit Blähtonzuschlägen	1,08
5	Beton mit überwiegend Blähtonzuschlägen	1,13
6	Beton mit Bimszuschlägen	1,15
7	Beton mit Polystyrolzuschlägen	1,13
8	Beton mit mehr als 70 % geblähter Hochofenschlacke	1,17
9	Beton mit Zuschlägen, vorwiegend bei hohen Temperaturen aus taubem Gestein aufbereitet	1,17
10	Beton mit Leichtzuschlägen	1,22
11	Mörtel (Mauermörtel und Putzmörtel)	1,27
12	Beton mit nichtporigen Zuschlägen und Kunststein	1,17
13	Beton mit geschlossenem Gefüge und mit porigen Zuschlägen	1,45
14	Gips, Anhydrit	1,25
15	Steinholz	1,60
16	Asphalt, Bitumen	1,0

[a] F_m bezogen auf den Trockenwert der Wärmeleitfähigkeit

E

5 Gläser, Fenster, Türen und Vorhangfassaden

5.1 Bemessungswerte für Fenster, Fenstertüren und Außentüren sowie Dachflächenfenster

5.1.1 Bemessungswerte für Fenster, Fenstertüren und Außentüren sowie Dachflächenfenster nach DIN 143 511.

ANMERKUNG In den Berechnungsnormen und Nachweisen für den baulichen Wärmeschutz und die Energieeinsparung im Hochbau wird der Index BW (für Bemessungswerte) nicht verwendet.

5.1.1.1 Bemessungswerte des Wärmedurchgangskoeffizienten

Der Nennwert U_W bzw. U_D ist der vom Hersteller deklarierte Wärmedurchgangskoeffizient gemäß DIN 143 511. Der Bemessungswert des Wärmedurchgangskoeffizienten für Fenster, Fenstertüren sowie Dachflächenfenster $U_{W,BW}$ entspricht dem Nennwert U_W.

ANMERKUNG Der Wärmedurchgangskoeffizient für Fenster, Fenstertüren sowie Dachflächenfenster kann durch Abschlüsse (Rollläden) weiter verbessert werden. Unter stationären Bedingungen können bei regelmäßiger und sachgerechter Benutzung automatisch (zeitgesteuert) bediente Abschlüsse eine Verbesserung von etwa 0,2 $W/(m^2 \cdot K)$ und manuell bediente von 0,1 $W/(m^2 \cdot K)$ bewirken. Im Bemessungswert bleibt diese Möglichkeit unberücksichtigt.

Der Bemessungswert für Wärmedurchgangskoeffizienten für Außentüren $U_{D,WB}$ entspricht dem Nennwert U_D. Ist für den Nennwert des Wärmedurchgangskoeffizienten von Türen U_D kein Nachweis vorhanden (wegen handwerklicher Herstellung, Bestandstüren), können für den Anwendungsbereich dieser Norm pauschal folgende Bemessungswerte $U_{D,BW}$ verwendet werden:

Tabelle 8: Bemessungswert des Wärmedurchgangskoeffizienten von Türen $U_{D,BW}$ in Abhängigkeit der konstruktiven Merkmale

Konstruktionsmerkmale	$U_{D,BW}$ in $W/(m^2 \cdot K)$
Türen aus Holz, Holzwerkstoffen und Kunststoff	2,9
Türen aus Metallrahmen und metallenen Bekleidungen	4,0

Es ist ausreichend, wenn der Nennwert des Wärmedurchgangskoeffizienten für Fenster U_W und Außentüren U_D für die in EN 143 511 Anhang E definierten Abmessungen ermittelt wird.

5.1.1.2 Bemessungswert des Gesamtenergiedurchlassgrades und des Lichttransmissionsgrades

Der Nennwert ist der entsprechend DIN 143 511 ermittelte Gesamtenergiedurchlassgrad. Der Nennwert τ_v ist der entsprechend DIN 143 511 ermittelte Lichttransmissionsgrad.

Der Bemessungswert g_{BW} des Gesamtenergiedurchlassgrades entspricht dem Nennwert g.

Der Bemessungswert $\tau_{v,BW}$ des Lichttransmissionsgrades entspricht dem Nennwert τ_v.
Ist für den Nennwert des Gesamtenergiedurchlassgrades und/oder des Lichttransmissionsgrades τ_v kein Nachweis vorhanden, sind die Werte entsprechend Kapitel 5.2.1.2 zu ermitteln.

Die Werte sind identisch mit den Werten im Nachweis des Glasherstellers.

5.1.2 Luftdurchlässigkeit in Abhängigkeit von den Konstruktionsmerkmalen von Fenstern, Fenstertüren und Außentüren

Ist für die Klasse der Luftdurchlässigkeit von Fenstern, Fenstertüren sowie Außentüren kein Nachweis vorhanden, können für den Anwendungsbereich dieser Norm pauschal folgende Klassen verwendet werden:

Tabelle 9: Luftdurchlässigkeit in Abhängigkeit der Konstruktionsmerkmale von Fenstern, Fenstertüren und Außentüren

Konstruktionsmerkmale	Klasse nach EN 12 207
Holzfenster (auch Doppelfenster) mit Profilen nach DIN 681 211, ohne Dichtung	2
Alle Fensterkonstruktionen mit alterungsbeständiger, leicht auswechselbarer, weichfedernder Dichtung, in einer Ebene umlaufend angeordnet	3
Alle Außentürkonstruktionen mit alterungsbeständiger, leicht auswechselbarer, weichfedernder Dichtung, in einer Ebene umlaufend angeordnet	2

ANMERKUNG Die in Tabelle 9 angegebenen Werte können nicht für die Deklaration der Luftdurchlässigkeitsklasse im Rahmen des CE-Nachweises nach EN 143 511 verwendet werden.

5.2 Bemessungswerte für Mehrscheiben-Isolierglas nach DIN EN 1279-5

ANMERKUNG Die Bemessungswerte $U_{g,BW}$, g_{BW} sowie $\tau_{v,BW}$ werden nur dann benötigt, wenn ausschließlich das Glas festzulegen ist, wie z.B. im Fall von Ersatz bzw. Erneuerung des Glases. In den Berechnungsnormen und Nachweisen für den baulichen Wärmeschutz und die Energieeinsparung im Hochbau wird der Index BW (für Bemessungswerte) nicht verwendet.

5.2.1 Bemessungswerte des Wärmedurchgangskoeffizienten

Der Bemessungswert des Wärmedurchgangskoeffizienten $U_{g,BW}$ ist nach Gleichung (1) zu ermitteln.

$$U_{g,BW} = U_g + \Delta U_g \quad (1)$$

Dabei ist

g der vom Hersteller deklarierte Wärmedurchgangskoeffizient nach DIN EN 1279-5 (Nennwert;)

ΔU_g der Korrekturwert nach Tabelle 10.

E

Tabelle 10: Korrekturwerte ΔU_g zur Berechnung der Bemessungswerte $U_{g,BW}$

Korrekturwert ΔU_g W/(m² · K)	Grundlage
+ 0,1	Sprossen im Scheibenzwischenraum (einfaches Sprossenkreuz)
+ 0,2	Sprossen im Scheibenzwischenraum (mehrfache Sprossenkreuze)

5.2.2 Bemessungswerte des Gesamtenergiedurchlassgrades und des Lichttransmissionsgrades

Der Nennwert ist der vom Hersteller deklarierte Gesamtenergiedurchlassgrad gemäß DIN EN 1279-5. Der Nennwert τ_v ist der vom Hersteller deklarierte Lichttransmissionsgrad gemäß DIN 1279-5.

Der Bemessungswert des Gesamtenergiedurchlassgrades g_{BW} entspricht dem Nennwert g.

Der Bemessungswert des Lichttransmissionsgrades $\tau_{v,BW}$ entspricht dem Nennwert τ_v.

Ist für den Gesamtenergiedurchlassgrad und/oder des Lichttransmissionsgrades τ_v kein Nachweis vorhanden, können für den Anwendungsbereich dieser Norm pauschal folgende Werte verwendet werden:

Tabelle 11: Gesamtenergiedurchlassgrad und Lichttransmissionsgrad in Abhängigkeit der Konstruktionsmerkmale

Konstruktionsmerkmale	g_{BW}	$\tau_{v,BW}$
Einfachscheibe (unabhängig von der Dicke)	0,80	0,85
2fach Isolierglas mit Luft oder Gasfüllung, ohne Beschichtung	0,75	0,80
2fach Wärmeschutzglas mit Luft oder Gasfüllung, mit einer infrarotreflektierenden Beschichtung (low e Schicht)	0,50	0,70
3fach Wärmeschutzglas mit Luft oder Gasfüllung, mit zwei infrarotreflektierenden Beschichtungen (low e Schicht)	0,40	0,60
2fach Isolierglas mit Sonnenschutzbeschichtung (i.d.R. auf Pos. 2)	0,30	0,50

Liegen nur für Grundaufbauten

– Wärmeschutzglas: 4SZR4; Schicht auf Pos. 3
– Sonnenschutzglas: 6SRZ4; Schicht auf Pos. 2

Gesamtenergiedurchlassgrade vor, so können diese nach Gleichung 2 und Tabelle 12 korrigiert werden.

$$g = g_0 \times c \quad (2)$$

Tabelle 12: Korrekturfaktoren *c* in Abhängigkeit des Emissionsgrades ε_n

Außenscheibe Dicke *d* mm	Korrekturfaktor *c* bei Schichttyp	
	$\varepsilon_n \leq 0,1$	$\varepsilon_n > 0,1$
4 bis 6	1,00	1,00
7 bis 10	0,80	0,85
11 bis 14	0,85	0,80
> 14	0,75	0,70
Messung ist mit dickerer Außenscheibe erfolgt	1,00	1,00

Für dickere Innenscheiben kann der festgelegte *g*-Wert weiter verwendet werden.

5.3 Bemessungswerte für Vorhangfassaden

5.3.1 Bemessungswerte des Wärmedurchgangskoeffizienten

Der Nennwert U_{CW} ist der vom Hersteller deklarierte Wärmedurchgangskoeffizient gemäß EN 13 830. Der Bemessungswert des Wärmedurchgangskoeffizienten für Vorhangfassaden $U_{CW,BW}$ entspricht dem Nennwert U_{CW}.

5.3.2 Bemessungswerte des Gesamtenergiedurchlassgrades und des Lichttransmissionsgrades

Der Bemessungswert des Gesamtenergiedurchlassgrades g_{BW} sowie des Lichttransmissionsgrades $\tau_{v,BW}$ des Glases in der Vorhangfassade ist entsprechend Kapitel 5.2.1.2 zu ermitteln.

Die Werte sind identisch mit den Werten im Nachweis des Glasherstellers.

6 Lichtkuppeln und Dachlichtbänder

Der Nennwert des Wärmedurchgangskoeffizienten für Lichtkuppeln ist der vom Hersteller deklarierte Wärmedurchgangskoeffizient gemäß EN 1873. Der Bemessungswert des Wärmedurchgangskoeffizienten entspricht dem Nennwert. Für zweischalige und dreischalige Lichtkuppeln oder Dachlichtbänder mit wärmegedämmten Aufsatzkränzen ohne deklarierten Wert dürfen ohne weiteren Nachweis die nachstehenden Bemessungswerte der Wärmedurchgangskoeffizienten nach Tabelle 13 angenommen werden:

Tabelle 13: Bemessungswerte für Lichtkuppeln und Dachlichtbänder

Lichtkuppeln Dachlichtbänder	Bemessungswert des Wärmedurchgangskoeffizienten *U* W/(m² · K)
zweischalig	3,5
dreischalig	2,5

E

ANMERKUNG Die in Tabelle 13 angegebenen Werte können nicht für die Deklaration des *U*-Wertes im Rahmen des CE-Nachweises nach EN 1873 verwendet werden.

Die Bemessungswerte des Wärmedurchgangskoeffizienten für Lichtkuppeln oder Dachlichtbänder beziehen sich auf die Nenngröße (lichtes Rohbaumaß in der Dachfläche).

Der Nennwert des Lichttransmissionsgrades τ_v für Lichtkuppeln ist der vom Hersteller deklarierte Lichttransmissionsgrad gemäß EN 1873. Der Bemessungswert des Lichttransmissionsgrades $\tau_{v,BW}$ entspricht dem Nennwert τ_v. Er kann pauschal nach V 185 995 ermittelt werden, wenn kein Wert vorhanden ist. Der Bemessungsgrad des Lichttransmissionsgrades $\tau_{v,BW}$ für Dachlichtbänder kann pauschal nach V 185 995 ermittelt werden.

Der Bemessungswert des Gesamtenergiedurchlassgrades für Lichtkuppeln oder Dachlichtbänder g_{BW} entspricht dem Nennwert und kann pauschal nach V 185 995 ermittelt werden.

7 Bemessungswerte für Tore

Der Nennwert des Wärmedurchgangskoeffizienten U_D wird nach DIN 13 241 ermittelt und mit dem CE-Zeichen angegeben. Der Bemessungswert $U_{D,BW}$ des Wärmedurchgangskoeffizienten ist gleich dem Nennwert. Ist für den Nennwert des Wärmedurchgangskoeffizienten U_D kein Nachweis vorhanden, dürfen für den Anwendungsbereich dieser Norm pauschal folgende Bemessungswerte $U_{D,BW}$ verwendet werden:

Tabelle 14: Bemessungswert $U_{D,BW}$ in Abhängigkeit der konstruktiven Merkmale

Toraufbau[a)]	Bemessungswert des Wärmedurchgangskoeffizienten $U_{D,BW}$ W/(m² · K)
Tore mit einem Torblatt aus Metall (einschalig, ohne wärmetechnische Trennung)	6,5
Tore mit einem Torblatt aus Metall oder holzbeplankten Paneelen aus Dämmstoffen ($\lambda \leq 0{,}04$ W/(m² · K) bzw. $R_D \geq 0{,}5$ W/(m² · K) bei 15 mm Schichtdicke)	2,9
Tore mit einem Torblatt aus Holz und Holzwerkstoffen, Dicke der Torfüllung $\geq$ 15	4,0
Tore mit einem Torblatt aus Holz und Holzwerkstoffen, Dicke der Torfüllung $\geq$ 25 mm	3,2
a) Unter Tore wird hier verstanden: Eine Einrichtung, um eine Öffnung zu schließen, die in der Regel für die Durchfahrt von Fahrzeugen vorgesehen ist. Der allgemeine Begriff für „Tore" ist in EN 124 331 definiert.	

ANMERKUNG Die in Tabelle 14 angegebenen Werte können nicht für die Deklaration des U_D-Wertes im Rahmen des CE-Nachweises nach DIN 13 241 verwendet werden.

Wärmeschutz und Energie-Einsparung in Gebäuden – Teil 6 – Berechnung der Jahresheizwärme und des Jahresheizenergiebedarfs

Auszug aus **DIN V 4108-6** (06.2003)

Inhalt

E

5 Berechnungsverfahren

5.1 Allgemeines

Das Berechnungsverfahren basiert auf einer Energiebilanz in stationärem Zustand unter Berücksichtigung der dynamischen Einwirkung von internen und solaren Wärmegewinnen. Im Rahmen dieser Vornorm werden für das hier behandelte Berechnungsverfahren, das dem Berechnungsverfahren der DIN EN 832 entspricht, die Randbedingungen für Anwendungen in Deutschland festgelegt.

Das vorliegende Verfahren berechnet den Heizwärmebedarf Q_h, also die Wärmemenge, die das Heizsystem liefern muss und den Heizenergiebedarf Q, also den Energiebetrag, der einem Heizsystem zugeführt werden muss.

5.2 Bilanzierungszeiträume

Für die Ermittlung des Heizwärmebedarfs wird nach DIN EN 832 in der Regel von einer monatlichen Wärmebilanz ausgegangen. Durch Aufsummierung der monatlichen Werte, sofern diese positiv sind, ergibt sich der Heizwärmebedarf für die Heizzeit (Monatsbilanzverfahren).

Für vereinfachte Berechnungen kann das Verfahren verkürzt werden, indem die Wärmebilanz nicht monatlich, sondern über eine Periode, z. B. ein Jahr oder über eine festgelegte Heizperiode durchgeführt wird. Man wendet dann die sogenannte Jahresperiodenbilanzierung oder die Heizperiodenbilanzierung (HP) an. Dabei sind für beide Verfahren vorgegebene Heizgradtagzahlen Gt_{xy} zu verwenden, die aus Tabelle A.2 zu entnehmen sind.

5.3 Systemgrenzen

Das nachstehende Berechnungsverfahren gilt für gleichmäßig beheizte Gebäude. Unterscheiden sich die durchschnittlichen Innentemperaturen in Teilbereichen (Zonen) des Gebäudes um weniger als 4 K, kann den Berechnungen die mittlere, flächengewichtete Innentemperatur des Gebäudes zugrundegelegt werden. Bei größeren Unterschieden ist das Gebäude in zwei oder mehr Temperaturzonen aufzuteilen, wobei die Wärmebilanz für jede Temperaturzone aufzustellen ist und am Ende die Ergebnisse der Zone zu addieren sind.

ANMERKUNG Mehrzonige Modelle führen zu einer erhöhten Komplexität der Berechnung und sollten nur in begründeten Fällen angewendet werden. Die Berechnungsgenauigkeit wird im Rahmen der angewendeten Verfahrensweise nur unwesentlich verbessert.

5.4 Heiz- und Primärenergiebedarf

Der Jahres-Heizenergiebedarf eines Gebäudes setzt sich nach DIN EN 832 und Gleichung (1) aus der Summe des Jahres-Heizwärmebedarfes Q_h, des Jahreswärmebedarfes für die Warmwasserbereitung Q_W, und der Wärmeverluste der Anlagentechnik für Beheizung und Warmwassererwärmung Q_t zusammen unter Abzug der Energiemengen Qr, die durch regenerative Systeme erbracht werden.

$$Q = Q_h + Q_W + Q_t + Q_r \tag{1}$$

Dabei ist:

Q_r der Energiebetrag, der von Zusatzeinrichtungen dem Heizsystem aus der Umwelt zugeführt wird. Er wird nach DIN V 4701-10 ermittelt.

Direkte solare Wärmegewinne und Wärmerückgewinne aus Lüftungsanlagen gehen in Q_r nicht ein; sie werden bei Q_h berücksichtigt.

Der Wärmebedarf für Warmwasser kann, falls er berücksichtigt werden soll, nach DIN EN 832 und nach Gleichung (2) bestimmt werden. Für den öffentlich-rechtlichen Nachweis gelten die Ansätze nach [1].

$$Q_W = (\rho\, c)_W V_W (\theta_W - \theta_0) \tag{2}$$

Dabei ist:

$(\rho\, c)_W$ die volumenspezifischen Wärmekapazität des Wassers; $(\rho\, c)_W$ = 1,161 kWh/($m^3 \cdot$ K);

V_W das Volumen des warmen Wassers im Berechnungszeitraum;

θ_W die Temperatur des abgegebenen Warmwassers;

θ_0 die Temperatur des Wasser vor Eintritt in das Warmwassersystem.

Wenn keine genaueren Angaben für den Warmwasserbedarf bekannt sind, sind folgende Werte anzunehmen:

E

$V_W = 0{,}75\ m^3$/Person und Monat

$V_W = 9\ m^3$/bei Jahresbilanzierung

$V_W = 5\ m^3$/bei Heizperiodenbilanzierung

$\theta_W = 50\,°C$

$\theta_0 = 10\,°C$

Der in DIN EN 832 enthaltene Nutzungsgrad h des Heizsystems kann nach Gleichung (3) bestimmt werden, wenn der Heizenergiebedarf Q und der Heizwärmebedarf Q_h ermittelt worden sind.

$$\eta_h = \frac{Q_h + Q_W}{Q + Q_r} \tag{3}$$

Hierbei ist zu überprüfen, ob im Heizenergiebedarf der Energiebetrag für regenerative Systeme enthalten ist. In diesem Fall ist in Gleichung (3) $Q_r = 0$ zu setzen.

Sind die technischen Wärmeverluste Q_t nicht bekannt, können diese Verluste zur Ermittlung des Heizenergiebedarfs nach DIN V 4701-10 bestimmt werden. DIN V 4701-10 ermöglicht die Ermittlung der Anlagenverluste mittels Aufwandszahlen. Es stehen folgende Verfahren zur Auswahl:

a) Diagrammverfahren nach DIN V 4701-10;

b) Tabellenverfahren nach DIN V 4701-10;

c) Detailliertes Verfahren nach DIN V 4701-10;

Zur Ermittlung des primärenergetisch bewerteten Heizenergiebedarfs Q_P (Primärenergiebedarf) wird die Gleichung (4) nach DIN V 4701-10 verwendet, wobei e_P die primärenergiebezogene Gesamt-Anlagenaufwandszahl nach DIN V 4701-10 ist.

$$Q_P = (> Q_h + Q_W) \cdot e_P \tag{4}$$

Das Diagramm-Verfahren nach a) bietet sich in der Vorplanungsphase an, wenn eine übliche, typische Heizungsanlagenkonfiguration vorgesehen ist. In diesem Fall können die Ergebnisse ohne Detailberechnung nach DIN V 4701-10 oder DIN V 4701-10 Beiblatt 1 ermittelt werden.

Das Tabellenverfahren nach b) ist in der Vorplanungsphase zur Bewertung von Anlagensystemen dann besonders geeignet, wenn Diagramme für bestimmte Heizungsanlagen nicht vorliegen. Die Kennwerte der einzelnen Teilverlustgrößen der Wärmebereitstellung müssen dann anlagenspezifisch separat bestimmt werden. Es kommen dabei allerdings nur Standardwerte zur Anwendung, die mögliche zusätzliche Anlagenverbesserungen nicht berücksichtigen.

Das detaillierte Verfahren nach c) erlaubt die Berücksichtigung praktisch aller energetischer Verbesserungen der Anlagentechnik, wobei jedoch die Randbedingungen fest vorgegeben sind. Dieses Verfahren eignet sich insbesondere dann, wenn Ausführungsdetails, wie z. B. in der Ausführungsplanung, bekannt sind.

Der Jahres-Heizenergiebedarf Q wird mittels der nutzflächenbezogenen Endenergie q_E nach den Tabellen von DIN V 4701-10 mit Hilfe des in vorliegender Vornom bestimmten Jahres-Heizwärmebedarfs Q_h ermittelt. Dann ergibt sich nach Gleichung (5) der Jahres-Heizenergiebedarf.

$$Q = q_E A_N \tag{5}$$

Für Lüftungs-Wärmerückgewinnungssysteme ist die nach DIN V 4701-10 ermittelte Aufwandszahl e_p, die sich auf Q_h ohne Berücksichtigung des Wärmerückgewinnungssystems bezieht, für eine Bilanzierung nach nach Gleichung (6) umzurechnen.

$$e_p{}^* = e_p \frac{(Q_h + Q_{WR} + Q_w)}{Q_h + Q_W} \tag{6}$$

Der Wärmerückgewinn Q_{WR} einer Lüftungs-Wärmerückgewinnungsanlage ergibt sich nach Gleichung (49), aufsummiert über die Heizzeit.

Die bezogenen Jahres-Bedarfswerte ergeben sich nach den Gleichungen (7), (8), (9) und (10). Für den bezogenen Jahres-Heizenergiebedarf gilt:

$$Q' = Q/V_e \tag{7}$$

$$Q'' = q = q_E = Q/A_B \tag{8}$$

Für den bezogenen Jahres-Primärenergiebedarf gilt:

$$Q_P' = Q_P/V_e \tag{9}$$

$$Q_P'' = Q_P/A_B \tag{10}$$

Dabei ist:

V_e das Bruttovolumen;

A_B die Bezugsfläche.

Festlegungen zu A_B sind in DIN 277-1 enthalten bzw. Anhang D ($A_B = A_N = 0{,}32\ V_e$) oder sind [2] in den Literaturhinweisen zu entnehmen.

5.5 Bilanzierungsverfahren

5.5.1 Allgemeines

Zur Berechnung des Heizwärmebedarfs können zwei Berechnungsverfahren angewendet werden:

- Periodenbilanzverfahren – siehe 5.5.2;
- Monatsbilanzverfahren – siehe 5.5.3.

Siehe auch Anhang D.

5.5.2 Periodenbilanzverfahren

5.5.2.1 Allgemeines

In einem Periodenbilanzverfahren wählt man zur Bilanzierung der Wärmeströme einen längeren Zeitraum, in der Regel die Dauer der winterlichen Heizzeit oder das gesamte Jahr. Bei Berechnung nach [1] ist dies eine Heizperiode (HP) von 185 Tagen, da die Anforderungen an das energiesparende Bauen im Wesentlichen vom winterlichen Zeitraum bestimmt werden.

5.5.2.2 Heizwärmebedarf für die Heizperiode

Für einen vorgegebenen Zeitraum t_{HP} wird der Heizwärmebedarf nach Gleichung (11) ermittelt.

E

$$Q_h = Q_{l,HP} - \eta_{HP}\, Q_{g,HP} \qquad (11)$$

Für den Ausnutzungsgrad kann mit ausreichender Genauigkeit ein Wert von $\eta_{HP} = 0{,}95$ angenommen werden. Die übrigen Werte des Wärmeverlustes $Q_{l,HP}$ und der Wärmegewinne $Q_{g,HP}$ können wie folgt berechnet werden:

a) Wärmeverluste

Die Wärmeverluste $Q_{l,HP}$, in kWh/HP, werden nach Gleichung (12) berechnet.

$$Q_{l,HP} = F_{Gt}\,(H_T + H_V) \qquad (12)$$

Dabei ist:

$$F_{Gt} = 0{,}024 \cdot Gt_{x/y} \qquad (13)$$

$$H_T = \Sigma\,(F_{x,i}\, U_i\, A_i) + H_{WB} \qquad (14)$$

$$H_V = \rho_L\, c_{pL}\, n\, V \qquad (15)$$

Dabei ist: $\rho_L\, c_{pL} = 0{,}34$ Wh/(m^3 · K);

$V = 0{,}76\, V_e$; bei Ein- und Zweifamilienhäuser mit bis zu 2 Vollgeschossen und nicht mehr als 3 Wohneinheiten (siehe auch Anhang D); andernfalls ist: $V = 0{,}8\, V_e$.

Die Werte der Wärmedurchgangskoeffizienten U der Bauteile sind nach DIN EN ISO 6946 zu bestimmen. Die Wärmedurchgangskoeffizienten von nicht transparenten Bauteilen sind nach DIN EN ISO 6946, bei Fenstern nach E DIN EN ISO 10077-2 (siehe auch Literaturhinweise, [5]) zu ermitteln.

Beim Einsatz maschineller Lüftung ist zur Ermittlung von H_V die Luftwechselrate nach 6.2.3 zu bestimmen.

Die Heizgradtagzahl $Gt_{x/y}$ ist Tabelle A.2 zu entnehmen. $Gt_{x/y} = Gt_{\theta_i/\theta_{ed}}$ (siehe Tabelle A.2, Spalten 6, 8 und 10).

Für den Referenzfall Deutschland (Referenzklima), der die Randbedingungen für einen mittleren Jahresheizenergiebedarf für Deutschland beschreibt, wird eine Gradtagzahl vom $Gt = 2900$ Kd nach Anhang A zugrunde gelegt.

Zu beachten ist, dass die Gradtagzahl von der Heizgrenztemperatur θ_{ed} abhängt, die wiederum vom Wärmedämmstandard und den Solarwärmegewinnen des Gebäudes bestimmt wird. Bei dem in Deutschland üblichen Wärmedämmniveau neuer Gebäude kann vereinfachend eine konstante Heizgrenztemperatur angesetzt werden (z. B. etwa 10 °C für das Anforderungsniveau nach [1]). Je höher das Wärmedämmniveau ist, um so niediger ist die Heizgrenztemperatur. Mit der Festlegung der Heizgrenztemperatur ergeben sich bestimmte Heizgradtagzahlen, die Tabelle A.2 zu entnehmen sind.

b) Wärmebrückeneinflüsse

Bei Gebäuden mit hohem Wärmeschutz können Wärmeverluste über Wärmebrücken im Vergleich zu den gesamten Wärmeverlusten relativ groß werden und dürfen in diesem Fall nicht vernachlässigt werden. Die längenbezogenen Wärmedurchgangskoeffizienten Ψ können Wärmebrückenkatalogen entnommen oder mit geeigneten mehrdimensionalen Berechnungsverfahren nach E DIN EN ISO 10211-2 berechnet werden. Dabei ist zu beachten, dass die Ψ-Werte je nach verwendeten Maßen (Außen- oder Innenmaße der Längen zweidimensionaler Wärmebrücken) dementsprechend berücksichtigt werden.

Bei Berücksichtigung des Wärmebrückeneinflusses in Hinblick auf den Transmissionswärmeverlust kann dies mit einem pauschalen spezifischen Wärmebrückenzuschlag ΔU_{WB} nach erfolgen. Der pauschale spezifische Wärmebrückenzuschlag auf den spezifischen Transmissionswärmeverlust H_{WB} wird nach Gleichung (16) ermittelt:

$$H_{WB} = \Delta U_{WB}\, A \qquad (16)$$

Der pauschale spezifische Wärmebrückenzuschlag auf den spezifischen Transmissionswärmeverlust H_{WB} berücksichtigt bestimmte Wärmebrückentypen wie:

- Gebäudekanten;
- bei Fenstern und Türen: Laibungen (umlaufend);
- Wand- und Deckeneinbindungen;
- Deckenauflager;
- wärmetechnisch entkoppelte Balkonplatten.

Vereinfachend kann ohne Nachweis ΔU_{WB} = 0,1 W/(m^2· K) gesetzt werden.

Bei Vorhangfassaden, bei denen der Wärmebrückeneinfluss bereits bei der Bestimmung des Wärmedurchgangskoefizienten U berücksichtigt ist, kann die Hüllfläche A nur in Gleichung (16) um die Vorhangfassadenfläche vermindert werden.

Werden wärmetechnisch vergleichbare Konstruktionen nach DIN 4108 Bbl. 2 ausgeführt, kann der pauschale spezifische Wärmebrückenzuschlag ΔU_{WB} halbiert werden.

c) Wärmegewinne

Die Wärmegewinne $Q_{g,HP}$ der Heizperiode t_{HP} ergeben sich über die solaren (i) und internen Wärmegewinne (ii) nach Gleichung (17).

$$Q_{g,HP} = \Sigma\, Q_{S,HP} + Q_{i,HP} \qquad (17)$$

(i) Solare Wärmegewinne

Die flächenorientierungsabhängigen solaren Strahlungsangebote der Heizperiode können Anhang A entnommen werden. Bei Berechnung nach [1] sind für eine HP-Bilanzierung solare Einstrahlungswerte $\Sigma(I_s \cdot t)_{j,HP}$ Anhang D zu entnehmen.

Allgemein gilt Gleichung (18) für die Brutto-Solarwärmegewinne $Q_{s,HP}$.

$$Q_{s,HP} = \Sigma\,(I_s \cdot t)_{j,HP} \cdot \Sigma\,[F_{F,i} \cdot F_{S,i} \cdot F_{C,i} \cdot g_i \cdot A_i] \qquad (18)$$

Dabei ist:

F_F der Abminderungsfaktor infolge des Fensterrahmens; im Normalfall ist F_F = 0,7;

F_S der Verschattungsfaktor (ohne Verschattung ist F_S = 1);

F_C der Abminderungsfaktor für den Sonnenschutz; nur abweichend von 1 zu berücksichtigen, wenn permanenter Sonnenschutz in Betrieb ist;

g der wirksame Gesamtenergiedurchlassgrad, $g = F_w\, g_\perp$;

F_W der Abminderungsfaktor aufgrund nicht senkrechten Strahlungseinfalls (im Normalfall ist F_W = 0,9);

A die Fensterfläche;

t die Zeit der Heizperiode, die bestimmt werden muss [siehe Gleichung (27)]. Im Fall der Randbedingungen nach Anhang D ist t = 185 d.

i ein Bauteil;

j die Orientierung.

(ii) Interne Wärmegewinne

Die internen Wärmegewinne für die Heizperiode $Q_{i,HP}$, in kWh/HP, ergeben sich nach Gleichung (19).

$$Q_{i,HP} = 0{,}024^{2)}\ q_i\ A_B\ t_{HP} \qquad (19)$$

Dabei ist:

HP die Heizperiode, deren Dauer nach Tabelle A.2, Spalten 5, 7, und 9 oder Anhang D zu entnehmen ist;

q_i die nutzflächenbezogenen internen Brutto-Wärmeströme nach Tabelle 2 oder Anhang D.

Tabelle 2: Richtwerte für mittlere interne Wärmeleistung verschiedener Wärmequellen in Gebäuden bzw. für verschiedene Nutzungsarten

Wärmequelle	Mittlere interne Wärmeleistung $\Phi_{i,M}$ W
Personen (N_p = Anzahl)	65 N_p
Warmwasser	25 + 15 N_p
Kochen	110,0
Technische Geräte: – Fernsehapparat – Kühlschrank – Wasserkocher – Gefriertruhe – Waschmaschine – Geschirrspüler – Wäschetrockner	 35,0 40,0 20,0 90,0 10,0 20,0 20,0
Beleuchtung bei Wohneinheiten: – von 50 m² bis 100 m² – über 100 m²	 30,0 45,0
Nutzungsart der Gebäude	**Pauschale Richtwerte für flächenbezogene interne Wärmegewinne q_i W/m²**
Wohngebäude (24 h/Tag) Büro- u. Verwaltungsgebäude: – in den Bürozeiten (t_A) – in den Nicht-Bürozeiten (24 h – t_A)	5 15 2

d) Jahresheizenergiebedarf

Der Jahresheizenergiebedarf Q ergibt sich unter Berücksichtigung von DIN V 4701-10 nach Gleichung (1) oder Gleichung (3).

2) 1 Wd = 0,024 kWh

Bei der Anwendung der Heizperiodenbilanzierung ist zu bedenken, dass die Heizgradtagzahlen von dem wärmetechnischen Niveau des Gebäudes abhängen [siehe Gleichung (27)]. Die Anwendung der Gleichungen (12) und (17) sind eingeschränkt, wenn Gebäude geplant werden, die deutlich vom angesetzten Wärmedämmniveau oder von den üblichen Solarwärmegewinnen abweichen.

5.5.3 Monatsbilanzverfahren

Nach DIN EN 832 wird für die Berechnung des Jahresheizwärmebedarfs ein monatlicher Zeitraum zugrunde gelegt. Der monatliche Heizwärmebedarf ergibt sich in diesem Fall nach Gleichung (20):

$$Q_{h,M} = Q_{I,M} - \eta_M \, Q_{g,M} \tag{20}$$

Dabei sind:

$Q_{I,M}$ die monatlichen Wärmeverluste;

$Q_{g,M}$ die monatlichen Wärmegewinne;

η_M der monatliche Ausnutzungsgrad der Wärmegewinne.

Die Wärmeverluste $Q_{I,M}$ in kWh/Monat, errechnen sich nach Gleichung (21).

$$Q_{I,M} = 0{,}024 \; H_M \, (\theta_i - \theta_{e,M}) \; t_M \tag{21}$$

Dabei ist: 0,024 in kWh = 1 Wd;

H_M der spezifische Wärmeverlust; bei Berechnung der Wärmeverluste über das Erdreich nach DIN EN ISO 13 370 monatsabhängig

$\theta_i - \theta_{e,M}$ die Temperaturdifferenz zwischen Innenlufttemperatur θ_i und der Außenlufttemperatur $\theta_{e,M}$ (siehe Tabelle A.1 bzw. A.3);

t_M die Anzahl der Tage des betreffenden Monats.

ANMERKUNG: Es ist zu beachten, dass der spezifische Wärmeverlust H bei der Berechnung der Verluste über das Erdreich nach DIN EN ISO 13 370 monatsabhängig wird. Bei Berechnungen nach [1] wird H bei Wärmeverlusten in das Erdreich als monatsunabhängig angenommen.

Die Wärmegewinne im Monatsmittel $Q_{g,M}$, in kWh/Monat, errechnen sich nach Gleichung (22).

$$Q_{g,M} = 0{,}024 \; (\Phi_{S,M} + \Phi_{i,M}) \; t_M \tag{22}$$

Dabei ist:

$\Phi_{S,M}$ der mittlere monatliche solare Strahlungswärmegewinn;

$\Phi_{i,M}$ der Wärmegewinn aus internen Wärmequellen (mittlere interne Wärmeleistung);

t_M die Anzahl der Tage des betreffenden Monats.

Der monatliche solare Wärmegewinn $\Phi_{S,M}$ ergibt sich nach Gleichung (23).

$$\Phi_{S,M} = \sum_{j=1}^{m} I_{S,M,j} \cdot \sum_{j=1}^{n} F_F \cdot F_S \cdot F_C \cdot g_i \cdot A_i \tag{23}$$

Dabei bezeichnet:

i ein Bauteil;

E

j die Orientierung (j = Süd; Ost; West, Nord).

Es ist zu beachten, dass für g der wirksame Gesamtenergiedurchlassgrad zu verwenden ist. Die monatlichen mittleren Strahlungsintensitäten $I_{s,M}$ sind Anhang A zu entnehmen.

Der mittlere interne Wärmegewinn $\Phi_{i,M}$ in kWh/Monat, ergibt sich nach Gleichung (24):

$$\Phi_{i,M} = q_{i,M} A_B \tag{24}$$

Dabei ist:

$q_{i,M}$ die mittlere flächenbezogene interne Wärmeleistung (nach Tabelle 2 oder Anhang D);

A_B die Bezugsfläche.

Festlegungen zur Bezugsfläche A_B sind DIN 277-1 oder Anhang D zu entnehmen. Siehe auch [2].

Der spezifische Wärmeverlust H wird nach Gleichung (25) berechnet.

$$H = H_T + H_V \tag{25}$$

Dabei ist:

H_T der spezifische Transmissionswärmeverlust;

H_V der spezifische Lüftungswärmeverlust.

Der Jahresheizwärmebedarf Q_h , in kWh/a, wird nach Gleichung (26) berechnet.

$$Q_h = \sum_M Q_{h'M/pos} \tag{26}$$

Dabei ist: $Q_{h'M/pos}$ der monatliche Heizwärmebedarf mit einer positiven Wärmebilanz $Q_{h,M} > 0$.

a) Jahresheizenergiebedarf

Der Jahresheizenergiebedarf Q ergibt sich nach den Gleichungen (1), (6) oder (8) unter Berücksichtigung von DIN V 4701-10.

b) Heizgrenztemperatur

Die Heizzeit wird durch einen Vergleich der Außenlufttemperatur mit der Heizgrenztemperatur nach Gleichung (27) ermittelt.

$$\theta_{ed} \leq \theta_i - \eta_0 \, Q_{g,M}/(H_M \, t_M \, 0{,}024) \tag{27}$$

Dabei ist:

θ_{ed} die Heizgrenztemperatur;

η_0 der Ausnutzungsgrad bei $\gamma = 1$;

$Q_{g,M}$ der monatliche Wärmegewinn in kWh;

t_M die Anzahl der Tage eines Monats in Tagen;

H_M der spezifische Wärmeverlust in W/K.

Falls die Heizgrenztemperatur größer ist als die Außenlufttemperatur, zählen die Heiztage zur Heizzeit. Die genaue Bestimmung geschieht mittels linearer Interpolation zwischen den Monaten, in denen sich dieser Wechsel vollzieht, also im Frühjahr und im Herbst.

5.6 Berechnungsschritte

5.6.1 Allgemeines

Bei der Durchführung der Berechnung sind folgende Berechnungsschritte nach 5.6.2 und 5.6.3 einzuhalten, wobei die Eingabewerte mit zwei wertanzeigenden Ziffern anzugeben sind.

5.6.2 Periodenbilanzverfahren

Die erforderlichen Werte sind schrittweise, nach a) bis l) zu ermitteln; dabei ist im Fall eines öffentlich-rechtlichen Nachweises nach Anhang D vorzugehen:

a) Hüllfläche und Bruttovolumen aufgrund der Systemgrenzen des Gebäudes mit Hilfe von Außenmaßen;
b) Temperatur-Korrekturfaktoren F_x nach Tabelle 3;
c) spezifische Wärmeverluste H unter Beachtung der Wärmebrückeneffekte;
d) Innentemperatur (z. B. 19 °C);
e) Heizgradtagzahl und F_{Gt}-Wert nach Anhang D. Bei Berücksichtigung der Heizunterbrechung: Abminderung des F_{Gt}-Wertes um einen Faktor nach Anhang D;
f) solare Wärmegewinne mit den Strahlungsintensitäten nach Anhang A bzw. Anhang D;
g) interne Wärmegewinne nach Gleichung (19) mit den Werten der Tabelle 2 bzw. Anhang D;
h) Ausnutzungsgrad der Heizperiode η_P nach Anhang D;
i) Jahresheizwärmebedarf nach Gleichung (11) bzw. nach Anhang D;
j) Jahresheizenergiebedarf nach den Gleichungen (1), (6) oder (8) bzw. nach Anhang D;
k) volumen- bzw. nutzflächenbezogener Heizenergiebedarf;
l) erstellen eines Berichts mit der Angabe der zugrunde gelegten Randbedingungen nach 6.5.5.

Die Korrekturfaktoren für erdreichberührte Bauteile berücksichtigen den Jahresgang der Außenlufttemperatur und dürfen nur bei der Periodenbilanzierung angewendet werden (Ausnahme: Nachweis nach [1], siehe 6.5.3).

5.6.3 Monatsbilanzverfahren

Die erforderlichen Werte sind schrittweise nach a) bis l) zu ermitteln.

a) Hüllfläche und Bruttovolumen aufgrund der Systemgrenzen des Gebäudes mit Hilfe von Außenmaßen;
b) spezifischer Wärmeverlust H nach 6.1 und 6.2 unter Beachtung der Wärmebrückeneffekte (mit Ψ-Werten oder pauschal mit ΔU_{WB}-Werten);
Bestimmung der Temperatur-Korrekturfaktoren durch Ermittlung der b-Werte (siehe DIN EN ISO 13789), bzw. nach Tabelle 3. Bei Wärmeverlusten über die Bodenplatte ist die Jahresgang-Korrektur nach Anhang E zu beachten. Für einen wärmetechnischen Nachweis können die Temperatur-Korrekturfaktoren nach Tabelle 3 verwendet werden;

E

c) Innentemperaturen z. B. $\theta_i = 19\,°C$ (gegebenenfalls für mehrere Zonen);
d) mittlere monatliche Außenlufttemperaturen anhand der meteorologischen Daten einer bestimmten Region (siehe Tabelle A.3 oder nach Tabelle D.1);
e) interne Wärmegewinne und solare Wärmegewinne für den gesamten Monat nach 6.3. und 6.4;
f) wirksame Wärmespeicherfähigkeit nach Bauteilschichtfolge oder pauschal zur Ermittlung des Ausnutzungsgrades und zur Bestimmung der Heizunterbrechungsauswirkung auf den Heizwärmebedarf;
g) monatlicher Ausnutzungsgrad η_M nach 6.5.3.
h) Falls die genaue Heizperiode bestimmt werden soll: Vergleich zwischen θ_{ed} und der interpolierten Außenlufttemperatur θ_e nach 5.5.3:
Falls: $\theta_{ed} > \theta_e$ ist, zählen die betreffenden Tage des Monats zur Heizperiode. Zur genauen Bestimmung der Heizperiode ist eine Interpolation durchzuführen.
i) Monatlicher Heizwärmebedarf nach Gleichung (20); die Summe aller Monatswerte mit $Q_{h,M} > 0$ ergibt nach Gleichung (26) den jährlich Heizwärmebedarf.
j) Jahresheizenergiebedarf nach den Gleichungen (1), (6) oder (8) bzw. nach DIN V 4701-10.
k) Volumen- bzw. nutzflächenbezogene Bedarfswerte nach Gleichung (9) bzw. Gleichung (10).
l) Erstellen eines Berichts mit der Angabe der zugrunde gelegten Randbedingungen nach Abschnitt 6.

6 Bestimmung der Einzelgrößen nach dem Monatsbilanzverfahren

6.1 Transmissionswärmeverluste

6.1.1 Vereinfachter Ansatz mittels Temperatur-Korrekturfaktoren

Für den spezifischen Transmissionswärmeverlust H_T von Bauteilen, die von der beheizten Zone an die Außenluft grenzen, gilt Gleichung (28).

$$H_T = \Sigma\, U_i\, A_i + H_u + L_S + H_{WB} + \Delta H_{T,FH} \qquad (28)$$

Um die Wärmeverluste über Flächen, die nicht an die Außenluft grenzen, wie z. B. Flächen zu unbeheizten Räumen oder Flächen, die an das Erdreich grenzen, vereinfacht berechnen zu können, werden Temperatur-Korrekturfaktoren F_x angewendet (siehe Tabelle 3).

Für Wärmeverluste über Flächen zu unbeheizten Räumen H_u gilt Gleichung (29).

$$H_u = \Sigma\, F_x\, (U_i\, A_i) \qquad (29)$$

Dabei ist:

i Bauteil;

$$F_x = (\theta_i - \theta_u) \,/\, (\theta_i - \theta_e) \qquad (30)$$

Flächen, die nicht an die Außenluft grenzen, sind Flächen zu folgenden Räumen:

- Keller (nicht beheizt oder teilbeheizt),
- nicht ausgebautes Dachgeschoss,
- Drempelräume,
- unbeheizte Glasvorbauten,
- nicht beheizte angebaute Treppenräume,
- erdreichberührte Flächen.

In Tabelle 3 sind Berechnungswerte der Temperatur-Korrekturfaktoren F_x angegeben. Diese pauschalen Werte sind in der Regel größer als die genau nach DIN EN ISO 13 789 ermittelten *b*-Werte [siehe auch Gleichung (35)]. Im Bericht ist anzugeben, ob mit pauschalen Werten nach Tabelle 3 oder mit den im Einzelnen ermittelten *b*-Werten gerechnet wurde.

Bei Flächen, die an das Erdreich grenzen, dürfen bei Monatsbilanzierung wegen der relativ großen thermischen Trägheit des Erdreiches die in Tabelle 3 aufgeführten pauschalen Temperatur-Korrekturfaktoren nicht verwendet werden (Ausnahme aus Gründen der Vereinfachung: wärmetechnischer Nachweis nach Anhang D).

Anmerkung: Die Temperatur-Korrekturfaktoren F_x für Flächen, die nicht an die Außenluft grenzen, entsprechen dem *b*-Wert nach DIN EN ISO 13 789, berücksichtigen bei Bodenplatten und Kellerwände bzw. nach DIN EN ISO 13 370 auch den instationären Anteil aufgrund des Jahresgangs der Außentemperatur.

Der thermische Leitwert L_S wird nach Anhang E berechnet. Der spezifische Wärmeverlust H_{WB} infolge Wärmebrücken wird nach 6.1.2 ermittelt. Der spezifische Transmissionswärmeverlust für Bauteile mit Flächenheizung $\Delta H_{T,FH}$ ist, falls benötigt, nach 6.1.4 zu berechnen.

6.1.2 Berücksichtigung der Wärmebrücken

Für den wärmetechnischen Nachweis sind entweder die pauschalen Werte nach 5.5.2 zu verwenden oder es ist nach dem vorgenannten genaueren Berechnungsverfahren (mit Ψ-Werten) zu rechnen. Dabei müssen nach der Periodenbilanzierung folgende Wärmebrücken berücksichtigt werden:

- Gebäudekanten;
- bei Fenster und Türen: Laibungen (umlaufend);
- Decken- und Wandeinbindungen;
- Deckenauflager;
- wärmetechnisch entkoppelte Balkonplatten.

6.1.3 Detaillierte Berechnungsverfahren

6.1.3.1 Allgemeines

Der spezifische Transmissionswärmeverlust H_T wird nach DIN EN 832, DIN EN ISO 13 789 und DIN EN 13 370 nach Gleichung (31) berechnet.

$$H_T = L_D + H_u + L_S + \Delta H_{T,FH} \qquad (31)$$

E

Tabelle 3: Berechnungswerte der Temperatur-Korrekturfaktoren von Bauteilen

	1	2	3					
Zeile	**Wärmestrom nach außen über**	F_x	**Temperatur-Korrekturfaktor** F_x[f)]					
1	Außenwand, Fenster, Decke über Außenluft	F_e	1,0					
2	Dach (als Systemgrenze)	F_D	1,0					
3	Dachgeschossdecke (Dachraum nicht ausgebaut)	F_D	0,8					
4	Wände und Decken zu Abseiten (Drempel)	F_u	0,8					
5	Wände und Decken zu unbeheizten Räumen	F_u	0,5					
6	Wände u. Decken zu niedrig beheizten Räumen[e)]	F_{nb}	0,35					
	Wände und Fenster zu unbeheiztem Glasvorbau bei einer Verglasung des Glasvorbaus mit							
7	– Einfachverglasung	F_u	0,8					
8	– Zweischeibenverglasung	F_u	0,7					
9	– Wärmeschutzverglasung	F_u	0,5					
	Bauteile des unteren Gebäudeabschlusses		B'[a)] [m]					
			< 5		**5 bis 10**		**> 10**	
			R_f **bzw.** R_w[b)]		R_f **bzw.** R_w[b)]		R_f **bzw.** R_w[b)]	
	Flächen des beheizten Kellers:		≤ 1	> 1	≤ 1	> 1	≤ 1	> 1
10	– Fußboden des beheizten Kellers	$F_G = F_{bf}$	0,30	0,45	0,25	0,40	0,20	0,35
11	– Wand des beheizten Kellers	$F_G = F_{bw}$	0,40	0,60	0,40	0,60	0,40	0,60
			R_f		R_f		R_f	
			≤ 1	**>1**	**≤ 1**	**>1**	**≤ 1**	**>1**
12	Fußboden[c)] auf dem Erdreich ohne Randdämmung	$F_G = F_{bf}$	0,45	0,6	0,4	0,5	0,25	0,35
13	Fußboden[c)] auf dem Erdreich mit Randdämmung[d)], – 5 m breit, waagerecht	$F_G = F_{bf}$	0,3		0,25		0,2	
14	– 2 m tief, senkrecht	$F_G = F_{bf}$	0,25		0,2		0,15	
	Kellerdecke und Kellerinnenwand:							
15	– zum unbeheizten Keller mit Perimenterdämmung	F_G	0,55		0,5		0,45	
16	– zum unbeheizten Keller ohne Perimeterdämmung	F_G	0,7		0,65		0,55	

Fortsetzung siehe nächste Seite.

Tabelle 3 (Fortsetzung)

	1	2	3					
Zeile	**Wärmestrom nach außen über**	F_x	**Temperatur-Korrekturfaktor** F_x [f]					
17	Aufgeständerter Fußboden	F_G	0,9					
			R_f		R_f		R_f	
			≤ 1	> 1	≤ 1	> 1	≤ 1	> 1
18	Bodenplatte von niedrig beheizten Räumen [e]	F_G	0,2	0,55	0,15	0,5	0,1	0,35

[a] $B' = A_G/(0{,}5\ P)$ nach Gleichung [E.3];

[b] R_f: Wärmedurchlasswiderstand der Bodenplatte; (betrifft Zeile 10, 12, 18) bzw.
R_w: Wärmedurchlasswiderstand der Kellerwand; (betrifft Zeile 11); ggf. flächengewichtete Mittelung von R_f und R_w (betrifft Zeile 10,11)

[c] Bei fließendem Grundwasser erhöhen sich die Temperatur-Korrekturfaktoren um 15 %.

[d] Bei einem Wärmedurchlasswiderstand der Randdämmung > 2 $m^2 \cdot K/W$; Bodenplatte ungedämmt; siehe auch Bild 2 und 3 in DIN EN ISO 13 370:1988-12;

[e] Räume mit Innentemperatur zwischen 12 °C und 19 °C;

[f] Die Werte (außer Zeile 6 und 12–14) gelten analog auch für Flächen niedrig beheizter Räume.

Dabei ist:

L_D der thermische Leitwert in W/K, zwischen beheiztem Raum und außen nach Gleichung (33);

H_u der spezifische Transmissionswärmeverlust in W/K durch unbeheizte Räume ergibt sich nach 6.1.3.2;

L_S der thermische Leitwert in W/K über das Erdreich nach Anhang E.

$\Delta H_{T,FH}$ ein zusätzlicher spezifischer Wärmeverlust für Bauteile mit Flächenheizung in W/K, nach 6.1.4.

Falls beim thermischen Leitwert L_S [siehe Gleichungen (E.5) und (E.6)] der Einfluss der Zeitverzögerung der Erdreichtemperatur infolge des Außentemperatur-Jahresgangs berücksichtigt wird, wird L_S monatsabhängig zu $L_{S,M}$ und der spezifische Transmissionswärmeverlust $H_T = H_{T,M}$ monatsabhängig nach Gleichung (32) bestimmt.

$$H_{T,M} = L_D + H_u + L_{S,M} + \Delta H_{T,FH} \qquad (32)$$

Der Transmissionswärmeverlust durch die Bauteile zur Außenluft ergibt sich über den thermischen Leitwert L_D nach Gleichung (33).

$$L_D = \Sigma\ (U_i\ A_i) + \Sigma\ (l_i\ \Psi_i) \qquad (33)$$

Dabei ist:

i ein Bauteil bzw. eine zweidimensionale Wärmebrücke

Die Wärmedurchgangskoeffizienten U von nicht transparenten Bauteilen sind nach DIN EN ISO 6946, bei Fenstern nach DIN EN ISO 10 077-1 zu ermitteln.

E

6.1.3.2 Transmissionswärmeverluste an nicht oder niedrig beheizte Räume

Bei Verlusten an nicht oder niedrig beheizten Räumen muss berücksichtigt werden, dass die nicht bzw. niedrig beheizten Räume niedrige Lufttemperaturen aufweisen und dadurch eine geringere Temperaturdifferenz vorliegt, die nach DIN EN ISO 13 789 mit dem *b*-Wert berücksichtigt wird.

Der spezifische Transmissionswärmeverlust durch unbeheizte oder niedrig beheizte Räume H_u, in W/K, ergibt sich nach DIN EN ISO 13 789 und Gleichung (34).

$$H_u = b\,[\Sigma_i\,(A_i\,U_i) + \Sigma_i\,(l_i\,\Psi_i)] \tag{34}$$

Dabei ist:

b der nach Gleichung (35) und nach DIN EN ISO 13 789 ermittelte Wert;

j die j-te Wärmebrücke;

i das i-te Bauteil.

Wärmebrückeneffekte zu niedrig beheizten Räumen können vernachlässigt werden.

Die Werte der Wärmedurchgangskoeffizienten *U* der Bauteile sind nach DIN EN ISO 6946 zu bestimmen.

$$b = \frac{H_{ue}}{H_{iu} + H_{ue}} \tag{35}$$

Dabei ist:

H_{ue} der spezifische Transmissionswärmeverlust des unbeheizten Raumes zur Außenluft;

H_{iu} der spezifische Transmissionswärmeverlust des beheizten Raumes in den unbeheizten Raum.

6.2 Lüftungswärmeverluste

6.2.1 Allgemeines

Anmerkung: Die Lüftungswärmeverluste eines Gebäudes hängen in unterschiedlicher Weise von der Windgeschwindigkeit, der Windrichtung, der Temperaturdifferenz zwischen Innen und Außen, der Gebäudeform, der Dichtheit des Gebäudes, den Lüftungsgewohnheiten der Nutzer und gegebenenfalls vom Lüftungssystem ab. Es ist derzeit mit begrenztem Aufwand nicht möglich alle diese Einflüsse mit genügender Genauigkeit zu erfassen. Die Nutzereinflüsse können sehr stark variieren und wirken sich damit auf die Lüftungswärmeverluste aus. Daher wird im Folgenden näherungsweise von einer in der Zeiteinheit (z. B. Monat) konstanten Luftwechselrate ausgegangen.

Bei Lüftungsverlusten zu nicht oder niedrig beheizten Räumen ist auf die jeweilige Temperaturdifferenz zu achten. Bei der Ermittlung des *b*-Wertes nach Gleichung (35) gehen in H_{ue} und H_{iu} nach DIN EN ISO 13 789 auch die spezifischen Lüftungswärmeverluste $H_{V,iu}$ und $H_{V,ue}$ ein.

6.2.2 Freie Lüftung

Bei freier Lüftung wird der spezifische Lüftungswärmeverlust H_V nach DIN EN 832 und Gleichung (40) berechnet.

$$H_v = n\ V\ \rho_L\ c_{pL} \tag{40}$$

Dabei ist: $\rho_L\ c_{pL} = 0{,}34\ \text{Wh/(m}^3 \cdot \text{K)}$

Näherungsweise kann das Netto-Volumen V anhand des über Außenmaße berechneten Brutto-Volumens V_e nach Gleichung (41)

$$V = 0{,}8 \cdot V_e \tag{41}$$

oder bei Ein- und Zweifamilienhäusern mit bis 2 Vollgeschossen und nicht mehr als 3 Wohneinheiten nach Gleichung (42) berechnet werden, siehe auch Anhang D.

$$V = 0{,}76 \cdot V_e \tag{42}$$

Als mittlere Standard-Luftwechselrate n kann für nicht luftdichtheitsgeprüfte Gebäude ein Wert von $n = 0{,}7\ \text{h}^{-1}$ und für luftdichtheitsgeprüfte Gebäude ($n_{50} \leq 3\ \text{h}^{-1}$) ein Wert von $n = 0{,}6\ \text{h}^{-1}$ angenommen werden, siehe auch Anhang D.

6.3 Interne Wärmegewinne

Die infolge innerer Wärmequellen anfallenden Wärmegewinne hängen vom Gebäude und seiner Nutzung (Wohngebäude, Bürogebäude) sowie von seiner technischen Ausstattung, der Personenbelegung und vom Betrieb vorhandener Anlagen ab. Die mittleren internen Brutto-Wärmegewinne $\Phi_{i,M}$, in W, errechnen sich nach Gleichung (50).

$$\Phi_{i,M} = q_{i,M}\ A_B \tag{50}$$

Festlegungen zu A_B sind DIN 277-1 bzw. Anhang D ($A_B = A_N = 0{,}32\ V_e$) oder [2] zu entnehmen.

Werte für die mittleren internen Wärmegewinne der einzelnen Monate $q_{i,M}$ je m^2 Bezugsfläche sind Tabelle 2 zu entnehmen.

Falls die Wärmegewinne, wie in Büro- und Verwaltungsgebäuden tagsüber sehr unterschiedlich sind, ergibt sich die mittlere interne Wärmeleistung $q_{i,M}$ nach Gleichung (51).

$$q_{i,M} = [q_{i,tA} \cdot t_A + q_{i,tNA}\ (24 - t_A)]/24 \tag{51}$$

Dabei ist:

$q_{i,tA}$ die mittlere interne Wärmeleistung in der Bürozeit oder Aufenthaltszeit t_A;

$q_{i,tNA}$ die mittlere interne Wärmeleistung in der Nicht-Bürozeit $t_{NA} = 24 - t_A$ in h;

Zu beachten ist, dass meist die in der Haustechnik für 1 m^2 angegebenen internen Wärmelasten (ohne A_N-Bezug) nicht dem in dieser Vornorm angewendeten q_i-Werten entsprechen und gegebenenfalls umgerechnet werden müssen, wobei auch auf den zeitlichen Bezug nach Gleichung (51) geachtet werden sollte.

Falls unbeheizte Nebenräume mit internen Wärmegewinne vorhanden sind, ergeben sich die mittleren monatlichen internen Wärmegewinne des Gebäudes nach Gleichung (52).

$$Q_{i,M} = (\Phi_{ih} + (1 - b)\ \Phi_{iu})\ t_M \tag{52}$$

E

Dabei ist:

Φ_{ih} die interne Wärmeleistung in beheizten Räumen nach Gleichung (50) oder abgeleitet aus Gleichung (51);

Φ_{iu} die interne Wärmeleistung in unbeheizten Räumen; falls keine genaueren Werte vorliegen kann mit $\Phi_{iu} = 2\ W/m^2 \cdot A_B$ gerechnet werden;

b der Temperatur-Korrekturfaktor nach DIN EN ISO 13 789 oder F_u nach Tabelle 5;

t_M die Zeit eines Monats.

6.4 Solare Wärmegewinne

6.4.1 Allgemeines

Solare Wärmegewinne tragen wesentlich zur Reduzierung des Heizwärmebedarfs bei. Dabei sind folgende Einflussfaktoren zu berücksichtigen:

- die mittlere solare Einstrahlung auf Bauteiloberflächen in Abhängigkeit von deren Orientierung und Neigung (siehe Tabelle A.1),
- der Gesamtenergiedurchlassgrad transparenter Bauteile (siehe Tabelle 6),
- Abminderungsfaktoren nachTabelle 7,
- Absorptionsgrade nicht transparenter Bauteile nach Tabelle 8; der Rahmenanteil, sofern keine genaueren Werte bekannt sind, beträgt 30 %.

Tabelle 6: Richtwerte für den Gesamtenergiedurchlassgrad transparenter Bauteile

Transparentes Bauteil	Gesamtenergiedurchlassgrad $g_\perp$
Einfachverglasung	0,87
Doppelverglasung	0,75
Wärmeschutzverglasung, doppelverglast mit selektiver Beschichtung	0,50 bis 0,70
Dreifachverglasung, normal	0,60 bis 0,70
Dreifachverglasung, mit 2fach selektiver Beschichtung	0,35 bis 0,50
Sonnenschutzverglasung	0,20 bis 0,50
Transparente Wärmedämmung	g_{TI}
Transparente Wärmedämmung, 100 mm bis 120 mm; 0,8 W/(m² · K) ≤ U_e ≤ 0,9 W/(m² · K)	0,35 bis 0,60
Absorbierende opake Wärmedämmschicht mit einfacher Glasabdeckung, 100 mm	etwa 0,10

Tabelle 7: Typische Abminderungsfaktoren von Sonnenschutzvorrichtungen

Sonnenschutzvorrichtung	F_c
Ohne Sonnenschutzvorrichtung	1,0
Innen liegend und zwischen den Scheiben[a)]:	
weiß oder reflektierende Oberfläche mit geringer Transparenz[a)]	0,75
helle Farben und geringe Transparenz[b)]	0,8
dunkle Farben und höhere Transparenz[b)]	0,9
Außen liegend: Jalousien, drehbare Lamellen, hinterlüftet	0,25
Jalousien, Rollläden, Fensterläden	0,3
Vordächer, Loggien	0,5
Markisen, oben und seitlich ventiliert	0,4
Markisen, allgemein	0,5

a) Für innen und zwischen den Scheiben liegenden Vorrichtungen ist eine genauere Ermittlung zu empfehlen, da sich erheblich günstigere Werte ergeben können.

b) Eine Transparenz der Sonnenschutzvorrichtung unter 15 % gilt als gering, ansonsten als erhöht.

Tabelle 8: Richtwerte für den Strahlungsabsorptionsgrad verschiedener Oberflächen im energetisch wirsamen Spektrum des Sonnenlichts

Oberfläche	Strahlungsabsorptionsgrad α
Wandoberflächen:	
– heller Anstrich	0,4
– gedeckter Anstrich	0,6
– dunkler Anstrich	0,8
Klinkermauerwerk	0,8
helles Sichtmauerwerk	0,6
Dächer (Beschaffenheit):	
– ziegelrot	0,6
– dunkle Oberfläche	0,8
– Metall (blank)	0,2
– Bitumendachbahn (besandet)	0,6

Der solare Wärmestrom Φ_s, der durch die Fenster in die beheizte Zone gelangt, wird nach Gleichung (53) berechnet.

$$\Phi_s = \sum_j I_{s,j} \sum_i^n A_{s,ji} \qquad (53)$$

Dabei ist:

i ein Bauteil;

j die Orientierung;

A_s die effektive Kollektorfläche nach Gleichung (54).

Solare Wärmegewinne in unbeheizten Räumen werden mit einem Faktor (1–*b*) multipliziert und werden dann zu den solaren Wärmegewinnen der beheizten Räume addiert, *b* ist der Reduktionsfaktor nach DIN EN ISO 13 789.

6.4.2 Effektive Kollektorfläche

Die effektive Kollektorfläche eines verglasten Teiles der Gebäudehülle, z. B. eines Fensters, wird nach Gleichung (54) ermittelt.

$$A_S = A\, F_S\, F_C\, F_F\, g \qquad (54)$$

Dabei ist:

A die Bruttofläche der strahlungsaufnehmenden Oberfläche (z. B. Fensterfläche);

F_S der Abminderungsfaktor für Verschattung mit: $F_s = F_c \cdot F_f \cdot F_h$ nach Tabelle 9 bis Tabelle 11;

F_C der Abminderungsfaktor für Sonnenschutzvorrichtungen. Nur abweichend von Eins zu berücksichtigen, wenn permanenter Sonnenschutz unabhängig von der Sonneneinstrahlung in Betrieb ist;

F_F der Abminderunsfaktor für den Rahmenanteil, welcher dem Verhältnis der durchsichtigen Fläche zur Gesamtfläche der verglasten Einheit entspricht. Sofern keine genaueren Werte bekannt sind, wird F_F = 0,7 gesetzt;

g der wirksame Gesamtenergiedurchlassgrad nach Gleichung (55).

Tabelle 9: Teilbestrahlungsfaktoren F_h für verschiedene Horizontwinkel der Verbauung bei 45° und 55° nördlicher Breite

Verbauungswinkel	45° nördlicher Breite			55° nördlicher Breite		
Himmelsrichtung	Süd	Ost/West	Nord	Süd	Ost/West	Nord
0°	1,00	1,00	1,00	1,00	1,00	1,00
10°	0,97	0,95	1,00	0,94	0,92	0,99
20°	0,85	0,82	0,98	0,68	0,75	0,95
30°	0,62	0,70	0,94	0,49	0,62	0,92
40°	0,46	0,61	0,90	0,40	0,56	0,89

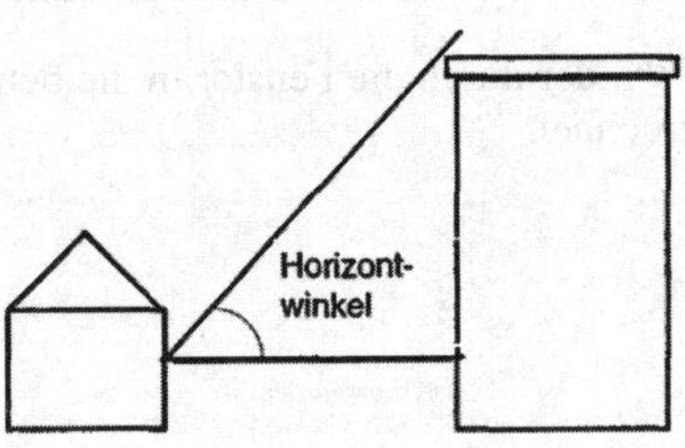

Tabelle 10: Teilbestrahlungsfaktor F_c für horizontale Überhänge

Überhangwinkel	45° nördlicher Breite			55° nördlicher Breite		
Himmelsrichtung	Süd	Ost/West	Nord	Süd	Ost/West	Nord
0°	1,00	1,00	1,00	1,00	1,00	1,00
30°	0,90	0,89	0,91	0,93	0,91	0,91
45°	0,74	0,76	0,80	0,80	0,79	0,80
60°	0,50	0,58	0,66	0,60	0,61	0,65

Tabelle 11: Teilbestrahlungsfaktor F_f für seitliche Abschattungsflächen

Seiten-/Überhangwinkel	45° nördlicher Breite			55° nördlicher Breite		
Himmelsrichtung	Süd	Ost/West	Nord	Süd	Ost/West	Nord
0°	1,00	1,00	1,00	1,00	1,00	1,00
30°	0,94	0,92	1,00	0,94	0,91	0,99
45°	0,84	0,84	1,00	0,86	0,83	0,99
60°	0,72	0,75	1,00	0,74	0,75	0,99

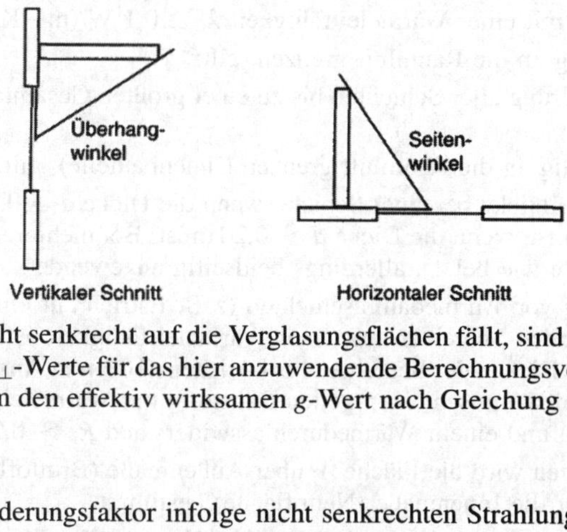

Da die Sonne nicht senkrecht auf die Verglasungsflächen fällt, sind die nach DIN EN 410 ermittelten $g_\perp$-Werte für das hier anzuwendende Berechnungsverfahren um 15 % zu reduzieren, um den effektiv wirksamen g-Wert nach Gleichung (55) zu ermitteln.

$$g = F_W \, g_\perp \qquad (55)$$

Dabei ist:

F_W der Abminderungsfaktor infolge nicht senkrechten Strahlungseinfalls; $F_W = 0{,}85$

$g_\perp$ der Gesamtenergiedurchlassgrad bei senkrechtem Strahlungseinfall nach Tabelle 6 oder Anhang B.

6.5 Nutzbare solare und interne Wärmegewinne

6.5.1 Allgemeines

Der Ausnutzungsgrad η hängt nach Gleichung (68) in starkem Maß vom Verhältnis der Wärmegewinn-/Wärmeverlustverhältnisse γ des Gebäudes ab.

E

$$\gamma = \frac{Q_g}{Q_I} \quad (68)$$

Wesentliche Parameter für den Ausnutzungsgrad sind die zulässige Überheizung über die Sollwert-Innentemperatur und die Zeitkonstante τ des Gebäudes.

6.5.2 Wirksame Wärmespeicherfähigkeit und Zeitkonstante

Wärmespeichereinflüsse können in Bezug auf die Nutzung solarer Energie nur bis zu einer bestimmten Schichtdicke berücksichtigt werden, da beispielsweise Wärmedämmschichten dahinter liegende Speichermassen abschotten. In die Berechnung des Ausnutzungsgrades η geht daher nicht das gesamte Wärmespeichervermögen eines Bauteils ein, sondern nach Gleichung (69) nur die in der Heizperiode wirksame Wärmespeicherfähigkeit C_{wirk}.

$$C_{wirk} = \sum_i (c_i \, \rho_i \, d_i \, A_i) \quad (69)$$

Dabei ist:

i die jeweilige Schicht des Bauteils.

Die Summation erfolgt über alle Bauteilflächen *i* des Gebäudes, die mit der Raumluft in Berührung kommen, wobei nur die wirksamen Schichtdicken d_i berücksichtigt werden. Zur Bestimmung der wirksamen Schichtdicken gelten folgende Regelungen:

- bei Schichten mit einer Wärmeleitfähigkeit $\lambda_i \geq 0{,}1$ W/(m · K)
  1) die einseitig an die Raumluft grenzen, gilt:
     Aufsummierung aller Schichten bis zu einer größten Gesamtdicke von $d_{i,max} =$ 0,10 m;
  2) die beidseitig an die Raumluft grenzen (Innenbauteile), gilt:
     halbe Bauteildicke bei einer Schicht, wenn die Dicke $d \leq 0{,}20$ m oder höchstens 0,10 m ist, wenn die Dicke $d > 0{,}20$ m ist. Bei mehreren Schichten: Vorgehensweise wie bei 1), allerdings beidseitig angewendet.
- bei raumseitig vor Wärmedämmschichten (z. B. Estrich auf einer Wärmedämmschicht) liegenden Schichten mit einer Wärmeleitfähigkeit $\lambda_i \geq 0{,}1$ W/(m · K) dürfen nur die Dicken der Schichten bis höchstens 10 cm in Ansatz gebracht werden. Als Wärmedämmschichten gelten Baustoffe mit Wärmeleitfähigkeiten $\lambda_i <$ 0,1 W/(m · K) und einem Wärmedurchlasswiderstand $R_i > 0{,}25$ m² · K/W.

Bei Außenbauteilen wird die Fläche A_i über Außenmaße (Bruttofläche) und bei Innenbauteilen über die Innenmaße (Nettofläche) bestimmt.

Die Zeitkonstante τ ergibt sich nach DIN EN 832 nach Gleichung (70).

$$\tau = C_{wirk} / H \quad (70)$$

Dabei ist:

C_{wirk} die wirksame Wärmespeicherfähigkeit;

H der spezifische Wärmeverlust.

Liegen keine Angaben vor oder bei vereinfachten Berechnungen, was im Bericht gesondert angegeben werden muss, können folgende Pauschalwerte nach den Gleichungen (71) und (72) angenommen werden.

Für leichte Gebäude gilt:

$C_{\text{wirk}} = 15\ \text{Wh/(m}^3 \cdot \text{K)} \cdot V_{\text{e}}$ (71)

Für schwere Gebäude gilt:

$C_{\text{wirk}} = 50\ \text{Wh/(m}^3 \cdot \text{K)} \cdot V_{\text{e}}$ (72)

Als leichte Gebäude können eingestuft werden:

- Gebäude in Holztafelbauart ohne massive Innenbauteile,
- Gebäude mit abgehängten Decken und überwiegend leichten Trennwänden,
- Gebäude mit hohen Räumen (Turnhallen, Museen, usw.).

Als schwere Gebäude können eingestuft werden:

- Gebäude mit massiven Innen- und Außenbauteilen ohne untergehängte Decken.

Sollte dieser vereinfachte Ansatz der wirksamen Wärmespeicherfähigkeit angewendet werden,[4] ist dies im Bericht (siehe Abschnitt 7) anzugeben.

6.5.3 Ausnutzungsgrad

Der Ausnutzungsgrad η kann nach DIN EN 832 und den Gleichungen (73) und (74) näherungsweise berechnet werden.

$$\eta = \frac{1 - \gamma^{a}}{1 - \gamma^{a+1}} \quad \text{wenn } \gamma \neq 1 \tag{73}$$

$$\eta = \frac{a}{a+1} \quad \text{wenn } \gamma = 1 \tag{74}$$

wobei a ein numerischer Parameter ist, der nach Gleichung (75) berechnet wird.

$$a = a_0 + \frac{\tau}{\tau_0} \tag{75}$$

Dabei ist:

τ die Zeitkonstante.

Die Werte von a_0 und τ_0 hängen nach Tabelle 12 wie folgt vom Berechnungszeitschritt ab. Die Zeitkonstante τ ergibt sich nach Gleichung (70).

Tabelle 12: Berechnungszeitschritte

Berechnungszeitschritt	a_0	τ_0
Monatlich	1	16
Jährlich	0,8	28

6.5.4 Heizunterbrechung, Nachtabschaltung der Heizung

Durch Nachtabschaltung der Heizung oder durch abgesenkten Nachtheizbetrieb (z. B. Nachtabsenkung) wird die Raumlufttemperatur eines Gebäudes vermindert. Bei gut

[4] Der vereinfachte Ansatz ist eine nationale Regelsetzung in Umsetzung von DIN EN 832.

wärmegedämmten Gebäuden werden die energetischen Auswirkungen infolge Nachtabsenkung oder Nachtabschaltung immer kleiner. Sollte dieser Einfluss bei der Monatsbilanzierung berücksichtigt werden, gilt Anhang C.

Bei Heiz- oder Jahresperiodenbilanzierung kann der Heizunterbrechungseffekt vereinfacht mit Hilfe eines reduzierten F_{Gt}-Wertes berücksichtigt werden (siehe Anhang D).

6.5.5 Bericht

Der Bericht über die Berechnung des Heizwärme- bzw. des Heizenergiebedarfs muss mindestens folgende Angaben enthalten:

a) Temperaturzonen (Anzahl und jeweilige Solltemperatur);

b) Systemgrenze (Skizze);

c) Orientierung des Gebäudes (Lageskizze);

d) interne Wärmegewinne;

e) durchschnittliche Luftwechselrate;

f) Wärmerückgewinnungsgrad;

g) meteorologische Daten (Klimaregion nach Anhang A oder Referenzklima nach Anhang D); Angabe von Flächen, Wärmedurchgangskoeffizienten und Temperatur-Korrekturfaktoren der wärmeübertragenden Bauteile;

i) Berücksichtigung von Wärmebrücken:
   - vorhanden/nicht vorhanden;
   - außen- oder innenmaßbezogen, je nach verwendeten Wärmebrückenkatalog
   - Verfahren (pauschal oder mit Ψ-Werten);

j) solare Abminderungsfaktoren;

k) Rahmenanteile;

l) Temperatur-Korrekturfaktoren (pauschal oder berechnet);

m) Angaben über die Berücksichtigung der Strahlungsabsorption;

n) Angaben über die Berücksichtigung der langwelligen Emission.

Anhang D
Berechnungsverfahren für den öffentlich-rechtlichen Nachweis

D.1 Allgemeines

Für Überschlagsberechnungen und Vorplanungen ist es möglich, vereinfachte und pauschalierte Bedingungen zu Grunde zu legen, die für Deutschland repräsentativ sind. Bei Inbezugnahme des vorliegenden Anhangs zur Realisierung wärmeschutztechnischer Nachweise nach öffentlich-rechtlichen Anforderungen [1] müssen die in diesem Anhang beschriebenen Randbedingungen unverändert zur Anwendung gelangen. Dabei stehen zwei Verfahren zur Auswahl:

1) Das vereinfachte Heizperiodenverfahren für Gebäude mit normalen Innentemperaturen über 19 °C für Wohngebäude.

2) Generell das Monatsbilanzverfahren für Gebäude mit normalen Innentemperaturen über 19 °C ohne Einschränkung der Gebäude.

Für differenzierte, standortbezogene Berechnungen zur Ermittlung des Energiebedarfs sollten die Randbedingungen und Berechnungsverfahren nach den gegebenen Möglichkeiten der Norm angewendet werden.

D.2 Heizperiodenbilanzverfahren

Tabelle D.1 enthält die Angaben zum Berechnungsverfahren zur Ermittlung des bezogenen Jahresheizwärme- und Jahresheizenergiebedarfs mittels des vereinfachten Heizperiodenbilanzverfahrens, das hier auch „vereinfachtes Verfahren" genannt wird. Im öffentlich-rechtlichen Nachweis wird $A_B = A_N = 0{,}32\ V_e$. Im vereinfachten Heizperiodenverfahren können nicht berücksichtigt werden:

- Wintergärten
- transparente Wärmedämmung
- Wärmerückgewinnung mit Hilfe von Lüftungsanlagen.

Tabelle D.1: Zu ermittelnde Größen und Randbedingungen im vereinfachten Verfahren

Zu ermittelnde Größen	Randbedingungen
Heizwärmebedarf: $Q_h = Q_l - \eta_P\,(Q_s + Q_i)$ (D.1) Wärmeverluste: $Q_l = F_{Gt}\,(H_T + H_V)$ (D.2) Wärmegewinne: siehe (D.6) und (D.7) Primärenergiebedarf: $Q_P = e_P\,(Q_h + Q_W)$ (D.3)	Ausnutzungsgrad: $\eta_P = 0{,}95$ Gesamtaufwandszahl: e_p nach DIN V 4701-10 Gradtagzahlfaktor: $Gt = 2900$ Kd; $F_{Gt,o.NA} = 0{,}024\ Gt$; $f_{NA} = 0{,}95$ (berücksichtigt die baubedingten Einflüsse der Nachtabschaltung der Heizung) $F_{Gt} = 0{,}024\ Gt\ {*}f_{NA} = 66{,}12 \approx 66$
Spezifischer Transmissionwärmeverlust: $H_T = \Sigma\,(F_{xi}\ U_i\ A_i) + \Delta U_{WB}\ A$ (D.4)	Temperatur-Korrekturfaktoren F_{xi} nach Tabelle D.2 $\Delta U_{WB} = 0{,}05\ W/(m^2 \cdot K)$ unter Berücksichtigung von DIN 4108 Bbl. 2;
Spezifischer Lüftungswärmeverlust: ohne Luftdichtheitsprüfung: $H_V = 0{,}19\ V_e$ (D.5a) mit Luftdichtheitsprüfung: $H_V = 0{,}163\ V_e$ (D.5b)	Luftwechselrate[b)]: – $n = 0{,}7\ h^{-1}$, falls keine Luftdichtheitsprüfung durchgeführt wird oder bei der Luftdichtheitsprüfung die Bedingung $n_{50} < 3\ h^{-1}$ nicht erfüllt wird; – $n = 0{,}6\ h^{-1}$, falls eine Luftdichtheitsprüfung durchgeführt wird und bei der Luftdichtheitsprüfung die Bedingung $n_{50} < 3\ h^{-1}$ erfüllt wird;

Fortsetzung siehe nächste Seite.

E

Tabelle D.1 (Fortsetzung)

Zu ermittelnde Größen	Randbedingungen
Solare Wärmegewinne der Fenster Orientierung *j* (Süd, West, Ost, Nord und horizontal): $Q_S = \Sigma\ [(I_s\ t)_{j,HP}\ \Sigma\ 0{,}567\ g_i\ A_i]^{a)}$ (D.6)	Solare Einstrahlung $\Sigma(I_S\ t)_{j,HP}$: – Süd: 270 kWh/m²HP – Ost bzw. West: 155 kWh/m²HP – Nord: 100 kWh/m²HP – Dach (Neigung < 30°): 225 kWh/m²HP Die Fläche der Fenster A_i mit der Orientierung *j* (Süd, West, Ost, Nord und horizontal) ist nach den lichten Maueröffnungsmaßen zu ermitteln. Der wirksame Gesamtenergiedurchlassgrad g_{wirk} ist nach vorliegender Vornorm in Verbindung mit DIN EN 410 zu ermitteln. Der dazu notwendige Gesamtenergiedurchlassgrad für senkrechte Einstrahlung $g_\perp$ ist den Produktspezifikationen zu entnehmen.
Interne Wärmegewinne: $Q_i = 22\ A_N$ (D.7)	Nutzfläche: $A_N = 0{,}32\ V_e$ (D.8)

a) Besondere solarenergiegewinnende Systeme, wie z. B. der Wintergarten oder die transparente Wärmedämmung können im vereinfachten Verfahren keine Berücksichtigung finden. In solchen Fällen ist das Monatsbilanz(MB)-Verfahren anzuwenden.

b) Raumlufttechnische Anlagen werden nicht berücksichtigt.

Tabelle D.2: Temperatur-Korrekturfaktoren F_{xi} für das vereinfachte Heizperioden-(HP)-Verfahren

Wärmestrom nach außen über Bauteil *i*	F_{xi}	Temperatur-Korrekturfaktor
Außenwand, Fenster	F_{AW}, F_w	1
Dach (als Systemgrenze)	F_D	1
Oberste Geschossdecke (Dachraum nicht ausgebaut)	F_D	0,8
Abseitenwand (Drempelwand)	F_u	0,8
Wände und Decken zu unbeheizten Räumen	F_u	0,5
Unterer Gebäudeabschluss: – Kellerdecke zum unbeheizten Keller; – Fußboden auf Erdreich; – Flächen des beheizten Kellers gegen Erdreich	F_G	0,6

D.3 Berechnungsverfahren zur Ermittlung des bezogenen Jahresheizwärme-, Jahresheizenergie- und Primärenergiebedarfs mittels des Monatsbilanzverfahrens

Die Berechnung des Jahresheizwärmebedarfs erfolgt nach 5.6.3 und Abschnitt 6. Der Jahresheizenergie- und der Primärenergiebedarf sowie die Randbedingungen für das Monatsbilanzverfahren (MB-V) sind in Tabelle D.3 angegeben.

Tabelle D.3: Randbedingungen für das Monatsbilanzverfahren

Zeile	1	2	3
Spalte	Kenngröße	Abschnitt bzw. Gleichung (mit Kenngröße) im Text	Randbedingungen für den Nachweis
1	Jahresheizwärme-Primärenergie- und Heizenergiebedarf	5.4, 5.5 und 5.6; Abschnitt 6	Heizwärmebedarf: Q_h nach 5.6 und Abschnitt 6 Primärenergiebedarf: $Q_P = e_P\ (Q_h + Q_W)$ e_P nach Verfahren a), b) oder c) nach 5.4 Heizenergiebedarf Q nach 5.4, Gleichung (5)
2	Mittlere Gebäude-Innentemperatur θ_i		θ_i = 19 °C für Gebäude mit normalen Innentemperaturen
3	Referenzklima	Tabelle D.5	Monatliche Strahlungsintensitäten und Außenlufttemperaturen nach Tabelle D.5
4	Wärmeübertragende Umfassungsfläche A_x		Vorsprünge in den Bauteilen bis zu 20 cm können vernachlässigt werden.
5	Reduktionsfaktoren	Tabelle 3	siehe Tabelle 3 dieser Norm
6	Wärmeleitfähigkeit des Erdreiches λ	Anhang E	λ = 2,0 W/(mK)
7	Mittlerer interner Wärmegewinn Q_i	Gleichung (24) Tabelle 2	$\Phi_i = q_i \cdot A_N$ (D.10) dabei ist: $A_N = 0{,}32\ V_e$ Bei Wohngebäuden ist q_i = 5 W/m². Bei Büro- und Verwaltungsgebäuden ist: q_i = 6 W/m² Bei allen weiteren Gebäuden ist: q_i = 5 W/m², soweit hierfür in anderen Regeln der Technik keine anderen Werte festgelegt sind.

Fortsetzung siehe nächste Seite.

E

Tabelle D.3 (Fortsetzung)			
Zeile	1	2	3
Spalte	Kenngröße	Abschnitt bzw. Gleichung (mit Kenngröße) im Text	Randbedingungen für den Nachweis
8	Luftwechselrate n		Ohne Nachweis der Luftdichtheit: $n = 0{,}7\,h^{-1}$
8.1[a)]			Mit Nachweis der Luftdichtheit: bei freier Lüftung/Fensterlüftung: $n = 0{,}6\,h^{-1}$
8.2[a)]		Gleichung (46), (47), (48)	Mit Nachweis der Luftdichtheit bei raumlufttechnischen Anlagen ist:
		siehe 5.4	$n = n_A\,(1 - \eta_V) + n_x$ (D.11) $n_A = 0{,}4\ h^{-1}$ nach DIN V 4701-10; η_V Nutzungsfaktor des Luft/Luft-Wärmerückgewinnungssystems nach DIN V 4701-10; $n_x = 0{,}2\,h^{-1}$ für Zu- und Abluftanlagen; $n_x = 0{,}15\,h^{-1}$ für Abluftanlagen; Korrektur des Jahres-Primärenergiebedarfs sofern dies nicht bei DIN V 4701-10 geschehen ist: $Q_P = (Q_h + Q_W) \cdot e^*_P$ (D.12) wobei e^*_P nach Gleichung (6) zu bestimmen ist.
a) Die Anlagenluftwechselraten nach den Zeilen 8.1 und 8.2 sind als zeitlicher und räumlicher Mittelwert angegeben. Betriebsweisen, die für die Abluft kurzzeitig für erhöhte Luftbelastungen einstellbar sind, bleiben unberücksichtigt.			
9	Luftwechselrate zwischen unbeheizten Räumen und der Außenumgebung n_{ue}	Nach DIN EN ISO 13 789:1999-10 Gleichung (7)	$n_{ue} = 0{,}5\,h^{-1}$
10	Verschattungsfaktor F_S	6.4.2	$F_S = 0{,}9$ für übliche Anwendungsfälle Soweit überwiegend bauliche Verschattung vorliegen, ist F_S entsprechend anzusetzen. Vereinfachend kann bei überwiegend verschatteten Fenstern Nordorientierung angenommen werden.
11	Abminderungsfaktor für Sonnenschutzeinrichtungen F_C	Tabelle 7	$F_C = 1{,}0$
12	Abminderungsfaktor infolge nicht senkrechter Einstrahlung F_W	Gleichung (55)	$F_W = 0{,}9$
Fortsetzung siehe nächste Seite.			

Tabelle D.3 (Fortsetzung)

Zeile	1	2	3
Spalte	Kenngröße	Abschnitt bzw. Gleichung (mit Kenngröße) im Text	Randbedingungen für den Nachweis
13	Beheiztes Luftvolumen	6.2.2	$V = 0{,}76\ V_e$ bei Gebäuden (Ein- und Zweifamilienhäuser) bis drei Vollgeschosse; $V = 0{,}80\ V_e$ in den übrigen Fällen. Eine genaue Ermittlung nach DIN EN 832 ist zulässig.
14	Flächenheizung	6.1.4	Bei einer Wärmedämmung von mindestens 8 cm ($\lambda \leq 0{,}04$ W/(mK) bzw. $R = 2{,}0\ m^2$ K/W) zwischen Heizfläche und den außen liegenden konstruktiven Bauteilen sind die zusätzlichen spezifischen Transmissionswärmeverluste $\Delta\ H_{T,FH}$ vernachlässigbar.
15	Wärmebrückeneinfluss	6.1.2	Folgende Möglichkeiten können in Ansatz gebracht werden: 1) Berechnung nach E DIN EN ISO 10 211-2 mit Hilfe der ψ-Werte für Wärmebrücken an: – Gebäudekanten; – Fenstern und Türen: Laibungen (umlaufend); – Wand- und Deckeneinbindungen – Deckenauflagern; – wärmetechnisch entkoppelten Balkonplatten 2) pauschale Berücksichtigung unter Berücksichtigung von DIN 4108 Beiblatt 2: $\Delta U_{WB} = 0{,}05\ W/(m^2 \cdot K)$ 3) ohne Berücksichtigung von DIN 4108 Beiblatt 2: $\Delta U_{WB} = 0{,}1\ W/(m^2 \cdot K)$
15			Verglaste Fassaden (Vorhangfassaden als Pfosten-Riegel-Konstruktion) sind bei der Berücksichtigung des Wärmebrückeneinflusses auszunehmen, einschließlich Paneele: $\Delta H_{WB} = \Delta U_{WB}\ (A - A_{cw})$ (D.13) Dabei ist: A_{cw} die Fläche der verglasten Fassade
16	Wirksame Wärmespeicherfähigkeit zur Bestimmung des Ausnutzungsgrades	Definitionen: 6.5.2 Gleichungen (71) und (72)	Zur Ermittlung des Ausnutzungsgrades η_h: Für leichte Gebäude: $C_{wirk,\,\eta} = 15\ Wh/(m^3 \cdot K) \cdot V_e$ (D.14) für schwere Gebäude: $C_{wirk,\,\eta} = 50\ Wh/(m^3 \cdot K) \cdot V_e$ (D.15) Sind alle Innen- und Außenbauteile festgelegt, ist auch eine genaue Ermittlung von $C_{wirk,\,\eta}$ statthaft.

Fortsetzung siehe nächste Seite.

E

Tabelle D.3 (Fortsetzung)			
Zeile	1	2	3
Spalte	Kenngröße	Abschnitt bzw. Gleichung (mit Kenngröße) im Text	Randbedingungen für den Nachweis
17	Heizunterbrechnung (Nachtabschaltung)	Anhang C	Für die Zeit des Abschaltbetriebs ist anzunehmen: – bei Wohngebäuden: 7 h; – bei Büro- und Verwaltungsgebäuden: 10 h. Längere Abschaltzeiten sind nicht vorgesehen. Wirksame Wärmespeicherfähigkeit bei Nachtabschaltung: für leichte Gebäude: $C_{\text{wirk, NA}} = 12\ \text{WH/(m}^3\cdot\text{K)}\cdot V_e$ (D.16) für schwere Gebäude: $C_{\text{wirk, NA}} = 18\ \text{WH/(m}^3\cdot\text{K)}\cdot V_e)$ (D.17) Sind alle Innen- und Außenbauteile festgelegt, ist auch eine genaue Ermittlung von $C_{\text{wirk, NA}}$ statthaft. Für die Normheizlast des Wärmeerzeugers gilt: (Randbedingung: $n = 0{,}5\ h^{-1}$) $\Phi_{pp} = 1{,}5\ (H_T + H_V)\cdot 31\ \text{K}$ (D.18)
18	Solare Wärmegewinne über opake Bauteile Q_s	Gleichung (60)	Solare Wärmegewinne über opake Bauteile brauchen nicht berücksichtigt werden. Werden die Effekte dennoch berechnet, sind folgende Annahmen zu treffen: Emissionsgrad der Außenfläche für Wärmestrahlung $\varepsilon = 0{,}8$ Strahlungsabsorptionsgrad an opaken Oberflächen $\alpha = 0{,}5$ (für dunkle Dächer kann abweichend $\alpha = 0{,}8$ angenommen werden)

D.4 Aufwandszahlen

Die Aufwandszahlen e_x zur Ermittlung des Jahres-Heizenergie- und des Primärenergiebedarfs für die Beheizung von Gebäuden sind DIN V 4701-10 für verschiedene Heizsysteme zu entnehmen.

D.5 Referenzklima

Die Referenzwerte der Strahlungsintensitäten und der Außentemperaturen für einzelne Monate, das Jahr und die Heizperiode sind als Referenzklima **Deutschland** in Tabelle D.5 aufgeführt

Tabelle D.5: Referenzwerte der Strahlungsintensitäten und der Außentemperaturen für das Referenzklima Deutschland

Referenzklima Deutschland		Strahlungsangebot													
		Monatliche Mittelwerte W/m²												Jahreswert kWh/m²	Wert für die Heizperiode kWh/m²
Orientierung	Monat Neigung	Jan.	Feb.	Mrz.	Apr.	Mai	Jun.	Jul.	Aug.	Sep.	Okt.	Nov.	Dez.	Jan.–Dez.	Okt. bis Mrz.[a)]
Horizontal	**0**	33	52	82	190	211	256	255	179	135	75	39	22	1120	**225**
	30	51	67	99	210	213	250	252	186	157	93	55	31	1216	295
Süd	45	57	71	101	205	200	231	235	178	157	97	59	34	1187	310
	60	60	71	98	190	179	203	208	162	150	95	60	35	1104	310
	90	56	61	80	137	119	130	135	112	115	81	54	33	810	**270**
	30	45	62	93	203	211	248	251	183	149	87	49	28	1608	270
Süd-Ost	45	49	64	92	198	200	232	236	175	148	88	51	30	1561	275
	60	49	62	88	185	182	208	213	161	140	85	51	30	1453	270
	90	44	52	70	140	132	146	153	120	109	69	44	26	1110	**225**
	30	45	62	93	203	211	248	251	183	149	87	49	28	1608	270
Süd-West	45	49	64	92	198	200	232	236	175	148	88	51	30	1561	275
	60	49	62	88	185	182	208	213	161	140	85	51	30	1453	270
	90	44	52	70	140	132	146	153	120	109	69	44	26	1110	**225**
	30	33	51	78	181	199	238	240	170	129	72	38	21	1451	220
Ost	45	32	49	74	172	187	221	224	160	123	69	37	20	1369	210
	60	30	46	68	160	171	201	205	148	114	65	35	19	1261	196
	90	25	37	53	125	131	150	156	115	90	51	28	15	975	**155**
	30	33	51	78	181	199	238	240	170	129	72	38	21	1451	220
West	45	32	49	74	172	187	221	224	160	123	69	37	20	1369	210
	60	30	46	68	160	171	201	205	148	114	65	35	19	1261	195
	90	25	37	53	125	131	150	156	115	90	51	28	15	975	**155**
	30	22	39	63	151	180	222	221	150	105	57	28	16	1254	170
Nord-West	45	20	35	56	132	158	194	194	133	91	51	26	14	1103	150
	60	18	32	49	116	139	168	170	118	81	46	23	13	972	135
	90	14	25	38	89	105	124	128	90	62	35	18	10	740	**105**
	30	22	39	63	151	180	222	221	150	105	57	28	16	1254	170
Nord-Ost	45	20	35	56	132	158	194	194	133	91	51	26	14	1103	150
	60	18	32	49	116	139	168	170	118	81	46	23	13	972	135
	90	14	25	38	89	105	124	128	90	62	35	18	10	740	**105**
	30	20	34	54	137	173	217	214	142	90	49	26	15	1171	150

Fortsetzung siehe nächste Seite.

E

Tabelle D.5 (Fortsetzung)															
Referenzklima Deutschland		Strahlungsangebot													
		Monatliche Mittelwerte W/m²												Jahreswert kWh/m²	Wert für die Heizperiode kWh/m²
Orientierung	Monat Neigung	Jan.	Feb.	Mrz.	Apr.	Mai	Jun.	Jul.	Aug.	Sep.	Okt.	Nov.	Dez.	Jan.–Dez.	Okt. bis Mrz.[a)]
Nord	45	19	32	47	101	143	184	180	115	66	45	24	14	970	135
	60	17	29	44	79	109	143	139	90	59	41	22	13	786	125
	90	14	23	34	64	81	99	100	70	48	33	18	10	590	**100**
Temperatur	°C	–1,3	0,6	4,1	9,5	12,9	15,7	18,0	18,3	14,4	9,1	4,7	1,3	8,9	3,3

a) Okt.–Mrz. besagt, dass die hier zugrunde gelegte Heizperiode (nach [1]), bis auf wenige Tage abweichend, fast genau dem Monatszeitraum Oktober bis März entspricht. Die Heizzeit t_{HP}, beträgt 185 Tage und gilt nur für das Referenzklima Deutschland mit einer Gradtagzahl von 2900 Kd.

Energetische Bewertung heiz- und raumlufttechnischer Anlagen – Teil 10 – Heizung, Trinkwassererwärmung, Lüftung

Auszug aus DIN V 4701-10 (08.2003)

Inhalt

E

Anhang C (normativ) **Ermittlung von Kenngrößen von Heizungs-, Lüftungs- und Trinkwassererwärmungsanlagen mit geringen energetischen Anforderungen (Standardwerte)**

1 Anwendungsbereich

Diese Norm gilt für Gebäude mit normalen Innentemperaturen im Sinne der Energieeinsparverordnung, die baulich und anlagentechnisch den Anforderungen dieser Verordnung genügen. Dies sind nach der dort gegebenen Definition solche Gebäude, die nach ihrem Verwendungszweck auf eine Innentemperatur von 19 °C oder mehr und jährlich mehr als vier Monate beheizt werden. Wesentliche Untergruppe dazu sind die Wohngebäude; das sind solche Gebäude, die ganz oder deutlich überwiegend zum Wohnen genutzt werden.

Dabei wird der bestimmungsgemäße Betrieb der heiz- und raumlufttechnischen Anlagen nach den anerkannten Regeln der Technik vorausgesetzt. Diesbezügliche gesonderte Hinweise, wie z. B. auf den hydraulischen Abgleich bei Warmwasser-Heizungsanlagen, können dem VDMA-Einheitsblatt „Regelungstechnische Anforderungen an die Hydraulik bei Planung und Ausführung von Heizungs-, Trinkwassererwärmungs- und Raumlufttechnischen Anlagen" entnommen werden.

Die zu verwendenden Kennzahlen und Deckungsanteile können sowohl mit Hilfe der im Abschnitt 5 und Anhang C enthaltenen Verfahren und Tabellen bestimmt werden als auch unter Verwendung anderer oder abweichender Nachweisverfahren (z. B. VDI 2067 oder LEG), soweit sichergestellt ist, dass diese Nachweisverfahren gleichwertige Ergebnisse unter vergleichbaren Randbedingungen (Abschnitt 5) liefern. Die diesen Nachweisverfahren zu Grunde liegenden Annahmen und Randbedingungen sind nachvollziehbar anzugeben und zu protokollieren und gelten für einen Jahresheizwärmebedarf $q_{h,4701-10}$ (siehe Abschnitt 4.3) im Bereich bis 90 kWh/(m²a).

3.2 Symbole und Einheiten

Tabelle 3-1a: Symbole und Einheiten

Symbol	Bezeichnung	Einheit	Bemerkung
A	Fläche	m^2	
α	Deckungsanteil	–	0 bis 1
Q	Energie	kWh/a	Energiemenge pro Jahr
q	flächenbezogene Energiemenge pro Jahr	kWh/(m^2a)	ohne Index oder Index „WE" = Wärmeenergie, mit Index „HE" = Hilfsenergie
$\dot{Q}$	Wärmestrom	kW	
e_P	Anlagenaufwandszahl	–	nach Gleichung 4.2-26 – auf Primärenergie bezogen
f_P	Primärenergieumwandlungsfaktor	–	
ϑ	Temperatur	°C	
$\Delta\vartheta$	Temperaturdifferenz	K	
V	Volumen	m^3	V_e= Gebäudevolumen: von der wärmeübertragenden Umfassungsfläche des Gebäudes umschlossenes Volumen, Systemgrenze „Außenmaße" nach DIN EN ISO 13 789
A_N	Nutzfläche	m^2	$A_N = 0{,}32 \cdot V_e$
Q_h	Jahresheizwärmebedarf	kWh/a	– Jahresheizwärmebedarf nach DIN V 4108-6, soweit dort keine Wärmerückgewinnung berücksichtigt wurde ($Q_{WR} = 0$) – Summe aus dem Jahres-Heizwärmebedarf nach DIN V 4108-6 und Q_{WR} nach DIN V 4108-6 Gleichung (50), soweit dort Wärmerückgewinnung berücksichtigt wurde ($Q_{WR} \neq 0$)
x	Anzahl Zyklen pro Tag	$1/d$	für Biomasse-Wärmeerzeuger

Tabelle 3-1b: Indices

Index	Bedeutung	Index	Bedeutung
A	Anlage	*i*	Innen
B	Brennstoff	l	Lüftung ... (Wärmebedarf)
Bio	Bio-Wärmeerzeuger	L	Lüftung ... (Energiebedarf)
ce	Übergabe im Raum (control + emission)	m	mittlere, mittlerer
d	Verteilung (distribution)	N	Nutz ...
E	Endenergie	P	Primärenergie
EWT	Erdwärmetauscher	s	Speicher
g	Erzeugung (generation)	SB	Stationärer Betrieb
GZ	Grundzyklus	SP	Sommerperiode
h	Raumheizung ... (Wärmebedarf)	tw	Trinkwarmwasser ... (Wärmebedarf)
H	Raumheizung ... (Energiebedarf)	TW	Trinkwarmwasser ... (Energiebedarf)
HE	Hilfsenergie	WE	Wärmeenergie (auch ohne Index)
HK	Heizkreis	WÜT	Wärmeübertrager
HP	Heizperiode	u	Umgebung
i, *j*	Allgemeiner Zählindex		

Tabelle 3-1c: Abweichende Symbolbezeichnungen zwischen DIN 4701-10 und DIN V 4108-6

DIN V 4701-10	DIN V 4108-6	Bedeutung
tw	w	Trinkwasserwärmebedarf
TW	W	Trinkwasserenergiebedarf
WRG	WR	Wärmerückgewinnung

4 Rechenverfahren zur Ermittlung des Energiebedarfs von Heizungs-, Trinkwassererwärmungs- und Lüftungsanlagen

4.1 Zusammenwirken dieser Vornorm mit DIN V 4108-6 und mit der Energieeinsparverordnung

Die Energieeinsparverordnung (EnEV) begrenzt bei Gebäuden mit normalen Innentemperaturen den Jahres-Primärenergiebedarf Q_P eines Gebäudes. Zur Bestimmung des Jahres-Primärenergiebedarfs müssen der Jahres-Nutzwärmebedarf des Gebäudes (Heizwärmebedarf Q_h und Trinkwasserwärmebedarf Q_{tw}) und die Aufwandszahl der Anlagentechnik e_P bekannt sein.

$$Q_P = (Q_h + Q_{tw}) \cdot e_P \qquad (4.1\text{-}1)$$

Die Anlagen-Aufwandszahl e_P wird nach dieser Norm ermittelt und beschreibt das Verhältnis der von der Anlagentechnik aufgenommenen Primärenergie in Relation zu der von ihr abgegebenen Nutzwärme. Der Jahres-Heizwärmebedarf wird entweder nach dem Monatsbilanz-Verfahren der DIN V 4108-6 bestimmt, oder nach einem in der Verordnung selbst angegebenen Heizperiodenbilanz-Verfahren. Der Trinkwasserwärmebedarf Q_{tw} wird in der Verordnung mit 12,5 kWh/(m^2a) festgelegt.

Die primärenergetisch bezogene Anlagen-Aufwandszahl e_P dient dem Vergleich unterschiedlicher Anlagen hinsichtlich ihrers Energieaufwands. Grundlage für entsprechende Vergleiche ist, dass die gesamte Anlagentechnik in der Anlagen-Aufwandszahl e_P berücksichtigt wird. Dementsprechend werden in der DIN V 4701-10 stets alle vorhandenen Funktionen (Heizen, Lüften und Trinkwassererwärmung) während ihrer jeweiligen Nutzungsperiode berechnet und zusammengefasst verglichen. Damit die Anlagenaufwandszahlen e_P bei Gebäuden mit Wohnungslüftungsanlagen vergleichbar sind, müssen Wohnungslüftungsanlagen bei der Bestimmung des Jahres-Heizwärmebedarfs (DIN V 4108-6) mit einem Anlagenluftwechsel $n_{A,norm} = 0,4\ h^{-1}$ berechnet werden.

Für die Trinkwassererwärmungsanlage ist die Nutzungsperiode das gesamte Jahr, für die Heizungs- und Lüftungsanlage die Heizperiode. Als Heizperiode (t_{HP}) gilt in der DIN V 4701-10 die Zeit, in der die Heizungs- oder auch eine eventuell vorhandene Lüftungsanlage zur Deckung des Norm-Heizwärmebedarfs betrieben werden.

Eine wichtige und notwendige Voraussetzung für die Anwendung dieser Norm ist die Kenntnis des Heizwärmebedarfs Q_h des Gebäudes. Der energetische Gewinn einer Lüftungsanlage wird in dieser Norm berechnet und in der Anlagen-Aufwandszahl e_P berücksichtigt. Diese Norm geht in ihrer Energiebilanz davon aus, dass der Wärmerückgewinn einer Lüftungsanlage nicht im Jahresheizwärmebedarf berücksichtigt ist, sondern als Beitrag der Anlagentechnik (d. h. in DIN V 4108-6 ist $\eta_V = 0$). Ist diese Voraussetzung nicht erfüllt, so wird eine Korrektur notwendig (siehe 4.3).

4.2 Methodik zur Berechnung der Anlagenaufwandszahl e_P

4.2.1 Allgemeines

Die Norm ermöglicht die energetische Bewertung von Anlagen zur Deckung des Jahres-Heizwärmebedarfs (Q_h) und von Anlagen zur Deckung des Trinkwasser-Wärmebedarfs (Q_{tw}) eines Gebäudes. Lüftungsanlagen

- mit/ohne Wärmerückgewinnung durch Wärmeübertrager
- mit/ohne zusätzlicher Heizfunktion

werden in dieser Norm berücksichtigt. Andere raumlufttechnische Anlagen, die z. B. der Deckung von Kühllasten dienen, werden nicht betrachtet.

Für Anlagen zur Deckung des Jahres-Heizwärmebedarfs und des Trinkwasser-Wärmebedarfs wird der Jahres-Primärenergiebedarf für Heizung, Lüftung und Trinkwarmwasser getrennt berechnet. Zur energetischen Bewertung der gesamten Anlagentechnik (Heizung, Lüftung und Trinkwassererwärmung) wird eine auf die Primärenergie bezogene Anlagen-Aufwandszahl e_P (inklusive Hilfsenergie) errechnet, die als dimensionslose Kennzahl die Effizienz der Anlage beschreibt. Mit Hilfe dieser Anlagen-Aufwandszahl kann der Jahres-Primärenergiebedarf Q_P eines Gebäudes bestimmt werden.

$$Q_P = (Q_h + Q_{tw}) \cdot e_P \quad (4.2\text{-}1)$$

Die Berechnung der Anlagen-Aufwandzahl e_P erfolgt immer anhand des in diesem Abschnitt (4.1 bis 4.3) angegebenen Rechenverfahrens. Dieses Verfahren erlaubt die Berechnung beliebig spezifizierter Anlagen, wobei diese Spezifikation zum Einen die gewählte Anlagenkombination (z. B. Heizung: Kessel, 70°/55 °C-Heizkreis, Radiatoren; Trinkwasser: ...) und zum Anderen die konkreten Produkte (Kessel: Produkt A von Hersteller X, ...) beinhaltet. Zur Ermittlung der Anlagenaufwandszahl e_P und des Primärenergiebedarfs Q_P stehen drei Verfahren zur Auswahl:

1. *Diagrammverfahren:*

   Grafische Ermittlung der Anlagen-Aufwandszahl e_P und des Endenergiebedarfs anhand von Aufwandszahl-Diagrammen in Abhängigkeit vom flächenbezogenen Heizwärmebedarf q_h und der beheizten Nutzfläche A_N. Diese werden in der Norm exemplarisch für sechs gängige Anlagensysteme im Anhang C.5 dargestellt. Weitere Systeme werden in Beiblättern zu dieser Norm behandelt. Die Verwendung von Aufwandszahl-Diagrammen bietet sich an, wenn die Anlagenkonfiguration bereits festgelegt ist. In diesem Fall können die Ergebnisse ohne Detailrechnung ermittelt werden – aufgrund der großen Anzahl von möglichen Anlagenkonfigurationen sind aber nicht für alle Konfigurationen Diagramme erhältlich.

   Rechnerische Ermittlung der Anlagen-Aufwandszahl e_P und des Endenergiebedarfs anhand des Rechenverfahrens nach Abschnitt 4. Zur Vereinfachung der Berechnung gibt es in Anhang A Berechungsblätter und in Anhang B Beispielrechnungen. Das Rechenverfahren muss dann verwenden werden, wenn keine Aufwandszahl-Diagramme nach 1. vorliegen. Die zur Berechnung benötigten Kennwerte können auf zwei Arten gewonnen werden:

2. *Tabellenverfahren:*

   Wenn ein Gerät der Anlage noch nicht festgelegt ist, werden im Anhang C.1 bis C.4 Kennwerte für Standardprodukte angeboten. Diese Standardwerte können immer verwendet werden, sie orientieren sich aber am unteren energetischen Durchschnitt des Marktniveaus und führen damit nicht zu den geringsten Anlagen-Aufwandszahlen.

3. *Detaillierte Verfahren:*

   Wenn die Kennwerte von konkreten Produkten vorliegen (z. B. die Wärmeerzeuger-Aufwandszahl des Kessels x der Firma y, berechnet nach den Randbedingungen und Vorgaben aus Abschnitt 5 oder vorgegeben durch Produktunterlagen), dann können diese Kennwerte anstelle der Standardwerte in Anhang C.1 bis C.4 verwendet werden. Dadurch ergeben sich in der Regel bessere Anlagen-Aufwandszahlen, da die Standardwerte sich am unteren Marktniveau orientieren. Es ist alternativ auch möglich, nur für einzelne Stufen der Wärmebereitstellung das detaillierte Verfahren nach 3. zu verwenden und für die anderen Stufe das Tabellenverfahren mit Standardwerten (nach 2.).

   Diese Berechnung, bei dem die Kennwerte soweit wie bekannt entweder aus den Tabellen im Anhang C oder bei konkreten Produkten nach den Herstellerangaben ermittelt werden, eignet sich insbesondere dann, wenn bereits viele Anlagendetails bekannt sind.

Die für das detaillierte Verfahren (3.) und für das Tabellenverfahren (2.) einheitlich verwendbaren Berechnungsblätter für die Anlagenbewertung finden sich in Anhang A, Berechnungsbeispiele in Anhang B.

Zur Ermittlung der Anlagen-Aufwandszahl e_P wird die vorhandene Anlagentechnik in der Reihenfolge Trinkwassererwärmung, Lüftung und Heizung getrennt berechnet. Dabei werden die Wärmemengen, die aus dem Trinkwassererwärmungssystem und der Lüftungsanlage einen Teil des Jahres-Heizenergiebedarfs decken im Berechnungsverfahren berücksichtigt (Bild 4.2-1, Gleichung 4.2-2). Dazu müssen zuerst das Trinkwassererwärmungssystem und die Lüftungsanlage berechnet werden. Als Ergebnis dieser Berechnung ist der Primärenergiebedarf dieser beiden Anlagen bekannt und auch die Wärmeenergie, die nicht mehr von der Heizungsanlage gedeckt werden muss. Um diese Wärmemenge kann der Jahres-Heizwärmebedarf des Gebäudes reduziert werden. Die Heizungsanlage wird anschließend mit dem so reduzierten Heizwärmebedarf berechnet. Durch das Zusammenführen der einzelnen Ergebnisse ergibt sich abschließend die Anlagen-Aufwandszahl e_P der gesamten Anlagentechnik inklusive der Hilfsenergie.

Weiterhin erlaubt die Norm die Berechnung des Wärmeenergiebedarfs und des elektrischen Hilfsenergiebedarfs eines Gebäudes bezogen auf die Endenergie.

4.2.2 Voraussetzungen zur Berechnung der Anlagen-Aufwandszahl e_P

Zur Berechnung der Anlagen-Aufwandszahl e_P muss vom Gebäude der Jahres-Heizwärmebedarf Q_h (oder als flächenbezogener Wert q_h) entsprechend Bild 4.2-1 und die Nutzfläche A_N bekannt sein. Die Ermittlung von Q_h und A_N erfolgt anhand des Monatbilanzverfahrens der DIN V 4108-6 bzw. des Heizperiodenbilanzverfahrens der EnEV, wobei bei Einsatz von Lüftungsanlagen mit Wärmerückgewinnung die Vorschriften nach 4.3 (Bild 4.3-1 und Bild 4.3-2) zu beachten sind (die Berücksichtigung einer Wärmerückgewinnungsanlage erfolgt immer innerhalb der vorliegenden Norm).

Randbedingungen

Die Berechnung der Anlagen-Aufwandszahl nach dieser Norm ist nur gültig unter den in Tabelle 4.2-1 genannten Randbedingungen:

Tabelle 4.2-1: Übersicht der Randbedingungen

Kriterium	Größe	Wert		Einheit
Mittlere Gebäudeinnentemperatur	ϑ_i	19		°C
Trinkwasser-Wärmebedarf	q_{tw}	12,5		kWh/(m²a)
Norm-Anlagenluftwechsel für mechanische Lüftungsanlagen	$n_{A,Norm}$	0,4		1/h
		DIN V 4108-6 Monatsbilanzverfahren	Heizperiodenbilanzverfahren und alle Verfahren nach EnEV	
Heizgrenztemperatur	t_G	wird ausgewiesen	10	°C
Dauer der Heizperiode	t_{HP}	wird ausgewiesen	185	d
Gradtagzahlfaktor	F_{Gt} [1]	zu errechnen	69,6	kKh/a
Nutzfläche	A_N	wird ausgewiesen	wird ausgewiesen	m²

[1] F_{Gt} = 69,6 [kKh/a] ist derjenige Wert, der sich aus Anhang D der DIN V 4108-6 Tabelle D1 (66[–]) aus einer Heizgradtagzahl von 2900 Kd/a ohne Heizunterbrechung ergibt. Im Rahmen des öffentlich-rechtlichen Nachweisverfahrens zur EnEV muss **generell** mit einer Heizperiodendauer von 185 Tagen pro Jahr (entspricht F_{GT} = 69,6 kKh/a) gerechnet werden.

Abweichend von dem oben vorgegebenen Norm-Anlagen-Luftwechsel können Lüftungsanlagen auch für höhere Anlagen-Luftwechsel berechnet werden, wobei alle Auswirkungen auf den Norm-Luftwechsel bezogen werden.

Eine geregelte Heizunterbrechung bzw. Nacht- und/oder Wochenendabschaltung der Heizung mit im Mittel niedrigeren Raumtemperaturen führt zu einer Verminderung des Jahres-Heizwärmebedarfs Q_h gegenüber dem durchgehenden Heizbetrieb. Die Berechnung des zeitlich eingeschränkten Heizbetriebs erfolgt für das Monatsbilanzverfahren nach Anhang C der DIN V 4108, Teil 6, für die Heiz- oder Jahresperiodenbilanzierung mit Hilfe eines reduzierten F_{Gt}-Wertes nach Anhang D der DIN V 4108-6.

Die Berechnung der Anlagen-Aufwandszahl e_P bei einer abweichenden Raumtemperatur (auch zeitweise) ist in dieser Norm zur Bewertung heiz- und raumlufttechnischer Anlagen nicht vorgesehen.

Wird zur Ermittlung des End- und des Primärenergiebedarfs ein Q_h-Wert aus DIN V 4108-6 unter Berücksichtigung eines geregelten, zeitlich eingeschränkten Heizbetriebes mit einer Anlagen-Aufwandszahl verknüpft, die für durchgehenden Betrieb ermittelt wird, sind der nach dieser Norm errechnete End- und Primärenergiebedarf in der Regel höher als Werte, welche sich unter gleichen Randbedingungen aus dynamischen Simulationsberechnungen des Gebäudes und der Anlagentechnik ergeben.

Für den Trinkwasser-Wärmebedarf wird ein definierter Nutzen q_{tw} von 12,5 kWh/(m²a) im Rahmen des öffentlich rechtlichen Nachweises zugrundegelegt.

Dies entspricht etwa einem täglichen Warmwasserbedarf von 23 Liter pro Person bei 50 °C Wassertemperatur.

4.2.3 Methodik der Berechnung von Anlagen zur Deckung des Trinkwasser-Wärmebedarfs Q_{tw}

Die Berechnung von Anlagen zur Deckung des Trinkwasser-Wärmebedarfs Q_{tw} erfolgt für das gesamte Gebäude, wenn es von der gleichen Anlagentechnik mit warmen Trinkwasser versorgt wird. Werden verschiedene Bereiche eines Gebäudes mit unterschiedlicher Anlagentechnik versorgt bzw. unterschiedlich genutzt (z. B. Wohn- und Büroflächen), so sind die Bereiche einzeln zu berechnen.

Die Grundeinheit der Berechnung bildet der Trinkwarmwasser-Strang. Ein Trinkwarmwasser-Strang besteht im allgemeinen Fall aus mindestens einem Wärmeerzeuger, bei Bedarf einem Speicher, einem Verteilstrang und mindestens einer Art der Nutzenübergabe (analog Bild 4.2-2). Dabei stellt ein Trinkwarmwasser-Strang die kleinste berechenbare Anlageneinheit dar.

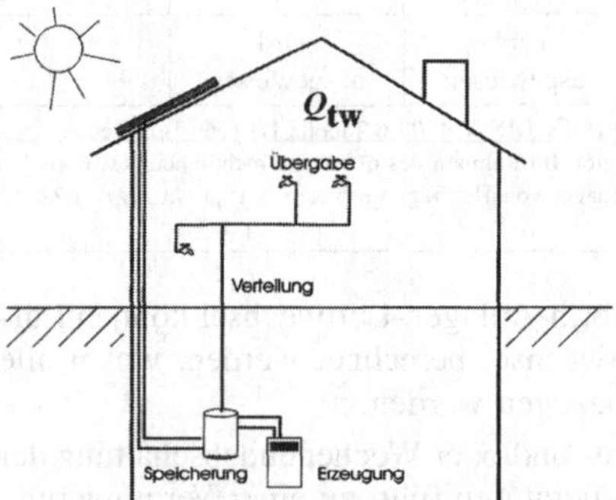

Bild 4.2-2. Beispielhafte Erläuterung eines Trinkwarmwasser-Strangs

Die Bereitstellung von Wärme zur Deckung des Trinkwasser-Wärmebedarfs durch einen Trinkwarmwasser-Strang lässt sich, analog der Aufteilung bei Anlagen zur Deckung des Heizwärmebedarfs, in fünf Prozessbereiche (Schritte) unterteilen (siehe Bild 4.2-3):

1. Übergabe des warmen Trinkwassers von der Zapfstelle an den Nutzer (Index ‚ce‘)
2. Verteilung des warmen Trinkwassers vom Wärmeerzeuger/Speicher zu den Zapfstellen (Index ‚d‘)
3. Speicherung des warmen Trinkwassers in einem Trinkwasserspeicher (Index ‚s‘)
4. Erzeugung des erwärmten Trinkwassers (Index ‚g‘)
5. Umwandlung Primärenergie (Primärenergie-Umwandlungsfaktor f_P)

Anhand der fünf Schritte, die den Weg der Energieumwandlung in einem Trinkwarmwasser-Strang beschreiben, lässt sich jedes beliebige Trinkwassererwärmungssystem abbilden.

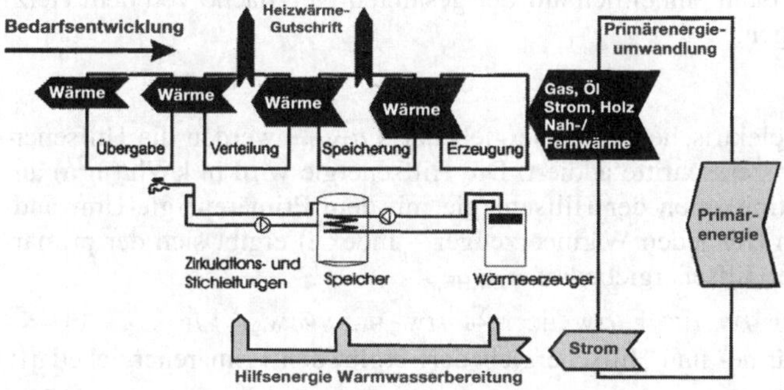

Bild 4.2.3. Erläuterung des Berechnungsschemas für die Trinkwassererwärmung

Die energetische Berechnung einer Trinkwassererwärmungsanlage erfolgt getrennt für Wärmeenergie (q_{TW}) und für Hilfsenergie ($q_{TW,HE}$). Wird elektrische Energie zum Zwecke der unmittelbaren Trinkwassererwärmung eingesetzt (z. B. elektrischer Durchlauferhitzer), so wird sie der Wärmeenergie zugerechnet.

Tabellen 4.2-2 und 4.2-3 zeigen die Methodik zur Berechnung einer Anlage zur Deckung des Trinkwasser-Wärmebedarfs eines Gebäudes (1 Verteilstrang). Die benötigten Kennzahlen der Verfahrensschritte werden in 5.1 bestimmt.

Wärmeenergie (WE bzw. ohne Index):

Zur Berechnung des Wärmeenergiebedarfs q_{TW} muss zuerst die Wärmemenge bestimmt werden, die von den Wärmeerzeugern bereitzustellen ist. Diese Wärmemenge setzt sich aus dem Trinkwasserwärmebedarf des Gebäudes q_{tw} und den Wärmeverlusten der Wärmeübergabe, -Verteilung und -Speicherung zusammen (alle Werte in kWh/(m²a)). Durch Multiplikation mit der Aufwandszahl (Kehrwert des Nutzungsgrads) des Wärmeerzeugers (Index *i* für verschiedene Wärmeerzeuger) und dem Primärenergie-Umwandlungsfaktor wird der Wärmeenergiebedarf $q_{TW,WE,P}$ bestimmt.

$$q_{TW,P} = (q_{tw} + q_{TW,ce} + q_{TW,d} + q_{TW,s}) \cdot \sum_{i} (e_{TW,g,i} \cdot \alpha_{TW,g,i} \cdot f_{P,i}) \quad (4.2\text{-}3)$$

Die Verluste der Prozessbereiche Verteilung $q_{TW,d}$ und Speicherung $q_{TW,s}$ können zu einem Teil der Heizung als Wärmegutschriften $q_{h,TW,d}$ und $q_{h,TW,s}$ zugerechnet werden, wenn diese Komponenten im beheizten Bereich des Gebäudes aufgestellt sind. Für Wärmeerzeuger erfolgt keine Wärmegutschrift, da die Erzeugeraufwandszahl nur die Verluste des Wärmeerzeugers im Sommer berücksichtigt und damit immer als Verlust zu werten ist (die Verluste während der Heizperiode werden in der Erzeugeraufwandszahl Heizen berücksichtigt, da dann der Wärmeerzeuger vorrangig für die Raumheizung in Betrieb ist).

$$q_{h,TW} = q_{h,TW,d} + q_{h,TW,s} \quad (4.2\text{-}4)$$

Die entsprechenden Rechenvorschriften für $q_{h,TW,d}$ und $q_{h,TW,s}$ sind in 5.1.2 und 5.1.3 vorgegeben.

In einem Gebäude mit mehreren Trinkwassersträngen werden vereinfachend die Gutschriften aller Stränge addiert und auf die gesamte Nutzfläche A_N bezogen. Dieser so gemittelte Wert wird dann einheitlich auf der gesamten Nutzfläche von dem Heizwärmebedarf abgezogen.

Hilfsenergie:

Zur Berechnung des elektrischen Hilfsenergiebedarfs $q_{TW,HE}$ werden die Hilfsenergien der einzelnen Prozessschritte addiert. Die Hilfsenergie wird in kWh/(m²a) angegeben. Durch Multiplikation der Hilfsenergie mit dem Primärenergie-Umwandlungsfaktor für Strom (für jeden Wärmeerzeuger – Index *i*) ergibt sich der primärenergetisch bewertete Hilfsenergiebedarf $q_{TW,HE,P}$.

$$q_{TW,HE,P} = (q_{TW,ce,HE} + q_{TW,d,HE} + q_{TW,s,HE} + \Sigma_i\, q_{TW,g,HE,i} \cdot \alpha_{TW,g,i}) \cdot f_P \qquad (4.2\text{-}5)$$

Die Addition von Wärme- und Hilfsenergiebedarf ergibt den Primärenergiebedarf:

$$q_{TW,P} = q_{TW,WE,P} + q_{TW,HE,P} \qquad (4.2\text{-}6)$$

Multipliziert mit der Nutzfläche A_N ergibt sich dann der Jahres-Primärenergiebedarf der Trinkwassererwärmung:

$$Q_{TW,P} = (q_{TW,WE,P} + q_{TW,HE,P}) \cdot A_N \ \text{[kWh/a]} \qquad (4.2\text{-}7)$$

Mit diesem Schema zur Berechnung eines Trinkwarmwasser-Strangs lassen sich Gebäude mit unterschiedlichen Bereichen und verschiedenen Strängen pro Bereich berechnen.

Berechnungsfall 1: Gebäude mit einem Bereich und einem Strang

Die Berechnung entspricht dem oben aufgeführten Rechengang (siehe Bilder 4.2-2 und 4.2-3, Tabellen 4.2-2 und 4.2-3 und Gleichungen 4.2-3 bis 4.2-7).

Berechnungsfall 2: Gebäude mit zwei Bereichen, ein Strang pro Bereich

Der nach Gleichung (4.2-7) bestimmte Primärenergiebedarf $Q_{TW,P}$ gilt für einen Bereich mit einem Trinkwarmwasser-Strang. Wird ein Gebäude in Bereiche mit unterschiedlicher Anlagentechnik aufgeteilt, muss der Trinkwasser-Wärmebedarf Q_{tw} auf die Bereiche aufgeteilt werden (z. B. entsprechend der Nutzfläche). Die Bestimmung der energetischen Kennzahlen der Verfahrensschritte (siehe Bild 4.2-3) erfolgt anhand der Nutzfläche des jeweiligen Bereichs. Der Primärenergiebedarf für das Gebäude berechnet sich nach Gleichung 4.2-8. Gleiche Bereiche können zusammengefasst werden (z. B. Mehrfamilienhaus mit 2 Wohnungstypen).

$$Q_{TW,P} = \Sigma_i\, (q_{TW,WE,P} + q_{TW,HE,P})_i \cdot A_{N,i} \qquad (4.2\text{-}8)$$

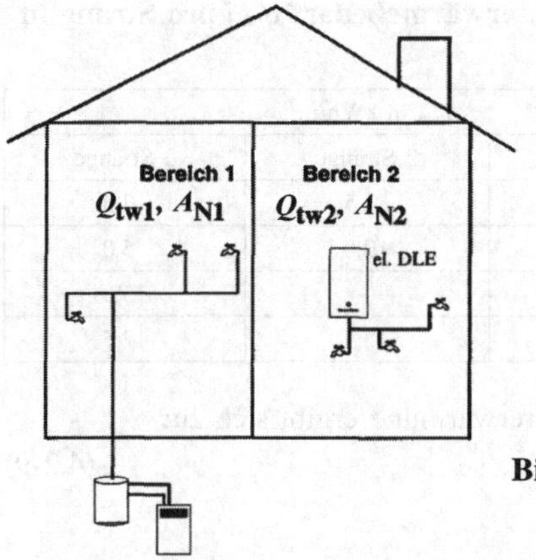

Bild 4.2-4. Beispielhafte Aufteilung eines Gebäudes in mehrere Bereiche (Trinkwassererwärmung)

Berechnungsfall 3: Gebäude mit einem Bereich, mehrere Stränge pro Bereich

Wenn ein Bereich eines Gebäudes von mehreren Trinkwarmwasser-Strängen versorgt wird, muss jeder Strang *i* einzeln berechnet werden (z.B: eine Wohnung mit einer Gruppenversorgung der Zapfstellen im Bad über einem Durchlauferhitzer (Gas) und die dezentrale Versorgung der Küche und Gäste WC mit einem elektrischen Untertischspeicher.)

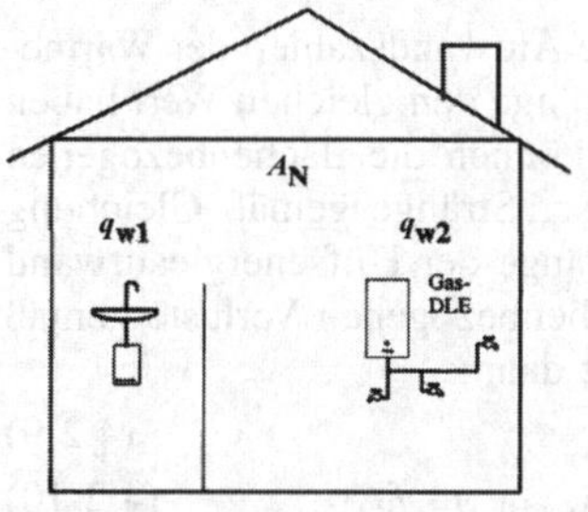

Bild 4.2-5. Beispielhafte Aufteilung eines Gebäudes in mehrere Trinkwarmwasser-Stränge (dezentrale Versorgung)

Der Trinkwasser-Wärmebedarf q_{tw} teilt sich bei dieser Variante auf die verschiedenen Stränge *i* mit den dazugehörigen Anteilen $q_{tw,i}$ gemäß Tabelle 4.2-4 auf.

Tabelle 4.2-4: Flächenbezogener Trinkwasserwärmebedarf $q_{tw,i}$ pro Strang in kWh/(m²a)

	$q_{tw,i}$ in kWh/m²a		
Ausstattung	1 Strang	2 Stränge	3 Stränge
Küche (und Handwaschbecken)	–	2,5	2,5
1. Badezimmer	–	10,0	5,0
2. Badezimmer	–	–	5,0
Summe	12,5	12,5	12,5

Der Primärenergiebedarf für die Trinkwassererwärmung ergibt sich zu:

$$Q_{TW,P} = A_N \cdot \sum_{\text{Stränge i}} (q_{TW,WE,P} + q_{TW,HE,P})_{\text{Strang i}} \qquad (4.2\text{-}9)$$

Weitere Berechnungsfälle:

1. Die Variante eines Gebäudes mit mehreren Bereichen und mehrere Stränge pro Bereich wird analog den Berechnungsfällen 2 und 3 gerechnet.
2. Wenn in einem Gebäude mit mehreren Wohneinheiten jede Wohneinheit mit gleicher Anlagentechnik wohnungszentral mit Trinkwarmwasser versorgt wird (z. B. elektrischer DLE in jeder Wohneinheit), dann kann vereinfachend der Primärenergiebedarf für Trinkwarmwasser anhand einer Wohneinheit (mit durchschnittlicher Wohnfläche) erfolgen. Der Primärenergiebedarf für Trinkwarmwasser des gesamten Gebäudes ermittelt sich durch Multiplikation des so gewonnenen Wertes mit der Anzahl der Wohneinheiten.
3. Wenn in einem Gebäude oder in einem Bereich die Aufwandszahlen der Wärmeerzeuger und die Primärenergiefaktoren für alle Stränge den gleichen Wert haben (z. B. nur elektrische DLE und Elektrospeicher), können die flächenbezogenen Verluste der Verteilung und der Speicherung dieser Stränge gemäß Gleichung 4.2-2 zusammengefasst werden. Wenn für alle Stränge der Hilfsenergieaufwand für die Erzeugung gleich groß ist, können die flächenbezogenen Verluste gemäß Gleichung 4.2-4 zusammengefasst werden. Es gilt dann:

   $$q_{TW,P} = (q_{tw} + \Sigma_i\, q_{TW,d,i} + \Sigma_i\, q_{TW,s,i}) \cdot e_{TW,g} \cdot f_P \qquad (4.2\text{-}9)$$

   $$q_{TW,HE,P} = (q_{TW,ce,HE,i} + q_{TW,d,HE,i} + q_{TW,s,HE,i} + q_{TW,g,HE,i}) \cdot f_P \qquad (4.2\text{-}10)$$
4. Wird ein An- oder Erweiterungsbau eines Gebäudes mit Wärme für Heizung und Trinkwarmwasser von einem Wärmeerzeuger versorgt, der im Wesentlichen zur Beheizung des bestehenden Gebäudes eingesetzt wird, so kann für die Trinkwassererwärmung des Anbaus so gerechnet werden, als würde er von einem Nahwärmesystem versorgt (Primärenergiefaktor nach Kapitel C.4 von 1,3 und eine Aufwandszahl für die Nahwärmeübergabestation von 1,14 für Trinkwarmwasser, ohne Hilfsenergiebedarf). Alle für den Anbau neu zu installierende Anlagenteile sind nach Kapitel 5 oder Anhang C zu berücksichtigen.
5. Bei einem gemischt genutzten Neubau, der von einem gemeinsamen Wärmeerzeuger mit Wärme für Heizung und Trinkwasser beheizt wird und bei dem der Primärenergiebedarf nur für einen geringeren Teil des Gebäudes nachzuweisen ist,

kann für die Trinkwassererwärmung des nachzuweisenden Gebäudeteils so gerechnet werden, als würde er von einem Nahwärmesystem versorgt (Primärenergiefaktor nach Kapitel C.4 von 1,3 und eine Aufwandszahl für die Nahwärmeübergabestation von 1,14 für Trinkwarmwasser, ohne Hilfsenergie). Alle speziell für den nachzuweisenden Gebäudeteil zu installierende Anlagenteile sind nach Kapitel 5 oder Anhang C zu berücksichtigen.

4.2.4 Methodik der Berechnung von Lüftungsanlagen zur Deckung des Heizwärmebedarfs

Ist ein Gebäude bzw. ein Bereich eines Gebäudes mit einer Lüftungsanlage ausgestattet, die die Zuluft mit mindestens einem Wärmeerzeuger erwärmen kann (z. B. Wärmeübertrager der Wärmerückgewinnung, Abluft/Zuluft-Wärmepumpe oder Heizregister), so trägt diese Lüftungsanlage zur Deckung des Heizwärmebedarfs bei. Die energetische Berücksichtigung erfolgt dadurch, dass der durch die Lüftungsanlage gedeckte Anteil $q_{h,L}$, vom Heizwärmebedarf q_h des Gebäudes abgezogen wird. Der normalerweise vorhandene Heizungsstrang muss dann einen kleineren Beitrag zur Deckung des Heizwärmebedarfs leisten (vergleiche 4.2.5 Gleichung 4.2-18).

In diesem Abschnitt wird die Lüftungsanlage nur unter dem Gesichtspunkt der teilweisen oder vollständigen Deckung des Heizwärmebedarfs betrachtet – der Nutzen und der Aufwand für Kühlung wird nicht berücksichtigt. Abluft/Wasser-Wärmepumpen, betrieben in Kombination mit einer Lüftungsanlage zur Deckung des Trinkwasser- bzw. des Heizwärmebedarfs, werden in 4.2.3 und 4.2.5 behandelt.

Die Grundstruktur der Berechnung der Lüftungsanlage bildet der Lüftungsstrang. Ein Lüftungsstrang besteht im allgemeinen Fall aus mindestens einem Wärmeerzeuger, einem Luftverteilstrang und mindestens einer Wärmeübergabeeinrichtung (siehe Bild 4.2-6). Dabei stellt ein Lüftungsstrang die kleinste berechenbare Anlageneinheit dar. Als Wärmetransportmedium wird nur Zuluft betrachtet.

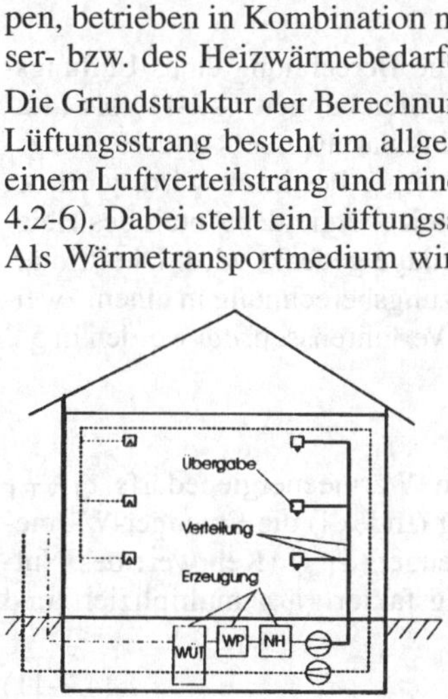

Bild 4.2-6. Beispielhafte Erläuterung eines Lüftungsstrangs

Die Bereitstellung von Heizwärme durch einen Lüftungsstrang lässt sich im allgemeinen Fall in vier Prozessbereiche (Schritte) unterteilen (siehe Bild 4.2-7):

1. Übergabe der Wärme an den Raum (Index „ce" – control and emission)
2. Verteilung der Wärme zum Ort der Übergabe (Index „d" – distribution)
3. Erzeugung der Wärme (Index „g" – generation)
4. Umwandlung Primärenergie (Primärenergie-Umwandlungsfaktor f_P)

Anhand der vier Schritte, die den Weg der Energieumwandlung in einem Lüftungsstrang beschreiben, lässt sich jedes beliebige Lüftungssystem abbilden.

Die energetische Berechnung eines Lüftungsstrangs erfolgt getrennt für die flächenbezogene Wärmeenergie (q_L bzw. $q_{L,WE}$) und Hilfsenergie ($q_{L,HW}$). Wird elektrische Energie zum Zwecke der unmittelbaren Wärmeerzeugung eingesetzt (z. B. Wärmepumpe), so wird sie der Wärmeenergie zugerechnet.

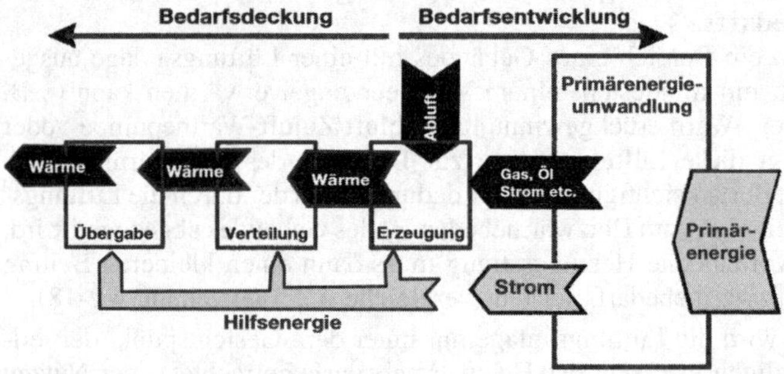

Bild 4.2-7. Erläuterung des Berechnungsschemas für die Lüftung

Tabellen 4.2-5 und 4.2-6 zeigen die Methodik für die Berechnung eines Lüftungsstrangs, die sich direkt aus den unten angegebenen Gleichungen (4.2-11) bis (4.2-15) ableitet. Im Gegensatz zur Berechnung des Trinkwarmwasser- und Heizungsstrangs, bei dem ausgehend vom Bedarf die Heizenergie bestimmt wird, wird bei Lüftungsanlagen aus der zur Verfügung stehenden Heizenergie der Anteil des Heizwärmebedarfs $q_{h,L}$ bestimmt, der von der Lüftungsanlage gedeckt wird. Die Primärenergie wird analog der Trinkwarmwasser- oder Heizungsberechnung in einem zweiten Schritt ermittelt. Die benötigten Kennzahlen der Verfahrensschritte werden in 5.2 und vereinfachend in Anhang C bestimmt.

Wärmeenergie (WE bzw. ohne Index):

Zur Berechnung des primärenergetisch bewerteten Wärmeenergiebedarfs $q_{L,WE,P}$ eines Lüftungsstrangs wird für jeden Wärmeerzeuger (Index i) die Erzeuger-Wärmeenergie $q_{L,g,i}$ mit der Aufwandszahl des Wärmeerzeugers $e_{L,g,i}$ (Kehrwert des Nutzungsgrades) und dem Primärenergie-Umwandlungsfaktor ($f_{P,i}$) multipliziert und bei mehreren Wärmeerzeugern aufaddiert.

$$q_{L,WE,P} = \sum_{i} (q_{L,g,i} \cdot e_{L,g,i} \cdot f_{P,i}) \qquad (4.2\text{-}11)$$

Gleichung (4.2-11) beschreibt nur den Primärenergieaufwand, der zur Erzeugung der Wärme zur Erwärmung der Zuluft erforderlich ist.

Die Wärmemenge der Lüftungsanlage ($q_{h,L}$), die dem Gebäude zur Deckung des Heizwärmebedarfs zur Verfügung steht, ist die Energiemenge, die die Summe der Wärmeerzeuger abgibt ($q_{L,g}$) reduziert um die Verluste der Verteilung ($q_{L,d}$) und Übergabe ($q_{L,ce}$) der Wärme. Weiterhin muss eine Korrektur ($q_{h,n}$) der Lüftungswärmeverluste erfolgen, wenn der Heizwärmebedarf des Gebäudes in der DIN V 4108-6 oder der EnEV mit einem von dieser Norm abweichenden Luftwechsel berechnet wurde.

$$q_{h,L} = (\sum_i q_{L,g,i} - q_{L,d} - q_{L,ce}) - q_{h,n} \quad (4.2\text{-}12)$$

Die so bestimmte Wärmemenge, die die Lüftungsanlage zur Deckung des Heizwärmebedarfs eines Gebäudes bzw. eines Bereiches beiträgt, wird dann in Gleichung (4.2-18) eingesetzt.

Hilfsenergie (HE):

Zur Berechnung des elektrischen Hilfsenergiebedarfs $q_{L,HE}$ wird die Hilfsenergie addiert, der zur Übergabe, Verteilung und Erzeugung der Wärme notwendig ist. Die Hilfsenergie wird in kWh/(m^{2}a) angegeben. Durch Multiplikation der Hilfsenergie mit dem Primärenergie-Umwandlungsfaktor für Strom (für jeden Wärmeerzeuger – Index i) ergibt sich der primärenergetisch bewertete Hilfsenergiebedarf $q_{L,HE,P}$.

$$q_{L,HE,P} = (q_{L,ce,HE} + q_{L,d,HE} + \sum_i q_{L,g,HE,i}) \cdot f_P \quad (4.2\text{-}13)$$

Die Addition von Wärme- und Hilfsenergiebedarf ergibt den flächenbezogenen Primärenergiebedarf der Lüftungsanlage:

$$q_{L,P} = q_{L,WE,P} + q_{L,HE,P} \quad [\text{kWh/(m}^2\text{a)}] \quad (4.2\text{-}14)$$

Multipliziert mit der Nutzfläche A_N ergibt sich dann der Jahres-Primärenergiebedarf der Lüftungsanlage:

$$Q_{L,P} = (q_{L,WE,P} + q_{L,HE,P}) \cdot A_N \quad [\text{kWh/a}] \quad (4.2\text{-}15)$$

Mit diesem Schema zur Berechnung eines Lüftungsstrangs lassen sich Gebäude mit unterschiedlichen Bereichen und verschiedenen Strängen pro Bereich berechnen.

Berechnungsfall 1: Gebäude mit einem Bereich, ein Lüftungsstrang pro Bereich

Dieser Anwendungsfall beschreibt die übliche Belüftung von kleineren Gebäuden, z. B. mit einem Wohnungslüftungssystem. Die Berechnung entspricht dem oben aufgeführten Rechengang (siehe Bild 4.2-6, Tabellen 4.2-5 und 4.2-6 und Gleichungen 4.2-11 bis 4.2-15).

Berechnungsfall 2: Aufteilung des Gebäudes in mehrere Bereiche, ein Strang pro Bereich

Der nach Gleichung (4.2-15) bestimmte Jahres-Primärenergiebedarf der Lüftungsanlage gilt für einen Bereich mit einem Lüftungsstrang. Wird ein Gebäude in Bereiche mit unterschiedlicher Anlagentechnik aufgeteilt, müssen der Primärenergiebedarf und der Beitrag zur Deckung des Heizwärmebedarfs für jeden Bereich einzeln bestimmt werden. Gleiche Bereiche können zusammengefasst werden (z. B. Mehrfamilienhaus mit 2 Wohnungstypen).

E

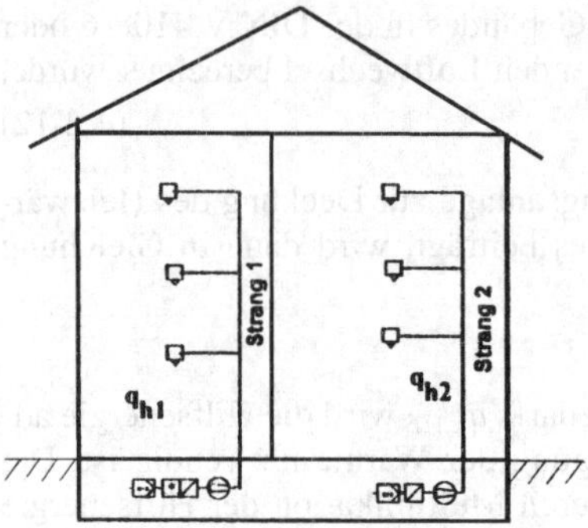

Bild 4.2-8. Beispielhafte Aufteilung eines Gebäudes in mehrere Bereiche

Weitere Berechnungsfälle

1. Wenn ein Bereich eines Gebäudes mit der Fläche A_N von einem Heizungsstrang beheizt wird (siehe 4.2.5) und dieser Bereich, allerdings nur eine geringere Fläche $A_{N,L}$ be- und entlüftet wird (z. B. nicht belüfteter Keller in der thermischen Hülle), so ist der nach Gleichung (4.2-12) bestimmte Wert $q_{h,L}$ anhand des Flächenanteils zu reduzieren.

$$q_{h,L} = q_{h,L\,(Gl.\ 4.2\text{-}12)} \cdot \frac{A_{N,L}}{A_N} \qquad [\text{kWh/a}] \qquad (4.2\text{-}16)$$

2. Wenn in einem Gebäude mit mehreren Wohneinheiten jede Wohneinheit mit gleicher Anlagentechnik wohnungszentral belüftet wird (z. B. eine Wohnungslüftungsanlage je Wohneinheit), dann kann vereinfachend der Primärenergiebedarf der Lüftungsanlagen anhand einer Wohneinheit (mit durchschnittlicher Wohnfläche) berechnet werden ($Q_{L,P,i}$). Der Lüftungs-Primärenergiebedarf des Gebäudes wird dann anhand des Flächenanteils ermittelt.

$$Q_{L,P} = Q_{L,P,i} \cdot \frac{A_{N,ges}}{A_{N,i}} \qquad [\text{kWh/a}] \qquad (4.2\text{-}17)$$

4.2.5 Methodik der Berechnung von Heizungsanlagen zur Deckung des Jahres-Heizwärmebedarfs

Die Berechnung von Heizungsanlagen zur Deckung des Jahres-Heizwärmebedarfs erfolgt immer für den Bereich eines Gebäudes, der von der gleichen Anlagentechnik beheizt wird. Werden Bereiche eines Gebäudes mit verschiedener Anlagentechnik versorgt, so sind diese Bereiche einzeln zu berechnen.

Die Grundeinheit der Berechnung bildet der Heizstrang. Ein Heizstrang besteht im allgemeinen Fall aus mindestens einem Wärmeerzeuger, bei Bedarf einem Pufferspeicher, einem Wärmeverteilstrang und mindestens einer Wärmeübergabeeinrichtung (siehe Bild 4.2-9). Dabei stellt ein Heizstrang die kleinste berechenbare Anlageneinheit dar. Die Wärmeverteilung mittels eines Lüftungssystems das die Zuluft erwärmt, wird separat berechnet (siehe 4.2.4).

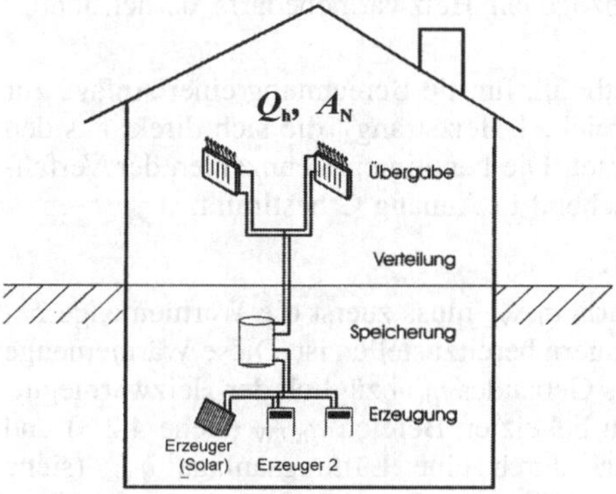

Bild 4.2-9. Beispielhafte Erläuterung eines Heizstrangs

Die Bereitstellung von Heizwärme durch einen Heizstrang lässt sich im allgemeinen Fall in fünf Prozessbereiche (Schritte) unterteilen (siehe Bild 4.2-10):

1. Übergabe der Wärme an den Raum (Index ‚ce' – controll and emission)
2. Verteilung der Wärme zum Ort der Übergabe (Index ‚d' – distribution)
3. Speicherung der Wärme (Index ‚s' – storage)
4. Erzeugung der Wärme (Index ‚g' – generation)
5. Umwandlung Primärenergie (Primärenergie-Umwandlungsfaktor f_P)

Anhand der fünf Schritte, die den Weg der Energieumwandlung in einem Heizstrang beschreiben, lässt sich jedes beliebige Heizungssystem abbilden.

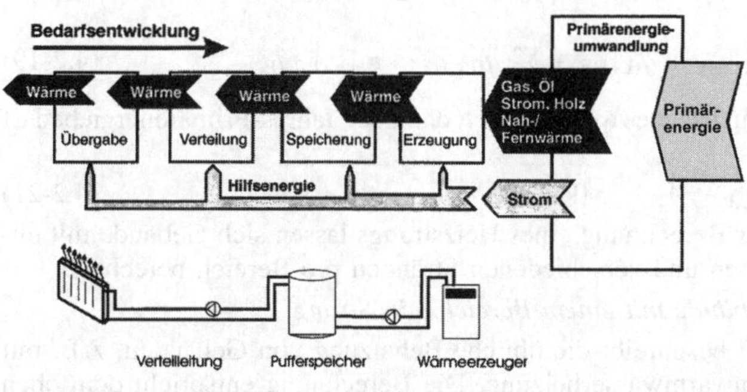

Bild 4.2-10. Erläuterung des Berechnungsschemas für die Raumheizung

Die energetische Berechnung eines Heizstrangs erfolgt getrennt für die flächenbezogene Wärmeenergie (q_H bzw. $q_{H,WE}$) und für Hilfsenergie ($q_{H,HE}$). Wird elektrische Energie zum Zwecke der unmittelbaren Wärmeerzeugung eingesetzt (z. B. Wärmepumpe), so wird sie der Wärmeenergie zugerechnet. Werden neben dem konventionellen Heizstrang noch eine Lüftungsanlage mit Heizfunktion (z. B. Wärmerückgewinnungs-Wärmeübertrager oder Heizregister) betrieben, so wird dies energetisch durch eine Verringerung des flächenbezogenen Heizwärmebedarfs berücksichtigt (siehe Gleichung (4.2-18)).

Tabellen 4.2-7 und 4.2-8 zeigen die Methodik für die Berechnung einer Anlage zur Deckung des Heizwärmebedarfs (1 Bereich, 1 Heizstrang), die sich direkt aus den Gleichungen (4.2-18) und (4.2-19) ableitet. Die benötigten Kennzahlen der Verfahrensschritte werden in 5.3 und vereinfachend in Anhang C bestimmt.

Wärmeenergie (WE bzw. ohne Index):

Zur Berechnung des Wärmeenergiebedarfs $q_{H,WE}$ muss zuerst die Wärmemenge bestimmt werden, die von den Wärmeerzeugern bereitzustellen ist. Diese Wärmemenge setzt sich aus dem Heizwärmebedarf des Gebäudes q_h abzüglich der Heizwärmegutschriften der Trinkwassererwärmung im beheizten Bereich $q_{h,TW}$ (siehe 4.2.3) und ggf. dem Anteil am Heizwärmebedarf durch eine Lüftungsanlage $q_{h,L}$ (siehe 4.2.4) zusammen. Nach anschließender Addition der Wärmeaufwände für die Übergabe, Verteilung und Speicherung (alle Werte in kWh/(m^{2}a)) wird mittels Multiplikation mit der Aufwandszahl der Wärmeerzeuger (Kehrwert des Nutzungsgrades), dem Deckungsanteil und dem Primärenergie-Umwandlungsfaktor für jeden Erzeuger (Index i), der Wärmeenergiebedarf $q_{H,WE,P}$ bestimmt.

$$q_{H,WE,P} = (q_h - q_{h,TW} - q_{h,L} + q_{H,ce} + q_{H,d} + q_{H,s}) \cdot \sum_i (e_{H,g,i} \cdot \alpha_{H,g,i} \cdot f_{P,i}) \qquad (4.2\text{-}18)$$

Hilfsenergie (HE):

Zur Berechnung des elektrischen Hilfsenergiebedarfs $q_{H,HE}$ wird der Hilfsenergiebedarf addiert, der zur Übergabe, Verteilung, Speicherung und Erzeugung der Wärme notwendig ist. Die Hilfsenergie wird in kWh/(m^{2}a) angegeben. Durch Multiplikation der Hilfsenergie mit dem Primärenergie-Umwandlungsfaktor für Strom (für jeden Wärmeerzeuger-Index *i*) ergibt sich der primärenergetisch bewertete Hilfsenergiebedarf $q_{H,HE,P}$.

$$q_{H,HE,P} = (q_{H,ce,HE} + q_{H,d,HE} + q_{H,s,HE} + \sum_i q_{H,g,HE,i} \cdot \alpha_{H,g,i}) \cdot f_P \qquad (4.2\text{-}19)$$

Multipliziert mit der Nutzfläche A_N ergibt sich dann der Jahres-Primärenergiebedarf des Heizstrangs:

$$Q_{H,P} = (q_{H,WE,P} + q_{H,HE,P}) \cdot A_N \quad [\text{kWh/a}] \qquad (4.2\text{-}21)$$

Mit diesem Schema zur Berechnung eines Heizstrangs lassen sich Gebäude mit unterschiedlichen Bereichen und verschiedenen Strängen pro Bereich berechnen.

Berechnungsfall 1: Gebäude mit einem Bereich, ein Strang

Dieser Anwendungsfall beschreibt die übliche Beheizung von Gebäuden, z. B. mit einer zentralen Pumpenwarmwasserheizung. Die Berechnung entspricht dem oben aufgeführten Rechengang (siehe Bild 4.2-9, Tabellen 4.2-7 und 4.2-8 und Gleichungen (4.2-18) bis (4.2-21)).

Berechnungsfall 2: Gebäude mit mehreren Bereichen, ein Strang pro Bereich

Wird ein Gebäude in Bereiche mit unterschiedlicher Anlagentechnik aufgeteilt, muss der Jahres-Heizwärmebedarf für jeden Bereich bekannt sein. Wenn der Jahresheizwärmebedarf nur für das gesamte Gebäude bekannt ist, kann vereinfachend jeder Bereich entsprechend seiner Nutzfläche berechnet werden.

$$Q_{h,i} = Q_{H,ges} \cdot \frac{A_{N,i}}{A_{N,ges}} \quad [kWh/a] \qquad (4.2\text{-}22)$$

Die Bestimmung der energetischen Kennzahlen der Verfahrensschritte (siehe Bild 4.2-10) erfolgt anhand der Nutzfläche des jeweiligen Bereichs. Der Jahres-Primärenergiebedarf der jeweiligen Bereiche erfolgt nach Gleichung (4.2-18) bis (4.2-20), der Jahres-Primärenergiebedarf für das Gebäude berechnet sich nach Gleichung (4.2-23). Gleiche Bereiche können zusammengefasst werden (z. B. Mehrfamilienhaus mit 2 Wohnungstypen).

$$Q_{H,P} = \sum_i (q_{WE,P} + q_{HE,P})_i \cdot A_{N,i} \qquad (4.2\text{-}23)$$

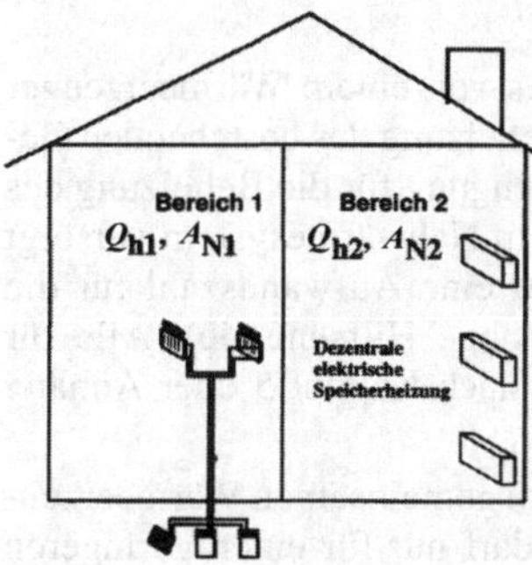

Bild 4.2-11. Beispielhafte Aufteilung eines Gebäudes in mehrere Bereiche (Heizung)

Berechnungsfall 3: Gebäude mit einem Bereich, zwei Stränge pro Bereich

Wenn ein Bereich von zwei unterschiedlichen Strängen beheizt wird (z. B. ein Strang mit Radiatoren und parallel dazu ein Strang mit einer Fußbodenheizung), muss der Anteil der Heizarbeit bekannt sein, den jeder Strang zur Deckung des Jahres-Heizwärmebedarfs beiträgt. Dieser Anteil muss anhand den Regeln der Technik bestimmt werden. Die Bestimmung der energetischen Kennzahlen der Verfahrensschritte (siehe Bild 4.2-9) erfolgt anhand der Nutzfläche A_N des Bereichs. Der Beitrag am Heizwärmebedarf, der durch die Trinkwasser- und Lüftungsanlage gedeckt wird, ist pro Bereich nur einmal anrechenbar. Der Heizungs-Primärenergiebedarf eines Bereiches mit mehreren Strängen berechnet sich nach Gleichung (4.2-24) zu:

$$Q_{H,P} = \sum_{\text{Stränge } i} (q_{WE,P} + q_{HE,P})_{\text{Strang } i} \cdot A_N \qquad (4.2\text{-}24)$$

Weitere Berechnungsfälle:

1. Wenn ein Strang oder ein Bereich mit mehreren Übergabekomponenten betrieben wird (z. B. Radiatoren und Fußbodenheizung), so ist der flächenbezogene Wärmeverlust der Übergabe entsprechend des Anteils der jeweiligen Komponente an der Wärmeabgabe zu wichten.
2. Wenn in einem Gebäude mit mehreren Wohneinheiten jede Wohneinheit mit gleicher Anlagentechnik wohnungszentral beheizt wird (z. B. wandhängende Heizkessel in jeder Wohneinheit), dann kann vereinfachend der Heizungs-Primärenergiebedarf anhand einer Wohneinheit (mit durchschnittlicher Wohnfläche) erfolgen

($Q_{H,P,i}$). Der Heizungs-Primärenergiebedarf des Gebäudes wird dann anhand des Flächenanteils ermittelt.

$$Q_{H,P} = Q_{H,P,i} \cdot \frac{A_{N,ges}}{A_{N,i}} \quad [\text{kWh/a}] \qquad (4.2\text{-}25)$$

3. Die Variante eines Gebäudes mit mehreren Bereichen und mehreren Strängen pro Bereich wird analog den Berechnungsfällen 2 und 3 gerechnet.
4. Wenn mehrere Stränge vom selben Wärmeerzeuger beheizt werden, wird für beide Stränge mit der jeweils höchsten Erzeuger-Aufwandszahl gerechnet.
5. In einem Gebäude mit einer Abluftanlage wird eine eventuell vorhandene Abluft/Wasser-Wärmepumpe, die die Heizwärme an den Heizstrang abgibt, ausschließlich diesem Heizsystem zugeordnet.
6. Wird ein An- oder Erweiterungsbau eines Gebäudes von einem Wärmeerzeuger mit Heizwärme versorgt, der im Wesentlichen zur Beheizung des bestehenden Gebäudes eingesetzt wird, so kann hinsichtlich der Erzeugung für die Beheizung des Anbaus so gerechnet werden, als würde er von einem Nahwärmesystem versorgt (Primärenergiefaktor nach Kapitel C.4 von 1,3 und eine Aufwandszahl für die Nahwärmeübergabestation von 1,01 für Heizung, ohne Hilfsenergie). Alle für den Anbau neu zu installierende Anlagenteile sind nach Kapitel 5 oder Anhang C zu berücksichtigen.
7. Bei einem gemischt genutzten Neubau, der von einem gemeinsamen Wärmeerzeuger beheizt wird und bei dem der Primärenergiebedarf nur für einen geringeren Teil des Gebäudes nachzuweisen ist, kann hinsichtlich der Erzeugung für die Beheizung des nachzuweisenden Gebäudeteils so gerechnet werden, als würde es von einem Nahwärmesystem versorgt (Primärenergiefaktor nach Kapitel C.4 von 1,3 und eine Aufwandszahl für die Nahwärmeübergabestation von 1,01 für Heizung, ohne Hilfsenergie). Alle speziell für den nachzuweisenden Gebäudeteil zu installierende Anlagenteile sind nach Kapitel 5 oder Anhang C zu berücksichtigen.

4.2.6 Berechnung der Anlagen-Aufwandszahl e_P

Die Anlagen-Aufwandszahl e_P wird wie folgt berechnet:

$$e_P = \frac{Q_P}{Q_h + Q_{tw}} \quad \text{mit } Q_P = Q_{H,P} + Q_{L,P} + Q_{TW,P} \qquad (4.2\text{-}26)$$

mit:
- Q_P Primärenergiebedarf des Gebäudes
- Q_h Heizwärmebedarf
- Q_{tw} Trinkwasserwärmebedarf
- $Q_{H,P}$ Primärenergiebedarf des Heizstrangs
- $Q_{L,P}$ Primärenergiebedarf des Lüftungsstrangs und
- $Q_{TW,P}$ Primärenergiebedarf des Trinkwarmwasserstrangs

Multipliziert mit der Summe aus dem Jahres-Heizwärmebedarf Q_h und dem Trinkwasser-Wärmebedarf Q_{tw} eines Gebäudes ergibt sich der Primärenergiebedarf des Gebäudes (zur Deckung des Jahres-Heizwärmebedarfs und des Trinkwasser-Wärmebedarfs), siehe 4.1.1.

Die Berechnung der Anlagentechnik kann nach dem tabellarischen Berechnungsverfahren gemäß den Tabellen 4.2-2 bis 4.2-3 und 4.2-5 bis 4.2-8 durchgeführt werden. Formblätter zur Bewertung der Anlagentechnik sind im Anhang A abgedruckt. Wie in 4.1 beschrieben, wird die Anlagentechnik hierbei in die Systeme Raumwärmebedarf/ Heizung und Trinkwassererwärmung getrennt. Diese Formblätter können dem Anlagenersteller als Nachweis der energetischen Qualität der eingebauten Anlage dienen.

Alle benötigten Eingabedaten, die relevanten Zwischenschritte und die Rechenergebnisse sind in diesen Tabellen enthalten. Die Ausfüllanleitung bzw. die Rechenvorschriften zur Ermittlung der einzelnen Größen werden in den Tabellen am linken Rand erläutert. Eine ausführliche Darstellung zur Umrechnung der Kennzahlen der jeweiligen Verfahrensschritte und Tabellenwerte in Aufwandszahlen ist im Anhang D dieser Norm gegeben.

In Anhang B werden am Beispiel eines Gebäudes Berechnungen für verschiedene Anlagentechniken dargestellt.

Tabelle 5-1: Relevante Temperaturen zur Berechnung von Heizkreisen und Wärmeerzeugern

		Auslegungstemperaturen des Heizkreises			
Mittlere Temperatur:		90/70 °C Radiatoren	70/55 °C Radiatoren	55/45 °C Radiatoren	35/28 °C Fußbodenheizung
Heizkreis		56 °C	46 °C	38 °C	26 °C
Wärme-Erzeuger	Konstanttemperatur-Kessel[1)]	70 °C	70 °C	70 °C	70 °C
	Niedertemperatur-Kessel	–	46 °C	38 °C	26 °C
	Brennwert-Kessel	–	41 °C	35 °C	24 °C
	Wärmepumpe, konstant	–	–	45 °C	31 °C
	Wärmepumpe, leistungsgeregelt	–	–	41 °C	28 °C

1) In der Energieeinsparverordnung und anderen Regelwerken wird dieser Typ auch ‚Standardheizkessel' genannt.

Hinweis zur Tabelle: Die oben genannten Temperaturen sind mit den Gleichungen 5-1 bis 5-5 mit den Bedingungen für Standardkenngrößen nach Anhang C berechnet und auf ganze Zahlen gerundet. Eine genauere Berechnung anhand der Gleichungen 5-1 bis 5-5 ist möglich.

Bei abweichenden Auslegungstemperaturen des Heizkreises sind die Formeln 5-1 bis 5-5 anzuwenden; vereinfachend kann bei Anwendung des Anhangs C.1 bis C.4 der nächsthöhere Wert für die Auslegungstemperatur des Heizkreises gewählt werden.

Tabelle 5-2: Allgemeine Randbedingungen

Kenngröße	Zeichen	Einheit	Wert
Dauer der Heizperiode[1)]	t_{HP}	d/a	185 bzw. nach DIN V 4108-6
Bereitstellungsdauer für Trinkwarmwasser	t_{TW}	d/a	350
Mittlere Umgebungstemperatur innerhalb der thermischen Hülle	$\vartheta_{u,m}$	°C	20
Mittlere Umgebungstemperatur (ganzjähriges Mittel) außerhalb der thermischen Hülle, Keller	$\vartheta_{u,m}$	°C	13
Mittlere Umgebungstemperatur (nur Heizperiode) außerhalb der thermischen Hülle, Dach	$\vartheta_{u,m}$	°C	5
Mittlere Temperatur des Trinkwarmwassernetzes (mit Zirkulationsleitung)	$\vartheta_{TW,m}$	°C	50
Mittlere Temperatur des Trinkwarmwassernetzes (ohne Zirkulationsleitung)	$\vartheta_{TW,m}$	°C	32
Wärmeverlustfaktor für Komponenten außerhalb der thermischen Hülle	f_a	–	1
Wärmeverlustfaktor für Komponenten innerhalb der thermischen Hülle	f_a	–	0,15
Wärmeverlustfaktor für *absperrbare* Heizungsrohre innerhalb der thermischen Hülle	f_a	–	0,1
Teilbeheizungsfaktor für nicht absperrbare Heizungsrohre	f_b	–	1,0
Teilbeheizungsfaktor für absperrbare Heizungsrohre	f_b	–	0,8
Betriebszeit pro Tag eines Heizstranges ohne Nachtabsenkung und Betriebzeit eines Lüftungsstranges	z	h/d	24
Trinkwasser-Wärmebedarf	q_{tw}	kWh/(m²a)	12,5
Gradtagszahlfaktor[1)]	F_{Gt}	kKh/a	69,6 oder nach DIN V 4108-6
Heizgrenztemperatur	ϑ_{HG}	°C	10

1) Im Rahmen des öffentlich-rechtlichen Nachweisverfahrens zur EnEV muss **generell** mit einer Heizperiodendauer von 185 Tagen pro Jahr (entspricht F_{Gt} = 69,6 kKh/a) gerechnet werden.

Tabelle 5.3: Allgemeine Randbedingungen für lufttechnische Anlagen

Kenngröße	Zeichen	Einheit	Wert
Mittlere Zulufttemperatur von Lüftungsnetzen, die lastabhängig geregelt werden und auf eine maximale Zulufttemperatur von 45 °C ausgelegt sind.	$\vartheta_{L,m}$	°C	35
Mittlere Zulufttemperatur von Lüftungsnetzen, die lastabhängig geregelt werden und auf eine maximale Zulufttemperatur von 35 °C ausgelegt sind.	$\vartheta_{L,m}$	°C	29
Mittlere Temperatur von Abluftleitungen	$\vartheta_{L,m}$	°C	20
Mittlere Temperatur von Zuluftleitungen innerhalb der thermischen Hülle, die nicht nachgeheizt werden	$\vartheta_{L,m}$	°C	20
Mittlere Temperatur von Zuluftleitungen außerhalb der thermischen Hülle, die nicht nachgeheizt werden	$\vartheta_{L,m}$	°C	$3{,}3 + 16{,}7 \cdot \eta_{WRG}$
Mittlere anzusetzende Temperatur von Außenluft- und Fortluftleitungen	$\vartheta_{L,m}$	°C	3,3
Norm-Anlagen-Luftwechsel	$n_{A,norm}$	1/h	0,4

Anhang C (Normativ)

Ermittlung von Kenngrößen von Heizungs-, Lüftungs- und Trinkwassererwärmunganlagen mit geringen energetischen Anforderungen (Standardwerte)

Die Werte des flächenbezogenen Wärme- und Hilfsenergiebedarfs, die Aufwandszahlen und Deckungsanteile der Wärmeerzeuger sowie die flächenbezogenen Wärmegewinne durch Lüftungsanlagen lassen sich anhand der Verfahren in Abschnitt 5 allgemein bestimmen. Die dort beschriebenen Verfahren erlauben insbesondere die Berücksichtigung von gerätespezifischen Kenngrößen, die den Herstellerunterlagen entnommen werden können.

Wenn die gerätespezifischen Größen nicht bekannt sind, müssen die in diesem Anhang angegebenen Normwerte eingesetzt werden. Diese Normwerte repräsentieren Geräte, deren energetische Qualität dem *unteren Durchschnitt* des Marktniveaus entsprechen. Diese Normwerte können entweder aus dem Abschnitt 5 errechnet werden, bzw. direkt aus den Tabellen bzw. Diagrammen dieses Anhangs entnommen werden. Die Randbedingungen, die von den physikalischen Grundgleichungen in Abschnitt 5 zu den Tabellenwerten in Anhang C1 bis C3 führen, sind in den jeweiligen Abschnitten des Abschnitt 5 dokumentiert.

Die Tabellenwerte und Diagramme in diesem Anhang basieren auf einer Heizperiode von 185 d/a, wie sie dem Heizperiodenbilanz-Verfahren der Energieeinsparverordnung zugrunde liegen und sind nur für diese Heizperiode gültig. Kennwerte für andere Heizperiodenlängen müssen ausführlich nach Abschnitt 5 berechnet werden!

Tabellenzwischenwerte sind generell linear zu interpolieren oder es ist der nächst ungünstigere Wert anzusetzen.

Die Verwendung von herstellerspezifischen Angaben führt in der Regel zu besseren Werten und sollten – wenn sie vorliegen – immer verwendet werden.

C.1 Bestimmung von Kennzahlen für Anlagen zur Deckung des Trinkwasser-Wärmebedarfs

Das Verfahren berechnet den Aufwand für die Trinkwassererwärmung bis zu den Zapfstellen. Der Aufwand, der abhängig von der jeweils gewünschten Warmwassertemperatur und Art der Armatur entsteht, wird dem Nutzen zugerechnet.

Die Norm ermöglicht weiterhin die Berechnung von elektrischen Rohrbegleitheizungen.

C.1.1 Übergabe des Trinkwarmwassers: $q_{TW,ce}$

Die Verluste bei der Übergabe des Trinkwarmwassers an den Nutzer wird in dieser Norm zu 0 gesetzt (siehe oben).

Tabelle C.1-1: Flächenbezogener Wärme- und Hilfsenergiebedarf für die Nutzenübergabe der Trinkwarmwassererwärmung

	flächenbezogener Energiebedarf der Nutzenübergabe [kWh/m² a]	
System	Wärme $q_{TW,c}$	Hilfsenergie $q_{TW,c,HE}$
alle Systeme	0	0

C.1.2 Trinkwarmwasserverteilung und Zirkulation: $q_{TW,d}$

C.1.2.1 Gebäudezentrale Trinkwarmwasserversorgung

Flächenbezogene Wärmeabgabe für Trinkwarmwasserverteilung und Zirkulation $q_{TW,d}$

Die Wärmeabgabe der Verteilung für die gebäudezentrale Trinkwarmwasserbereitung lässt sich als flächenbezogene Größe $q_{TW,d}$ aus Tabelle C.1-2a in kWh/m^{2}a ablesen. Die Wärmeabgabe der Leitungen ist abhängig von der Lage der Verteilleitungen (innerhalb oder außerhalb der thermischen Hülle) aufgeführt. Verteilleitungen sind horizontale Leitungen, die in aller Regel die vertikalen Leitungen (Stränge) verbinden. Wenn die Erwärmung des Trinkwassers im unbeheizten Raum erfolgt und die Verteilleitungen direkt in die thermische Hülle geführt werden (maximal 10 m Leitungslänge), ist die Lage der Verteilung als innerhalb der thermischen Hülle anzunehmen. Zentrale Systeme ohne Zirkulationsleitungen sind nur bis zu einer Nutzfläche von 500 m^2 anrechenbar.

Die in der Tabelle C.1-2a ausgewiesene Heizwärmegutschrift $q_{h,TW,d}$ ist mit der Wärmegutschrift die sich in C.1.3 aus der Speicherung des erwärmten Trinkwassers ergibt ($q_{h,TW,s}$) zu addieren und als $q_{h,tw}$ vom Heizwärmebedarf q_h der Heizungsanlage abzuziehen.

Bei elektrisch betriebenen Rohrbegleitheizungen ist der Wert für den flächenbezogenen Wärmebedarf für Zirkulation im beheizten Bereich zu halbieren. Der sich so ergebende Aufwand ist der Hilfsenergie $q_{d,W,HE}$ zuzuordnen.

Tabelle C.1-2a: Flächenbezogener Wärmeverlust der Verteilung $q_{TW,d}$ für Trinkwarmwasser- und Zirkulationsleitungen [kWh/m²a]

A_{Nutz} [m²]	flächenbezogener Wärmeverlust $q_{TW,d}$ [kWh/m²a]							
	mit Zirkulation				ohne Zirkulation			
	Verteilung außerhalb thermischer Hülle		Verteilung innerhalb thermischer Hülle[1)]		Verteilung außerhalb thermischer Hülle		Verteilung innerhalb thermischer Hülle	
	Wärme-Verlust $q_{TW,d}$	Heizwärme-gutschrift $q_{h,TW,d}$	Wärme-Verlust $q_{TW,d}$	Heizwärme-gutschrift $q_{h,TW,d}$	Wärme-Verlust $q_{TW,d}$	Heizwärme-gutschrift $q_{h,TW,d}$	Wärme-Verlust $q_{TW,d}$	Heizwärme-gutschrift $q_{h,TW,d}$
100	14,6	1,7	12,1	5,4	6,7	1,0	5,1	2,3
150	11,6	1,7	9,8	4,4	5,4	1,0	4,2	1,9
200	10,1	1,8	8,7	3,9	4,7	1,0	3,8	1,7
300	8,7	1,8	7,7	3,5	4,0	1,0	3,3	1,5
500	7,6	1,9	6,9	3,1	3,4	1,0	3,0	1,3
750	7,1	2,0	6,6	3,0				
1000	6,9	2,1	6,5	2,9				
1500	6,8	2,1	6,4	2,9				
2500	6,6	2,2	6,3	2,8				
5000	6,6	2,3	6,3	2,8				
10 000	6,6	2,3	6,3	2,8				

[1)] Steigleitungen im nicht belüfteten Schacht.

Wenn die Stichleitungen von einer gemeinsamen Installationswand in benachbarte Räume geführt werden, reduziert sich der Tabellenwert $q_{TW,d}$ um 0,5 kWh/m²a und $q_{h,TW,d}$ um 0,13 kWh/m²a.

Hilfsenergie für Trinkwarmwasserverteilung und Zirkulation $q_{TW,d,HE}$

In Tabelle C.1-2b ist der Hilfsenergiebedarf für die Trinkwarmwasserverteilung und Zirkulation $q_{TW,d,HE}$ als flächenbezogene Größe in Abhängigkeit von der Nutzfläche tabelliert. Der Hilfsenergiebedarf der Zirkulationspumpe ist unabhängig von der Lage der Verteilleitungen.

Tabelle C.1-2b: Flächenbezogener Hilfsenergiebedarf $q_{TW,d,HE}$ für Trinkwarmwasser- und Zirkulationsleitungen

A_{Nutz} [m²]	flächenbezogener Hilfsenergiebedarf $q_{TW,d,HE}$ [kWh/m²a]	
	mit Zirkulation	ohne Zirkulation
100	1,14	0,0
150	0,82	0,0
200	0,66	0,0
300	0,49	0,0
500	0,34	0,0
750	0,27	0,0
1000	0,22	0,0
1500	0,18	0,0
2500	0,14	0,0
5000	0,11	0,0
10 000	0,09	0,0

C.1.2.2 Dezentrale und wohnungszentrale Systeme

Als dezentrale Trinkwassererwärmungs-Systeme in dieser Norm gelten Durchlauferhitzer (Strom, Gas) und elektrische Warmwasserbereitung mit Speichern, sofern diese Geräte je einen Raum mit Trinkwarmwasser versorgen, bzw. 2 Räume mit gemeinsamer Installationswand. Dezentrale Systeme versorgen die Zapfstellen nur über Stichleitungen (keine zentrale Verteil- bzw. Zirkulationsleitungen). Die Wärmeabgabe der Verteilleitungen beinhaltet die Auskühlverluste dieser Stichleitungen und ist in Tabelle C.1-2c in kWh/m²a aufgeführt. Verluste durch nicht genutzt auslaufendes Warmwasser werden nicht berücksichtigt.

Wenn in einem Gebäude, bestehend aus mehreren Wohneinheiten, die Trinkwassererwärmung separat für jede Wohneinheit erfolgt, gilt dies in dieser Norm als wohnungszentrale Trinkwarmwasserversorgung. Bei einer wohnungszentralen Trinkwarmwasserversorgung wird davon ausgegangen, dass keine Zirkulationsleitung vorhanden ist und dass alle Zapfstellen dicht beieinander liegen (maximale Leitungslänge vom Erzeuger zur entferntesten Zapfstelle = 6 m).

Die in Tabelle C.1-2c angegebenen Werte beziehen sich auf die Nutzfläche der Wohneinheit. In anderen Fällen, sind die Systeme nach 5.1.2.1 wie gebäudezentrale Systeme ohne Zirkulation zu behandeln.

Der Hilfsenergiebedarf $q_{TW,d,HE}$ ist bei diesen Systemen mit 0 kWh/m²a anzusetzen.

Tabelle C.1-2c: Flächenbezogener Wärmeverlust für die Stichleitungen der Trinkwarmwassererwärmung

	[kWh/m²a]		
	Wärme		Hilfsenergie
System pro Strang (Gerät) sind angeschlossen:	Flächenbezogener Wärmeverlust $q_{TW,d}$	Heizwärme-gutschrift $q_{h,TW,d}$	$q_{TW,d,HE}$
1 Raum, 1 Zapfstelle (z. B. Untertischgerät)	0,25	0,11	0,0
1 Raum, mehrere Zapfstellen (z. B. Badezimmer)	0,76	0,34	0,0
2 Räume mit gemeinsamer Installationswand	1,01	0,45	0,0
Wohnungszentrale Trinkwarmwasser-Versorgung	1,51	0,68	0,0

C.1.3 Speicherung des erwärmten Trinkwassers: $q_{TW,s}$

Der Aufwand der Wärmespeicherung der Trinkwassererwärmung $q_{TW,s}$ wird in Tabelle C.1-3a als flächenbezogener Wärmeverlust in kWh/m²a angegeben.

Tabelle C.1-3a: Flächenbezogener Wärmeverlust $q_{TW,s}$ für Trinkwarmwasser-Speicherung (Aufstellung innerhalb oder außerhalb der thermischen Hülle)

	Wärmebedarf $q_{TW,s}$ [kWh/m²a] Aufstellung **innerhalb** der thermischen Hülle											
	Indirekt beheizter Speicher		Elektro-Nachtspeicher		Elektro-Tagesspeicher		1 Elektro Kleinspeicher je 80 m²		Bivalenter Solarspeicher		Gasbeheizter Trinkwasser-speicher	
Nutz-fläche [m²]	Wärme-verlust $q_{TW,s}$	Heiz-wärme-gut-schrift $q_{h,TW,s}$	Wärme-verlust $q_{TW,s}$	Heiz-wärme-gut-schrift $q_{h,TW,s}$	Wärme-verlust $q_{TW,s}$	Heiz-wärme-gut-schrift $q_{h,TW,s}$	Wärme-verlust $q_{TW,s}$	Heiz-wärme-gut-schrift $q_{h,TW,s}$	Wärme-verlust $q_{TW,s}$	Heiz-wärme-gut-schrift $q_{h,TW,s}$	Wärme-verlust $q_{TW,s}$	Heiz-wärmegut-schrift $q_{h,TW,s}$
100	5,3	2,4	4,6	2,1	2,9	1,3	1,2	0,5	3,5	1,6	17,8	8,0
150	3,9	1,7	3,7	1,7	2,3	1,0	1,2	0,5	2,5	1,1	15,0	6,7
200	3,1	1,4	3,2	1,4	1,9	0,9	1,2	0,5	2,0	0,9	13,4	6,0
300	2,3	1,0	2,6	1,2	1,5	0,7	1,2	0,5	1,5	0,7	11,6	5,2
500	1,5	0,7	2,0	0,9	1,2	0,5	1,2	0,5	1,4	0,6	9,9	4,4
750	1,1	0,5	1,7	0,7	1,0	0,4	1,2	0,5	1,1	0,5	8,8	3,9
1000	0,9	0,4	1,6	0,7	0,8	0,4	1,2	0,5	0,9	0,4	8,5	3,8
1500	0,8	0,4	1,4	0,6	0,7	0,3	1,2	0,5	0,8	0,4	7,2	3,2
2500	0,7	0,3	1,2	0,5	0,5	0,2	1,2	0,5	0,7	0,3	6,1	2,8
5000	0,5	0,2	0,9	0,4	0,5	0,2	1,2	0,5	0,5	0,2	5,0	2,3
10 000	0,4	0,2	0,8	0,3	0,4	0,2	1,2	0,5	0,4	0,2	4,1	1,8

	Wärmebedarf $q_{TW,s}$ [kWh/m²a]											
	Aufstellung **außerhalb** der thermischen Hülle											
	Indirekt beheizter Speicher		Elektro-Nachtspeicher		Elektro-Tagesspeicher		1 Elektro-Kleinspeicher je 80 m²		Bivalenter Solarspeicher		Gasbeheizter Trinkwasserspeicher	
Nutzfläche [m²]	Wärmeverlust $q_{TW,s}$	Heizwärmegutschrift $q_{h,TW,s}$	Wärmeverlust $q_{TW,s}$	Heizwärmegutschrift $q_{h,TW,s}$	Wärmeverlust $q_{TW,s}$	Heizwärmegutschrift $q_{h,TW,s}$	Wärmeverlust $q_{TW,s}$	Heizwärmegutschrift $q_{h,TW,s}$	Wärmeverlust $q_{TW,s}$	Heizwärmegutschrift $q_{h,TW,s}$	Wärmeverlust $q_{TW,s}$	Heizwärmegutschrift $q_{h,TW,s}$
100	6,5	0,0	5,5	0,0	3,4	0,0	1,5	0,0	4,3	0,0	21,3	0,0
150	4,8	0,0	4,4	0,0	2,7	0,0	1,5	0,0	3,1	0,0	18,0	0,0
200	3,8	0,0	3,8	0,0	2,3	0,0	1,5	0,0	2,4	0,0	16,1	0,0
300	2,8	0,0	3,1	0,0	1,8	0,0	1,5	0,0	1,9	0,0	14,0	0,0
500	1,9	0,0	2,4	0,0	1,4	0,0	1,5	0,0	1,7	0,0	11,9	0,0
750	1,4	0,0	2,0	0,0	1,1	0,0	1,5	0,0	1,4	0,0	10,5	0,0
1000	1,1	0,0	1,9	0,0	1,0	0,0	1,5	0,0	1,1	0,0	10,2	0,0
1500	1,0	0,0	1,7	0,0	0,8	0,0	1,5	0,0	1,0	0,0	8,6	0,0
2500	0,9	0,0	1,4	0,0	0,6	0,0	1,5	0,0	0,9	0,0	7,3	0,0
5000	0,7	0,0	1,1	0,0	0,5	0,0	1,5	0,0	0,7	0,0	6,0	0,0
10 000	0,5	0,0	0,9	0,0	0,4	0,0	1,5	0,0	0,5	0,0	4,9	0,0

Der Bedarf an Hilfsenergie $q_{s,HE,W}$ für die o.g. Systeme ist in Tabelle C.1-3b als flächenbezogene Größe in kWh/m²a angegeben. Die Werte sind unabhängig von der Nutzfläche und vom Aufstellungsort.

Tabelle C.1-3b: Flächenbezogener Hilfsenergiebedarf $q_{TW,s,HE}$ für die Trinkwarmwasser-Speicherung

	flächenbezogener Hilfsenergiebedarf $q_{TW,s,HE}$ [kWh/m²a]				
Nutzfläche A_N [m²]	Indirekt beheizter Speicher[1)]	Elektro-Nachtspeicher	Elektro-Tagesspeicher	Elektro-Kleinspeicher	Gasbeheizte Trinkwasserspeicher
100	0,11	0,0	0,0	0,0	0,0
150	0,08				
200	0,07				
300	0,05				
500	0,04				
750	0,04				
1000	0,03				
1500	0,03				
2500	0,03				
5000	0,04				
10 000	0,04				

1) Wenn die Umwälzpumpe ein fester Bestandteil des Wärmeerzeugers ist, ist $q_{TW,d,HE} = 0$ (der Stromaufwand wird beim Wärmeerzeuger mit berücksichtigt).

C.1.4 Erzeugung der Wärme für die Trinkwassererwärmung

C.1.4.1 Trinkwassererwärmungs-Deckungsanteile $\alpha_{TW,g}$ bei kombinierten Systemen

Erfolgt die Trinkwasser-Erwärmung durch mehrere Wärmeerzeuger, so muss anhand Tabelle C.1-4a der Deckungsanteil der verschiedenen Teilsysteme bestimmt werden. Für Systeme, die nicht in der Tabelle C.1-4a aufgeführt sind, muss der rechnerische Deckungsanteil anderweitig ermittelt und dokumentiert werden.

Die Deckungsanteile für Solaranlagen zur Trinkwassererwärmung sind in Tabelle C.1-4a für Anlagen mit Flachkollektoren und indirekt beheiztem Speicher berechnet worden. Die Nutzung von Röhrenkollektoren führt zu gleichwertigen Deckungsanteilen, da die Kollektorfläche nach Tabelle 5.1.10 entsprechend niedriger angesetzt ist. Bei Solarspeichern mit elektrischer Nachheizung des Bereitschaftsteils (Heizstab) kann der Deckungsanteil bis zu einer Nutzfläche $A_N \leq 200\ m^2$ um einen Prozentpunkt erhöht werden.

Tabelle C.1-4a: Deckungsanteile $\alpha_{g,w}$ bei gebräuchlichen kombinierten Trinkwassererwärmungs-Systemen

1	Solare Trinkwasser-erwärmung			$\alpha_{W,S} = \alpha_1$				$\alpha_{W,S}=$
	Flach-kollektor	A_C [m²]	A_N [m²]	Aufstellung außerhalb der thermischen Hülle (Speicher und Verteilleitungen)		Aufstellung innerhalb der thermischen Hülle (Speicher und Verteilleitungen)		
				mit Zirkulation	ohne Zirkulation	mit Zirkulation	ohne Zirkulation	
		3,6	100	0,51	0,63	0,55	0,68	
		5,0	150	0,51	0,61	0,54	0,64	
		6,2	200	0,50	0,59	0,53	0,62	
		8,6	300	0,49	0,57	0,51	0,58	
		13,0	500	0,53		0,54		
		18,0	750	0,50		0,51		
		22,6	1000	0,48		0,49		
		31,3	1500	0,45		0,46		
		47,1	2500	0,42		0,43		
		54,4	3000	0,41		0,42		

Fortsetzung siehe nächste Seite.

Tabelle C.1-4a (Fortsetzung)			
2	Grundheizung	$\alpha_{TW,G} = (1 - \alpha_{W,S})\alpha_2$	$\alpha_{W,G}=$
		Deckungsanteil α_2	
	Gas/Ölkessel	1	
	Fern- und Nahwärme	1	
	Dezentrale KWK	1	
	El. Heizungs-Wärmepumpe (ohne elektrische Ergänzungsheizung)	1	
	El. Heizungs-Wärmepumpe (mit elektrischer Ergänzungsheizung)	0,95	
	Elektro-Abluft-Trinkwasser-Wärmepumpe; Elektro-Abluft/Zuluft-Trinkwasser-Wärmepumpe mit und ohne Wärmeübertrager (Betrieb in Kombination mit einer zentralen Wohnungslüftungsanlage)	0,95	
	Elektro-Luft-Trinkwasser-Wärmepumpe (Betrieb außerhalb der thermischen Gebäudehülle mit Kellerluft)	0,95[1)]	
	Elektro-Tagesspeicher (Wohnungszentral)	1,0	
	Durchlauferhitzer ohne dezentralen Kleinspeicher	1,0	
	Durchlauferhitzer und dezentraler Kleinspeicher	1,0	

[1)] 0,95 darf nur verwendet werden, wenn die Kellerraum-Grundfläche 10 % oder mehr der Gebäudefläche beträgt. Für alle anderen Fälle ist eine Berechnung nach den Gleichungen (5.1.4-36) und (5.1.4-37) vorzunehmen. Es ist eine negative Heizwärmegutschrift von – 0,4 kWh/(m²a) anzuwenden.

3	Zusatzheizung	$\alpha_{W,Z} = (1 - \alpha_{W,S} - \alpha_{W,G})$	$\alpha_{W,Z} =$
		Summe	$\alpha_{ges} = 1$

C.1.4.2 Aufwand der Wärmeerzeugung bei der Trinkwassererwärmung – $e_{TW,g}$

Der Aufwand der Wärmeerzeugung der Trinkwassererwärmung $e_{TW,g}$ wird in den Tabellen C.1-4b bis C.1-4e als Wärmeaufwandszahl für unterschiedliche Systeme in Abhängigkeit der Nutzfläche angegeben. Der Hilfsenergiebedarf $q_{g,W,HE}$ dieser Systeme ist ebenfalls in den Tabellen dargestellt. Die Werte wurden für einen Deckungsanteil des Wärmeerzeugers von $e_{TW,g} = 1$ ermittelt. Vereinfachend dürfen sie auch im Rahmen des Tabellen- und Diagrammverfahrens für bivalenten Anlagen mit Solaranlage verwendet werden.

Tabelle C.1-4b: Aufwandszahlen $e_{TW,g}$ und Hilfsenergie $q_{TW,g,HE}$ der Trinkwassererwärmung für Heizkessel

	Aufwandszahl						Hilfsenergie	
A_N [m²]	Konstant-temperatur-kessel (Öl und Gas)	Nieder-temperatur-kessel	Brennwert-kessel	Brennwert-kessel verbessert[1)]	Kombi-kessel[2)] NT DL/KSp*	Kombi-kessel[2)] Brennwert DL/KSp*	Kombi-kessel	andere Kessel
	$e_{TW,g}$ [–]						$q_{TW,g,HE}$ [kWh/m²a]	
100	1,82	1,21	1,17	1,15	1,27/1,41	1,23/1,36	0,2	0,30
150	1,71	1,19	1,15	1,13	1,22/1,32	1,19/1,28	0,19	0,24
200	1,64	1,18	1,14	1,12	1,20/1,27	1,16/1,24	0,18	0,21
300	1,56	1,17	1,13	1,11	1,17/1,22	1,14/1,19	0,17	0,17
500	1,46	1,15	1,12	1,10	1,15/1,18	1,11/1,15	0,17	0,13
750	1,40	1,14	1,11	1,09				0,11
1000	1,36	1,14	1,10	1,08				0,10
1500	1,31	1,13	1,10	1,07				0,084
2500	1,26	1,12	1,09	1,07				0,069
5000	1,21	1,11	1,08	1,06				0,054
10 000	1,17	1,10	1,08	1,05				0,044

1) Mindestwirkungsgrad nach Gl. 5.1.4-23a

2) Kombikessel werden ohne externen, zusätzlichen Trinkwasserspeicher nach Kapitel 5.1.3 bzw. C.1.3 betrieben.

*) DL: Kessel mit integrierter Trinkwassererwärmung nach dem Durchlaufprinzip *mit* Wärmeaustauscher (V < 2 l)
KSp: Kessel mit integrierter Trinkwassererwärmung nach dem Durchlaufprinzip *mit* Kleinspeicher (2 < V < 10 l)

Wenn zur Berechnung des Primärenergiebedarfs im Rahmen des Nachweises der EnEV die Aufwandszahlen für „Brennwertkessel verbessert" angewandt werden, muss der tatsächlich eingebaute Kessel mindestens den in Gl. 5.1.4-23a angegebenen Wirkungsgrad aufweisen.

Tabelle C.1-4c: Aufwandszahlen $e_{TW,g}$ und Hilfsenergie $q_{TW,g,HE}$ der Trinkwassererwärmung für Speicherwassererwärmer

	Aufwandszahl	Hilfsenergie
	$e_{TW,g}$ [–]	$q_{TW,g,HE}$ [kWh/m²a]
Gas-Speicherwassererwärmer	1,22[1)]	0,0

1) = Mindestanforderung nach prEN 89 Stand 1997 (84 % Wirkungsgrad).

Tabelle C.1-4d: Aufwandszahlen $e_{TW,g}$ und Hilfsenergie $q_{TW,g,HE}$ der Trinkwassererwärmung für Elektro-Systeme

	Aufwandszahl	Hilfsenergie
	$e_{TW,g}$ [–]	$q_{TW,g,HE}$ [kWh/m²a]
Elektro-Heizstab	1,0	0,0
Durchlauferhitzer, Speicher	1,0	0,0
Heizungswärmepumpe		
Wasser/Wasser	0,23	$0{,}8 \cdot A_N^{-0{,}1}$
Erdreich/Wasser	0,27	$0{,}5 \cdot A_N^{-0{,}1}$
Luft/Wasser	0,30	0,0
Abluft/Wasser	0,25	0,0
Trinkwasserwärmepumpe		
Abluft	0,26	0,0
Abluft/Zuluft ohne WÜT	0,26	0,0
Abluft/Zuluft mit WÜT, $\eta'_{WRG} = 0{,}6$	0,29	0,0
Abluft/Zuluft mit WÜT, $\eta'_{WRG} = 0{,}8$	0,31	0,0
Kellerluft	0,33	0,0

Tabelle C.1-4e: Aufwandszahlen $e_{TW,g}$ und Hilfsenergie $q_{TW,g,HE}$ der Trinkwassererwärmung für sonstige Systeme

System	Aufwandszahl	Hilfsenergie
	$e_{TW,g}$ [–]	$q_{TW,g,HE}$ [kWh/m²a]
Nah-/Fernwärme	1,14	0,40
Solare Trinkwasser-Erwärmung	0,00	1,0

Hilfsenergie für solare Trinkwassererwärmung $q_{TW,g,HE,sol}$ in [kWh/(m²a)]					
A_N in [m²]	Deckungsanteil der Solaranlage $\alpha_{TW,sol}$ in [–]				
	0,2	0,3	0,4	0,5	0,6
100	3,1	2,0	1,5	1,2	1,0
150	2,2	1,5	1,1	0,9	0,7
200	1,8	1,2	0,9	0,7	0,6
300	1,3	0,9	0,7	0,5	0,4
500	1,0	0,6	0,5	0,4	0,3
750	0,8	0,5	0,4	0,3	0,3
1000	0,7	0,5	0,4	0,3	0,2
1500	0,6	0,4	0,3	0,2	0,2
2500	0,5	0,4	0,3	0,2	0,2
5000	0,5	0,3	0,2	0,2	0,2
10 000	0,5	0,3	0,2	0,2	0,2

C.2 Bestimmung von Kennzahlen für Lüftungsanlagen zur Deckung des Jahres-Heizwärmebedarfs – Q_h

C.2.1 Übergabe der Wärme an den Raum: $q_{L,ce}$

Flächenbezogener Wärmeverlust $q_{L,ce,WE}$

Tabelle C.2-1 enthält den flächenbezogenen Wärmeverlust $q_{L,ce,WE}$ für die Wärmeübergabe am Luftauslass für verschiedene Lüftungssysteme. Dieser Wärmeverlust umfasst sowohl den Einfluss des Einströmens der warmen Luft als auch die Regelungseinflüsse.

Tabelle C.2-1: Flächenbezogener Wärmeverlust $q_{L,ce,WE}$ für die Übergabe der Wärme im Raum

System	Art der Temperaturregelung	$q_{L,ce,WE}$ [kWh/m²a]	Bemerkungen
Wohnungslüftungsanlagen mit Lufttemperaturen > 20 °C			Der Geltungsbereich umfasst sämtliche dezentralen (raumweisen) und zentralen Ausführungen von Lüftungsanlagen unabhängig von der Art der Lufterwärmung
a) Anordnung der Luftauslässe überwiegend im Außenwandbereich	mit Einzelraumregelung	2,2	
	ohne Einzelraumregelung, mit zentraler Vorregelung	3,7	
	ohne Einzelraumregelung, ohne zentrale Vorregelung	8,5	
b) Anordnung der Luftauslässe überwiegend im Innenwandbereich	mit Einzelraumregelung	3,3	
	ohne Einzelraumregelung, mit zentraler Vorregelung	4,8	
	ohne Einzelraumregelung, ohne zentrale Vorregelung	9,6	
Wohnungslüftungsanlagen mit Lufttemperaturen < 20 °C		0	z. B. Lüftungsanlagen mit Wärmerückgewinnung (durch Wärmeübertrager) *ohne* Nachheizung

Hilfsenergiebedarf $q_{L,ce,HE}$

Ein Hilfsenergiebedarf bei der Übergabe am Luftauslass ist nicht zu berücksichtigen ($q_{L,ce,HE} = 0$), sofern dort kein separater Ventilator vorhanden ist.

C.2.2 Verteilung der Wärme: $q_{L,d}$

Die nachfolgend angegebenen Tabellenwerte gelten ausschließlich für Wohnungslüftungsanlagen und nicht für raumlufttechnische Anlagen (diese sind nach 5.2 zu berechnen).

Flächenbezogener Wärmeverlust $q_{L,d,WE}$

In Tabelle C.2-2 ist der flächenbezogener Wärmeverlust von Luftleitungssystemen in Abhängigkeit von der Nutzfläche für verschiedene Auslegungstemperaturen angegeben.

Tabelle C.2-2: Flächenbezogener Wärmeverlust der Verteilung $q_{L,d,WE}$ in [kWh/m²a] für zentrale Lüftungsanlagen mit Erwärmung der Zuluft in Abhängigkeit von A_N und unterschiedlichen Wärmeerzeugern

Verlegung der Verteilleitungen außerhalb der thermischen Hülle im Dach						
	Nutzfläche in [m²]	100	150	200	300	500
Mit Wärmerückgewinnung durch Wärmeübertrager (WÜT)	η'_{WRG} = 0,6 [–]	4,8	3,5	2,9	2,2	1,7
	η'_{WRG} = 0,8 [–]	5,6	4,1	3,4	2,6	2,0
Zuluft/Abluft-Wärmepumpe (mit/ohne Trinkwassererwärmung, mit/ohne WÜT, ohne Heizregister)	ohne WÜT, AC-Ventilatoren	9,0	6,7	5,6	4,4	3,5
	η'_{WRG} = 0,6 [–], AC-Ventilatoren	10,2	7,6	6,3	5,0	4,0
	η'_{WRG} = 0,6 [–], DC-Ventilatoren	9,9	7,4	6,1	4,9	3,9
Heizregister (mit lastabhängiger Temperaturregelung, mit/ohne WÜT, mit/ohne WP)	Auslegungstemperatur 35 °C	9,2	6,8	5,6	4,5	3,5
	Auslegungstemperatur 45 °C	11,0	8,2	6,9	5,5	4,4
Verlegung der Verteilleitungen außerhalb der thermischen Hülle im Keller						
	Nutzfläche in [m²]	100	150	200	300	500
Mit Wärmerückgewinnung durch Wärmeübertrager (WÜT)	η'_{WRG} = 0,6 [–]	1,4	1,0	0,8	0,7	0,5
	η'_{WRG} = 0,8 [–]	2,2	1,6	1,3	1,0	0,8
Zuluft/Abluft-Wärmepumpe (mit/ohne Trinkwassererwärmung, mit/ohne WÜT, ohne Heizregister)	ohne WÜT, AC-Ventilatoren	5,2	3,7	3,0	2,3	1,7
	η'_{WRG} = 0,6 [–], AC-Ventilatoren	6,7	5,1	4,3	3,5	2,8
	η'_{WRG} = 0,6 [–], DC-Ventilatoren	6,4	4,9	4,1	3,3	2,7
Heizregister (mit lastabhängiger Temperaturregelung, mit/ohne WÜT, mit/ohne WP)	Auslegungstemperatur 35 °C	5,7	4,3	3,6	2,9	2,3
	Auslegungstemperatur 45 °C	7,5	5,7	4,8	3,9	3,2
Verlegung der Verteilleitungen innerhalb der thermischen Hülle						
	Nutzfläche in [m²]	100	150	200	300	500
Mit Wärmerückgewinnung durch Wärmeübertrager (WÜT)	η'_{WRG} = 0,6 [–]	0,0	0,0	0,0	0,0	0,0
	η'_{WRG} = 0,8 [–]	0,0	0,0	0,0	0,0	0,0
Zuluft/Abluft-Wärmepumpe (mit/ohne Trinkwassererwärmung, mit/ohne WÜT, ohne Heizregister)	ohne WÜT, AC-Ventilatoren	1,1	1,0	0,9	0,8	0,7
	η'_{WRG} = 0,6 [–], AC-Ventilatoren	1,6	1,4	1,3	1,1	1,0
	η'_{WRG} = 0,6 [–], DC-Ventilatoren	1,5	1,3	1,2	1,0	1,0
Heizregister (mit lastabhängiger Temperaturregelung, mit/ohne WÜT, mit/ohne WP)	Auslegungstemperatur 35 °C	1,2	1,0	0,9	0,8	0,8
	Auslegungstemperatur 45 °C	2,0	1,7	1,5	1,4	1,3

Abluftanlagen und dezentrale Lüftungsgeräte (mit oder ohne Wärmerückgewinnung) weisen keinen Wärmeverlust der Verteilung auf ($q_{L,d,WE}$ = 0 kWh/(m²a)).

Hilfsenergiebedarf $q_{L,d,HE}$

Der Hilfsenergiebedarf der Luftverteilung (Hilfsenergiebedarf der Ventilatoren) wird bei Ventilatoren, die fester Bestandteil eines Wärmeerzeugers sind (z. B. Wärmeübertrager der Wärmerückgewinnung) und dort bei der Messung des Hilfsenergiebedarfs berücksichtigt wurden, nicht separat berücksichtigt. Für separat betriebene Ventilatoren existieren keine Standardwerte.

C.2.3 Kenngrößen der Wärmeerzeuger: $q_{L,g}$

C.2.3.1 Abluft/Zuluft-Wärmeübertrager (Wärmerückgewinnung durch Wärmeübertrager)

Jahres-Heizarbeit $q_{L,g,WE,WRG}$

Werden in Gebäuden Lüftungsanlagen mit Wärmerückgewinnung eingesetzt, die durch Abkühlung der Abluft im Wärmerückgewinner die Zuluft erwärmen, reduziert diese Wärme den Jahres-Heizwärmebedarf eines Gebäudes. Nach EnEV wird der Heizwärmebedarf für einen Norm-Anlagen-Luftwechsel berechnet. In Tabelle C.2-3a ist die auf die Nutzfläche bezogene Heizarbeit $q_{L,g,WE,WRG}$ für Wohnungslüftungsanlagen (bezogen auf den Normanlagenluftwechsel von 0,4 1/h) in Abhängigkeit des Anlagenluftwechsels angegeben. *Die Angabe des Bereitstellungsgrades* η'_{WRG} *legt den Mindestwert fest, den die real eingebaute Lüftungsanlage erreichen muss, wobei dieser Wert die Randbedingungen nach 5.2.3.1.1, insbesondere Gleichung (5.2.3-2), erfüllen muss!*

Tabelle C.2-3a Flächenbezogene Heizarbeit $q_{L,g,WE,WRG}$ bei zentralen und dezentralen Lüftungsanlagen mit Wärmerückgewinnung durch Wärmeübertrager (WÜT)

			Anlagenluftwechsel n_A [–]						
			0,4	0,5	0,6	0,7	0,8	0,9	1
WÜT mit η'_{WRG} = 60 %	$q_{L,g,WE,WRG}$	[kWh/m²a]	13,5	16,9	20,2	23,6	27,0	30,3	33,7
WÜT mit η'_{WRG} = 80 %	$q_{L,g,WE,WRG}$	[kWh/m²a]	17,2	21,5	25,8	30,1	34,5	38,8	43,1

Aufwandszahl der Wärmeerzeugung $e_{L,g,WRG}$

Die Aufwandszahl der Wärmeerzeugung beträgt $e_{L,g,WRG}$ = 0.

Hilfsenergiebedarf $q_{L,g,HE,WRG}$

Der Hilfsenergiebedarf bei der Wärmerückgewinnung umfasst die Regelung und eine eventuell notwendige Vorwärmung der Zuluft zur Vermeidung des Einfrierens des Wärmeübertragers. In diesem Abschnitt wird weiterhin davon ausgegangen, dass die Ventilatoren fester Bestandteil des Wärmerückgewinnungsgerätes sind. Damit beinhaltete der Hilfsenergiebedarf der Wärmerückgewinnung ebenfalls den elektrischen Energiebedarf der Ventilatoren.

E

Tabelle C.2-3b Flächenbezogener Hilfsenergiebedarf $q_{L,g,HE,WRG}$ bei zentralen bzw. dezentralen Abluft/Zuluft-Lüftungsanlagen mit Wärmerückgewinnung durch Wärmeübertrager (WÜT)

			Anlagen-Luftwechsel n_A [–]						
			0,4	0,5	0,6	0,7	0,8	0,9	1
Zentral, $0{,}6 \leq \eta'_{WRG} < 0{,}8$ und AC-Ventilatoren	$q_{L,g,HE,WRG}$	[kWh/m²a]	2,2	2,7	3,3	3,8	4,4	4,9	5,4
Zentral, $0{,}6 \leq \eta'_{WRG} < 0{,}8$ und DC-Ventilatoren	$q_{L,g,HE,WRG}$	[kWh/m²a]	1,7	2,2	2,6	3,0	3,5	3,9	4,3
Zentral, $\eta'_{WRG} \geq 0{,}8$ und DC-Ventilatoren	$q_{L,g,HE,WRG}$	[kWh/m²a]	2,6	3,3	3,9	4,6	5,2	5,9	6,6
Zentral, $0{,}6 \leq \eta'_{WRG} < 0{,}8$ und AC-Ventilatoren, mit Abluft/Zuluft-WP	$q_{L,g,HE,WRG}$	[kWh/m²a]	2,6	3,3	3,9	4,6	5,2	5,9	6,5
Zentral, $0{,}6 \leq \eta'_{WRG} < 0{,}8$ und DC-Ventilatoren, mit Abluft/Zuluft-WP	$q_{L,g,HE,WRG}$	[kWh/m²a]	2,3	2,8	3,4	4,0	4,5	5,1	5,7
Zentral, $\eta'_{WRG} = 0{,}0$ und AC-Ventilatoren, mit Abluft/Zuluft-WP	$q_{L,g,HE,WRG}$	[kWh/m²a]	2,6	3,2	3,9	4,5	5,2	5,8	6,4
Zentral, $\eta'_{WRG} = 0{,}0$ und DC-Ventilatoren, mit Abluft/Zuluft-WP	$q_{L,g,HE,WRG}$	[kWh/m²a]	2,2	2,8	3,3	3,9	4,4	5,0	5,6
Dezentral, $0{,}6 \leq \eta'_{WRG} < 0{,}8$ (AC oder DC-Vent.)	$q_{L,g,HE,WRG}$	[kWh/m²a]	3,8	4,8	5,7	6,7	7,6	8,6	9,5

C.2.3.2 Abluftanlage (ohne Wärmerückgewinnung durch Wärmeübertrager)

Jahres-Heizarbeit $q_{L,g,WE,WRG}$

Abluftanlagen können aufgrund des nicht vorhandenen Wärmeübertragers keine Wärme zurückgewinnen. Damit ist $q_{L,g,HE,WRG} = 0$. Wird die Abluftanlage mit einer Abluft/Wasser-Wärmepumpe kombiniert betrieben, so wird die Wärmepumpe beim Heizstrang (siehe 5.3) energetisch berücksichtigt.

Aufwandszahl der Wärmeerzeugung $e_{L,g,WRG}$

Die Aufwandszahl der Wärmeerzeugung ist nicht definiert, da keine Wärme erzeugt wird. Wird die Abluftanlage mit einer Abluft/Wasser-Wärmepumpe kombiniert betrieben, so wird die Wärmepumpe beim Heizstrang energetisch berücksichtigt.

Hilfsenergiebedarf $q_{L,g,HE,WRG}$

Der Hilfsenergiebedarf bei Abluftanlagen umfasst die Regelung und den Hilfsenergiebedarf des Ventilators.

Tabelle C.2-3c: Flächenbezogener Hilfsenergiebedarf $q_{L,g,HE,WRG}$ bei zentralen Abluftanlagen

			Anlagenluftwechsel n_A [–]						
			0,4	0,5	0,6	0,7	0,8	0,9	1
mit AC-Ventilator	$q_{L,g,HE,WRG}$	[kWh/m²a]	1,3	1,7	2,0	2,3	2,7	3,0	3,3
mit DC-Ventilator	$q_{L,g,HE,WRG}$	[kWh/m²a]	1,1	1,4	1,7	1,9	2,2	2,5	2,8
mit AC-Ventilatoren und mit Abluft/Wasser-WP	$q_{L,g,HE,WRG}$	[kWh/m²a]	1,6	2,1	2,5	2,9	3,3	3,7	4,1
mit DC-Ventilatoren und mit Abluft/Wasser-WP	$q_{L,g,HE,WRG}$	[kWh/m²a]	1,3	1,6	1,9	2,3	2,6	2,9	3,2

C.2.3.3 Abluft/Zuluft-Wärmepumpe (Betrieb mit und ohne Wärmerückgewinnung)

Jahres-Heizarbeit $q_{L,g,WE,WP}$

Die Jahres-Heizarbeit $q_{L,g,WE,WP}$ verschiedener Wärmepumpenvarianten, die in Kombination mit und ohne Wärmeübertrager in Abhängigkeit von der verwendeten Ventilatorart betrieben werden, sind in Tabelle C.2-3d aufgelistet.

Tabelle C.2-3d: Flächenbezogene Heizarbeit $q_{L,g,WE,WP}$ bei zentralen Zuluft/Abluft-Wärmepumpen in Abhängigkeit von der anrechenbaren Heizarbeit und dem Anlagen-Luftwechsel für verschiedene Wärmepumpen/Wärmeübertrager-Kombinationen

	Anlagen-luftwechsel n_A in [1/h]	Anrechenbare Heizarbeit ($q_h - q_{L,g,WE,WRG} + q_{h,n}$) in [kWh/m²a]							
		80	70	60	50	40	30	20	15
Wärmeübertrager mit $\eta'_{WRG} = 0{,}6$; DC-Ventilatoren; keine Nutzung der Wärmepumpe zur Trinkwassererwärmung	0,4	35,1	34,5	33,5	31,4	28,7	24,9	19,1	15,3
	0,6	51,1	48,6	45,3	41,3	36,0	29,2	20,3	15,3
	0,8	62,9	58,4	53,4	47,1	39,5	30,3	20,8	20,4
	1,0	71,3	65,5	58,3	49,9	40,3	30,3	26,0	25,4
Wärmeübertrager mit $\eta'_{WRG} = 0{,}6$; DC-Ventilatoren; Nutzung der Wärmepumpe zur Trinkwassererwärmung	0,4	24,8	24,4	23,7	23,0	22,2	19,9	16,4	14,1
	0,6	42,3	41,3	38,9	36,0	32,3	27,2	20,0	15,4
	0,8	56,3	53,2	49,1	44,1	37,8	29,9	20,3	17,4
	1,0	66,7	61,9	55,8	48,6	40,1	30,3	22,9	22,5
Kein Wärmeübertrager; AC-Ventilatoren; keine Nutzung der Wärmepumpe zur Trinkwassererwärmung	0,4	46,2	44,3	41,5	38,2	33,9	28,1	20,1	15,3
	0,6	62,5	58,4	53,2	47,0	39,4	30,2	20,6	20,2
	0,8	73,1	66,9	59,3	50,3	40,6	30,3	27,4	26,9
	1,0	78,8	71,1	61,4	51,2	40,5	35,8	34,3	33,6

Fortsetzung siehe nächste Seite.

E

Tabelle C.2-3d (Fortsetzung)									
	Anlagen-luftwechsel n_A in [1/h]	Anrechenbare Heizarbeit ($q_h - q_{L,g,WE,WRG} + q_{h,n}$) in [kWh/m²a]							
		80	70	60	50	40	30	20	15
Kein Wärmeübertrager; AC-Ventilatoren; Nutzung der Wärmepumpe zur Trinkwassererwärmung	0,4	36,1	35,5	34,3	32,1	29,3	25,3	19,3	15,3
	0,6	55,9	52,8	48,8	43,9	37,6	29,9	20,3	17,2
	0,8	69,1	63,8	57,2	49,4	40,4	30,4	24,4	23,9
	1,0	76,8	69,5	60,8	50,8	40,7	32,7	31,2	30,6

Aufwandszahl der Wärmeerzeugung $e_{L,g,WP}$

Die Aufwandszahl der Wärmeerzeugung $e_{L,g,WP}$ für Abluft/Zuluft-Wärmepumpen mit und ohne vorgeschalteten Wärmeübertrager sind in Tabelle C.2-3e aufgeführt. Diese Werte gelten nur, wenn die Wärmepumpe strömungstechnisch hinter dem Wärmeübertrager angeordnet ist.

Tabelle C.2-3e: Aufwandszahl der Wärmeerzeugung $e_{L,g,WP}$ für Zuluft/Abluft-Wärmepumpen

Betrieb der Zuluft/Abluft-Wärmepumpe in Kombination …	Erzeuger-Aufwandszahl $e_{L,g,WP}$
… ohne Wärmeübertrager	0,28
… mit WÜT (ohne Erdwärmetauscher)	0,34

Hilfsenergiebedarf $q_{L,g,HE,WP}$

Der Hilfsenergiebedarf $q_{L,g,HE,WP}$ ist bereits im Hilfsenergiebedarf der Wärmerückgewinnungsanlage, siehe C.2.3.1 und C.2.3.2 beinhaltet und muss daher hier nicht mehr berücksichtigt werden ($q_{L,g,HE,WP} = 0$).

C.2.4 Heizregister

Jahres-Heizarbeit $q_{L,g,WE,HR}$

Die Jahres-Heizarbeit $q_{L,g,WE,HR}$ eines Heizregisters, das entweder in Kombination mit den in C.2.3.3 genannten Wärmepumpen/Lüftungsgerät-Varianten oder ausschließlich mit einem Wärmeübertrager betrieben wird, ist in Tabelle C.2-3f aufgelistet.

Tabelle C.2-3f: Flächenbezogene Heizarbeit $q_{L,g,WE,HR}$ bei Heizregistern in Abhängigkeit von der anrechenbaren Heizarbeit und dem Anlagen-Luftwechsel für verschiedene Heizregister/Wärmeübertrager/Wärmepumpen-Kombinationen

Betrieb des Heizregister in Kombination mit ...	Anlagenluftwechsel n_A in [1/h]	Anrechenbare Heizarbeit ($q_h - q_{L,g,WE,WRG} + q_{h,n}$) in [kWh(m²a]							
		80	70	60	50	40	30	20	15
Wärmeübertrager mit $\eta'_{WRG} = 0{,}6$ DC-Ventilatoren; Keine Nutzung der Wärmepumpe zur Trinkwassererwärmung	0,4	–	–	–	–	10,4	5,5	1,2	0
	0,6	–	–	15,3	9,8	4,9	0	0	0
	0,8	–	14,0	8,7	4,5	0	0	0	0
	1,0	12,5	7,9	3,7	0	0	0	0	0
Wärmeübertrager mit $\eta'_{WRG} = 0{,}6$; DC-Ventilatoren; Nutzung der Wärmepumpe zur Trinkwassererwärmung	0,4	–	–	–	–	–	10,5	4,0	0
	0,6	–	–	–	15,1	8,7	0	0	0
	0,8	–	–	13,2	7,6	0	0	0	0
	1,0	–	11,6	6,2	0	0	0	0	0
Kein Wärmeübertrager; AC-Ventilatoren; Keine Nutzung der Wärmepumpe zur Trinkwassererwärmung	0,4	–	–	–	12,5	6,8	0	0	0
	0,6	14,3	9,0	3,4	0	0	0	0	0
	0,8	4,2	0	0	0	0	0	0	0
	1,0	0	0	0	0	0	0	0	0
Kein Wärmeübertrager; AC-Ventilatoren; Nutzung der Wärmpumpe zur Trinkwassererwärmung	0,4	–	–	–	–	11,4	0	0	0
	0,6	–	–	13,4	6,5	0	0	0	0
	0,8	14,76	7,3	0	0	0	0	0	0
	1,0	0	0	0	0	0	0	0	0
Wärmeübertrager mit $\eta'_{WRG} = 0{,}6$ DC-Ventilatoren	0,4	–	56,5	51,7	46,0	38,8	30,2	20,2	0
	0,6	75,1	68,2	60,2	50,7	40,7	0	0	0
	0,8	81,6	72,2	61,8	51,4	0	0	0	0
	1,0	83,3	73,0	61,8	0	0	0	0	0
Wärmeübertrager mit $\eta'_{WRG} = 0{,}8$ DC-Ventilatoren	0,4	–	–	46,5	42,1	36,6	29,5	20,3	0
	0,6	68,9	63,6	57,1	49,3	40,3	30,4	0	0
	0,8	77,6	70,2	61,1	51,0	40,7	0	0	0
	1,0	82,0	72,3	62,0	51,3	0	0	0	0

Aufwandszahl der Wärmeerzeugung $e_{L,g,HR}$

Die Aufwandszahl der Wärmeerzeugung $e_{L,g,HR}$ für Zuluft-Heizregister sind in Tabelle C.2-3g aufgeführt.

Tabelle C.2-3g: Aufwandszahl der Wärmeerzeugung $e_{L,g,HR}$ für Zuluft-Heizregister

Beheizung des Zuluft-Heizregisters durch einen ...	Erzeuger-Aufwandszahl $e_{L,g,HR}$ in [–]
... Elektro-Heizstab	1
... Kessel oder anderer Heizwärmeerzeuger nach Kap. 5.3 (indirekt mittels eines Wasserkreises)	$1{,}2 \cdot e_{H,g}$

Hilfsenergiebedarf $q_{L,g,He,HR}$

Der Hilfsenergiebedarf $q_{L,g,HE,HR}$ ist nicht zu berücksichtigen ($q_{L,g,HE,HR} = 0$). Wenn die Beheizung durch einen Warmwasserstrang mit separater Umwälzpumpe erfolgt, ist der Hilfsenergiebedarf nach 5.3 zu bestimmen.

C.2.5 Korrektur des Anlagen-Luftwechsels ($q_{h,n}$)

Der Lüftungswärmeverlust eines Gebäudes, berechnet nach DIN V 4108-6 oder dem Heizperiodenbilanzverfahren der EnEV, wird üblicherweise mit dem Norm-Anlagen-Luftwechsel $n_{A,norm} = 0{,}4$ 1/h berechnet. Wenn die Lüftungsanlage abweichend von diesem Norm-Luftwechsel mit einem anderen Anlagen-Luftwechsel betrieben, so muss dies anhand der Werte nach Tabelle C.2-4 berücksichtigt werden. ***Diese Korrektur gilt für alle Lüftungsanlagen und muss immer berücksichtigt werden, wenn die Luftwechselrate von dem üblichen Norm-Anlagen-Luftwechsel $n_{A,norm}$ = 0,4 1/h abweicht.***

Tabelle C.2-4: Korrekturwert $q_{h,n}$ bei unterschiedlichem Anlagen-Luftwechsel

			Tatsächlicher Anlagen-Luftwechsel n_A [–]						
			0,4	0,5	0,6	0,7	0,8	0,9	1
Luftwechsel-Korrektur	$q_{h,n}$	[kWh/m²a]	0,0	5,9	11,8	17,7	23,7	29,6	35,5

C.3 Bestimmung von Kennzahlen für Heizungsanlagen zur Deckung des Jahres-Heizwärmebedarfs – Q_h (Tabellenwerte)

C.3.1 Übergabe der Wärme an den Raum: q_{ce}

Die Trägheit und Regelgenauigkeit des Wärmeübergabesystems, das die Wärme vom Wärmetransportmedium an die Raumluft übergibt, führt zeitweise zu einer ungewünschten Erhöhung der Raumtemperatur. Dadurch steigt der Wärmeverlust, was durch die Größe q_{ce} (in kWh/m²a, siehe Tabelle C.3-1) berücksichtigt wird. Die Hilfsenergie für die Wärmeübergabe (z. B. Ventilator, dezentrale Regelgeräte) wird durch die Größe $q_{ce,HE}$ (in kWh/m²a) erfasst.

In Tabelle C.3-1 ist der Wärmeverlust für die Wärmeübergabe im Raum als flächenbezogene Größe für verschiedene Heizungssysteme dargestellt.

Tabelle C.3-1: Flächenbezogener Verlust der Wärmeübergabe q_{ce} für die Übergabe der Wärme im Raum

System	Regelung	q_{ce} in kWh/m²a	Bemerkungen
Wasserheizung	Thermostatregelventile und andere P-Regler mit Auslegungsproportionalbereich:		
Freie Heizflächen			
a) überwiegende Anordnung der Heizflächen im Außenwandbereich	2 Kelvin	3,3	
	1 Kelvin	1,1	
	elektronische Regeleinrichtung	0,7	zeit- und temperaturabhängig arbeitend, mit PI- oder vergleichbarem Regelverhalten
	elektronische Regeleinrichtung mit Optimierungsfunktion	0,4	mit zusätzlichen Funktionen wie z. B. Fensteröffnungs- oder Präsenzerkennung
b) überwiegende Anordnung im Innenwandbereich		q_{ce} + 1,1	
Integrierte Heizflächen	Einzelraumregelung mit Zweipunktregler		
Fußbodenheizungen und andere Flächenheizungen	Schaltdifferenz 2 Kelvin	3,3	
	Schaltdifferenz 1 Kelvin	1,1	
	elektronische Regeleinrichtung	0,7	zeit- und temperaturabhängig arbeitend, mit PI- oder vergleichbarem Regelverhalten
	elektronische Regeleinrichtung mit Optimierungsfunktion	0,4	mit zusätzlichen Funktionen wie z. B. Fensteröffnungs- oder Präsenzerkennung
Elektroheizung	Einzelraumregelung		elektronische Regeleinrichtung
a) Überwiegende Anordnung im Außenwandbereich			
– Direktheizung		0,7	zeit- und temperaturabhängig arbeitend, mit PI- oder vergleichbarem Regelverhalten.
– Speicherheizung		4,4	
b) überwiegende Anordnung im Innenwandbereich		q_{ce} + 1,1	

Elektrische Flächenheizungen werden wie integrierte Heizflächen behandelt.

Bei dezentralen **Einzelfeuerstätten** ist der Verlust von 9,6 kWh/m²a zu berücksichtigen.

Hilfsenergie

Der Aufwand für elektrische Hilfsenergie $q_{ce,HE}$ ist mit 0 kWh/m²a anzusetzen, sofern für die Wärmeübergabe im Raum kein zusätzlicher Antrieb (z. B. Ventilatoren zur Luftumwälzung) eingesetzt wird. Für Systeme mit Ventilatoren zur Luftumwälzung ist $q_{ce,HE}$ gleich 0,5 kWh/m²a anzusetzen. Für die dezentrale Elektrospeicherheizung ist die Ventilatorleistung bereits im Wärmeverlust für die Übergabe (Tabelle C.3.1) enthalten.

C.3.2 Verteilung der Wärme: q_d

C.3.2.1 Gebäudezentrale und wohnungszentrale Heizleitungssysteme (Wasserdurchflossene Systeme)

Flächenbezogene Wärmeabgabe der Verteilung

Die Wärmeabgabe der Verteilung lässt sich als flächenbezogene Größe q_d direkt aus den Tabellen C.3-2a und C.3-2b in kWh/m^{2}a ablesen. Die Wärmeabgabe ist für verschiedene Heizkreis-Auslegungstemperaturen in Abhängigkeit von der Nutzfläche A_N und den weiteren Einflussgrößen tabelliert. Die Verteilung beschreibt den Rohrnetzbereich in der Verteilebene (horizontale Lage), von der Strangleitungen (vertikale Lage) und Anbindeleitungen abzweigen. Wenn im unbeheizten Raum (z. B. Keller) keine horizontalen Verteilleitungen existieren (direkte vertikale Einspeisung in das Heizungsverteilnetz mit einer Vor- und Rücklaufleitungslänge von max. 10 m) ist die Lage als im beheizten Bereich anzunehmen.

Wohnungszentrale Heizleitungssysteme sind generell im beheizten Bereich verlegt. Der entsprechende Kennwert ist somit nach Tabelle C.3-2b zu bestimmen.

Tabelle C.3-2a: Flächenbezogener Wärmeverlust der Wärmeverteilung q_d in Abhängigkeit von A_N für Systemtemperaturen 90/70 °C, 70/55 °C, 55/45 °C, 35/28 °C. Verteilebene außerhalb der thermischen Hülle

Nutz-Fläche A_N	flächenbezogener Wärmeverlust der Verteilung q_d [kWh/m^2 a]							
	horizontale Verteilung außerhalb der thermischen Hülle							
	Verteilungsstränge außen liegend				Verteilungsstränge innen liegend			
	90/70 °C	70/55 °C	55/45 °C	35/28 °C	90/70 °C	70/55 °C	55/45 °C	35/28 °C
100	15,2	11,4	8,6	4,4	13,8	10,3	7,8	4,0
150	11,5	8,6	6,5	3,2	10,3	7,7	5,8	2,9
200	9,7	7,2	5,4	2,7	8,5	6,3	4,8	2,3
300	7,9	5,8	4,4	2,1	6,8	5,0	3,7	1,8
500	6,4	4,7	3,5	1,7	5,4	3,9	2,9	1,3
750	5,7	4,2	3,1	1,4	4,6	3,4	2,5	1,1
1000	5,3	3,9	2,9	1,3	4,3	3,1	2,3	1,0
1500	4,9	3,6	2,7	1,2	3,9	2,9	2,1	0,9
2500	4,6	3,4	2,5	1,1	3,7	2,7	1,9	0,8
5000	4,4	3,2	2,4	1,1	3,4	2,5	1,8	0,8
10 000	4,3	3,1	2,3	1,0	3,3	2,4	1,8	0,7

Tabelle C.3-2b: Flächenbezogener Wärmeverlust der Wärmeverteilung q_d in Abhängigkeit von A_N für Systemtemperaturen 90/70 °C, 70/55 °C, 55/45 °C, 35/28 °C. Verteilebene innerhalb der thermischen Hülle

Nutz-Fläche A_N	flächenbezogener Wärmeverlust der Verteilung q_d [kWh/m² a]							
	horizontale Verteilung innerhalb der thermischen Hülle							
	Verteilungsstränge außen liegend				Verteilungsstränge innen liegend			
	90/70 °C	70/55 °C	55/45 °C	35/28 °C	90/70 °C	70/55 °C	55/45 °C	35/28 °C
100	4,3	3,1	2,2	0,8	4,1	2,9	2,1	0,7
150	3,8	2,7	1,9	0,7	3,6	2,5	1,8	0,6
200	3,5	2,5	1,7	0,6	3,3	2,3	1,6	0,6
300	3,2	2,2	1,6	0,6	3,0	2,1	1,5	0,5
500	2,9	2,1	1,5	0,5	2,8	2,0	1,4	0,5
750	2,8	2,0	1,4	0,5	2,7	1,9	1,3	0,5
1000	2,8	2,0	1,4	0,5	2,6	1,8	1,3	0,5
1500	2,7	1,9	1,3	0,5	2,5	1,8	1,3	0,4
2500	2,7	1,9	1,3	0,5	2,5	1,8	1,2	0,4
5000	2,6	1,9	1,3	0,5	2,5	1,7	1,2	0,4
10 000	2,6	1,8	1,3	0,5	2,4	1,7	1,2	0,4

Hilfsenergie

Der Hilfsenergiebedarf der Verteilung lässt sich als flächenbezogene Größe $q_{d,HE}$ direkt aus der Tabelle C.3-2c in kWh/m²a ablesen.

Der Hilfsenergiebedarf $q_{d,HE}$ ist für verschiedene Auslegungsspreizungen in Abhängigkeit von der Nutzfläche und weiteren Einflussgrößen tabelliert. Die Verteilung beschreibt den Rohrnetzbereich in der Verteilebene (horizontale Lage), von der Strangleitungen (vertikale Lage) und Anbindeleitungen abzweigen.

E

Tabelle C.3-2c: Flächenbezogener Hilfsenergiebedarf $q_{d,HE}$ für 20, 15, 10 und 7 K Temperaturspreizung

A_N [m²]	Geregelte Pumpen				Ungeregelte Pumpen			
	freie Heizflächen			integrierte Heizflächen	freie Heizflächen			integrierte Heizflächen
	20 K 90/70 °C	15 K 70/55 °C	10 K 55/45 °C	7 K 35/28 °C	20 K 90/70 °C	15 K 70/55 °C	10 K 55/45 °C	7 K 35/28 °C
100	1,69	1,85	1,98	3,52	2,02	2,22	2,38	4,22
150	1,12	1,24	1,35	2,40	1,42	1,56	1,71	3,03
200	0,86	0,95	1,06	1,88	1,11	1,24	1,38	2,44
300	0,61	0,68	0,78	1,39	0,81	0,91	1,04	1,85
500	0,42	0,48	0,57	1,01	0,57	0,65	0,78	1,38
750	0,33	0,38	0,47	0,83	0,45	0,52	0,64	1,14
1000	0,28	0,33	0,42	0,74	0,39	0,46	0,58	1,02
1500	0,23	0,28	0,37	0,65	0,33	0,39	0,51	0,90
2500	0,20	0,24	0,33	0,58	0,28	0,34	0,46	0,81
5000	0,17	0,22	0,30	0,53	0,24	0,30	0,42	0,74
10 000	0,16	0,20	0,28	0,50	0,22	0,28	0,40	0,70

Bei abweichenden Auslegungsspreizungen (z. B. in Fernwärmeanlagen) ist die nächstkleinere Spreizung zu verwenden. Heizungsanlagen mit integrierten Heizflächen sind unabhängig von der Temperaturauslegung generell wie ein 35/28 °C-Heizkreis mit einer Spreizung von 7 K zu rechnen.

C.3.2.2 Dezentrale Systeme

Die Wärmeverteilverluste dezentral aufgestellter Heizsysteme (z.B: Elektro-Speicherheizung) sind in dieser Norm zu null gesetzt.

Tabelle C.3-2d: Flächenbezogener Wärmeverlust q_d und Hilfsenergiebedarf $q_{d,HE}$ für die Wärmeverteilung dezentraler Systeme

System	Flächenbezogener Wärmeverlust und Hilfsenergiebedarf in [kWh/m²a]	
	q_d	$q_{d,HE}$
Alle dezentralen Systeme	0,0	0,0

C.3.3 Speicherung der Wärme: q_s

Der Aufwand für die Speicherung (z. B. Pufferspeicher bei Wärmepumpenanlagen) q_s wird in Tabelle C.3-3 als flächenbezogene Größe für verschiedene Aufstellungsorte und Systemtemperaturen in Abhängigkeit der Gebäudenutzfläche A_N dargestellt. Die benötigte Hilfsenergie $q_{s,HE}$ in kWh/m²a ist als letzte Spalte in Tabelle C.3-3 ebenfalls dargestellt. Bei Reihenschaltung des Pufferspeichers im Verteilnetz fällt keine zusätzliche Hilfsenergie an ($q_{s,HE}$ = 0, da bereits in Verteilung $q_{d,HE}$ berücksichtigt).

Tabelle C.3-3: Flächenbezogener Wärmeverlust q_s und Hilfsenergiebedarf $q_{s,HE}$ der Wärmespeicherung

Nutzfläche A_N [m²]	Wärmeverlust $q_{H,s}$ [kWh/(m²a)]				Hilfsenergie $q_{H,s,HE}$ [kWh/(m²a)]
	Aufstellung innerhalb der thermischen Hülle		Aufstellung außerhalb der thermischen Hülle		
	55/45 °C	35/28 °C	55/45 °C	35/28 °C	
100	0,3	0,1	2,6	1,4	0,63
150	0,2	0,1	1,9	1,0	0,43
200	0,2	0,1	1,5	0,8	0,34
300	0,1	0,0	1,1	0,6	0,24
500	0,1	0,0	0,7	0,4	0,16
750	0,1	0,0	0,5	0,3	0,12
1000	0,0	0,0	0,4	0,2	0,10
1500	0,0	0,0	0,3	0,2	0,08
2500	0,0	0,0	0,2	0,1	0,07
5000	0,0	0,0	0,2	0,1	0,06
10 000	0,0	0,0	0,2	0,1	0,05

Für Pufferspeicher, die in Kombination mit Biomasse-Wärmeerzeugern betrieben werden, sind die Werte für den Wärmeverlust in Tabelle C.3-3 mit dem Faktor 2,6 zu multiplizieren, die Werte für die Hilfsenergie können übernommen werden.

C.3.4 Erzeugung der Wärme

C.3.4.1 Deckungsanteil der Wärmeerzeugung: $\alpha_{g,i}$

Mehrere Wärmeerzeuger können zur Deckung des Jahres-Heizenergiebedarfs eines Bereichs eingesetzt werden (z. B. Kessel mit Wärmepumpe, elektrische Zusatzheizung, Solaranlagen). Hierzu muss bestimmt werden, welcher Anteil jeder Wärmeerzeuger zur Deckung des Jahres-Heizwärmebedarfs beiträgt. Die Deckungsanteile von gebräuchlichen Wärmeerzeugerkombinationen können anhand Tabelle C.3-4a ermittelt werden. Die Deckungsanteile $\alpha_{g,i}$ sind dann mit den jeweiligen Aufwandszahlen der Erzeuger (Tabelle C.3-4b bis e) zu multiplizieren. Die Deckungsanteile können auch mit anderen anerkannten – dem Stand der Technik entsprechenden – Methoden berechnet werden.

E

Tabelle C.3-4a: Wärmeerzeuger-Deckungsanteile α_g [–] bei kombinierten Heizsystemen

Wärmeerzeuger-Kombination[1)]		α_g bei Heizungsanlagen *ohne* solare Heizungsunterstützung		α_g bei Heizungsanlagen *mit* solarer Heizungsunterstützung		
Erzeuger 1 (Grundlast-WE)	Erzeuger 2 (Spitzenlast-WE)	Erzeuger 1	Erzeuger 2	Erzeuger 1	Erzeuger 2	Erzeuger 3 (Solar)
Kessel Wärmepumpe Elektroheizung Fernwärme usw.	nicht vorhanden	1,00	–	0,90	–	0,10
Wärmepumpe	Kessel	0,83	0,17	0,75	0,15	0,10
Wärmepumpe	elektr. Heizer	0,95	0,05	0,85	0,05	0,10
BHKW	Kessel	0,70	0,30	–	–	–

[1)] Gilt nicht für Abluftwärmepumpen; diese sind nach Abschnitt 5.3.4.1.2 zu berechnen.

C.3.4.2 Aufwandszahlen der Wärmeerzeugung: e_g

Der Aufwand der Wärmeerzeugung e_g wird in den Tabellen C3-4b bis C3-4e als Wärmeaufwandszahl für unterschiedliche Systeme dargestellt. Der Aufwand für Hilfsenergie $q_{g,HE}$ dieser Systeme ist ebenfalls in den Tabellen dargestellt. Als maßgebliche Nutzfläche ist die Fläche, die von einem Wärmeerzeuger versorgt wird, einzusetzen. Dies ist insbesondere bei der wohnungsweisen Beheizung in Mehrfamilienhäuser zu beachten.

Die Werte wurden für einen Deckungsanteil des Wärmeerzeugers von $e_{H,g} = 1$ ermittelt. Vereinfachend dürfen sie auch im Rahmen des Tabellen- und Diagrammverfahrens für bivalenten Anlagen mit solarer Heizungsunterstützung verwendet werden.

Tabelle C3-4b: Aufwandszahlen $e_{g,W}$ und Hilfsenergie $q_{g,HE}$ der Erzeugung für Heizkessel

Beheizte Nutzfläche	Aufwandszahl e_g [–]										Hilfsenergie
	Konstanttemperaturkessel	Niedertemperaturkessel			Brennwertkessel[1)]			Brennwertkessel verbessert[1)]			$q_{g,HE}$
		Aufstellung außerhalb der thermischen Hülle									[kWh/m²a]
	alle	70/55	55/45	35/28	70/55	55/45	35/28	70/55	55/45	35/28	
A_N [m²]	e_g [–]										
100	1,38	1,15	1,14	1,12	1,08	1,05	1,00	1,03	1,00	0,95	0,79
150	1,33	1,14	1,13	1,11	1,07	1,05	1,00	1,02	0,99	0,95	0,66
200	1,30	1,13	1,12	1,11	1,07	1,04	0,99	1,01	0,99	0,95	0,58
300	1,27	1,12	1,12	1,10	1,06	1,04	0,99	1,01	0,98	0,95	0,48
500	1,23	1,11	1,11	1,10	1,05	1,03	0,99	1,00	0,98	0,94	0,38
750	1,21	1,11	1,10	1,10	1,05	1,03	0,99	1,00	0,98	0,94	0,31
1000	1,20	1,10	1,10	1,09	1,05	1,02	0,99	0,99	0,97	0,94	0,27
1500	1,18	1,10	1,09	1,09	1,04	1,02	0,98	0,99	0,97	0,94	0,23
2500	1,16	1,09	1,09	1,09	1,04	1,02	0,98	0,99	0,97	0,94	0,18
5000	1,14	1,09	1,08	1,08	1,03	1,01	0,98	0,98	0,97	0,93	0,13
10 000	1,13	1,08	1,08	1,08	1,03	1,01	0,98	0,98	0,96	0,93	0,09

1) siehe auch Fußnote 7 in Kapitel 5.3.4.2.1

Wenn zur Berechnung des Primärenergiebedarfs im Rahmen des Nachweises der EnEV die Aufwandszahlen für „Brennwertkessel verbessert" angewandt werden, muss der tatsächlich eingebaute Kessel mindestens den in Gl. 5.3.4.2-12a und -13a angegebenen Wirkungsgrad aufweisen.

Aufwandszahl Einzelfeuerstätte: $e_g = 1{,}5$. Zusätzlich ist die Wärmeübergabe nach Kapitel 5.3.1 zu berücksichtigen.

Bis zu einem Bereich von A_N bis 500 m² können Wärmeerzeuger, die ausschließlich raumluftunabhängig zu betreiben sind, auch innerhalb der wärmgedämmten Hülle installiert werden. Dabei wird ein Anteil der Stillstandsverluste dem Wärmebedarf zugerechnet:

Beheizte Nutzfläche	Konstanttemperaturkessel	Aufwandszahl e_g [–]									Hilfsenergie $q_{g,HE}$ [kWh/m²a]
		Niedertemperaturkessel			Brennwertkessel[1]			Brennwertkessel verbessert[1]			
		ausschließlich raumluftunabhängige Betriebsweise Aufstellung innerhalb der thermischen Hülle									
	alle	70/55	55/45	35/28	70/55	55/45	35/28	70/55	55/45	35/28	
A_N [m²]	e_g [–]										
100	1,30	1,08	1,09	1,10	1,03	1,01	0,99	0,98	0,97	0,94	0,79
150	1,24	1,08	1,09	1,10	1,03	1,01	0,99	0,98	0,96	0,94	0,66
200	1,21	1,08	1,08	1,09	1,03	1,01	0,99	0,98	0,96	0,94	0,58
300	1,18	1,08	1,08	1,09	1,03	1,01	0,99	0,98	0,96	0,94	0,48
500	1,15	1,08	1,08	1,09	1,03	1,01	0,98	0,98	0,96	0,94	0,38

1) siehe auch Fußnote 7 in Kapitel 5.3.4.2.1

Wenn zur Berechnung des Primärenergiebedarfs im Rahmen des Nachweises der EnEV die Aufwandszahlen für „Brennwertkessel verbessert" angewandt werden, muss der tatsächlich eingebaute Kessel mindestens den in Gl. 5.3.4.2-12a und -13a angegebenen Wirkungsgrad aufweisen.

Tabelle C3-4c: Aufwandszahlen e_g und Hilfsenergie $q_{g,HE}$ der Erzeugung für Elektro-Wärmepumpen

Elektrowärmepumpen	Heizkreistemperaturen [°C]	Aufwandszahl e_g [–]	Hilfsenergie $q_{g,HE}$ [kWh/m²a]
Wasser/Wasser	55/45	0,23	$3{,}2 \cdot A_N^{-0,1}$
	35/28	0,19	
Erdreich/Wasser	55/45	0,27	$1{,}9 \cdot A_N^{-0,1}$
	35/28	0,23	
Luft/Wasser	55/45	0,37	0
	35/28	0,30	
Abluft/Wasser (ohne WRG)	55/45	0,30	0[1]
	35/28	0,24	

1) sofern erhöhte Ventilatorleistung bei der Lüftungsanlage bereits berücksichtigt wurde, ansonsten > 0

Tabelle C3-4d: Aufwandszahlen $e_{g,WE}$ und Hilfsenergie $q_{g,HE}$ der Erzeugung für Elektroheizung

Elektroheizung	Aufwandszahl e_g [–]	Hilfsenergie $q_{g,HE}$ [kWh/m²a]
Direktheizung	1,0	0,0
Speicherheizung	1,0	0,0

Tabelle C2-4e: Aufwandszahlen $e_{g,w}$ und Hilfsenergie $q_{g,HE}$ der Erzeugung für sonstige Systeme

System	Heizkreistemperaturen	Aufwandszahl e_g [–]	Hilfsenergie $q_{g,HE}$ [kWh/m²a]
Fern- und Nahwärme	alle	1,01	0,0

Tabelle C3-4f: Erzeuger-Aufwandszahlen für Biomasse-Wärmeerzeuger[1)]

Nutzfläche [m²]	Erzeuger-Aufwandszahl $e_{H,g,Bio}$ und $e_{TW,g,HP,Bio}$ in [–]		
	Stückholz-Feuerung	Pellet-Feuerung	
	Direkte und indirekte Wärmeabgabe	Direkte und indirekte Wärmeabgabe	Nur indirekte Wärmeabgabe an den Heizkreis
100	1,75	1,48	1,37
150	1,76	1,49	1,37
200	1,75	1,49	1,38
300	1,74	1,47	1,37
500	1,71	1,45	1,36

Tabelle C3-4g: Flächenbezogener Hilfsenergiebedarf für Biomasse-Wärmeerzeuger[1)]

Nutzfläche [m²]	Hilfsenergie $q_{H,g,HE,Bio}$ in [kWh/m²a]		
	Stückholz-Feuerung (nur mit Regelung)	Pellet-Feuerung (mit Ventilator/elektrische Zündung)	
	Direkte und indirekte Wärmeabgabe	Direkte und indirekte Wärmeabgabe	Nur indirekte Wärmeabgabe an den Heizkreis
100	0,19	1,96	2,05
150	0,13	1,84	1,92
200	0,10	1,78	1,86
300	0,07	1,71	1,79
500	0,04	1,65	1,73

1) Die Zahlen wurden unter den Randbedingungen:
1. gemeinsame Nutzung für Heizung *und* Trinkwassererwärmung,
2. Hilfsenergie ohne Pumpenstrom (muss separat berücksichtigt werden) und ohne separate Fördereinrichtung,
3. gebäudezentrale Leitungen, Steigleitungen innenliegend, 70/55 °C-Heizkreis, Radiatoren 2K, Trinkwasser mit Zirkulation und q_h = 60 kWh/m²a gerechnet, gelten aber im Rahmen des Anhangs C, soweit nicht anders bekannt, auch für andere Randbedingungen.

E

C.4 Primärenergiefaktoren: f_P

Tabelle C.4-1: Primärenergiefaktoren

Energieträger		Primärenergie-Faktoren
Brennstoffe[1]	Heizöl EL	1,1
	Erdgas H	1,1
	Flüssiggas	1,1
	Steinkohle	1,1
	Braunkohle	1,2
	Holz	0,2[2]
Nah-/Fernwärme aus KWK[3]	fossiler Brennstoff	0,7
	erneuerbarer Brennstoff	0,0
Nah-/Fernwärme aus Heizwerken	fossiler Brennstoff	1,3
	erneuerbarer Brennstoff	0,1
Strom	Strom-Mix	2,6

[1] Bezugsgröße: unterer Heizwert H_u.
[2] Dieser Wert berücksichtigt ausschließlich den nicht-regenerativen Anteil.
[3] Angaben sind typisch für durchschnittliche Nah-/Fernwärme.

Bei Nah-/Fernwärme können von den Vorgaben abweichende Werte durch Rechnung nach Abschnitt 5 von unabhängigen Sachverständigen ermittelt werden. Bei Nah-/Fernwärme ist zu berücksichtigen, dass bereits Endenergie am Gebäude zur Verfügung gestellt wird und damit die Primärenergiefaktoren mit den Brennstoffen nicht direkt vergleichbar sind.

Wärme, die innerhalb des Gebäudes durch Kraft-Wärme-Kopplung (BHKW) erzeugt wird, darf so behandelt werden, wie Wärme aus einer außerhalb angeordneten Anlage zur Kraft-Wärme-Kopplung.

Kommen für einen Wärmeerzeuger technisch mehrere in der Tabelle genannte Brennstoffe in Frage, so ist für Zwecke des öffentlich-rechtlichen Nachweises stets der Brennstoff mit dem größeren Primärenergiefaktor zu verwenden, es sei denn der bestimmungsgemäße Gebrauch des Wärmeerzeugers ist auf einen Brennstoff mit günstigerem Primärenergiefaktor eingeschränkt.

Bauteile-Wärmedurchlasswiderstand und Wärmedurchgangskoeffizient

Berechnungsverfahren

Auszug aus **DIN EN ISO 6946** (04.2008)

Inhalt

E

3.2 Symbole und Einheiten

Symbol	Größe	Einheit
A	Fläche	m^2
d	Dicke	m
h	Wärmeübergangskoeffizient der Oberfläche	$W/(m^2 \cdot K)$
R	Bemessungswert des Wärmedurchlasswiderstandes (von einer Oberfläche zur anderen)	$m^2 \cdot K/W$
R_g	Wärmedurchlasswiderstand des Luftraumes	$m^2 \cdot K/W$
R_{se}	äußerer Wärmeübergangswiderstand	$m^2 \cdot K/W$
R_{si}	innerer Wärmeübergangswiderstand	$m^2 \cdot K/W$
R_T	Wärmedurchgangswiderstand (von einer Umgebung zur anderen)	$m^2 \cdot K/W$
R'_T	oberer Grenzwert des Wärmedurchgangswiderstandes	$m^2 \cdot K/W$
R''_T	unterer Grenzwert des Wärmedurchgangswiderstandes	$m^2 \cdot K/W$
R_u	Wärmedurchlasswiderstand des unbeheizten Raumes	$m^2 \cdot K/W$
U	Wärmedurchgangskoeffizient	$W/(m^2 \cdot K)$
λ	Bemessungswert der Wärmeleitfähigkeit	$W/(m \cdot K)$

5 Wärmedurchlasswiderstände

5.1 Wärmedurchlasswiderstand homogener Schichten

Wärmetechnische Bemessungswerte können entweder als Bemessungswerte der Wärmeleitfähigkeit oder des Wärmedurchlasswiderstandes angegeben werden. Ist die Wärmeleitfähigkeit gegeben, wird der Wärmedurchlasswiderstand der Schicht bestimmt nach:

$$R = \frac{d}{\lambda} \quad (1)$$

Dabei ist

d die Dicke einer Schicht im Bauteil;

λ der Bemessungswert der Wärmeleitfähigkeit des Stoffes, entweder nach ISO/DIS 10456 berechnet oder als Tabellenwert entnommen.

ANMERKUNG Die Dicke d kann sich von der Nenndicke unterscheiden (z. B. ist d, wenn ein zusammendrückbares Produkt im komprimierten Zustand eingebaut ist, geringer als die Nenndicke). Sofern zutreffend, sollte d auch Dickentoleranzen entsprechend berücksichtigen (z. B. wenn diese negativ sind).

Werte von Wärmedurchlasswiderständen müssen in Zwischenrechnungen auf mindestens drei Dezimalstellen berechnet werden.

E

5.2 Wärmeübergangswiderstände

Für ebene Oberflächen gelten die in Tabelle 1 angegebenen Werte, wenn keine besonderen Angaben über Randbedingungen vorliegen. Die Werte unter „horizontal" gelten für Richtungen des Wärmestromes von ± 30° zur horizontalen Ebene. Für nichtebene Oberflächen oder für spezielle Randbedingungen sind die Verfahren nach Anhang A zu verwenden.

Tabelle 1: Wärmeübergangswiderstände, in $m^2 \cdot K/W$

	Richtung des Wärmestromes		
	Aufwärts	Horizontal	Abwärts
R_{si}	0,10	0,13	0,17
R_{se}	0,04	0,04	0,04

ANMERKUNG 1 Tabelle 1 enthält Bemessungswerte. Für die Angabe des Wärmedurchgangskoeffizienten von Bauteilen und anderen Fällen, in denen von der Richtung des Wärmestromes unabhängige Werte gefordert werden, wird empfohlen, die Werte für horizontalen Wärmestrom zu verwenden.

ANMERKUNG 2 Die Wärmeübergangswiderstände beziehen sich auf Oberflächen, die mit der Luft in Berührung sind. Der Wärmeübergangswiderstand ist nicht anwendbar, wenn die Oberfläche ein anderes Material berührt.

5.3 Wärmedurchlasswiderstand von Luftschichten

5.3.1 Anwendbarkeit

Die in 5.3.1 bis 5.3.3 angegebenen Bemessungswerte sind auf Luftschichten anzuwenden, die:

- von zwei Flächen begrenzt sind, die als parallel zueinander anzusehen sind, senkrecht zur Richtung des Wärmestromes verlaufen und einen Emissionsgrad von mindestens 0,8 besitzen;
- eine Dicke (in Wärmestromrichtung) von weniger als dem 0,1fachen eines der anderen beiden Maße und höchstens 0,3 m besitzen;
- keinen Luftaustausch mit dem Innenraum aufweisen.

Gelten obige Bedingungen nicht, sind die Verfahren nach Anhang B zu verwenden.

ANMERKUNG Der Emissionsgrad der meisten Baustoffe ist größer als 0,8.

Für Bauteilkomponenten mit einer Luftschicht, die dicker als 0,3 m ist, sollte kein einzelner Wärmedurchgangskoeffizient berechnet werden. Vielmehr sollten Wärmeströme mittels einer Wärmebilanz berechnet werden (siehe ISO 13789).

5.3.2 Ruhende Luftschicht

Eine Luftschicht gilt als ruhend, wenn der Luftraum von der Umgebung abgeschlossen ist. In Tabelle 2 sind Bemessungswerte des Wärmedurchlasswiderstandes angegeben. Die Werte unter „horizontal" gelten für Richtungen des Wärmestromes von ± 30° zur horizontalen Ebene.

Tabelle 2: Wärmedurchlasswiderstand von ruhenden Luftschichten mit Oberflächen mit hohem Emissionsgrad

Dicke der Luftschicht mm	**Wärmedurchlasswiderstand** $m^2 \cdot K/W$ **Richtung des Wärmestromes**		
	Aufwärts	**Horizontal**	**Abwärts**
0	0,00	0,00	0,00
5	0,11	0,11	0,11
7	0,13	0,13	0,13
10	0,15	0,15	0,15
15	0,16	0,17	0,17
25	0,16	0,18	0,19
50	0,16	0,18	0,21
100	0,16	0,18	0,22
300	0,16	0,18	0,23
ANMERKUNG Zwischenwerte können mittels linearer Interpolation ermittelt werden.			

Eine Luftschicht mit kleinen Öffnungen zur Außenumgebung, die keine Dämmschicht zwischen sich und der Außenumgebung besitzt, ist auch als ruhende Luftschicht zu betrachten, wenn diese Öffnungen so angeordnet sind, dass ein Luftstrom durch die Schicht nicht möglich ist und die Öffnungen

- 500 mm^2 je m Länge (in horizontaler Richtung) für vertikale Luftschichten,
- 500 mm^2 je m^2 Oberfläche für horizontale Luftschichten

nicht überschreiten.

ANMERKUNG Entwässerungsöffnungen (Dränageöffnungen) in Form von offenen vertikalen Fugen in der Außenschale von zweischaligem Mauerwerk erfüllen in der Regel die oben genannten Kriterien und werden daher nicht als Lüftungsöffnungen angesehen.

5.3.3 Schwach belüftete Luftschicht

Schwach belüftet ist eine Luftschicht, wenn der Luftaustausch mit der Außenumgebung durch Öffnungen der Fläche A_v folgender Maße begrenzt wird:

- über 500 mm^2 bis < 1 500 mm^2 je m Länge (in horizontaler Richtung) für vertikale Luftschichten;
- über 500 mm^2 bis < 1 500 mm^2 je m^2 Oberfläche für horizontale Luftschichten.

Die Belüftung hängt von der Größe und Verteilung der Lüftungsöffnungen ab. Als Näherungswert kann der Wärmedurchlasswiderstand einer Bauteilkomponente mit schwach belüfteter Luftschicht wie folgt berechnet werden:

E

$$R_T = \frac{1500 - A_v}{1000} R_{T,u} + \frac{A_v - 500}{1000} R_{T,v} \qquad (2)$$

Dabei ist

$R_{T,u}$ der Wärmedurchlasswiderstand mit einer ruhenden Luftschicht nach 5.3.2;

$R_{T,v}$ der Wärmedurchlasswiderstand mit einer stark belüfteten Luftschicht nach 5.3.4.

5.3.4 Stark belüftete Luftschicht

Eine Luftschicht gilt als stark belüftet, wenn die Öffnungen zwischen Luftschicht und Außenumgebung

- 1 500 mm² je m Länge (in horizontaler Richtung) für vertikale Luftschichten,
- 1 500 mm² je m² Oberfläche für horizontale Luftschichten

entsprechen oder überschreiten.

Der Wärmedurchgangswiderstand einer Bauteilkomponente mit einer stark belüfteten Luftschicht ist zu bestimmen, indem der Wärmedurchlasswiderstand der Luftschicht und aller anderen Schichten zwischen Luftschicht und Außenumgebung vernachlässigt wird und ein äußerer Wärmeübergangswiderstand verwendet wird, der dem bei ruhender Luft entspricht (siehe Anhang A). Alternativ darf der entsprechende Wert für R_{si} aus Tabelle 1 verwendet werden.

5.4 Wärmedurchlasswiderstand unbeheizter Räume

5.4.1 Allgemeines

Wenn die äußere Umfassungsfläche eines unbeheizten Raumes nicht gedämmt ist, können folgende vereinfachte Verfahren nach 5.4.2 und 5.4.3, die den unbeheizten Raum wie einen Wärmedurchlasswiderstand behandeln, angewendet werden.

ANMERKUNG 1 ISO 13789 legt allgemeine und genauere Verfahren zur Berechnung der Wärmeübertragung von einem Gebäude über unbeheizte Räume an die Außenluft fest und sollte angewendet werden, wenn genauere Ergebnisse erforderlich sind. Für Lufträume unter aufgeständerten Fußböden siehe ISO 13370.

ANMERKUNG 2 Die in 5.4.2 und 5.4.3 angegebenen Wärmedurchlasswiderstände eignen sich für die Berechnung des Wärmestromes, jedoch nicht für Berechnungen, die die hygrothermischen Bedingungen im unbeheizten Raum betreffen.

5.4.2 Dachräume

Für eine Dachkonstruktion mit ebener gedämmter Decke und einem Schrägdach kann der Dachraum so betrachtet werden, als wäre er eine wärmetechnisch homogene Schicht mit einem Wärmedurchlasswiderstand nach Tabelle 3.

Tabelle 3: Wärmedurchlasswiderstand von Dachräumen

	Beschreibung des Daches	R_u $m^2 \cdot K/W$
1	Ziegeldach ohne Pappe, Schalung oder Ähnliches	0,06
2	Plattendach oder Ziegeldach mit Pappe oder Schalung oder Ähnlichem unter den Ziegeln	0,2
3	Wie 2, jedoch mit Aluminiumverkleidung oder einer anderen Oberfläche mit geringem Emissionsgrad an der Dachunterseite	0,3
4	Dach mit Schalung und Pappe	0,3
ANMERKUNG	Die Werte in dieser Tabelle enthalten den Wärmedurchlasswiderstand des belüfteten Raums und der (Schräg)-Dachkonstruktion. Sie enthalten nicht den äußeren Wärmeübergangswiderstand R_{se}.	

Die Werte der Tabelle 3 beziehen sich auf Dachräume mit natürlicher Belüftung über beheizten Gebäuden. Bei mechanischer Belüftung ist das detaillierte Verfahren nach ISO 13789, in dem der Dachraum wie ein unbeheizter Raum mit einer festgelegten Luftwechselrate behandelt wird, anzuwenden.

5.4.3 Andere Räume

Grenzt ein unbeheizter Raum an das Gebäude an, kann der Wärmedurchgangskoeffizient bestimmt werden, indem der unbeheizte Raum zusammen mit seinen Außenbauteilkomponenten so behandelt wird, als wäre er eine zusätzliche homogene Schicht mit einem Wärmedurchlasswiderstand R_u. Weisen alle Bauteile zwischen dem Innenraum und dem unbeheizten Raum den gleichen Wärmedurchgangskoeffizienten auf, dann ergibt sich R_u nach:

$$R_u = \frac{A_i}{\sum_k (A_{e,k}) + 0,33 \times nV} \tag{3}$$

Dabei ist

A_i die Gesamtfläche aller Bauteile zwischen Innenraum und unbeheiztem Raum, in m^2;

$A_{e,k}$ die Fläche des Bauteiles k zwischen unbeheiztem Raum und Außenumgebung, in m^2;

$U_{e,k}$ der Wärmedurchgangskoeffizient des Bauteiles k zwischen unbeheiztem Raum und Außenumgebung, in $W/(m^2 \cdot K)$;

n die Luftwechselrate im unbeheizten Raum, als Luftwechsel je Stunde angegeben;

V das Volumen des unbeheizten Raumes, in m^3.

Das Summieren erfolgt über alle Bauteile zwischen dem unbeheizten Raum und der Außenumgebung mit Ausnahme des Erdgeschosses.

Sofern die Einzelheiten der Bauweise der Außenbauteile des unbeheizten Raumes nicht bekannt sind, werden die Werte $U_{e,k} = 2$ $W/(m^2 \cdot K)$ und $n = 3$ Luftwechsel je Stunde empfohlen.

ANMERKUNG 1 Unbeheizte Räume sind z. B. Garagen, Lagerräume und Wintergärten.

ANMERKUNG 2 Befindet sich zwischen Innen- und unbeheiztem Raum mehr als eine Bauteilkomponente, wird R_u in die Berechnung des Wärmedurchgangskoeffizienten jeder derartigen Bauteilkomponente einbezogen.

ANMERKUNG 3 Gleichung (3) beruht auf dem in ISO 13789 angegebenen Verfahren für die Berechnung der Wärmeübertragung durch unbeheizte Räume.

6 Wärmedurchgangswiderstand

6.1 Wärmedurchgangswiderstand einer Bauteilkomponente aus homogenen Schichten

Der Wärmedurchgangswiderstand R_T einer ebenen Bauteilkomponente aus thermisch homogenen Schichten senkrecht zum Wärmestrom ist nach folgender Gleichung zu berechnen:

$$R_T = R_{si} + R_1 + R_2 + \ldots R_n + R_{se} \quad (4)$$

Dabei ist

R_{si} der innere Wärmeübergangswiderstand;

$R_1, R_2 \ldots R_n$ sind die Bemessungswerte des Wärmedurchlasswiderstandes jeder Schicht;

R_{se} der äußere Wärmeübergangswiderstand.

Bei der Berechnung des Wärmedurchgangswiderstandes der Innenbauteilkomponenten (Trennwände usw.)

oder eines Bauteiles zwischen dem Innenraum und einem unbeheizten Raum gilt R_{si} auf beiden Seiten.

Wird der Wärmedurchgangswiderstand als Endergebnis angegeben, ist er auf zwei Dezimalstellen zu runden.

ANMERKUNG Die Wärmedurchlasswiderstände in Gleichung (4) entfallen, wenn der Widerstand einer Bauteilkomponente von Oberfläche zu Oberfläche bestimmt wird.

6.2 Wärmedurchgangswiderstand einer Bauteilkomponente aus homogenen und inhomogenen Schichten

6.2.1 Anwendbarkeit

6.2.2 bis 6.2.5 legen ein vereinfachtes Verfahren zur Berechnung des Wärmedurchgangswiderstandes von Bauteilkomponenten aus thermisch homogenen und inhomogenen Schichten fest. Das Verfahren gilt nicht für Fälle, bei denen das Verhältnis des oberen Grenzwertes des Wärmedurchgangwiderstandes zum unteren Grenzwert des Wärmedurchgangwiderstandes mehr als 1,5 beträgt. Das Verfahren gilt nicht für

Dämmschichten, die eine Wärmebrücke aus Metall enthalten. Bei Verbindungsmitteln aus Metall sollte die Anwendung des Verfahrens so erfolgen, als wären keine solchen Verbindungen vorhanden, und eine nachträgliche Korrektur nach D.3 enthalten.

ANMERKUNG 1 Ein genaueres Ergebnis wird erzielt, wenn ein numerisches Verfahren nach ISO 10211 benutzt wird. Dies ist insbesondere von Bedeutung, wenn ein wesentlicher Unterschied zwischen der Wärmeleitfähigkeit der Materialien in der Schicht besteht, die den vorherrschenden Wärmedurchlasswiderstand der Konstruktion bildet.

ANMERKUNG 2 Das in 6.2.2 bis 6.2.5 beschriebene Verfahren ist nicht für die Berechnung von Oberflächentemperaturen zur Bewertung des Tauwasser-Risikos geeignet.

Wird ein Teil eines Bauteiles unabhängig vom gesamten Bauwerk beurteilt, ist sein Wärmedurchlasswiderstand durch Anwendung des Verfahrens nach 6.2.2 bis 6.2.5 zu ermitteln. Dabei wird der Wärmeübergangswiderstand an beiden Seiten mit null angesetzt. Der Wärmedurchlasswiderstand kann dann in der darauf folgenden Berechnung zur Ermittlung des Wärmedurchgangswiderstandes des gesamten Bauteiles verwendet werden.

ANMERKUNG 3 Dies ist wichtig, wenn ein Teil eines Bauteiles als separates Element verkauft wird. Beispiele dafür sind tragende Platten und Mauersteine mit Hohlräumen.

6.2.2 Wärmedurchgangswiderstand einer Bauteilkomponente

Der Wärmedurchgangswiderstand R_T einer Bauteilkomponente aus thermisch homogenen und inhomogenen Schichten parallel zur Oberfläche wird als arithmetischer Mittelwert des oberen und unteren Grenzwertes des Wärmedurchgangswiderstandes berechnet:

$$R_T = \frac{R'_T + R''_T}{2} \tag{5}$$

Dabei ist

R'_T der obere Grenzwert des Wärmedurchgangswiderstandes, berechnet nach 6.2.3;

R''_T der untere Grenzwert des Wärmedurchgangswiderstandes, berechnet nach 6.2.4;

Wird der Wärmedurchgangswiderstand als Endergebnis angegeben, ist er auf zwei Dezimalstellen zu runden.

Die Berechnung des oberen und unteren Grenzwertes muss durch Aufteilung der Bauteilkomponente in Abschnitte und Schichten nach Bild 1 derart ausgeführt werden, dass die Bauteilkomponente in *mj* Teile zerlegt ist, die selbst thermisch homogen sind.

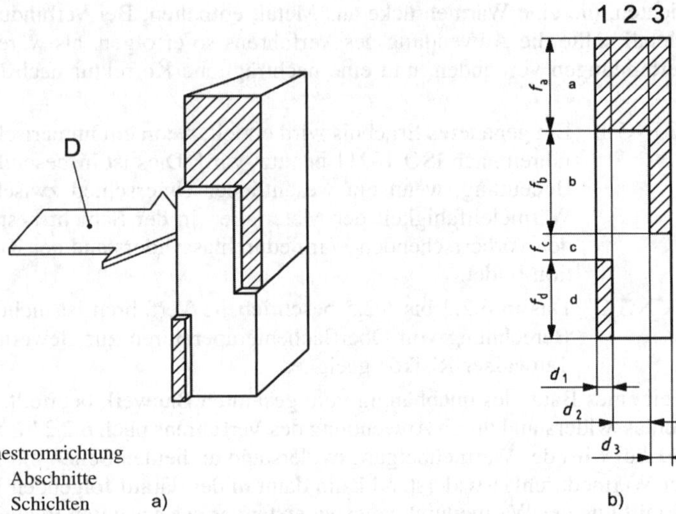

Legende

D Wärmestromrichtung

a, b, c, d Abschnitte

1, 2, 3 Schichten

Bild 1. Abschnitte und Schichten einer thermisch inhomogenen Bauteilkomponente

Das Bauteil [siehe Bild 1a)) wird in Abschnitte a, b, c und d und in Schichten 1, 2 und 3 geschnitten betrachtet (siehe Bild 1b)).

Der Abschnitt *m* (*m* = a, b, c, ..., q) senkrecht zu den Oberflächen der Bauteilkomponente hat die Teilfläche f_m.

Die Schicht *j* (*j* = 1, 2, ... *n*) parallel zu den Oberflächen hat die Dicke d_j.

Der Teil *mj* hat die Wärmeleitfähigkeit λ_mi, die Dicke d_j, die Teilfläche f_m und den Wärmedurchlasswiderstand R_mj.

Die Teilfläche eines Abschnittes ist sein Anteil an der Gesamtfläche.

Folglich ist $f_\mathrm{a} + f_\mathrm{b} + ... f_\mathrm{q} = 1$.

6.2.3 Oberer Grenzwert des Wärmedurchgangswiderstandes R''_T

Der obere Grenzwert des Wärmedurchgangswiderstandes, R''_T, wird unter der Annahme eines eindimensionalen Wärmestromes senkrecht zu den Oberflächen der Bauteilkomponente bestimmt. Er ergibt sich nach folgender Gleichung:

$$\frac{1}{R'_\mathrm{T}} = \frac{f_\mathrm{a}}{R_\mathrm{Ta}} + \frac{f_\mathrm{b}}{R_\mathrm{Tb}} + \ldots + \frac{f_\mathrm{q}}{R_\mathrm{tQ}} \tag{6}$$

Dabei ist

R_{Ta}, R_{Tb}, ..., R_{Tq} die Wärmedurchgangswiderstände von Bereich zu Bereich für jeden Abschnitt,
berechnet nach Gleichung (4);

f_a, f_b, ..., f_q die Teilflächen jedes Abschnittes.

6.2.4 Unterer Grenzwert des Wärmedurchgangswiderstandes R''_T

Der untere Grenzwert des Wärmedurchgangswiderstandes, R''_T, wird unter der Annahme bestimmt, dass alle Ebenen parallel zu den Oberflächen der Bauteilkomponente isotherm sind.[1)]

Es wird ein Wärmedurchlasswiderstand R_j für jede thermisch inhomogene Schicht nach Gleichung (7) berechnet:[2)]

$$\frac{1}{R_j} = \frac{f_a}{R_{aj}} + \frac{f_b}{R_{bj}} + \ldots + \frac{f_q}{R_{qj}} \tag{7}$$

Der untere Grenzwert wird dann nach Gleichung (4) bestimmt, d. h.:

$$R''_T = R_{si} + R_1 + R_2 + \ldots + R_n + R_{se} \tag{8}$$

6.2.5 Fehlerabschätzung

Dieses Verfahren zur Abschätzung des maximalen relativen Fehlers kann verwendet werden, wenn der berechnete Wärmedurchgangskoeffizient festgelegte Genauigkeitskriterien einzuhalten hat.

Bei Verwendung dieser Näherung beträgt der maximale relative Fehler $_e$ in Prozent:

$$e = \frac{R'_t - R''_t}{2\,R_t} \times 100 \tag{9}$$

BEISPIEL Beträgt das Verhältnis vom oberen zum unteren Grenzwert 1,5, ist der maximal mögliche Fehler 20 %.

Der tatsächliche Fehler ist gewöhnlich viel geringer als der maximale Fehler. Dieser Fehler kann zur Bewertung herangezogen werden, um zu entscheiden, ob die mit dem in 6.2 beschriebenen Verfahren erreichte Bemessungsgenauigkeit annehmbar ist hinsichtlich

---

1) Grenzt eine nicht ebene Fläche an eine Luftschicht, sollte die Berechnung so durchgeführt werden, als wäre sie eben, wobei die schmaleren Abschnitte als erweitert anzusehen sind (jedoch ohne Änderung des Wärmedurchlasswiderstandes):

oder die überstehenden Abschnitte entfernt sind (wodurch der Wärmedurchlasswiderstand vermindert wird)

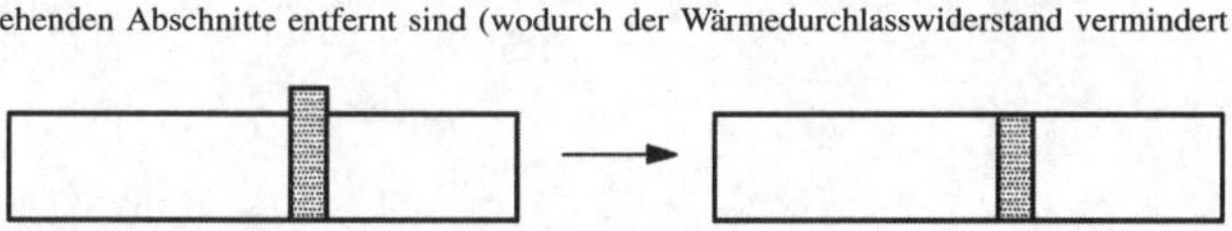

2) Ein alternatives Verfahren besteht in der Bestimmung der Wärmeleitfähigkeit der Schicht:
$R_j = d_j/\lambda_j''$
In diesem Fall beträgt die äquivalente Wärmeleitfähigkeit λ_j'' der Schicht j :
$\lambda_j'' = \lambda_{aj} f_a + \lambda_{bj} f_b + \ldots \lambda_{qj} f_q$.
Ist eine Luftschicht Teil einer inhomogenen Schicht, kann sie als Stoff mit einer äquivalenten Wärmeleitfähigkeit $\lambda_j'' = d_j/R_g$ behandelt werden, wobei R_g den Wärmedurchlasswiderstand der Luftschicht darstellt.

- des Zweckes der Berechnung,
- des Anteils des Gesamtwärmestromes durch die Gebäudehülle, d.h. übertragen durch die Bauteilkomponenten, deren Wärmedurchgangswiderstand nach dem in 6.2.2 beschriebenen Verfahren bewertet wird,
- der Genauigkeit der Eingangsdaten.

7 Wärmedurchgangskoeffizient

Der Wärmedurchgangskoeffizient ergibt sich nach:

$$U = \frac{1}{R_T} \tag{10}$$

Der Wärmedurchgangskoeffizient ist gegebenenfalls nach Anhang D zu korrigieren. Ist jedoch die Gesamtkorrektur geringer als 3 % von U, braucht keine Korrektur vorgenommen zu werden.

Wird der Wärmedurchgangskoeffizient als Endergebnis angegeben, ist er auf zwei Dezimalstellen zu runden, und es sind Angaben über die für die Berechnung verwendeten Eingangsdaten zu machen.

Wärmetechnisches Verhalten von Gebäuden – Spezifischer Transmissions- und Lüftungswärmedurchgangskoeffizient

Berechnungsverfahren

Auszug aus **DIN EN ISO 13 789** (04.2008)

Inhalt

E

3.2 Symbole und Einheiten

Symbol	Größe	Einheit
A	Fläche	m^2
b	Korrekturfaktor für den Wärmeübertragungskoeffizient	—
c_ρ	spezifische Luft- Wärmekapazität bei konstantem Druck	Wh/(kg · K)
H	Wärmeübertragungskoeffizient	W/K
U	Wärmedurchgangskoeffizient	$W/(m^2 \cdot K)$
$\dot{V}$	Luftvolumenstrom	m^3/h
l	Länge	m
n	Luftwechselrate	h^{-1}
ρ	Dichte	kg/m^3
ψ	längenbezogener Wärmedurchgang	W/(m · K)
χ	punktbezogener Wärmedurchgang	W/K

4 Spezifischer Transmissionswärmedurchgangskoeffizient

4.1 Grundgleichung

Der spezifische Transmissionswärmedurchgangskoeffizient H_T wird nach Gleichung (1) berechnet:

$$H_T = H_D + Hg + H_U + H_A \qquad (1)$$

Dabei ist

H_D der direkte Wärmedurchgangskoeffizient, in W/K, zwischen beheiztem oder gekühltem Raum und der Außenumgebung durch die Gebäudehülle, definiert nach Gleichung (2);

H_g der stationäre Wärmedurchgangskoeffizient, in W/K, über das Erdreich, bestimmt nach 4.4;

H_U der spezifische Transmissionswärmedurchgangskoeffizient, in W/K, durch unkonditionierte Räume nach Gleichung (5);

H_A der spezifische Transmissionswärmedurchgangskoeffizient, in W/K, an angrenzenden Gebäuden bestimmt nach Abschnitt 7.

ISO 10211 legt ein allgemeines Verfahren zur Berechnung des gesamten thermischen Leitwertes der vollständigen Gebäudehülle oder eines Teils davon fest, einschließlich Wärmeübertragung über das Erdreich. Sind keine unkonditionierten Räume beteiligt, ist der thermische Gesamtleitwert gleich dem spezifischen Transmissionswärmedurchgangskoeffizienten, bestimmt nach dieser Internationalen Norm.

ANMERKUNG In einigen Anwendungen wird die Wärmeübertragung über das Erdreich als ein konstanter Teil der jährlichen Mitteltemperatur und ein variabler Teil der monatlichen Abweichungen von Innen- und Außentemperaturunterschieden behandelt.

4.2 Grenzen des konditionierten Raumes

Vor der Berechnung ist der konditionierte Raum im betrachteten Gebäude eindeutig zu definieren. Die bei der Berechnung zu berücksichtigenden Bauteile stellen die Grenzen des (direkt oder indirekt) beheizten oder gekühlten Raumes dar.

Die Gebäudehülle oberhalb des Erdreichs wird mittels ebener balkenförmiger Bauteile modellhaft dargestellt, siehe Bild 2.

Die Grenzen zwischen den erdberührten Bauteilen des Gebäudes, die eine Wärmeübertragung über das Erdreich einschließen und den Gebäudeteilen über dem Erdboden, die einen direkten Wärmedurchgang durch Abgabe an die Umgebung oder unkonditionierte Räume aufweisen, sind nach ISO 13370 wie folgt festgelegt:

- für Gebäude mit Bodenplatten auf Erdreich, Kriechböden und unbeheizte Keller: Oberkante Rohdecke;
- für Gebäude mit beheizten Kellern: das äußere Erdbodenniveau.

Anhang B enthält Angaben zu den Folgen der Anwendung verschiedener Arten von Maßen, wenn die Gebäudehülle in Bauteile aufgeteilt wird.

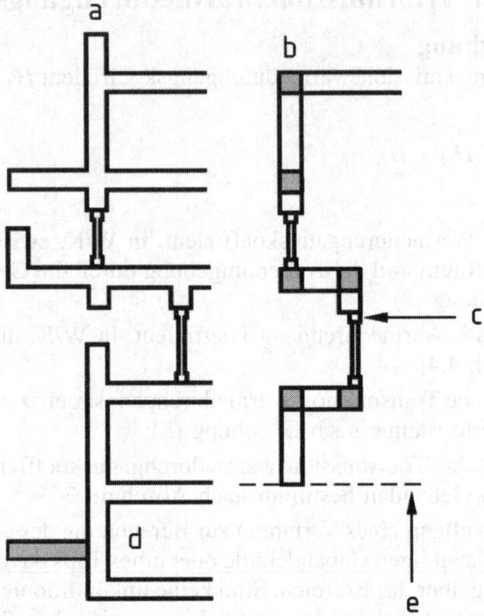

Legende

Flache Bauteile: ISO 6946 ist anwendbar

Fenster und Türen, einschließlich Rahmen: ISO 10077-1 und ISO 10077-2 sind anwendbar

Potentielle Wärmebrücken: ISO 14683 oder ISO 10211 sind anwendbar

a Wirklichkeit
b Modell
c Verbindungsstellen zwischen Fenstern und Wänden stellen ebenfalls potentielle Wärmebrücken dar
d unbeheizt
e Anwendungsgrenze von ISO 13370

Bild 2: Modellierung der Gebäudehülle mit ebenen balkenförmigen Bauteilen

Werden Berechnungen für Gebäudeteile durchgeführt, müssen die Grenzen dieser Teile genau definiert werden, so dass die Summe der spezifischen Transmissionswärmedurchgangskoeffizienten aller Einzelteile dem Wert des gesamten Gebäudes entspricht.

4.3 Direkte Transmission zwischen Innenraum und Außenumgebung

Der spezifische Transmissionswärmedurchgangskoeffizient durch die Bauteile, die den konditionierten Raum und die Außenluft voneinander trennen, wird entweder direkt mit Hilfe von numerischen Verfahren nach ISO 10211 oder nach Gleichung (2) berechnet:

$$H_D = \sum_i A_i U_i + \sum_k l_k \Psi_k + \sum_j \chi_j \tag{2}$$

Dabei ist

A_i die Fläche des Bauteils *i* der Gebäudehülle, in m^2 (als Maße von Fenstern und Türen werden die lichten Rohbauöffnungen angesetzt[6]);

U_i der Wärmedurchgangskoeffizient des Bauteils *i* der Gebäudehülle, in $W/(m^2 \cdot K)$;

l_k die Länge der linienförmigen Wärmebrücke *k*, in m;

ψ_k der längenbezogene Wärmedurchgangskoeffizient, in $W/(m \cdot K)$, der Wärmebrücke *k* nach Tabellen oder Katalogen erstellt nach ISO 14683 oder berechnet nach ISO 10211;

χ_j der punktbezogene Wärmedurchgangskoeffizient, in W/K, der punktförmigen Wärmebrücke *j*, berechnet nach ISO 10211-1 (punktförmige Wärmebrücken, die gewöhnlich Teil ebener Bauteile sind und bereits in Bezug auf den Wärmedurchgangskoeffizienten erfasst sind, dürfen hier nicht hinzugefügt werden).

Es ist die Summe für alle Bauteile zu bilden, die die inneren und äußeren Räume voneinander trennen.

Der Wärmedurchgangskoeffizient, *U*, ist nach einem für das betreffende Bauteil geeigneten Verfahren zu berechnen. Vereinfachte Verfahren sind in ISO 6946 und ISO 10077-1 angegeben. Ausführliche Verfahren sind in ISO 10211 und ISO 10077-2 angegeben[7]. Der Wärmedurchgangskoeffizient kann gleichfalls nach ISO 12567-1 oder ISO 12567-2 ermittelt werden.

Wenn die Hauptdämmschicht kontinuierlich und von gleichmäßiger Dicke ist, können der längenbezogene und der punktbezogene Wärmedurchgangskoeffizient vernachlässigt werden, sofern die Außenmaße angesetzt werden. Die Hauptdämmschicht ist die Schicht mit dem höchsten Wärmedurchlasswiderstand in den Bauteilen, die an potentielle Wärmebrücken angrenzen. Korrekturen für weitere Fälle dürfen auf nationaler Ebene festgelegt werden.

Wenn Werte nicht in einem zumutbaren Rahmen erzielt werden können, können für den Gebäudebestand typische Werte auf nationaler Grundlage für verschiedene Bauarten gegeben werden.

6) Die Fläche des Fensters, die zur Bestimmung des Wärmedurchgangskoeffizienten des Fensters verwendet wird, kann leicht über der der Rohbauöffnung liegen. Die Auswirkungen jeglicher Unterschiede in den Flächen sind in den Werten für ψ_k für die Verbindungsstellen zwischen Wänden und Fenstern berücksichtigt.

7) EN 13947, Wärmetechnisches Verhalten von Vorhangfassaden — Berechnung des Wärmedurchgangskoeffizienten

E

4.4 Spezifischer Transmissionswärmedurchgangskoeffizient über das Erdreich

Dieser Koeffizient, H_g, zur Wärmeübertragung über das Erdreich, wird nach ISO 13370 berechnet. Sind unkonditionierte Räume vorhanden (siehe Abschnitt 6), wird H_g berechnet, als wären keine derartigen Räume vorhanden.

ISO 13370 liefert Methoden zur Berechnung des Wärmedurchgangskoeffizienten auf einer monatlichen Basis, $H_{g,m}$, indem die thermische Masse des Erdreiches berücksichtigt wird. Diese monatlichen Wärmedurchgangskoeffizienten dürfen auf den jährlich durchschnittlichen Wärmedurchgangskoeffizienten bezogen werden durch Anpassung des Faktors, b_m:

$$b_m = \frac{H_{g,m}}{H_g} \tag{3}$$

Die Werte von b_m dürfen auf nationaler Grundlage auf einer monatlichen oder saisonalen Basis festgelegt werden.

ANMERKUNG Der b-Wert ist im Winter kleiner 1 und im Sommer größer 1. Hintergrund ist, dass im Winter die effektive Temperatur über das Erdreich kleiner als die Temperaturdifferenz zwischen Innen- und Außenumgebung ist. Im Sommer ist sie höher. Wenn der monatliche Durchschnitt der Außentemperatur höher als die Innentemperatur ist, kann der b-Wert negativ sein.

5 Spezifischer Lüftungswärmedurchgangskoeffizient

Der spezifische Lüftungswärmedurchgangskoeffizient, H_V, wird nach Gleichung (4) berechnet:

$$H_V = \rho_a c_a \dot{V} \tag{4}$$

Dabei ist

$\dot{V}$ der Luftvolumenstrom durch den beheizten oder gekühlten Raum;

$\rho_a c_a$ die Wärmekapazität der Luft per Volumen.

Wenn der Luftvolumenstrom, $\dot{V}$, in m^3/s angegeben wird, beträgt $\rho_a c_p$ = 1 200 J/($m^3 \cdot$ K). Wenn $\dot{V}$ in m^3/h angegeben wird, beträgt $\rho_a c_p$ = 0,33 Wh/($m^3 \cdot$ K).

Der Luftvolumenstrom, $\dot{V}$, darf nach Tabelle 1 oder nach nationaler Ebene unter Berücksichtigung des Gebäudetyps, der Gebäudenutzung, des Klimas, des Expositionsgrades usw. Vorgaben bestimmt werden.

Tabelle 1: Methoden zur Gewinnung von Luftvolumenstrom

Länder, deren nationales Normungsinstitut ein CEN-Mitglied ist	Andere
Nach EN 15242	Nach Anhang C, nationaler Normen oder andere geeignete Dokumente

6 Spezifischer Transmissionswärmedurchgangskoeffizient durch unkonditionierte Räume

Der spezifische Transmissionswärmedurchgangskoeffizient, H_{U}, zwischen einem konditionierten Raum und der Außenumgebung durch unkonditionierte Räume wird nach Gleichung (5) berechnet:

$$H_{\mathrm{U}} = H_{\mathrm{iu}} b \quad \text{mit} \quad b = \frac{H_{\mathrm{ue}}}{H_{\mathrm{iu}} + H_{\mathrm{ue}}} \tag{5}$$

Dabei ist

H_{iu} der direkte Wärmedurchgangskoeffizient, in W/K, zwischen konditioniertem und unkonditioniertem Raum, berechnet nach 4.3;

H_{ue} der spezifische Wärmedurchgangskoeffizient, in W/K, zwischen unkonditioniertem Raum und Außenumgebung.

ANMERKUNG 1 In Gleichung (5) berücksichtigt der Korrekturfaktor b die Temperaturdifferenz zwischen dem unkonditionierten Raum und der Außenumgebung (siehe Anhang A). Für den beheizten Raum wird eine einheitliche Temperatur angenommen.

ANMERKUNG 2 Die Wärmetransmission über das Erdreich ist weder in H_{iu} oder H_{ue} mit berücksichtigt.

H_{iu} und H_{ue} berücksichtigen den Transmissions- und den Lüftungswärmedurchgang. Sie werden nach Gleichung (6) berechnet.

$$H_{\mathrm{iu}} = H_{\mathrm{T,iu}} + H_{\mathrm{V,iu}} \quad \text{und} \quad H_{\mathrm{ue}} = H_{\mathrm{T,ue}} + H_{\mathrm{V,ue}} \tag{6}$$

Die Transmissionskoeffizienten, $H_{\mathrm{T,ue}}$ und $H_{\mathrm{T,iu}}$ werden nach 4.3 und die Lüftungswärmedurchgangskoeffizienten $H_{\mathrm{v,ue}}$ und $H_{\mathrm{v,iu}}$, nach Gleichung (7) berechnet.

$$H_{\mathrm{V,iu}} = \rho_{c\rho} \dot{V}_{\mathrm{iu}} \quad \text{und} \quad H_{\mathrm{V,ue}} = \rho_{c\rho} \dot{V}_{\mathrm{ue}} \tag{7}$$

Dabei ist

ρ die Dichte der Luft, in kg/m³;

$c\rho$ die spezifische Wärmekapazität der Luft, in Wh/(kg · K);

$\dot{V}_{\mathrm{ue}}$ der Luftvolumenstrom zwischen unkonditioniertem Raum und Außenumgebung, in m³/h;

$\dot{V}_{\mathrm{iu}}$ der Luftvolumenstrom zwischen konditioniertem und unkonditioniertem Raum, in m³/h.

ANMERKUNG 3 ISO 6946 enthält Näherungsverfahren, für einige besondere konkrete Fälle von unbeheizten Räumen.

E

7 Wärmeübertragung zu angrenzenden Gebäuden

In den Fällen, wo die Wärmeübertragung zu einem angrenzenden Gebäude, das eine andere Temperatur zu dem betrachtenden Gebäude hat, berücksichtigt werden soll, wird der Wärmedurchgangskoeffizient zwischen den beiden Gebäuden nach Gleichung (8) ermittelt:

$$H_A = b\,H_{ia} \quad (8)$$

Dabei ist

H_{ia} der direkte Wärmedurchgangskoeffizient zwischen dem konditionierten Raum und dem angrenzenden Gebäude.

$$b = \frac{\theta_i - \theta_a}{\theta_i - \theta_e} \quad (9)$$

Dabei ist

θ_i die Innentemperatur des betrachteten Gebäudes;

θ_a die Temperatur des angrenzenden Gebäudes;

θ_e die Außentemperatur.

ANMERKUNG Der Wert von b kann negativ sein.

8 Zusätzliche Vereinbarungen

8.1 Allgemeines

Dienen die Berechnungen dazu, Daten zur Abschätzung des Jahresenergiebedarfs zu gewinnen, sollten für die Berechnungen die geeignetsten Daten verwendet werden, die zur Verfügung stehen.

Besteht das Ziel darin, die Wärmetransmissions- und/oder Lüftungsmerkmale eines Gebäudes zu bestimmen, das als „Produkt“ angesehen wird, oder die Übereinstimmung mit den als spezifischer Transmissionswärmedurchgangskoeffizient ausgedrückten Festlegungen zu beurteilen, sind die in 8.2 bis 8.4 angegebenen Werte zu verwenden. Das Ergebnis der Berechnungen ist dann unabhängig vom Standort und der Nutzung des Gebäudes.

8.2 Spezifischer Transmissionswärmedurchgangskoeffizient über das Erdreich

Dieser Koeffizient ist die stationäre Komponente H_g, die nach ISO 13370 berechnet wird, wobei die Wärmeleitfähigkeit des Erdreichs mit 2 W/(m · K) angesetzt wird.

8.3 Variabler Wärmedurchgangskoeffizient

Kann der Wärmedurchgangskoeffizient eines Bauteils schwanken, ist der Höchstwert anzusetzen.

8.4 Luftwechselraten unkonditionierter Räume

Um den Transmissionswärmedurchgang nicht zu unterschätzen, wird der Luftvolumenstrom zwischen konditioniertem und unkonditioniertem Raum mit null angenommen.

$$\dot{V}_{\mathrm{iu}} = 0 \tag{10}$$

Der Luftvolumenstrom zwischen unbeheiztem Raum und Außenumgebung wird wie folgt berechnet:

$$\dot{V}_{\mathrm{ue}} = V_{\mathrm{u}} n_{\mathrm{ue}} \tag{11}$$

Dabei ist

n_{ue} die übliche Luftwechselrate, in h-1, zwischen unkonditioniertem Raum und Außenumgebung;

V_{u} das Volumen der Luft, in m^3, im unkonditioniertem Raum.

Die Luftwechselrate n_{ue} ist der Wert nach Tabelle 2, der dem betrachteten unkonditionierten Raum am besten entspricht.

Tabelle 2: Übliche Luftwechselraten zwischen unkonditioniertem Raum und Außenumgebung

Nr	Typ der Luftdichtheit	n_{ue} h^{-1}
1	Keine Türen oder Fenster, alle Fugen zwischen Bauteilen sind gut abgedichtet, es sind keine Lüftungsöffnungen vorgesehen.	0,1
2	Alle Fugen zwischen den Bauteilen sind gut abgedichtet, es sind keine Lüftungsöffnungen vorgesehen.	0,5
3	Alle Fugen sind gut abgedichtet, es sind kleine Lüftungsöffnungen vorgesehen.	1
4	Aufgrund einiger örtlich offener Fugen oder ständig offener Lüftungsöffnungen nicht dicht.	3
5	Aufgrund zahlreicher offener Fugen oder großer bzw. zahlreicher, ständig offener Lüftungsöffnungen nicht dicht.	10

ANMERKUNG Wenn die Luftwechselrate n_{50} bei 50 Pa Druckdifferenz oder die äquivalente Leckagefläche A_{l} bekannt ist, kann die Luftwechselrate, n, nach einer der folgenden empirischen Gleichungen abgeschätzt werden:

$$n = \frac{n_{50}}{20} \quad \text{oder} \quad n = \frac{A_{\mathrm{l}}}{10\,V_{\mathrm{u}}} \tag{12}$$

Dabei ist

A_{l} in cm^2;

V_{u} in m^3.

Nun wird der Wert nach Tabelle 2, der n am nächsten liegt, für die Luftwechselrate n_{ue} angesetzt.

Der übliche Wert für die Wärmekapazität der Luft wird mit ρc_p = 1 200 J/(m^3 · K) (oder 0,33 Wh/(m^3 · K)) angenommen.

E

9 Prüfbericht

Der Prüfbericht muss folgende Angaben enthalten:

a) eine Verweisung auf diese Norm (ISO 13789:2007);

b) die Identifizierung des Gebäudes;

c) Pläne des Gebäudes mit Kennzeichnungen der angenommenen Grenzen des beheizten oder gekühlten Raumes;

d) eine Beschreibung der Bauteile der Gebäudehülle, d.h. Bauteile einschließlich Maßen und verwendeten Werkstoffen;

e) ein Verzeichnis dieser Bauteile mit Angabe ihrer Flächen und oberflächenbezogenen Wärmedurchgangskoeffizienten, der Längen und der längenbezogenen Wärmedurchgangskoeffizienten linearer Wärmebrücken sowie der Anzahl und der punktbezogenen Wärmedurchgangskoeffizienten der punktförmigen Wärmebrücken;

f) die angenommene Luftwechselrate bei Vorhandensein unkonditionierter Räume;

g) die spezifischen Transmissionswärmedurchgangskoeffizienten an die Außenumgebung, H_D, über das Erdreich, H_g, und durch unkonditionierte Räume, H_U, gerundet auf drei wertanzeigende Stellen;

h) den spezifischen Gesamt-Transmissionswärmedurchgangskoeffizienten H_T, gerundet auf drei wertanzeigende Stellen;

i) den spezifischen Lüftungswärmedurchgangskoeffizienten, H_V, gerundet auf drei wertanzeigende Stellen;

j) werden variable Wärmedurchgangskoeffizienten berücksichtigt, Angabe der Ergebnisse sowohl als Höchst- als auch als Mindestwerte, zusammen mit der Angabe der veränderten Wärmedurchgangskoeffizienten und deren Extremwerten.

Anhang B
(informativ)

Informationen zu den Arten der Maße

Für dieses Berechnungsverfahren wird die Gebäudehülle in Bauteile unterteilt (siehe Abschnitt 4 und Bild B.1). Für die Bauteildimensionierung wird jedoch üblicherweise eines der drei folgenden Systeme angewendet: Innenmaße, Gesamtinnenmaße oder Außenmaße. Diese unterscheiden sich dadurch, dass die ebenen Flächen der Verbindungsstellen zwischen den Bauteilen in die Flächen der jeweiligen Bauteile selbst mit einbezogen werden.

So ist beispielsweise der Ausdruck $\Sigma_i A_i U_i$ in Gleichung (2) dann größer, wenn anstelle der Innenmaße die Außenmaße gemessen werden. Folglich sind die Werte für ψ_k im Allgemeinen für die Außenmaße kleiner und können in bestimmten Fällen, z.B. bei außen liegenden Ecken, auch negativ sein.

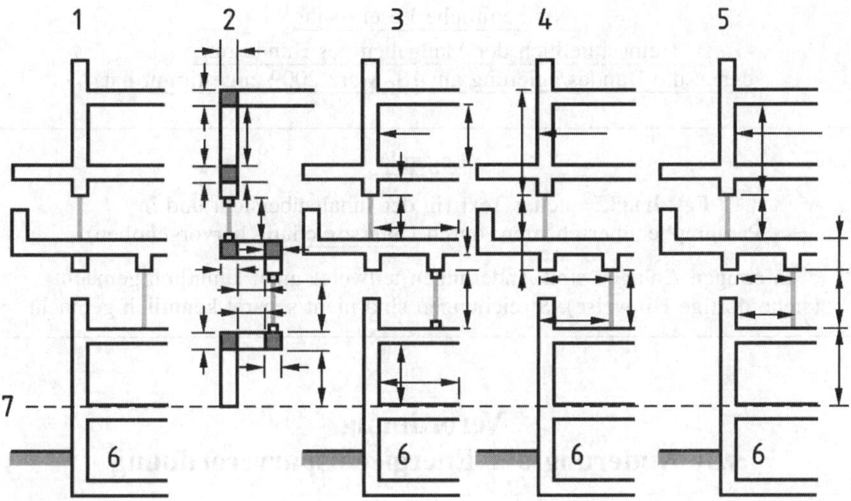

Legende
1 Wirklichkeit
2 Bauteile
3 Innenabmessung
4 Außenabmessung
5 Gesamtinnenmaße
6 unbeheizt
7 ISO 13370 gilt für Wärmeübertragungen unterhalb dieser Grenze.

ANMERKUNG 1 Für einen beheizten Boden werden die Maße bis zur Bodendecke gemessen.
ANMERKUNG 2 Außenmaße können ebenfalls bis zur Bodendecke gemessen werden.

Bild B.1: Beispiele für Verfahren zur Bestimmung von Bauteilmaßen

Ist die Hauptdämmschicht durchgängig, können die Werte des längenbezogenen Wärmedurchgangskoeffizienten einiger Verbindungsstellen klein sein, insbesondere dann, wenn mit Außenmaßen bzw. Gesamtinnenmaßen gerechnet wird. Sie werden in diesen Fällen häufig vernachlässigt. Bei den Berechnungen können daher je nach Maßsystem die Werte des spezifischen Transmissionswärmedurchgangskoeffizienten geringe Unterschiede aufweisen, wenn bestimmte Wärmebrücken in einem System vernachlässigt werden, in einem anderen System jedoch nicht.

Insbesondere in Schiedsfällen sollten daher für die Gebäudebewertung die Maße jedes einzelnen Bauteils berücksichtigt werden (Bild B.1, zweites Teilbild von links). So wird der längenbezogene Wärmedurchgangskoeffizient jeder Verbindungsstelle explizit mit einbezogen.

E

Nichtamtliche Lesefassung[1)]
(einschließlich der Maßgaben des Bundesrates,
denen die Bundesregierung am 18. März 2009 zugestimmt hat)

Legende
Fettdruck = neuer Text (in der Inhaltsübersicht und in Paragraphenüberschriften: durch Unterstreichung hervorgehoben)
In einigen Anlagen sind Änderungen teilweise nicht kenntlich gemacht (siehe dortige Hinweise). Streichungen sind nicht separat kenntlich gemacht

Verordnung zur Änderung der Energieeinsparverordnung

Vom [2)] ....

Auf Grund des § 1 Absatz 2, des § 2 Absatz 2 und 3, des § 3 Absatz 2, des § 4, jeweils in Verbindung mit § 5, des § 5a Satz 1 und 2, des § 7 Absatz 3 Satz 3 und 4 und Absatz 4 sowie des § 7a Absatz 1 des Energieeinsparungsgesetzes in der Fassung der Bekanntmachung vom 1. September 2005 (BGBl. I S. 2684), von denen § 4 und § 7 durch Artikel 1 des Gesetzes vom [*einsetzen: Datum der Ausfertigung des Dritten Gesetzes zur Änderung des Energieeinsparungsgesetzes*] geändert und § 7a eingefügt worden sind, verordnet die Bundesregierung:

*) Diese Verordnung dient der Umsetzung der Richtlinie 2006/32/EG des Europäischen Parlaments und des Rates vom 5. April 2006 über Endenergieeffizienz und Energiedienstleistungen und zur Aufhebung der Richtlinie 93/76/EWG des Rates (ABl. L 114 vom 27.4.2006, S. 64).
Die §§ 1 bis 5, 8, 9, 11 Absatz 3, §§ 12, 15 bis 22, 24 Absatz 1, §§ 26, 27 und 29 dienen der Umsetzung der Richtlinie 2002/91/EG des Europäischen Parlaments und des Rates vom 16. Dezember 2002 über die Gesamtenergieeffizienz von Gebäuden (ABl. L 1 vom 4.1.2003, S. 65).
§ 13 Absatz 1 bis 3 und § 27 dienen der Umsetzung der Richtlinie 92/42/EWG des Rates vom 21. Mai 1992 über die Wirkungsgrade von mit flüssigen oder gasförmigen Brennstoffen beschickten neuen Warmwasserheizkesseln (ABl. L 167 vom 22.6.1992, S. 17, L 195 S. 32), zuletzt geändert durch die Richtlinie 2005/32/EG des Europäischen Parlaments und des Rates vom 6. Juli 2005 (ABl. L 191 vom 22.7.2005, S. 29).

---

1) Für die Richtigkeit der nichtamtlichen Lesefassung wird keine Gewähr übernommen.
2) Hinweis: Nach Artikel 3 der Änderungsverordnung tritt diese Verordnung am ersten Tag des sechsten auf die Verkündung folgenden Kalendermonats in Kraft; die Verkündung erfolgt in Kürze.

Inhaltsübersicht

E

Abschnitt 1
Allgemeine Vorschriften

§ 1
Anwendungsbereich

(1) Diese Verordnung gilt

1. für Gebäude, **soweit sie** unter Einsatz von Energie beheizt oder gekühlt werden, und
2. für Anlagen und Einrichtungen der Heizungs-, Kühl-, Raumluft- und Beleuchtungstechnik sowie der Warmwasserversorgung **von** Gebäuden nach Nummer 1

Der Energieeinsatz für Produktionsprozesse in Gebäuden ist nicht Gegenstand dieser Verordnung.

(2) Mit Ausnahme der §§ 12 und 13 gilt diese Verordnung nicht für

1. Betriebsgebäude, die überwiegend zur Aufzucht oder zur Haltung von Tieren genutzt werden,
2. Betriebsgebäude, soweit sie nach ihrem Verwendungszweck großflächig und lang anhaltend offen gehalten werden müssen,
3. unterirdische Bauten,
4. Unterglasanlagen und Kulturräume für Aufzucht, Vermehrung und Verkauf von Pflanzen,
5. Traglufthallen **und** Zelte,
6. Gebäude, **die dazu bestimmt sind, wiederholt aufgestellt und zerlegt zu werden, und provisorische Gebäude** mit einer geplanten Nutzungsdauer von bis zu zwei Jahren,
7. Gebäude, die dem Gottesdienst oder anderen religiösen Zwecken gewidmet sind,
8. Wohngebäude, die für eine Nutzungsdauer von weniger als vier Monaten jährlich bestimmt sind, und
9. sonstige handwerkliche, landwirtschaftliche, gewerbliche und industrielle Betriebsgebäude, die nach ihrer Zweckbestimmung auf eine Innentemperatur von weniger als 12 Grad Celsius oder jährlich weniger als vier Monate beheizt sowie jährlich weniger als zwei Monate gekühlt werden.

Auf Bestandteile von Anlagensystemen, die sich nicht im räumlichen Zusammenhang mit Gebäuden nach Absatz 1 Satz 1 **Nummer** 1 befinden, ist nur § 13 anzuwenden.

§ 2
Begriffsbestimmungen

Im Sinne dieser Verordnung

1. sind Wohngebäude Gebäude, die nach ihrer Zweckbestimmung überwiegend dem Wohnen dienen, einschließlich Wohn-, Alten- und Pflegeheimen sowie ähnlichen Einrichtungen,
2. sind Nichtwohngebäude Gebäude, die nicht unter Nummer 1 fallen,
3. sind kleine Gebäude Gebäude mit nicht mehr als 50 Quadratmetern Nutzfläche,

E

3a. sind Baudenkmäler nach Landesrecht geschützte Gebäude oder Gebäudemehrheiten,
4. sind beheizte Räume solche Räume, die auf Grund bestimmungsgemäßer Nutzung direkt oder durch Raumverbund beheizt werden,
5. sind gekühlte Räume solche Räume, die auf Grund bestimmungsgemäßer Nutzung direkt oder durch Raumverbund gekühlt werden,
6. sind erneuerbare Energien **solare Strahlungsenergie, Umweltwärme, Geothermie, Wasserkraft, Windenergie und Energie aus Biomasse,**
7. ist ein Heizkessel der aus Kessel und Brenner bestehende Wärmeerzeuger, der zur Übertragung der durch die Verbrennung freigesetzten Wärme an den Wärmeträger Wasser dient,
8. sind Geräte der mit einem Brenner auszurüstende Kessel und der zur Ausrüstung eines Kessels bestimmte Brenner,
9. ist die Nennleistung die vom Hersteller festgelegte und im Dauerbetrieb unter Beachtung des vom Hersteller angegebenen Wirkungsgrades als einhaltbar garantierte größte Wärme- oder Kälteleistung in Kilowatt,
10. ist ein Niedertemperatur-Heizkessel ein Heizkessel, der kontinuierlich mit einer Eintrittstemperatur von 35 bis 40 Grad Celsius betrieben werden kann und in dem es unter bestimmten Umständen zur Kondensation des in den Abgasen enthaltenen Wasserdampfes kommen kann,
11. ist ein Brennwertkessel ein Heizkessel, der für die Kondensation eines Großteils des in den Abgasen enthaltenen Wasserdampfes konstruiert ist,
11a. sind elektrische Speicherheizsysteme Heizsysteme mit vom Energielieferanten unterbrechbarem Strombezug, die nur in den Zeiten außerhalb des unterbrochenen Betriebes durch eine Widerstandsheizung Wärme in einem geeigneten Speichermedium speichern,
12. ist die Wohnfläche die nach der Wohnflächenverordnung oder auf der Grundlage anderer Rechtsvorschriften oder anerkannter Regeln der Technik zur Berechnung von Wohnflächen ermittelte Fläche,
13. ist die Nutzfläche die Nutzfläche nach anerkannten Regeln der Technik, **die beheizt oder gekühlt wird,**
14. ist die Gebäudenutzfläche die nach Anlage 1 **Nummer** 1.3.3 berechnete Fläche,
15. ist die Nettogrundfläche die Nettogrundfläche nach anerkannten Regeln der Technik, **die beheizt oder gekühlt wird**.

Abschnitt 2
Zu errichtende Gebäude

§ 3
Anforderungen an Wohngebäude

(1) Zu errichtende Wohngebäude sind so auszuführen, dass der Jahres-Primärenergiebedarf für Heizung, Warmwasserbereitung, Lüftung **und Kühlung den**

Wert des Jahres-Primärenergiebedarfs eines Referenzgebäudes gleicher Geometrie, Gebäudenutzfläche und Ausrichtung mit der in Anlage 1 Tabelle 1 **angegebenen technischen Referenzausführung** nicht überschreitet.

(2) Zu errichtende Wohngebäude sind so auszuführen, dass die Höchstwerte des spezifischen, auf die wärmeübertragende Umfassungsfläche bezogenen Transmissionswärmeverlusts nach Anlage 1 Tabelle **2** nicht überschr**itten werden.**

(3) **Für das zu errichtende Wohngebäude und das Referenzgebäude ist der Jahres-Primärenergiebedarf nach einem der in Anlage 1 Nummer 2 genannten Verfahren zu berechnen. Das zu errichtende Wohngebäude und das Referenzgebäude sind mit demselben Verfahren zu berechnen.**

(4) **Zu errichtende Wohngebäude sind so auszuführen, dass** die Anforderungen an den sommerlichen Wärmeschutz nach Anlage 1 **Nummer 3** eingehalten werden.

§ 4
Anforderungen an Nichtwohngebäude

(1) Zu errichtende Nichtwohngebäude sind so auszuführen, dass der Jahres-Primärenergiebedarf für Heizung, Warmwasserbereitung, Lüftung, Kühlung und eingebaute Beleuchtung den Wert des Jahres-Primärenergiebedarfs eines Referenzgebäudes gleicher Geometrie, Nettogrundfläche, Ausrichtung und Nutzung einschließlich der Anordnung der Nutzungseinheiten mit der in Anlage 2 Tabelle 1 angegebenen technischen **Referenz**ausführung nicht überschreitet.

(2) Zu errichtende Nichtwohngebäude sind so auszuführen, dass **die Höchstwerte der mittleren Wärmedurchgangskoeffizienten der wärmeübertragenden Umfassungsfläche nach** Anlage 2 Tabelle 2 nicht überschritten werden.

(3) Für das zu errichtende Nichtwohngebäude und das Referenzgebäude ist der Jahres-Primärenergiebedarf nach einem der in Anlage 2 **Nummer** 2 oder 3 genannten Verfahren zu berechnen. Das zu errichtende Nichtwohngebäude und das Referenzgebäude sind mit demselben Verfahren zu berechnen.

(4) **Zu errichtende Nichtwohngebäude sind so auszuführen, dass** die Anforderungen an den sommerlichen Wärmeschutz nach Anlage 2 **Nummer** 4 eingehalten werden.

§ 5
Anrechnung von Strom aus erneuerbaren Energien

Wird in zu errichtenden Gebäuden Strom aus erneuerbaren Energien eingesetzt, darf der Strom in den Berechnungen nach § 3 Absatz 3 und § 4 Absatz 3 von dem Endenergiebedarf abgezogen werden, wenn er

1. im unmittelbaren räumlichen Zusammenhang zu dem Gebäude erzeugt und
2. vorrangig in dem Gebäude selbst genutzt und nur die überschüssige Energiemenge in ein öffentliches Netz eingespeist

wird. Es darf höchstens die Strommenge nach Satz 1 angerechnet werden, die dem berechneten Strombedarf der jeweiligen Nutzung entspricht.

E

§ 6
Dichtheit, Mindestluftwechsel

(1) Zu errichtende Gebäude sind so auszuführen, dass die wärmeübertragende Umfassungsfläche einschließlich der Fugen dauerhaft luftundurchlässig entsprechend den anerkannten Regeln der Technik abgedichtet ist. Die Fugendurchlässigkeit außen liegender Fenster, Fenstertüren und Dachflächenfenster muss den Anforderungen nach Anlage 4 **Nummer** 1 genügen. Wird die Dichtheit nach den Sätzen 1 und 2 überprüft, **kann der Nachweis der Luftdichtheit bei der nach § 3 Absatz 3 und § 4 Absatz 3 erforderlichen Berechnung berücksichtigt werden, wenn** die Anforderungen nach Anlage 4 **Nummer** 2 eingehalten **sind.**

(2) Zu errichtende Gebäude sind so auszuführen, dass der zum Zwecke der Gesundheit und Beheizung erforderliche Mindestluftwechsel sichergestellt ist.

§ 7
Mindestwärmeschutz, Wärmebrücken

(1) Bei zu errichtenden Gebäuden sind Bauteile, die gegen die Außenluft, das Erdreich oder Gebäudeteile mit wesentlich niedrigeren Innentemperaturen abgrenzen, so auszuführen, dass die Anforderungen des Mindestwärmeschutzes nach den anerkannten Regeln der Technik eingehalten werden. **Ist bei zu errichtenden Gebäuden die Nachbarbebauung bei aneinandergereihter Bebauung nicht gesichert, müssen die Gebäudetrennwände den Mindestwärmeschutz nach Satz 1 einhalten.**

(2) Zu errichtende Gebäude sind so auszuführen, dass der Einfluss konstruktiver Wärmebrücken auf den Jahres-Heizwärmebedarf nach den anerkannten Regeln der Technik und den im jeweiligen Einzelfall wirtschaftlich vertretbaren Maßnahmen so gering wie möglich gehalten wird.

(3) Der verbleibende Einfluss der Wärmebrücken bei der Ermittlung des **Jahres-Primärenergiebedarfs ist nach Maßgabe des jeweils angewendeten Berechnungsverfahrens** zu berücksichtigen. **Soweit dabei Gleichwertigkeitsnachweise zu führen wären, ist dies für solche Wärmebrücken nicht erforderlich, bei denen die angrenzenden Bauteile kleinere Wärmedurchgangskoeffizienten aufweisen, als in den Musterlösungen der DIN 4108 Beiblatt 2 : 2006-03 zugrunde gelegt sind.**

§ 8
Anforderungen an kleine Gebäude und Gebäude aus Raumzellen

Werden bei zu errichtenden kleinen Gebäuden die in Anlage 3 genannten Werte der Wärmedurchgangskoeffizienten der Außenbauteile eingehalten, gelten die übrigen Anforderungen dieses Abschnitts als erfüllt. **Satz 1 ist auf Gebäude entsprechend anzuwenden, die für eine Nutzungsdauer von höchstens fünf Jahren bestimmt und aus Raumzellen von jeweils bis zu 50 Quadratmetern Nutzfläche zusammengesetzt sind.**

Abschnitt 3
Bestehende Gebäude und Anlagen

§ 9
Änderung, Erweiterung und Ausbau von Gebäuden

(1) Änderungen im Sinne der Anlage 3 **Nummer** 1 bis 6 bei beheizten oder gekühlten Räumen von Gebäuden sind so auszuführen, dass **die in Anlage 3 festgelegten Wärmedurchgangskoeffizienten der betroffenen Außenbauteile nicht überschritten werden. Die Anforderungen des Satzes 1 gelten als erfüllt, wenn**

1. geänderte Wohngebäude insgesamt den Jahres-Primärenergiebedarf **des Referenzgebäudes** nach § 3 **Absatz** 1 und de**n** Höchstwert des spezifischen, auf die wärmeübertragende Umfassungsfläche bezogenen Transmissionswärmeverlusts nach **Anlage 1 Tabelle 2,**
2. geänderte Nichtwohngebäude insgesamt den Jahres-Primärenergiebedarf des Referenzgebäudes nach § 4 **Absatz** 1 und **die Höchstwerte der mittleren Wärmedurchgangskoeffizienten** der wärmeübertragenden Umfassungsfläche **nach Anlage 2 Tabelle 2**

um nicht mehr als 40 vom Hundert überschreiten.

(2) **In Fällen** des Absatzes 1 **Satz 2** sind die in § 3 **Absatz 3** sowie in § 4 **Absatz** 3 angegebenen Berechnungsverfahren nach Maßgabe der Sätze 2 und 3 **und des § 5** entsprechend anzuwenden. Soweit

1. Angaben zu geometrischen Abmessungen von Gebäuden fehlen, können diese durch vereinfachtes Aufmaß ermittelt werden;
2. energetische Kennwerte für bestehende Bauteile und Anlagenkomponenten nicht vorliegen, können gesicherte Erfahrungswerte für Bauteile und Anlagenkomponenten vergleichbarer Altersklassen verwendet werden;

hierbei können anerkannte Regeln der Technik verwendet werden; die Einhaltung solcher Regeln wird vermutet, soweit Vereinfachungen für die Datenaufnahme und die Ermittlung der energetischen Eigenschaften sowie gesicherte Erfahrungswerte verwendet werden, die vom Bundesministerium für Verkehr, Bau und Stadtentwicklung im Einvernehmen mit dem Bundesministerium für Wirtschaft und Technologie im Bundesanzeiger bekannt gemacht worden sind. Bei Anwendung der Verfahren nach § 3 **Absatz 3** sind die Randbedingungen und Maßgaben nach Anlage 3 **Nummer** 8 zu beachten.

(3) Absatz **1 ist** nicht anzuwenden auf Änderungen von Außenbauteilen**, wenn die Fläche der geänderten Bauteile nicht mehr** als **10** vom Hundert der **gesamten** jeweiligen Bauteilfläche **des Gebäudes** betreffen.

(4) Bei der Erweiterung und dem Ausbau eines Gebäudes um beheizte oder gekühlte Räume mit zusammenhängend mindestens 15 und höchstens 50 Quadratmetern Nutzfläche sind die betroffenen Außenbauteile so auszuführen, dass die in Anlage 3 festgelegten Wärmedurchgangskoeffizienten nicht überschritten werden.

(5) Ist in Fällen des Absatzes **4** die hinzukommende zusammenhängende Nutzfläche größer als 50 Quadratmeter, sind die betroffenen Außenbauteile so auszuführen, dass der neue Gebäudeteil die Vorschriften für zu errichtende Gebäude nach § 3 oder § 4 einhält.

§ 10
Nachrüstung bei Anlagen und Gebäuden

(1) Eigentümer von Gebäuden **dürfen** Heizkessel, die mit flüssigen oder gasförmigen Brennstoffen beschickt werden und vor dem 1. Oktober 1978 eingebaut oder aufgestellt worden sind, **nicht mehr betreiben**. Satz 1 ist nicht anzuwenden, wenn die vorhandenen Heizkessel Niedertemperatur-Heizkessel oder Brennwertkessel sind, sowie auf heizungstechnische Anlagen, deren Nennleistung weniger als vier Kilowatt oder mehr als 400 Kilowatt beträgt, und auf Heizkessel nach § 13 **Absatz** 3 **Nummer** 2 bis 4.

(2) **Eigentümer von Gebäuden müssen dafür sorgen, dass bei heizungstechnischen Anlagen bisher ungedämmte, zugängliche Wärmeverteilungs- und Warmwasserleitungen sowie Armaturen, die sich nicht in beheizten Räumen befinden, nach Anlage 5 zur Begrenzung der Wärmeabgabe gedämmt sind.**

(3) **Eigentümer von Wohngebäuden sowie von Nichtwohngebäuden, die nach ihrer Zweckbestimmung jährlich mindestens vier Monate und auf Innentemperaturen von mindestens 19 Grad Celsius beheizt werden, müssen dafür sorgen, dass bisher ungedämmte, nicht begehbare, aber zugängliche oberste Geschossdecken beheizter Räume so gedämmt sind, dass der Wärmedurchgangskoeffizient der Geschossdecke 0,24 Watt/($m^2 \cdot K$) nicht überschreitet. Die Pflicht nach Satz 1 gilt als erfüllt, wenn anstelle der Geschossdecke das darüber liegende, bisher ungedämmte Dach entsprechend gedämmt ist.**

(4) Auf begehbare, bisher ungedämmte oberste Geschossdecken beheizter Räume ist Absatz 3 nach dem 31. Dezember 2011 entsprechend anzuwenden.

(5) Bei Wohngebäuden mit nicht mehr als zwei Wohnungen, von denen der Eigentümer eine Wohnung am 1. Februar 2002 selbst bewohnt hat, **sind die Pflichten nach den Absätzen 1 bis 4** erst im Falle eines Eigentümerwechsels nach dem 1. Februar 2002 von dem neuen Eigentümer zu erfüllen. Die Frist **zur Pflichterfüllung** beträgt zwei Jahre ab dem ersten Eigentumsübergang. **Sind im Falle eines Eigentümerwechsels vor dem 1. Januar 2010 noch keine zwei Jahre verstrichen, genügt es, die obersten Geschossdecken beheizter Räume so zu dämmen,** dass der Wärmedurchgangskoeffizient der Geschossdecke 0,30 Watt/($m^2 \cdot K$) nicht überschreitet.

(6) Die Absätze 2 bis 5 sind nicht anzuwenden, soweit die für die Nachrüstung erforderlichen Aufwendungen durch die eintretenden Einsparungen nicht innerhalb angemessener Frist erwirtschaftet werden können.

§ 10a
Außerbetriebnahme von elektrischen Speicherheizsystemen

(1) In Wohngebäuden mit mehr als fünf Wohneinheiten dürfen Eigentümer elektrische Speicherheizsysteme nach Maßgabe des Absatzes 2 nicht mehr betreiben, wenn die Raumwärme in den Gebäuden ausschließlich durch elektrische Speicherheizsysteme erzeugt wird. Auf Nichtwohngebäude, die nach ihrer Zweckbestimmung jährlich mindestens vier Monate und auf Innentempera-

turen von mindestens 19 Grad Celsius beheizt werden, ist Satz 1 entsprechend anzuwenden, wenn mehr als 500 Quadratmeter Nutzfläche mit elektrischen Speicherheizsystemen beheizt werden. Auf elektrische Speicherheizsysteme mit nicht mehr als 20 Watt Heizleistung pro Quadratmeter Nutzfläche einer Wohnungs-, Betriebs- oder sonstigen Nutzungseinheit sind die Sätze 1 und 2 nicht anzuwenden.

(2) Vor dem 1. Januar 1990 eingebaute oder aufgestellte elektrische Speicherheizsysteme dürfen nach dem 31. Dezember 2019 nicht mehr betrieben werden. Nach dem 31. Dezember 1989 eingebaute oder aufgestellte elektrische Speicherheizsysteme dürfen nach Ablauf von 30 Jahren nach dem Einbau oder der Aufstellung nicht mehr betrieben werden. Wurden die elektrischen Speicherheizsysteme nach dem 31. Dezember 1989 in wesentlichen Bauteilen erneuert, dürfen sie nach Ablauf von 30 Jahren nach der Erneuerung nicht mehr betrieben werden. Werden mehrere Heizaggregate in einem Gebäude betrieben, ist bei Anwendung der Sätze 1, 2 oder 3 insgesamt auf das zweitälteste Heizaggregat abzustellen.

(3) Absatz 1 ist nicht anzuwenden, wenn

1. andere öffentlich-rechtliche Pflichten entgegenstehen,

2. die erforderlichen Aufwendungen für die Außerbetriebnahme und den Einbau einer neuen Heizung auch bei Inanspruchnahme möglicher Fördermittel nicht innerhalb angemessener Frist durch die eintretenden Einsparungen erwirtschaftet werden können oder

3. wenn

   a) für das Gebäude der Bauantrag nach dem 31. Dezember 1994 gestellt worden ist,

   b) das Gebäude schon bei der Baufertigstellung das Anforderungsniveau der Wärmeschutzverordnung vom 16. August 1994 (BGBl. I S. 2121) eingehalten hat oder

   c) das Gebäude durch spätere Änderungen mindestens auf das in Buchstabe b bezeichnete Anforderungsniveau gebracht worden ist.

Bei der Ermittlung der energetischen Eigenschaften des Gebäudes nach Satz 1 Nummer 3 Buchstabe b und c können die Bestimmungen über die vereinfachte Datenerhebung nach § 9 Absatz 2 Satz 2 und die Datenbereitstellung durch den Eigentümer nach § 17 Absatz 5 entsprechend angewendet werden. § 25 Absatz 1 und 2 bleibt unberührt.

§ 11
Aufrechterhaltung der energetischen Qualität

(1) Außenbauteile dürfen nicht in einer Weise verändert werden, dass die energetische Qualität des Gebäudes verschlechtert wird. Das Gleiche gilt für Anlagen und Einrichtungen nach dem Abschnitt 4, soweit sie zum Nachweis der Anforderungen energieeinsparrechtlicher Vorschriften des Bundes zu berücksichtigen waren.

(2) Energiebedarfssenkende Einrichtungen in Anlagen nach Absatz 1 sind vom Betreiber betriebsbereit zu erhalten und bestimmungsgemäß zu nutzen. Eine Nutzung

E

und Erhaltung im Sinne des Satzes 1 gilt als gegeben, soweit der Einfluss einer energiebedarfssenkenden Einrichtung auf den Jahres-Primärenergiebedarf durch andere anlagentechnische oder bauliche Maßnahmen ausgeglichen wird.

(3) Anlagen und Einrichtungen der Heizungs-, Kühl- und Raumlufttechnik sowie der Warmwasserversorgung sind vom Betreiber sachgerecht zu bedienen. Komponenten mit wesentlichem Einfluss auf den Wirkungsgrad solcher Anlagen sind vom Betreiber regelmäßig zu warten und instand zu halten. Für die Wartung und Instandhaltung ist Fachkunde erforderlich. Fachkundig ist, wer die zur Wartung und Instandhaltung notwendigen Fachkenntnisse und Fertigkeiten besitzt.

§ 12
Energetische Inspektion von Klimaanlagen

(1) Betreiber von in Gebäude eingebauten Klimaanlagen mit einer Nennleistung für den Kältebedarf von mehr als zwölf Kilowatt haben innerhalb der in den Absätzen 3 und 4 genannten Zeiträume energetische Inspektionen dieser Anlagen durch berechtigte Personen im Sinne des Absatzes 5 durchführen zu lassen.

(2) Die Inspektion umfasst Maßnahmen zur Prüfung der Komponenten, die den Wirkungsgrad der Anlage beeinflussen, und der Anlagendimensionierung im Verhältnis zum Kühlbedarf des Gebäudes. Sie bezieht sich insbesondere auf

1. die Überprüfung und Bewertung der Einflüsse, die für die Auslegung der Anlage verantwortlich sind, insbesondere Veränderungen der Raumnutzung und -belegung, der Nutzungszeiten, der inneren Wärmequellen sowie der relevanten bauphysikalischen Eigenschaften des Gebäudes und der vom Betreiber geforderten Sollwerte hinsichtlich Luftmengen, Temperatur, Feuchte, Betriebszeit sowie Toleranzen, und
2. die Feststellung der Effizienz der wesentlichen Komponenten.

Dem Betreiber sind Ratschläge in Form von kurz gefassten fachlichen Hinweisen für Maßnahmen zur kostengünstigen Verbesserung der energetischen Eigenschaften der Anlage, für deren Austausch oder für Alternativlösungen zu geben. Die inspizierende Person hat **dem Betreiber** die Ergebnisse der Inspektion unter Angabe **ihres Namens sowie ihrer** Anschrift und Berufsbezeichnung zu **bescheinigen**.

(3) Die Inspektion ist erstmals im zehnten Jahr nach der Inbetriebnahme oder der Erneuerung wesentlicher Bauteile wie Wärmeübertrager, Ventilator oder Kältemaschine durchzuführen. Abweichend von Satz 1 sind die am 1. Oktober 2007 mehr als vier und bis zu zwölf Jahre alten Anlagen innerhalb von sechs Jahren, die über zwölf Jahre alten Anlagen innerhalb von vier Jahren und die über 20 Jahre alten Anlagen innerhalb von zwei Jahren nach dem 1. Oktober 2007 erstmals einer Inspektion zu unterziehen.

(4) Nach der erstmaligen Inspektion ist die Anlage wiederkehrend mindestens alle zehn Jahre einer Inspektion zu unterziehen.

(5) Inspektionen dürfen nur von fachkundigen Personen durchgeführt werden. Fachkundig sind insbesondere

1. **Personen mit berufsqualifizierendem Hochschulabschluss** in den Fachrichtungen Versorgungstechnik oder Technische Gebäudeausrüstung mit mindestens

einem Jahr Berufserfahrung in Planung, Bau, Betrieb oder Prüfung raumlufttechnischer Anlagen,

2. **Personen mit berufsqualifizierendem Hochschulabschluss** in
   a) den Fachrichtungen Maschinenbau, Elektrotechnik, Verfahrenstechnik, Bauingenieurwesen oder
   b) einer anderen technischen Fachrichtung mit einem Ausbildungsschwerpunkt bei der Versorgungstechnik oder der Technischen Gebäudeausrüstung mit mindestens drei Jahren Berufserfahrung in Planung, Bau, Betrieb oder Prüfung raumlufttechnischer Anlagen.

Gleichwertige Ausbildungen, die in einem anderen Mitgliedstaat der Europäischen Union, einem anderen Vertragsstaat des Abkommens über den Europäischen Wirtschaftsraum oder der Schweiz erworben worden sind und durch einen Ausbildungsnachweis belegt werden können, sind den in Satz 2 genannten Ausbildungen gleichgestellt.

(6) Der Betreiber hat die Bescheinigung über die Durchführung der Inspektion der nach Landesrecht zuständigen Behörde auf Verlangen vorzulegen.

Abschnitt 4
Anlagen der Heizungs-, Kühl- und Raumlufttechnik sowie der Warmwasserversorgung

§ 13
Inbetriebnahme von Heizkesseln und sonstigen Wärmeerzeugersystemen

(1) Heizkessel, die mit flüssigen oder gasförmigen Brennstoffen beschickt werden und deren Nennleistung mindestens vier Kilowatt und höchstens 400 Kilowatt beträgt, dürfen zum Zwecke der Inbetriebnahme in Gebäuden nur eingebaut oder aufgestellt werden, wenn sie mit der CE-Kennzeichnung nach § 5 **Absatz** 1 und 2 der Verordnung über das Inverkehrbringen von Heizkesseln und Geräten nach dem Bauproduktengesetz vom 28. April 1998 (BGBl. I S. 796) oder nach Artikel 7 **Absatz** 1 Satz 2 der Richtlinie 92/42/EWG des Rates vom 21. Mai 1992 über die Wirkungsgrade von mit flüssigen oder gasförmigen Brennstoffen beschickten neuen Warmwasserheizkesseln (ABl. Nr. L 167 **vom 22.6.1992**, S. 17, L 195 S. 32), die zuletzt durch die Richtlinie 2005/32/EG des Europäischen Parlaments und des Rates vom 6. Juli 2005 (ABl. L 191 **vom 22.7.2005,** S. 29) geändert worden ist, versehen sind. Satz 1 gilt auch für Heizkessel, die aus Geräten zusammengefügt werden, soweit dabei die Parameter beachtet werden, die sich aus der den Geräten beiliegenden EG-Konformitätserklärung ergeben.

(2) Heizkessel dürfen in Gebäuden nur dann zum Zwecke der Inbetriebnahme eingebaut oder aufgestellt werden, wenn die Anforderungen nach Anlage 4a eingehalten werden. In Fällen der Pflicht zur Außerbetriebnahme elektrischer Speicherheizsysteme nach § 10a sind die Anforderungen nach Anlage 4a auch auf sonstige Wärmeerzeugersysteme anzuwenden, deren Heizleistung größer als 20 Watt pro Quadratmeter Nutzfläche ist. Ausgenommen sind bestehende Ge-

E

bäude, wenn deren Jahres-Primärenergiebedarf den **Wert des Jahres-Primärenergiebedarfs des Referenzgebäudes** um nicht mehr als 40 vom Hundert überschreitet.

(3) Absatz 1 ist nicht anzuwenden auf

1. einzeln produzierte Heizkessel,
2. Heizkessel, die für den Betrieb mit Brennstoffen ausgelegt sind, deren Eigenschaften von den marktüblichen flüssigen und gasförmigen Brennstoffen erheblich abweichen,
3. Anlagen zur ausschließlichen Warmwasserbereitung,
4. Küchenherde und Geräte, die hauptsächlich zur Beheizung des Raumes, in dem sie eingebaut oder aufgestellt sind, ausgelegt sind, daneben aber auch Warmwasser für die Zentralheizung und für sonstige Gebrauchszwecke liefern,
5. Geräte mit einer Nennleistung von weniger als sechs Kilowatt zur Versorgung eines Warmwasserspeichersystems mit Schwerkraftumlauf.

(4) Heizkessel, deren Nennleistung kleiner als vier Kilowatt oder größer als 400 Kilowatt ist, und Heizkessel nach Absatz 3 dürfen nur dann zum Zwecke der Inbetriebnahme in Gebäuden eingebaut oder aufgestellt werden, wenn sie nach anerkannten Regeln der Technik gegen Wärmeverluste gedämmt sind.

§ 14
Verteilungseinrichtungen und Warmwasseranlagen

(1) Zentralheizungen müssen beim Einbau in Gebäude mit zentralen selbsttätig wirkenden Einrichtungen zur Verringerung und Abschaltung der Wärmezufuhr sowie zur Ein- und Ausschaltung elektrischer Antriebe in Abhängigkeit von

1. der Außentemperatur oder einer anderen geeigneten Führungsgröße und
2. der Zeit

ausgestattet werden. Soweit die in Satz 1 geforderten Ausstattungen bei bestehenden Gebäuden nicht vorhanden sind, muss der Eigentümer sie nachrüsten. Bei Wasserheizungen, die ohne Wärmeübertrager an eine Nah- oder Fernwärmeversorgung angeschlossen sind, gilt Satz 1 hinsichtlich der Verringerung und Abschaltung der Wärmezufuhr auch ohne entsprechende Einrichtungen in den Haus- und Kundenanlagen als eingehalten, wenn die Vorlauftemperatur des Nah- oder Fernwärmenetzes in Abhängigkeit von der Außentemperatur und der Zeit durch entsprechende Einrichtungen in der zentralen Erzeugungsanlage geregelt wird.

(2) Heizungstechnische Anlagen mit Wasser als Wärmeträger müssen beim Einbau in Gebäude mit selbsttätig wirkenden Einrichtungen zur raumweisen Regelung der Raumtemperatur ausgestattet werden. Satz 1 gilt nicht für Einzelheizgeräte, die zum Betrieb mit festen oder flüssigen Brennstoffen eingerichtet sind. Mit Ausnahme von Wohngebäuden ist für Gruppen von Räumen gleicher Art und Nutzung eine Gruppenregelung zulässig. Fußbodenheizungen in Gebäuden, die vor dem 1. Februar 2002 errichtet worden sind, dürfen abweichend von Satz 1 mit Einrichtungen zur raumweisen Anpassung der Wärmeleistung an die Heizlast ausgestattet werden. Soweit die in Satz 1 bis 3 geforderten Ausstattungen bei bestehenden Gebäuden nicht vorhanden sind, muss der Eigentümer sie nachrüsten.

(3) In Zentralheizungen mit mehr als 25 Kilowatt Nennleistung sind die Umwälzpumpen der Heizkreise beim erstmaligen Einbau und bei der Ersetzung so auszustatten, dass die elektrische Leistungsaufnahme dem betriebsbedingten Förderbedarf selbsttätig in mindestens drei Stufen angepasst wird, soweit sicherheitstechnische Belange des Heizkessels dem nicht entgegenstehen.

(4) Zirkulationspumpen müssen beim Einbau in Warmwasseranlagen mit selbsttätig wirkenden Einrichtungen zur Ein- und Ausschaltung ausgestattet werden.

(5) Beim erstmaligen Einbau und bei der Ersetzung von Wärmeverteilungs- und Warmwasserleitungen sowie von Armaturen in Gebäuden ist deren Wärmeabgabe nach Anlage 5 zu begrenzen.

(6) Beim erstmaligen Einbau von Einrichtungen, in denen Heiz- oder Warmwasser gespeichert wird, in Gebäude und bei deren Ersetzung ist deren Wärmeabgabe nach anerkannten Regeln der Technik zu begrenzen.

§ 15
Klimaanlagen und sonstige Anlagen der Raumlufttechnik

(1) Beim Einbau von Klimaanlagen mit einer Nennleistung für den Kältebedarf von mehr als zwölf Kilowatt und raumlufttechnischen Anlagen, die für einen Volumenstrom der Zuluft von wenigstens 4 000 Kubikmeter je Stunde ausgelegt sind, in Gebäude sowie bei der Erneuerung von Zentralgeräten oder Luftkanalsystemen solcher Anlagen müssen diese Anlagen so ausgeführt werden, dass

1. die auf das Fördervolumen bezogene elektrische Leistung der Einzelventilatoren oder
2. der gewichtete Mittelwert der auf das jeweilige Fördervolumen bezogenen elektrischen Leistungen aller Zu- und Abluftventilatoren

bei Auslegungsvolumenstrom den Grenzwert der Kategorie SFP 4 nach DIN EN 13779 : **2007-09** nicht überschreitet. **Der Grenzwert für die Klasse SFP 4 kann um Zuschläge** nach DIN EN **13779 : 2007-09 Abschnitt 6.5.2 für Gas- und HEPA-Filter sowie Wärmerückführungsbauteile der Klassen H2 oder H1 nach DIN EN 13053 erweitert werden.**

(2) Beim Einbau von Anlagen nach Absatz 1 Satz 1 in Gebäude und bei der Erneuerung von Zentralgeräten solcher Anlagen müssen, soweit diese Anlagen dazu bestimmt sind, die Feuchte der Raumluft unmittelbar zu verändern, diese Anlagen mit selbsttätig wirkenden Regelungseinrichtungen ausgestattet werden, bei denen getrennte Sollwerte für die Be- und die Entfeuchtung eingestellt werden können und als Führungsgröße mindestens die direkt gemessene Zu- oder Abluftfeuchte dient. **Sind solche Einrichtungen in bestehenden Anlagen nach Absatz 1 Satz 1 nicht vorhanden, muss der Betreiber sie bei Klimaanlagen innerhalb von sechs Monaten nach Ablauf der jeweiligen Frist des § 12 Absatz 3, bei sonstigen raumlufttechnischen Anlagen in entsprechender Anwendung der jeweiligen Fristen des § 12 Absatz 3, nachrüsten.**

(3) Beim Einbau von Anlagen nach Absatz 1 Satz 1 in Gebäude und bei der Erneuerung von Zentralgeräten oder Luftkanalsystemen solcher Anlagen müssen diese Anlagen mit Einrichtungen zur selbsttätigen Regelung der Volumenströme in Abhängig-

E

keit von den thermischen und stofflichen Lasten oder zur Einstellung der Volumenströme in Abhängigkeit von der Zeit ausgestattet werden, wenn der Zuluftvolumenstrom dieser Anlagen je Quadratmeter versorgter Nettogrundfläche, bei Wohngebäuden je Quadratmeter versorgter Gebäudenutzfläche neun Kubikmeter pro Stunde überschreitet. Satz 1 gilt nicht, soweit in den versorgten Räumen auf Grund des Arbeits- oder Gesundheitsschutzes erhöhte Zuluftvolumenströme erforderlich sind oder Laständerungen weder messtechnisch noch hinsichtlich des zeitlichen Verlaufes erfassbar sind.

(4) Werden Kälteverteilungs- und Kaltwasserleitungen und Armaturen, die zu Anlagen im Sinne des Absatzes 1 Satz 1 gehören, erstmalig in Gebäude eingebaut oder ersetzt, ist deren Wärmeaufnahme nach Anlage 5 zu begrenzen.

(5) Werden Anlagen nach Absatz 1 Satz 1 in Gebäude eingebaut oder Zentralgeräte solcher Anlagen erneuert, müssen diese mit einer Einrichtung zur Wärmerückgewinnung ausgestattet sein, die mindestens der Klassifizierung H3 nach DIN EN 13053 : 2007-09 entspricht. Für die Betriebsstundenzahl sind die Nutzungsrandbedingungen nach DIN V 18599-10 : 2007-02 und für den Luftvolumenstrom der Außenluftvolumenstrom maßgebend.

Abschnitt 5
Energieausweise und Empfehlungen für die Verbesserung der Energieeffizienz

§ 16
Ausstellung und Verwendung von Energieausweisen

(1) Wird ein Gebäude errichtet, hat der Bauherr sicherzustellen, dass ihm, wenn er zugleich Eigentümer des Gebäudes ist, oder dem Eigentümer des Gebäudes ein Energieausweis nach dem Muster der Anlage 6 oder 7 unter Zugrundelegung der energetischen Eigenschaften des fertig gestellten Gebäudes ausgestellt wird. Satz 1 ist entsprechend anzuwenden, wenn

1. an einem Gebäude Änderungen im Sinne der Anlage 3 **Nummer** 1 bis 6 vorgenommen oder
2. die Nutzfläche der beheizten oder gekühlten Räume eines Gebäudes um mehr als die Hälfte erweitert wird

und dabei **unter Anwendung des § 9 Absatz 1 Satz 2** für das gesamte Gebäude Berechnungen nach § 9 **Absatz** 2 durchgeführt werden. Der Eigentümer hat den Energieausweis der nach Landesrecht zuständigen Behörde auf Verlangen vorzulegen.

(2) Soll ein mit einem Gebäude bebautes Grundstück, ein grundstücksgleiches Recht an einem bebauten Grundstück oder Wohnungs- oder Teileigentum verkauft werden, hat der Verkäufer dem potenziellen Käufer einen Energieausweis mit dem Inhalt nach dem Muster der Anlage 6 oder 7 zugänglich zu machen, spätestens unverzüglich, nachdem der potenzielle Käufer dies verlangt hat. Satz 1 gilt entsprechend für den Eigentümer, Vermieter, Verpächter und Leasinggeber bei der Vermietung, der

Verpachtung oder beim Leasing eines Gebäudes, einer Wohnung oder einer sonstigen selbständigen Nutzungseinheit.

(3) Für Gebäude mit mehr als 1 000 Quadratmetern Nutzfläche, in denen Behörden und sonstige Einrichtungen für eine große Anzahl von Menschen öffentliche Dienstleistungen erbringen und die deshalb von diesen Menschen häufig aufgesucht werden, sind Energieausweise nach dem Muster der Anlage 7 auszustellen. Der Eigentümer hat den Energieausweis an einer für die Öffentlichkeit gut sichtbaren Stelle auszuhängen; der Aushang kann auch nach dem Muster der Anlage 8 oder 9 vorgenommen werden.

(4) Auf kleine Gebäude sind die Vorschriften dieses Abschnitts nicht anzuwenden. Auf Baudenkmäler **sind die Absätze** 2 **und 3** nicht anzuwenden.

§ 17
Grundsätze des Energieausweises

(1) Der Aussteller hat Energieausweise nach § 16 auf der Grundlage des berechneten Energiebedarfs oder des erfassten Energieverbrauchs nach Maßgabe der Absätze 2 bis 6 sowie der §§ 18 und 19 auszustellen. Es ist zulässig, sowohl den Energiebedarf als auch den Energieverbrauch anzugeben.

(2) Energieausweise dürfen in den Fällen des § 16 **Absatz** 1 nur auf der Grundlage des Energiebedarfs ausgestellt werden. In den Fällen des § 16 **Absatz** 2 sind ab dem 1. Oktober 2008 Energieausweise für Wohngebäude, die weniger als fünf Wohnungen haben und für die der Bauantrag vor dem 1. November 1977 gestellt worden ist, auf der Grundlage des Energiebedarfs auszustellen. Satz 2 gilt nicht, wenn das Wohngebäude

1. schon bei der Baufertigstellung das Anforderungsniveau der Wärmeschutzverordnung vom 11. August 1977 (BGBl. I S. 1554) eingehalten hat oder
2. durch spätere Änderungen mindestens auf das in Nummer 1 bezeichnete Anforderungsniveau gebracht worden ist.

Bei der Ermittlung der energetischen Eigenschaften des Wohngebäudes nach Satz 3 können die Bestimmungen über die vereinfachte Datenerhebung nach § 9 **Absatz** 2 Satz 2 und die Datenbereitstellung durch den Eigentümer nach Absatz 5 angewendet werden.

(3) Energieausweise werden für Gebäude ausgestellt. Sie sind für Teile von Gebäuden auszustellen, wenn die Gebäudeteile nach § 22 getrennt zu behandeln sind.

(4) Energieausweise müssen nach Inhalt und Aufbau den Mustern in den Anlagen 6 bis 9 entsprechen und mindestens die dort für die jeweilige Ausweisart geforderten, nicht als freiwillig gekennzeichneten Angaben enthalten; sie sind vom Aussteller unter Angabe von Name, Anschrift und Berufsbezeichnung eigenhändig oder durch Nachbildung der Unterschrift zu unterschreiben. Zusätzliche Angaben können beigefügt werden.

(5) Der Eigentümer kann die zur Ausstellung des Energieausweises **nach § 18 Absatz 1 Satz 1 oder Absatz 2 Satz 1 in Verbindung mit den Anlagen 1, 2 und 3 Nummer 8 oder nach § 19 Absatz 1 Satz 1 und 3, Absatz 2 Satz 1 oder 3 und Absatz 3 Satz 1** erforderlichen Daten bereitstellen. **Der Eigentümer muss dafür**

E

Sorge tragen, dass die von ihm nach Satz 1 bereitgestellten Daten richtig sind. Der Aussteller darf **die vom Eigentümer bereitgestellten Daten** seinen Berechnungen nicht zugrunde legen, soweit begründeter Anlass zu Zweifeln an **deren** Richtigkeit **besteht. Soweit der Aussteller des Energieausweises die Daten selbst ermittelt hat, ist Satz 2 entsprechend anzuwenden.**

(6) Energieausweise sind für eine Gültigkeitsdauer von zehn Jahren auszustellen. **Unabhängig davon verlieren Energieausweise ihre Gültigkeit, wenn nach § 16 Absatz 1 ein neuer Energieausweis erforderlich wird.**

§ 18
Ausstellung auf der Grundlage des Energiebedarfs

(1) Werden Energieausweise für zu errichtende Gebäude auf der Grundlage des berechneten Energiebedarfs ausgestellt, sind die Ergebnisse der nach den §§ 3 **bis 5** erforderlichen Berechnungen zugrunde zu legen. Die Ergebnisse sind in den Energieausweisen anzugeben, soweit ihre Angabe für Energiebedarfswerte in den Mustern der Anlagen 6 bis 8 vorgesehen ist.

(2) Werden Energieausweise für bestehende Gebäude auf der Grundlage des berechneten Energiebedarfs ausgestellt, ist auf die erforderlichen Berechnungen § 9 **Absatz** 2 entsprechend anzuwenden. Die Ergebnisse sind in den Energieausweisen anzugeben, soweit ihre Angabe für Energiebedarfswerte in den Mustern der Anlagen 6 bis 8 vorgesehen ist.

§ 19
Ausstellung auf der Grundlage des Energieverbrauchs

(1) Werden Energieausweise für bestehende Gebäude auf der Grundlage des erfassten Energieverbrauchs ausgestellt, ist der witterungsbereinigte Energieverbrauch (Energieverbrauchskennwert) nach Maßgabe der Absätze 2 und 3 zu berechnen. Die Ergebnisse sind in den Energieausweisen anzugeben, soweit ihre Angabe für Energieverbrauchskennwerte in den Mustern der Anlagen 6, 7 und 9 vorgesehen ist. Die Bestimmungen des § 9 **Absatz** 2 Satz 2 über die vereinfachte Datenerhebung sind entsprechend anzuwenden.

(2) Bei Wohngebäuden ist der Energieverbrauch für Heizung und zentrale Warmwasserbereitung zu ermitteln und in Kilowattstunden pro Jahr und Quadratmeter Gebäudenutzfläche anzugeben. Die Gebäudenutzfläche kann bei Wohngebäuden mit bis zu zwei Wohneinheiten mit beheiztem Keller pauschal mit dem 1,35-fachen Wert der Wohnfläche, bei sonstigen Wohngebäuden mit dem 1,2-fachen Wert der Wohnfläche angesetzt werden. Bei Nichtwohngebäuden ist der Energieverbrauch für Heizung, Warmwasserbereitung, Kühlung, Lüftung und eingebaute Beleuchtung zu ermitteln und in Kilowattstunden pro Jahr und Quadratmeter Nettogrundfläche anzugeben. Der Energieverbrauch für Heizung ist einer Witterungsbereinigung zu unterziehen.

(3) Zur Ermittlung des Energieverbrauchs sind

1. Verbrauchsdaten aus Abrechnungen von Heizkosten nach der Heizkostenverordnung für das gesamte Gebäude,

2. andere geeignete Verbrauchsdaten, insbesondere Abrechnungen von Energielieferanten oder sachgerecht durchgeführte Verbrauchsmessungen, oder
3. eine Kombination von Verbrauchsdaten nach den Nummern 1 und 2

zu verwenden; dabei sind mindestens **die Abrechnungen aus einem zusammenhängenden Zeitraum von 36 Monaten** zugrunde zu legen, **der die jüngste vorliegende Abrechnungsperiode einschließt**. Bei der Ermittlung nach Satz 1 sind längere Leerstände rechnerisch angemessen zu berücksichtigen. Der **maßgebliche Energieverbrauch ist der durchschnittliche Verbrauch in dem zugrunde gelegten Zeitraum**. Für die Witterungsbereinigung des Energieverbrauchs ist ein den anerkannten Regeln der Technik entsprechendes Verfahren anzuwenden. Die Einhaltung der anerkannten Regeln der Technik wird vermutet, soweit bei der Ermittlung von Energieverbrauchskennwerten Vereinfachungen verwendet werden, die vom Bundesministerium für Verkehr, Bau und Stadtentwicklung im Einvernehmen mit dem Bundesministerium für Wirtschaft und Technologie im Bundesanzeiger bekannt gemacht worden sind.

(4) Als Vergleichswerte für Energieverbrauchskennwerte eines Nichtwohngebäudes sind in den Energieausweis die Werte einzutragen, die jeweils vom Bundesministerium für Verkehr, Bau und Stadtentwicklung im Einvernehmen mit dem Bundesministerium für Wirtschaft und Technologie im Bundesanzeiger bekannt gemacht worden sind.

§ 20
Empfehlungen für die Verbesserung der Energieeffizienz

(1) Sind Maßnahmen für kostengünstige Verbesserungen der energetischen Eigenschaften des Gebäudes (Energieeffizienz) möglich, hat der Aussteller des Energieausweises dem Eigentümer anlässlich der Ausstellung eines Energieausweises entsprechende, begleitende Empfehlungen in Form von kurz gefassten fachlichen Hinweisen auszustellen (Modernisierungsempfehlungen). Dabei kann ergänzend auf weiterführende Hinweise in Veröffentlichungen des Bundesministeriums für Verkehr, Bau und Stadtentwicklung im Einvernehmen mit dem Bundesministerium für Wirtschaft und Technologie oder von ihnen beauftragter Dritter Bezug genommen werden. Die Bestimmungen des § 9 **Absatz** 2 Satz 2 über die vereinfachte Datenerhebung sind entsprechend anzuwenden. Sind Modernisierungsempfehlungen nicht möglich, hat der Aussteller dies dem Eigentümer anlässlich der Ausstellung des Energieausweises mitzuteilen.

(2) Die Darstellung von Modernisierungsempfehlungen und die Erklärung nach Absatz 1 Satz 4 müssen nach Inhalt und Aufbau dem Muster in Anlage 10 entsprechen. § 17 **Absatz** 4 und 5 ist entsprechend anzuwenden.

(3) Modernisierungsempfehlungen sind dem Energieausweis mit dem Inhalt nach den Mustern der Anlagen 6 und 7 beizufügen.

§ 21
Ausstellungsberechtigung für bestehende Gebäude

(1) Zur Ausstellung von Energieausweisen für bestehende Gebäude nach § 16 **Absatz** 2 und 3 und von Modernisierungsempfehlungen nach § 20 sind **nur** berechtigt

E

1. **Personen mit berufsqualifizierendem Hochschulabschluss** in
   a) den Fachrichtungen Architektur, Hochbau, Bauingenieurwesen, Technische Gebäudeausrüstung, **Physik,** Bauphysik, Maschinenbau oder Elektrotechnik oder
   b) einer anderen technischen oder naturwissenschaftlichen Fachrichtung mit einem Ausbildungsschwerpunkt auf einem unter Buchstabe a genannten Gebiet,
2. **Personen** im Sinne der Nummer 1 Buchstabe a im Bereich Architektur der Fachrichtung Innenarchitektur,
3. Personen, die für ein zulassungspflichtiges Bau-, Ausbau- oder anlagentechnisches Gewerbe oder für das Schornsteinfegerwesen die Voraussetzungen zur Eintragung in die Handwerksrolle erfüllen, sowie Handwerksmeister der zulassungsfreien Handwerke dieser Bereiche und Personen, die auf Grund ihrer Ausbildung berechtigt sind, eine solches Handwerk ohne Meistertitel selbständig auszuüben,
4. staatlich anerkannte oder geprüfte Techniker, deren Ausbildungsschwerpunkt auch die Beurteilung der Gebäudehülle, die Beurteilung von Heizungs- und Warmwasserbereitungsanlagen oder die Beurteilung von Lüftungs- und Klimaanlagen umfasst,
5. **Personen, die nach bauordnungsrechtlichen Vorschriften der Länder zur Unterzeichnung von bautechnischen Nachweisen des Wärmeschutzes oder der Energieeinsparung bei der Errichtung von Gebäuden berechtigt sind, im Rahmen der jeweiligen Nachweisberechtigung,**

wenn sie **mit Ausnahme der in Nummer 5 genannten Personen** mindestens eine der in Absatz 2 genannten Voraussetzungen erfüllen. Die Ausstellungsberechtigung nach Satz 1 **Nummer** 2 bis 4 in Verbindung mit Absatz 2 bezieht sich nur auf Energieausweise für bestehende Wohngebäude einschließlich Modernisierungsempfehlungen im Sinne des § 20**. Satz 2 gilt entsprechend für in Satz 1 Nummer 1 genannte Personen, die die Voraussetzungen des Absatzes 2 Nummer 1 oder 3 nicht erfüllen, deren Fortbildung jedoch den Anforderungen des Absatzes 2 Nummer 2 Buchstabe b genügt.**

(2) Voraussetzung für die Ausstellungsberechtigung nach Absatz 1 **Satz 1 Nummer 1 bis 4** ist

1. während des Studiums ein Ausbildungsschwerpunkt im Bereich des energiesparenden Bauens oder nach einem Studium ohne einen solchen Schwerpunkt eine mindestens zweijährige Berufserfahrung in wesentlichen bau- oder anlagentechnischen Tätigkeitsbereichen des Hochbaus,
2. eine erfolgreiche Fortbildung im Bereich des energiesparenden Bauens, die
   a) in Fällen des Absatzes 1 Satz 1 **Nummer** 1 den wesentlichen Inhalten der Anlage 11,
   b) in Fällen des Absatzes 1 Satz 1 **Nummer** 2 bis 4 den wesentlichen Inhalten der Anlage 11 **Nummer** 1 und 2
   entspricht, oder

3. eine öffentliche Bestellung als vereidigter Sachverständiger für ein Sachgebiet im Bereich des energiesparenden Bauens oder in wesentlichen bau- oder anlagentechnischen Tätigkeitsbereichen des Hochbaus.

(3) § 12 **Absatz** 5 Satz 3 ist auf Ausbildungen im Sinne des Absatzes 1 entsprechend anzuwenden.

Abschnitt 6
Gemeinsame Vorschriften, Ordnungswidrigkeiten

§ 22
Gemischt genutzte Gebäude

(1) Teile eines Wohngebäudes, die sich hinsichtlich der Art ihrer Nutzung und der gebäudetechnischen Ausstattung wesentlich von der Wohnnutzung unterscheiden und die einen nicht unerheblichen Teil der Gebäudenutzfläche umfassen, sind getrennt als Nichtwohngebäude zu behandeln.

(2) Teile eines Nichtwohngebäudes, die dem Wohnen dienen und einen nicht unerheblichen Teil der Nettogrundfläche umfassen, sind getrennt als Wohngebäude zu behandeln.

(3) Für die Berechnung von Trennwänden und Trenndecken zwischen Gebäudeteilen gilt in Fällen der Absätze 1 und 2 Anlage 1 **Nummer** 2.**6** Satz 1 entsprechend.

§ 23
Regeln der Technik

(1) Das Bundesministerium für Verkehr, Bau und Stadtentwicklung kann im Einvernehmen mit dem Bundesministerium für Wirtschaft und Technologie durch Bekanntmachung im Bundesanzeiger auf Veröffentlichungen sachverständiger Stellen über anerkannte Regeln der Technik hinweisen, soweit in dieser Verordnung auf solche Regeln Bezug genommen wird.

(2) Zu den anerkannten Regeln der Technik gehören auch Normen, technische Vorschriften oder sonstige Bestimmungen anderer Mitgliedstaaten der Europäischen Union und anderer Vertragsstaaten des Abkommens über den Europäischen Wirtschaftsraum sowie der Türkei, wenn ihre Einhaltung das geforderte Schutzniveau in Bezug auf Energieeinsparung und Wärmeschutz dauerhaft gewährleistet.

(3) Soweit eine Bewertung von Baustoffen, Bauteilen und Anlagen im Hinblick auf die Anforderungen dieser Verordnung auf Grund anerkannter Regeln der Technik nicht möglich ist, weil solche Regeln nicht vorliegen oder wesentlich von ihnen abgewichen wird, sind der nach Landesrecht zuständigen Behörde die erforderlichen Nachweise für eine anderweitige Bewertung vorzulegen. Satz 1 gilt nicht für Baustoffe, Bauteile und Anlagen,

1. die nach dem Bauproduktengesetz oder anderen Rechtsvorschriften zur Umsetzung des europäischen Gemeinschaftsrechts, deren Regelungen auch Anforderungen zur Energieeinsparung umfassen, mit der CE-Kennzeichnung versehen sind

und nach diesen Vorschriften zulässige und von den Ländern bestimmte Klassen und Leistungsstufen aufweisen, oder

2. bei denen nach bauordnungsrechtlichen Vorschriften über die Verwendung von Bauprodukten auch die Einhaltung dieser Verordnung sichergestellt wird.

(4) Das Bundesministerium für Verkehr, Bau und Stadtentwicklung und das Bundesministerium für Wirtschaft und Technologie oder in deren Auftrag Dritte können Bekanntmachungen nach dieser Verordnung neben der Bekanntmachung im Bundesanzeiger auch kostenfrei in das Internet einstellen.

(5) Verweisen die nach dieser Verordnung anzuwendenden datierten technischen Regeln auf undatierte technische Regeln, sind diese in der Fassung anzuwenden, die dem Stand zum Zeitpunkt der Herausgabe der datierten technischen Regel entspricht.

§ 24
Ausnahmen

(1) Soweit bei Baudenkmälern oder sonstiger besonders erhaltenswerter Bausubstanz die Erfüllung der Anforderungen dieser Verordnung die Substanz oder das Erscheinungsbild beeinträchtigen oder andere Maßnahmen zu einem unverhältnismäßig hohen Aufwand führen, kann von den Anforderungen dieser Verordnung abgewichen werden.

(2) Soweit die Ziele dieser Verordnung durch andere als in dieser Verordnung vorgesehene Maßnahmen im gleichen Umfang erreicht werden, lassen die nach Landesrecht zuständigen Behörden auf Antrag Ausnahmen zu.

§ 25
Befreiungen

(1) Die nach Landesrecht zuständigen Behörden **haben** auf Antrag von den Anforderungen dieser Verordnung **zu** befreien, soweit die Anforderungen im Einzelfall wegen besonderer Umstände durch einen unangemessenen Aufwand oder in sonstiger Weise zu einer unbilligen Härte führen. Eine unbillige Härte liegt insbesondere vor, wenn die erforderlichen Aufwendungen innerhalb der üblichen Nutzungsdauer, bei Anforderungen an bestehende Gebäude innerhalb angemessener Frist durch die eintretenden Einsparungen nicht erwirtschaftet werden können.

(2) Eine unbillige Härte im Sinne des Absatzes 1 kann sich auch daraus ergeben, dass ein Eigentümer zum gleichen Zeitpunkt oder in nahem zeitlichen Zusammenhang mehrere Pflichten nach dieser Verordnung oder zusätzlich nach anderen öffentlich-rechtlichen Vorschriften aus Gründen der Energieeinsparung zu erfüllen hat und ihm dies nicht zuzumuten ist.

(3) Absatz 1 ist auf die Vorschriften des Abschnitts 5 nicht anzuwenden.

§ 26
Verantwortliche

(1) Für die Einhaltung der Vorschriften dieser Verordnung ist der Bauherr verantwortlich, soweit in dieser Verordnung nicht ausdrücklich ein anderer Verantwortlicher bezeichnet ist.

(2) Für die Einhaltung der Vorschriften dieser Verordnung sind im Rahmen ihres jeweiligen Wirkungskreises auch die Personen verantwortlich, die im Auftrag des Bauherrn bei der Errichtung oder Änderung von Gebäuden oder der Anlagentechnik in Gebäuden tätig werden.

§ 26a
Private Nachweise

(1) Wer geschäftsmäßig an oder in bestehenden Gebäuden Arbeiten

1. **zur Änderung von Außenbauteilen im Sinne des § 9 Absatz 1 Satz 1,**
2. **zur Dämmung oberster Geschossdecken im Sinne von § 10 Absatz 3 und 4, auch in Verbindung mit Absatz 5, oder**
3. **zum erstmaligen Einbau oder zur Ersetzung von Heizkesseln und sonstigen Wärmeerzeugersystemen nach § 13, Verteilungseinrichtungen oder Warmwasseranlagen nach § 14 oder Klimaanlagen oder sonstigen Anlagen der Raumlufttechnik nach § 15 durchführt, hat dem Eigentümer unverzüglich nach Abschluss der Arbeiten schriftlich zu bestätigen, dass die von ihm geänderten oder eingebauten Bau- oder Anlagenteile den Anforderungen dieser Verordnung entsprechen (Unternehmererklärung).**

(2) Mit der Unternehmererklärung wird die Erfüllung der Pflichten aus den in Absatz 1 genannten Vorschriften nachgewiesen. Die Unternehmererklärung ist von dem Eigentümer mindestens fünf Jahre aufzubewahren. Der Eigentümer hat die Unternehmererklärungen der nach Landesrecht zuständigen Behörde auf Verlangen vorzulegen.

§ 26b
Aufgaben des Bezirksschornsteinfegermeisters

(1) Bei heizungstechnischen Anlagen prüft der Bezirksschornsteinfegermeister als Beliehener im Rahmen der Feuerstättenschau, ob

1. **Heizkessel, die nach § 10 Absatz 1, auch in Verbindung mit Absatz 5, außer Betrieb genommen werden mussten, weiterhin betrieben werden und**
2. **Wärmeverteilungs- und Warmwasserleitungen sowie Armaturen, die nach § 10 Absatz 2, auch in Verbindung mit Absatz 5, gedämmt werden mussten, weiterhin ungedämmt sind.**

(2) Bei heizungstechnischen Anlagen, die in bestehende Gebäude eingebaut werden, prüft der Bezirksschornsteinfegermeister als Beliehener im Rahmen der ersten Feuerstättenschau nach dem Einbau außerdem, ob

1. **Zentralheizungen mit einer zentralen selbsttätig wirkenden Einrichtung zur Verringerung und Abschaltung der Wärmezufuhr sowie zur Ein- und Ausschaltung elektrischer Antriebe nach § 14 Absatz 1 ausgestattet sind,**
2. **Umwälzpumpen in Zentralheizungen mit Vorrichtungen zur selbsttätigen Anpassung der elektrischen Leistungsaufnahme nach § 14 Absatz 3 ausgestattet sind,**
3. **bei Wärmeverteilungs- und Warmwasserleitungen sowie Armaturen die Wärmeabgabe nach § 14 Absatz 5 begrenzt ist.**

E

(3) Der Bezirksschornsteinfegermeister weist den Eigentümer bei Nichterfüllung der Pflichten aus den in den Absätzen 1 und 2 genannten Vorschriften schriftlich auf diese Pflichten hin und setzt eine angemessene Frist zu deren Nacherfüllung. Werden die Pflichten nicht innerhalb der festgesetzten Frist erfüllt, unterrichtet der Bezirksschornsteinfegermeister unverzüglich die nach Landesrecht zuständige Behörde.

(4) Die Erfüllung der Pflichten aus den in den Absätzen 1 und 2 genannten Vorschriften kann durch Vorlage der Unternehmererklärungen gegenüber dem Bezirksschornsteinfegermeister nachgewiesen werden. Es bedarf dann keiner weiteren Prüfung durch den Bezirksschornsteinfegermeister.

(5) Eine Prüfung nach Absatz 1 findet nicht statt, soweit eine vergleichbare Prüfung durch den Bezirksschornsteinfegermeister bereits auf der Grundlage von Landesrecht für die jeweilige heizungstechnische Anlage vor dem [*einsetzen: Datum des Tages des Inkrafttretens dieser Verordnung*] erfolgt ist.

§ 27
Ordnungswidrigkeiten

(1) Ordnungswidrig im Sinne des § 8 **Absatz** 1 **Nummer** 1 des Energieeinsparungsgesetzes handelt, wer vorsätzlich oder **leichtfertig**

1. **entgegen § 3 Absatz 1 ein Wohngebäude nicht richtig errichtet,**
2. **entgegen § 4 Absatz 1 ein Nichtwohngebäude nicht richtig errichtet,**
3. **entgegen § 9 Absatz 1 Satz 1 Änderungen ausführt,**
4. entgegen § 12 **Absatz** 1 eine Inspektion nicht oder nicht rechtzeitig durchführen lässt,
5. entgegen § 12 **Absatz** 5 Satz 1 eine Inspektion durchführt,
6. entgegen § 13 **Absatz** 1 Satz 1, auch in Verbindung mit Satz 2, einen Heizkessel einbaut oder aufstellt,
7. entgegen § 14 **Absatz** 1 Satz 1, **Absatz** 2 Satz 1 oder **Absatz** 3 eine Zentralheizung, eine heizungstechnische Anlage oder eine Umwälzpumpe nicht oder nicht rechtzeitig ausstattet oder
8. entgegen § 14 **Absatz** 5 die Wärmeabgabe von Wärmeverteilungs- oder Warmwasserleitungen oder Armaturen nicht oder nicht rechtzeitig begrenzt.

(2) Ordnungswidrig im Sinne des § 8 **Absatz** 1 **Nummer** 2 des Energieeinsparungsgesetzes handelt, wer vorsätzlich oder **leichtfertig**

1. entgegen § 16 **Absatz** 2 Satz 1, auch in Verbindung mit Satz 2, einen Energieausweis nicht, nicht vollständig oder nicht rechtzeitig zugänglich macht,
2. **entgegen § 17 Absatz 5 Satz 2, auch in Verbindung mit Satz 4, nicht dafür Sorge trägt, dass die bereitgestellten Daten richtig sind,**
3. **entgegen § 17 Absatz 5 Satz 3 bereitgestellte Daten seinen Berechnungen zugrunde legt oder**
4. entgegen § 21 **Absatz** 1 Satz 1 einen Energieausweis oder Modernisierungsempfehlungen ausstellt.

(3) Ordnungswidrig im Sinne des § 8 Absatz 1 Nummer 3 des Energieeinsparungsgesetzes handelt, wer vorsätzlich oder leichtfertig entgegen § 26a Absatz 1 eine Bestätigung nicht, nicht richtig oder nicht rechtzeitig vornimmt.

Abschnitt 7
Schlussvorschriften

§ 28
Allgemeine Übergangsvorschriften

(1) Auf Vorhaben, welche die Errichtung, die Änderung, die Erweiterung **oder den Ausbau von Gebäuden zum Gegenstand haben, ist diese Verordnung in der zum Zeitpunkt der Bauantragstellung oder der Bauanzeige geltenden Fassung anzuwenden.**

(2) Auf nicht genehmigungsbedürftige Vorhaben, die nach Maßgabe des Bauordnungsrechts der Gemeinde zur Kenntnis zu geben sind, **ist diese Verordnung in der zum Zeitpunkt der Kenntnisgabe gegenüber der zuständigen Behörde geltenden Fassung anzuwenden.**

(3) Auf sonstige nicht genehmigungsbedürftige, insbesondere genehmigungs-, anzeige- und verfahrensfreie Vorhaben **ist diese Verordnung in der zum Zeitpunkt des Beginns der Bauausführung geltenden Fassung anzuwenden.**

(4) Auf Verlangen des Bauherrn **ist** abweichend von Absatz **1 das neue Recht anzuwenden,** wenn über den Bauantrag oder nach einer Bauanzeige noch nicht bestandskräftig entschieden worden ist.

§ 29
Übergangsvorschriften für Energieausweise und Aussteller

(1) Energieausweise für Wohngebäude der Baufertigstellungsjahre bis 1965 müssen in Fällen des § 16 **Absatz** 2 erst ab dem 1. Juli 2008, für später errichtete Wohngebäude erst ab dem 1. Januar 2009 zugänglich gemacht werden. Satz 1 ist nicht auf Energiebedarfsausweise anzuwenden, die für Wohngebäude nach § 13 **Absatz** 1 oder 2 der Energieeinsparverordnung in einer vor dem 1. Oktober 2007 geltenden Fassung ausgestellt worden sind.

(2) Energieausweise für Nichtwohngebäude müssen erst ab dem 1. Juli 2009

1. in Fällen des § 16 **Absatz** 2 zugänglich gemacht und
2. in Fällen des § 16 **Absatz** 3 ausgestellt und ausgehängt werden.

Satz 1 **Nummer** 1 ist nicht auf Energie- und Wärmebedarfsausweise anzuwenden, die für Nichtwohngebäude nach § 13 **Absatz** 1, 2 oder 3 der Energieeinsparverordnung in einer vor dem 1. Oktober 2007 geltenden Fassung ausgestellt worden sind.

(3) Energie- und Wärmebedarfsausweise nach vor dem 1. Oktober 2007 geltenden Fassungen der Energieeinsparverordnung sowie Wärmebedarfsausweise nach § 12 der Wärmeschutzverordnung vom 16. August 1994 (BGBl. I S. 2121) gelten als Energieausweise im Sinne des § 16 **Absatz** 1 Satz 3, **Absatz** 2 und 3; die Gültigkeits-

E

dauer dieser Ausweise beträgt zehn Jahre ab dem Tag der Ausstellung. Das Gleiche gilt für Energieausweise, die vor dem 1. Oktober 2007

1. von Gebietskörperschaften oder auf deren Veranlassung von Dritten nach einheitlichen Regeln oder
2. in Anwendung der in dem von der Bundesregierung am 25. April 2007 beschlossenen Entwurf dieser Verordnung (Bundesrats-Drucksache 282/07) enthaltenen Bestimmungen

ausgestellt worden sind.

(4) Zur Ausstellung von Energieausweisen für bestehende Wohngebäude nach § 16 **Absatz** 2 und von Modernisierungsempfehlungen nach § 20 sind ergänzend zu § 21 auch Personen berechtigt, die vor dem 25. April 2007 nach Maßgabe der Richtlinie des Bundesministeriums für Wirtschaft und Technologie über die Förderung der Beratung zur sparsamen und rationellen Energieverwendung in Wohngebäuden vor Ort vom 7. September 2006 (BAnz. S. 6379) als Antragsberechtigte beim Bundesamt für Wirtschaft und Ausfuhrkontrolle registriert worden sind.

(5) Zur Ausstellung von Energieausweisen für bestehende Wohngebäude nach § 16 **Absatz** 2 und von Modernisierungsempfehlungen nach § 20 sind ergänzend zu § 21 auch Personen berechtigt, die am 25. April 2007 über eine abgeschlossene Berufsausbildung im Baustoff-Fachhandel oder in der Baustoffindustrie und eine erfolgreich abgeschlossene Weiterbildung zum Energiefachberater im Baustoff-Fachhandel oder in der Baustoffindustrie verfügt haben. Satz 1 gilt entsprechend für Personen, die eine solche Weiterbildung vor dem 25. April 2007 begonnen haben, nach erfolgreichem Abschluss der Weiterbildung.

(6) Zur Ausstellung von Energieausweisen für bestehende Wohngebäude nach § 16 **Absatz** 2 und von Modernisierungsempfehlungen nach § 20 sind ergänzend zu § 21 auch **Personen** berechtigt, die am 25. April 2007 über eine abgeschlossene Weiterbildung zum Energieberater des Handwerks verfügt haben. Satz 1 gilt entsprechend für Personen, die eine solche Weiterbildung vor dem 25. April 2007 begonnen haben, nach erfolgreichem Abschluss der Weiterbildung.

§ 30
aufgehoben

§ 31
Inkrafttreten, Außerkrafttreten

Diese Verordnung tritt am 1. Oktober 2007 in Kraft. Gleichzeitig tritt die Energieeinsparverordnung in der Fassung der Bekanntmachung vom 2. Dezember 2004 (BGBl. I S. 3146) außer Kraft.

Hinweis: *Die gesamte Anlage 1 wurde neu gefasst (aus Gründen der Übersichtlichkeit wurde von Fettdruck/Unterstreichung abgesehen).*

Anlage 1

(zu den §§ 3 und 9)

Anforderungen an Wohngebäude

1. Höchstwerte des Jahres-Primärenergiebedarfs und des spezifischen Transmissionswärmeverlusts für zu errichtende Wohngebäude (zu § 3 Absatz 1 und 2)

1.1 Höchstwerte des Jahres-Primärenergiebedarfs

Der Höchstwert des Jahres-Primärenergiebedarfs eines zu errichtenden Wohngebäudes ist der auf die Gebäudenutzfläche bezogene, nach einem der in Nr. 2.1 angegebenen Verfahren berechnete Jahres-Primärenergiebedarf eines Referenzgebäudes gleicher Geometrie, Gebäudenutzfläche und Ausrichtung wie das zu errichtende Wohngebäude, das hinsichtlich seiner Ausführung den Vorgaben der Tabelle 1 entspricht.

Soweit in dem zu errichtenden Wohngebäude eine elektrische Warmwasserbereitung ausgeführt wird, darf diese anstelle von Tabelle 1 Zeile 6 als wohnungszentrale Anlage ohne Speicher gemäß den in Tabelle 5.1-3 der DIN V 4701-10 : 2003-08, geändert durch A1 : 2006-12, gegebenen Randbedingungen berücksichtigt werden. Der sich daraus ergebende Höchstwert des Jahres-Primärenergiebedarfs ist in Fällen des Satzes 2 um 10,9 kWh/(m^2 · a) zu verringern; dies gilt nicht bei Durchführung von Maßnahmen zur Einsparung von Energie nach § 7 Nummer 2 in Verbindung mit Nummer VI.1 der Anlage des Erneuerbare-Energien-Wärmegesetzes.

Tabelle 1: Ausführung des Referenzgebäudes

Zeile	Bauteil/System	Referenzausführung / Wert (Maßeinheit)	
		Eigenschaft (zu Zeilen 1.1 bis 3)	
1.1	Außenwand, Geschossdecke gegen Außenluft	Wärmedurchgangskoeffizient	U = 0,28 W/(m^2/K)
1.2	Außenwand gegen Erdreich, Bodenplatte, Wände und Decken zu unbeheizten Räumen (außer solche nach Zeile 1.1)	Wärmedurchgangskoeffizient	U = 0,35 W/(m^2/K)
1.3	Dach, oberste Geschossdecke, Wände zu Abseiten	Wärmedurchgangskoeffizient	U = 0,20 W/(m^2/K)
1.4	Fenster, Fenstertüren	Wärmedurchgangskoeffizient	U_w = 1,30 W/(m^2/K)
		Gesamtenergiedurchlassgrad der Verglasung	$g_\perp$ = 0,60

Fortsetzung siehe nächste Seite.

Tabelle 1 (Fortsetzung)

Zeile	Bauteil/System	Referenzausführung / Wert (Maßeinheit)	
1.5	Dachflächenfenster	Wärmedurchgangskoeffizient	U_w = 1,40 W/(m²/K)
		Gesamtenergiedurchlassgrad der Verglasung	$g_\perp$ = 0,60
1.6	Lichtkuppeln	Wärmedurchgangskoeffizient	U_w = 2,70 W/(m² · K)
		Gesamtenergiedurchlassgrad der Verglasung	$g_\perp$ = 0,64
1.7	Außentüren	Wärmedurchgangskoeffizient	U = 1,80 W/(m²/K)
2	Bauteile nach den Zeilen 1.1 bis 1.7	Wärmebrückenzuschlag	ΔU_{WB} = 0,05 W/(m² · K)
3	Luftdichtheit der Gebäudehülle	Bemessungswert n_{50}	Bei Berechnung nach • DIN V 4108-6 : 2003-06: mit Dichtheitsprüfung • DIN V 18599-2 : 2007-02: nach Kategorie I
4	Sonnenschutzvorrichtung	keine Sonnenschutzvorrichtung	
5	Heizungsanlage	• Wärmeerzeugung durch Brennwertkessel (verbessert), Heizöl EL, Aufstellung: – für Gebäude bis zu 2 Wohneinheiten innerhalb der thermischen Hülle – für Gebäude mit mehr als 2 Wohneinheiten außerhalb der thermischen Hülle • Auslegungstemperatur 55/45 °C, zentrales Verteilsystem innerhalb der wärmeübertragenden Umfassungsfläche, innen liegende Stränge und Anbindeleitungen, Pumpe auf Bedarf ausgelegt (geregelt, Δp konstant), Rohrnetz hydraulisch abgeglichen, Wärmedämmung der Rohrleitungen nach Anlage 5 • Wärmeübergabe mit freien statischen Heizflächen, Anordnung an normaler Außenwand, Thermostatventile mit Proportionalbereich 1 K	
6	Anlage zur Warmwasserbereitung	• zentrale Warmwasserbereitung • gemeinsame Wärmebereitung mit Heizungsanlage nach Zeile 5 • Solaranlage (Kombisystem mit Flachkollektor) entsprechend den Vorgaben nach DIN V 4701-10 : 2003-08 oder DIN V 18599-5 : 2007-02 • Speicher, indirekt beheizt (stehend), gleiche Aufstellung wie Wärmeerzeuger, Auslegung nach DIN V 4701-10 : 2003-08 oder DIN V 18599-5 : 2007-02 als – kleine Solaranlage bei AN < 500 m² (bivalenter Solarspeicher) – große Solaranlage bei AN > 500 m² • Verteilsystem innerhalb der wärmeübertragenden Umfassungsfläche, innen liegende Stränge, gemeinsame Installationswand, Wärmedämmung der Rohrleitungen nach Anlage 5, mit Zirkulation, Pumpe auf Bedarf ausgelegt (geregelt, Δp konstant)	

Fortsetzung siehe nächste Seite.

Tabelle 1 (Fortsetzung)		
Zeile	**Bauteil/System**	**Referenzausführung / Wert (Maßeinheit)**
7	Kühlung	keine Kühlung
8	Lüftung	zentrale Abluftanlage, bedarfsgeführt mit geregeltem DC-Ventilator

1.2 Höchstwerte des spezifischen, auf die wärmeübertragende Umfassungsfläche bezogenen Transmissionswärmeverlusts

Der spezifische, auf die wärmeübertragende Umfassungsfläche bezogene Transmissionswärmeverlust eines zu errichtenden Wohngebäudes darf die in Tabelle 2 angegebenen Höchstwerte nicht überschreiten.

Tabelle 2: Höchstwerte des spezifischen, auf die wärmeübertragende Umfassungsfläche bezogenen Transmissionswärmeverlusts

Zeile	Gebäudetyp		Höchstwert des spezifischen Transmissionswärmeverlusts
1	Freistehendes Wohngebäude	mit $A_N \leq 350 m^2$	$H'_T = 0{,}40\ W/(m^2 \cdot K)$
		mit $A_N > 350 m^2$	$H'_T = 0{,}50\ W/(m^2 \cdot K)$
2	Einseitig angebautes Wohngebäude		$H'_T = 0{,}45\ W/(m^2 \cdot K)$
3	alle anderen Wohngebäude		$H'_T = 0{,}65\ W/(m^2 \cdot K)$
4	Erweiterungen und Ausbauten von Wohngebäuden gemäß § 9 Absatz 5		$H'_T = 0{,}65\ W/(m^2 \cdot K)$

1.3 Definition der Bezugsgrößen

1.3.1 Die wärmeübertragende Umfassungsfläche A eines Wohngebäudes in m^2 ist nach Anhang B der DIN EN ISO 13789 : 1999-10, Fall „Außenabmessung“, zu ermitteln. Die zu berücksichtigenden Flächen sind die äußere Begrenzung einer abgeschlossenen beheizten Zone. Außerdem ist die wärmeübertragende Umfassungsfläche A so festzulegen, dass ein in DIN V 18599-1 : 2007-02 oder in DIN EN 832 : 2003-06 beschriebenes Ein-Zonen-Modell entsteht, das mindestens die beheizten Räume einschließt.

1.3.2 Das beheizte Gebäudevolumen V_e in m^3 ist das Volumen, das von der nach Nr. 1.3.1 ermittelten wärmeübertragenden Umfassungsfläche A umschlossen wird.

1.3.3 Die Gebäudenutzfläche A_N in m^2 wird bei Wohngebäuden wie folgt ermittelt:

$$A_N = 0{,}32\ m^{-1} \cdot V_e$$

mit A_N Gebäudenutzfläche in m^2

V_e beheiztes Gebäudevolumen in m^3.

E

Beträgt die durchschnittliche Geschosshöhe hG eines Wohngebäudes, gemessen von der Oberfläche des Fußbodens zur Oberfläche des Fußbodens des darüber liegenden Geschosses, mehr als 3 m oder weniger als 2,5 m, so ist die Gebäudenutzfläche A_N abweichend von Satz 1 wie folgt zu ermitteln:

$$A_N = \left(\frac{1}{h_G} - 0,04 m^{-1}\right) \cdot V_e$$

mit A_N Gebäudenutzfläche in m^2
h_G Geschossdeckenhöhe in m
V_e beheiztes Gebäudevolumen in m^3.

2 Berechnungsverfahren für Wohngebäude (zu § 3 Absatz 3, § 9 Absatz 2 und 5)

2.1 Berechnung des Jahres-Primärenergiebedarfs

2.1.1 Der Jahres-Primärenergiebedarf Qp ist nach DIN V 18599 : 2007-02 für Wohngebäude zu ermitteln. Als Primärenergiefaktoren sind die Werte für den nicht erneuerbaren Anteil nach DIN V 18599-1 : 2007-02 zu verwenden. Dabei sind für flüssige Biomasse der Wert für den nicht erneuerbaren Anteil „Heizöl EL" und für gasförmige Biomasse der Wert für den nicht erneuerbaren Anteil „Erdgas H" zu verwenden. Für flüssige oder gasförmige Biomasse im Sinne des § 2 Absatz 1 Nummer 4 des Erneuerbare-Energien-Wärmegesetzes kann für den nicht erneuerbaren Anteil der Wert 0,5 verwendet werden, wenn die flüssige oder gasförmige Biomasse im unmittelbaren räumlichen Zusammenhang mit dem Gebäude erzeugt wird. Satz 4 ist entsprechend auf Gebäude anzuwenden, die im räumlichen Zusammenhang zueinander stehen und unmittelbar gemeinsam mit flüssiger oder gasförmiger Biomasse im Sinne des § 2 Absatz 1 Nummer 4 des Erneuerbare-Energien-Wärmegesetzes versorgt werden. Für elektrischen Strom ist abweichend von Satz 2 als Primärenergiefaktor für den nicht erneuerbaren Anteil der Wert 2,6 zu verwenden. Bei der Berechnung des Jahres-Primärenergiebedarfs des Referenzwohngebäudes und des Wohngebäudes sind die in Tabelle 3 genannten Randbedingungen zu verwenden.

Tabelle 3: Randbedingungen für die Berechnung des Jahres-Primärenergiebedarfs

Zeile	Kenngröße	Randbedingungen
1	Verschattungsfaktor FS	FS = 0,9 soweit die baulichen Bedingungen nicht detailliert berücksichtigt werden.
2	Solare Wärmegewinne über opake Bauteile	– Emissionsgrad der Außenfläche für Wärmestrahlung: $\varepsilon = 0,8$ – Strahlungsabsorptionsgrad an opaken Oberflächen: $\alpha = 0,5$; für dunkle Dächer kann abweichend $\alpha = 0,8$ angenommen werden.

2.1.2 Alternativ zu Nr. 2.1.1 kann der Jahres-Primärenergiebedarf Qp für Wohngebäude nach DIN EN 832 : 2003-06 in Verbindung mit DIN V 4108-6 : 2003-06*) und DIN V 4701-10 : 2003-08, geändert durch A1 : 2006-12, ermittelt werden; § 23 Absatz 3 bleibt unberührt. Als Primärenergiefaktoren sind die Werte für den nicht erneuerbaren Anteil nach DIN V 4701-10 : 2003-08, geändert durch A1 : 2006-12, zu verwenden. Nummer 2.1.1 Satz 3 bis 6 ist entsprechend anzuwenden. Der in diesem Rechengang zu bestimmende Jahres-Heizwärmebedarf Qh ist nach dem Monatsbilanzverfahren nach DIN EN 832 : 2003-06 mit den in DIN V 4108-6 : 2003-06*) Anhang D.3 genannten Randbedingungen zu ermitteln. In DIN V 4108-6 : 2003-06*) angegebene Vereinfachungen für den Berechnungsgang nach DIN EN 832 : 2003-06 dürfen angewendet werden. Zur Berücksichtigung von Lüftungsanlagen mit Wärmerückgewinnung sind die methodischen Hinweise unter Nr. 4.1 der DIN V 4701-10 : 2003-08, geändert durch A1 : 2006-12, zu beachten.

2.1.3 Werden in Wohngebäude bauliche oder anlagentechnische Komponenten eingesetzt, für deren energetische Bewertung keine anerkannten Regeln der Technik oder gemäß § 9 Absatz 2 Satz 2 Halbsatz 3 bekannt gemachte gesicherte Erfahrungswerte vorliegen, so sind hierfür Komponenten anzusetzen, die ähnliche energetische Eigenschaften aufweisen.

2.2 Berücksichtigung der Warmwasserbereitung

Bei Wohngebäuden ist der Energiebedarf für Warmwasser in der Berechnung des Jahres-Primärenergiebedarfs wie folgt zu berücksichtigen:

a) Bei der Berechnung gemäß Nr. 2.1.1 ist der Nutzenergiebedarf für Warmwasser nach Tabelle 3 der DIN V 18599-10 : 2007-02 anzusetzen.

b) Bei der Berechnung gemäß Nr. 2.1.2 ist der Nutzwärmebedarf für die Warmwasserbereitung QW im Sinne von DIN V 4701-10 : 2003-08, geändert durch A1 : 2006-12, mit 12,5 kWh/(m² · a) anzusetzen.

2.3 Berechnung des spezifischen Transmissionswärmeverlusts

Der spezifische, auf die wärmeübertragende Umfassungsfläche bezogene Transmissionswärmeverlust H'_T in W/(m² · K) ist wie folgt zu ermitteln:

$$H'_T = \frac{H_T}{A} \text{ in } W/(m^2 \cdot K)$$

mit

H_T nach DIN EN 832 : 2003-06 mit den in DIN V 4108-6 : 2003-06*) Anhang D genannten Randbedingungen berechneter Transmissionswärmeverlust in W/K. In DIN V 4108-6 : 2003-06*) angegebene Vereinfachungen für den Berechnungsgang nach DIN EN 832 : 2003-06 dürfen angewendet werden;

A wärmeübertragende Umfassungsfläche nach Nr. 1.3.1 in m².

*) Geändert durch DIN V 4108-6 Berichtigung 1 2004-03.

2.4 Beheiztes Luftvolumen

Bei der Berechnung des Jahres-Primärenergiebedarfs nach Nr. 2.1.1 ist das beheizte Luftvolumen V in m^3 gemäß DIN V 18599-1 : 2007-02, bei der Berechnung nach Nr. 2.1.2 gemäß DIN EN 832 : 2003-06 zu ermitteln. Vereinfacht darf es wie folgt berechnet werden:

– V = 0,76 · Ve in m^3 bei Wohngebäuden bis zu drei Vollgeschossen

– V = 0,80 · Ve in m^3 in den übrigen Fällen

mit Ve beheiztes Gebäudevolumen nach Nr. 1.3.2 in m^3.

2.5 Ermittlung der solaren Wärmegewinne bei Fertighäusern und vergleichbaren Gebäuden

Werden Gebäude nach Plänen errichtet, die für mehrere Gebäude an verschiedenen Standorten erstellt worden sind, dürfen bei der Berechnung die solaren Gewinne so ermittelt werden, als wären alle Fenster dieser Gebäude nach Osten oder Westen orientiert.

2.6 Aneinandergereihte Bebauung

Bei der Berechnung von aneinandergereihten Gebäuden werden Gebäudetrennwände

a) zwischen Gebäuden, die nach ihrem Verwendungszweck auf Innentemperaturen von mindestens 19 Grad Celsius beheizt werden, als nicht wärmedurchlässig angenommen und bei der Ermittlung der wärmeübertragenden Umfassungsfläche A nicht berücksichtigt,

b) zwischen Wohngebäuden und Gebäuden, die nach ihrem Verwendungszweck auf Innentemperaturen von mindestens 12 Grad Celsius und weniger als 19 Grad Celsius beheizt werden, bei der Berechnung des Wärmedurchgangskoeffizienten mit einem Temperatur-Korrekturfaktor Fnb nach DIN V 18599-2 : 2007-02 oder nach DIN V 4108-6 : 2003-06*) gewichtet und

c) zwischen Wohngebäuden und Gebäuden mit wesentlich niedrigeren Innentemperaturen im Sinne von DIN 4108-2 : 2003-07 bei der Berechnung des Wärmedurchgangskoeffizienten mit einem Temperatur-Korrekturfaktor Fu = 0,5 gewichtet.

Werden beheizte Teile eines Gebäudes getrennt berechnet, gilt Satz 1 Buchstabe a sinngemäß für die Trennflächen zwischen den Gebäudeteilen. Werden aneinandergereihte Wohngebäude gleichzeitig erstellt, dürfen sie hinsichtlich der Anforderungen des § 3 wie ein Gebäude behandelt werden. Die Vorschriften des Abschnitts 5 bleiben unberührt.

2.7 Anrechnung mechanisch betriebener Lüftungsanlagen

Im Rahmen der Berechnung nach Nr. 2 ist bei mechanischen Lüftungsanlagen die Anrechnung der Wärmerückgewinnung oder einer regelungstechnisch verminderten Luftwechselrate nur zulässig, wenn

---

*) Geändert durch DIN V 4108-6 Berichtigung 1 2004-03.

a) die Dichtheit des Gebäudes nach Anlage 4 Nr. 2 nachgewiesen wird und

b) der mit Hilfe der Anlage erreichte Luftwechsel § 6 Absatz 2 genügt.

Die bei der Anrechnung der Wärmerückgewinnung anzusetzenden Kennwerte der Lüftungsanlagen sind nach anerkannten Regeln der Technik zu bestimmen oder den allgemeinen bauaufsichtlichen Zulassungen der verwendeten Produkte zu entnehmen. Lüftungsanlagen müssen mit Einrichtungen ausgestattet sein, die eine Beeinflussung der Luftvolumenströme jeder Nutzeinheit durch den Nutzer erlauben. Es muss sichergestellt sein, dass die aus der Abluft gewonnene Wärme vorrangig vor der vom Heizsystem bereitgestellten Wärme genutzt wird.

2.8 Energiebedarf der Kühlung

Wird die Raumluft gekühlt, sind der nach DIN V 18599-1 : 2007-02 oder der nach DIN V 4701-10 : 2003-08, geändert durch A1 : 2006-12, berechnete Jahres-Primärenergiebedarf und die Angabe für den Endenergiebedarf (elektrische Energie) im Energieausweis nach § 18 nach Maßgabe der zur Kühlung eingesetzten Technik je m^2 gekühlter Gebäudenutzfläche wie folgt zu erhöhen:

a) bei Einsatz von fest installierten Raumklimageräten (Split-, Multisplit- oder Kompaktgeräte) der Energieeffizienzklassen A, B oder C nach der Richtlinie 2002/31/EG der Kommission zur Durchführung der Richtlinie 92/75/EWG des Rates betreffend die Energieetikettierung für Raumklimageräte vom 22. März 2002 (ABl. L 86 vom 3.4.2002, S. 26) sowie bei Kühlung mittels Wohnungslüftungsanlagen mit reversibler Wärmepumpe der Jahres-Primärenergiebedarf um 16,2 kWh/($m^2 \cdot$ a) und der Endenergiebedarf um 6 kWh/($m^2 \cdot$ a),

b) bei Einsatz von Kühlflächen im Raum in Verbindung mit Kaltwasserkreisen und elektrischer Kälteerzeugung, z. B. über reversible Wärmepumpe, der Jahres-Primärenergiebedarf um 10,8 kWh/($m^2 \cdot$ a) und der Endenergiebedarf um 4 kWh/($m^2 \cdot$ a),

c) bei Deckung des Energiebedarfs für Kühlung aus erneuerbaren Wärmesenken (wie Erdsonden, Erdkollektoren, Zisternen) der Jahres-Primärenergiebedarf um 2,7 kWh/($m^2 \cdot$ a) und der Endenergiebedarf um 1 kWh/($m^2 \cdot$ a),

d) bei Einsatz von Geräten, die nicht unter den Buchstaben a bis c aufgeführt sind, der Jahres-Primärenergiebedarf um 18,9 kWh/($m^2 \cdot$ a) und der Endenergiebedarf um 7 kWh/($m^2 \cdot$ a).

3 Sommerlicher Wärmeschutz (zu § 3 Absatz 4)

3.1 Als höchstzulässige Sonneneintragskennwerte nach § 3 Absatz 4 sind die in DIN 4108-2 : 2003-07 Abschnitt 8 festgelegten Werte einzuhalten.

3.2 Der Sonneneintragskennwert ist nach dem in DIN 4108-2 : 2003-07 Abschnitt 8 genannten Verfahren zu bestimmen. Wird zur Berechnung nach Satz 1 ein ingenieurmäßiges Verfahren (Simulationsrechnung) angewendet, so sind abweichend von DIN 4108-2 : 2003-07 Randbedingungen zu beachten, die die aktuellen klimatischen Verhältnisse am Standort des Gebäudes hinreichend gut wiedergeben.

E

Hinweis: Die gesamte Anlage 2 wurde neu gefasst (aus Gründen der Übersichtlichkeit wurde von Fettdruck/Unterstreichung abgesehen).

Anlage 2

(zu den §§ 4 und 9)

Anforderungen an Nichtwohngebäude

1 Höchstwerte des Jahres-Primärenergiebedarfs und der Wärmedurchgangskoeffizienten für zu errichtende Nichtwohngebäude (zu § 4 Absatz 1 und 2)

1.1 Höchstwerte des Jahres-Primärenergiebedarfs

1.1.1 Der Höchstwert des Jahres-Primärenergiebedarfs eines zu errichtenden Nichtwohngebäudes ist der auf die Nettogrundfläche bezogene, nach dem in Nr. 2 oder 3 angegebenen Verfahren berechnete Jahres-Primärenergiebedarf eines Referenzgebäudes gleicher Geometrie, Nettogrundfläche, Ausrichtung und Nutzung wie das zu errichtende Nichtwohngebäude, das hinsichtlich seiner Ausführung den Vorgaben der Tabelle 1 entspricht. Die Unterteilung hinsichtlich der Nutzung sowie der verwendeten Berechnungsverfahren und Randbedingungen muss beim Referenzgebäude mit der des zu errichtenden Gebäudes übereinstimmen; bei der Unterteilung hinsichtlich der anlagentechnischen Ausstattung und der Tageslichtversorgung sind Unterschiede zulässig, die durch die technische Ausführung des zu errichtenden Gebäudes bedingt sind.

1.1.2 Die Ausführungen zu den Zeilen Nr. 1.13 bis 7 der Tabelle 1 sind beim Referenzgebäude nur insoweit und in der Art zu berücksichtigen, wie beim Gebäude ausgeführt. Die dezentrale Ausführung des Warmwassersystems (Zeile 4.2 der Tabelle 1) darf darüber hinaus nur für solche Gebäudezonen berücksichtigt werden, die einen Warmwasserbedarf von höchstens 200 Wh/($m^2 \cdot d$) aufweisen.

Tabelle 1: Ausführung des Referenzgebäudes

Zeile	Bauteil / System	Eigenschaft (zu Zeilen 1.1 bis 1.13)	Referenzausführung / Wert (Maßeinheit)	
			Raum-Solltemperaturen im Heizfall ≥ 19 °C	Raum-Solltemperaturen im Heizfall von 12 bis < 19 °C
1.1	Außenwand, Geschossdecke gegen Außenluft	Wärmedurchgangskoeffizient	U = 0,28 W/(m² · K)	U = 0,35 W/(m² · K)
1.2	Vorhangfassade (siehe auch Zeile 1.14)	Wärmedurchgangskoeffizient	U = 1,40 W/(m² · K)	U = 1,90 W/(m² · K)
		Gesamtenergiedurchlassgrad der Verglasung	$g_\perp = 0{,}48$	$g_\perp = 0{,}60$
		Lichttransmissionsgrad der Verglasung	$\tau_{D65} = 0{,}72$	$\tau_{D65} = 0{,}78$
1.3	Wand gegen Erdreich, Bodenplatte, Wände und Decken zu unbeheizten Räumen (außer Bauteile nach Zeile 1.4)	Wärmedurchgangskoeffizient	U = 0,35 W/(m² · K)	U = 0,35 W/(m² · K)
1.4	Dach (soweit nicht unter Zeile 1.5), oberste Geschossdecke, Wände zu Abseiten	Wärmedurchgangskoeffizient	U = 0,20 W/(m² · K)	U = 0,35 W/(m² · K)
1.5	Glasdächer	Wärmedurchgangskoeffizient	UW = 2,70 W/(m² · K)	UW = 2,70 W/(m² · K)
		Gesamtenergiedurchlassgrad der Verglasung	$g_\perp = 0{,}63$	$g_\perp = 0{,}63$
		Lichttransmissionsgrad der Verglasung	$\tau_{D65} = 0{,}76$	$\tau_{D65} = 0{,}76$
1.6	Lichtbänder	Wärmedurchgangskoeffizient	UW = 2,4 W/(m² · K)	UW = 2,4 W/(m² · K)
		Gesamtenergiedurchlassgrad der Verglasung	$g_\perp = 0{,}55$	$g_\perp = 0{,}55$
		Lichttransmissionsgrad der Verglasung	$\tau_{D65} = 0{,}48$	$\tau_{D65} = 0{,}48$
1.7	Lichtkuppeln	Wärmedurchgangskoeffizient	UW = 2,70 W/(m² · K)	UW = 2,70 W/(m² · K)
		Gesamtenergiedurchlassgrad der Verglasung	$g_\perp = 0{,}64$	$g_\perp = 0{,}64$
		Lichttransmissionsgrad der Verglasung	$\tau_{D65} = 0{,}59$	$\tau_{D65} = 0{,}59$

Fortsetzung siehe nächste Seite.

Tabelle 1 (Fortsetzung)

Zeile	Bauteil / System	Eigenschaft (zu Zeilen 1.1 bis 1.13)	Referenzausführung / Wert (Maßeinheit)	
			Raum-Solltemperaturen im Heizfall $\geq 19\,°C$	**Raum-Solltemperaturen im Heizfall von 12 bis $< 19\,°C$**
1.8	Fenster, Fenstertüren (siehe auch Zeile 1.14)	Wärmedurchgangskoeffizient	$U_W = 1{,}30\ W/(m^2 \cdot K)$	$U_W = 1{,}90\ W/(m^2 \cdot K)$
		Gesamtenergiedurchlassgrad der Verglasung	$g_\perp = 0{,}60$	$g_\perp = 0{,}60$
		Lichttransmissionsgrad der Verglasung	$\tau_{D65} = 0{,}78$	$\tau_{D65} = 0{,}78$
1.9	Dachflächenfenster (siehe auch Zeile 1.14)	Wärmedurchgangskoeffizient	$U_W = 1{,}40\ W/(m^2 \cdot K)$	$U_W = 1{,}90\ W/(m^2 \cdot K)$
		Gesamtenergiedurchlassgrad der Verglasung	$g_\perp = 0{,}60$	$g_\perp = 0{,}60$
		Lichttransmissionsgrad der Verglasung	$\tau_{D65} = 0{,}78$	$\tau_{D65} = 0{,}78$
1.10	Außentüren	Wärmedurchgangskoeffizient	$U = 1{,}80\ W/(m^2 \cdot K)$	$U = 2{,}90\ W/(m^2 \cdot K)$
1.11	Bauteile in Zeilen 1.1 und 1.3 bis 1.10	Wärmebrückenzuschlag	$\Delta U_{WB} = 0{,}05\ W/(m^2\ K)$	$\Delta U_{WB} = 0{,}1\ W/(m^2\ K)$
1.12	Gebäudedichtheit	Bemessungswert n_{50}	Kategorie I (nach Tabelle 4 der DIN V 18599-2 : 2007-02)	Kategorie I (nach Tabelle 4 der DIN V 18599-2 : 2007-02)
1.13	Tageslichtversorgung bei Sonnen- und/oder Blendschutz	Tageslichtversorgungsfaktor CTL,Vers,SA nach DIN V 185994 : 2007-02	• kein Sonnen- oder Blendschutz vorhanden: 0,70 • Blendschutz vorhanden: 0,15	
1.14	Sonnenschutzvorrichtung	Für das Referenzgebäude ist die tatsächliche Sonnenschutzvorrichtung des zu errichtenden Gebäudes anzunehmen; sie ergibt sich ggf. aus den Anforderungen zum sommerlichen Wärmeschutz nach Nr. 4. Soweit hierfür Sonnenschutzverglasung zum Einsatz kommt, sind für diese Verglasung folgende Kennwerte anzusetzen: • anstelle der Werte der Zeile 1.2 – Gesamtenergiedurchlassgrad der Verglasung $g_\perp$ $g_\perp = 0{,}35$ – Lichttransmissionsgrad der Verglasung τ_{D65} $\tau_{D65} = 0{,}58$ • anstelle der Werte der Zeilen 1.8 und 1.9: – Gesamtenergiedurchlassgrad der Verglasung $g_\perp$ $g_\perp = 0{,}35$ – Lichttransmissionsgrad der Verglasung τ_{D65} $\tau_{D65} = 0{,}62$		

Fortsetzung siehe nächste Seite.

Tabelle 1 (Fortsetzung)

Zeile	Bauteil / System	Eigenschaft (zu Zeilen 1.1 bis 1.13)	Referenzausführung / Wert (Maßeinheit)	
			Raum-Solltemperaturen im Heizfall $\geq 19\,^\circ C$	Raum-Solltemperaturen im Heizfall von 12 bis $< 19\,^\circ C$
2.1	Beleuchtungsart	– in Zonen der Nutzungen 6 und 71): wie beim ausgeführten Gebäude – ansonsten: direkt/indirekt jeweils mit elektronischem Vorschaltgerät und stabförmiger Leuchtstofflampe		
2.2	Regelung der Beleuchtung	Präsenzkontrolle: – in Zonen der Nutzungen 4, 15 bis 19, 21 und 31[1)] mit Präsenzmelder – ansonsten manuell tageslichtabhängige Kontrolle: manuell Konstantlichtregelung (siehe Tabelle 3 Zeile 6) – in Zonen der Nutzungen 1 bis 3, 8 bis 10, 28, 29 und 31[1)]: vorhanden – ansonsten keine		
3.1	Heizung (Raumhöhen ≤ 4 m) – Wärmeerzeuger	Brennwertkessel „verbessert" nach DIN V 18599-5 : 2007-02, Gebläsebrenner, Heizöl EL, Aufstellung außerhalb der thermischen Hülle, Wasserinhalt $> 0{,}15$ l/kW		
3.2	Heizung (Raumhöhen ≤ 4 m) –Wärmeverteilung	– bei statischer Heizung und Umluftheizung (dezentrale Nachheizung in RLT-Anlage): Zweirohrnetz, außen liegende Verteilleitungen im unbeheizten Bereich, innen liegende Steigstränge, innen liegende Anbindeleitungen, Systemtemperatur 55/45 °C, hydraulisch abgeglichen, Δp konstant, Pumpe auf Bedarf ausgelegt, Pumpe mit intermittierendem Betrieb, keine Überströmventile, für den Referenzfall sind die Rohrleitungslänge mit 70 vom Hundert der Standardwerte und die Umgebungstemperaturen gemäß den Standardwerten nach DIN V 18599-5 : 2007-02 zu ermitteln. – bei zentralem RLT-Gerät: Zweirohrnetz, Systemtemperatur 70/55 °C, hydraulisch abgeglichen, Δp konstant, Pumpe auf Bedarf ausgelegt, für den Referenzfall sind die Rohrleitungslänge und die Lage der Rohrleitungen wie beim zu errichtenden Gebäude anzunehmen.		
3.3	Heizung (Raumhöhen ≤ 4 m) – Wärmeübergabe	– bei statischer Heizung: freie Heizflächen an der Außenwand mit Glasfläche mit Strahlungsschutz, P-Regler (1K), keine Hilfsenergie. – bei Umluftheizung (dezentrale Nachheizung in RLT-Anlage): Regelgröße Raumtemperatur, hohe Regelgüte.		
3.4	Heizung (Raumhöhen > 4 m)	Heizsystem: Warmluftheizung mit normalem Induktionsverhältnis, Luftauslass seitlich, P-Regler (1K) (nach DIN V 18599-5 : 2007-02)		

Fortsetzung siehe nächste Seite.

E

E.2 Wärmeschutz

Tabelle 1 (Fortsetzung)

Zeile	Bauteil / System	Eigenschaft (zu Zeilen 1.1 bis 1.13)	Referenzausführung / Wert (Maßeinheit) Raum-Solltemperaturen im Heizfall $\geq 19\,°C$	Raum-Solltemperaturen im Heizfall von 12 bis $< 19\,°C$
4.1	Warmwasser – zentrales System	Wärmeerzeuger: Solaranlage nach DIN V 18599-8 : 2007-02 Nr. 6.4.1, mit – Flachkollektor: $A_c = 0{,}09 \cdot (1{,}5 \cdot A_{NGF})^{0{,}8}$ – Volumen des (untenliegenden) Solarteils des Speichers: – $V_{s,sol} = 2 \cdot (1{,}5 \cdot A_{NGF})^{0{,}9}$ – bei $A_{NGF} > 500\ m^2$ „große Solaranlage“ (A_{NGF}: Nettogrundfläche der mit zentralem System versorgten Zonen) Restbedarf über den Wärmeerzeuger der Heizung Wärmespeicherung: indirekt beheizter Speicher (stehend), Aufstellung außerhalb der thermischen Hülle Wärmeverteilung: mit Zirkulation, Δp konstant, Pumpe auf Bedarf ausgelegt, für den Referenzfall sind die Rohrleitungslänge und die Lage der Rohrleitungen wie beim zu errichtenden Gebäude anzunehmen.		
4.2	Warmwasser – dezentrales System	elektrischer Durchlauferhitzer, eine Zapfstelle und 6 m Leitungslänge pro Gerät		
5.1	Raumlufttechnik – Abluftanlage	spezifische Leistungsaufnahme Ventilator $P_{SFP} = 1{,}0\ kW/(m^3/s)$		
5.2	Raumlufttechnik – Zu- und Abluftanlage ohne Nachheiz- und Kühlfunktion	spezifische Leistungsaufnahme – Zuluftventilator $P_{SFP} = 1{,}5\ kW/(m^3/s)$ – Abluftventilator $P_{SFP} = 1{,}0\ kW/(m^3/s)$ Zuschläge nach DIN EN 13779 : 2007-04 (Abschnitt 6.5.2) können nur für den Fall von HEPA-Filtern, Gasfiltern oder Wärmerückführungsklassen H2 oder H1 angerechnet werden. – Wärmerückgewinnung über Plattenwärmeübertrager (Kreuzgegenstrom), Rückwärmzahl $\eta_t = 0{,}6$ Druckverhältniszahl $f_P = 0{,}4$ Luftkanalführung: innerhalb des Gebäudes		
5.3	Raumlufttechnik – Zu- und Abluftanlage mit geregelter Luftkonditionierung	spezifische Leistungsaufnahme – Zuluftventilator $P_{SFP} = 1{,}5\ kW/(m^3/s)$ – Abluftventilator $P_{SFP} = 1{,}0\ kW/(m^3/s)$ Zuschläge nach DIN EN 13779 : 2007-04 (Abschnitt 6.5.2) können nur für den Fall von HEPA-Filtern, Gasfiltern oder Wärmerückführungsklassen H2 oder H1 angerechnet werden – Wärmerückgewinnung über Plattenwärmeübertrager (Kreuzgegenstrom), Rückwärmzahl $\eta_t = 0{,}6$, Zulufttemperatur: $18\,°C$ Druckverhältniszahl $f_P = 0{,}4$ Luftkanalführung: innerhalb des Gebäudes		

Fortsetzung siehe nächste Seite.

Tabelle 1 (Fortsetzung)				
Zeile	**Bauteil / System**	**Eigenschaft (zu Zeilen 1.1 bis 1.13)**	**Referenzausführung / Wert (Maßeinheit)**	
			Raum-Solltemperaturen im Heizfall ≥ 19 °C	**Raum-Solltemperaturen im Heizfall von 12 bis < 19 °C**
5.4	Raumlufttechnik – Luftbefeuchtung	für den Referenzfall ist die Einrichtung zur Luftbefeuchtung wie beim zu errichtenden Gebäude anzunehmen		
5.5	Raumlufttechnik – Nur-Luft-Klimaanlagen	als Variabel-Volumenstrom-System ausgeführt: Druckverhältniszahl $f_P = 0{,}4$ Luftkanalführung: innerhalb des Gebäudes		
6	Raumkühlung	– Kältesystem: Kaltwasser Fan-Coil, Brüstungsgerät Kaltwassertemperatur 14/18 °C; – Kaltwasserkreis Raumkühlung: Überströmung 10 %; spezifische elektrische Leistung der Verteilung $P_{d,spez} = 30\ W_{el}/kW_{Kälte}$ hydraulisch abgeglichen, geregelte Pumpe, Pumpe hydraulisch entkoppelt, saisonale sowie Nacht- und Wochenendabschaltung		
7	Kälteerzeugung	Erzeuger: Kolben/Scrollverdichter mehrstufig schaltbar, R134a, luftgekühlt Kaltwassertemperatur – bei mehr als 5 000 m² mittels Raumkühlung konditionierter Nettogrundfläche, für diesen Konditionierungsanteil 14/18 °C – ansonsten 6/12 °C Kaltwasserkreis Erzeuger inklusive RLT Kühlung: Überströmung; 30 % spezifische elektrische Leistung der Verteilung $P_{d,spez} = 20\ W_{el}/kW_{Kälte}$ hydraulisch abgeglichen, ungeregelte Pumpe, Pumpe hydraulisch entkoppelt, saisonale sowie Nacht- und Wochenendabschaltung, Verteilung außerhalb der konditionierten Zone. Der Primärenergiebedarf für das Kühlsystem und die Kühlfunktion der raumlufttechnischen Anlage darf für Zonen der Nutzungen 1 bis 3, 8, 10, 16 bis 20 und 31 1) nur zu 50 % angerechnet werden.		
1) Nutzungen nach Tabelle 4 der DIN V 18599-10 : 2007-02				

1.2 Flächenangaben

Bezugsfläche der energiebezogenen Angaben ist die Nettogrundfläche gemäß § 2 Nummer 15.

1.3 Höchstwerte der Wärmedurchgangskoeffizienten

Die Wärmedurchgangskoeffizienten der wärmeübertragenden Umfassungsfläche eines zu errichtenden Nichtwohngebäudes dürfen die in Tabelle 2 angegebenen Werte nicht überschreiten. Satz 1 ist auf Außentüren nicht anzuwenden.

Tabelle 2: Höchstwerte der Wärmedurchgangskoeffizienten der wärmeübertragenden Umfassungsfläche von Nichtwohngebäuden

Zeile	Bauteil	Höchstwerte der Wärmedurchgangskoeffizienten, bezogen auf den Mittelwert der jeweiligen Bauteile	
		Zonen mit Raum-Solltemperaturen im Heizfall > 19 °C	Zonen mit Raum-Solltemperaturen im Heizfall von 12 bis < 19 °C
1	Opake Außenbauteile, soweit nicht in Bauteilen der Zeilen 3 und 4 enthalten	$\overline{U}$ = 0,35 W / ($m^2 \cdot K$)	$\overline{U}$ = 0,50 W / ($m^2 \cdot K$)
2	Transparente Außenbauteile, soweit nicht in Bauteilen der Zeilen 3 und 4 enthalten	$\overline{U}$ = 1,90 W / ($m^2 \cdot K$)	$\overline{U}$ = 2,80 W / ($m^2 \cdot K$)
3	Vorhangfassade	$\overline{U}$ = 1,90 W / ($m^2 \cdot K$)	$\overline{U}$ = 3,00 W / ($m^2 \cdot K$)
4	Glasdächer, Lichtbänder, Lichtkuppeln	$\overline{U}$ = 3,10 W / ($m^2 \cdot K$)	$\overline{U}$ = 3,10 W / ($m^2 \cdot K$)

2 Berechnungsverfahren für Nichtwohngebäude (zu § 4 Absatz 3 und § 9 Absatz 2 und 5)

2.1 Berechnung des Jahres-Primärenergiebedarfs

2.1.1 Der Jahres-Primärenergiebedarf Qp für Nichtwohngebäude ist nach DIN V 18599-1 : 2007-02 zu ermitteln. Als Primärenergiefaktoren sind die Werte für den nicht erneuerbaren Anteil nach DIN V 18599-1 : 2007-02 anzusetzen. Anlage 1 Nummer 2.1.1 Satz 3 bis 6 ist entsprechend anzuwenden.

2.1.2 Als Randbedingungen zur Berechnung des Jahres-Primärenergiebedarfs sind die in den Tabellen 4 bis 8 der DIN V 18599-10 : 2007-02 aufgeführten Nutzungsrandbedingungen und Klimadaten zu verwenden. Die Nutzungen 1 und 2 nach Tabelle 4 der DIN V 18599-10 : 2007-02 dürfen zur Nutzung 1 zusammengefasst werden. Darüber hinaus brauchen Energiebedarfsanteile nur unter folgenden Voraussetzungen in die Ermittlung des Jahres-Primärenergiebedarfs einer Zone einbezogen zu werden:

a) Der Primärenergiebedarf für das Heizungssystem und die Heizfunktion der raumlufttechnischen Anlage ist zu bilanzieren, wenn die Raum-Solltemperatur des Gebäudes oder einer Gebäudezone für den Heizfall mindestens 12 Grad Celsius beträgt und eine durchschnittliche Nutzungsdauer für die Gebäudebeheizung auf Raum-Solltemperatur von mindestens vier Monaten pro Jahr vorgesehen ist.

b) Der Primärenergiebedarf für das Kühlsystem und die Kühlfunktion der raumlufttechnischen Anlage ist zu bilanzieren, wenn für das Gebäude oder eine Gebäudezone für den Kühlfall der Einsatz von Kühltechnik und eine durchschnittliche Nutzungsdauer für Gebäudekühlung auf Raum-Solltemperatur von mehr als zwei Monaten pro Jahr und mehr als zwei Stunden pro Tag vorgesehen sind.

c) Der Primärenergiebedarf für die Dampfversorgung ist zu bilanzieren, wenn für das Gebäude oder eine Gebäudezone eine solche Versorgung wegen des Einsatzes einer raumlufttechnischen Anlage nach Buchstabe b für durchschnittlich mehr als zwei Monate pro Jahr und mehr als zwei Stunden pro Tag vorgesehen ist.

d) Der Primärenergiebedarf für Warmwasser ist zu bilanzieren, wenn ein Nutzenergiebedarf für Warmwasser in Ansatz zu bringen ist und der durchschnittliche tägliche Nutzenergiebedarf für Warmwasser wenigstens 0,2 kWh pro Person und Tag oder 0,2 kWh pro Beschäftigtem und Tag beträgt.

e) Der Primärenergiebedarf für Beleuchtung ist zu bilanzieren, wenn in einem Gebäude oder einer Gebäudezone eine Beleuchtungsstärke von mindestens 75 lx erforderlich ist und eine durchschnittliche Nutzungsdauer von mehr als zwei Monaten pro Jahr und mehr als zwei Stunden pro Tag vorgesehen ist.

f) Der Primärenergiebedarf für Hilfsenergien ist zu bilanzieren, wenn er beim Heizungssystem und der Heizfunktion der raumlufttechnischen Anlage, beim Kühlsystem und der Kühlfunktion der raumlufttechnischen Anlage, bei der Dampfversorgung, bei der Warmwasseranlage und der Beleuchtung auftritt. Der Anteil des Primärenergiebedarfs für Hilfsenergien für Lüftung ist zu bilanzieren, wenn eine durchschnittliche Nutzungsdauer der Lüftungsanlage von mehr als zwei Monaten pro Jahr und mehr als zwei Stunden pro Tag vorgesehen ist.

2.1.3 Abweichend von DIN V 18599-10 : 2007-02 Tabelle 4 darf bei Zonen der Nutzungen 6 und 7 die tatsächlich auszuführende Beleuchtungsstärke angesetzt werden, jedoch für die Nutzung 6 mit nicht mehr als 1 500 lx und für die Nutzung 7 mit nicht mehr als 1 000 lx. Beim Referenzgebäude ist der Primärenergiebedarf für Beleuchtung mit dem Tabellenverfahren nach DIN V 18599-4 : 2007-02 zu berechnen.

2.1.4 Abweichend von DIN V 18599-2 : 2007-02 darf für opake Bauteile, die an Außenluft grenzen, ein flächengewichteter Wärmedurchgangskoeffizient für das ganze Gebäude gebildet und bei der zonenweisen Berechnung nach DIN V 18599-02 : 2007-02 verwendet werden.

2.1.5 Werden in Nichtwohngebäude bauliche oder anlagentechnische Komponenten eingesetzt, für deren energetische Bewertung keine anerkannten Regeln der Technik oder gemäß § 9 Absatz 2 Satz 2 Halbsatz 3 bekannt gemachte gesicherte Erfahrungswerte vorliegen, so sind hierfür Komponenten anzusetzen, die ähnliche energetische Eigenschaften aufweisen.

2.1.6 Bei der Berechnung des Jahres-Primärenergiebedarfs des Referenzgebäudes und des Nichtwohngebäudes sind ferner die in Tabelle 3 genannten Randbedingungen zu verwenden.

E

Tabelle 3: Randbedingungen für die Berechnung des Jahres-Primärenergiebedarfs

Zeile	Kenngröße	Randbedingungen
1	Verschattungsfaktor F_S	$F_S = 0,9$ soweit die baulichen Bedingungen nicht detailliert berücksichtigt werden.
2	Verbauungsindex IV	$I_V = 0,9$ Eine genaue Ermittlung nach DIN V 18599-4 : 2007-02 ist zulässig.
3	Heizunterbrechung	– Heizsysteme in Raumhöhen ≤ 4 m: Absenkbetrieb mit Dauer gemäß den Nutzungsrandbedingungen in Tabelle 4 der DIN V 1859910 : 2007-02 – Heizsysteme in Raumhöhen $>$ 4 m: Abschaltbetrieb mit Dauer gemäß den Nutzungsrandbedingungen in Tabelle 4 der DIN V 18599-10 : 2007-02
4	Solare Wärmegewinne über opake Bauteile	– Emissionsgrad der Außenfläche für Wärmestrahlung: $\varepsilon = 0,8$ – Strahlungsabsorptionsgrad an opaken Oberflächen: $\alpha = 0,5$; für dunkle Dächer kann abweichend $\alpha = 0,8$ angenommen werden.
5	Wartungsfaktor der Beleuchtung	Der Wartungsfaktor WF ist wie folgt anzusetzen: – in Zonen der Nutzungen 14, 15 und 22[1)] mit 0,6 – ansonsten mit 0,8. Dementsprechend ist der Energiebedarf für einen Berechnungsbereich im Tabellenverfahren nach DIN V 18599-4 : 2007-02, Nr. 5.4.1 Gleichung (10) mit dem folgenden Faktor zu multiplizieren: – für die Nutzungen 14, 15 und 22[1)] mit 1,12 – ansonsten mit 0,84.
6	Berücksichtigung von Konstantlichtregelung	Bei Einsatz einer Konstantlichtregelung ist der Energiebedarf für einen Berechnungsbereich nach DIN V 18599-4 : 2007-02, Nr. 5.1 Gleichung (2) mit dem folgenden Faktor zu multiplizieren: – für die Nutzungen 14, 15 und 221) mit 0,8 – ansonsten mit 0,9.
1) Nutzungen nach Tabelle 4 der DIN V 18599-10 : 2007-02		

2.2 Zonierung

2.2.1 Soweit sich bei einem Gebäude Flächen hinsichtlich ihrer Nutzung, ihrer technischen Ausstattung, ihrer inneren Lasten oder ihrer Versorgung mit Tageslicht wesentlich unterscheiden, ist das Gebäude nach Maßgabe der DIN V 18599-1 : 2007-02 in Verbindung mit DIN V 18599-10 : 2007-02 und den Vorgaben in Nr. 1 dieser Anlage in Zonen zu unterteilen. Die Nutzungen 1 und 2 nach Tabelle 4 der DIN V 18599-10 : 2007-02 dürfen zur Nutzung 1 zusammengefasst werden.

2.2.2 Für Nutzungen, die nicht in DIN V 18599-10 : 2007-02 aufgeführt sind, kann

a) die Nutzung 17 der Tabelle 4 in DIN V 18599-10 : 2007-02 verwendet werden oder

b) eine Nutzung auf der Grundlage der DIN V 18599-10 : 2007-02 unter Anwendung gesicherten allgemeinen Wissensstandes individuell bestimmt und verwendet werden.

In Fällen des Buchstabens b sind die gewählten Angaben zu begründen und dem Nachweis beizufügen.

2.3 Berechnung des Mittelwerts des Wärmedurchgangskoeffizienten

Bei der Berechnung des Mittelwerts des jeweiligen Bauteils sind die Bauteile nach Maßgabe ihres Flächenanteils zu berücksichtigen. Die Wärmedurchgangskoeffizienten von Bauteilen gegen unbeheizte Räume oder Erdreich sind zusätzlich mit dem Faktor 0,5 zu gewichten. Bei der Berechnung des Mittelwerts der an das Erdreich angrenzenden Bodenplatten dürfen die Flächen unberücksichtigt bleiben, die mehr als 5 m vom äußeren Rand des Gebäudes entfernt sind. Die Berechnung ist für Zonen mit unterschiedlichen Raum-Solltemperaturen im Heizfall getrennt durchzuführen. Für die Bestimmung der Wärmedurchgangskoeffizienten der verwendeten Bauausführungen gelten die Fußnoten zu Anlage 3 Tabelle 1 entsprechend.

3 Vereinfachtes Berechnungsverfahren für Nichtwohngebäude (zu § 4 Absatz 3 und § 9 Absatz 2 und 5)

3.1 Zweck und Anwendungsvoraussetzungen

3.1.1 Im vereinfachten Verfahren sind die Bestimmungen der Nr. 2 nur insoweit anzuwenden, als Nr. 3 keine abweichenden Bestimmungen trifft.

3.1.2 Im vereinfachten Verfahren darf der Jahres-Primärenergiebedarf des Nichtwohngebäudes abweichend von Nr. 2.2 unter Verwendung eines Ein-Zonen-Modells ermittelt werden.

3.1.3 Das vereinfachte Verfahren gilt für

a) Bürogebäude, ggf. mit Verkaufseinrichtung, Gewerbebetrieb oder Gaststätte,

b) Gebäude des Groß- und Einzelhandels mit höchstens 1 000 m^2 Nettogrundfläche, wenn neben der Hauptnutzung nur Büro-, Lager-, Sanitär- oder Verkehrsflächen vorhanden sind,

c) Gewerbebetriebe mit höchstens 1 000 m^2 Nettogrundfläche, wenn neben der Hauptnutzung nur Büro-, Lager-, Sanitär- oder Verkehrsflächen vorhanden sind,

d) Schulen, Turnhallen, Kindergärten und -tagesstätten und ähnliche Einrichtungen,

e) Beherbergungsstätten ohne Schwimmhalle, Sauna oder Wellnessbereich und

f) Bibliotheken.

In Fällen des Satzes 1 kann das vereinfachte Verfahren angewendet werden, wenn

a) die Summe der Nettogrundflächen aus der Hauptnutzung gemäß Tabelle 4 Spalte 3 und den Verkehrsflächen des Gebäudes mehr als zwei Drittel der gesamten Nettogrundfläche des Gebäudes beträgt,

b) in dem Gebäude die Beheizung und die Warmwasserbereitung für alle Räume auf dieselbe Art erfolgt,

c) das Gebäude nicht gekühlt wird,

d) höchstens 10 vom Hundert der Nettogrundfläche des Gebäudes durch Glühlampen, Halogenlampen oder durch die Beleuchtungsart „indirekt" nach DIN V 18599-4 : 2007-02 beleuchtet werden und

e) außerhalb der Hauptnutzung keine raumlufttechnische Anlage eingesetzt wird, deren Werte für die spezifische Leistungsaufnahme der Ventilatoren die entsprechenden Werte in Tabelle 1 Zeile 5.1 und 5.2 überschreiten.

Abweichend von Satz 2 Buchstabe c kann das vereinfachte Verfahren auch angewendet werden, wenn

a) nur ein Serverraum gekühlt wird und die Nennleistung des Gerätes für den Kältebedarf 12 kW nicht übersteigt oder

b) in einem Bürogebäude eine Verkaufseinrichtung, ein Gewerbebetrieb oder eine Gaststätte gekühlt wird und die Nettogrundfläche der gekühlten Räume jeweils 450 m^2 nicht übersteigt.

3.2 Besondere Randbedingungen und Maßgaben

3.2.1 Abweichend von Nr. 2.2.1 ist bei der Berechnung des Jahres-Primärenergiebedarfs die entsprechende Nutzung nach Tabelle 4 Spalte 4 zu verwenden. Der Nutzenergiebedarf für Warmwasser ist mit dem Wert aus Spalte 5 in Ansatz zu bringen.

Tabelle 4: Randbedingungen für das vereinfachte Verfahren für die Berechnungen des Jahres-Primärenergiebedarfs

Zeile	Gebäudetyp	Hauptnutzung	Nutzung (Nr. gemäß DIN V 18599-10 : 2007-02, Tabelle 4)	Nutzenergiebedarf Warmwasser[1)]
1	2	3	4	5
1	Bürogebäude	Einzelbüro (Nr. 1) Gruppenbüro (Nr. 2) Großraumbüro (Nr. 3) Besprechung, Sitzung, Seminar (Nr. 4)	Einzelbüro (Nr. 1)	0
1.1	Bürogebäude mit Verkaufseinrichtung oder Gewerbebetrieb	wie Zeile 1	Einzelbüro (Nr. 1)	0
1.2	Bürogebäude mit Gaststätte	wie Zeile 1	Einzelbüro (Nr. 1)	1,5 kWh je Sitzplatz in der Gaststätte und Tag

Fortsetzung siehe nächste Seite.

Tabelle 1 (Fortsetzung)

Zeile	Gebäudetyp	Hauptnutzung	Nutzung (Nr. gemäß DIN V 18599-10 : 2007-02, Tabelle 4)	Nutzenergiebedarf Warmwasser[1)]
1	2	3	4	5
2	Gebäude des Groß- und Einzelhandels bis 1 000 m^2 NGF	Groß-, Einzelhandel / Kaufhaus	Einzelhandel / Kaufhaus (Nr. 6)	0
3	Gewerbebetriebe bis 1 000 m^2 NGF	Gewerbe	Werkstatt, Montage, Fertigung (Nr. 22)	1,5 kWh je Beschäftigten und Tag
4	Schule, Kindergarten und -tagesstätte, ähnliche Einrichtungen	Klassenzimmer, Aufenthaltsraum	Klassenzimmer / Gruppenraum (Nr. 8)	ohne Duschen: 85 Wh/(m^2·d) mit Duschen: 250 Wh/(m2·d)
5	Turnhalle	Turnhalle	Turnhalle (Nr. 31)	1,5 kWh je Person und Tag
6	Beherbergungsstätte ohne Schwimmhalle, Sauna oder Wellnessbereich	Hotelzimmer	Hotelzimmer (Nr. 11)	250 Wh/(m^2·d)
7	Bibliothek	Lesesaal, Freihandbereich	Bibliothek, Lesesaal (Nr. 28)	30 Wh/(m^2·d)

1) Die flächenbezogenen Werte beziehen sich auf die gesamte Nettogrundfläche des Gebäudes.

3.2.2 Bei Anwendung der Nr. 3.1.3 sind der Höchstwert und der Referenzwert des Jahres-Primärenergiebedarfs wie folgt zu erhöhen:

a) in Fällen der Nr. 3.1.3 Satz 3 Buchstabe a pauschal um 650 kWh/(m^2·a) je m^2 gekühlte Nettogrundfläche des Serverraums,

b) in Fällen der Nr. 3.1.3 Satz 3 Buchstabe b pauschal um 50 kWh/(m^2·a) je m^2 gekühlte Nettogrundfläche der Verkaufseinrichtung, des Gewerbebetriebes oder der Gaststätte.

3.2.3 Der Jahres-Primärenergiebedarf für Beleuchtung darf vereinfacht für den Bereich der Hauptnutzung berechnet werden, der die geringste Tageslichtversorgung aufweist.

3.2.4 Der ermittelte Jahres-Primärenergiebedarf ist sowohl für den Höchstwert des Referenzgebäudes nach Nr. 1.1 als auch für den Höchstwert des Gebäudes um 10 vom Hundert zu erhöhen.

E

4 Sommerlicher Wärmeschutz (zu § 4 Absatz 4)

4.1 Als höchstzulässige Sonneneintragskennwerte nach § 4 Absatz 4 sind die in DIN 4108-2 : 2003-07 Abschnitt 8 festgelegten Werte einzuhalten.

4.2 Der Sonneneintragskennwert des zu errichtenden Nichtwohngebäudes ist für jede Gebäudezone nach dem dort genannten Verfahren zu bestimmen. Wird zur Berechnung nach Satz 1 ein ingenieurmäßiges Verfahren (Simulationsrechnung) angewendet, so sind abweichend von DIN 4108-2 : 2003-07 Randbedingungen anzuwenden, die die aktuellen klimatischen Verhältnisse am Standort des Gebäudes hinreichend gut wiedergeben.

Anlage 3

(zu den <u>§§ 8 und 9)</u>

Anforderungen bei Änderung von Außenbauteilen und bei Errichtung kleiner Gebäude; Randbedingungen und Maßgaben für die Bewertung bestehender Wohngebäude

1 Außenwände

Soweit bei beheizten oder gekühlten Räumen Außenwände

a) ersetzt, erstmalig eingebaut

oder in der Weise erneuert werden, dass

b) Bekleidungen in Form von Platten oder plattenartigen Bauteilen oder Verschalungen sowie Mauerwerks-Vorsatzschalen angebracht werden,

c) Dämmschichten eingebaut werden **oder**

d) bei einer bestehenden Wand mit einem Wärmedurchgangskoeffizienten größer 0,9 W/(m^2·K) der Außenputz erneuert wird,

sind die jeweiligen Höchstwerte der Wärmedurchgangskoeffizienten nach Tabelle 1 Zeile 1 einzuhalten. Bei einer Kerndämmung von mehrschaligem Mauerwerk gemäß Buchstabe **c** gilt die Anforderung als erfüllt, wenn der bestehende Hohlraum zwischen den Schalen vollständig mit Dämmstoff ausgefüllt wird. **Beim Einbau von innenraumseitigen Dämmschichten gemäß Buchstabe c gelten die Anforderungen des Satzes 1 als erfüllt, wenn der Wärmedurchgangskoeffizient des entstehenden Wandaufbaus 0,35 W/(m^2·K) nicht überschreitet. Werden bei Außenwänden in Sichtfachwerkbauweise, die der Schlagregenbeanspruchungsgruppe I nach DIN 4108-3 : 2001-06 zuzuordnen sind und in besonders geschützten Lagen liegen, Maßnahmen gemäß Buchstabe a, c oder d durchgeführt, gelten die Anforderungen gemäß Satz 1 als erfüllt, wenn der Wärmedurchgangskoeffizient des entstehenden Wandaufbaus 0,84 W/(m^2 · K) nicht überschreitet; im Übrigen gelten bei Wänden in Sichtfachwerkbauweise die Anforderungen nach Satz 1 nur in Fällen von Maßnahmen nach Buchstabe b. Werden Maßnahmen nach Satz 1 ausgeführt und ist die Dämmschichtdicke im Rahmen dieser Maßnahmen aus technischen Gründen begrenzt, so gelten die Anforderungen als erfüllt, wenn die nach anerkannten Regeln der Technik höchstmögliche Dämmschichtdicke (bei einem Bemessungswert der Wärmeleitfähigkeit λ = 0,040 W/(m·K)) eingebaut wird.**

2 Fenster, Fenstertüren, Dachflächenfenster und Glasdächer

Soweit bei beheizten oder gekühlten Räumen außen liegende Fenster, Fenstertüren, Dachflächenfenster **und Glasdächer** in der Weise erneuert werden, dass

a) das gesamte Bauteil ersetzt oder erstmalig eingebaut wird,

b) zusätzliche Vor- oder Innenfenster eingebaut werden oder

c) die Verglasung ersetzt wird,

sind die Anforderungen nach Tabelle 1 Zeile 2 einzuhalten. Satz 1 gilt nicht für Schaufenster und Türanlagen aus Glas. Bei Maßnahmen gemäß Buchstabe c gilt Satz 1 nicht, wenn der vorhandene Rahmen zur Aufnahme der vorgeschriebenen Verglasung ungeeignet ist. **Werden Maßnahmen nach Buchstabe c ausgeführt und ist die Glasdicke im Rahmen dieser Maßnahmen aus technischen Gründen begrenzt, so gelten die Anforderungen als erfüllt, wenn eine Verglasung mit einem Wärmedurchgangskoeffizienten von höchstens 1,30 W/(m^2 · K) eingebaut wird.** Werden Maßnahmen nach Buchstabe c an Kasten- oder Verbundfenstern durchgeführt, so gelten die Anforderungen als erfüllt, wenn eine Glastafel mit einer infrarot-reflektierenden Beschichtung mit einer Emissivität $\varepsilon_n \leq 0{,}2$ eingebaut wird. Werden bei Maßnahmen nach Satz 1

1. Schallschutzverglasungen mit einem bewerteten Schalldämmmaß der Verglasung von $R_{w,R} \geq 40$ dB nach DIN EN ISO 717-1 : 1997-01 oder einer vergleichbaren Anforderung oder
2. Isolierglas-Sonderaufbauten zur Durchschusshemmung, Durchbruchhemmung oder Sprengwirkungshemmung nach anerkannten Regeln der Technik oder
3. Isolierglas-Sonderaufbauten als Brandschutzglas mit einer Einzelelementdicke von mindestens 18 mm nach DIN 4102-13 : 1990-05 oder einer vergleichbaren Anforderung

verwendet, sind abweichend von Satz 1 die Anforderungen nach Tabelle 1 Zeile 3 einzuhalten.

3 Außentüren

Bei der Erneuerung von Außentüren dürfen nur Außentüren eingebaut werden, deren Türfläche einen Wärmedurchgangskoeffizienten von 2,9 W/(m^2? K) nicht überschreitet. Nr. 2 Satz 2 bleibt unberührt.

4 Decken, Dächer und Dachschrägen

4.1 Steildächer

Soweit bei Steildächern Decken unter nicht ausgebauten Dachräumen sowie Decken und Wände (einschließlich Dachschrägen), die beheizte oder gekühlte Räume nach oben gegen die Außenluft abgrenzen,

a) ersetzt, erstmalig eingebaut

oder in der Weise erneuert werden, dass

b) die Dachhaut bzw. außenseitige Bekleidungen oder Verschalungen ersetzt oder neu aufgebaut werden,

c) innenseitige Bekleidungen oder Verschalungen aufgebracht oder erneuert werden,

d) Dämmschichten eingebaut werden,

e) zusätzliche Bekleidungen oder Dämmschichten an Wänden zum unbeheizten Dachraum eingebaut werden,

sind für die betroffenen Bauteile die Anforderungen nach Tabelle 1 Zeile 4a einzuhalten. Wird bei Maßnahmen nach Buchstabe b oder d der Wärmeschutz als Zwischensparrendämmung ausgeführt und ist die Dämmschichtdicke wegen einer innenseitigen Bekleidung **oder** der Sparrenhöhe begrenzt, so gilt die Anforderung als erfüllt, wenn die nach anerkannten Regeln der Technik höchstmögliche Dämmschichtdicke eingebaut wird. **Die Sätze 1 und 2 gelten nur für opake Bauteile.**

4.2 Flachdächer

Soweit bei beheizten oder gekühlten Räumen Flachdächer

a) ersetzt, erstmalig eingebaut

oder in der Weise erneuert werden, dass

b) die Dachhaut bzw. außenseitige Bekleidungen oder Verschalungen ersetzt oder neu aufgebaut werden,

c) innenseitige Bekleidungen oder Verschalungen aufgebracht oder erneuert werden,

d) Dämmschichten eingebaut werden,

sind die Anforderungen nach Tabelle 1 Zeile 4b einzuhalten. Werden bei der Flachdacherneuerung Gefälledächer durch die keilförmige Anordnung einer Dämmschicht aufgebaut, so ist der Wärmedurchgangskoeffizient nach DIN EN ISO 6946 : 1996-11 Anhang C zu ermitteln. Der Bemessungswert des Wärmedurchgangswiderstandes am tiefsten Punkt der neuen Dämmschicht muss den Mindestwärmeschutz nach § 7 **Absatz** 1 gewährleisten. **Werden Maßnahmen nach Satz 1 ausgeführt und ist die Dämmschichtdicke im Rahmen dieser Maßnahmen aus technischen Gründen begrenzt, so gelten die Anforderungen als erfüllt, wenn die nach anerkannten Regeln der Technik höchstmögliche Dämmschichtdicke (bei einem Bemessungswert der Wärmeleitfähigkeit $\lambda = 0{,}040$ W/(m·K)) eingebaut wird. Die Sätze 1 bis 4 gelten nur für opake Bauteile.**

5 Wände und Decken gegen unbeheizte Räume, Erdreich und nach unten an Außenluft

Soweit bei beheizten Räumen Decken **oder** Wände, die an unbeheizte Räume, an Erdreich **oder nach unten an Außenluft** grenzen,

a) ersetzt, erstmalig eingebaut

oder in der Weise erneuert werden, dass

b) außenseitige Bekleidungen oder Verschalungen, Feuchtigkeitssperren oder Drainagen angebracht oder erneuert,

c) Fußbodenaufbauten auf der beheizten Seite aufgebaut oder erneuert,

d) Deckenbekleidungen auf der Kaltseite angebracht oder

e) Dämmschichten eingebaut werden,

sind die Anforderungen nach Tabelle 1 Zeile 5 einzuhalten, wenn die Änderung nicht von Nr. 4.1 erfasst wird. **Werden Maßnahmen nach Satz 1 ausgeführt und ist die**

Dämmschichtdicke im Rahmen dieser Maßnahmen aus technischen Gründen begrenzt, so gelten die Anforderungen als erfüllt, wenn die nach anerkannten Regeln der Technik höchstmögliche Dämmschichtdicke (bei einem Bemessungswert der Wärmeleitfähigkeit $\lambda = 0{,}040\ W/(m \cdot K)$) **eingebaut** wird.

6 Vorhangfassaden

Soweit bei beheizten oder gekühlten Räumen Vorhangfassaden in der Weise erneuert werden, dass das gesamte Bauteil ersetzt oder erstmalig eingebaut wird, sind die Anforderungen nach Tabelle 1 **Zeile 2d** einzuhalten. Werden bei Maßnahmen nach Satz 1 Sonderverglasungen entsprechend Nr. 2 Satz 2 verwendet, sind abweichend von Satz 1 die Anforderungen nach Tabelle 1 Zeile 3 c einzuhalten.

7 Anforderungen

Hinweis: Änderungen der Tabelle 1 sind nicht markiert.

Tabelle 1: Höchstwerte der Wärmedurchgangskoeffizienten bei erstmaligem Einbau, Ersatz und Erneuerung von Bauteilen

Zeile	Bauteil	Maßnahme nach	Wohngebäude und Zonen von Nichtwohngebäuden mit Innentemperaturen ≥ 19 °C	Zonen von Nichtwohngebäuden mit Innentemperaturen von 12 bis < 19 °C
			Höchstwerte der Wärmedurchgangskoeffizienten U_{max} [1)]	
	1	2	3	4
1	Außenwände	Nr. 1 a bis d	$0{,}24\ W/(m^2 \cdot K)$	$0{,}35\ W/(m^2 \cdot K)$
2a	Außen liegende Fenster, Fenstertüren	Nr. 2 a und b	$1{,}30\ W/(m^2 \cdot K)$ [2)]	$1{,}90\ W/(m^2 \cdot K)$ [2)]
2b	Dachflächenfenster	Nr. 2 a und b	$1{,}40\ W/(m^2 \cdot K)$ [2)]	$1{,}90\ W/(m^2 \cdot K)$ [2)]
2c	Verglasungen	Nr. 2 c	$1{,}10\ W/(m^2 \cdot K)$ [3)]	keine Anforderung
2d	Vorhangfassaden	Nr. 6 Satz 1	$1{,}50\ W/(m^2 \cdot K)$ [4)]	$1{,}90\ W/(m^2 \cdot K)$ [4)]
2e	Glasdächer	Nr. 2a und c	$2{,}00\ W/(m^2 \cdot K)$ [3)]	$2{,}70\ W/(m^2 \cdot K)$ [3)]
3a	Außen liegende Fenster, Fenstertüren, Dachflächenfenster mit Sonderverglasungen	Nr. 2 a und b	$2{,}00\ W/(m^2 \cdot K)$ [2)]	$2{,}80\ W/(m^2 \cdot K)$ [2)]
3b	Sonderverglasungen	Nr. 2 c	$1{,}60\ W/(m^2 \cdot K)$ [3)]	keine Anforderung
3c	Vorhangfassaden mit Sonderverglasungen	Nr. 6 Satz 2	$2{,}30\ W/(m^2 \cdot K)$ [4)]	$3{,}00\ W/(m^2 \cdot K)$ [4)]
4a	Decken, Dächer und Dachschrägen	Nr. 4.1	$0{,}24\ W/(m^2 \cdot K)$	$0{,}35\ W/(m^2 \cdot K)$
4b	Flachdächer	Nr. 4.2	$0{,}20\ W/(m^2 \cdot K)$	$0{,}35\ W/(m^2 \cdot K)$

Fortsetzung siehe nächste Seite.

Tabelle 1 (Fortsetzung)				
Zeile	**Bauteil**	**Maßnahme nach**	**Wohngebäude und Zonen von Nichtwohngebäuden mit Innentemperaturen > 19 °C**	**Zonen von Nichtwohngebäuden mit Innentemperaturen von 12 bis < 19 °C**
			Höchstwerte der Wärmedurchgangskoeffizienten U_{max} 1)	
1		2	3	4
5a	Decken und Wände gegen unbeheizte Räume oder Erdreich	Nr. 5 a, b, d und e	0,30 W/(m² · K)	keine Anforderung
5b	Fußbodenaufbauten	Nr. 5 c	0,50 W/(m² · K)	keine Anforderung
5c	Decken nach unten an Außenluft	Nr. 5 a bis e	0,24 W/(m² · K)	0,35 W/(m² · K)

1) Wärmedurchgangskoeffizient des Bauteils unter Berücksichtigung der neuen und der vorhandenen Bauteilschichten; für die Berechnung opaker Bauteile ist DIN EN ISO 6946 : 1996-11 zu verwenden.

2) Bemessungswert des Wärmedurchgangskoeffizienten des Fensters; der Bemessungswert des Wärmedurchgangskoeffizienten des Fensters ist technischen Produkt-Spezifikationen zu entnehmen oder gemäß den nach den Landesbauordnungen bekannt gemachten energetischen Kennwerten für Bauprodukte zu bestimmen. Hierunter fallen insbesondere energetische Kennwerte aus europäischen technischen Zulassungen sowie energetische Kennwerte der Regelungen nach der Bauregelliste A Teil 1 und auf Grund von Festlegungen in allgemeinen bauaufsichtlichen Zulassungen.

3) Bemessungswert des Wärmedurchgangskoeffizienten der Verglasung; der Bemessungswert des Wärmedurchgangskoeffizienten der Verglasung ist technischen Produkt-Spezifikationen zu entnehmen oder gemäß den nach den Landesbauordnungen bekannt gemachten energetischen Kennwerten für Bauprodukte zu bestimmen. Hierunter fallen insbesondere energetische Kennwerte aus europäischen technischen Zulassungen sowie energetische Kennwerte der Regelungen nach der Bauregelliste A Teil 1 und auf Grund von Festlegungen in allgemeinen bauaufsichtlichen Zulassungen.

4) Wärmedurchgangskoeffizient der Vorhangfassade; er ist nach anerkannten Regeln der Technik zu ermitteln.

8 Randbedingungen und Maßgaben für die Bewertung bestehender Wohngebäude (zu § 9 Absatz 2)

Die Berechnungsverfahren nach Anlage 1 Nr. 2 **sind** bei bestehenden Wohngebäuden mit folgenden Maßgaben anzuwenden:

8.1 Wärmebrücken **sind in dem Falle, dass** mehr als 50 vom Hundert der Außenwand mit einer innen liegenden Dämmschicht und einbindender Massivdecke versehen sind, durch Erhöhung der Wärmedurchgangskoeffizienten um ΔU_{WB} = 0,15 W/(m² · K) für die gesamte wärmeübertragende Umfassungsfläche zu berücksichtigen.

8.2 Die Luftwechselrate ist bei der Berechnung abweichend von DIN V 4108-6 : 2003-06*) Tabelle D.3 Zeile 8 bei offensichtlichen Undichtheiten, **wie** bei Fenstern ohne funktionstüchtige Lippendichtung **oder** bei beheizten Dachgeschossen mit Dachflächen ohne luftdichte Ebene, mit 1,0 h^{-1} anzusetzen.

*) Geändert durch DIN V 4108-6 Berichtigung 1 2004-03.

8.3 Bei der Ermittlung der solaren Gewinne nach **DIN V 18599 : 2007-02 oder** DIN V 4108-6 : 2003-06*) Abschnitt 6.4.3 **ist** der Minderungsfaktor für den Rahmenanteil von Fenstern mit $F_F = 0,6$ anzusetzen.

Anlage 4

(zu § 6)

Anforderungen an die Dichtheit und den Mindestluftwechsel

1 Anforderungen an außen liegende Fenster, Fenstertüren und Dachflächenfenster

Außen liegende Fenster, Fenstertüren und Dachflächenfenster müssen den Klassen nach Tabelle 1 entsprechen.

Tabelle 1: Klassen der Fugendurchlässigkeit von außen liegenden Fenstern, Fenstertüren und Dachflächenfenstern

	Anzahl der Vollgeschosse des Gebäudes	Klasse der Fugendurchlässigkeit nach DIN EN 12 207-1 : 2000-06
1	bis zu 2	2
2	mehr als 2	3

2 Nachweis der Dichtheit des gesamten Gebäudes

Wird **bei Anwendung des § 6 Absatz 1 Satz 3** eine Überprüfung der Anforderungen nach § 6 **Absatz** 1 durchgeführt, darf der nach DIN EN 13829 : 2001-02 bei einer Druckdifferenz zwischen innen und außen von 50 Pa gemessene Volumenstrom – bezogen auf das beheizte oder gekühlte Luftvolumen – bei Gebäuden

– ohne raumlufttechnische Anlagen 3,**0** h^{-1} und

– mit raumlufttechnischen Anlagen 1,5 h^{-1}

nicht überschreiten.

E

Anlage 4a

(zu § 13 Absatz 2)

Anforderungen an die Inbetriebnahme von Heizkesseln und sonstigen Wärmeerzeugersystemen

In Fällen des § 13 Absatz 2 sind der Einbau und die Aufstellung zum Zwecke der Inbetriebnahme nur zulässig, wenn das Produkt aus Erzeugeraufwandszahl e_g und Primärenergiefaktor f_p nicht größer als 1,30 ist. Die Erzeugeraufwandszahl e_g ist nach DIN V 4701-10 : 2003-08, Tabellen C.3-4b bis C.3-4f zu bestimmen. Soweit Primärenergiefaktoren nicht unmittelbar in dieser Verordnung festgelegt sind, ist der Primärenergiefaktor f_p für den nicht erneuerbaren Anteil nach DIN

V 4701-10 : 2003-08, geändert durch A1 : 2006-12, zu bestimmen. Werden Niedertemperatur-Heizkessel oder Brennwertkessel als Wärmeerzeuger in Systemen der Nahwärmeversorgung eingesetzt, gilt die Anforderung des Satzes 1 als erfüllt.

Anlage 5

(zu § 10 Absatz 2, § 14 Absatz 5 und § 15 Absatz 4)

Anforderungen an die Wärmedämmung von Rohrleitungen und Armaturen

1 In Fällen des § 10 Absatz 2 und des § 14 Absatz 5 sind die Anforderungen der Zeilen 1 bis 7 und in Fällen des § 15 Absatz 4 der Zeile 8 der Tabelle 1 **einzuhalten, soweit sich nicht aus anderen Bestimmungen dieser Anlage etwas anderes ergibt.**

Tabelle 1: Wärmedämmung von Wärmeverteilungs- und Warmwasserleitungen, Kälteverteilungs- und Kaltwasserleitungen sowie Armaturen

Zeile	Art der Leitungen/Armaturen	Mindestdicke der Dämmschicht, bezogen auf eine Wärmeleitfähigkeit von 0,035 W/(m · K)
1	Innendurchmesser bis 22 mm	20 mm
2	Innendurchmesser über 22 mm bis 35 mm	30 mm
3	Innendurchmesser über 35 mm bis 100 mm	gleich Innendurchmesser
4	Innendurchmesser über 100 mm	100 mm
5	Leitungen und Armaturen nach den Zeilen 1 bis 4 in Wand- und Deckendurchbrüchen, im Kreuzungsbereich von Leitungen, an Leitungsverbindungsstellen, bei zentralen Leitungsnetzverteilern	1/2 der Anforderungen der Zeilen 1 bis 4
6	Leitungen von Zentralheizungen nach den Zeilen 1 bis 4, die nach dem 31. Januar 2002 in Bauteilen zwischen beheizten Räumen verschiedener Nutzer verlegt werden	1/2 der Anforderungen der Zeilen 1 bis 4
7	Leitungen nach Zeile 6 im Fußbodenaufbau	6 mm
8	Kälteverteilungs- und Kaltwasserleitungen sowie Armaturen von Raumlufttechnik- und Klimakältesystemen	6 mm

Soweit in Fällen des § 14 Absatz 5 Wärmeverteilungs- und Warmwasserleitungen an Außenluft grenzen, sind diese mit dem Zweifachen der Mindestdicke nach Tabelle 1 Zeile 1 bis 4 zu dämmen.

2 **In Fällen des § 14 Absatz 5 ist Tabelle 1 nicht anzuwenden,** soweit sich Leitungen von Zentralheizungen nach den Zeilen 1 bis 4 in beheizten Räumen oder in Bauteilen zwischen beheizten Räumen eines Nutzers befinden und ihre Wärmeabgabe durch frei liegende Absperreinrichtungen beeinflusst werden kann. **In Fällen des § 10 Absatz 2 und des § 14 Absatz 5 ist Tabelle 1 nicht anzuwenden** auf Warmwasserleitungen **bis zu einer Länge von 4 m,** die weder in den Zirkulationskreislauf einbezogen noch mit elektrischer Begleitheizung ausgestattet sind **(Stichleitungen)**.

3 Bei Materialien mit anderen Wärmeleitfähigkeiten als 0,035 W/(m · K) sind die Mindestdicken der Dämmschichten entsprechend umzurechnen. Für die Umrechnung und die Wärmeleitfähigkeit des Dämmmaterials sind die in anerkannten Regeln der Technik enthaltenen Berechnungsverfahren und Rechenwerte zu verwenden.

4 Bei Wärmeverteilungs- und Warmwasserleitungen **sowie Kälteverteilungs- und Kaltwasserleitungen** dürfen die Mindestdicken der Dämmschichten nach Tabelle 1 insoweit vermindert werden, als eine gleichwertige Begrenzung der Wärmeabgabe **oder der Wärmeaufnahme** auch bei anderen Rohrdämmstoffanordnungen und unter Berücksichtigung der Dämmwirkung der Leitungswände sichergestellt ist.

Hinweis: In den nachfolgenden Mustern für Energieausweise wurden einzelne Änderungen (siehe hierzu die Änderungsverordnung) vorgenommen, die aus technischen Gründen nicht durch Fettdruck sichtbar gemacht werden können.

Anlage 6 (zu § 16)
Muster Energieausweis Wohngebäude

ENERGIEAUSWEIS für Wohngebäude

gemäß den §§ 16 ff. Energieeinsparverordnung (EnEV)

Gültig bis: 1

Gebäude

Gebäudetyp		Gebäudefoto (freiwillig)
Adresse		
Gebäudeteil		
Baujahr Gebäude		
Baujahr Anlagentechnik[1])		
Anzahl Wohnungen		
Gebäudenutzfläche (A_N)		
Erneuerbare Energien		
Lüftung		
Anlass der Ausstellung des Energieausweises	□ Neubau □ Vermietung / Verkauf	□ Modernisierung (Änderung / Erweiterung) □ Sonstiges (freiwillig)

Hinweise zu den Angaben über die energetische Qualität des Gebäudes

Die energetische Qualität eines Gebäudes kann durch die Berechnung des **Energiebedarfs** unter standardisierten Randbedingungen oder durch die Auswertung des **Energieverbrauchs** ermittelt werden. Als Bezugsfläche dient die energetische Gebäudenutzfläche nach der EnEV, die sich in der Regel von den allgemeinen Wohnflächenangaben unterscheidet. Die angegebenen Vergleichswerte sollen überschlägige Vergleiche ermöglichen (**Erläuterungen – siehe Seite 4**).

□ Der Energieausweis wurde auf der Grundlage von Berechnungen des **Energiebedarfs** erstellt. Die Ergebnisse sind auf **Seite 2** dargestellt. Zusätzliche Informationen zum Verbrauch sind freiwillig.

□ Der Energieausweis wurde auf der Grundlage von Auswertungen des **Energieverbrauchs** erstellt. Die Ergebnisse sind auf **Seite 3** dargestellt.

Datenerhebung Bedarf/Verbrauch durch □ Eigentümer □ Aussteller

□ Dem Energieausweis sind zusätzliche Informationen zur energetischen Qualität beigefügt (freiwillige Angabe).

Hinweise zur Verwendung des Energieausweises

Der Energieausweis dient lediglich der Information. Die Angaben im Energieausweis beziehen sich auf das gesamte Wohngebäude oder den oben bezeichneten Gebäudeteil. Der Energieausweis ist lediglich dafür gedacht, einen überschlägigen Vergleich von Gebäuden zu ermöglichen.

Aussteller

....
Datum Unterschrift des Ausstellers

[1]) Mehrfachangaben möglich

ENERGIEAUSWEIS für Wohngebäude

gemäß den §§ 16 ff. Energieeinsparverordnung (EnEV)

Adresse, Gebäudeteil

Berechneter Energiebedarf des Gebäudes

2

Energiebedarf

CO_2-Emissionen [1] kg/(m²·a)

Endenergiebedarf dieses Gebäudes

kWh/(m²·a)

0 50 100 150 200 250 300 350 ≥400

kWh/(m²·a)

Primärenergiebedarf dieses Gebäudes („Gesamtenergieeffizienz")

Anforderungen gemäß EnEV [2]

Primärenergiebedarf

Ist-Wert kWh/(m²·a) Anforderungswert kWh/(m²·a)

Energetische Qualität der Gebäudehülle H'_T

Ist-Wert W/(m²·K) Anforderungswert W/(m²·K)

Sommerlicher Wärmeschutz (bei Neubau) ☐ eingehalten

Für Energiebedarfsberechnungen verwendetes Verfahren

☐ Verfahren nach DIN V 4108-6 und DIN V 4701-10

☐ Verfahren nach DIN V 18599

☐ Vereinfachungen nach § 9 Abs. 2 EnEV

Endenergiebedarf

Energieträger	Jährlicher Endenergiebedarf in kWh/(m²·a) für Heizung	Warmwasser	Hilfsgeräte [4]	Gesamt in kWh/(m²·a)

Ersatzmaßnahmen [3]

Anforderungen nach § 7 Nr. 2 EEWärmeG

☐ Die um 15 % verschärften Anforderungswerte sind eingehalten.

Anforderungen nach § 7 Nr. 2 i. V. m. § 8 EEWärmeG

Die Anforderungswerte der EnEV sind um % verschärft.

Primärenergiebedarf

Verschärfter Anforderungswert: kWh/(m²·a).

Transmissionswärmeverlust H'_T

Verschärfter Anforderungswert: W/(m²·K).

Vergleichswerte Endenergiebedarf

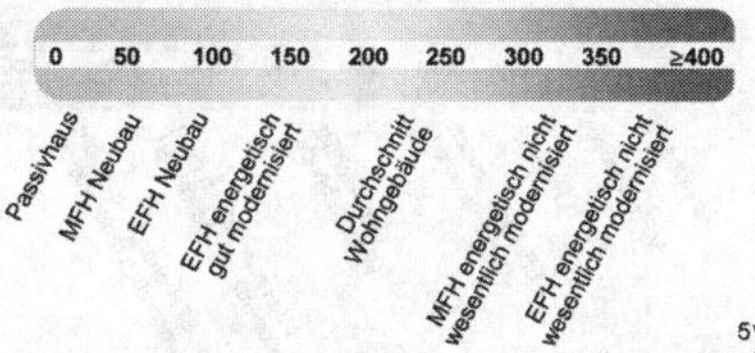

[5]

Erläuterungen zum Berechnungsverfahren

Die Energieeinsparverordnung lässt für die Berechnung des Energiebedarfs zwei alternative Berechnungsverfahren zu, die im Einzelfall zu unterschiedlichen Ergebnissen führen können. Insbesondere wegen standardisierter Randbedingungen erlauben die angegebenen Werte keine Rückschlüsse auf den tatsächlichen Energieverbrauch. Die ausgewiesenen Bedarfswerte sind spezifische Werte nach der EnEV pro Quadratmeter Gebäudenutzfläche (A_N).

[1] freiwillige Angabe [2] bei Neubau sowie bei Modernisierung im Fall des § 16 Abs. 1 Satz 2 EnEV
[3] nur bei Neubau im Falle der Anwendung von § 7 Nr. 2 Erneuerbare-Energien-Wärmegesetz [4] ggf. einschließlich Kühlung
[5] EFH: Einfamilienhäuser, MFH: Mehrfamilienhäuser

ENERGIEAUSWEIS für Wohngebäude

gemäß den §§ 16 ff. Energieeinsparverordnung (EnEV)

Erfasster Energieverbrauch des Gebäudes

Adresse, Gebäudeteil

3

Energieverbrauchskennwert

Dieses Gebäude:

kWh/(m²·a)

0 50 100 150 200 250 300 350 ≥400

Energieverbrauch für Warmwasser: ☐ enthalten ☐ nicht enthalten

☐ Das Gebäude wird auch gekühlt; der typische Energieverbrauch für Kühlung beträgt bei zeitgemäßen Geräten etwa 6 kWh je m² Gebäudenutzfläche und Jahr und ist im Energieverbrauchskennwert nicht enthalten.

Verbrauchserfassung – Heizung und Warmwasser

Energieträger	Zeitraum		Energieverbrauch [kWh]	Anteil Warmwasser [kWh]	Klimafaktor	Energieverbrauchskennwert in kWh/(m²·a) (zeitlich bereinigt, klimabereinigt)		
	von	bis				Heizung	Warmwasser	Kennwert
							Durchschnitt	

Vergleichswerte Endenergiebedarf

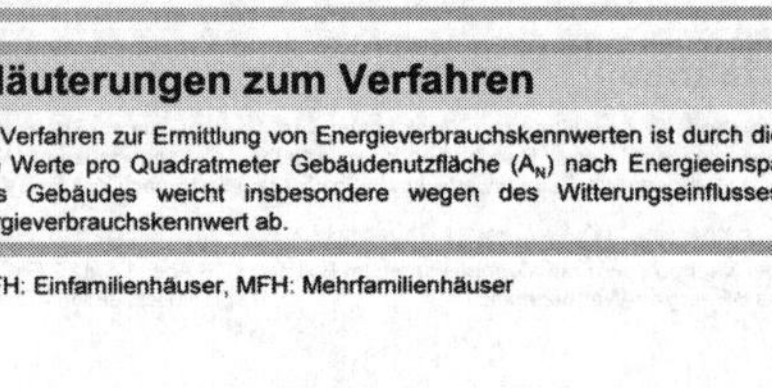

Die modellhaft ermittelten Vergleichswerte beziehen sich auf Gebäude, in denen die Wärme für Heizung und Warmwasser durch Heizkessel im Gebäude bereitgestellt wird.
Soll ein Energieverbrauchskennwert verglichen werden, der keinen Warmwasseranteil enthält, ist zu beachten, dass auf die Warmwasserbereitung je nach Gebäudegröße 20 – 40 kWh/(m²·a) entfallen können.
Soll ein Energieverbrauchskennwert eines mit Fern- oder Nahwärme beheizten Gebäudes verglichen werden, ist zu beachten, dass hier normalerweise ein um 15 – 30 % geringerer Energieverbrauch als bei vergleichbaren Gebäuden mit Kesselheizung zu erwarten ist.

Erläuterungen zum Verfahren

Das Verfahren zur Ermittlung von Energieverbrauchskennwerten ist durch die Energieeinsparverordnung vorgegeben. Die Werte sind spezifische Werte pro Quadratmeter Gebäudenutzfläche (A_N) nach Energieeinsparverordnung. Der tatsächliche Verbrauch einer Wohnung oder eines Gebäudes weicht insbesondere wegen des Witterungseinflusses und sich ändernden Nutzerverhaltens vom angegebenen Energieverbrauchskennwert ab.

[1]) EFH: Einfamilienhäuser, MFH: Mehrfamilienhäuser

ENERGIEAUSWEIS für Wohngebäude

gemäß den §§ 16 ff. Energieeinsparverordnung (EnEV)

Erläuterungen

4

Energiebedarf – Seite 2

Der Energiebedarf wird in diesem Energieausweis durch den Jahres-Primärenergiebedarf und den Endenergiebedarf dargestellt. Diese Angaben werden rechnerisch ermittelt. Die angegebenen Werte werden auf der Grundlage der Bauunterlagen bzw. gebäudebezogener Daten und unter Annahme von standardisierten Randbedingungen (z. B. standardisierte Klimadaten, definiertes Nutzerverhalten, standardisierte Innentemperatur und innere Wärmegewinne usw.) berechnet. So lässt sich die energetische Qualität des Gebäudes unabhängig vom Nutzerverhalten und der Wetterlage beurteilen. Insbesondere wegen standardisierter Randbedingungen erlauben die angegebenen Werte keine Rückschlüsse auf den tatsächlichen Energieverbrauch.

Primärenergiebedarf – Seite 2

Der Primärenergiebedarf bildet die Gesamtenergieeffizienz eines Gebäudes ab. Er berücksichtigt neben der Endenergie auch die so genannte „Vorkette" (Erkundung, Gewinnung, Verteilung, Umwandlung) der jeweils eingesetzten Energieträger (z. B. Heizöl, Gas, Strom, erneuerbare Energien etc.). Kleine Werte signalisieren einen geringen Bedarf und damit eine hohe Energieeffizienz und eine die Ressourcen und die Umwelt schonende Energienutzung. Zusätzlich können die mit dem Energiebedarf verbundenen CO_2-Emissionen des Gebäudes freiwillig angegeben werden.

Energetische Qualität der Gebäudehülle – Seite 2

Angegeben ist der spezifische, auf die wärmeübertragende Umfassungsfläche bezogene Transmissionswärmeverlust (Formelzeichen in der EnEV H'_T). Er ist ein Maß für die durchschnittliche energetische Qualität aller wärmeübertragenden Umfassungsflächen (Außenwände, Decken, Fenster etc.) eines Gebäudes. Kleine Werte signalisieren einen guten baulichen Wärmeschutz. Außerdem stellt die EnEV Anforderungen an den sommerlichen Wärmeschutz (Schutz vor Überhitzung) eines Gebäudes.

Endenergiebedarf – Seite 2

Der Endenergiebedarf gibt die nach technischen Regeln berechnete, jährlich benötigte Energiemenge für Heizung, Lüftung und Warmwasserbereitung an. Er wird unter Standardklima- und Standardnutzungsbedingungen errechnet und ist ein Maß für die Energieeffizienz eines Gebäudes und seiner Anlagentechnik. Der Endenergiebedarf ist die Energiemenge, die dem Gebäude bei standardisierten Bedingungen unter Berücksichtigung der Energieverluste zugeführt werden muss, damit die standardisierte Innentemperatur, der Warmwasserbedarf und die notwendige Lüftung sichergestellt werden können. Kleine Werte signalisieren einen geringen Bedarf und damit eine hohe Energieeffizienz.

Die Vergleichswerte für den Energiebedarf sind modellhaft ermittelte Werte und sollen Anhaltspunkte für grobe Vergleiche der Werte dieses Gebäudes mit den Vergleichswerten ermöglichen. Es sind ungefähre Bereiche angegeben, in denen die Werte für die einzelnen Vergleichskategorien liegen. Im Einzelfall können diese Werte auch außerhalb der angegebenen Bereiche liegen.

Energieverbrauchskennwert – Seite 3

Der ausgewiesene Energieverbrauchskennwert wird für das Gebäude auf der Basis der Abrechnung von Heiz- und ggf. Warmwasserkosten nach der Heizkostenverordnung und/oder auf Grund anderer geeigneter Verbrauchsdaten ermittelt. Dabei werden die Energieverbrauchsdaten des gesamten Gebäudes und nicht der einzelnen Wohn- oder Nutzeinheiten zugrunde gelegt. Über Klimafaktoren wird der erfasste Energieverbrauch für die Heizung hinsichtlich der konkreten örtlichen Wetterdaten auf einen deutschlandweiten Mittelwert umgerechnet. So führen beispielsweise hohe Verbräuche in einem einzelnen harten Winter nicht zu einer schlechteren Beurteilung des Gebäudes. Der Energieverbrauchskennwert gibt Hinweise auf die energetische Qualität des Gebäudes und seiner Heizungsanlage. Kleine Werte signalisieren einen geringen Verbrauch. Ein Rückschluss auf den künftig zu erwartenden Verbrauch ist jedoch nicht möglich; insbesondere können die Verbrauchsdaten einzelner Wohneinheiten stark differieren, weil sie von deren Lage im Gebäude, von der jeweiligen Nutzung und vom individuellen Verhalten abhängen.

Gemischt genutzte Gebäude

Für Energieausweise bei gemischt genutzten Gebäuden enthält die Energieeinsparverordnung besondere Vorgaben. Danach sind - je nach Fallgestaltung - entweder ein gemeinsamer Energieausweis für alle Nutzungen oder zwei getrennte Energieausweise für Wohnungen und die übrigen Nutzungen auszustellen; dies ist auf Seite 1 der Ausweise erkennbar (ggf. Angabe „Gebäudeteil").

E

Anlage 7 (zu § 16)
Muster Energieausweis Nichtwohngebäude

ENERGIEAUSWEIS für Nichtwohngebäude

gemäß den §§ 16 ff. Energieeinsparverordnung (EnEV)

Gültig bis: 1

Gebäude

Hauptnutzung / Gebäudekategorie		Gebäudefoto (freiwillig)
Adresse		
Gebäudeteil		
Baujahr Gebäude		
Baujahr Wärmeerzeuger ¹)		
Baujahr Klimaanlage ¹)		
Nettogrundfläche ²)		
Erneuerbare Energien		
Lüftung		
Anlass der Ausstellung des Energieausweises	□ Neubau □ Vermietung / Verkauf	□ Modernisierung (Änderung / Erweiterung) □ Aushang b. öff. Gebäuden □ Sonstiges (freiwillig)

Hinweise zu den Angaben über die energetische Qualität des Gebäudes

Die energetische Qualität eines Gebäudes kann durch die Berechnung des **Energiebedarfs** unter standardisierten Randbedingungen oder durch die Auswertung des **Energieverbrauchs** ermittelt werden. **Als Bezugsfläche dient die Nettogrundfläche**.

□ Der Energieausweis wurde auf der Grundlage von Berechnungen des **Energiebedarfs** erstellt. Die Ergebnisse sind auf **Seite 2** dargestellt. Zusätzliche Informationen zum Verbrauch sind freiwillig. Diese Art der Ausstellung ist Pflicht bei Neubauten und bestimmten Modernisierungen. Die angegebenen Vergleichswerte sind die Anforderungen der EnEV zum Zeitpunkt der Erstellung des Energieausweises **(Erläuterungen – siehe Seite 4)**.

□ Der Energieausweis wurde auf der Grundlage von Auswertungen des **Energieverbrauchs** erstellt. Die Ergebnisse sind auf **Seite 3** dargestellt. Die Vergleichswerte beruhen auf statistischen Auswertungen.

Datenerhebung Bedarf/Verbrauch durch □ Eigentümer □ Aussteller

□ Dem Energieausweis sind zusätzliche Informationen zur energetischen Qualität beigefügt (freiwillige Angabe).

Hinweise zur Verwendung des Energieausweises

Der Energieausweis dient lediglich der Information. Die Angaben im Energieausweis beziehen sich auf das gesamte Gebäude oder den oben bezeichneten Gebäudeteil. Der Energieausweis ist lediglich dafür gedacht, einen überschlägigen Vergleich von Gebäuden zu ermöglichen.

Aussteller

.... Datum .... Unterschrift des Ausstellers

¹) Mehrfachangaben möglich ²) Nettogrundfläche ist im Sinne der EnEV ausschließlich der beheizte / gekühlte Teil der Nettogrundfläche

ENERGIEAUSWEIS für Nichtwohngebäude

gemäß den §§ 16 ff. Energieeinsparverordnung (EnEV)

Adresse, Gebäudeteil

Berechneter Energiebedarf des Gebäudes

2

Primärenergiebedarf „Gesamtenergieeffizienz"

CO_2-Emissionen [1] kg/(m²·a)

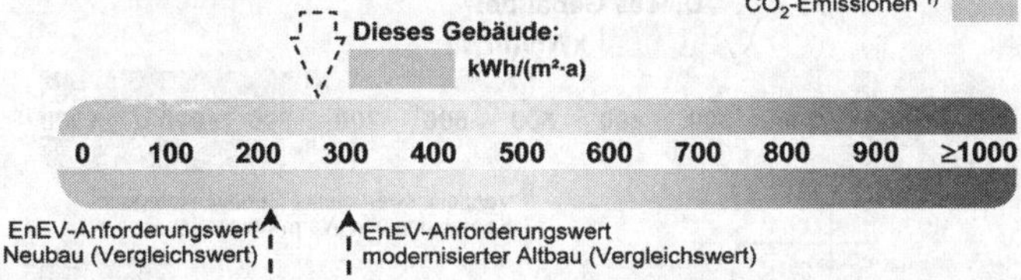

Anforderungen gemäß EnEV [2]

Primärenergiebedarf

Ist-Wert kWh/(m²·a) Anforderungswert kWh/(m²·a)

Mittlere Wärmedurchgangskoeffizienten □ eingehalten

Sommerlicher Wärmeschutz (bei Neubau) □ eingehalten

Für Energiebedarfsberechnungen verwendetes Verfahren

□ Verfahren nach Anlage 2 Nr. 2 EnEV

□ Verfahren nach Anlage 2 Nr. 3 EnEV („Ein-Zonen-Modell")

□ Vereinfachungen nach § 9 Abs. 2 EnEV

Endenergiebedarf

Energieträger	Jährlicher Endenergiebedarf in kWh/(m²·a) für Heizung	Warmwasser	Eingebaute Beleuchtung	Lüftung [4]	Kühlung einschl. Befeuchtung	Gebäude insgesamt

Aufteilung Energiebedarf

[kWh/(m²·a)]	Heizung	Warmwasser	Eingebaute Beleuchtung	Lüftung [4]	Kühlung einschl. Befeuchtung	Gebäude insgesamt
Nutzenergie						
Endenergie						
Primärenergie						

Ersatzmaßnahmen [3]

Anforderungen nach § 7 Nr. 2 EEWärmeG

□ Die um 15 % verschärften Anforderungswerte sind eingehalten.

Anforderungen nach § 7 Nr. 2 i. V. m. § 8 EEWärmeG

Die Anforderungswerte der EnEV sind um % verschärft.

Primärenergiebedarf

Verschärfter Anforderungswert kWh/(m²·a).

Wärmeschutzanforderungen

□ Die verschärften Anforderungswerte sind eingehalten.

Gebäudezonen

Nr.	Zone	Fläche [m²]	Anteil [%]
1			
2			
3			
4			
5			
6			
□	weitere Zonen in Anlage		

Erläuterungen zum Berechnungsverfahren

Die Energieeinsparverordnung lässt für die Berechnung des Energiebedarfs in vielen Fällen neben dem Berechnungsverfahren alternative Vereinfachungen zu, die im Einzelfall zu unterschiedlichen Ergebnissen führen können. Insbesondere wegen standardisierter Randbedingungen erlauben die angegebenen Werte keine Rückschlüsse auf den tatsächlichen Energieverbrauch. Die ausgewiesenen Bedarfswerte sind spezifische Werte nach der EnEV pro Quadratmeter beheizte / gekühlte Nettogrundfläche.

[1]) freiwillige Angabe [2]) bei Neubau sowie bei Modernisierung im Fall des § 16 Abs. 1 Satz 2 EnEV

[3]) nur bei Neubau im Falle der Anwendung von § 7 Nr. 2 Erneuerbare-Energien-Wärmegesetz [4]) nur Hilfsenergiebedarf

E

ENERGIEAUSWEIS für Nichtwohngebäude

gemäß den §§ 16 ff. Energieeinsparverordnung (EnEV)

Erfasster Energieverbrauch des Gebäudes

Adresse, Gebäudeteil

3

Heizenergieverbrauchskennwert (einschließlich Warmwasser)

Dieses Gebäude:

kWh/(m²·a)

0 100 200 300 400 500 600 700 800 900 ≥1000

Vergleichswert dieser Gebäudekategorie für Heizung und Warmwasser [1]

Stromverbrauchskennwert

Dieses Gebäude:

kWh/(m²·a)

0 100 200 300 400 500 600 700 800 900 ≥1000

Vergleichswert dieser Gebäudekategorie für Strom [1]

Der Wert enthält den Stromverbrauch für

☐ Zusatzheizung ☐ Warmwasser ☐ Lüftung ☐ eingebaute Beleuchtung ☐ Kühlung ☐ Sonstiges:

Verbrauchserfassung – Heizung und Warmwasser

Energieträger	Zeitraum		Energieverbrauch [kWh]	Anteil Warmwasser [kWh]	Klimafaktor	Energieverbrauchskennwert in kWh/(m²·a) (zeitlich bereinigt, klimabereinigt)		
	von	bis				Heizung	Warmwasser	Kennwert
							Durchschnitt	

Verbrauchserfassung – Strom

Zeitraum		Ablesewert [kWh]	Kennwert [kWh/(m²·a)]
von	bis		

Gebäudenutzung

Gebäudekategorie oder Nutzung, ggf. mit Prozentanteil		%
		%
		%
Sonderzonen		

Erläuterungen zum Verfahren

Das Verfahren zur Ermittlung von Energieverbrauchskennwerten ist durch die Energieeinsparverordnung vorgegeben. Die Werte sind spezifische Werte pro Quadratmeter beheizte / gekühlte Nettogrundfläche. Der tatsächliche Verbrauch eines Gebäudes weicht insbesondere wegen des Witterungseinflusses und sich ändernden Nutzerverhaltens von den angegebenen Kennwerten ab.

[1]) veröffentlicht im Bundesanzeiger / Internet durch das Bundesministerium für Verkehr, Bau und Stadtentwicklung und das Bundesministerium für Wirtschaft und Technologie

ENERGIEAUSWEIS für Nichtwohngebäude

gemäß den §§ 16 ff. Energieeinsparverordnung (EnEV)

Erläuterungen

4

Energiebedarf – Seite 2
Der Energiebedarf wird in diesem Energieausweis durch den Jahres-Primärenergiebedarf und den Endenergiebedarf für die Anteile Heizung, Warmwasser, eingebaute Beleuchtung, Lüftung und Kühlung dargestellt. Diese Angaben werden rechnerisch ermittelt. Die angegebenen Werte werden auf der Grundlage der Bauunterlagen bzw. gebäudebezogener Daten und unter Annahme von standardisierten Randbedingungen (z. B. standardisierte Klimadaten, definiertes Nutzerverhalten, standardisierte Innentemperatur und innere Wärmegewinne usw.) berechnet. So lässt sich die energetische Qualität des Gebäudes unabhängig vom Nutzerverhalten und der Wetterlage beurteilen. Insbesondere wegen standardisierter Randbedingungen erlauben die angegebenen Werte keine Rückschlüsse auf den tatsächlichen Energieverbrauch.

Primärenergiebedarf – Seite 2
Der Primärenergiebedarf bildet die Gesamtenergieeffizienz eines Gebäudes ab. Er berücksichtigt neben der Endenergie auch die so genannte „Vorkette" (Erkundung, Gewinnung, Verteilung, Umwandlung) der jeweils eingesetzten Energieträger (z. B. Heizöl, Gas, Strom, erneuerbare Energien etc.). Kleine Werte signalisieren einen geringen Bedarf und damit eine hohe Energieeffizienz und eine die Ressourcen und die Umwelt schonende Energienutzung. Die angegebenen Vergleichswerte geben für das Gebäude die Anforderungen der Energieeinsparverordnung an, die zum Zeitpunkt der Erstellung des Energieausweises galt. Sie sind im Falle eines Neubaus oder der Modernisierung des Gebäudes nach § 9 Abs. 1 Satz 2 EnEV einzuhalten. Bei Bestandsgebäuden dienen sie der Orientierung hinsichtlich der energetischen Qualität des Gebäudes. Zusätzlich können die mit dem Energiebedarf verbundenen CO_2-Emissionen des Gebäudes freiwillig angegeben werden.
Der Skalenendwert des Bandtachometers beträgt, auf die Zehnerstelle gerundet, das Dreifache des Vergleichswerts „EnEV Anforderungswert modernisierter Altbau" (140% des „EnEV Anforderungswerts Neubau").

Wärmeschutz – Seite 2
Die Energieeinsparverordnung stellt bei Neubauten und bestimmten baulichen Änderungen auch Anforderungen an die energetische Qualität aller wärmeübertragenden Umfassungsflächen (Außenwände, Decken, Fenster etc.) sowie bei Neubauten an den sommerlichen Wärmeschutz (Schutz vor Überhitzung) eines Gebäudes.

Endenergiebedarf – Seite 2
Der Endenergiebedarf gibt die nach technischen Regeln berechnete, jährlich benötigte Energiemenge für Heizung, Warmwasser, eingebaute Beleuchtung, Lüftung und Kühlung an. Er wird unter Standardklima und Standardnutzungsbedingungen errechnet und ist ein Maß für die Energieeffizienz eines Gebäudes und seiner Anlagentechnik. Der Endenergiebedarf ist die Energiemenge, die dem Gebäude bei standardisierten Bedingungen unter Berücksichtigung der Energieverluste zugeführt werden muss, damit die standardisierte Innentemperatur, der Warmwasserbedarf, die notwendige Lüftung und eingebaute Beleuchtung sichergestellt werden können. Kleine Werte signalisieren einen geringen Bedarf und damit eine hohe Energieeffizienz.

Heizenergie- und Stromverbrauchskennwert (Energieverbrauchskennwerte) – Seite 3
Der Heizenergieverbrauchskennwert (einschließlich Warmwasser) wird für das Gebäude auf der Basis der Erfassung des Verbrauchs ermittelt. Das Verfahren zur Ermittlung von Energieverbrauchskennwerten ist durch die Energieeinsparverordnung vorgegeben. Die Werte sind spezifische Werte pro Quadratmeter Nettogrundfläche nach der Energieeinsparverordnung. Über Klimafaktoren wird der erfasste Energieverbrauch hinsichtlich der örtlichen Wetterdaten auf ein standardisiertes Klima für Deutschland umgerechnet. Der ausgewiesene Stromverbrauchskennwert wird für das Gebäude auf der Basis der Erfassung des Verbrauchs oder der entsprechenden Abrechnung ermittelt. Die Energieverbrauchskennwerte geben Hinweise auf die energetische Qualität des Gebäudes. Kleine Werte signalisieren einen geringen Verbrauch. Ein Rückschluss auf den künftig zu erwartenden Verbrauch ist jedoch nicht möglich. Der tatsächliche Verbrauch einer Nutzungseinheit oder eines Gebäudes weicht insbesondere wegen des Witterungseinflusses und sich ändernden Nutzerverhaltens oder sich ändernder Nutzungen vom angegebenen Energieverbrauchskennwert ab.
Die Vergleichswerte ergeben sich durch die Beurteilung gleichartiger Gebäude. Kleinere Verbrauchswerte als der Vergleichswert signalisieren eine gute energetische Qualität im Vergleich zum Gebäudebestand dieses Gebäudetyps. Die Vergleichswerte werden durch das Bundesministerium für Verkehr, Bau und Stadtentwicklung im Einvernehmen mit dem Bundesministerium für Wirtschaft und Technologie bekannt gegeben.
Die Skalenendwerte der Bandtachometer betragen, auf die Zehnerstelle gerundet, das Doppelte des jeweiligen Vergleichswerts.

Anlage 8 (zu § 16)
Muster Aushang Energieausweis auf der Grundlage des Energiebedarfs

ENERGIEAUSWEIS für Nichtwohngebäude

gemäß den §§ 16 ff. Energieeinsparverordnung

Gültig bis:

Aushang

Gebäude

Hauptnutzung / Gebäudekategorie		Gebäudefoto (freiwillig)
Sonderzone(n)		
Adresse		
Gebäudeteil		
Baujahr Gebäude		
Baujahr Wärmeerzeuger		
Baujahr Klimaanlage		
Nettogrundfläche		

Primärenergiebedarf *„Gesamtenergieeffizienz"*

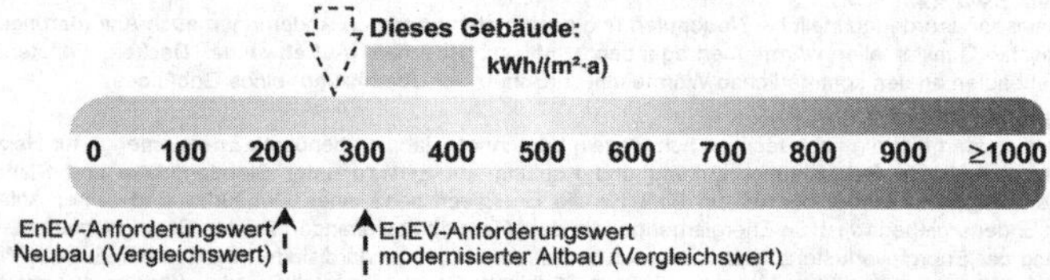

Aufteilung Energiebedarf

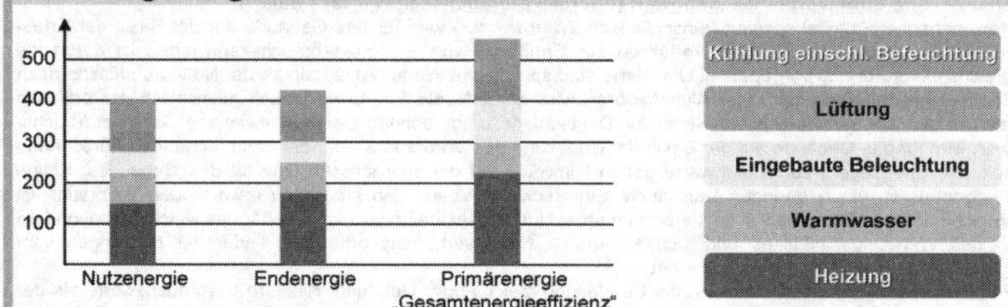

Aussteller

Datum

Unterschrift des Ausstellers

Anlage 9 (zu § 16)
Muster Aushang Energieausweis auf der Grundlage des Energieverbrauchs

ENERGIEAUSWEIS für Nichtwohngebäude

gemäß den §§ 16 ff. Energieeinsparverordnung

Gültig bis:

Aushang

Gebäude

Hauptnutzung / Gebäudekategorie		**Gebäudefoto (freiwillig)**
Sonderzone(n)		
Adresse		
Gebäudeteil		
Baujahr Gebäude		
Baujahr Wärmeerzeuger		
Baujahr Klimaanlage		
Nettogrundfläche		

Heizenergieverbrauchskennwert

Dieses Gebäude:
kWh/(m²·a)

0 100 200 300 400 500 600 700 800 900 ≥1000

Vergleichswert dieser Gebäudekategorie für Heizung und Warmwasser

□ Warmwasser enthalten

Stromverbrauchskennwert

Dieses Gebäude:
kWh/(m²·a)

0 100 200 300 400 500 600 700 800 900 ≥1000

Vergleichswert dieser Gebäudekategorie für Strom

Der Wert enthält den Stromverbrauch für

□ Zusatzheizung □ Warmwasser □ Lüftung □ Eingebaute Beleuchtung □ Kühlung □ Sonstiges:

Aussteller

Datum ………… Unterschrift des Ausstellers …………

Anlage 10 (zu § 20)
Muster Modernisierungsempfehlungen

Modernisierungsempfehlungen zum Energieausweis

gemäß § 20 Energieeinsparverordnung

Gebäude

Adresse		Hauptnutzung / Gebäudekategorie	

Empfehlungen zur kostengünstigen Modernisierung

Maßnahmen zur kostengünstigen Verbesserung der Energieeffizienz sind ☐ möglich ☐ nicht möglich

Empfohlene Modernisierungsmaßnahmen

Nr.	Bau- oder Anlagenteile	Maßnahmenbeschreibung
☐	weitere Empfehlungen auf gesondertem Blatt	

Hinweis: Modernisierungsempfehlungen für das Gebäude dienen lediglich der Information. Sie sind nur kurz gefasste Hinweise und kein Ersatz für eine Energieberatung.

Beispielhafter Variantenvergleich (Angaben freiwillig)

	Ist-Zustand	Modernisierungsvariante 1	Modernisierungsvariante 2
Modernisierung gemäß Nummern:	X		
Primärenergiebedarf [kWh/(m²·a)]			
Einsparung gegenüber Ist-Zustand [%]	X		
Endenergiebedarf [kWh/(m²·a)]			
Einsparung gegenüber Ist-Zustand [%]	X		
CO_2-Emissionen [kg/(m²·a)]			
Einsparung gegenüber Ist-Zustand [%]	X		

Aussteller

Datum .... Unterschrift des Ausstellers

Anlage 11

(zu § 21 Absatz 2 Nummer 2)

Anforderungen an die Inhalte der Fortbildung

1 Zweck der Fortbildung

Die nach § 21 **Absatz** 2 **Nummer** 2 verlangte Fortbildung soll die Aussteller von Energieausweisen für bestehende Gebäude nach § 16 **Absatz** 2 und 3 und von Modernisierungsempfehlungen nach § 20 in die Lage versetzen, bei der Ausstellung solcher Energieausweise und Modernisierungsempfehlungen die Vorschriften dieser Verordnung einschließlich des technischen Regelwerks zum energiesparenden Bauen sachgemäß anzuwenden. Die Fortbildung soll praktische Übungen einschließen und insbesondere die im Folgenden genannten Fachkenntnisse vermitteln.

2 Inhaltliche Schwerpunkte der Fortbildung zu bestehenden Wohngebäuden

2.1 Bestandsaufnahme und Dokumentation des Gebäudes, der Baukonstruktion und der technischen Anlagen

Ermittlung, Bewertung und Dokumentation **des Einflusses** der geometrischen und energetischen Kennwerte der Gebäudehülle einschließlich aller Einbauteile und Wärmebrücken, der Luftdichtheit und Erkennen von Leckagen, der bauphysikalischen Eigenschaften von Baustoffen und Bauprodukten einschließlich der damit verbundenen konstruktiv-statischen Aspekte, der energetischen Kennwerte von **anlagen**technischen Komponenten einschließlich deren Betriebseinstellung und Wartung, der Auswirkungen des Nutzerverhaltens und von Leerstand **und von Klimarandbedingungen** und Witterungseinflüssen auf den Energieverbrauch.

2.2 Beurteilung der Gebäudehülle

Ermittlung von Eingangs- und Berechnungsgrößen für die energetische Berechnung, wie z. B. Wärmeleitfähigkeit, Wärmedurchlasswiderstand, Wärmedurchgangskoeffizient, Transmissionswärmeverlust, Lüftungswärmebedarf und nutzbare interne und solare Wärmegewinne. Durchführung der erforderlichen Berechnungen nach **DIN V 18599 oder** DIN V 4108-6 sowie **Anwendung vereinfachter Annahmen und** Berechnungs- und Beurteilungsmethoden. Berücksichtigung von Maßnahmen des sommerlichen Wärmeschutzes **und Berechnung nach DIN 4108-2,** Kenntnisse **über Luftdichtheitsmessungen und die Ermittlung** der Luftdichtheitsrate.

2.3 Beurteilung von Heizungs- und Warmwasserbereitungsanlagen

Detaillierte Beurteilung von **Komponenten einer** Heizungsanlage zur Wärmeerzeugung, Wärmespeicherung, Wärmeverteilung und Wärmeabgabe. **Kenntnisse über die Interaktion von Gebäudehülle und Anlagentechnik,** Durchführung der Berechnungen nach **DIN V 18599 oder** DIN V 4701-10, Beurteilung von Systemen der alternativen **und erneuerbaren Energie- und** Wärmeerzeugung.

2.4 Beurteilung von Lüftungs- und Klimaanlagen

Bewertung unterschiedlicher Arten von Lüftungsanlagen und deren Konstruktionsmerkmalen, Berücksichtigung der Brand- und Schallschutzanforderungen für lüf-

E

tungstechnische Anlagen, Durchführung der Berechnungen nach **DIN V 18599 oder** DIN V 4701-10, Grundkenntnisse über Klimaanlagen.

2.5 Erbringung der Nachweise

Kenntnisse **über energetische** Anforderungen an Wohngebäude **und** das Bauordnungsrecht (insb. Mindestwärmeschutz), Durchführung der Nachweise und Berechnungen des Jahres-Primärenergiebedarfs, Ermittlung des Energieverbrauchs und seine rechnerische Bewertung einschließlich der Witterungsbereinigung, Ausstellung eines Energieausweises.

2.6 Grundlagen der Beurteilung von Modernisierungsempfehlungen einschließlich ihrer technischen Machbarkeit und Wirtschaftlichkeit

Kenntnisse und Erfahrungswerte über Amortisations- und Wirtschaftlichkeitsberechnung für einzelne Bauteile und Anlagen **einschließlich** Investitionskosten und Kosteneinsparungen, über erfahrungsgemäß wirtschaftliche (rentable), im Allgemeinen verwirklichungsfähige Modernisierungsempfehlungen für kostengünstige Verbesserungen der energetischen Eigenschaften des Wohngebäudes, über Vor- und Nachteile bestimmter Verbesserungsvorschläge unter Berücksichtigung bautechnischer und rechtlicher Rahmenbedingungen (z. B. bei Wechsel des Heizenergieträgers, Grenzbebauung, Grenzabstände), über aktuelle Förderprogramme, über tangierte bauphysikalische und statisch-konstruktive Einflüsse, wie z. B. Wärmebrücken, Tauwasser**anfall (Kondensation)**, Wasserdampftransport, Schimmelpilzbefall, **Bauteilanschlüsse** und Vorschläge für weitere Abdichtungsmaßnahmen, über die Auswahl von Materialien zur Herstellung der Luftdichtheit (Verträglichkeit, Wirksamkeit, Dauerhaftigkeit) und über Auswirkungen von wärmeschutztechnischen Maßnahmen auf den Schall- und Brandschutz. Erstellung erfahrungsgemäß wirtschaftlicher (rentabler), im Allgemeinen verwirklichungsfähige Modernisierungsempfehlungen für kostengünstige Verbesserungen der energetischen Eigenschaften.

3 Inhaltliche Schwerpunkte der Fortbildung zu bestehenden Nichtwohngebäuden

Zusätzlich zu den unter Nr. 2 aufgeführten Schwerpunkten soll die Fortbildung insbesondere die nachfolgenden Fachkenntnisse zu Nichtwohngebäuden vermitteln.

3.1 Bestandsaufnahme und Dokumentation des Gebäudes, der Baukonstruktion und der technischen Anlagen

Energetische Modellierung eines Gebäudes (beheiztes/gekühltes Volumen, konditionierte/nicht konditionierte Räume, Versorgungsbereich der Anlagentechnik), Ermittlung der Systemgrenze und Einteilung des Gebäudes in Zonen nach entsprechenden Nutzungsrandbedingungen, Zuordnung von geometrischen und energetischen Kenngrößen zu den Zonen und Versorgungsbereichen, Zusammenwirken von Gebäude und Anlagentechnik (Verrechnung von Bilanzanteilen), **Anwendung** vereinfachter Verfahren (**z. B**. Ein-Zonen-Modell), Bestimmung von Wärmequellen und -senken und des Nutzenergiebedarfs von Zonen, Ermittlung, Bewertung und Dokumentation der energetischen Kennwerte von raumlufttechnischen Anlagen, insbesondere von Klimaanlagen, und Beleuchtungssystemen.

3.2 Beurteilung der Gebäudehülle

Ermittlung von Eingangs- und Berechnungsgrößen und energetische Bewertung von Fassadensystemen, insbesondere von **Vorhang- und** Glasfassaden, Bewertung von Systemen für den sommerlichen Wärmeschutz und von Verbauungs- **und Verschattungs**situationen.

3.3 Beurteilung von Heizungs- und Warmwasserbereitungsanlagen

Berechnung des Endenergiebedarfs für Heizungs- und Warmwasserbereitung **einschließlich** der Verluste in den technischen Prozessschritten nach DIN V 18599-5 und DIN V 18599-8, Beurteilung von Kraft-Wärme-Kopplungsanlagen nach DIN V 185999, Bilanzierung **von Nah- und** Fernwärmesystemen **und der Nutzung erneuerbarer Energien.**

3.4 Beurteilung von raumlufttechnischen Anlagen und sonstigen Anlagen zur Kühlung

Berechnung des Kühlbedarfs von Gebäuden (Nutzkälte) und der Nutzenergie für die Luftaufbereitung, Bewertung unterschiedlicher Arten von raumlufttechnischen Anlagen und deren Konstruktionsmerkmalen, Berücksichtigung der Brand- und Schallschutz**anforderungen** für diese Anlagen, Berechnung **des** Energie**bedarfs** für die Befeuchtung mit einem Dampferzeuger, Ermittlung von Übergabe- und Verteilverlusten, Bewertung von Bauteiltemperierungen, Durchführung der Berechnungen nach DIN V 185992, DIN V 18599-3 und DIN V 18599-7 **und der Nutzung erneuerbarer Energien.**

3.5 Beurteilung von Beleuchtungs- und Belichtungssystemen

Berechnung des Endenergiebedarfs für die Beleuchtung nach DIN V 18599-4, Bewertung der Tageslichtnutzung (Fenster, Tageslichtsysteme, Beleuchtungsniveau, Wartungswert der Beleuchtungsstärke etc.), der tageslichtabhängigen Kunstlichtregelung (Art, Kontrollstrategie, Funktionsumfang, Schaltsystem etc.) und der Kunstlichtbeleuchtung (Lichtquelle, Vorschaltgeräte, Leuchten etc.).

3.6 Erbringung der Nachweise

Kenntnisse **über energetische** Anforderungen an Nichtwohngebäude **und** das Bauordnungsrecht (insbesondere Mindestwärmeschutz), Durchführung der Nachweise und Berechnungen des Jahres-Primärenergiebedarfs, Ermittlung des Energieverbrauchs und seine rechnerische Bewertung einschließlich der Witterungsbereinigung, Ausstellung eines Energieausweises.

3.7 Grundlagen der Beurteilung von Modernisierungsempfehlungen einschließlich ihrer technischen Machbarkeit und Wirtschaftlichkeit

Erstellung von erfahrungsgemäß wirtschaftlichen (rentablen), im Allgemeinen verwirklichungsfähigen Modernisierungsempfehlungen für kostengünstige Verbesserungen der energetischen Eigenschaften für Nichtwohngebäude.

4 Umfang der Fortbildung

Der Umfang der Fortbildung insgesamt sowie der einzelnen Schwerpunkte soll dem Zweck und den Anforderungen dieser Anlage sowie der Vorbildung der jeweiligen Teilnehmer Rechnung tragen.

E

E.3 Schallschutz

Schallschutz im Hochbau – Anforderungen und Nachweise

Auszug aus **DIN 4109** (11.1989)[1)]

Inhalt

[1)] Berichtigung 1 (08.92) berücksichtigt.

1 Anwendungsbereich und Zweck

Der Schallschutz in Gebäuden hat große Bedeutung für die Gesundheit und das Wohlbefinden des Menschen. Besonders wichtig ist der Schallschutz im Wohnungsbau, da die Wohnung dem Menschen sowohl zur Entspannung und zum Ausruhen dient als auch den eigenen häuslichen Bereich gegenüber den Nachbarn abschirmen soll. Um eine zweckentsprechende Nutzung der Räume zu ermöglichen, ist auch in Schulen, Krankenanstalten, Beherbergungsstätten und Bürobauten der Schallschutz von Bedeutung.

In dieser Norm sind Anforderungen an den Schallschutz mit dem Ziel festgelegt, Menschen in Aufenthaltsräumen vor unzumutbaren Belästigungen durch Schallübertragung zu schützen. Außerdem ist das Verfahren zum Nachweis des geforderten Schallschutzes geregelt.

Auf Grund der festgelegten Anforderungen kann nicht erwartet werden, dass Geräusche von außen oder aus benachbarten Räumen nicht mehr wahrgenommen werden. Daraus ergibt sich insbesondere die Notwendigkeit gegenseitiger Rücksichtnahme durch Vermeidung unnötigen Lärms. Die Anforderungen setzen voraus, dass in benachbarten Räumen keine ungewöhnlich starken Geräusche verursacht werden.

Diese Norm gilt zum Schutz von Aufenthaltsräumen

- gegen Geräusche aus fremden Räumen, z. B. Sprache, Musik oder Gehen, Stühlerücken und den Betrieb von Haushaltsgeräten,
- gegen Geräusche aus haustechnischen Anlagen und aus Betrieben im selben Gebäude oder in baulich damit verbundenen Gebäuden,
- gegen Außenlärm wie Verkehrslärm (Straßen-, Schienen-, Wasser- und Luftverkehr) und Lärm aus Gewerbe- und Industriebetrieben, die baulich mit den Aufenthaltsräumen im Regelfall nicht verbunden sind.

Diese Norm gilt nicht zum Schutz von Aufenthaltsräumen

- gegen Geräusche aus haustechnischen Anlagen im eigenen Wohnbereich.
- in denen infolge ihrer Nutzung ständig oder nahezu ständig stärkere Geräusche vorhanden sind, die einem Schalldruckpegel L_{AF} von 40 dB(A) entsprechen (L_{AF} siehe Abschnitt A.3.3.1).

E

– gegen Fluglärm, soweit er im „Gesetz zum Schutz gegen Fluglärm“ geregelt ist.

Ausführungsbeispiele für schallschutztechnisch ausreichende Bauteile sowie Hinweise für Planung und Ausführung enthalten Beiblatt 1 und Beiblatt 2 zu DIN 4109.

Tabelle 1: Kennzeichnende Größen für die Anforderungen an die Luft- und Trittschalldämmung von Bauteilen

R'_w: bewertetes Schalldämm-Maß in dB mit Schallübertragung über flankierende Bauteile

R_w: bewertetes Schalldämm-Maß in dB ohne Schallübertragung über flankierende Bauteile

$L'_{n,w}$: bewerteter Norm-Trittschallpegel in dB (TSM:Trittschallschutzmaß in dB)

Spalte	1	2	3	
Zeile	Bauteile[1]	Berücksichtigte Schallübertragung	Kennzeichnende Größe für	
			Luftschalldämmung	Trittschalldämmung
1	Wände	über das trennende und die flankierende Bauteile sowie gegebenenfalls über Nebenwege	erf. R'_w	–
2	Decken		erf. R'_w	erf. $L'_{n,w}$ (erf. *TSM*)
3	Treppen		–	erf. $L'_{n,w}$ (erf. *TSM*)
4	Türen	nur über die Tür bzw. über das Fenster	erf. R_w	–
5	Fenster			

[1] Im betriebsfertigen Zustand.

2.2 Schalldruckpegel haustechnischer Anlagen und aus Betrieben

Zur zahlenmäßigen Kennzeichnung dienen die Angaben der Tabelle 2.

Tabelle 2: Kennzeichnende Größen für die Anforderungen nach Tabelle 4

Spalte	1	2
Zeile	Geräuschquelle	Kennzeichnende Größe
1	Wasserinstallationen (Wasserversorgungs- und Abwasseranlagen gemeinsam)	Installations-Schallpegel L_{In} nach DIN 52 219
2	Sonstige haustechnische Anlagen	max. Schalldruckpegel $L_{AF,max}$ in Anlehnung an DIN 52 219
3	Betriebe	Beurteilungspegel L_r nach DIN 45 645 Teil 1 (nachts = lauteste Stunde) bzw. VDI 2058 Blatt 1

Tabelle 3: Erforderliche Luft- und Trittschalldämmung zum Schutz gegen Schallübertragung aus einem fremden Wohn- oder Arbeitsbereich

Spalte	1	2	3	4	5
Zeile	Bauteile		Anforderungen		Bemerkungen
			erf. R'_w dB	erf. $L'_{n,w}$ (erf. *TSM*) [1] dB	
1 Geschosshäuser mit Wohnungen und Arbeitsräumen					
1	Decken	Decken unter allgemein nutzbaren Dachräumen, z. B. Trockenböden, Abstellräumen und ihren Zugängen	53	53 (10)	Bei Gebäuden mit nicht mehr als 2 Wohnungen betragen die Anforderungen erf. R'_w = 52 dB und erf. $L'_{n,w}$ = 63 dB (erf. *TSM* = 0 dB).
2		Wohnungstrenndecken (auch -treppen) und Decken zwischen fremden Arbeitsräumen bzw. vergleichbaren Nutzungseinheiten	54	53 (10)	Wohnungstrenndecken sind Bauteile, die Wohnungen voneinander oder von fremden Arbeitsräumen trennen. Bei Gebäuden mit nicht mehr als 2 Wohnungen beträgt die Anforderung erf. R'_w = 52 dB. Weichfedernde Bodenbeläge dürfen bei dem Nachweis der Anforderungen an den Trittschallschutz nicht angerechnet werden; in Gebäuden mit nicht mehr als 2 Wohnungen dürfen weichfedernde Bodenbeläge, z. B. nach Beiblatt 1 zu DIN 4109/11.89, Tabelle 18, berücksichtigt werden, wenn die Beläge auf dem Produkt oder auf der Verpackung mit dem entsprechenden ΔL_w *(VM)* nach Beiblatt 1 zu DIN 4109/11.89, Tabelle 18, bzw. nach Eignungsprüfung gekennzeichnet sind und mit der Werksbescheinigung nach DIN 50 049 ausgeliefert werden.
3		Decken über Kellern, Hausfluren, Treppenräumen unter Aufenthaltsräumen	52	53 (10)	Die Anforderung an die Trittschalldämmung gilt nur für die Trittschallübertragung in fremde Aufenthaltsräume, ganz gleich, ob sie in waagerechter, schräger oder senkrechter (nach oben) Richtung erfolgt. Weichfedernde Bodenbeläge dürfen bei dem Nachweis der Anforderungen an den Trittschallschutz nicht angerechnet werden.
4		Decken über Durchfahrten, Einfahrten von Sammelgaragen und Ähnliches unter Aufenthaltsräumen	55	53 (10)	
Fortsetzung siehe nächste Seite.					

Tabelle 3 (Fortsetzung)

Spalte	1	2	3	4	5
Zeile		Bauteile	Anforderungen		Bemerkungen
			erf. R'_w dB	erf. $L'_{n,w}$ (erf. *TSM*) 1) dB	
1 Geschosshäuser mit Wohnungen und Arbeitsräumen (Fortsetzung)					
5	Decken	Decken unter/über Spiel- oder ähnlichen Gemeinschaftsräumen	55	46 (17)	Wegen der verstärkten Übertragung tiefer Frequenzen können zusätzliche Maßnahmen zur Körperschalldämmung erforderlich sein.
6		Decken unter Terrassen und Loggien über Aufenthaltsräumen	–	53 (10)	Bezüglich der Luftschalldämmung gegen Außenlärm siehe aber Abschnitt 5.
7		Decken unter Laubengängen	–	53 (10)	Die Anforderung an die Trittschalldämmung gilt nur für die Trittschallübertragung in fremde Aufenthaltsräume, ganz gleich, ob sie in waagerechter, schräger oder senkrechter (nach oben) Richtung erfolgt.
8		Decken und Treppen innerhalb von Wohnungen, die sich über zwei Geschosse erstrecken	–	53 (10)	Die Anforderung an die Trittschalldämmmung gilt nur für die Trittschallübertragung in fremde Aufenthaltsräume, ganz gleich, ob sie in waagerechter, schräger oder senkrechter (nach oben) Richtung erfolgt. Weichfedernde Bodenbeläge dürfen bei dem Nachweis der Anforderungen an den Trittschallschutz nicht angerechnet werden. Die Prüfung der Anforderungen an das Trittschallschutzmaß nach DIN 52 210 Teil 3 erfolgt bei einer gegebenenfalls vorhandenen Bodenentwässerung nicht in einem Umkreis von r = 60 cm. Bei Gebäuden mit nicht mehr als 2 Wohnungen beträgt die Anforderung erf. R'_w = 52 dB und erf. $L'_{n,w}$ = 63 dB (erf. *TSM* = 0 dB).
9		Decken unter Bad und WC ohne/mit Bodenentwässerung	–	53 (10)	

Fortsetzung siehe nächste Seite.

Tabelle 3 (Fortsetzung)					
Spalte	1	2	3	4	5
Zeile		Bauteile	Anforderungen		Bemerkungen
			erf. R'_w dB	erf. $L'_{n,w}$ (erf. *TSM*) [1)] dB	
1 Geschosshäuser mit Wohnungen und Arbeitsräumen (Fortsetzung)					
10	Decken	Decken unter Hausfluren	–	53 (10)	Die Anforderung an die Trittschalldämmung gilt nur für die Trittschallübertragung in fremde Aufenthaltsräume, ganz gleich, ob sie in waagerechter, schräger oder senkrechter (nach oben) Richtung erfolgt. Weichfedernde Bodenbeläge dürfen bei dem Nachweis der Anforderungen an den Trittschallschutz nicht angerechnet werden.
11	Treppen	Treppenläufe und -podeste	–	58 (5)	Keine Anforderungen an Treppenläufe in Gebäuden mit Aufzug und an Treppen in Gebäuden mit nicht mehr als 2 Wohnungen.
12	Wände	Wohnungstrennwände und Wände zwischen fremden Arbeitsräumen	53		Wohnungstrennwände sind Bauteile, die Wohnungen voneinander oder von fremden Arbeitsräumen trennen.
13		Treppenraumwände und Wände neben Hausfluren	52		Für Wände mit Türen gilt die Anforderung erf. R'_w (Wand) = erf. R_w (Tür) + 15 dB. Darin bedeutet erf. R_w (Tür) die erforderliche Schalldämmung der Tür nach Zeile 16 oder Zeile 17. Wandbreiten $\leq$ 30 cm bleiben dabei unberücksichtigt.
14		Wände neben Durchfahrten, Einfahrten von Sammelgaragen u. Ä.	55		
15		Wände von Spiel- oder ähnlichen Gemeinschaftsräumen	55		
Fortsetzung siehe nächste Seite.					

Tabelle 3 (Fortsetzung)

Spalte	1	2	3	4	5
Zeile		Bauteile	Anforderungen		Bemerkungen
			erf. R'_w dB	erf. $L'_{n,w}$ (erf. *TSM*) 1) dB	
1 Geschosshäuser mit Wohnungen und Arbeitsräumen (Fortsetzung)					
16	Türen	Türen, die von Hausfluren oder Treppenräumen in Flure und Dielen von Wohnungen und Wohnheimen oder von Arbeitsräumen führen	27		Bei Türen gilt nach Tabelle 1 erf. R_w.
17		Türen, die von Hausfluren oder Treppenräumen unmittelbar in Aufenthaltsräume – außer Flure und Dielen – von Wohnungen führen	37		
2 Einfamilien-Doppelhäuser und Einfamilien-Reihenhäuser					
18	Decken	Decken	–	48 (15)	Die Anforderung an die Trittschalldämmung gilt nur für die Trittschallübertragung in fremde Aufenthaltsräume, ganz gleich, ob sie in waagerechter, schräger oder senkrechter (nach oben) Richtung erfolgt.
19		Treppenläufe und -podeste und Decken unter Fluren	–	53 (10)	Bei einschaligen Haustrennwänden unter Fluren gilt: Wegen der möglichen Austauschbarkeit von weichfedernden Bodenbelägen nach Beiblatt 1 zu DIN 4109/11.89, Tabelle 18, die sowohl dem Verschleiß als auch besonderen Wünschen der Bewohner unterliegen, dürfen diese bei dem Nachweis der Anforderungen an den Trittschallschutz nicht angerechnet werden.
20	Wände	Haustrennwände	57		

Fortsetzung siehe nächste Seite.

Tabelle 3 (Fortsetzung)

Spalte	1	2	3	4	5
Zeile		Bauteile	Anforderungen		Bemerkungen
			erf. R'_w dB	erf. $L'_{n,w}$ (erf. *TSM*) [1] dB	
3 Beherbergungsstätten					
21	Decken	Decken	54	53 (10)	
22		Decken unter/über Schwimmbädern, Spiel- oder ähnlichen Gemeinschaftsräumen zum Schutz gegenüber Schlafräumen	55	46 (17)	Wegen der verstärkten Übertragung tiefer Frequenzen können zusätzliche Maßnahmen zur Körperschalldämmung erforderlich sein.
23		Treppenläufe und -podeste	–	58 (5)	Keine Anforderungen an Treppenläufe in Gebäuden mit Aufzug. Die Anforderung gilt nicht für Decken, an die in Tabelle 5, Zeile 1, Anforderungen an den Schallschutz gestellt werden.
24		Decken unter Fluren	–	53 (10)	Die Anforderung an die Trittschalldämmung gilt nur für die Trittschallübertragung in fremde Aufenthaltsräume, ganz gleich, ob sie in waagerechter, schräger oder senkrechter (nach oben) Richtung erfolgt.
25		Decken unter Bad und WC ohne/mit Bodenentwässerung	54	53 (10)	Die Anforderung an die Trittschalldämmung gilt nur für die Trittschallübertragung in fremde Aufenthaltsräume, ganz gleich, ob sie in waagerechter, schräger oder senkrechter (nach oben) Richtung erfolgt. Die Prüfung der Anforderungen an den bewerteten Norm-Trittschallpegel nach DIN 52 210 Teil 3 erfolgt bei einer gegebenenfalls vorhandenen Bodenentwässerung nicht in einem Umkreis von $r = 60$ cm.
26	Wände	Wände zwischen – Übernachtungsräumen, – Fluren und Übernachtungsräumen	47		

Fortsetzung siehe nächste Seite.

Tabelle 3 (Fortsetzung)

Spalte	1	2	3	4	5
Zeile	Bauteile		Anforderungen		Bemerkungen
			erf. R'_w dB	erf. $L'_{n,w}$ (erf. *TSM*) [1)] dB	
3 Beherbergungsstätten (Fortsetzung)					
27	Türen	Türen zwischen Fluren und Übernachtungsräumen	32		Bei Türen gilt nach Tabelle 1 erf. R_w.
4 Krankenanstalten, Sanatorien					
28	Decken	Decken	54	53 (10)	
29		Decken unter/über Schwimmbädern, Spiel- oder ähnlichen Gemeinschaftsräumen	55	46 (17)	Wegen der verstärkten Übertragung tiefer Frequenzen können zusätzliche Maßnahmen zur Körperschalldämmung erforderlich sein.
30		Treppenläufe und -podeste	–	58 (5)	Keine Anforderungen an Treppenläufe in Gebäuden mit Aufzug.
31		Decken unter Fluren	–	53 (10)	Die Anforderung an die Trittschalldämmung gilt nur für die Trittschallübertragung in fremde Aufenthaltsräume, ganz gleich, ob sie in waagerechter, schräger oder senkrechter (nach oben) Richtung erfolgt.
32		Decken unter Bad und WC ohne/mit Bodenentwässerung	54	53 (10)	Die Anforderung an die Trittschalldämmung gilt nur für die Trittschallübertragung in fremde Aufenthaltsräume, ganz gleich, ob sie in waagerechter, schräger, oder senkrechter (nach oben) Richtung erfolgt. Die Prüfung der Anforderungen an den bewerteten Norm-Trittschallpegel nach DIN 52 210 Teil 3 erfolgt bei einer gegebenenfalls vorhandenen Bodenentwässerung nicht in einem Umkreis von $r = 60$ cm.

Fortsetzung siehe nächste Seite.

Tabelle 3 (Fortsetzung)

Spalte	1	2	3	4	5
Zeile		Bauteile	Anforderungen		Bemerkungen
			erf. R'_w dB	erf. $L'_{n,w}$ (erf. *TSM*) 1) dB	
4 Krankenanstalten, Sanatorien (Fortsetzung)					
33	Wände	Wände zwischen – Krankenräumen, – Fluren und Krankenräumen, – Untersuchungs- bzw. Sprechzimmern, – Flure und Untersuchungs- bzw. Sprechzimmern, – Krankenräumen und Arbeits- und Pflegeräumen	47		
34	Wände	Wände zwischen – Operations- bzw. Behandlungsräumen, – Fluren und Operations- bzw. Behandlungsräumen	42		
35		Wände zwischen – Räumen der Intensivpflege, – Fluren und Räumen der Intensivpflege	37		
36	Türen	Türen zwischen – Untersuchungs- bzw. Sprechzimmern, – Fluren und Untersuchungs- bzw. Sprechzimmern	37		Bei Türen gilt nach Tabelle 1 erf. R_w.
37		Türen zwischen – Fluren- und Krankenräumen, – Operations- bzw. Behandlungsräumen, – Fluren und Operations- bzw. Behandlungsräumen	32		

Fortsetzung siehe nächste Seite.

E

Tabelle 3 (Fortsetzung)					
Spalte	1	2	3	4	5
Zeile		Bauteile	Anforderungen		Bemerkungen
			erf. R'_w dB	erf. $L'_{n,w}$ (erf. *TSM*) [1] dB	
5 Schulen und vergleichbare Unterrichtsbauten					
38	Decken	Decken zwischen Unterrichtsräumen oder ähnlichen Räumen	55	53 (10)	
39		Decken unter Fluren	–	53 (10)	Die Anforderung an die Trittschalldämmung gilt nur für die Trittschallübertragung in fremde Aufenthaltsräume, ganz gleich, ob sie in waagerechter, schräger oder senkrechter (nach oben) Richtung erfolgt.
40		Decken zwischen Unterrichtsräumen oder ähnlichen Räumen und „besonders lauten" Räumen (z. B. Sporthallen, Musikräume, Werkräume)	55	46 (17)	Wegen der verstärkten Übertragung tiefer Frequenzen können zusätzlich Maßnahmen zur Körperschalldämmung erforderlich sein.
41	Wände	Wände zwischen Unterrichtsräumen oder ähnlichen Räumen	47		
42		Wände zwischen Unterrichtsräumen oder ähnlichen Räumen und Fluren	47		
43		Wände zwischen Unterrichtsräumen oder ähnlichen Räumen und Treppenhäusern	52		
44		Wände zwischen Unterrichtsräumen oder ähnlichen Räumen und „besonders lauten" Räumen (z. B. Sporthallen, Musikräumen, Werkräumen)	55		
45	Türen	Türen zwischen Unterrichtsräumen oder ähnlichen Räumen und Fluren	32		Bei Türen gilt nach Tabelle 1 erf. R_w.

[1] Zur Berechnung der bisher benutzten Größen *TSM*, TSM_{eq} und *VM* aus den Werten von $L'_{n,w}$, $L_{n,w,eq}$ und ΔL_w gelten folgende Beziehungen: $TSM = 63\,dB - L'_{nmw}$, $TSM_{eq} = 63\,dB - L_{n,w,eq}$, $VM = \Delta L_w$.

Tabelle 4: Werte für die zulässigen Schalldruckpegel in schutzbedürftigen Räumen von Geräuschen aus haustechnischen Anlagen und Gewerbebetrieben

Spalte	1	2	3
Zeile	Geräuschquelle	Art der schutzbedürftigen Räume	
		Wohn- und Schlafräume	Unterrichts- und Arbeitsräume
		Kennzeichnender Schalldruckpegel dB(A)	
1	Wasserinstallationen (Wasserversorgungs- und Abwasseranlagen gemeinsam)	≤ 35[1)]	≤ 35[1)]
2	Sonstige haustechnische Anlagen	≤ 30[2)]	≤ 35[2)]
3	Betriebe tags 6 bis 22 Uhr	≤ 35	≤ 35[2)]
4	Betriebe nachts 22 bis 6 Uhr	≤ 25	≤ 35[2)]

1) Einzelne, kurzzeitige Spitzen, die beim Betätigen der Armaturen und Geräte nach Tabelle 6 (Öffnen, Schließen, Umstellen, Unterbrechen u. a.) entstehen, sind z. Z. nicht zu berücksichtigen.
2) Bei lüftungstechnischen Anlagen sind um 5 dB(A) höhere Werte zulässig, sofern es sich um Dauergeräusche ohne auffällige Einzeltöne handelt.

Tabelle 5: Anforderungen an die Luft- und Trittschalldämmung von Bauteilen zwischen „besonders lauten" und schutzbedürftigen Räumen

Spalte	1	2	3	4	5
Zeile	Art der Räume	Bauteile	Bewertetes Schalldämm-Maß erf. R'_w dB		Bewerteter Norm-Trittschallpegel erf. $L'_{n,w}$ [1)2)] (Trittschallschutzmaß erf. *TSM*) dB
			Schalldruckpegel L_{AF} = 75 bis 80 dB(A)	Schalldruckpegel L_{AF} = 81 bis 85 dB(A)	
1.1	Räume mit „besonders lauten" haustechnischen Anlagen oder Anlageteilen	Decken, Wände	57	62	–
1.2		Fußböden	–		43[3)] (20) [3)]
2.1	Betriebsräume von Handwerks- und Gewerbebetrieben; Verkaufsstätten	Decken, Wände	57	62	–
2.2		Fußböden	–		43 (20)
3.1	Küchenräume der Küchenanlagen von Beherbergungsstätten, Krankenhäusern, Sanatorien, Gaststätten, Imbissstuben und dergleichen	Decken, Wände	55		–
3.2		Fußböden	–		43 (20)
3.3	Küchenräume wie vor, jedoch auch nach 22.00 Uhr in Betrieb	Decken, Wände	57[4)]		–
		Fußböden	–		33 (30)

Fortsetzung siehe nächste Seite.

Tabelle 5 (Fortsetzung)

Spalte	1	2	3	4	5
Zeile	Art der Räume	Bauteile	Bewertetes Schalldämm-Maß erf. R'_w dB		Bewerteter Norm-Trittschallpegel erf. $L'_{n,w}$ 1)2) (Trittschallschutzmaß erf. *TSM*) dB
			Schalldruckpegel L_{AF} = 75 bis 80 dB(A)	Schalldruckpegel L_{AF} = 81 bis 85 dB(A)	
4.1	Gasträume, nur bis 22.00 Uhr in Betrieb	Decken, Wände	55	55	–
4.2		Fußböden	–		43 (20)
5.1	Gasträume (maximaler Schalldruckpegel $L_{AF} \leq 85$ dB(A)), auch nach 22.00 Uhr in Betrieb	Decken, Wände	62		–
5.2		Fußböden	–		33 (30)
6.1	Räume von Kegelbahnen	Decken, Wände	67		–
6.2		Fußböden a) Keglerstube b) Bahn	 – –		 33 (30) 13 (5)
7.1	Gasträume (maximaler Schalldruckpegel 85 dB(A) $\leq L_{AF} \leq 95$ dB(A)), z. B. mit elektroakustischen Anlagen	Decken, Wände	72		–
7.2		Fußböden	–		28 (35)

1) Jeweils in Richtung der Lärmausbreitung.

2) Die für Maschinen erforderliche Körperschalldämmung ist mit diesem Wert nicht erfasst; hierfür sind gegebenenfalls weitere Maßnahmen erforderlich – siehe auch Beiblatt 2 zu DIN 4109/11.89, Abschnitt 2.3. Ebenso kann je nach Art des Betriebes ein niedrigeres erf. $L'_{n,w}$ (beim Trittschallschutzmaß ein höheres erf. *TSM*) notwendig sein, dies ist im Einzelfall zu überprüfen.

3) Nicht erforderlich, wenn geräuscherzeugende Anlagen ausreichend körperschallgedämmt aufgestellt werden; eventuelle Anforderungen nach Tabelle 3 bleiben hiervon unberührt.

4) Handelt es sich um Großküchenanlagen und darüberliegende Wohnungen als schutzbedürftige Räume, gilt erf. R'_w = 62 dB.

Tabelle 6: Armaturengruppen

Spalte	1	2	3
Zeile		Armaturengeräuschpegel L_{ap} für kennzeichnenden Fließdruck oder Durchfluss nach DIN 52 218 Teil 1 bis Teil 4[1]	Armaturengruppe
1	Auslaufarmaturen	≤ 20 dB(A)[2]	I
2	Geräteanschluss-Armaturen		
3	Druckspüler		
4	Spülkästen		
5	Durchflusswassererwärmer		
6	Durchgangsarmaturen, wie – Absperrventile, – Eckventile, – Rückflussverhinderer	≤ 30 dB(A)[2]	II
7	Drosselarmaturen, wie – Vordrosseln, – Eckventile		
8	Druckminderer		
9	Brausen		
10	Auslaufvorrichtungen, die direkt an die Auslaufarmatur angeschlossen werden, wie – Strahlregler, – Durchflussbegrenzer, – Kugelgelenke, – Rohrbelüfter, – Rückflussverhinderer	≤ 15 dB(A)	I
		≤ 25 dB(A)	II

1) Dieser Wert darf bei den in DIN 52 218 Teil 1 bis Teil 4 für die einzelnen Armaturen genannten oberen Grenzen der Fließdrücke oder Durchflüsse um bis zu 5 dB(A) überschritten werden.

2) Bei Geräuschen, die beim Betätigen der Armaturen entstehen (Öffnen, Schließen, Umstellen, Unterbrechen u. a.) wird der A-bewertete Schallpegel dieser Geräusche, gemessen bei Zeitbewertung „FAST“ der Messinstrumente, erst dann zur Bewertung herangezogen, wenn es die Messverfahren nach DIN 52 218 Teil 1 bis Teil 4 zulassen.

Tabelle 8: Anforderungen an die Luftschalldämmung von Außenbauteilen

Spalte	1	2	3	4	5
Zeile	Lärm-pegel-bereich	„Maßgeblicher Außenlärm-pegel" db(A)	Raumarten		
			Bettenräume in Kranken-anstalten und Sanatorien	Aufenthaltsräume in Wohnungen, Übernachtungsräume in Beherber-gungsstätten, Unterrichtsräume und ähnliches	Büroräume[1)] und ähnliches
			erf. $R'_{w,res}$ des Außenbauteils in dB		
1	I	bis 55	35	30	–
2	II	56 bis 60	35	30	30
3	III	61 bis 65	40	35	30
4	IV	66 bis 70	45	40	35
5	V	71 bis 75	50	45	40
6	VI	76 bis 80	2)	50	45
7	VII	> 80	2)	2)	50

1) An Außenbauteile von Räumen, bei denen der eindringende Außenlärm auf Grund der in den Räumen ausgeübten Tätigkeiten nur einen untergeordneten Beitrag zum Innenraumpegel leistet, werden keine Anforderungen gestellt.

2) Die Anforderungen sind hier auf Grund der örtlichen Gegebenheiten festzulegen.

Tabelle 9: Korrekturwerte für das erforderliche resultierende Schalldämm-Maß nach Tabelle 8 in Abhängigkeit vom Verhältnis $S_{(W+F)}/S_G$

Spalte/Zeile	1	2	3	4	5	6	7	8	9	10
1	$S_{(W+F)}/S_G$	2,5	2,0	1,6	1,3	1,0	0,8	0,6	0,5	0,4
2	Korrektur	+ 5	+ 4	+ 3	+ 2	+ 1	0	–1	–2	–3

$S_{(W+F)}$ Gesamtfläche des Außenbauteils eines Aufenthaltsraumes in m^2

$S_{(G)}$ Grundfläche eines Aufenthaltsraumes in m^2.

Tabelle 10: Erforderliche Schalldämm-Maße erf. $R_{w,res}$ von Kombinationen von Außenwänden und Fenstern

Spalte	1	2	3	4	5	6	7
Zeile	erf. $R'_{w,res}$ in dB nach Tabelle 8	Schalldämm-Maße für Wand/Fenster in … dB/… dB bei folgenden Fensterflächenanteilen in %					
		10 %	20 %	30 %	40 %	50 %	60 %
1	30	30/25	30/25	35/25	35/25	50/25	30/30
2	35	35/30 40/25	35/30	35/32 40/30	40/30	40/32 50/30	45/32
3	40	40/32 45/30	40/35	45/35	45/35	40/37 60/35	40/37
4	45	45/37 50/35	45/40 50/37	50/40	50/40	50/42 60/40	60/42
5	50	55/40	55/42	55/45	55/45	60/45	–

Diese Tabelle gilt nur für Wohngebäude mit üblicher Raumhöhe von etwa 2,5 m und Raumtiefe von etwa 4,5 m oder mehr, unter Berücksichtigung der Anforderungen an das resultierende Schalldämm-Maß erf. $R'_{w,res}$ des Außenbauteiles nach Tabelle 8 und der Korrektur von –2 dB nach Tabelle 9, Zeile 2.

Schallschutz im Hochbau – Hinweise für Planung und Ausführung

Auszug aus DIN 4109, Beiblatt 2 (11.89)

Inhalt

Tabelle 2: Vorschläge für erhöhten Schallschutz; Luft- und Trittschalldämmung von Bauteilen zum Schutz gegen Schallübertragung aus einem fremden Wohn- oder Arbeitsbereich

Spalte	1	2	3	4	5
Zeile		Bauteile	Vorschläge für erhöhten Schallschutz		Bemerkungen
			erf. R'_{w} dB	erf. $L'_{n,w}$ (erf. *TSM*) dB	
1 Geschosshäuser mit Wohnungen und Arbeitsräumen					
1	Decken	Decken unter allgemein nutzbaren Dachräumen, z. B. Trockenböden, Abstellräumen und ihren Zugängen	≥ 55	≤ 46 (≥ 17)	
2		Wohnungstrenndecken (auch -treppen) und Decken zwischen fremden Arbeitsräumen bzw. vergleichbaren Nutzungseinheiten	≥ 55	≤ 46 (≥ 17)	Weichfedernde Bodenbeläge dürfen für den Nachweis des Trittschallschutzes angerechnet werden.
3		Decken über Kellern, Hausfluren, Treppenräumen unter Aufenthaltsräumen	≤ 55	≤ 46 (≥ 17)	Der Vorschlag für den erhöhten Schallschutz an die Trittschalldämmung gilt nur für die Trittschallübertragung in fremde Aufenthaltsräume, ganz gleich, ob sie in waagerechter, schräger oder senkrechter (nach oben) Richtung erfolgt.
4		Decken über Durchfahrten, Einfahrten von Sammelgaragen und ähnliches unter Aufenthaltsräumen	–	≤ 46 (≥ 17)	
5		Decken unter Terrassen und Loggien über Aufenthaltsräumen	–	≤ 46 (≥ 17)	

Fortsetzung siehe nächste Seite.

Tabelle 2 (Fortsetzung)

Spalte	1	2	3	4	5
Zeile		Bauteile	Vorschläge für erhöhten Schallschutz		Bemerkungen
			erf. R'_{w} dB	erf. $L'_{n,w}$ (erf. *TSM*) dB	
1	**Geschosshäuser mit Wohnungen und Arbeitsräumen** (Fortsetzung)				
6	Decken	Decken unter Laubengängen	–	≤ 46 (≥ 17)	Der Vorschlag für den erhöhten Schallschutz an die Trittschalldämmung gilt nur für die Trittschallübertragung in fremde Aufenthaltsräume, ganz gleich, ob sie in waagerechter, schräger oder senkrechter (nach oben) Richtung erfolgt.
7		Decken und Treppen innerhalb von Wohnungen, die sich über zwei Geschosse erstrecken	–	≤ 46 (≥ 17)	Der Vorschlag für den erhöhten Schallschutz an die Trittschalldämmung gilt nur für die Trittschallübertragung in fremde Aufenthaltsräume, ganz gleich, ob sie in waagerechter, schräger oder senkrechter (nach oben) Richtung erfolgt. Weichfedernde Bodenbeläge dürfen für den Nachweis des Trittschallschutzes angerechnet werden. Bei Sanitärobjekten in Bad oder WC ist für eine ausreichende Körperschalldämmung zu sorgen (siehe Abschnitt 2.4.3).
8		Decken unter Bad und WC ohne/mit Bodenentwässerung	≥ 55	≤ 46 (≥ 17)	
9		Decken unter Hausfluren	–	≤ 46 (≥ 17)	
10	Treppen	Treppenläufe und -podeste	–	≤ 46 (≥ 17)	
11	Wände	Wohnungstrennwände und Wände zwischen fremden Arbeitsräumen	≥ 55	–	
12	Wände	Treppenraumwände und Wände neben Hausfluren	≥ 55	–	Für Wände mit Türen gilt R'_{w} (Wand) = $R_{w,P}$ (Tür) + 15 dB. Darin bedeutet $R_{w,P}$ (Tür) die erforderliche Schalldämmung der Tür nach Zeile 16 oder Zeile 17. Wandbreiten ≤ 30 cm bleiben dabei unberücksichtigt.

Fortsetzung siehe nächste Seite.

Tabelle 2 (Fortsetzung)

Spalte	1	2	3	4	5
Zeile		Bauteile	Vorschläge für erhöhten Schallschutz		Bemerkungen
			erf. R'_w dB	erf. $L'_{n,w}$ (erf. *TSM*) dB	
1	**Geschosshäuser mit Wohnungen und Arbeitsräumen** (Fortsetzung)				
13	Türen	Türen, die von Hausfluren oder Treppenräumen in Flure und Dielen von Wohnungen und Wohnheimen oder von Arbeitsräumen führen	≥ 37	–	Bei Türen gilt nach DIN 4109/11.89, Tabelle 1, erf. R_w.
2	**Einfamilien-Doppelhäuser und Einfamilien-Reihenhäuser**				
14	Decken	Decken	–	≤ 38 (≥ 25)	Der Vorschlag für den erhöhten Schallschutz an die Trittschalldämmung gilt nur für die Trittschallübertragung in fremde Aufenthaltsräume, ganz gleich, ob sie in waagerechter, schräger oder senkrechter (nach oben) Richtung erfolgt. Weichfedernde Bodenbeläge dürfen für den Nachweis des Trittschallschutzes angerechnet werden.
15		Treppenläufe und -podeste und Decken unter Fluren	–	≤ 46 (≥ 17)	
16	Wände	Haustrennwände	≥ 67	–	
3	**Beherbergungsstätten, Krankenanstalten, Sanatorien**				
17	Decken	Decken	≥ 55	≤ 46 (≥ 17)	
18		Decken unter Bad und WC ohne/mit Bodenentwässerung	≥ 55	≤ 46 (≥ 17)	Der Vorschlag für den erhöhten Schallschutz an die Trittschalldämmung gilt nur für die Trittschallübertragung in fremde Aufenthaltsräume, ganz gleich, ob sie in waagerechter, schräger oder senkrechter (nach oben) Richtung erfolgt. Weichfedernde Bodenbeläge dürfen für den Nachweis des Trittschallschutzes angerechnet werden. Bei Sanitärobjekten in Bad oder WC ist für eine ausreichende Körperschalldämmung zu sorgen (siehe Abschnitt 2.4.3).

Fortsetzung siehe nächste Seite.

Tabelle 2 (Fortsetzung)

Spalte	1	2	3	4	5
Zeile	Bauteile		Vorschläge für erhöhten Schallschutz		Bemerkungen
			erf. R'_w dB	erf. $L'_{n,w}$ (erf. *TSM*) dB	
3 Beherbergungsstätten, Krankenanstalten, Sanatorien (Fortsetzung)					
19	Decken	Decken unter Fluren	–	≤ 46 (≥ 17)	Der Vorschlag für den erhöhten Schallschutz an die Trittschalldämmung gilt nur für die Trittschallübertragung in fremde Aufenthaltsräume, ganz gleich, ob sie in waagerechter, schräger oder senkrechter (nach oben) Richtung erfolgt.
20	Treppen	Treppenläufe und -podeste	–	≤ 46 (≥ 17)	
21	Wände	Wände zwischen Übernachtungs- bzw. Krankenräumen	≥ 52	–	
22		Wände zwischen Fluren und Übernachtungs- bzw. Krankenräumen	≥ 52	–	Das erf. R'_w gilt für die Wand allein.
23	Türen	Türen zwischen Fluren und Krankenräumen	≥ 37	–	Bei Türen gilt nach DIN 4109/11.89, Tabelle 1, erf. R_w.
24		Türen zwischen Fluren und Übernachtungsräumen	≥ 37	–	

Schallschutz im Hochbau – Ausführungsbeispiele und Rechenverfahren

Auszug aus DIN 4109, Beiblatt 1 (11.89)*)

Inhalt

*) Änderung A.1 (09.2003) berücksichtigt.

2 Luftschalldämmung in Gebäuden in Massivbauart; Trennende Bauteile

2.1 Allgemeines

Die Luftschalldämmung von trennenden Innenbauteilen hängt nicht nur von deren Ausbildung selbst ab, sondern auch von der der flankierenden Bauteile. Die in den Tabellen 1, 5, 8, 9,10,12 und 19 angegebenen Rechenwerte sind auf mittlere Flankenübertragungs-Verhältnisse bezogen, wobei die mittlere flächenbezogene Masse der flankierenden Bauteile mit etwa 300 kg/m^2 angenommen wird.

Für andere mittlere flächenbezogene Massen der flankierenden Bauteile sind Korrekturen anzubringen.

In den Tabellen 1, 5, 6, 8, 9 und 10 werden Rechenwerte des bewerteten Schalldämm-Maßes $R'_{w,R}$ für verschiedene Wandausführungen angegeben.

Ausführungsbeispiele für trennende und flankierende Bauteile mit einem Schalldämm-Maß $R'_{w,R} \geq 55$ dB enthält Tabelle 35.

2.2 Einschalige, biegesteife Wände

2.2.1 Abhängigkeit des bewerteten Schalldämm-Maßes $R'_{w,R}$ von der flächenbezogenen Masse des trennenden Bauteils

Für einschalige, biegesteife Wände enthält Tabelle 1 Rechenwerte des bewerteten Schalldämm-Maßes $R'_{w,R}$ in Abhängigkeit von der flächenbezogenen Masse der Wände. Zwischenwerte sind gradlinig zu interpolieren und auf ganze dB zu runden. Wände mit unmittelbar aufgebrachtem Putz nach DIN 18 550 Teil 1 oder mit Beschichtungen gelten als einschalig (siehe jedoch Abschnitt 2.2.4).

Voraussetzung für den in Tabelle 1 angegebenen Zusammenhang zwischen Luftschalldämmung und flächenbezogener Masse einschaliger Wände ist ein geschlossenes Gefüge und ein fugendichter Aufbau. Ist diese Voraussetzung nicht erfüllt, sind die Wände zumindest einseitig durch einen vollflächig haftenden Putz bzw. durch eine entsprechende Beschichtung gegen unmittelbaren Schalldurchgang abzudichten.

2.2.2 Ermittlung der flächenbezogenen Masse

Die flächenbezogene Masse der Wand ergibt sich aus der Dicke der Wand und deren Rohdichte, gegebenenfalls mit Zuschlag für ein- oder beidseitigen Putz. Die in den

E

Abschnitten 2.2.2.1 und 2.2.2.2 enthaltenen Angaben sind für die Berechnung der Rohdichte von biegesteifen Wänden sowie für die Zuschläge von Putz anzuwenden.

2.2.2.1 Wandrohdichte

Die Rohdichte gemauerter Wände verschiedener Stein-/Plattenrohdichteklassen mit zwei Arten von Mauermörteln ist der Tabelle 3 zu entnehmen.

Zur Ermittlung der flächenbezogenen Masse von fugenlosen Wänden und von Wänden aus geschosshohen Platten ist bei unbewehrtem Beton und Stahlbeton aus Normalbeton mit einer Rohdichte von 2300 kg/m^3 zu rechnen. Bei Wänden aus Leichtbeton und Gasbeton sowie bei Wänden aus im Dünnbettmörtel verlegten Plansteinen und -platten ist die Rohdichte nach Tabelle 2 abzumindern.

Tabelle 1: Bewertetes Schalldämm-Maß $R'_{w,R}$ [1)2)] von einschaligen, biegesteifen Wänden und Decken (Rechenwerte)

Spalte Zeile	1 Flächenbezogene Masse m' kg/m^2	2 Bewertetes Schalldämm-Maß $R'_{w,R}$
1	85[3)]	34
2	90[3)]	35
3	95[3)]	36
4	105[3)]	37
5	115[3)]	38
6	125[3)]	39
7	135	40
8	150	41
9	160	42
10	175	43
11	190	44
12	210	45
13	230	46
14	250	47
15	270	48
16	295	49
17	320	50
18	350	51
19	380	52
20	410	53
21	450	54
22	490	55

Fortsetzung siehe nächste Seite.

Tabelle 1 (Fortsetzung)		
Spalte	1	2
Zeile	Flächenbezogene Masse m' kg/m²	Bewertetes Schalldämm-Maß $R'_{w,R}$
23	530	56
24	580	57
25[4)]	630	58
26[4)]	680	59
27[4)]	740	60
28[5)]	810	61
29[4)]	880	62
30[4)]	960	63
31[4)]	1 040	64

1) Gültig für flankierende Bauteile mit einer mittleren flächenbezogenen Masse $m'_{L,Mittel}$ von etwa 300 kg/m². Weitere Bedingungen für die Gültigkeit der Tabelle 1 siehe Abschnitt 3.1.

2) Messergebnisse haben gezeigt, dass bei verputzten Wänden aus dampfgehärteten Gasbeton und Leichtbeton mit Blähtonzuschlag mit Steinrohdichte ≤ 0,8 kg/dm³ bei einer flächenbezogenen Masse bis 250 kg/m² das bewertete Schalldämm-Maß $R'_{w,R}$ um 2 dB höher angesetzt werden kann. Das gilt auch für zweischaliges Mauerwerk, sofern die flächenbezogene Masse der Einzelschale $m' \leq 250$ kg/m² beträgt.

3) Sofern Wände aus Gips-Wandbauplatten nach DIN 4103 Teil 2 ausgeführt und am Rand ringsum mit 2 mm bis 4 mm dicken Streifen aus Bitumenfilz eingebaut werden, darf das bewertete Schalldämm-Maß $R'_{w,R}$ um 2 dB höher angesetzt werden.

4) Diese Werte gelten nur für die Ermittlung des Schalldämm-Maßes zweischaliger Wände aus biegesteifen Schalen nach Abschnitt 2.3.2.

Tabelle 2: Abminderung

Spalte	1	2	3
Zeile	Rohdichteklasse	Rohdichte	Abminderung
1	> 1,0	> 1000 kg/m³	100 kg/m³
2	≤ 1,0	≤ 1000 kg/m³	50 kg/m³

Tabelle 3: Wandrohdichten einschaliger, biegesteifer Wände aus Steinen und Platten (Rechenwerte)

Spalte	1	2	3
Zeile	Stein-/ Plattenrohdichte[1)] ϱ kg/m³	Wandrohdichte[2)3)] ϱ_w	
		Normalmörtel kg/m³	Leichtmörtel (Rohdichte ≤ 1 000 kg/m)[3)] kg/m³
1	2 200	2 080	1 940
2	2 000	1 900	1 770
3	1 800	1 720	1 600
4	1 600	1 540	1 420

Fortsetzung siehe nächste Seite.

E

Tabelle 3 (Fortsetzung)			
Spalte	1	2	3
Zeile	Stein-/ Plattenrohdichte[1] ϱ kg/m³	Wandrohdichte[2)3)] ϱ_w	
		Normalmörtel kg/m³	Leichtmörtel (Rohdichte $\leq$ 1 000 kg/m)[3)] kg/m³
5	1 400	1 360	1 260
6	1 200	1 180	1 090
7	1 000	1 000	950
8	900	910	860
9	800	820	770
10	700	730	680
11	600	640	590
12	500	550	500
13	400	460	410

1) Werden Hohlblocksteine nach DIN 106 Teil 1, DIN 18 151 und DIN 18 153 umgekehrt vermauert und die Hohlräume satt mit Sand oder mit Normalmörtel gefüllt, so sind die Werte der Wandrohdichte um 400 kg/m³ zu erhöhen.
2) Die angegebenen Werte sind für alle Formate der in DIN 1053 Teil 1 (z. Z. Entwurf) und DIN 4103 Teil 1 für die Herstellung von Wänden aufgeführten Steine bzw. Platten zu verwenden.
3) Dicke der Mörtelfugen von Wänden nach DIN 1053 Teil 1 (z. Z. Entwurf) bzw. DIN 4103 Teil 1 bei Wänden aus dünnfugig zu verlegenden Plansteinen und -platten siehe Abschnitt 2.2.2.1.

Anmerkung: Die in Tabelle 3 zahlenmäßig angegebenen Wandrohdichten können auch nach folgender Gleichung berechnet werden.

$$\varrho_w = \varrho_N - \frac{\varrho_N - K}{10}$$

mit ϱ_W = Wandrohdichte in kg/dm³
ϱ_N = Nennrohdichte der Steine und Platten in kg/dm³
K = Konstante mit
K = 1 000 für Normalmörtel und Steinrohdichte ϱ_N 400 bis 2200 kg/m³
K = 500 für Leichtmörtel und Steinrohdichte ϱ_N 400 bis 1 000 kg/m³

2.2.2.2 Wandputz

Für die flächenbezogene Masse von Putz sind die Werte nach Tabelle 4 einzusetzen.

Tabelle 4: Flächenbezogene Masse von Wandputz

Spalte	1	2	3
Zeile	Putzdicke mm	Flächenbezogene Masse von	
		Kalkgipsputz, Gipsputz kg/m^2	Kalkputz, Kalkzementputz, Zementputz kg/m^2
1	10	10	18
2	15	15	25
3	20	–	30

Tabelle 5: Bewertetes Schalldämm-Maß $R_{w,R}$ von einschaligem, in Normalmörtel gemauertem Mauerwerk (Ausführungsbeispiele, Rechenwerte)

Spalte	1	2	3	4	5	6	7
Zeile	Bewertetes Schall-dämm-Maß $R'_{w,R}$[1)] dB	Rohdichteklasse der Steine und Wanddicke der Rohwand bei einschaligem Mauerwerk					
		Beiderseitiges Sichtmauerwerk		Beiderseitig je 10 mm Putz PIV (Gips- oder Kalkgipsputz) 20 kg/m^2		Beiderseitig je 15 mm PI, PII, PIII (Kalk-, Kalkzement- oder Zementputz) 50 kg/m^2	
		Stein-Rohdichteklasse	Wanddicke mm	Stein-Rohdichteklasse	Wanddicke mm	Stein-Rohdichteklasse	Wanddicke mm
1	37	0,6	175	0,5[2)]	175	0,4	115
2		0,9	115	0,7[2)]	115	0,6[3)]	100
3		1,2	100	0,8	100	0,7[3)]	80
4		1,4	80	1,2	80	0,8[3)]	70
5		1,6	70	1,4	70	–	–
6	40	0,5	240	0,5[2)]	240	0,5[2)]	175
7		0,8	175	0,7[3)]	175	0,7[3)]	115
8		1,2	115	1,0[3)]	115	1,2	80
9		1,8	80	1,6	80	1,4	70
10		2,2	70	1,8	70	–	–
11	42	0,7	240	0,6[3)]	240	0,5[2)]	240
12		0,9	175	0,8[3)]	175	0,6[3)]	175
13		1,4	115	1,2	115	1,0[4)]	115
14		2,0	80	1,6	100	1,2	100
15		–	–	1,8	80	1,4	80
16		–	–	2,0	70	1,6	70
17	45	0,9	240	0,8[3)]	240	0,6[2)]	240
18		1,2	175	1,2	175	0,9[3)]	175
19		2,0	115	1,8	115	1,4	115
20		2,2	100	2,0	110	1,8	100

Fortsetzung siehe nächste Seite.

Tabelle 5 (Fortsetzung)

Spalte	1	2	3	4	5	6	7
Zeile	Bewertetes Schall-dämm-Maß $R'_{w,R}$[1] dB	Rohdichteklasse der Steine und Wanddicke der Rohwand bei einschaligem Mauerwerk					
		Beiderseitiges Sichtmauerwerk		Beiderseitig je 10 mm Putz PIV (Gips- oder Kalkgipsputz) 20 kg/m^2		Beiderseitig je 15 mm PI, PII, PIII (Kalk-, Kalkzement- oder Zementputz) 50 kg/m^2	
		Stein-Rohdichteklasse	Wanddicke mm	Stein-Rohdichteklasse	Wanddicke mm	Stein-Rohdichteklasse	Wanddicke mm
21	47	0,8	300	0,8[3]	300	0,6[2]	300
22		1,0	240	1,0[3]	240	0,8[3]	240
23		1,6	175	1,4	175	1,2	175
24		2,2	115	2,2	115	1,8	115
25	52	0,8	490	0,7	490	0,6	490
26		1,0	365	1,0	365	0,9	365
27		1,4	300	1,2	300	1,2	300
28		1,6	240	1,6	240	1,4	240
29		–		2,2	175	2,0	175
30	53	0,8	490	0,8	490	0,7	490
31		1,2	365	1,2	365	1,2	365
32		1,4	300	1,4	300	1,2	300
33		1,8	240	1,8	240	1,6	240
34		–	–	–	–	2,2	175
35	55	1,0	490	0,9	490	0,9	490
36		1,4	365	1,4	365	1,2	365
37		1,8	300	1,6	300	1,6	300
38		2,2	240	2,0	240	2,0	240
39	57	1,2	490	1,2	490	1,2	490
40		1,6	365	1,6	465	1,6	365
41		2,0	300	2,0	300	1,8	300

1) Gültig für flankierende Bauteile mit einer mittleren flächenbezogenen Masse $m'_{L,Mittel}$ von etwa 300 kg/m^2. Weitere Bedingungen für die Gültigkeit der Tabelle 5 siehe Abschnitt 3.1.

2) Bei Schalen aus Gasbetonsteinen und -platten nach DIN 4165 und DIN 4166 sowie Leichtbetonsteinen mit Blähton als Zuschlag nach DIN 18 151 und DIN 18 152 kann die Stein-Rohdichteklasse um 0,1 niedriger sein.

3) Bei Schalen aus Gasbetonsteinen und -platten nach DIN 4165 und DIN 4166 sowie Leichtbetonsteinen mit Blähton als Zuschlag nach DIN 18 151 und DIN 18 152 kann die Stein-Rohdichteklasse um 0,2 niedriger sein.

4) Bei Schalen aus Gasbetonsteinen und -platten nach DIN 4165 und DIN 4166 sowie Leichtbetonsteinen mit Blähton als Zuschlag nach DIN 18 151 und DIN 18 152 kann die Stein-Rohdichteklasse um 0,3 niedriger sein.

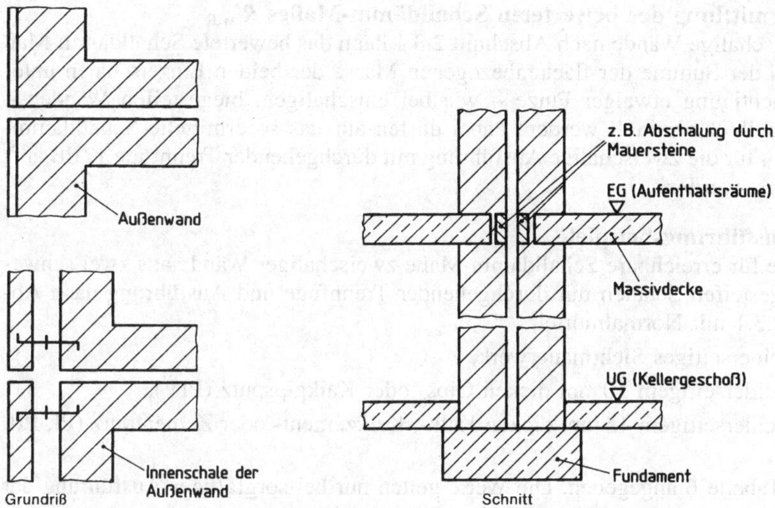

Bild 1. Zweischalige Hauswand aus zwei schweren, biegesteifen Schalen mit bis zum Fundament durchgehender Trennfuge (schematisch)

2.3 Zweischalige Hauswände aus zwei schweren, biegesteifen Schalen mit durchgehender Trennfuge

2.3.1 Wandausbildung

Grundriss und Schnitt sind schematisch in Bild 1 dargestellt. Die flächenbezogene Masse der Einzelschale mit einem etwaigen Putz muss mindestens 150 kg/m², die Dicke der Trennfuge muss mindestens 30 mm betragen.

Anmerkung: Bezüglich der Ausbildung des Wand-Decken-Anschlusses siehe DGfM-Merkblatt.

Bei einer Dicke der Trennfuge (Schalenabstand) $\geq$ 50 mm darf das Gewicht der Einzelschale 100 kg/m² betragen. Der Fugenhohlraum ist mit dicht gestoßenen und vollflächig verlegten mineralischen Faserdämmplatten nach DIN 18 165 Teil 2, Anwendungstyp T (Trittschalldämmplatten), auszufüllen.

Anmerkung: Falls die Schalen in Ortbeton-Bauweise hergestellt werden, sind mineralische Faserdämmplatten mit besonderer Eignung für die beim Betoniervorgang auftretenden Beanspruchungen vorzuziehen.

Bei einer flächenbezogenen Masse der Einzelschale $\geq$ 200 kg/m² und Dicke der Trennfuge $\geq$ 30 mm darf auf das Einlegen von Dämmschichten verzichtet werden. Der Fugenhohlraum ist dann mit Lehren herzustellen, die nachträglich entfernt werden müssen.

Die nach den Abschnitten 2.3.2 und 2.3.3 zu ermittelnden oder angegebenen Schalldämm-Maße $R'_{w,R}$ setzen eine besonders sorgfältige Ausbildung der Trennfuge voraus.

2.3.2 Ermittlung des bewerteten Schalldämm-Maßes $R'_{w,R}$

Für zweischalige Wände nach Abschnitt 2.3.1 kann das bewertete Schalldämm-Maß $R'_{w,R}$ aus der Summe der flächenbezogenen Masse der beiden Einzelschalen unter Berücksichtigung etwaiger Putze – wie bei einschaligen, biegesteifen Wänden – nach Tabelle 1 ermittelt werden; dabei dürfen auf das so ermittelte Schalldämm-Maß $R'_{w,R}$ für die zweischalige Ausführung mit durchgehender Trennfuge 12 dB aufgeschlagen werden.

2.3.3 Ausführungsbeispiele

Beispiele für erreichbare Schalldämm-Maße zweischaliger Wände aus zwei schweren, biegesteifen Schalen mit durchgehender Trennfuge und Ausführung nach Abschnitt 2.3.1 mit Normalmörtel,

- als beiderseitiges Sichtmauerwerk,
- mit beiderseitigem 10 mm dicken Gips- oder Kalkgipsputz (PIV),
- mit beiderseitigem 15 mm dicken Kalk-, Kalkzement- oder Zementputz (PI, PII, PIII)

sind in Tabelle 6 angegeben. Die Werte gelten nur bei sorgfältiger Ausführung der Trennfuge.

Tabelle 6: Bewertetes Schalldämm-Maß $R'_{w,R}$ von zweischaligem, in Normalmörtel gemauertem Mauerwerk mit durchgehender Gebäudetrennfuge (Ausführungsbeispiele, Rechenwerte)

Spalte	1	2	3	4	5	6	7
Zeile	Bewertetes Schall-dämm-Maß $R'_{w,R}$ dB	Rohdichteklasse der Steine und Mindestwanddicke der Schalen bei zweischaligem Mauerwerk					
		Beiderseitiges Sichtmauerwerk		Beiderseitig je 10 mm Putz PIV (Kalkgips- oder Gipsputz) $2 \cdot 10\,kg/m^2$		Beiderseitig je 15 mm Putz PI, PII oder PIII (Kalk-, Kalkzement- oder Zementputz) $2 \cdot 25\,kg/m^2$	
		Stein-Rohdichte-klasse	Mindestdicke der Schalen ohne Putz mm	Stein-Rohdichte-klasse	Mindestdicke der Schalen ohne Putz mm	Stein-Rohdichte-klasse	Mindestdicke der Schalen ohne Putz mm
1	57	0,6	2 · 240	0,6[1)]	2 · 240	0,7[2)]	2 · 175
2		0,9	2 · 175	0,8[2)]	2 · 175	0,9[4)]	2 · 150
3		1,0	2 · 150	1,0[3)]	2 · 150	1,2[4)]	2 · 115
4		1,4	2 · 115	1,4[5)]	2 · 115	–	–
5	62	0,6	2 · 240	0,6[6)]	2 · 240	0,5[6)]	2 · 240
6		0,9	175 + 240	0,8[7)]	2 · 175	0,8[7)]	2 · 175
7		0,9	2 · 175	1,0[7)]	2 · 150	0,9[7)]	2 · 150
8		1,4	2 · 115	1,4	2 · 115	1,2	2 · 115

Fortsetzung siehe nächste Seite.

Tabelle 6 (Fortsetzung)							
Spalte	1	2	3	4	5	6	7
Zeile	Bewertetes Schall-dämm-Maß $R'_{w,R}$ dB	Rohdichteklasse der Steine und Mindestwanddicke der Schalen bei zweischaligem Mauerwerk					
		Beiderseitiges Sichtmauerwerk		Beiderseitig je 10 mm Putz PIV (Kalkgips- oder Gipsputz) 2 · 10 kg/m²		Beiderseitig je 15 mm Putz PI, PII oder PIII (Kalk-, Kalkzement- oder Zementputz) 2 · 25 kg/m²	
		Stein-Rohdichte-klasse	Mindestdicke der Schalen ohne Putz mm	Stein-Rohdichte-klasse	Mindestdicke der Schalen ohne Putz mm	Stein-Rohdichte-klasse	Mindestdicke der Schalen ohne Putz mm
9	67	1,0	2 · 240	1,0[8)]	2 · 240	0,9[8)]	2 · 240
10		1,2	175 + 240	1,2	175 + 240	1,2	175 + 240
11		1,4	2 · 175	1,4	2 · 175	1,4	2 · 175
12		1,8	115 + 175	1,8	115 + 175	1,6	115 + 175
13		2,2	2 · 115	2,2	2 · 115	2,0	2 · 115

1) Bei Schalenabstand ≥ 50 mm und Gewicht jeder einzelnen Schale ≥ 100 kg/m² kann die Stein-Rohdichteklasse um 0,2 niedriger sein.

2) Bei Schalenabstand ≥ 50 mm und Gewicht jeder einzelnen Schale ≥ 100 kg/m² kann die Stein-Rohdichteklasse um 0,3 niedriger sein.

3) Bei Schalenabstand ≥ 50 mm und Gewicht jeder einzelnen Schale ≥ 100 kg/m² kann die Stein-Rohdichteklasse um 0,4 niedriger sein.

4) Bei Schalenabstand ≥ 50 mm und Gewicht jeder einzelnen Schale ≥ 100 kg/m² kann die Stein-Rohdichteklasse um 0,5 niedriger sein.

5) Bei Schalenabstand ≥ 50 mm und Gewicht jeder einzelnen Schale ≥ 100 kg/m² kann die Stein-Rohdichteklasse um 0,6 niedriger sein.

6) Bei Schalen aus Gasbetonsteinen oder -platten nach DIN 4165 oder DIN 4166 sowie aus Leichtbeton-Steinen mit Blähton als Zuschlag nach DIN 18 151 oder DIN 18 152 und einem Schalenabstand ≥ 50 mm und Gewicht jeder einzelnen Schale von ≥ 100kg/m² kann die Stein-Rohdichteklasse um 0,1 niedriger sein.

7) Bei Schalen aus Gasbetonsteinen oder -platten nach DIN 4165 oder DIN 4166 sowie aus Leichtbeton-Steinen mit Blähton als Zuschlag nach DIN 18 151 oder DIN 18 152 und einem Schalenabstand ≥ 50 mm und Gewicht jeder einzelnen Schale von ≥ 100 kg/m² kann die Stein-Rohdichteklasse um 0,2 niedriger sein.

8) Bei Schalen aus Gasbetonsteinen oder -platten nach DIN 4165 oder DIN 4166 sowie aus Leichtbeton-Steinen mit Blähton als Zuschlag nach DIN 18 151 oder DIN 18 152 kann die Stein-Rohdichteklasse um 0,2 niedriger sein.

E

Tabelle 7: Eingruppierung von biegeweichen Vorsatzschalen von einschaligen, biegesteifen Wänden nach ihrem schalltechnischen Verhalten

Spalte	1	2	3
Zeile	Gruppe[1)]	Wandausbildung	Beschreibung
1	B (Ohne bzw. federnde Verbindung der Schalen)	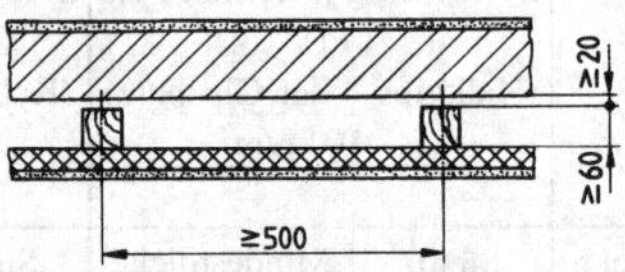	Vorsatzschale aus Holzwolle-Leichtbauplatten nach DIN 1101, Dicke ≥ 25 mm, verputzt, Holzstiele (Ständer) mit Abstand ≥ 20 mm vor schwerer Schale freistehend, Ausführung nach DIN 1102
2		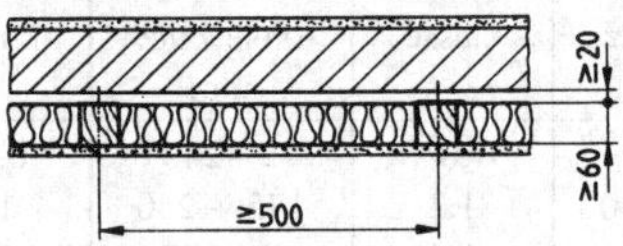	Vorsatzschale aus Gipskartonplatten nach DIN 18 180, Dicke 12,5 mm oder 15 mm, Ausführung nch DIN 18 181 (z. Z. Entwurf), oder aus Spanplatten nach DIN 68 763, Dicke 10 mm bis 16 mm, Holzstiele (Ständer) mit Abstand ≥ 20 mm vor schwerer Schale freistehend[2)], mit Hohlraumfüllung[3)] zwischen den Holzstielen
3		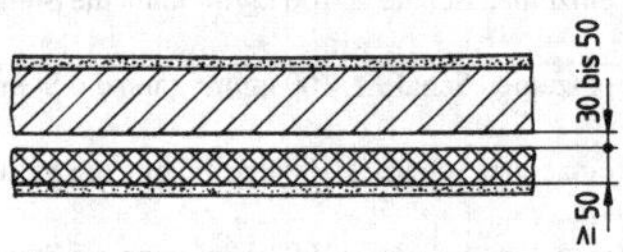	Vorsatzschale aus Holzwolle-Leichtbauplatten nach DIN 1101, Dicke ≥ 50 mm, verputzt, freistehend mit Abstand von 30 mm bis 50 mm vor schwerer Schale, Ausführung nach DIN 1102, bei Ausfüllung des Hohlraumes nach Fußnote 3 ist ein Abstand von 20 mm ausreichend
4		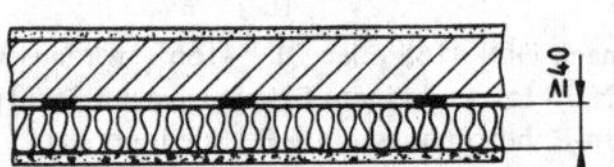	Vorsatzschale aus Gipskartonplatten nach DIN 18 180, Dicke 12,5 mm oder 15 mm, und Faserdämmplatten[4)], Ausführung nach DIN 18 181 (z. Z. Entwurf), an schwerer Schale streifen- oder punktförmig angesetzt

Fortsetzung siehe nächste Seite.

Tabelle 7 (Fortsetzung)			
Spalte	1	2	3
Zeile	Gruppe[1]	Wandausbildung	Beschreibung
5	A (Mit Verbindung der Schalen)	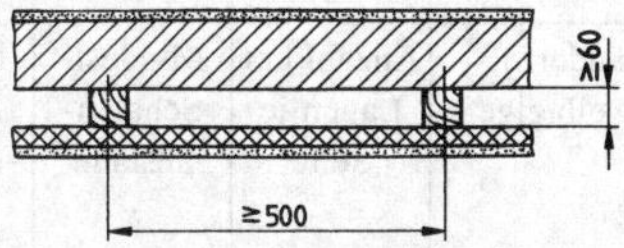	Vorsatzschale aus Holzwolle-Leichtbauplatten nach DIN 1101, Dicke $\geq$ 25 mm, verputzt, Holzstiele (Ständer) an schwerer Schale befestigt, Ausführung nach DIN 1102
6		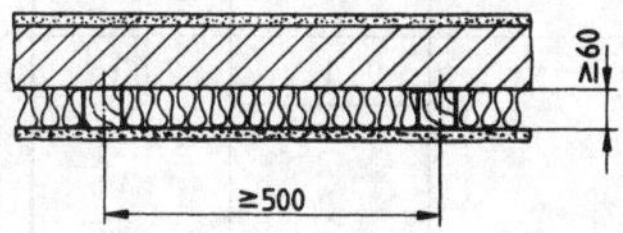	Vorsatzschale aus Gipskartonplatten nach DIN 18 180, Dicke 12,5 mm oder 15 mm, Ausführung nach DIN 18 181 (z. Z. Entwurf), oder aus Spanplatten nach DIN 68 763, Dicke 10 mm bis 16 mm, mit Hohlraumausfüllung[3], Holzstiele (Ständer) an schwerer Schale befestigt[2]

[1] In einem Wand-Prüfstand ohne Flankenübertragung (Prüfstand DIN 52 210-P-W) wird das bewertete Schalldämm-Maß $R_{w,P}$ einer einschaligen, biegesteifen Wand durch Vorsatzschalen der Zeilen 1 bis 4 um mindestens 15 dB, der Zeilen 5 und 6 um mindestens 10 dB verbessert.

[2] Bei diesen Beispielen können auch Ständer aus C-Wandprofilen aus Stahlblech nach DIN 18 182 Teil 1 verwendet werden.

[3] Faserdämmstoffe nach DIN 18 165 Teil 1, Nenndicke 20 mm bzw. $\geq$ 60 mm, längenbezogener Strömungswiderstand $\Xi \geq 5\ kN \cdot s/m^4$.

[4] Faserdämmstoffe nach DIN 18 165 Teil 1, Anwendungstyp WV-s, Nenndicke $\geq$ 40 mm, $s' \leq 5$ MN/m.

Tabelle 8: Bewertetes Schalldämm-Maß $R'_{w,R}$ von einschaligen, biegesteifen Wänden mit einer biegeweichen Vorsatzschale nach Tabelle (Rechenwerte)

Spalte	1	2
Zeile	Flächenbezogene Masse der Massivwand kg/m²	$R'_{w,R}$ [1)2)] dB
1	100	49
2	150	49
3	200	50
4	250	52
5	275	53
6	300	54
7	350	55
8	400	56
9	450	57
10	500	58

[1] Gültig für flankierende Bauteile mit einer mittleren flächenbezogenen Masse $m'_{L,Mittel}$ von etwa 300 kg/m². Weitere Bedingungen für die Gültigkeit der Tabelle 8 siehe Abschnitt 3.1.

[2] Bei Wandausführungen nach Tabelle 7, Zeilen 5 und 6, sind diese Werte um 1 dB abzumindern.

E

Tabelle 9: Bewertetes Schalldämm-Maß $R'_{w,R}$ von zweischaligen Wänden aus zwei biegeweichen Schalen aus Gipskartonplatten der Spanplatten (Rechenwerte) (Maße in mm)

Spalte	1	2	3	4	5
Zeile	Wandausbildung mit Stielen (Ständern), Achsabstand ≥ 600, ein- oder zweilagige Bekleidung[1)]	Anzahl der Lagen je Seite	Mindest-Schalen-abstand s	Mindest-Dämm-schicht-dicke[2)], Nenndicke s_D	$R'_{w,R}$[3)] dB
1	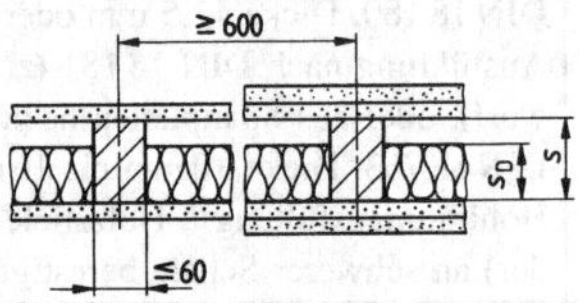	1	60	40	38
2		2			46
3	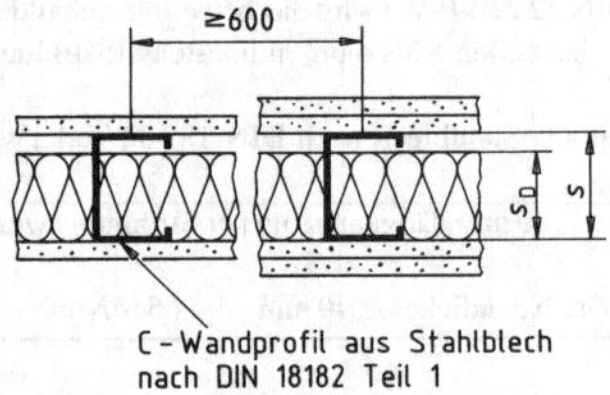	1	50	40	45
4		2			49
5		2	100	80	50
6	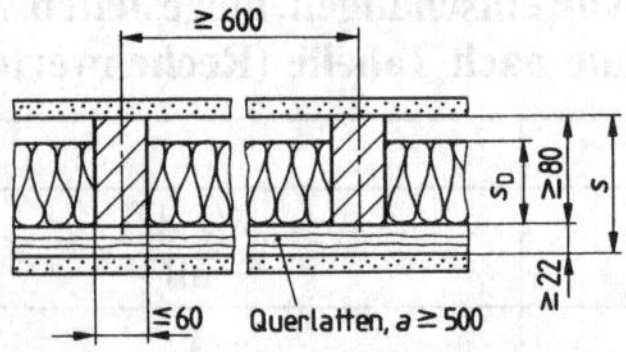	1	100	60	44
7[4)]	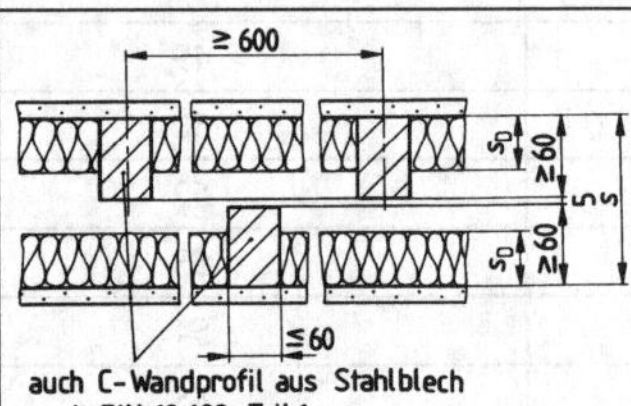	1	125	2 · 40	49

Fortsetzung siehe nächste Seite.

Tabelle 9 (Fortsetzung)					
Spalte	1	2	3	4	5
Zeile	Wandausbildung mit Stielen (Ständern), Achsabstand ≥ 600, ein- oder zweilagige Bekleidung[1)]	Anzahl der Lagen je Seite	Mindest-Schalen-abstand s	Mindest-Dämm-schicht-dicke[2)], Nenndicke s_D	$R'_{w,R}$[3)] dB
8[4)]	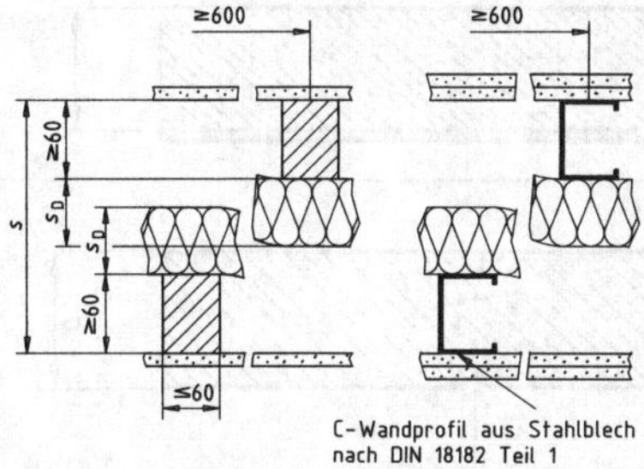	1	160	40	49
9[4)]		2	200	80 oder 2 · 40	50

1) Bekleidung aus Gipskartonplatten nach DIN 18 180, 12,5 mm oder 15 mm dick, oder aus Spanplatten nach DIN 68 763, 13 mm bis 16 mm dick.
2) Faserdämmstoffe nach DIN 18 165 Teil 1, Nenndicke 40 mm bis 80 mm, längenbezogener Strömungswiderstand $\Xi \geq 5\,kN \cdot s/m^4$.
3) Gültig für flankierende Bauteile mit einer mittleren flächenbezogenen Masse $m'_{L,Mittel}$ von etwa 300 kg/m². Weitere Bedingungen für die Gültigkeit der Tabelle 9 siehe Abschnitt 3.1.
4) Doppelwand mit über gesamter Wandfläche durchgehender Trennfuge.

Tabelle 11: Massivdecken, deren Luft- und Trittschalldämmung in den Tabellen 12 und 16 angegeben ist (Maße in mm)

Spalte	1
Zeile	Deckenausbildung
	Massivdecken ohne Hohlräume, gegebenenfalls mit Putz
1	Stahlbeton-Vollplatten aus Normalbeton nach DIN 1045 oder aus Leichtbeton nach DIN 4219 Teil 1 
2	Gasbeton-Deckenplatten nach DIN 4223 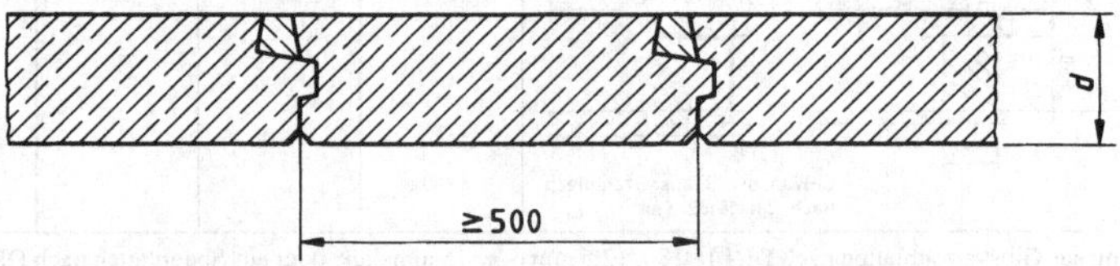
	Massivdecken mit Hohlräumen, gegebenenfalls mit Putz 3
3	Stahlsteindecken nach DIN 1045 mit Deckenziegeln nach DIN 4159 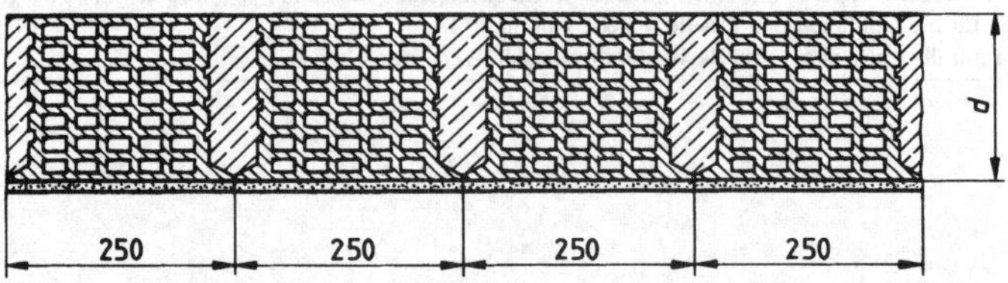
4	Stahlbetonrippendecken und -balkendecken nach DIN 1045 mit Zwischenbauteilen nach DIN 4158 oder DIN 4160 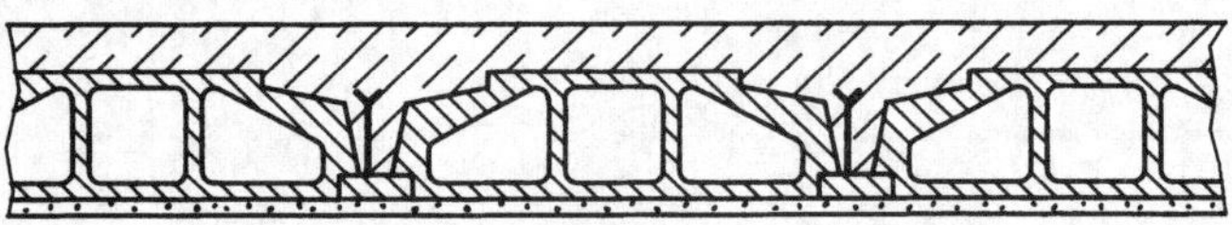
5	Stahlbetonhohldielen und -platten nach DIN 1045, Stahlbetondielen aus Leichtbeton nach DIN 4028, Stahlbetonhohldecke nach DIN 1045 

Fortsetzung siehe nächste Seite.

Tabelle 11 (Fortsetzung)	
Spalte	1
Zeile	Deckenausbildung
6	Balkendecken ohne Zwischenbauteile nach DIN 1045 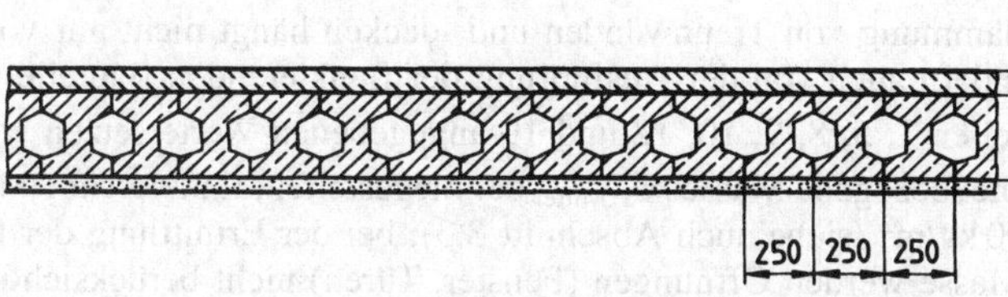
	Massivdecken mit biegeweicher Unterdecke
7	Massivdecken nach Zeilen 1 bis 6 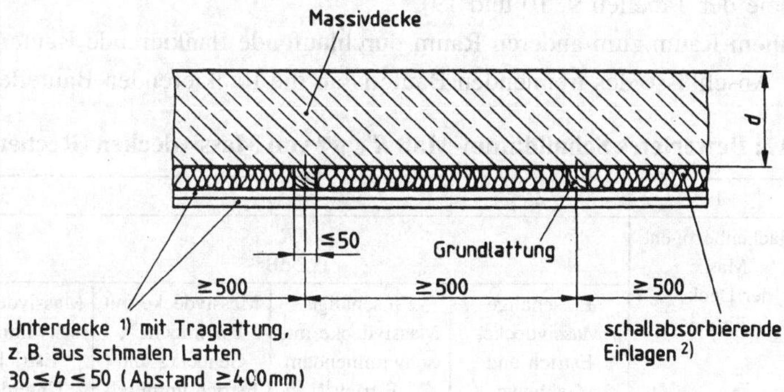
8	Stahlbetonrippendecken nach DIN 1045 oder Plattenbalkendecken nach DIN 1045 ohne Zwischenbauteile 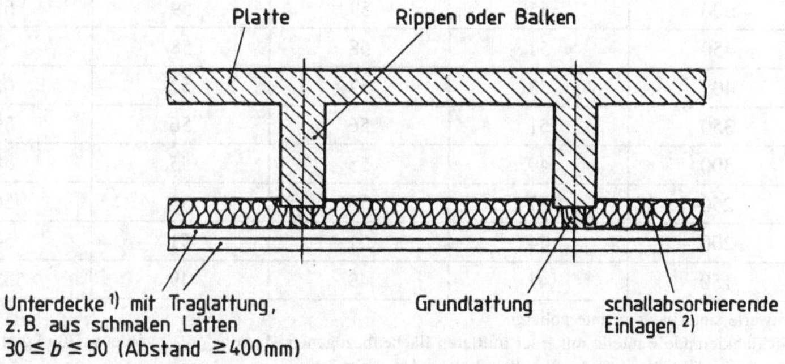

[1] Z. B. Putzträger (Ziegeldrahtgewebe, Rohrgewebe) und Putz, Gipskartonplatten nach DIN 18 180, Dicke 12,5 mm oder 15 mm, Holzwolle-Leichtbauplatten nach DIN 1101, Dicke ≥ 25 mm, verputzt.

[2] Im Hohlraum sind schallabsorbierende Einlagen vorzusehen, z. B. Faserdämmstoff nach DIN 18 165 Teil 1, Nenndicke 40 mm, längenbezogener Strömungswiderstand $\Xi \geq 5\ \text{kN} \cdot \text{s/m}^4$.

3 Luftschalldämmung in Gebäuden in Massivbauart; Einfluss flankierender Bauteile

3.1 Vorausgesetzte Längsleitungsbedingungen bei den Tabellen 1, 5, 8, 9, 10, 12 und 19

Die Luftschalldämmung von Trennwänden und -decken hängt nicht nur von deren Ausbildung, sondern auch von der Ausführung der flankierenden Bauteile ab.

Die in den Tabellen 1, 5, 8, 9, 10, 12 und 19 angegebenen Werte setzen voraus:

- Mittlere flächenbezogene Masse $m'_{L,Mittel}$ der biegesteifen, flankierenden Bauteile von etwa 300 kg/m² (siehe auch Abschnitt 3.3); bei der Ermittlung der flächenbezogenen Masse werden Öffnungen (Fenster, Türen) nicht berücksichtigt,
- biegesteife Anbindung der flankierenden Bauteile an das trennende Bauteil, sofern dessen flächenbezogene Masse mehr als 150 kg/m² beträgt (ausgenommen die Beispiele der Tabellen 9, 10 und 19),
- von einem Raum zum anderen Raum durchlaufende flankierende Bauteile,
- dichte Anschlüsse des trennenden Bauteils an die flankierenden Bauteile.

Tabelle 12: Bewertetes Schalldämm-Maß $R'_{w,R}$[1)] von Massivdecken (Rechenwerte)

Spalte	1	2	3	4	5
Zeile	Flächenbezogene Masse der Decke[3)] kg/m²	$R'_{w,R}$ dB[2)]			
		Einschalige Massivdecke, Estrich und Gehbelag unmittelbar aufgebracht	Einschalige Massivdecke mit schwimmendem Estrich[4)]	Massivdecke mit Unterdecke[5)], Gehbelag und Estrich unmittelbar aufgebracht	Massivdecke mit schwimmendem Estrich und Unterdecke[5)]
1	500	55	59	59	62
2	450	54	58	58	61
3	400	53	57	57	60
4	350	51	56	56	59
5	300	49	55	55	58
6	250	47	53	53	56
7	200	44	51	51	54
8	150	41	49	49	52

1) Zwischenwerte sind linear zu interpolieren.
2) Gültig für flankierende Bauteile mit einer mittleren flächenbezogenen Masse $m'_{L,Mittel}$ von etwa 300 kg/m². Weitere Bedingungen für die Gültigkeit der Tabelle 12 siehe Abschnitt 3.1.
3) Die Masse von aufgebrachten Verbundestrichen oder Estrichen auf Trennschicht und vom unterseitigen Putz ist zu berücksichtigen.
4) Und andere schwimmend verlegte Deckenauflagen, z. B. schwimmend verlegte Holzfußböden, sofern sie ein Trittschallverbesserungsmaß ΔL_w *(VM)* $\geq$ 24 dB haben.
5) Biegeweiche Unterdecke nach Tabelle 11, Zeilen 7 und 8, oder akustisch gleichwertige Ausführungen.

Die Werte der Tabelle 1 gelten nicht,wenn einschalige flankierende Außenwände in Steinen mit einer Rohdichteklasse $\leq 0{,}8$ und in schallschutztechnischer Hinsicht ungünstiger Lochung verwendet werden.

3.2 Einfluss von flankierenden Bauteilen, deren mittlere flächenbezogene Masse $m'_{\mathrm{L,Mittel}}$ von etwa 300 kg/m² abweicht

3.2.1 Korrekturwert $K_{\mathrm{L,1}}$

Weicht die mittlere flächenbezogene Masse der flankierenden Bauteile von etwa 300 kg/m² ab, so sind bei den in den Tabellen 1, 5, 8, 9, 10, 12 und 19 angegebenen Schalldämm-Maßen $R'_{\mathrm{w,R}}$ ein Korrekturwert $K_{\mathrm{L,1}}$ zu berücksichtigen. $K_{\mathrm{L,1}}$ ist in Abhängigkeit von der mittleren flächenbezogenen Masse $m'_{\mathrm{L,Mittel}}$ der flankierenden Bauteile aus Tabelle 13 oder Tabelle 14 zu entnehmen. Die mittlere flächenbezogene Masse der flankierenden Bauteile muss je nach Art des trennenden Bauteils unterschiedlich berechnet werden; für biegesteife trennende Bauteile nach Abschnitt 3.2.2 und für biegeweiche trennende Bauteile nach Abschnitt 3.2.3.

Für die aufgeführten Korrekturwerte (Zu- und Abschläge) wird vorausgesetzt, dass die flankierenden Bauteile F_1 und F_2 (siehe Bild 2) zu beiden Seiten eines trennenden Bauteils in einer Ebene liegen.

Ist dies nicht der Fall, ist für die Berechnung anzunehmen, dass das leichtere flankierende Bauteil F'_1 (siehe Bild 3) auch im Nachbarraum vorhanden ist (siehe F''_2 in Bild 3).

3.2.2 Ermittlung der mittleren flächenbezogenen Masse $m'_{\mathrm{L,Mittel}}$ der flankierenden Bauteile biegesteifer Wände und Decken

Als mittlere flächenbezogene Masse $m'_{\mathrm{L,Mittel}}$ wird das arithmetische Mittel der Einzelwerte $m'_{\mathrm{L,i}}$ der massiven Bauteile verwendet. Das arithmetische Mittel ist auf die Werte nach Tabelle 13 zu runden.

$$m'_{\mathrm{L,Mittel}} = \frac{1}{n}\sum_{\mathrm{i=1}}^{\mathrm{n}} m'_{\mathrm{L,1}} \qquad (1)$$

Hierin bedeuten:

$m'_{\mathrm{L,i}}$ flächenbezogene Masse des i-ten nicht verkleideten, massiven flankierenden Bauteils (i=1 bis n)

n Anzahl der nicht verkleideten, massiven flankierenden Bauteile.

Normalfall, den Korrekturwerten zugrundegelegt.

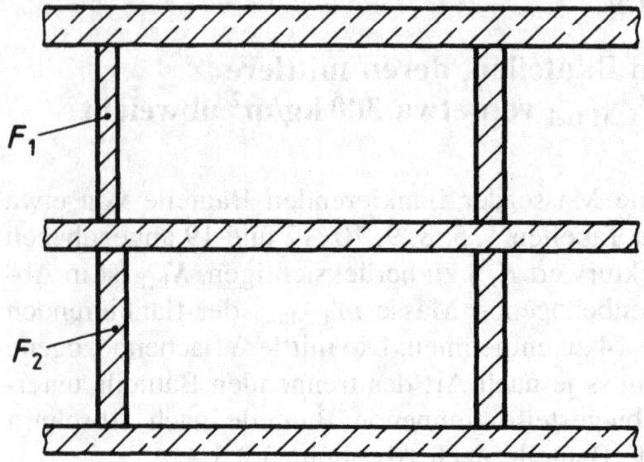

Bild 2. Nicht versetzt angeordnete flankierende Wände F_1 und F_2

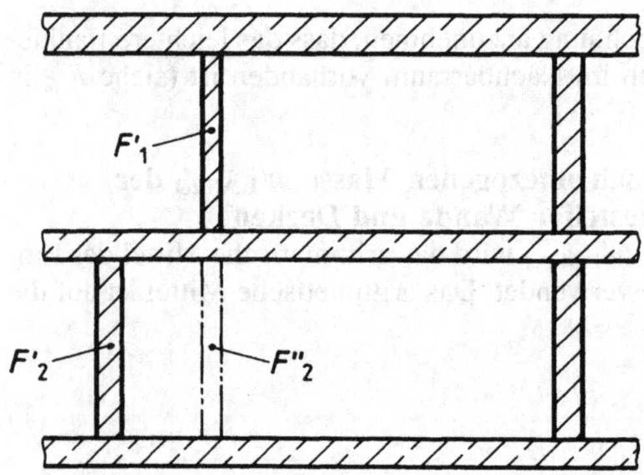

Bild 3. Versetzt angeordnete flankierende Wände F'_1 und F'_2; Ausnahmefall, für die Berechnung der Korrekturwerte wird anstelle der Wand F'_2 die Wand F''_2 angenommen

Bild 2 und Bild 3: Unterschiedliche Anordnung flankierender Wände

Tabelle 13: Korrekturwerte $K_{L,1}$ für das bewertete Schalldämm-Maß $R'_{w,R}$ von biegesteifen Wänden und Decken als trennende Bauteile nach den Tabellen 1, 5, 8 und 12 bei flankierenden Bauteilen mit der mittleren flächenbezogenen Masse $m'_{L,Mittel}$

Spalte	1	2	3	4	5	6	7	8
Zeile	Art des trennenden Bauteils	$K_{L,1}$ in dB für mittlere flächenbezogene Massen $m'_{L,Mittel}$ [1)] in kg/m²						
		400	350	300	250	200	150	100
1	Einschalige, biegesteife Wände und Decken nach Tabellen 1, 5 und 12, Spalte 2	0	0	0	0	–1	–1	–1
2	Einschalige, biegesteife Wände mit biegeweichen Vorsatzschalen nach Tabelle 8	+ 2	+ 1	0	–1	–2	–3	–4
3	Massivdecken mit schwimmendem Estrich oder Holzfußboden nach Tabelle 12, Spalte 3							
4	Massivdecken mit Unterdecke nach Tabelle 12, Spalte 4							
5	Massivdecken mit schwimmendem Estrich und Unterdecke nach Tabelle 12, Spalte 5							

[1)] $m'_{L,Mittel}$ ist rechnerisch nach Abschnitt 3.2.2 zu ermitteln.

Tabelle 14: Korrekturwerte $K_{L,1}$ für das bewertete Schalldämm-Maß $R'_{w,R}$ von zweischaligen Wänden aus biegeweichen Schalen nach den Tabellen 9 und 10 und von Holzbalkendecken nach Tabelle 19 als trennende Bauteile bei flankierenden Bauteilen mit der mittleren flächenbezogenen Masse $m'_{L,Mittel}$

Spalte	1	2	3	4	5	6	7	8
	$R'_{w,R}$ der Trennwand bzw. -decke für $m'_{L,Mittel}$ von etwa 300 kg/m² db	$K_{L,1}$ in dB für mittlere flächenbezogene Massen $m'_{L,Mittel}$ [1)] in kg/m²						
		450	400	350	300	250	200	150
1	50	+ 4	+ 3	+ 2	0	–2	–4	–7
2	49	+ 2	+ 2	+ 1	0	–2	–3	–6
3	47	+ 1	+ 1	+ 1	0	–2	–3	–6
4	45	+ 1	+ 1	+ 1	0	–1	–2	–5
5	43	0	0	0	0	–1	–2	–4
6	41	0	0	0	0	–1	–1	–3

[1)] $m'_{L,Mittel}$ ist rechnerisch nach Abschnitt 3.2.3 oder mit Hilfe des Diagramms nach Bild 4 zu ermitteln.

4 Trittschalldämmung[3)] in Gebäuden in Massivbauart

4.1 Massivdecken

4.1.1 Allgemeines

Für Massivdecken werden folgende Ausführungsbeispiele angegeben:

- Massivdecken ohne/mit Deckenauflage bzw. ohne/mit biegeweicher Unterdecke,
- Deckenauflagen allein.

Der bewertete Norm-Trittschallpegel $L'_{n,w,R}$ (das Trittschallschutzmaß TSM_{R}) von Massivdecken lässt sich für einen unter einer Decke liegenden Raum folgendermaßen berechnen:

$$L'_{n,w,R} = L_{n,w,eq,R} - \Delta L_{w,R}$$

$$(TSM_{R} = TSM_{eq,R} + VM_{R}) \qquad (3)$$

Hierin bedeuten:

$L_{n,w,eq,R}$ ($TSM_{eq,R}$) äquivalenter bewerteter Norm-Trittschallpegel (äquivalentes Trittschallschutzmaß) der Massivdecke ohne Deckenauflage (Rechenwert)

$\Delta L_{w,R}$ (VM_{R}) Trittschallverbesserungsmaß der Deckenauflage (Rechenwert)

Der so errechnete Wert von $L'_{n,w,R}$ muss mindestens 2 dB niedriger (beim Trittschallschutzmaß TSM_{R} mindestens 2 dB höher) sein, als die in DIN 4109 genannten Anforderungen.

Liegt der zu schützende Raum nicht unmittelbar unter der betrachteten Decke, sondern schräg darunter (z. B. Wohnraum schräg unter einem Bad), dann dürfen von dem berechneten $L'_{n,w,R}$ 5 dB abgezogen (beim Trittschallschutzmaß TSM_{R} 5 dB hinzugezählt) werden, sofern die zugehörigen Trennwände ober- und unterhalb der Decke eine flächenbezogene Masse von $\geq 150\,kg/m^2$ haben. Für weitere Raumanordnungen sind Korrekturwerte in Tabelle 36 angegeben.

4.1.2 Äquivalenter bewerteter Norm-Trittschallpegel $L_{n,w,eq,R}$ von Decken

Die $L_{n,w,eq,R}$-Werte ($TSM_{eq,R}$-Werte) von Massivdecken nach Tabelle 11 sind in Tabelle 16 angegeben.

Für Massivdecken mit Unterdecken in Gebäuden in Skelett- und Holzbauweise siehe Abschnitt 8.1.1.

---

3) Zur Berechnung der bisher benutzten Größen TSM, TSM_{eq} und VM aus den Werten von $L'_{n,w}$, $L_{n,w,eq}$ und ΔL_{w} gelten folgende Beziehungen:
$TSM = 63\,dB - L'_{n,w}$
$TSM = 63\,dB - L_{n,w,eq}$
$VM = \Delta L_{w}$.

Tabelle 16: Äquivalenter bewerteter Norm-Trittschallpegel $L_{n,w,eq,R}$ (äquivalentes Trittschallschutzmaß $TSM_{eq,R}$) von Massivdecken in Gebäuden in Massivbauart ohne/mit biegeweicher Unterdecke (Rechenwerte)

Spalte	1	2	3	4
Zeile	Deckenart	Flächenbezogene Masse[1)] der Massivdecke ohne Auflage kg/m²	$L_{n,w,eq,R}$[2)] ($TSM_{eq,R}$)[2)] dB	
			ohne Unterdecke	mit Unterdecke[3)4)]
1	Massivdecken nach Tabelle 11	135	86 (–23)	75 (–12)
2		160	85 (–22)	74 (–11)
3		190	84 (–21)	74 (–11)
4		225	82 (–19)	73 (–10)
5		270	79 (–16)	73 (–10)
6		320	77 (–14)	72 (–9)
7		380	74 (–11)	71 (–8)
8		450	71 (–8)	69 (–6)
9		530	69 (–6)	67 (–4)

1) Flächenbezogene Masse einschließlich eines etwaigen Verbundestrichs oder Estrichs auf Trennschicht und eines unmittelbar aufgebrachten Putzes.

2) Zwischenwerte sind gradlinig zu interpolieren und auf ganze dB zu runden.

3) Biegeweiche Unterdecke nach Tabelle 11, Zeilen 7 und 8, oder akustisch gleichwertige Ausführungen.

4) Bei Verwendung von schwimmenden Estrichen mit mineralischen Bindemitteln sind die Tabellenwerte für $L_{n,w,eq,R}$ um 2 dB zu erhöhen (beim $TSM_{eq,R}$ um 2 dB abzumindern) (z. B. Zeile 1, Spalte 4: 75 + 2 = 77 dB (–12 – 2 = –14 dB)).

E

Tabelle 17: Trittschallverbesserungsmaß $\Delta L_{w,R}$ (VM_R) von schwimmenden Estrichen[1)] und schwimmend verlegten Holzfußböden auf Massivdecken (Rechenwerte)

Spalte	1	2	3
Zeile	Deckenauflagen; schwimmende Böden	$\Delta L_{w,R}$ (VM_R) dB	
		mit hartem Bodenbelag	mit weichfederndem Bodenbelag[2)] $\Delta L_{w,R} \geq 20$ dB ($VM_R \geq 20$ dB)
	Schwimmende Estriche		
1	Gussasphaltestriche nach DIN 18 560 Teil 2 (z. Z. Entwurf) mit einer flächenbezogenen Masse $m' \geq 45$ kg/m² auf Dämmschichten aus Dämmstoffen nach DIN 18 164 Teil 2 oder DIN 18 165 Teil 2 mit einer dynamischen Steifigkeit s' von höchstens		
	50 MN/m³	20	20
	40 MN/m³	22	22
	30 MN/m³	24	24
	20 MN/m³	26	26
	15 MN/m³	27	29
	10 MN/m³	29	32
2	Estriche nach DIN 18 560 Teil 2 (z. Z. Entwurf) mit einer flächenbezogenen Masse $m' \geq 70$ kg/m² auf Schichten aus Dämmstoffen DIN 18 164 Teil 2 oder DIN 18 165 Teil 2 mit einer dynamischen Steifigkeit s' von höchstens		
	50 MN/m³	22	23
	40 MN/m³	24	25
	30 MN/m³	26	27
	20 MN/m³	28	30
	15 MN/m³	29	33
	10 MN/m³	30	34
	Schwimmende Holzfußböden		
3	Unterböden aus Holzspanplatten nach DIN 68 771 auf Lagerhölzern mit Dämmstreifen-Unterlagen aus Dämmstoffen nach DIN 18 165 Teil 2 mit einer dynamischen Steifigkeit s' von höchstens 20 MN/m³; Breite der Dämmstreifen mindestens 100 mm, Dicke im eingebauten Zustand mindestens 10 mm; Dämmstoffe zwischen den Lagerhölzern nach DIN 18 165 Teil 1, Nenndicke ≥ 30 mm, längenbezogener Strömungswiderstand $\Xi \geq 5$ kN · s/m⁴	24	–
4	Unterböden nach DIN 68 771 aus mindestens 22 mm dicken Holzspanplatten nach DIN 68 763, vollflächig verlegt auf Dämmstoffen nach DIN 18 165 Teil 2 mit einer dynamischen Steifigkeit s' von höchstens 10 MN/m³	25	–

1) Wegen der Ermittlung der flächenbezogenen Masse von Estrichen siehe Abschnitt 2.6.3.

2) Wegen der möglichen Austauschbarkeit von weichfedernden Bodenbelägen nach Tabelle 18, die sowohl dem Verschleiß als auch besonderen Wünschen der Bewohner unterliegen, dürfen diese bei dem Nachweis der Anforderungen nach DIN 4109 nicht angerechnet werden.

Tabelle 18: Trittschallverbesserungsmaß $\Delta L_{w,R}$ (VM_R) von weichfedernden Bodenbelägen für Massivdecken (Rechenwerte)

Spalte	1	2
Zeile	Deckenauflagen; weichfedernde Bodenbeläge	$\Delta L_{w,R}$ (VM_R) dB
1	Linoleum-Verbundbelag nach DIN 18173	14[1)2)]
	PVC-Verbundbeläge	
2	PVC-Verbundbelag mit genadeltem Jutefilz als Träger nach DIN 16952 Teil 1	13[1)2)]
3	PVC-Verbundbelag mit Korkment als Träger nach DIN 16952 Teil 2	16[1)2)]
4	PVC-Verbundbelag mit Unterschicht aus Schaumstoff nach DIN 16952 Teil 3	16[1)2)]
5	PVC-Verbundbelag mit Synthesefaser-Vliesstoff als Träger nach DIN 16952 Teil 4	13[1)2)]
	Textile Fußbodenbeläge nach DIN 61151[3)]	
6	Nadelvlies, Dicke = 5 mm	20
	Polteppiche[4)]	
7	Unterseite geschäumt, Normdicke a_{20} = 4 mm nach DIN 53855 Teil 3	19
8	Unterseite geschäumt, Normdicke a_{20} = 6 mm nach DIN 53855 Teil 3	24
9	Unterseite geschäumt, Normdicke a_{20} = 8 mm nach DIN 53855 Teil 3	28
10	Unterseite ungeschäumt, Normdicke a_{20} = 4 mm nach DIN 53855 Teil 3	19
11	Unterseite ungeschäumt, Normdicke a_{20} = 6 mm nach DIN 53855 Teil 3	21
12	Unterseite ungeschäumt, Normdicke a_{20} = 8 mm nach DIN 53855 Teil 3	24

1) Die Bodenbeläge müssen durch Hinweis auf die jeweilige Norm gekennzeichnet sein. Das maßgebliche Trittschallverbesserungsmaß $\Delta L_{w,R}$ (VM_R) muss auf dem Erzeugnis oder der Verpackung angegeben sein.
2) Die in den Zeilen 1 bis 5 angegebenen Werte sind Mindestwertes, sie gelten nur für aufgeklebte Bodenbeläge.
3) Die textilen Bodenbeläge müssen auf dem Produkt oder auf der Verpackung mit dem entsprechenden $\Delta L_{w,R}$ (VM_R) der Spalte 2 und mit der Werksbescheinigung nach DIN 50049 ausgeliefert werden.
4) Pol aus Polyamid, Polypropylen, Polyacrylnitril, Polyester, Wolle und deren Mischungen.

E

Tabelle 19: Bewertetes Schalldämm-Maß $R'_{w,R}$ und bewerteter Norm-Trittschallpegel $L'_{n,w,R}$ (Trittschallschutzmaß TSM_R) von Holzbalkendecken (Rechenwerte) (Maße in mm)

Spalte	1	2	3	4	5	6
Zeile	Deckenausbildung[1)]	Fußboden auf oberer Balkenabdeckung	Unterdecke Anschluss Holzlatten an Balken	Unterdecke Anzahl der Latten	$R'_{w,R}$[2)] dB	$L'_{n,w,R}$[3)] (TSM_R) dB
1	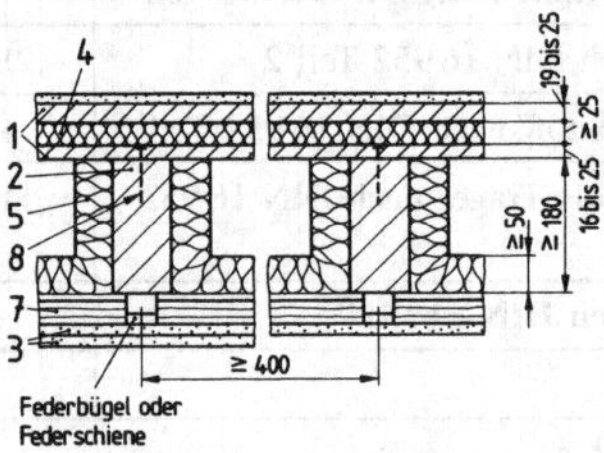	Spanplatten auf mineralischem Faserdämmstoff	über Federbügel oder Federschiene	1	50	56 (7)
2				2	50	53 (10)
3	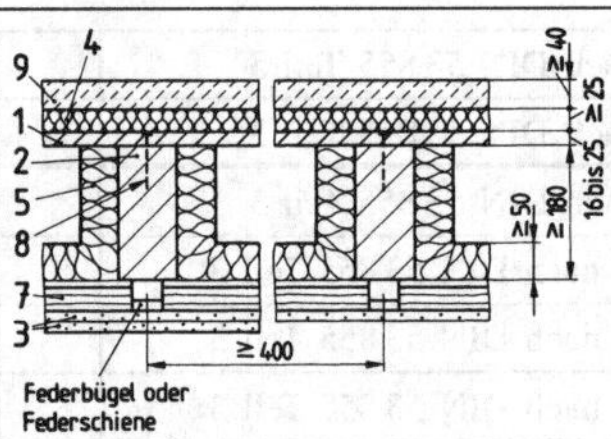	Schwimmender Estrich auf mineralischem Faserdämmstoff	über Federbügel oder Federschiene	1	50	51 (12)

1) Bei einer Dicke der eingelegten Dämmschicht, siehe 5, von mindestens 100 mm ist ein seitliches Hochziehen nicht erforderlich.

2) Gültig für flankierende Wände mit einer flächenbezogenen Masse $m'_{L,Mittel}$ von etwa 300 kg/m². Weitere Bedingungen für die Gültigkeit der Tabelle 19 siehe Abschnitt 3.1.

3) Bei zusätzlicher Verwendung eines weichfedernden Bodenbelags dürfen in Abhängigkeit vom Trittschallverbesserungsmaß $\Delta_{w,R}$ (VM_R) des Belags folgende Zuschläge gemacht werden: 2 dB für $\Delta L_{w,R}$ (VM_R) $\geq$ 20 dB, 6 dB für $\Delta L_{w,R}$ (VM_R) $\geq$ 25 dB.

Erklärungen zur Tabelle 19:

1 Spanplatte nach DIN 68 763, gespundet oder mit Nut und Feder

2 Holzbalken

3 Gipskarton-Bauplatte nach DIN 18 180, 12,5 mm oder 15 mm dick, Spanplatte nach DIN 68 763, 13 mm bis 16 mm dick, oder – bei einlagigen Unterdecken – Holzwolle-Leichtbauplatten nach DIN 1101, Dicke $\geq$ 25 mm, verputzt.

4 Faserdämmstoff nach DIN 18 165 Teil 2, Anwendungstyp T, dynamische Steifigkeit $s' \leq 15$ MN/m³

5 Faserdämmstoff nach DIN 18 165 Teil 1, längenbezogener Strömungswiderstand $\Xi \geq 5$ kN · s/m⁴

6 Holzlatten, Achsabstand $\geq$ 400 mm, direkte Befestigung an den Balken mit mechanischen Verbindungsmitteln

7 Unterkonstruktion aus Holz, Achsabstand der Latten $\geq$ 400 mm, Befestigung über Federbügel (siehe Bild 6) oder Federschiene (siehe Bild 7), kein fester Kontakt zwischen Latte und Balken – ein weichfedernder Faserdämmstreifen darf zwischengelegt werden. Andere Unterkonstruktionen dürfen verwendet werden, wenn nachgewiesen ist, dass sie sich hinsichtlich der Schalldämmung gleich oder besser als die hier angegebenen Ausführungen verhalten.

8 Mechanische Verbindungsmittel oder Verleimung

9 Estrich

4.3 Massive Treppenläufe und Treppenpodeste

In Tabelle 20 ist eine Übersicht über die Rechenwerte des bewerteten Norm-Trittschallpegels (Trittschallschutzmaßes) von massiven Treppen – bezogen auf einen unmittelbar angrenzenden Wohnraum – gegeben, wobei zwei Werte, jeweils für $L'_{n,w,R}$ (TSM_R) und $L_{n,w,eq,R}$ ($TSM_{eq,R}$) genannt sind. Der Wert $L'_{n,w,R}$ (TSM_R) ist anzuwenden, wenn kein zusätzlicher trittschalldämmender Gehbelag bzw. schwimmender Estrich aufgebracht wird. Wird dagegen ein derartiger Belag oder Estrich aufgebracht, ist für die dann erforderliche Berechnung des bewerteten Norm-Trittschallpegels $L'_{n,w,R}$ (Trittschallschutzmaßes TSM_R) der Treppe nach Gleichung (3) der Wert $L_{n,w,eq,R}$ ($TSM_{eq,R}$) nach Tabelle 20 zu verwenden. Dies wird nachstehend an zwei Beispielen gezeigt.

Beispiel 1

– Treppenpodest nach Tabelle 20,	$L_{n,w,eq,R}$	=	66 dB,
Zeile 1, Spalte 2	($TSM_{eq,R}$)	=	–3 dB,
– Schwimmender Estrich nach Tabelle 17, Zeile 2, Spalte 2, mit einer dynamischen Steifigkeit $s' = 30\,\mathrm{MN/m^3}$ und eines Trittschallverbesserungsmaßes	$\Delta L_{w,R}$ (VM_R)	=	26 dB,
ergibt	$L'_{n,w,R}! = 66\,\mathrm{dB} - 26\,\mathrm{dB}$	=	$\underline{40\,\mathrm{dB}}$.
	($TSM_R! = -3\,\mathrm{dB} + 26\,\mathrm{dB}$	=	$\underline{23\,\mathrm{dB}}$).

Beispiel 2

– Treppenlauf nach Tabelle 20,	$L_{n,w,eq,R}$	=	58 dB,
Zeile 3, Spalte 2	($TSM_{eq,R}$)	=	+5 dB,
– PVC-Verbundbelag nach Tabelle 18, Zeile 3, Spalte 2	$\Delta L_{w,R}$ (VM_R)	=	16 dB,
ergibt	$L'_{n,w,R} = 58\,\mathrm{dB} - 16\,\mathrm{dB}$	=	$\underline{42\,\mathrm{dB}}$.
	($TSM_R = +5\,\mathrm{dB} + 16\,\mathrm{dB}$	=	$\underline{21\,\mathrm{dB}}$).

Beispiele für Treppenausführungen (ohne zusätzlichen weichfedernden Belag) mit $L'_{n,w,R} \leq 43$ dB ($TSM_R \geq 20$ dB) sind in den Bildern 8 bis 12 angegeben. In den Bildern 11 und 12 sind die Podeste auf besonderen Stahlbeton-Konsolleisten elastisch gelagert und die Treppenläufe mit den Podesten starr verbunden. In den Bildern 8 bis 10 ist der Treppenlauf auf den Treppenpodesten elastisch gelagert und die Podeste sind mit einem schwimmenden Estrich versehen. Die bauaufsichtlichen Vorschriften des Brandschutzes sind zu beachten.

Tabelle 20: Äquivalenter bewerteter Norm-Trittschallpegel $L_{n,w,eq,R}$ (Trittschallschutzmaß $TSM_{eq,R}$) und bewerteter Norm-Trittschallpegel $L_{n,w,eq,R}$ (Trittschallschutzmaß TSM_R) für verschiedene Ausführungen von massiven Treppenläufen und Treppenpodesten unter Berücksichtigung der Ausbildung der Treppenraumwand (Rechenwerte)

Spalte	1	2	3
Zeile	Treppen und Treppenraumwand	$L_{n,w,eq,R}$ ($TSM_{eq,R}$) dB	$L'_{n,w,R}$ (TSM_R) dB
1	Treppenpodest[1)], fest verbunden mit einschaliger, biegesteifer Treppenraumwand (flächenbezogene Masse ≥ 380 kg/m²)	66 (– 3)	70 (– 7)
2	Treppenlauf[1)], fest verbunden mit einschaliger, biegesteifer Treppenraumwand (flächenbezogene Masse ≥ 380 kg/m²)	61 (+ 2)	65 (– 2)
3	Treppenlauf[1)], abgesetzt von einschaliger, biegesteifer Treppenraumwand	58 (+ 5)	58 (+ 5)
4	Treppenpodest[1)], fest verbunden mit Treppenraumwand, und durchgehender Gebäudetrennfuge nach Abschnitt 2.3	≤ 53 (≥ + 10)	≤ 50 (≥ + 13)
5	Treppenlauf[1)], abgesetzt von Treppenraumwand, und durchgehender Gebäudetrennfuge nach Abschnitt 2.3	≤ 46 (≥ + 17)	≤ 43 (≥ + 20)
6	Treppenlauf[1)], abgesetzt von Treppenraumwand, und durchgehender Gebäudetrennfuge nach Abschnitt 2.3, auf Treppenpodest elastisch gelagert	38 (+ 25)	42 (+ 21)

1) Gilt für Stahlbetonpodest oder -treppenlauf mit einer Dicke $d \geq 120$ mm.

5 Luftschalldämmung in Gebäuden in Skelett- und Holzbauart; Nachweis der resultierenden Schalldämmung

5.1 Allgemeines

Schall wird von Raum zu Raum sowohl über das trennende Bauteil als auch über die flankierenden Bauteile übertragen.

In Massivbauten mit biegesteifer Anbindung der flankierenden Bauteile an das trennende Bauteil treten die Übertragungswege nach Bild 13 auf.

In Skelettbauten und Holzhäusern, bei denen diese biegesteife Anbindung nicht vorhanden ist, spielen die Übertragungswege *Fd* und *Df* keine Rolle. In diesen Gebäuden müssen nur das Labor-Schalldämm-Maß $R_{w,R}$ des trennenden Bauteils und die Schall-Längsdämm-Maße $R_{L,w,R}$ der flankierenden Bauteile (Weg *Ff*) für den rechnerischen Nachweis berücksichtigt werden.

Die Schall-Längsleitung ist abhängig von der Art der flankierenden Bauteile und von der konstruktiven Ausbildung der Verbindungsstellen zwischen flankierendem und trennendem Bauteil. Neben der im folgenden behandelten Schall-Längsleitung entlang flankierender Bauteile spielt die Schallübertragung über Undichtigkeiten eine Rolle. Sie kann im Regelfall rechnerisch nicht erfasst werden und wird daher im folgenden auch nicht behandelt (siehe Abschnitt 5.2).

Der Eignungsnachweis ist für benachbarte Räume zu führen, wobei alle an der Schallübertragung beteiligten Bauteile zu berücksichtigen sind. Der im Einzelfall durchgeführte Nachweis gilt für Bauteilkombinationen, die sich im Bauwerk konstruktionsgleich wiederholen.

Der Eignungsnachweis kann als vereinfachter Nachweis nach Abschnitt 5.3 oder nach dem Rechenverfahren nach Abschnitt 5.4 erfolgen. Das Rechenverfahren ist aufwändiger, ermöglicht aber eine gezieltere und daher meist wirtschaftlichere Kombination der Bauteile. Abschnitt 5.6 enthält Anwendungsbeispiele für beide Nachweisverfahren.

Nach DIN 52 217 gilt für

Dd Luftschall-Anregung des Trennelementes im Senderaum
Schallabstrahlung des Trennelementes in den Empfangsraum

Ff Luftschall-Anregung der flankierenden Bauteile des Senderaumes
teilweise Übertragung der Schwingungen auf flankierende Bauteile des Empfangsraumes

Fd Luftschall-Anregung der flankierenden Bauteile des Senderaumes
teilweise Übertragung der Schwingungen auf die flankierenden Bauteile des Empfangsraumes
Schallabstrahlung des Trennelementes in den Empfangsraum

Df Luftschall-Anregung des Trennelementes im Senderaum
teilweise Übertragung der Schwingungen auf die flankierenden Bauteile des Empfangsraumes
Schallabstrahlung dieser Bauteile in den Empfangsraum.

Mit den Großbuchstaben werden die Eintrittsflächen im Senderaum, mit den Kleinbuchstaben die Austrittsflächen im Empfangsraum gekennzeichnet, wobei *D* und *d* auf das direkte Trennelement, *F* und *f* auf die flankierenden Bauteile hinweisen.

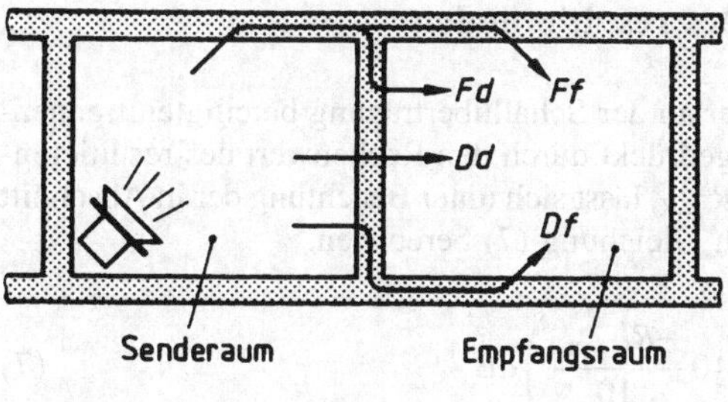

Bild 13. Übertragungswege des Luftschalls zwischen zwei Räumen nach DIN 52 217

5.2 Voraussetzungen

Die in den Abschnitten 5.3 und 5.4 beschriebenen Nachweisverfahren setzen voraus, dass

– alle an der Schallübertragung beteiligten Bauteile und Anordnungen (z. B. auch Lüftungskanäle) erfasst sind,

- die Schall-Längsdämm-Maße der flankierenden Bauteile durch die Art des trennenden Bauteils nicht oder unwesentlich beeinflusst werden, was bei den in diesem Beiblatt angegebenen Bauteilen und deren Kombinationen der Fall ist,
- die dem Nachweis zugrundeliegenden Rechenwerte unter Berücksichtigung der Anschlüsse an Wände und Decken sowie des Einflusses von Einbauleuchten und angeordneten Steckdosen ermittelt sind,
- der Aufbau sorgfältig ausgeführt und überwacht wird. Beim Aufbau müssen alle Undichtigkeiten vermieden werden, sofern sie nicht in den Konstruktionsdetails, die den Rechenwerten zugrundeliegen, mit erfasst sind,
- das flankierende Bauteil zu beiden Seiten des Anschlusses des trennenden Bauteils konstruktiv gleich ausgeführt ist,
- das verwendete Dichtungsmaterial dauerelastisch ist (Fugenkitt); poröse Dichtungsstreifen wirken nur in stark verdichtetem Zustand (unter Pressdruck).

5.3 Vereinfachter Nachweis

Die an der Schallübertragung beteiligten trennenden und flankierenden Bauteile müssen die Bedingung nach Gleichung (5) oder (6) erfüllen:

$$R_{w,R} \geq \text{erf. } R'_w + 5\,\text{dB} \tag{5}$$

$$R_{L,w,R,i} \geq \text{erf. } R'_w + 5\,\text{dB} \tag{6}$$

Hierin bedeuten:

$R_{w,R}$ Rechenwert des erforderlichen bewerteten Schalldämm-Maßes der Trennwand oder -decke in dB (ohne Längsleitung über flankierende Bauteile, Übertragungsweg *Dd,* siehe Bild 13)

$R_{L,w,R,i}$ Rechenwert des erforderlichen bewerteten Schall-Längsdämm-Maßes des *i*-ten flankierenden Bauteils in dB (ohne Schallübertragung durch das trennende Bauteil, Übertragungsweg *Ff,* siehe Bild 13)

erf. R'_w angestrebtes resultierendes Schalldämm-Maß in dB

5.4 Rechnerische Ermittlung des resultierenden Schalldämm-Maßes $R'_{w,R}$

Die resultierende Schalldämmung der an der Schallübertragung beteiligten trennenden und flankierenden Bauteile, ausgedrückt durch den Rechenwert des resultierenden bewerteten Schalldämm-Maßes $R'_{w,R}$, lässt sich unter Beachtung der in Abschnitt 5.2 genannten Voraussetzungen nach Gleichung (7) berechnen.[4)]

$$R'_{w,R} = -10\,\lg\left(10^{\frac{-R_{w,R}}{10}} + \sum_{i=1}^{n} 10^{\frac{-R'_{L,w,R,i}}{10}}\right)\text{dB} \tag{7}$$

---

4) Die Genauigkeit der Rechnung ist im Allgemeinen ausreichend, wenn sie mit den Einzahl-Angaben der bewerteten Schalldämm-Maße der beteiligten Bauteile durchgeführt wird. Eine frequenzabhängige Berechnung von $R'_{w,R}$ kann in Sonderfällen erforderlich sein.

Hierin bedeuten:

$R_{w,R}$ Rechenwert[5)] des bewerteten Schalldämm-Maßes des trennenden Bauteils ohne Längsleitung über flankierende Bauteile in dB

$R'_{L,w,R,i}$ Rechenwert[5)] des bewerteten Bau-Schall-Längsdämm-Maßes des *i*-ten flankierenden Bauteils am Bau in dB

n Anzahl der flankierenden Bauteile (im Regelfall $n = 4$).

Die rechnerische Ermittlung des bewerteten Schall-Längsdämm-Maßes $R'_{L,w,R,i}$ eines flankierenden Bauteils am Bau nach DIN 52 217 erfolgt nach Gleichung (8):

$$R'_{L,w,R,i} = R_{L,w,R,i} + 10 \lg \frac{S_T}{S_0} - 10 \lg \frac{l_i}{l_0} dB \quad (8)$$

Hierin bedeuten:

$R_{L,w,R,i}$ Rechenwert[5)] des bewerteten Labor-Schall-Längsdämm-Maßes in dB des *i*-ten flankierenden Bauteils nach DIN 52 217, aus Messungen im Prüfstand nach DIN 52 210 Teil 7 oder aus den Ausführungsbeispielen nach Abschnitt 6

S_T Fläche des trennenden Bauteils in m^2

S_0 Bezugsfläche in m^2 (für Wände $S_0 = 10\,m^2$)

l_i gemeinsame Kantenlänge zwischen dem trennenden und dem flankierenden Bauteil in m

l_0 Bezugslänge in m:
- für Decken, Unterdecken, Fußböden 4,5 m
- für Wände 2,8 m.

Sofern keine gemeinsame Kantenlänge l_i vorliegt, z. B. bei einem Kabelkanal oder einer Lüftungsanlage, entfällt der Ausdruck $10 \lg (l_i/l_0)$ in Gleichung (8).

Für Räume mit einer Raumhöhe von etwa 2,5 m bis 3 m und einer Raumtiefe von etwa 4 m bis 5 m kann die Gleichung (8) wie folgt vereinfacht werden:

$$R'_{L,w,R,i} = R_{L,w,R,i} \quad (9)$$

Anwendungsbeispiele für die rechnerische Ermittlung siehe Abschnitt 5.6.

5.5 Rechenwerte

5.5.1 Allgemeines

Rechenwerte für den Eignungsnachweis sind für die Ausführungsbeispiele in den Abschnitten 6 bis 8 enthalten. Bei der Ermittlung der Rechenwerte über die Eignungsprüfung I ist das Vorhaltemaß von 2 dB nach DIN 4109/11.89, Abschnitt 6.4, abzuziehen.

Diese Rechenwerte gelten nur für die dargestellten Konstruktionen. Bei Abweichungen und anderen Konstruktionen sind die Rechenwerte durch Eignungsprüfungen nach DIN 4109/11.89, Abschnitt 6.3, zu bestimmen. Dies gilt auch für Durchbrüche und sonstige Undichtigkeiten in den Bauteilen (z. B. Lüftungsöffnungen, Einbau-

5) Die Rechenwerte aus Messungen werden unter Abzug des Vorhaltemaßes von 2 dB ermittelt.

E

leuchten und angeordneten Steckdosen, gleitende Deckenanschlüsse). Kabel- und Lüftungskanäle sind als eigene Bauteile zu behandeln.

5.5.2 Trennende Bauteile

Für Trennwände und -decken werden als Rechenwerte in der Regel die in Prüfständen ohne Flankenübertragung nach DIN 52 210 Teil 2 gemessenen Schalldämm-Maße $R_{w,P}$ verwendet, die um das Vorhaltemaß von 2 dB abzumindern sind.

Weiterhin können bei zweischaligen Trennwänden und -decken aus biegeweichen Schalen als Rechenwerte auch die bewerteten Schalldämm-Maße $R'_{w,P}$ verwendet werden, die in Prüfständen mit bauähnlicher Flankenübertragung nach DIN 52 210 Teil 2 ermittelt wurden, wobei die Flankenübertragung des Prüfstandes rechnerisch eliminiert wird. Dies geschieht im Regelfall näherungsweise nach Gleichung (10).

$$R_{w,R} = R'_{w,P} + Z - 2\,\text{dB} \qquad (10)$$

Hierin bedeuten:

$R_{w,R}$ Rechenwert des bewerteten Schalldämm-Maßes der Trennwand oder -decke ohne Längsleitung über flankierende Bauteile in dB

$R'_{w,P}$ bewertetes Schalldämm-Maß der Trennwand oder -decke in dB, gemessen im Prüfstand mit bauähnlicher Flankenübertragung[6)] ohne Abzug des Vorhaltemaßes

Z Zuschlag in dB nach Tabelle 21.

Tabelle 21: Zuschläge Z für die rechnerische Ermittlung von $R_{w,R}$ aus $R'_{w,P}$

Spalte/Zeile	1	2	3	4	5	6
1	$R'_{w,P}$ dB	≤ 48	49	51	53	≥ 54
2	Z dB	0	1	2	3	4

5.5.3 Flankierende Bauteile

Als Rechenwerte $R_{L,w,R}$ sind die Schall-Längsdämm-Maße $R_{L,w,P}$ der flankierenden Bauteile zu verwenden, die in Prüfständen nach DIN 52 210 Teil 2 bestimmt und um das Vorhaltemaß von 2 dB abgemindert sind.

5.6 Anwendungsbeispiele

Im folgenden werden zwei Anwendungsbeispiele für den vereinfachten Nachweis für die rechnerische Ermittlung des bewerteten Schalldämm-Maßes $R'_{w,R}$ gegeben.

Beispiel 1

Trennwand (Höhe 3 m, Länge 7 m) zwischen 2 Klassenräumen einer Schule in einem Skelettbau.

Nach DIN 4109/11.89, Tabelle 3, Zeile 41, wird ein bewertetes Schalldämm-Maß erf. R'_{w} = 47 dB gefordert.

6) Die Bezeichnung $R'_{w,P}$ ist gleichbedeutend mit der Bezeichnung R'_{w}, die in DIN 52 210 Teil 4 sowie in den Prüfzeugnissen verwendet wird.

Die gewählte Bauteilkombination für das trennende Bauteil und die vier flankierenden Bauteile mit den zugehörigen bewerteten Schalldämm-Maßen gehen aus Tabelle 22 hervor.

a) Vereinfachter Nachweis

Hiernach müssen alle an der Schallübertragung beteiligten Bauteile bewertete Schalldämm-Maße $R_{w,R}$ bzw. $R_{L,w,R}$ aufweisen, die um 5 dB über der Anforderung an das bewertete Schalldämm-Maß erf. R'_w liegen.

$R_{w,R} \geq 47 + 5 \geq 52\,dB$

$R_{L,w,R,i} \geq 47 + 5 \geq 52\,dB.$

Aus Tabelle 22 geht hervor, dass zwei der gewählten Bauteile, nämlich die Unterdecke ($R_{L,w,R} = 51\,dB$) und die Außenwand ($R_{L,w,R} = 50\,dB$), nicht ausreichend sind. Sie müssen nach der vereinfachten Rechnung verbessert werden, z. B. bei der Unterdecke durch eine 10 mm dickere Faserdämmstoff-Auflage (Interpolation in Tabelle 26, Zeile 1, zwischen den Spalten 4 und 5).

b) Rechnerische Ermittlung

Der Rechengang sieht in Tabelle 22, Zeile 1, zunächst die Ermittlung der Schall-Längsdämm-Maße $R'_{L,w,R,i}$ nach Gleichung (8) vor, die dann gemeinsam mit dem Schalldämm-Maß $R_{w,R}$ des trennenden Bauteils in die Berechnung des resultierenden Schalldämm-Maßes $R'_{w,R}$ nach Gleichung (7) (siehe Tabelle 22, Zeilen 2 bis 5) eingehen.

Die Rechnung ergibt ein bewertetes Schalldämm-Maß $R'_{w,R} = 47\,dB$, womit die gestellte Anforderung erfüllt ist. Das gewählte Beispiel zeigt, dass es wirtschaftlich sein kann, anstelle des vereinfachten Nachweises die genauere rechnerische Ermittlung vorzunehmen.

Beispiel 2

Trennwand (Höhe 2,5 m, Länge 5 m) im eigenen Wohnbereich in einem Gebäude in Holzbauart.

Aufgrund einer Vereinbarung soll das erforderliche Schalldämm-Maß erf. $R'_w = 40\,dB$ eingehalten werden. Gewählte Bauteilkombinationen und zugehörige bewertete Schalldämm-Maße:

Trennwand in Holzbauart nach Tabelle 24, Zeile 2, $R_{w,R} = 46\,dB$,

flankierende Bauteile mit bewerteten Schall-Längsdämm-Maßen $R'_{L,w,R,i}$ nach Gleichung (9),

obere Holzbalkendecke nach Tabelle 30, Zeile 2, $R'_{L,w,R,1} = 51\,dB$,

untere Holzbalkendecke nach Tabelle 30, Zeile 5, $R'_{L,w,R,2} = 65\,dB$,

Außenwand nach Tabelle 33, Zeile 3, $R'_{L,w,R,3} = 54\,dB$,

Innenwand nach Tabelle 33, Zeile 1, $R'_{L,w,R,4} = 48\,dB$.

Tabelle 22: Trennwand zwischen 2 Klassenräumen in einer Schule in Skelettbau mit flankierenden Bauteilen; gewählte Bauteile und rechnerische Ermittlung des bewerteten Schalldämm-Maßes $R'_{w,R}$ nach den Gleichungen (7) und (8)

Spalte	1	2	3	4	5	6	7	8
Zeile	Index i	Bauteil	$R_{w,R}$ dB	$R_{L,w,R,i}$ dB	$10\lg\frac{S_T}{S_0}$ dB	l_i m	$-10\lg\frac{S_T}{S_0}$ dB	$R_{w,R}$ bzw. $R'_{L,w,R,i}$ dB
Trennendes Bauteil								
1	–	Trennwand, zweischalig, nach Tabelle 23, Zeile 10	55	–	–	–	–	55
Flankierende Bauteile								
2	1	Unterdecke aus Gipskarton-Platten (10 kg/m²), 400 mm Abhängehöhe, mit Dämmstoffauflage von 50 mm nach Tabelle 26, Zeile 1, sowie Tabelle 27	–	51	3,2	7	– 1,9	52,3
3	2	Untere Decke (260 kg/m²) mit Verbundestrich (90 kg/m²), flächenbezogene Masse insgesamt 350 kg/m² nach Tabelle 25	–	58	3,2	7	– 1,9	59,3
4	3	Außenwand in Holzbauart, Wandstoß im Bereich der Trennwand (da keine Messwerte $R_{L,w,P}$ vorliegen, wird nach Abschnitt 6,8.3 verfahren)	–	50	3,2	3,0	– 0,3	52,9
5	4	Innenwand nach Tabelle 32, Zeile 1	–	53	3,2	3	– 0,3	55,9

$R'_{w,R}$ nach Gleichung (7)
$R'_{w,R} = -10\lg(10^{-5,5} + 10^{-5,23} + 10^{-5,93} + 10^{-5,29} + 10^{-5,59})$
$R'_{w,R} = 47{,}4$ dB, gerundet
$R'_{w,R} = 47$ dB.

a) Vereinfachter Nachweis

Hiernach müssen alle an der Schallübertragung beteiligten Bauteile bewertete Schalldämm-Maße $R_{w,R}$ bzw. $R_{L,w,R}$ aufweisen, die um 5 dB über der Anforderung an das bewertete Schalldämm-Maß erf. R'_w liegen.

$R_{w,R} \quad \geq 40 + 5 \geq 45\,dB$

$R_{L,w,R,i} \quad \geq 40 + 5 \geq 45\,dB.$

Die gewählten Bauteile sind im Sinne des vereinfachten Nachweises ausreichend, da sowohl der Wert $R_{w,R}$ des trennenden Bauteils als auch alle Werte $R'_{L,w,R,i}$ der flankierenden Bauteile mindestens 45 dB betragen.

b) Rechnerische Ermittlung

Das bewertete Schalldämm-Maß R'_w ergibt sich in diesem Beispiel aus den oben angegebenen bewerteten Schalldämm-Maßen für die einzelnen Bauteile mit Hilfe von Gleichung (7) zu:

$$R'_{w,R} = -10\lg\left(10^{-4,6} + 10^{-5,1} + 10^{-6,5} + 10^{-5,4} + 10^{-4,8}\right)$$

$$R'_{w,R} = 43\,dB \text{ (gerundet).}$$

Der vereinbarte Wert erf. $R'_w = 40\,dB$ wird durch die gewählte Bauteilkombination eingehalten.

6 Luftschalldämmung in Gebäuden in Skelett- und Holzbauart bei horizontaler Schallübertragung (Rechenwerte); Ausführungsbeispiele

6.1 Trennwände

6.1.1 Montagewände aus Gipskartonplatten nach DIN 18 183

Tabelle 23 enthält Rechenwerte für das bewertete Schalldämm-Maß $R_{w,R}$ für die dort angegebenen Ausführungsbeispiele der in Ständerbauart ausgeführten Montagewände. Die Verarbeitung der Gipskartonplatten erfolgt nach DIN 18 181 (z. Z. Entwurf), wobei die Fugen zu verspachteln sind. Die Gipskarton-Platten sind mit Schnellbauschrauben nach DIN 18 182 Teil 2 an die Metallunterkonstruktion-C-Wandprofile aus Stahlblech nach DIN 18 182 Teil 1, Blechnenndicke 0,6 mm oder 0,7 mm – anzuschrauben. Zur Hohlraumdämpfung sind Faserdämmstoffe nach DIN 18 165 Teil 1 mit einem längenbezogenen Strömungswiderstand $\Xi \geq 5\,kN \cdot s/m^4$ in der angegebenen Mindestdicke zu verwenden.

Wenn in den flankierenden Wänden (z. B. Fensterfassaden) keine ausreichende Anschlussbreite für die Trennwand zur Verfügung steht, sind in der Trennwand Reduzieranschlüsse erforderlich, so dass der Rechenwert des bewerteten Schalldämm-Maßes $R_{w,R}$ im Regelfall gesondert nachzuweisen ist, gegebenenfalls durch das resultierende Schalldämm-Maß $R_{w,R,res}$ der Trennwand mit dem Reduzieranschluss (siehe Abschnitt 11).

E

Tabelle 23*: Bewertete Schalldämm-Maße $R_{w,R}$ für Montagewände aus Gipskartonplatten in Ständerbauart nach DIN 18 183 mit umlaufend dichten Anschlüssen an Wänden und Decken (Rechenwerte) (Maße in mm)

Spalte	1	2	3	4	5	6
Zeile	Ausführungsbeispiele	s_B a)	C-Wandprofil b)	Mindest-schalen-abstand s	Mindest-dämm-schichtdicke s_D	$R_{w,R}$ dB
1	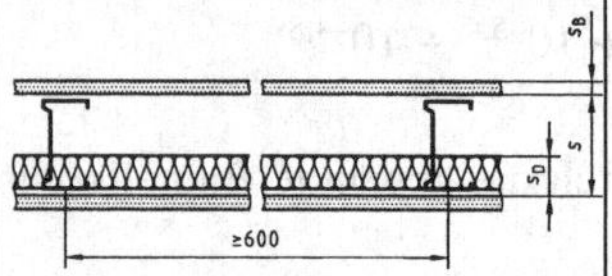	12,5	CW 50 × 0,6	50	40	39
2			CW 75 × 0,6	75	40	39
3			CW 100 × 0,6	100	40	41
4					60	42
5					80	43
6	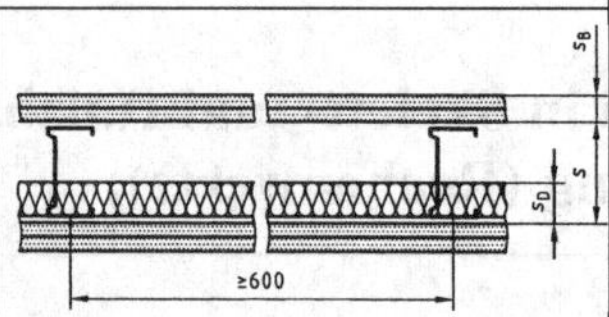	2 × 12,5	CW 50 × 0,6	50	40	46
7			CW 75 × 0,6	75	40	46
8					60	49
9			CW 100 × 0,6	100	40	47
10					60	49
11					80	50
12	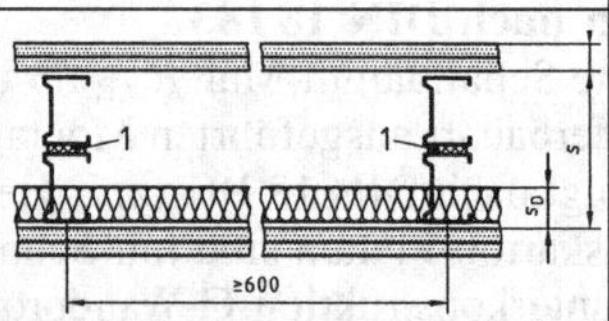	2 × 12,5	CW 50 × 0,6	105	80	58
13						
14			CW 100 × 0,6	205	80	59
15						

a) Dicke der Beplankung aus Gipskartonplatten nach DIN 18 180, verarbeitet nach DIN 18 181, Fugen verspachtelt. Die flächenbezogene Masse der Gipskartonplatten muss mindestens 8,5 kg/m² betragen.
b) Kurzzeichen für das C-Wandprofil und die Blechdicke nach DIN 18 182-1.
1 Weichfedernde Zwischenlage

6.1.2 Trennwände mit Holzunterkonstruktion

Für Trennwände mit Holzunterkonstruktion gelten als Rechenwerte für das bewertete Schalldämm-Maß $R_{w,R}$ die Angaben der Tabelle 24. Die biegeweichen Schalen können aus Gipskartonplatten nach DIN 18 180, Dicke ≤ 15 mm, oder Spanplatten nach DIN 68 763, Dicke ≤ 16 mm, oder aus verputzten Holzwolle-Leichtbauplatten nach DIN 1101 bestehen. Die Trennwände sind nach DIN 4103 Teil 4 auszuführen; für die Verarbeitung der Holzwolle-Leichtbauplatten gilt DIN 1102.

Plattenwerkstoffe und die Lattung sind mit Holzrippen durch mechanische Befestigungmittel verbunden. Zur Hohlraumdämpfung sind Faserdämmstoffe nach DIN 18 165 Teil 1 mit einem längenbezogenen Strömungswiderstand $\Xi \geq 5$ kN · s/m⁴

* Nach DIN 4109 Bbl. 1/A1 : 2003-09.

in der angegebenen Mindestdicke zu verwenden. Bei Trennwänden aus Holzwolle-Leichtbauplatten kann auf diese Hohlraumdämpfung bei dem in Tabelle 24, Zeile 8, angegebenen Schalenabstand verzichtet werden.

Wandkonstruktionen nach Tabelle 24 mit einem bewerteten Schalldämm-Maß $R_{w,R}$ von mindestens 60 dB gelten ohne weiteren Nachweis als geeignet, die Anforderungen an Treppenraumwände nach DIN 4109/11.89, Tabelle 3, Zeile 13, zu erfüllen, wenn Deckenkonstruktionen nach Tabelle 34, Zeilen 2 bis 4, verwendet werden.

6.2 Flankierende Bauteile

In den Abschnitten 6.3 bis 6.7 werden die beim Nachweis der resultierenden Luftschalldämmung nach Abschnitt 5 zugrunde zu legenden Rechenwerte für das bewertete Schall-Längsdämm-Maß $R_{L,w,R}$ flankierender Bauteile angegeben. Bei der Bauausführung darf von den Details der Ausführungsbeispiele nicht abgewichen werden.

Soweit in den Ausführungsbeispielen Unterkonstruktionen verwendet werden, handelt es sich in der Regel um dünnwandige, kaltverformte und gegen Korrosion geschützte Profile aus Stahlblech nach DIN 18 182 Teil 1.

Rechenwerte für Ausführungsbeispiele mit Holzunterkonstruktion sind den Tabellen 24, 33 und 34 zu entnehmen.

6.3 Massive flankierende Bauteile von Trennwänden

Die in Tabelle 25 enthaltenen Rechenwerte für das bewertete Schall-Längsdämm-Maß $R_{L,w,R}$ massiver flankierender Bauteile in Abhängigkeit von ihrer flächenbezogenen Masse sind gültig für

- Oberseiten von Massivdecken, wenn kein schwimmender Boden vorhanden ist,
- Unterseiten von Massivdecken, wenn keine Unterdecke vorhanden ist,
- Längswände (z. B. Außen- und Flurwände).

Tabelle 24: Bewertete Schalldämm-Maße $R_{w,R}$ von Treppenwänden in Holzbauart unter Verwendung von biegeweichen Schalen aus Gipskartonplatten[1)] oder Spanplatten[1)] oder verputzten Holzwolle-Leichtbauplatten[2)] (Rechenwerte) (Maße in mm)

Spalte	1	2	3	4	5
Zeile	Ausführungsbeispiele	Anzahl der Lagen je Schale	Mindest-schalen-abstand s	Mindest-dämm-schichtdicke s_D	$R_{w,R}$ dB
	Einfachständerwände				
1	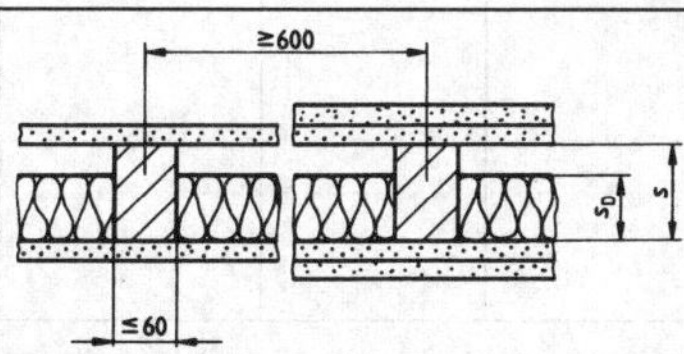 	1	60	40	38
2		2[3)]			46
Fortsetzung siehe nächste Seite.					

Tabelle 24 (Fortsetzung)					
Spalte	1	2	3	4	5
Zeile	Ausführungsbeispiele	Anzahl der Lagen je Schale	Mindest-schalen-abstand s	Mindest-dämm-schichtdicke s_D	$R_{w,R}$ dB
	Einfachständerwände				
3	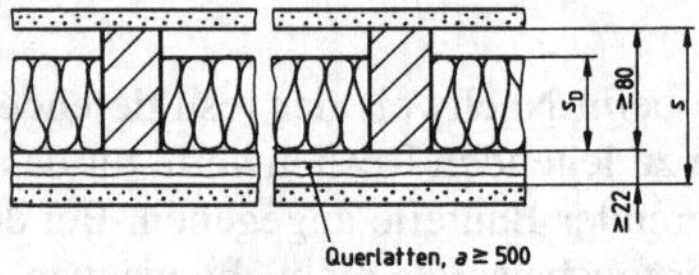	1	100	60	43
	Doppelständerwände				
4[4)]	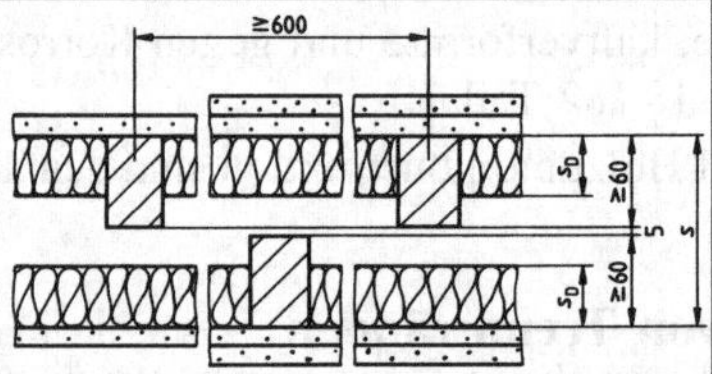	1	125	40	53
5[4)]		2			60
6[4)]	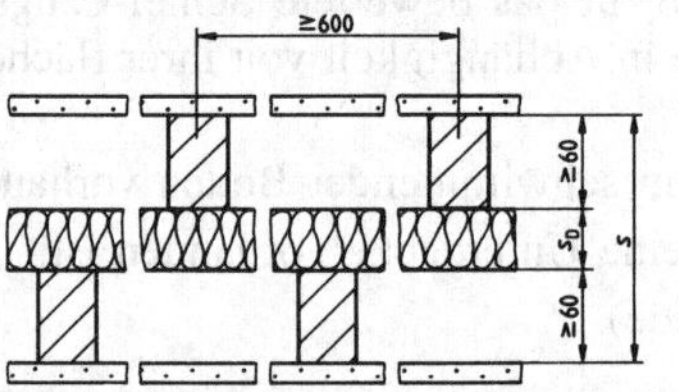	1	160	40	53
7[4)]	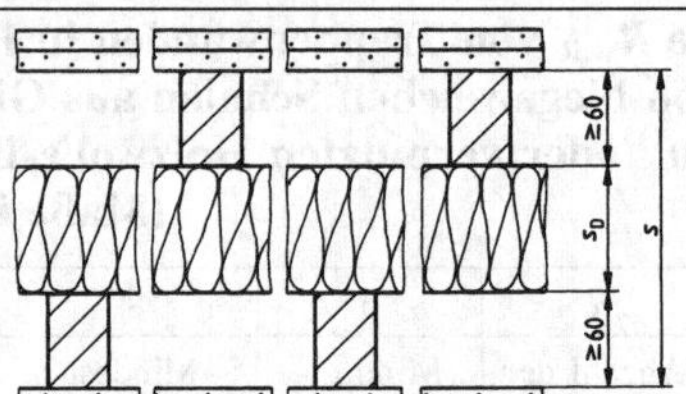	2	200	80	65
8	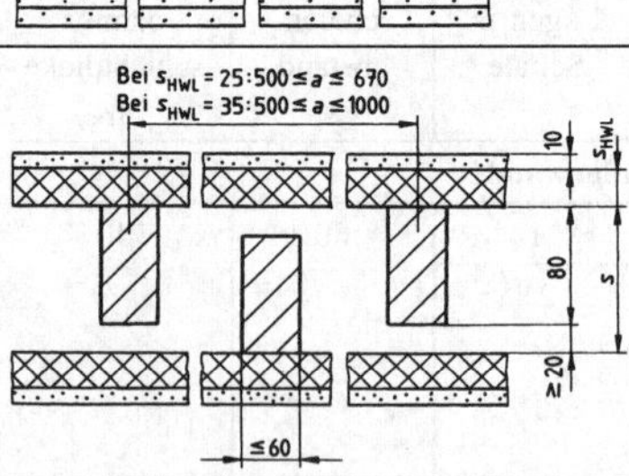	1	≥ 100	–	55
Fortsetzung siehe nächste Seite.					

Tabelle 24 (Fortsetzung)

Spalte	1	2	3	4	5
Zeile	Ausführungsbeispiele	Anzahl der Lagen je Schale	Mindest-schalen-abstand s	Mindest-dämm-schichtdicke s_D	$R_{w,R}$ dB
	Haustrennwand				
9[5)]	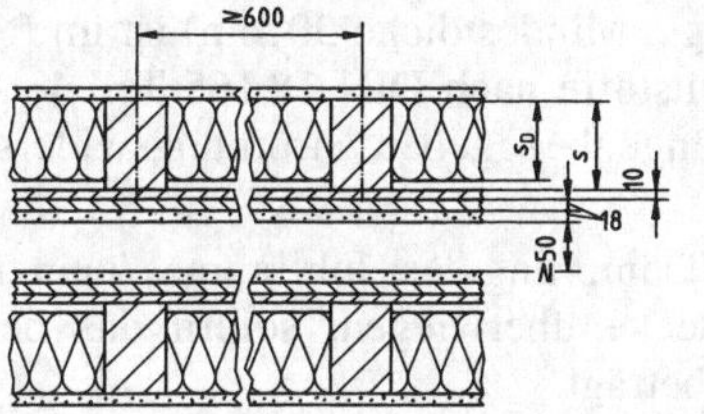	–	90	80	57
	Freistehende Wandschalen[6)]				
10	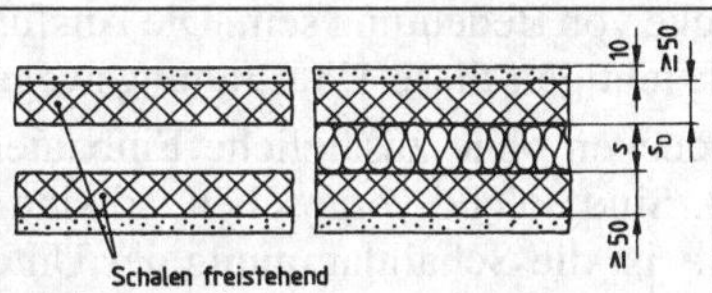	1	30 bis 50	3)	55
			entsprechend s_D	20 bis < 30	

1) Bekleidung aus Gipskartonplatten nach DIN 18 180, 12,5 mm oder 15 mm dick, oder Spanplatten nach DIN 68 763, 13 mm bis 16 mm dick.

2) Bekleidung aus verputzten Holzwolle-Leichtbauplatten nach DIN 1101, 25 mm oder 35 mm dick, Ausführung nach DIN 1102.

3) Hier darf – abweichend von Zeile 1 – je Seite für die äußere Lage auch eine 9,5 mm dicke Gipskartonplatte nach DIN 18 180 verwendet werden.

4) Beide Wandhälften sind auf gesamter Fläche auch im Anschlussbereich an die flankierenden Bauteile voneinander getrennt.

5) Voraussetzung ist, dass die flankierenden Wände nicht durchlaufen; die Fassadenfuge kann dauerelastisch, mit Abdeckprofilen oder Formteilen geschlossen werden.

6) Verputzte Holzwolle-Leichtbauplatten nach DIN 1101, Dicke ≥ 50 mm, Ausführung nach DIN 1102.

Tabelle 25: Bewertetes Schall-Längsdämm-Maß $R_{L,w,R}$ massiver flankierender Bauteile von Trennwänden (Rechenwerte)

Spalte	1	2	3
Zeile	Flächenbezogene Masse m' kg/m²	$R_{L,w,R}$ dB	
		Decken	Längswände
1	100	41	43
2	200	51	53
3	300	56	58
4	350	58	60
5	400	60	62

6.4 Massivdecken mit Unterdecken als flankierende Bauteile über Trennwänden

6.4.1 Übertragungswege

Bei Unterdecken erfolgt die Übertragung von Luftschall hauptsächlich über den Deckenhohlraum, wobei neben der Hohlraumhöhe (Abhängehöhe) die Dichtheit der Unterdecke an beiden Seiten der Trennwand und die Hohlraumdämpfung von Bedeutung sind.

Die Hohlraumdämpfung (Dämmstoffauflage, Mindestdicke 50 mm) ist im Regelfall vollflächig auszuführen, wobei Faserdämmstoffe nach DIN 18 165 Teil 1, Anwendungstyp W-w und WL-w, mit einem längenbezogenen Strömungswiderstand $\Xi \geq 5\,\mathrm{kN} \cdot \mathrm{s/m^4}$ zu verwenden sind.

Bei fugenlosen Unterdecken und stärkerer Dämpfung des Hohlraumes kann die Körperschallübertragung entlang der Unterdecke überwiegen, sofern das bewertete Schall-Längsdämm-Maß $R_{L,w,R} > 50\,\mathrm{dB}$ beträgt.

Wird der Deckenhohlraum abgeschottet (siehe Abschnitte 6.4.3.2 und 6.4.3.3) kann die Schall-Längsleitung über die Massivdecke von Bedeutung sein. Die Ausführungsbeispiele der folgenden Abschnitte berücksichtigen diese Übertragungswege.

Die Werte in Tabelle 26 gelten für Unterdecken ohne zusätzliche Einbauten (z. B. Deckenleuchten, Lüftungsöffnungen u. a.). Sind solche vorgesehen, so sind sie gesondert zu berücksichtigen. Gegebenenfalls ist die Schalldämmung der Unterdecke mit Einbauten gesondert nachzuweisen.

6.4.2 Unterdecken ohne Abschottung im Deckenhohlraum

6.4.2.1 Allgemeines

Die Trennwand (Unterkonstruktion aus Metall oder Holz) kann an die Unterdecke oder an die Massivdecke angeschlossen werden, wobei Decklage und Tragprofile der Unterdecke unterbrochen und dadurch die Schall-Längsleitung verringert werden kann (siehe Bilder 12 bis 14). Die statisch erforderlichen Verbindungen zwischen Trennwand und Unterdecke oder Massivdecke können im Regelfall beim Schall-Längsdämm-Maß unberücksichtigt bleiben.

Tabelle 26 enthält Rechenwerte für das bewertete Schall-Längsdämm-Maß $R_{L,w,R}$ für Unterdecken ohne Abschottung im Deckenhohlraum und einer Abhängehöhe von 400 mm. Bei größerer Abhängehöhe sind die Werte der Tabelle 26 nach Tabelle 27 abzumindern.

6.4.2.2 Unterdecken mit geschlossener Fläche

Zu verwenden sind Platten mit geschlossener Fläche, z. B. Gipskartonplatten nach DIN 18 180, Dicke $\leq$ 15 mm, oder Spanplatten (Flachpressplatten) nach DIN 68 763, Dicke $\leq$ 16 mm, die fugendicht (z. B. durch Nut-Feder-Verbindung) verbunden sind. Gipskartonplatten werden nach DIN 18 181 (z. Z. Entwurf) verarbeitet und im Regelfall an den Fugen verspachtelt. Die Unterkonstruktion kann aus Holzlatten oder C-Deckenprofilen aus Stahlblech nach DIN 18 182 Teil 1 bestehen.

Tabelle 27: Abminderung des bewerteten Schall-Längsdämm-Maßes $R_{L,w,R}$ von Unterdecken mit Absorberauflage für Abhängehöhe über 400 (Rechenwerte) (Maße in mm)

Spalte	1	2
Zeile	Abhängehöhe *h*	Abminderung für $R_{L,w,R}$ dB
1	400	0
2	600	2
3	800	5
4	1000	6
Hohlraumdämpfung, mindestens 50 mm dick, ausgeführt über die gesamte Fläche der Unterdecke.		

6.4.2.3 Unterdecken mit gegliederter Fläche

Im Regelfall handelt es sich um elementierte Wand- und Deckensysteme (z. B. Decken mit Bandprofilen), wobei die Trennwände an Unterdecken mit Bandprofilen angeschlossen werden. Ausführungsbeispiele mit Rechenwerten sind in Tabelle 26 enthalten, für

- Mineralfaser-Deckenplatten (Norm in Vorbereitung), Rohdichte ≥ 300 kg/m³, mit oder ohne ober- oder unterseitiger Dichtschicht,
- Spanplatten für Sonderzwecke nach DIN 68 762, Typ LF (Leichtspan-Schallschluckplatten), flächenbezogene Masse ≥ 5 kg/m², Plattendicke etwa 18 mm, Abdichtung aus Natron-Kraftpapier (etwa 80 g/m²) auf der Plattenoberseite,
- Metalldeckenplatten aus vierseitig aufgekanteten Elementen aus 0,5 mm bis 1 mm dickem Stahl- oder Aluminiumblech, bei denen im Regelfall zwei Stirnseiten eine Auflagekantung erhalten und die Längsseiten nach innen gekantet sind. Die Sichtfläche des Plattenelementes kann perforiert oder glatt ausgeführt sein. Zum Zweck der Schallabsorption sind perforierte Platten mit Faserdämmstoff nach DIN 18 165 Teil 1 hinterlegt. Zum Zweck der Schalldämmung ist rückseitig eine Schwerauflage als Abdeckung angeordnet (z. B. Gipskarton oder Stahlblech mit einer flächenbezogenen Masse von ≥ 6 kg/m²). Die Metalldeckenplatten sind dicht zu stoßen.

Die Deckenplatten werden in Einlegemontage oder mit Klemmbefestigung auf entsprechend ausgebildete dünnwandige, kaltverformte und gegen Korrosion geschützte Profile aus Stahlblech oder Aluminium gelegt, eingehängt oder eingeklemmt und gegebenenfalls mit der Unterkonstruktion verriegelt, wobei die Profile sichtbar bleiben können.

Die durch Auflegen der Platten abgedeckten Fugen zwischen Montageprofil und Platten werden im Allgemeinen nicht zusätzlich abgedichtet.

E

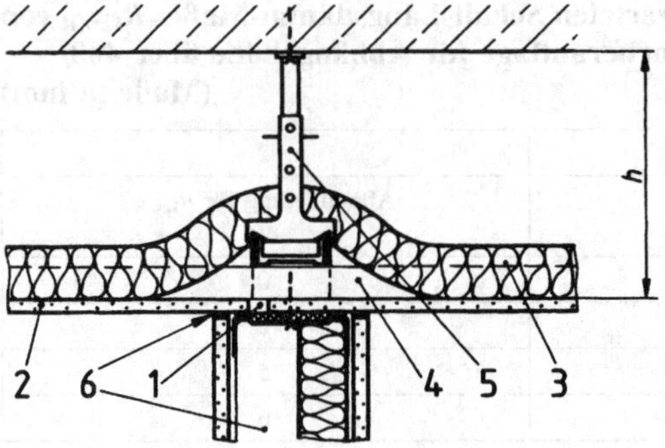

Bild 12. Trennwandanschluss an Unterdecke, Decklage durchlaufend (Für $R_{L,w,R} \geq 55$ dB ist eine Trennung erforderlich, z. B. durch Fugenschnitt.)

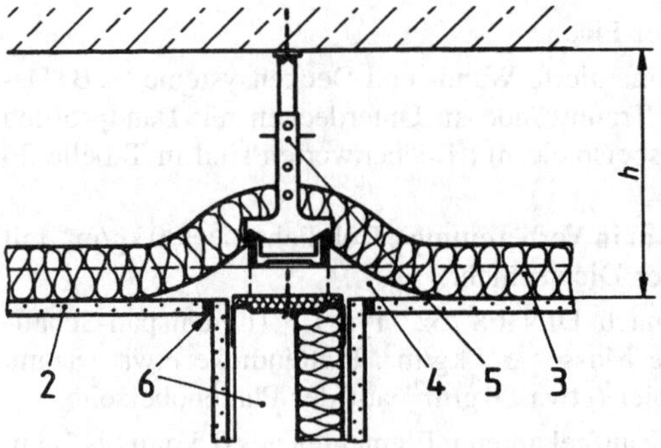

Bild 13. Trennwandanschluss an Unterdecke mit Trennung der Decklage

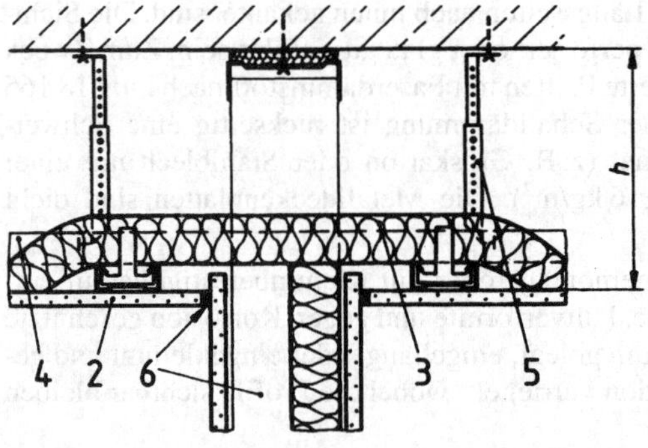

Bild 14. Trennwandanschluss an Massivdecke mit Trennung der Unterdecke in Decklage und Unterkonstruktion

Erklärungen zu den Bildern 12 bis 14:

Anmerkung: In den Bildern 12 bis 14 sind Ausführungsbeispiele für Unterdecken mit geschlossener Fläche dargestellt.

1 Beim Schall-Längsdämm-Maß $R_{L,w,R} \geq 55$ dB ist die Decklage im Anschlussbereich der Trennwand durch eine Fuge zu trennen.

2 Gipskartonplatten mit geschlossener Fläche nach DIN 18 180, verarbeitet nach DIN 18 181 (z. Z. Entwurf), oder Spanplatten nach DIN 68 763

3 Faserdämmstoff nach DIN 18 165 Teil 1, längenbezogener Strömungswiderstand $\Xi \geq 5$ kN · s/m^4

4 Die Unterkonstruktion aus Holzplatten oder Deckenprofilen aus Stahlblech nach DIN 18 182 Teil 1, Achsabstände ≥ 400 mm, kann durchlaufen

5 Abhänger nach DIN 18 168 Teil 1

6 Trennwand als zweischalige Einfach- oder Doppelständerwand mit dichtem Anschluss durch Verspachtelung, dicht gestoßenen Schalen oder durch Verwendung einer Anschlussdichtung.

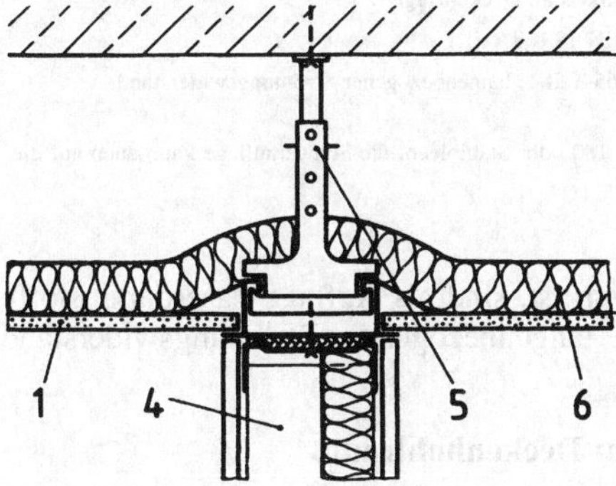

Bild 15. Unterdecke mit Bandprofilen und Mineralfaser-Deckenplatten in Einlegemontage

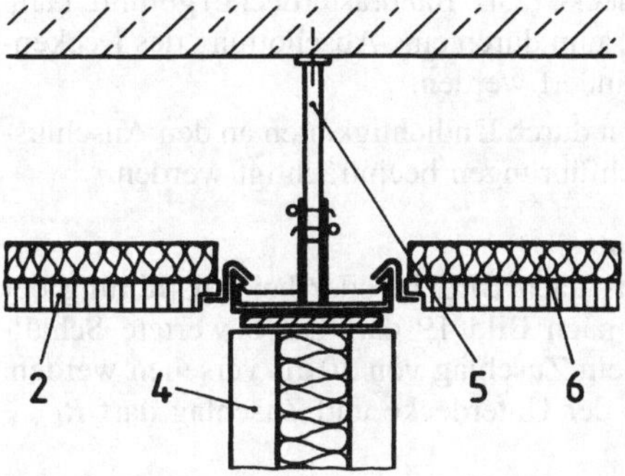

Bild 16. Unterdecke mit Bandprofilen und Leichtspan-Schallschluckplatten in Einlegemontage

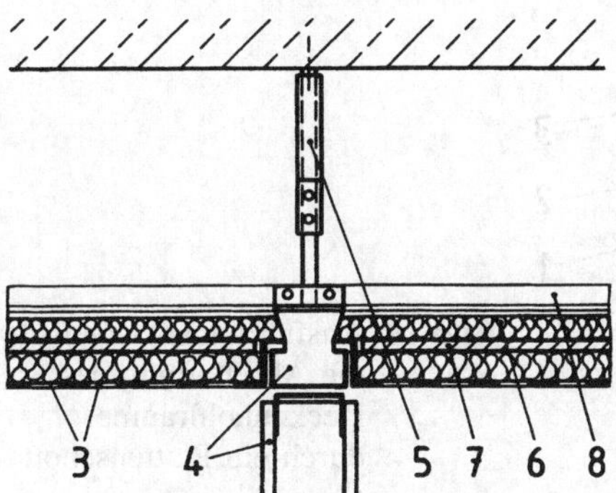

Bild 17. Unterdecke mit Bandprofilen und perforierten Metall-Deckenplatten in Einlegemontage

Erklärungen zu den Bildern 15 bis 17:

Anmerkung: In den Bildern 15 bis 17 sind Ausführungsbeispiele für Unterdecken mit gegliederter Fläche dargestellt.

1 Mineralfaser-Deckenplatten in Einlegemontage

2 Leichtspan-Schallschluckplatten nach DIN 68 762

3 Perforierte Metall-Deckenplatten mit Einlage aus Faserdämmstoff nach DIN 18 165 Teil 1

4 Trennwand aus biegeweichen Schalen mit dichtem Anschluss an Deckenzarge

5 Unterkonstruktion der Unterdecke mit Abhänger nach DIN 18 168 Teil 1

6 Hohlraumdämpfung aus Faserdämmstoff nach DIN 18 165 Teil 1, längenbezogener Strömungswiderstand $\Xi \geq 5\,\text{kN} \cdot \text{s/m}^4$

7 Schwerauflage, z. B. aus Gipskartonplatten nach DIN 18 180 oder Stahlblech; die Schwerauflage kann auch auf die Stirnseiten der Plattenkonstruktion gelegt werden

8 Rostwinkel zur Fixierung der Zargenabstände

Wenn eine Hohlraumdämpfung erforderlich ist, sind als Auflage Faserdämmstoffe nach DIN 18 165 Teil 1 mit einem längenbezogenen Strömungswiderstand $\Xi \geq 5\,\text{kN} \cdot \text{s/m}^4$ zu verwenden.

6.4.3 Unterdecken mit Abschottung im Deckenhohlraum

6.4.3.1 Allgemeines

Werden die Trennwände nur bis zur Unterdecke (z. B. Bandrasterdecke) geführt, kann die Luftschallübertragung im Deckenhohlraum durch eine Abschottung des Deckenhohlraumes über den Trennwänden vermindert werden.

Die Dämmwirkung einer Abschottung kann durch Undichtigkeiten an den Anschlüssen der Abschottung und durch Rohrdurchführungen beeinträchtigt werden.

6.4.3.2 Abschottung durch Plattenschott

Bei dichter Ausführung des Plattenschotts nach Bild 18 oder bei Ausführung der Trennwand bis Unterkante Massivdecke nach Bild 19 darf das bewertete Schall-Längsdämm-Maß der Unterdecke mit einem Zuschlag von 20 dB versehen werden. Die Summe aus Schall-Längsdämm-Maß der Unterdecke und Zuschlag darf $R_{L,w,R}$ 60 dB nicht überschreiten.

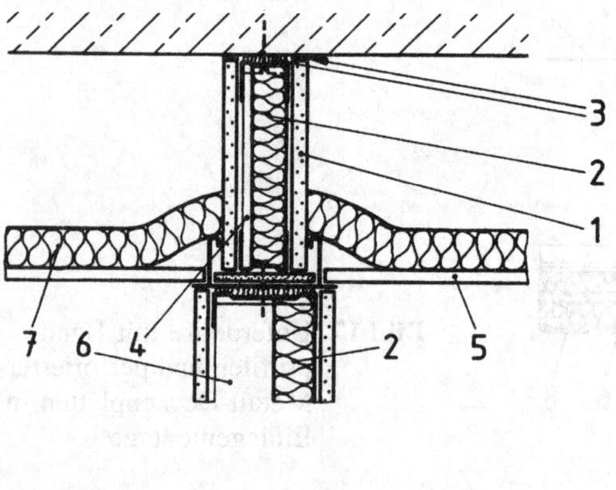

Bild 18. Ausführungsbeispiel für die Abschottung des Deckenhohlraumes durch ein Plattenschott

Erklärungen zu Bild 18:

1 Gipskartonplatten nach DIN 18 180, verarbeitet nach DIN 18 181 (z. Z. Entwurf), Fugen verspachtelt

2 Hohlraumdämpfung aus Faserdämmstoff nach DIN 18 165 Teil 1, längenbezogener Strömungswiderstand $\Xi \geq 5\,kN \cdot s/m^4$, Mindestdicke 40 mm

3 Dichte Anschlussausführung durch Verspachtelung oder durch Verwendung einer Anschlussdichtung

4 Unterkonstruktion der Unterdecke, z. B. Bandrasterprofil

5 Decklage der Unterdecke aus Platten mit geschlossener Fläche nach Abschnitt 6.4.2.2 oder Schallschluckplatten nach Abschnitt 6.4.2.3 mit poröser oder durchbrochener (gelochter) Struktur

6 Trennwand aus biegeweichen Schalen mit dichtem Anschluss an die Unterdecke

7 Hohlraumdämpfung aus Faserdämmstoff nach DIN 18 165 Teil 1, längenbezogener Strömungswiderstand $\Xi \geq 5\,kN \cdot s/m^4$, Mindestdicke 50 mm

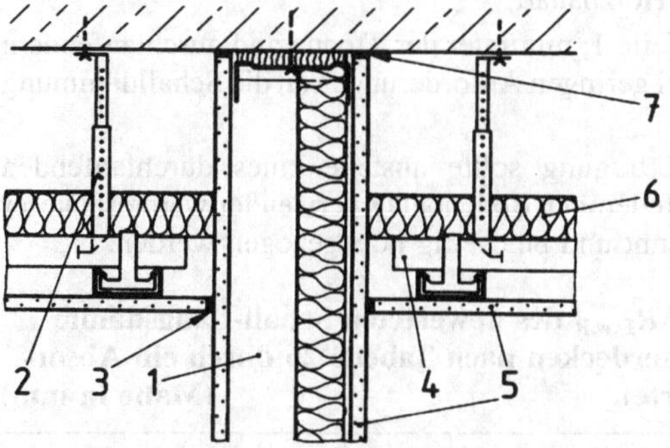

Bild 19. Ausführungsbeispiel für den Anschluss der Trennwand an die Massivdecke
Die bis zur Massivdecke hochgezogene Beplankung wirkt als Abschottung des Deckenhohlraumes

Erklärungen zu Bild 19:

1 Trennwand als zweischalige Einfach- oder Doppelständerwand mit fugendicht ausgeführter Beplankung sowie dichten Anschlüssen an Unterdecke und Massivdecke (gleitender Deckenanschluss)

2 Abhänger für Unterdecke nach DIN 18 168 Teil 1

3 Fugendichter Anschluss der Unterdecke an die Trennwand, z. B. durch Anschlussprofil oder Anschlussdichtung (Verspachtelung, elastischer Fugenkitt)

4 Unterkonstruktion aus C-Deckenprofil aus Stahlblech nach DIN 18 182 Teil 1

5 Dichte Decklage der Unterkonstruktion bzw. der Beplankung der Wand, $m' \geq 10\,kg/m^2$, z. B. aus Gipskartonplatten (mit dichten Fugen), nach DIN 18 181 (z. Z. Entwurf) ausgeführt

6 Faserdämmstoff nach DIN 18 165 Teil 1, längenbezogener Strömungswiderstand $\Xi \geq 5\,kN \cdot s/m^4$, Dicke = 50 mm, vollflächig als Deckenlage aufgebracht

7 Deckenanschluss mit Anschlussdichtung aus Faserdämmstoff mit Fugenverspachtelung (elastischer Fugenkitt)

6.4.3.3 Abschottung durch Absorberschott

Bei Ausführung eines Absorberschotts wird der Deckenhohlraum über dem Trennwandanschluss bis zur Massivdecke mit Faserdämmstoff nach DIN 18 165 Teil 1 dicht ausgestopft. Die Dämmwirkung des Absorberschotts wird mit zunehmender Breite *b* größer.

In Tabelle 28 sind die in Abhängigkeit von der Breite des Absorberschotts zu erreichenden Verbesserungen $\Delta R_{L,w,R}$ für Unterdecken nach Tabelle 26 angegeben. Die Summe aus den in Tabelle 26 angegebenen Werten für $R_{L,w,R}$ und den $\Delta R_{L,w,R}$-Werten aus Tabelle 28 darf höchstens 60 dB betragen.

E

6.5 Massivdecken als flankierende Bauteile unter Trennwänden

6.5.1 Massivdecken mit Verbundestrich oder Estrich auf Trennschicht

Für Massivdecken mit Verbundestrich oder Estrich auf Trennschicht gelten die Werte der Tabelle 25, wobei die flächenbezogene Masse des Verbundestrichs nach DIN 18 560 Teil 3 (z. Z. Entwurf) oder eines Estrichs auf Trennschicht nach DIN 18 560 Teil 4 (z. Z. Entwurf) zu berücksichtigen sind.

6.5.2 Massivdecken mit schwimmendem Estrich

Tabelle 29 enthält Ausführungsbeispiele mit Rechenwerten für das bewertete Schall-Längsdämm-Maß $R_{L,w,R}$ von schwimmenden Estrichen nach DIN 18 560 Teil 2 bei verschiedener Ausbildung der Anschlüsse an die Trennwand. Die Angaben in Tabelle 29 gelten auch für Trennwände in Holzbauart.

Die Ausführung nach Tabelle 29, Zeile 1, mit unter der Trennwand durchlaufendem Estrich ohne Trennfuge sollte nur bei geringen Anforderungen an die Schalldämmung der Trennwand verwendet werden.

Zur Minderung der Trittschallübertragung sollte anstelle eines durchlaufenden schwimmenden Estrichs ein weichfedernder Bodenbelag verwendet werden. Dieser sollte im Bereich Trennwand getrennt und beidseitig hochgezogen werden.

Tabelle 28: Verbesserungsmaße $\Delta R_{L,w,R}$ des bewerteten Schall-Längsdämm-Maßes $R_{L,w,R}$ von Unterdecken nach Tabelle 26 durch ein Absorberschott (Rechenwerte) (Maße in mm)

Spalte	1	2	3
Zeile	Ausführungsbeispiel	Mindestbreite des Absorberschotts *b*	$\Delta R_{L,w,R}$ dB
1	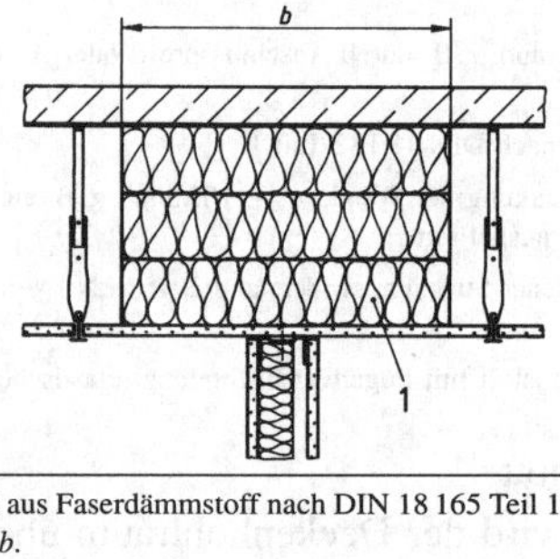	300	12
2		400	14
3		500	15
4		600	17
5		800	20
6		1 000	22

1 Absorberschott aus Faserdämmstoff nach DIN 18 165 Teil 1, längenbezogener Strömungswiderstand $\Xi \geq 8\ kN \cdot s/m^4$, mit der Breite *b*.

6.6 Holzbalkendecken als flankierende Bauteile von Trennwänden

Die bewerteten Schall-Längsdämm-Maße $R_{L,w,R}$ nach Tabelle 30 gelten für Deckenkonstruktionen nach Tabelle 34.

6.7 Innenwände als flankierende Bauteile von Trennwänden

6.7.1 Biegesteife Innenwände

Als Rechenwerte gelten die bewerteten Schall-Längsdämm-Maße $R_{L,w,R}$ in Tabelle 25, für biegesteife Wände mit biegeweichen Vorsatzschalen nach Tabelle 7 gelten die Werte der Tabelle 31.

6.7.2 Montagewände aus Gipskartonplatten nach DIN 18 183

Für die Ausführung der Trennwand und flankierenden Wand gelten sinngemäß die Angaben nach Abschnitt 6.1.1.

Rechenwerte für das bewertete Schall-Längsdämm-Maß $R_{L,w,R}$ enthält Tabelle 32 für die dort angegebenen Anschlussarten.

6.7.3 Flankierende Wände in Holzbauart

Für flankierende Wände in Holzbauart gelten die bewerteten Schall-Längsdämm-Maße $R_{L,w,R}$ nach Tabelle 33.

Die biegeweichen Schalen können aus Spanplatten nach DIN 68 763, Dicke ≤ 16 mm, und/oder Gipskartonplatten nach DIN 18 180, Dicke ≤ 15 mm, bestehen. Montagewände aus Gipskartonplatten sind nach DIN 18 183 auszuführen.

6.8 Außenwände als flankierende Bauteile von Trennwänden

6.8.1 Allgemeines

Außenwände und Vorhangfassaden sind so zu gestalten, dass für den Anschluss der Trennwände eine ausreichende Anschlussbreite vorhanden ist. Durchlaufende Vorhang- oder Fensterfassaden sollen im Anschlussquerschnitt der Trennwand durch Trennfugen unterbrochen werden.

6.8.2 Biegesteife Außenwände

Für das bewertete Schall-Längsdämm-Maß $R_{L,w,R}$ gelten die Angaben in Tabelle 25, bei Anordnung von Vorsatzschalen die Angaben der Tabelle 31.

Bei durchgehenden Brüstungen darf wegen des kleineren übertragenden Flächenanteils zu diesen $R_{L,w,R}$-Werten folgender Wert addiert werden:

$$10 \lg \frac{h_R}{h_B} dB \qquad (11)$$

Hierin bedeuten:

h_R Raumhöhe

h_B Brüstungshöhe

6.8.3 Leichte Außenwände mit Unterkonstruktion

Für Außenwände aus biegeweichen Schalen und Unterkonstruktionen aus Holz oder Stahlblechprofilen nach DIN 18 182 Teil 1, einschließlich Fenster, gilt als Rechenwert das bewertete Schall-Längsdämm-Maß $R_{L,w,R} = 50$ dB ohne weiteren Nachweis.

E

7 Luftschalldämmung in Gebäuden in Skelett- und Holzbauart bei vertikaler Schallübertragung; Ausführungsbeispiele

7.1 Trenndecken

Die Luftschallübertragung in vertikaler Richtung ist bei Skelettbauten mit Massivdecken von untergeordneter Bedeutung, wenn die Außenwand im Bereich der Massivdecke unterbrochen ist. Im Einzelfall ist zu prüfen, ob eine Übertragung entlang der Außenwand, z. B. Vorhangfassade, erfolgt. Im Zweifelsfall ist ein Nachweis durch Messung erforderlich.

7.1.1 Massivdecken ohne Unterdecken

Für den Nachweis der Anforderungen an die resultierende Schalldämmung (Luftschalldämmung) nach Abschnitt 5 dürfen als Rechenwerte $R_{w,R}$ verwendet werden:

- Messwerte $R_{w,P}$ nach DIN 52 210 Teil 2, abzüglich Vorhaltemaß von 2 dB,
- in Annäherung auch Rechenwerte $R'_{w,R}$ nach Tabelle 12, Spalten 2 und 3,
- in Annäherung auch Messwerte $R'_{w,P}$ nach DIN 52 210 Teil 2, abzüglich Vorhaltemaß von 2 dB.

Tabelle 29: Bewertetes Schall-Längsdämm-Maß $R_{L,w,R}$ von schwimmenden Estrichen nach DIN 18 560 Teil 2 (Rechenwerte)

Spalte	1	2	3
Zeile	Ausführungsbeispiele	$R_{L,w,R}$ dB	
		Zement-, Anhydrit- oder Magnesiaestrich	Gussasphaltestrich
1	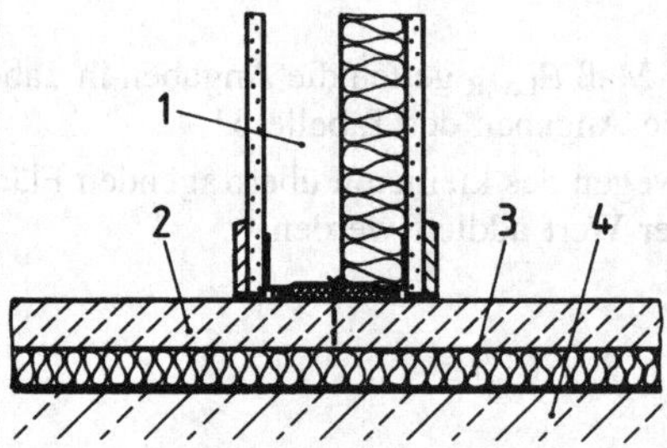 durchlaufender Estrich	38	44
Fortsetzung siehe nächste Seite.			

Tabelle 29 (Fortsetzung)

Spalte	1	2	3
Zeile	Ausführungsbeispiele	$R_{L,w,R}$ dB	
		Zement-, Anhydrit- oder Magnesiaestrich	Gussasphaltestrich
2	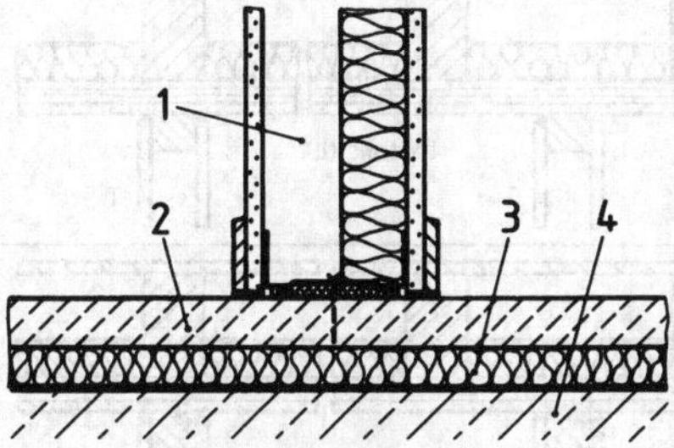 Estrich mit Trennfuge	55	
3	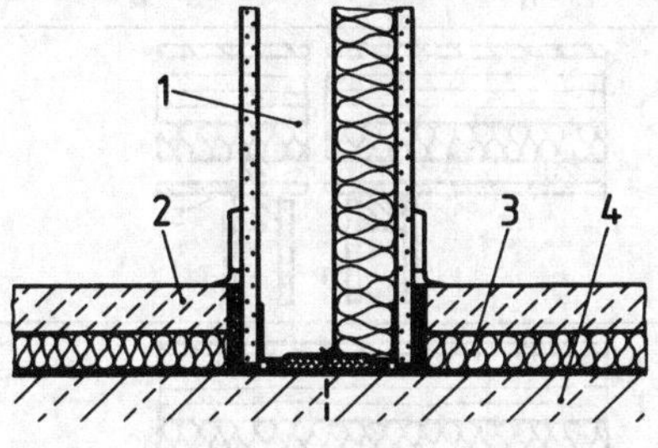 Estrich durch Trennwandanschluss konstruktiv getrennt	70	

1 Trennwand als Einfach- oder Doppelständerwand mit Unterkonstruktion aus Holz oder Metall oder elementierte Trennwand; Anschluss am Estrich ist mit Anschlussdichtung abgedichtet
2 Estrich
3 Faserdämmstoff nach DIN 18 165 Teil 2, Anwendungstyp T oder TK
4 Flächenbezogene Masse der Massivdecke $m' \geq 300\,kg/m^2$

Tabelle 30: Bewertetes Schall-Längsdämm-Maß $R_{L,w,R}$ von flankierenden Holzbalkendecken (F) (Rechenwerte)

Spalte	1	2	3
Zeile	Ausführung	Flankierende Holzbalkendecke (F) Anschluss Trennwand (T)	$R_{L,w,R}$ dB
1	Trennwand parallel zu Deckenbalken	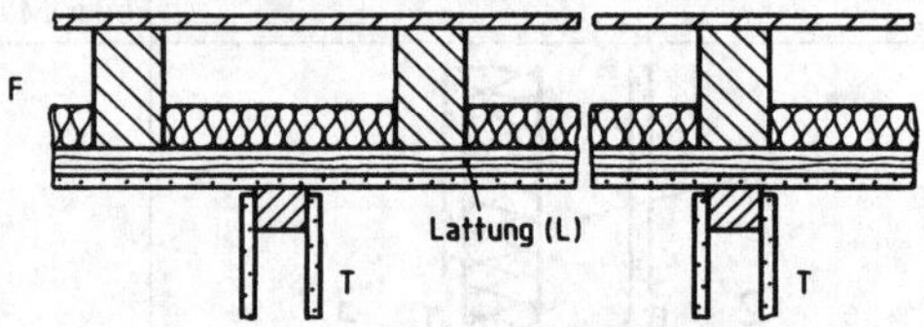	48
2	Deckenbekleidung im Anschlussbereich unterbrochen (S)	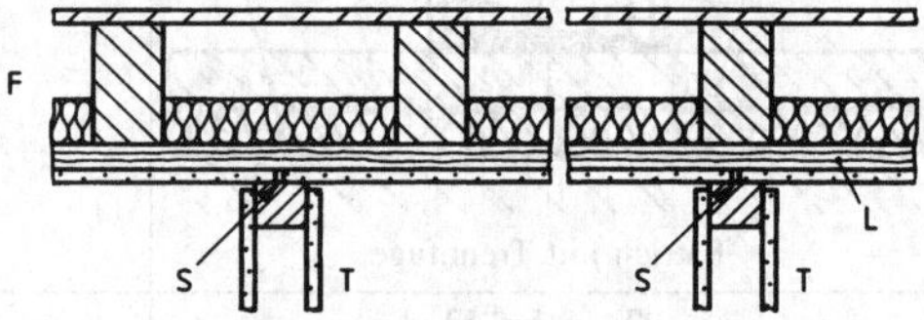	51
3	Trennwand rechtwinklig zum Deckenbalken	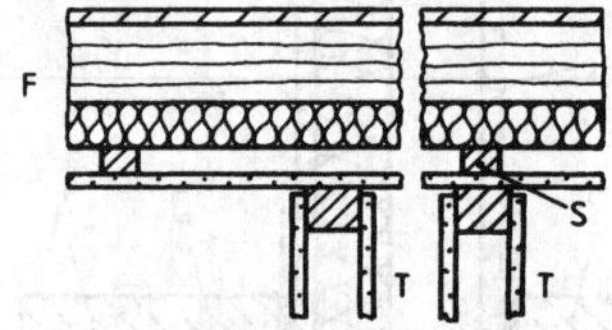	48
4	Deckenbekleidung im Anschlussbereich unterbrochen	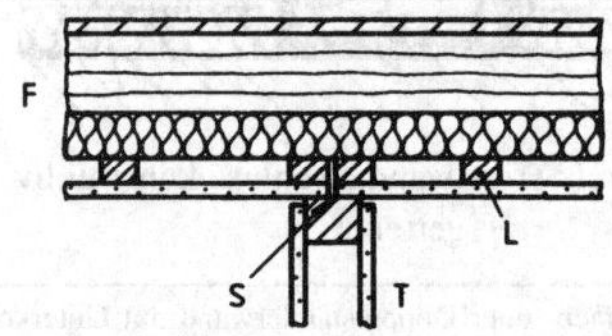	51

Tabelle 31: Bewertetes Schall-Längsdämm-Maß $R_{L,w,R}$ von flankierenden, biegesteifen Wänden mit biegeweicher Vorsatzschale nach Tabelle 7 (Rechenwerte) (Maße in mm)

Spalte	1	2	3
Zeile	Ausführungsbeispiele	Flächenbezogene Masse der biegesteifen Wand kg/m^2	$R_{L,w,R}$ dB
Angesetzte durchgehende Vorsatzschale nach DIN 18 181 (z. Z. Entwurf) aus Faserdämmstoff nach DIN 18 165 Teil 1			
1	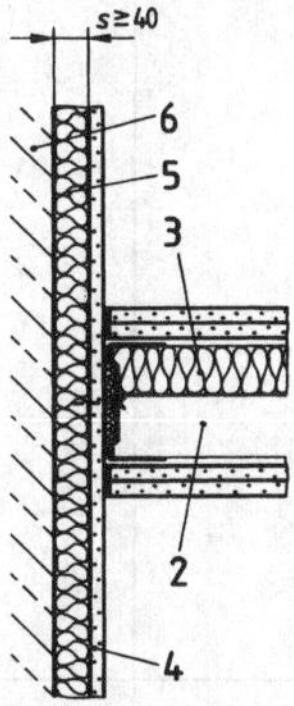	100 200 250 300 400	53 57 57 58 58
Freistehende Vorsatzschale nach DIN 18 183, Vorsatzschale durch Trennwandanschluss unterbrochen			
2	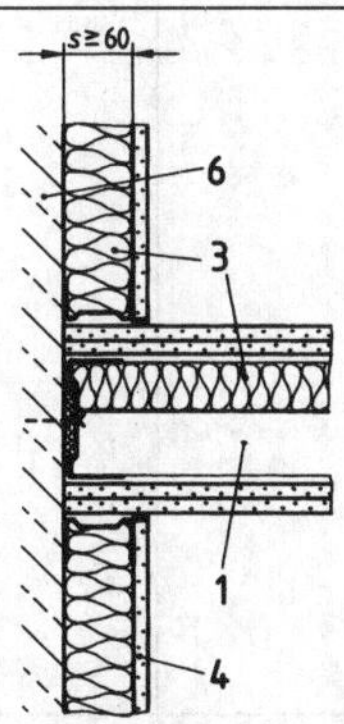	100 200 250 300 400	63 70 71 72 73

1 Trennwand als Einfach- oder Doppelständerwand mit Unterkonstruktion aus Holz oder Metall nach DIN 18 183; mit Anschlussdichtung an biegesteifer Schale (Massivwand); biegeweiche Vorsatzschale an Trennwandanschluss unterbrochen
2 Trennwand wie 1, jedoch an der biegeweichen Schale angeschlossen
3 Hohlraumdämpfung aus Faserdämmstoff nach DIN 18 165 Teil 1, längenbezogener Strömungswiderstand $\Xi \geq 5\,kN \cdot s/m^4$
4 Biegeweiche Vorsatzschale, z. B. aus Gipskartonplatten nach DIN 18 180, verarbeitet nach DIN 18 181 (z. Z. Entwurf), Fugen verspachtelt ($m' = 10\,kg/m^2$ bis $15\,kg/m^2$)
5 Faserdämmstoff nach DIN 18 165 Teil 1, Anwendungstyp WV, längenbezogener Strömungswiderstand $\Xi \geq 5\,kN \cdot s/m^4$ und einer dynamischen Steifigkeit $s' \geq 5\,MN/m^3$
6 Massivwand

Tabelle 32: Bewertetes Schall-Längsdämm-Maß $R_{L,w,R}$ von Montagewänden aus 12,5 mm dicken Gipskartonplatten in Ständerbauart nach DIN 18 183 (Rechenwerte) (Maße in mm)

Spalte	1	2	3
Zeile	Trennwand-Anschluss	Beplankung der Innenseite der flankierenden Wand, Anzahl der Lagen	$R_{L,w,R}$ dB
1	Durchlaufende Beplankung der flankierenden Wand	1	53
2	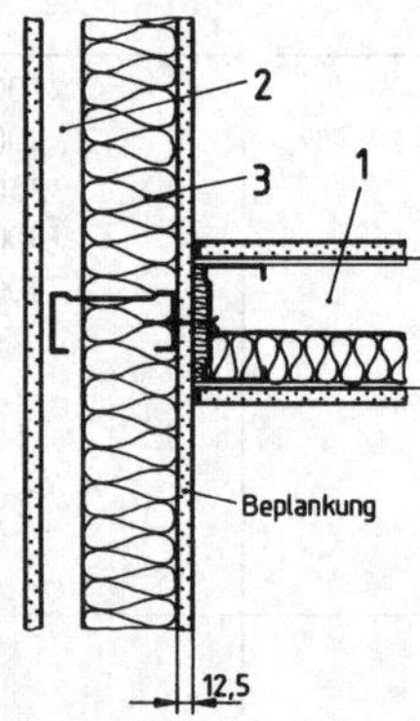	2	57[1)]
3	Beplankung und Ständerkonstruktion der flankierenden Wand im Anschlussbereich der Trennwand unterbrochen	1	73
4	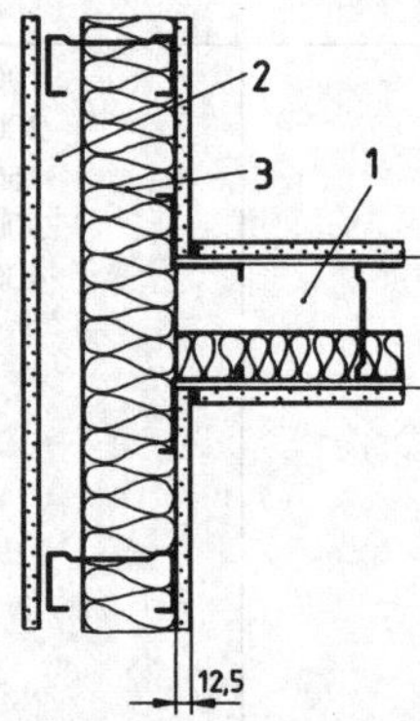	2	> 75

1 Trennwand als Einfach- oder Doppelständerwand nach DIN 18 183.

2 Flankierende Wand als Einfach- oder Doppelständerwand mit einlagiger bzw. zweilagiger Beplankung aus Gipskartonplatten nach DIN 18 180, Dicke 12,5 mm, verarbeitet nach DIN 18 181 (z. Z. Entwurf), mit verspachtelten Fugen und dichtem Anschluss an die flankierende Wand. Der Abstand der Schalen beträgt $s \geq 50$ mm.

3 Hohlraumdämpfung aus Faserdämmstoff nach DIN 18 165 Teil 1, längenbezogener Strömungswiderstand $\Xi \geq 5\ \mathrm{kN \cdot s/m^4}$

1) Bei $R_{L,w,R} \geq 55$ dB ist die Schale im Anschlussbereich zur Trennwand durch eine Fuge zu trennen.

Tabelle 34: Bewertete Schalldämm-Maße $R_{w,R}$ und $R'_{w,R}$ und bewerteter Norm-Trittschallpegel $L'_{n,w,R}$ von Holzbalkendecken (Rechenwerte) (Maße in mm)

Spalte	1	2	3	4	5	6	7	8
Zeile	Ausführungsbeispiele[1)]	Fußboden auf oberer Balkenabdeckung	Unterdecke		$R_{w,R}$ dB	$R'_{w,R}$ dB	$L'_{n,w,R}$ (TSM_R) dB	
			Anschluss Holzlatten an Balken	Anzahl der Lagen			ohne Bodenbelag	Bodenbelag mit $\Delta L_{w,R}$ (VM_R) ≥ 25 dB
1	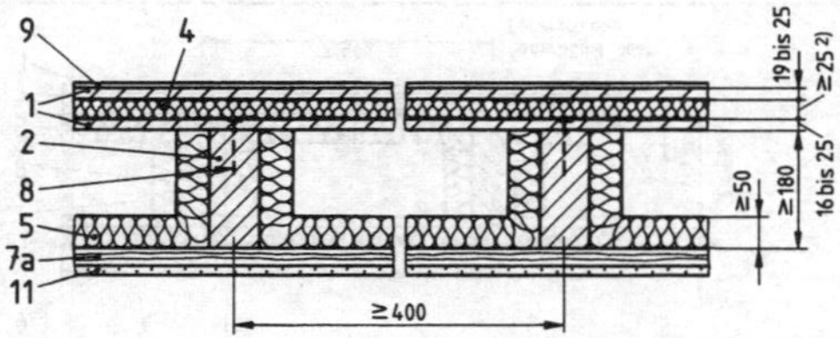	Spanplatten auf mineralischem Faserdämmstoff	direkt verbunden	1	53	50	64 (– 1)	56 (7)
2	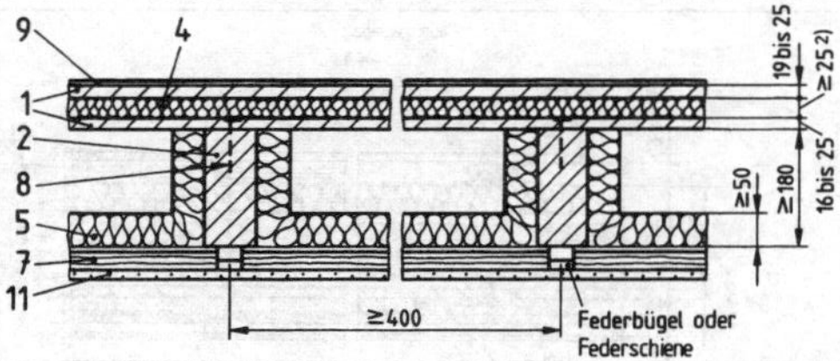		über Federbügel oder Federschiene	1	57	54	56 (7)	49 (14)
3	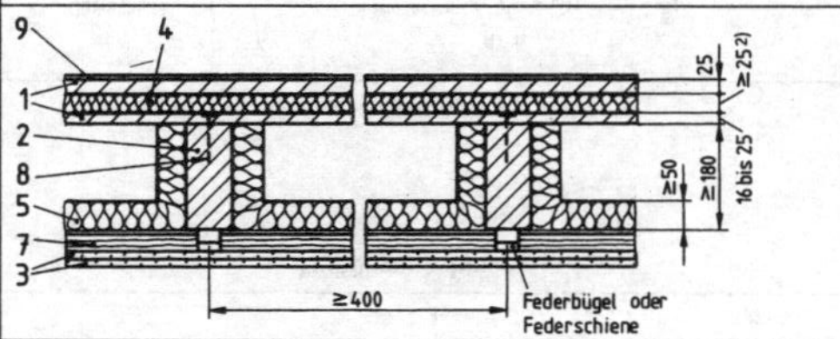	Spanplatten auf mineralischem Faserdämmstoff	über Federbügel oder Federschiene	2	62	57	53 (10)	46 (17)

Fortsetzung siehe nächste Seite.

E

Tabelle 34 (Fortsetzung)

Spalte	1	2	3	4	5	6	7	8
Zeile	Ausführungsbeispiele[1)]	Fußboden auf oberer Balkenabdeckung	Unterdecke		$R_{w,R}$ dB	$R'_{w,R}$ dB	$L'_{n,w,R}$ (TSM_R) dB	
			Anschluss Holzlatten an Balken	Anzahl der Lagen			ohne Bodenbelag	Bodenbelag mit $\Delta L_{w,R}$ (VM_R) $\geq$ 25 dB
4	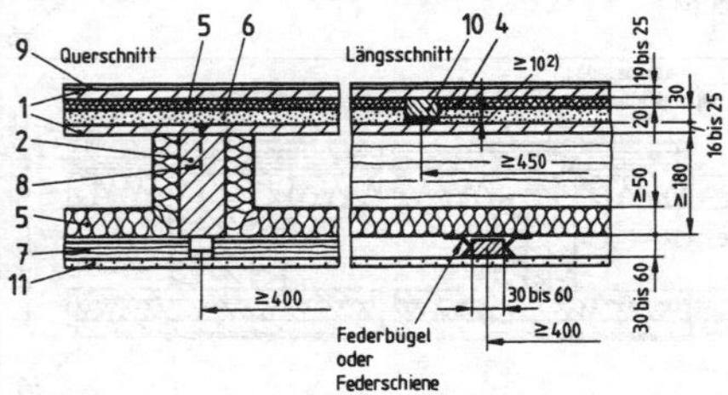	Spanplatten auf Lagerhölzern	über Federbügel oder Federschiene	1	65	57	51 (12)	44 (19)
5	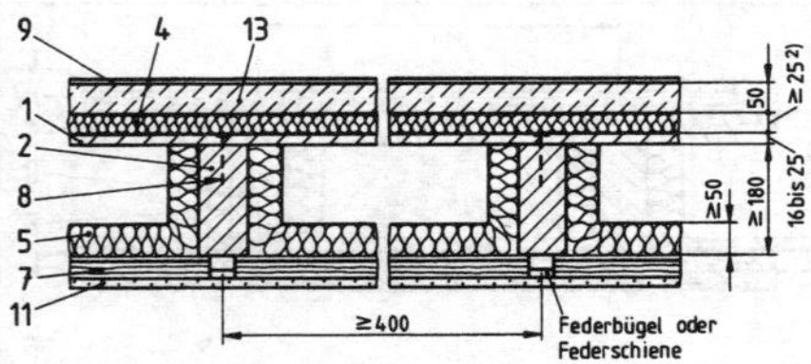	Schwimmender Estrich auf mineralischem Faserdämmstoff	über Federbügel oder Federschiene	1	65	57	51 (12)	44 (19)
6			direkt verbunden	1	60	54	56 (7)	49 (14)

Fortsetzung siehe nächste Seite.

Tabelle 34 (Fortsetzung)

Spalte	1	2	3	4	5	6	7	8
Zeile	Ausführungsbeispiele[1)]	Fußboden auf oberer Balkenabdeckung	Unterdecke		$R_{w,R}$ dB	$R'_{w,R}$ dB	$L'_{n,w,R}$ (TSM_R) dB	
			Anschluss Holzlatten an Balken	Anzahl der Lagen			ohne Bodenbelag	Bodenbelag mit $\Delta L_{w,R}$ (VM_R) $\geq$ 25 dB
7	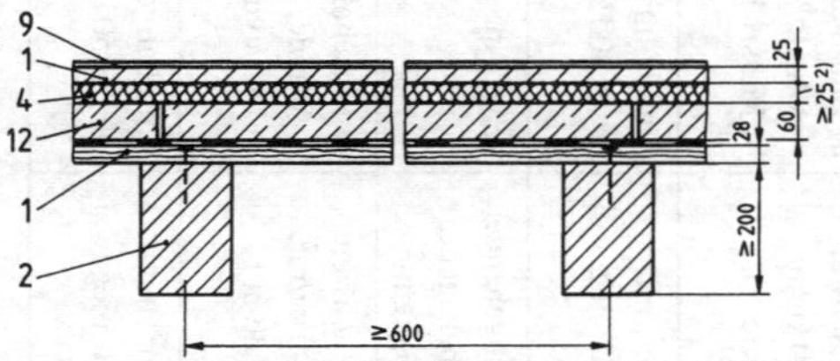	Spanplatten auf mineralischem Faserdämmstoff und Bodenplatte	–	–	63	55	53 (10)	46 (17)

1 Spanplatte nach DIN 68 763, gespundet oder mit Nut und Feder
2 Holzbalken
3 Gipskartonplatten nach DIN 18 180
4 Trittschalldämmplatte nach DIN 18 165 Teil 2, Anwendungstyp T oder TK, dynamische Steifigkeit $s' \leq 15$ MN/m³
5 Faserdämmstoff nach DIN 18 165 Teil 1, längenbezogener Strömungswiderstand $\Xi \geq 5$ kN · s/m⁴
6 Trockener Sand
7 Unterkonstruktion aus Holz, Achsabstand der Latten ≥ 400 mm, Befestigung über Federbügel nach Bild 6 oder Federschiene nach Bild 7, kein fester Kontakt zwischen Latte und Balken. Ein weichfedernder Faserdämmstreifen darf zwischengelegt werden. Andere Unterkonstruktionen dürfen verwendet werden, wenn nachgewiesen ist, dass sie sich hinsichtlich der Schalldämmung gleich oder besser als die hier angegebene Ausführung verhalten.
7a Holzlatten, Achsabstand ≥ 400 mm, direkte Befestigung an den Balken mit mechanischen Verbindungsmitteln
8 Mechanische Verbindungsmittel oder Verleimung
9 Bodenbelag
10 Lagerholz 40 mm × 60 mm
11 Gipskartonplatten nach DIN 18 180, 12,5 mm oder 15 mm dick, Spanplatten nach DIN 68 763, 10 mm bis 13 mm dick, oder verputzte Holzwolle-Leichtbauplatten nach DIN 1101, Dicke ≥ 25 mm
12 Betonplatten oder -steine, Seitenlänge ≤ 400 mm, in Kaltbitumen verlegt, offene Fugen zwischen den Platten, flächenbezogene Masse mindestens 140 kg/m²
13 Zementestrich

1) Bei einer Dicke der eingelegten Dämmschicht, siehe 5, von mindestens 100 mm ist ein seitliches Hochziehen nicht erforderlich.
2) Dicke unter Belastung

Tabelle 35: Ausführungsbeispiele für trennende und flankierende Bauteile bei neben- oder übereinanderliegenden Räumen mit Anforderungen erf. R'_w von 55 dB bis 72 dB

Spalte	1	2	3	4
Zeile	erf. R'_w dB	Lage der Räume	Trennende Bauteile (Wände, Decken)	Flankierende Bauteile beiderseits des trennenden Bauteils[1)]
1	55	neben-einander	Einschalige, biegesteife Wand, $m' \geq 490\,kg/m^2$	a) Einschalige, biegesteife Wände, $m' \geq 300\,kg/m^2$ [2)] b) Massivdecke, $m' \geq 300\,kg/m^3$
2			Zweischalige Wand aus einer schweren, biegesteifen Schale, $m' \geq 350\,kg/m^2$, mit biegeweicher Vorsatzschale auf einer Seite[3)]	
3		über-einander	Massivdecke, $m' \geq 300\,kg/m^2$, mit schwimmendem Estrich[4)]	Einschalige biegesteife Wände $m' \geq 300\,kg/m^2$ [2)]
4	57	neben-einander	Einschalige, biegesteife Wand, $m' \geq 580\,kg/m^2$	a) Einschalige, biegesteife Wände, $m' \geq 250\,kg/m^2$ [2)] b) Massivdecke, $m' \geq 350\,kg/m^2$
5			zweischalige Wand aus einer schweren biegesteifen Schale, $m' \geq 450\,kg/m^2$, mit biegeweicher Vorsatzschale auf einer Seite[3)]	
6		über-einander	Massivdecke, $m' \geq 400\,kg/m^2$, mit schwimmendem Estrich[4)]	Einschalige, biegesteife Wände, $m' \geq 300\,kg/m^2$ [2)]
7	62	neben-einander	Zweischalige Wand mit durchgehender Gebäudetrennfuge[5)], flächenbezogene Masse jeder Schale $m' \geq 160\,kg/m^2$	keine Anforderungen
8			Dreischalige Wand aus einer schweren, biegesteifen Schale $m' \geq 500\,kg/m^2$, mit biegeweicher Vorsatzschale auf beiden Seiten[3)]	a) Einschalige, biegesteife Wände, $m' \geq 400\,kg/m^2$ [2)] b) Massivdecke, $m' \geq 300\,kg/m^2$
9		über-einander	Massivdecke, $m' \geq 500\,kg/m^2$, mit schwimmendem Estrich[4)] und biegeweicher Unterdecke[6)]	Einschalige, biegesteife Wände, $m' \geq 300\,kg/m^2$
10	67	neben-einander	Zweischalige Wand mit durchgehender Gebäudetrennfuge[5)], flächenbezogene Masse jeder Schale $m' \geq 250\,kg/m^2$	keine Anforderungen
11			Dreischalige Wand aus einer schweren, biegesteifen Schale, $m' \geq 700\,kg/m^2$, mit biegeweicher Vorsatzschale auf beiden Seiten[3)]	a) Einschalige, biegesteife Wände, $m' \geq 450\,kg/m^2$ [2)] b) Massivdecke, $m' \geq 450\,kg/m^2$
12		über-einander	Massivdecke, $m' \geq 700\,kg/m^2$, mit schwimmendem Estrich[4)] und biegeweicher Unterdecke[6)]	Einschalige, biegesteife Wände, $m' \geq 450\,kg/m^2$ [2)]

Fortsetzung siehe nächste Seite.

Tabelle 35 (Fortsetzung)

Spalte	1	2	3	4
Zeile	erf. R'_{w} dB	Lage der Räume	Trennende Bauteile (Wände, Decken)	Flankierende Bauteile beiderseits des trennenden Bauteils[1)]
13	72	neben-einander	Zweischalige Wand mit durchgehender Gebäudetrennfuge[5)], flächenbezogene Masse jeder Schale $m' \geq 370\,\text{kg/m}^2$	Keine Anforderungen
14		über-einander	Bei übereinanderliegenden Räumen kann diese Anforderung ohne besondere Schutzmaßnahmen nicht erfüllt werden.	

[1)] Anstelle der angegebenen einschaligen, flankierenden Wände können auch biegesteife Wände mit $m' \geq 100\,\text{kg/m}^2$ und biegeweicher Vorsatzschale nach Tabelle 7, Gruppe B, verwendet werden.
[2)] Wegen einer möglichen Verringerung der Schalldämmung siehe Abschnitt 3.1.
[3)] Nach Tabelle 7
[4)] Nach Tabelle 17
[5)] Nach Bild 1
[6)] Nach Tabelle 11, Zeilen 7 und 8

10 Außenbauteile

10.1 Nachweis ohne bauakustische Messungen[7)]

10.1.1 Außenwände, Decken und Dächer

Für bauakustisch einschalige Außenwände[8)], Decken und Dächer kann das bewertete Schalldämm-Maß $R'_{w,R}$ in Abhängigkeit von der flächenbezogenen Masse aus Abschnitt 2.2 entnommen werden. Bei der Ermittlung der flächenbezogenen Masse eines Daches darf auch das Gewicht der Kiesschüttung berücksichtigt werden.

Bei zweischaligem Mauerwerk mit Luftschicht nach DIN 1053 Teil 1 (z. Z. Entwurf) darf das bewertete Schalldämm-Maß $R'_{w,R}$ aus der Summe der flächenbezogenen Massen der beiden Schalen – wie bei einschaligen, biegesteifen Wänden – nach Abschnitt 2.2 ermittelt werden.

[7)] Hinsichtlich Fluglärm – soweit er im „Gesetz zum Schutz gegen Fluglärm“ geregelt ist – wird auf die entsprechenden Ausführungsbeispiele in der „Verordnung der Bundesregierung über bauliche Schallschutzanforderungen nach dem Gesetz zum Schutz gegen Fluglärm (Schallschutzverordnung – SchallschutzV)“ hingewiesen.

[8)] Außenwände mit innen- oder außenseitigem Wärmeschutz sind zweischalige Wände, deren Schalldämmung schlechter als die von vergleichbaren einschaligen Außenwänden sein kann (siehe Abschnitt 2.2.4).

Tabelle 39 (Auszug): Ausführungsbeispiele für belüftete oder nichtbelüftete, geneigte Dächer in Holzbauart (Rechenwerte) (Maße in mm)

Spalte	1	2	3
Zeile	Dachausbildung	Dachdeckung nach Ziffer	$R'_{w,R}$ dB
1	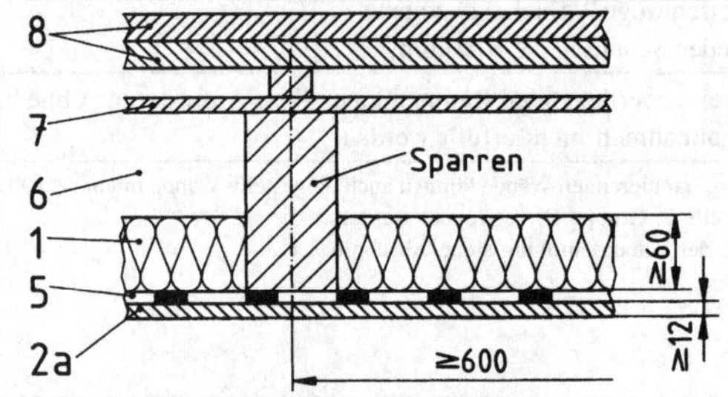	8	35
2	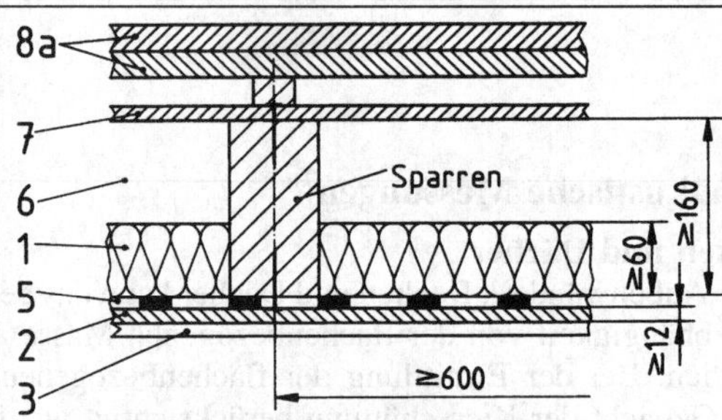	8	40
3		8a	45
4	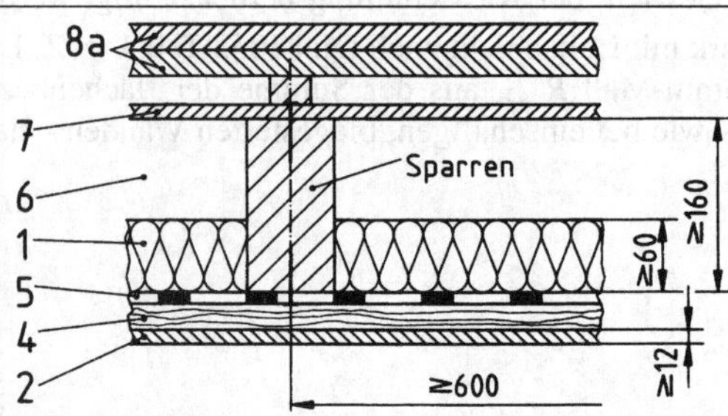	8a	45

Fortsetzung siehe nächste Seite.

Tabelle 39 (Fortsetzung)

Spalte	1	2	3
Zeile	Dachausbildung	Dachdeckung nach Ziffer	$R'_{w,R}$ dB
5	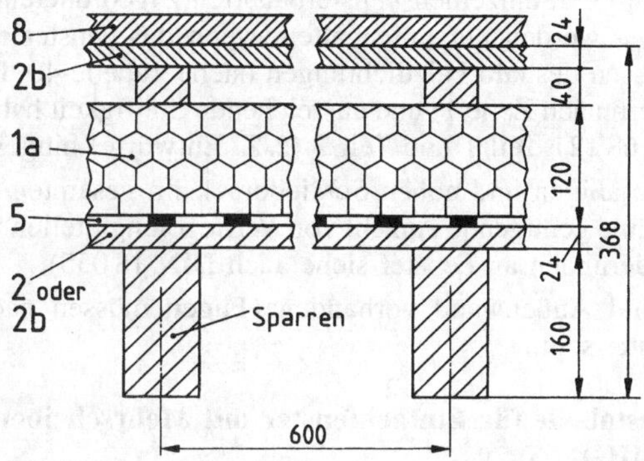	8	37

Erklärungen zu Tabelle 39:

1 Faserdämmstoff nach DIN 18 165 Teil 1, längenbezogener Strömungswiderstand $\Xi \geq 5\,kN \cdot s/m^4$

1a Hartschaumplatten nach DIN 18 164 Teil 1, Anwendungstyp WD oder WS und WD

2 Spanplatten oder Gipskartonplatten

2a Spanplatten oder Gipskartonplatten ohne/mit Zwischenlattung

2b Raumspundschalung mit Nut und Feder, 24 mm

3 Zusätzliche Bekleidung aus Holz, Spanplatten oder Gipskartonplatten mit $m' \geq 6\,kg/m^2$

4 Zwischenlattung

5 Dampfsperre, bei zweilagiger, raumseitiger Bekleidung kann die Dampfsperre auch zwischen den Bekleidungen angeordnet werden

6 Hohlraum belüftet/nicht belüftet

7 Unterspannbahn oder ähnliches, z. B. harte Holzfaserplatten nach DIN 68 754 Teil 1 mit $d \geq 3$ mm

8 Dachdeckung auf Querlattung und erforderlichenfalls Konterlattung

8a Wie 8, jedoch mit Anforderungen an die Dichtheit (z. B. Faserzementplatten auf Rauhspund ≥ 20 mm, Falzdachziegel nach DIN 456 bzw. Betondachsteine nach DIN 1115, nicht verfalzte Dachziegel bzw. Dachsteine in Mörtelbettung)

10.1.2 Fenster und Glassteinwände

Fenster bis 3 m^2 Glasfläche (größte Einzelscheibe) gelten ohne besonderen Nachweis im Sinne der erforderlichen Luftschalldämmung nach DIN 4109/11.89, Tabelle 8, als geeignet, wenn ihre Ausführungen Tabelle 40 entsprechen.

Glasbaustein-Wände nach DIN 4242 mit einer Wanddicke ≥ 80 mm aus Glasbausteinen nach DIN 18 175 gelten ohne besonderen Nachweis als geeignet, die Anforderung erf. $R'_w \leq 35$ dB zu erfüllen.

Bei Fenstern mit Glasflächen > 3 m² (größte Einzelscheibe) dürfen die Tabellen ebenfalls angewendet werden, jedoch ist das bewertete Schalldämm-Maß $R_{w,R}$ nach Tabelle 40 um 2 dB abzumindern.

Tabelle 40 gilt nur für einflügelige Fenster oder mehrflügelige Fenster[9)] mit festem Mittelstück. Die in Tabelle 40 den einzelnen Fensterbauarten zugeordneten bewerteten Schalldämm-Maße $R_{w,R}$ werden nur eingehalten, wenn die Fenster ringsum dicht schließen. Fenster müssen deshalb Falzdichtungen (siehe Tabelle 40, Fußnote 1, mit Ausnahme von Fenstern nach Zeile 1) und ausreichende Steifigkeit haben. Bei Holzfenstern wird auf DIN 68 121 Teil 1 und Teil 2 (z. Z. Entwürfe) hingewiesen.

Um einen möglichst gleichmäßigen und hohen Schließdruck im gesamten Falzbereich sicherzustellen, muss eine genügende Anzahl von Verriegelungsstellen vorhanden sein (wegen der Anforderungen an Fenster siehe auch DIN 18 055).

Zwischen Fensterrahmen und Außenwand vorhandene Fugen müssen nach dem Stand der Technik abgedichtet sein.

Tabelle 40[1)]: Konstruktionstabelle für Einfachfenster mit Mehrscheiben-Isolierglas (MIG)

Spalte	1	2	3	4	5	6	7	8	9	10	11
Zeile	$R_{w,P}$ dB	$R_{w,R}$ dB	C^{a} dB	C_{tr}^{a} dB	Konstruktions- merkmale	Einfachfenster mit MIG[b,c]	Korrekturen				
							K_{RA} dB	K_{s} dB	K_{FV} dB	$K_{F1,5}$ dB	K_{Sp} dB
1	[d]	**25**	[d]	[d]	d_{Ges} in mm Glasaufbau in mm SZR in mm oder $R_{w,P,GLAS}$ in dB Falzdichtungen	≥ 6 – ≥ 8 ≥ 27 –	[d]	[d]	[d]	[d]	[d]
2	[d]	**30**	[d]	[d]	d_{Ges} in mm Glasaufbau in mm SZR in mm oder $R_{w,P,GLAS}$ in dB Falzdichtungen	≥ 6 – ≥ 12 ≥ 30 ①	[d]	[d]	[d]	[d]	[d]
3	33	**31**	– 2	– 5	d_{Ges} in mm Glasaufbau in mm SZR in mm oder $R_{w,P,GLAS}$ in dB Falzdichtungen	≥ 8 ≥ 4 + 4 ≥ 12 ≥ 30 ①	– 2	0	– 1	0	0
[1)] nach DIN 4109 Bbl. 1/A1 : 2003-09											
Fortsetzung siehe nächste Seite.											

[9)] Bis zum Vorliegen abgesicherter Prüfergebnisse ist das bewertete Schalldämm-Maß $R_{W,R}$ nach Tabelle 40 für mehrflügelige Fenster ohne festes Mittelstück um 2 dB abzumindern.

Tabelle 40 (Fortsetzung)

Spalte	1	2	3	4	5	6	7	8	9	10	11
Zeile	$R_{w,P}$ dB	$R_{w,R}$ dB	C[a] dB	C_{tr}[a] dB	Konstruktions- merkmale	Einfachfenster mit MIG[b,c]	Korrekturen				
							K_{RA} dB	K_s dB	K_{FV} dB	$K_{F1,5}$ dB	K_{Sp} dB
4	34	**32**	− 2	− 6	d_{Ges} in mm Glasaufbau in mm SZR in mm oder $R_{w,P,GLAS}$ in dB Falzdichtungen	≥ 8 ≥ 4 + 4 ≥ 16[e] ≥ 30 ①	− 2	0	− 1	0	0
5	35	**33**	− 2	− 4	d_{Ges} in mm Glasaufbau in mm SZR in mm oder $R_{w,P,GLAS}$ in dB Falzdichtungen	≥ 10 ≥ 6 + 4 ≥ 12 ≥ 32 ①	− 2	0	− 1	0	0
6	36	**34**	− 1	− 4	d_{Ges} in mm Glasaufbau in mm SZR in mm oder $R_{w,P,GLAS}$ in dB Falzdichtungen	≥ 10 ≥ 6 + 4 ≥ 16[e] ≥ 33 ①	− 2	0	− 1	0	0
7	37	**35**	− 1	− 4	d_{Ges} in mm Glasaufbau in mm SZR in mm oder $R_{w,P,GLAS}$ in dB Falzdichtungen	≥ 10 ≥ 6 + 4 ≥ 16[e] ≥ 35 ①	− 2	0	− 1	0	0
8	38	**36**	− 2	− 5	d_{Ges} in mm Glasaufbau in mm SZR in mm oder $R_{w,P,GLAS}$ in dB Falzdichtungen	≥ 12 ≥ 8 + 4 ≥ 16[e] ≥ 38 ② (AD/MD+ID)[e]	− 2	0	0	0	0
9	39	**37**	− 2	− 5	d_{Ges} in mm Glasaufbau in mm SZR in mm oder $R_{w,P,GLAS}$ in dB Falzdichtungen	≥ 14 ≥ 10 + 4 ≥ 20 ≥ 39 ② (AD/MD+ID)[f]	− 2	0	0	0	0
10	40	**38**	− 2	− 5	$R_{w,P,GLAS}$ in dB Falzdichtungen	≥ 40 ② (AD/MD+ID)	− 2	0	0	− 1	− 1
11	41	**39**	− 2	− 5	$R_{w,P,GLAS}$ in dB Falzdichtungen	≥ 41 ② (AD/MD+ID)	0	0	0	− 1	− 2
12	42	**40**	− 2	− 5	$R_{w,P,GLAS}$ in dB Falzdichtungen	≥ 44 ② (AD/MD+ID)	0	− 1	0	− 1	− 2
13	43	**41**	− 2	− 4	$R_{w,P,GLAS}$ in dB Falzdichtungen	≥ 46 ② (AD/MD+ID)	0	− 2	0	− 1	− 2

Fortsetzung siehe nächste Seite.

Tabelle 40 (Fortsetzung)

Spalte	1	2	3	4	5	6	7	8	9	10	11
Zeile	$R_{w,P}$ dB	$R_{w,R}$ dB	C^a dB	$C_{tr}{}^a$ dB	Konstruktions-merkmale	Einfachfenster mit MIG[b,c]	Korrekturen				
							K_{RA} dB	K_s dB	K_{FV} dB	$K_{F1,5}$ dB	K_{Sp} dB
14	44	**42**	– 1	– 4	$R_{w,P,GLAS}$ in dB Falzdichtungen	≥ 49 ② (AD/MD+ID)	0	– 2	+ 1	– 1	– 2
15	45	**43**	– 1	– 5	$R_{w,P,GLAS}$ in dB Falzdichtungen	≥ 51 ② (AD/MD+ID)	0	– 1	+ 1	– 1	– 2
16	≥ 46	**≥ 44**	f	f	f	f	f	f	f	f	f

d_{Ges}	Gesamtglasdicke
Glasaufbau	Zusammensetzung der beiden Einzelscheiben
SZR	Scheibenzwischenraum; mit Luft oder Argon gefüllt
Falzdichtung	AD umlaufende Außendichtung, MD umlaufende Mitteldichtung, ID umlaufende Innendichtung im Flügelüberschlag
①	Mindestens eine umlaufende elastische Dichtung, in der Regel als Mitteldichtung angeordnet
②	Zwei umlaufende elastische Dichtungen, in der Regel als Mittel- und Innendichtung oder auch als Außen- und Innendichtung angeordnet
MIG	Mehrscheiben-Isolierglas

[a] Die Spektrums-Anpassungswerte gelten nur für das Bauteil Fenster. Sie können von den glasspezifischen Werten abweichen. Sie haben zurzeit keine baurechtliche Bedeutung, berücksichtigen aber bereits die zukünftige europäische Normung.

[b] Doppelfalze bei Flügeln von Holzfenstern; mindestens zwei wirksame Anschläge bei Flügeln von Metall- und Kunststofffenstern. Erforderliche Falzdichtungen sind umlaufend, ohne Unterbrechung anzubringen und müssen weich federnd, dauerelastisch, witterungsbeständig und leicht auswechselbar sein.
Um einen möglichst gleichmäßigen und hohen Schließdruck im gesamten Falzbereich sicherzustellen, ist eine genügende Anzahl von Verriegelungsstellen vorzusehen (wegen der Anforderungen an Fenster siehe auch DIN 18 055).

[c] Die Schalldämmung der beschriebenen Verglasungen ist nicht identisch mit den alternativ angegebenen Schalldämmungen.

[d] Werte werden aus der alten Tabelle 40, Ausgabe 1989-11, übernommen, da keine neuen Konstruktionen in der Statistik enthalten sind, deshalb liegen C-, C_{tr}- und Korrekturwerte nicht vor.

[e] Holzfenstern genügt eine umlaufende Dichtung.

[f] Nachweis durch Prüfung.

Der aus Tabelle 40 abzulesende Wert für die Schalldämmung $R_{w,R,Fenster}$ für Einfachfenster mit Mehrscheiben-Isolierglas (MIG) kann bestimmt werden:

$$R_{w,R} = R_{w,R} + K_{AH} + K_{RA} + K_S + K_{FV} + K_{F,1.5} + K_{F,3} + K_{Sp} \text{ dB} \quad (1)$$

Dabei ist

K_{AH} die Korrektur für Aluminium-Holzfenster, $K_{AH} = -1$ dB;
Diese Korrektur entfällt, wenn die Aluminiumschale zum Flügel- und Blendrahmen hin abgedichtet wird. Kleine Öffnungen zum Zweck des Druckausgleichs zwischen Aluminiumschale und Holzrahmen sind zulässig.

K_{RA} der Korrekturwert für einen Rahmenanteil < 30 %. Der Rahmenanteil ist die Gesamtfläche des Fensters abzüglich der sichtbaren Scheibengröße. K_{RA} darf bei Festverglasungen nicht berücksichtigt werden.

K_S der Korrekturwert für Stulpfenster (zweiflügelige Fenster ohne festes Mittelstück);

K_{FV} der Korrekturwert für Festverglasungen mit erhöhtem Scheibenanteil;

$K_{F,1.5}$ die Korrektur für Fenster $< 1{,}5\,m^2$; $K_{F,1.5}$

$K_{F,3}$ die Korrektur für Fenster mit Einzelscheibe $\geq 3\,m^2$; $K_{F,3} = -2\,dB$;

K_{Sp} der Korrekturwert für glasteilende Sprossen;

Die Werte gelten für ringsum dichtschließende Fenster. Fenster mit Lüftungseinrichtungen werden nicht erfasst.

Tabelle 40 a: Konstruktionstabelle für Einfachfenster mit Einfachglas, Verbund- und Kastenfenster

Spalte	1	2	3	4	5
Zeile	$R_{w,R}$ dB	Konstruktionsmerkmale	Einfachfenster mit Einfachglas[a]	Verbundfenster	Kastenfenster[a,b]
1	**25**	d_{Ges} in mm oder $R_{w,P,GLAS}$ in dB Falzdichtungen	≥ 4 ≥ 27 ①	≥ 6 – –	– – –
2	**30**	d_{Ges} in mm SZR in mm oder $R_{w,P,GLAS}$ in dB Falzdichtungen	≥ 8 – ≥ 32 ①	≥ 6 ≥ 30 – ①	– – – –
3	**32**	d_{Ges} in mm Glasaufbau in mm SZR in mm Falzdichtungen	[c]	≥ 8 bzw. ≥ 4 + 4/12/4 ≥ 30 ①	– – – ①
4	**35**	d_{Ges} in mm Glasaufbau in mm SZR in mm Falzdichtungen	[c]	≥ 8 bzw. ≥ 6 + 4/12/4 ≥ 40 ①	– – – ①
5	**37**	d_{Ges} in mm Glasaufbau in mm SZR in mm Falzdichtungen	[c]	≥ 10 bzw. ≥ 6 + 4/12/4 ≥ 40 ①	≥ 8 bzw. ≥ 4 + 4/12/4 ≥ 100 ①
6	**40**	d_{Ges} in mm Glasaufbau in mm SZR in mm Falzdichtungen	[c]	≥ 14 bzw. ≥ 8 + 6/12/4 ≥ 50 AD+ID[d]	≥ 8 bzw. ≥ 6 + 4/12/4 ≥ 100 AD+ID
7	**42**	d_{Ges} in mm Glasaufbau in mm SZR in mm Falzdichtungen	[c]	≥ 16 bzw. ≥ 8 + 8/12/4 ≥ 50 AD+ID[d]	≥ 10 bzw. ≥ 8 + 4/12/4 ≥ 100 AD+ID

Fortsetzung siehe nächste Seite.

E

Tabelle 40 a (Fortsetzung)

Spalte	1	2	3	4	5
Zeile	$R_{w,R}$ dB	Konstruktionsmerkmale	Einfachfenster mit Einfachglas[a]	Verbundfenster	Kastenfenster[a,b]
8	**45**	d_{Ges} in mm Glasaufbau in mm SZR in mm Falzdichtungen	[c]	≥ 18 bzw. ≥ 8 + 8/12/4 ≥ 60 AD+ID[d]	≥ 12 bzw. ≥ 8 + 6/12/4 ≥ 100 AD+ID
9	**45**		[c]	[c]	[c]

d_{Ges}	Gesamtglasdicke, bei Verbund- und Kastenfenstern alternativ zum Glasaufbau für Konstruktionen mit Einfachgläsern
Glasaufbau	Zusammensetzung der Einzelscheiben
SZR	Scheibenzwischenraum
$R_{w,P,GLAS}$	Prüfwert der Scheibe im Normformat (1,23 m × 1,48 m) im Labor
Falzdichtung	AD Dichtung im äußeren Flügel, umlaufend ID Dichtung im inneren Flügel, umlaufend
①	Mindestens eine umlaufende elastische Dichtung, in der Regel als Mitteldichtung

[a] Doppelfalze bei Flügeln von Holzfenstern; mindestens zwei wirksame Anschläge bei Flügeln von Metall- und Kunststofffenstern. Erforderliche Falzdichtungen sind umlaufend, ohne Unterbrechung anzubringen und müssen weich federnd, dauerelastisch, alterungsbeständig und leicht auswechselbar sein.
Um einen möglichst gleichmäßigen und hohen Schließdruck im gesamten Falzbereich sicherzustellen, ist eine genügende Anzahl von Verriegelungsstellen vorzusehen (wegen der Anforderungen an Fenster siehe auch DIN 18 055).

[b] Eine schallabsorbierende Leibung ist sinnvoll, da sie die durch Alterung der Falzdichtung entstehenden Fugenundichtigkeiten teilweise ausgleichen kann.

[c] Nachweis durch Prüfung.

[d] Werte gelten nur, wenn keine zusätzlichen Maßnahmen zur Belüftung des Scheibenzwischenraumes getroffen sind oder wenn eine ausreichende Luftumlenkung im äußeren Dichtungssystem vorgenommen wurde (Labyrinthdichtung).

E.4 Bauwerksabdichtungen

Bauwerksabdichtungen – Teil 1: Grundsätze, Definitionen, Zuordnung der Abdichtungsarten

Auszug aus **DIN 18195-1** (08.2000)

Inhalt

1 Anwendungsbereich

1.1 Diese Norm gilt für die Abdichtung von nicht wasserdichten Bauwerken oder Bauteilen gegen
- Bodenfeuchte nach DIN 18 195-4,
- nichtdrückendes Wasser nach DIN 18 195-5,
- von außen drückendes Wasser nach DIN 18 195-6 und
- von innen drückendes Wasser nach DIN 18 195-7

mit Bitumenbahnen und -massen, Kunststoff- und Elastomer-Dichtungsbahnen, Metallbändern, Asphaltmastix, kunststoffmodifizierte Bitumendickbeschichtungen und den für ihren Einbau erforderlichen Werkstoffen nach DIN 18 195-2.

Sie gilt ferner für Abdichtungen unter intensiv begrünten Dachflächen, für das Herstellen der Abdichtungen über Bewegungsfugen nach DIN 18 195-8, für Durchdringungen, Übergänge und Abschlüsse nach DIN 18 195-9 sowie für Schutzschichten und Schutzmaßnahmen nach DIN 18 195-10.

1.2 Diese Norm gilt nicht für
- die Abdichtung von nicht genutzten und von extensiv begrünten Dachflächen (siehe DIN 18 531),
- die Abdichtung von Fahrbahnen, die zu öffentlichen Straßen oder zu Schienenwegen gehören, z. B. Fahrbahntafeln,
- die Abdichtung von Deponien, Erdbauwerken und bergmännisch erstellten Tunnel.

E

– nachträgliche Abdichtungen in der Bauwerkserhaltung oder in der Baudenkmalpflege, es sei denn, es können hierfür Verfahren angewendet werden, die in dieser Norm beschrieben werden.
– Bauteile, die so wasserundurchlässig sind, dass die Dauerhaftigkeit des Bauteils und die Nutzbarkeit des Bauwerks ohne weitere Abdichtung im Sinne dieser Norm gegeben sind. In diesem Sinne gilt sie auch nicht für Konstruktionen aus wasserundurchlässigem Beton.

Tabelle 1: Zuordnung der Abdichtungsarten nach dieser Norm zu Wasserbeanspruchung und Bodenart

Nr.	1	2	3	4	5	6
1	Bauteilart	Wasserart	Einbausituation		Art der Wasser-einwirkung	Art der erforderlichen Abdichtung nach
2	Erdberührte Wände und Bodenplatten oberhalb des Bemessungswasserstandes	Kapillarwasser Haftwasser Sickerwasser	stark durchlässiger Boden[8)] $> 10^{-4}$ m/s		Bodenfeuchte und nichtstauendes Sickerwasser	DIN 18 195-4
3			wenig durchlässiger Boden[8)] $\leq 10^{-4}$ m/s	mit Dränung[1)]		
4				ohne Dränung[2)]	aufstauendes Sickerwasser	Abschnitt 9 von DIN 18 196-6 : 2000-08
5	Waagerechte und geneigte Flächen im Freien und im Erdreich; Wand- und Bodenflächen in Nassräumen[3)]	Niederschlagswasser Sickerwasser Anstaubewässerung[4)] Brauchwasser	Balkone u. ä. Bauteile im Wohnungsbau Nassräume[3)] im Wohnungsbau[6)]		nichtdrückendes Wasser, mäßige Beanspruchung	8.2 von DIN 18 195-5 : 2000-08
6			genutzte Dachflächen[5)] intensiv begrünte Dächer[4)] Nassräume (ausgenommen Wohnungsbau)[6)] Schwimmbäder[7)]		nichtdrückendes Wasser, hohe Beanspruchung	8.3 von DIN 18 195-5 : 2000-08
7			nicht genutzte Dachflächen, frei bewittert, ohne feste Nutzschicht, einschließlich Extensivbegrünung		nichtdrückendes Wasser	DIN 18 531
8	Erdberührte Wände, Boden- und Deckenplatten unterhalb des Bemessungswasserstandes	Grundwasser Hochwasser	Jede Bodenart, Gebäudeart und Bauweise		drückendes Wasser von außen	Abschnitt 8 von DIN 18 195-6 : 2000-08

Fortsetzung siehe nächste Seite.

Tabelle 1 (Fortsetzung)						
Nr.	1	2	3	4	5	6
1	Bauteilart	Wasserart	Einbausituation		Art der Wasser-einwirkung	Art der erforderlichen Abdichtung nach
9	Wasserbehälter, Becken	Brauchwasser	Im Freien und in Gebäuden		drückendes Wasser von innen	DIN 18 195-7

1) Dränung nach DIN 4095
2) Bis zu Gründungstiefen von 3 m unter Geländeoberkante, sonst Zeile 8
3) Definition Nassraum siehe 3.31
4) Bis etwa 10 cm Anstauhöhe bei Intensivbegrünungen
5) Beschreibung siehe 7.3 von DIN 18 195-5
6) Beschreibung siehe 7.2 von DIN 18 195-5
7) Umgänge, Duschräume
8) Siehe DIN 18 130-1

4 Abdichtungsstoffe

Die Anforderungen für die Abdichtungsstoffe werden in den Tabellen 1 bis 10 festgelegt.

Tabelle 1: Bitumen-Voranstrichmittel

Nr.	1	2	3	4	5	6	7
1		Auslaufzeit Flüssigkeitsgrad) s	Flammpunkt °C	Staubtrockenzeit[1] h	Massenanteil an Festkörper %	Erweichungspunkt des Festkörpers °C	Massenanteil an Asche[2] %
2	Bitumenlösung	≥ 15	> 21	≤ 3	30 bis 50	> 50	≤ 5
3	Bitumenemulsion	≥ 15	–	≤ 5	≥ 30	≥ 45	≤ 5
4	Prüfung nach	DIN EN ISO 2431[3]	DIN 53 213-1	DIN 53 150	DIN 53 215[4]	DIN EN 1427[5]	DIN 52 005

1) Trockengrad 1 auf Glas mit 250 g/m².
2) Bezogen auf den Festkörper.
3) Mit der 4-mm-Düse.
4) Bei Bitumenemulsionen nach DIN 52 041.
5) Geprüft wird der nach DIN 53 215 ermittelte Festkörper.

E

Tabelle 2: Klebemassen und Deckaufstrichmittel, heiß zu verarbeiten

Nr.	1		2	3	4
1			Massenanteil an löslichem Bindemittel[3)] %	Erweichungspunkt des Bindemittels[1)3)] °C	Erweichungspunkt des Festkörpers[3)] °C
2	Straßenbaubitumen nach DIN 1995-1	ungefüllt	≥ 99	54 bis 75	
3		gefüllt[2)]	≥ 50	54 bis 75	≥ 60
4	Oxidbitumen	ungefüllt	≥ 99	80 bis 125	
5		gefüllt[2)]	≥ 50	80 bis 125	≥ 90
6	Prüfung nach		DIN 1996-6	DIN EN 1427	DIN EN 1427

1) Bei gefüllten Massen am extrahierten Bindemittel gemessen.
2) Mineralische Füllstoffe aus nicht quellfähigen Gesteinsmehlen und/oder mineralischen Faserstoffen mit einem Massenanteil von mindestens 30 %.
3) Die Einhaltung der Werte ist mittels werkseigener Produktionskontrolle mindestens viermal jährlich nachzuweisen.

Tabelle 3: Asphaltmastix und Gussasphalt

Nr.	1	2	3	4	5	6
1		Massenanteil an löslichem Bindemittel %	Massenanteil an Füller	Massenanteil an Sand[3)]	Erweichungspunkt des Bindemittels[4)] °C	Erweichungspunkt des Festkörpers °C
			bezogen auf 100 % Mineralstoffe			
			%	%		
2	Asphaltmastix[1)5)]	13 bis 16	≥ 25	≤ 75	45 bis 75	85 bis 120
3	Gussasphalt[2)5)]	6,5 bis 9,0	≥ 20	≤ 45		
4	Prüfung nach	DIN 1996-6	DIN 1996-14	DIN 1996-14	DIN EN 1427	DIN 1996-15

1) Bitumensorte nach DIN 1995-1 Straßenbaubitumen oder polymermodifizierte Bitumen nach TL-PmB
2) Bitumensorte nach DIN 1995-1 oder polymermodifiziertes Bitumen nach TL-PmB oder Hartbitumen nach Analysetabellen der Hersteller; ein Zusatz von Naturasphalt ist zulässig.
3) Kornabgestuft. Korngröße 0,09 mm bis 2,0 mm
4) Am extrahierten Bindemittel
5) Die werkseigene Produktionskontrolle nach E DIN EN 13 108-10

Tabelle 4: Bitumen- und Polymerbitumenbahnen

Nr.	1	2
1	Bahnen	nach
2	Nackte Bitumenbahnen R 500 N[1)]	DIN 52 129
3	Bitumendachbahn mit Rohfilzeinlage R 500[1)]	DIN 52 128
4	Glasvlies-Bitumendachbahnen V 13[1)]	DIN 52 143
5	Dichtungsbahnen Cu 0,1 D[1)]	DIN 18 190-4

Fortsetzung siehe nächste Seite.

Tabelle 4 (Fortsetzung)

Nr.	1	2
1	Bahnen	nach
6	Bitumen-Dachdichtungsbahnen[1)]	DIN 52 130
7	Bitumen-Schweißbahnen[1)]	DIN 52 131
8	Polymerbitumen-Dachdichtungsbahnen, Bahnentyp PYE[1)]	DIN 52 132
9	Polymerbitumen-Schweißbahnen, Bahnentyp PYE[1)]	DIN 52 133
10	Bitumen-Schweißbahnen mit 0,1 mm dicker Kupferbandeinlage[1)]	nach DIN 52131, abweichend jedoch mit Kupferbandeinlage[2)]
11	Polymerbitumen-Schweißbahnen mit hochliegender Trägereinlage aus Polyestervlies	nach TL-BEL-B Teil 1 zur ZTV-BEL-B 1[3)]
12	Edelstahlkaschierte Bitumen-Schweißbahnen	nach T-BEL-B Teil 1 zur ZTV-BEL-B 1[3)]

1) Die Einhaltung der Produkteigenschaften ist durch eine werkseigene Produktionskontrolle nach DIN V 52 144 nachzuweisen.

2) Die Einhaltung der festgelegten Eigenschaften, die Werkstoffart und Dicke der Kupferbandeinlage und das Zug-Dehnverhalten der Bahnen sind durch eine Erstprüfung einer bauaufsichtlich anerkannten Prüfstelle nachzuweisen.

3) Die Einhaltung der festgelegten Eigenschaften ist durch eine Erstprüfung einer bauaufsichtlich anerkannten Prüfstelle nachzuweisen.

Tabelle 5: Kunststoff- und Elastomer-Dichtungsbahnen

Nr	1	2
	Bahnen[1)]	nach
1	Ethylencopolymerisat-Bitumen (ECB)-Bahnen[3)]	DIN 16 729
2	Polyisobutylen (PIB)-Bahnen[3)]	DIN 16 935
3	Polyvinylchlorid weich (PVC-P)-Bahnen, mit Glasvlieseinlage, nicht bitumenverträglich[3)]	DIN 16 735[2)]
4	Polyvinylchlorid weich (PVC-P)-Bahnen, bitumenverträglich[3)]	DIN 16 937
5	Polyvinylchlorid weich (PVC-P)-Bahnen, nicht bitumenverträglich[3)]	DIN 16 938
6	Polyvinylchlorid weich (PVC-P)-Bahnen, mit Verstärkung aus synthetischen Fasern, nicht bitumenverträglich[3)]	DIN 16 734[2)]
7	Ethylen-Vinyl-Acetat-Terpolymer (EVA)-Bahnen, bitumenverträglich	nach Tabelle 7
8	Elastomer (EPDM)-Bahnen[3)]	DIN 7864-1, abweichend jedoch mit werkseitiger Beschichtung zur Nahtfügetechnik

Fortsetzung siehe nächste Seite.

E

Tabelle 5 (Fortsetzung)		
Nr	1	2
	Bahnen[1)]	nach
9	Elastomer-Dichtungsbahnen mit Selbstklebe-schicht[3)]	DIN 7864-1, abweichend jedoch mit werkseitiger Beschichtung zur Nahtfügetechnik und mit Selbstklebeschicht; zusätzliche Anforderungen nach Tabelle 6

[1)] Die Bahnen können zusätzlich mit unterseitiger Vlieskaschierung ausgestattet sein.
[2)] Prüfnachweis nach DIN 16726 – Kenndaten nach der Tabelle der jeweiligen Stoffnorm. Prüfung des Verhaltens bei Wasserdruckbeanspruchung immer bei 4 bar/72 h.
[3)] Die Einhaltung der Produkteigenschaften ist durch eine werkseigene Produktionskontrolle nachzuweisen. Sie hat nach den in der jeweiligen Stoffnorm angegebenen Eigenüberwachungen zu erfolgen.

Bauwerksabdichtungen – Teil 4: Abdichtungen gegen Bodenfeuchte und nichtstauendes Sickerwasser

Auszug aus **DIN 18195-4** (08.2000)

Inhalt

1 Anwendungsbereich

1.1 Diese Norm gilt für die Abdichtung von Bauwerken und Bauteilen mit Bitumenwerkstoffen und Kunststoff-Dichtungsbahnen gegen im Boden vorhandenes, kapillargebundenes und durch Kapillarkräfte auch entgegen der Schwerkraft fortleitbares Wasser (Saugwasser, Haftwasser, Kapillarwasser).

Sie gilt ferner für das Abdichten gegen das von Niederschlägen herrührende und nichtstauende Sickerwasser bei senkrechten und unterschnittenen Wandbauteilen. Mit dieser Feuchtigkeitsbeanspruchung darf nur gerechnet werden, wenn das Baugelände bis zu einer ausreichenden Tiefe unter der Fundamentsohle und auch das Verfüllmaterial der Arbeitsräume aus stark durchlässigen Böden, z. B. Sand oder Kies (Wasserdurchlässigkeitsbeiwert $k > 10^{-4}$ m/s nach DIN 18 130-1), bestehen oder wenn bei wenig durchlässigen Böden eine Dränung nach DIN 4095 vorhanden ist, deren Funktionsfähigkeit auf Dauer gegeben ist.

1.2 Diese Norm gilt nicht für

- die Abdichtung von nicht genutzten und von extensiv begrünten Dachflächen (siehe DIN 18 531),
- die Abdichtung von Fahrbahnen, die zu öffentlichen Straßen oder zu Schienenwegen gehören, z. B. Fahrbahntafeln,
- die Abdichtung von Deponien, Erdbauwerken und bergmännisch erstellten Tunnel,
- nachträgliche Abdichtungen in der Bauwerkserhaltung oder in der Baudenkmalpflege, es sei denn, es können hierfür Verfahren angewendet werden, die in dieser Norm beschrieben werden,
- Bauteile, die so wasserundurchlässig sind, dass die Dauerhaftigkeit des Bauteils und die Nutzbarkeit des Bauwerks ohne weitere Abdichtung im Sinne dieser Norm gegeben sind. In diesem Sinne gilt sie auch nicht für Konstruktionen aus wasserundurchlässigem Beton.

E

5 Anforderungen

Abdichtungen nach dieser Norm müssen Bauwerke und Bauteile gegen von außen einwirkende Bodenfeuchte und erdberührte Wandbauteile nach 1.1 auch gegen nichtstauendes Sickerwasser schützen. Sie müssen gegen natürliche oder durch Lösungen aus Beton oder Mörtel verändertes Wasser unempfindlich sein.

6 Anordnung

6.1 Wände

6.1.1 Alle vom Boden berührten Außenflächen der Umfassungswände sind gegen seitliche Feuchtigkeit nach 7.3 abzudichten. Diese Abdichtung muss planmäßig im Regelfall bis 300 mm über Gelände hochgeführt werden, um ausreichende Anpassungsmöglichkeiten der Geländeoberfläche sicherzustellen. Im Endzustand darf dieser Wert das Maß von 150 mm nicht unterschreiten.

Ist dies im Einzelfall nicht möglich (Terrassentüren, Hauseingänge), sind dort besondere Maßnahmen gegen das Eindringen von Wasser oder das Hinterlaufen der Abdichtung einzuplanen (z. B. durch ausreichend große Vordächer, Rinnen mit Abdeckungen oder Gitterrost).

Oberhalb des Geländes darf die Abdichtung entfallen, wenn dort ausreichend wasserabweisende Bauteile verwendet werden; andernfalls ist sie hinter der Sockelbekleidung hochzuziehen.

6.1.2 Außen- und Innenwände von Gebäuden sind durch mindestens eine waagerechte Abdichtung (Querschnittsabdichtung) nach 7.2 gegen aufsteigende Feuchtigkeit zu schützen.

6.1.3 Die Abdichtung nach 6.1.1 muss unten bis zum Fundamentabsatz reichen und so an die waagerechte Abdichtung nach 6.1.2 herangeführt oder mit ihr verklebt werden, dass keine Feuchtigkeitsbrücken, insbesondere im Bereich von Putzflächen entstehen können (Putzbrücken).

6.1.4 Bei unverputzt bleibendem, zweischaligem Mauerwerk am Gebäudesockel (Verblendmauerwerk) kann die Abdichtung nach 6.1.1 hinter der Verblendung auf der Außenseite der Innenschale hochgeführt werden. Der Schalenzwischenraum sollte am Fußpunkt der Verblendschale oberhalb der Geländeoberfläche entwässert werden. Erfolgt die Entwässerung unterhalb der Geländeoberfläche, ist in eine Sickerschicht oder Dränung zu entwässern.

6.1.5 Bei Wänden aus Beton ist die Anordnung von waagerechten Abdichtungen in den Wänden im Regelfall nicht möglich. Zum Schutz gegen das Aufsteigen von Feuchtigkeit sind im Einzelfall besondere Maßnahmen erforderlich, die vom Planer vor Beginn der Arbeiten festzulegen sind.

6.2 Bodenplatten

6.2.1 Die Bodenplatte ist grundsätzlich gegen aufsteigende Feuchtigkeit nach 7.4 abzudichten. Dabei muss die Abdichtung des Fußbodens an die waagerechte Abdichtung der Wände so herangeführt oder mit ihr verklebt werden, dass keine Feuchtigkeitsbrücken insbesondere im Bereich von Putzflächen entstehen können (Putzbrücken).

6.2.2 Bei Raumnutzungen mit geringen Anforderungen an die Trockenheit der Raumluft kann die Abdichtung nach 7.4 entfallen, wenn durch eine kapillarbrechende Schüttung ($k > 10^{-4}$ m/s) mit einer Dicke von mindestens 150 mm unter der Bodenplatte der Wassertransport durch die Bodenplatte hinreichend vermindert wird.

Hierunter fallen beispielsweise nicht Räume zum ständigen Aufenthalt von Personen.

7 Ausführung

7.1 Allgemeines

7.1.1 Bei der Ausführung von Abdichtungen gegen Bodenfeuchte gelten

- DIN 18 195-3 für die Anforderungen an den Untergrund und das Verarbeiten der Stoffe,
- DIN 18 195-8 für das Herstellen der Abdichtungen über Bewegungsfugen,
- DIN 18 195-9 für das Herstellen von Durchdringungen, Übergängen und Abschlüssen,
- DIN 18 195-10 für Schutzschichten und Schutzmaßnahmen.

7.1.2 Abdichtungen dürfen nur bei Witterungsverhältnissen hergestellt werden, die sich nicht nachteilig auf sie auswirken, es sei denn, dass schädliche Wirkungen durch besondere Vorkehrungen mit Sicherheit verhindert werden.

7.1.3 Werden Bahnen mit Bitumen verklebt, sind die Mindestmengen für Klebeschichten und gegebenenfalls Deckaufstriche nach Tabelle 1 von DIN 18 195-5 : 2000-08, einzuhalten.

7.2 Waagerechte Abdichtungen in oder unter Wänden

Für die waagerechte Abdichtung in oder unter Wänden sind

- Bitumen-Dachbahnen mit Rohfilzeinlage nach DIN 52 128,
- Bitumen-Dachdichtungsbahnen nach DIN 52 130,
- Kunststoff-Dichtungsbahnen nach Tabelle 5 von DIN 18 195-2 : 2000-08

zu verwenden.

Nicht bitumenverträgliche Kunststoff-Dichtungsbahnen nach DIN 16 938, DIN 16 734 und DIN 16 735 dürfen nur verwendet werden, wenn sie nicht mit Bitumenwerkstoffen in Berührung kommen.

Die Abdichtungen müssen aus mindestens einer Lage bestehen. Die Auflagerflächen für die Bahnen sind mit dem jeweils verwendeten Mauermörtel nach DIN 1053-1 so dick abzugleichen, dass waagerechte Oberflächen ohne für die Bahnen schädliche Unebenheiten entstehen.

Die Bahnen dürfen nicht aufgeklebt werden und müssen eine durchgehende Abdichtungslage bilden. Sie müssen sich um mindestens 200 mm überdecken. Die Überdeckungen dürfen verklebt werden. Wenn es aus konstruktiven Gründen notwendig ist, können die Abdichtungen in den Wänden z. B. stufenförmig ausgebildet werden, damit horizontale Kräfte übertragen werden können.

Bei zweischaligem Mauerwerk und Entwässerung unterhalb der Geländeoberfläche nach 6.1.4 müssen die Stöße verklebt werden.

7.3 Abdichtungen von Außenwandflächen

7.3.1 Allgemeines

Für die Herstellung der Abdichtung von Außenwandflächen dürfen alle in DIN 18 195-2 : 2000-08 genannten Abdichtungsstoffe mit Ausnahme der in Tabelle 3 und in Tabelle 4, Zeilen 2 und 3 genannten Stoffe verwendet werden. Sie sind unter

E

Berücksichtigung der baulichen und abdichtungstechnischen Erfordernisse auszuwählen.

Die Abdichtung muss in ihrer gesamten Länge an die waagerechte Abdichtung nach 7.2 herangeführt oder mit ihr verklebt werden, so dass keine Feuchtigkeitsbrücken, insbesondere im Bereich von Putzflächen entstehen können (Putzbrücken). Vor den abgedichteten Wandflächen sind Schutzschichten vorzusehen. Beim Hinterfüllen ist darauf zu achten, dass die Abdichtung nicht beschädigt wird. Bauschutt, Splitt oder Geröll dürfen daher nicht unmittelbar an die abgedichteten Wandflächen angeschüttet werden.

7.3.2 Abdichtungen mit Deckaufstrichmitteln

Diese Abdichtungen sollten für unterkellerte Gebäude nicht verwendet werden.

Die Aufstriche sind aus einem kaltflüssigen Voranstrich nach Tabelle 1 von DIN 18 195-2 : 2000-08, und mindestens zwei heißflüssig aufzubringenden Deckaufstrichen nach Tabelle 2 von DIN 18 195-2 : 2000-08, herzustellen. Der Voranstrich muss getrocknet sein, bevor die Deckaufstriche aufgebracht werden. Der zweite Deckaufstrich ist unmittelbar nach Erkalten des ersten herzustellen. Die Aufstriche müssen eine zusammenhängende und deckende Schicht ergeben, die auf dem Untergrund fest haftet. Die Endschichtdicke muss im Mittel 2,5 mm und darf an keiner Stelle weniger als 1,5 mm dick sein.

7.3.3 Abdichtung mit kunststoffmodifizierten Bitumendickbeschichtungen (KMB)

Die kunststoffmodifizierte Bitumendickbeschichtung nach Tabelle 9 von DIN 18 195-2 : 2000-08, ist in zwei Arbeitsgängen aufzubringen. Die Aufträge können frisch in frisch erfolgen. Die kunststoffmodifizierte Bitumendickbeschichtung muss eine zusammenhängende Schicht ergeben, die auf dem Untergrund haftet. Die Trockenschichtdicke muss mindestens 3 mm betragen.

Das Aufbringen der Schutzschicht darf erst nach ausreichender Trocknung der Abdichtung erfolgen.

7.3.4 Abdichtung mit Bitumenbahnen

Für die Abdichtung von Wandflächen dürfen Bitumenbahnen nach Tabelle 4, Zeilen 4 bis 10 von DIN 18 1952 : 2000-08 verwendet werden.

Die Wandflächen sind mit einem kaltflüssigen Voranstrich nach Tabelle 1 von DIN 18 195-2 : 2000-08, zu versehen. Die Bitumenbahnen sind mindestens einlagig mit Klebemasse aufzukleben. Bitumen-Schweißbahnen und Polymerbitumen-Schweißbahnen sollten im Schweißverfahren aufgebracht werden.

7.3.5 Abdichtungen mit kaltselbstklebenden Bitumen-Dichtungsbahnen (KSK)

Der Untergrund ist mit einem kaltflüssigen Voranstrich nach Tabelle 1 von DIN 18 195-2 : 2000-08, zu versehen. Die Abdichtung ist aus mindestens einer Lage kaltselbstklebender Bitumen-Dichtungsbahnen nach Tabelle 10 von DIN 18 195-2 : 2000-08, herzustellen und vollflächig aufzukleben.

7.3.6 Abdichtungen mit Kunststoff- und Elastomer-Dichtungsbahnen

Für Abdichtungen mit Kunststoff- und Elastomer-Dichtungsbahnen dürfen alle in Tabelle 5 und Tabelle 7 von DIN 18 195-2 : 2000-08 genannten Stoffe verwendet werden. Hierbei sind die Wandflächen, falls bitumenverträgliche Bahnen aufgeklebt werden, mit einem kaltflüssigen Voranstrich zu versehen. Die Abdichtung ist aus mindestens einer Lage herzustellen.

Bei der Abdichtung mit PIB-Bahnen sind die Wandflächen grundsätzlich mit einem Aufstrich aus Bitumenklebemasse nach DIN 18 195-2 : 2000-08, Tabelle 2, zu versehen und die Bahnen im Flämmverfahren aufzukleben.

Bitumenverträgliche Kunststoff-Dichtungsbahnen dürfen sowohl mit Bitumenklebemasse als auch im Flämmverfahren oder lose mit mechanischer Befestigung eingebaut werden.

Nichtbitumenverträgliche Kunststoff-Dichtungsbahnen sind mit mechanischer Befestigung lose einzubauen; sie dürfen nicht mit Bitumen in Berührung kommen. Die Art der mechanischen Befestigung richtet sich nach den baulichen Gegebenheiten.

Abdichtungen aus Elastomer-Bahnen dürfen sowohl mit Klebemasse aufgeklebt als auch in loser Verlegung mit mechanischer Befestigung eingebaut werden.

7.3.7 Abdichtungen mit Elastomer-Dichtungsbahnen mit Selbstklebeschicht

Die Wandflächen sind mit einem kaltflüssigen Voranstrich zu versehen. Die Abdichtung ist aus einer Lage Elastomer-Dichtungsbahnen mit Selbstklebeschicht nach Tabelle 6 von DIN 18 195-2 : 2000-08, herzustellen und auf den Untergrund aufzukleben. Die Überlappungen sind je nach Werkstoff mit Quellschweißmittel oder Warmgas zu verschweißen.

7.4 Abdichtungen der Bodenplatte

7.4.1 Allgemeines

Für die Herstellung der Abdichtung von Bodenplatten dürfen Bitumenbahnen, kaltselbstklebende Bitumen-Dichtungsbahnen, Kunststoff- und Elastomer-Dichtungsbahnen, kunststoffmodifizierte Bitumendickbeschichtungen oder Asphaltmastix verwendet werden. Als Untergrund für die Abdichtungen ist eine Betonschicht oder ein gleichwertiger standfester Untergrund erforderlich. Kanten und Kehlen sind, falls erforderlich, zu fasen bzw. zu runden. Die fertiggestellten Abdichtungen sind vor mechanischen Beschädigungen zu schützen, z. B. durch Schutzschichten nach DIN 18 195-10.

7.4.2 Abdichtung mit kunststoffmodifizierten Bitumendickbeschichtungen (KMB)

Die kunststoffmodifizierte Bitumendickbeschichtung ist nach Tabelle 9 von DIN 18 195-2 : 2000-08, in zwei Arbeitsgängen aufzubringen. Die Aufträge können frisch in frisch erfolgen. Die kunststoffmodifizierte Bitumendickbeschichtung muss eine zusammenhängende Schicht ergeben, die auf dem Untergrund haftet. Die Mindesttrockenschichtdicke muss 3 mm betragen. Das Aufbringen der Schutzschicht darf erst nach ausreichender Trocknung der Abdichtung erfolgen.

7.4.3 Abdichtungen mit Bitumenbahnen

Zur Abdichtung mit Bitumenbahnen dürfen alle in Tabelle 4 von DIN 18 195-2 : 2000-08, genannten Bitumenbahnen verwendet werden. Die Abdichtungen sind aus mindestens einer Lage herzustellen. Die Bitumenbahnen sind lose oder punktweise oder vollflächig verklebt auf den Untergrund aufzubringen. Werden jedoch nackte Bitumenbahnen nach DIN 52 129 oder Bitumenbahnen R 500 nach DIN 52 128 verwendet, müssen diese auf ihrer Unterseite eine voll deckende, heiß aufzubringende Bitumenklebemasseschicht erhalten und mit einem gleichartigen Bitumendeckaufstrich versehen werden. Die Überdeckungen müssen vollflächig verklebt bzw. bei Schweißbahnen verschweißt werden.

7.4.4 Abdichtungen mit kaltselbstklebenden Bitumen-Dichtungsbahnen (KSK)

Der Untergrund ist mit einem kaltflüssigen Voranstrich zu versehen. Die Abdichtung ist aus mindestens einer Lage herzustellen. Die Bitumen-KSK-Bahnen sind punktweise oder vollflächig verklebt aufzubringen. Die Überdeckungen müssen vollflächig verklebt werden.

7.4.5 Abdichtungen mit Kunststoff- und Elastomer-Dichtungsbahnen

Für die Abdichtung können alle in Tabelle 5 von DIN 18 195-2 : 2000-08, genannten Bahnen verwendet werden. Die Abdichtungen sind aus mindestens einer Lage Kunststoff- oder Elastomer-Dichtungsbahnen herzustellen. Die Bahnen sind lose zu verlegen oder auf dem Untergrund aufzukleben. Die Längs- und Quernähte sind nach einem der in 7.4 von DIN 18 195-3 : 2000-08 beschriebenen Verfahren herzustellen. Die Abdichtung ist mit einer Trenn- oder Schutzlage aus geeigneten Stoffen nach DIN 18 195-2 : 2000-08 abzudecken.

7.4.6 Abdichtungen mit Elastomer-Dichtungsbahnen mit Selbstklebeschicht

Der Untergrund ist mit einem kaltflüssigen Voranstrich zu versehen. Die Abdichtung ist aus einer Lage Elastomer-Dichtungsbahnen mit Selbstklebeschicht nach Tabelle 6 von DIN 18 195-2 : 2000-08, herzustellen und auf den Untergrund aufzukleben. Die Überlappungen sind je nach Werkstoffart mit Quellschweißmittel oder Warmgas zu verschweißen.

7.4.7 Abdichtungen mit Asphaltmastix

Abdichtungen mit Asphaltmastix sind in einer mittleren Schichtdicke von 10 mm herzustellen, wobei die Schichtdicke mindestens 7 mm betragen muss und maximal 15 mm nicht übersteigen darf.

Asphaltmastix kann auf einer Trennschicht, z. B. aus Rohglasvlies aufgebracht werden, in Innenräumen oder auf Stahlflächen kann auch ein Bitumenvoranstrich angeordnet sein.

Bauwerksabdichtungen – Teil 5: Abdichtungen gegen nichtdrückendes Wasser auf Deckenflächen und in Nassräumen

Auszug aus **DIN 18 195-5** (08.2000)

Inhalt

1 Anwendungsbereich

1.1 Diese Norm gilt für die Abdichtung horizontaler und geneigter Flächen im Freien und im Erdreich, sowie der Wand- und Bodenflächen in Nassräumen mit Bitumenbahnen und -massen, Kunststoff- und Elastomer-Dichtungsbahnen, Metallbändern, Asphaltmastix, kunststoffmodifizierten Bitumendickbeschichtungen und den für ihren Einbau erforderlichen Werkstoffen nach DIN 18 195-2 gegen nichtdrückendes Wasser, d. h. gegen Wasser in tropfbar flüssiger Form, z. B. Niederschlags-, Sicker- oder Brauchwasser, das auf die Abdichtung keinen oder nur einen geringfügigen hydrostatischen Druck ausübt.

In diesem Sinne gilt die Norm auch für die Abdichtung unter intensiv begrünten Bauwerksflächen mit einer Anstaubewässerung bis 100 mm Höhe, wenn die Ausführung der Abdichtung und ihrer Anschlüsse der dabei gegebenen besonderen Wasserbeanspruchung Rechnung trägt.

1.2 Diese Norm gilt nicht für

– die Abdichtung von nicht genutzten und von extensiv begrünten Dachflächen (siehe DIN 18 531),

- die Abdichtung von Fahrbahnen, die zu öffentlichen Straßen oder zu Schienenwegen gehören, z. B. Fahrbahntafeln,
- die Abdichtung von Deponien, Erdbauwerken und bergmännisch erstellten Tunnel,
- nachträgliche Abdichtungen in der Bauwerkserhaltung oder in der Baudenkmalpflege, es sei denn, es können hierfür Verfahren angewendet werden, die in dieser Norm beschrieben werden,
- Bauteile, die so wasserundurchlässig sind, dass die Dauerhaftigkeit des Bauteils und die Nutzbarkeit des Bauwerks ohne weitere Abdichtung im Sinne dieser Norm gegeben sind. In diesem Sinne gilt sie auch nicht für Konstruktionen aus wasserundurchlässigem Beton.

5 Anforderungen

5.1 Abdichtungen nach dieser Norm müssen Bauwerke oder Bauteile gegen nichtdrückendes Wasser schützen und gegen natürliche oder durch Lösungen aus Beton oder Mörtel entstandene Wässer und in Pfützen stehendes Wasser unempfindlich sein. Sind besondere chemische Beanspruchungen durch das einwirkende Wasser zu erwarten, müssen die Abdichtungsstoffe darauf abgestimmt sein.

Bei intensiv begrünten Flächen muss die Abdichtung durchwurzelungssicher sein, es sei denn, zwischen Abdichtung und Bepflanzung wird eine gesonderte, gegen Durchwurzelung dauerhaft schützende Schicht angeordnet. Die Durchwurzelungssicherheit ist nachzuweisen[1)].

5.2 Die Abdichtung muss das zu schützende Bauwerk oder zu schützende Bauteil in dem gefährdeten Bereich umschließen oder bedecken und das Eindringen von Wasser verhindern.

5.3 Die Abdichtung darf bei den zu erwartenden Bewegungen der Bauteile, z. B. durch Schwingungen, Temperaturänderungen oder Setzungen, ihre Schutzwirkung nicht verlieren. Die hierfür erforderlichen Angaben müssen bei der Planung einer Bauwerksabdichtung vorliegen.

5.4 Die Abdichtung muss Risse in dem abzudichtenden Bauwerk, die z. B. durch Schwinden entstehen, überbrücken können. Durch konstruktive Maßnahmen ist jedoch sicherzustellen, dass solche Risse zum Entstehungszeitpunkt nicht breiter als 0,5 mm sind und dass durch eine eventuelle weitere Bewegung die Breite der Risse auf höchstens 2 mm und der Versatz der Risskanten in der Abdichtungsebene auf höchstens 1 mm beschränkt bleiben. Sinngemäß gilt das gleiche für aufklaffende Arbeitsfugen u. Ä.

5.5 Bei Abdichtungen nach 8.2.8 darf die Rissbreite zum Entstehungszeitpunkt 0,5 mm nicht überschreiten; eine eventuelle Erweiterung muss auf höchstens 1 mm beschränkt bleiben. Ein Versatz der Risskanten darf maximal 0,5 mm betragen.

---

1) Europäische Prüfnorm in Vorbereitung (WI 00254027)

6 Bauliche Erfordernisse

6.1 Bei der Planung des abzudichtenden Bauwerkes oder der abzudichtenden Bauteile sind die Voraussetzungen für eine fachgerechte Anordnung und Ausführung der Abdichtung zu schaffen. Dabei ist die Wechselwirkung zwischen Abdichtung und Bauwerk zu berücksichtigen und gegebenenfalls die Beanspruchung der Abdichtung durch entsprechende konstruktive Maßnahmen in zulässigen Grenzen zu halten.

6.2 Das Entstehen von Rissen im Bauwerk, die durch die Abdichtung nicht überbrückt werden können (siehe 5.4 und 5.5), ist durch konstruktive Maßnahmen, z. B. durch Anordnung von Bewehrung, ausreichender Wärmedämmung oder Fugen zu verhindern.

6.3 Decken aus großformatigen Einzelelementen für Parkdächer oder vergleichbar genutzte Flächen, z. B. aus Beton-Fertigteilplatten müssen zur Stabilisierung mit einem bewehrten, am Ort hergestellten Aufbeton oder mit anderen Maßnahmen zur Querkraftübertragung versehen sein, um unterschiedliche Durchbiegungen der Einzelelemente sowohl an ihren Längskanten wie an den Auflagerfugen zu vermeiden.

6.4 Dämmschichten, auf die Abdichtungen unmittelbar aufgebracht werden sollen, müssen für die jeweilige Nutzung geeignet sein. Sie dürfen keine schädlichen Einflüsse auf die Abdichtung ausüben und müssen sich als Untergrund für die Abdichtung und deren Herstellung eignen. Falls erforderlich, sind unter Dämmschichten Dampfsperren einzubauen.

6.5 Grundsätzlich ist durch bautechnische Maßnahmen dafür zu sorgen, dass das auf die Abdichtung einwirkende Wasser dauernd wirksam so abgeführt wird, dass es keinen bzw. nur einen geringfügigen hydrostatischen Druck ausüben kann.

Bei planmäßiger Anstaubewässerung darf der Wasserstand maximal 100 mm betragen.

Können sich selbst geringfügige, aber länger einwirkende Mengen stehenden Wassers (z. B. Pfützen) schädigend auf Schutz- und Belagschichten auswirken (z. B. bei Plattenbelägen im Mörtelbett) oder wird dadurch das Fehlstellenrisiko wesentlich erhöht (z. B. an Durchdringungen und Dehnfugen), so ist durch eine planmäßige Gefällegebung oder andere Maßnahmen (z. B. Abläufe in den durch Durchbiegung entstandenen Mulden) für eine vollständige Wasserableitung zu sorgen. Dies gilt dann besonders auch für die Kehlen zwischen Gefälleflächen.

Wird der Wasserabfluss durch die Belagschichten soweit verzögert, dass daraus Schäden zu erwarten sind, sind Dränschichten auf der Abdichtung erforderlich. Die Anordnung von Dränschichten ist auch erforderlich bei erdüberschütteten Decken mit Schüttgut mit einem Durchlässigkeitsbeiwert $k \leq 10^{-4}$ m/s.

6.6 Der Abdichtung darf keine Übertragung von planmäßigen Kräften parallel zu ihrer Ebene zugewiesen werden. Dies gilt auch für den Nachweis der Standsicherheit. Sofern dies in Sonderfällen nicht zu vermeiden ist, muss durch Anordnung von Widerlagern, Ankern, Bewehrung oder durch andere konstruktive Maßnahmen dafür gesorgt werden, dass Bauteile auf der Abdichtung nicht gleiten oder ausknicken. Dies gilt bei befahrenen Flächen auch für Horizontalkräfte aus dem Fahrverkehr.

6.7 Abläufe zur Entwässerung von Belagoberflächen, die die Abdichtung durchdringen, müssen sowohl die Nutzfläche als auch die Abdichtungsebene dauerhaft entwässern. Sie müssen für Wartungsarbeiten leicht zugänglich sein.

7 Arten der Beanspruchung

7.1 Je nach Art und Aufgabe der Abdichtung, ihrem Schutzziel sowie der Größe der auf die Abdichtung einwirkenden Beanspruchungen durch Verkehr, Temperatur und Wasser werden mäßig und hoch beanspruchte Abdichtungen unterschieden. Die Beanspruchung von Abdichtungen auf Dämmschichten durch Verkehrslasten ist besonders zu beachten; zur Vermeidung von Schäden durch Verformungen sind Dämmstoffe zu wählen, die den statischen und dynamischen Beanspruchungen genügen.

7.2 Zu den mäßig beanspruchten Flächen zählen u. a.:

- Balkone und ähnliche Flächen im Wohnungsbau;
- unmittelbar spritzwasserbelastete Fußboden- und Wandflächen in Nassräumen (siehe DIN 18 195-1) des Wohnungsbaus – soweit sie nicht durch andere Maßnahmen, deren Eignung nachzuweisen ist, hinreichend gegen eindringende Feuchtigkeit geschützt sind.

Mäßig beanspruchte Flächen sind nach 8.2 abzudichten.

Bei häuslichen Bädern ohne Bodenablauf mit feuchtigkeitsempfindlichen Umfassungsbauteilen (z. B. Holzbau, Trockenbau, Stahlbau) muss der Schutz gegen Feuchtigkeit bei der Planung besonders beachtet werden.

7.3 Zu den hoch beanspruchten Flächen zählen u. a.:

- Dachterrassen, intensiv begrünte Flächen, Parkdecks, Hofkellerdecken und Durchfahrten, erdüberschüttete Decken;
- durch Brauch- oder Reinigungswasser stark beanspruchte Fußboden- und Wandflächen in Nassräumen wie: Umgänge in Schwimmbädern, öffentliche Duschen, gewerbliche Küchen u. a. gewerbliche Nutzungen.

Hoch beanspruchte Flächen sind nach 8.3 abzudichten.

7.4 Soweit die Nutzung einer abzudichtenden Fläche nicht sinngemäß 7.2 bzw. 7.3 zugeordnet werden kann, ist die Beanspruchung als mäßig anzusehen, wenn

- die Verkehrslasten vorwiegend ruhend nach DIN 1055-3 sind und die Abdichtung nicht unter befahrenen Flächen liegt,
- die Wasserbeanspruchung gering und nicht ständig ist und ausreichend Gefälle vorhanden ist, um Wasseranstau oder Pfützenbildung zu verhindern.

8 Ausführung

8.1 Allgemeines

8.1.1 Bei der Ausführung von Abdichtungen gegen nichtdrückendes Wasser gelten

- DIN 18 195-3 für die Anforderungen an den Untergrund und das Verarbeiten der Stoffe,
- DIN 18 195-8 für das Herstellen der Abdichtung über Bewegungsfugen,
- DIN 18 195-9 für das Herstellen von Durchdringungen, Übergängen und Abschlüssen sowie
- DIN 18 195-10 für Schutzschichten und Schutzmaßnahmen.

8.1.2 Abdichtungen dürfen nur bei Witterungsverhältnissen hergestellt werden, die sich nicht nachteilig auf sie auswirken, es sei denn, dass schädliche Wirkungen durch besondere Vorkehrungen mit Sicherheit verhindert werden.

8.1.3 Die Abdichtungen sind je nach Untergrund und Art der ersten Abdichtungslage vollflächig verklebt, punktweise verklebt oder lose aufliegend herzustellen. Abdichtungen aus kunststoffmodifizierten Bitumendickbeschichtungen müssen vollflächig mit dem Untergrund verbunden sein.

8.1.4 Die zu erwartenden Temperaturbeanspruchungen der Abdichtungen, z. B. durch Teile von Heizungsanlagen, sind bei der Planung zu berücksichtigen. Bei Abdichtungen unter Verwendung von Bitumenwerkstoffen muss die Temperatur an der Abdichtung um mindestens 30 K unter dem Erweichungspunkt nach Ring und Kugel der Klebemassen und Deckaufstrichmittel (siehe DIN 18 195-2) bleiben.

8.1.5 Die Abdichtung von waagerechten oder schwach geneigten Flächen ist an anschließenden, höher gehenden Bauteilen im Regelfall mindestens 150 mm über die Schutzschicht, die Oberfläche des Belages oder der Überschüttung hochzuführen und dort zu sichern (siehe DIN 18 195-9). Ist dies im Einzelfall nicht möglich, z. B. bei Balkon- oder Terrassentüren, sind dort besondere Maßnahmen gegen das Eindringen von Wasser oder das Hinterlaufen der Abdichtung einzuplanen (z. B. ausreichend große Vordächer, Rinnen mit Gitterrosten).

Beim Abschluss der Abdichtung von Decken überschütteter Bauwerke ist die Abdichtung mindestens 200 mm unter die Fuge zwischen Decke und Wänden herunterzuziehen und mit einer gegebenenfalls vorhandenen Wandabdichtung zu verbinden.

8.1.6 Abdichtungen von Wandflächen müssen im Bereich von Wasserentnahmestellen mindestens 200 mm über die Wasserentnahmestelle hoch geführt werden.

8.1.7 Die Abdichtung ist vor Beschädigung zu schützen. Zwischen Abdichtung und Belag ist eine Schutzschicht nach DIN 18 195-10 anzuordnen, es sei denn, die Nutzschicht selbst übernimmt diese Funktion. Schutzschichten sind möglichst unverzüglich nach Fertigstellung der Abdichtung herzustellen. Im anderen Fall sind Schutzmaßnahmen gegen Beschädigungen nach DIN 18 195-10 zu treffen. Auf den Schutz der aufgekanteten Abdichtungsränder ist besonders zu achten.

8.1.8 Für die zulässige Druckbelastung einzelner Abdichtungsarten gelten die entsprechenden Werte von DIN 18 195-6.

E

8.2 Abdichtungen für mäßige Beanspruchungen

8.2.1 Abdichtung mit Bitumen- oder Polymerbitumenbahnen

Die Abdichtung ist aus mindestens einer Lage Bahnen mit Gewebe-, Polyestervlies- oder Metallbandeinlage herzustellen. Die Bahnen sind im Bürstenstreich-, im Gieß- oder im Flämmverfahren, Schweißbahnen jedoch vorzugsweise im Schweißverfahren ohne zusätzliche Verwendung von Klebemasse einzubauen.

Falls erforderlich, ist auf dem Untergrund ein Voranstrich aufzubringen. Bitumen-Dachdichtungsbahnen mit Gewebeeinlage müssen mit einem Deckaufstrich versehen werden.

Die Mindesteinbaumengen für Klebeschichten und Deckaufstriche in Tabelle 1 müssen eingehalten werden.

Tabelle 1: Einbaumengen für Klebeschichten und Deckaufstriche

Art der Klebe- und Deckaufstrichmasse	Auftrag der Klebeschichten im			
	Bürstenstreich- oder Flämmverfahren	Gießverfahren	Gieß- und Einwalzverfahren	Deckaufstrich
	Einbaumengen mindestens in kg/m²			
Bitumen, ungefüllt	1,5	1,3	–	1,5
Bitumen, gefüllt ($\gamma = 1,5$)*)	–	–	2,5	–
*) γ = Dichte				

8.2.2 Abdichtung mit kaltselbstklebenden Bitumen-Dichtungsbahnen (KSK)

Die Abdichtung ist aus mindestens einer Lage kaltverarbeitbarer, selbstklebender Bitumen-Dichtungsbahnen auf HDPE-Trägerfolie herzustellen. Der Untergrund ist mit einem kaltflüssigen Voranstrich zu versehen. Die Bahnen sind punktweise oder vollflächig verklebt aufzubringen. Die Überdeckungen müssen vollflächig verklebt werden.

8.2.3 Abdichtung mit Kunststoff-Dichtungsbahnen aus PIB oder ECB

Die Abdichtung ist aus mindestens einer Lage Kunststoff-Dichtungsbahnen mit einer Dicke von mindestens 1,5 mm herzustellen, die mit Klebemasse im Bürstenstreich- oder im Flämmverfahren aufzubringen sind. Kunststoff-Dichtungsbahnen, die unterseitig mit Kunststoffvlies kaschiert sind, dürfen auch lose verlegt werden.

Auf der Abdichtung ist eine Trennlage mit ausreichender Überdeckung an den Bahnrändern, z. B. aus lose verlegter Polyethylenfolie, oder eine Trenn- und Schutzlage aus nackten Bitumenbahnen mit Klebe- und Deckaufstrich vorzusehen.

8.2.4 Abdichtung mit Kunststoff-Dichtungsbahnen aus EVA und PVC-P

Die Abdichtung ist aus mindestens einer Lage Kunststoff-Dichtungsbahnen von mindestens 1,2 mm herzustellen, die lose zu verlegen oder mit einem geeigneten Klebstoff – bei bitumenverträglichen Kunststoff-Dichtungsbahnen auch mit Klebemasse – mit ausreichender Überdeckung aufzubringen ist. Auf der Abdichtung ist eine

Schutzlage aus geeigneten Bahnen nach 5.3 von DIN 18 195-2 : 2000-08, vorzusehen. Bei Abdichtungen aus Kunststoff-Dichtungsbahnen aus PVC-P darf die Schutzlage auch aus einer Kunststoff-Dichtungsbahn aus PVC-P, halbhart, mit einer Dicke von mindestens 1 mm bestehen.

8.2.5 Abdichtung mit Elastomer-Bahnen

Die Abdichtung ist aus mindestens einer Lage Elastomerbahnen von mindestens 1,2 mm herzustellen, die lose zu verlegen oder mit Klebemasse oder einem Kaltklebstoff aufzubringen sind. Auf die Abdichtung ist eine Schutzlage aus geeigneten Bahnen, z. B. mindestens 300 g/m^2 schweres Vlies nach DIN 18 195-2 : 2000-08, vorzusehen.

8.2.6 Abdichtung mit Elastomer-Dichtungsbahnen mit Selbstklebeschicht

Der Untergrund ist mit einem kaltflüssigen Voranstrich zu versehen. Die Abdichtung ist aus einer Lage Elastomer-Dichtungsbahnen mit Selbstklebeschicht nach Tabelle 6 von DIN 18 195-2 : 2000-08, herzustellen und auf den Untergrund aufzukleben. Die Überlappungen sind je nach Werkstoffart mit Quellschweißmittel oder Warmgas zu verschweißen.

8.2.7 Abdichtung mit Asphaltmastix und Asphaltmastix in Verbindung mit Gussasphalt

8.2.7.1 Abdichtung mit Asphaltmastix

Die Abdichtung ist aus zwei Lagen Asphaltmastix mit Schutzschicht nach DIN 18 195-10 herzustellen. Diese Abdichtung darf nur auf waagerechten oder schwach geneigten Flächen angewendet werden.

Zwischen der Abdichtung und dem Untergrund ist eine Trennlage, z. B. aus Rohglasvlies, vorzusehen.

Die Abdichtung muss insgesamt im Mittel 15 mm, darf jedoch an keiner Stelle unter 12 mm oder über 20 mm dick sein.

Eine Schutzschicht aus Gussasphalt muss eine Nenndicke von 25 mm aufweisen. Anschlüsse, Abschlüsse, Anschlüsse an Durchdringungen und Übergänge sind mit Bitumen- oder Polymerbitumenbahnen herzustellen, die für die Kombination mit Asphalt – insbesondere im Hinblick auf die Verarbeitungstemperatur – geeignet sind. Die Anschlussbahnen müssen mindestens 300 mm tief in die Mastixschicht einbinden und an aufgehenden Bauteilen und Aufkantungen gegen Beschädigung geschützt sein.

8.2.7.2 Abdichtung mit Asphaltmastix in Verbindung mit Gussasphalt

Abdichtungen aus einer Lage Asphaltmastix in Verbindung mit Gussasphalt sind nach 8.3.8 auszuführen.

8.2.8 Abdichtung mit kunststoffmodifizierten Bitumendickbeschichtungen (KMB)

Die kunststoffmodifizierte Bitumendickbeschichtung ist in zwei Arbeitsgängen aufzubringen. Sie muss eine zusammenhängende Schicht ergeben, die auf dem Untergrund haftet. Vor dem Auftrag der zweiten Abdichtungsschicht muss die erste Ab-

E

dichtungsschicht soweit getrocknet sein, dass sie durch den darauffolgenden Auftrag nicht beschädigt wird. Die Trockenschichtdicke muss mindestens 3 mm betragen. An Kehlen und Kanten sind Gewebeverstärkungen einzubauen. Sie sollten auch auf horizontalen Flächen verwendet werden, um die Mindestschichtdicke sicherzustellen.

Das Aufbringen der Schutzschichten darf erst nach ausreichender Trocknung der Abdichtung erfolgen.

8.3 Abdichtungen für hohe Beanspruchungen

8.3.1 Abdichtung mit nackten Bitumenbahnen

Die Abdichtung ist aus mindestens drei Lagen herzustellen, die mit Klebemasse untereinander zu verbinden und mit einem Deckaufstrich zu versehen sind. Sie darf nur dort angewendet werden, wo eine Einpressung der Abdichtung mit einem Flächendruck von mindestens 0,01 MN/m^2 sichergestellt ist.

Die Unterseiten der Bitumenbahnen der ersten Lage sind vollflächig mit Klebemasse zu versehen. Falls erforderlich, ist auf dem Untergrund ein Voranstrich aufzubringen. Die Klebemassen sind im Bürstenstreich-, im Gieß- oder im Gieß- und Einwalzverfahren aufzubringen. Dabei sind die Mindesteinbaumengen für Klebeschichten und Deckaufstrich nach 8.2.1 einzuhalten.

Werden die Bahnen im Gieß- und Einwalzverfahren eingebaut, ist für die Klebeschichten gefülltes Bitumen in einer Menge von mindestens 2,5 kg/m^2 zu verwenden.

8.3.2 Abdichtung mit Bitumen- oder Polymerbitumenbahnen

Die Abdichtung ist aus mindestens zwei Lagen Bahnen mit Gewebe-, Polyestervlies- oder Metallbandeinlage nach Tabelle 4, Zeilen 5 bis 10 von DIN 18 195-2 : 2000-08, herzustellen. Für Abdichtungen auf genutzten Dachflächen (z. B. begehbare oder bepflanzbare Flächen) ist die obere Lage aus einer Polymerbitumenbahn herzustellen. Beträgt das Gefälle der Abdichtungsunterlage unter 2 %, sind mindestens 2 Lagen Polymerbitumenbahnen zu verwenden. Die Bahnen sind mit Klebemasse im Bürstenstreich-, im Gieß- oder im Flämmverfahren, Schweißbahnen jedoch vorzugsweise im Schweißverfahren ohne zusätzliche Verwendung von Klebemasse einzubauen. Falls erforderlich, ist auf dem Untergrund ein Voranstrich aufzubringen. Obere Lagen aus Bitumen-Dichtungs- und Dachdichtungsbahnen nach Tabelle 4, Zeilen 5 und 6 von DIN 18 195-2 : 2000-08, müssen mit einem Deckaufstrich versehen werden. Für die Einbaumengen von Klebemassen und Deckaufstrichen gilt 8.2.1.

8.3.3 Abdichtung mit Kunststoff-Dichtungsbahnen aus PIB oder ECB

Die Abdichtung ist aus einer Lage Kunststoff-Dichtungsbahnen – bei PIB mindestens 1,5 mm, bei ECB mindestens 2,0 mm dick – herzustellen.

Bei loser Verlegung ist die Abdichtung zwischen zwei Schutzlagen aus geeigneten Stoffen nach 5.3 von DIN 18 195-2 : 2000-08, einzubauen.

Bei verklebter Verlegung werden Kunststoff-Dichtungsbahnen aus PIB und ECB mit Bitumen auf einer unteren Lage aus einer Bitumenbahn nach Tabelle 4, Zeilen 6 bis 9 von DIN 18 195-2 : 2000-08, oder entsprechende Kaschierung der Wärmedämmung, aufgeklebt. Für die Einbaumengen von Klebemassen gilt 8.2.1. Die Kunststoff-Dichtungsbahnen werden im Bürstenstreich- oder im Flämmverfahren nach 7.2.2 oder 7.2.4 von DIN 18 195-3 : 2000-08, aufgeklebt.

8.3.4 Abdichtung mit Kunststoff-Dichtungsbahnen aus EVA, PVC-P oder Elastomeren

Die Abdichtung ist aus einer Lage Kunststoff- oder Elastomer-Dichtungsbahnen mit einer Dicke von mindestens 1,5 mm herzustellen, die lose zu verlegen oder aufzukleben sind.

Bei loser Verlegung ist die Abdichtungslage zwischen zwei Schutzlagen aus geeigneten Stoffen nach 5.3 von DIN 18 195-2 : 2000-08, einzubauen. Besteht die obere Schutzlage aus einer Kunststoff-Dichtungsbahn aus PVC-P, halbhart, mit einer Dicke von mindestens 1 mm, sind deren Längs- und Quernähte zu verschweißen.

Bei verklebter Verlegung werden bitumenverträgliche Kunststoff- oder Elastomer-Dichtungsbahnen mit Bitumen auf einer unteren Lage aus einer Bitumenbahn nach Tabelle 4, Zeilen 6 bis 9 von DIN 18 195-2 : 2000-08, oder entsprechende Kaschierung der Wärmedämmung, aufgeklebt. Für die Einbaumengen von Klebemassen gilt 8.2.1. Die Kunststoff-Dichtungsbahnen werden im Bürstenstreich- oder im Flämmverfahren nach 7.2.2 oder 7.2.4 von DIN 18 195-3 : 2000-08, aufgeklebt.

8.3.5 Abdichtung mit Metallbändern in Verbindung mit Bitumenbahnen

Die Abdichtung ist aus einer Lage kalottengeriffelter Metallbänder nach Tabelle 8 von DIN 18 195-2 : 2000-08 aus Kupfer oder Edelstahl und aus einer Schutzlage aus Glasvlies-Bitumenbahnen oder nackten Bitumenbahnen herzustellen. Im Übrigen gelten für die Verarbeitung der Metallbänder 8.3.6 und für die Verarbeitung der Bitumenbahnen 8.3.1 sinngemäß.

8.3.6 Abdichtung mit Metallbändern in Verbindung mit Gussasphalt

Die Abdichtung ist aus mindestens einer Lage kalottengeriffelter Metallbänder nach Tabelle 8 von DIN 18 1952 : 2000-08 aus Kupfer oder Edelstahl mit einer darauf im Verbund angeordneten Schicht aus Gussasphalt herzustellen. Die Metallbänder sind mit Klebemasse aus gefülltem Bitumen im Gieß- und Einwalzverfahren einzubauen. Für die Mindesteinbaumengen der Klebeschichten gilt 8.2.1.

Die Schicht aus Gussasphalt muss eine Nenndicke von 25 mm aufweisen.

Im Bereich von Anschlüssen an Durchdringungen und Einbauten, von aufgehenden Bauteilen und Aufkantungen ist die Abdichtung aus Bahnen mehrlagig, gegebenenfalls mit Zulagen, auszuführen. Hierbei sollte die obere Lage nicht aus Metallbändern bestehen. Die Anschlüsse an aufgehende Bauteile und an Aufkantungen sind gegen mechanische Beschädigung und unmittelbare Sonneneinstrahlung zu schützen.

8.3.7 Abdichtung mit Bitumen-Schweißbahnen in Verbindung mit Gussasphalt

Die Abdichtung ist aus einer Lage Bitumen-Schweißbahnen nach Tabelle 4, Zeile 11 oder 12 von DIN 18 195-2 : 2000-08, die im Schweißverfahren aufzubringen sind und einer darauf im Verbund angeordneten Schicht aus Gussasphalt herzustellen.

Die Schicht aus Gussasphalt muss eine Nenndicke von 25 mm aufweisen.

Der Untergrund ist mit lösemittelfreiem Epoxidharz zu grundieren oder zu versiegeln. Bei Abdichtungen in Gebäuden, von erdüberschütteten Decken und ähnlich temperaturgeschützten Flächen kann der Untergrund statt dessen mit einem Bitumen-Voranstrich behandelt werden.

Bei Rauhtiefen (siehe ZTV-BEL-B Teil 1) > 1,5 mm und bei Fehlstellen im Beton ist der Untergrund mit einer Kratzspachtelung zu behandeln.

Im Bereich von Anschlüssen an Durchdringungen und Einbauten, aufgehenden Bauteilen, Aufkantungen und Abschlüssen ist die Abdichtung mehrlagig, gegebenenfalls mit Zulagen unter Verwendung von Bitumenbahnen oder Polymerbitumenbahnen nach Tabelle 4, Zeilen 5 bis 10 von DIN 18 195-2 : 2000-08, herzustellen. Die Anschlüsse an aufgehende Bauteile und Aufkantungen sind gegen Beschädigung zu schützen.

8.3.8 Abdichtung mit Asphaltmastix in Verbindung mit Gussasphalt

Die Abdichtung ist aus einer Lage Asphaltmastix mit einer darauf im Verbund angeordneten Schicht aus Gussasphalt herzustellen. Die Lage Asphaltmastix muss im Mittel 10 mm, darf jedoch an keiner Stelle weniger als 7 mm oder mehr als 15 mm dick sein.

Die Schicht aus Gussasphalt muss eine Nenndicke von 25 mm aufweisen.

Zwischen der Abdichtung und dem Untergrund ist eine Trennlage, z. B. aus Rohglasvlies, vorzusehen.

Bei Bauwerken mit ausreichender Erdüberschüttung und ähnlich temperaturgeschützte Bauwerke kann die Abdichtung auch im Verbund auf Bitumenvoranstrich eingebaut werden. Die Erdüberschüttung ist unmittelbar nach Fertigstellung der Abdichtung herzustellen.

Im Bereich von Anschlüssen an Durchdringungen und Einbauten, von aufgehenden Bauteilen und Aufkantungen ist die Abdichtung aus Bahnen mehrlagig, gegebenenfalls mit Zulagen, auszuführen. Die Anschlüsse an aufgehende Bauteile und an Aufkantungen sind gegen mechanische Beschädigung zu schützen.

Bauwerksabdichtungen – Teil 9: Durchdringungen, Übergänge, An- und Abschlüsse

Auszug aus **DIN 18195-9** (05.2010)

Inhalt

E

1 Anwendungsbereich

1.1 Diese Norm gilt für das Herstellen von Durchdringungen, Übergängen und An- und Abschlüssen von Abdichtungen gegen

- Bodenfeuchte und nichtstauendes Sickerwasser nach DIN 18195-4;
- nichtdrückendes Wasser einschließlich der Abdichtungen unter intensiv begrünten Dachflächen nach DIN 18195-5;
- von außen drückendes Wasser und zeitweise aufstauendes Sickerwasser nach DIN 18195-6 und
- gegen von innen drückendes Wasser nach DIN 18195-7.

Diese Norm gilt auch für Übergänge der Bauwerksabdichtung auf Bodenplatten aus Beton mit hohem Wassereindringwiderstand nach der DAfStb-Richtlinie.

4.3 Dauerhaftigkeit

Durchdringungen, Übergänge und An- und Abschlüsse dürfen auch bei zu erwartenden Bewegungen der Bauteile oder angrenzender Bodenschichten ihre Funktion nicht verlieren, gegebenenfalls sind dafür besondere Maßnahmen zu treffen.

Die Abdichtung ist auch im Bereich von Durchdringungen, Übergängen und An- und Abschlüssen so auszuführen oder abzudecken, dass vorhersehbare Nutzungsbeanspruchungen (Stoß, Abrieb) oder Lage- und längenänderungen angrenzender Schutzschichten und Beläge nicht zu Beschädigungen oder frühzeitlgem Versagen führen.

5 Bauliche Erfordernisse

5.1 Allgemeines

Durchdringungen und Übergänge müssen so angeordnet werden, dass die Bauwerksabdichtung fachgerecht angeschlossen werden kann. Flächen für Abschlüsse müssen gut zugänglich sein, ausreichend hoch über der Oberfläche des späteren Nutzbelages liegen und so beschaffen sein, dass das hochgeführte Abdichtungsende sicher befestigt werden kann.

Einbauteile müssen den Erfordernissen der Abdichtung entsprechend beschaffen sein.

Durchdringungen sind auf die unbedingt notwendige Anzahl zu beschränken.

5.2 Mindestabstände

Klebeflansche, Anschweißflansche und Manschetten sind im Regelfall so anzuordnen, dass sie untereinander zu anderen Bauteilen, z. B. Bauwerkskanten und -kehlen und Wandanschlüssen, mindestens 150 mm, bei Bewegungsfugen mindestens 300 mm entfernt sind, sofern nicht aus Verarbeitungsgründen ein größerer Abstand erforderlich ist. Maßgebend ist dabei die äußere Begrenzung des Flansches oder der Manschette.

Los- und Festflanschkonstruktionen sind so anzuordnen, dass ihre Außenkanten mindestens 300 mm von Bauwerkskanten und -kehlen sowie mindestens 500 mm von weiteren Bauwerksfugen entfernt sind.

Können diese Mindestmaße nicht eingehalten werden, so sind für die Abdichtung Sonderkonstruktionen einzuplanen.

5.3 Zu wartende Bauteile

Zu wartende Bauteile, z. B. Abläufe bei Abdichtungen gegen nichtdrückendes Wasser, sind so anzuordnen und die weiteren Aufbauschichten so zu gestalten, dass eine einfache Zugänglichkeit gewährleistet ist.

5.4 Konstruktive Gestaltung von aufgehenden Bauteilen für Abschlüsse bei Abdichtungen nach DIN 18195-4, DIN 18195-5 und DIN 18195-6

5.4.1 Allgemeine Anforderungen

Die aufgehenden Bauteile sind so zu gestalten, dass der Abdichtungsrand möglichst nicht oder nur geringfügig wasserbeansprucht wird und das hochgeführte Abdichtungsende (Abschluss) vor mechanischen Beschädigungen geschützt liegt.

5.4.2 Gebäudesockel für Abschlüsse von Abdichtungen nach DIN 18195-4 und DIN 18195-6:2000-08, Abschnitt 9

Bei aufgehenden Wänden mit Bekleidungen (z. B. Verblendungen und Verfliesungen) muss die Abdichtung hinter der wasserbeanspruchten Ebene der aufgehenden Wand liegen. Die Bekleidungen sind dabei so zu verankern, dass die Abdichtung im wasserbeanspruchten Bereich nicht perforiert wird. Ist dies unvermeidlich, sind die Verankerungen als Durchdringungen (siehe 6.1) abzudichten.

E

Bei aufgehenden Wänden ohne Bekleidung sollten die Abdichtung und die Randverwahrung oberhalb des Geländes bzw. der Beläge in einem Rücksprung angeordnet werden.

Im Sockelbereich muss der Untergrund so geplant sein, dass bei Abdichtungen gegen Bodenfeuchte und zeitweise aufstauendes Sickerwasser die Abdichtung im Regelfall bis 300 mm über Oberkante Gelände geführt werden kann, um ausreichende Anpassungsmöglichkeiten der Geländeoberfläche sicherzustellen. Im Endzustand sollte dieser Wert im Regelfall das Maß von 150 mm nicht unterschreiten.

Oberhalb des Geländes darf die Abdichtung entfallen, wenn dort ausreichend wasserabweisende Bauteile verwendet werden. Die Abdichtung muss dann diese Bauteile am Übergang überlappend unterfahren.

Bei unverputzt bleibendem, zweischaligem Mauerwerk am Gebäudesockel (Verblendmauerwerk) kann die Abdichtung hinter der Verblendschale auf der Außenseite der Innenschale hochgeführt werden. Der Schalenzwischenraum sollte am Fußpunkt der Verblendschale oberhalb der Geländeoberfläche entwässert werden. Erfolgt die Entwässerung unterhalb der Geländeoberfläche, so ist in eine Sickerschicht oder Dränung zu entwässern.

5.4.3 Abschlüsse bei Abdichtungen nach DIN 18195-5

Bei der Abdichtung von waagerechten und schwach geneigten Flächen sind die aufgehenden Bauteile so auszubilden, dass die Abdichtung bis deutlich über die ungünstigstenfalls auftretende Wasserbeanspruchung aus Oberflächen-, Spritz- und/oder Sickerwasser, im Regelfall 150 mm über die Schutzschicht, die Oberfläche des Belages oder die Überschüttung, hochgeführt und auf weitgehend lückenloser, ebener, tragfähiger Rücklage gegen Abgleiten gesichert und verwahrt werden kann.

Bei Aufkantungen an freien Dachrändern, z. B. genutzte Dachflächen und Balkone, sollte die Abdichtung grundsätzlich bis zur Außenkante der Fassade geführt und befestigt werden. Die Abdichtung ist mindestens 100 mm über die Oberfläche des Belags hochzuführen. Der Randabschluss kann entweder mit einer Randabdeckung oder einem Randabschlussprofil ausgeführt werden. Randabdeckungen bzw. Randabschlussprofile sollten grundsätzlich ein Gefälle zur Abdichtungsseite aufweisen.

Schlagregengefährdete Flächen erfordern besondere Maßnahmen zum Schutz gegen Hinterlaufen (siehe 6.2.2).

Beim Abschluss der Abdichtung von Decken überschütteter Bauwerke ist die Abdichtung mindestens 200 mm unter die Fuge zwischen Decke und Wänden herunterzuziehen und mit einer gegebenenfalls vorhandenen Wandabdichtung zu verbinden.

5.4.4 Anordnung der Abdichtung bei Türschwellen

Sind die unter 5.4.2 und 5.4.3 genannten Aufkantungshöhen im Einzelfall nicht herstellbar (z. B. bei behindertengerechten Hauseingängen, Terrassentüren, Balkon- oder Dachterrassentüren), so sind dort besondere Maßnahmen gegen das Eindringen von Wasser oder das Hinterlaufen der Abdichtung einzuplanen. So sind z. B. Türschwellen und Türpfosten von der Abdichtung zu hinterfahren oder an ihrer Außenoberfläche so zu gestalten, dass die Abdichtung z. B. mit Klemmprofilen wasserdicht angeschlossen werden kann.

Schwellenabschlüsse mit geringer oder ohne Aufkantung sind zusätzlich z. B. durch ausreichend große Vordächer, Fassadenrücksprünge und/oder unmittelbar entwässerten Rinnen mit Gitterrosten vor starker Wasserbelastung zu schützen. Das Oberflächengefälle sollte nicht zur Tür hin gerichtet sein.

Bei Dachterrassen mit geschlossener Brüstung sind Überläufe so tief anzuordnen, dass bei Verstopfung des Ablaufs die Schwelle nicht überstaut werden kann.

6 Ausführung von Anschlüssen an Durchdringungen, Übergängen und Abschlüssen

6.1 Anschlüsse und Übergänge

6.1.1 Bei Abdichtungen gegen Bodenfeuchte (Kapillarwasser, Haftwasser) und nichtstauendes Sickerwasser an Bodenplatten und Wänden nach DIN 18195-4

Anschlüsse an Einbauteile von Aufstrichen aus Bitumen sind mit spachtelbaren Stoffen oder mit Manschetten auszuführen. Bei Abdichtungen mit Kunststoffmodifizierten Bitumendickbeschichtungen (KMB) nach DIN 18195-4 sind diese hohlkehlenartig an die Durchdringung anzuarbeiten.

Übergänge sind nach 6.1.2 auszuführen.

Abdichtungsbahnen sind entweder mit Klebeflansch, Anschweißflansch oder mit Manschette und Schelle anzuschließen.

6.1.2 Bei Abdichtungen gegen nichtdrückendes Wasser auf Deckenflächen und in Nassräumen nach DIN 18195-5

Anschlüsse an Einbauteile sind entweder durch Klebeflansche, Anschweißflansche, Manschetten, Manschetten mit Schellen oder durch Los- und Festflanschkonstruktionen auszuführen.

Anschlüsse an Einbauteile anderer Art, z.B. Aufsatzkränze für RWA-Anlagen oder Lichtkuppeln, können nach 5.4.3 ausgeführt werden.

Übergänge sind entweder durch Klebeflansche, Anschweißflansche, Klemmschienen oder Los- und Festflanschkonstruktionen herzustellen. Übergänge zwischen Abdichtungssystemen aus verträglichen Stoffen dürfen auch ohne Einbauteile ausgeführt werden.

Bei Abdichtungen mit Kunststoffmodifizierten Bitumendickbeschichtungen (KMB) nach DIN 18195-5 erfolgt der Anschluss an die Durchdringung durch Auftragen der Kunststoffmodifizierten Bitumendickbeschichtung mit Verstärkungseinlage auf Klebeflansche oder mittels Los- und Festflanschkonstruktionen (siehe 6.1.3).

6.1.3 Bei Abdichtungen gegen von außen drückendes Wasser und zeitweise aufstauendes Sickerwasser nach DIN 18195-6

Anschlüsse an Einbauteile sind mit Los- und Festflanschkonstruktionen auszuführen.

Übergänge sind mit Los- und Festflanschkonstruktionen als Doppelflansche mit Trennleiste herzustellen (siehe Bild 3).

E

Bei Kunststoffmodifizierten Bitumendickbeschichtungen sind im Bereich der Los-/Festflanschkonstruktionen vorgefertigte Einbauteile z. B. aus bitumenverträglichen Kunststoff-Dichtungsbahnen nach DIN 18195-2:2000-08, Tabelle 5, zu verwenden, die im Anschlussbereich zur Kunststoffmodifizierten Bitumendickbeschichtung eine Vlies- oder Gewebekaschierung zum Einbetten in die Kunststoffmodifizierte Bitumendickbeschichtung besitzen, im Klemmbereich aber unkaschiert sind.

6.2 Übergänge von Abdichtungen im erdberührten Bereich auf Bodenplatten aus Beton mit hohem Wassereindringwiderstand

6.2.1 Allgemeines

Bei Wasserbeanspruchung aus Bodenfeuchte und nichtstauendem Sickerwasser (siehe DIN 18195-4) sind keine gesonderten konstruktiven Maßnahmen erforderlich. Hinsichtlich Untergrund und Verarbeitung gelten die in DIN 18195-3 und -4 festgelegten Anforderungen.

Bei Abdichtungen gegen aufstauendes Sickerwasser nach DIN 18195-6:2000-08, Abschnitt 9 werden an den Übergang zwischen der Abdichtung und dem WU-Betonbauteil folgende zusätzliche Anforderungen gestellt. Es wird unterschieden in Übergänge ohne und mit Einbauteilen.

6.2.2 Übergang als adhäsive Verbindung bei Abdichtungen aus KMB

6.2.2.1 Untergrundvorbereitung und -Vorbehandlung

Bei Ortbetonbauteilen ist der Untergrund mechanisch abtragend, z. B. durch Fräsen, so vorzubereiten, dassl er frei von Verunreinigungen und losen Bestandteilen ist. Kanten müssen gefasst und Kehlen gerundet sein.

Falls erforderlich ist der Untergrund z. B. durch Auftrage von haftvermittelnden Stoffen (Grundierungen) vorzubehandeln, bevor die Abdichtung aufgebracht wird.

Für die Untergrund Vorbereitung bzw. Untergrundvorbehandlung gelten des Weiteren die Angaben im abP für den Abdichtungsübergang (siehe 6.2.2.2)

Erfolgt die Ausführung der Abdichtung nicht unmittelbar nach den Vorbehandlungsarbeiten des Untergrundes, so ist vor der Ausführung der Abdichtungsarbeiten der Untergrund erneut auf Verunreinigungen zu überprüfen und diese sind zu entfernen.

6.2.2.2 Zu verwendende Stoffe und Ausführung

Für Übergänge an WU-Betonbodenplatten dürfen Stoffe nach DIN 18195-2:2009-04, Tabelle 6, verwendet werden, die für diesen speziellen Anwendungszweck über ein allgemeines bauauf sichtliches Prüfzeugnis verfügen, mit dem die Eignung des Produktes für die Verwendung im Übergang auf die WU-Betonbodenplatten nachgewiesen wurde. Die zugrundeliegenden Prüfungen erfolgen nach den „Prüfgrundsätzen zur Erteilung von allgemeinen bauaufsichtlichen Prüfzeugnissen für Produkte für Bauwerksabdichtungen im Übergang zu Bauteilen aus Beton mit hohem Wassereindringwiderstand gegen drückendes Wasser – PG-ÜBB“ in der jeweils gültigen Fassung, veröffentlicht im amtlichen Teil der DIBt-Mitteilungen. Sie müssen einen Nachweis über die Dauerhaftigkeit der Dichtheit des Überganges beinhalten. Es gelten die im abP genannten Verarbeitungsanweisungen.

Bei Übergängen an Bodenplatten ist die Abdichtung mindestens 150 mm breit auf die Stirnfläche der Bodenplatte zu führen. Auf den Schutz der fertig gestellten Abdichtung im Übergangbereich ist zu achten.

6.2.2.3 Prüfung und Dokumentation

Die Art der durchgeführten Vorbereitungen am Untergrund ist zu dokumentieren.

Nach Durchführung der Abdichtungsarbeiten ist das Ergebnis wie folgt zu prüfen: Bei Abdichtungen mit KMB ist die Abdichtung zu Prüfzwecken in Teilabschnitten über den 150 mm breiten Anschlussbereich weiter zu führen. In diesen Teilabschnitten ist die Durchtrocknung und/oder die Haftung am Untergrund zerstörend nach DIN 18195-3:2000-08, 5.4.4 zu prüfen. Die Prüfung ist 1-mal pro 10 m Übergangslänge, mindestens jedoch einmal je Bauwerksseite vorzunehmen. Das Ergebnis ist zu dokumentieren.

6.2.3 Übergänge mit Einbauteilen bei bahnförmigen Abdichtungen

6.2.3.1 Zu verwendende Materialien und Ausführung

Mit Einbauteilen können die in DIN 18195-6:2000-08, Abschnitt 9, beschriebenen Bahnen angeschlossen werden.

Als Einbauteile können Los- und Festflansch-Konstruktionen, sowie außenliegende Anschlussbänder (z. B. Fugenbänder) verwendet werden. Der Festflansch ist umlaufsicher in den Beton einzubauen. Die Los- und Festflanschkonstruktion ist nach 7.6 mit Einbauteilen nach Tabelle 1, Spalte 2, auszuführen. Die Anschlussbereiche der Flansche sind vor Einbau der Abdichtung zu reinigen.

Fugenbänder müssen aus Materialien bestehen, die mit der Abdichtung homogen zu verschweißen sind (siehe DIN 18195-3:2000-08, 7.4). Es sind Fugenbänder mit Profilierungen in Anlehnung an DIN 18541-1 zu verwenden und nach DIN V 18197 zu bemessen und in die WU-Betonbauteile umlaufsicher einzubauen.

6.2.3.2 Prüfung

Nach dem Ausschalen des Bauteils sind die sichtbaren Bereiche von Fugenbändern auf Beschädigungen zu untersuchen und zu reinigen. Festgestellte Mängel sind zu dokumentieren und zu beseitigen.

Die Prüfung der Dichtigkeit des Anschlusses zwischen Dichtungsbahn und Fugenband erfolgt entsprechend DIN 18195-3:2000-08, 7.4.6.

6.3 Abschlüsse bei über Geländeoberfläche bzw. Nutzbelag oder Begrünung hochgeführten Abdichtungen

6.3.1 Vor Wasserbeanspruchung geschützt liegende Abschlüsse

Sind die Abschlüsse nach 5.4.2 und 5.4.3 sachgerecht hochgeführt und ist der Abdichtungsrand durch eine abdeckende Wandbekleidung (z. B. Bekleidung, Verfliesung) vor einer Wasserbeanspruchung geschützt und durch die Abdeckung oder eine Verklebung gegen Abrutschen gesichert, so sind an Abschlüssen keine weiteren Einbauteile erforderlich.

Muss ein gegen Hinterlaufen geschützt liegender Bahnenrand lediglich zusätzlich gegen Abrutschen gesichert werden, so kann dies mit Hilfe einer Holzbohle oder durch angedübelte Blechbänder oder, bei Kunststoff-Dichtungsbahnen, durch Folienbleche geschehen.

6.3.2 Wasserbeanspruchte Abschlüsse

Sind Abschlüsse an aufgehenden Bauteilen frei bewittert oder durch Spritzwasser unmittelbar belastet, sind sie durch Klemmprofile oder Klemmschienen oder angeschweißte Folienbleche linienförmig am ausreichend eben hergestellten Untergrund, im Regelfall im Abstand von 200 mm, zu fixieren. Nagelbänder dürfen nicht verwendet werden. Zusätzlich ist die Abdichtung durch Überhangstreifen oder mit einer fachgerecht dimensionierten Dichtstofffase gegen Hinterlaufen zu sichern. Dichtstofffasen sind regelmäßig zu warten.

Soll ein regensicherer Abschluss alleine durch Klemmschienen oder Klemmprofile erzielt werden, muss das aufgehende Bauteil so dicht und fest sein, dass der notwendige Anpressdruck auf Dauer erreicht und die Dichtheit alleine durch Anpressen sichergestellt ist.

6.4 Abschlüsse unter Geländeoberfläche

6.4.1 Erdüberschüttete Bauwerke

Bei Decken ohne Aufkantungen von erdüberschütteten Bauwerken ist die Abdichtung mindestens 200 mm über die Lagefuge zwischen Decke und Wand nach unten zu führen und mit einer gegebenenfalls vorhandenen Wandabdichtung zu verbinden.

6.4.2 Bauwerke mit Abdichtungen gegen von außen drückendes Wasser nach DIN 18195-6:2000-08, Abschnitt 8

Abschlüsse von Abdichtungen gegen drückendes Wasser von außen in stark wasserdurchlässigen Böden sind mindestens 300 mm über dem Bemessungswasserstand anzuordnen. Die Abdichtungen sind gegen Abgleiten und Hinterlaufen zu sichern, z. B. durch Verwahren in einer Unterschneidung oder Sicherung mit einer Klemmschiene nach 6.2.2 bei Aufbringen der Abdichtung von außen (Abdichtung mit Arbeitsraum) bzw. Umlegen des Abdichtungsendes auf die Abdichtungsrücklage bei Aufbringen der Abdichtungen von innen (Abdichtung ohne Arbeitsraum) oder durch andere gleichwertige Maßnahmen. Abdichtungen der darüber liegenden Wandbereiche gegen Bodenfeuchte und nichtstauendes Sickerwasser nach DIN 18195-4 bzw. Abdichtungen von anschließenden Decken nach DIN 18195-5 müssen den Abschluss überdecken.

Bei Abdichtungen gegen drückendes Wasser von außen in wenig wasserdurchlässigen Böden ist die Abdichtung nach DIN 18195-6 im Regelfall bis 300 mm über die Geländeoberfläche zu führen und dort nach 6.2.2 zu sichern. Für die konstruktive Gestaltung der aufgehenden Bauteile gilt 5.4.2.

7.4 Klemmschienen

Klemmschienen müssen Abschlüsse gegen Hinterlaufen durch Wasser und hochgeführte Abschlüsse zusätzlich gegen Abgleiten schützen. Klemmschienen und die zu ihrer Befestigung verwendeten Schrauben sowie der Abstand der Schrauben untereinander müssen der Ebenheit des Untergrundes angepasst sein. Im Regelfall sind Klemmschienen mit einer Breite ≥ 45 mm und einer Dicke von 5 mm bis 7 mm zu verwenden.

Sie sind mit Sechskantschrauben mit einem Durchmesser von 8 mm in Dübeln zu befestigen; bei geeigneter Abmessung mit mindestens gleichem Widerstandsmoment, aber kleinerem Schraubenabstand können auch Schrauben ≥ 6 mm verwendet werden. Der Abstand der Schrauben untereinander sollte, abhängig von Art und Ebenheit des Untergrundes, 150 mm bis 200 mm betragen. Die Einzellängen der Klemmschienen sollten 2,5 m nicht überschreiten.

Die Abdichtungsränder müssen zwischen Klemmschienen und Bauwerksflächen eingeklemmt werden. An Bauwerkskanten und -kehlen und über Fugen sind Klemmschienen so zu unterbrechen, dass sie sich bei temperaturbedingter Ausdehnung nicht gegenseitig behindern. Es können auch Klemmprofile verwendet werden, wenn sie dieselben Anforderungen erfüllen wie Klemmschienen.

7.5 Klemmprofile

Klemmprofile sind in Abhängigkeit von ihrer Funktion zu dimensionieren und zu befestigen. Der Befestigungsabstand sollte nicht mehr als 200 mm betragen. Ihre Einzellänge sollte 2,5m nicht überschreiten.

Klemmprofile, die außer der Randfixierung gleichzeitig auch die Sicherung der Abdichtung gegen Hinterlaufen durch Anpressung übernehmen sollen, müssen ausreichend biegesteif sein, um eine durchgehende Anpressung sicherzustellen. Sie müssen durch Schrauben im Untergrund dauerhaft befestigt werden.

Wird der obere Rand des Klemmprofils nicht durch einen Überhangstreifen oder die Wandbekleidungen vor der Bewitterung geschützt, ist er durch Abkanten so zu gestalten, dass eine Dichtstofffase von mindestens 10 mm Breite und 6 mm Dicke eingebracht werden kann oder durch vorkomprimierte Bänder für eine zusätzliche Abdichtung gesorgt wird. Dichtstofffasen sind regelmäßig zu warten.

7.6 Los- und Festflanschkonstruktionen

Los- und Festflanschkonstruktionen müssen im Regelfall aus schweißbarem Stahl bestehen, und ihre Maße müssen den Werten der Tabelle 1, Spalte 2 bis 6, entsprechen. Ihre Formen müssen in Abhängigkeit von ihrer Anordnung den Bildern 1 bis 4 entsprechen. Die Losflansche dürfen nicht steifer ausgebildet sein als die Festflansche. Ihre Länge darf 1,50 m nicht übersteigen und muss so gewählt werden, dass sie passgerecht ohne Beschädigung der Bolzen eingebaut werden können. Der Zwischenraum zwischen zwei Losflanschen darf im Regelfall nicht mehr als 4 mm betragen. Über den Stoßstellen der Festflansche sollten auch die Losflansche gestoßen sein.

Los- und Festflansche sind stets auf der gleichen Seite der Abdichtung anzuordnen.

E

Alle Schweißnähte, die den Wasserweg unterbinden sollen, müssen wasserdicht und Baustellennähte zweilagig ausgeführt sein. Die Stumpfstöße der Festflansche sind voll durchzuschweißen und auf der Abdichtungsfläche plan zu schleifen. Für die Gewindebolzen sind bevorzugt aufgeschweißte Bolzen gemäß den Bildern 1 bis 4 zu verwenden. Gewindebolzen aus durchgesteckten und verschweißten Sechskantschrauben sind auf Sonderfälle zu beschränken. Bei aufgeschweißten Gewindebolzen, sofern keine Automatenschweißung erfolgt, ist die Schweißnaht nötigenfalls statisch nachzuweisen. Die Bolzenlänge ist so zu bemessen, dass nach Aufsetzen der Schraubmutter im ungepressten Zustand der Abdichtung mindestens ein Gewindegang am Bolzenende frei ist.

Ändern sich die Neigungen der Abdichtungsebenen, bezogen auf die Längsrichtung von Los- und Festflanschkonstruktionen, um mehr als 45°, so sind sie an diesen Stellen mit einem Radius von mindestens 200 mm auszubilden, wobei in der Winkelhalbierenden ein Bolzen anzuordnen ist. Die Losflansche müssen als Passstücke mit Langlöchern hergestellt sein. Wegen der Langlöcher sind beim Anschrauben Unterlegscheiben zu verwenden (siehe Bild 4).

Die Festflansche sind im Bauwerk zu verankern und so einzubauen, dass ihre Oberflächen mit den angrenzenden abzudichtenden Bauwerksflächen eine Ebene bilden. Die der Abdichtung zugewandten Flanschflächen der Los- und Festflanschkonstruktionen sind unmittelbar vor Einbau der Abdichtung zu säubern und erforderlichenfalls mit einem Voranstrich zu versehen. Zum Einbau der Abdichtung in Los- und Festflanschkonstruktionen müssen die wegen der Gewindebolzen erforderlichen Löcher in den einzelnen Abdichtungslagen mit dem Locheisen eingestanzt werden. Notwendige Stöße und Nähte der Abdichtungslagen in den Flanschbereichen sind stumpf zu stoßen und gegeneinander versetzt anzuordnen. Im Flanschbereich ist deshalb bei mehrlagigen, mit Bitumen geklebten Abdichtungen eine Zulage, vorzugsweise aus Kupferriffelbändern 0,1 mm dick, anzuordnen, deren Nähte ebenfalls stumpf zu stoßen sind. Bei einlagig lose verlegten Abdichtungen sind zwei Zulagen aus demselben Werkstoff oder stoffverträglichen Elastomeren erforderlich.

Die Bolzen müssen bis zum Aufsetzen der Schraubmuttern vor Verschmutzung und Beschädigung geschützt werden. Die Schraubmuttern sind mehrmals anzuziehen, letztmalig unmittelbar vor einem Einbetonieren oder Einmauern der Konstruktion. Der Anpressdruck der Schraubmuttern ist entsprechend Tabelle 2 auf die Flanschkonstruktion und auf die Art der Abdichtung abzustimmen.

Bei Bitumen-Abdichtungen ist am freien Ende das Ausquetschen der Bitumenmasse zu begrenzen. Hierzu ist erforderlichenfalls eine Stahlleiste anzuordnen (siehe Bild 1). Bei Übergängen von Abdichtungssystemen mit unverträglichen Stoffen sind stählerne Trennleisten vorzusehen (siehe Bild 3).

Tabelle 1: Regelmaße für Los- und Festflanschkonstruktionen

(Maße in Millimeter)

	Art des Maßes		Bitumenverklebte Abdichtung		Elastomere Klemmfugenbänder	Kunststoff-Dach- und -Dichtungsbahnen, lose verlegt	
			nicht-drückendes Wasser	drückendes Wasser		nicht-drückendes Wasser	drückendes Wasser
	1		2	3	4	5	6
	Losflansch						
1	Breite	a_1	≥ 60	≥ 150	≥ 100	≥ 60	≥ 150
2	Dicke	t_1	≥ 6	≥ 10	≥ 10	≥ 6	≥ 10
3	Fase		etwa 2	etwa 2	etwa 2	etwa 2	etwa 2
	Festflansch						
4	Breite	a_2	≥ 70	≥ 160	≥ 110	≥ 70	≥ 160
5	Dicke	t_2	$6, \geq t_1$	$10, \geq t_1$	$10, \geq t_1$	$6, \geq t_1$	$10, \geq t_1$
	Schrauben bzw. Bolzen						
6	Durchmesser	d_3	≥ 12	≥ 20	≥ 20	≥ 12	≥ 20
	Schweißnaht bei Gewindebolzen						
7	Breite	s_1	etwa 2	etwa 2	etwa 2	etwa 2	etwa 2
8	Höhe	s_2	etwa 3,2	etwa 5	etwa 5	etwa 3,2	etwa 5
	Schrauben-/Bolzenloch						
9	Durchmesser	d_1	14	22	22	14	22
	Erweiterung bei Gewindebolzen						
10	Durchmesser	d_2	$d_1 + 2 \times s_1$	$d_1 + 2 \times s_1$	$d_1 + 2 \times s_1$	$d_1 + 2 \times s_1$	$d_1 + 2 \times s_1$
11	Schrauben- bzw. Bolzenabstand untereinander		75 bis 150	75 bis 150	75 bis 150	75 bis 150	75 bis 150
12	Schrauben- bzw. Bolzenabstand vom Ende des Losflansches		≤ 75	≤ 75	≤ 75	≤ 75	≤ 75

E

Bauwerksabdichtungen – Teil 10: Schutzschichten und Schutzmaßnahmen

Auszug aus **DIN 18 195-10** (03.2004)

Inhalt

1 Anwendungsbereich

1.1 Diese Norm gilt für das Herstellen von Schutzschichten auf Bauwerken mit Abdichtungen gegen

– Bodenfeuchte und nichtstauendes Sickerwasser nach DIN 18 195-4;
– nichtdrückendes Wasser und unter intensiv begrünten Dachflächen nach DIN 18 195-5;
– von außen drückendes Wasser und zeitweise aufstauendes Sickerwasser nach DIN 18 195-6;
– von innen drückendes Wasser nach DIN 18 195-7

sowie für Schutzmaßnahmen, die vorzusehen sind, um Bauwerksabdichtungen bis zur Fertigstellung des Bauwerks vor Beschädigungen zu schützen. Sie gilt ferner für das Herstellen von Schutzschichten auf Abdichtungen unter intensiv begrünten Dachflächen, über Bewegungsfugen nach DIN 18 195-8 und an Durchdringungen, Übergängen und Abschlüssen nach DIN 18 195-9.

1.2 Diese Norm gilt nicht für das Herstellen von Schutzschichten über

– Abdichtungen von nicht genutzten und von extensiv begrünten Dachflächen (siehe DIN 18 531);
– Abdichtungen von Fahrbahnen, die zu öffentlichen Straßen oder zu Schienenwegen gehören, z. B. Fahrbahntafeln;
– Abdichtungen von Deponien, Erdbauwerken und bergmännisch erstellten Tunneln;

– nachträglichen Abdichtungen in der Bauwerkserhaltung oder in der Baudenkmalpflege, es sei denn, es können hierfür Verfahren angewendet werden, die in dieser Norm beschrieben werden.

Sie gilt ferner nicht für den Schutz von Bauteilen, die so wasserundurchlässig sind, dass die Dauerhaftigkeit des Bauteils und die Nutzbarkeit des Bauwerks ohne weitere Abdichtung im Sinne dieser Norm gegeben sind. In diesem Sinne gilt sie auch nicht für Konstruktionen aus wasserundurchlässigem Beton.

4 Schutzschichten

4.1 Stoffe

Stoffe für Schutzschichten müssen mit der Bauwerksabdichtung verträglich und gegen die auf sie einwirkenden Beanspruchungen mechanischer, thermischer und chemischer Art widerstandsfähig sein. Nachfolgend sind die üblichen und bewährten Stoffe für Schutzschichten für Abdichtungen mit Stoffen nach DIN 18 195-2 in 4.3.2 bis 4.3.8 genannt.

Schutzlagen nach DIN 18 195-5 : 2000-08, 8.2.3, 8.2.4, 8.2.5, 8.3.3 und 8.3.4, sind keine Schutzschichten und kein Ersatz für Schutzschichten (siehe DIN 18 195-1 : 2000-08, 8.3.4).

4.2 Anforderungen

4.2.1 Schutzschichten müssen Bauwerksabdichtungen dauerhaft vor schädigenden Einflüssen statischer, dynamischer und thermischer Art schützen. Sie können auch Nutzschichten des Bauwerks bilden, z. B. bei Dachterrassen. Dabei sind insbesondere auch die Belastungen während der Bauzeit zu beachten.

4.2.2 Bewegungen und Verformungen der Schutzschichten dürfen die Abdichtung nicht beschädigen. Schutzschichten für Bauwerksabdichtungen nach DIN 18 195-5 sind erforderlichenfalls von der Abdichtung zu trennen und durch Fugen aufzuteilen. Darüber hinaus müssen in diesem Fall an Aufkantungen und Durchdringungen der Abdichtung in der Schutzschicht ausreichend breite Fugen vorhanden sein.

In festen Schutzschichten sind im Regelfall Fugen im Bereich von Neigungswechseln, z. B. beim Übergang von schwach zu stark geneigten Flächen, anzuordnen.

4.2.3 Bei Bauwerksfugen sind in festen Schutzschichten Fugen an gleicher Stelle anzuordnen; für die Einzelheiten gilt DIN 18 195-8.

4.2.4 Fugen in waagerechten oder schwach geneigten Schutzschichten müssen verschlossen sein; für Fugen über Bauwerksfugen sind dafür Einlagen und/oder Verguss vorzusehen.

4.3 Ausführung

4.3.1 Allgemeines

4.3.1.1 Die Art der Schutzschicht ist in Abhängigkeit von den zu erwartenden Beanspruchungen und den örtlichen Gegebenheiten auszuwählen. Schutzschichten, die auf die fertige Abdichtung aufgebracht werden, sind bei Bahnenabdichtungen mög-

E

lichst unverzüglich nach Fertigstellung und bei KMB nach der Durchtrocknung herzustellen. Im anderen Fall sind Schutzmaßnahmen gegen Beschädigungen nach Abschnitt 5 zu treffen.

4.3.1.2 Beim Herstellen von Schutzschichten dürfen die Abdichtungen nicht beschädigt werden; Verunreinigungen auf den Abdichtungen sind vorher sorgfältig zu entfernen.

4.3.1.3 Schutzschichten auf geneigten Abdichtungen sind, sofern sie nicht aus Bitumen-Dichtungsbahnen bestehen, vom tiefsten Punkt nach oben und in solchen Teilabschnitten herzustellen, dass sie nicht abrutschen können.

4.3.1.4 Senkrechte Schutzschichten, die vor Herstellung der Abdichtung ausgeführt werden und als Abdichtungsrücklage dienen, müssen in jedem Bauzustand standsicher sein. Bei senkrechten Schutzschichten, die nachträglich hergestellt werden, muss der Arbeitsraum lagenweise verfüllt werden.

4.3.1.5 Auf waagerechte oder schwach geneigte Schutzschichten dürfen Lasten oder lose Massen nur dann aufgebracht werden, wenn die Schutzschichten belastbar und erforderlichenfalls gesichert sind.

4.3.2 Schutzschichten aus Beton

4.3.2.1 Schutzschichten aus Beton müssen mindestens in der Betongüte C 8/10, bei Anordnung von Bewehrung mindestens in C 12/15 nach DIN EN 206-1 hergestellt werden. Die Bewehrung muss die nach DIN 1045-1 erforderliche Betonüberdeckung aufweisen. Als Zuschlag für den Beton ist Kies oder Edelsplitt zu verwenden.

4.3.2.2 Schutzschichten müssen mindestens 50 mm dick sein; werden sie auf Flächen mit einem größeren Neigungswinkel als 18° (etwa 33 %) angeordnet, sind sie im Regelfall zu bewehren.

4.3.2.3 Senkrechte Schutzschichten sind von waagerechten oder geneigten durch Fugen mit Einlagen zu trennen. Sie sind durch senkrechte Fugen im Abstand von höchstens 7 m zu unterteilen und von den Eckbereichen zu trennen.

4.3.2.4 Bei nicht wärmegedämmten Parkdecks übernimmt die Schutzschicht aus Beton häufig die Funktion der Nutzschicht, bei Parkdecks mit Wärmedämmung zusätzlich die Funktion der Druckverteilungsplatte über der Dämmschicht. In beiden Fällen ist zwischen Abdichtung und Schutzschicht aus Beton eine zweilagige Trennschicht anzuordnen, wobei die obere Lage aus geschlossenzelligem Weichschaum oder gleichwertigen Stoffen bestehen kann. Die Betonschutzschicht ist nach 4.2.2 in Felder aufzuteilen, die Felder können zur Verhinderung von Kantenversatz verdübelt werden. Bei Belastung ab Brückenklasse 6/6 (Ersatzflächenlast 4 kN/m^2) nach DIN 1072 müssen sie verdübelt werden.

4.3.2.5 Schutzschichten aus Betonfertigteilen sind nach 4.3.5.1 auszubilden.

4.3.3 Schutzschichten aus Mörtel oder Estrichmörtel

Schutzschichten aus Mörtel dürfen nur auf nicht begeh- oder befahrbaren, vorzugsweise senkrechten Flächen oder auf Flächen, die mehr als 18° (etwa 33 %) geneigt sind, hergestellt werden. Sie müssen mindestens 2 cm dick sein und aus Mörtel mindestens der Mörtelgruppe II oder III nach DIN 1053-1 bestehen. Sofern sie durch

Drahtgewebe bewehrt werden, ist mindestens Mörtelgruppe III zu verwenden. Schutzschichten aus Mörtel sind erforderlichenfalls gegen Ausknicken zu sichern. Begehbare Schutzschichten auf waagerechten oder schwach geneigten Flächen sind als Zementestriche auf Trenn- oder Dränschicht nach DIN 18 560-4 aus Estrichmörtel nach DIN EN 13 813 herzustellen. Für Trennschichten sind Stoffe nach DIN 18 195-2 : 2000-08, 5.2, Buchstabe a) oder d), zu verwenden. Für Zementestriche auf Wärmedämmschichten ist zusätzlich 4.3.8 zu beachten.

4.3.4 Schutzschichten aus Mauerwerk

4.3.4.1 Schutzschichten aus Mauerwerk sind 115 mm dick unter Verwendung von Mörtel mindestens der Mörtelgruppe II oder III nach DIN 1053-1 herzustellen. Dabei sind senkrechte Schutzschichten von waagerechten oder geneigten Flächen durch Fugen mit Einlagen zu trennen. Senkrechte Schutzschichten sind durch senkrechte Fugen im Abstand von höchstens 7 m zu unterteilen und von den Eckbereichen zu trennen.

4.3.4.2 Freistehende Schutzschichten, die vor Herstellung der Abdichtung ausgeführt werden und als Abdichtungsrücklage dienen, dürfen mit höchstens 125 mm dicken und 240 mm breiten Vorlagen verstärkt werden. Die abdichtungsseitige Fläche des Mauerwerks ist voll und bündig zu verfugen und mit einem glatt geriebenen, etwa 10 mm dicken Putz der Mörtelgruppe P II nach DIN 18 550-1 zu versehen. Sie muss DIN 18 195-3 : 2000-08, Abschnitt 4, entsprechen. Alle Ecken und Kanten sind zu runden, die Ecke am Fuß des Mauerwerks ist als Kehle mit etwa 40 mm großem Halbmesser auszubilden. Die Einlagen der senkrechten Fugen nach 4.3.4.1 müssen auch den Kehlenbereich erfassen.

4.3.4.3 Bei senkrechten Schutzschichten, die nach Herstellung der Abdichtung ausgeführt werden, ist eine im Regelfall 40 mm dicke Fuge zwischen Abdichtung und Mauerwerk vorzusehen, die hohlraumfrei mit Mörtel nach 4.3.4.1 auszufüllen ist.

4.3.4.4 Schutzschichten aus Trockenmauerwerk, z. B. Dränsteine in Verbindung mit einer Dränung nach DIN 4095 dürfen nur mit einer Zwischenlage aus Vlies nach DIN 18 195-2 ausgeführt werden.

4.3.5 Schutzschichten aus Platten

4.3.5.1 Schutzschichten aus Betonplatten, z. B. großformatigen Betonfertigteilen, die vor Herstellung der Abdichtung ausgeführt werden und als Abdichtungsrücklage dienen, sind während des Bauzustandes unverschieblich anzuordnen. Die Oberfläche der Abdichtungsrücklage muss DIN 18 195-3 : 2000-08, Abschnitt 4, entsprechen. Fugen sind mit Mörtel der Mörtelgruppe III nach DIN 1053-1 bündig zu schließen, so dass die abdichtungsseitige Fläche der Schutzschichten einen stetigen Verlauf aufweist.

4.3.5.2 Betonplatten für Schutzschichten auf waagerechten oder schwach geneigten Abdichtungen müssen in Mörtel mindestens der Mörtelgruppe II oder III nach DIN 1053-1 verlegt werden. Die Platten sind flächig im Mörtelbett zu lagern. Die Gesamtdicke der Schutzschicht muss mindestens 50 mm, die des Mörtelbettes mindestens 20 mm betragen. Die Fugen sind erforderlichenfalls mit Vergussmasse zu füllen.

E

Bei Schutzschichten für die Abdichtung von Terrassen und ähnlichen Flächen mit Neigungen bis zu 2° (etwa 3 %) dürfen Betonplatten auch in einem mindestens 30 mm dicken ungebundenen Kiesbett aus Kies der Korngröße 4/8 mm, auf geeigneten Stelzlagern oder Zementmörtelbatzen oberhalb einer Schutzlage nach DIN 18 195-2 : 2000-08, 5.3, verlegt werden.

4.3.5.3 Schutzschichten aus Keramik- oder Werksteinplatten müssen für die jeweiligen besonderen Beanspruchungen geeignet sein, z. B. durch Widerstandsfähigkeit gegen chemische Einwirkungen oder durch hohe Abriebfestigkeit. Nach diesen Beanspruchungen richtet sich die Art der zu verwendenden Platten, des Mörtelbettes und der Fugenverfüllung.

4.3.6 Schutzschichten aus Gussasphalt

4.3.6.1 Schutzschichten aus Gussasphalt sind mit einer Nenndicke von 25 mm herzustellen. Der Gussasphalt muss der Beanspruchung der Schutzschicht entsprechend zusammengesetzt sein.

4.3.6.2 Wird eine Schutzschicht aus Gussasphalt auf einer Abdichtung aus Bitumenwerkstoffen oder aus mit Bitumen verklebten PVC-P-Bahnen, bitumenverträglich hergestellt, so ist zwischen Abdichtung und Schutzschicht eine geeignete Trennschicht aus Stoffen nach DIN 18 195-2 anzuordnen. Bei Abdichtungen nach DIN 18 195-5 : 2000-08, 8.3.6, 8.3.7 und 8.3.8, ist eine zusätzliche Schutzschicht nach DIN 18 195-10 nicht erforderlich.

4.3.7 Schutzschichten aus Bitumen-Dichtungsbahnen mit Metallbandeinlage

4.3.7.1 Schutzschichten aus Bitumen-Dichtungsbahnen dürfen nur an senkrechten Flächen in Tiefen von mehr als 3 m unter der Geländeoberfläche und nur dort angeordnet werden, wo nachträgliche Beschädigungen, z. B. durch Erdaufgrabungen, ausgeschlossen sind. Sie sind aus Dichtungsbahnen für Bauwerksabdichtungen nach DIN 18 190-4 herzustellen, die im Bürstenstreich-, im Gieß- oder im Gieß- und Einwalzverfahren einzubauen sind.

4.3.7.2 Die Bahnen müssen sich an den Längs- und Querseiten um mindestens 50 mm überdecken.

4.3.7.3 Nach der Herstellung einer Schutzschicht aus Bitumen-Dichtungsbahnen muss die erforderliche Verfüllung der Baugrube oder des Arbeitsraumes lagenweise in einer Schichtdicke ausgeführt werden, die von der Art der Verfüllung abhängig ist, jedoch nicht mehr als 300 mm betragen soll. Das Verfüllmaterial sollte bis zu einem Abstand von 500 mm von der Schutzschicht aus Sand mit der überwiegenden Korngruppe 0/4 mm bestehen.

4.3.8 Schutzschichten aus Perimeterdämmplatten

Schaumkunststoffplatten und Schaumglasplatten, die als Perimeterdämmung und zugleich als Schutzschicht der Abdichtung im erdberührten Bereich der Außenflächen von Bauwerken verwendet werden, müssen bauaufsichtlich zugelassen sein. Für die Anwendung im Bereich DIN 18 195-4 sind die Bestimmungen der DIN 4108-2 zu beachten. Für die Anwendung im Bereich DIN 18 195-6 sind die Zulassungsbestimmungen zu beachten. Im Bereich drückenden Wassers sind die Platten an Wänden so zu verlegen, dass sie nicht von Wasser hinterlaufen oder umspült werden können. Schutzschichten aus Perimeterdämmung vor Außenwänden sind nur zulässig in Kombination mit Abdichtungen, die keine Einpressung erfordern.

4.3.9 Schutzschichten aus sonstigen Stoffen

Sofern Schutzschichten aus anderen Stoffen als nach 4.3.2 bis 4.3.8 hergestellt werden, z. B. aus Kunststoffen, müssen diese Stoffe den Anforderungen nach 4.1 und die Schutzschichten den Anforderungen nach 4.2 entsprechen sowie für die besonderen Beanspruchungen des Einzelfalls geeignet sein.

5 Schutzmaßnahmen

5.1 Schutzmaßnahmen dienen im Gegensatz zu Schutzschichten dem vorübergehenden Schutz der Abdichtung während der Bauarbeiten. Sie müssen auf die Dauer des maßgebenden Bauzustandes, z. B. einer Arbeitsunterbrechung, abgestimmt sein.

5.2 Auf ungeschützten Abdichtungen dürfen keine Lasten, z. B. Baustoffe oder Geräte, gelagert werden. Sie dürfen ferner nicht mehr als unbedingt notwendig und nur mit geeigneten Schuhen betreten werden. Dies gilt je nach Durchtrocknungsgrad besonders auch für KMB.

5.3 Abdichtungsanschlüsse sind während der Bauzeit durch geeignete Maßnahmen vor Beschädigung und schädlicher Wasseraufnahme zu schützen. Dieser Schutz und eventuell dazu erforderliche Aussteifungen dürfen erst unmittelbar vor Weiterführung der Abdichtungsarbeiten entfernt werden.

5.4 Abdichtungen sind bis zur Fertigstellung des Bauwerks gegen mögliche schädigende Beanspruchungen durch Grund-, Stau- und Oberflächenwasser zu schützen. Dabei ist insbesondere darauf zu achten, dass in jedem Bauzustand eine ausreichende Sicherung gegen Auftrieb vorhanden ist. Oberflächenwasser darf die Abdichtung nicht von ihrer Unterlage abdrücken.

5.5 Abdichtungen sind während der Bauzeit ferner gegen die Einwirkungen schädigender Stoffe, z. B. Schmier- und Treibstoffe, Lösungsmittel oder Schalungsöl, zu schützen.

5.6 Werden vor senkrechten oder stark geneigten Abdichtungen, die nicht mit einer Schutzschicht versehen werden können, Bewehrungseinlagen einschließlich Montage- und Verteilereisen verlegt, so muss ihr lichter Abstand von der Abdichtung mindestens 50 mm betragen. Unvermeidliche Abstandshalter dürfen sich nicht schädigend in die Abdichtung eindrücken.

Abdichtungen aus Bitumenwerkstoffen sind vor Einbau von Bewehrungen mit einem Anstrich aus Zementmilch zu versehen, um mechanische Beschädigungen der Abdichtungen beim Einbau der Bewehrung erkennen zu lassen.

5.7 Wird auf der wasserabgewandten Seite einer senkrechten Abdichtung konstruktives Mauerwerk erstellt, so ist zwischen Abdichtung und Mauerwerk ein 40 mm breiter Zwischenraum zu belassen, der beim Aufmauern mit Mörtel der Mörtelgruppe III nach DIN 1053-1 auszufüllen und sorgfältig mit Stampfern zu verdichten ist.

5.8 Beim Ausbau von Baugrubenumschließungen, z. B. beim Ziehen von Bohlträgern, ist durch geeignete Maßnahmen sicherzustellen, dass die Schutzschicht der Abdichtung nicht bewegt oder beschädigt wird.

Verbleiben Baugrubenumschließungen ganz oder teilweise im Boden, muss sichergestellt sein, dass sich das Bauwerk einschließlich der Schutzschicht der Abdichtung unabhängig davon bewegen kann.

5.9 Senkrechte und stark geneigte Abdichtungen sind gegen Wärmeeinwirkung, z. B. Sonneneinstrahlung, zu schützen, z. B. durch Zementmilchanstrich, Abhängen mit Planen oder Wasserberieselung, damit die Gefahr des Abrutschens vermieden wird.

F BAUSTOFFE UND BAUTEILE

F.1 Mauersteine und Wandbauplatten

In der Mauerstein-Normung gibt es z. Zt. zwei „Schienen", die in der Praxis angewendet werden dürfen.

1. Möglichkeit

„Restnormen" DIN V 105-100, DIN V 106, DIN V 4165-100 und DIN V 18151-100 bis DIN V 18153-100. Diese Normen sind in Kooperation mit der Normenreihe DIN EN 771 anzuwenden.

2. Möglichkeit

Normenreihe DIN EN 771 in Kooperation mit der Anwendungsnormenreihe DIN V 20 000-401 bis -404.

Bei den folgenden Normenauszügen wird die praxisnahe 1. Möglichkeit gewählt.

Mauerziegel

Mauerziegel mit besonderen Eigenschaften

Auszug aus **DIN V 105-100** (10.2005)

Inhalt

Vorwort

Diese Vornorm wurde vom Normenausschuss Bauwesen (NABau), Fachbereich 06 „Mauerwerksbau", Arbeitsausschuss 06.02.00 Koordinierungsausschuss „Mauersteine" in Verbindung mit dem Arbeitsausschuss 06.13.00 „Mauerziegel" erarbeitet.

Eine Vornorm ist das Ergebnis einer Normungsarbeit, das wegen bestimmter Vorbehalte zum Inhalt oder wegen des gegenüber einer Norm abweichenden Aufstellungsverfahrens vom DIN noch nicht als Norm herausgegeben wird.

Zur vorliegenden Vornorm wurde kein Entwurf veröffentlicht.

Erfahrungen mit dieser Vornorm sind erbeten

- vorzugsweise als Datei per E-Mail an nabau@din.de in Form einer Tabelle. Die Vorlage dieser Tabelle kann im Internet unter www.din.de/stellungnahme abgerufen werden;
- oder in Papierform an den Normenausschuss Bauwesen (NABau) im DIN, 10772 Berlin (Hausanschrift: Burggrafenstraße 6, 10787 Berlin).

Da der harmonisierte Teil der Europäischen Norm DIN EN 771-1:2005-05, der die mit der CE-Kennzeichnung zu deklarierenden Mauersteineigenschaften umfasst, nicht alle Anforderungen beinhaltet, die in Deutschland für die Verwendung von Mauerziegeln nach DIN 1053-1, DIN 1053-3, DIN 1053-4 und DIN 1053-100 gelten, sind diese zusätzlichen Anforderungen in dieser Vornorm enthalten.

Wenn CE-gekennzeichnete Mauerziegel zusätzlich mit dieser Vornorm übereinstimmen, dürfen die Mauerziegel ohne Beachtung der für ausschließlich CE-gekennzeichnete Mauerziegel für die Verwendung in Deutschland in DIN V 20000-401 festgelegten Verwendungsregeln verwendet werden.

F

1 Anwendungsbereich

Diese Vornorm gilt für Mauerziegel nach DIN EN 771-1, die als Mauersteine für tragendes und nichttragendes Mauerwerk, vorwiegend zur Erstellung von Außen- und Innenwänden, verwendet werden. Diese Vornorm legt die Anforderungen an Mauerziegel fest, die durch CE-gekennzeichnete Mauerziegel nach DIN EN 771-1 für eine direkte Verwendung für Mauerwerk nach DIN 1053-1, DIN 1053-3, DIN 1053-4 und DIN 1053-100 zusätzlich zu erfüllen sind. Für nichttragende innere Trennwände gilt DIN 4103-1. Diese Vornorm gilt nur für die nachfolgend aufgeführten Mauerziegel der Kategorie I nach DIN EN 771-1:

- LD-Ziegel: Hochlochziegel, Wärmedämmziegel;
- HD-Ziegel: Vollziegel, Hochlochziegel, Vormauer-Ziegel, Vormauer-Hochlochziegel, Vollklinker, Hochlochklinker, hochfeste Ziegel und hochfeste Klinker, Keramikklinker.

Hochfeste Ziegel und hochfeste Klinker sind besonders geeignet zur Erstellung von hochbeanspruchten Außen- und Innenwänden.

Keramikklinker werden vorwiegend zur Erstellung von Fassaden im Außen- und Innenbereich verwendet, sowie überall dort, wo eine besondere Widerstandsfähigkeit gegenüber aggressiven Stoffen und gegenüber mechanischen Oberflächenbeanspruchungen gefordert wird.

3 Begriffe

Für die Anwendung dieses Dokuments gelten die Begriffe nach DIN EN 771-1 und die folgenden Begriffe

Vollziegel
HD-Ziegel, dessen Querschnitt durch Lochung senkrecht zur Lagerfläche bis 15 % gemindert sein darf oder Mulden aufweist, deren Anteil höchstens 20 %, bezogen auf das Volumen der Ziegel, betragen darf

Hochlochziegel
LD- oder HD-Ziegel mit senkrecht zur Lagerfläche verlaufender Lochung der Arten A, B oder C

Hochlochziegel W
LD- und HD-Ziegel der Lochungsart W

Vormauer-Hochlochziegel
HD-Ziegel (auch mit strukturierter Oberfläche) mit senkrecht zur Lagerfläche verlaufender Lochung, dessen Frostwiderstand durch Prüfung nachgewiesen ist

Wärmedämmziegel
LD-Ziegel der Lochungsart WDz mit engeren Grenzen der Rohdichteklassen, der in besonderem Maße erhöhte Anforderungen an die Wärmedämmung erfüllt

Handformziegel
HD-Ziegel als Vollziegel mit unregelmäßiger Oberfläche, dessen Gestalt von der prismatischen Form geringfügig abweichen darf

Formziegel
Vollziegel und Hochlochziegel in einer nicht nur von Rechtecken begrenzten Form

Vormauerziegel
HD-Ziegel (auch mit strukturierter Oberfläche), dessen Frostwiderstand durch Prüfung nachgewiesen ist

Klinker
oberflächig gesinterter HD-Ziegel (auch mit strukturierter Oberfläche) mit einem Masseanteil der Wasseraufnahme bis etwa 6 % und mindestens der Druckfestigkeitsklasse 28, dessen Frostwiderstand nachgewiesen ist und der besondere Anforderungen hinsichtlich der Nettotrockenrohdichte (Scherbenrohdichte) erfüllt

hochfester Ziegel/hochfester Klinker
oberflächig gesinterter HD-Ziegel (auch mit strukturierter Oberfläche) mit einem Masseanteil der Wasseraufnahme bis etwa 6 % und mindestens der Druckfestigkeitsklasse 36, dessen Frostwiderstand nachgewiesen ist und der besondere Anforderungen hinsichtlich der Nettotrockenrohdichte (Scherbenrohdichte) erfüllt

Vollklinker
Klinker oder hochfester Klinker, dessen Querschnitt durch Lochung senkrecht zur Lagerfläche bis 15 % gemindert sein darf

Hochlochklinker
Klinker oder hochfester Klinker mit senkrecht zur Lagerfläche verlaufender Lochung der Arten A, B oder C

Keramikklinker
aus dichtbrennenden Tonen mit oder ohne Zusatzstoffe geformter und gebrannter HD-Ziegel mit einem Masseanteil der Wasseraufnahme bis etwa 6 % und mindestens der Druckfestigkeitsklasse 60 und der Rohdichteklasse $\geq 1,4$, dessen Frostwiderstand nachgewiesen ist und der besondere Anforderungen hinsichtlich der Nettotrockenrohdichte (Scherbenrohdichte), der Ritzhärte, der Farb- und Lichtbeständigkeit, der Säurebeständigkeit, der Laugenbeständigkeit sowie des Aussehens der Sichtflächen erfüllt

Keramikvollklinker
Keramikklinker, dessen Querschnitt durch Lochung senkrecht zur Lagerfläche bis 15 % gemindert sein darf

Keramikhochlochklinker
Keramikklinker mit senkrecht zur Lagerfläche verlaufender Lochung der Arten A, B oder C

Keramikformklinker
Keramikklinker in einer nicht nur von Rechtecken begrenzten Form

Langlochziegel/Leichtlanglochziegelplatten
LD-Ziegel mit horizontaler Lochung

Mauertafelziegel
siehe DIN EN 771-1:2005-05, 3.29

F

4 Anforderungen

4.1 Allgemeines

Mauerziegel müssen DIN EN 771-1 entsprechen. In Bezug auf Eigenschaften, die durch DIN EN 771-1 nicht beschrieben werden, z. B.:

- Frostwiderstand,
- Gehalt an schädlichen, treibenden Einschlüssen,
- Gehalt an aktiven und löslichen Salzen,
- Ritzhärte der Oberfläche,
- Farb- und Lichtbeständigkeit,
- Säurebeständigkeit,
- Laugenbeständigkeit,
- Aussehen der Ansichtflächen,
- Maße und Vorzugsmaße, innere Geometrie,
- Bezeichnung und Kennzeichnung,

erfolgen zusätzliche Festlegungen.

Die nach den Prüfnormen der Reihe DIN EN 772 bestimmten Eigenschaften der Mauerziegel werden in Abhängigkeit vom vorgesehenen Anwendungsbereich und von der Art des Mauerziegels (z. B. Vollziegel, Hochlochziegel, Keramikklinker) nachfolgend Stufen und Klassen, Vorzugsmaßen, Lochungsarten usw. zugeordnet.

4.2 Ausgangsstoffe und Herstellung

Es gilt DIN EN 771-1:2005-05, Abschnitt 4.

4.3 Form

Es gilt DIN EN 771-1:2005-05, 5.2.2 für LD-Ziegel und 5.3.2 für HD-Ziegel. Zusätzlich gilt: Ziegel sollen die Gestalt eines von Rechtecken begrenzten Körpers haben; dies gilt nicht für Formziegel und Handformziegel.

Die Stirnflächen von Ziegeln dürfen mit Nuten und Federn oder bei Ziegelbreiten $\geq$ 175 mm mit Mörteltaschen versehen werden. Zur besseren Putzhaftung ist an den Seitenflächen eine flächenhafte Profilierung zulässig.

4.4 Löcher und Stege (Innere Geometrie)

4.4.1 Löcher und Stege

Es gilt DIN EN 771-1:2005-05, 5.2.2 für LD-Ziegel und 5.3.2 für HD-Ziegel. Zusätzlich gelten die Anforderungen nach Tabelle A.1. Die Löcher sollen möglichst gleichmäßig über die Lagerfläche verteilt sein; ihre Querschnittsform ist beliebig. Bei Vollziegeln sowie Vollklinkern darf deren Querschnitt durch Lochung senkrecht zur Lagerfläche bis 15 % gemindert sein.

4.4.2 Grifflöcher

Es gilt DIN EN 771-1:2005-05, 5.2.2.3 für LD-Ziegel und 5.3.2 für HD-Ziegel. Zusätzlich gilt: Grifflöcher sind nur dort anzuordnen, wo sie zur Handhabung erforderlich sind. Bei Anordnung von Grifflöchern darf die Gesamtfläche der Grifflöcher und Mörteltaschen nicht mehr als 12,5 % der Lagerfläche des Ziegels nach Tabelle A.1 betragen.

Der Querschnitt des einzelnen Grifflochs darf höchstens 50 cm^2 betragen. Die Randzone um das Griffloch muss bei Ziegeln bis zu einer Breite $\leq$ 175 mm und Grifflöchern $\leq$ 16 cm^2 mindestens eine Breite von 40 mm aufweisen.

Hiervon abweichend dürfen bei Ziegeln mit einer Breite von 115 mm je Ziegel zwei Grifflöcher $\leq$ 16 cm^2 (Daumenlöcher) mittig, in Richtung der Ziegelbreite, angeordnet werden.

Bei Grifflöchern $>$ 16 cm^2 muss die Randzone um das Griffloch mindestens eine Breite von 50 mm aufweisen. Der Bereich zwischen den Grifflöchern bei einem Grifflochquerschnitt $\leq$ 16 cm^2 (Daumenlöcher) muss mindestens 50 mm, bei einem Grifflochquerschnitt $>$ 16 cm^2 jedoch mindestens 70 mm betragen (siehe Bild B.1).

Bei der Ermittlung des Gesamtlochquerschnittes sind die Grifflöcher, aber nicht die Mörteltaschen, dem Lochanteil hinzuzurechnen.

4.4.3 Hochlochziegel (W) und Wärmedämmziegel (WDz)

Für Hochlochziegel (W) und Wärmedämmziegel (WDz) gelten hinsichtlich der Lochung zusätzliche Anforderungen:

Die Lochreihenzahl muss in Richtung der Wanddicke (Ziegelbreite) der Tabelle A.2 entsprechen. Wird die Lochreihenzahl von Tabelle A.2 unterschritten, muss die Scherbenrohdichte nach 4.6.3 eingehalten sein.

Die Summe der Stegdicken senkrecht zur Wanddicke bzw. bezogen auf die Ziegellänge muss bei Hochlochziegeln (W) $\leq$ 250 mm/m, aber $\geq$ 180 mm/m und bei Wärmedämmziegeln (WDz) $\leq$ 250 mm/m, aber $\geq$ 170 mm/m sein.

4.5 Maße

4.5.1 Allgemeines

Es gilt DIN EN 771-1:2005-05, 5.2.1 für LD-Ziegel und 5.3.1 für HD-Ziegel. Zusätzlich zu DIN EN 771-1 müssen Mauerziegel 4.5.2 bis 4.5.4 entsprechen.

4.5.2 Nennmaße, Mindest- und Höchstmaße

Mauerziegel müssen den Festlegungen der Tabelle A.3 (LD-Ziegel) bzw. der Tabelle A.4 (HD-Ziegel) entsprechen. Innerhalb der Lieferungen für ein Bauwerk dürfen sich jedoch die Maße der größten und kleinsten Ziegel höchstens um die in den Tabellen A.3 und A.4, Spalte 5, angegebene Maßspanne *t* unterscheiden.

4.5.3 Mörteltaschen, Nut- und Feder-Ausführung

Bei LD-Ziegeln mit Mörteltaschen, die ohne sichtbar vermörtelte Stoßfuge versetzt werden sollen, ist das Nennmaß der Länge 2 mm, bei LD-Ziegeln für Stoßfugenvermörtelung das Nennmaß der Länge 7 mm kleiner als der Wert nach Tabelle A.3. Die in Tabelle A.3 festgelegten Grenzmaße gelten sinngemäß.

Bei HD-Ziegeln mit Mörteltaschen, die ohne sichtbar vermörtelte Stoßfuge versetzt werden sollen, ist das Nennmaß der Länge mindestens 5 mm, bei Ziegeln mit Nut und

Feder 7 mm größer als der Wert nach Tabelle A.4. Die in Tabelle A.4 festgelegten Grenzmaße gelten sinngemäß.

LD- und HD-Ziegel mit Mörteltaschen müssen mindestens an einer Stoßfläche Mörteltaschen aufweisen. Die Tiefe der Mörteltaschen muss betragen:

- bei beidseitiger Anordnung mindestens 15 mm, höchstens 25 mm;
- bei einseitiger Anordnung mindestens 30 mm, höchstens 40 mm.

Sie müssen etwa über die halbe Steinbreite reichen. Die verbleibenden Randbereiche müssen mindestens eine Breite von 40 mm aufweisen. Bei Ziegeln mit Nut- und-Feder-Ausführung gilt als Länge das Maß von der Feder der einen Stirnfläche bis zur Nutengrundfläche der anderen Stirnfläche. Nut- und Feder-Ausführung muss eine einwandfreie Verzahnung der Stoßflächen sicherstellen.

4.5.4 Mauertafelziegel

Für Mauertafelziegel gilt:

Die Nenn-, Mindest- und Höchstmaße sowie die Maßspanne für LD- bzw. HD-Ziegel gelten sinngemäß (siehe 4.5.2).

Die Mauertafelziegel müssen im mittleren Bereich mindestens einen Lochkanal und dürfen an den Stoßflächen Aussparungen aufweisen, so dass sich entsprechend dem Verwendungszweck im Mauerwerk senkrecht durchlaufende Kanäle ergeben.

Die Lochkanäle sind mittig zur Ziegelbreite anzuordnen. Beispiele für die Anordnung der Lochkanäle und Aussparungen im Ziegel sind in den Bildern B.3 und B.4 angegeben.

Die Maße müssen folgenden Bedingungen entsprechen:

- Lochkanäle: Länge 50 mm bis 90 mm, Breite 30 mm bis 60 mm, höchstens jedoch 50 cm^2;
- Aussparungen (sofern erforderlich): Länge 25 mm bis 45 mm, Breite 30 mm bis 60 mm, höchstens jedoch 25 cm^2.

Der Abstand der Löcher in Längsrichtung muss mindestens 55 mm und der Randabstand mindestens 40 mm betragen. Bei HD-Ziegeln mit einer Steinbreite von 115 mm darf der Randabstand abweichend 27 mm betragen.

Die Gesamtfläche der Lochkanäle und der Aussparungen darf nicht größer als 12,5 % der Lagerfläche des Ziegels sein. Abweichend sind für Wanddicken $d \leq 175$ mm eine Gesamtfläche der Lochkanäle und Aussparungen bis 15 % zulässig.

Mauertafelziegel dürfen mit der Lochung A, B, W und WDz ausgeführt werden. Bei der Ermittlung des Gesamtlochquerschnittes sind die Lochkanäle und Aussparungen dem Lochanteil hinzuzurechnen.

4.6 Rohdichte

4.6.1 Allgemeines

Es gilt DIN EN 771-1:2005-05, 5.2.3 für LD-Ziegel und 5.3.3 für HD-Ziegel. Zusätzlich zu DIN EN 771-1 müssen Mauerziegel 4.6.2 und 4.6.3 entsprechen.

4.6.2 Ziegelrohdichte (Bruttotrockenrohdichte)

Für die Zuordnung in Rohdichteklassen gelten die Tabellen A.5 bis A.7.

Die Mittelwerte der Ziegelrohdichten müssen für die jeweiligen Rohdichteklassen in Abhängigkeit von der Ziegelart (LD-Ziegel, HD-Ziegel und Wärmedämmziegel) den in den Tabellen A.5 bis A.7 angegebenen Grenzen entsprechen.

4.6.3 Scherbenrohdichte (Nettotrockenrohdichte)

Vollklinker und Hochlochklinker sowie hochfeste Ziegel und hochfeste Klinker müssen eine mittlere Scherbenrohdichte von mindestens 1,90 kg/dm^3 (kleinster Einzelwert 1,80 kg/dm^3) aufweisen.

Keramikklinker müssen eine mittlere Scherbenrohdichte von mindestens 2,00 kg/dm^3 (kleinster Einzelwert 1,90 kg/dm^3) aufweisen.

Bei Hochlochziegeln (W) und Wärmedämmziegeln (WDz), bei denen die Lochreihenzahl in Richtung der Wanddicke nach Tabelle A.2 unterschritten wird, darf die Scherbenrohdichte in Abhängigkeit von der Ziegelrohdichte höchstens die in Tabelle A.8 genannten Werte erreichen.

4.7 Druckfestigkeit

4.7.1 Allgemeines

Es gelten DIN EN 771-1:2005-05, 5.2.4 für LD-Ziegel und 5.3.4 für HD-Ziegel sowie 5.1. Zusätzlich zu DIN EN 771-1 müssen Mauerziegel 4.7.2 und 4.7.3 entsprechen.

4.7.2 Druckfestigkeit senkrecht zur Lagerfuge

Für die Zuordnung der mittleren Druckfestigkeit zu Festigkeitsklassen müssen die Formfaktoren f der Tabelle A.9 unter Bezug auf die deklarierte mittlere Steindruckfestigkeit $f_{st,l}$ angesetzt werden (siehe Gleichung (1)).

Falls eine andere Konditionierung als nach DIN EN 772-1:2000-09, 7.3.2 (lufttrocken) gewählt wurde, ist die deklarierte mittlere Druckfestigkeit nach DIN EN 772-1:2000-09, Anhang A, auf den lufttrockenen Zustand umzurechnen.

$$f_{st} = f_{st,l} \times f \qquad (1)$$

Dabei ist

$f_{st,l}$ die auf eine Prüfung im lufttrockenen Zustand umgerechnete mittlere Steindruckfestigkeit;

f_{st} die umgerechnete mittlere Steindruckfestigkeit $f_{st,l}$ einschließlich Formfaktor.

Die mittlere Druckfestigkeit f_{st} ist der entsprechenden Druckfestigkeitsklasse nach Tabelle A.10 zuzuordnen. Zwischenwerte sind nicht zulässig.

Die umgerechnete mittlere Steindruckfestigkeit f_{st} muss mindestens 2,5 N/mm^2 betragen.

ANMERKUNG Zur Einstufung in eine der Druckfestigkeitsklassen nach Tabelle A.10 darf die Druckprüfung nach Anhang C durchgeführt werden.

F

4.7.3 Druckfestigkeitsklassen

Es gelten die Druckfestigkeitsklassen nach Tabelle A.10.

Der nach 4.7.2 umgerechnete Wert der mittleren Steindruckfestigkeit f_{st} ist der entsprechenden Druckfestigkeitsklasse nach Tabelle A.10 zuzuordnen. Die angegebene mittlere Mindestdruckfestigkeit und die kleinsten Einzelwerte der jeweiligen Druckfestigkeitsklasse dürfen nicht unterschritten werden. Zwischenwerte sind nicht zulässig.

Klinker müssen mindestens der Druckfestigkeitsklasse 28 entsprechen.

Hochfeste Ziegel und Klinker müssen mindestens der Festigkeitsklasse 36 entsprechen.

Keramikklinker müssen der Druckfestigkeitsklasse 60 entsprechen.

4.7.4 Druckfestigkeit in Wandlängsrichtung

Mauerziegel, die keine in Wandlängsrichtung durchlaufenden Innenstege haben, müssen für die Verwendung der Mauerziegel in den Erdbebenzonen 2 und 3 nach DIN 4149 eine Längsdruckfestigkeit (Druckfestigkeit in der in Wandlängsrichtung vorgesehenen Steinrichtung) von mindestens 2,0 N/mm^2 (ohne Berücksichtigung eines Formfaktors) aufweisen. Diese Anforderung gilt als erfüllt, wenn der Kleinstwert einer Versuchsreihe mindestens 2,0 N/mm^2 und der Mittelwert mindestens 2,5 N/mm^2 beträgt.

4.8 Frostwiderstand

Es gilt DIN EN 771-1:2005-05, 5.2.6 für LD-Ziegel und 5.3.6 für HD-Ziegel. Vormauerziegel und Klinker müssen frostwiderstandsfähig nach 6.1 sein.

4.9 Gehalt an schädlichen, treibenden Einschlüssen

4.9.1 Die Ziegel sollen frei von schädlichen, treibenden Einschlüssen sein; daher wird der Gehalt an schädlichen, treibenden Einschlüssen gegebenenfalls durch die nachfolgenden Festlegungen begrenzt. Falls Ziegel treibende Einschlüsse enthalten, die die Verwendbarkeit zu beeinträchtigen scheinen, ist die Prüfung nach 6.2 (Dampftest) durchzuführen.

Die Prüfung gilt als bestanden, wenn keine Gefügezerstörungen oder je 100 cm^2 Außenfläche nicht mehr als 5 Absprengungen, höchstens 3 mm tief, auftreten.

Lässt das Prüfergebnis keine sichere Beurteilung zu, so ist eine vergleichende Druckfestigkeitsprüfung nach 4.7 durchzuführen. Diese Prüfung gilt als bestanden, wenn die Ziegel in die gleiche Druckfestigkeitsklasse wie die nicht dem Dampftest unterworfenen Ziegel eingestuft werden können.

4.9.2 Vormauerziegel und Klinker sowie Vormauer-Hochlochziegel sollen frei von treibenden Einschlüssen sein, die Absprengungen verursachen können. Die Prüfung ist nach 6.2 durchzuführen, falls nach Augenschein der Verdacht besteht, dass Absprengungen durch Einschlüsse verursacht werden können.

Bei der Auswertung werden nur Absprengungen über treibenden Einschlüssen auf den Sichtflächen der Ziegel berücksichtigt.

Kleine Absprengungen mit einem Durchmesser bis zu 2 mm sind zulässig.

Die Prüfung gilt auch als bestanden, wenn an höchstens 2 Ziegeln jeweils bis zu 2 leichte Absprengungen mit einem Durchmesser zwischen 2 mm und 5 mm und wenn an höchstens einem Ziegel bis zu 2 Absprengungen mit einem Durchmesser zwischen 5 mm und 10 mm aufgetreten sind.

Die Prüfung gilt als nicht bestanden bei Überschreitung der obigen Grenzwerte oder wenn Absprengungen mit einem Durchmesser von mehr als 10 mm oder mit einer Fläche größer als 1 cm^2 aufgetreten sind.

4.10 Gehalt an aktiven löslichen Salzen

4.10.1 Allgemeines

Es gilt DIN EN 771-1:2005-05, 5.2.8 für LD-Ziegel und 5.3.9 für HD-Ziegel. Zusätzlich zu DIN EN 771-1 müssen Mauerziegel in Abhängigkeit von ihrem Verwendungszweck 4.10.2 und 4.10.3 entsprechen.

4.10.2 Der Gehalt an aktiven löslichen Salzen in Ziegeln, die zur Gefügezerstörung der Ziegel oder des Putzes führen können, ist auf ein unschädliches Maß zu begrenzen.

Sieht der Verwendungszweck der Mauerziegel nur einen begrenzten Schutz vor, müssen die Ziegel mindestens den Anforderungen der Klasse S2 entsprechen.

4.10.3 Vormauerziegel und Klinker sollen außerdem frei von Salzen sein, die zu Ausblühungen führen, welche das Aussehen der unverputzten Mauerfläche dauernd beeinträchtigen. Die gegebenenfalls erforderliche Prüfung nach DIN EN 771-1:2005-05, 5.3.9 gilt als bestanden, wenn die Anforderungen der Klasse S3 nach Tabelle A.11 an den maximal zulässigen Salzgehalt nicht überschritten werden. Abweichend von DIN EN 772-5 erfolgt die Bestimmung der löslichen Salze über eine Extraktionszeit von 5 h und unter Verwendung des Überkopfschüttlers.

4.11 Wasseraufnahme

Es gilt DIN EN 771-1:2005-05, 5.2.7 für LD-Ziegel und 5.3.7 für HD-Ziegel.

4.12 Ritzhärte der Oberfläche von Keramikklinkern

Für Keramikklinker gilt, dass die nach 6.3 bestimmte Ritzhärte der Oberfläche nach Mohs mindestens 5 betragen muss.

4.13 Farb- und Lichtbeständigkeit von Keramikklinkern

Keramikklinker müssen sich bei der Prüfung nach 6.4 als farb- und lichtbeständig erweisen.

4.14 Säurebeständigkeit von Keramikklinkern

Keramikklinker müssen außer gegen Flusssäure und deren Verbindungen säurebeständig sein. Die Prüfung erfolgt nach 6.5.

4.15 Laugenbeständigkeit von Keramikklinkern

Keramikklinker müssen auf Grund der Prüfung nach 6.6 laugenbeständig sein.

4.16 Aussehen der Ansichtsflächen von Keramikklinkern

Eine Läuferfläche und eine Kopffläche des Keramikklinkers müssen frei von Rissen sein. Haarrisse in der Oberfläche, die nach dem Vermauern sichtbar werden, gelten nicht als Mangel, da sie wegen der Dichte des Keramikklinkers dessen Güte nicht beeinträchtigen.

5 Bezeichnung und Kennzeichnung

5.1 Bezeichnung

5.1.1 Allgemeines

Es gilt DIN EN 771-1:2005-05, Abschnitt 6, für LD- und HD-Ziegel. Zusätzlich zu DIN EN 771-1 müssen Mauerziegel 5.1.2 und 5.1.3 entsprechen.

5.1.2 LD-Ziegel (Hochlochziegel, Wärmedämmziegel)

Für die verschiedenen Ziegelarten gelten folgende Kurzzeichen:

HLz Hochlochziegel

WDz Wärmedämmziegel

Mauertafelziegel werden mit T, Vormauer-Hochlochziegel mit vorangestelltem V gekennzeichnet.

Mauerziegel nach 4.7.4 sind zusätzlich mit EB zu kennzeichnen.

Vormauer-Hochlochziegel mit von den Nennmaßen nach Tabelle A.3 abweichenden Werkmaßen (siehe Tabelle A.3, Fußnote [a]) erhalten zum Kurzzeichen den Buchstaben v (z. B. vHLz).

Formziegel haben kein besonderes Kurzzeichen.

Hochlochziegel werden nach dem Kurzzeichen HLz zusätzlich mit den Buchstaben A, B oder C, entsprechend Tabelle A.1, oder mit W, wenn sie die zusätzlichen Anforderungen nach 4.4.3 erfüllen, bezeichnet.

Bei Stoßfugenausführung mit Nut und Feder kann die Kurzbezeichnung N + F zusätzlich verwendet werden.

Hochlochziegel sind in der Reihenfolge DIN-Hauptnummer, Ziegelart (Kurzzeichen), Druckfestigkeitsklasse, Rohdichteklasse und Format-Kurzzeichen nach Tabelle A.12 zu bezeichnen. Bei Hochlochziegeln W ohne Mörteltasche ist die vorgesehene Wanddicke hinter dem Format-Kurzzeichen anzufügen (z. B. Wanddicke = 300 mm (300)).

Bezeichnungsbeispiel:

Bezeichnung eines Hochlochziegels W (HLz) ohne Mörteltasche, der Druckfestigkeitsklasse 6, der Rohdichteklasse 0,7, der Länge l = 240 mm, der Breite b = 300 mm und der Höhe h = 238 mm (10 DF) für eine Wanddicke von 300 mm (300):

Ziegel DIN 105 – HLzW 6 – 0,7 – 10 DF 300

5.1.3 HD-Ziegel (Vollziegel, Hochlochziegel, Vormauer-Vollziegel, Vormauer-Hochlochziegel, Vollklinker, Hochlochklinker, hochfeste Ziegel und hochfeste Klinker, Keramikklinker)

Für die verschiedenen Ziegelarten gelten folgende Kurzzeichen:

Mz	Vollziegel
HLz	Hochlochziegel
VMz	Vormauer-Vollziegel
VHLz	Vormauer-Hochlochziegel
KMz	Vollklinker
KHLz	Hochlochklinker
KK	Keramikvollklinker
KHK	Keramikhochlochklinker

Die Bezeichnung der für Mauertafeln mit vertikalen Vergusskanälen geeigneten Ziegel wird mit T ergänzt.

Mauerziegel nach 4.7.4 sind zusätzlich mit EB zu kennzeichnen.

Formziegel und Handformziegel haben keine Kurzzeichen.

Vormauerziegel und Klinker mit von den Nennmaßen nach Tabelle A.4 abweichenden Werkmaßen (siehe Tabelle A.4, Fußnote [a]) erhalten zum Kurzzeichen den Buchstaben v bzw. k (z. B. vMz, kMz).

Hochlochziegel werden nach dem Kurzzeichen HLz zusätzlich mit den Buchstaben A, B oder C, entsprechend Tabelle A.1, bezeichnet. Bei Stoßfugenausführung mit Nut und Feder kann die Kurzbezeichnung N + F zusätzlich verwendet werden.

Ziegel sind in der Reihenfolge DIN-Hauptnummer, Ziegelart (Kurzzeichen), Druckfestigkeitsklasse, Rohdichteklasse und Format-Kurzzeichen nach Tabelle A.12 zu bezeichnen.

Bezeichnungsbeispiele:

Bezeichnung eines Vollziegels (Mz) der Druckfestigkeitsklasse 12, der Rohdichteklasse 1,8, der Länge l = 240 mm, der Breite b = 115 mm und der Höhe h = 113 mm (2 DF):

Ziegel DIN 105 – Mz 12 – 1,8 – 2 DF

Bezeichnung eines Hochlochziegels (HLz) mit Lochung A der Druckfestigkeitsklasse 12, der Rohdichteklasse 1,2, der Länge l = 240 mm, der Breite b = 115 mm und der Höhe h = 113 mm (2 DF):

Ziegel DIN 105 – HLzA 12 – 1,2 – 2 DF

Für hochfeste Ziegel und hochfeste Klinker gilt:

Hochlochziegel werden nach dem Kurzzeichen HLz zusätzlich mit den Buchstaben A, B oder C, entsprechend Tabelle A.1, bezeichnet. Frostwiderstandsfähige Ziegel erhalten zum Kurzzeichen den Vorsatzbuchstaben V (z. B. VMz oder VHLz).

F

Bezeichnungsbeispiele:

Bezeichnung eines hochfesten Vollziegels (Mz) der Druckfestigkeitsklasse 60, der Rohdichteklasse 1,8, der Länge l = 240 mm, der Breite b = 115 mm und der Höhe h = 113 mm (2 DF):

Ziegel DIN 105 – Mz 60 – 1,8 – 2 DF

Bezeichnung eines Hochlochklinkers (KHLz) mit Lochung B der Druckfestigkeitsklasse 36, der Rohdichteklasse 1,4, der Länge l = 240 mm, der Breite b = 300 mm und der Höhe h = 113 mm (5 DF):

Klinker DIN 105 – KHLzB 36 – 1,4 – 5 DF

Für Keramikklinker gilt:

Keramikhochlochklinker (KHK) werden zusätzlich mit den Buchstaben A, B oder C entsprechend Tabelle A.1 bezeichnet.

Bezeichnungsbeispiel:

Bezeichnung eines Keramikhochlochklinkers (KHK) mit Lochung B der Druckfestigkeitsklasse 60, der Rohdichteklasse 1,6, der Länge l = 240 mm, der Breite b = 115 mm und der Höhe h = 52 mm (DF):

Klinker DIN 105 – KHKB 60 – 1,6 – DF

5.2 Kennzeichnung

Es gilt DIN EN 771-1:2005-05, Abschnitt 7. Zusätzlich gilt:

Sämtliche Ziegel (außer Ziegel für sichtbar bleibendes Mauerwerk) sind mit einem Werkzeichen (Herstellerzeichen) zu kennzeichnen.

Ferner müssen die versandbereiten Ziegel auf einer Längsseite eine mindestens 20 mm breite Farbkennzeichnung der Druckfestigkeitsklasse (siehe Tabelle A.13) und eine Angabe über die Rohdichteklasse erhalten.

Es genügt, wenn auf höchstens 200, bei Ziegeln $\geq$ 10 DF auf 50 Ziegel, ein gekennzeichneter Ziegel entfällt.

Werden Ziegel paketiert, genügt es, wenn die Verpackung oder ein Beipackzettel die Angaben über Werkzeichen, Lochungsart, Rohdichteklasse und Druckfestigkeitsklasse enthält. Dies gilt auch für Vormauerziegel und Klinker.

7 Konformitätsbewertung und -bescheinigung

Für die Konformitätsbewertung gilt DIN EN 771-1:2005-05, Abschnitt 8.

Die Übereinstimmung der Mauerziegel mit dieser Vornorm ist durch den Hersteller durch Ausstellen einer Übereinstimmungserklärung zu bestätigen.

Für Mauerziegel mit den in der Bauregelliste A Teil 1 bekannt gemachten Eigenschaften ist die Übereinstimmung durch Herstellererklärung und Kennzeichnung mit dem Übereinstimmungszeichen[2)] zu bestätigen.

8 Lieferschein

Nach dieser Norm hergestellte Ziegel sind mit Lieferscheinen, die folgende Angaben enthalten, auszuliefern:

a) Hersteller und Werk;

b) Herstellerzeichen;

c) Anzahl und Bezeichnung der gelieferten Ziegel nach Abschnitt 5;

d) Tag der Lieferung;

e) Empfänger.

Bei Mauerziegeln mit den in der Bauregelliste A Teil 1 bekannt gemachten Eigenschaften ist auf der Verpackung, dem Lieferschein oder dem Beipackzettel das Übereinstimmungszeichen (entsprechend der Übereinstimmungszeichen-Verordnung des jeweiligen Landes) anzubringen.

F

2) Übereinstimmungszeichen-Verordnung des jeweiligen Landes.

Anhang A
(normativ)

Anforderungen an Ziegelgeometrie, -rohdichte und -druckfestigkeit

Tabelle A.1: Lochungsarten, Löcher und Stege (nicht abgedruckt)

Tabelle A.2: Lochreihenanzahl

Spalte	1	2	3	
Zeile	Ziegelbreite mm	Lochreihenanzahl min.[b]	Lochreihenanzahl max.	
			Lochung W	Lochung WDz
1	115	5	6	
2	145	6	8	
3	175	8	9	
4	240	11	12[a]	13
5	300	13	15[a]	17
6	365	16	18[a]	21
7	425	19	21[a]	25
8	490	21	23[a]	29

[a] Gilt auch für HLzB.
[b] Siehe auch Tabelle A.8.

Tabelle A.3: Maße von LD-Ziegeln

Spalte	1	2	3	4	5
Zeile	Maße[a]	Nennmaß mm	Mindestmaß mm	Höchstmaß mm	Maßspanne *t* (siehe 4.5.2) mm
1	Ziegelbreite *b*	90	85	95	5
2		115	110	120	6
3		145	139	148	7
4		175	168	178	8
5		240	230	245	10
6		300	290	308	12
7		365	355	373	12
8		425	415	433	12
9		490	480	498	12
10	Ziegellänge[b] *l*	175	168	178	8
11		247	237	252	10
12		307	297	315	12
13		372	362	380	12
14		432	422	440	12
15		497	487	505	12
16	Ziegelhöhe *h*	52	50	54	3
17		71	68	74	4
18		113	108	118	4
19		155	150	160	5
20		175	170	180	5
21		238	233	243	6

[a] Ziegel dürfen auch in den Breiten 60 mm, 70 mm, 80 mm, 100 mm, 150 mm, 200 mm, 225 mm, 250 mm und 275 mm und den Längen 190 mm, 210 mm, 290 mm, 390 mm hergestellt werden.
Bei Vormauer-Hochlochziegeln, die für nichttragende Verblendschalen verwendet werden sollen und die nicht im Verband mit anderem Mauerwerk gemauert werden, dürfen hiervon abweichende Werkmaße, die jedoch in folgenden Grenzen liegen müssen, gewählt werden:
Ziegellänge 190 mm $\leq l \leq$ 490 mm
Ziegelbreite 90 mm $\leq b \leq$ 120 mm
Ziegelhöhe 40 mm $\leq h \leq$ 240 mm
Die Grenzabmaße von den Werkmaßen sind entsprechend den in Saplte 3 und Spalte 4 angegebenen Maßen sinngemäß einzuhalten.

[b] Von den angegebenen Nenn-, Mindest- und Höchstmaßen der Länge sind bei Ziegeln mit Mörteltaschen je 2 mm, bei Ziegeln für Stoßfugenvermörtelung je 7 mm abzuziehen.

F

Tabelle A.4: Maße von HD-Ziegeln

Spalte	1	2	3	4	5
Zeile	Maße[a]	Nennmaß mm	Mindestmaß mm	Höchstmaß mm	Maßspanne *t* (siehe 4.5.2) mm
1	Ziegellänge *l* bzw. Ziegelbreite *b*	90	85	95	5
2		115	110 (112)	120 (118)	6
3		145	139 (141)	148	7
4		175	168 (170)	178	8 (7)
5		240	230 (233)	245	10
6		300	290 (293)	308	12
7		365	355	373	12
8		425	415	433	12
9		490	480	498	12
10	Ziegelhöhe *h*	52	50	54	3
11		71	68 (69)	74 (73)	4 (3)
12		113	108 (110)	118 (116)	4
13		155	150	160	5
14		175	170	180	5
15		238	233	243	6

[a] Ziegel dürfen auch in den Breiten 60 mm, 70 mm, 80 mm, 100 mm, 150 mm, 200 mm, 225 mm, 250 mm und 275 mm und den Längen 190 mm, 210 mm, 290 mm, 390 mm hergestellt werden.
Bei Vormauer-Hochlochziegeln, die für nichttragende Verblendschalen verwendet werden sollen und die nicht im Verband mit anderem Mauerwerk gemauert werden, dürfen hiervon abweichende Werkmaße, die jedoch in folgenden Grenzen liegen müssen, gewählt werden:
Ziegellänge 190 mm $\leq l \leq$ 490 mm
Ziegelbreite 90 mm $\leq b \leq$ 120 mm
Ziegelhöhe 40 mm $\leq h \leq$ 240 mm
Die Grenzabmaße von den Werkmaßen sind entsprechend den in Saplte 3 und Spalte 4 angegebenen Maßen sinngemäß einzuhalten.
Werte in Klammern gelten abweichend für hochfeste Ziegel und hochfeste Klinker sowie Keramikklinker.

Tabelle A.5: Ziegelrohdichte von LD-Ziegeln (in kg/dm³)

Rohdichteklasse	Mittelwert der Ziegelrohdichte[a]
0,6	0,51 bis 0,60
0,7	0,61 bis 0,70
0,8	0,71 bis 0,80
0,9	0,81 bis 0,90
1,0	0,91 bis 1,00

[a] Einzelwerte dürfen die Klassengrenzen um nicht mehr als 0,05 kg /dm³ unter- bzw. überschreiten.

Tabelle A.6: Ziegelrohdichte von Wärmedämmziegeln (in kg/dm³)

Rohdichteklasse	Mittelwert der Ziegelrohdichte[a]
0,55	0,51 bis 0,55
0,60	0,56 bis 0,60
0,65	0,61 bis 0,65
0,70	0,66 bis 0,70
0,75	0,71 bis 0,75
0,80	0,76 bis 0,80
0,85	0,81 bis 0,85
0,90	0,86 bis 0,90
0,95	0,91 bis 0,95
1,00	0,96 bis 1,00

[a] Einzelwerte dürfen die Klassengrenzen um nicht mehr als 0,03 kg/dm³ unter- bzw. überschreiten.

Tabelle A.7: Ziegelrohdichte von HD-Ziegeln (in kg/dm³)

Rohdichteklasse	Mittelwert der Ziegelrohdichte[a]
1,2	1,01 bis 1,20
1,4	1,21 bis 1,40
1,6	1,41 bis 1,60
1,8	1,61 bis 1,80
2,0	1,81 bis 2,00
2,2	2,01 bis 2,20 (2,01 bis 2,50)
2,4	2,21 bis 2,40

[a] Einzelwerte dürfen die Klassengrenzen um nicht mehr als 0,10 kg/dm³ unter- bzw. überschreiten. Die Werte in Klammern gelten für hochfeste Ziegel und hochfeste Klinker sowie Keramikklinker.

Tabelle A.8: Zulässige Scherbenrohdichte (in kg/dm³) für Hochlochziegel W und WDz bei Unterschreitung der Mindestlochreihenzahl nach Tabelle A.2

Rohdichteklasse	Scherbenrohdichte max.
0,55	1,12
0,60	1,18
0,65	1,24
0,70	1,30
0,75	1,38
0,80	1,45
0,85	1,53
0,90	1,60
0,95	1,68
1,00	1,75

Tabelle A.9: Formfaktoren (nicht abgedruckt)

F

Tabelle A.10: Druckfestigkeitsklassen

Druck-festig-keits-klasse	Kleinster Einzel-wert N/mm²	Umgerechnete mittlere Mindestdruck-festigkeit f_{st} N/mm²
2	2,0	2,5
4	4,0	5,0
6	6,0	7,5
8	8,0	10,0
10	10,0	12,5
12	12,0	15,0
16	16,0	20,0
20	20,0	25,0
28	28,0	35,0
36	36,0	45,0
48	48,0	60,0
60	60,0	75,0

Tabelle A.11: Maximal zulässiger Salzgehalt

Klasse	$Na^+ + K^+$	Mg^{2+}
	Masseanteil in %	
S3	0,02	0,01

Tabelle A.12: Format-Kurzzeichen

Format-Kurzzeichen	Maße in mm		
	l[a]	*b*	*h*
1 DF (Dünnformat)	240	115	52
NF (Normalformat)	240	115	71
2 DF	240	115	113
3 DF	240	175	113
4 DF	240	240	113
5 DF	240	300	113
6 DF	240	365	113
8 DF	240	240	238
10 DF	240	300	238
12 DF	240	365	238
14 DF	425	240	238
15 DF	365	300	238
18 DF	365	365	238
16 DF	490	240	238
20 DF	490	300	238
21 DF	425	365	238

[a] Bei Stoßfugenausführung mit Mörteltaschen erhöht sich die Länge des Ziegels um 5 mm, bei Ausführung mit Nut und Feder um 7 mm.

Tabelle A.13: Kennzeichnung

Druckfestigkeitsklasse	Farbe
4	blau
6	rot
8	[a]
10	[a]
12	ohne
16	[a]
20	gelb
28	braun
36	ein violetter Streifen
48	zwei schwarze Streifen
60	zwei schwarze Streifen

[a] Keine Kennzeichnung; Kennzeichnung erfolgt nur durch Aufstempelung der Druckfestigkeitsklasse in schwarzer Farbe.

Anhang B
(normativ)

Beispiele für Mauerziegel

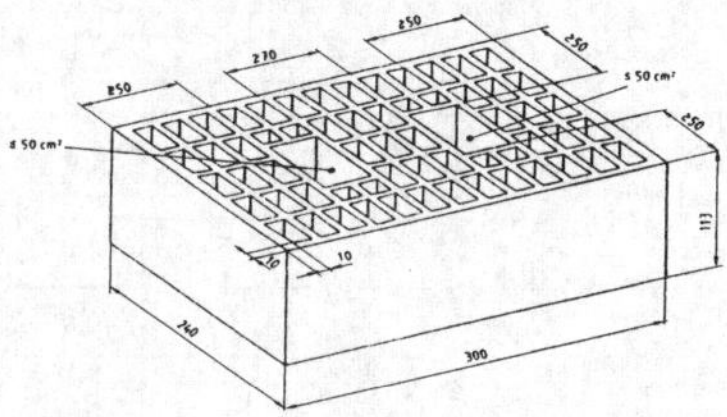

Bild B.1: Beispiel für Grifflochanordnung bei Ziegeln des Formats 5 DF (Maße in mm)

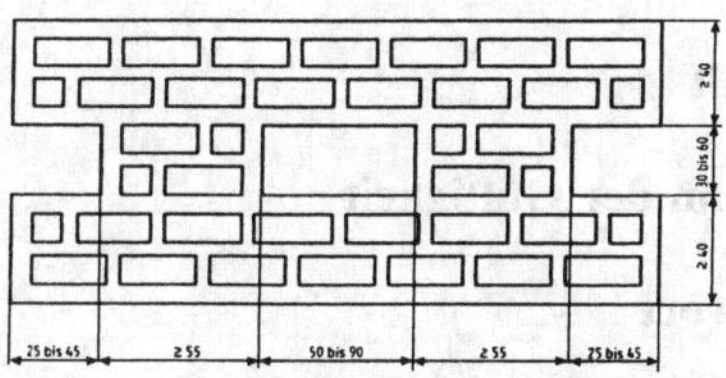

Bild B.3: Beispiel für Mauertafelziegel mit Aussparungen an den Stoßflächen (Maße in mm)

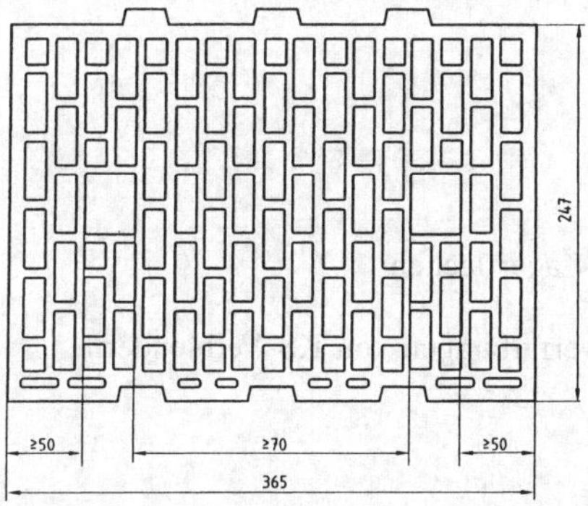

Bild B.2: Beispiel für Hochlochziegel W (Maße in mm)

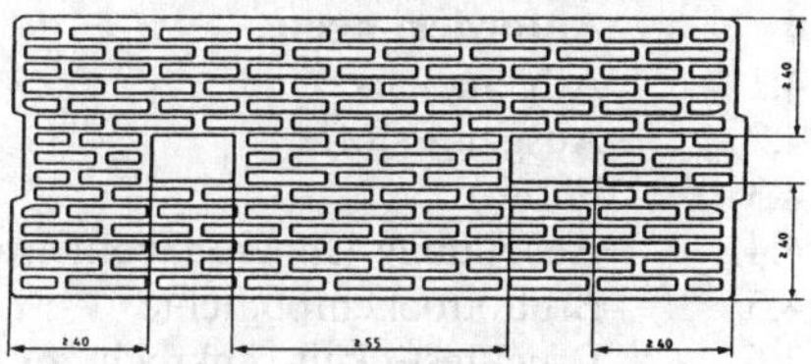

Bild B.4: Beispiel für Mauertafelziegel ohne Aussparungen an den Stoßflächen (Maße in mm)

F

Kalksandsteine

Kalksandsteine mit besonderen Eigenschaften

Auszug aus **DIN V 106** (10.2005)

Inhalt

Vorwort

Diese Vornorm wurde vom Normenausschuss Bauwesen (NABau), Fachbereich 06 „Mauerwerksbau", Arbeitsausschuss 06.02.00 Koordinierungsausschuss „Mauersteine" in Verbindung mit dem Arbeitsausschuss 06.12.00 „Kalksandsteine" erarbeitet.

Eine Vornorm ist das Ergebnis einer Normungsarbeit, das wegen bestimmter Vorbehalte zum Inhalt oder wegen des gegenüber einer Norm abweichenden Aufstellungsverfahrens vom DIN noch nicht als Norm herausgegeben wird.

Zur vorliegenden Vornorm wurde kein Entwurf veröffentlicht.

Erfahrungen mit dieser Vornorm sind erbeten

- vorzugsweise als Datei per E-Mail an nabau@din.de in Form einer Tabelle. Die Vorlage dieser Tabelle kann im Internet unter www.din.de/stellungnahme abgerufen werden;
- oder in Papierform an den Normenausschuss Bauwesen (NABau) im DIN, 10772 Berlin (Hausanschrift: Burggrafenstraße 6, 10787 Berlin).

Da der harmonisierte Teil der Europäischen Norm DIN EN 771-2:2005-05, der die mit der CE-Kennzeichnung zu deklarierenden Mauersteineigenschaften umfasst, nicht alle Anforderungen beinhaltet, die in Deutschland für die Verwendung von Kalksandsteinen gelten, sind diese zusätzlichen Anforderungen in dieser Vornorm enthalten.

Wenn CE-gekennzeichnete Kalksandsteine zusätzlich mit dieser Vornorm übereinstimmen, dürfen die Kalksandsteine ohne Beachtung der für ausschließlich CE-gekennzeichnete Kalksandsteine für die Verwendung in Deutschland in DIN V 20000-402 festgelegten Verwendungsregeln verwendet werden.

1 Anwendungsbereich

Diese Vornorm gilt für Kalksandsteine nach DIN EN 771-2, im Folgenden KS-Steine genannt, die als Mauersteine für tragendes und nichttragendes Mauerwerk, vorwiegend zur Erstellung von Außen- und Innenwänden, verwendet werden. Hierbei gilt für Wände insbesondere DIN 1053-1, DIN 1053-3, DIN 1053-4 und DIN 1053-100. Für nichttragende, innere Trennwände gilt DIN 4103-1.

Für Mauerwerk nach DIN 1053-1, an das Anforderungen hinsichtlich der Standsicherheit, des Wärme-, Schall- und des Brandschutzes gestellt werden können, dürfen nur Kalksandsteine der Kategorie I nach DIN EN 771-2 verwendet werden.

Planelemente und Fasensteine dürfen nur für Dünnbett-Mauerwerk verwendet werden.

Für Innensichtmauerwerk, das nicht dem Frost ausgesetzt ist, können auch KS-Steine nach dieser Norm verwendet werden, wenn sie für diesen Zweck auf Grund ihrer visuellen Beschaffenheit geeignet sind.

Für Mauerwerk aus Planelementen ist eine allgemeine bauaufsichtliche Zulassung erforderlich.

F

3 Begriffe

Für die Anwendung dieses Dokuments gelten die Begriffe nach DIN EN 771-2 und die folgenden Begriffe.

Vollstein
abgesehen von den durchgehenden Grifföffnungen oder Hantierlöchern fünfseitig geschlossener Mauerstein mit einer Steinhöhe ≤ 123 mm, dessen Querschnitt durch Lochung senkrecht zur Lagerfläche bis zu 15 % gemindert sein darf

Lochstein
abgesehen von den durchgehenden Grifföffnungen oder Hantierlöchern, fünfseitig geschlossener Mauerstein mit einer Steinhöhe ≤ 123 mm, dessen Querschnitt durch Lochung senkrecht zur Lagerfläche um mehr als 15 % bis höchstens 50 % gemindert sein darf

Blockstein
abgesehen von den durchgehenden Grifföffnungen oder Hantierlöchern, fünfseitig geschlossener Mauerstein mit einer Steinhöhe > 123 mm, dessen Querschnitt durch Lochung senkrecht zur Lagerfläche bis 15 % der Lagerfläche gemindert sein darf

Hohlblockstein
abgesehen von den durchgehenden Grifföffnungen oder Hantierlöchern, fünfseitig geschlossener Mauerstein mit einer Steinhöhe > 123 mm, dessen Querschnitt durch Lochung senkrecht zur Lagerfläche um mehr als 15 % bis höchstens 50 % gemindert sein darf

Planstein
Voll-, Loch-, Block- und Hohlblockstein, der durch Einhaltung erhöhter Anforderungen an die Grenzabmaße der Höhe sowie an die Planparallelität und Ebenheit der Lagerflächen die Voraussetzungen zur Vermauerung mit Dünnbettmörteln erfüllt

Planelement
großformatiger Vollstein mit einer Höhe > 248 mm und einer Länge ≥ 498 mm, dessen Querschnitt durch Lochung senkrecht zur Lagerfläche bis zu 15 % gemindert sein darf und der durch Einhaltung erhöhter Anforderungen an die Grenzabmaße der Höhe sowie an die Planparallelität und Ebenheit der Lagerflächen die Voraussetzungen zur Vermauerung mit Dünnbettmörteln erfüllt

Fasenstein
Planstein mit abgefasten Kanten

Bauplatte
Kalksandstein für nichttragende innere Trennwände mit einer Regelhöhe von 248 mm, der mit einem umlaufenden Nut-Feder-System ausgebildet sein kann und an den erhöhte Anforderungen hinsichtlich der Grenzabmaße für die Höhe gestellt werden

Formstein
Kalksandstein in einer nicht nur von Rechtecken begrenzten Form

KS-Vormauerstein
Kalksandstein mindestens der Druckfestigkeitsklasse 10, der den Nachweis des Frostwiderstandes erbracht hat

KS-Verblender
Kalksandstein mindestens der Druckfestigkeitsklasse 16, an den höhere Anforderungen hinsichtlich Grenzabmaße und Frostwiderstand als an einen KS-Vormauerstein gestellt und für dessen Herstellung besonders ausgewählte Rohstoffe verwendet werden

Riemchen
Kalksandstein mit einer Breite 10 mm $\leq b <$ 90 mm, der für Fassadenbekleidungen verwendet wird und an den die erhöhten Anforderungen für KS-Verblender hinsichtlich Frostwiderstand gestellt werden

4 Anforderungen

4.1 Allgemeines

Kalksandsteine müssen DIN EN 771-2 entsprechen. In Bezug auf die Eigenschaften, die in DIN EN 771-2 nicht beschrieben sind, werden in den nachfolgenden Abschnitten zusätzliche Festlegungen getroffen.

Die nach der Normenreihe DIN EN 772 bestimmten Eigenschaften der Kalksandsteine werden nachfolgend Stufen und Klassen, Vorzugsmaßen, Lochungsarten usw. zugeordnet.

4.2 Ausgangsstoffe

Es gilt DIN EN 771-2, **Abschnitt 4.** Zusätzlich gilt:

Die Gesteinskörnungen sollen DIN EN 12620 entsprechen. Die Verwendung von Gesteinskörnungen nach DIN EN 13055-1 ist, mit Ausnahme von Blähglas und Kesselsand, zulässig, soweit hierdurch die Eigenschaften der KS-Steine nicht ungünstig beeinflusst werden. Für die Verwendung von Gesteinskörnungen nach DIN EN 12620 bzw. DIN EN 13055-1 sind zudem die Festlegungen der Anwendungsnormen DIN V 20000-103 bzw. DIN V 20000-104 bezüglich der Regelanforderungen für die Verwendung dieser Gesteinskörnungen in Beton einzuhalten. Gesteinskörnungen mit alkaliempfindlichen Bestandteilen oder möglicherweise alkaliempfindlichen Bestandteilen dürfen für tragende Bauteile nur verwendet werden, wenn sie in eine Alkaliempfindlichkeitsklasse nach Bauregelliste A Teil 1, lfd. Nr. 1.2.8 bzw. 1.2.7, eingestuft sind.

Die Beigabe von Wirkstoffen und Farbstoffen ist zulässig.

4.3 Form

4.3.1 Allgemeines

KS-Steine müssen die Gestalt eines von Rechtecken umschreibbaren Körpers haben; dieses gilt nicht für Formsteine. Die Sichtflächen von KS-Vormauersteinen, KS-Verblendern und Riemchen dürfen eine strukturierte Oberfläche haben.

Zu Maßen von Grifföffnungen und Löchern siehe 4.4.

Bei Fasensteinen darf die Fasenbreite 7 mm nicht überschreiten. Zur Verwendung der Fasensteine in tragendem Mauerwerk nach DIN 1053-1 muss deren planmäßig zu vermörtelnde Aufstandsbreite ≥ 115 mm, bei Verwendung der Fasensteine für die Verblendschale von zweischaligem Mauerwerk ≥ 90 mm betragen. Die Aufstandsbreite ist die Steinbreite abzüglich der Fensterbreite(n).

ANMERKUNG Die Verwendung von Fasensteinen für tragendes Mauerwerk oder Verblendschalen nach DIN 1053-1 bedarf einer allgemeinen bauaufsichtlichen Zulassung.

4.3.2 Maße

Es gilt DIN EN 771-2:2005-05, **5.2.** Zusätzlich gelten nachfolgende Bestimmungen.

Kalksandsteine müssen den Nennmaßen nach Tabellen 1 und 2 entsprechen. Ergänzungssteine mit abweichenden Maßen sind zulässig.

Tabelle 1: Nennmaße[a,b] von Voll-, Loch-, Block-, Hohlblock-, Plan- und Fasensteinen

Länge[c] mm	Breite mm	Höhe mm
	115[e]	
240 (248)	120[e]	52
300 (298), (308)	150	71
365 (373)	175	113 (123)[d]
490 (498)	200	155
(623)	240	238 (248)[d]
	300	
	365	

[a] Für KS-Vormauersteine und KS-Verblender, die für Verblendschalen für zweischaliges Mauerwerk verwendet werden, dürfen hiervon abweichende Maße gewählt werden, die jedoch in folgenden Grenzen liegen müssen:
190 mm ≤ Länge ≤ 290 mm;
90 mm ≤ Breite ≤ 115 mm (für Fasensteine muss die Aufstandsbreite ≥ 90 mm betragen);
52 mm ≤ Höhe ≤ 113 mm.

[b] Steine dürfen auch in den Breiten 123 mm, 140 mm, 190 mm, 214 mm, 248 mm, 265 mm, 298 mm und in den Höhen 175 mm, 190 mm, 198 mm sowie in den für Sanierungen erforderlichen historischen Steinmaßen hergestellt werden.

[c] Für Steine mit Nut-Feder-System gelten zusätzlich die Klammerwerte.

[d] Die Klammerwerte gelten nur für Plansteine und Fasensteine.

[e] Gilt für Fasensteine nur mit den Einschränkungen nach 4.3.1.

Tabelle 2: Nennmaße von Planelementen

Länge mm	Breite mm	Höhe mm
498 623 898 998	100[a] 115 120 150 175 200 214 240 265 300 365	498 598 623

[a] Für nichttragende Wände.

Tabelle 3: Nennmaße von Bauplatten für nichttragende innere Trennwände

Länge mm	Breite mm	Höhe mm
248 498 623 898 998	100 50 70 90	248

4.3.3 Grenzabmaße

4.3.3.1 Abmaße

Es gilt DIN EN 771-2:2005-05, **5.2.2.1.** Zusätzlich gilt:

Kalksandsteine mit glatten Sichtflächen müssen mindestens der Toleranzklasse GPLM nach DIN EN 771-2 entsprechen. Abweichend davon müssen Plansteine, Planelemente, Fasensteine und Bauplatten mindestens den Anforderungen der Toleranzklasse TLMP nach DIN EN 771-2 entsprechen.

Darüber hinaus müssen Kalksandsteine nach dieser Vornorm die Anforderungen nach Tabelle 4 erfüllen

Tabelle 4: Grenzabmaße **Maße in Millimeter**

Anforderungen		KS-Steine, außer KS-Verblender	KS-Verblender
Regelanforderungen	Einzelwerte Mittelwerte	± 3 ± 2	± 2 ± 1
Abweichungen	Höhenmaß bei Steinformaten ≥ 2 DF: Einzelwerte Mittelwerte	± 4 ± 3	–
	Höhenmaß von Plansteinen, Planelementen, Fasensteinen und Bauplatten: Einzelwerte Mittelwerte	± 1,0 ± 1,0	
	Breitenmaß (Aufstandsbreite) bei KS-Vormauersteinen und KS-Verblendern mit strukturierter(n) Oberfläche(n) senkrecht zu dieser(n) Einzelwerte Mittelwerte	– 5 – 4	

F

4.3.3.2 Ebenheit der Lagerflächen

Es gilt DIN EN 771-2:2005-05, **5.2.2.2.** Zusätzlich gilt:

Die Abweichung der Lagerflächen von der Ebenheit darf bei Plansteinen, Planelementen und Fasensteinen höchstens 1,0 mm betragen.

4.3.3.3 Planparallelität der Lagerflächen

Es gilt DIN EN 771-2:2005-05, **5.2.2.3.** Zusätzlich gilt:

Die Abweichung der Lagerflächen von der Planparallelität darf bei Plansteinen, Planelementen und Fasensteinen höchstens 1,0 mm betragen.

4.4 Ausbildung (Innere Geometrie)

4.4.1 Allgemeines

Es gilt DIN EN 771-2.2005-05, **5.3.** Zusätzlich gelten die nachfolgenden Unterabschnitte.

4.4.2 Lochanteil

Zur Verwendung für Mauerwerk nach DIN 1053-1 darf der auf die Lagerflächen bezogene Lochanteil höchstens 50 % betragen.

Der Gesamtquerschnitt der Grifföffnung(en) und der Lochung ist bei Voll- und Blocksteinen sowie Planelementen auf ≤ 15 % der Lagerfläche begrenzt. Der Gesamtquerschnitt der Grifföffnung(en) und der Lochung ist bei Loch- und Hohlblocksteinen auf > 15 % und ≤ 50 % der Lagerfläche begrenzt und die Summe ihrer Stegdicken in Steinlängs- und -querrichtung darf jeweils 300 mm/m (30 %) nicht unterschreiten.

Für Fasensteine gelten die Anforderungen an den Lochanteil bezogen auf die Aufstandsfläche.

4.4.3 Griffhilfen und Grifföffnungen

Griffhilfen (im Stein oder an den Stirnseiten liegend) sollen bei Steinformaten ≥ 2 DF, die von Hand vermauert werden, ergonomisch sinnvoll angebracht werden. Für besondere Zwecke dürfen die Steine auch ohne Grifföffnungen oder Grifftaschen hergestellt werden.

Oben und unten liegende Griffhilfen dürfen nur bei Block- und Hohlblocksteinen bei Steinbreiten ≥ 175 mm an den Stirnseiten angeordnet werden. Die Breite der Griffhilfe soll nicht mehr als die halbe Steinbreite betragen. Unten liegende Griffhilfen (Untergriff) sollen nicht höher als 50 mm sein.

Der größte Querschnitt von Grifföffnungen darf nicht mehr als 80 cm^2 betragen. Grifföffnungen müssen allseitig einen Abstand von mindestens 50 mm, bei Vollsteinen mit einer Länge von 238 mm, einer Breite von 115 mm und einer Bruttotrockenrohdichte ≥ 1,41 kg/dm^3 einen Abstand von mindestens 40 mm zum Rand einhalten. Werden zwei Grifföffnungen angeordnet, muss deren Abstand untereinander mindestens 70 mm betragen. Anstelle von Grifföffnungen dürfen auch Grifftaschen angebracht werden, diese dürfen in die Mörteltaschen mit einbezogen werden.

Bei Voll-, Block- und Hohlblocksteinen (auch als Plansteine) sowie bei Planelementen dürfen auf der Mittellängsachse Hantier- bzw. Daumenlöcher in einer Tiefe von

≤ 85 mm und einem lichten Durchmesser von ≤ 50 mm angeordnet werden, die auf den Lochanteil anzurechnen sind.

4.4.4 Formgebung und Lochgeometrie

Die Löcher sollen gleichmäßig über die Lagerfläche verteilt und annähernd gleich groß sein.

Bei Voll- und Blocksteinen darf der Durchmesser von Einzellöchern 60 mm nicht überschreiten, dies gilt nicht für Griffhilfen und Grifföffnungen nach 4.4.3.

Bei Planelementen darf der Durchmesser von Einzellöchern 50 mm nicht überschreiten. Bei Planelementen ohne Lochung der Festigkeitsklassen 10, 12, 16, 20 und 28 darf an der Unterseite eine mittig angeordnete durchgehende Nut mit einer Breite b ≤ 27 mm und einer Tiefe t ≤ 31 mm zur Aufnahme von Zentrierbolzen angeordnet werden (siehe Bild 1).

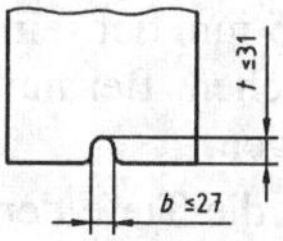

Bild 1: Durchgehende Nut in der Lagerfuge

Loch- und Hohlblocksteine müssen bezüglich ihrer Lochung die Anforderungen nach Tabelle 5 einhalten.

Tabelle 5: Anordnung der Lochreihen senkrecht zur Wandebene bei Loch- und Hohlblocksteinen

Spalte	1	2	3
Zeile	Steinbreite (gleich Wanddicke) mm	Anzahl der Lochreihen	Anforderungen an den Durchmesser [a] der Einzellöcher mm
1	< 175	1 2 ≥ 3	≤ 60[b] ≤ 40 keine
2	≥ 175 und < 240	1 2 ≥ 3	≤ 70[b] ≤ 60 keine
3	≥ 240 und < 300	3 ≥ 4	≤ 60 keine
4	≥ 300 und < 365	4 ≥ 5	≤ 60 keine
5	365	5 ≥ 6	≤ 60 keine

[a] Die Löcher dürfen sich zur Deckelseite hin schwach konisch verjüngen. Die Abstände zwischen den Lochrändern dürfen 7 mm nicht unterschreiten; einzelne, abweichende Innenstegdicken eines Steines sind bis zu einer Mindestdicke von 5 mm zulässig. Die Außenstegdicken dürfen an keiner Stelle 10 mm unterschreiten.

[b] Gesamtquerschnitt der Grifföffnungen und Lochungen ≤ 25 % der Lagerfläche.

In Kalksandsteinen können durchgehende Löcher angeordnet werden (siehe Bild 2). Zur Herstellung von lotrecht vermörtelbaren Kanälen soll der Lochdurchmesser etwa 50 mm betragen. Die Anforderungen nach Tabelle 5 sind einzuhalten.

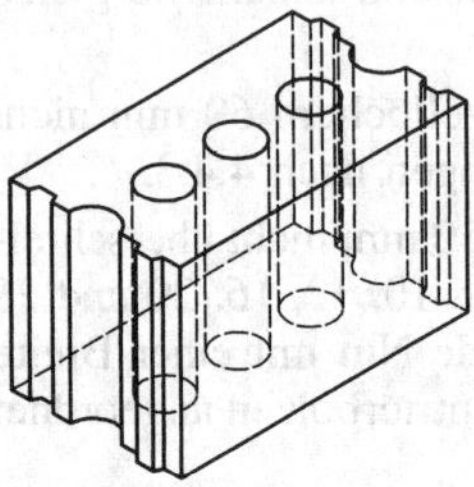

Bild 2: Beispiel für Kalksandstein mit durchgehenden Löchern

Mörteltaschen dürfen an Steinen angebracht werden. Sie sollen etwa 15 mm tief sein und, gemessen an der Steinoberfläche, über die halbe Steinbreite reichen. Bei nur einseitiger Anordnung der Mörteltaschen soll die Tiefe 30 mm betragen.

Nut-Feder-Systeme an den Stirnseiten sollen so ausgeführt sein, dass die Tiefe der Nut 4 mm nicht überschreitet.

4.5 Bruttotrockenrohdichte

Es gilt DIN EN 771-2:2005-05, **5.4.1.** Zusätzlich gilt:

Sowohl der Kleinst- als auch der Größtwert der Bruttotrockenrohdichte nach DIN EN 771-2:2005-05, 5.4.1, müssen innerhalb des Wertebereichs einer der Rohdichteklassen nach Tabelle 6 liegen.

Tabelle 6: Stein-Rohdichte

Rohdichteklasse	Wertebereich der Stein-Rohdichte kg/dm³	Rohdichteklasse	Wertebereich der Stein-Rohdichte kg/dm³
0,6[a, c]	0,51 bis 0,60	1,4[b]	1,21 bis 1,40
0,7[a, c]	0,61 bis 0,70	1,6[b]	1,41 bis 1,60
0,8[a, c]	0,71 bis 0,80	1,8[b]	1,61 bis 1,80
0,9[c]	0,81 bis 0,90	2,0[b]	1,81 bis 2,00
1,0[b]	0,91 bis 1,00	2,2[b]	2,01 bis 2,20
1,2[b]	1,01 bis 1,20		

[a] Gilt nicht für KS-Vormauersteine und KS-Verblender.
[b] Einzelwerte dürfen die Klassengrenzen um nicht mehr als 0,1 kg/dm³ unter- bzw. überschreiten.
[c] Einzelwerte dürfen die Klassengrenzen um nicht mehr als 0,05 kg/dm³ unter- bzw. überschreiten.

4.6 Druckfestigkeit senkrecht zu den Lagerflächen

Es gilt DIN EN 771-2:2005-05, **5.5.** Zusätzlich gilt:

Die deklarierte mittlere Druckfestigkeit $f_{st,tr}$ ist auf den Prüfwert bei einer lufttrockenen Prüfung umzurechnen.

$$f_{st,1} = f_{st,tr} \times 0,8 \quad (1)$$

Für die Zuordnung der mittleren Druckfestigkeit zu Festigkeitsklassen nach Tabelle 8 sind die Formfaktoren f nach Tabelle 7 anzuwenden.

$$f_{st} = f_{st,1} \times f \quad (2)$$

Dabei ist

$f_{st,1}$ die auf eine Prüfung im lufttrockenen Zustand umgerechnete mittlere Steindruckfestigkeit;

f_{st} die umgerechnete mittlere Steindruckfestigkeit $f_{st,1}$ einschließlich Formfaktor.

ANMERKUNG Zur Einstufung der Druckfestigkeit in eine der Druckfestigkeitsklassen nach Tabelle 8 darf die Druckprüfung nach Anhang A durchgeführt werden. In diesem Fall erfolgt die Einstufung in eine der Druckfestigkeitsklassen anhand der Ergebnisse nach Gleichung (A.1).

Tabelle 7: Formfaktoren

Prüfkörperhöhe mm	Formfaktor f
≥ 52 und < 75	0,8
≥ 75 und < 100	0,9
≥ 100 und < 175[a]	1,0
≥ 175 und < 238	1,1
≥ 238	1,2

[a] Bei DF 104 mm; bei NF 142 mm.

Tabelle 8: Druckfestigkeitsklassen

Druckfestigkeitsklasse	Mittlere Mindestdruckfestigkeit f_{st} < N/mm²
4	5,0
6	7,5
8	10,0
10	12,5
12	15,0
16	20,0
20	25,0
28	35,0
36	45,0
48	60,0
60	75,0

4.7 Frostwiderstand

Es gilt DIN EN 771-2:2005-05, **5.7.** Zusätzlich gilt:

KS-Vormauersteine nach 3.10, KS-Verblender nach 3.11 und Riemchen nach 3.12 müssen frostwiderstandsfähig sein.

KS-Verblender gelten als frostwiderstandsfähig, wenn nach deren Prüfung nach DIN EN 772-18 an keinem der Prüfkörper wesentliche Schäden zu beobachten sind.

F

KS-Vormauersteine gelten als frostwiderstandsfähig, wenn nach deren Prüfung mit 25 Frost-/Tauwechseln nach DIN EN 772-18 an keinem der Prüfkörper wesentliche Schäden zu beobachten sind.

Als wesentliche Schäden gelten z. B.:

- Aufbauchungen der steinbegrenzenden Flächen;
- größere Kavernen (Durchmesser ≥ 5 mm);
- deutliche Minderung der Kantenfestigkeit.

In Zweifelsfällen der Schadensbeurteilung darf die Minderung der Druckfestigkeit (Mittelwert) R_c nach DIN 772-18:2000-09, Abschnitt 8, nicht mehr als 20 % betragen. Ist die Minderung der Druckfestigkeit größer, so gelten die Mauersteine als nicht frostwiderstandsfähig.

4.8 Einschlüsse, Ausblühungen und Verfärbungen von KS-Verblendern

KS-Verblender müssen werkseitig frei sein von schädlichen Einschlüssen (Pflanzenreste, kohleartige Bestandteile, nesterartige Anreicherungen, z. B. Lehm oder Ton) oder anderen Stoffen, die später zu Abblätterungen, Kavernenbildungen und anderen Gefügestörungen sowie zu Ausblühungen und Verfärbungen führen können, welche das Aussehen der unverputzten Wände dauernd beeinträchtigen.

5 Bezeichnung

5.1 Allgemeines

Es gilt DIN EN 771-2:2005-05, **Abschnitt 6.** Zusätzlich gelten 5.2 und 5.3.

Die Bezeichnung der Steine setzt sich zusammen aus der Steinsorte, der DIN-Hauptnummer, der Steinart, der Druckfestigkeitsklasse, der Rohdichteklasse und dem Format-Kurzzeichen. Ab dem Format 4 DF ist zusätzlich die Wanddicke anzugeben. Anstelle des Format-Kurzzeichens (siehe Tabelle 9) dürfen auch die Maße in der Reihenfolge Länge × Breite × Höhe angegeben werden. Bei Plansteinen, Planelementen, Fasensteinen und Bauplatten sind die Maße stets in der Reihenfolge Länge × Breite × Höhe anzugeben.

Bei Fasensteinen ist zusätzlich die Aufstandsbreite anzugeben.

5.2 Kurzzeichen

Kurzzeichen der Steinart:	KS
KS-Vormauersteine	Vm
KS-Verblender	Vb
Voll- und Blocksteine	ohne
Loch- und Hohlblocksteine	L
Plansteine	P

Planelemente[1)]
- ohne Längsnut, ohne Lochung XL
- mit Längsnut, ohne Lochung XL-N
- ohne Längsnut, mit Lochung XL-E

Fasensteine F

Bauplatten BP

Kurzzeichen der Stirnseitengestaltung:

Glatt ohne

Nut- und Federsystem -R

Kurzzeichen der Steinformate:

Für Steine der Maße nach Tabelle 9 sollen die Formatkurzzeichen verwendet werden.

Tabelle 9: Format-Kurzzeichen (Beispiele)

Format- Kurzzeichen[a]	Maße		
	Länge[b] mm	Breite[c] mm	Höhe[d] mm
DF (Dünnformat)	240	115	52
NF (Normalformat)	240	115	71
2 DF	240	115	113
3 DF	240	175	113
4 DF (240)	240 (248)	240	113 (123)
5 DF (300)	240 (248)	300	113 (123)
6 DF (365)	240 (248)	365	113 (123)
8 DF (240)	240 (248)	240	238 (248)
10 DF (300)	240 (248)	300	238 (248)
12 DF (365)	240 (248)	365	238 (248)
16 DF (240)	490 (498)	240	238 (248)
20 DF (300)	490 (498)	300	238 (248)

[a] Bei Steinen der nicht aufgeführten Maßkombinationen sind statt der Format-Kurzzeichen die Maße in der Reihenfolge Länge × Breite × Höhe anzugeben. Bei Steinen mit Nut-Feder-System ist bei der Bestellung die gewünschte Mauerwerksdicke hinter das Format-Kurzzeichen zu setzen, z. B. für eine Wanddicke von 240 mm: 12 DF (240).
[b] Für Steine mit Nut-Feder-System gelten zusätzlich die Klammerwerte.
[c] Bei Steinen mit Nut-Feder-System entspricht die Steinbreite der Wanddicke. Bei Fasensteinen ist zusätzlich die Aufstandsbreite anzugeben.
[d] Die Klammerwerte gelten nur für Plansteine.

F

[1)] Planelemente (KS XL) werden unterteilt in werkseitig konfektionierte Bausätze (KS XL-PE) und Rasterelemente (oktametrisches Raster) im Baukastenprinzip (KS XL-RE).

5.3 Bezeichnungsbeispiele

Bezeichnung eines KS-Steines mit ≤ 15 % Lochflächenanteil, der Druckfestigkeitsklasse 12, der Rohdichteklasse 1,6, der Länge l = 240 mm, der Breite b = 115 mm und der Höhe h = 113 mm (2 DF):

Kalksandstein DIN V 106-KS 12-1,6-2 DF

Bezeichnung eines KS-Steines mit > 15 % Lochflächenanteil, der Druckfestigkeitsklasse 12, der Rohdichteklasse 1,2, der Länge l = 240 mm, der Breite b = 175 mm und der Höhe h = 113 mm (3 DF):

Kalksandstein DIN V 106-KS L 12-1,2-3 DF

Bezeichnung eines KS-Steines mit > 15 % Lochflächenanteil mit Nut- und Feder-System an den Stirnseiten als Planstein, der Druckfestigkeitsklasse 12, der Rohdichteklasse 1,4, der Länge l = 248 mm, der Breite b = 240 mm und der Höhe h = 248 mm:

Kalksandstein DIN V 106-KS L-R P 12-1,4-248 × 240 × 248

Bezeichnung eines KS-Steines mit ≤ 15 % Lochflächenanteil als Fasenstein mit Nut- und Feder-System an Stirnseiten, der Druckfestigkeitsklasse 12, der Rohdichteklasse 1,8, der Länge l = 373 mm, der Breite b = 175 mm (Fasenbreiten 7 mm; Aufstandsbreite 161 mm) und der Höhe h = 248 mm:

Kalksandstein DIN V 106-KS F-R 12-1,8-373 × 175 × 248-Aufstandsbreite 161

Bezeichnung eines KS-Steines als Vormauerstein (Vm) mit > 15 % Lochflächenanteil, der Druckfestigkeitsklasse 12, der Rohdichteklasse 1,4, der Länge l = 240 mm, der Breite b = 115 mm und der Höhe h = 113 mm (2 DF):

Kalksandstein DIN V 106-KS Vm L-12-1,4-2 DF

Bezeichnung eines KS-Steines als Verblender (Vb) mit ≤ 15 % Lochflächenanteil, der Druckfestigkeitsklasse 20, der Rohdichteklasse 2,0, der Länge l = 240 mm, der Breite b = 115 mm und der Höhe h = 71 mm (NF):

Kalksandstein DIN V 106-KS Vb-20-2,0-NF

6 Kennzeichnung

Es gilt DIN EN 771-2:2005-05, **Abschnitt 7.** Zusätzlich gilt:

KS-Steine dürfen nach ihrer Druckfestigkeit und Rohdichte entsprechend den Tabellen 10 und 11 gekennzeichnet werden.

Tabelle 10: Druckfestigkeitsklassen-Kennzeichnung

Druckfestigkeitsklasse	Kennzeichnung erforderlich[a]
4	ja
6	ja
8	ja
10	ja
12	nein
16	ja
20	ja
28	ja
36	ja
48	ja
60	ja

[a] Wird statt der Stempelung eine Farbkennzeichnung ausgeführt, sind folgende Farben anzuwenden: Festigkeitsklasse 4 blau, 6 und 8 rot, 10 grün, 12 ohne, 16 zwei grüne Streifen, 20 gelb, 28 braun, 36 violett, 48 zwei schwarze Streifen, 60 drei schwarze Streifen.

Tabelle 11: Rohdichteklassen-Kennzeichnung

Rohdichteklasse	Kennzeichnung erforderlich		
	Voll- und Blocksteine[a]	Loch- und Hohlblocksteine[b]	Planelemente
0,6	–	ja	–
0,7	–	ja	–
0,8	–	ja	–
0,9	–	ja	–
1,0	ja	ja	–
1,2	ja	ja	–
1,4	ja	nein	–
1,6	ja	ja	ja
1,8	nein	ja	ja
2,0	ja	ja	nein
2,2	ja	ja	ja

[a] Gilt auch für Plan- und Fasensteine, Bauplatten, Vormauersteine und Verblender.
[b] Gilt auch für Plansteine.

Im Fall einer Kennzeichnung erfolgt diese zweckmäßig durch Stempelung in der Reihenfolge: Druckfestigkeitsklasse, Rohdichteklasse. Werden KS-Steine paketiert, sind gegebenenfalls alle Rohdichte- und Druckfestigkeitsklassen zu kennzeichnen. Im Fall einer Kennzeichnung ist es ausreichend, wenn ein außen liegender KS-Stein des Paketes oder die Verpackung gekennzeichnet oder ein entsprechender Begleitzettel mit den gleichen Angaben wie bei der Stempelung zwischen den Steinen eingeklemmt wird.

7 Konformitätsbewertung

Für die Konformitätsbewertung gilt DIN EN 771-2:2305-05, **Abschnitt 8.**

Die Übereinstimmung der Kalksandsteine mit dieser Vornorm ist durch den Hersteller durch Ausstellen einer Übereinstimmungserklärung zu bestätigen.

ANMERKUNG Der Hersteller darf die Übereinstimmung auch auf der Grundlage einer Fremdüberwachung entsprechend Anhang B erklären.

Für Kalksandsteine mit den in der Bauregelliste A Teil 1 bekannt gemachten Eigenschaften ist die Übereinstimmung durch Herstellererklärung und Kennzeichnung mit dem Übereinstimmungszeichen[2)] zu bestätigen.

[2)] Übereinstimmungszeichen-Verordnung des jeweiligen Landes.

F

8 Lieferschein

Nach dieser Norm hergestellte Steine sind mit Lieferscheinen auszuliefern, die folgende Angaben enthalten:

a) Hersteller und Werk;

b) Anzahl der gelieferten Steine;

c) Bezeichnung der gelieferten Steine nach Abschnitt 5;

d) Tag der Lieferung;

e) Empfänger.

Bei Kalksandsteinen mit den in der Bauregelliste A Teil 1 bekannt gemachten Eigenschaften ist auf der Verpackung, dem Lieferschein oder dem Beipackzettel das Übereinstimmungszeichen (entsprechend der Übereinstimmungszeichen-Verordnung des jeweiligen Landes) anzubringen.

Anhang A

(informativ)

Bestimmung der Druckfestigkeit zur Einstufung in Druckfestigkeitsklassen

Zur Einstufung der Druckfestigkeit in eine der Druckfestigkeitsklassen nach Tabelle 8 darf die Druckprüfung wie folgt bestimmt werden:

a) Vollsteine DF, NF:
   - am ganzen Stein (Prüfkörperhöhe = Steinhöhe)
   - an zwei gegenläufig übereinander gelegten Steinhälften (Prüfkörperhöhe 104 mm (DF) bzw. 142 mm (NF)) oder
   - an zwei aufeinander gelegten ganzen Steinen (Prüfkörperhöhe 104 mm (DF) bzw. 142 mm (NF))

b) Alle anderen Steine: an einem ganzen Stein;

c) Planelemente:
   1) an ganzen Planelementen
   2) an in der Länge halbierten Planelementen (Prüfkörperhöhe ist gleich der Planelementhöhe)
   3) an aus Planelementen herausgeschnittenen Prüfkörpern mit den Maßen 240 mm × Elementbreite × 240 mm (Prüfkörperhöhe)
   4) oder bei Planelementen ohne Lochung an Prüfkörpern, die aus dem oberen und unteren Bereich der Planelemente mit folgenden Maßen entnommen werden:
   - bei Planelementbreiten > 175 mm: 125 mm × Planelementbreite × 125 mm (Prüfkörperhöhe)
   - bei Planelementbreiten < 175 mm: 250 mm × Planelementbreite × 125 mm (Prüfkörperhöhe)

Zur Prüfung nach DIN EN 772-1 sind die Prüfkörper bis zum Erreichen des lufttrockenen Zustands nach DIN EN 772-1:2000-09, 7.3.2, vorzukonditionieren.

Bei Fasensteinen ist bei der Ermittlung der Stein-Druckfestigkeit die Bruchspannung auf den Querschnitt ohne Fasen zu beziehen.

Für die Zuordnung der mittleren Druckfestigkeit des Prüfkörpers im lufttrockenen Zustand $f_{PR,1}$ zu Festigkeitsklassen nach Tabelle 8 sind die Formfaktoren f nach Tabelle 7 anzuwenden.

$$f_{st} = f_{PR,1} \times f \quad \text{(A.1)}$$

Dabei ist

$f_{PR,1}$ die mittlere Druckfestigkeit des Prüfkörpers im lufttrockenen Zustand;

f_{st} die mittlere Steindruckfestigkeit f_1 einschließlich Formfaktor.

F

Hüttensteine

Vollsteine, Lochsteine, Hohlblocksteine

nach **DIN 398** (6.76)

Hüttensteine sind Mauersteine, die aus künstlich gewonnenen Zuschlägen (z. B. Hochofenschlacke) und mineralischen Bindemitteln bestehen und durch Pressen oder Rütteln verdichtet und an der Luft oder in kohlensäurehaltigen Abgasen oder unter Dampf gehärtet worden sind.

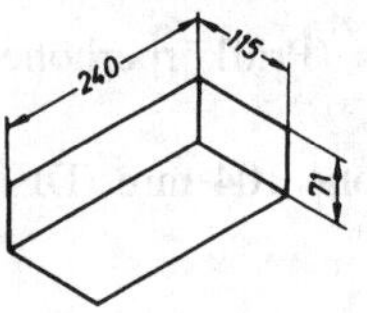

Bild 1: Hütten-Vollstein Normalformat NF (Beispiel)

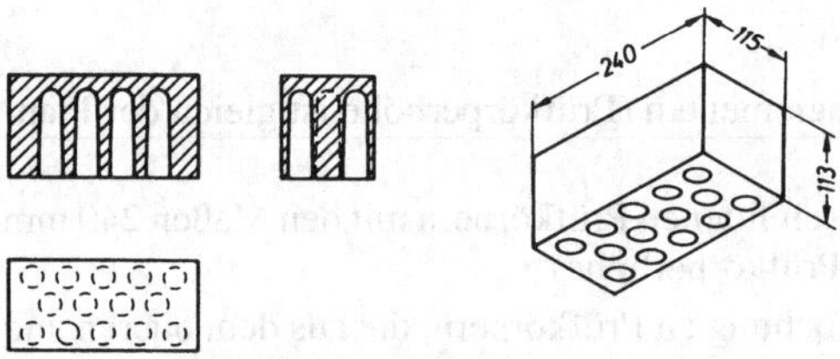

Bild 2: Hütten-Lochstein 2 DF (Beispiel)

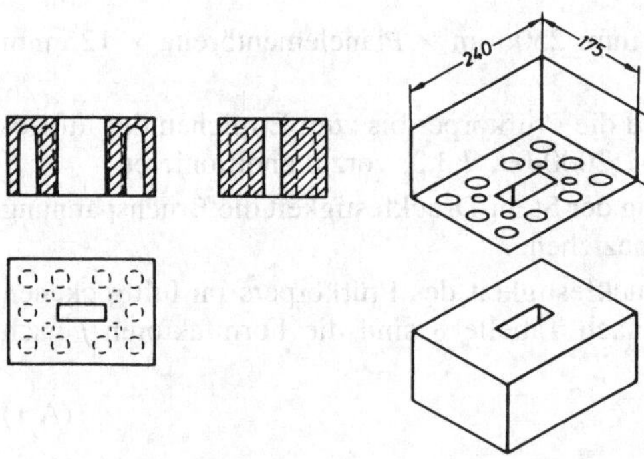

Bild 3: Hütten-Lochstein 3 DF (Beispiel)

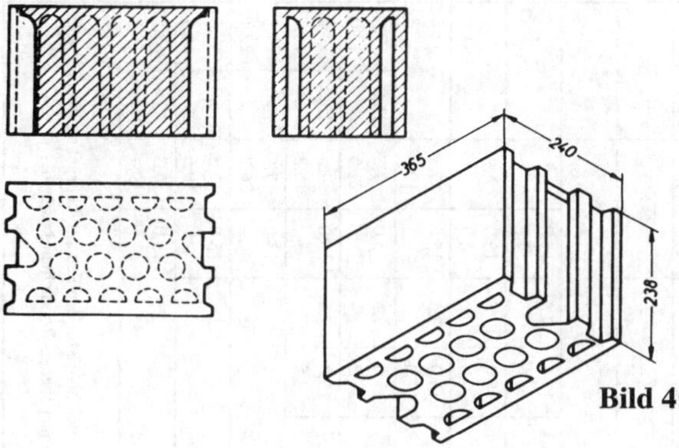

Bild 4: Hütten-Hohlblockstein 24 a (Beispiel)

Form, Maße, Druckfestigkeiten

Hütten-Vollsteine (HSV) sind Mauersteine, deren Querschnitt durch Lochung senkrecht zur Lagerfläche bis 25 % gemindert sein darf (Normalformat ohne Lochung siehe Bild 1).

Hütten-Lochsteine (HSL) sind fünfseitig geschlossene Mauersteine, abgesehen von durchgehenden Grifföffnungen, mit Lochungen senkrecht zur Lagerfläche (siehe Bild 2 und 3).

Hütten-Hohlblocksteine (HHbl) sind großformatige, fünfseitig geschlossene Mauersteine mit Hohlräumen senkrecht zur Lagerfläche (siehe Bild 4).

F

Maße, Druckfestigkeiten, Gewichte

	1	2	3	4	5	6	7	8	9	10	11	12	13	14	15	16	17	18	19	20	21
	Form	Formate	Maße mm			Höchstwerte der mittleren Rohdichte in kg/dm³															
						2,00			1,80			1,60			1,40			1,20		1,00	
			l	b	h	Mittelwerte der Druckfestigkeit in MN/m² (obere Zeile)[1)] Gewicht[2)] in kg (untere Zeile)															
1		Dünnformat DF	240	115	52	35,0	25,0 3,0	–	35,0	25,0 2,7	–		–			–		–		–	
2		Normalformat NF	240	115	71	35,0	25,0 4,1	15,0	35,0	25,0 3,7	15,0	25,0	15,0 3,3	–		–		–		–	
3		2 DF (= 1½ NF)	240	115	113		–		35,0	25,0 5,9	15,0	25,0	15,0 5,3	–		–		–		–	
4		3 DF (= 2½ NF)	240	175	113		–		35,0	25,0 9,0	15,0	25,0	15,0 8,0	–		–		–		–	
5		5 DF (= 3¾ NF)	240	300	113		–		35,0	25,0 16,0	15,0	25,0	15,0 14,5	–		–		–		–	
6		2 DF (= 1¼ NF)	240	115	113		–			–		–	15,0 5,3	7,5	–	15,0 4,6	7,5	15,0 4,0	7,5	–	
7		3 DF (= 2½ NF)	240	175	113		–			–		–	15,0 8,0	7,5	–	15,0 7,0	7,5	15,0 6,0	7,5	–	
8		5 DF (= 3 ! NF)	240	300	113		–			–		–	15,0 13,7	7,5	–	15,0 12,0	7,5	15,0	7,5 10,3	–	
9		30 a	240	300	238		–			–		–	15,0 28,9	7,5	–	15,0 25,2	7,5	15,0	7,5 21,6	15,0	7,5 18,0
10		30 b	240	300	175		–			–		–	15,0 21,2	7,5	–	15,0 18,5	7,5	15,0	7,5 15,8	15,0	7,5 13,3
11		24 a	365[3)]	240	238		–			–			–			–		15,0	7,5 26,7	15,0	7,5 22,1
12		24 b	365[3)]	240	175		–			–			–			–		15,0	7,5 19,6	15,0	7,5 16,4
13		17,5	365[3)]	175	238		–			–			–			–		15,0	7,5 19,4	15,0	7,5 16,2

1) Gerundet auf eine Stelle nach dem Komma.
2) Keine Normforderung, Anhaltswert für Baustellenprüfung. Die angegebenen Gewichte beziehen sich auf das Trockengewicht + 5 Gewichts-% für den Feuchtigkeitsgehalt. Wenn dieses Gewicht bei der Prüfung nicht überschritten wird, kann im allgemeinen angenommen werden, daß die Steine die in Tabelle 1 angegebenen Rohdichten besitzen.
3) Mit Aussparungen zum Vermörteln auch 370 mm.

Für 300 mm dickes Mauerwerk sind auch Formate mit dem Grundflächenmaß 300 mm × 145 mm zulässig.

Die zur Herstellung eines fachgerechten Mauerverbandes notwendigen Ergänzungssteine sind ebenfalls zulässig.

Frostbeständigkeit

Frostbeständigkeit wird gefordert von Hüttensteinen mit den Druckfestigkeiten 35,0 MN/m^2 und 15,0 MN/m^2, wenn diese als Vormauersteine verwendet werden sollen.

Bezeichnung und Farbmarkierung

Die Hüttensteine sind in der Reihenfolge Form, Rohdichte, Druckfestigkeit, Format und DIN-Nummer zu bezeichnen.

Bezeichnungsbeispiel:

Bezeichnung eines Hüttenlochsteines (HSL) der Rohdichte 1,60 kg/dm^3, der Druckfestigkeitsklasse 12 N/mm^2 (bisher: 150 kp/cm^2) und des Formats 2 DF:

Hüttenlochstein HSL 1,6 – 12 – 2 DF DIN 398

Werden Hüttensteine mit einer Druckfestigkeit von 12 N/mm^2, 20 N/mm^2 oder 28 N/mm^2 als Vormauersteine verlangt, dann ist vor das Kurzzeichen der Steinart der Buchstabe V zu setzen. Zum Beispiel:

Hütten-Vollstein VHSV 1,6 – 15 DF DIN 398

Farbmarkierung

Druckfestigkeitsklasse	7,5 N/mm^2	15 N/mm^2	25 N/mm^2	35 N/mm^2
Farbzeichen	rot	schwarz[1)]	weiß	braun

1) Nicht gefordert.

Hüttensteine (außer Vormauersteine) sind nach ihrer Druckfestigkeit mindestens an jedem 200. Stein durch Farbmarkierung auf der Stirn- oder Längsseite zu kennzeichnen. Ferner ist mindestens jeder 200. Stein mit einem Herstellerzeichen zu versehen.

Dach- und Formsteine aus Beton für Dächer und Wandbekleidungen – Produktanforderungen;

Deutsche Fassung EN 490:2004 + A1:2006

Auszug aus **DIN EN 490** (09.2006)

Nationales Vorwort

Dieses Dokument (EN 490:2004 + A1:2006) wurde vom CEN/TC 128 „Dacheindeckungsprodukte für überlappende Verlegung und Produkte für Außenwandverkleidung" erarbeitet, dessen Sekretariat von IBN (Belgien) gehalten wird.

Deutschland war durch den NA 005-02-02 AA „Dachsteine aus Beton (Sp CEN/TC 128/SC 2)" an der Erarbeitung beteiligt.

Der Text der Änderung A 1 ist durch eine senkrechte Linie am linken Rand gekennzeichnet.

Änderungen

Gegenüber DIN EN 490:2005-03 wurden folgende Änderungen vorgenommen:

a) Änderung des Anwendungsbereiches;

b) Änderung des Vorwortes;

c) Änderung der Abschnitte 5.9 und 5.9.2;

d) Änderung des Abschnitts 6.2;

e) Änderung des Abschnitts 7.3;

f) Änderung des Abschnitts ZA.2.1;

g) Änderung des Abschnitts ZA.2.2;

h) Änderung des Abschnitts ZA.3;

i) Änderung der Bilder ZA.1 und ZA.2.

Frühere Ausgaben

DIN EN 490: 1994-05, 2005-03

DIN 1115: 1950-07, 1977-05, 1987-05

Inhalt

F

Vorwort

Dieses Dokument (EN 490:2004) wurde vom Technischen Komitee CEN/TC 128 „Dacheindeckungsprodukte für überlappende Verlegung und Produkte für Wandbekleidungen" erarbeitet, dessen Sekretariat vom IBN gehalten wird.

Diese Europäische Norm muss den Status einer nationalen Norm erhalten, entweder durch Veröffentlichung eines identischen Textes oder durch Anerkennung bis Juni 2005, und etwaige entgegenstehende nationale Normen müssen bis September 2006 zurückgezogen werden.

Dieses Dokument ersetzt EN 490:1994.

Dieses Dokument wurde unter einem Mandat erarbeitet, das die Europäische Kommission und die Europäische Freihandelszone dem CEN erteilt hat, und unterstützt wesentliche Anforderungen der EU-Bauproduktenrichtlinie.

Für den Zusammenhang mit der EU-Bauproduktenrichtlinie siehe den informativen Anhang ZA, der Bestandteil dieses Dokumentes ist.

Mit dieser Ausgabe wird der Anwendungsbereich der Norm erweitert, um eine größere Reihe von Formsteinen abzudecken. Dieses Dokument enthält geringfügige technische Änderungen.

Entsprechend der CEN/CENELEC-Geschäftsordnung sind die nationalen Normungsinstitute der folgenden Länder gehalten, diese Europäische Norm zu übernehmen: Belgien, Dänemark, Deutschland, Estland, Finnland, Frankreich, Griechenland, Irland, Island, Italien, Lettland, Litauen, Luxemburg, Malta, Niederlande, Norwegen, Österreich, Polen, Portugal, Schweden, Schweiz, Slowakei, Slowenien, Spanien, Tschechische Republik, Ungarn, Vereinigtes Königreich und Zypern.

Vorwort der Änderung A 1

Dieses Dokument (EN 490:2004/A1:2006) wurde vom Technischen Komitee CEN/TC 128 „Dacheindeckungsprodukte für überlappende Verlegung und Produkte für Wandbekleidungen" erarbeitet, dessen Sekretariat vom IBN gehalten wird.

Diese Änderung zur Europäischen Norm EN 490:2004 muss den Status einer nationalen Norm erhalten, entweder durch Veröffentlichung eines identischen Textes oder durch Anerkennung bis Dezember 2006, und etwaige entgegenstehende nationale Normen müssen bis Dezember 2006 zurückgezogen werden.

Dieses Dokument wurde unter einem Mandat erarbeitet, das die Europäische Kommission und die Europäische Freihandelszone dem CEN erteilt haben, und unterstützt grundlegende Anforderungen der EG-Richtlinien.

Zum Zusammenhang mit EG-Richtlinien siehe informativen Anhang ZA, der Bestandteil dieses Dokumentes ist.

Diese Änderung berücksichtigt eine geänderte Betrachtungsweise der Brennbarkeit organisch beschichteter und geklebter Dach- und Formsteine.

Entsprechend der CEN/CENELEC-Geschäftsordnung sind die nationalen Normungsinstitute der folgenden Länder gehalten, diese Europäische Norm zu übernehmen: Belgien, Dänemark, Deutschland, Estland, Finnland, Frankreich, Griechenland, Irland, Island, Italien, Lettland, Litauen, Luxemburg, Malta, Niederlande, Norwegen, Österreich, Polen, Portugal, Rumänien, Schweden, Schweiz, Slowakei, Slowenien, Spanien, Tschechische Republik, Ungarn, Vereinigtes Königreich und Zypern.

1 Anwendungsbereich

Dieses Dokument legt Anforderungen an Dach- und Formsteine aus Beton für geneigte Dächer sowie für Innen- und Außenwandbekleidungen fest.

Dach- und Formsteine aus Beton können eine Oberflächenbeschichtung aufweisen und aus zusammengeklebten Betonbauteilen bestehen.

ANMERKUNG 1 Anhang A enthält Informationen zur Oberflächenbeschaffenheit.

ANMERKUNG 2 Anhang B enthält Informationen zum Verhalten von Dacheindeckungen und Wandbekleidungen.

3 Begriffe

Für die Anwendung dieses Dokumentes gelten die folgenden Begriffe.

3.1 Gesteinskörnung

Betonbestandteil, der aus ungebrochenen und/oder gebrochenen, natürlichen und/oder künstlichen Mineralstoffen mit Korngrößen und -formen besteht, die für die Betonherstellung geeignet sind

3.2 Zusatzstoff

fein verteilter Stoff, der dem Beton zugegeben werden kann, um bestimmte Eigenschaften zu verbessern oder um besondere Eigenschaften zu erreichen

3.3 Pigment

Zusatzstoff zur Farbgebung des Betons

F

3.4 Zusatzmittel

Material, das dem Beton in geringen Mengen bezogen auf die Zementmasse vor oder während des Mischens oder während eines zusätzlichen Mischvorganges zugegeben wird, um gewünschte Veränderungen der Eigenschaften zu erreichen

3.5 Zement

hydraulisches Bindemittel, d. h. fein gemahlener, anorganischer Stoff, der, mit Wasser gemischt, Zementleim ergibt, welcher durch Hydratation erstarrt und nach dem Erhärten fest und raumbeständig bleibt

3.6 Formstein

Bauteil aus Beton, das in Ergänzung zu den Dachsteinen eine besondere Funktion erfüllt

ANMERKUNG Formsteine können Einbauteile aus anderen Materialien enthalten.

3.6.1 dimensionsmäßig zugeordneter Formstein

Formstein, der an den Dachsteinen, mit denen er verlegt ist, unmittelbar ausgerichtet oder mit diesen verfalzt ist (z. B. Ortgangstein mit Falz, Lüftungsstein mit Falz, 1 1/2-Stein, Kehlstein zu Verlegung in Reihe, Winkelstein mit Falz oder zur Verlegung in Reihe)

3.7 Kehlstein

Formstein, der dort eingesetzt wird, wo zwei Dachflächen unter Bildung eines einspringenden Winkels gegeneinander stoßen

3.8 Dachstein mit Falz

profilierter oder ebener Dachstein, der einen Seitenfalz hat und außerdem einen Kopffalz aufweisen kann

3.9 Dachstein ohne Falz

profilierter oder ebener Dachstein, der keinen Falz hat

3.10 Dachstein mit regelmäßiger Vorderkante

Dachstein (mit oder ohne Falz), der planmäßig eine konstante oder regelmäßig über die Breite veränderliche Hängelänge hat

3.11 Dachstein mit unregelmäßiger Vorderkante

Dachstein (mit oder ohne Falz), der planmäßig eine unregelmäßig über die Breite veränderliche Hängelänge hat

4 Symbole und Abkürzungen

l_1 Hängelänge eines Dachsteins
l_2, l_3 Hängelänge am Rand eines Dachsteins nach EN 491:2004, Abschnitt 4
c_w Nenndeckbreite eines Dachsteins
c_{wc} Deckbreite von 10 Dachsteinen im gedrückten Zustand
c_{wd} Deckbreite von 10 Dachsteinen im gezogenen Zustand
d Profilhöhe eines Dachsteins
F_{min} Mindesttragfähigkeit von Dachsteinen
F_i Tragfähigkeit eines Dachsteins
IL mit Falz
NL ohne Falz
RF regelmäßige Vorderkante
IF unregelmäßige Vorderkante
/ nicht zutreffende oder nicht festgelegte Eigenschaft im Bezeichnungssystem

5 Anforderungen

5.1 Stoffe

Der Beton für die Herstellung von Dach- und Formsteinen entsteht nach der Vermischung von Zement, Gesteinskörnung und Wasser durch Erhärten des Zementleims (Zement und Wasser).

ANMERKUNG Außer den genannten Grundbestandteilen kann der Beton auch Pigmente, Zusatzmittel und/oder Zusatzstoffe enthalten.

5.2 Maße

5.2.1 Hängelänge und Rechtwinkligkeit

Die Hängelänge der Dachsteine ist in den technischen Unterlagen des Herstellers anzugeben. Für Dachsteine mit regelmäßiger Vorderkante darf l_1 bei Prüfung nach EN 491:2004, 5.2.2.1 und 5.2.2.2 nicht mehr als ± 4 mm von dem vom Hersteller angegebenen Wert abweichen.

Die Rechtwinkligkeit von Dachsteinen mit nominell konstanter Hängelänge ist bei Prüfung nach EN 491:2004, 5.2.2.1 als die Differenz zwischen l_2 und l_3 zu berechnen; dabei darf diese nicht größer als 4 mm sein.

Dieser Unterabschnitt gilt nicht für Dachsteine, die planmäßig, z. B. aus ästhetischen Gründen, eine unregelmäßige Vorderkante aufweisen.

5.2.2 Deckbreite

5.2.2.1 Allgemeines

Die Deckbreite c_w eines Dachsteines ist in den technischen Unterlagen des Herstellers anzugeben.

ANMERKUNG Der Deckbreitenverzug kann ebenfalls in den technischen Unterlagen des Herstellers angegeben sein.

F

Dieser Unterabschnitt gilt nicht für Dachsteine, die planmäßig, z. B. aus ästhetischen Gründen, unterschiedliche Deckbreiten aufweisen.

5.2.2.2 Dachsteine mit Falz

Werden Dachsteine mit vom Hersteller angegebenem Deckbreitenverzug nach EN 491:2004, 5.3.3.1 geprüft, muss der Deckbreitenverzug folgende Bedingungen erfüllen:

- $c_{wd}/10 \geq c_{/w}$ + angegebener „Plus-Deckbreitenverzug“
- $c_{wc}/10 \leq c_w$ – angegebener „Minus-Deckbreitenverzug.

Für Dachsteine ohne Deckbreitenverzug und Dachsteine mit Deckbreitenverzug, der jedoch nicht vom Hersteller angegeben ist, darf bei Prüfung nach EN 491:2004, 5.3.3.1 die mittlere Deckbreite maximal ± 5 mm von dem vom Hersteller angegebenen Wert abweichen.

5.2.2.3 Dachsteine ohne Falz

Bei Prüfung von Dachsteinen ohne Falz EN 491:2004, 5.3.3.2 darf die mittlere Deckbreite maximal ± 3 mm von dem vom Hersteller angegebenen Wert abweichen.

5.2.3 Ebenheit

Bei Prüfung von Dachsteinen nach EN 491:2004, 5.4 darf der Spalt zwischen den planmäßigen Berührungspunkten und der ebenen Bezugsfläche nicht größer sein als 3 mm oder $c_w/100$ mm (gerundet auf ganze Millimeter); dabei ist der größere Wert maßgebend.

Dieser Unterabschnitt gilt nicht, sofern der Hersteller erklärt, dass

- Dachsteine planmäßig weniger als vier Soll-Berührungspunkte mit einer ebenen Fläche haben und/oder
- Dachsteine planmäßig unregelmäßig in Bezug auf die Ebenheit sind.

5.2.4 Formsteine

Der Hersteller muss die für die Verwendung der Formsteine wesentlichen Maße, Toleranzen und Messverfahren festlegen und angeben. Soweit zutreffend, muss der betreffende Teil eines dimensionsmäßig zugeordneten Formsteins den Anforderungen nach 5.2.1, 5.2.2 und 5.2.3 entsprechen.

5.3 Masse

Die Masse von Dach- und Formsteinen ist in den technischen Unterlagen des Herstellers anzugeben. Bei Prüfung nach EN 491:2004, 5.5 gelten hinsichtlich der mittleren Masse folgende Anforderungen:

a) Für Dachsteine mit einer vom Hersteller angegebenen Masse von maximal 2 kg darf die Abweichung von diesem Wert maximal ± 0,2 kg betragen;

b) Für Dachsteine mit einer vom Hersteller angegebenen Masse > 2 kg darf die Abweichung von diesem Wert maximal ± 10 % betragen.

5.4 Befestigungslöcher (sofern vorhanden)

Befestigungslöcher, sofern vorhanden, sind so anzuordnen, dass die vorgesehene Verbindung zwischen den Dachsteinen und/oder Formsteinen und den Dachlatten möglich ist. Einzelheiten zu Maßen und Anordnung von Befestigungslöchern sind in den technischen und/oder kommerziellen Unterlagen des Herstellers anzugeben.

ANMERKUNG Angaben zu Befestigungsmitteln sind in Anhang C enthalten.

5.5 Mechanischer Widerstand (Tragfähigkeit)

Bei Prüfung nach EN 491:2004, 5.6 darf

a) der Wert F_{min} nicht kleiner als der zugehörige Wert nach Tabelle 1 sein oder
b) die Anzahl von Dachsteinen mit einer geringeren Tragfähigkeit (F_i) als der zugehörige Wert nach Tabelle 1 nicht größer sein als der zugehörige Annahmewert nach 7.3.

Dachsteine, die in einem Alter von weniger als 28 Tagen geprüft werden, gelten als normgemäß, wenn ihre Tragfähigkeit mindestens 80 % des in Tabelle 1 angegebenen Wertes beträgt und der Hersteller statistisch nachweisen kann, dass der Wert nach Tabelle 1 im Alter von 28 Tagen erreicht wird.

Formsteine müssen den Anforderungen nach 5.2.4 und 5.7.2 (sowie 5.7.3 im Fall von Kehlsteinen) entsprechen.

Tabelle 1: Mindestwerte der Tragfähigkeit von Dachsteinen F_{min}

Eigenschaft	Dachsteine mit Falz						Dachsteine ohne Falz
	Profiliert				Eben		
Profilhöhe	$d > 20$ mm		20 mm $\geq d \geq$ 5 mm		$d < 5$ mm		
c_w (mm)	≥ 300	≤ 200	≥ 300	≤ 200	≥ 300	≤ 200	
F_{min} (N)	2 000	1 400	1 400	1 000	1 200	800	550

Die Profilhöhe *(d)* ist vom Hersteller anzugeben bzw. wenn $d < 20$ mm ist, nach EN 491:2004, 5.6.4.1 zu messen.

Für Dachsteine mit Falz, deren Deckbreite zwischen 200 mm und 300 mm beträgt, ist der Mindestwert der Tragfähigkeit durch lineare Interpolation zwischen den Werten der Tabelle 1 zu ermitteln.

5.6 Wasserundurchlässigkeit

Bei Prüfung nach EN 491:2004, 5.7 dürfen Dachsteine und/oder Kehlsteine Wassertropfen an der Unterseite aufweisen. Vor Ablauf des Prüfzeitraums (20 h) dürfen jedoch keine Tropfen abfallen.

Mit Ausnahme von Kehlsteinen brauchen Formsteine, die den Anforderungen nach 5.2.4 und 5.7.2 entsprechen, hinsichtlich der Wasserundurchlässigkeit nicht geprüft zu werden.

5.7 Dauerhaftigkeit (Frost/Tau-Widerstand)

5.7.1 Dachsteine

Bei Prüfung nach EN 491:2004, 5.8 müssen die Dachsteine den Anforderungen an die Wasserundurchlässigkeit (siehe 5.6) und an die Tragfähigkeit (siehe 5.5) entsprechen.

5.7.2 Formsteine

Mit Ausnahme von Kehlsteinen dürfen Formsteine bei Prüfung nach EN 491:2004, 5.8 nicht brechen, in mehrere Teile zerfallen oder Risse aufweisen.

5.7.3 Kehlsteine

Bei Prüfung nach EN 491:2004, 5.8 müssen Kehlsteine den Anforderungen an die Wasserundurchlässigkeit (siehe 5.6) entsprechen.

5.8 Hängenasen

Dachsteine mit Hängenase(n) sind nach EN 491:2004, 5.9 zu prüfen. Die Hängenase(n) muss (müssen) den Dachstein in der Prüflage so tragen, dass dieser nicht herunterfällt.

8 Bezeichnungssystem

8.1 Dachsteine

Wird ein Bezeichnungssystem für Dachsteine verwendet, muss die Bezeichnung aus den folgenden Abkürzungen bestehen, jeweils durch Bindestriche *(-)* getrennt.

Beschreibung	**Abkürzung**
Produktart: Dachstein	T
Dokument	EN 490
Mit oder ohne Falz	IL oder NL
Profilhöhe *d*	in mm
Regelmäßige oder unregelmäßige Vorderkante	RF oder IF
Deckbreite c_w	in mm
c_{wd} + Plus-Deckbreitenverzug	in mm oder nicht angegeben (/)
c_{wc} – Minus-Deckbreitenverzug	in mm oder nicht angegeben (/)
Hängelänge l_1	in mm
Masse	in kg

Beispiel für die Bezeichnung eines Dachsteins mit Falz mit regelmäßiger Vorderkante, Deckbreite:

T-EN 490-IL-30-RF-300-/-/-330-4,5

8.2 Formsteine

Wird ein Bezeichnungssystem für Formsteine verwendet, muss die Bezeichnung aus folgenden Abkürzungen bestehen, jeweils durch Bindestriche (-) getrennt.

Beschreibung		**Abkürzung**
Produktart: Formstein		F
Dokument		EN 490
Formsteintyp:	Firststein	R
	Kehlstein	VA
	Gratstein	H
	Ortgangstein	VT
	Andere Typen	in Worten*
Dimensionsmäßig zugeordnet oder nicht zugeordnet		CO oder NC
Relevante Maße		mm × mm
Masse		kg

Beispiel für die Bezeichnung eines dimensionsmäßig nicht zugeordneten Firststeins: F-EN 490-R-NC-300×200-5,0

9 Kennzeichnung und Etikettierung

Dach- und Formsteine aus Beton, die diesem Dokument entsprechen, müssen mit dem Namen des Herstellers oder einem Warenzeichen oder anderen gleichwertigen Mitteln zur Identifizierung gekennzeichnet sein.

10 Dokumente

Die folgenden Angaben müssen aus dem Lieferschein, der Rechnung oder dem Zertifikat des Lieferanten, die bei der Lieferung von Dach- oder Formsteinen aus Beton übergeben werden, eindeutig ersichtlich sein:

- Name, Warenzeichen oder sonstige Kennung des Herstellers;
- Ursprungsland und (wahlweise) Herstellwerk;
- Nummer dieses Dokumentes (EN 490);
- Modellbezeichnung und Farbe des Produktes.

ANMERKUNG Siehe auch die Anforderungen bezüglich der CE-Kennzeichnung in Anhang ZA.3. Soweit ZA.3 dieselben Angaben wie dieser Abschnitt beinhaltet, sind die Anforderungen nach Abschnitt 10 erfüllt.

* In der oder den anerkannten Sprachen des Bestimmungslandes des Formsteins.

Anhang A (informativ)

Oberflächenbeschaffenheit

Die der Witterung ausgesetzte Fläche der Dach- und Formsteine sollte derart sein, dass das fertige Dach bzw. die fertige Wand im Gesamtbild harmonisch wirkt. Geringe fertigungsbedingte Farbunterschiede sind jedoch zulässig.

Folgende Oberflächeneigenschaften sind zulässig:

- oberflächliche, nicht durchgehende fertigungsbedingte Risse auf der Fläche der Dach- und Formsteine, die nicht der Witterung ausgesetzt ist;
- verpackungs-, verladungs- oder transportbedingte Kratzer und Abschürfungen, sofern sie nicht die anderen Qualitätsmerkmale beeinträchtigen.

Unter dem Einfluss natürlicher Witterung können Veränderungen von Farbe und Erscheinungsbild auftreten.

Dach- und Formsteine können geringe Ausblühungen aufweisen; diese haben keinen Einfluss auf die übrigen Qualitätsmerkmale.

Anhang B (informativ)

Verhalten von Dacheindeckungen und Wandbekleidungen

Das Verhalten eines Daches oder einer Innen- oder Außenwandbekleidung, die mit Dach- und Formsteinen hergestellt ist, hängt nicht nur von den in diesem Dokument festgelegten Produkteigenschaften, sondern auch von der Planung und der Ausführung des Daches oder der Wand als Ganzem in Verbindung mit den örtlichen Gegebenheiten und der Nutzungsart ab.

Anhang C (normativ)

Befestigungsmittel

Dach- und Formsteine, die den Anforderungen dieses Dokumentes entsprechen, müssen so ausgebildet sein, dass sie mit mechanischen Befestigungsmitteln an der Dach- bzw. Wandkonstruktion oder an anderen Konstruktionsteilen befestigt werden können.

Typische mechanische Befestigungsmittel sind z. B. Nägel, Schrauben, Haken, Klammern, Bindedraht.

Diese mechanischen Befestigungsmittel dürfen die Funktionsfähigkeit oder die Gebrauchsfähigkeit von Dach- und Formsteinen aus Beton nicht beeinträchtigen.

ZA.3 CE-Kennzeichnung

Der Hersteller oder sein im Europäischen Wirtschaftsraum ansässiger Bevollmächtigter ist verantwortlich für das Anbringen der CE-Kennzeichnung. Das CE-Zeichen nach der EG-Richtlinie 93/68/EG muss auf der Verpackung und/oder in den Begleitdokumenten zusammen mit den folgenden Angaben erscheinen; diese Angaben können teilweise durch Verwendung des in Abschnitt 8 beschriebenen Bezeichnungssystems gemacht werden:

- Name, Anschrift oder Bildzeichen des Herstellers/Lieferanten;
- letzten beiden Ziffern des Jahres, in dem die Kennzeichnung angebracht wurde;
- Nummer dieses Dokumentes (EN 490);
- der (die) Verwendungszweck(e) (z.B. Typ des Dach- oder Formsteines aus Beton für Dacheindeckung und /oder Außen- oder Innenwandbekleidung) und
- Produkttyp (Dachstein mit Falz, Dachstein ohne Falz, Profilhöhe und Deckbreite) und für Formsteine die relevanten Maße; und
- Angaben zu den in den Tabellen ZA1.1 oder ZA1.2 maßgebenden wesentlichen Eigenschaften.

Der Hersteller muss die folgenden Eigenschaften erklären, entweder die Klasse durch die Wörter „braucht nicht geprüft zu werden“, „stimmt überein“ oder „Nicht geprüft“ oder durch Angabe höherer Werte gegenüber den Anforderungen nach dieser Norm, wenn diese durch Prüfungen nachgewiesen wurden. Für Brennbarkeit oder Verhalten bei Brandeinwirkung von außen sind Klasse F oder Klasse $F_{Dach\,(i)}$ anstelle von „KLF“ zu verwenden (soweit zutreffend, wobei i gleich 1, 2, 3 oder 4 ist):

- Verhalten bei Brandeinwirkung von außen;
- Brennbarkeitsklasse (nicht relevant für geklebte Dach- oder Formsteine);
- mechanischer Widerstand;
- Wasserundurchlässigkeit;
- Maßabweichungen;
- Dauerhaftigkeit.

Die Bilder ZA.1 und ZA.2 enthalten Beispiele zu den Angaben, die auf der Verpackung und/oder den Begleitdokumenten für ein Produkt A, das sowohl für Dacheindeckungen als auch für die Bekleidung von Außen- oder Innenwänden geeignet ist und der Brennbarkeitsklasse A1 entspricht (System der Konformitätsbestätigung 4) In Bild ZA.1 wird das Produkt (Dachstein) in Worten beschrieben und in Bild ZA.2 (Formstein) mit dem Bezeichnungssystem nach Abschnitt 8.

F

	CE-Konformitätskennzeichnung, bestehend aus dem „CE“-Zeichen nach der Richtlinie 93/88/EWG
Mustermann AG, Postfach 21, X-1050	Name oder Bildzeichen und eingetragene Anschrift des Herstellers
05	Die letzten beiden Ziffern des Jahres, in dem das Kennzeichen angebracht wurde
EN 490	Nummer der Europäischen Norm
Dachstein für Dacheindeckung oder Bekleidung von Außen- und Innenwänden: Dachstein mit Falz (T) Profilhöhe $d \geq 20$ mm Deckbreite $c_w \geq 300$ mm	Beschreibung des Produktes und Angaben zu Eigenschaften, für die gesetzliche Bestimmungen gelten
Mechanischer Widerstand: Bestanden	
Verhalten bei Brandeinwirkung von außen: B_{ROOF} (alle Verfahren)	
Brennbarkeit: Anforderungen der Klasse A 1	
Wasserundurchlässigkeit: Bestanden	
Maßabweichungen: Bestanden	
Dauerhaftigkeit (Frost/Tau-Widerstand): Bestanden	

Bild ZA.1 – Beispiel für die Angaben zur CE-Kennzeichnung eines Dachsteins

	CE-Konformitätskennzeichnung, bestehend aus dem „CE"-Zeichen nach der Richtlinie 93/68/EWG
Mustermann AG, Postfach 21, X-1050	Name oder Bildzeichen und eingetragene Anschrift des Herstellers
05	Die letzten beiden Ziffern des Jahres, in dem das Kennzeichen angebracht wurde
EN 490	Nummer der Europäischen Norm
Formstein für Dacheindeckung oder Bekleidung von Außen- und Innenwänden: Produktart: Dimensionsmäßig zugeordneter Firststein (F)	Beschreibung des Produktes und Angaben zu Eigenschaften, für die gesetzliche Bestimmungen gelten
Mechanischer Widerstand: Bestanden	
Verhalten bei Brandeinwirkung von außen: B_{ROOF} (alle Verfahren)	
Brennbarkeit: Anforderungen der Klasse A 1	
Wasserundurchlässigkeit: Bestanden	
Maßabweichungen: Bestanden	
Dauerhaftigkeit (Frost/Tau-Widerstand): Bestanden	

Bild ZA.2 – Beispiel für die Angaben zur CE-Kennzeichnung eines Formsteins

Zusätzlich zu jeglichen speziellen Angaben zu gefährlichen Substanzen sollten dem Produkt, sofern erforderlich, und in geeigneter Form, Dokumente beigefügt werden, in denen alle übrigen gesetzlichen Bestimmungen über gefährliche Substanzen, die nach Angaben des Herstellers eingehalten werden, aufgeführt werden sowie alle Informationen, die auf Grund dieser gesetzlichen Bestimmungen erforderlich sind.

ANMERKUNG Europäische gesetzliche Bestimmungen ohne nationale Abweichungen brauchen nicht angegeben zu werden.

Literaturhinweise

[1] 2000/553/EG Entscheidung der Kommission vom 6. September 2000, durch welche die Richtlinie des Rates 89/106/EWG hinsichtlich des Verhaltens von Dacheindeckungen bei Brandeinwirkung von außen umgesetzt wird, Amtsblatt Nr. L 235/19 vom 19. 9. 2000

[2] 96/603/EG Entscheidung der Kommission vom 26. September 2000 zur Änderung der Entscheidung 96/603/EG zur Festlegung eines Verzeichnisses von Produkten, die in die Kategorien A „Kein Beitrag zum Brand" gemäß der Entscheidung 94/611/EG zur Durchführung von Artikel 20 der Richtlinie 89/106/EWG des Rates über Bauprodukte einzustufen sind, Amtsblatt Nr. L 258/36 vom 12. 10. 2000

Festlegungen für Mauersteine

Mauerziegel

Deutsche Fassung EN 771-1:2011

Auszug aus **DIN EN 771-1** (07.2011)

Nationales Vorwort

Dieses Dokument (EN 771-1:2011) wurde vom Technischen Komitee CEN/TC 125 „Mauerwerksbau“ erarbeitet, dessen Sekretariat vom BSI (Vereinigtes Königreich) gehalten wird.
Von deutscher Seite haben die Experten des NA 005-06-02 AA „Koordinierungsausschuss Mauersteine (Sp CEN/TC 125/WG 1)“ die Arbeiten begleitet.

Inhalt

F

1 Anwendungsbereich

Diese Europäische Norm legt die Eigenschaften von und Leistungsanforderungen an Mauerziegel aus Ton für die Verwendung im Mauerwerk fest (z. B. Sichtmauerwerk und verputztes Mauerwerk, tragendes oder nichttragendes Mauerwerk einschließlich innerer Verkleidungen und Trennwände von Bauwerken des Hoch- und Tiefbaus).

Diese Europäische Norm gilt für zwei Gruppen von Mauersteinen aus gebranntem Ton (Mauerziegel):

a) LD-Ziegel (siehe 3.4 und 5.2), d.h.:

1) Mauerziegel mit einer Brutto-Trockenrohdichte ≤ 1 000 kg/m3 zur Verwendung in geschütztem Mauerwerk.

b) HD-Ziegel (siehe 3.5 und 5.3), d.h.:

1) alle Mauerziegel zur Verwendung in ungeschütztem Mauerwerk;

2) Mauerziegel mit einer Brutto-Trockenrohdichte > 1 000 kg/m3 zur Verwendung in geschütztem Mauerwerk.

Diese Europäische Norm gilt ebenfalls für Mauerziegel mit einer nicht allseitig von Rechtecken begrenzten Form.

Darin werden die Produkteigenschaften, z. B. bezüglich Maßabweichungen, Festigkeit und Rohdichte, die nach den entsprechenden, in gesonderten Europäischen Normen enthaltenen Prüfverfahren bestimmt werden, definiert.

Die Konformitätsbewertung der von dieser Europäischen Norm erfassten Produkte wird festgelegt.

Enthalten sind auch die Anforderungen an die Kennzeichnung der von dieser Europäischen Norm erfassten Produkte.

Diese Europäische Norm legt keine genormten Größen für Mauerziegel sowie keine Sollmaße, Winkel oder Radien für Formziegel fest. Dieses Dokument enthält keine Messverfahren, Anforderungen hinsichtlich Toleranzen und Spannen für Maße, Winkel und Radien für Formsteine.

Diese Europäische Norm enthält keine Anforderungen an Pflastersteine, Auskleidungen von Rauchabzügen, geschosshohe Ziegelelemente sowie Mauerziegel mit brandexponierten Wärmedämmstoffen an den Ansichtsflächen. Sie gilt jedoch für Mauerziegel für das äußere Mauerwerk von Schornsteinen.

3 Begriffe

Für die Anwendung dieser Europäischen Norm gelten die folgenden Begriffe.

ANMERKUNG Anhang B dieser Europäischen Norm ist informativ und enthält Beschreibungen zu Anwendungen, Umweltbedingungen und Dauerhaftigkeit.

Mauerstein
vorgeformtes Element zur Herstellung von Mauerwerk

F

Mauerziegel
Mauerstein, der aus Ton oder anderen tonhaltigen Stoffen mit oder ohne Sand oder andere Zusätze bei einer ausreichend hohen Temperatur gebrannt wird, um einen keramischen Verbund zu erzielen

geschütztes Mauerwerk
Mauerwerk, das gegen eindringendes Wasser geschützt ist. Es kann sich entweder um das Mauerwerk in Außenwänden, das z. B. durch eine geeignete Putzschicht oder eine Verkleidung geschützt ist, oder um die innere Wandschale einer zweischaligen Mauer oder um eine Innenwand handeln. Geschütztes Mauerwerk kann tragend oder nichttragend sein

LD-Ziegel
Mauerziegel mit niedriger Brutto-Trockenrohdichte für die Verwendung in geschütztem Mauerwerk

HD-Ziegel
Mauerziegel für ungeschütztes Mauerwerk sowie Mauerziegel mit hoher Brutto-Trockenrohdichte für die Verwendung in geschütztem Mauerwerk

Koordinierungsmaß
einem Mauerstein zugehörendes Maß einschließlich des Fugenmaßes und der Abmaße

Sollmaß
für die Herstellung eines Mauersteins festgelegtes Maß, mit dem das Istmaß unter Berücksichtigung der Grenzabmaße übereinstimmt

Istmaß
am Mauerstein gemessenes Maß

Normalmauerstein
Mauerstein mit einer allseitig von Rechtecken begrenzten Form

Formstein
Mauerstein in einer nicht nur von Rechtecken begrenzten Form

Ergänzungsstein
Mauerstein in einer für einen bestimmten Zweck gestalteten Form, z. B. um die Form des Mauerwerks zu vervollständigen

Verbindungssystem
geformte, zusammenpassende Vor- und Rücksprünge an Mauersteinen, z. B. Nut- und Feder-Systeme

vertikale Lochung
Löcher, die den Mauerstein rechtwinklig zur Lagerfläche ganz durchdringen

horizontale Lochung
Löcher, die den Mauerstein parallel zur Lagerfläche ganz durchdringen

Kammer
Aussparung, die den Mauerstein nicht durchdringt

Mulde
Vertiefung in einer oder beiden Lagerflächen des Mauersteins, deren Gesamtvolumen

einen bestimmten Wert des Bruttovolumens des Mauersteins, d. h. Länge mal Breite mal Höhe, nicht überschreitet

Aussparung

Vertiefung oder Einschnitt in einer oder mehreren Oberflächen des Mauersteins (z. B. Mörteltasche, Putzrille, Griffloch)

Griffloch

geformtes Loch, das zur Handhabung den Mauerstein rechtwinklig zur Lagerfläche ganz durchdringt

Außenwandung

Außenschale (Außensteg) zwischen den Löchern und der Oberfläche des Mauersteins

Steg

Materialbereich zwischen den Löchern eines Mauersteins

deklarierter Wert

Zahlenwert, der vom Hersteller unter Berücksichtigung der Prüfgenauigkeit und der im Rahmen des Herstellungsverfahrens liegenden Schwankungen angegeben wird

mittlere Druckfestigkeit von Mauersteinen

arithmetischer Mittelwert der Druckfestigkeitswerte für Mauersteine

normierte Druckfestigkeit

Wert für die Druckfestigkeit eines Mauersteines, der in die lufttrockene Druckfestigkeit eines äquivalenten Mauersteines mit einer Breite von 100 mm und einer Höhe von 100 mm umgerechnet wird

ANMERKUNG Siehe das in EN 772-1:2000, Anhang A, beschriebene Verfahren.

Sperrschicht-Ziegel

Mauerziegel, der, im Verband in zwei Schichten mit wasserabweisendem Mörtel vermauert, aufsteigender Feuchte im Mauerwerk widersteht

Planziegel

Mauerziegel mit besonderer Maßhaltigkeit insbesondere hinsichtlich der Ziegelhöhe

Hochlochziegel

Mauerziegel mit einem oder mehreren Löchern, die den Mauerstein rechtwinklig zur Lagerfläche ganz durchdringen

Langlochziegel

Mauerziegel mit einem oder mehreren Löchern, die den Mauerstein parallel zur Lagerfläche ganz durchdringen

Füllziegel

Mauerziegel mit besonderer Lochung, die zur Verfüllung mit Beton oder Mörtel geeignet ist

Mauertafelziegel

Mauerziegel, der für die Herstellung von bewehrtem Mauerwerk oder geschosshohen Tafeln aus Mauerwerk mit senkrechten Kanälen zur Verfüllung mit Mörtel oder Beton geeignet ist

Mauerwerk in stark angreifender Umgebung

Mauerwerk oder Mauerwerksteile, die unter Nutzungsbedingungen infolge der klimatischen Bedingungen wassergesättigt (starke Regeneinwirkung, Grundwasser) und

F

dabei gleichzeitig einer häufigen Frost-Tauwechsel-Beanspruchung ausgesetzt und nicht mit einem wirkungsvollen Schutz versehen sind

Mauerwerk in mäßig angreifender Umgebung
Mauerwerk oder Mauerwerksteile, die unter Nutzungsbedingungen einer Feuchte und Frost-Tauwechsel-Beanspruchung ausgesetzt sind, aber nicht zu den Bauten in stark angreifender Umgebung gehören

Mauerwerk in nicht angreifender Umgebung
Mauerwerk oder Mauerwerksteile, bei denen unter Nutzungsbedingungen nicht von einer Feuchte und Frost-Tauwechsel-Beanspruchung ausgegangen wird

Mauersteine der Kategorie I
Mauersteine mit einer deklarierten Druckfestigkeit, wobei die Wahrscheinlichkeit des Nichterreichens dieser Festigkeit nicht über 5 % liegen darf. Diese darf über den mittleren Wert oder den charakteristischen Wert ermittelt werden

Mauersteine der Kategorie II
Mauersteine, die das Vertrauensniveau für Mauersteine der Kategorie I nicht erreichen

Stegdickensumme
Summe der Dicken der Außenwandungen (Außenstege) und Stege (Innenstege), welche von einer Läufer- bzw. Stirnfläche eines Mauerziegels bis zur gegenüberliegenden Läufer- bzw. Stirnfläche entlang eines beliebigen Weges über die Löcher im Mauerziegel gemessen den kleinsten Wert ergibt; sie wird als prozentualer Anteil der Breite (Längsstegdickensumme) bzw. der Länge (Querstegdickensumme) des Mauerziegels angegeben

5 Anforderungen an Mauerziegel

5.1 Allgemeines

Die in dieser Europäischen Norm festgelegten Anforderungen und Eigenschaften sind durch die hierin angegebenen Prüf- und anderen Verfahren nachzuweisen.

ANMERKUNG Es wird darauf hingewiesen, dass die Prüfverfahren nicht in jedem Fall für Form- und Ergänzungssteine nach 3.10 und 3.11 geeignet sind.

Die in den folgenden Abschnitten angegebenen Konformitätskriterien beziehen sich auf die Erstprüfungen (siehe 8.2) und, gegebenenfalls, die Prüfung von Lieferungen (siehe Anhang A). Für die Druckfestigkeit von Mauerziegeln der Kategorie I ist eine 50 %-Quantil ($p = 0{,}50$) für den Mittelwert und ein Vertrauensniveau von 95 % anzuwenden.

Zur Bewertung der Herstellung hat der Hersteller die Konformitätskriterien in der Dokumentation der werkseigenen Produktionskontrolle festzulegen (siehe 8.3).

Der Hersteller muss angeben, ob die Mauerziegel die für LD-Ziegel festgelegten Anforderungen (siehe Bild 2) oder die für HD-Ziegel festgelegten Anforderungen (siehe Bild 3) erfüllen.

5.2 LD-Ziegel

5.2.1 Maße und Grenzabmaße (LD-Ziegel)

5.2.1.1 Maße (LD-Ziegel)

Die Maße eines Mauerziegels sind in der Reihenfolge Länge, Breite und Höhe vom Hersteller in mm anzugeben (siehe Bild 1). Sie sind als Sollmaße anzugeben.

ANMERKUNG Ergänzend hierzu darf das Koordinierungsmaß angegeben werden.

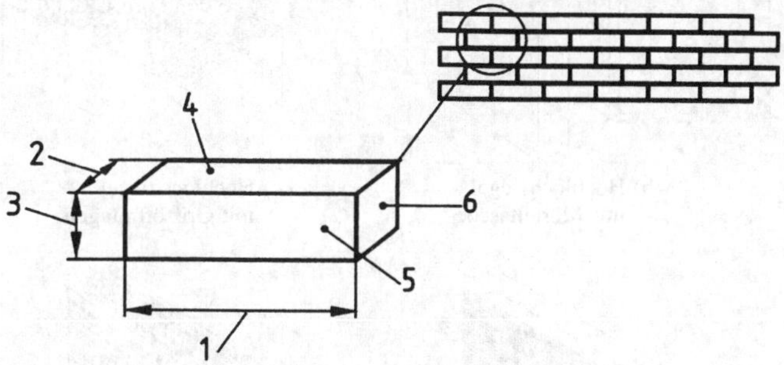

Legende:
1 Länge
2 Breite
3 Höhe
4 Lagerfläche
5 Sichtfläche (Läuferfläche)
6 Sichtfläche (Stirnfläche)

ANMERKUNG Die Bezeichnungen beziehen sich auf die übliche Verwendung des Mauersteins in einer Wand.

Bild 1: Abmessungen und Oberflächen

Das Messverfahren muss EN 772-16 entsprechen.

5.2.1.2 Grenzabmaße (LD-Ziegel) (nicht abgedruckt)

F

5.2.2 Form und Ausbildungen (LD-Ziegel)

5.2.2.1 Allgemeines (LD-Ziegel)

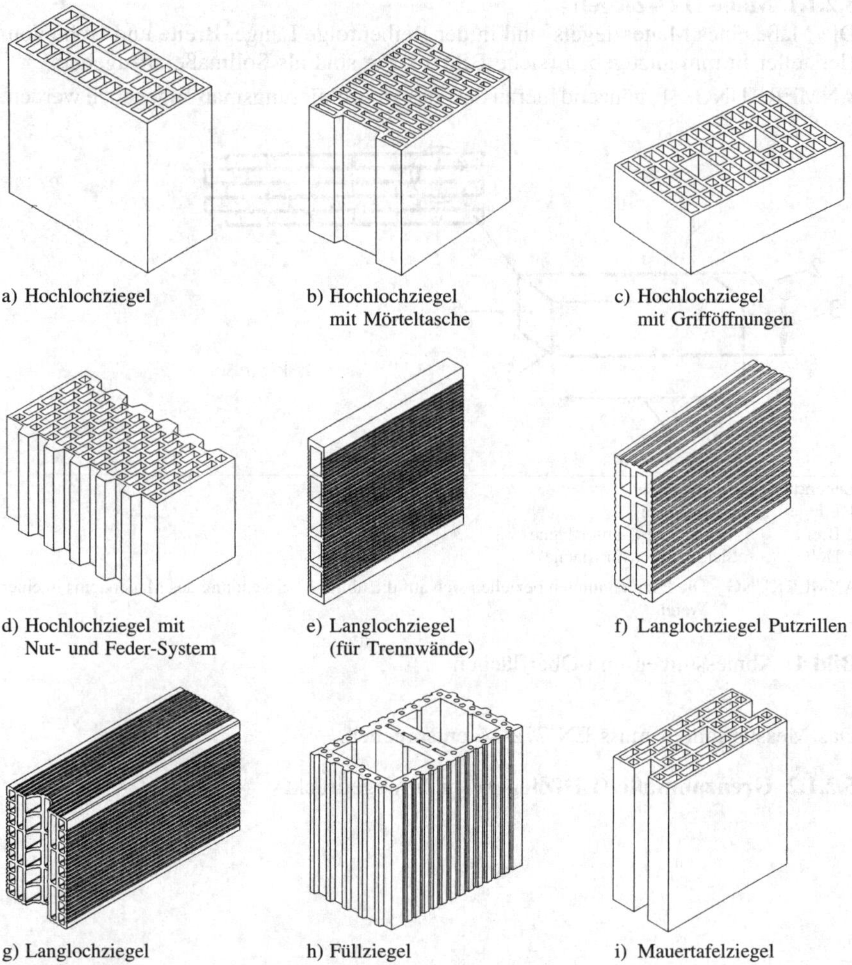

a) Hochlochziegel
b) Hochlochziegel mit Mörteltasche
c) Hochlochziegel mit Grifföffnungen
d) Hochlochziegel mit Nut- und Feder-System
e) Langlochziegel (für Trennwände)
f) Langlochziegel Putzrillen
g) Langlochziegel mit Mörteltasche
h) Füllziegel
i) Mauertafelziegel

Bild 2: Beispiele für LD-Ziegel

Sofern für die vorgesehenen Verwendungszwecke, für die die Mauerziegel (LD-Ziegel) in den Verkehr gebracht werden, erforderlich, sind Form und Ausbildung der Mauerziegel anzugeben. Die Deklaration kann durch einen Verweis auf eine der in EN 1996-1-1 oder EN 1996-1-2 angegebenen Gruppen erfolgen und/oder eine oder mehrere der nachstehend aufgeführten Angaben umfassen:

- Form und Ausbildung einschließlich der Lochrichtung (anhand einer Zeichnung oder einer bildlichen Darstellung, sofern zutreffend);
- Gesamtlochvolumen als prozentualer Anteil aus Länge × Breite × Höhe des Mauerziegels;
- Einzellochvolumen als prozentualer Anteil aus Länge × Breite × Höhe des Mauerziegels;
- Volumen der Grifflöcher als prozentualer Anteil aus Länge × Breite × Höhe des Mauerziegels;
- Stegdicke (Innenstege);
- Dicken der Außenwandungen (Außenstege);
- Längsstegdickensumme;
- Querstegdickensumme;
- Gesamtlochquerschnitt als prozentualer Anteil aus Länge × Breite des Mauerziegels.

ANMERKUNG Die Stirnflächen von Mauerziegeln können ineinandergreifende Merkmale, z. B. Mörteltaschen bzw. ein Nut-und-Feder-System, aufweisen. Die Sichtflächen von Mauerziegeln können ein Oberflächenprofil (Putzrillen) aufweisen.

Jeder deklarierte Wert ist entweder als oberer oder unterer Grenzwert oder als Wertebereich anzugeben. Erfolgt die Probenahme von Mauerziegeln aus einer Lieferung nach Anhang A und die Prüfung nach EN 772-16, EN 772-9 und EN 772-3, wie unten festgelegt, muss der aus den Messungen am Prüfkörper abgeleitete Mittelwert im deklarierten Bereich liegen bzw. dem deklarierten Grenzwert entsprechen.

5.2.2.2 Dicke von Außenwandungen und Stegen (LD-Ziegel)

Sofern für tragende Hochloch- oder Langlochziegel erforderlich, ist die Dicke von Außenwandungen und Stegen vom Hersteller anzugeben.

Für Füllziegel ist die Mindestdicke der Außenwandungen an den Läuferflächen und an den Stirnflächen sowie die Mindestdicke von Stegen vom Hersteller anzugeben.

ANMERKUNG Für Mauerziegel zur Herstellung von geschosshohen Kanälen zur Verfüllung mit Beton oder Mörtel ist erfahrungsgemäß eine Mindestdicke der Außenwandungen an den Läuferflächen von 20 mm sowie eine Mindestdicke der Außenwandungen an den Stirnflächen und in den Stegen von 14 mm ausreichend.

5.2.2.3 Grifflöcher (LD-Ziegel)

Die Fläche der Grifflöcher ist vom Hersteller anzugeben, sofern diese für tragende Hochlochziegel relevant ist.

5.2.2.4 Lochkanal für die Verfüllung mit Beton oder Mörtel (LD-Ziegel)

Die Lochung ist so anzuordnen, dass ein senkrechter durchgehender Kanal entsteht, wenn die Mauerziegel im Verband gemauert werden. Der Kanal für die Verfüllung mit Beton oder Mörtel ist mittig in Richtung der Breite des Mauerziegels anzuordnen und muss eine Mindestfläche von 1 500 mm^2 und ein Mindestmaß von 30 mm aufweisen.

F

5.2.2.5 Lochanteil (LD-Ziegel)

Die Bestimmung des Lochanteils ist nach EN 772-3 zu bestimmen.

Zur Bestimmung des Lochanteils von Hochlochziegeln sind die Grifflöcher, jedoch nicht die Mörteltaschen und Putzrillen, zu berücksichtigen.

Bei der Bestimmung des Lochanteils von Mauerziegeln, die zur Bildung geschosshoher Lochkanäle zur Verfüllung mit Beton oder Mörtel bestimmt sind, sind die Kanäle, jedoch nicht die Putzrillen (Aussparungen), zu berücksichtigen.

5.2.3 Rohdichte (LD-Ziegel)

5.2.3.1 Brutto-Trockenrohdichte (LD-Ziegel)

Die Brutto-Trockenrohdichte (Ziegelrohdichte) ist vom Hersteller anzugeben und muss $\leq 1\,000$ kg/m^3 betragen.

ANMERKUNG 1 Ferner darf der Hersteller angeben, in welcher Weise die deklarierte Brutto-Trockenrohdichte einem nationalen Klassifizierungssystem zuzuordnen ist.

Der Hersteller hat auch die Klasse der Abweichungen nach 5.2.3.3 anzugeben.

ANMERKUNG 2 Diese Angaben können erfolgen für die Beurteilung

- von Lasten;
- des Schallschutzes;
- des Feuerwiderstandes;
- des Wärmeschutzes.

Ferner darf der Hersteller die kleinsten und größten Einzelwerte der Brutto-Trockenrohdichte angeben.

5.2.3.2 Netto-Trockenrohdichte (LD-Ziegel

Sofern für die vorgesehenen Verwendungszwecke, für die die Mauerziegel in den Verkehr gebracht werden, erforderlich, ist die Netto-Trockenrohdichte (Scherbenrohdichte) vom Hersteller anzugeben.

ANMERKUNG Ferner darf der Hersteller angeben, in welcher Weise die deklarierte Netto-Trockenrohdichte einem nationalen Klassifizierungssystem zuzuordnen ist.

Der Hersteller hat auch die Klasse der Abweichungen nach 5.2.3.3 anzugeben.

Ferner darf der Hersteller die kleinsten und größten Einzelwerte der Netto-Trockenrohdichte angeben.

5.2.3.3 Zulässige Abweichungen (LD-Ziegel)

Erfolgt die Probenahme der Mauerziegel aus einer Lieferung nach Anhang A und die Prüfung nach EN 772-13, so dürfen die aus den Messungen an den Proben ermittelten Mittelwerte für Brutto- und Netto-Trockenrohdichte um nicht mehr als den Wert, der für eine der folgenden Klassen angegeben ist, von den vom Hersteller angegebenen Werten abweichen:

D1: 10 %
D2: 5 %

oder

Dm: ein vom Hersteller in Prozent angegebener Wert für die Abweichung (die größer oder kleiner als die anderen Klassen sein darf).

5.2.4 Druckfestigkeit (LD-Ziegel)

Sofern für die vorgesehenen Verwendungszwecke, für die die Mauerziegel in den Verkehr gebracht werden, erforderlich sowie für alle Mauerziegel, die Anforderungen an die Standsicherheit unterliegen, ist die mittlere Druckfestigkeit vom Hersteller anzugeben. Außerdem ist die Druckfestigkeit vom Hersteller anzugeben, sofern sie relevant ist.

ANMERKUNG 1 Ferner darf der Hersteller angeben, in welcher Weise die deklarierte Druckfestigkeit einem nationalen Klassifizierungssystem zuzuordnen ist.

ANMERKUNG 2 In EN 772-1 sind Hinweise zur Umrechnung der Druckfestigkeit von Mauersteinen in die normierte Druckfestigkeit angegeben.

Ferner muss der Hersteller angeben, ob der Mauerziegel in die Kategorie I oder Kategorie II eingestuft ist.

Erfolgt die Probenahme von Mauerziegeln aus einer Lieferung nach Anhang A, die Konditionierung im Anschluss an eine Oberflächenbehandlung nach EN 772-1:2000, 7.2.4 nach EN 772-1:2000, 7.3.2 und die Prüfung nach EN 772-1, so

- darf die mittlere Druckfestigkeit der festgelegten Anzahl von Mauerziegeln aus einer Lieferung nicht geringer als der deklarierte Wert der Druckfestigkeit sein;
- dürfen die Einzelwerte der an den Proben ermittelten Druckfestigkeit 80 % des deklarierten Wertes nicht unterschreiten.

Diese Angabe muss die vorgesehene Anordnung der Mauerziegel bei der Prüfung, die Art der Lagerfugenvermörtelung und die Verfüllung etwa vorhandener Hohlräume berücksichtigen und enthalten. Es ist anzugeben, ob die Kontaktflächen durch Abschleifen in größerem Maße verändert und daher mit Mörtel abgeglichen wurden.

ANMERKUNG 3 Die in diesem Abschnitt angegebenen Anforderungen an die Druckfestigkeit gelten nicht notwendigerweise für Form- und Ergänzungssteine.

5.2.5 Wärmeschutztechnische Eigenschaften (LD-Ziegel)

Sofern für die vorgesehenen Verwendungszwecke, für die die Mauerziegel in den Handel gebracht werden, erforderlich sowie bei allen Mauerziegeln zur Verwendung in Bauteilen, die wärmeschutztechnischen Anforderungen unterliegen, hat der Hersteller unter Bezugnahme auf EN 1745 Angaben zu den wärmeschutztechnischen Eigenschaften der Mauerziegel zu machen. Es ist anzugeben, ob die Deklaration auf einer Tabelle, einer Prüfung oder einer Berechnung beruht.

5.2.6 Dauerhaftigkeit (LD-Ziegel)

ANMERKUNG Sieht der Verwendungszweck des Produktes den vollständigen Schutz gegen das Eindringen von Wasser (z. B. durch eine dicke Schicht eines geeigneten Putzmörtels, eine Verkleidung, die innere Schale einer zweischaligen Wand, Innenwände) vor, ist eine Angabe zum Frostwiderstand nicht erforderlich (F0).

F

Sieht der Verwendungszweck des Produktes nur einen begrenzten Schutz (z. B. durch eine dünne Putzschicht) vor, ist der Frostwiderstand in Ländern, in denen diesbezüglich Anforderungen gestellt werden, nach den am vorgesehenen Verwendungsort der Mauerziegel gültigen Bestimmungen zu beurteilen und anzugeben.

5.2.7 Wasseraufnahme (LD-Ziegel)

ANMERKUNG Auf Grund des vorgesehenen Verwendungszweckes von LD-Ziegeln sind keine Anforderungen bezüglich der Wasseraufnahme zu berücksichtigen.

5.2.8 Gehalt an aktiven löslichen Salzen (LD-Ziegel)

Sieht der Verwendungszweck des Produktes nur einen begrenzten Schutz (z. B. durch eine dünne Putzschicht) vor, ist der Gehalt an aktiven löslichen Salzen auf der Grundlage der in Tabelle 1 angegebenen Klassen durch den Hersteller anzugeben. Sofern die Probenahme der Mauerziegel aus einer Lieferung nach Anhang A und die Prüfung nach EN 772-5 erfolgt, darf der Gehalt an wasserlöslichen Salzen den deklarierten Gehalt an aktiven löslichen Salzen nicht überschreiten.

Tabelle 1: Klassengrenzwerte für den Gehalt an aktiven löslichen Salzen

Klasse	Maximal zulässiger Salzgehalt als Masseanteil in %	
	$Na^+ + K^+$	Mg^{2+}
S0	keine Anforderung	keine Anforderung
S1	0,17	0,08
S2	0,06	0,03

ANMERKUNG 1 Sieht der Verwendungszweck des Produktes den vollständigen Schutz gegen das Eindringen von Wasser (z. B. durch eine dicke Schicht eines geeigneten Putzmörtels, eine Verkleidung, die innere Schale einer zweischaligen Wand, Innenwände) vor, bestehen keine Anforderungen bezüglich des Gehaltes an aktiven löslichen Salzen (S0).

ANMERKUNG 2 Für weitere Angaben siehe Anhang B.4.

5.2.9 Übliche Feuchtedehnung (LD-Ziegel)

In Ländern, in denen Anforderungen an die übliche Feuchtedehnung gestellt werden, ist diese für Langlochziegel mit einer Abmessung $\geq$ 400 mm und einer Dicke der Außenwandung $<$ 12 mm, die verputzt werden sollen, entsprechend den am vorgesehenen Verwendungsort gültigen Bestimmungen nach EN 772-19 anzugeben.

5.2.10 Brandverhalten (LD-Ziegel)

Der Hersteller hat die Brandverhaltensklasse von Mauerziegeln anzugeben, wenn diese zur Verwendung in Bauteilen, die Anforderungen an den Brandschutz unterliegen, vorgesehen sind.

Mauerziegel können ohne Prüfung in die Brandverhaltensklasse A1 eingestuft werden, wenn sie einen Masse- bzw. Volumenanteil $\leq$ 1,0 % an gleichmäßig verteilten organischen Stoffen enthalten (wobei der größere Wert maßgebend ist).

Mauerziegel mit einem Masse- bzw. Volumenanteil > 1,0 % an gleichmäßig verteilten organischen Stoffen (wobei der größere Wert maßgebend ist) sind nach EN 13501-1 einzustufen und die entsprechende Brandverhaltensklasse ist anzugeben.

ANMERKUNG Es wird auf die Entscheidung der Kommission 96/603/EG in der durch die Entscheidung der Kommission 2000/605/EG geänderten Fassung hingewiesen, nach der nichtbrennbare Mauersteine mit einem Masse- bzw. Volumenanteil von maximal 1,0 % an gleichmäßig verteilten organischen Stoffen (wobei der größere Wert maßgebend ist) ohne Prüfung in die Brandverhaltensklasse A1 einzustufen sind.

5.2.11 Wasserdampfdurchlässigkeit (LD-Ziegel)

Für Mauerziegel zur Verwendung in Außenbauteilen hat der Hersteller anhand der in EN 1745 angegebenen tabellierten Werte für den Wasserdampfdiffusions-Koeffizienten Angaben zur Wasserdampfdurchlässigkeit zu machen.

5.2.12 Verbundfestigkeit (LD-Ziegel) (nicht abgedruckt)

5.3 HD-Ziegel

5.3.1 Maße und Grenzabmaße (HD-Ziegel)

5.3.1.1 Maße (HD-Ziegel)

Die Maße eines Mauerziegels sind in der Reihenfolge Länge, Breite und Höhe vom Hersteller in mm anzugeben (siehe Bild 1). Es sind Sollmaße anzugeben.

ANMERKUNG Ergänzend hierzu darf das Koordinierungsmaß angegeben werden.

Das folgende Messverfahren ist anzuwenden:

- Sind mindestens zwei der Sollmaße eines Ziegels nicht größer als 250 mm (Länge), 125 mm (Breite) und 100 mm (Höhe), so ist entsprechend Verfahren **b** nach EN 772-16 ein Messschieber mit übergreifenden Schenkeln zu verwenden. Dazu sind die Schenkel des Messschiebers entlang der gepunkteten Linie nach EN 772-16:2000, Bild 1 b) zu führen. Ausgenommen hiervon ist die Höhe, die als Durchschnittswert zweier Messungen zu bestimmen ist, wobei die zweite Messung senkrecht zur gepunkteten Linie in der Mitte des Ziegels vorzunehmen ist. Die Breite der Schenkel des Messschiebers muss mindestens 5 mm und darf höchstens 10 mm betragen.
- Bei allen anderen Mauerziegeln ist Verfahren **a** nach EN 772-16 anzuwenden.

5.3.1.2 Grenzabmaße (HD-Ziegel) (nicht abgedruckt)

F

5.3.2 Form und Ausbildungen (HD-Ziegel)

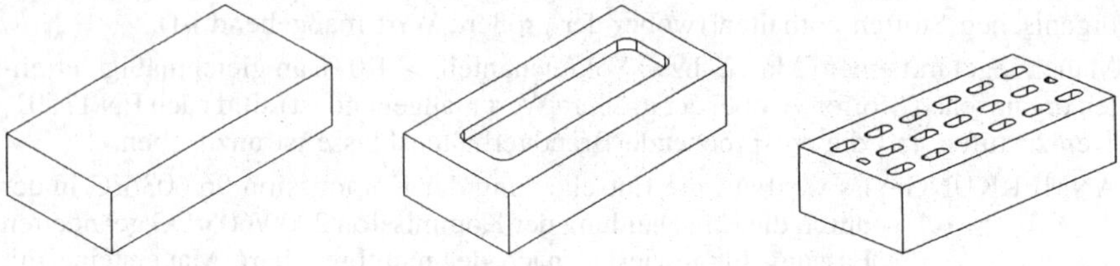

a) Vollziegel b) Mauerziegel mit Mulde c) Hochlochziegel

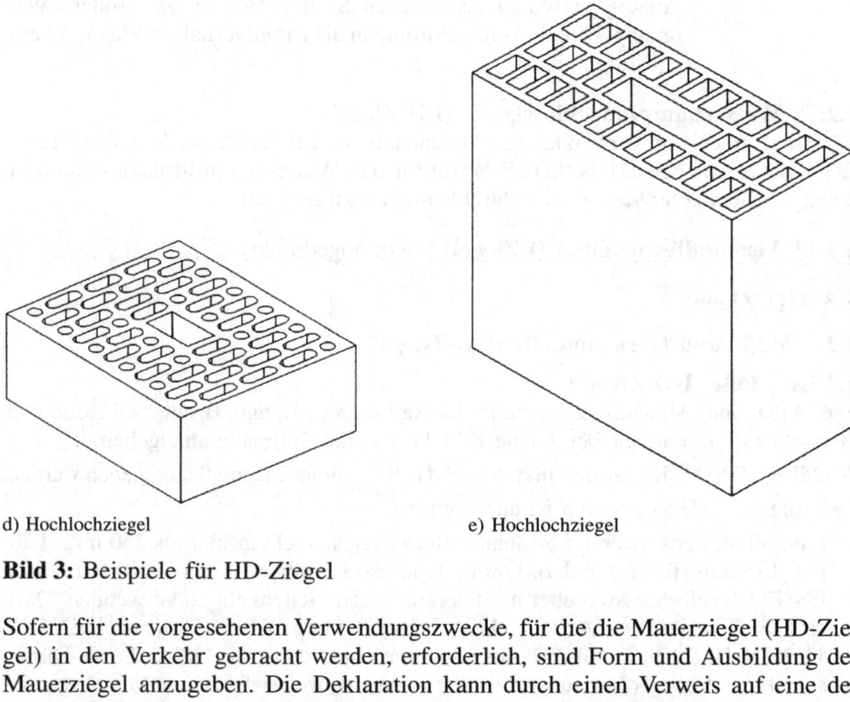

d) Hochlochziegel e) Hochlochziegel

Bild 3: Beispiele für HD-Ziegel

Sofern für die vorgesehenen Verwendungszwecke, für die die Mauerziegel (HD-Ziegel) in den Verkehr gebracht werden, erforderlich, sind Form und Ausbildung der Mauerziegel anzugeben. Die Deklaration kann durch einen Verweis auf eine der in EN 1996-1-1 oder EN 1996-1-2 angegebenen Gruppen erfolgen und/oder eine oder mehrere der nachstehend aufgeführten Angaben umfassen:

- Form und Ausbildung einschließlich der Lochrichtung (anhand einer Zeichnung oder einer bildlichen Darstellung, sofern zutreffend);
- Gesamtlochvolumen als prozentualer Anteil aus Länge × Breite × Höhe des Mauerziegels;
- Einzellochvolumen als prozentualer Anteil aus Länge × Breite × Höhe des Mauerziegels;
- Volumen der Grifflöcher als prozentualer Anteil aus Länge × Breite × Höhe des Mauerziegels;

- Stegdicke (Innenstege);
- Dicken der Außenwandungen (Außenstege);
- Längsstegdickensumme;
- Querstegdickensumme;
- Gesamtlochquerschnitt als prozentualer Anteil aus Länge × Breite des Mauerziegels.

Das Gesamtvolumen von Mulden darf 20 % des Gesamtvolumens eines Mauerziegels, d. h. Länge × Breite × Höhe, nicht überschreiten.

ANMERKUNG Die Stirnflächen von Mauerziegeln können ineinandergreifende Merkmale, z. B. Mörteltaschen bzw. ein Nut-und-Feder-System, aufweisen. Die Sichtflächen von Mauerziegeln können ein Oberflächenprofil (Putzrillen) aufweisen.

Jeder deklarierte Wert ist entweder als oberer oder unterer Grenzwert oder als Wertebereich anzugeben. Erfolgt die Probenahme von Mauerziegeln aus einer Lieferung nach Anhang A und die Prüfung nach EN 772-16, EN 772-9 und EN 772-3, muss der aus den Messungen am Prüfkörper abgeleitete Mittelwert im deklarierten Bereich liegen bzw. er darf den deklarierten Grenzwert nicht überschreiten.

5.3.3 Rohdichte (HD-Ziegel)

5.3.3.1 Brutto-Trockenrohdichte (HD-Ziegel)

Sofern für die Verwendungszwecke, für die die Mauerziegel in den Handel gebracht werden, erforderlich und bei allen Mauerziegeln zur Verwendung in Bauteilen, an die akustische Anforderungen gestellt werden, ist die Brutto-Trockenrohdichte (Ziegelrohdichte) der Mauerziegel vom Hersteller anzugeben.

ANMERKUNG 1 Ferner darf der Hersteller angeben, in welcher Weise die deklarierte Brutto-Trockenrohdichte einem nationalen Klassifizierungssystem zuzuordnen ist.

Bei Angabe der Brutto-Trockenrohdichte hat der Hersteller auch die Klasse der Abweichungen nach 5.3.3.3 anzugeben.

ANMERKUNG 2 Diese Angaben können erfolgen für die Beurteilung

- von Lasten;
- des Schallschutzes;
- des Feuerwiderstandes;
- des Wärmeschutzes.

Ferner darf der Hersteller die kleinsten und größten Einzelwerte der Brutto-Trockenrohdichte angeben.

5.3.3.2 Netto-Trockenrohdichte (HD-Ziegel)

Sofern für die Verwendungszwecke, für die die Mauerziegel in den Handel gebracht werden, erforderlich und bei allen Mauerziegeln zur Verwendung in Bauteilen, an die akustische Anforderungen gestellt werden, ist die Netto-Trockenrohdichte (Scherbenrohdichte) der Mauerziegel vom Hersteller anzugeben.

F

ANMERKUNG 1 Ferner darf der Hersteller angeben, in welcher Weise die deklarierte Rohdichte einem nationalen Klassifizierungssystem zuzuordnen ist.

Bei Angabe der Netto-Trockenrohdichte hat der Hersteller auch die Klasse der Abweichungen nach 5.3.3.3 anzugeben.

Ferner darf der Hersteller die kleinsten und größten Einzelwerte der Netto-Trockenrohdichte angeben.

5.3.3.3 Zulässige Abweichungen (HD-Ziegel)

Erfolgt die Probenahme der Mauerziegel aus einer Lieferung nach Anhang A und die Prüfung nach EN 772-13, so dürfen die aus den Messungen an den Proben ermittelten Mittelwerte für Brutto- und Netto-Trockenrohdichte um nicht mehr als den Wert, der für eine der folgenden Klassen angegeben ist, von den vom Hersteller angegebenen Werten abweichen:

D1: 10 %

D2: 5 %

oder

Dm: ein vom Hersteller in Prozent angegebener Wert für die Abweichung (die größer oder kleiner als die anderen Klassen sein darf).

5.3.4 Druckfestigkeit (HD-Ziegel)

Sofern für die Verwendungszwecke erforderlich, für die die Mauerziegel in Verkehr gebracht werden, sowie für alle Mauerziegel, die Anforderungen an die Standsicherheit unterliegen, ist die mittlere Druckfestigkeit vom Hersteller anzugeben. Außerdem ist die normierte Druckfestigkeit vom Hersteller anzugeben, sofern sie relevant ist.

ANMERKUNG 1 EN 772-1 enthält Hinweise zur Umrechnung der Druckfestigkeit von Mauersteinen in die normierte Druckfestigkeit.

Ferner muss der Hersteller angeben, ob der Mauerziegel Kategorie I oder Kategorie II entspricht.

Erfolgt die Probenahme von Mauerziegeln aus einer Lieferung nach Anhang A und die Prüfung nach EN 772-1:

- darf die mittlere Druckfestigkeit der festgelegten Anzahl von Mauerziegeln aus einer Lieferung nicht geringer als der deklarierte Wert der Druckfestigkeit sein;
- dürfen die Einzelwerte der an den Proben ermittelten Druckfestigkeit 80 % des deklarierten Wertes nicht unterschreiten.

Diese Angabe muss die vorgesehene Anordnung der Mauerziegel bei der Prüfung, die Art der Lagerfugenvermörtelung und die Verfüllung vorhandener Hohlräume berücksichtigen und enthalten.

ANMERKUNG 2 Ferner darf der Hersteller abgeben, in welcher Weise die deklarierte Druckfestigkeit einem nationalen Klassifizierungssystem zuzuordnen ist.

ANMERKUNG 3 Die in diesem Abschnitt angegebenen Anforderungen an die Druckfestigkeit gelten nicht notwendigerweise für Form- und Ergänzungssteine.

5.3.5 Wärmeschutztechnische Eigenschaften (HD-Ziegel)

Sofern für die vorgesehenen Verwendungszwecke, für die die Mauerziegel in den Handel gebracht werden, erforderlich sowie bei allen Mauerziegeln zur Verwendung in Bauteilen, die wärmeschutztechnischen Anforderungen unterliegen, hat der Hersteller unter Bezugnahme auf EN 1745 Angaben zu den wärmeschutztechnischen Eigenschaften der Mauerziegel zu machen. Es ist anzugeben, ob die Deklaration auf einer Tabelle, einer Prüfung oder einer Berechnung beruht.

5.3.6 Dauerhaftigkeit (HD-Ziegel)

Die Frostwiderstandsklasse eines Mauerziegels ist vom Hersteller unter Bezugnahme auf die Eignung von Mauerwerk oder Mauerwerkselementen in nicht angreifender, in mäßig angreifender und in stark angreifender Umgebung anzugeben. (Siehe Anhang B.3.)

F 0 – Nicht angreifende Umgebung

F 1 – Mäßig angreifende Umgebung

F 2 – Stark angreifende Umgebung

Bis ein europäisches Prüfverfahren zur Verfügung steht, ist der Frostwiderstand nach den am vorgesehenen Verwendungsort der Mauerziegel gültigen Bestimmungen zu beurteilen und anzugeben.

5.3.7 Wasseraufnahme (HD-Ziegel)

5.3.7.1 Außenbauteile (HD-Ziegel)

Die Spanne der Wasseraufnahme einer Lieferung von Mauerziegeln, die mit exponierter Sichtfläche für die Verwendung in Außenbauteilen vorgesehen sind, ist vom Hersteller anzugeben. Sofern die Probenahme der Mauerziegel aus einer Lieferung nach Anhang A und die Prüfung nach dem in Anhang C festgelegten Prüfverfahren zur Bestimmung der Wasseraufnahme erfolgen, darf der Mittelwert der Wasseraufnahme der festgelegten Anzahl von Mauerziegeln nicht größer als der deklarierte Wert für die Wasseraufnahme sein.

5.3.7.2 Feuchtesperrschichten (HD-Ziegel)

Die Wasseraufnahme von Mauerziegeln, die für die Verwendung in Feuchtesperrschichten vorgesehen sind, ist vom Hersteller anzugeben. Sofern die Probenahme der Mauerziegel aus einer Lieferung nach Anhang A und die Prüfung nach EN 772-7 erfolgen, darf der Mittelwert der Wasseraufnahme der festgelegten Anzahl von Mauerziegeln den deklarierten Wert für die Wasseraufnahme nicht übersteigen.

ANMERKUNG Es besteht keine allgemeine Beziehung zwischen der Wasseraufnahme und der Druckfestigkeit oder der Dauerhaftigkeit.

5.3.8 Anfängliche Wasseraufnahme (HD-Ziegel)

Die anfängliche Wasseraufnahme einer Lieferung von Mauerziegeln ist vom Hersteller anzugeben, sofern dies für den vorgesehenen Verwendungszweck erforderlich ist. Sofern dies geschieht und Mauerziegel aus einer Lieferung als Probe nach Anhang A entnommen und bei Anwendung einer Tauchzeit von (60 ± 2) Sekunden nach EN 772-11 geprüft werden, darf der Mittelwert der anfänglichen Wasseraufnahme der festgelegten Anzahl von Mauerziegeln nicht größer als der deklarierte Wert für die anfängliche Wasseraufnahme sein.

5.3.9 Gehalt an aktiven löslichen Salzen (HD-Ziegel)

Sofern der Verwendungszweck des Produktes nur einen begrenzten Schutz (z. B. durch eine dünne Putzschicht) vorsieht oder das Produkt der Witterung ausgesetzt sein soll, ist der Gehalt an aktiven löslichen Salzen auf der Grundlage der in Tabelle 2 angegebenen Klassen anzugeben. Sofern die Probenahme der Mauerziegel aus einer Lieferung nach Anhang A und die Prüfung nach EN 772-5 erfolgen, darf der Gehalt an wasserlöslichen Salzen den deklarierten Gehalt an aktiven löslichen Salzen nicht überschreiten.

Tabelle 2: Klassengrenzwerte für den Gehalt an aktiven löslichen Salzen

Klasse	Maximal zulässiger Salzgehalt als Masseanteil in %	
	$Na^+ + K^+$	Mg^{2+}
S0	keine Anforderung	keine Anforderung
S1	0,17	0,08
S2	0,06	0,03

ANMERKUNG 1 Sieht der Verwendungszweck des Produktes den vollständigen Schutz gegen das Eindringen von Wasser (z. B. durch eine dicke Schicht eines geeigneten Putzmörtels, eine Verkleidung, die innere Schale einer zweischaligen Wand, Innenwände) vor, bestehen keine Anforderungen bezüglich des Gehaltes an aktiven löslichen Salzen (S0).

ANMERKUNG 2 Für weitere Angaben siehe Anhang B.4.

5.3.10 Übliche Feuchtedehnung (HD-Ziegel)

In Ländern, in denen Anforderungen an die übliche Feuchtedehnung gestellt werden, ist dies nach den am vorgesehenen Verwendungsort gültigen Bestimmungen zu beurteilen und anzugeben.

5.3.11 Brandverhalten (HD-Ziegel)

Der Hersteller hat die Brandverhaltensklasse von Mauerziegeln anzugeben, wenn diese zur Verwendung in Bauteilen, die Anforderungen an den Brandschutz unterliegen, vorgesehen sind.

Mauerziegel können ohne Prüfung in die Brandverhaltensklasse A1 eingestuft werden, wenn sie einen Masse- bzw. Volumenanteil $\leq$ 1,0 % an gleichmäßig verteilten organischen Stoffen enthalten (wobei der größere Wert maßgebend ist).

Mauerziegel mit einem Masse- bzw. Volumenanteil > 1,0 % an gleichmäßig verteilten organischen Stoffen (wobei der größere Wert maßgebend ist) sind nach EN 13501-1 einzustufen und die entsprechende Brandverhaltensklasse ist anzugeben.

ANMERKUNG Es wird auf die Entscheidung der Kommission 96/603/EG in der durch die Entscheidung der Kommission 2000/605/EG geänderten Fassung hingewiesen, nach der nichtbrennbare Mauersteine mit einen Masse- bzw. Volumenanteil von maximal 1,0 % an gleichmäßig verteilten organischen Stoffen (wobei der größere Wert maßgebend ist) ohne Prüfung in die Brandverhaltensklasse A1 einzustufen sind.

5.3.12 Wasserdampfdurchlässigkeit (HD-Ziegel)

Für Mauerziegel zur Verwendung in Außenbauteilen muss der Hersteller anhand der in EN 1745 angegebenen tabellierten Werte für den Wasserdampfdiffusionskoeffizienten oder nach EN ISO 12572 Angaben zur Wasserdampfdurchlässigkeit machen.

5.3.13 Verbundfestigkeit (HD-Ziegel) (nicht abgedruckt)

6 Beschreibung, Bezeichnung und Klassifizierung von Mauerziegeln

6.1 Beschreibung und Bezeichnung

6.1.1 LD-Ziegel

Die Beschreibung und Bezeichnung eines Mauerziegels müssen mindestens folgende Angaben enthalten:

a) Nummer und Ausgabedatum dieser Europäischen Norm;

b) Art des Mauerziegels (siehe 5.1);

c) Maße (siehe 5.2.1);

d) Brutto-Trockenrohdichte sowie zulässige Abweichungen (siehe 5.2.3);

Sofern für die vorgesehenen Verwendungszwecke, für die die Mauerziegel in den Verkehr gebracht werden, erforderlich, müssen Beschreibung und Bezeichnung Folgendes enthalten:

e) Druckfestigkeit (siehe 5.2.4);

f) Form und Ausbildung (siehe 5.2.2);

g) Abmaße (siehe 5.2.1);

h) Netto-Trockenrohdichte sowie zulässige Abweichungen (siehe 5.2.3);

i) wärmeschutztechnische Eigenschaften (siehe 5.2.5);

j) Frostwiderstandsklasse und deren Grundlage (siehe 5.2.6);

F

k) Klasse des Gehalts an aktiven löslichen Salzen (siehe 5.2.8);
l) übliche Feuchtedehnung und deren Grundlage (siehe 5.2.9);
m) Brandverhalten (siehe 5.2.10);
n) Wasserdampfdurchlässigkeit (siehe 5.2.11);
o) Verbundfestigkeit (siehe 5.2.12).

6.1.2 HD-Ziegel

Die Beschreibung und Bezeichnung eines Mauerziegels müssen mindestens folgende Angaben enthalten:

a) Nummer und Ausgabedatum dieser Europäischen Norm;
b) Art des Mauerziegels (siehe 5.1);
c) Maße (siehe 5.3.1);
d) Frostwiderstandsklasse und deren Grundlage (siehe 5.3.6);

Sofern für die vorgesehenen Verwendungszwecke, für die die Mauerziegel in den Verkehr gebracht werden, erforderlich, müssen Beschreibung und Bezeichnung Folgendes enthalten:

e) Druckfestigkeit (siehe 5.3.4);
f) Form und Ausbildungen (siehe 5.3.2);
g) Abmaße (siehe 5.3.1);
h) Brutto- und Netto-Trockenrohdichte sowie zulässige Abweichungen (siehe 5.3.3);
i) anfängliche Wasseraufnahme (siehe 5.3.8);
j) wärmeschutztechnische Eigenschaften (siehe 5.3.5);
k) Klasse des Gehalts an aktiven löslichen Salzen (siehe 5.3.9);
l) übliche Feuchtedehnung und deren Grundlage (siehe 5.3.10);
m) Brandverhalten (siehe 5.3.11);
n) Wasserdampfdurchlässigkeit (siehe 5.3.12);
o) Verbundfestigkeit (siehe 5.3.13).

6.2 Klassifizierung

Die Eigenschaften von Mauerziegeln dürfen in Form von Klassen angegeben werden. Dies gilt nur für die in dieser Norm enthaltenen Eigenschaften und setzt voraus, dass hierdurch kein Handelshemmnis entsteht.

Damit ist die Forderung nicht aufgehoben, dass der Hersteller – sofern erforderlich – deklarierte Werte für die Eigenschaften von Produkten, welche nach eigener Angabe mit dieser Norm übereinstimmen, anzugeben hat.

7 Kennzeichnung

Die folgenden Angaben müssen deutlich sichtbar entweder auf den Ziegeln, der Verpackung, dem Lieferschein oder einem den Mauerziegeln beigefügten Zertifikat aufgeführt sein:

a) Name, Warenzeichen oder andere Erkennungsmerkmale des Herstellers der Mauerziegel;

b) Angaben, die zur Identifizierung der Mauerziegel erforderlich sind und die die Zuordnung zu ihrer Beschreibung und Bezeichnung ermöglichen.

ANMERKUNG Für CE-Kennzeichnung und Beschriftung gilt der Abschnitt ZA.3 vom Anhang ZA. Wird dort festgelegt, dass die CE-Kennzeichnung durch die gleichen Angaben ergänzt werden soll, die in diesem Abschnitt festgelegt sind, gelten die Anforderungen nach diesem Abschnitt als erfüllt.

8 Konformitätsbewertung

8.1 Allgemeines

Der Hersteller muss die Übereinstimmung seines Produktes mit den Anforderungen der vorliegenden Europäischen Norm sowie den deklarierten Werten für die Produkteigenschaften wie folgt nachweisen:

- Erstprüfung des Produktes (siehe 8.2), möglich durch physikalische Prüfung, Berechnung, Verweisung auf tabellierte Werte oder Kombinationen dieser Verfahren;
- werkseigene Produktionskontrolle (siehe 8.3).

Ausgenommen bei Erstprüfungen und im Streitfall dürfen alternative Prüfverfahren statt der in dieser Europäischen Norm festgelegten Referenzprüfverfahren angewendet werden, vorausgesetzt, sie erfüllen die folgenden Kriterien:

a) zwischen den Ergebnissen des Referenzprüfverfahrens einerseits und des alternativen Prüfverfahrens andererseits muss eine Korrelation bestehen; oder

b) bei Durchführung des alternativen Verfahrens kann im Vergleich zu den Referenzprüfverfahren ein sicherer Zusammenhang nachgewiesen werden; und

c) die Einzelheiten, auf die sich diese Korrelation begründet, sind verfügbar.

F

ZA.3 CE-Kennzeichnung und Etikettierung

Der Hersteller oder sein im EWR ansässiger Bevollmächtigter ist verantwortlich für das Anbringen der CE-Kennzeichnung. Das CE-Kennzeichen ist nach Richtlinie 93/68/EWG sowie auf dem Mauerziegel selbst (oder, falls dies nicht möglich ist, auf einem an dem Produkt befestigten Etikett, auf dessen Verpackung oder auf den Begleitdokumenten, z. B. dem Lieferschein) anzubringen. Dem CE-Kennzeichen sind die folgenden Angaben hinzuzufügen:

- Kennnummer der Zertifizierungsstelle (nur für Produkte unter System 2+);
- Name oder Bildzeichen und eingetragene Anschrift des Herstellers;
- die letzten beiden Ziffern des Jahres, in dem das Kennzeichen angebracht wurde;
- Nummer des EG-Konformitätszertifikats oder des Zertifikats der werkseigenen Produktionskontrolle (sofern zutreffend);
- Verweisung auf diese Europäische Norm;
- Beschreibung des Produktes: Oberbegriff, Baustoff, Maße ... und vorgesehener Verwendungszweck;
- Angaben zu den maßgebenden wesentlichen Eigenschaften nach Tabelle ZA.1.1 und ZA.1.2 in Form von:
- deklarierten Werten und, sofern zutreffend, Stufe oder Klasse, die für jede wesentliche Eigenschaft anzugeben sind, wie in den „Anmerkungen“ zu Tabelle ZA.1.1 und ZA.1.2 aufgeführt;
- „keine Leistung festgestellt“ (NPD) für Eigenschaften, auf die dies zutrifft.

Die Option „keine Leistung festgestellt“ (NPD) darf nicht angewendet werden, wenn die Eigenschaft einem Schwellenwert unterliegt. Die Option „keine Leistung festgestellt“ darf hingegen angewendet werden, sofern die Eigenschaft für einen bestimmten Verwendungszweck nicht Gegenstand gesetzlicher Anforderungen im Bestimmungsmitgliedstaat ist.

Bilder ZA.1 und ZA.2 enthalten Beispiele zu den Angaben zur CE-Kennzeichnung, die in den Begleitdokumenten (z. B. Lieferschein) enthalten sein müssen.

	CE-Konformitätskennzeichnung, bestehend aus dem CE-Kennzeichen nach Richtlinie 93/68/EWG
Firma XY, PSF 21, B-1050 **11**	*Name oder Bildzeichen und eingetragene Anschrift des Herstellers* *Die letzten beiden Ziffern des Jahres, in dem das Kennzeichen angebracht wurde*
EN 771-1:2011 LD-Mauerziegel der Kategorie II, xxx yyy zzz mm **Maße:** Länge (mm), Breite (mm), Höhe (mm) **Grenzabmaße:** Abmaßklasse T1 Klasse der Maßspanne: NPD Ebenheit: NPD Planparallelität: NPD **Form und Ausbildung:** Siehe beigefügte Zeichnung **Mittlere Druckfestigkeit:** xx N/mm² (senkrecht zur Lagerfläche), xx N/mm² (senkrecht zur Stirnfläche). (Kat. II) **Maßbeständigkeit:** übliche Feuchtedehnung: x mm/m **Verbundfestigkeit:** Festgelegter Wert: xx (N/mm²) **Gehalt an aktiven löslichen Salzen:** NPD (S0) **Brandverhalten:** Euroklasse A1 **Wasseraufnahme:** „Darf nicht in exponierter Lage verwendet werden" **Wasserdampfdiffusionskoeffizient:** xxx **Luftschalldämmung:** Brutto-Trockenrohdichte: xxxx (D1) kg/m³ Form und Ausbildung: wie oben **Wärmeleitfähigkeit:** xx W/mK ($\lambda_{10,dry,unit}$,P4) **Frostwiderstand:** NPD **Gefährliche Substanzen:** Siehe nachstehende Anmerkung.	*Datierte Ausgabe der Europäischen Norm* *Produktbeschreibung* *und* *Angaben zu Eigenschaften, die gesetzlichen Bestimmungen unterliegen*

ANMERKUNG Angaben zu gefährlichen Substanzen erfolgen nur bei Bedarf sowie in geeigneter Form (siehe ZA.3).

Beispiel für die Angaben für LD-Ziegel der Kategorie II, die mit Normalmörtel vermauert werden und in Ländern in Verkehr gebracht werden sollen, in denen weder Bestimmungen über den Gehalt an aktiven löslichen Salzen noch über den Frostwiderstand bestehen.

Bild ZA.1 — Beispiel für die Angaben zur CE-Kennzeichnung

CE **01234**	*CE-Konformitätskennzeichnung, bestehend aus dem CE-Kennzeichen nach Richtlinie 93/68/EWG* *Kennnummer der Zertifizierungsstelle*[a]
Firma XY, PSF 21, B-1050 **11** 01234-BPR-00234	*Name oder Bildzeichen und eingetragene Anschrift des Herstellers* *Die letzten beiden Ziffern des Jahres, in dem das Kennzeichen angebracht wurde* *Nummer des Zertifikats*[b]
EN 771-1:2011 HD-Mauerziegel der Kategorie I, xxx yyy zzz mm **Maße:** Länge (mm), Breite (mm), Höhe (mm) **Grenzabmaße:** Abmaßklasse T1 Klasse der Maßspanne: R1 Ebenheit: 1,0 mm Planparallelität: 1,0 mm **Form und Ausbildung:** Siehe beigefügte Zeichnung (Mauersteine der Gruppe 1 nach EN 1996-1-1:2005). **Mittlere Druckfestigkeit:** xx N/mm^2 (senkrecht zur Lagerfläche), xx N/mm^2 (senkrecht zur Stirnfläche). (Kat. I) **Maßbeständigkeit:** übliche Feuchtedehnung: NPD **Verbundfestigkeit:** Festgelegter Wert: xx (N/mm^2) **Gehalt an aktiven löslichen Salzen:** NPD (S0) **Brandverhalten:** Euroklasse A1 **Wasseraufnahme:** xx % **Wasserdampfdiffusionskoeffizient:** xxx **Luftschalldämmung:** <u>Brutto-Trockenrohdichte:</u> xxxx (D1) kg/m^3 <u>Form und Ausbildung:</u> wie oben **Äquivalente Wärmeleitfähigkeit:** xx W/mK ($\lambda_{10,dry,unit}$,S1) **Frostwiderstand:** F2 **Gefährliche Substanzen:** Siehe nachstehende Anmerkung.	*Nummer der Europäischen Norm* *Produktbeschreibung* *und* *Angaben zu Eigenschaften, die gesetzlichen Bestimmungen unterliegen* [a] Die Angabe der notifizierten Stelle ist nur für das System 2+ erforderlich. [b] Die Angabe der Nummer des Zertifikats ist nur für das System 2+ erforderlich.

ANMERKUNG Angaben zu gefährlichen Substanzen erfolgen nur bei Bedarf sowie in geeigneter Form (siehe ZA.3).

Beispiel für die Angaben für HD-Ziegel der Kategorie I, die für alle möglichen Verwendungszwecke einschließ-lich Feuchtigkeitssperrschichten vorgesehen sind und in Ländern, in denen weder Bestimmungen zum Gehalt an aktiven löslichen Salzen noch zum Schwinden beim Trocknen bestehen, in Verkehr gebracht werden sollen.

Bild ZA.2 — Beispiel für die Angaben zur CE-Kennzeichnung

Zusätzlich zu den oben angegebenen spezifischen Angaben zu gefährlichen Substanzen sollten dem Produkt bei Bedarf in geeigneter Form Dokumente beigefügt werden, in denen alle übrigen gesetzlichen Bestimmungen über gefährliche Stoffe aufgeführt werden, deren Einhaltung beansprucht wird, sowie alle Angaben, die aufgrund dieser gesetzlichen Bestimmungen erforderlich sind.

ANMERKUNG 1 Europäische gesetzliche Bestimmungen ohne nationale Abweichungen brauchen nicht angegeben zu werden.

ANMERKUNG 2 Das Anbringen des CE-Kennzeichens bedeutet, dass das Produkt, wenn es mehr als einer geltenden Richtlinie unterliegt, allen zutreffenden Richtlinien entspricht.

F

Festlegungen für Mauersteine

Kalksandsteine

Deutsche Fassung EN 771-2:2011

Auszug aus **DIN EN 771-2** (07.2011)

Inhalt

F

1 Anwendungsbereich

Diese Europäische Norm legt die Eigenschaften und die Anforderungen an die Leistungsfähigkeit von Kalksandsteinen fest, die vorwiegend zur Herstellung von Innenwänden, Außenwänden, Kellern, Gründungen und Schornsteinaußenmauerwerk verwendet werden.

Diese Europäische Norm gilt für alle Kalksandsteine einschließlich nicht allseitig von Rechtecken begrenzter Steine sowie Form- und Ergänzungssteinen.

Sie legt die Produkteigenschaften unter anderem bezüglich Festigkeit, Rohdichte und Maßabweichungen fest, die nach den entsprechenden, in gesonderten Europäischen Normen enthaltenen Prüfverfahren bestimmt werden.

Die Konformitätsbewertung der von dieser Europäischen Norm erfassten Produkte ist festgelegt. Die Anforderungen an die Kennzeichnung von Produkten, die diesem Dokument entsprechen, sind ebenfalls festgelegt.

Diese Europäische Norm enthält keine genormten Größen für Kalksandsteine sowie keine Sollmaße und keine Winkel für Form- und Ergänzungssteine.

Sie gilt weder für Kalksandsteine mit einem Lochanteil von mehr als 60 % noch für Produkte, zu deren Herstellung überwiegend Schiefer als Ausgangsstoff verwendet wird.

Sie gilt nicht für geschosshohe Elemente.

Sie gilt weder für Steine, die zur Herstellung feuchtesperrender Schichten verwendet werden, noch für Steine mit integrierter Wärmedämmung, wenn diese auf einer Seite des Mauersteins aufgebracht ist, die Feuer ausgesetzt sein kann, noch für Formblöcke für Schornsteine.

3 Begriffe

Für die Anwendung dieser Europäischen Norm gelten die folgenden Begriffe.

Mauerstein
vorgeformtes Element zur Herstellung von Mauerwerk

Kalksandstein
Mauerstein, der vorwiegend aus Kalk und kieselsäurehaltigen Stoffen besteht und durch Dampfdruck erhärtet wird

Schiefer
feinkörniges und fein geschichtetes Sedimentgestein, das hauptsächlich Quarz und Tonminerale enthält

Koordinierungsmaß
einem Mauerstein zugehörendes Maß einschließlich des Fugenmaßes und der Abmaße

Sollmaß
das für die Herstellung eines Mauersteins festgelegte Maß, mit dem das Istmaß unter Berücksichtigung der Grenzabmaße übereinstimmt

Istmaß
das am Mauerstein gemessene Maß

Normalmauerstein
Mauerstein mit einer allseitig von Rechtecken begrenzten Form

Formstein
Mauerstein in einer nicht nur von Rechtecken begrenzten Form

Ergänzungsstein
Mauerstein in einer für einen bestimmten Zweck gestalteten Form, z. B. um die Form des Mauerwerks zu vervollständigen. Ergänzungssteine können durch Schneiden größerer Steine hergestellt werden

Verbindungssystem
geformte, zusammenpassende Vor- und Rücksprünge an Mauersteinen, z. B. Nut- und Feder-Systeme

Loch
Aussparung, die den Mauerstein ganz oder teilweise durchdringen kann

Lochung
Loch, das den Mauerstein ganz durchdringt

Kammer
Aussparung, die den Mauerstein nicht durchdringt

Mulde
Aussparung in einer oder beiden Lagerflächen des Mauersteins, wobei das Gesamtvolumen aller derartigen Aussparungen einen bestimmten Anteil des Bruttovolumens des Mauersteins, d. h. Länge mal Breite mal Höhe, nicht überschreitet

Aussparung
Vertiefung oder Einschnitt in einer oder mehreren Oberflächen eines Mauersteins (z. B. Mörteltasche, Putzrille, Grifföffnung)

Außensteg
Material zwischen der Lochung und der Außenfläche des Mauersteins

Innensteg
Material zwischen den Lochungen in einem Mauerstein

normierte Druckfestigkeit
Wert für die Druckfestigkeit eines Mauersteines, der in die lufttrockene Druckfestigkeit eines äquivalenten Mauersteines mit einer Breite von 100 mm und einer Höhe von 100 mm umgerechnet wird

ANMERKUNG Siehe das in EN 772-1 beschriebene Verfahren.

mittlere Druckfestigkeit von Mauersteinen
arithmetischer Mittelwert der Druckfestigkeitswerte für Mauersteine

charakteristische Druckfestigkeit von Mauersteinen
Druckfestigkeit, die der 5-%-Fraktile der Druckfestigkeit der Mauersteine entspricht

deklarierter Wert
Zahlenwert, der vom Hersteller unter Berücksichtigung der Prüfgenauigkeit und der im Rahmen des Herstellungsverfahrens liegenden Schwankungen angegeben wird

Mauersteine der Kategorie I
Mauersteine mit einer deklarierten Druckfestigkeit, wobei die Wahrscheinlichkeit des Nichterreichens dieser Festigkeit nicht über 5 % liegen darf. Die deklarierte Druckfestigkeit darf über den mittleren Wert oder den charakteristischen Wert ermittelt werden

Mauersteine der Kategorie II
Mauersteine, die das Vertrauensniveau für Mauersteine der Kategorie I nicht erreichen

Stegdickensumme
Summe der Dicken der Außenwandungen (Außenstege) und Stege (Innenstege), welche von einer Läufer- bzw. Stirnfläche eines Mauerziegels bis zur gegenüberliegenden Läufer- bzw. Stirnfläche entlang eines beliebigen Weges über die Löcher im Mauerziegel gemessen den kleinsten Wert ergibt; sie wird als prozentualer Anteil der Breite (Längsstegdickensumme) bzw. der Länge (Querstegdickensumme) des Mauerziegels angegeben

Griffloch
Loch in einem Mauerstein, das ein leichteres Greifen oder Heben mit der Hand oder einer Maschine ermöglicht

Produktgruppe
Produkte eines Herstellers, welche gemeinsame Werte für ein oder mehrere Merkmale haben

Lieferung
Zustellmenge des Lieferanten

4 Ausgangsstoffe und Herstellung

Kalksandsteine bestehen vorwiegend aus einer Mischung von Kalk und natürlichen kieselsäurehaltigen Stoffen (Sand, gebrochenem oder ungebrochenem kieselsäurehaltigen Kies oder Gestein oder einem hieraus bestehenden Gemisch), die unter Dampfdruck gehärtet wird.

Werden überwiegend andere kieselsäurehaltige Stoffe zur Herstellung von Kalksandsteinen verwendet, dürfen sie die Eigenschaften der Produkte nicht ungünstig beeinflussen. Die Verwendung solcher Stoffe ist anzugeben.

5 Anforderungen an Kalksandsteine

5.1 Allgemeines

Die in dieser Europäischen Norm festgelegten Anforderungen und Eigenschaften sind durch die hierin angegebenen Prüf- und anderen Verfahren nachzuweisen.

Es wird darauf hingewiesen, dass die Prüfverfahren nicht in jedem Fall für Form- und Ergänzungssteine nach 3.8 und 3.9 geeignet sind.

Die in den folgenden Abschnitten angegebenen Konformitätskriterien beziehen sich auf die Erstprüfungen (siehe 8.2) und – sofern erforderlich – die Prüfung von Lieferungen (siehe Anhang A). Für die Druckfestigkeit von Mauersteinen der Kategorie I ist eine 50 %-Quantil ($p = 0,50$) für den Mittelwert und ein Vertrauensniveau von 95 % anzuwenden.

Zur Bewertung der Herstellung hat der Hersteller die Konformitätskriterien in der Dokumentation der werkseigenen Produktionskontrolle festzuhalten (siehe 8.3).

5.2 Maße und Grenzabmaße

5.2.1 Maße

Die Maße eines Kalksandsteins für Länge, Breite und Höhe sind in dieser Reihenfolge in mm anzugeben. Anzugeben ist das Sollmaß.

ANMERKUNG Ergänzend hierzu darf das Koordinierungsmaß angegeben werden, siehe Bild 1.

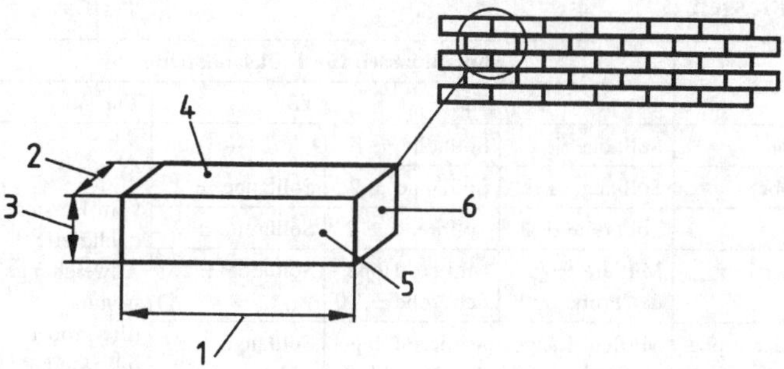

Legende

1 Länge | 2 Breite | 3 Höhe
4 Lagerfläche | 5 Sichtfläche (Läuferfläche) | 6 Sichtfläche (Stirnfläche)

ANMERKUNG Die Bezeichnungen beziehen sich auf die übliche Verwendung in einer Wand.

Bild 1: Abmessungen und Oberflächen

Sofern die Probenahme einer bestimmten Anzahl von Kalksandsteinen aus einer Lieferung nach Anhang A und die Prüfung nach EN 772-16 erfolgt, sind die Abmaße nach 5.2.2.1 einzuhalten. Länge, Breite und Höhe sind durch jeweils eine Messung etwa in der Mitte jedes Probekörpers zu ermitteln (EN 772-16:2011, 7.1, Verfahren d)). In den Fällen, in denen ungleichmäßige Oberflächen (z. B. Nut-Feder-Systeme, Grifflöcher usw.) ausgeschlossen werden müssen, ist EN 772-16:2011, Verfahren e) anzuwenden.

Der Hersteller muss die Maße und Abmaße von Ergänzungssteinen nur angeben, wenn die Ergänzungssteine als einzelne Produkte in Verkehr gebracht werden und nicht Teil einer kundenspezifischen Lieferung sind. Werden Proben mit einer festgelegten Anzahl von Ergänzungssteinen aus einer Lieferung nach Anhang A entnommen, müssen die Maße und Abmaße Anhang C entsprechen.

F

5.2.2 Grenzabmaße

5.2.2.1 Abmaße

Die Abmaßklasse ist nach Tabelle 1 anzugeben. Die Ist-Abmaße für die Mittelwerte der Länge, Breite und Höhe sowie für die Einzelwerte für Länge, Breite und Höhe dürfen die zulässigen Werte für die deklarierte Abmaßklasse nach Tabelle 1 nicht überschreiten.

Die Ist-Abmaße des Mittelwertes sind die Differenzen zwischen den deklarierten Sollmaßen und dem Mittel der gemessenen Werte. Die Ist-Abmaße für Einzelwerte sind die Differenzen zwischen den Mittelwerten der gemessenen Werte und den gemessenen Einzelwerten.

Diese Abmaße gelten nicht für die Richtung senkrecht zur bearbeiteten Oberfläche bei einseitig geschnittenen, gebrochenen oder behandelten Mauersteinen.

Tabelle 1: Grenzabmaße von Kalksandsteinen (in mm) einschließlich Abmaßklassen

Maße	Abmaßklassen für Kalksandsteine			
	T1	T2	T3	Tm
Mittlere Höhe der Probe	Sollhöhe ± 2	Sollhöhe ± 1	—	vom Hersteller deklarierte Abweichung, in mm, (die größer oder kleiner als die anderen Klassen sein darf)
Mittlere Länge der Probe	Sollänge ± 2	Sollänge ± 2	Sollänge ± 2	
Mittlere Breite der Probe	Sollbreite ± 2	Sollbreite ± 2	Sollbreite ± 2	
Einzelwert der Höhe der Probe	Mittlere Höhe der Probe ± 2	Mittlere Höhe der Probe ± 1,0	Sollhöhe ± 1,0	
Einzelwert der Länge der Probe	Mittlere Länge der Probe ± 2	Mittlere Länge der Probe ± 2	Sollänge ± 3	
Einzelwert der Breite der Probe	Mittlere Breite der Probe ± 2	Mittlere Breite der Probe ± 2	Sollbreite ± 3	
Ebenheit der Lagerflächen	—	—	1,0	
Planparallelität der Lagerflächen	—	—	1,0	

5.2.2.2 Ebenheit der Lagerflächen (nicht abgedruckt)

5.2.2.3 Planparallelität der Lagerflächen (nicht abgedruckt)

5.3 Form und Ausbildungen

Sofern für die vorgesehenen Verwendungszwecke, für die die Kalksandsteine in den Verkehr gebracht werden, erforderlich, sind Form und Ausbildung anzugeben. Die Deklaration kann durch einen Verweis auf eine der in EN 1996-1-1 oder EN 1996-1-2 angegebenen Gruppen erfolgen und/oder eine oder mehrere der nachstehend aufgeführten Angaben umfassen:

– Form und Ausbildung einschließlich der Lochrichtung (anhand einer Zeichnung oder einer bildlichen Darstellung, sofern zutreffend);
– Gesamtlochvolumen als prozentualer Anteil aus Länge × Breite × Höhe des Kalksandsteins;

- Einzellochvolumen als prozentualer Anteil aus Länge × Breite × Höhe des Kalksandsteins;
- Volumen der Grifflöcher als prozentualer Anteil aus Länge × Breite × Höhe des Kalksandsteins;
- Stegdicke (Innenstege);
- Dicken der Außenwandungen (Außenstege);
- Längsstegdickensumme;
- Querstegdickensumme;
- Gesamtlochquerschnitt als prozentualer Anteil aus Länge × Breite des Kalksandsteins.

Das Gesamtvolumen von Mulden darf 20 % des Gesamtvolumens eines Kalksandsteins, d. h. Länge × Breite × Höhe, nicht überschreiten.

Jeder deklarierte Wert ist entweder als oberer oder unterer Grenzwert oder als Wertebereich anzugeben. Erfolgt die Probenahme von Kalksandsteinen aus einer Lieferung nach Anhang A und die Prüfung nach EN 772-16, EN 772-9 bzw. EN 772-2, muss der aus den Messungen am Prüfkörper abgeleitete Mittelwert im deklarierten Bereich liegen bzw. dem deklarierten Grenzwert entsprechen.

5.4 Rohdichte

5.4.1 Brutto-Trockenrohdichte (Steinrohdichte)

Der Hersteller hat den Mindest- und den Höchstwert der Brutto-Trockenrohdichte anzugeben. Der Hersteller darf die Rohdichteklasse nach Anhang D.2 angeben.

Sofern die Probenahme einer bestimmten Anzahl von Kalksandsteinen aus einer Lieferung nach Anhang A und die Prüfung nach EN 772-13 erfolgt, muss der Mittelwert der Brutto-Trockenrohdichte dem deklarierten Wert oder der deklarierten Rohdichteklasse entsprechen.

Bei Kalksandsteinen mit einer deklarierten Brutto-Trockenrohdichte größer als 900 kg/m³ dürfen die Einzelwerte für die Probe die deklarierte Spanne der deklarierten Werte bzw. die entsprechende Spanne der deklarierten Rohdichteklasse um nicht mehr als 100 kg/m³ überschreiten. Bei Kalksandsteinen mit einer deklarierten Brutto-Trockenrohdichte kleiner als oder gleich 900 kg/m³ dürfen die Einzelwerte die deklarierte Spanne der deklarierten Werte bzw. die entsprechende Spanne der deklarierten Rohdichteklasse um nicht mehr als 50 kg/m³ überschreiten.

5.4.2 Netto-Trockenrohdichte

Sofern für den vorgesehenen Verwendungszweck erforderlich, hat der Hersteller den Mindest- und den Höchstwert der Netto-Trockenrohdichte anzugeben. Sofern die Probenahme einer bestimmten Anzahl von Kalksandsteinen aus einer Lieferung nach Anhang A und die Prüfung nach EN 772-13 erfolgt, muss der Mittelwert der Netto-Trockenrohdichte dem deklarierten Wert entsprechen.

Ferner darf der Hersteller die kleinsten und größten Einzelwerte der Netto-Trockenrohdichte angeben.

F

5.5 Druckfestigkeit

Der Mittelwert der Druckfestigkeit und die normierte Druckfestigkeit sind vom Hersteller anzugeben, z. B. in Form einer der Druckfestigkeitsklassen nach D.1.

Ferner muss der Hersteller angeben, ob der Kalksandstein Kategorie I oder Kategorie II entspricht.

ANMERKUNG Weitere Informationen bezüglich der CE-Kennzeichnung sind in ZA.2 gegeben.

Diese Angabe muss die Anordnung(en) der Kalksandsteine bei der Prüfung, die Art des geprüften Probekörpers (ganzer Stein oder geschnittenes Prisma), die Art(en) der Lagerfugenvermörtelung der Kalksandsteine und die Verfüllung vorhandener Hohlräume enthalten. Der deklarierte Wert muss mindestens 5 N/mm^2 betragen.

Sofern die Probenahme einer bestimmten Anzahl von Kalksandsteinen aus einer Lieferung nach Anhang A und die Prüfung nach EN 772-1 erfolgt, darf die mittlere normierte Druckfestigkeit nicht geringer als der deklarierte Wert sein.

Wenn eine Druckfestigkeitsklasse angegeben wird, darf der Mittelwert der normierten Druckfestigkeit nicht geringer als der Wert für die deklarierte Festigkeitsklasse sein.

Nach EN 772-1 bestimmte Einzelwerte der Druckfestigkeit dürfen 80 % des deklarierten Wertes nicht unterschreiten.

Aus Kalksandsteinen mit Längen $\geq$ 500 mm und/oder Höhen $\geq$ 300 mm dürfen repräsentative Probekörper zur Bestimmung der Druckfestigkeit nach Anhang B herausgeschnitten werden. In allen anderen Fällen ist die Druckfestigkeit am ganzen Stein zu prüfen.

Der Mittelwert der Druckfestigkeit aus drei nach Anhang B aus einem beliebigen Kalksandstein herausgeschnittenen Probekörpern innerhalb einer Probe darf 90 % des deklarierten Wertes nicht unterschreiten.

5.6 Wärmeschutztechnische Eigenschaften

Sofern für die Verwendungszwecke erforderlich, für die die Mauersteine in Verkehr gebracht werden, sowie bei allen Mauersteinen zur Verwendung in Bauteilen, die wärmeschutztechnischen Anforderungen unterliegen, muss der Hersteller den Mittelwert für $\lambda_{10,dry,unit}$ sowie das Bestimmungsmodell nach EN 1745 oder, alternativ dazu, die Brutto- oder die Netto-Trockenrohdichte sowie Form und Ausbildung angeben.

Darüber hinaus kann ein anderes Fraktil angegeben werden. In derartigen Fällen sind sowohl das zusätzliche Fraktil als auch der zugehörige Wert für $\lambda_{10,dry,unit}$ anzugeben.

Erfolgt die Probenahme der Kalksandsteine aus einer Lieferung nach Anhang A und die Prüfung nach EN 1745 entsprechend des angegeben Modells, darf der ermittelte λ-Wert für die festgelegte Anzahl von Kalksandsteinen den angegebenen λ-Wert nicht überschreiten.

Sofern für die Verwendungszwecke erforderlich, für die die Mauersteine in Verkehr gebracht werden, darf der Wert der spezifischen Wärmekapazität nach EN 1745 angegeben werden.

5.7 Dauerhaftigkeit

Sofern Kalksandsteine Frost-Tau-Wechseln in feuchter Umgebung ausgesetzt sein sollen, muss der Hersteller die Frostwiderstandsklasse nach Tabelle 2 deklarieren.

Tabelle 2: Frostwiderstandsklassen für Kalksandsteine

Kriterien	F1	F2
N Frost-Tau-Wechsel	≥ 25	≥ 50
Wesentliche sichtbare Beschädigungen entsprechend einer der Kategorien nach EN 772-18:2011, Abschnitt 7	keine	keine
Verringerung der Druckfestigkeit *Rc* nach EN 772-18	≤ 20 %	≤ 20 %

Wenn die Probenahme einer bestimmten Anzahl von Kalksandsteinen aus einer Lieferung nach Anhang A und die Prüfung nach EN 772-18 erfolgt, ist der Frostwiderstand zu bestätigen.

Aus Kalksandsteinen mit Längen ≥ 500 mm und/oder Höhen ≥ 300 mm sind repräsentative Probekörper zur Bestimmung des Frostwiderstandes nach Anhang B herauszuschneiden. In allen anderen Fällen sind ganze Steine zu prüfen.

5.8 Wasserdampfdurchlässigkeit

Sofern für die Verwendungszwecke erforderlich, für die die Kalksandsteine in Verkehr gebracht werden, muss der Hersteller anhand der tabellierten Werte für den Wasserdampfdiffusionskoeffizienten nach EN 1745 Angaben zur Wasserdampfdurchlässigkeit machen oder diese nach EN ISO 12572 bestimmen.

5.9 Brandverhalten

Bei Mauersteinen zur Verwendung in Bauteilen, die Anforderungen an den Brandschutz unterliegen, muss der Hersteller die Brandverhaltensklasse der Mauersteine angeben.

Mauersteine können ohne Prüfung in die Brandverhaltensklasse A1 eingestuft werden, wenn sie einen Masse- bzw. Volumenanteil ≤ 1,0 % an gleichmäßig verteilten organischen Stoffen enthalten (wobei der größere Wert gilt).

Mauersteine mit einem Masse- bzw. Volumenanteil > 1,0 % an gleichmäßig verteilten organischen Stoffen (wobei der größere Wert gilt), sind nach EN 13501-1 zu prüfen und die entsprechende Klasse ist anzugeben.

ANMERKUNG Es wird auf die Entscheidung der Kommission 96/603/EG, einschließlich Änderung durch die Entscheidung der Kommission 2000/605/EG, hingewiesen, nach der nichtbrennbare Mauersteine mit einem Masse- bzw. Volumenanteil von höchstens 1,0 % an gleichmäßig verteilten organischen Stoffen (wobei der größere Wert gilt) ohne Prüfung in die Brandverhaltensklasse A1 eingestuft sind.

F

5.10 Wasseraufnahme

Sofern für die Verwendungszwecke erforderlich, für die die Kalksandsteine in Verkehr gebracht werden, ist die Wasseraufnahme einer Lieferung von Mauersteinen vom Hersteller anzugeben. Bei einer Probenahme nach Anhang A und Prüfung nach EN 772-21 darf der Mittelwert der Wasseraufnahme die deklarierte Wasseraufnahme nicht überschreiten.

5.11 Übliche Feuchtedehnung

Sofern erforderlich, ist die übliche Feuchtedehnung durch Bezugnahme auf die nationalen Bestimmungen, die am Verwendungsort des Produktes gelten, anzugeben.

5.12 Verbundfestigkeit

5.12.1 Allgemeines

Bei Kalksandsteinen zur Verwendung in Bauteilen, die Anforderungen an die Standsicherheit unterliegen, ist die Verbundfestigkeit zwischen Mauerstein und Mörtel als charakteristische Anfangs-Scherfestigkeit nach EN 1052-3 anzugeben. Die Angabe kann entweder auf Grundlage von festgelegten Werten nach 5.12.2 oder durch Prüfung nach 5.12.3 erfolgen. Der Hersteller muss angeben, ob der Wert für die Verbundfestigkeit anhand der festgelegten Werte oder durch Prüfung erzielt wurde.

ANMERKUNG Es wird davon ausgegangen, dass die festgelegten Werte in den meisten Fällen ausreichen.

5.12.2 Deklaration auf Grundlage von festgelegten Werten

Falls für die charakteristische Anfangs-Scherfestigkeit von Mauersteinen im Verbindung mit Mörtel keine Angaben unter 5.12.3 gemacht werden, darf diese unter Bezugnahme auf EN 998-2:2010, Anhang C deklariert werden.

5.12.3 Deklaration auf Grundlage von Prüfungen

Die charakteristische Anfangs-Scherfestigkeit von Mauersteinen in Verbindung mit einer oder mehreren festgelegten Mörtelarten nach EN 998-2 darf auf Grundlage von Prüfungen an Kalksandsteinen, die als Probe aus einer Lieferung nach Anhang A entnommen und nach EN 1052-3 geprüft wurden, deklariert werden. Die charakteristische Anfangs-Scherfestigkeit darf den deklarierten Wert nicht unterschreiten.

ANMERKUNG Die Verbundfestigkeit ist vom Mörtel, vom Mauerstein und von der Ausführung abhängig.

6 Beschreibung, Bezeichnung und Klassifizierung von Kalksandsteinen

6.1 Beschreibung und Bezeichnung

Die Beschreibung und Bezeichnung von Kalksandsteinen müssen mindestens folgende Angaben enthalten:

a) Nummer und Ausgabedatum dieser Europäischen Norm;

b) Sollmaße (siehe 5.2.1); für nicht rechtwinklige Steine dürfen die Neigungswinkel angegeben werden;

c) Abmaßklasse (siehe 5.2.2);

d) Druckfestigkeit (siehe 5.5);

e) Brutto-Trockenrohdichte (Steinrohdichte) (siehe 5.4.1);

f) Form und Ausbildungen (siehe 5.3);

Sofern für den Verwendungszweck, für den die Mauersteine in den Handel gebracht werden, erforderlich, sind außerdem anzugeben:

g) Netto-Trockenrohdichte (siehe 5.4.2);

h) Hohlräume, die voll mit Mörtel verfüllt werden sollen, (mm^3) (falls zutreffend);

i) wärmeschutztechnische Eigenschaften (siehe 5.6);

j) Dauerhaftigkeit (siehe 5.7);

k) Wasseraufnahme (siehe 5.10).

6.2 Klassifizierung

Die Eigenschaften von Kalksandsteinen dürfen unter Bezugnahme auf die in dieser Norm festgelegten Klassifizierungssysteme angegeben werden..

Damit ist die Forderung nicht aufgehoben, dass ein Hersteller, der Übereinstimmung mit der vorliegenden Norm beansprucht, die deklarierten Werte seiner Produkte angeben muss, sofern erforderlich.

7 Kennzeichnung

Die folgenden Angaben müssen deutlich sichtbar entweder auf den Steinen, der Verpackung, dem Lieferschein oder einem den Kalksandsteinen beigefügten Zertifikat angegeben sein:

a) Name, Warenzeichen oder andere Erkennungsmerkmale des Herstellers;

b) Angaben, die zur Identifizierung der Mauersteine erforderlich sind und die die Zuordnung zu ihrer Beschreibung und Bezeichnung ermöglichen;

ANMERKUNG Für CE-Kennzeichnung und Beschriftung siehe Anhang ZA. Sofern nach ZA.3 begleitende Angaben zur CE-Kennzeichnung erforderlich sind, die den in Abschnitt 7 a) und b) angegebenen entsprechen, gelten die in diesen Abschnitten festgelegten Anforderungen als erfüllt.

F

8 Konformitätsbewertung

8.1 Allgemeines

Der Hersteller muss die Übereinstimmung seines Produktes mit den Anforderungen der vorliegenden Europäischen Norm sowie den deklarierten Werten für die Produkteigenschaften wie folgt nachweisen:

- Erstprüfung des Produktes (siehe 8.2), möglich durch physikalische Prüfung, Berechnung, Verweisung auf tabellierte Werte oder Kombinationen dieser Verfahren;
- werkseigene Produktionskontrolle (siehe 8.3).

Ausgenommen bei Erstprüfungen und im Streitfall dürfen alternative Prüfverfahren statt der in dieser Europäischen Norm festgelegten Referenzprüfverfahren angewendet werden, vorausgesetzt, sie erfüllen die folgenden Kriterien:

a) zwischen den Ergebnissen des Referenzprüfverfahrens einerseits und des alternativen Prüfverfahrens andererseits muss eine Korrelation bestehen; oder
b) bei Durchführung des alternativen Verfahrens kann im Vergleich zu den Referenzprüfverfahren ein sicherer Zusammenhang nachgewiesen werden; und
c) die Einzelheiten, auf die sich diese Korrelation begründet, sind verfügbar.

ZA.2 Verfahren der Konformitätsbescheinigung von Kalksandsteinen

ZA.2.1 System(e) der Konformitätsbescheinigung

Das/die System(e) der Konformitätsbescheinigung für Kalksandsteine nach Tabelle ZA.1 ist/sind entsprechend der Kommissionsentscheidung 97/740/EG vom 14.10.1997, einschließlich Änderung durch die Entscheidung der Kommission 2001/596/EG vom 08.01.2001 [veröffentlicht am 02.08.2001 im Amtsblatt der Europäischen Union als L209 (Seite 33)] wie im Anhang III des Mandats für „*Mauerwerk und verwandte Produkte*“ abgedruckt, für den/die angegebenen Verwendungszweck(e) und einschlägige(n) Stufe(n) und Klasse(n) in Tabelle ZA.2 angegeben.

Tabelle ZA.2: System(e) der Konformitätsbescheinigung

Produkt(e)	Verwendungszweck(e)	Stufe(n) oder Klasse(n)	System(e) der Konformitätsbescheinigung
Mauerstene, Kategorie I	In Mauern, Wänden, Stützen und Trennwänden	–	2+
Mauersteine, Kategorie II	In Mauern, Wänden, Stützen und Trennwänden	–	4
System 2+: Siehe Richtlinie 89/106/EWG (BPR), Anhang III.2.(ii), Möglichkeit 1, einschließlich Zertifizierung der WPK durch eine zugelassene Stelle auf Grund einer Erstinspektion des Werkes und der WPK sowie laufender Überwachung, Bewertung und Zulassung der WPK. System 4: Siehe BPR, Anhang III, Abschnitt 2, Ziffer (ii), Möglichkeit 3.			

Die Konformitätsbescheinigung der Kalksandsteine nach Tabelle ZA.1 muss auf den Verfahren zur Beurteilung der Konformität nach den Tabelle(n) ZA.3a und ZA.3b beruhen, die sich aus der Anwendung der darin angegebenen Abschnitte dieser oder anderer Europäischer Normen ergeben.

Tabelle ZA.3a: Zuordnung der Aufgaben der Konformitätsbewertung von Kalksandsteinen der Kategorie I (System 2+)

Aufgaben			Inhalt der Aufgabe	Anzuwendende Abschnitte zur Konformitätsbewertung
Aufgaben des Herstellers	Werkseigene Produktionskontrolle (WPK)		Parameter, bezogen auf alle maßgebenden Eigenschaften in Tabelle ZA.1	8.3
	Erstprüfung		Alle maßgebenden Eigenschaften in Tabelle ZA.1	8.2
Aufgaben der notifizierten Stelle	Zertifizierung der WPK auf Grundlage einer	Erstinspektion des Werkes und der WPK	Parameter, bezogen auf alle maßgebenden Eigenschaften in Tabelle ZA.1, insbesondere: *Druckfestigkeit* *Verbundfestigkeit*	8.3
		Laufenden Überwachung, Bewertung und Zulassung der WPK	Parameter, bezogen auf alle maßgebenden Eigenschaften in Tabelle ZA.1, insbesondere: *Druckfestigkeit* *Verbundfestigkeit*	8.3

Tabelle ZA.3b: Zuordnung der Aufgaben der Konformitätsbewertung von Kalksandsteinen der Kategorie II (System 4)

Aufgaben		Inhalt der Aufgabe	Anzuwendende Abschnitte zur Bewertung der Konformität
Aufgaben des Herstellers	Werkseigene Produktionskontrolle (WPK)	Parameter, bezogen auf alle maßgebenden Eigenschaften in Tabelle ZA.1	8.3
	Erstprüfung	Alle maßgebenden Eigenschaften in Tabelle ZA.1	8.2

ZA.2.2 EG-Zertifikat und Konformitätserklärung

Für Kalksandsteine unter System 2+: Wenn Übereinstimmung mit den Bedingungen dieses Anhangs erzielt worden ist und die notifizierte Stelle das nachstehend angegebene Zertifikat ausgestellt hat, muss der Hersteller oder sein im EWR ansässiger Bevollmächtigter eine Konformitätserklärung ausstellen und aufbewahren, welche es dem Hersteller erlaubt, die CE-Kennzeichnung anzubringen. Diese Erklärung muss Folgendes beinhalten:

- Name und Anschrift des Herstellers oder seines im EWR ansässigen Bevollmächtigten und Herstellungsort;

ANMERKUNG 1 Der Hersteller kann ebenfalls die für das Inverkehrbringen des Produktes verantwortliche Person sein, sofern er die Verantwortung für die CE-Kennzeichnung übernimmt.

- Beschreibung des Produktes (Art, Kennzeichnung, Verwendung usw.) und eine Kopie der begleitenden Angaben zur CE-Kennzeichnung;

ANMERKUNG 2 Sind einige der für die Konformitätserklärung erforderlichen Angaben bereits in den Angaben zur CE-Kennzeichnung enthalten, müssen sie nicht wiederholt werden.

- Bestimmungen, denen das Produkt entspricht (EN 771-2, Anhang ZA);
- besondere Verwendungshinweise (z.B. Hinweise für die Verwendung unter bestimmten Bedingungen usw.);
- Nummer des zugehörigen Zertifikats der werkseigenen Produktionskontrolle;
- Name und Funktion der im Namen des Herstellers oder seines Bevollmächtigten zur Unterzeichnung der Erklärung ermächtigten Person.

Der Erklärung muss ein Zertifikat der werkseigenen Produktionskontrolle beigefügt sein, das von der notifizierten Stelle ausgestellt wurde und zusätzlich zu den vorstehenden Angaben Folgendes beinhaltet:

- Name und Anschrift der notifizierten Stelle;
- Nummer des Zertifikats der werkseigenen Produktionskontrolle;
- Bedingungen und Gültigkeitsdauer des Zertifikats, sofern zutreffend;
- Name und Funktion der zur Unterzeichnung des Zertifikats ermächtigten Person.

Für Kalksandsteine unter System 4: Wenn Übereinstimmung mit den Bedingungen dieses Anhangs erzielt worden ist, muss der Hersteller oder sein im EWR ansässiger Bevollmächtigter eine Konformitätserklärung (EG-Konformitätserklärung) ausstellen und aufbewahren, welche es dem Hersteller erlaubt, die CE-Kennzeichnung anzubringen. Diese Erklärung muss Folgendes beinhalten:

- Name und Anschrift des Herstellers oder seines im EWR ansässigen Bevollmächtigten und Herstellungsort;
- Beschreibung des Produktes (Art, Kennzeichnung, Verwendung usw.) und eine Kopie der begleitenden Angaben zur CE-Kennzeichnung;
- Bestimmungen, denen das Produkt genügt (EN 771-2, Anhang ZA);
- besondere Verwendungshinweise (z. B. Hinweise für die Verwendung unter bestimmten Bedingungen usw.);
- Name und Funktion der im Namen des Herstellers oder seines Bevollmächtigten zur Unterzeichnung der Erklärung ermächtigten Person.

Die vorstehend genannten EC-Konformitätserklärungen und EC-Konformitätsbescheinigungen sind in der/den Amtssprache(n) des Mitgliedstaates vorzulegen, in dem das Produkt zur Verwendung gelangen soll.

ZA.3 CE-Kennzeichnung und Etikettierung

Der Hersteller oder sein im EWR ansässiger Bevollmächtigter ist verantwortlich für das Anbringen der CE-Kennzeichnung. Das anzubringende CE-Kennzeichen muss der Richtlinie 93/68/EWG entsprechen und ist auf dem Kalksandstein selbst (oder, falls dies nicht möglich ist, auf einem an dem Produkt befestigten Etikett, auf dessen Verpackung oder auf den Begleitdokumenten, z. B. dem Lieferschein) anzubringen. Dem CE-Kennzeichen sind die folgenden Angaben hinzuzufügen:

a) Kennnummer der Zertifizierungsstelle (nur für Produkte unter System 2+);

b) Name oder Bildzeichen und eingetragene Anschrift des Herstellers;

c) die letzten beiden Ziffern des Jahres, in dem das Kennzeichen angebracht wurde;

d) Nummer des EG-Konformitätszertifikats oder des Zertifikats der werkseigenen Produktionskontrolle (sofern zutreffend);

e) Verweisung auf diese Europäische Norm;

f) Beschreibung des Produktes: Oberbegriff, Baustoff, Maße ... und vorgesehener Verwendungszweck;

g) Angaben zu den maßgebenden wesentlichen Eigenschaften nach Tabelle ZA.1 in Form von:

   1) deklarierten Werten und, sofern zutreffend, Stufe oder Klasse, die für jede wesentliche Eigenschaft anzugeben sind, wie in den „Anmerkungen“ zu Tabelle ZA.1 aufgeführt; und

   2) „keine Leistung festgestellt“ (NPD) für Eigenschaften, auf die dies zutrifft.

F

Die Option „keine Leistung festgestellt“ (NPD) darf nicht angewendet werden, wenn die Eigenschaft einem Schwellenwert unterliegt. Die Option „keine Leistung festgestellt“ darf hingegen angewendet werden, sofern die Eigenschaft für einen bestimmten Verwendungszweck nicht Gegenstand gesetzlicher Anforderungen im Bestimmungsmitgliedstaat ist.

Die Bilder ZA.1 und ZA.2 enthalten Beispiele zu den Angaben zur CE-Kennzeichnung, die in den Begleitdokumenten (z. B. Lieferschein) enthalten sein müssen.

	CE-Konformitätskennzeichnung, bestehend aus dem CE-Kennzeichen nach Richtlinie 93/68/EWG
01234	*Kennnummer der Zertifizierungsstelle* [a]
Firma XY, PSF 21, B-1050	*Name oder Bildzeichen und eingetragene Anschrift des Herstellers*
11	*Die letzten beiden Ziffern des Jahres, in dem das Kennzeichen angebracht wurde*
01234-BPR-00234	*Nummer des Zertifikats* [b]
EN 771-2:2011	*Nummer und datierte Ausgabe der Europäischen Norm*
Kalksandstein der Kategorie I, xxx yyy zzz mm	*Produktbeschreibung*
Maße: Länge (mm), Breite (mm), Höhe (mm) **Grenzabmaße:** Klasse T1 **Form und Ausbildung:** Siehe beigefügte Zeichnung **Mittlere Druckfestigkeit:** xx N/mm² (Lagerfläche, ganzer Kalksandstein), (Kat. I) **Verbundfestigkeit:** Durch Prüfung: xx (N/mm²) **Gehalt an aktiven löslichen Salzen:** NPD (S0) **Brandverhalten:** Euroklasse A1 **Wasseraufnahme:** xx % **Wasserdampfdiffusions-Koeffizient:** xxx **Luftschalldämmung:** Brutto-Trockenrohdichte: Klasse 2.0 Form und Ausbildung: siehe oben **Wärmeleitfähigkeit:** xx W/mK ($\lambda_{10,dry,unit,}$ S1) **Dauerhaftigkeit gegen Frostwiderstand:** F2 **Gefährliche Substanzen:** Siehe nachstehende Anmerkung	*und* *Angaben zu Eigenschaften, die gesetzlichen Bestimmungen unterliegen* [a] Die Angabe der notifizierten Stelle ist nur für das System 2+ erforderlich. [b] Die Angabe der Nummer des Zertifikats ist nur für das System 2+ erforderlich.

ANMERKUNG Angaben zu gefährlichen Substanzen erfolgen nur bei Bedarf sowie in geeigneter Form (siehe ZA.3).

Beispiel für die Angaben für einen Kalksandstein der Kategorie I, der mit Normalmörtel vermauert wird und in Ländern, in denen keine Bestimmungen zum Schwinden beim Trocknen bestehen, in Verkehr gebracht werden soll.

Bild ZA.1 — Beispiel für die Angaben der CE-Kennzeichnung zu Kategorie I

	CE-Konformitätskennzeichnung, bestehend aus dem CE-Kennzeichen nach Richtlinie 93/68/EWG
Firma XY, PSF 21, B-1050 **11**	*Name oder Bildzeichen und eingetragene Anschrift des Herstellers* *Die letzten beiden Ziffern des Jahres, in dem das Kennzeichen angebracht wurde*
EN 771-1:2011 Kalksandstein der Kategorie II, xxx yyy zzz mm **Maße:** Länge (mm), Breite (mm), Höhe (mm) **Grenzabmaße:** Klasse T3 **Form und Ausbildung:** Siehe beigefügte Zeichnung **Mittlere Druckfestigkeit:** xx N/mm^2 (Lagerfläche, geschnittenes Prisma) (Kat. II) **Verbundfestigkeit:** Festgelegter Wert: xx (N/mm^2) **Brandverhalten:** Euroklasse A1 **Wasseraufnahme:** „Darf nicht in exponierter Lage verwendet werden" **Wasserdampfdiffusions-Koeffizient:** xxx **Luftschalldämmung:** Brutto-Trockenrohdichte: Klasse 2.0 Form und Ausbildung: siehe oben **Wärmeleitfähigkeit:** xx W/mK ($\lambda_{10,dry,unit}$, S1) **Frostwiderstand:** NPD **Gefährliche Substanzen:** Siehe nachstehende Anmerkung.	*Nummer und datierte Ausgabe der Europäischen Norm* *Produktbeschreibung* *und* *Angaben zu Eigenschaften, die gesetzlichen Bestimmungen unterliegen*

ANMERKUNG Angaben zu gefährlichen Substanzen erfolgen nur bei Bedarf sowie in geeigneter Form (siehe ZA.3).

Beispiel für die Angaben für einen Kalksandstein der Kategorie II, der für alle möglichen Verwendungszwecke vorgesehen ist und in Ländern, in denen weder Bestimmungen über den Gehalt an aktiven löslichen Salzen noch über das Schwinden beim Trocknen bestehen, in Verkehr gebracht werden soll.

Bild ZA.2 — Beispiel für die Angaben der CE-Kennzeichnung zu Kategorie II

Zusätzlich zu den oben angegebenen spezifischen Angaben zu gefährlichen Substanzen sollten dem Produkt bei Bedarf in geeigneter Form Dokumente beigefügt werden, in denen alle übrigen gesetzlichen Bestimmungen über gefährliche Stoffe aufgeführt werden, deren Einhaltung beansprucht wird, sowie alle Angaben, die aufgrund dieser gesetzlichen Bestimmungen erforderlich sind.

ANMERKUNG 1 Europäische gesetzliche Bestimmungen ohne nationale Abweichungen brauchen nicht angegeben zu werden.

ANMERKUNG 2 Das Anbringen des CE-Kennzeichens bedeutet, dass das Produkt, wenn es mehr als einer geltenden Richtlinie unterliegt, allen zutreffenden Richtlinien entspricht.

F

Festlegungen für Mauersteine

Mauersteine aus Beton (mit dichten und porigen Zuschlägen)

Deutsche Fassung EN 771-3:2011

Auszug aus **DIN EN 771-3** (07.2011)

Inhalt

1 Anwendungsbereich

Diese Europäische Norm legt die Eigenschaften und Leistungsanforderungen für Mauersteine aus Beton mit dichten und/oder porigen Zuschlägen fest, die vorwiegend in tragendem oder nichttragendem Mauerwerk einschließlich üblichen Mauerwerks, Verblendmauerwerk oder Sichtmauerwerk in Bauwerken des Hoch- oder Tiefbaus verwendet werden. Die darin beschriebenen Mauersteine eignen sich für alle Arten von Mauerwerk einschließlich einschaligen Mauerwerks, des Außenmauerwerks von Schornsteinen, zweischaligen Mauerwerks, Trennwänden, Stützmauern und Untergeschossen. Sie dienen dem Brand-, Wärme-, Schallschutz sowie der Schallabsorption.

Diese Europäische Norm gilt ebenfalls für Mauersteine aus Beton mit einer nicht allseitig von Rechtecken begrenzten Form einschließlich Form- und Ergänzungssteinen.

Sie beschreibt die Anforderungen, z. B. an Festigkeit, Rohdichte, Maßgenauigkeit und darüber hinaus ist die Konformitätsbewertung von Produkten nach dieser Europäischen Norm festgelegt. Die Kennzeichnung der von dieser Europäischen Norm erfassten Produkte ist ebenfalls festgelegt.

Diese Europäische Norm legt weder genormte Größen für Mauersteine aus Beton noch Sollmaße oder Winkel für Formsteine aus Beton fest. Sie gilt nicht für geschosshohe Tafeln, Steine für die Auskleidung von Rauchabzügen oder Steine zur Herstellung von feuchtesperrenden Schichten. Sie gilt nicht für Steine mit einem Wärmedämmstoff, der auf die Seiten des Steins, die Feuer ausgesetzt sein können, aufgebracht ist.

3 Begriffe und Symbole

3.1 Begriffe

Für die Anwendung dieser Europäischen Norm gelten die folgenden Begriffe.

Mauerstein
vorgeformtes Element zur Herstellung von Mauerwerk

üblicher Mauerstein
Mauerstein, dessen Flächen nach dem Mauern üblicherweise nicht sichtbar sind

Vormauerstein
Mauerstein, von dem nach dem Mauern eine oder mehrere Sichtflächen sichtbar bleiben und der geschützt oder ungeschützt verwendet wird

Verblender
Vormauerstein, ohne Putz oder vergleichbaren Schutz, der äußeren klimatischen Bedingungen ausgesetzt ist

Mauerstein aus Beton
Mauerstein aus Zement, Zuschlag und Wasser, das Zusatzstoffe, Zusatzmittel und Farbpigmente enthalten darf und dem andere Stoffe während der Herstellung beigegeben oder nachträglich auf das Produkt aufgebracht werden dürfen

Koordinierungsmaß
einem Mauerstein zugehörendes Maß einschließlich des Fugenmaßes und der Abmaße

Sollmaß
das für die Herstellung eines Mauersteins festgelegte Maß, mit dem das Istmaß unter Berücksichtigung der Grenzabmaße übereinstimmt

Istmaß
das am Mauerstein gemessene Maß

Normalmauerstein
Mauerstein mit einer allseitig von Rechtecken begrenzten Form

ANMERKUNG Beispiele für verschiedene Formen von Mauersteinen aus Beton sind in Anhang C dargestellt.

Formstein
Mauerstein in einer nicht nur von Rechtecken begrenzten Form

Ergänzungsstein
Mauerstein in einer für einen bestimmten Zweck gestalteten Form, z. B. um ein bestimmtes Mauerwerk zu vervollständigen

Verbindungssystem
geformte, zusammenpassende Vor- und Rücksprünge an Mauersteinen, z. B. Nut-und-Feder-Systeme

Loch
Aussparung, die den Mauerstein ganz oder teilweise durchdringen kann

Mulde
Aussparung in einer oder beiden Lagerflächen des Mauersteins, deren Gesamtvolumen einen festgelegten Anteil des Gesamtvolumens des Mauersteins, d. h. Länge mal Breite mal Höhe, nicht überschreitet.

Aussparung
Vertiefung oder Einschnitt in einer oder mehreren Oberflächen eines Mauersteins (z. B. Mörteltasche, Putzrille, eine Nut zur Unterbrechung der Mörtelfuge, Grifföffnung)

Außensteg
Material zwischen der Lochung und der Außenfläche des Mauersteins

Innensteg
Material zwischen den Lochungen in einem Mauerstein

deklarierter Wert
Zahlenwert, der vom Hersteller unter Berücksichtigung der Prüfgenauigkeit und der im Rahmen des Herstellungsverfahrens liegenden Schwankungen angegeben wird

Mauersteine der Kategorie I
Mauersteine mit einer angegebenen Druckfestigkeit, wobei die Wahrscheinlichkeit des Nichterreichens dieser Festigkeit 5 % nicht überschreiten darf

ANMERKUNG Dies darf über den mittleren Wert oder den charakteristischen Wert ermittelt werden.

Mauersteine der Kategorie II
Mauersteine, die das Vertrauensniveau für Mauersteine der Kategorie I nicht erreichen

normierte Druckfestigkeit von Mauersteinen
Wert für die Druckfestigkeit eines Mauersteins, der in die lufttrockene Druckfestigkeit eines äquivalenten Mauersteins mit einer Breite von 100 mm und einer Höhe von 100 mm umgerechnet wird

F

ANMERKUNG Siehe das in EN 772-1 angegebene Verfahren.

mittlere Druckfestigkeit von Mauersteinen
arithmetischer Mittelwert der Druckfestigkeitswerte für Mauersteine

charakteristische Druckfestigkeit von Mauersteinen
Druckfestigkeit, die dem unteren 5-%-Fraktil der Druckfestigkeit der Mauersteine entspricht

Stegdickensumme
Summe der Dicken der Außenwandungen (Außenstege) und Stege (Innenstege), welche von einer Läufer- bzw. Stirnfläche eines Mauersteins bis zur gegenüberliegenden Läufer- bzw. Stirnfläche entlang eines beliebigen Weges über die Löcher im Mauerstein gemessen den kleinsten Wert ergibt; sie wird als prozentualer Anteil der Breite (Längsstegdickensumme) bzw. der Länge (Querstegdickensumme) des Mauersteins angegeben

Produktgruppe
Produkte eines Herstellers, welche gemeinsame Werte für ein oder mehrere Merkmale haben

Lieferung
Zustellmenge des Lieferanten

Griffloch
Loch in einem Mauerstein, das ein leichteres Greifen oder Heben mit der Hand oder einer Maschine ermöglicht

3.2 Symbole

l Länge, in mm;

l_d Länge der Diagonalen, in mm;

w Breite, in mm;

h Höhe, in mm;

f_b normierte Druckfestigkeit, in N/mm^2;

f_c charakteristische Druckfestigkeit, in N/mm^2;

f_m mittlere Druckfestigkeit, in N/mm^2;

f_{bi} Einzelwert der Druckfestigkeit, in N/mm^2.

4 Ausgangsstoffe

4.1 Allgemeines

Die Beschreibungen der zur Herstellung bestimmten Stoffe müssen in der Dokumentation über die Produktionskontrolle (siehe 8.3) enthalten sein. Sofern geeignete Europäische Normen für diese Stoffe bestehen, sind sie anzuwenden. Dies gilt jedoch nicht bei der Einteilung der Zuschläge. Stehen keine Europäischen Normen zur Verfügung, hat der Hersteller die Ausgangsstoffe festzulegen sowie über Angaben zu deren Eignung zu verfügen.

5 Anforderungen an Mauersteine aus Beton

5.1 Allgemeines

Die in dieser Europäischen Norm beschriebenen Anforderungen und Eigenschaften sind durch die Prüfverfahren und durch andere Verfahren, auf die in dieser Europäischen Norm Bezug genommen wird, nachzuweisen.

ANMERKUNG Ein deklarierter Wert darf der Klasse eines Klassifizierungssystems entsprechen, sofern ein solches am Ort der Herstellung oder der Verwendung besteht.

Es wird darauf hingewiesen, dass die Standard-Prüfverfahren nicht in jedem Fall für Form- und Ergänzungssteine nach 3.1.10 und 3.1.11 geeignet sind.

Die in den folgenden Abschnitten angegebenen Konformitätskriterien beziehen sich auf die Erstprüfungen (siehe 8.2) und – sofern erforderlich – die Prüfung von Lieferungen (siehe Anhang A). Für die Druckfestigkeit von Mauersteinen der Kategorie I sind eine 50 %-Quantil ($p = 0{,}50$) für den Mittelwert bzw. eine 5 %-Quantil ($p = 0{,}05$) für den charakteristischen Wert und ein Vertrauensniveau von 95 % anzuwenden.

Zur Bewertung der Herstellung hat der Hersteller die Konformitätskriterien in der Beschreibung der werkseigenen Produktionskontrolle festzuhalten (siehe 8.3).

5.2 Maße und Grenzabmaße

5.2.1 Maße

Die Maße der Mauersteine aus Beton für Länge, Breite und Höhe sind in dieser Reihenfolge in mm anzugeben (siehe Bild 1). Anzugeben ist das Sollmaß.

ANMERKUNG 1 Ergänzend hierzu darf das Koordinierungsmaß angegeben werden.

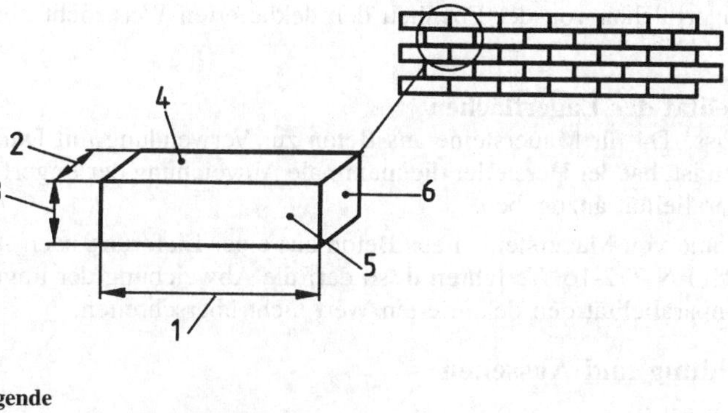

Legende

1 Länge
2 Breite
3 Höhe
4 Lagerfläche
5 Sichtfläche (Läuferfläche)
6 Sichtfläche (Stirnfläche)

ANMERKUNG 2 Die Bezeichnungen beziehen sich auf die übliche Verwendung in einer Wand.

Bild 1: Abmessungen und Oberflächen

F

5.2.2 Grenzabmaße

5.2.2.1 Abmaße

Die Einzelwerte für die Abmaße von den Sollmaßen bei Normalmauersteinen müssen mit den in Tabelle 1 angegebenen Werten übereinstimmen. Für ein Maß oder mehrere Maße dürfen geringere Grenzabmaße angegeben werden. Der Hersteller hat die Abmaßklasse anzugeben.

Tabelle 1: Grenzabmaße in Millimeter

Abmaßklasse	D1	D2	D3	D4
Länge	+3/–5	+1/–3	+1/–3	+1/–3
Breite	+3/–5	+1/–3	+1/–3	+1/–3
Höhe	+3/–5	±2	±1,5	±1,0

Für Form- und Ergänzungssteine gelten die Abmaße nach Tabelle 1 oder nach Angabe des Herstellers.

Diese Abmaße gelten nicht bei mit unebenen Oberflächen hergestellten Steinen.

Erfolgt die Probenahme nach A.2 und die Prüfung nach EN 772-16:2011 [Verfahren a)], müssen die nach B.1 bewerteten Ergebnisse mit der angegebenen Abmaßklasse übereinstimmen.

5.2.2.2 Ebenheit der Lagerflächen

Wenn die Abmaßklasse D4 für Mauersteine aus Beton zur Verwendung mit Dünnbettmörtel angegeben ist, hat der Hersteller die maximale Abweichung der Lagerflächen von der Ebenheit anzugeben.

Erfolgt die Probenahme nach A.2 und die Prüfung nach EN 772-20, so darf die Abweichung der Lagerflächen von der Ebenheit den deklarierten Wert nicht überschreiten.

5.2.2.3 Planparallelität der Lagerflächen

Wenn die Abmaßklasse D4 für Mauersteine aus Beton zur Verwendung mit Dünnbettmörtel angegeben ist, hat der Hersteller die maximale Abweichung der Lagerflächen von der Planparallelität anzugeben.

Erfolgt die Probenahme von Mauersteinen aus Beton aus einer Lieferung nach A.2 und die Prüfung nach EN 772-16, Verfahren **d**, so darf die Abweichung der Lagerflächen von der Planparallelität den deklarierten Wert nicht überschreiten.

5.3 Form, Ausbildung und Aussehen

5.3.1 Form und Ausbildung

Sofern für die vorgesehenen Verwendungszwecke, für die die Mauersteine aus Beton in den Verkehr gebracht werden, erforderlich, sind Form und Ausbildung anzugeben. Die Deklaration kann durch einen Verweis auf eine der in EN 1996-1-1 angegebenen Gruppen erfolgen und/oder eine oder mehrere der nachstehend aufgeführten Angaben umfassen:

- Form und Ausbildung einschließlich der Lochrichtung (anhand einer Zeichnung oder einer bildlichen Darstellung, sofern zutreffend);
- Gesamtlochvolumen als prozentualer Anteil aus Länge × Breite × Höhe des Mauersteins aus Beton;
- größtes Einzellochvolumen als prozentualer Anteil aus Länge × Breite × Höhe des Mauersteins aus Beton;
- Volumen der Grifflöcher als prozentualer Anteil aus Länge × Breite × Höhe des Mauersteins aus Beton;
- Stegdicke (Innenstege);
- Dicke der Außenwandungen (Außenstege);
- Längsstegdickensumme;
- Querstegdickensumme;
- Gesamtlochquerschnitt einer Lagerfläche als prozentualer Anteil aus Länge × Breite des Mauersteins aus Beton.

Die Anforderungen an Form und Ausbildung gelten üblicherweise für Normalmauersteine, nicht aber für Oberflächen oder Kanten von Form- oder Ergänzungssteinen.

Steine dürfen mit Aussparungen oder Verbindungssystemen und mit scharfen, gerundeten oder abgefasten Kanten versehen sein.

Das Gesamtvolumen von Mulden darf 20 % des Gesamtvolumens eines Mauersteins, d. h. Länge × Breite × Höhe, nicht überschreiten.

Jeder deklarierte Wert ist entweder als oberer oder unterer Grenzwert oder als Wertebereich anzugeben. Erfolgt die Probenahme von Mauersteinen aus Beton aus einer Lieferung nach A.2 und die Prüfung nach EN 772-16 und EN 772-2, muss der aus den Messungen am Probekörper abgeleitete Mittelwert im deklarierten Bereich liegen bzw. er darf den deklarierten Grenzwert nicht überschreiten.

5.3.2 Aussehen

5.3.2.1 Ebenheit der Sichtfläche von Mauersteinen

Bei Vormauersteinen mit planmäßig ebener Oberfläche darf die Ebenheitstoleranz der Oberfläche $(0{,}1\sqrt{l_d})$ mm oder 2 mm überschreiten, wobei der größte Wert maßgebend ist. Dabei ist l_d die Länge der Diagonale der zu messenden Fläche, bezogen auf das Istmaß.

Die Anforderung an die Ebenheit gilt nicht für Oberflächen von Steinen, die planmäßig uneben hergestellt werden.

Erfolgt die Probenahme nach A.2 und die Prüfung nach EN 772-20, müssen die nach B.2 bewerteten Ergebnisse mit dem oben angegebenen Wert übereinstimmen.

5.3.2.2 Oberflächenbeschaffenheit von Vormauersteinen

Bei Bedarf darf die Übereinstimmung der Oberflächenbeschaffenheit von Vormauersteinen mit dieser Norm auf der Grundlage eines Vergleichs von angenommenen Proben festgestellt werden. Der Vergleich ist in einem Abstand von 3 m bei normalem Tageslicht durchzuführen. Die Übereinstimmung ist vor Verwendung der Steine festzustellen.

5.4 Trockenrohdichte

5.4.1 Brutto-Trockenrohdichte (Steinrohdichte)

Die Brutto-Trockenrohdichte der Steine ist vom Hersteller in kg/m³ anzugeben.

ANMERKUNG Diese Angabe kann erfolgen zur Beurteilung

- der Belastung;
- der Luftschalldämmung;
- der Wärmedämmung;
- des Feuerwiderstandes.

Ferner darf der Hersteller die kleinsten und größten Einzelwerte der Brutto-Trockenrohdichte angeben.

5.4.2 Netto-Trockenrohdichte (Betonrohdichte)

Sofern für die Verwendungszwecke, für die die Mauersteine in den Handel gebracht werden, erforderlich, hat der Hersteller die Netto-Trockenrohdichte des zur Herstellung der Steine verwendeten Betons in kg/m³ anzugeben.

Ferner darf der Hersteller die kleinsten und größten Einzelwerte der Netto-Trockenrohdichte angeben.

5.4.3 Grenzabmaße

Der Mittelwert der geprüften Proben darf um nicht mehr als ± 10 % von deklarierten Werten abweichen. Geringere Abweichungen dürfen angegeben werden.

Erfolgt die Probenahme nach A.2 und die Prüfung nach EN 772-13, müssen die nach B.3 bewerteten Ergebnisse mit den deklarierten Werten übereinstimmen.

5.5 Mechanische Festigkeit

5.5.1 Druckfestigkeit

5.5.1.1 Allgemeines

Die Druckfestigkeit der Steine ist vom Hersteller in N/mm² anzugeben (siehe 3.1.18 für die Definition des deklarierten Wertes). Der deklarierte Wert entspricht entweder der charakteristischen Druckfestigkeit (5 %-Fraktile) f_c oder der mittleren Druckfestigkeit f_m (50 %-Fraktile) der Steine.

Ergänzend darf der Hersteller angeben,

- ob der Mauerstein aus Beton in die Kategorie I oder die Kategorie II eingestuft ist (siehe ZA.2);
- die normierte Druckfestigkeit, sofern erforderlich.

ANMERKUNG 1 EN 772-1 enthält Hinweise zur Umrechnung der deklarierten Druckfestigkeit in die normierte Druckfestigkeit.

Erfolgt die Probenahme nach A.2 und die Prüfung nach EN 772-1, dürfen die Ergebnisse, die nach B.4.1 für die charakteristische Druckfestigkeit und nach B.4.2 für die mittlere Druckfestigkeit zu bewerten sind, den deklarierten Wert nicht unterschreiten.

Diese Angabe muss die Anordnung der Steine bei der Prüfung, die Art der Lagerfugenvermörtelung und die Verfüllung vorhandener Hohlräume mit Mörtel (vollständig oder nicht vollständig) berücksichtigen und enthalten. Der Hersteller muss die Lagerung der Probekörper und die Oberflächenbehandlung angeben.

Bei Konditionierung der Steine nach 7.3.5 sind die Ergebnisse nach EN 772-1:2011, Anhang A auf den lufttrockenen Zustand umzurechnen.

Ganze Steine oder Teile davon dürfen in einer von der im Mauerwerk vorgesehenen Lage abweichenden Lage geprüft werden, sofern eine ausreichende Korrelation der Druckfestigkeitswerte für beide Lagen besteht.

5.5.1.2 Prüfung von aus Steinen herausgeschnittenen Probekörpern

Aus Steinen, die nicht im Ganzen geprüft werden können, dürfen Probekörper mit dem gleichen Verhältnis $w:h$ wie beim ganzen Stein herausgesägt werden, wobei die Länge der Probekörper nicht geringer als ihre Höhe sein darf.

Herausgesägte Probekörper müssen repräsentativ für den Querschnitt des ursprünglichen Steins sein.

Die Höhe eines herausgesägten Probekörpers muss mindestens 100 mm betragen. Ist die Höhe eines herausgesägten Probekörpers geringer als die halbe Höhe des ursprünglichen Steins, sind Probekörper sowohl aus dem oberen als auch dem unteren Teil des Steins zu entnehmen. Eine zeichnerische Erläuterung über die Beziehung zwischen dem herausgeschnittenen Probekörper und dem ganzen Stein ist dem Prüfbericht beizufügen.

5.5.2 Biegezugfestigkeit

Statt der Druckfestigkeit darf die mittlere Biegezugfestigkeit von Steinen mit einer Breite $w < 100$ mm und dem Verhältnis $l/w > 10$ vom Hersteller angegeben werden.

Erfolgt die Probenahme einer festgelegten Anzahl von Mauersteinen aus Beton aus einer Lieferung nach A.2 und die Prüfung nach EN 772-6, dürfen die nach B.4 bewerteten Ergebnisse den deklarierten Wert nicht unterschreiten.

5.6 Wärmeschutztechnische Eigenschaften

Sofern für die vorgesehenen Verwendungszwecke erforderlich, für die die Mauersteine in Verkehr gebracht werden, sowie bei allen Mauersteinen zur Verwendung in Bauteilen, die wärmeschutztechnischen Anforderungen unterliegen, muss der Hersteller den Mittelwert für $\lambda_{10,\mathrm{dry,unit}}$ sowie das Bestimmungsmodell nach EN 1745 oder, alternativ dazu, die Brutto-Trockenrohdichte (5.4.1) oder die Netto-Trockenrohdichte (5.4.2) sowie Form und Ausbildung (5.3.1) angeben.

Darüber hinaus kann ein anderes Quantil angegeben werden. In derartigen Fällen sind sowohl das zusätzliche Quantil als auch der zugehörige Wert für $\lambda_{10,\mathrm{dry,unit}}$ anzugeben.

Erfolgt die Probenahme der Mauersteine aus Beton nach Anhang A und die Prüfung nach EN 1745 entsprechend des angegeben Modells, darf der ermittelte λ-Wert für die festgelegte Anzahl von Mauersteinen aus Beton den angegebenen λ-Wert nicht überschreiten.

Sofern für die Verwendungszwecke erforderlich, für die die Mauersteine in Verkehr gebracht werden, darf deren Wert der spezifischen Wärmekapazität nach EN 1745 angegeben werden.

F

5.7 Dauerhaftigkeit

Sofern für die vorgesehenen Verwendungszwecke, für die die Mauersteine in den Handel gebracht werden, erforderlich, hat der Hersteller den Frostwiderstand der Steine durch Bezugnahme auf die am vorgesehenen Verwendungsort der Mauersteine geltenden Bestimmungen zu beurteilen und anzugeben, bis eine geeignete Europäische Norm vorliegt.

ANMERKUNG Sieht der Verwendungszweck des Produktes den vollständigen Schutz gegen das Eindringen von Wasser (z. B. durch eine geeignete Putzmörtelschicht, eine geeignete Verkleidung, die innere Schale einer zweischaligen Wand, Innenwände) vor, ist ein Verweis auf den Frostwiderstand nicht erforderlich.

5.8 Wasseraufnahme durch Kapillarität

Sofern für die vorgesehenen Verwendungszwecke, für die die Mauersteine in den Handel gebracht werden, erforderlich sowie bei allen Mauersteinen, die zur Anwendung in sichtbaren Außenbauteilen bestimmt sind (siehe 3.1.4), hat der Hersteller den Höchstwert des Wasseraufnahmekoeffizienten auf Grund der Kapillarwirkung der sichtbaren Fläche des Steins in g/m^2s anzugeben.

Sofern Proben nach A.2 entnommen und über eine Eintauchzeit von $(10 \pm 0{,}2)$ min nach EN 772-11 geprüft werden, dürfen die nach B.5 bewerteten Ergebnisse den deklarierten Wert nicht überschreiten.

5.9 Übliche Feuchtedehnung

Sofern für die Verwendungszwecke erforderlich, für die die Mauersteine in Verkehr gebracht werden, sowie bei allen Mauersteinen zur Verwendung in Bauteilen, die Anforderungen an die Standsicherheit unterliegen, ist die übliche Feuchtedehnung (Schwinden und Quellen) der Steine vom Hersteller anzugeben.

Erfolgt die Probenahme nach A.2 und die Prüfung nach EN 772-14, dürfen die nach B.5 bewerteten Ergebnisse den deklarierten Wert nicht überschreiten.

5.10 Wasserdampfdurchlässigkeit

Sofern für die Verwendungszwecke erforderlich, für die die Mauersteine in Verkehr gebracht werden, sowie bei allen Mauersteinen zur Verwendung in Außenbauteilen muss der Hersteller anhand der in EN 1745 angegebenen Tabellenwerte für den Wasserdampfdiffusionskoeffizienten Angaben zur Wasserdampfdurchlässigkeit machen oder diese nach EN ISO 12572 bestimmen.

5.11 Brandverhalten

Bei Mauersteinen zur Verwendung in Bauteilen, die Anforderungen an den Brandschutz unterliegen, muss der Hersteller die Brandverhaltensklasse der Mauersteine angeben.

Mauersteine können ohne Prüfung in die Brandverhaltensklasse A1 eingestuft werden, wenn sie einen Masse- bzw. Volumenanteil $\leq 1{,}0\,\%$ an gleichmäßig verteilten organischen Stoffen enthalten (wobei der größere Wert gilt).

Mauersteine mit einem Masse- bzw. Volumenanteil > 1,0 % an gleichmäßig verteilten organischen Stoffen (wobei der größere Wert gilt), sind nach EN 13501-1 zu klassifizieren, und die entsprechende Brandverhaltensklasse ist anzugeben.

Angaben zur Brandverhaltensklasse von ergänzenden Dämmstoffen sind auf der Grundlage Europäischer Normen entsprechend der Deklaration des Dämmstofflieferanten erforderlich.

ANMERKUNG Es wird auf die Entscheidung der Kommission 96/603/EG, einschließlich Änderung durch die Entscheidung der Kommission 2000/605/EG, hingewiesen, nach der nichtbrennbare Mauersteine mit einem Masse- bzw. Volumenanteil von höchstens 1,0 % an gleichmäßig verteilten organischen Stoffen (wobei der größere Wert gilt) ohne Prüfung in die Brandverhaltensklasse A1 einzustufen sind.

5.12 Haftscherfestigkeit

5.12.1 Allgemeines

Bei Mauersteinen aus Beton zur Verwendung in Bauteilen, die Anforderungen an die Standsicherheit unterliegen, ist die Haftscherfestigkeit zwischen Mauerstein und Mörtel als charakteristische Anfangs-Scherfestigkeit nach EN 1052-3 anzugeben. Die Angaben können entweder nach 5.12.2 auf der Grundlage von festgelegten Werten oder nach 5.12.3 auf der Grundlage von Prüfungen erfolgen. Der Hersteller muss angeben, ob der Wert für die Haftscherfestigkeit anhand der festgelegten Werte oder durch Prüfung erzielt wurde.

ANMERKUNG Es wird davon ausgegangen, dass die festgelegten Werte in den meisten Fällen ausreichen.

5.12.2 Deklaration auf der Grundlage von festgelegten Werten

Wird die charakteristische Anfangs-Scherfestigkeit zwischen Mauerstein und Mörtel nicht nach 5.12.3 deklariert, darf sie unter Bezugnahme auf EN 998-2:2010, Anhang C angegeben werden.

5.12.3 Deklaration auf der Grundlage von Prüfungen

Die charakteristische Anfangs-Scherfestigkeit von Mauersteinen in Zusammenhang mit einer festgelegten Mörtelart nach EN 998-2 darf auf der Grundlage von Prüfungen an Mauersteinen, die als Probe aus einer Lieferung nach Anhang A entnommen und nach EN 1052-3 geprüft werden, angegeben werden. Die charakteristische Anfangs-Scherfestigkeit darf den deklarierten Wert nicht unterschreiten.

ANMERKUNG Die Verbundfestigkeit ist vom Mörtel, vom Mauerstein und von der Ausführung abhängig.

5.13 Biegehaftzugfestigkeit

Die Biegehaftzugfestigkeit von Mauersteinen und Mörtel ist, sofern für den vorgesehenen Einsatzort und die vorgesehene Anwendung maßgebend, zu deklarieren. Die Deklaration muss die charakteristische Biegehaftzugfestigkeit des Mauerwerks entweder in der Bruchebene rechtwinklig und/oder der Bruchebene parallel zu den Lagerfugen, enthalten sowie die Spezifikationen für Mörtel und Mauersteine, für die die Deklaration gilt.

Erfolgt die Probenahme der Mauersteine aus Beton nach Anhang A und die Prüfung nach EN 1052-2, darf die charakteristische Biegehaftzugfestigkeit den deklarierten Wert nicht unterschreiten.

6 Beschreibung, Bezeichnung und Klassifizierung von Mauersteinen aus Beton

6.1 Beschreibung und Bezeichnung

Die Beschreibung und die Bezeichnung der Mauersteine aus Beton müssen mindestens folgende Angaben enthalten:

a) Nummer und Ausgabedatum dieser Europäischen Norm;

b) Steinart (siehe Abschnitt 3);

c) Sollmaße und Abmaßklasse (siehe 5.2);

d) Druckfestigkeit oder Biegezugfestigkeit (sofern erforderlich) (siehe 5.5);

e) Form, Ausbildung und Aussehen (siehe 5.3).

Sofern für den Verwendungszweck der Steine erforderlich, für die sie in Verkehr gebracht werden, dürfen die Beschreibung und die Bezeichnung der Steine folgende Angaben enthalten:

f) Brutto-Trockenrohdichte (siehe 5.4.1);

g) deklarierte Netto-Trockenrohdichte des Betons (siehe 5.4.2);

h) Koordinierungsmaß (siehe 5.2.1);

i) übliche Feuchtedehnung (siehe 5.9);

j) wärmeschutztechnische Eigenschaften (siehe 5.6);

k) weitere Eigenschaften.

ANMERKUNG Für die harmonisierte CE-Kennzeichnung siehe ZA.3.

6.2 Klassifizierung

Die Eigenschaften der Steine dürfen unter Bezugnahme auf Klassifizierungssysteme festgelegt werden, sofern diese Systeme ausschließlich auf einzelnen, von dieser Europäischen Norm erfassten Eigenschaften beruhen und kein Handelshemmnis besteht.

Damit ist die Anforderung nicht aufgehoben, dass der Hersteller bei Bedarf deklarierte Werte für die Eigenschaften von Produkten, die nach eigener Angabe mit dieser Europäischen Norm übereinstimmen, angeben muss.

7 Kennzeichnung

Die folgenden Angaben müssen deutlich sichtbar entweder auf der Verpackung oder auf dem Lieferschein oder auf einem den Steinen beigefügten Zertifikat oder auf 5 % der Steine, höchstens jedoch auf 4 Steinen je Paket angegeben sein:

a) Name, Warenzeichen oder andere Erkennungsmerkmale des Herstellers;

b) Angaben zum Datum der Herstellung;

c) Angaben, die zur Erkennung der Mauersteine erforderlich sind und die die Zuordnung zu ihrer Beschreibung und Bezeichnung ermöglichen.

ANMERKUNG Für CE-Kennzeichnung und Beschriftung siehe Anhang ZA.3. Sofern gemäß Abschnitt ZA.3 die CE-Kennzeichnung durch Angaben, die denen in diesem Abschnitt angegebenen entsprechen, zu ergänzen ist, gelten die in diesem Abschnitt festgelegten Anforderungen als erfüllt.

ZA.3 CE-Kennzeichnung und Etikettierung

Der Hersteller oder sein im EWR ansässiger Bevollmächtigter ist verantwortlich für das Anbringen der CE-Kennzeichnung. Das CE-Kennzeichen muss Richtlinie 93/68/EWG entsprechen und ist auf dem Mauerstein aus Beton selbst (oder, falls dies nicht möglich ist, auf einem an dem Produkt befestigten Etikett, auf dessen Verpackung oder auf den Begleitdokumenten, z. B. dem Lieferschein) anzubringen. Dem CE-Kennzeichen sind die folgenden Angaben hinzuzufügen:

a) Kennnummer der Zertifizierungsstelle (nur für Produkte unter System 2+);

b) Name oder Bildzeichen und eingetragene Anschrift des Herstellers;

c) die letzten beiden Ziffern des Jahres, in dem das Kennzeichen angebracht wurde;

d) Nummer des EG-Konformitätszertifikats oder des Zertifikats der werkseigenen Produktionskontrolle (sofern zutreffend);

e) Verweisung auf diese Europäische Norm;

f) Beschreibung des Produktes: Oberbegriff, Baustoff, Maße ... und vorgesehener Verwendungszweck;

g) Angaben zu den maßgebenden wesentlichen Eigenschaften nach Tabelle ZA.1 in Form von:

   1) deklarierten Werten und, sofern zutreffend, Stufe oder Klasse, die für jede wesentliche Eigenschaft anzugeben sind, wie in den „Anmerkungen“ zu Tabelle ZA.1 aufgeführt;

   2) „keine Leistung festgestellt“ (NPD) für Eigenschaften, auf die dies zutrifft.

Die Option „keine Leistung festgestellt“ (NPD) darf nicht angewendet werden, wenn die Eigenschaft einem Schwellenwert unterliegt. Die Option „keine Leistung festgestellt“ darf hingegen angewendet werden, sofern die Eigenschaft für einen bestimmten Verwendungszweck nicht Gegenstand gesetzlicher Anforderungen im Bestimmungsmitgliedstaat ist.

Die Bilder ZA.1 und ZA.2 enthalten Beispiele zu den Angaben zur CE-Kennzeichnung, die in den Begleitdoku-menten (z. B. Lieferschein) enthalten sein müssen.

F

CE	*CE-Konformitätskennzeichnung, bestehend aus dem CE-Kennzeichen nach Richtlinie 93/68/EWG*
Firma XY, PSF 21, B-1050 **11**	*Name oder Bildzeichen und eingetragene Anschrift des Herstellers* *Die letzten beiden Ziffern des Jahres, in dem das Kennzeichen angebracht wurde*
EN 771-3:2011 Mauerstein aus Beton der Kategorie II, xxx × yyy × zzz mm **Maße:** Länge (mm), Breite (mm), Höhe (mm) **Grenzabmaße:** Klasse D1 Ebenheit: NPD Planparallelität: NPD **Form und Ausbildung:** Siehe beigefügte Zeichnung **Mittlere Druckfestigkeit:** xx N/mm2 (senkrecht zur Lagerfläche), xx N/mm2 (senkrecht zur Stirnfläche) (Kat. II) **Maßbeständigkeit:** übliche Feuchtedehnung: NPD **Haftscherfestigkeit:** festgelegter Wert: xx (N/mm^2) **Biegehaftzugfestigkeit:** xx (N/mm2) **Brandverhalten:** Euroklasse A1 **Wasseraufnahme:** xxx g/m^{2}s **Wasserdampfdiffusionskoeffizient:** xxx **Luftschalldämmung:** Brutto-Trockenrohdichte: xxxx kg/m^3 Form und Ausbildung: siehe oben **Wärmeleitfähigkeit:** xx W/(mK) ($\lambda_{10,dry,unit}$, S1) **Frostwiderstand:** NPD **Gefährliche Substanzen:** Siehe nachstehende Anmerkung	*Datierte Ausgabe der Europäischen Norm* *Produktbeschreibung* *und* *Angaben zu Eigenschaften, die gesetzlichen Bestimmungen unterliegen*

ANMERKUNG Angaben zu gefährlichen Substanzen erfolgen nur bei Bedarf sowie in geeigneter Form (siehe ZA.3).

Beispiel für die Angaben für Mauersteine aus Beton der Kategorie II, die für alle möglichen Verwendungszwecke vorgesehen sind, die mit Normalmörtel vermauert werden und in Ländern in Verkehr gebracht werden sollen, in denen weder Bestimmungen zum Schwinden beim Trocknen noch zum Frostwiderstand bestehen.

Bild ZA.1: Beispiel für die Angaben zur CE-Kennzeichnung

	CE-Konformitätskennzeichnung, bestehend aus dem CE-Kennzeichen nach Richtlinie 93/68/EWG
01234	*Kennnummer der Zertifizierungsstelle*[a]
Firma XY, PSF 21, B-1050	*Name oder Bildzeichen und eingetragene Anschrift des Herstellers*
02	*Die letzten beiden Ziffern des Jahres, in dem das Kennzeichen angebracht wurde*
01234-BPR-00234	*Nummer des Zertifikats*[b]
EN 771-3:2011 Mauerstein aus Beton der Kategorie I, xxx × yyy × zzz mm **Maße:** Länge (mm), Breite (mm), Höhe (mm) **Grenzabmaße:** Klasse D4 Ebenheit: 1,0 mm Planparallelität: 1,0 mm **Form und Ausbildung:** Mauerstein der Gruppe 1 nach EN 1996-1-1. **Charakteristische Druckfestigkeit:** xx N/mm^2 (senkrecht zur Lagerfläche), xx N/mm^2 (senkrecht zur Stirnfläche) (Kat. I) **Maßbeständigkeit:** übliche Feuchtedehnung: xx mm/m **Haftscherfestigkeit:** festgelegter Wert: xx (N/mm^2) **Biegehaftzugfestigkeit:** NPD **Brandverhalten:** Euroklasse A1 **Wasseraufnahme:** xxx g/m^{2}s **Wasserdampfdiffusionskoeffizient:** xxx **Luftschalldämmung:** Brutto-Trockenrohdichte: xxxx kg/m^3 Form und Ausbildung: siehe oben **Wärmeleitfähigkeit:** xx W/(mK) ($\lambda_{10,dry,unit}$, S1) **Frostwiderstand:** „Darf nicht in exponierter Lage verwendet werden." **Gefährliche Substanzen:** Siehe nachstehende Anmerkung	*Nummer der Europäischen Norm* *Produktbeschreibung* *und* *Angaben zu Eigenschaften, die gesetzlichen Bestimmungen unterliegen* [a] Die Angabe der notifizierten Stelle ist nur für das System 2+ erforderlich. [b] Die Angabe der Nummer des Zertifikats ist nur für das System 2+ erforderlich.

ANMERKUNG Angaben zu gefährlichen Substanzen erfolgen nur bei Bedarf sowie in geeigneter Form (siehe ZA.3).

Beispiel für die Angaben für Mauersteine aus Beton der Kategorie I, die für alle möglichen Verwendungszwecke vorgesehen sind, die keinen Bestimmungen zum Frostwiderstand unterliegen.

Bild ZA.2 — Beispiel für die Angaben zur CE-Kennzeichnung

F

Zusätzlich zu den oben angegebenen spezifischen Angaben zu gefährlichen Substanzen sollten dem Produkt bei Bedarf in geeigneter Form Dokumente beigefügt werden, in denen alle übrigen gesetzlichen Bestimmungen über gefährliche Stoffe aufgeführt werden, deren Einhaltung beansprucht wird, sowie alle Angaben, die aufgrund dieser gesetzlichen Bestimmungen erforderlich sind.

ANMERKUNG 1 Europäische gesetzliche Bestimmungen ohne nationale Abweichungen brauchen nicht angegeben zu werden.

ANMERKUNG 2 Das Anbringen des CE-Kennzeichens bedeutet, dass das Produkt, wenn es mehr als einer geltenden Richtlinie unterliegt, allen zutreffenden Richtlinien entspricht.

Festlegungen für Mauersteine

Porenbetonsteine

Deutsche Fassung EN 771-4:2011

Auszug aus **DIN EN 771-4** (07.2011)

Inhalt

F

Anwendungsbereich

Diese Europäische Norm legt die Eigenschaften und Leistungsanforderungen für dampfgehärtete Porenbetonsteine fest, die vorwiegend in tragendem oder nichttragendem Mauerwerk in Bauwerken des Hoch- oder Tiefbaus verwendet werden und für alle Arten von Mauerwerk einschließlich einschaligen Mauerwerks, zweischaligen Mauerwerks, Trennwänden, Stützmauern und Fundamenten sowie für die allgemeine Verwendung unter der Erdoberfläche geeignet sind, einschließlich Brand-, Wärme- und Schallschutz. Sie werden auch zur Herstellung von Schornsteinmauerwerk (ausgenommen bei der Auskleidung von Rauchabzügen) verwendet.

Sie legt die Anforderungen, z. B. an Festigkeit, Rohdichte und Maßgenauigkeit usw., und die die Konformitätsbewertung des von dieser Europäischen Norm erfassten Produktes fest.

Die Kennzeichnung der von dieser Europäischen Norm erfassten Produkte ist festgelegt.

Diese Europäische Norm gilt nicht für geschosshohe Tafeln, Steine für die Auskleidung von Rauchabzügen oder für Steine zur Herstellung von feuchtesperrenden Schichten. Sie gilt nicht für Steine mit einem Wärmedämmstoff, der auf die Seiten des Steins, die Feuer ausgesetzt sein können, aufgebracht ist. Sie gibt weder genormte Größen für Porenbetonsteine noch Sollmaße und Winkel für Form- und Ergänzungssteine an. Sie enthält keine Grenzabmaße für Form- und Ergänzungssteine. Produkte zur Herstellung von feuchtesperrenden Schichten oder zur Auskleidung von Schornsteinen werden nicht behandelt.

3 Begriffe

Für die Anwendung dieser Europäischen Norm gelten die folgenden Begriffe.

Mauerstein
vorgeformtes Element zur Herstellung von Mauerwerk

Porenbetonstein
Mauerstein, hergestellt aus hydraulischen Bindemitteln wie Zement und/oder Kalk und feinen, kieselsäurehaltigen Stoffen, porenbildenden Zusätzen und Wasser

ANMERKUNG Porenbetonsteine dürfen mit Vertiefungen, Nut-und-Feder-Systemen und anderen Verbindungssystemen hergestellt werden.

Koordinierungsmaß
einem Mauerstein zugehörendes Maß einschließlich des Fugenmaßes und der Abmaße

Sollmaß
das für die Herstellung eines Mauersteins festgelegte Maß, mit dem das Istmaß unter Berücksichtigung der Grenzabmaße übereinstimmt

Istmaß
das am Mauerstein gemessene Maß

Normalmauerstein
Mauerstein mit einer allseitig von Rechtecken begrenzten Form

Formstein
Mauerstein in einer nicht nur von Rechtecken begrenzten Form

Ergänzungsstein
Mauerstein in einer für einen bestimmten Zweck gestalteten Form, z. B. um ein bestimmtes Mauerwerk zu vervollständigen

Verbindungssystem
geformte, zusammenpassende Vor- und Rücksprünge an Mauersteinen, z. B. Nut-und-Feder-Systeme

Loch
Aussparung, die den Mauerstein ganz oder teilweise durchdringen kann

vertikale Lochung
Löcher, die den Mauerstein senkrecht zur Lagerfläche ganz durchdringen

horizontale Lochung
Löcher, die den Mauerstein parallel zur Lagerfläche ganz durchdringen

Kammer
Aussparung, die den Mauerstein nicht durchdringt

Aussparung
Vertiefung oder Einschnitt in einer oder mehreren Oberflächen eines Mauersteins (z. B. Mörteltasche, Putzrille, Grifföffnung)

deklarierter Wert
Zahlenwert, der vom Hersteller unter Berücksichtigung der Prüfgenauigkeit und der im Rahmen des Herstellungsverfahrens liegenden Schwankungen angegeben wird

Mauerwerk der Kategorie I
Mauersteine mit einer angegebenen Druckfestigkeit, wobei die Wahrscheinlichkeit des Nichterreichens dieser Festigkeit nicht über 5 % liegen darf. Diese darf über den mittleren Wert oder den charakteristischen Wert ermittelt werden.

Mauersteine der Kategorie II
Mauersteine, die das Vertrauensniveau für Mauersteine der Kategorie I nicht erreichen

normierte Druckfestigkeit
Wert für die Druckfestigkeit eines Mauersteines, der in die lufttrockene Druckfestigkeit eines äquivalenten Mauersteines mit einer Breite von 100 mm und einer Höhe von 100 mm umgerechnet wird

ANMERKUNG Siehe das in EN 772-1 angegebene Verfahren.

mittlere Druckfestigkeit von Mauersteinen
arithmetischer Mittelwert der Druckfestigkeitswerte für Mauersteine

charakteristische Druckfestigkeit von Mauersteinen
Druckfestigkeit, die der 5 %-Fraktile der Druckfestigkeit entspricht

Produktgruppe
Produkte eines Herstellers, welche gemeinsame Werte für ein oder mehrere Merkmale haben

Lieferung
Zustellmenge des Lieferanten

4 Ausgangsstoffe und Herstellung

4.1 Allgemeines

Porenbetonsteine sind aus hydraulischen Bindemitteln wie Zement und/oder Kalk sowie fein gemahlenen, kieselsäurehaltigen Stoffen, unter Verwendung von porenbildenden Zusätzen und Wasser herzustellen und unter hohem Dampfdruck in Autoklaven zu härten.

ANMERKUNG Die Ausgangsstoffe werden gemischt und in Formen gefüllt, in denen die Mischung aufsteigt und sich zu Kuchen formt. Danach wird der Kuchen in die für die Mauersteine geforderten Maße geschnitten und nachbehandelt.

4.2 Ausgangsstoffe

Die folgenden Ausgangsstoffe dürfen für die Herstellung, gegebenenfalls zusammen mit Zusatzstoffen und Zusatzmitteln, verwendet werden:

- kieselsäurehaltige Stoffe;
- Zement;
- Kalk;
- Wasser;
- porenbildende Stoffe.

Bei der Herstellung dürfen auch andere Stoffe hinzugegeben werden.

5 Anforderungen an Porenbetonsteine

5.1 Allgemeines

Die in dieser Europäischen Norm beschriebenen Anforderungen und Eigenschaften sind durch die Prüfverfahren und durch andere Verfahren, auf die in dieser Europäischen Norm Bezug genommen wird, nachzuweisen.

Es wird darauf hingewiesen, dass die Prüfverfahren nicht in jedem Fall für Form- und Ergänzungssteine (siehe 3.7 und 3.8) geeignet sind.

Die in den folgenden Abschnitten angegebenen Konformitätskriterien beziehen sich auf die Erstprüfungen (siehe 8.2) und – sofern erforderlich – die Prüfung von Lieferungen (siehe Anhang A). Für die Druckfestigkeit von Mauersteinen der Kategorie I sind eine 50 %-Quantil ($p = 0{,}50$) für den Mittelwert bzw. eine 5 %-Quantil ($p = 0{,}05$) für den charakteristischen Wert und ein Vertrauensniveau von 95 % anzuwenden.

Zur Bewertung der Herstellung hat der Hersteller die Konformitätskriterien in der Beschreibung der werkseigenen Produktionskontrolle festzuhalten (siehe 8.3).

5.2 Maße und Grenzabmaße

5.2.1 Maße

Die Maße von Porenbetonsteinen für Länge, Breite und Höhe sind in dieser Reihenfolge in mm anzugeben.

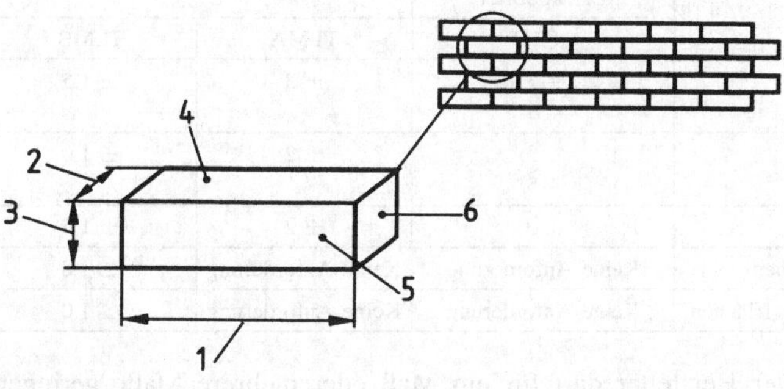

Legende

1 Länge 2 Breite 3 Höhe

4 Lagerfläche 5 Sichtfläche (Läuferfläche) 6 Sichtfläche (Stirnfläche)

ANMERKUNG Die Bezeichnungen beziehen sich auf die übliche Verwendung in einer Wand.

Bild 1: Abmessungen und Oberflächen

Anzugeben ist das Sollmaß.

ANMERKUNG Ergänzend hierzu darf das Koordinierungsmaß angegeben werden.

Porenbetonsteine sind zur Probe nach Anhang A zu entnehmen und nach EN 772-16 zu prüfen.

F

Die Abweichungen der gemessenen Maße von den deklarierten Maßen dürfen die in Tabelle 2 angegebenen Werte nicht überschreiten. Die deklarierten Maßen dürfen die Werte nach Tabelle 1 nicht überschreiten.

Tabelle 1: Größtmaße von Porenbetonsteinen

	Maße in mm
Länge	1 500
Breite	600
Höhe	1 000

5.2.2 Grenzabmaße

5.2.2.1 Grenzabmaße für Normalmauersteine

Die Grenzabmaße der Steine sind in Abhängigkeit von der Verwendung von Mörtel nach EN 998-2 in Tabelle 2 angegeben.

Tabelle 2: Grenzabmaße für Normalmauersteine in Millimeter

Maße	Grenzabmaße für Porenbetonsteine bei Verwendung mit:		
	Normalmörtel und Leichtmörtel	Dünnbettmörtel	
	GPLM	TLMA	TLMB
Länge	+ 3 – 5	± 3	± 1,5
Höhe	+ 3 – 5	± 2	± 1,0
Breite	± 3	± 2	± 1,5
Ebenheit der Lagerflächen	Keine Anforderung	Keine Anforderung	≤ 1,0
Planparallelität der Lagerflächen	Keine Anforderung	Keine Anforderung	≤ 1,0

ANMERKUNG Der Hersteller darf für ein Maß oder mehrere Maße geringere Grenzabmaße angeben.

5.2.2.2 Ebenheit der Lagerflächen

Erfolgt die Probenahme von Porenbetonsteinen aus einer Lieferung nach Anhang A und die Prüfung nach EN 772-20, so darf die Abweichung der Lagerflächen von der Ebenheit die in Tabelle 2 angegebenen Werte nicht überschreiten.

5.2.2.3 Planparallelität der Lagerflächen

Erfolgt die Probenahme von Porenbetonsteinen aus einer Lieferung nach Anhang A und die Prüfung nach EN 772-16, Verfahren **d**, so darf die Abweichung der Lagerflächen von der Planparallelität die in Tabelle 2 angegebenen Werte nicht überschreiten.

5.2.2.4 Grenzabmaße für Formsteine

Die zulässigen Grenzabmaße für Formsteine sind in dieser Norm nicht festgelegt.

5.3 Form und Ausbildung

Bei Normalmauersteinen ist die Angabe der Form nicht nötig. Bei anderen Steinen sind die Form und das Volumen, die Lage und die Gestalt von Lochungen und Löchern unter Verwendung der Definitionen nach Abschnitt 3 oder durch eine Zeichnung anzugeben.

ANMERKUNG Porenbetonsteine werden im Allgemeinen mit Normalmörtel, Dünnbettmörtel oder Leichtmörtel vermauert. Folgende Möglichkeiten sind gegeben:

a) Mörtelfugen zwischen ebenen, von Rechtecken begrenzten Porenbetonsteinen;

b) Nut-und-Feder-Verbindungssystem bei Porenbetonsteinen mit Nuten und Federn an den Stirnseiten;

c) Mörtelfugen zwischen Porenbetonsteinen mit für die Vermörtelung vorgesehenen, profilierten Stirnseiten.

Sofern für die Verwendungszwecke erforderlich, für die die Mauersteine in Verkehr gebracht werden, sind Form und Ausbildung anzugeben.

Die Deklaration kann durch Verweis auf eine der in EN 1996-1-1 oder EN 1996-1-2 angegebenen Gruppen erfolgen und/oder mehrere der nachstehend aufgeführten Angaben umfassen:

- Form und Ausbildung einschließlich der Lochrichtung (anhand einer Zeichnung oder einer bildlichen Darstellung, sofern zutreffend);
- Gesamtlochvolumen als prozentualer Anteil aus Länge × Breite × Höhe des Mauersteins;
- größtes Einzellochvolumen als prozentualer Anteil aus Länge × Breite × Höhe des Mauersteins;
- Volumen der Grifflöcher als prozentualer Anteil aus Länge × Breite × Höhe des Mauersteins;
- Stegdicke (Innenstege);
- Dicke der Außenwandungen (Außenstege);
- Längsstegdickensumme;
- Querstegdickensumme;
- Gesamtlochquerschnitt einer Lagerfläche als prozentualer Anteil aus Länge × Breite des Mauersteins.

Sofern Übereinstimmung mit diesen Anforderungen an Form und Ausbildung nicht durch eine Sichtprüfung feststellbar ist, kann die Probenahme der Mauersteine nach A.2 und die Bestimmung ihrer Maße nach EN 772-16 erfolgen; anschließend sind die Werte zu berechnen.

F

5.4 Rohdichte

5.4.1 Brutto-Trockenrohdichte (Steinrohdichte)

Die Brutto-Trockenrohdichte von Porenbetonsteinen ist in kg/m³ anzugeben. Für alle Normalmauersteine ist die mittlere Brutto-Trockenrohdichte nach EN 772-13 an nach Anhang A entnommenen Proben zu bestimmen. Sofern nicht ganze Steine verwendet werden, sind die Proben nach Anhang B herzustellen.

ANMERKUNG Diese Angabe darf erfolgen zur Beurteilung

- der Belastung;
- der Luftschalldämmung;
- der Wärmedämmung;
- des Feuerwiderstandes.

Ferner darf der Hersteller die kleinsten und größten Einzelwerte der Brutto-Trockenrohdichte angeben.

5.4.2 Netto-Trockenrohdichte

Sofern für die vorgesehenen Verwendungszwecke, für die die Mauersteine in den Verkehr gebracht werden, erforderlich, hat der Hersteller die Netto-Trockenrohdichte der Porenbetonsteine in kg/m³ anzugeben. Für Formsteine ist die mittlere Netto-Trockenrohdichte nach EN 772-13 von nach Anhang A entnommenen Proben zu bestimmen. Sofern nicht ganze Steine verwendet werden, sind die Proben nach Anhang B herzustellen.

ANMERKUNG Die Netto-Trockenrohdichte von Porenbetonsteinen liegt üblicherweise im Bereich zwischen 300 kg/m³ und 1 000 kg/m³.

Ferner darf der Hersteller die kleinsten und größten Einzelwerte der Netto-Trockenrohdichte angeben.

5.4.3 Grenzabweichungen

Die Grenzabweichung der gemessenen Trockenrohdichte von der deklarierten Trockenrohdichte darf $\pm$ 50 kg/m³ nicht überschreiten.

ANMERKUNG Es dürfen geringere Abweichungen angegeben werden.

5.5 Druckfestigkeit

Die Druckfestigkeit der Mauersteine ist vom Hersteller in N/mm² anzugeben. Sie darf nicht geringer als 1,5 N/mm² sein (siehe 3.15 für die Definition des deklarierten Wertes).

Die Druckfestigkeit ist entweder als

a) die mittlere Druckfestigkeit des Steins oder als

b) die charakteristische Druckfestigkeit des Steins

anzugeben.

Der Hersteller muss auch die normierte Druckfestigkeit angeben, sofern diese maßgebend ist. EN 772-1 enthält Hinweise zur Umrechnung der deklarierten Druckfestigkeit in die normierte Druckfestigkeit.

Ferner muss der Hersteller angeben, ob die Porenbetonsteine in die Kategorie I oder Kategorie II eingestuft sind (siehe Anhang ZA.2). Erfolgt die Probenahme von Porenbetonsteinen, deren Oberflächen wie unten angegeben vorbereitet, entsprechend gelagert und nach EN 772-1 geprüft werden, nach Anhang A, so darf die Druckfestigkeit den deklarierten Wert nicht unterschreiten, und die Einzelwerte dürfen nicht geringer als 80 % des deklarierten Mittelwertes bzw. 90 % des charakteristischen deklarierten Wertes sein.

Wird die Prüfung nicht am ganzen Stein durchgeführt, gelten die Schneideskizzen nach B.2. Die Maße derartiger Probekörper sind anzugeben.

5.6 Wärmeschutztechnische Eigenschaften

Sofern für die Verwendungszwecke erforderlich, für die die Mauersteine in Verkehr gebracht werden, sowie bei allen Mauersteinen zur Verwendung in Bauteilen, die wärmeschutztechnischen Anforderungen unterliegen, muss der Hersteller den Mittelwert für $\lambda_{10,dry,unit}$ sowie das Bestimmungsmodell nach EN 1745 oder, alternativ dazu, die Trockenrohdichte sowie Form und Ausbildung des Mauersteins angeben.

Darüber hinaus kann ein anderes Fraktil angegeben werden. In derartigen Fällen sind sowohl das zusätzliche Fraktil als auch der zugehörige Wert für $\lambda_{10,dry,unit}$ anzugeben.

Erfolgt die Probenahme der Porenbetonsteine nach Anhang A und die Prüfung nach EN 1745 entsprechend des angegeben Modells, darf der ermittelte λ-Wert für die festgelegte Anzahl von Porenbetonsteinen den angegebenen λ-Wert nicht überschreiten.

Sofern für die Verwendungszwecke erforderlich, für die die Mauersteine in Verkehr gebracht werden, darf deren Wert der spezifischen Wärmekapazität nach EN 1745 angegeben werden.

5.7 Dauerhaftigkeit

Sofern für die vorgesehenen Verwendungszwecke, für die die Mauersteine in den Verkehr gebracht werden, erforderlich, hat der Hersteller den Frostwiderstand der Steine durch Bezugnahme auf die am vorgesehenen Verwendungsort der Mauersteine geltenden Bestimmungen zu beurteilen und anzugeben, bis eine geeignete Europäische Norm vorliegt.

5.8 Schwinden

Sofern für die vorgesehenen Verwendungszwecke, für die die Mauersteine in den Verkehr gebracht werden, erforderlich sowie bei allen Mauersteinen zur Verwendung in Bauteilen, die Anforderungen an die Standsicherheit unterliegen, ist das Schwinden der Porenbetonsteine nach EN 680 an nach Anhang A entnommenen Proben zu bestimmen.

5.9 Wasserdampfdurchlässigkeit

Sofern für die vorgesehenen Verwendungszwecke erforderlich, für die die Mauersteine in Verkehr gebracht werden, sowie bei allen Mauersteinen zur Verwendung in Außenbauteilen muss der Hersteller anhand der in EN 1745 angegebenen Tabellenwerte für den Wasserdampfdiffusionskoeffizienten Angaben zur Wasserdampfdurchlässigkeit machen oder diese nach EN ISO 12572 bestimmen.

F

5.10 Wasseraufnahme

Sofern für die Verwendungszwecke erforderlich, für die die Mauersteine in Verkehr gebracht werden, sowie bei allen Mauersteinen, die mit ungeschützter Sichtfläche zur Verwendung in Außenbauteilen bestimmt sind, ist der Höchstwert der Wasseraufnahme von Mauersteinen nach 10 min, 30 min und 90 min vom Hersteller anzugeben. Erfolgt die Probenahme der Porenbetonsteine nach Anhang A und die Prüfung nach EN 772-11, müssen die Ergebnisse die vom Hersteller deklarierten Werte unterschreiten. Die Messzeiten betragen 10 min, 30 min und 90 min.

Die Probekörper sind als drei Würfel, die nach Anhang B aus ganzen Steinen herausgeschnitten werden, herzustellen.

5.11 Brandverhalten

Bei Mauersteinen zur Verwendung in Bauteilen, die Anforderungen an den Brandschutz unterliegen, muss der Hersteller die Brandverhaltensklasse der Mauersteine angeben.

Mauersteine können ohne Prüfung in die Brandverhaltensklasse A1 eingestuft werden, wenn sie einen Masse- bzw. Volumenanteil $\leq$ 1,0 % an gleichmäßig verteilten organischen Stoffen enthalten (wobei der größere Wert gilt).

Mauersteine mit einem Masse- bzw. Volumenanteil $>$ 1,0 % an gleichmäßig verteilten organischen Stoffen (wobei der größere Wert gilt), sind nach EN 13501-1 zu klassifizieren, und die entsprechende Brandverhaltensklasse ist anzugeben.

Angaben zur Brandverhaltensklasse von ergänzenden Dämmstoffen sind auf der Grundlage Europäischer Normen entsprechend der Deklaration des Dämmstofflieferanten erforderlich.

ANMERKUNG Es wird auf die Entscheidung der Kommission 96/603/EG, einschließlich Änderung durch die Entscheidung der Kommission 2000/6055/EG, hingewiesen, nach der nichtbrennbare Mauersteine mit einem Masse- bzw. Volumenanteil von höchstens 1,0 % an gleichmäßig verteilten organischen Stoffen (wobei der größere Wert gilt) ohne Prüfung in die Brandverhaltensklasse A1 einzustufen sind.

5.12 Haftscherfestigkeit

5.12.1 Allgemeines

Bei Porenbetonsteinen zur Verwendung in Bauteilen, die Anforderungen an die Standsicherheit unterliegen, ist die Verbundfestigkeit zwischen Mauerstein und Mörtel als charakteristische Anfangs-Scherfestigkeit nach EN 1052-3 anzugeben. Die Angaben können entweder nach 5.12.2 auf der Grundlage von festgelegten Werten oder nach 5.12.3 auf der Grundlage von Prüfungen erfolgen. Der Hersteller hat anzugeben, ob der Wert für die Verbundfestigkeit aus den festgelegten Werten oder durch Prüfung erhalten wurde.

ANMERKUNG Es wird davon ausgegangen, dass in den meisten Fällen die festgelegten Werte ausreichen.

5.12.2 Deklaration auf der Grundlage von festgelegten Werten

Wird die charakteristische Anfangs-Scherfestigkeit zwischen Mauerstein und Mörtel nicht nach 5.12.2 deklariert, darf sie unter Bezugnahme auf EN 998-2:2010, Anhang C angegeben werden.

5.12.3 Deklaration auf der Grundlage von Prüfungen

Die charakteristische Anfangs-Scherfestigkeit von Mauersteinen im Zusammenhang mit einer festgelegten Mörtelart nach EN 998-2 kann auf der Grundlage von Prüfungen an Mauersteinen, die als Probe aus einer Lieferung nach Anhang A entnommen und nach EN 1052-3 geprüft wurden, angegeben werden. Die charakteristische Anfangs-Scherfestigkeit darf den deklarierten Wert nicht unterschreiten.

ANMERKUNG Die Verbundfestigkeit hängt vom Mörtel, vom Mauerstein und von der Ausführung ab.

5.13 Biegehaftzugfestigkeit

Die Biegehaftzugfestigkeit von Mauersteinen und Mörtel ist, sofern für den vorgesehenen Einsatzort und die vorgesehene Anwendung maßgebend, zu deklarieren. Die Deklaration muss die charakteristische Biegehaftzugfestigkeit des Mauerwerks entweder in der Bruchebene rechtwinklig und/oder der Bruchebene parallel zu den Lagerfugen enthalten sowie die Spezifikationen für Mörtel und Mauersteine, für die die Deklaration gilt.

Wenn Porenbetonsteine nach Anhang A als Probe entnommen und nach EN 1552-2 geprüft werden, darf die Biegezugfertigkeit nicht geringer als der deklarierte Wert sein.

6 Beschreibung, Bezeichnung und Klassifizierung von Porenbetonsteinen

6.1 Beschreibung und Bezeichnung

Die Beschreibung und die Bezeichnung von Porenbetonsteinen müssen mindestens folgende Angaben enthalten:

a) Nummer und Ausgabedatum dieser Europäischen Norm;

b) Maße und Grenzabmaße von Porenbetonsteinen zur Verwendung mit Normalmörtel, Dünnbettmörtel oder Leichtmörtel;

c) Form, Ausbildung und Merkmale für Porenbetonsteine der Gruppe 1 für tragende Zwecke (siehe 5.3);

d) Druckfestigkeit (siehe 5.5);

e) Trockenrohdichte (siehe 5.4);

Sofern für die Verwendungszwecke, für die die Mauersteine in den Handel gebracht werden, erforderlich, dürfen die Beschreibung und die Bezeichnung der Steine folgende Angaben enthalten:

f) stoffbezogene Eigenschaften;

F

g) formbezogene Eigenschaften;

h) Dauerhaftigkeit;

i) vorgesehener Verwendungszweck;

j) andere Eigenschaften.

ANMERKUNG Siehe ZA.3 für die harmonisierte CE-Kennzeichnung.

6.2 Klassifizierung

Die Eigenschaften der Steine dürfen unter Bezugnahme auf ein Klassifizierungssystem festgelegt werden, sofern diese Systeme ausschließlich auf einzelnen, von dieser Europäischen Norm erfassten Eigenschaften beruhen und kein Handelshemmnis besteht.

Damit ist die Anforderung nicht aufgehoben, dass der Hersteller bei Bedarf deklarierte Werte für die Eigenschaften von Produkten, die nach eigener Angabe mit dieser Europäischen Norm übereinstimmen, angeben muss.

7 Kennzeichnung

Die folgenden Angaben müssen deutlich sichtbar entweder auf den Steinen, der Verpackung, dem Lieferschein oder einem den Mauersteinen beigefügten Zertifikat angegeben sein:

a) Name, Warenzeichen oder andere Erkennungsmerkmale des Herstellers der Mauersteine;

b) Datum der Herstellung (freiwillig);

c) Angaben, die zur Erkennung der Mauersteine erforderlich sind und die Zuordnung zu ihrer Beschreibung und Bezeichnung ermöglichen.

ANMERKUNG Für CE-Kennzeichnung und Beschriftung siehe Anhang ZA. Ist in ZA.3 festgelegt, dass die CE-Kennzeichnung durch die gleichen Angaben ergänzt werden soll, die in diesem Abschnitt festgelegt sind, gelten die Anforderungen nach diesem Abschnitt als erfüllt.

ZA.3 CE-Kennzeichnung und Etikettierung

Der Hersteller oder sein im EWR ansässiger Bevollmächtigter ist verantwortlich für das Anbringen der CE-Kennzeichnung. Das CE-Kennzeichen muss Richtlinie 93/68/EWG entsprechen und ist auf dem Porenbetonstein selbst (oder, falls dies nicht möglich ist, auf einem an dem Produkt befestigten Etikett, auf dessen Verpackung oder auf den Begleitdokumenten, z. B. dem Lieferschein) anzubringen. Dem CE-Kennzeichen sind die folgenden Angaben hinzuzufügen:

a) Kennnummer der Zertifizierungsstelle (nur für Produkte unter System 2+);

b) Name oder Bildzeichen und eingetragene Anschrift des Herstellers;

c) die letzten beiden Ziffern des Jahres, in dem das Kennzeichen angebracht wurde;

d) Nummer des EG-Konformitätszertifikats oder des Zertifikats der werkseigenen Produktionskontrolle (sofern zutreffend);

e) Verweisung auf diese Europäische Norm;

f) Beschreibung des Produktes: Oberbegriff, Baustoff, Maße ... und vorgesehener Verwendungszweck;

g) Angaben zu den maßgebenden wesentlichen Eigenschaften nach Tabelle ZA.1 in Form von:

   1) deklarierten Werten und, sofern zutreffend, Stufe oder Klasse, die für jede wesentliche Eigenschaft anzugeben sind, wie in den „Anmerkungen“ zu Tabelle ZA.1 aufgeführt;

   2) „keine Leistung festgestellt“ (NPD) für Eigenschaften, auf die dies zutrifft.

Die Option „keine Leistung festgestellt“ (NPD) darf nicht angewendet werden, wenn die Eigenschaft einem Schwellenwert unterliegt. Die Option „keine Leistung festgestellt“ darf hingegen angewendet werden, sofern die Eigenschaft für einen bestimmten Verwendungszweck nicht Gegenstand gesetzlicher Anforderungen im Bestimmungsmitgliedstaat ist.

Bilder ZA.1 und ZA.2 enthalten Beispiele zu den Angaben zur CE-Kennzeichnung, die in den Begleitdokumenten (z. B. Lieferschein) enthalten sein müssen.

F

CE	*CE-Konformitätskennzeichnung, bestehend aus dem CE-Kennzeichen nach Richtlinie 93/68/EWG*
Firma XY, PSF 21, B-1050 **11**	*Name oder Bildzeichen und eingetragene Anschrift des Herstellers* *Die letzten beiden Ziffern des Jahres, in dem das Kennzeichen angebracht wurde*
EN 771-4:2011 Porenbetonstein der Kategorie II, xxx × yyy × zzz mm **Maße:** Länge (mm), Breite (mm), Höhe (mm) **Grenzabmaße:** Klasse GPLM **Form und Ausbildung:** Siehe beigefügte Zeichnung (Mauerstein der Gruppe 1 nach EN 1996-1-1) **Mittlere Druckfestigkeit:** xx N/mm^2 (senkrecht zur Lagerfläche, ganzer Stein) (Kat. II) **Maßbeständigkeit:** übliche Feuchtedehnung: mm/m **Haftscherfestigkeit:** festgelegter Wert: xx (N/mm^2) **Biegehaftzugfestigkeit:** xx (N/mm^2) **Brandverhalten:** Euroklasse A1 **Wasseraufnahme:** „Darf nicht in exponierter Lage verwendet werden." **Wasserdampfdiffusionskoeffizient:** xxx **Luftschalldämmung:** Brutto-Trockenrohdichte: xxx kg/m^3 Form und Ausbildung: siehe oben **Wärmeleitfähigkeit:** xx W/(mK) ($\lambda_{10,dry,unit}$, S2) **Frostwiderstand:** NPD **Gefährliche Substanzen:** Siehe nachstehende Anmerkung	*Datierte Ausgabe der Europäischen Norm* *Produktbeschreibung* und *Angaben zu Eigenschaften, die gesetzlichen Bestimmungen unterliegen*

ANMERKUNG Angaben zu gefährlichen Substanzen erfolgen nur bei Bedarf sowie in geeigneter Form (siehe ZA.3).

Beispiel für die Angaben für Porenbetonsteine der Kategorie II, die mit Normalmörtel vermauert werden und in Ländern in Verkehr gebracht werden sollen, in denen keine Bestimmungen zum Frostwiderstand bestehen.

Bild ZA.1: Beispiel für die Angaben zur CE-Kennzeichnung für die Kategorie II

01234	*CE-Konformitätskennzeichnung, bestehend aus dem CE-Kennzeichen nach Richtlinie 93/68/EWG* *Kennnummer der Zertifizierungsstelle* [a]
Firma XY, PSF 21, B-1050 **11** 01234-BPR-00234	*Name oder Bildzeichen und eingetragene Anschrift des Herstellers* *Die letzten beiden Ziffern des Jahres, in dem das Kennzeichen angebracht wurde* *Nummer des Zertifikats* [b]
EN 771-4:2011 Porenbetonstein der Kategorie I, xxx × yyy × zzz mm **Maße:** Länge (mm), Breite (mm), Höhe (mm) **Grenzabmaße:** Klasse TLMB Ebenheit: 1,0 mm Planparallelität: 1,0 mm **Form und Ausbildung:** Siehe beigefügte Zeichnung (Mauerstein der Gruppe 1 nach EN 1996-1-1) **Charakteristische Druckfestigkeit:** xx N/mm^2 (senkrecht zur Lagerfläche, geschnittenes Prisma) (Kat. I) **Maßbeständigkeit:** übliche Feuchtedehnung: NPD **Haftscherfestigkeit:** durch Prüfung: xx (N/mm^2) **Biegehaftzugfestigkeit:** NPD **Brandverhalten:** Euroklasse A1 **Wasseraufnahme:** „Darf nicht in exponierter Lage verwendet werden." **Wasserdampfdiffusionskoeffizient:** xxx **Luftschalldämmung:** Brutto-Trockenrohdichte: xxx kg/m^3 Form und Ausbildung: wie oben **Wärmeleitfähigkeit:** xx W/(mK) ($\lambda_{10,dry,unit}$, S2) **Frostwiderstand:** „Darf nicht in exponierter Lage verwendet werden." **Gefährliche Substanzen:** Siehe nachstehende Anmerkung	*Nummer der Europäischen Norm* *Produktbeschreibung* *und* *Angaben zu Eigenschaften, die gesetzlichen Bestimmungen unterliegen* [a] Die Angabe der notifizierten Stelle ist nur für das System 2+ erforderlich. [b] Die Angabe der Nummer des Zertifikats ist nur für das System 2+ erforderlich.

ANMERKUNG Angaben zu gefährlichen Substanzen erfolgen nur bei Bedarf sowie in geeigneter Form (siehe ZA.3).

Beispiel für die Angaben für Porenbetonsteine der Kategorie I, die für alle möglichen Verwendungszwecke vorgesehen sind und in Ländern in Verkehr gebracht werden, in denen keine Bestimmungen zum Schwinden vorliegen.

Bild ZA.2: Beispiel für die Angaben zur CE-Kennzeichnung für die Kategorie I

Zusätzlich zu den oben angegebenen spezifischen Angaben zu gefährlichen Substanzen sollten dem Produkt bei Bedarf in geeigneter Form Dokumente beigefügt werden, in denen alle übrigen gesetzlichen Bestimmungen über gefährliche Stoffe aufgeführt werden, deren Einhaltung beansprucht wird, sowie alle Angaben, die aufgrund dieser gesetzlichen Bestimmungen erforderlich sind.

ANMERKUNG 1 Europäische gesetzliche Bestimmungen ohne nationale Abweichungen brauchen nicht angegeben zu werden.

ANMERKUNG 2 Das Anbringen des CE-Kennzeichens bedeutet, dass das Produkt, wenn es mehr als einer geltenden Richtlinie unterliegt, allen zutreffenden Richtlinien entspricht.

Dachziegel und Formziegel – Begriffe und Produktanforderungen; Deutsche Fassung EN 1304:2005

Auszug aus **DIN EN 1304** (07.2008)

Inhalt

F

1 Anwendungsbereich

Dieses Dokument legt Anforderungen an Dachziegel und Formziegel für Dacheindeckungen geneigter Dächer sowie für Außen- und Innenwandbekleidungen fest.

Dieses Dokument gilt für alle Dachziegel und Formziegel, wie in Abschnitt 3 definiert.

Dachziegel und Formziegel, die den Anforderungen dieses Dokumentes entsprechen, eignen sich für Dacheindeckungen und für Außen- und Innenwandbekleidungen.

Dieses Dokument legt Mindestanforderungen für ein Produkt fest, welche – soweit sie im Augenblick der Auslieferung erfüllt sind – sicherstellen, dass das Produkt die erforderlichen Funktionen in Abhängigkeit der ausgewiesenen Gebrauchstauglichkeit auch unter den Veränderungen erfüllt, denen jeder Baustoff unter normalen Einsatzbedingungen ausgesetzt ist.

Die nach dieser Europäischen Norm erhaltenen Untersuchungsergebnisse beziehen sich auf Produkte zum Zeitpunkt des In-Verkehr-Bringens.

3 Begriffe

Für die Anwendung dieses Dokumentes gelten die folgenden Begriffe.

3.1 Allgemeines

3.1.1 Dachziegel

Produkte für überdeckende Verlegung auf geneigten Dächern sowie für Außen- und Innenwandbekleidungen, die durch Formgebung (Strangpressen und/oder Formpressen), Trocknen und Brennen aus tonigen Massen hergestellt werden, mit oder ohne Zusätze

Sie können auf ihrer Oberfläche ganz oder teilweise mit einer Engobe oder einer Glasur versehen sein.

Es wird in folgende Dachziegeltypen unterschieden:

3.1.1.1 spezielle Ziegel

Dachziegel mit variabler, im Wesentlichen dekorativer Formgebung, beispielsweise handgeformte Ziegel

3.1.1.2 Falzziegel

Dachziegel, welche in Längsrichtung und/oder in Querrichtung mit einem einfachen oder mehrfachen Falzsystem zusammengefügt werden

3.1.1.3 Strangfalzziegel

Dachziegel mit einer Falzausbildung in Längsrichtung, jedoch ohne Falzausbildung in Querrichtung

ANMERKUNG Sie erlauben das Verlegen mit unterschiedlicher Höhenüberdeckung.

3.1.1.4 Querfalzziegel
Dachziegel mit einer Falzausbildung in Querrichtung, jedoch ohne Falzausbildung in Längsrichtung

3.1.1.5 Ziegel mit variabler Decklänge (Verschiebeziegel)
Falzziegel, bei denen die Form des Ziegels eine variable Decklänge ermöglicht

3.1.1.6 Ziegel mit variabler Deckbreite
Falzziegel, bei denen die Form eine variable Deckbreite ermöglicht

3.1.1.7 Flachziegel (Biberschwanzziegel)
Dachziegel, welche meistens eine flache Form mit oder ohne geringfügiger Wölbung in Längs- und/oder Querrichtung haben und keine Verfalzung aufweisen

ANMERKUNG Sie sind in der Regel rechteckig und können aber auch eine speziell ausgebildete Vorderkante aufweisen (z. B. Rundschnitt oder Spitzschnitt).

3.1.1.8 Hohlpfanne
Dachziegel, welche in „S"-Form gewölbt sind und weder eine Längs- noch eine Querverfalzung aufweisen

3.1.1.9 Mönch- und Nonnenziegel (Klosterziegel)
Dachziegel in Rinnenform, die mit variabler oder eingeschränkter Höhenüberdeckung (konstruktive Ausbildungen zur Begrenzung der Höhenüberdeckung) verlegt werden. Sie werden mit konisch der parallel verlaufenden Kanten hergestellt

3.2 Allgemeines

3.2.1 Formziegel (Zubehörziegel)
Produkte, die in Ergänzung zu den Dachziegeln eine konstruktive Funktion erfüllen.
Es wird in zwei Typen für Formziegel unterschieden:

3.2.2 koordinierte Formziegel
Formziegel, der an Dachziegeln mit denen er verlegt wird, unmittelbar ausgerichtet oder mit diesen verfalzt ist (z. B. Ortgangziegel mit Falz, Lüfterziegel mit Falz, eineinhalber Ziegel, Firstziegel mit Falz, Gratziegel mit Falz oder zur Verlegung in Reihe, Kehlziegel zur Verlegung in Reihe, Winkelziegel mit Falz oder zur Verlegung in Reihe)

3.2.3 unkoordinierte Formziegel
Formziegel, der nicht an Dachziegeln mit denen er verlegt wird, unmittelbar ausgerichtet oder mit diesen verfalzt ist (z. B. Firstziegel, Gratziegel, Kehlziegel, Ortgangziegel, Winkelziegel)

F

3.3 Spezifische Begriffe für Falz- und Strangfalzziegel

3.3.1 Allgemeines

3.3.1.1 Falz

Ausbildung für das Zusammenfügen von zwei benachbarten Dachziegeln mit einem oder mehreren Erhebungen, sogenannten „Rippen" und einer oder mehreren Vertiefungen, sogenannten „Nuten"

3.3.1.2 Längsfalz

Ausbildung, die das Zusammenfügen von zwei Dachziegeln in der gleichen horizontalen Reihe ermöglicht

3.3.1.3 Querfalz

Ausbildung, die das Zusammenfügen von zwei Dachziegeln in aufeinander folgenden horizontalen Reihen ermöglicht

ANMERKUNG In Bild 1 sind drei Falzausbildungsbeispiele gezeigt. Die Anordnung der Rippen und Rillen beschränkt die Verschiebemöglichkeit der Dachziegel und erhöht den Widerstand gegen Eindringen von Wasser.

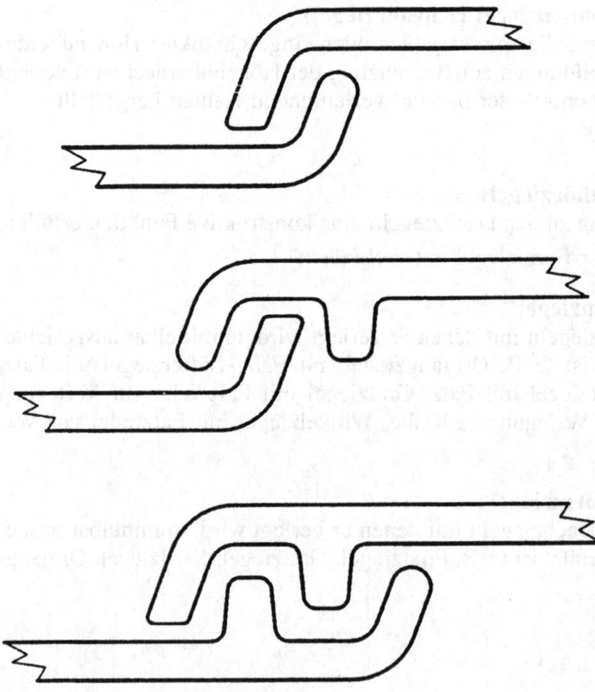

Bild 1 – Falzausbildungsbeispiele

3.3.2 Dachziegel für Eindeckung in Linie
Dachziegel oder koordinierte Formziegel, welche so ausgebildet sind, dass die Längsstöße der aufeinander folgenden Reihen in einer Linie liegen

3.3.3 Dachziegel für Eindeckung mit versetzten Längsstößen
Dachziegel oder koordinierte Formziegel, welche so ausgebildet sind, dass die Längsstöße von aufeinander folgenden Reihen jeweils um eine halbe Ziegelbreite versetzt sind

ANMERKUNG Einige Dachziegelmodelle oder koordinierte Formziegel sind so ausgebildet, dass sie sowohl mit Stößen in Linie, als auch mit versetzten Stößen verlegt werden können.

3.3.4 Falzziegel mit ebener Sichtfläche
Falzziegel oder koordinierte Formziegel ohne Rippe auf der Sichtfläche in Längsrichtung zur Trennung der Zonen des Wasserabflusses und der Längsverfalzung, so dass die Fläche für den Wasserabfluss über der Verfalzung liegt (siehe Bild 2)

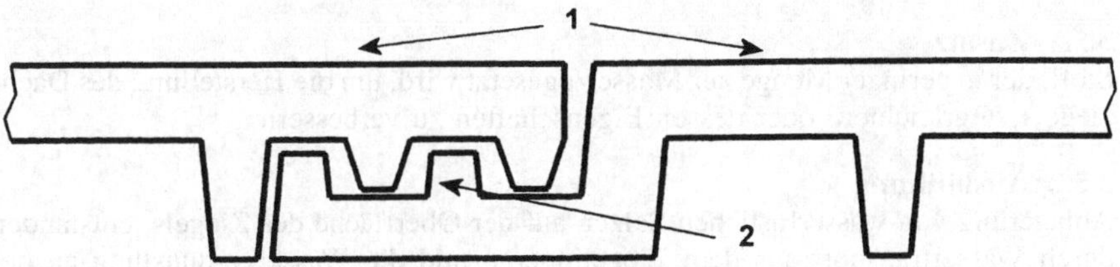

Legende
1 Wasserlauf
2 Verfalzung

Bild 2 – Querschnitt und Schema

3.4 Spezifische Begriffe für Mönch- und Nonnenziegel (Klosterziegel)

3.4.1 Nonnenziegel (Unterziegel)
rinnenförmige Dachziegel, welche untergedeckt werden und auf der Unterlage der Dachdeckung aufliegen

Die Nonnenziegel können entweder keine Einhängenase oder eine oder mehrere Einhängenasen aufweisen, welche die Verlegung auf Latten erlauben

F

3.4.2 Mönchziegel (Oberziegel)

gewölbte Dachziegel, welche aufgedeckt werden, übergreifend über zwei Nonnenziegel

ANMERKUNG Im Allgemeinen werden die gleichen Elemente mit Wölbung nach unten als Nonnenziegel bzw. mit Wölbung nach oben als Mönchziegel eingesetzt. Das Profil der beiden Ziegel kann aber auch unterschiedlich sein, beispielsweise die Nonnenziegel mit einer flachen Unterseite oder einem Profil zur Auflage auf der Dachunterlage. In diesem Fall weisen die Nonnenziegel hochgezogene Längsränder auf.

3.4.3 Mönch- und Nonnen-Ziegel mit speziellen Einrichtungen, die die Decklänge begrenzen

Mönch- und Nonnenziegel mit speziellen Einrichtungen, die die Überdeckung in Längsrichtung begrenzen

3.5 Weitere Begriffe

3.5.1 Zusatz

Stoff, der in geringer Menge zur Masse zugesetzt wird, um die Herstellung des Dachziegels zu erleichtern oder dessen Eigenschaften zu verbessern

3.5.2 Ausblühung

Ablagerung von wasserlöslichen Salzen auf der Oberfläche des Ziegels, entstanden durch Wassertransport aus dem Ziegelinneren und die Wasserverdunstung an der Oberfläche

3.5.3 Beschichtung

3.5.3.1 Glasur

eingebrannte Oberflächenschicht auf Glasbasis oder Material zu deren Ausführung

3.5.3.2 Engobe

poröse bzw. dichtere eingebrannte Oberflächenschicht auf Tonbasis oder Material zu deren Ausführung

3.5.4 Oberflächenbehandlung

werksmäßige Anwendung von hydrophilen oder hydrophoben Mitteln, die das Verhalten der Oberfläche bei Kontakt mit Wasser verändern

3.5.5 Riss

Rissbildung in mehr oder weniger regelmäßiger Form, welche nicht die gesamte Dicke des Produktes betrifft

3.5.6 Farbabweichung

Abweichung innerhalb eines Farbtones, und im weiteren Sinne die unterschiedlichen Farbtöne innerhalb eines bestimmten Fabrikationsloses

ANMERKUNG Siehe hierzu Anhang B.

3.5.7 Oberflächencharakteristik

Rillen, Reliefs, Flecken oder Farbstellen usw., welche eine Lieferung in ihrer Gesamtheit charakterisieren und absichtlich aus ästhetischen Gründen erzeugt werden (z. B. „antikes" Aussehen)

ANMERKUNG Siehe hierzu Anhang B.

3.5.8 Falte

Unregelmäßigkeit, welche nur die Oberfläche des Produktes betrifft und durch Bildung einer Faltung im Laufe des Pressvorganges entstanden ist

ANMERKUNG Siehe hierzu Anhang B.

3.5.9 Deckmaße

3.5.9.1 Allgemeines

3.5.9.1.1 Decklänge

Maß des eingedeckt von oben sichtbaren Ziegels oder koordinierten Formziegels, gemessen in Längsrichtung. Dieses Maß entspricht auch dem Lattenabstand

3.5.9.1.2 Decklänge nach Herstellerangabe

Mittelwert oder maximale und minimale Decklänge, siehe 3.5.9.1

3.5.9.2 Allgemeines

3.5.9.2.1 Deckbreite

Breite des eingedeckten, von oben sichtbaren Ziegels oder Formziegels

3.5.9.2.2 Deckbreite nach Herstellerangabe

Mittelwert oder maximale und minimale Deckbreite, siehe 3.5.9.2

3.5.10 Geradlinigkeit

für Flachziegel, Falzziegel, Krempziegel und Hohlpfannen wird die Geradlinigkeit durch den Wert der Abweichung der horizontal am Rande des Dachziegels gemessenen Pfeilhöhe angegeben.

Für Mönch- und Nonnenziegel wird die Geradlinigkeit durch den Wert der Abweichung der horizontal längs der Mantellinie am Grunde der Wölbung des Dachziegels gemessenen Pfeilhöhe angegeben.

3.5.11 Schichtenbildung

Vorhandensein von Schichten im Scherben, eventuell von unterschiedlicher Farbe, welche durch die Dicke des Körpers reichen können

ANMERKUNG Siehe hierzu Anhang B.

3.5.12 Einhängenase

vorstehendes Teil auf der Unterseite des Dachziegels, das das Einhängen auf der Unterlage erlaubt, die im Allgemeinen aus Latten besteht

F

3.5.13 Scherben
mit Scherben wird der Werkstoff bezeichnet, aus dem das gebrannte Produkt besteht

3.5.14 Krakelee (Engobe oder Glasur)
Risse, welche nur die Schichtdicke der Engobe oder der Glasur oder der durch intensive Reduktion verglasten Oberfläche betreffen und die Haftung der Engobe und der Glasur am Scherben nicht beeinträchtigen

ANMERKUNG Siehe hierzu Anhang B.

3.5.15 Befestigungsloch
durchgehende oder geschlossene Öffnung im Bereich der Höhenüberdeckung, die ohne den Ziegel zu beschädigen, durchstoßen werden kann, um den Ziegel mechanisch zu befestigen

3.5.16 Loch zum Anklammern
Öffnung in einem vorstehenden Teil an der Unterseite des Ziegels zur Befestigung des Ziegels

3.5.17 Strukturfehler

3.5.17.1 Bruch
Strukturfehler, bestehend aus einer Trennung des Dachziegels in zwei oder mehrere Bruchstücke

3.5.17.2 Sprung
Strukturfehler, bestehend aus einem Riss mit mehr oder weniger regelmäßigem Verlauf über die gesamte Dicke des Ziegels, der mit dem bloßen Auge sichtbar ist

3.5.17.3 Verlust einer Einhängenase
falls ein Ziegel nur eine Einhängernase besitzt, ist deren Verlust ein Strukturfehler

3.5.18 Oberflächenfehler

3.5.18.1 Blase
Oberflächenfehler, bestehend aus einer örtlichen oberflächlichen Erhebung des Werkstoffes, welcher bei der Fertigung entsteht und einen mittleren Durchmesser über 10 mm aufweist

3.5.18.2 Krater
Oberflächenfehler, bestehend aus einem Verlust an Scherben, oftmals wegen der Ausdehnung eines Kornes (z. B. aus Kalk oder Pyrit) in einem mittleren Durchmesser über 7 mm auf dem im Einbauzustand sichtbaren Teil des Dachziegels

3.5.18.3 Absplitterung
Oberflächenfehler, bestehend aus der Ablösung eines Teils des Werkstoffes vom Scherben, in einem mittleren Durchmesser über 7 mm auf dem im Einbauzustand sichtbaren Teil des Dachziegels

3.5.19 Gruppe
eine Menge von Produkten, bei denen die Prüfergebnisse für eine oder mehrere Eigenschaften eines Produktes innerhalb der Menge von Produkten für alle anderen Produkte der Menge gelten.

4 Anforderungen

4.1 Struktureigenschaften

Die Dachziegel dürfen weder Fabrikationsfehler, welche das gute Zusammenfügen der Dachziegel untereinander beeinträchtigen, noch Strukturfehler, definiert in 3.5.17 aufweisen.

Zur Beurteilung der Struktureigenschaften sind die Dachziegel mit bloßem Auge und bei einem Sichtabstand von 30 cm bis 40 cm bei üblicher Arbeitsplatzbeleuchtung zu betrachten.

Die geprüften Produkte müssen die in Tabelle A.1 und Tabelle A.2 vorgegebenen Beurteilungskriterien erfüllen.

ANMERKUNG Erläuterungen zu den Struktureigenschaften werden im Anhang B gegeben.

4.2 Befestigung

Dachziegel und Formziegel können mit Einhängenasen und/oder Befestigungslöchern versehen sein; andere Befestigungsmittel sind ebenfalls zulässig.

ANMERKUNG 1 Mönch- und Nonnenziegel sind nicht notwendigerweise mit Einhängenasen versehen.

ANMERKUNG 2 Fachregeln für Dachdeckungen bestimmter Länder empfehlen zwei Befestigungslöcher für bestimmte Ziegelarten.

Für die Anwendung von Dachziegeln für Fassadenbekleidung ist ein spezielles Befestigungssystem zu verwenden.

4.3 Geometrische Eigenschaften

4.3.1 Allgemeines

Die geometrischen Anforderungen sind bei unkoordinierten Formziegeln und bei speziellen Ziegeln nicht anwendbar.

Bei koordinierten Formziegeln sind nur die für den ordnungsgemäßen Einbau relevanten geometrischen Eigenschaften zu bestimmen.

4.3.2 Gleichmäßigkeit der Form

4.3.2.1 Ebenheit von Flachziegel, Falzziegel, Strangfalzziegel, Hohlpfanne und Krempziegel

Der Mittelwert des Koeffizienten der Ebenheit, bestimmt wie in EN 1024 beschrieben, muss die Anforderungen der Tabelle erfüllen.

Tabelle 1: Anforderungen an den Ebenheitskoeffizient

Dachziegel oder Formziegel mit einer Gesamtlänge mm	Ebenheitskoeffizient % max.
> 300	≤ 1,5
≤ 300	≤ 2,0

4.3.2.2 Gleichförmigkeit der Querprofile von Mönch- und Nonnenziegeln

Die Gleichförmigkeit der Querprofile bei den Mönch- und Nonnenziegeln wird durch die Messung der Ziegelbreite am engen und am weiten Ende beurteilt. Die entsprechend EN 1024 gemessenen Abweichungen zwischen dem größten und dem kleinsten Wert der am engen Ende gemessenen Breite und zwischen dem größten und dem kleinsten Wert der am weiten Ende gemessenen Breite dürfen 15 mm nicht überschreiten.

4.3.3 Geradlinigkeit

4.3.3.1 Falzziegel, Strangfalzziegel, Hohlpfanne und Krempziegel sowie Mönch- und Nonnenziegel

Der Mittelwert der Geradlinigkeit in Längsrichtung, bestimmt wie in EN 1024 beschrieben, muss die Anforderungen der Tabelle 2 erfüllen.

Tabelle 2: Anforderungen an die Geradlinigkeit in Längsrichtung

Dachziegel oder Formziegel mit einer Gesamtlänge mm	Geradlinigkeit in Längsrichtung % max.
> 300	≤ 1,5
≤ 300	≤ 2,0

4.3.3.2 Flachziegel (Biberschwanzziegel)

Der Mittelwert der Geradlinigkeit in Längs- und Querrichtung, bestimmt wie in EN 1024 beschrieben, muss die Anforderungen der Tabelle 3 erfüllen.

Tabelle 3: Anforderungen an die Geradlinigkeit in Längs- und Querrichtung

Dachziegel oder Formziegel mit einer Gesamtlänge mm	Geradlinigkeit in Längsrichtung % max.
> 300	≤ 1,5
≤ 300	≤ 2,0

4.3.4 Maße und Grenzabmaße

4.3.4.1 Allgemeines

Die Einzelmaße oder die Deckmaße müssen nach EN 1024 bestimmt werden.

Bei den Falzziegeln und den Strangfalzziegeln (für die letzteren nur in Querrichtung) und koordinierten Formziegeln kann der Hersteller wählen zwischen der Bestimmung der Einzelmaße (a, b) und der Bestimmung der Deckmaße für eine Gruppe von Dachziegeln (c, d) (siehe Bild 3).

Die Übereinstimmung mit diesem Dokument wird in Bezug auf die durch den Hersteller gewählte Charakteristik nachgeprüft. Für Mönch- und Nonnenziegel mit speziellen Einrichtungen, die die Überdeckung begrenzen, muss der Hersteller nur die Überdeckung angeben. Bei allen anderen Dachziegelarten und koordinierten Formziegeln müssen die Einzelmaße bestimmt werden.

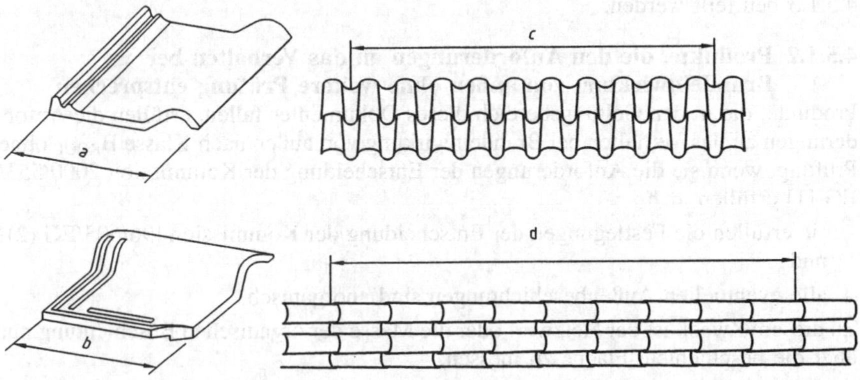

Legende
a und b: Einzelmaß
c und d: Deckmaße für eine Gruppe von Dachziegeln

Bild 3 – Beispiele für die Bestimmung der Dachziegelmaße

4.3.4.2 Einzelmaße

Die Mittelwerte für die Länge und die Breite der Dachziegel, bestimmt nach EN 1024, dürfen nicht mehr als ± 2,0 % von den Herstellerangaben abweichen.

Diese Anforderung gilt nicht für die Breite der Mönch- und Nonnenziegel.

4.3.4.3 Deckmaß (Decklänge und Deckbreite)

Das gemessene mittlere (mögliche) Deckmaß darf höchstens um ± 2,0 % von dem vom Hersteller angegebenen Deckmaß abweichen.

Bei Falzziegeln mit variabler Decklänge darf die gemessene maximale Decklänge die vom Hersteller angegebene maximale Decklänge nicht unterschreiten.

Bei Falzziegeln mit variabler Deckbreite darf die gemessene maximale Deckbreite die vom Hersteller angegebene maximale Deckbreite nicht unterschreiten.

F

4.4 Physikalische und mechanische Eigenschaften
(nicht abgedruckt)

4.5 Brandverhalten

4.5.1 Verhalten bei Brandeinwirkung von außen

4.5.1.1 Anforderungen
Wenn der Hersteller das Verhalten von Tondachziegeln und Formziegeln für Dacheindeckungen geneigter Dächer angeben möchte (z. B., wenn gesetzliche Anforderungen gelten), müssen die Produkte nach den Festlegungen in 4.5.1.2 oder 4.5.1.3 beurteilt werden.

4.5.1.2 Produkte, die den Anforderungen an das Verhalten bei Brandeinwirkung von außen ohne weitere Prüfung entsprechen
Produkte, die in den Geltungsbereich dieses Dokumentes fallen, erfüllen die Anforderungen an das Verhalten bei Brandeinwirkung von außen nach Klasse B_{ROOF} ohne Prüfung, wenn sie die Anforderungen der Entscheidung der Kommission 2000/553/EG [1] erfüllen, d. h.:

- sie erfüllen die Festlegungen der Entscheidung der Kommission [96/603/EG (2)] und
- alle eventuellen Außenbeschichtungen sind anorganisch.

Zu diesem Zweck ist der Heizwert oder die Masse der organischen Beschichtung nur über die beschichtete Fläche zu messen.

ANMERKUNG Mitgliedstaaten können über nationale Listen für als „ohne Notwendigkeit zur Prüfung den Anforderungen entsprechend“ geltende Produkte verfügen, die weiter gehen als die in der Entscheidung der Kommission 2000/553/EG angegebenen.

4.5.1.3 Weitere Produkte
Produkte, die nicht in 4.5.1.2 abgedeckt werden, sind nach dem im Verwendungsland der Produkte geltenden Verfahren entsprechend den Festlegungen nach prEN 13501-5 zu prüfen und zu klassifizieren. Die zu prüfenden Produkte sind zusätzlich zu den allgemeinen Festlegungen der Prüfverfahren auf eine für ihren beabsichtigten Verwendungszweck repräsentative Weise einzubauen.

4.5.2 Brennbarkeit
Wenn der Hersteller die Brennbarkeit der Produkte angeben möchte (z. B., wenn gesetzliche Anforderungen gelten), müssen die Produkte nach den Festlegungen in 4.5.2.2 oder 4.5.2.3 beurteilt werden

4.5.2.1 Produkte, welche die Anforderungen der Brandklasse A 1 ohne Prüfung erfüllen

Dachziegel und Formziegel werden mit der Brandklasse A 1, ohne Prüfung, nach den Festlegungen der Entscheidung der Kommission [96/603/EG (2)], wie ergänzt, klassifiziert, sofern:

- bei Dachziegeln und Formziegeln, die durch Verkleben einer oder mehrerer Tonbestandteile hergestellt wurden, der organische Gehalt des ausgehärteten Klebstoffes einen Massen- oder Volumenanteil von $\leq 0{,}1$ % aufweist (es gilt der kleinere Wert) und
- sie einen Massen- oder Volumenanteil von $\leq 0{,}1$ % an gleichmäßig verteiltem organischem Stoff (außer Klebstoff) aufweisen (es gilt der kleinere Wert).

4.5.2.2 Weitere Produkte

Produkte, die nicht in 4.5.2.2 abgedeckt werden, sind nach prEN 13501-1 zu prüfen und zu klassifizieren. Die zu prüfenden Produkte sind zusätzlich zu den allgemeinen Festlegungen der Prüfverfahren, sofern zutreffend, auf eine für ihren beabsichtigten Verwendungszweck repräsentative Weise einzubauen.

4.6 Abgabe gefährlicher Substanzen

Für Produkte, die innerhalb des Europäischen Wirtschaftsraumes verwendet werden, siehe Anhang ZA, Anmerkung zu ZA.1.

5 Kennzeichnung und Etikettierung

Mindestens 50 % aller gelieferten Dachziegel und zumindest 10 % der Formziegel müssen mit einer unauslöschlichen und lesbaren Bezeichnung (kodiert oder im Klartext) zur Identifikation der folgenden Angaben versehen sein:

- Hersteller und Werk
- (wahlweise) Produkttyp;
- Herkunftsland;
- Jahr und Monat der Fabrikation.

Die Begleitdokumente einer Lieferung müssen enthalten: Bezugnahme auf diese EN 1304, erreichte Anforderungsstufe 1 oder 2 sowie das verwendete Prüfverfahren der Wasserundurchlässigkeit nach EN 539-1 und die erfolgreich bestandene Prüfung der Frostwiderstandsfähigkeit nach Verfahren A, B, C oder D von EN 539-2.

Die Herstellerunterlagen zur Beschreibung des Produktes müssen außerdem dessen Maße und, wenn erforderlich, die Nennpfeilhöhe (n) enthalten.

F

ZA.3 CE-Kennzeichnung

Der Hersteller oder sein im Europäischen Wirtschaftsraum niedergelassener bevollmächtigter Vertreter ist für das Anbringen der CE-Kennzeichnung verantwortlich.

Das anzubringende CE-Kennzeichen muss der Richtlinie 93/68/EWG entsprechen und auf den beigefügten Handelsdokumenten angegeben werden. Folgende Informationen und Eigenschaften müssen (sofern zutreffend) zusammen mit dem CE-Kennzeichen angegeben werden:

- Name oder Kennzeichen des Herstellers/Lieferanten und
- die letzten beiden Ziffern des Jahres, in dem die CE-Kennzeichnung angebracht wurde und
- die Nummer dieser Europäischen Norm (EN 1304) und
- der Produkttyp (z. B. Typ der Dachziegel oder Formziegel für Dacheindeckungen und/oder für Außen- oder Innenwandbekleidungen) und
- Angaben über die relevanten wesentlichen Eigenschaften nach Tabelle ZA.1.1, ZA.1.2 und/oder ZA.1.3
  - der Hersteller darf angeben: „gilt als den Anforderungen entsprechend" oder er kann höhere Stufen der Gebrauchstauglichkeit für die mechanische Widerstandsfähigkeit und die Maßabweichungen angeben:
  - Wasserundurchlässigkeit (das Prüfverfahren 1 oder 2 und die Anforderungsstufe 1 oder 2);
  - Dauerhaftigkeit („Bestanden" und das/die Frostprüfverfahren),
  - der Hersteller darf Folgendes angeben: „gilt als der Klasse A1 entsprechend", das Prüfergebnis (mit Einbau- und Befestigungsbedingungen, falls relevant) oder die Klasse F für die Brennbarkeit und „gilt (für Produkte der Klasse B_{roof}) als Klasse F_{roof} entspechend" oder das Prüfergebnis (mit Einbau- und Befestigungsbedingungen, falls relevant) für das Verhalten bei Brandeinwirkung von außen.

Wenn ein Dachziegel oder Formziegel für mehr als einen Verwendungszweck vorgesehen ist (Dach, Außenwand oder Innenwand) dürfen die Angaben über die relevanten Eigenschaften kombiniert werden.

Die Option „keine Leistung bestimmt"(NPD) darf nicht angewendet werden, wenn die Eigenschaft einem Schwellenwert unterliegt. Sie darf jedoch angewendet werden, wenn die Eigenschaft für eine bestimmte vorgesehene Verwendung keinen gesetzlichen Anforderungen unterliegt.

In Bild ZA.1 ist ein Beispiel für die Angaben dargestellt, die auf der Verpackung und/oder den begleitenden Handelsdokumenten von Dachziegeln des Typs Flachziegel (Biberschwanzziegel) anzugeben sind, die für sowohl Dacheindeckungen als auch für Außen- oder Innenwandbekleidungen, jeweils der Brennbarkeitsklasse A.1, vorgesehen sind (System 4 der Bescheinigung).

Zusätzlich zu den oben angegebenen speziellen Angaben zu gefährlichen Stoffen sollten dem Produkt, sofern erforderlich und in geeigneter Form, Dokumente beigefügt werden, in denen alle übrigen gesetzlichen Bestimmungen über gefährliche Stoffe aufgeführt werden, deren Einhaltung gefordert wird, sowie alle Informationen, die auf Grund dieser gesetzlichen Bestimmungen erforderlich sind.

ANMERKUNG Europäische gesetzliche Bestimmungen ohne nationale Abweichungen brauchen nicht angegeben zu werden.

		CE-Konformitätskennzeichnung, bestehend aus dem CE-Zeichen nach der Richtlinie 93/68/EWG
AnyCo Ltd, PO Box 21, B-1050		*Name oder Bildzeichen und eingetragene Anschrift des Herstellers*
05		*Die letzten beiden Ziffern des Jahres, in dem das Kennzeichen angebracht wurde*
EN 1304		*Nummer der Europäischen Norm*
Dachziegel des Typs Flachziegel (Biberschwanzziegel) für sowohl Dacheindeckungen als auch für Außen- oder Innenwandbekleidungen		*Beschreibung des Produkts*
Mechanische Festigkeit/ Biegetragfähigkeit	Konform	*Angaben über Eigenschaften, für die gesetzliche Bestimmungen gelten*
Verhalten bei Brandeinwirkung von außen	Gilt als den Anforderungen entsprechend	
Brennbarkeit	A 1	
Wasserundurchlässigkeit	Erfüllt die Anforderungsstufe 1 für das Prüfverfahren 2	
Maße und Maßabweichungen	Konform	
Dauerhaftigkeit	Besteht Prüfverfahren A und C	

Bild ZA.1 – Beispiel für die Angaben einer CE-Kennzeichnung auf der Verpackung oder den begleitenden Handelsdokumenten

F

DIN EN 1457 Berichtigung 1 (10.2006)

Abgasanlagen – Keramik-Innenrohre – Anforderungen und Prüfungen (enthält Korrigendum AC:1999 und Änderung A1:2002);

Deutsche Fassung EN 1457:1999 + AC:1999 + A1:2002, Berichtigungen zu DIN EN 1457:2003-04; Deutsche Fassung EN 1457:1999/AC:2006

In

DIN EN 1457:2003-04

a) sind folgende Berichtigungen vorzunehmen:
   - Nationales Vorwort: Frühere Ausgaben: Ersetze „DIN 18174-4" durch „DIN 18147-4"
   - ZA.3, 9. Spiegelstrich: Ersetze „Abschnitt 1.7" durch „Abschnitt 17"

b) sind aufgrund der europäischen Berichtigung EN 1457:1999/AC:2006 folgende Korrekturen vorzunehmen:
   - Tabelle 1 Zeile 16, Spalte 4 (Rußbrandbeständigkeit) Innenrohrtyp D1 N2: „nein, O" ersetzen durch „ja, G"
   - Tabelle 1 Zeile 17, Spalte 4 (Rußbrandbeständigkeit) Innenrohrtyp D1 N1: „nein, O" ersetzen durch „ja, G"
   - Tabelle 1 Zeile 18, Spalte 4 (Rußbrandbeständigkeit) Innenrohrtyp D2 N2: „ja, G" ersetzen durch „nein, O"
   - Tabelle 1 Zeile 19, Spalte 4 (Rußbrandbeständigkeit) Innenrohrtyp D1 N1: „ja, G" ersetzen durch „nein, O"
   - Unterabschnitt 9.1 erster Absatz, erste Zeile: ersetze „**16.8.2**" durch „**16.8.3**"
   - Unterabschnitt 9.1 zweiter Absatz, erste Zeile: ersetze „**16.8.2**" durch „**16.8.3**"
   - Tabelle 3 Zeile 16, Spalte 2 (Prüftemperatur) Innenrohrtyp D1 N2: ersetze „250" durch „1 000"
   - Tabelle 3 Zeile 17, Spalte 2 (Prüftemperatur) Innenrohrtyp D1 N1: ersetze „250" durch „1 000"
   - Tabelle 3 Zeile 18, Spalte 2 (Prüftemperatur) Innenrohrtyp D2 N2: ersetze „1 000" durch „250"
   - Tabelle 3 Zeile 19, Spalte 2 (Prüftemperatur) Innenrohrtyp D2 N1: ersetze „1 000" durch „250"
   - Tabelle 5 Zeile 1, Spalte 3 (Typprüfungen) ersetze „**9.1**" durch „**9.3**"
   - Tabelle 6 Zeile 16, Spalte 2 (Prüftemperatur) Innenrohrtyp D1 N2: ersetze „250" durch „1 000" und Spalte 4 (Zeit bis zum Erreichen …) ersetze „2,5" durch „10"

- Tabelle 6 Zeile 17, Spalte 2 (Prüftemperatur) Innenrohrtyp D1 N1: ersetze „250“ durch „1 000“ und Spalte 4 (Zeit bis zum Erreichen …) ersetze „2,5“ durch „10“
- Tabelle 6 Zeile 18, Spalte 2 (Prüftemperatur) Innenrohrtyp D2 N2: ersetze „1 000“ durch „250“ und Spalte 4 (Zeit bis zum Erreichen …) ersetze „10“ durch „2,5“
- Tabelle 6 Zeile 19, Spalte 2 (Prüftemperatur) Innenrohrtyp D2 N1: ersetze „1 000“ durch „250“ und Spalte 4 (Zeit bis zum Erreichen …) ersetze „10“ durch „2,5“
- Bild A.1 zweite Erklärung auf der linken Seite: „Wiedervorlage, falls sinnvoll …“ die horizontale Linie mit Pfeil nach unten soll entfallen
- Tabelle ZA.1 Zeile 1, Spalte 2 „Anforderungen, Abschnitte dieser Norm“: bei „vorgesehener Verwendungszweck“, „Gasdichtheit/Leckrate“ einfügen **„9.2 und“**
- Tabelle ZA.1 Zeile 4, Spalte 2 „Anforderungen, Abschnitte dieser Norm“: „vorgesehener Verwendungszweck“, „Feuerwiderstand“ ersetze **„9.3“** durch **„9.2“**

DIN EN 1457 Berichtigung 2 (08.2007)

Abgasanlagen – Keramik-Innenrohre – Anforderungen und Prüfungen (enthält Korrigendum AC:1999 und Änderung A1:2002);

Deutsche Fassung EN 1457:1999 + AC:1999 + A1:2002, Berichtigungen zu DIN EN 1457:2003-04; Deutsche Fassung EN 1457:1999/A1:2002/AC:2007

In

DIN EN 1457:2003-04

sind folgende Korrekturen vorzunehmen:

Anhang ZA

Die folgende Anmerkung wird in ZA.1 ergänzt:

ANMERKUNG 3 Diese Norm enthält keine Leistungsanforderungen für Dauerhaftigkeit gegen Frost/Tauwechsel und gibt diesbezüglich keine Vorgaben für die Konformität. Aber diese Eigenschaft ist auch einzuhalten, wenn und wo diese zutrifft.

F

Hinweis: Vergleiche auch Berichtigung 1 zur DIN EN 1457

Abgasanlagen

Keramik-Innenrohre

Anforderungen und Prüfungen
(erhält Korrigendum AAC:1999 und Änderung A1:2002)
Deutsche Fassung EN 1457–1999 + AC:1999 + A1:2002

Auszug aus **DIN EN 1457 (04.2003)**

Änderungen

Gegenüber DIN EN 1457:1999-06 wurden folgende Änderungen vorgenommen:

– Änderung A1:2002 wurde eingearbeitet, dadurch ergaben sich folgende Änderungen:

1) Wechsel des Status des Anhanges B „Wärmedurchlasswiderstand" von informativ in normativ;
2) Ergänzung des normativen Anhanges C „Messtechnische Ermittlung des Reibungsbeiwertes von Abgasanlagen";
3) Ergänzung des informativen Anhanges ZA „Abschnitte in dieser Europäischen Norm, die wesentliche Anforderungen der EG Bauproduktenrichtlinie betreffen".

Inhalt

12 Kehrwiderstand

13 Wasserdampfdurchlässigkeit und Strömungswiderstand

14 Wärmedurchlasswiderstand

15 Konformitätsbewertung

16 Prüfverfahren

17 Bezeichnung

18 Kennzeichnung

1 Anwendungsbereich

Diese Europäische Norm ist eine Produktnorm für Keramik-Innenrohre mit massiven oder vertikal gelochten Wandungen zur Verwendung in mehrschaligen Abgasanlagen, die dazu dienen, Verbrennungsprodukte von Feuerstätten an die Außenluft durch Ober- oder Unterdruck abzuleiten. Diese Norm beinhaltet Innenrohre für mehrschalige Abgasanlagen und Industrieabgasanlagen, die nicht freistehend sind. Diese Norm enthält Festlegungen der Leistungsanforderungen an werkmäßig hergestellte Innenrohre und Formstücke. Sie enthält ferner die Anforderungen an die Prüfung, Kennzeichnung und Qualitätskontrolle.

3 Innenrohre und Öffnungen

3.1 Innenrohrquerschnitte (siehe Bild 1)

Innenrohre müssen entweder:

a) einen kreisförmigen oder quadratischen Querschnitt mit Nut und Feder oder mit Muffenverbindungen oder

b) einen quadratischen oder rechteckigen Querschnitt mit abgerundeten Innenkanten und Nut und Feder oder

c) einen kreisförmigen, quadratischen oder rechteckigen Querschnitt mit stumpfen Stößen und einer Manschette oder

d) einen kreisförmigen oder quadratischen Querschnitt mit kegelförmigen Fugen aufweisen.

e) Fugenanordnungen siehe Bild 2.

F

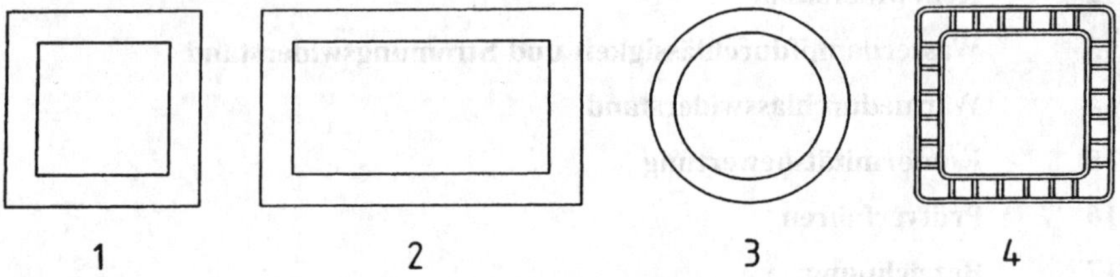

Legende
1 quadratisch
2 rechteckig
3 kreisförmig
4 vertikal gelochte Wandungen

Bild 1: Beispiele für Querschnitte

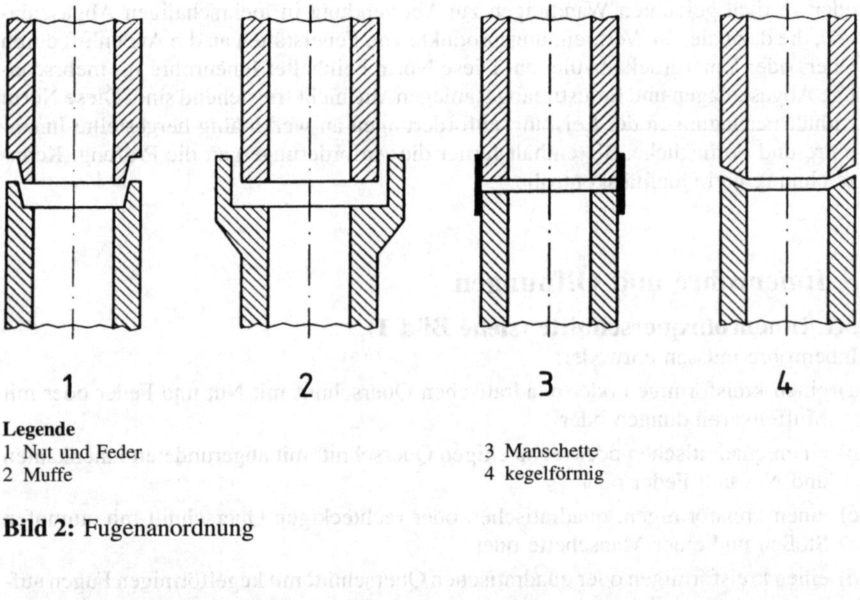

Legende
1 Nut und Feder
2 Muffe
3 Manschette
4 kegelförmig

Bild 2: Fugenanordnung

3.2 Reinigungsöffnungen, Anschlussformstücke und Reinigungstüren

Reinigungsöffnungen werden für die Kontrolle und Reinigung der Innenrohre sowie das Entfernen des Rußes verwendet und müssen, sofern zutreffend, die Anforderungen an Innenrohre erfüllen. Alle Reinigungsöffnungen müssen eine Tür aufweisen. Als Reinigungstür muss eine der beiden folgenden Türen verwendet werden:

a) eine einwandige Blechtür für Abgasanlagen ausschließlich im Trockenbetrieb;
b) eine Tür mit separater Feuchtesperre oder mit zwei Blechen für Abgasanlagen im Trocken- und Nassbetrieb.

Anschlussformstücke dienen zum Anschluss der Feuerstätte an das Innenrohr. Anschlussformstücke sind zweckentsprechende T-Stücke oder Innenrohrabschnitte mit einer Öffnung, an der Abzweigungen befestigt sind. Die Winkel der Abzweigungen dürfen 45° bis 90° betragen (α in Bild 3). An der Verbindungsstelle weisen die Außenschalen entsprechende Öffnungen auf.

Anschlussformstücke sollten die gleiche Querschnittsfläche wie das Innenrohr aufweisen. Verringerungen oder Erweiterungen sind akzeptabel, sofern der Strömungswiderstand nicht erhöht wird.

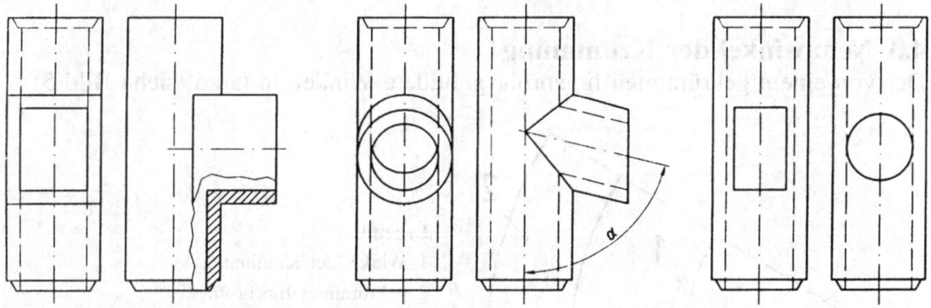

Bild 3: Beispiele für Reinigungsöffnungen und Anschlussformstücke

4 Begriffe

Für die Anwendung dieser Europäischen Norm gelten die in EN 1443 angegebenen und die folgenden Begriffe.

4.1 Nennmaß

ein Zahlenwert der Größe, welche eine geeignete runde Zahl ist, die entweder gleich oder ungefähr gleich Folgendem ist: entweder

a) dem Innendurchmesser von Innenrohren mit kreisförmigem Querschnitt, in Millimeter, oder

b) der lichten Breite von Innenrohren mit quadratischem Querschnitt, in Millimeter, oder

c) der lichten Seitenlängen des Querschnittes von Innenrohren mit rechteckigem Querschnitt, in Millimeter.

4.2 Nennlänge

ein Zahlenwert der Innenlänge eines geraden Innenrohrs, in Millimeter, angegeben als geeignete runde Zahl, die der Innenlänge des Innenrohrs ungefähr entspricht (siehe Bild 4).

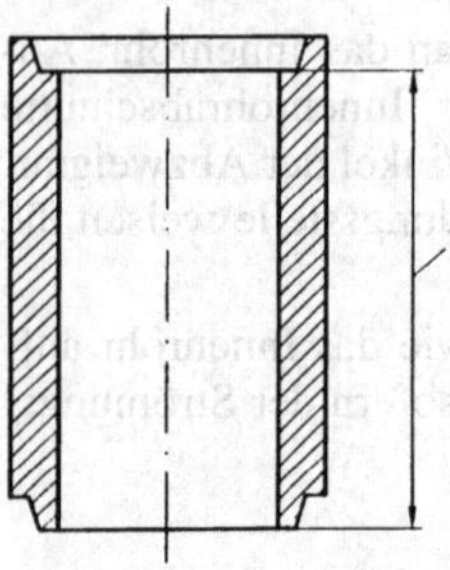

Legende
1 Innenlänge

Bild 4: Innenlänge

4.3 Nennwinkel der Krümmung

Der von einem gekrümmten Innenrohr gebildete Winkel, in Grad (siehe Bild 5).

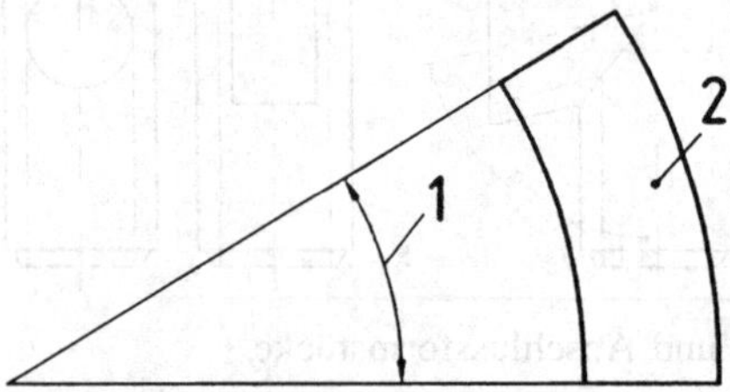

Legende
1 Winkel der Krümmung
2 gekrümmtes Innenrohr

Bild 5: Winkel der Krümmung

4.4 Feuerwiderstand von Innenrohren

Rußbrandbeständigkeit von Innenrohren und Formstücken.

5 Innenrohrtyp

Es gibt vier Grundtypen von Keramik-Innenrohren in Abhängigkeit von der Betriebstemperatur mit Untertypen abhängig von der Frage, ob die Innenrohre in Abgasanlagen unter negativem oder positivem Druck betrieben werden, oder ob sie rußbrandbeständig sein müssen. Die Typen, Betriebstemperaturen, Prüfdrücke und maximalen Abgasmassenströme sind in Tabelle 1 angegeben. Die Eignung für den Einsatz eines Typs eines Innenrohres in einer Abgasanlage für den Betrieb mit negativem oder positivem Druck und unter feuchter oder trockener Betriebsweise ist ebenfalls angegeben.

ANMERKUNG Ein Innenrohr kann auch die Bezeichnung mehrerer Typen tragen, vorausgesetzt, dass es den Anforderungen dieser Typen entspricht.

6 Werkstoffe

Innenrohre sind aus geeigneten Keramikwerkstoffen herzustellen und müssen nach dem Brennprozess die Leistungsanforderungen dieser Norm erfüllen.

Innenrohre dürfen auf der Innen- und/oder Außenseite glasiert oder unglasiert sein. Glasierte Innenrohre brauchen auf den Fugenoberflächen nicht glasiert zu sein.

Tabelle 1: Keramik-Innenrohrtypen, Betriebsbedingungen, Luftprüfdrücke und maximale Leckraten nach thermischen Prüfungen

Innen-rohrtyp	Betriebs-tempera-tur °C	Unter- oder Überdruck	Ruß-brand	Feuchte oder trockene Betriebsweise	Prüfdruck Pa	maximale Leckrate $m^3\ s^{-1}\ m^{-2} \times 10^{-3}$
A1N2	600	Unterdruck	ja, G	trocken	20	3
A1N2	600	Unterdruck	ja, G	trocken	40	2
A2N2	600	Unterdruck	nein, O	trocken	20	3
A2N1	600	Unterdruck	nein, O	trocken	40	2
A2P1	600	Überdruck	nein, O	trocken + feucht	200	0,006
B1N2	400	Unterdruck	ja, G	trocken	20	3
B1N1	400	Unterdruck	ja, G	trocken	40	2
B2N2	400	Unterdruck	nein, O	trocken + feucht	20	3
B2N1	400	Unterdruck	nein, O	trocken + feucht	40	2
B2P1	400	Überdruck	nein, O	trocken + feucht	200	0,006
C1N2	300	Unterdruck	nein, O	trocken	20	3
C1N1	300	Unterdruck	nein, O	trocken	40	2
C2N2	300	Unterdruck	nein, O	trocken + feucht	20	3
C2N1	300	Unterdruck	nein, O	trocken + feucht	40	2
C2P1	300	Überdruck	nein, O	trocken + feucht	200	0,006
D1N2	200	Unterdruck	Nein, O	trocken	20	3
D1N1	200	Unterdruck	Nein, O	trocken	40	2
D2N2	200	Unterdruck	ja, G	trocken + feucht	20	3
D2N1	200	Unterdruck	ja, G	trocken + feucht	40	2
D3N2	200	Unterdruck	nein, O	trocken + feucht	20	3
D3N1	200	Unterdruck	nein, O	trocken + feucht	40	2
D3P1	200	Überdruck	nein, O	trocken + feucht	200	0,006

7 Maßtoleranzen

7.1 Querschnittsmaße

Bei Prüfung nach 16.1 darf die Abweichung des Innendurchmessers von Innenrohren mit kreisförmigem Querschnitt nicht mehr als ± 3 % des vom Hersteller angegebenen Nenndurchmessers betragen.

Die Abweichung der lichten Breite von Innenrohren mit quadratischem Querschnitt und der lichten Seitenlänge von Innenrohren mit rechteckigem Querschnitt darf nicht mehr als ± 3 % der vom Hersteller angegebenen Nenn-Seiteninnenlänge betragen.

7.2 Länge

Bei Prüfung nach 16.2 darf die Abweichung von der Länge eines Innenrohrs nicht mehr als ± 3 % der vom Hersteller angegebenen Nennlänge betragen, höchstens jedoch 10 mm.

7.3 Winkel der Krümmung

Bei Prüfung nach 16.3 darf die Abweichung vom Winkel der Krümmung eines gekrümmten Innenrohrs nicht mehr als ± 5° der vom Hersteller angegebenen Nennkrümmung betragen.

7.4 Geradheit

Bei Prüfung nach 16.4 darf die Abweichung von der Geradheit eines geraden Innenrohrs 1 % der Prüflänge betragen.

7.5 Rechtwinkligkeit der Rohrenden

Bei Prüfung nach 16.5 darf die Abweichung von der Rechtwinkligkeit der Enden von geraden Innenrohren nicht mehr als 30 mm/m eines Neigungswinkels betragen.

7.6 Abweichung von der Querschnittsform

Bei Prüfung nach 16.6 darf die Abweichung der Rechtwinkligkeit der Winkel und die Ebenheit der Wände von geraden Innenrohren mit quadratischem oder rechteckigem Querschnitt nicht mehr als 5 % der vom Hersteller angegebenen lichten Nennbreite betragen.

7.7 Fugen

Die Bemessung und die Maße der Fugen müssen den Angaben des Herstellers entsprechen, um eine ausreichende Verbindung zu ergeben.

17 Bezeichnung

Für die Bezeichnung von Innenrohren ist Folgendes zu verwenden:

Benennung

Normnummer

Nennmaß

Typ oder Typen

Nennwinkel der Krümmung (falls zutreffend)

BEISPIEL:

Innenrohr EN 1457 - 300 - A1N2

- Benennung: Innenrohr
- Normnummer: EN 1457
- Nennmaß: 300
- Typen: A1N2

18 Kennzeichnung

Alle Innenrohre sind wie folgt zu kennzeichnen:

- EN 1457;
- Herstellername und Herstellungsdatum;
- Nummer des Typs oder Nummern der Typen.

ANMERKUNG Für die CE-Kennzeichnung und Beschilderung siehe Anhang ZA.3 im Anhang ZA.

Porenbetonsteine

Plansteine und Planelemente mit besonderen Eigenschaften

Auszug aus **DIN V 4165-100** (10.2005)

Inhalt

Vorwort

Diese Vornorm wurde vom Normenausschuss Bauwesen (NABau), Fachbereich 06 „Mauerwerksbau“, Arbeitsausschuss 06.02.00 Koordinierungsausschuss „Mauersteine“ in Verbindung mit dem Arbeitsausschuss 06.11.00 „Wandbetonsteine und -platten aus Porenbeton“ erarbeitet.

Eine Vornorm ist das Ergebnis einer Normungsarbeit, das wegen bestimmter Vorbehalte zum Inhalt oder wegen des gegenüber einer Norm abweichenden Aufstellungsverfahrens vom DIN noch nicht als Norm herausgegeben wird.

Zur vorliegenden Vornorm wurde kein Entwurf veröffentlicht.

Erfahrungen mit dieser Vornorm sind erbeten

- vorzugsweise als Datei per E-Mail an nabau@din.de in Form einer Tabelle. Die Vorlage dieser Tabelle kann im Internet unter www.din.de/stellungnahme abgerufen werden;
- oder in Papierform an den Normenausschuss Bauwesen (NABau) im DIN, 10772 Berlin (Hausanschrift: Burggrafenstraße 6, 10787 Berlin).

Da der harmonisierte Teil der Europäischen Norm DIN EN 771-4:2005-05, der die mit der CE-Kennzeichnung zu deklarierenden Mauersteineigenschaften umfasst, nicht alle Anforderungen beinhaltet, die in Deutschland für die Verwendung von Porenbetonsteinen nach DIN 1053-1, DIN 1053-3, DIN 1053-4 und DIN 1053-100 gelten, sind diese zusätzlichen Anforderungen in dieser Vornorm enthalten.

Wenn CE-gekennzeichnete Porenbetonsteine zusätzlich mit dieser Vornorm übereinstimmen, dürfen Porenbetonsteine ohne Beachtung der für ausschließlich CE-gekennzeichnete Porenbetonsteine für die Verwendung in Deutschland in DIN V 20000-404 festgelegten Verwendungsregeln verwendet werden.

1 Anwendungsbereich

Porenbeton-Plansteine und -Planelemente sind Mauersteine bzw. Elemente für tragendes und nichttragendes Mauerwerk. Für die Herstellung von Mauerwerk aus Porenbeton-Plansteinen gelten DIN 1053 und DIN 4103-1.

Diese Vornorm gilt für die nachfolgend aufgeführten Porenbetonsteine der Kategorie I nach DIN EN 771-4:

- Plansteine;
- Planelemente.

Die Vornorm gilt nicht für

- Blocksteine;
- Bauplatten.

Die Verwendung von Planelementen bedarf nach den bauaufsichtlichen Vorschriften eines besonderen Nachweises der Verwendbarkeit, z. B. durch eine allgemeine bauaufsichtliche Zulassung[1)].

3 Begriffe

Für die Anwendung dieses Dokuments gelten die Begriffe nach DIN EN 771-4 und die folgenden Begriffe.

Dampfgehärteter Porenbeton
feinporiger Beton, der aus Zement und/oder Kalk und fein gemahlenen oder feinkörnigen, kieselsäurehaltigen Stoffen unter Verwendung von porenbildenden Zusätzen, Wasser und gegebenenfalls Zusatzmitteln hergestellt und in gespanntem Dampf gehärtet wird

Planstein
abgesehen von Griffhilfen und Hantierlöchern quaderförmiger Vollstein mit einer Steinhöhe $\leq$ 249 mm, der aus dampfgehärtetem Porenbeton hergestellt wird und in Dünnbettmörtel zu versetzen ist

Planelement
abgesehen von Griffhilfen und Hantierlöchern quaderförmiger Vollstein mit einer Höhe $>$ 249 mm und einer Länge $\geq$ 499 mm, der aus dampfgehärtetem Porenbeton hergestellt wird und in Dünnbettmörtel zu versetzen ist

Blockstein
großformatiger Vollstein, der aus dampfgehärtetem Porenbeton hergestellt wird und in Normal- oder Leichtmauermörtel zu versetzen ist

Bauplatte
Porenbetonstein für nichttragende innere Trennwände, an den erhöhte Anforderungen hinsichtlich der Grenzabmaße für die Höhe und keine Anforderungen an die Druckfestigkeit gestellt werden

4 Anforderungen

4.1 Allgemeines

Porenbetonsteine müssen DIN EN 771-4 entsprechen.

Die nach den Prüfnormen der Reihe DIN EN 772 bestimmten Eigenschaften der Porenbetonsteine werden in Abhängigkeit vom vorgesehenen Anwendungsbereich und von der Art des Porenbetonsteins nachfolgend Stufen und Klassen, Vorzugsmaßen usw. zugeordnet.

1) Allgemeine bauaufsichtliche Zulassungen werden vom Deutschen Institut für Bautechnik, Berlin, erteilt.

4.2 Ausgangsstoffe und Herstellung

Es gilt DIN EN 771-4:2005-05, Abschnitt 4.

4.3 Form, Maße, Grenzabmaße

4.3.1 Allgemeines

Es gilt DIN EN 771-4:2005-05, 5.2.1, 5.2.2 und 5.3.

Für die Verwendung mit Dünnbettmörtel müssen Porenbetonsteine mindestens der Abmaßklasse TLMB nach DIN EN 771-4 entsprechen.

Zusätzlich zu DIN EN 771-4 müssen Porenbetonsteine 4.3.2 bis 4.3.4 entsprechen.

4.3.2 Maße und Grenzabmaße

Plansteine müssen den Festlegungen nach Tabelle A.1, Planelemente den Festlegungen nach Tabelle A.2 entsprechen.

4.3.3 Griffhilfen und Grifföffnungen

An den Stirnseiten der Porenbeton-Plansteine dürfen Grifföffnungen und Grifftaschen mit einem auf die Lagerfläche bezogenen Flächenanteil von höchstens 5 % angeordnet werden. Der Flächenanteil darf bis zu 10 % betragen, wenn die Grifföffnungen und die Grifftaschen nur im oberen Drittel der Steinhöhe angeordnet werden.

An den Stirnseiten der Porenbeton-Planelemente dürfen Greifnuten mit einem Flächenanteil von höchstens 3 % oder/und zwei Hantierlöcher in der Lagerfläche mit einem Durchmesser ≤ 40 mm, einer maximalen Lochtiefe von 180 mm, einem minimalen Achsabstand von 125 mm und einem Abstand zur Stirnseite von mindestens 60 mm angeordnet werden. Der Flächenanteil von Greifnuten und Hantierlöchern darf insgesamt 10 % der Lagerfläche nicht überschreiten.

4.3.4 Ausbildung der Stirnseiten

Die Stirnseiten der Porenbeton-Plansteine und Porenbeton-Planelemente dürfen ebenflächig ausgeführt oder mit Nut- und Federausbildung versehen sein. Nut- und Federsysteme an den Stirnseiten müssen so ausgeführt sein, dass die Nuttiefe 16 mm nicht überschreitet. Federbreite und -tiefe dürfen allseitig höchstens 5 mm kleiner sein als die entsprechenden Maße der Nut.

4.4 Rohdichte

Es gilt DIN EN 771-4:2005-05, 5.4.

Zusätzlich zu DIN EN 771-4 müssen die vom Hersteller deklarierten Kleinst-, Mittel- und Größtwerte der Bruttotrockenrohdichte der entsprechenden Rohdichteklasse nach Tabelle A.3 zugeordnet werden.

4.5 Druckfestigkeit

Es gilt DIN EN 771-4:2005-05, 5.5, wobei bei der Prüfung an Würfeln die Kantenlänge der Würfel 100 mm betragen muss.

Zusätzlich muss die bei der Prüfung ermittelte mittlere Steindruckfestigkeit einer Druckfestigkeitsklasse entsprechend Tabelle A.3 zugeordnet werden. Für die Zuordnung der deklarierten mittleren Steindruckfestigkeit $f_{st,1}$ zu den Druckfestigkeitsklas-

F

sen ist der Wert $f_{st,1}$ zunächst mit dem Faktor k_1 nach Tabelle A.4 zur Berücksichtigung des Einflusses von Grifföffnungen und Grifftaschen zu multiplizieren. Der Faktor k_1 ist in Abhängigkeit von dem auf die Lagerfläche (Länge × Breite) der Porenbetonsteine bezogenen Flächenanteil A_L von Grifföffnungen und/oder Grifftaschen und deren Anordnung über die Steinhöhe (siehe auch 4.3.3) angegeben.

Die Mindestwerte $f_{st,min} = k_1 \times f_{st,1}$ für die Zuordnung zu einer Druckfestigkeitsklasse sind in Abhängigkeit von der Steinhöhe Tabelle A.5 zu entnehmen. Dabei ist zu unterscheiden, ob die mittlere Steindruckfestigkeit $f_{st,1}$ aufgrund von Prüfungen an ganzen Steinen oder an Würfeln nach DIN EN 771-4:2005-05, B.2 deklariert wurde. Der Wert $f_{st,min} = k_1 \times f_{st,1}$ muss mindestens 2,5 N/mm² betragen.

5 Bezeichnung und Kennzeichnung

Es gilt DIN EN 771-4:2005-05, Abschnitte 6 und 7.

Zusätzlich zu DIN EN 771-4 müssen Porenbetonsteine 5.1 und 5.2 entsprechen.

5.1 Bezeichnung

Porenbeton-Plansteine und -Planelemente sind in der Reihenfolge Benennung, DIN-Hauptnummer, Steinart und Festigkeitsklasse, Rohdichteklasse und Maße zu bezeichnen.

a) Bezeichnung eines Porenbeton-Plansteins (PP) der Festigkeitsklasse 2, der Rohdichteklasse 0,40, der Steinlänge 499 mm, der Steinbreite 300 mm und der Steinhöhe 249 mm:

Porenbeton-Planstein DIN V 4165 – PP2 – 0,40 – 499 × 300 × 249

b) Bezeichnung eines Porenbeton-Planelements (PPE) der Festigkeitsklasse 4, der Rohdichteklasse 0,60, der Elementlänge 999 mm, der Elementbreite 300 mm und der Elementhöhe 499 mm:

Porenbeton-Planelement DIN V 4165 – PPE4 – 0,60 – 999 × 300 × 499

5.2 Kennzeichnung

Auf mindestens jedem 10. Porenbeton-Planstein oder -Planelement sind Steinart, Maße, Festigkeitsklasse, Rohdichteklasse und das Herstellerkennzeichen anzugeben. Die Kennzeichnung von Steinart, Maßen sowie Festigkeits- und Rohdichteklasse nach Tabelle A.3 kann durch Stempelung mit schwarzer Farbe oder durch Prägung erfolgen. Alternativ kann als Kennzeichnung von Steinart, Maßen sowie Festigkeits- und Rohdichteklasse nach Tabelle A.3 eine Farbstempelung vorgesehen werden, wobei die Rohdichteklasse in der für die Festigkeitsklasse festgelegten Farbe entsprechend Tabelle A.6 abzustempeln ist.

Werden Porenbeton-Plansteine und -Planelemente paketiert, genügt es, wenn die Kennzeichnung auf der Verpackung, auf einem im Paket außen beiliegenden Stein bzw. Element oder auf einem beigefügten Beipackzettel vorgenommen wird.

6 Konformitätsbewertung und -bescheinigung

Für die Konformitätsbewertung gilt DIN EN 771-4:2005-05, Abschnitt 8.

Die Übereinstimung der Porenbetonsteine mit dieser Vornorm ist durch den Hersteller durch Ausstellen einer Übereinstimmungserklärung zu bestätigen.

ANMERKUNG Der Hersteller darf die Übereinstimmung auch auf der Grundlage einer Fremdüberwachung entsprechend Anhang B erklären.

7 Lieferschein

Nach dieser Vornorm hergestellte Porenbetonsteine sind mit Lieferscheinen auszuliefern, die folgende Angaben enthalten:

a) Hersteller und Werk;

b) Herstellerzeichen;

c) Anzahl und Bezeichnung der gelieferten Porenbeton-Plansteine bzw. -Planelemente nach Abschnitt 5;

d) Tag der Lieferung;

e) Empfänger.

F

Anhang A

(normativ)

Anforderungen an Geometrie, Rohdichte und Druckfestigkeit

Tabelle A.1: Maße und Grenzabmaße für Porenbeton-Plansteine

Maße in mm

Steinlänge[a, b] ± 1,5	Steinbreite ± 1,5	Steinhöhe[c] ± 1,0
	115	
	120	
249	125	
299	150	124
312	175	149
332	200	164
374	240	174
399	250	186
499	300	199
599	365	249
624	375	
	400	
	500	

[a] Bei Steinen mit Nut-Federausbildungen gelten die Maße als Abstand der Stirnflächen ohne Berücksichtigung von Nut und Feder.
[b] Zwischenlängen sind möglich.
[c] Die Nennmaße dürfen innerhalb eines Herstellwerkes auch um 1 mm reduziert werden.

Tabelle A.2: Maße und Grenzabmaße für Porenbeton-Planelemente

Maße in mm

Elementlänge[a] ± 1,5	Elementbreite ± 1,5	Elementhöhe[b] ± 1,0
	115	
499	125	
599	150	
624	175	
749	200	374
999	240	499
1 124	250	599
1 249	300	624
1 374	365	
1 499	375	
	400	
	500	

[a] Bei Elementen mit Nut-Federausbildungen gelten die Maße als Abstand der Stirnflächen ohne Berücksichtigung von Nut und Feder.
[b] Die Nennmaße dürfen innerhalb eines Herstellwerkes auch um 1 mm reduziert werden.

Tabelle A.3: Druckfestigkeitsklassen, Druckfestigkeit, Rohdichteklasse, Rohdichte

Spalte	1	2	3	4	5
Zeile	Druck-festigkeits-klasse	Druckfestigkeit		Rohdichte-klasse	Mittlere Rohdichte[a] kg/dm²
		Mittelwert min. N/mm²	Kleinster Einzelwert N/mm²		
1	2	2,5	2,0	0,35 0,40 0,45 0,50	> 0,30 bis 0,35 > 0,35 bis 0,40 > 0,40 bis 0,45 > 0,45 bis 0,50
2	4	5,0	4,0	0,55 0,60 0,65 0,70 0,80	> 0,50 bis 0,55 > 0,55 bis 0,60 > 0,60 bis 0,65 > 0,65 bis 0,70 > 0,70 bis 0,80
3	6	7,5	6,0	0,65 0,70 0,80	> 0,60 bis 0,65 > 0,65 bis 0,70 > 0,70 bis 0,80
4	8	10,0	8,0	0,80 0,90 1,00	> 0,70 bis 0,80 > 0,80 bis 0,90 > 0,90 bis 1,00

[a] Einzelwerte dürfen die Klassengrenzen bei den Rohdichteklassen $< 0{,}70$ um nicht mehr als 0,03 kg/dm^3, bei den Rohdichteklassen $\geq 0{,}70$ um nicht mehr als 0,05 kg/dm^3 über- oder unterschreiten.

Tabelle A.4: Abminderungsfaktoren k_1

Spalte	1	2	3
Zeile	Auf die Lagerfläche bezogener Flächenanteil A_L von Grifföffnungen und Grifftaschen	Abminderungsfaktor k_1	
		Würfelprüfung	Steinprüfung
1	$A_L = 0\,\%$	1,00	1,00
2	$0\,\% < A_L \leq 5\,\%$	0,95 (0,90)[a]	0,98 (0,95)[a]
3	$5\,\% < A_L \leq 10\,\%$	0,90	0,95

[a] Klammerwert gilt bei Steinen mit nicht nur im oberen Drittel der Steinhöhe angeordneten Grifföffnungen/Grifftaschen.

Tabelle A.5: Mindestwerte $f_{st,min} = k_1 \times f_{st,1}$ für die Zuordnung zu Steinfestigkeitsklassen

Spalte	1	2	3	4	5	6
Zeile		Steinhöhe h mm	Mindestwerte $f_{st,min} = k_1 \times f_{st,1}$[a] N/mm² Steinfestigkeitsklasse			
			2	4	6	8
1	Steinprüfung	< 174	2,5	5,6	8,3	11,1
2		$174 \leq h < 248$	2,5	5,1	7,6	10,1
3		≥ 248	2,5	4,6	6,9	9,3
4	Würfelprüfung[b]	≤ 124	2,6	5,4	8,1	10,8
5		$124 < h < 174$	2,6	5,6	8,3	11,1
6		$174 \leq h \leq 199$	2,6	5,2	7,7	10,3
7		$199 < h < 248$	2,6	5,3	8,0	10,6
8		≥ 248	2,6	4,9	7,3	9,8

[a] In den Mindestwerten $f_{st,min} = k_1 \times f_{st,1}$ sind Formfaktoren und Umrechnungs- bzw. Korrekturfaktoren bereits berücksichtigt.

[b] Bei Steinbreiten < 175 mm sind die Mindestwerte mit 1,05 zu multiplizieren.

Tabelle A.6: Kennzeichnung

Druckfestigkeitsklasse	2	4	6	8
Farbe	grün	blau	rot	[a]

[a] Keine Farbkennzeichnung; Kennzeichnung erfolgt nur durch Aufstempelung der Festigkeitsklasse und Rohdichteklasse in schwarzer Farbe.

Baustoffe und Bauteile für dreischalige Hausschornsteine

Formstücke aus Leichtbeton für die Außenschale

nach **DIN 18 147-2** (11.82)

Anwendung

Die Norm gilt für werkmäßig hergestellte Formstücke aus Leichtbeton, die zur Herstellung der Außenschale von dreischaligen Hausschornsteinen mit Dämmstoffschicht und beweglicher Innenschale verwendet werden sollen. Die Schornsteine sind zum Anschluß von Regelfeuerstätten bestimmt.

Die Norm kann auch auf Formstücke für Schornsteingruppen, die lichte Querschnitte für einschalige Schornsteine enthalten, angewendet werden, wenn Folgendes eingehalten wird:

Ausgangsstoffe, Gefüge, Rohdichte und Druckfestigkeit müssen neben den Anforderungen dieser Norm auch den entsprechenden Anforderungen von DIN 18 150-1 genügen. Wenn die lichten Querschnitte für einschalige Schornsteine es erfordern, müssen auch Gasdurchlässigkeit des Betons sowie Form und Maße der Formstücke den Anforderungen von DIN 18 150-1 genügen.

Rohdichte: ≤ 180 kg/dm³ des bei 105 °C getrockneten Betons.

Mindestdruckfestigkeit der Formstücke aus Leichtbeton für die Außenschale

Festigkeitsklasse	Mittelwert in N/mm²	kleinster Einzelwert in N/mm²
ALB 4	5,0	4,0
ALB 6	7,5	6,0
ALB 8	10,0	8,0
ALB 12	15,0	12,0

Bezeichnung: z. B. Formstück DIN 18 147 – ALB 6

Form und Maße

Einzelschornsteine, Schornsteingruppen, Lüftungsschächte

Die Formstücke können für Einzelschornsteine oder für Schornsteingruppen, auch mit verschiedenen lichten Querschnitten, hergestellt werden. Formstücke können auch lichte Querschnitte für einschalige Schornsteine nach DIN 18 150-1 und lichte Querschnitte von Lüftungsschächten für die Entlüftung eines Heizraums oder eines anderen besonderen Aufstellraumes für Feuerstätten enthalten. Schornsteingruppen dürfen höchstens 2 Reihen lichter Querschnitte und höchstens 4 lichte Querschnitte je Reihe haben. Nebeneinanderliegende lichte Querschnitte müssen durch Zungen voneinander getrennt sein.

F

Lichte Querschnitte
von Formstücken, die für Schornsteine bestimmt sind, müssen in Hinblick auf die Maße der Formstücke der Innenschale und der Dämmstoffschicht festgelegt werden. Die lichte Querschnittsfläche eines Lüftungsschachtes darf nicht weniger als 180 cm^2, die kleinste Seitenlänge eines rechteckigen lichten Querschnitts nicht weniger als 10 cm betragen.

Die längere Seite rechteckiger lichter Querschnitte für Lüftungsschächte darf nicht mehr als das 2fache, wenn eine längere Seite an einem Schornstein anliegt, höchstens das 2,5fache der kürzeren Seite betragen.

Wangen und Zungen
können vollwandig oder mit Zellen ausgebildet sein.

Die Länge der Zellen darf höchstens das 5fache der Dicke der dünnsten anliegenden Schale betragen. Die Zellen sind halbkreisförmig zu runden. Sie müssen oben geschlossen sein. Die Stege zwischen den Zellen müssen mindestens eine Breite von $^1/_5$ der Zellenlänge haben.

Mindestdicken der Wangen, Zungen und Schalen von Formstücken aus Leichtbeton für die Außenschale, die Bestandteile von Schornsteinwänden sind, müssen der folgenden Tafel entsprechen.

1	2	3	4
größte Seitenlänge oder Durchmesser der lichten Querschnitte	Mindestdicke in cm		
	Wangen	Zungen	Schalen
bis 40 cm	4,0	3,5	2,5
über 40 bis 60 cm	5,0	3,5	3,0
über 60 bis 80 cm	6,0	4,0	4,0
über 80 bis 100 cm	7,0	4,0	4,0
über 100 cm	8,0	5,0	4,0

Für Zungen neben kreisförmigen lichten Querschnitten genügt jedoch, daß die kleinste Zungendicke mindestens den Werten nach Spalte 4 entspricht.

Vollwandige Wangen von Lüftungsschächten müssen mindestens 5,0 cm dick sein. Sie müssen jedoch mindestens 2,0 cm dünner als die Mindestwangendicken von Schornsteinformstücken für einschalige Schornsteine nach DIN 18 150-1 mit gleichem lichtem Querschnitt sein. Ausnahme: Der lichte Querschnitt ist rechteckig, und seine längere Seite beträgt mindestens das 1,75fache der kürzeren. Die Dicke vollwandiger Zungen zwischen Lüftungsschächten muß bei einem größten Schachtquerschnitt bis 400 cm^2 mindestens 3,5 cm, bei einem größten Schachtquerschnitt bis 3000 cm^2 mindestens 4,0 cm und bei größeren Schachtquerschnitten mindestens 4,5 cm betragen.

Wangen von Lüftungsschächten mit Zellen und entsprechende Zungen zwischen diesen Lüftungsschächten müssen mindestens 8,0 cm dick sein, die Schalendicke muß mindestens 3/10 der Wangen- bzw. Zungendicke betragen. Die Wangen müssen außerdem mindestens 2,0 cm dünner als die Mindestwangendicken von Schornsteinformstücken für einschalige Schornsteine nach DIN 18 150-1 mit gleichem lichtem Querschnitt sein. Ausnahme: wie oben.

Höhe

Die Höhe der Formstücke muß 24,0; 32,3 oder 49,0 cm betragen.

Hohlwandplatten aus Leichtbeton

Auszug aus **DIN 18 148** (10.2000)

1 Anwendungsbereich

Hohlwandplatten aus Leichtbeton sind für die Herstellung von Wänden und Bauteilen, die überwiegend durch ihr Eigengewicht beansprucht werden, geeignet. Sie werden vorwiegend für die Erstellung leichter Trennwände nach DIN 4103-1 verwendet.

2 Normative Verweisungen

Diese Norm enthält durch datierte oder undatierte Verweisungen Festlegungen aus anderen Publikationen. Diese normativen Verweisungen sind an den jeweiligen Stellen im Text zitiert, und die Publikationen sind nachstehend aufgeführt. Bei datierten Verweisungen gehören spätere Änderungen oder Überarbeitungen dieser Publikationen nur zu dieser Norm, falls sie durch Änderung oder Überarbeitung eingearbeitet sind. Bei undatierten Verweisungen gilt die letzte Ausgabe der in Bezug genommenen Publikation.

DIN 1045	Beton und Stahlbeton – Bemessung und Ausführung.
DIN 1060-1	Baukalk – Teil 1: Definitionen, Anforderungen, Überwachung.
DIN 1164-1	Zement – Teil 1: Zusammensetzung, Anforderungen.
DIN 1164-1/A1	Zement – Teil 1: Zusammensetzung, Anforderungen; Änderung 1.
DIN 4103-1	Nichttragende innere Trennwände – Anforderungen, Nachweise.
DIN 4226-1	Zuschlag für Beton – Zuschlag mit dichtem Gefüge (Leichtzuschlag) – Begriffe, Bezeichnung und Anforderungen.
DIN 4226-2	Zuschlag für Beton – Zuschlag mit porigem Gefüge – Begriffe, Bezeichnung und Anforderungen.
DIN 51 043	Trass – Anforderungen, Prüfung.
DIN EN 450	Flugasche für Beton – Definitionen, Anforderungen und Güteüberwachung; Deutsche Fassung EN 450:1994.
DIN EN 12 878	Pigmente zum Einfärben von zement- und/oder kalkgebundenen Baustoffen – Anforderungen und Prüfung; Deutsche Fassung EN 12 878:1999.

3 Begriffe

Für die Anwendung dieser Norm gelten die folgenden Begriffe:

3.1 Hohlwandplatte aus Leichtbeton (Hpl)

Fünfseitig geschlossener Mauerstein mit Kammern senkrecht zur Lagerfläche.

4 Ausgangsstoffe

4.1 Allgemeines

Hohlwandplatten aus Leichtbeton werden hergestellt aus mineralischen Zuschlägen und hydraulischen Bindemitteln.

Ausgangsstoffe, Mischungsverhältnis, Herstellungsart und Art der Nachbehandlung während des Erhärtens sind so zu wählen, dass die Anforderungen dieser Norm erfüllt werden.

4.2 Bindemittel

Als Bindemittel dürfen nur Zement nach DIN 1164-1 und DIN 1164-1/A1 oder hydraulische Bindemittel verwendet werden, deren Verwendbarkeit durch eine allgemeine bauaufsichtliche Zulassung[1)] nachgewiesen worden ist.

4.3 Zuschläge

Es dürfen nur solche Zuschläge verwendet werden, die sich für die Herstellung von Leichtbeton (siehe DIN 1045) eignen und DIN 4226-2 entsprechen bzw. deren Verwendbarkeit für diese Hohlwandplatten durch eine allgemeine bauaufsichtliche Zulassung[1)] nachgewiesen ist. Zumischungen von Zuschlägen mit dichtem Gefüge nach DIN 4226-1 sind zulässig; deren Volumenanteil darf höchstens 25 % des verdichteten Betons betragen.

4.4 Zusatzstoffe

Als Zusatzstoffe dürfen nur Baukalk nach DIN 1060-1, Gesteinsmehl nach DIN 4226-1, Trass nach DIN 51 043 und Steinkohlenflugasche nach DIN EN 450 als Betonzusatzstoff nach DIN 1045 bzw. Zusatzstoffe, deren Verwendbarkeit für diese Hohlwandplatten durch eine allgemeine bauaufsichtliche Zulassung[1)] nachgewiesen ist, verwendet werden.

Die Zugabe von anorganischen Farbstoffen (siehe DIN EN 12 878) ist zulässig, soweit hierdurch die Eigenschaften der Hohlwandplatten nicht ungünstig beeinflusst werden.

4.5 Zusatzmittel

Es dürfen nur Betonzusatzmittel mit allgemeiner bauaufsichtlicher Zulassung[1)] verwendet werden.

F

[1)] Allgemeine bauaufsichtliche Zulassungen werden vom Deutschen Institut für Bautechnik, Berlin, erteilt.

5 Anforderungen

5.1 Form und Maße

5.1.1 Form

Form und Gestalt der Hohlwandplatten richten sich sinngemäß nach Bild 1 und Bild 2. Die Längsstege sind durch mindestens einen inneren Quersteg auszusteifen. Die Stirnseiten können ebenflächig oder mit Nuten bzw. Nut- und Federausbildung versehen sein.

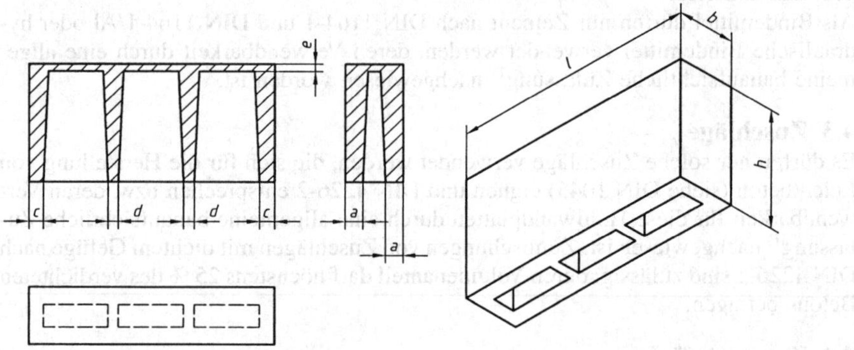

Bild 1. Hohlwandplatte aus Leichtbeton, ohne Stirnseitennut (Beispiel)

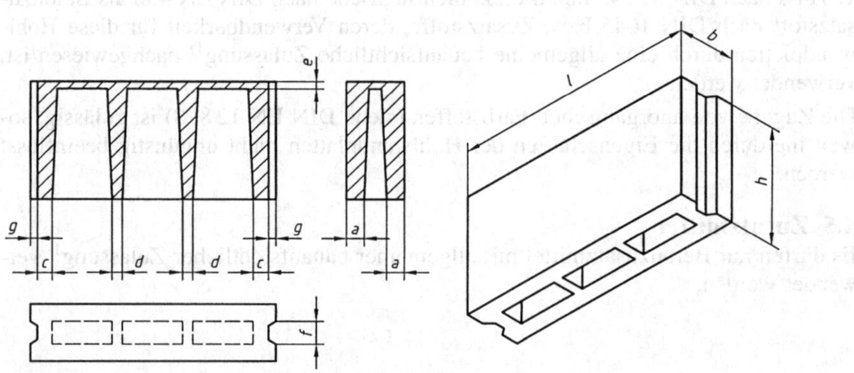

Bild 2. Hohlwandplatte aus Leichtbeton, mit Stirnseitennut (Beispiel)

5.1.2 Maße

Für die Außenmaße und Grenzabmaße der Hohlwandplatten aus Leichtbeton gilt Tabelle 1. Die Mindestmaße der Stege und der Abdeckung müssen Tabelle 2 entsprechen. Ergänzungsplatten zur Herstellung eines sachgerechten Mauerverbandes sind zulässig.

Tabelle 1: Außenmaße der Hohlwandplatten aus Leichtbeton Maße in mm

Formatkurzzeichen	Länge l ± 3	Breite b ± 3	Höhe h ± 4
10	490[a]	100	238
10x			175
11,5		115	238
11,5x			175

Bei Nut- und Federausbildung an den Stirnseiten muss eine einwandfreie Verzahnung der Stoßflächen sichergestellt werden.

[a] Hohlwandplatten mit Stirnseitennut auch 495 mm.

Tabelle 2: Maße von Stegen, Abdeckung und Stirnseitennuten Maße in mm

Breite b ± 3	Stegdicken a min.	Stegdicken c min.	Stegdicken d min.	Abdeckung e min.	Stirnseitennut f	Stirnseitennut g
100	30	30	20[a]	15	45	15[b]
115	35					

[a] Bei nur einem inneren Quersteg $d \geq 30$ mm.

[b] Bei Plattenlänge von 495 mm muss die Stirnseitennut 20 mm tief sein.

5.2 Plattenrohdichte

Die Mittelwerte der Plattenrohdichte der Hohlwandplatten aus Leichtbeton müssen für die jeweilige Rohdichteklasse innerhalb der in Tabelle 3 angegebenen Grenzen liegen. Einzelwerte dürfen die Klassengrenzen um nicht mehr als 0,10 kg/dm³ unter- bzw. überschreiten.

Tabelle 3: Plattenrohdichte

Rohdichteklasse	Mittelwert der Plattenrohdichte[a] kg/dm³
0,6	0,51 bis 0,60
0,7	0,61 bis 0,70
0,8	0,71 bis 0,80
0,9	0,81 bis 0,90
1,0	0,91 bis 1,00
1,2	1,01 bis 1,20
1,4	1,21 bis 1,40

[a] Ermittlung nach 8.2.1.

5.3 Druckfestigkeit

Die Hohlwandplatten aus Leichtbeton müssen spätestens 28 Tage nach der Herstellung bzw. beim Verlassen des Herstellwerkes eine Druckfestigkeit von mindestens 2,5 N/mm^2 im Mittel – Einzelwert mindestens 2,0 N/mm^2 – haben.

6 Bezeichnung

Hohlwandplatten aus Leichtbeton (Hpl) sind in der Reihenfolge Benennung, DIN-Nummer, Kurzzeichen der Hohlwandplatten, Rohdichteklasse und Formatkurzzeichen zu bezeichnen.

BEISPIEL: Bezeichnung einer Hohlwandplatte aus Leichtbeton (Hpl) mit 0,80 kg/dm^3 Plattenrohdichte (0,80) und Formatkurzzeichen 11,5:

Hohlwandplatte aus Leichtbeton DIN 18148 – Hpl 0,8 – 11,5

Die Hohlwandplatten aus Leichtbeton dürfen auch nach den verwendeten Zuschlägen benannt werden, wenn der Volumenanteil der anderen Zuschläge 15 % des verdichteten Betons nicht überschreitet.

7 Kennzeichnung

Jede Liefereinheit (z. B. Plattenpaket) oder mindestens jede 50. Hohlwandplatte ist mit der Rohdichteklasse und einem Herstellerkennzeichen zu versehen.

10 Lieferschein

Nach dieser Norm hergestellte und überwachte Hohlwandplatten aus Leichtbeton sind mit Lieferscheinen auszuliefern, die folgende Angaben enthalten:

a) Hersteller und Werk;

b) Herstellerzeichen (Werkzeichen);

c) Anzahl und Bezeichnung der gelieferten Hohlwandplatten nach Abschnitt 6;

d) einheitliches Übereinstimmungszeichen;

e) Tag der Lieferung;

f) Empfänger.

Hohlblöcke aus Leichtbeton

Hohlblöcke mit besonderen Eigenschaften

Auszug aus **DIN V 18151-100** (10.2005)

Inhalt

F

Vorwort

Diese Vornorm wurde vom Normenausschuss Bauwesen (NABau), Fachbereich 06 „Mauerwerksbau“, Arbeitsausschuss 06.02.00, Koordinierungsausschuss „Mauersteine“ in Verbindung mit dem Arbeitsausschuss 06.10.00 „Beton-, Leichtbeton-Mauersteine und Leichtbeton-Wandbauplatten“ erarbeitet.

Eine Vornorm ist das Ergebnis einer Normungsarbeit, das wegen bestimmter Vorbehalte zum Inhalt oder wegen des gegenüber einer Norm abweichenden Aufstellungsverfahrens vom DIN noch nicht als Norm herausgegeben wird.

Zur vorliegenden Vornorm wurde kein Entwurf veröffentlicht. Erfahrungen mit dieser Vornorm sind erbeten

– vorzugsweise als Datei per E-Mail an nabau@din.de in Form einer Tabelle. Die Vorlage dieser Tabelle kann im Internet unter www.din.de/stellungnahme abgerufen werden;
– oder in Papierform an den Normenausschuss Bauwesen (NABau) im DIN, 10772 Berlin (Hausanschrift: Burggrafenstraße 6, 10787 Berlin).

Da der harmonisierte Teil der Europäischen Norm DIN EN 771-3:2005-05, der die mit der CE-Kennzeichnung zu deklarierenden Mauersteineigenschaften umfasst, nicht alle Anforderungen beinhaltet, die in Deutschland für die Verwendung von Hohlblöcken nach DIN 1053 gelten, sind diese zusätzlichen Anforderungen in dieser Vornorm enthalten.

Wenn CE-gekennzeichnete Hohlblöcke zusätzlich mit dieser Vornorm übereinstimmen, dürfen diese Hohlblöcke ohne Beachtung der für ausschließlich CE-gekennzeichnete Mauersteine für die Verwendung in Deutschland in DIN V 20000-403 festgelegten Verwendungsregeln verwendet werden.

1 Anwendungsbereich

Diese Vornorm gilt für Mauersteine aus Beton nach DIN EN 771-3, die als Mauersteine für tragendes und nichttragendes Mauerwerk, vorwiegend zur Erstellung von Außen- und Innenwänden, verwendet werden.

Diese Vornorm legt die Anforderungen an Mauersteine aus Beton fest, die durch CE-gekennzeichnete Mauersteine aus Beton nach DIN EN 771-3 für eine direkte Verwendung für Mauerwerk nach DIN 1053 zusätzlich zu erfüllen sind.

Diese Vornorm gilt nur für die nachfolgend aufgeführten Mauersteine aus Beton der Kategorie I nach DIN EN 771-3:

– Hohlblöcke aus Leichtbeton;
– Plan-Hohlblöcke aus Leichtbeton.

ANMERKUNG Der Begriff „Hohlblock“ schließt nachfolgend, wenn nichts anderes angegeben ist, Plan-Hohlblöcke mit ein.

Die Verwendung von Plan-Hohlblöcken bedarf eines besonderen Verwendbarkeitsnachweises, z. B. einer allgemeinen bauaufsichtlichen Zulassung[1)].

3 Begriffe

Für die Anwendung dieses Dokuments gelten die Begriffe nach DIN EN 771-3 und die folgenden Begriffe.

Hohlblock
Hbl
fünfseitig geschlossener Mauerstein aus Leichtbeton mit Kammern senkrecht zur Lagerfläche, mit einer Sollhöhe $\leq$ 238 mm, einer Abdeckung (oberhalb der Kammern) mit einer Dicke von mindestens 10 mm, zur Vermauerung mit Normal- oder Leichtmauermörtel

Plan-Hohlblock
Hbl-P
fünfseitig geschlossener Mauerstein aus Leichtbeton mit Kammern senkrecht zur Lagerfläche, mit einer Sollhöhe von $\leq$ 249 mm, einer Abdeckung (oberhalb der Kammern) mit einer Dicke von mindestens 10 mm, zur Vermauerung mit Dünnbettmörtel

4 Anforderungen

4.1 Allgemeines

Die Hohlblöcke müssen DIN EN 771-3 entsprechen.

Die nach den Prüfnormen der Reihe DIN EN 772 bestimmten Eigenschaften der Hohlblöcke aus Leichtbeton werden in Abhängigkeit vom vorgesehenen Verwendungsbereich und der Art des Mauersteins nachfolgend Stufen und Klassen, Vorzugsmaßen, Lochungsarten usw. zugeordnet.

4.2 Ausgangsstoffe

4.2.1 Allgemeines

Alle Ausgangsstoffe müssen den Anforderungen nach DIN EN 771-3:2005-05, Abschnitt 4 entsprechen.

Zusätzlich gelten die nachfolgenden Festlegungen.

4.2.2 Bindemittel

Als Bindemittel dürfen nur Zemente nach DIN EN 197-1 und DIN 1164-10 verwendet werden.

F

1) Allgemeine bauaufsichtliche Zulassungen werden vom Deutschen Institut für Bautechnik, Berlin, erteilt.

4.2.3 Gesteinskörnungen

Es dürfen nur Gesteinskörnungen nach DIN EN 13055-1 in Verbindung mit DIN V 20000-104 und nach DIN EN 12620 in Verbindung mit DIN V 20000-103 verwendet werden.

Bei Hohlblöcken aus Leichtbeton darf der Volumenanteil von Gesteinskörnungen mit dichtem Gefüge nach DIN EN 12620 bei Rohdichteklassen $\leq 1{,}2$ höchstens 15 % und bei Rohdichteklassen $> 1{,}2$ und $\leq 1{,}6$ höchstens 25 % des verdichteten Betons betragen.

4.2.4 Zusatzstoffe

Es dürfen nur:

a) Baukalk nach DIN EN 459-1

b) Gesteinsmehle nach DIN EN 12620

c) Trass nach DIN 51043

d) Flugasche nach DIN EN 450

verwendet werden bzw. Zusatzstoffe, deren Verwendbarkeit für die Hohlblöcke durch eine allgemeine bauaufsichtliche Zulassung[1)] nachgewiesen ist.

Die Zugabe von anorganischen Farbstoffen nach DIN EN 12878 ist zulässig, soweit hierdurch die Eigenschaften der Hohlblöcke nicht ungünstig beeinflusst werden.

4.2.5 Zusatzmittel

Es dürfen nur Betonzusatzmittel nach DIN EN 934-2 mit den nach DIN V 20000-100 für Stahlbeton geltenden Verwendungsregeln oder Zusatzmittel, deren Verwendbarkeit durch eine allgemeine bauaufsichtliche Zulassung[1)] nachgewiesen ist, verwendet werden.

4.3 Form

Es gilt DIN EN 771-3:2005-05, 5.3.

Zusätzlich gilt:

Hohlblöcke sollen die Gestalt eines von Rechtecken begrenzten Körpers haben. Die Stirnseiten können ebenflächig, mit Aussparungen (Stirnseitennuten) und/oder mit Nut- und Federausbildung versehen sein (siehe Bilder A.1 bis A.9).

4.4 Löcher und Stege (innere Geometrie)

4.4.1 Löcher und Stege

Es gilt DIN EN 771-3:2005-05, 5.3.2 und 5.3.3.

Zusätzlich gelten die Anforderungen nach Tabelle A.3.

Die Anordnung und Mindestanzahl von Querstegen bei Hohlblöcken richten sich nach der Steinlänge, der Steinbreite und Kammeranzahl und müssen Bild A.9 entsprechen. Die Kammern müssen gleichmäßig verteilt angeordnet werden. Die inneren Querstege von 370 mm und 495 mm langen Drei-, Vier-, Fünf- und Sechskammer-

---

1) Allgemeine bauaufsichtliche Zulassungen werden vom Deutschen Institut für Bautechnik, Berlin, erteilt.

Hohlblöcken sind gegeneinander zu versetzen. Das Versetzen der inneren Querstege ist auch bei anderen Hohlblöcken zulässig.

Hohlblöcke mit ebenflächigen Stirnseiten und der Länge 240 mm (siehe Bild A.9 e)), die grundsätzlich auch um 90° gedreht (Steinlänge gleich Wanddicke) vermauert werden dürfen, müssen je Kammerreihe mindestens einen Quersteg, längere Hohlblöcke mit ebenflächigen Stirnseiten je Kammerreihe mindestens zwei innere Querstege aufweisen.

4.4.2 Grifflöcher

Es gilt DIN EN 771-3:2005-05, 5.3.1 und 5.3.3.

Zusätzlich gilt:

Hohlblöcke dürfen Öffnungen enthalten, und zwar in Form von Hantier- bzw. Grifflöchern und/oder Versetzlöchern, die auf der Mittellängsachse zum maschinellen Versetzen angeordnet sind.

4.5 Maße

4.5.1 Allgemeines

Es gilt DIN EN 771-3:2005-05, 5.2.

Zusätzlich zu DIN EN 771-3 müssen die Hohlblöcke 4.5.2 und 4.5.3 entsprechen.

4.5.2 Nennmaße, Mindest- und Höchstmaße

Die Hohlblöcke müssen den Festlegungen der Tabellen A.1 und A.2 entsprechen. Die Steinlängen sind in Tabelle A.1 als Systemlängen l_s angegeben, mit denen sich die zulässigen Steinlängen l nach Tabelle A.2 ergeben.

Die Lagerflächen von Plan-Hohlblöcken (Hbl-P) müssen eben und planparallel sein. Die Abweichung von der Ebenheit der Lagerfläche darf nicht mehr als 1,0 mm betragen. Die Abweichung von der Planparallelität der Lagerflächen darf 1,0 mm nicht überschreiten.

4.5.3 Stirnseitennuten, Nut- und Federausbildung

Die Stirnseiten der Hohlblöcke dürfen ebenflächig, mit Aussparung (Stirnseitennut) und/oder mit Nut- und Federausbildung versehen sein. Hohlblöcke mit Stirnseitennuten müssen mindestens an einer Stirnseite Stirnseitennuten aufweisen. Die Maße und Grenzabmaße der Stirnseitennuten sind in Tabelle A.3 angegeben. Eine Nut- und Federausbildung an den Stirnseiten muss eine einwandfreie Verzahnung der Stoßflächen sicherstellen.

4.6 Rohdichte

4.6.1 Allgemeines

Es gilt DIN EN 771-3:2005-05, 5.4.

Zusätzlich zu DIN EN 771-3 müssen die Hohlblöcke 4.6.2 entsprechen.

4.6.2 Bruttotrockenrohdichte (Steinrohdichte)

Für die Zuordnung in Steinrohdichteklassen gilt Tabelle A.4.

F

Die Mittelwerte der Bruttotrockenrohdichten müssen für die jeweiligen Rohdichteklassen innerhalb der in Tabelle A.4 angegebenen Grenzen liegen.

4.7 Druckfestigkeit

4.7.1 Allgemeines

Es gilt DIN EN 771-3:2005-05, 5.5.1.

Zusätzlich zu DIN EN 771-3 müssen die Hohlblöcke 4.7.2 entsprechen.

4.7.2 Druckfestigkeit senkrecht zur Lagerfuge

Für die Zuordnung der mittleren Druckfestigkeit zu Festigkeitsklassen müssen die Formfaktoren f der Tabelle A.5 unter Bezug auf die deklarierte mittlere Steindruckfestigkeit $f_{st,1}$ angesetzt werden (siehe Gleichung (1)).

$$f_{st} = f_{st,1} \times f \qquad (1)$$

Dabei ist

$f_{st,1}$ die auf eine Prüfung im lufttrockenen Zustand umgerechnete mittlere Steindruckfestigkeit;

f_{st} die umgerechnete mittlere Steindruckfestigkeit $f_{st,1}$ einschl. Formfaktor.

Die umgerechnete mittlere Steindruckfestigkeit f_{st} ist der entsprechenden Festigkeitsklasse nach Tabelle A.6 zuzuordnen. Sie muss mindestens 2,5 N/mm^2 betragen.

Falls eine andere Konditionierung als nach DIN EN 771-3:2005-05, 5.5.1.1 (lufttrocken) gewählt wurde, ist die deklarierte mittlere Druckfestigkeit nach DIN EN 772-1:2000-09, Anhang A, auf den lufttrockenen Zustand umzurechnen.

5 Bezeichnung

Es gilt DIN EN 771-3:2005-05, Abschnitt 6.

Zusätzlich zu DIN EN 771-3 müssen die Hohlblöcke den nachfolgenden Festlegungen entsprechen.

Für die verschiedenen Mauersteinarten gelten folgende Kurzzeichen:

Hbl Hohlblöcke

Hbl-P Plan-Hohlblöcke

Bei Stoßfugenausbildung mit Nut und Feder ist die Kurzbezeichnung N+F zu verwenden.

Ist eine Stirnseitennut vorhanden, ist darauf mit der Kurzbezeichnung SN zu verweisen.

Im Fall der Zumischung von Quarzsand zu den Gesteinskörnungen ist die Kurzbezeichnung Q anzugeben.

Hohlblöcke aus Leichtbeton dürfen auch nach den verwendeten Gesteinskörnungen benannt werden, wenn der Volumenanteil der anderen Gesteinskörnungen 15 % des verdichteten Betons nicht überschreitet. Solche mögliche Benennungen sind beispielsweise „Naturbims“ oder „Blähton“.

Hohlblöcke sind in der Reihenfolge DIN-Hauptnummer, Mauersteinart (Kurzzeichen einschl. der Anzahl der Kammerreihen in Steinquerrichtung), Festigkeitsklasse, Rohdichteklasse, Formatkurzzeichen nach Tabelle A.1, zusätzlich Steinmaße aus Länge × Breite × Höhe und evtl. Zusatzangaben (z. B. SN oder N+F) zu bezeichnen.

Bezeichnungsbeispiele:

a) Bezeichnung eines Zweikammer-Hohlblocks aus Leichtbeton zur Vermauerung mit Normal- oder Leichtmauermörtel (2K Hbl), der Festigkeitsklasse 4, der Rohdichteklasse 0,8, des Formats 16 DP, der Länge $l = 497$ mm, der Breite $b = 240$ mm, der Höhe $h = 238$ mm, mit Stirnseitennut (SN):

Hohlblock DIN 18151 – 2K Hbl 4 – 0,8 – 16 DF – 497/240/238 – SN

b) Bezeichnung eines Vierkammer-Hohlblocks aus Leichtbeton zur Vermauerung mit Dünnbettmörtel (4K Hbl-P), der Festigkeitsklasse 2, der Rohdichteklasse 0,50, des Formats 10 DF, der Länge $l = 247$ mm, der Breite $b = 300$ mm, der Höhe $h = 248$ mm, mit Nut und Feder (N+F):

Hohlblock DIN 18151 – 4K Hbl-P 2 – 0,50 – 10 DF – 247/300/248 – N+F

6 Kennzeichnung

Es gilt DIN EN 771-3:2005-05, Abschnitt 7.

Zusätzlich gilt:

Auf mindestens jedem 50. Hohlblock sind Steinart, Maße, Festigkeitsklasse, Rohdichteklasse und das Hersteller-Kennzeichen anzugeben. Diese Angaben können auch in Form einer Artikelnummer gemacht werden. Dies kann durch Aufdruck oder Stempelung erfolgen.

Werden Hohlblöcke paketiert, genügt es, wenn die Verpackung oder der Beipackzettel die vorgenannten Angaben enthält.

Die Angabe der Festigkeitsklasse kann entweder auf einer Längsseite durch Nuten, die etwa 10 mm breit, 5 mm tief und mindestens 40 mm lang sein müssen, oder durch eine Farbmarkierung auf der Längs- oder Stirnseite erfolgen. Sind Hohlblöcke durch Farbzeichen und Nuten gekennzeichnet, so gilt die Farbkennzeichnung (siehe Tabelle A.7).

7 Konformitätsbewertung und -bescheinigung

Für die Konformitätsbewertung gilt DIN EN 771-3:2005-05, Abschnitt 8.

Die Übereinstimmung der Hohlblöcke aus Leichtbeton mit dieser Vornorm ist durch den Hersteller durch Ausstellen einer Übereinstimmungserklärung zu bestätigen.

ANMERKUNG Der Hersteller darf die Übereinstimmung auch auf Grundlage einer Fremdüberwachung entsprechend Anhang B erklären.

8 Lieferschein

Es gilt DIN EN 771-3:2005-05.

Zusätzlich sind nach dieser Vornorm hergestellte Mauersteine mit Lieferscheinen, die folgende Angaben enthalten, auszuliefern:

a) Hersteller und Werk;

b) Herstellerzeichen (Werkzeichen);

c) Anzahl und Bezeichnung der gelieferten Mauersteine nach Abschnitt 5;

d) gegebenenfalls Artikelnummer;

e) Rohdichteklasse;

f) Festigkeitsklasse;

g) Tag der Lieferung;

h) Empfänger.

Anhang A

(normativ)

Anforderungen an Geometrie, Rohdichte und Druckfestigkeit

Tabelle A.1: Außenmaße der Hohlblöcke — Maße in mm

Spalte	1	2	3	4	5	6
Zeile	Form	Format-kurzzeichen	Systemlänge l_s	Breite b ± 3	Höhe h	
					Hbl ± 4	Hbl-P ± 1,0
1	1K Hbl	10DF	500	150	238[a]	238 oder 248[b]
2	1K Hbl	9DF	375	175		
3	2K Hbl	12DF	500			
4	2K Hbl	14DF	500	200		
5	2K Hbl 3K Hbl 4K Hbl	8DF	250	240		
6		12DF	375			
7		16DF	500			
8	2K Hbl 3K Hbl 4K Hbl 5K Hbl	10DF	250	300		
9		15DF	375			
10		20DF	500			
11	3K Hbl 4K Hbl 5K Hbl 6K Hbl	12DF	250	365		
12		18DF	375			
13		24DF	500			
14	5K Hbl 6K Hbl	14DF	250	425		
15		16DF		490		

[a] Regional auch 175 mm und 190 mm.

[b] Auch 1 mm größere Höhe zulässig; innerhalb eines Herstellwerkes ist jedoch nur eine Höhe zulässig.

Tabelle A.2: Steinlängen — Maße in mm

Spalte	1	2	3	4
Zeile	Stirnseitenausbildung	Kurzzeichen	Steinlängen l	
			Hbl ± 3	Hbl-P ± 3
1	Stirnseite ebenflächig	–	$l_s - 10$	$l_s - 2$
2	mit Stirnseiten-Nut	SN	$l_s - 5$	–
3	mit Stirnseiten-Nut und Nut und Feder	SN/N+F		
4	mit Nut und Feder (ohne Stirnseitennut)	N+F	$l_s - 3$	$l_s - 3$

F

Tabelle A.3: Maße von Stegen und Stirnseitennuten Maße in mm

Spalte	1	2	3	4	5	6	7	8
Zeile	Form	Hohlblöcke nach Tabelle 1	Außenstege		Innen-stege	Stirnseitennut		
			längs	quer		Breite		Tiefe
		Zeile	a_1 min.	a_2 min.	c min.	d ± 10[c]	Σd_1 ± 10	e ± 3
1	1K Hbl	1 bis 3	50	30	40	50	40	20[d]
2	2K Hbl	2 und 3	35	30	30	75	70	
3		4	50	35	35	100	80	
4		5 bis 7	50	35	35	120	100	
5		8	60	35	40	140	120	
6		9 und 10	50	35	35			
7	3K Hbl	5 bis 7	35[b]	30	30	120	100	
8		8	35	35	35	140	120	
9		9 und 10	35	35	30			
10		11[a]	40	35	35	160	145	
11		12 und 13	35	35	30			
12	4K Hbl	5 bis 7	30	30	30	120	100	
13		8 bis 10	30	30	30	140	120	
14		11[a] bis 13	30	30	30	160	145	
15	5K Hbl	8 bis 10	30	30	25	140	120	
16		11[a] bis 13	30	30	30	160	145	
17		14[a]	35	35	35	180	180	
		15[a]				200	200	
18	6K Hbl	11[a] bis 13	30	30	25	160	145	
19		14[a]	30	30	30	180	180	
		15[a]				200	200	

[a] Für Hohlblöcke nach Tabelle 1, Zeilen 11, 14 und 15 erhöhen sich die Mindeststegdicken um jeweils 5 mm, wenn sie ohne inneren Quersteg hergestellt werden.
[b] Für 240 mm breite Steine der Druckfestigkeitsklasse 2 darf das Stegmaß a_1 30 mm betragen.
[c] Bei Nut- und Federausbildung mit Stirnseitennut +10 mm bis –40 mm.
[d] Bei Steinlängen von 240 mm, 365 mm bzw. 490 mm ist die Stirnseitennut 15 mm tief.

Tabelle A.4: Steinrohdichteklassen

Rohdichteklasse	Mittelwert der Steinrohdichte kg/dm³
0,45	0,41 bis 0,45[a]
0,50	0,46 bis 0,50[a]
0,55	0,51 bis 0,55[a]
0,60	0,56 bis 0,60[a]
0,65	0,61 bis 0,65[a]
0,70	0,66 bis 0,70[a]
0,80	0,71 bis 0,80[b]
0,90	0,81 bis 0,90[b]
1,00	0,91 bis 1,00[b]
1,20	1,01 bis 1,20[b]
1,40	1,21 bis 1,40[b]
1,60	1,41 bis 1,60[b]

[a] Einzelwerte dürfen die Klassengrenzen um nicht mehr als 0,05 kg/dm³ unter- bzw. überschreiten.
[b] Einzelwerte dürfen die Klassengrenzen um nicht mehr als 0,10 kg/dm³ unter- bzw. überschreiten.

Tabelle A.5: Formfaktoren

Nennmaß der Steinhöhe mm	Formfaktor f
> 52 und < 75	0,8
≥ 75 und < 100	0,9
≥ 100 und < 175	1,0
≥ 175 und < 238	1,1[a]
≥ 238	1,2[a]

[a] Gilt nur für die Druckfestigkeitsklassen ≥ 4. Für die Druckfestigkeitsklasse 2 ist $f = 1,0$ einzusetzen.

Tabelle A.6: Druckfestigkeitsklassen

Druckfestigkeitsklasse	Mittlere Mindeststeindruckfestigkeit f_{st} N/mm²	Kleinster Einzelwert N/mm²
2	2,5	2,0
4	5,0	4,0
6	7,5	6,0
8	10,0	8,0
12	15,0	12,0

Tabelle A.7: Kennzeichnung der Druckfestigkeitsklassen

Druckfestigkeitsklasse	Anzahl der Nuten	Farbzeichen
2	–	grün
4	1	blau
6	2	rot
8	–	[a]
12	3	schwarz

[a] Keine Farbkennzeichnung. Kennzeichnung erfolgt durch Aufstempelung der Druckfestigkeitsklasse in schwarzer Farbe.

F

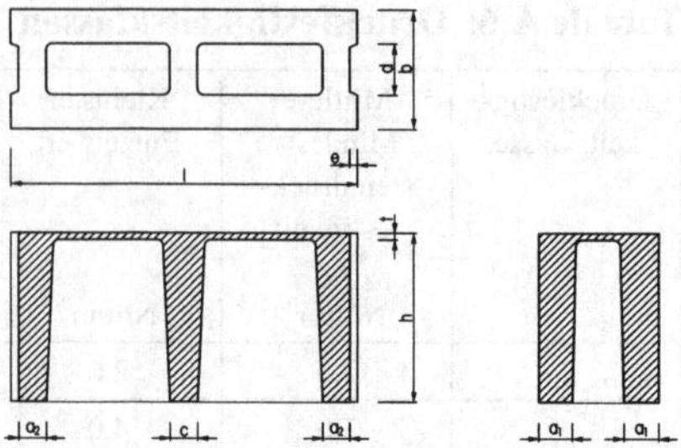

Bild A.1: Einkammer-Hohlblock, 1K Hbl (Beispiel)

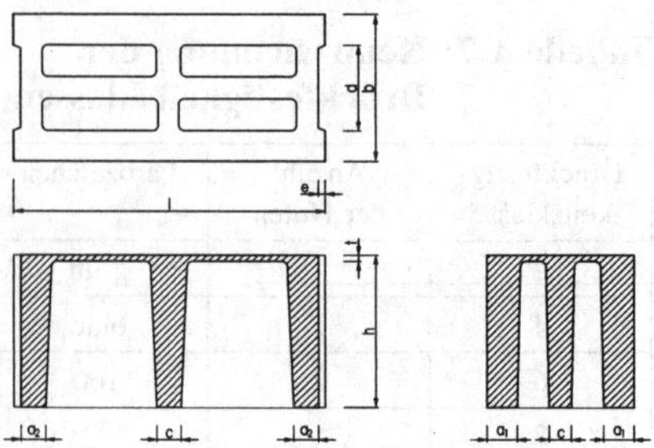

Bild A.2: Zweikammer-Hohlblock 2K Hbl (Beispiel)

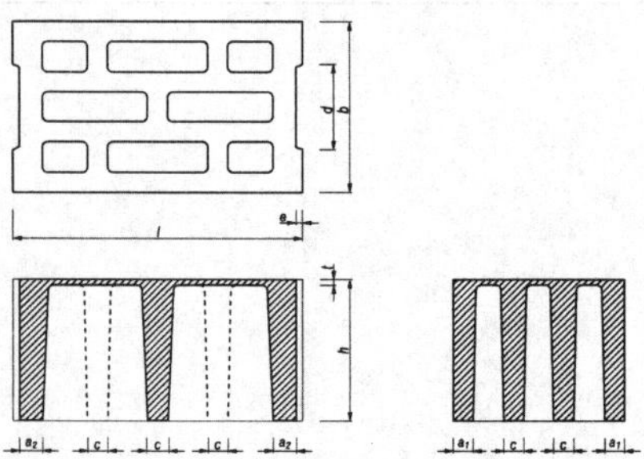

Bild A.3: Dreikammer-Hohlblock, 3K Hbl (Beispiel)

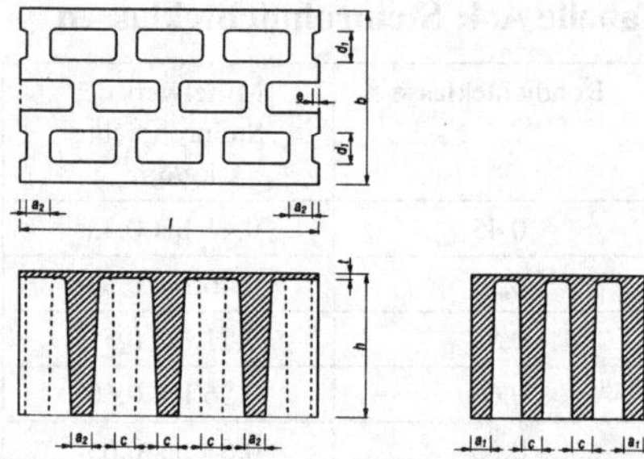

Bild A.4: Dreikammer-Hohlblock, 3K Hbl mit unterbrochenem Außenquersteg (Beispiel)

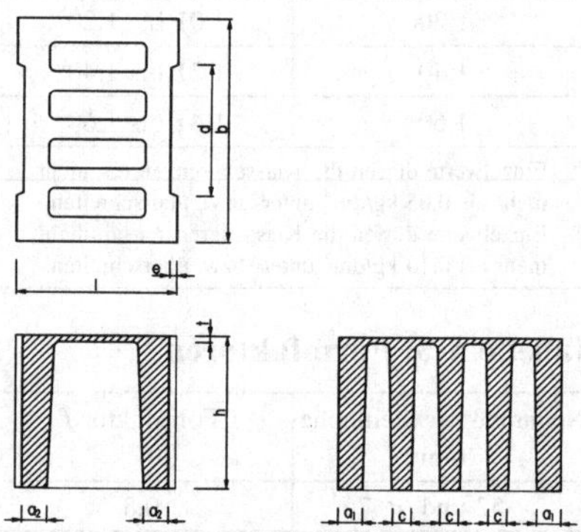

Bild A.5: Vierkammer-Hohlblock a) 4K Hbl (Beispiel 1)

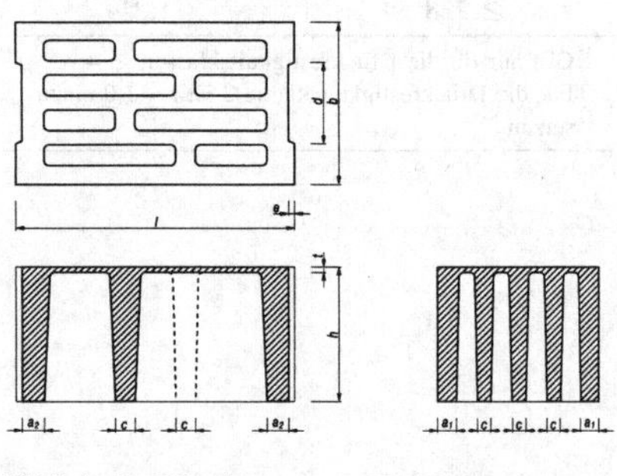

Bild A.5: Vierkammer-Hohlblock *(fortgesetzt)* b) 4K Hbl (Beispiel 2)

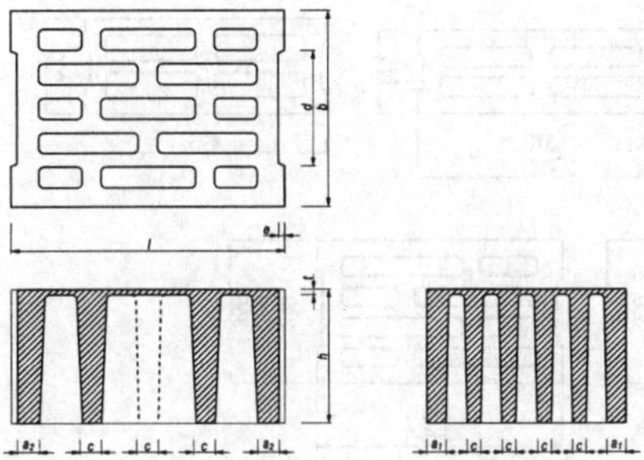

Bild A.6: Fünfkammer-Hohlblock, 5K Hbl (Beispiel)

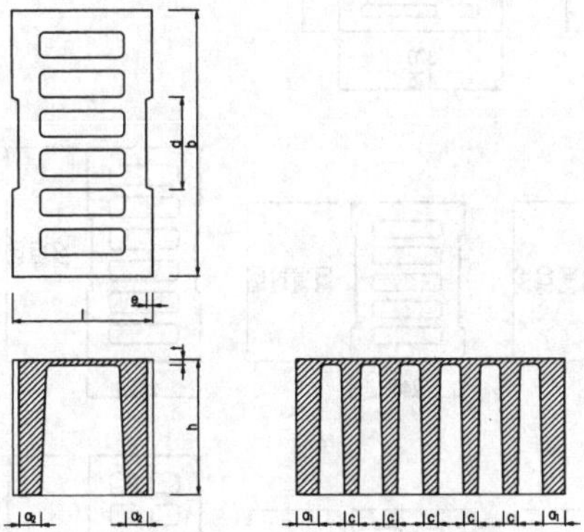

Bild A.7: Sechskammer-Hohlblock, 6K Hbl (Beispiel)

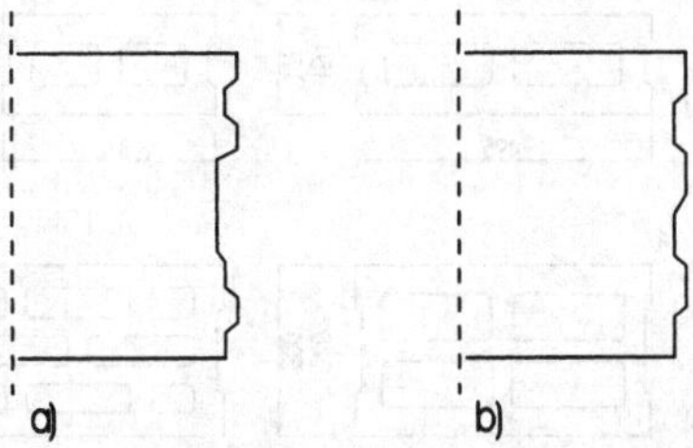

Bild A.8: Beispiele für Stirnseitenausbildung
a) Stirnseiten-Nut mit Nut und Feder
b) nur Nut und Feder (Labyrinthverzahnung)

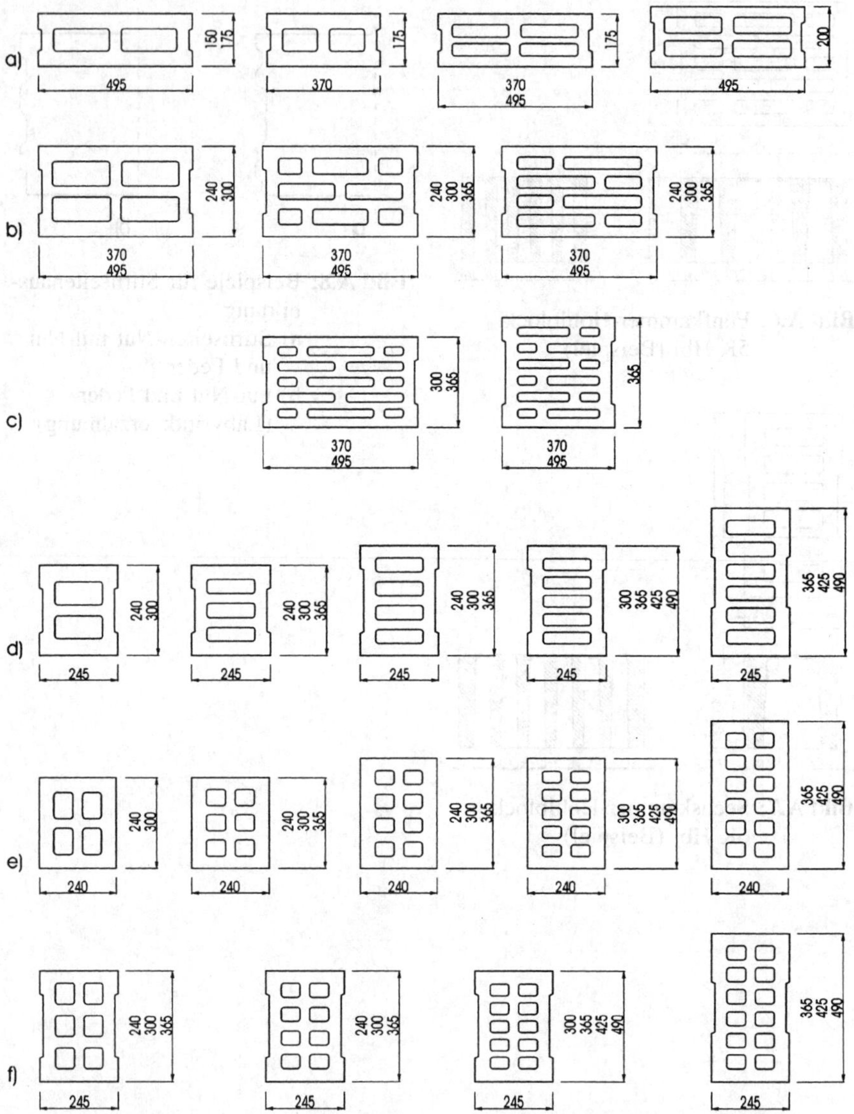

Bild A.9: Querschnitt der Hohlblöcke mit der jeweils erforderlichen Mindestanzahl an Querstegen, die zusätzliche Anordnung weiterer Innenquerstege ist gestattet (Maße nach Tabelle 1)

Statt der Kopfseiten mit Stirnseitennuten sind auch Kopfseiten mit Stirnseitennuten und/oder Nuten und Federn zulässig.

Vollsteine und Vollblöcke aus Leichtbeton

Vollsteine und Vollblöcke mit besonderen Eigenschaften

Auszug aus **DIN V 18152-100** (10.2005)

Inhalt

F

Vorwort

Diese Vornorm wurde vom Normenausschuss Bauwesen (NABau), Fachbereich 06 „Mauerwerksbau", Arbeitsausschuss 06.02.00, Koordinierungsausschuss „Mauersteine" in Verbindung mit dem Arbeitsausschuss 06.10.00 „Beton-, Leichtbeton-Mauersteine und Leichtbeton-Wandbauplatten" erarbeitet.

Eine Vornorm ist das Ergebnis einer Normungsarbeit, das wegen bestimmter Vorbehalte zum Inhalt oder wegen des gegenüber einer Norm abweichenden Aufstellungsverfahrens vom DIN noch nicht als Norm herausgegeben wird.

Zur vorliegenden Vornorm wurde kein Entwurf veröffentlicht.
Erfahrungen mit dieser Vornorm sind erbeten

- vorzugsweise als Datei per E-Mail an nabau@din.de in Form einer Tabelle. Die Vorlage dieser Tabelle kann im Internet unter www.din.de/stellungnahme abgerufen werden;
- oder in Papierform an den Normenausschuss Bauwesen (NABau) im DIN, 10772 Berlin (Hausanschrift: Burggrafenstraße 6, 10787 Berlin).

Da der harmonisierte Teil der Europäischen Norm DIN EN 771-3:2005-05, der die mit der CE-Kennzeichnung zu deklarierenden Mauersteineigenschaften umfasst, nicht alle Anforderungen beinhaltet, die in Deutschland für die Verwendung von Vollsteinen und Vollblöcken nach DIN 1053 gelten, sind diese zusätzlichen Anforderungen in dieser Vornorm enthalten.

Wenn CE-gekennzeichnete Vollsteine und Vollblöcke zusätzlich mit dieser Vornorm übereinstimmen, dürfen diese Vollsteine und Vollblöcke ohne Beachtung der für ausschließlich CE-gekennzeichnete Mauersteine für die Verwendung in Deutschland in DIN V 20000-403 festgelegten Verwendungsregeln verwendet werden.

1 Anwendungsbereich

Diese Vornorm gilt für Mauersteine aus Beton nach DIN EN 771-3, die als Mauersteine für tragendes und nichttragendes Mauerwerk, vorwiegend zur Erstellung von Außen- und Innenwänden, verwendet werden.

Diese Vornorm legt die Anforderungen an Mauersteine aus Beton fest, die durch CE-gekennzeichnete Mauersteine aus Beton nach DIN EN 771-3 für eine direkte Verwendung für Mauerwerk nach DIN 1053 zusätzlich zu erfüllen sind.

Diese Vornorm gilt nur für die nachfolgend aufgeführten Mauersteine aus Beton der Kategorie I nach DIN EN 771-3:

- Vollblöcke und Plan-Vollblöcke aus Leichtbeton ohne Schlitze
- Vollblöcke und Plan-Vollblöcke aus Leichtbeton mit Schlitzen
- Vollblöcke und Plan-Vollblöcke aus Leichtbeton mit Schlitzen und besonderen Wärmedämmeigenschaften
- Vollsteine und Plan-Vollsteine aus Leichtbeton

ANMERKUNG Die Begriffe „Vollblock“ und „Vollstein“ schließen nachfolgend, wenn nichts anderes angegeben ist, Plan-Vollblöcke und Plan-Vollsteine mit ein.

Die Verwendung von Plan-Vollblöcken und Plan-Vollsteinen bedarf eines besonderen Verwendbarkeitsnachweises, z. B. einer allgemeinen bauaufsichtlichen Zulassung[1].

3 Begriffe

Für die Anwendung dieses Dokuments gelten die Begriffe nach DIN EN 771-3 und die folgende Begriffe.

Vollblock
Vbl
sechsseitig geschlossener Mauerstein aus Leichtbeton ohne Schlitze mit einer Sollhöhe ≤ 238 mm zur Vermauerung mit Normal- oder Leichtmauermörtel

Vollblock
Vbl S
vier- oder fünfseitig geschlossener Mauerstein aus Leichtbeton mit Schlitzen senkrecht zur Lagerfläche mit einer Sollhöhe ≤ 238 mm, bei fünfseitig geschlossenen Mauersteinen mit einer Abdeckung (oberhalb der Schlitze) mit einer Dicke von mindestens 10 mm, zur Vermauerung mit Normal- oder Leichtmauermörtel

Vollblock
Vbl SW
fünfseitig geschlossener Mauerstein aus Leichtbeton mit Schlitzen senkrecht zur Lagerfläche und besonderen Wärmedämmeigenschaften mit einer Sollhöhe von 238 mm und einer Abdeckung (oberhalb der Schlitze) mit einer Dicke von mindestens 10 mm, zur Vermauerung mit Normal- oder Leichtmauermörtel, hergestellt ausschließlich unter Verwendung von Naturbims (NB) oder Blähton (BT) oder einem Gemisch aus diesen (NB/BT)

Vollstein
V
Mauerstein aus Leichtbeton ohne Kammern und Schlitze mit einer Sollhöhe von 52 mm bis 240 mm, zur Vermauerung mit Normal- oder Leichtmauermörtel

Plan-Vollblock
Vbl-P
sechsseitig geschlossener Mauerstein aus Leichtbeton ohne Schlitze mit einer Sollhöhe ≤ 249 mm zur Vermauerung mit Dünnbettmörtel

Plan-Vollblock
Vbl S-P
vier- oder fünfseitig geschlossener Mauerstein aus Leichtbeton mit Schlitzen senkrecht zur Lagerfläche mit einer Sollhöhe ≤ 249 mm, bei fünfseitig geschlossenen

[1] Allgemeine bauaufsichtliche Zulassungen werden vom Deutschen Institut für Bautechnik, Berlin, erteilt.

F

Mauersteinen mit einer Abdeckung (oberhalb der Schlitze) mit einer Dicke von mindestens 10 mm, zur Vermauerung mit Dünnbettmörtel

Plan-Vollblock
Vbl SW-P
fünfseitig geschlossener Mauerstein aus Leichtbeton mit Schlitzen senkrecht zur Lagerfläche und besonderen Wärmedämmeigenschaften mit einer Sollhöhe ≤ 249 mm und einer Abdeckung (oberhalb der Schlitze) mit einer Dicke von mindestens 10 mm, zur Vermauerung mit Dünnbettmörtel, hergestellt ausschließlich unter Verwendung von Naturbims (NB) oder Blähton (BT) oder einem Gemisch aus diesen (NB/BT)

Plan-Vollstein
V-P
Mauerstein aus Leichtbeton ohne Kammern oder Schlitze mit einer Sollhöhe ≤ 249 mm, zur Vermauerung mit Dünnbettmörtel

4 Anforderungen

4.1 Allgemeines

Die Vollsteine und Vollblöcke müssen DIN EN 771-3 entsprechen.

Die nach den Prüfnormen der Reihe DIN EN 772 bestimmten Eigenschaften der Vollsteine und Vollblöcke aus Leichtbeton werden in Abhängigkeit vom vorgesehenen Verwendungsbereich und der Art des Mauersteins (z. B. Vollblock mit Schlitzen) nachfolgend Stufen und Klassen, Vorzugsmaßen, Lochungsarten usw. zugeordnet.

4.2 Ausgangsstoffe

4.2.1 Allgemeines

Alle Ausgangsstoffe müssen den Anforderungen nach DIN EN 771-3:2005-05, Abschnitt 4 entsprechen.

Zusätzlich gelten die nachfolgenden Festlegungen.

4.2.2 Bindemittel

Als Bindemittel dürfen nur Zemente nach DIN EN 197-1 und DIN 1164-10 verwendet werden.

4.2.3 Gesteinskörnungen

Es dürfen nur Gesteinskörnungen nach DIN EN 13055-1 in Verbindung mit DIN V 20000-104 und nach DIN EN 12620 in Verbindung mit DIN V 20000-103 verwendet werden.

Bei Vollblöcken (Vbl), (Vbl S) und Vollsteinen (V) aus Leichtbeton darf der Volumenanteil von Gesteinskörnungen mit dichtem Gefüge nach DIN EN 12620 bei Rohdichteklassen ≤ 1,2 höchstens 15 % und bei Rohdichteklassen > 1,2 und ≤ 2,0 höchstens 25 % des verdichteten Betons betragen. Hinsichtlich der Zuordnung der Rohdichteklassen siehe 4.6.

Bei Vollblöcken (Vbl SW) darf nur Naturbims oder Blähton oder ein Gemisch aus beiden verwendet werden (siehe 3.3).

4.2.4 Zusatzstoffe

Es dürfen nur

a) Baukalk nach DIN EN 459-1,

b) Gesteinsmehle nach DIN EN 12620,

c) Trass nach DIN 51043,

d) Flugasche nach DIN EN 450

verwendet werden bzw. Zusatzstoffe, deren Verwendbarkeit für die Vollsteine und Vollblöcke durch eine allgemeine bauaufsichtliche Zulassung[1] nachgewiesen ist.

Die Zugabe von anorganischen Farbstoffen nach DIN EN 12878 ist zulässig, soweit hierdurch die Eigenschaften der Vollsteine und Vollblöcke aus Leichtbeton nicht ungünstig beeinflusst werden.

4.2.5 Zusatzmittel

Es dürfen nur Betonzusatzmittel nach DIN EN 934-2 mit den nach DIN V 20000-100 für Stahlbeton geltenden Verwendungsregeln oder Zusatzmittel, deren Verwendbarkeit durch eine allgemeine bauaufsichtliche Zulassung[1] nachgewiesen ist, verwendet werden.

4.3 Form

Es gilt DIN EN 771-3:2005-05, 5.3.

Zusätzlich gilt:

Vollsteine und Vollblöcke sollen die Gestalt eines von Rechtecken begrenzten Körpers haben. Die Stirnseiten können ebenflächig, mit Aussparungen (Stirnseitennuten) und/oder mit Nut- und Federausbildung versehen sein (siehe Bilder A.1 bis A.4).

4.4 Löcher und Stege (innere Geometrie)

4.4.1 Löcher und Stege

Es gilt DIN EN 771-3:2005-05, 5.3.2 und 5.3.3.

Zusätzlich gelten die Anforderungen nach Tatbelle A.5.

Vollblöcke dürfen mit von Lagerfläche zu Lagerfläche durchgehenden bzw. mit einer Abdeckung abgeschlossenen Schlitzen ausgestattet sein. Die Schlitze von Vbl SW und Vbl SW-P müssen stets mit einer Abdeckung abgeschlossen sein. Die Schlitze müssen mit gleichem Abstand gleichmäßig über den Querschnitt verteilt sein.

Der Flächenanteil von Schlitzen und Grifflöchern (Lochanteil) darf 10 % der Lagerfläche nicht überschreiten. Weitere Festlegungen zu Schlitzen sind in Tabelle A.5 und den Fußnoten zu Tabelle A.5 enthalten.

F

[1] Allgemeine bauaufsichtliche Zulassungen werden vom Deutschen Institut für Bautechnik, Berlin, erteilt.

4.4.2 Grifflöcher

Es gilt DIN EN 771-3:2005-05, 5.3.1 und 5.3.3.

Zusätzlich gilt:

Vollsteine und Vollblöcke dürfen Öffnungen enthalten, und zwar in Form von Hantier- bzw. Grifflöchern und/oder Versetzlöchern, die auf der Mittellängsachse zum maschinellen Versetzen angeordnet sind.

Bei Vollblöcken Vbl darf die Gesamtfläche der Grifflöcher höchstens 5 % der Lagerfläche betragen.

Bei Vollblöcken Vbl S und Vbl SW darf die Gesamtfläche von Schlitzen und Grifflöchern (Lochanteil) 10 % der Lagerfläche nicht überschreiten. Zusätzliche Grifflöcher sind zulässig und rechnen nicht zum Lochanteil, wenn die Fläche der Grifflöcher höchstens 1 000 mm^2 je Loch beträgt und höchstens drei solcher Grifflöcher je geschlitztem Vollblock vorhanden sind.
Bei der Ermittlung des Gesamt-Lochquerschnitts sind die Grifflöcher, aber nicht die Stirnseitennuten dem Lochanteil hinzuzurechnen.

4.5 Maße

4.5.1 Allgemeines

Es gilt DIN EN 771-3:2005-05, 5.2.

Zusätzlich zu DIN EN 771-3 müssen die Vollsteine und Vollblöcke 4.5.2 und 4.5.3 entsprechen.

4.5.2 Nennmaße, Mindest- und Höchstmaße

Die Vollsteine und Vollblöcke müssen den Feststellungen der Tabellen A.1 bis A.3 entsprechen. Die Steinlängen sind in den Tabellen A.1 und A.2 als Systemlängen l_x angegeben, mit denen sich die zulässigen Steinlängen l nach Tabelle A.3 ergeben.

Die Lagerflächen von Plan-Vollblöcken (Vbl-P, Vbl S-P, Vbl SW-P) und Plan-Vollsteinen (V-P) müssen eben und planparallel sein. Die Abweichung von der Ebenheit der Lagerfläche darf nicht mehr als 1,0 mm betragen. Die Abweichung von der Planparallelität der Lagerflächen darf 1,0 mm nicht überschreiten.

4.5.3 Stirnseitennuten, Nut- und Federausbildung

Die Stirnseiten der Vollsteine und Vollblöcke dürfen ebenflächig, mit Aussparung (Stirnseitennut) und/oder mit Nut- und Federausbildung versehen sein. Mauersteine mit Stirnseitennuten müssen mindestens an einer Stirnseite Stirnseitennuten aufweisen. Die Maße und Grenzabmaße der Stirnseitennuten sind in Tabelle A.4 angegeben. Eine Nut- und Federausbildung an den Stirnseiten muss eine einwandfreie Verzahnung der Stoßflächen sicherstellen.

4.6 Rohdichte

4.6.1 Allgemeines

Es gilt DIN EN 771-3:2005-05, 5.4.

Zusätzlich zu DIN EN 771-3 müssen die Vollsteine und Vollblöcke 4.6.2 entsprechen.

4.6.2 Bruttotrockenrohdichte (Steinrohdichte)

Für die Zuordnung in Steinrohdichteklassen gilt Tabelle A.6.

Für Vollblöcke Vbl SW betragen die zulässigen Steinrohdichteklassen 0,45 bis 0,80.

Die Mittelwerte der Bruttotrockenrohdichten müssen für die jeweiligen Rohdichteklassen innerhalb der in Tabelle A.6 angegebenen Grenzen liegen.

4.7 Druckfestigkeit

4.7.1 Allgemeines

Es gilt DIN EN 771-3:2005-05, 5.5.1.

Zusätzlich zu DIN EN 771-3 müssen die Vollsteine und Vollblöcke 4.7.2 entsprechen.

4.7.2 Druckfestigkeit senkrecht zur Lagerfuge

Für die Zuordnung der mittleren Druckfestigkeit zu Festigkeitsklassen müssen die Formfaktoren f der Tabelle A.7 unter Bezug auf die deklarierte mittlere Steindruckfestigkeit $f_{st,1}$ angesetzt werden (siehe Gleichung (1)).

$$f_{st} = f_{st,1} \times f \quad (1)$$

Dabei ist

$f_{st,1}$ die auf eine Prüfung im lufttrockenen Zustand umgerechnete mittlere Steindruckfestigkeit;

f_{st} die umgerechnete mittlere Steindruckfestigkeit $f_{st,1}$ einschl. Formfaktor.

Die umgerechnete mittlere Steindruckfestigkeit f_{st} ist der entsprechenden Festigkeitsklasse nach Tabelle A.8 zuzuordnen. Sie muss mindestens 2,5 N/mm^2 betragen.

Falls eine andere Konditionierung als nach DIN EN 771-3:2005-05, 5.5.1.1 (lufttrocken) gewählt wurde, ist die deklarierte mittlere Druckfestigkeit nach DIN EN 772-1:2000-09, Anhang A, auf den lufttrockenen Zustand umzurechnen.

5 Bezeichnung

Es gilt DIN EN 771-3:2005-05, Abschnitt 6.

Zusätzlich zu DIN EN 771-3 müssen die Vollsteine und Vollblöcke den nachfolgenden Festlegungen entsprechen.

Für die verschiedenen Mauersteinarten gelten folgende Kurzzeichen:

Vbl	Vollblock ohne Schlitze
Vbl S	Vollblock mit Schlitzen
Vbl SW	Vollblock mit Schlitzen und besonderen Wärmedämmeigenschaften
Vbl-P	Plan-Vollblock ohne Schlitze
Vbl S-P	Plan-Vollblock mit Schlitzen
Vbl SW-P	Plan-Vollblock mit Schlitzen und besonderen Wärmedämmeigenschaften
V	Vollstein
V-P	Plan-Vollstein

F

Bei Stoßfugenausbildung mit Nut und Feder ist die Kurzbezeichnung N+F zu verwenden.

Ist eine Stirnseitennut vorhanden, ist darauf mit der Kurzbezeichnung SN zu verweisen.

Im Fall der Zumischung von Quarzsand zu den Gesteinskörnungen ist die Kurzbezeichnung Q anzugeben.

Vollsteine und Vollblöcke aus Leichtbeton dürfen auch nach den verwendeten Gesteinskörnungen benannt werden, wenn der Volumenanteil der anderen Gesteinskörnungen 15 % des verdichteten Betons nicht überschreitet. Solche mögliche Benennungen sind beispielsweise „Naturbims" oder „Blähton". Vollblöcke SW sind stets nach der verwendeten Gesteinskörnung zu benennen (siehe auch 3.3 und 4.2.3).

Vollsteine und Vollblöcke sind in der Reihenfolge DIN-Hauptnummer, Mauersteinart (Kurzzeichen), Festigkeitsklasse, Rohdichteklasse, Formatkurzzeichen nach Tabellen A.1 und A.2, zusätzlich Steinmaße aus Länge × Breite × Höhe und eventuell Zusatzangaben (z. B. SN oder N+F) zu bezeichnen.

Bezeichnungsbeispiele:

a) Bezeichnung eines Vollsteins aus Leichtbeton zur Vermauerung mit Normal- oder Leichtmauermörtel (V), der Festigkeitsklasse 6, der Rohdichteklasse 1,2, des Formats 2 DF, der Länge l = 240 mm, der Breite b = 115 mm, der Höhe h = 113 mm, mit ebenflächiger Stirnfläche:

Vollstein DIN 18152 – V 6 – 1,2 – 2 DF-240/115/113

b) Bezeichnung eines Plan-Vollblocks aus Leichtbeton mit Schlitzen und besonderen Wärmedämmeigenschaften zur Vermauerung mit Dünnbettmörtel (Vbl SW-P), der Festigkeitsklasse 2, der Rohdichteklasse 0,50, des Formats 20 DF, der Länge l = 497 mm, der Breite b = 300 mm, der Höhe h = 248 mm, mit Nut- und Federausbildung der Stoßfuge (N+F):

Vollblock DIN 18152-Vbl SW-P 2 – 0,50 – 20 DF – 497/300/248 – N+F

6 Kennzeichnung

Es gilt DIN EN 771-3:2005-05, Abschnitt 7.

Zusätzlich gilt:

Auf mindestens jedem 50. Vollstein oder Vollblock sind Steinart, Maße, Festigkeitsklasse, Rohdichteklasse (zusätzlich gegebenenfalls Buchstaben S bzw. SW) und das Hersteller-Kennzeichen anzugeben. Diese Angaben können auch in Form einer Artikelnummer gemacht werden. Dies kann durch Aufdruck oder Stempelung erfolgen.

Werden Vollsteine oder Vollblöcke paketiert, genügt es, wenn die Verpackung oder der Beipackzettel die vorgenannten Angaben enthält.

Die Angabe der Festigkeitsklasse kann entweder auf einer Längsseite durch Nuten, die etwa 10 mm breit, 5 mm tief und mindestens 40 mm lang sein müssen, oder durch eine Farbmarkierung auf der Längs- oder Stirnseite erfolgen. Sind Vollsteine oder Vollblöcke durch Farbzeichen und Nuten gekennzeichnet, so gilt die Farbkennzeichnung (siehe Tabelle A.9).

7 Konformitätsbewertung und -bescheinigung

Für die Konformitätsbewertung gilt DIN EN 771-3:2005-05, Abschnitt 8.

Die Übereinstimmung der Hohlblöcke aus Leichtbeton mit dieser Vornorm ist durch den Hersteller durch Ausstellen einer Übereinstimmungserklärung zu bestätigen.

ANMERKUNG Der Hersteller darf die Übereinstimmung auch auf Grundlage einer Fremdüberwachung entsprechend Anhang B erklären.

8 Lieferschein

Es gilt DIN EN 771-3:2005-05.

Zusätzlich sind nach dieser Vornorm hergestellte Mauersteine mit Lieferscheinen, die folgende Angaben enthalten, auszuliefern:

a) Hersteller und Werk;
b) Herstellerzeichen (Werkzeichen);
c) Anzahl und Bezeichnung der gelieferten Mauersteine nach Abschnitt 5;
d) gegebenenfalls Artikelnummer;
e) Rohdichteklasse;
f) Festigkeitsklasse;
g) Tag der Lieferung;
h) Empfänger.

F

Anhang A
(normativ)

Anforderungen an Geometrie, Rohdichte und Druckfestigkeit

Tabelle A.1: Maße und Formate der Vollsteine Maße in mm

<table>
<tr><td>Spalte</td><td>1</td><td>2</td><td>3</td><td colspan="2">4</td><td>5</td></tr>
<tr><td rowspan="3">Zeile</td><td rowspan="3">Formatkurzzeichen</td><td rowspan="3">Systemlänge
l_s</td><td rowspan="3">Breite
b
± 3</td><td colspan="2">Höhe
h</td></tr>
<tr><td>V
± 3</td><td>V-P
± 1,0</td></tr>
<tr><td>1</td><td>1,7DF</td><td>250</td><td rowspan="2">95</td><td>113</td><td>123[a]</td></tr>
<tr><td>2</td><td>6,8DF</td><td>500</td><td>240</td><td>248[a]</td></tr>
<tr><td>3</td><td>DF (Dünnformat)</td><td rowspan="11">250</td><td rowspan="3">115</td><td>52</td><td>60</td></tr>
<tr><td>4</td><td>NF (Normalformat)</td><td>71</td><td>81</td></tr>
<tr><td>5</td><td>2DF</td><td rowspan="4">113</td><td rowspan="4">123[a]</td></tr>
<tr><td>6</td><td>2NF</td><td>140</td></tr>
<tr><td>7</td><td>2,5DF</td><td>150</td></tr>
<tr><td>8</td><td>3DF</td><td>175</td></tr>
<tr><td>9</td><td>3,5DF</td><td>200</td><td rowspan="7">115</td><td rowspan="7">123[a]</td></tr>
<tr><td>10</td><td>4DF</td><td>240</td></tr>
<tr><td>11</td><td>5DF</td><td>300</td></tr>
<tr><td>12</td><td>6DF</td><td>365</td></tr>
<tr><td>13</td><td>7DF</td><td>425</td></tr>
<tr><td>14</td><td>8DF</td><td rowspan="2">500</td><td>240</td></tr>
<tr><td>15</td><td>10DF</td><td>300</td></tr>
<tr><td colspan="7">[a] Auch 1 mm größere Höhe zulässig, innerhalb eines Herstellwerks ist jedoch nur eine Höhe zulässig.</td></tr>
</table>

Tabelle A.2: Maße und Formate der Vollblöcke Maße in mm

<table>
<tr><td>Spalte</td><td>1</td><td>2</td><td>3</td><td>4</td><td>5</td></tr>
<tr><td rowspan="2">Zeile</td><td rowspan="2">Format-
Kurzzeichen</td><td rowspan="2">Systemlänge
l_s</td><td rowspan="2">Breite
b
± 3</td><td colspan="2">Höhe
h</td></tr>
<tr><td>Vbl
Vbl S
Vbl SW
± 4</td><td>Vbl-P
Vbl S-P
Vbl SW-P
± 1,0</td></tr>
<tr><td>1</td><td>5DF</td><td rowspan="8">250</td><td>150</td><td rowspan="23">238</td><td rowspan="23">238
oder
248[a]</td></tr>
<tr><td>2</td><td>6DF</td><td>175</td></tr>
<tr><td>3</td><td>7DF</td><td>200</td></tr>
<tr><td>4</td><td>8DF</td><td>240</td></tr>
<tr><td>5</td><td>10DF</td><td>300</td></tr>
<tr><td>6</td><td>12DF</td><td>365</td></tr>
<tr><td>7</td><td>14DF</td><td>425</td></tr>
<tr><td>8</td><td>16DF</td><td>490</td></tr>
<tr><td>9</td><td>10DF</td><td>310</td><td>240</td></tr>
<tr><td>10</td><td>7,5DF</td><td rowspan="8">375</td><td>150</td></tr>
<tr><td>11</td><td>9DF</td><td>175</td></tr>
<tr><td>12</td><td>10DF</td><td>200</td></tr>
<tr><td>13</td><td>12DF</td><td>240</td></tr>
<tr><td>14</td><td>15DF</td><td>300</td></tr>
<tr><td>15</td><td>18DF</td><td>365</td></tr>
<tr><td>16</td><td>21DF</td><td>425</td></tr>
<tr><td>17</td><td>24DF</td><td>490</td></tr>
<tr><td>18</td><td>10DF</td><td rowspan="6">500</td><td>150</td></tr>
<tr><td>19</td><td>12DF</td><td>175</td></tr>
<tr><td>20</td><td>13DF</td><td>200</td></tr>
<tr><td>21</td><td>16DF</td><td>240</td></tr>
<tr><td>22</td><td>20DF</td><td>300</td></tr>
<tr><td>23</td><td>24DF</td><td>365</td></tr>
<tr><td colspan="6">[a] Auch 1 mm größere Höhe zulässig; innerhalb eines Herstellwerks ist jedoch nur eine Höhe zulässig.</td></tr>
</table>

F

Tabelle A.3: Steinlängen — Maße in mm

<table>
<tr><td>Spalte</td><td>1</td><td>2</td><td>3</td><td>4</td></tr>
<tr><td rowspan="2">Zeile</td><td rowspan="2">Stirnseitenausbildung</td><td rowspan="2">Kurzzeichen</td><td colspan="2">Steinlängen l</td></tr>
<tr><td>Vbl
± 3</td><td>Vbl-P
± 3</td></tr>
<tr><td>1</td><td>Stirnseite ebenflächig</td><td>–</td><td>$l_s - 10$</td><td>$l_s - 2$</td></tr>
<tr><td>2</td><td>mit Stirnseiten-Nut</td><td>SN</td><td rowspan="2">$l_s - 5$</td><td rowspan="2">–</td></tr>
<tr><td>3</td><td>mit Stirnseiten-Nut und Nut und Feder</td><td>SN/N+F</td></tr>
<tr><td>4</td><td>mit Nut und Feder (ohne Stirnseitennut)</td><td>N+F</td><td>$l_s - 3$</td><td>$l_s - 3$</td></tr>
</table>

Tabelle A.4: Maße der Stirnseitennuten — Maße in mm

<table>
<tr><td>Spalte</td><td>1</td><td>2</td><td>3</td></tr>
<tr><td rowspan="2">Zeile</td><td rowspan="2">Steinbreite
b</td><td colspan="2">Stirnseitennuten</td></tr>
<tr><td>Breite
d
± 10[a]</td><td>Tiefe
e
± 3</td></tr>
<tr><td>1</td><td>150</td><td>70</td><td rowspan="8">20[b]</td></tr>
<tr><td>2</td><td>175</td><td>75</td></tr>
<tr><td>3</td><td>200</td><td>100</td></tr>
<tr><td>4</td><td>240</td><td>120</td></tr>
<tr><td>5</td><td>300</td><td>140</td></tr>
<tr><td>6</td><td>365</td><td>160</td></tr>
<tr><td>7</td><td>425</td><td>180</td></tr>
<tr><td>8</td><td>490</td><td>200</td></tr>
<tr><td colspan="4">[a] Bei Nut- und Federausbildung und gleichzeitiger Stirnseitennut: +10 mm, –40 mm.
[b] Bei Steinlängen von 240 mm, 300 mm, 365 mm und 490 mm ist die Stirnseitennut 15 mm tief.</td></tr>
</table>

Tabelle A.5: Anordnung der Schlitze und Stegmaße bei Vollblöcken Vbl S und Vbl SW

Maße in mm

Spalte	1	2	3	4	5	6
Zeile	Steinbreite *b*	Anzahl der Schlitzreihen[a]	Schlitzlänge s_l	Schlitzbreite *s*	Stegmaße	
					a	*c*
1	150	2	≤ 240	≤ 11	≥ 35	30^{+3}_{-0}
2	175	2				
3	200	3				
4	240	3 bis 5[b]				
5	300[c]	4 bis 7[b]				
6	365	5 bis 8[b]				
7	425	5 bis 8[b]				
8	490	6 bis 9[b]				

[a] Vollblöcke mit < 5 Schlitzreihen der Länge < 250 mm dürfen ohne oder mit einem inneren Quersteg je Schlitzreihe, Vollblöcke der Länge ≥ 250 mm und < 310 mm müssen mit einem inneren Quersteg ausgebildet werden; Vollblöcke der Länge ≥ 310 mm müssen ein oder zwei innere Querstege aufweisen. Bei zwei inneren Querstegen in einer Schlitzrreihe sind diese zur nächsten Schlitzreihe zu versetzen.

[b] Für Vollblöcke mit ≥ 5 Schlitzreihen muss mindestens jede zweite Schlitzreihe zwei innere Querstege aufweisen. Die inneren Längsstege müssen in einem Abstand von höchstens 125 mm durch Querstege ausgesteift sein.

[c] Bei Steinen der Länge ≥ 490 mm mit 7 Schlitzreihen darf in der 2. und 6. Schlitzreihe der innere Schlitz bis 270 mm lang sein, sofern in allen Schlitzreihen mindestens 2 innere Querstege angeordnet sind.

F

Tabelle A.6: Steinrohdichteklassen

Rohdichteklasse	Mittelwert der Steinrohdichte kg/dm³
0,45[a]	0,41 bis 0,45[b]
0,50[a]	0,46 bis 0,50[b]
0,55[a]	0,51 bis 0,55[b]
0,60[a]	0,56 bis 0,60[b]
0,65[a]	0,61 bis 0,65[b]
0,70[a]	0,66 bis 0,70[b]
0,80[a]	0,71 bis 0,80[c]
0,90	0,81 bis 0,90[c]
1,00	0,91 bis 1,00[c]
1,20	1,01 bis 1,20[c]
1,40	1,21 bis 1,40[c]
1,60	1,41 bis 1,60[c]
1,80	1,61 bis 1,80[c]
2,00	1,81 bis 2,00[c]

[a] Zulässige Rohdichteklassen für Vollblöcke Vbl SW.
[b] Einzelwerte dürfen die Klassengrenzen um nicht mehr als 0,05 kg/dm³ unter- bzw. überschreiten.
[c] Einzelwerte dürfen die Klassengrenzen um nicht mehr als 0,10 kg/dm³ unter- bzw. überschreiten.

Tabelle A.7: Formfaktoren

Nennmaß der Steinhöhe mm	Formfaktor f
> 52 und < 75	0,8
≥ 75 und < 100	0,9
≥ 100 und < 175	1,0
≥ 175 und < 238	1,1[a]
≥ 238	1,2[a]

[a] Gilt nur für die Druckfestigkeitsklassen ≥ 4. Für die Druckfestigkeitsklasse 2 ist f = 1,0 einzusetzen.

Tabelle A.8: Druckfestigkeitsklassen

Druckfestigkeitsklasse	Mittlere Mindeststeindruckfestigkeit f_{st} N/mm²	Kleinster Einzelwert N/mm²
2	2,5	2,0
4	5,0	4,0
6	7,5	6,0
8	10,0	8,0
12	15,0	12,0
20[a]	25,0	20,0

[a] Nur Vollsteine V und V-P und Vollblöcke Vbl und Vbl-P.

Tabelle A.9: Kennzeichnung

Druckfestigkeitsklasse	Anzahl der Nuten	Farbzeichen
2	–	grün
4	1	blau
6	2	rot
8	–	[a]
12	3	schwarz
20	–	gelb

[a] Keine Farbkennzeichnung. Kennzeichnung erfolgt durch Aufstempelung der Druckfestigkeitsklasse in schwarzer Farbe.

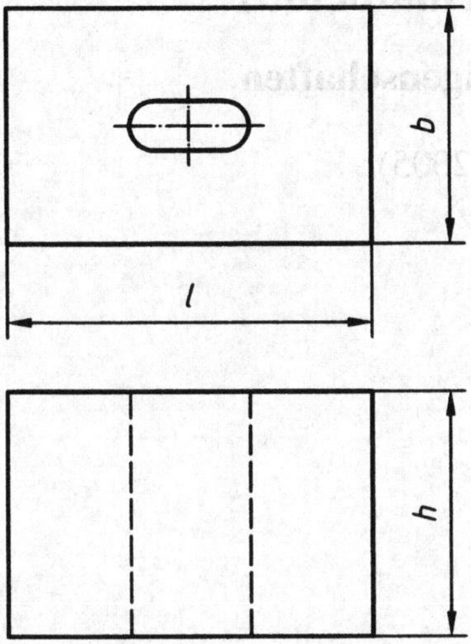

Bild A.1: Vollstein mit Griffloch (Beispiel)

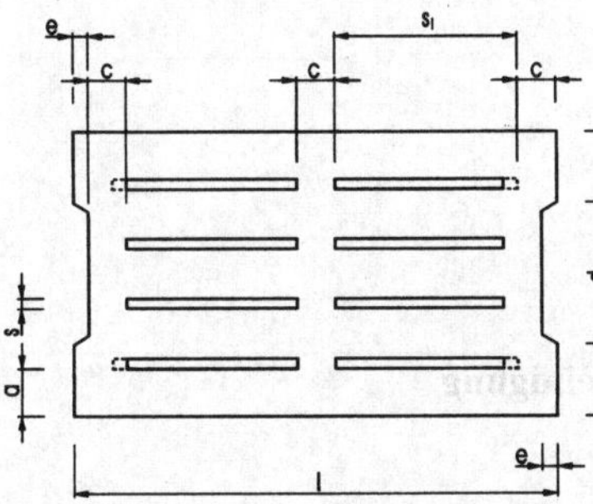

Bild A.2: Geschlitzter Vollblock mit Stirnseitennut, Vbl-SN (Beispiel)

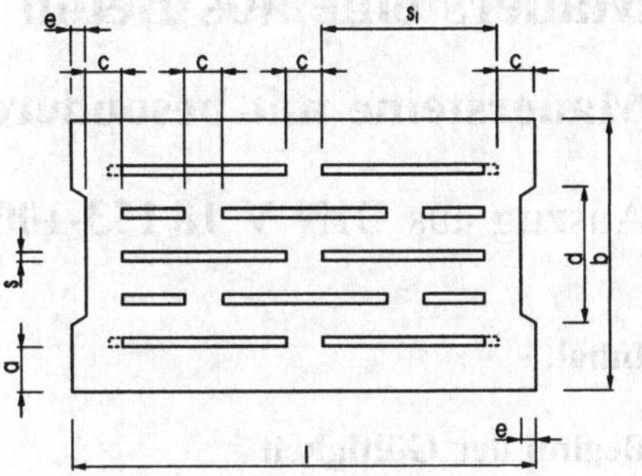

Bild A.3: Vollblock mit versetzten Schlitzen und Stirnseitennut, Vbl S-SN (Beispiel)

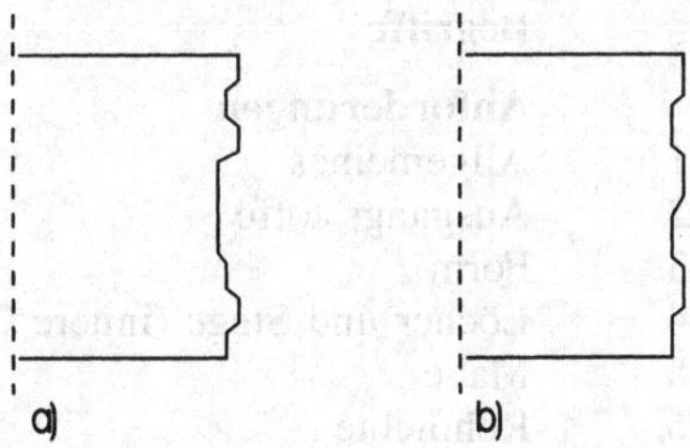

Bild A.4: Beispiele für die Stirnseitenausbildung
a) Stirnseiten-Nut und Feder
b) nur Nut und Feder (Labyrinthverzahnung)

Mauersteine aus Beton (Normalbeton)

Mauersteine mit besonderen Eigenschaften

Auszug aus **DIN V 18 153-100** (10.2005)

Inhalt

Vorwort

Diese Vornorm wurde vom Normenausschuss Bauwesen (NABau), Fachbereich 06 „Mauerwerksbau", Arbeitsausschuss 06.02.00, Koordinierungsausschuss „Mauersteine" in Verbindung mit dem Arbeitsausschuss 06.10.00 „Beton- und Leichtbeton-Mauersteine und Leichtbeton-Wandbauplatten" erarbeitet.

Eine Vornorm ist das Ergebnis einer Normungsarbeit, das wegen bestimmter Vorbehalte zum Inhalt oder wegen des gegenüber einer Norm abweichenden Aufstellungsverfahrens vom DIN noch nicht als Norm herausgegeben wird.

Zur vorliegenden Vornorm wurde kein Entwurf veröffentlicht.

Erfahrungen mit dieser Vornorm sind erbeten

- vorzugsweise als Datei per E-Mail an nabau@din.de in Form einer Tabelle. Die Vorlage dieser Tabelle kann im Internet unter www.din.de/stellungnahme abgerufen werden;
- oder in Papierform an den Normenausschuss Bauwesen (NABau) im DIN, 10772 Berlin (Hausanschrift: Burggrafenstraße 6, 10787 Berlin).

Da der harmonisierte Teil der Europäischen Norm DIN EN 771-3:2005-05, der die mit der CE-Kennzeichnung zu deklarierenden Mauersteineigenschaften umfasst, nicht alle Anforderungen beinhaltet, die in Deutschland für die Verwendung von Hohlblöcken nach DIN 1053 gelten, sind diese zusätzlichen Anforderungen in dieser Vornorm enthalten.

Wenn CE-gekennzeichnete Hohlblöcke zusätzlich mit dieser Vornorm übereinstimmen, dürfen diese Hohlblöcke ohne Beachtung der für ausschließlich CE-gekennzeichnete Mauersteine für die Verwendung in Deutschland in DIN V 20000-403 festgelegten Verwendungsregeln verwendet werden.

1 Anwendungsbereich

Diese Vornorm gilt für Mauersteine aus Beton nach DIN EN 771-3, die als Mauersteine für tragendes und nichttragendes Mauerwerk, vorwiegend zur Erstellung von Außen- und Innenwänden, verwendet werden.

Diese Vornorm legt die Anforderungen an Mauersteine aus Beton fest, die durch CE-gekennzeichnete Mauersteine nach DIN EN 771-3 für eine direkte Verwendung für Mauerwerk nach DIN 1053-1 zusätzlich zu erfüllen sind.

Diese Vornorm gilt nur für die nachfolgend aufgeführten Mauersteine aus Beton der Kategorie I nach DIN EN 771-3:

- Hohlblöcke und Plan-Hohlblöcke aus Beton;
- Vollblöcke und Plan-Vollblöcke aus Beton;
- Vollsteine und Plan-Vollsteine aus Beton;
- Vormauersteine und Vormauerblöcke aus Beton

F

ANMERKUNG Die Begriffe „Hohlblock", „Vollblock" und „Vollstein" schließen nachfolgend, wenn nichts anderes angegeben ist, Plan-Hohlblöcke, Plan-Vollblöcke und Plan-Vollsteine ein.

Die Verwendung von Plan-Hohlblöcken, Plan-Vollblöcken und Plan-Vollsteinen bedarf eines besonderen Verwendbarkeitsnachweises, z. B. einer allgemeinen bauaufsichtlichen Zulassung[1)].

3 Begriffe

Für die Anwendung dieses Dokuments gelten die Begriffe nach DIN EN 771-3 und die folgenden Begriffe.

Hohlblock
Hbn
fünfseitig geschlossener Mauerstein aus Beton mit Kammern senkrecht zur Lagerfläche, mit einer Sollhöhe ≤ 238 mm, einer Abdeckung (oberhalb der Kammern) mit einer Dicke von mindestens 10 mm, zur Vermauerung mit Normalmauermörtel

Vollblock
Vbn
Mauerstein aus Beton ohne Kammern und Schlitze mit einer Sollhöhe ≤ 238 mm zur Vermauerung mit Normalmauermörtel

Vollstein
Vn
Mauerstein aus Beton ohne Kammern oder Schlitze mit einer Sollhöhe von 52 mm bis 240 mm zur Vermauerung mit Normalmauermörtel

Vormauerstein
Vm
Mauerstein aus Beton ohne Kammern und Schlitze mit einer Sollhöhe von 52 mm bis 238 mm mit ebener, werksteinmäßig bearbeiteter oder besonders gestalteter Sichtfläche und nachgewiesenem Frostwiderstand zur Vermauerung mit Normalmauermörtel

Vormauerblock
Vmb
Mauerstein aus Beton mit Kammern senkrecht zur Lagerfläche mit einer Sollhöhe ≤ 238 mm mit einer Abdeckung (oberhalb der Kammern) mit einer Dicke von mindestens 10 mm sowie mit ebener, werksteinmäßig bearbeiteter oder besonders gestalteter Sichtfläche und nachgewiesenem Frostwiderstand zur Vermauerung mit Normalmauermörtel

Plan-Hohlblock
Hbn-P
fünfseitig geschlossener Mauerstein aus Beton mit Kammern senkrecht zur Lagerfläche, mit einer Sollhöhe ≤ 249 mm, einer Abdeckung (oberhalb der Kammern) mit einer Dicke von mindestens 10 mm, zur Vermauerung mit Dünnbettmörtel

---

1) Allgemeine bauaufsichtliche Zulassungen werden vom Deutschen Institut für Bautechnik, Berlin, erteilt.

Plan-Vollblock
Vbn-P
Mauerstein aus Beton ohne Kammern und Schlitze mit einer Sollhöhe $\leq$249 mm zur Vermauerung mit Dünnbettmörtel

Plan-Vollstein
Vn-P
Mauerstein aus Beton ohne Kammern und Schlitze mit einer Sollhöhe von $\leq$249 mm, zur Vermauerung mit Dünnbettmörtel

4 Anforderungen

4.1 Allgemeines

Die Mauersteine müssen DIN EN 771-3 entsprechen. In Bezug auf Eigenschaften, die durch die DIN EN 771-3 nicht beschrieben werden, erfolgen zusätzliche Festlegungen.

Die nach den Prüfnormen der Reihe DIN EN 772 bestimmten Eigenschaften der Mauersteine werden in Abhängigkeit vom vorgesehenen Verwendungsbereich und der Art des Mauersteins (z. B. Vollblock) nachfolgend Stufen und Klassen, Vorzugsmaßen, Lochungsarten usw. zugeordnet.

4.2 Ausgangsstoffe

4.2.1 Allgemeines

Alle Ausgangsstoffe müssen den Anforderungen nach DIN EN 771-3:2005-05, Abschnitt 4 entsprechen.

Zusätzlich gelten die nachfolgenden Festlegungen.

4.2.2 Bindemittel

Als Bindemittel dürfen nur Zemente nach DIN EN 197-1 und DIN 1164-10 verwendet werden.

Zemente nach DIN EN 197-1 sind für Vormauersteine und Vormauerblöcke jedoch nur geeignet, wenn sie nach DIN 1045-2:2001-07, Tabellen F.3.1 bis F.3.3 für die Expositionsklasse XF 1 verwendet werden dürfen.

4.2.3 Gesteinskörnungen

Es dürfen nur Gesteinskörnungen nach DIN EN 12620 in Verbindung mit DIN V 20000-103 und nach DIN EN 13055-1 in Verbindung mit DIN V 20000-104 verwendet werden.

4.2.4 Zusatzstoffe

Es dürfen nur

a) Baukalk nach DIN EN 459-1,

b) Gesteinsmehle nach DIN EN 12620,

c) Trass nach DIN 51043,

d) Flugasche nach DIN EN 450

F

verwendet werden bzw. Zusatzstoffe, deren Verwendbarkeit für die Mauersteine aus Beton durch eine allgemeine bauaufsichtliche Zulassung[1)] nachgewiesen ist.

4.2.5 Zusatzmittel

Es dürfen nur Betonzusatzmittel nach DIN EN 934-2 mit den nach DIN V 20000-100 für Stahlbeton geltenden Verwendungsregeln oder Zusatzmittel, deren Verwendbarkeit durch eine allgemeine bauaufsichtliche Zulassung[1)] nachgewiesen ist, verwendet werden.

4.3 Form

Es gilt DIN EN 771-3:2005-05, 5.3.

Zusätzlich gilt:

Die Mauersteine sollen die Gestalt eines von Rechtecken begrenzten Körpers haben. Die Stirnseiten können ebenflächig, mit Aussparungen (Stirnseitennuten) und/oder mit Nut- und Federausbildung versehen sein (siehe Bilder A.1 bis A.9).

4.4 Löcher und Stege (innere Geometrie)

4.4.1 Löcher und Stege

Es gilt DIN EN 771-3:2005-05, 5.3.2 und 5.3.3.

Zusätzlich gelten die Anforderungen nach Tabelle A.1 für Hohlblöcke und nach Tabelle A.2 für Vormauerblöcke.

Die Anordnung und Mindestanzahl von Querstegen bei Hohlblöcken (Hbn) richten sich nach der Steinlänge, der Steinbreite und Kammeranzahl und müssen Bild A.9 entsprechen. Die Kammern müssen gleichmäßig verteilt angeordnet sein. Die Innenquerstege können durchgehend oder gegeneinander versetzt sein.

Hohlblöcke mit ebenflächigen Stirnseiten und der Länge 240 mm (siehe Bild A.9 e)), die grundsätzlich auch um 90° gedreht (Steinlänge gleich Wanddicke) vermauert werden können, müssen je Kammerreihe mindestens einen Quersteg, längere Hohlblöcke mit ebenflächigen Stirnseiten je Kammerreihe mindestens zwei innere Querstege aufweisen.

Vormauerblöcke Vmb nach Bild A.12 mit der Breite 190 mm und 240 mm dürfen auch mit inneren Längsstegen ausgeführt werden.

4.4.2 Grifflöcher

Es gilt DIN EN 771-3:2005-05, 5.3.1 und 5.3.3.

Zusätzlich gilt:

Die Mauersteine dürfen Öffnungen enthalten, und zwar in Form von Hantier- bzw. Grifflöchern und/oder Versetzlöchern, die auf der Mittellängsachse zum maschinellen Versetzen angeordnet sind.

Die Gesamtfläche der Grifflöcher darf bei Vollblöcken Vbn nicht mehr als 15 % der Lagerfläche betragen.

[1)] Allgemeine bauaufsichtliche Zulassungen werden vom Deutschen Institut für Bautechnik, Berlin, erteilt.

Bei Vollsteinen Vn und Vormauersteinen Vm ist ein Griffloch von höchstens 110 mm Länge und höchstens 45 mm Breite, jedoch von nicht mehr als 15 % der Lagerfläche, zulässig.

4.5 Maße

4.5.1 Allgemeines

Es gilt DIN EN 771-3:2005-05, 5.2.

Zusätzlich zu DIN EN 771-3 müssen die Mauersteine 4.5.2 und 4.5.3 entsprechen.

4.5.2 Nennmaße, Mindest- und Höchstmaße

Die Mauersteine müssen den Festlegungen der Tabellen A.3 bis A.6 entsprechen. Die Steinlängen sind in den Tabellen A.3 bis A.5 als Systemlängen l_s angegeben, mit denen sich die zulässigen Steinlängen l nach Tabelle A.6 ergeben.

Die Maße für Vormauersteine sind in Tabelle A.7 und die Maße für Vormauerblöcke in Tabelle A.8, jeweils als Kombinationsmaße, angegeben.

Die Lagerflächen von Plan-Hohlblöcken (Hbn-P), Plan-Vollsteinen (Vn-P) und Plan-Vollblöcken (Vbn-P) müssen eben und planparallel sein. Die Abweichung von der Ebenheit der Lagerfläche darf nicht mehr als 1,0 mm betragen. Die Abweichung von der Planparallelität der Lagerflächen darf 1,0 mm nicht überschreiten.

4.5.3 Stirnseitennuten, Nut- und Federausbildung

Die Stirnseiten der Mauersteine dürfen ebenflächig mit Aussparung (Stirnseitennut) und/oder mit Nut- und Federausbildung versehen sein. Mauersteine mit Stirnseitennuten müssen mindestens an einer Stirnseite Stirnseitennuten aufweisen. Die Maße und Grenzabmaße der Stirnseitennuten sind für Hohlblöcke in Tabelle A.1, für Vormauerblöcke in Tabelle A.2 und für Vollsteine und Vollblöcke in Tabelle A.9 angegeben. Eine Nut- und Federausbildung an den Stirnseiten muss eine einwandfreie Verzahnung der Stoßflächen sicherstellen.

Bei Vormauersteinen (Vn) und Vormauerblöcken (Vmb) sind Nut- und Federausbildungen unzulässig.

4.6 Rohdichte

4.6.1 Allgemeines

Es gilt DIN EN 771-3:2005-05, 5.4.

Zusätzlich zu DIN EN 771-3 müssen die Mauersteine 4.6.2 entsprechen.

Für die Mauersteine gelten folgende Grenzen der Rohdichteklassen:

Hbn	0,80 bis 2,00
Vbn und Vn	1,40 bis 2,40
Vm und Vmb	1,60 bis 2,40

4.6.2 Bruttotrockenrohdichte (Steinrohdichte)

Für die Zuordnung in Steinrohdichteklassen gilt Tabelle A.10.

F

Die Mittelwerte der Bruttotrockenrohdichten müssen für die jeweiligen Rohdichteklassen innerhalb der in Tabelle A.10 angegebenen Grenzen liegen.

4.7 Druckfestigkeit

4.7.1 Allgemeines

Es gilt DIN EN 771-3:2005-05, 5.5.1.

Zusätzlich zur DIN EN 771-3 müssen die Mauersteine 4.7.2 entsprechen.

4.7.2 Druckfestigkeit senkrecht zur Lagerfuge

Für die Zuordnung der mittleren Druckfestigkeit zu Festigkeitsklassen müssen die Formfaktoren f der Tabelle A.11 unter Bezug auf die deklarierte mittlere Steindruckfestigkeit $f_{st,1}$ angesetzt werden (siehe Gleichung (1)).

$$f_{st} = f_{st,1} \times f \qquad (1)$$

Dabei ist

$f_{st,1}$ die auf eine Prüfung im lufttrockenen Zustand umgerechnete mittlere Steindruckfestigkeit;

f_{st} die umgerechnete mittlere Steindruckfestigkeit f_{st} einschließlich Formfaktor.

Die umgerechnete mittlere Steindruckfestigkeit f_{st} ist der entsprechenden Festigkeitsklasse nach Tabelle A.12 zuzuordnen. Sie muss mindestens 2,5 N/mm^2 betragen.

Falls eine andere Konditionierung als nach DIN EN 771-3:2005-05, 5.5.1.1 (lufttrocken) gewählt wurde, ist die deklarierte mittlere Druckfestigkeit nach DIN EN 772-1:2000-09, Anhang A, auf den lufttrockenen Zustand umzurechnen.

Für Mauersteine aus Beton gelten folgende Grenzen der Druckfestigkeitsklassen:

Hbn 2 bis 12
Vbn und Vn 4 bis 28
Vm und Vmb 6 bis 48

4.8 Frostwiderstand

Es gilt DIN EN 771-3:2005-05, 5.7.

Der Frostwiderstand von Vormauersteinen Vm und Vormauerblöcken Vmb ist sinngemäß nach DIN 52252-1 zu prüfen und zu beurteilen.

5 Bezeichnung

Es gilt DIN EN 771-3:2005-05, Abschnitt 6.

Zusätzlich zu DIN EN 771-3 müssen die Mauersteine den nachfolgenden Festlegungen entsprechen.

Für die verschiedenen Mauersteinarten gelten folgende Kurzzeichen:

Hbn Hohlblock
Hbn-P Plan-Hohlblock
Vbn Vollblock

Vbn-P	Plan-Vollblock
Vn	Vollstein
Vn-P	Plan-Vollstein
Vm	Vormauerstein
Vmb	Vormauerblock

Bei Stoßfugenausbildung mit Nut und Feder ist die Kurzbezeichnung N+F zu verwenden.

Ist eine Stirnseitennut vorhanden, ist darauf mit der Kurzbezeichnung SN zu verweisen.

Die Mauersteine sind in der Reihenfolge DIN-Hauptnummer, Mauersteinart (Kurzzeichen einschl. der Anzahl der Kammerreihen in Steinquerrichtung), Festigkeitsklasse, Rohdichteklasse, Formatkurzzeichen 1 nach Tabelle A.3, A.4 und A.5, zusätzlich Steinmaße aus Länge × Breite × Höhe und evtl. Zusatzangaben (z. B. SN oder N+F) zu bezeichnen.

Bezeichnungsbeispiele:

a) Bezeichnung eines Vierkammer-Hohlblocks aus Beton zur Vermauerung mit Normalmauermörtel (4K Hbn), der Festigkeitsklasse 4, der Rohdichteklasse 1,4, des Formats 15 DF, der Länge l = 370 mm, der Breite b = 300 mm, der Höhe h = 238 mm, mit Stirnseitennut und Nut- und Federausbildung der Stoßfuge (SN/N+F):

   Hohlblock DIN 18153 – 4K Hbn 4 – 1,4 – 15 DF-370/300/238 – SN/N+F

b) Bezeichnung eines Vollsteins aus Beton zur Vermauerung mit Dünnbettmörtel (Vn-P), der Festigkeitsklasse 20, der Rohdichteklasse 1,8, des Formats 6 DF, der Länge l = 240 mm, der Breite b = 365 mm, der Höhe h = 123 mm, mit ebenflächigen Stirnseiten:

   Vollstein DIN 18153 – Vn-P 20 – 1,8 – 6 DF-240/365/123

c) Bezeichnung eines Vormauersteins aus Beton zur Vermauerung mit Normalmauermörtel (Vm) der Festigkeitsklasse 12, der Rohdichteklasse 2,0, der Länge l = 190 mm, der Breite b = 90 mm, der Höhe h = 95 mm, mit ebenflächigen Stirnseiten:

   Vormauerstein DIN 18153 – Vm 12 – 2,0 – 195/90/95

d) Bezeichnung eines Vormauerblocks aus Beton zur Vermauerung mit Normalmauermörtel (Vmb), der Festigkeitsklasse 6, der Rohdichteklasse 1,6, des Formats 4 DF, der Länge l = 240 mm, der Breite b = 115 mm, der Höhe h = 95 mm, mit Stirnseitennut (SN):

   Vormauerblock DIN 18153 – Vmb 6 – 1,6 – 4 DF 115 – SN

F

6 Kennzeichnung

Es gilt DIN EN 771-3:2005-05, Abschnitt 7.

Zusätzlich gilt:

Auf mindestens jedem 50. Mauerstein sind Steinart, Maße, Festigkeitsklasse, Rohdichteklasse und das Hersteller-Kennzeichen anzugeben. Diese Angaben können auch in Form einer Artikelnummer gemacht werden. Dies kann durch Aufdruck oder Stempelung erfolgen.

Werden die Mauersteine paketiert, genügt es, wenn die Verpackung oder der Beipackzettel die vorgenannten Angaben enthält.

Die Angabe der Festigkeitsklasse kann entweder auf einer Längsseite durch Nuten, die etwa 10 mm breit, 5 mm tief und mindestens 40 mm lang sein müssen, oder durch eine Farbmarkierung auf der Längs- oder Stirnseite erfolgen. Sind die Mauersteine durch Farbzeichen und Nuten gekennzeichnet, so gilt die Farbkennzeichnung (siehe Tabelle A.13).

7 Konformitätsbewertung und -bescheinigung

Für die Konformitätsbewertung gilt DIN EN 771-3:2005-05, Abschnitt 8.

Die Übereinstimmung der Mauersteine aus Beton mit dieser Vornorm ist durch den Hersteller durch Ausstellen einer Übereinstimmungserklärung zu bestätigen.

ANMERKUNG Der Hersteller darf die Übereinstimmung auch auf der Grundlage einer Fremdüberwachung entsprechend Anhang B erklären.

Für Betonsteine mit den in der Bauregelliste A Teil 1 bekannt gemachten Eigenschaften ist die Übereinstimmung durch Herstellererklärung und Kennzeichnung mit dem Übereinstimmungszeichen[2)] zu bestätigen.

8 Lieferschein

Es gilt DIN EN 771-3:2005-05.

Zusätzlich sind nach dieser Vornorm hergestellte Mauersteine mit Lieferscheinen, die folgende Angaben enthalten, auszuliefern:

a) Hersteller und Werk;

b) Herstellerzeichen (Werkzeichen);

c) Anzahl und Bezeichnung der gelieferten Mauersteine nach Abschnitt 5;

d) gegebenenfalls Artikelnummer;

e) Rohdichteklasse;

f) Festigkeitsklasse;

g) Tag der Lieferung;

h) Empfänger.

---

2) Übereinstimmungszeichen-Verordnung des jeweiligen Landes.

Bei Betonsteinen mit den in der Bauregelliste A Teil 1 bekannt gemachten Eigenschaften ist auf der Verpackung, dem Lieferschein oder dem Beipackzettel das Übereinstimmungszeichen (entsprechend der Übereinstimmungszeichen-Verordnung des jeweiligen Landes) anzubringen.

Anhang A
(normativ)

Anforderungen an Geometrie, Rohdichte und Druckfestigkeit

Tabelle A.1: Maße der Stege und Stirnseitennuten bei Hohlblöcken

Maße in mm

Spalte	1	2	3	4	5	6	7	8
Zeile	Form	Hohlblöcke nach Tabelle A.3	Außenstege[a]		Innenstege	Stirnseitennut		
			längs	quer		Breite		Tiefe
		Zeile	a_1 min.	a_2 min.	c min.	d ± 10[b]	$\Sigma\, d_1$[c] ± 10	e ± 3
1	1K Hbn	1	35	25	25	45	–	20[d]
2		2	50	30	30	45	40	
3		3 und 4	40	25	25	75	70	
4	2K Hbn	3 und 4	30	25	25	75	70	
5		5	40	25	25	100	80	
6		6 bis 8	35	25	25	120	100	
7		9 bis 11	40	25	25	140	120	
8	3K Hbn	6 bis 8	30	25	20	120	100	
9		9 bis 11	30	25	20	140	120	
10		12 bis 14	30	25	25	160	145	
11	4K Hbn	6 bis 8	25	20	20	120	100	
12		9 bis 11	30	20	20	140	120	
13		12 bis 14	30	20	20	160	140	
14	5K Hbn	9 bis 11	30	20	20	140	120	
15		12 bis 14	25	20	20	160	145	
16		15	30	20	20	180	180	
17		16	35	20	20	200	200	
18	6K Hbn	12 bis 14	30	30	25	160	145	
19		15	25	25	20	180	180	
20		16	25	20	20	200	200	

[a] Bei Hbn mit ebenflächigen Stirnseiten gilt für alle Außenstege als Mindestdicke das Maß a_1 in Abhängigkeit von der Anzahl der Kammerreihen in der jeweiligen Richtung.

[b] Bei Nut- und Federausbildung mit Stirnseitennut: +10 mm, –40 mm.

[c] Für Hbn mit unterbrochenem Außensteg.

[d] Bei Steinlängen von 240 mm, 365 mm bzw. 490 mm ist die Stirnseitennut 15 mm tief.

Tabelle A.2: Mindestmaße der Stege und Maße der Stirnseitennuten von Vormauerblöcken **Maße in mm**

1	2	3	4	5	6	7	8	9
Form	Länge *l*	Breite *b*	Außenstege			Innenstege *c* min.	Stirnseitennuten	
			längs a_1 min.	quer a_2[a] min.	quer a_3[b] min.		Breite *d* ± 5	Tiefe *e* ± 2
A	190	90	30	40	50	–	45	
		100	35	40	50	–	50	
		115	40	40	50	–	55	
		140	50	45	50	–	70	
B	240 und 290	90	30	40	50	25	45	
		100	35	40	50	30	50	
		115	40	40	50	30	55	
		140	50	45	50	35	70	
		190	50	45	50	35	90	20
		240	50	45	50	35	120	
C	490	90	30	40	50	25	45	
		100	35	40	50	30	50	
		115	40	40	50	30	55	
		140	50	45	50	35	70	
		190	50	45	50	35	90	
		240	50	45	50	35	120	

[a] Das Maß a_2 gilt für Vmb ohne Stirnseitennut.
[b] Das Maß a_3 gilt für Vmb mit Stirnseitennut.

Tabelle A.3: Maße und Formate der Hohlblöcke Maße in mm

Spalte	1	2	3	4	5	6
Zeile	Form	Format- kurzzeichen	Systemlänge l_s	Breite *b* ± 3	Höhe *h*	
					Hbn ± 4	Hbn-P ± 1,0
1	1K Hbn	8DF	500	115	238[a]	238 oder 248[b]
2	1K Hbn	10DF	500	150		
3	1K Hbn	9DF	375	175		
4	2K Hbn	12DF	500			
5	2K Hbn	14DF	500	200		
6	2K Hbn 3K Hbn 4K Hbn	8DF	250	240		
7		12DF	375[c]			
8		16DF	500			
9	2K Hbn 3K Hbn 4K Hbn 5K Hbn	10DF	250	300		
10		15DF	375			
11		20DF	500			
12	3K Hbn 4K Hbn 5K Hbn 6K Hbn	12DF	250	365		
13		18DF	375			
14		24DF	500			
15	5K Hbn 6K Hbn	14DF	250	425		
16		16DF	250	490		

[a] Regional auch 175 mm und 190 mm.
[b] Auch 1 mm größere Höhe zulässig; innerhalb eines Herstellwerkes ist jedoch nur eine Höhe zulässig.
[c] Regional auch 310 mm (10DF) möglich.

Tabelle A.4: Maße und Formate der Vollblöcke **Maße in mm**

Spalte	1	2	3	4	5	6
Zeile	Form	Formatkurzzeichen	Systemlänge l_s	Breite b ± 3	Höhe h	
					Vbn ± 4	Vbn-P ± 1,0
1	Vbn	10DF	500	150		
2	Vbn	9DF	375	175		
3		12DF	500			
4	Vbn	14DF	500	200		
5		8DF	250			
6	Vbn	12DF	375[c]	240		
7		16DF	500			
8		10DF	250		238[a]	238 oder 248[b]
9	Vbn	15DF	375	300		
10		20DF	500			
11		12DF	250			
12	Vbn	18DF	375	365		
13		24DF	500			
14	Vbn	14DF	250	425		
15	Vbn	16DF	250	490		

[a] Regional auch 175 mm und 190 mm.
[b] Auch 1 mm größere Höhe zulässig; innerhalb eines Herstellwerkes ist jedoch nur eine Höhe zulässig.
[c] Regional auch 310 mm (10DF) möglich.

F

Tabelle A.5: Maße und Formate der Vollsteine Maße in mm

Spalte	1	2	3	4	5
Zeile	Formatkurzzeichen	Systemlänge l_s	Breite b ± 3	Höhe h	
				Vn ± 4	Vn-P ± 1,0
1	1,7DF	250	95	113	123[a]
2	6,8DF	500		240	248[a]
3	DF (Dünnformat)	250	115	52	60
4	NF (Normalformat)			71	81
5	2DF			113	123[a]
6	2NF		140		
7	2,5DF		150		
8	3DF		175		
9	3,5DF		200	115	123[a]
10	4DF		240		
11	5DF		300		
12	6DF		365		
13	7DF		425		
14	8DF	500	240		
15	10DF		300		

[a] Auch 1 mm größere Höhe zulässig; innerhalb eines Herstellwerkes ist jedoch nur eine Höhe zulässig.

Tabelle A.6: Steinlängen Maße in mm

1	2	3	4
Stirnseitenausbildung	Kurzzeichen	Steinlängen l	
		Hbn, Vn, Vbn ± 3	Hbn-P, Vn-P, Vbn-P ± 3
Stirnseite ebenflächig	–	$l_s - 10$	$l_s - 2$
mit Stirnseiten-Nut	SN	$l_s - 5$	–
mit Stirnseiten-Nut und Nut und Feder	SN/N+F		
mit Nut und Feder (ohne Stirnseitennut)	N+F	$l_s - 3$	$l_s - 3$

Tabelle A.7: Maße der Vormauersteine (Kombinationsmaße) Maße in mm

1	2	3	4
Länge *l* ± 3	Breite[b] *b* ± 3	Höhe *h*	Grenzabmaße
190 240 290 490	90 100 115 140 190 240	52 71	± 2
		95 113 115 175 238	± 3

[a] Vorzugsmaße, Zwischenmaße sind zulässig.
[b] Bei bruchrauer oder werksteinmäßig bearbeiteter Oberfläche +5 mm, –3 mm an der tiefsten Stelle der Fläche.

Tabelle A.8: Maße der Vormauerblöcke (Kombinationsmaße) Maße in mm

1	2	3
Länge[b] *l* ± 3	Breite *b* ± 3	Höhe *h* ± 3
190 240 290 490	90 100 115 140 190 240	175 190 238

[a] Vorzugsmaße, Zwischenmaße sind zulässig.
[b] Für Vmb mit Stirnseitennuten jeweils 5 mm größere Längen.

Tabelle A.9: Maße der Stirnseitennuten bei Vollsteinen und Vollblöcken Maße in mm

Steinbreite *b*	Stirnseitennut	
	Breite *d* ± 10[a]	Tiefe *e* ± 3
95	–	
115	45	20[b]
140	60	
150	70	
175	75	
200	100	
240	120	
300	140	
365	160	
425	180	
490	200	

[a] Bei Nut- und Federausbildung mit Stirnseitennut: +10 mm, –40 mm.
[b] Bei Steinlängen von 240 mm, 300 mm, 365 mm bzw. 490 mm ist die Stirnseitennut 15 mm tief.

Tabelle A.10: Steinrohdichteklassen

Rohdichteklasse	Mittelwert der Steinrohdichte[a] kg/dm³
0,80	0,71 bis 0,80
0,90	0,81 bis 0,90
1,00	0,91 bis 1,00
1,20	1,01 bis 1,20
1,40	1,21 bis 1,40
1,60	1,41 bis 1,60
1,80	1,61 bis 1,80
2,00	1,81 bis 2,00
2,20	2,01 bis 2,20
2,40	2,21 bis 2,40

[a] Einzelwerte dürfen die Klassengrenzen um nicht mehr als 0,10 kg/dm³ unter- bzw. überschreiten.

Tabelle A.11: Formfaktoren

Nennmaß der Steinhöhe mm	Formfaktor f
> 52 und < 75	0,8
≥ 75 und < 100	0,9
≥ 100 und < 175	1,0
≥ 175 und < 238	1,1[a]
≥ 238	1,2[a]

[a] Gilt nur für die Druckfestigkeitsklassen ≥ 4. Für die Druckfestigkeitsklasse 2 ist f = 1,0 einzusetzen.

Tabelle A.12: Druckfestigkeitsklassen

Druckfestigkeitsklasse	Mittlere Mindeststeindruckfestigkeit f_{st} N/mm²	Kleinster Einzelwert N/mm²
2	2,5	2,0
4	5,0	4,0
6	7,5	6,0
9	10,0	8,0
12	15,0	12,0
20	25,0	20,0
28	35,0	28,0
36	45,0	36,0
48	60,0	48,0

Tabelle A.13: Kennzeichnung der Festigkeitsklassen

Druckfestigkeitsklasse	Anzahl der Nuten	Farbzeichen
2	–	Grün
4	1	Blau
6	2	Rot
8	–	[a]
12	3	Schwarz
20	–	Gelb
28	–	Braun
36	–	Violett
48	–	2 schwarze Streifen

[a] Keine Farbkennzeichnung. Kennzeichnung erfolgt durch Aufstempelung der Druckfestigkeitsklasse in schwarzer Farbe.

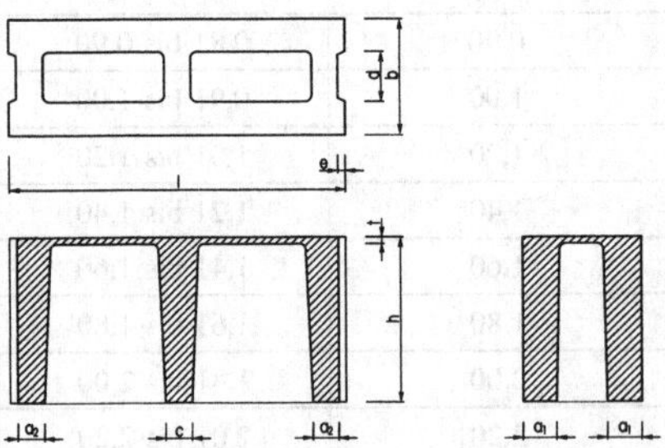

Bild A.1: Einkammer-Hohlblock, 1K Hbn (Beispiel)

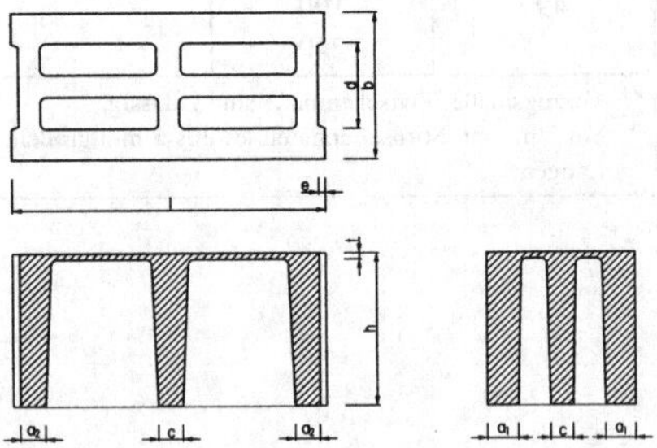

Bild A.2: Zweikammer-Hohlblock, 2K Hbn (Beispiel)

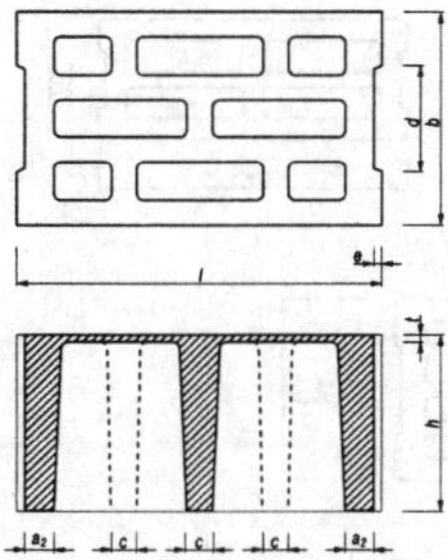

Bild A.3: Dreikammer-Hohlblock, 3K Hbn (Beispiel)

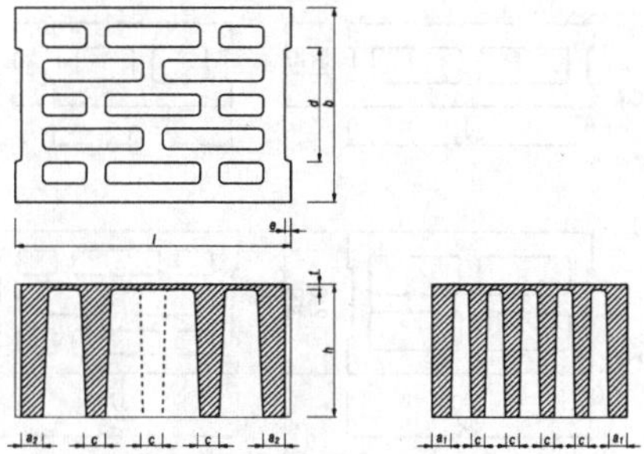

Bild A.6: Fünfkammer-Hohlblock, 5K Hbn (Beispiel)

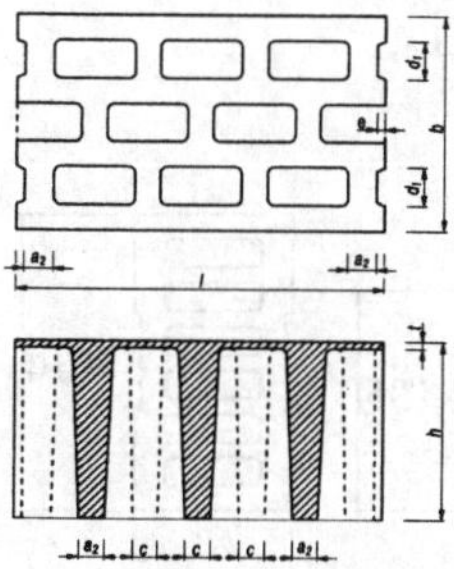

Bild A.4: Dreikammer-Hohlblock mit unterbrochenem Außensteg, 3K Hbn (Beispiel)

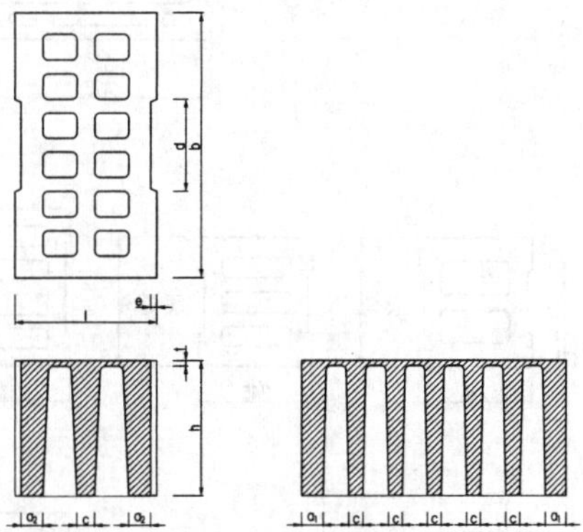

Bild A.7: Sechskammer-Hohlblock, 6K Hbn (Beispiel)

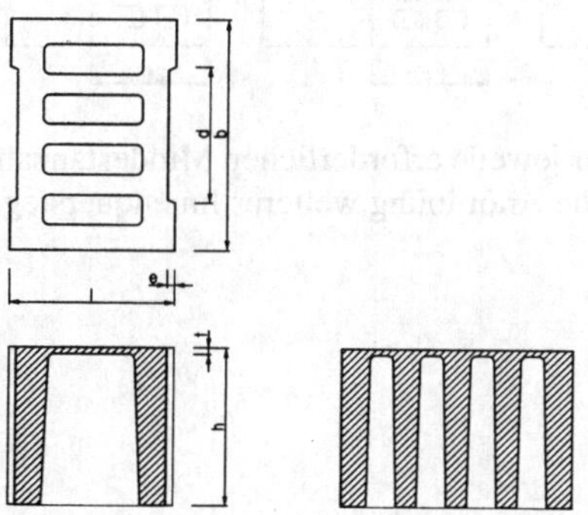

Bild A.5: Vierkammer-Hohlblock, 4K Hbn (Beispiel)

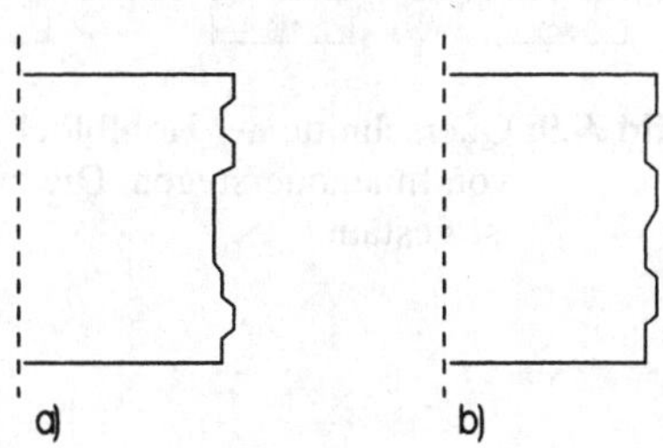

Bild A.8: Beispiele für die Stirnseitenausbildung
a) Stirnseitennut mit Nut und Feder
b) nur Nut und Feder (Labyrinthverzahnung)

F

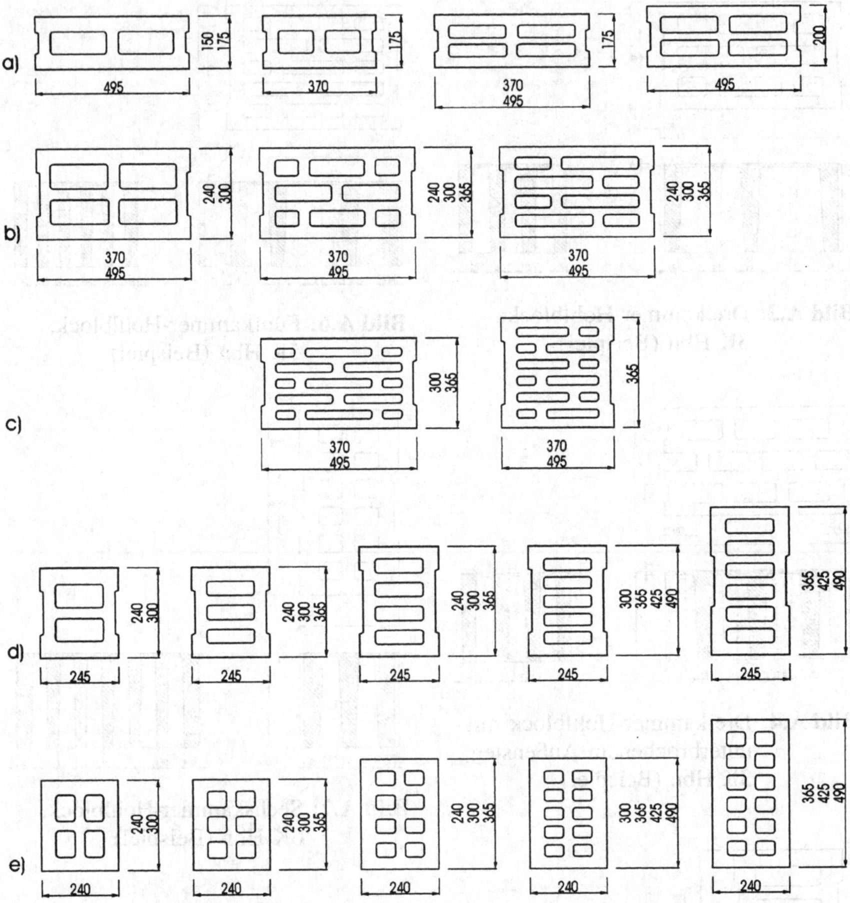

Bild A.9: Querschnitte der Hohlblöcke mit der jeweils erforderlichen Mindestanzahl von Innenquerstegen. Die zusätzliche Anordnung weiterer Innenquerstege ist gestattet.

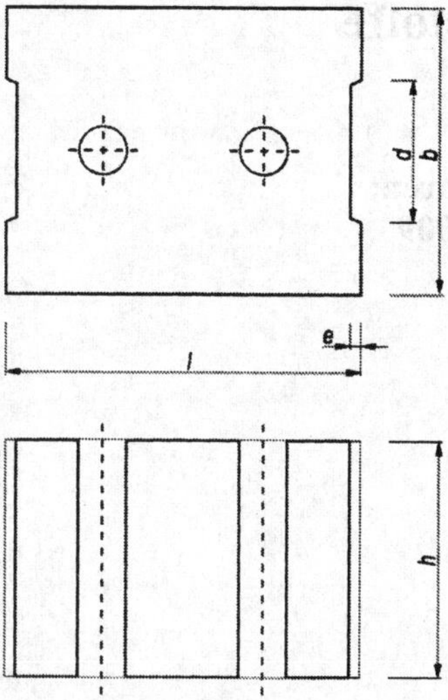

Bild A.10: Vollblock mit Grifflöchern, Vbn (Beispiel)

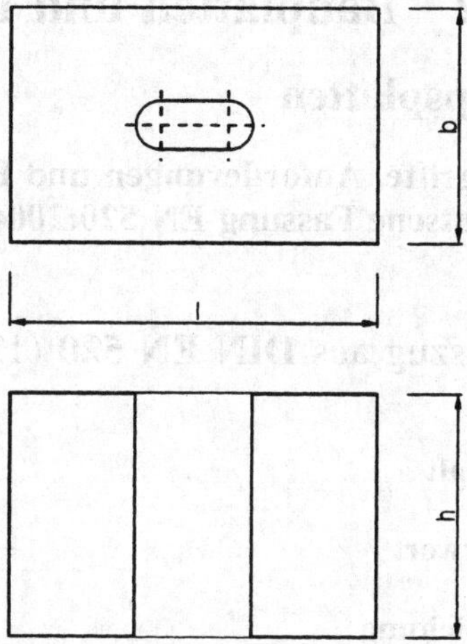

Bild A.11: Vollstein mit Griffloch, Vn (Beispiel)

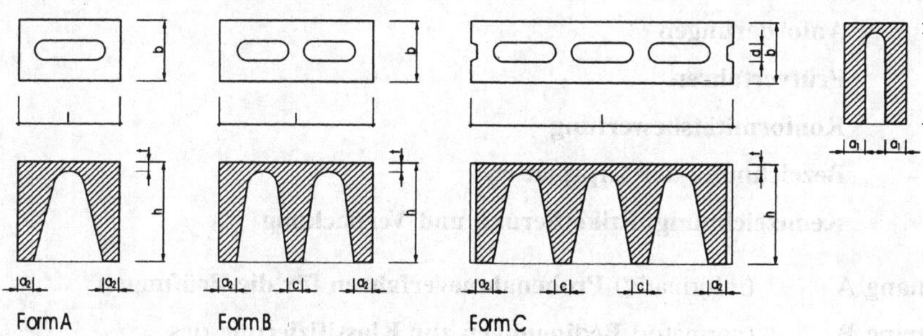

Bild A.12: Vormauerblöcke, Vmb (Beispiele)

F.2 Bauplatten und Dämmstoffe

Gipsplatten

Begriffe, Anforderungen und Prüfverfahren; Deutsche Fassung EN 520:2004 + A1: 2009

Auszug aus **DIN EN 520** (12.2009)

Inhalt

Einleitung

Gipsplatten sind ebene, rechteckige Platten, die aus einem Gipskern und einer daran fest haftenden Ummantelung aus einem festen, widerstandsfähigen Karton bestehen.

Auf Grund ihrer Eigenschaften sind Gipsplatten besonders zur Verwendung bei Brandschutz-, Schallschutz- und Wärmeschutzmaßnahmen geeignet.

Gipsplatten können mit verschiedenen Verfahren befestigt werden, z. B. durch Nageln, Schrauben oder Kleben mit einem Kleber auf Gipsbasis oder mit anderen Klebstoffen. Bei der Herstellung abgehängter Decken können sie in Tragprofile eingelegt werden.

Hinsichtlich ihrer Anwendung werden Gipsplatten nach Art, Form, Dicke und Kantenausbildung ausgewählt. Sie können z. B. als Trockenputz für Wände, für direkt befestigte Deckenbekleidungen oder abgehängte Decken, für Trennwände oder als Verkleidung für Stützen und Balken verwendet werden. Sie können auch für Unterböden und Beplankungen eingesetzt werden.

1 Anwendungsbereich

Dieses Dokument legt Eigenschaften und Leistungsmerkmale für Gipsplatten fest, die in Bauwerken verwendet werden, einschließlich derer, die zur Weiterverarbeitung bestimmt sind. Es gilt auch für Platten, die zur direkten Aufnahme einer dekorativen Beschichtung oder eines Gipsputzes vorgesehen sind.

Dieses Dokument erfasst folgende Leistungsmerkmale des Produktes: Brandverhalten, Wasserdampfdurchlässigkeit, Biegezugfestigkeit (Bruchlast), Stoßfestigkeit und Wärmedurchlasswiderstand.

Die folgenden Leistungsmerkmale beziehen sich auf Systeme, die unter Verwendung von Gipsplatten hergestellt werden: Scherfestigkeit, Feuerwiderstand, Stoßfestigkeit Luftschalldämmung, Trittschalldämmung, Schallabsorption und Luftdurchlässigkeit, die nach den entsprechenden Europäischen Prüfverfahren zu bestimmen sind. Sofern erforderlich, werden Prüfungen an zusammengebauten Systemen, die dem Endzustand entsprechen, durchgeführt.

Dieses Dokument behandelt auch zusätzliche technische Eigenschaften, die für die Anwendung und Akzeptanz des Produktes durch die Bauwirtschaft wichtig sind. Es enthält auch die Referenzprüfverfahren für diese Eigenschaften.

Ferner legt es die Bewertung der Konformität der von diesem Dokument erfassten Produkte fest.

Dieses Dokument gilt nicht für Gipsplatten, die weiterverarbeitet wurden (z. B. zu Gipsplatten-Verbundelementen zur Schall- und Wärmedämmung, Gipsplatten mit dünnen Beschichtungen usw.).

3 Begriffe

Für die Anwendung dieses Dokumentes gelten die folgenden Begriffe.

3.1 Gipsplatte

ebene rechteckige Platte, die aus einem Gipskern und einer daran fest haftenden Ummantelung aus einem festen, widerstandsfähigen Karton besteht; die Kartonoberflächen können in Abhängigkeit vom Verwendungszweck der jeweiligen Plattenart variieren, und der Kern kann Zusätze enthalten, die der Platte zusätzliche Eigenschaften verleihen; die Längskanten sind kartonummantelt und dem Verwendungszweck entsprechend ausgebildet

3.1.2 Längskante

kartonummantelte Kante in Platten-Längsrichtung

3.1.3 Querkante

Kante mit sichtbarem Kern, die quer zur Längskante verläuft

3.1.4 Ansichtsseite

Plattenseite, deren Kartonummantelung um die Längskanten geführt ist

3.1.5 Rückseite

Plattenseite, die der Ansichtsseite gegenüberliegt

3.1.6 Breite

kürzester Abstand zwischen den Längskanten der Platte

3.1.7 Nennbreite (*w*)

vom Hersteller angegebene Breite

3.1.8 Länge

kürzester Abstand zwischen den Querkanten der Platte

3.1.9 Nennlänge (*l*)

vom Hersteller angegebene Länge

3.1.10 Dicke

Abstand zwischen der Ansichtsseite und der Rückseite, gemessen außerhalb des Längskantenprofilbereichs

3.1.11 Nenndicke (*t*)

vom Hersteller angegebene Dicke

3.1.12 Rechtwinkligkeit (*s*)

Rechteckigkeit der Platte

3.2 Arten von Gipsplatten

3.2.1 Allgemeines

Gipsplatten können Leistungsmerkmale mehrerer der nachfolgend angegebenen Plattenarten aufweisen. In diesem Fall sind in der Bezeichnung der Platte alle Buchstaben aufzuführen, die auf die entsprechenden Leistungsmerkmale hinweisen.

3.2.2 Gipsplatte Typ A

Gipsplatte, auf deren Ansichtsseite ein geeigneter Gipsputz oder eine geeignete dekorative Beschichtung aufgebracht werden können; zur Kennzeichnung erhalten diese Platten die Bezeichnung „Typ A".

3.2.3 Gipsplatte Typ H (Gipsplatte mit reduzierter Wasseraufnahmefähigkeit)

Plattenart mit Zusätzen zur Reduzierung der Wasseraufnahmefähigkeit; sie kann für Anwendungszwecke geeignet sein, bei denen die Reduzierung der Wasseraufnahmefähigkeit zur Verbesserung der Leistungsfähigkeit der Platte erforderlich ist; zur Kennzeichnung erhalten diese Platten in Abhängigkeit von ihrem Wasseraufnahmevermögen die Bezeichnung „Typ H1", „Typ H2" bzw. „Typ H3".

3.2.4 Gipsplatte Typ E (Gipsplatte für Beplankungen)

Platten, die besonders als Beplankungen für Außenwandelemente verwendet werden; eine dekorative Beschichtung ist nicht vorgesehen; die Platten sind nicht für dauernde Außenbewitterung ausgelegt; diese Plattenart weist eine reduzierte Wasseraufnahmefähigkeit auf; die Wasserdampfdurchlässigkeit ist auf ein Mindestmaß reduziert; zur Kennzeichnung erhalten diese Platten die Bezeichnung „Typ E".

3.2.5 Gipsplatte Typ F (Gipsplatte mit verbessertem Gefügezusammenhalt des Kerns bei hohen Temperaturen)

Gipsplatte, auf deren Ansichtsseite ein geeigneter Gipsputz oder eine geeignete dekorative Beschichtung aufgebracht werden kann; zur Verbesserung des Gefügezusammenhalts bei hohen Temperaturen (Brandfall) enthält der Gipskern dieser Platten mineralische Fasern und/oder andere Zusätze; zur Kennzeichnung erhalten diese Platten die Bezeichnung „Typ F".

3.2.6 Gipsplatte Typ P

Platten, deren Sichtseite für den Auftrag von Gipsputz vorgesehen ist oder für eine Klebeverbindung mit anderen Materialien wie Gipsplatten oder tafelförmigen Stoffen. Bei den Platten, die zum Auftrag von Gipsputz vorgesehen sind, ist die Kantenform entweder „volle Kante" oder „runde Kante".

ANMERKUNG Zur Kennzeichnung erhalten diese Platten die Bezeichnung „Typ P".

3.2.7 Gipsplatte Typ D (Gipsplatte mit definierter Dichte)

Gipsplatte, auf deren Ansichtsseite ein geeigneter Gipsputz oder eine geeignete dekorative Beschichtung aufgebracht werden kann; sie weist eine definierte Dichte auf, um für bestimmte Anwendungszwecke eine verbesserte Leistungsfähigkeit sicherzustellen; zur Kennzeichnung erhalten diese Platten die Bezeichnung „Typ D".

F

3.2.8 Gipsplatte Typ R (Gipsplatte mit erhöhter Festigkeit)
Gipsplatte, auf deren Ansichtsseite ein geeigneter Gipsputz oder eine geeignete dekorative Beschichtung aufgebracht werden kann; sie ist für Anwendungszwecke bestimmt, für die eine erhöhte Bruchfestigkeit sowohl in Längs- als auch in Querrichtung gefordert wird; zur Kennzeichnung erhalten diese Platten die Bezeichnung „Typ R".

3.2.9 Gipsplatte Typ I (Gipsplatte mit erhöhter Oberflächenhärte)
Gipsplatte, die für Anwendungszwecke bestimmt ist, bei denen Anforderungen an erhöhte Oberflächenhärte gestellt werden. Auf der Ansichtsseite kann ein geeigneter Gipsputz oder eine geeignete dekorative Beschichtung aufgebracht werden; zur Kennzeichnung erhalten diese Platten die Bezeichnung „Typ I".

7 Bezeichnung der Gipsplatten

Gipsplatten sind wie folgt zu bezeichnen:

a) mit dem Wort „Gipsplatte";

b) mit dem Buchstaben zum Gipsplattentyp:
  - A,
  - D,
  - E,
  - F,
  - H (1, 2 oder 3),
  - I,
  - P,
  - R;

ANMERKUNG Die Typen D, E, F, H, I und R können nach Erfordernis kombiniert werden[6]. Die Typen A und P können nicht kombiniert werden.

c) durch Verweisung auf dieses Dokument;

d) mit den Maßen in Millimeter in der folgenden Reihenfolge:
  - Breite;
  - Länge;
  - Dicke;

e) mit der Ausbildung der Längskanten:
  - volle Kante;
  - Winkelkante;
  - abgeflachte Kante;

---
[6] Die Bezeichnungsbuchstaben sollten in alphabetischer Reihenfolge angegeben werden.

– halbrunde Kante;
– halbrunde, abgeflachte Kante;
– runde Kante;
– besonderer Verwendungszweck.

BEISPIELE FÜR PLATTENBEZEICHNUNGEN:
Gipsplatte A/EN 520 – 1200/2400/9,5 abgeflachte Kante
Gipsplatte FH2/EN 520 – 1250/3000/12,5 halbrunde abgeflachte Kante
Gipsplatte DFH2/EN 520 – 1250/3000/12,5 runde Kante.

8 Kennzeichnung, Etikettierung und Verpackung

Gipsplatten, die die Anforderungen dieses Dokuments erfüllen, sind auf der Platte oder auf dem Etikett oder auf der Verpackung oder in den Begleitdokumenten (z. B. dem Lieferschein) wie folgt zu kennzeichnen:

a) Verweisung auf dieses Dokument;
b) Name, Markenzeichen oder sonstige Kennzeichnung des Herstellers der Gipsplatte;
c) Herstellungsdatum;
d) Mittel zur Identifizierung der Gipsplatten und Zuordnung zu ihrer Bezeichnung nach Abschnitt 7.

ANMERKUNG Wenn durch die CE-Kennzeichnung die vorgenannten Angaben auch erforderlich sind, sind damit die Anforderungen dieses Abschnittes erfüllt.

F

Wärmeschutz und Energie-Einsparung in Gebäuden

Teil 10: Anwendungsbezogene Anforderungen an Wärmestoffe – Werkmäßig hergestellte Wärmedämmstoffe

Auszug aus **DIN 4108-10** (06.2008)

Inhalt

1 Anwendungsbereich

Diese Norm legt anwendungsbezogene Anforderungen an werkmäßig hergestellte Wärmedämmstoffe für Gebäude nach DIN EN 13162, DIN EN 13163, DIN EN 13164, DIN EN 13165, DIN EN 13166, DIN EN 13167, DIN EN 13168, DIN EN 13169, DIN EN 13170 und DIN EN 13171 fest und ordnet den Wärmedämmstoffen Anwendungsgebiete zu, die durch Kurzzeichen gekennzeichnet sind.

ANMERKUNG Auf diese Weise können Planer und Anwender von Wärmedämmstoffen die geeigneten Anwendungstypen auswählen.

Diese Norm beinhaltet Festlegungen zur Qualitätssicherung von Wärmedämmstoffen für deren Anwendung.

Diese Norm regelt nicht die Anwendung von Wärmedämmstoffen für die Haustechnik und betriebstechnische Anlagen und von Ort-Wärmedämmstoffen, die an der Verwendungsstelle hergestellt werden.

Diese Norm regelt nicht die Anwendung von Wärmedämmstoffen, für die keine entsprechende Europäische Norm gilt.

Anwendungsrichtlinien, Fachregeln, Merkblätter und Anwendungen, die einer allgemeinen bauaufsichtlichen Zulassung oder eines allgemeinen bauaufsichtlichen Prüfzeugnisses bedürfen, sind nicht Gegenstand dieser Norm.

Bei Industrieböden und Parkdecks ist unter Zugrundelegung von vorwiegend ruhenden Einwirkungen nach DIN 1055-3 die Dickenminderung der Dämmschicht auf 2 % zu begrenzen. Dies gilt für alle Anwendungen von Dämmstoffen mit dem Kurzzeichen **ds** und **dx** nach Tabelle 2. Bei dynamischer Belastung sind die Mindestanforderungen dieser Norm nicht anwendbar.

3 Begriffe

Für die Anwendung dieser Vornorm gelten die in DIN EN ISO 7345, E DIN EN ISO 9229 und DIN EN ISO 9346 angegebenen und die folgenden Begriffe.

3.1.1 Anwendungsgebiet

Verwendung von werkmäßig hergestellten Wärmedämmstoffen für Gebäude

3.1.2 Kurzzeichen

Die in vorliegender Vornorm verwendeten Kurzzeichen sind Abkürzungen für Anwendungsgebiete von Wärmedämmungen. Sie sind in Tabelle 1 angegeben.

Tabelle 1: Anwendungsgebiete von Wärmedämmungen

Anwendungsgebiet	Kurzzeichen	Anwendungsbeispiele
Decke, Dach	DAD	Außendämmung von Dach oder Decke, vor Bewitterung geschützt, Dämmung unter Deckungen
	DAA	Außendämmung von Dach oder Decke, vor Bewitterung geschützt, Dämmung unter Abdichtungen
	DUK	Außendämmung des Daches, der Bewitterung ausgesetzt (Umkehrdach)[a]
	DZ	Zwischensparrendämmung, zweischaliges Dach, nicht begehbare, aber zugängliche oberste Geschossdecken
	DI	Innendämmung der Decke (unterseitig) oder des Daches, Dämmung unter den Sparren/Tragkonstruktion, abgehängte Decke usw.
	DEO	Innendämmung der Decke oder Bodenplatte (oberseitig) unter Estrich ohne Schallschutzanforderungen
	DES	Innendämmung der Decke oder Bodenplatte (oberseitig) unter Estrich mit Schallschutzanforderungen
Wand	WAB	Außendämmung der Wand hinter Bekleidung
	WAA	Außendämmung der Wand hinter Abdichtung
	WAP	Außendämmung der Wand unter Putz
	WZ	Dämmung von zweischaligen Wänden, Kerndämmung
	WH	Dämmung von Holzrahmen- und Holztafelbauweise
	WI	Innendämmung der Wand
	WTH	Dämmung zwischen Haustrennwänden mit Schallschutzanforderungen
	WTR	Dämmung von Raumtrennwänden
Perimeter	PW	Außen liegende Wärmedämmung von Wänden gegen Erdreich (außerhalb der Abdichtung)[a]
	PB	Außen liegende Wärmedämmung unter der Bodenplatte gegen Erdreich (außerhalb der Abdichtung)[b]

[a] Es sind die Festigungen nach DIN 4108-2:2003-02

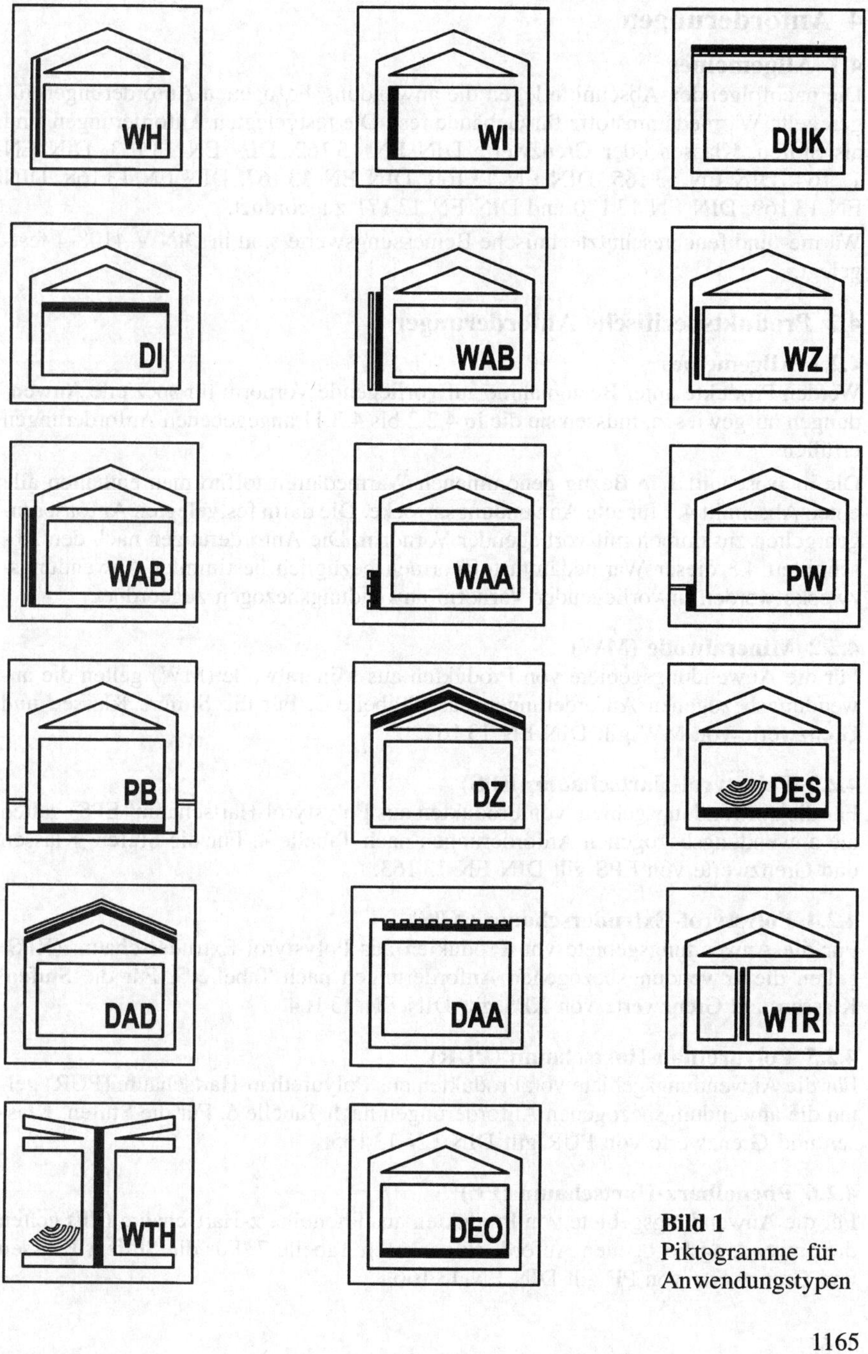

Bild 1
Piktogramme für Anwendungstypen

4 Anforderungen

4.1 Allgemeines

Die nachfolgenden Abschnitte legen die anwendungsbezogenen Anforderungen für geregelte Wärmedämmstoffe für Gebäude fest. Die festgelegten Anforderungen sind als Stufen, Klassen oder Grenzwerte DIN EN 13 162, DIN EN 13 163, DIN EN 13 164, DIN EN 13 165, DIN EN 13 166, DIN EN 13 167, DIN EN 13 168, DIN EN 13 169, DIN EN 13 170 und DIN EN 13 171 zugeordnet.

Wärme- und feuchteschutztechnische Bemessungswerte sind in DIN V 4108-4 festgelegt.

4.2 Produktspezifische Anforderungen

4.2.1 Allgemeines

Werden Produkte unter Bezugnahme auf vorliegende Vornorm für spezielle Anwendungen ausgewiesen, müssen sie die in 4.2.2 bis 4.2.11 angegebenen Anforderungen erfüllen.

Die in Abschnitt 1 in Bezug genommenen Wärmedämmstoffnormen enthalten alle einen Abschnitt 4.2 für alle Anwendungszwecke. Die darin festgelegten Anforderungen gelten zusammen mit vorliegender Vornorm. Die Anforderungen nach den Abschnitten 4.3 dieser Warmedämmstoffnormen bezüglich bestimmter Anwendungszwecke werden in vorliegender Vornorm anwendungsbezogen zugeordnet.

4.2.2 Mineralwolle (MW)

Für die Anwendungsgebiete von Produkten aus Mineralwolle (MW) gelten die anwendungsbezogenen Anforderungen nach Tabelle 3. Für die Stufen, Klassen und Grenzwerte von MW gilt DIN EN 13 162.

4.2.3 Polystyrol-Hartschaum (EPS)

Für die Anwendungsgebiete von Produkten aus Polystyrol-Hartschaum (EPS) gelten die anwendungsbezogenen Anforderungen nach Tabelle 4. Für die Stufen, Klassen und Grenzwerte von EPS gilt DIN EN 13 163.

4.2.4 Polystyrol-Extruderschaum (XPS)

Für die Anwendungsgebiete von Produkten aus Polystyrol-Extruderschaum (XPS) gelten die anwendungsbezogenen Anforderungen nach Tabelle 5. Für die Stufen, Klassen und Grenzwerte von XPS gilt DIN EN 13 164.

4.2.5 Polyurethan-Hartschaum (PUR)

Für die Anwendungsgebiete von Produkten aus Polyurethan-Hartschaum (PUR) gelten die anwendungsbezogenen Anforderungen nach Tabelle 6. Für die Stufen, Klassen und Grenzwerte von PUR gilt DIN EN 13 165.

4.2.6 Phenolharz-Hartschaum (PF)

Für die Anwendungsgebiete von Produkten aus Phenolharz-Hartschaum (PF) gelten die anwendungsbezogenen Anforderungen nach Tabelle 7. Für die Stufen, Klassen und Grenzwerte von PF gilt DIN EN 13 166.

4.2.7 Schaumglas (CG)
Für die Anwendungsgebiete von Produkten aus Schaumglas (CG) gelten die anwendungsbezogenen Anforderungen nach Tabelle 8. Für die Stufen, Klassen und Grenzwerte von CG gilt DIN EN 13 167.

4.2.8 Holzwolle-Platten (WW)
Für die Anwendungsgebiete von Produkten aus Holzwolle-Leichtbauplatten (WW) gelten die anwendungsbezogenen Anforderungen nach Tabelle 12. Für die Stufen, Klassen und Grenzwerte von WW gilt DIN EN 13 168.

4.2.9 Holzwolle-Mehrschichtplatten (WW-C)
Für die Anwendung von Produkten aus Holzwolle-Mehrschichtplatten (WW-C) gelten die anwendungsbezogenen Anforderungen nach Tabelle 13. Für die Stufen, Klassen und Grenzwerte von WW-C gilt DIN EN 13 168.

4.2.10 Expandiertes Perlite (EPB)
Für die Anwendungsgebiete von Produkten aus expandiertem Perlite (EPB) gelten die anwendungsbezogenen Anforderungen nach Tabelle 9. Für die Stufen, Klassen und Grenzwerte von EPB gilt DIN EN 13 169.

4.2.11 Expandierter Kork (ICB)
Für die Anwendungsgebiete von Produkten aus expandiertem Kork (ICB) gelten die anwendungsbezogenen Anforderungen nach Tabelle 10. Für die Stufen, Klassen und Grenzwerte von ICB gilt DIN EN 13 170.

4.2.12 Holzfaser (WF)
Für die Anwendungsgebiete von Produkten aus Holzfaser (WF) gelten die anwendungsbezogenen Anforderungen nach Tabelle 11. Für die Stufen, Klassen und Grenzwerte von WF gilt DIN EN 13 171.

4.3 Anwendungsbezogene Anforderungen

4.3.1 Allgemeines
Die Anwendungsgebiete sind in Tabelle 1 aufgeführt. Differenzierungen von bestimmten Produkteigenschaften sind in Tabelle 2 angegeben.

ANMERKUNG Für die in den Tabellen 3 bis 13 angegebenen nicht genormten Anwendungen kann gemäß bauaufsichtlichen Regelungen ein entsprechender Verwendungsnachweis geführt werden.

Anwendungsbezogene Mindestanforderungen an Wärmedämmstoffe sind in Tabellen 3 bis 13 aufgeführt.

Tabelle 2: Differenzierungen von bestimmten Produkteigenschaften

Produkteigenschaft	Kurzzeichen	Beschreibung	Beispiele
Druckbelastbarkeit	dk	Keine Druckbelastbarkeit	Hohlraumdämmung, Zwischensparrendämmung
	dg	Geringe Druckbelastbarkeit	Wohn- und Bürobereich unter Estrich
	dm	Mittlere Druckbelastbarkeit	Nicht genutztes Dach mit Abdichtung
	dh	Hohe Druckbelastbarkeit	Genutzte Dachflächen, Terrassen
	ds	Sehr hohe Druckbelastbarkeit	Industrieböden, Parkdeck
	dx	Extrem hohe Druckbelastbarkeit	Hoch belastete Industrieböden, Parkdeck
Wasseraufnahme	wk	Keine Anforderungen an die Wasseraufnahme	Innendämmung im Wohn- und Bürobereich
	wf	Wasseraufnahme durch flüssiges Wasser	Außendämmung von Außenwänden und Dächern
	wd	Wasseraufnahme durch flüssiges Wasser und/oder Diffusion	Perimeterdämmung, Umkehrdach
Zugfestigkeit	zk	Keine Anforderungen an Zugfestigkeit	Hohlraumdämmung, Zwischensparrendämmung
	zg	Geringe Zugfestigkeit	Außendämmung der Wand hinter Bekleidung
	zh	Hohe Zugfestigkeit	Außendämmung der Wand unter Putz, Dach mit verklebter Abdichtung
Schalltechnische Eigenschaften	sk	Keine Anforderungen an schalltechnische Eigenschaften	Alle Anwendungen ohne schalltechnische Anforderungen
	sg	Trittschalldämmung, geringe Zusammendrückbarkeit	Schwimmender Estrich, Haustrennwände
	sm	Trittschalldämmung, mittlere Zusammendrückbarkeit	
	sh	Trittschalldämmung, erhöhte Zusammendrückbarkeit	
Verformung	tk	Keine Anforderungen an die Verformung	Innendämmung
	tf	Dimensionsstabilität unter Feuchte und Temperatur	Außendämmung der Wand unter Putz, Dach mit Abdichtung
	tl	Verformung unter Last und Temperatur	Dach mit Abdichtung

5 Wärmedämmende Eigenschaften

Es gelten die Bemessungswerte der Wärmeleitfähigkeit nach DIN V 4108-4.

6 Brandverhalten

Wärmedämmstoffe, die nach dieser Vornorm verwendet werden, müssen mindestens der Klasse E nach E DIN EN 13 501-1 entsprechen.

ANMERKUNG Das Brandverhalten ist entsprechend der in der Bauregelliste festgelegten Verfahren nachzuweisen.

Bei höheren Anforderungen nach Landesbauordnung (LBO) sind entsprechende bauaufsichtliche Nachweise nach DIN 4102, z.B. allgemeine bauaufsichtliche Zulassung (abZ) oder allgemeines bauaufsichtliches Prüfzeugnis (abP), zu führen.

F

Wandbauplatten aus Leichtbeton (unbewehrt)

Auszug aus **DIN 18 162** (10.2000)

1 Anwendungsbereich

Wandbauplatten aus Leichtbeton sind für die Herstellung von Wänden und Bauteilen, die überwiegend durch ihr Eigengewicht beansprucht werden, geeignet. Sie werden vorwiegend für die Erstellung leichter Trennwände nach DIN 4103-1 verwendet.

2 Normative Verweisungen

Diese Norm enthält durch datierte oder undatierte Verweisungen Festlegungen aus anderen Publikationen. Diese normativen Verweisungen sind an den jeweiligen Stellen im Text zitiert, und die Publikationen sind nachstehend aufgeführt. Bei datierten Verweisungen gehören spätere Änderungen oder Überarbeitungen dieser Publikationen nur zu dieser Norm, falls sie durch Änderung oder Überarbeitung eingearbeitet sind. Bei undatierten Verweisungen gilt die letzte Ausgabe der in Bezug genommenen Publikation.

DIN 1045	Beton und Stahlbeton – Bemessung und Ausführung.
DIN 1060-1	Baukalk – Teil 1: Definitionen, Anforderungen, Überwachung.
DIN 1164-1	Zement – Teil 1: Zusammensetzung, Anforderungen.
DIN 1164-1/A1	Zement – Teil 1: Zusammensetzung, Anforderungen; Änderung 1.
DIN 4103-1	Nichttragende innere Trennwände – Anforderungen, Nachweise.
DIN 4226-1	Zuschlag für Beton – Zuschlag mit dichtem Gefüge – Begriffe, Bezeichnung und Anforderungen.
DIN 4226-2	Zuschlag für Beton – Zuschlag mit porigem Gefüge (Leichtzuschlag) – Begriffe, Bezeichnung und Anforderungen.
DIN 51 043	Trass – Anforderungen, Prüfung.
DIN EN 450	Flugasche für Beton – Definitionen, Anforderungen und Güteüberwachung; Deutsche Fassung EN 450:1994.
DIN EN 12 878	Pigmente zum Einfärben von zement- und/oder kalkgebundenen Baustoffen – Anforderungen und Prüfung; Deutsche Fassung EN 12 878:1999.

3 Begriffe

Für die Anwendung dieser Norm gelten die folgenden Begriffe:

3.1 Wandbauplatte aus Leichtbeton Wpl

großformatige Platte ohne Lochung

4 Ausgangsstoffe

4.1 Allgemeines

Wandbauplatten aus Leichtbeton werden hergestellt aus mineralischen Zuschlägen und hydraulischen Bindemitteln.

Ausgangsstoffe, Mischungsverhältnis, Herstellungsart und Art der Nachbehandlung während des Erhärtens sind so zu wählen, dass die Anforderungen dieser Norm erfüllt werden.

4.2 Bindemittel

Als Bindemittel dürfen nur Zement nach DIN 1164-1 und DIN 1164-1/A1 oder hydraulische Bindemittel verwendet werden, deren Verwendbarkeit durch eine allgemeine bauaufsichtliche Zulassung[1)] nachgewiesen worden ist.

4.3 Zuschläge

Es dürfen nur solche Zuschläge verwendet werden, die sich für die Herstellung von Leichtbeton (siehe DIN 1045) eignen und DIN 4226-2 entsprechen bzw. deren Verwendbarkeit für diese Wandbauplatten durch eine allgemeine bauaufsichtliche Zulassung[1)] nachgewiesen ist. Zumischungen von Zuschlägen mit dichtem Gefüge nach DIN 4226-1 sind zulässig; deren Volumenanteil darf höchstens 25 % des verdichteten Betons betragen.

4.4 Zusatzstoffe

Als Zusatzstoffe dürfen nur Baukalk nach DIN 1060-1, Gesteinsmehl nach DIN 4226-1, Trass nach DIN 51 043 und Steinkohlenflugasche nach DIN EN 450 als Betonzusatzstoff nach DIN 1045, bzw. Zusatzstoffe, deren Verwendbarkeit für diese Wandbauplatten durch eine allgemeine bauaufsichtliche Zulassung[1)] nachgewiesen ist, verwendet werden.

Die Zugabe von anorganischen Farbstoffen (siehe DIN EN 12 878) ist zulässig, soweit hierdurch die Eigenschaften der Wandbauplatten nicht ungünstig beeinflusst werden.

4.5 Zusatzmittel

Es dürfen nur Betonzusatzmittel mit allgemeiner bauaufsichtlicher Zulassung[1)] verwendet werden.

F

1) Allgemeine bauaufsichtliche Zulassungen werden vom Deutschen Institut für Bautechnik, Berlin, erteilt.

5 Anforderungen

5.1 Form und Maße

5.1.1 Form

Wandbauplatten haben die Form eines von Rechtecken begrenzten Körpers, wobei die Stirnseiten ebenflächig oder mit Nuten bzw. Nut- und Federausbildung versehen sein können.

5.1.2 Maße

Für die Außenmaße und Maßabweichungen der Wandbauplatten gilt Tabelle 1. Ergänzungsplatten zur Herstellung eines sachgerechten Mauerverbandes sind zulässig.

5.2 Plattenrohdichte

Die Mittelwerte der Plattenrohdichte der Wandbauplatten müssen für die jeweiligen Rohdichteklassen innerhalb der in Tabelle 2 angegebenen Grenzen liegen.

Einzelwerte dürfen die Klassengrenzen um nicht mehr als 0,10 kg/dm³ unter- bzw. überschreiten.

Tabelle 1: Außenmaße der Wandbauplatten Maße in Millimeter

Formatkurzzeichen	Länge *l* ± 3	Breite *b* ± 3	Höhe *h* ± 4
5	990 (997)	50	320
6		60	320
7		70	320
10	490 (497)	100[a]	240
Klammerwerte für Wandbauplatten mit Nut- und Federausbildung. Bei Nut- und Federausbildung an den Stirnseiten muss eine einwandfreie Verzahnung der Stoßflächen sichergestellt werden.			
[a] Regional auch 95 mm möglich.			

Tabelle 2: Plattenrohdichte

Rohdichteklasse	Mittelwert der Plattenrohdichte[a] kg/dm³
0,8	0,71 bis 0,80
0,9	0,81 bis 0,90
1,0	0,91 bis 1,00
1,2	1,01 bis 1,20
1,4	1,21 bis 1,40
[a] Ermittlung nach 8.2.1.	

5.3 Biegezugfestigkeit

Wandbauplatten aus Leichtbeton müssen spätestens 28 Tage nach der Herstellung bzw. beim Verlassen des Herstellwerkes im Mittel eine Biegezugfestigkeit von $\geq 1{,}0\,N/mm^2$ aufweisen, wobei kein Einzelwert unter $0{,}8\,N/mm^2$ liegen darf.

6 Bezeichnung

Wandbauplatten aus Leichtbeton (Wpl) sind in der Reihenfolge Wandbauplatte, DIN-Nummer, Kurzzeichen der Wandbauplatte, Rohdichteklasse, Formatkurzzeichen und Länge zu bezeichnen.

Beispiel: Bezeichnung einer Wandbauplatte aus Leichtbeton (Wpl) mit $0{,}80\,kg/dm^3$ Plattenrohdichte (0,8), Formatkurzzeichen 6 und Länge $l = 990\,mm$:

Wandbauplatte DIN 18 162 – Wpl – 0,8 – 6 – 990

Die Wandbauplatten dürfen auch nach den verwendeten Zuschlägen benannt werden, wenn der Volumenanteil der anderen Zuschläge 15 % des verdichteten Betons nicht überschreitet.

7 Kennzeichnung

Jede Liefereinheit (z. B. Plattenpaket) oder mindestens jede 50. Wandbauplatte ist mit der Rohdichteklasse und einem Herstellerkennzeichen zu versehen.

10 Lieferschein

Nach dieser Norm hergestellte und überwachte Wandbauplatten sind mit Lieferscheinen auszuliefern, die folgende Angaben enthalten:

a) Hersteller und Werk;

b) Herstellerzeichen (Werkzeichen);

c) Anzahl und Bezeichnung der gelieferten Wandbauplatten nach Abschnitt 6;

d) einheitliches Übereinstimmungszeichen;

e) Tag der Lieferung;

f) Empfänger.

F

Gipsplatten-Deckenbekleidungen und Unterdecken – Teil 1: Anforderungen an die Ausführung

Auszug aus **DIN 18168-1** (04.2007)

Inhalt

Vorwort

Die Überarbeitung der Ausgabe 1981-10 dieser Norm wurde vom NA 005-09-10 AA „Gips und Gipsprodukte" vorgenommen, weil bei der Anwendung der Europäischen Norm DIN EN 13964 „Unterdecken – Anforderungen und Prüfverfahren" festgestellt wurde, dass wesentliche Festlegungen, die für die Ausführung der Unterdecken mit Gipsplatten notwendig sind, dort nicht getroffen worden sind.

Diese Norm gilt nur für Deckenbekleidungen aus Gipsplatten.

Änderungen

Gegenüber DIN 18168-1:1981-10 wurden folgende Änderungen vorgenommen:

a) Änderung des Titels und des Anwendungsbereichs der Norm;

b) Text überarbeitet, ergänzt und den heute üblichen Begriffen angepasst;

c) Umstellung auf Prüfverfahren nach DIN EN 13964.

Frühere Ausgaben

DIN 18168-1: 1981-10

1 Anwendungsbereich

Diese Norm gilt für leichte Deckenbekleidungen und Unterdecken mit Decklagen aus Gipsplatten nach DIN 18180, DIN EN 520, EN 14190, E DIN 15283-1 und E DIN 15283-2 einschließlich Einbauten mit einer Eigenlast bis 0,5 kN/m^2. Diese weisen keine wesentliche Tragfähigkeit auf und sind an tragenden Bauteilen befestigt.

Diese Norm gilt nicht für begehbare Unterdecken sowie für hängende Drahtputzdecken nach DIN 4121 und Rohrgewebedecken.

Die Norm enthält Angaben zur Standsicherheit sowie Anforderungen für die bauliche Durchbildung der tragenden Teile der Deckenbekleidungen und Unterdecken und deren Befestigung an tragenden Bauteilen.

3 Begriffe

Für die Anwendung dieses Dokuments gelten die Begriffe nach DIN EN 13964 und die folgenden Begriffe.

3.1 Deckenbekleidung Unterdecke

ebene oder anders geformte Decken mit glatter, gelochter oder gegliederter Fläche, die aus einer Unterkonstruktion und einer flächenbildenden Decklage bestehen; die bei einer Deckenbekleidung unmittelbar an dem tragenden Bauteil verankert ist; bei Unterdecken abgehängt wird

F

3.2 Verankerungselement

Teil, das die Abhänger oder Deckenbekleidungen direkt mit dem tragenden Bauteil verbindet

3.3 Abhänger

Teil, das die Verankerungselemente mit der Unterkonstruktion verbindet

3.4 Decklage

Teil, das den raumseitigen Abschluss bildet, welches ein genormtes oder nicht genormtes Bauprodukt sein kann soweit es für den Verwendungszweck geeignet ist

3.5 Verbindungselement

Teil, das die Verankerungselemente, Abhänger, Unterkonstruktionen und Decklagen verbindet

4 Bauvorlagen

Gipsplatten-Deckenbekleidungen und Unterdecken einschließlich ihrer Verankerungen sowie die Befestigung leichter Trennwände an diesen und gegebenenfalls erforderliche Maßnahmen zum Brand-, Wärme- und Schallschutz sind bei der Planung des Bauwerks zu berücksichtigen und in den Bauvorlagen anzugeben.

5 Bauliche Durchbildung der tragenden Teile von Gipsplatten-Deckenbekleidungen und Unterdecken

5.1 Allgemeine Anforderungen

Allgemeine Anforderungen für die bauliche Durchbildung der tragenden Teile von Gipsplatten-Deckenbekleidungen und Unterdecken sind in DIN EN 13964 und DIN 18168-2 angegeben.

Gipsplatten-Deckenbekleidungen und Unterdecken im Freien und in Bauwerken mit nicht verschließbaren Öffnungen (Tunnel, Überdachungen, Tankstellen, Arkaden, offene Sporteinrichtungen, Parkhäuser usw.) sind für die Aufnahme von Winddruck- und Windsogbeanspruchungen zu bemessen.

5.2 Unterkonstruktion

5.2.1 Allgemeine Anforderungen

Die Unterkonstruktion von Gipsplatten-Deckenbekleidungen und Unterdecken kann aus Metall, Holz oder anderen geeigneten Baustoffen bestehen. Sie ist so zu bemessen, dass die Durchbiegung höchstens 1/500 der Stützweite (z. B. des Abhängerabstandes), jedoch nicht mehr als 4 mm beträgt.

5.2.2 Unterkonstruktion aus Metall

Die zulässige Tragkraft der Metallprofile nach DIN 18182-1 und DIN EN 14195 und ihrer Verbindungselemente ist rechnerisch nach den technischen Baubestimmungen oder durch ein Prüfzeugnis einer anerkannten Prüfstelle nachzuweisen. Beim Nachweis durch Prüfzeugnis sind statistische Verfahren anzuwenden, wobei die Sicherheit gegenüber der 5 %-Fraktilen der Höchstlast mit 90 %iger Aussagewahrscheinlichkeit mindestens $v = 3$ betragen muss. Die zugehörigen Verschiebungen sind im Prüfzeugnis anzugeben.

5.2.3 Unterkonstruktion aus Holz

Es gelten die Angaben nach DIN EN 13964.

5.3 Abhänger

5.3.1 Abhänger aus Metall

Die zulässige Tragkraft der Metallprofile und ihrer Verbindungselemente ist rechnerisch nach den technischen Baubestimmungen oder durch ein Prüfzeugnis einer anerkannten Prüfstelle nachzuweisen. Beim Nachweis durch Prüfzeugnis sind statistische Verfahren anzuwenden, wobei die Sicherheit gegenüber der 5 %-Fraktilen der Höchstlast mit 90 %iger Aussagewahrscheinlichkeit mindestens $v = 3$ betragen muss. Die zugehörigen Verschiebungen sind im Prüfzeugnis anzugeben.

Angaben zu Abhängern aus Metall sind in Tabelle 1 enthalten.

Tabelle 1: Werkstoffkennwerte und Mindestmaße von Abhängern aus Metall

Werkstoff	1	2	3	4	5	6
	Werkstoffkennwerte			Maße		
	Kurzzeichen	Werkstoffnummer	nach Norm	Dicke bzw. Durchmesser mm	Querschnitt mm^2	Zulässige Abweichungen
Verzinkter Bindedraht	C 8D	1.0010	–	2,0	–	DIN EN 10218-2
Verzinkte Drähte für Schnellabhänger	C 9D	1.0304	DIN EN 10016	4,0	–	0 –008 mm
Federstahl	C 75 S	1.1248	DIN EN 10132	0,5	–	–
Gewindestäbe	Festigkeitsklasse 4,6		DIN EN ISO 898-1	6,0	–	–
Stahlblech	DX51D+Z	1.0226	DIN EN 10327	0,7	7,5	DIN EN 10143
Aluminiumblech	Werkstoffe nach DIN EN 13964:2004-06, 4.3.2.2.2			1,5	10,0	DIN EN 485-4 DIN EN 546-4

5.3.2 Abhänger aus Holz

Es gelten die Angaben nach DIN EN 13964.

6 Verankerung der Unterkonstruktion an den tragenden Bauteilen

6.1 Allgemeine Anforderungen

Die Anzahl der Verankerungsstellen ist so zu bemessen, dass die zulässige Tragkraft der Verankerungselemente sowie die zulässige Verformung der Unterkonstruktion (siehe 5.2.) nicht überschritten werden.

Für Unterkonstruktionen aus Metall, Abhänger und Verbindungselemente, deren Tragfähigkeit nicht rechnerisch ermittelt werden kann, ist das Prüfverfahren nach DIN EN 13964:2004-06, Abschnitt 5 und DIN 18168-2 zu verwenden.

6.2 Verankerung an Massivdecken

6.2.1 Allgemeines

Bei Stahlbeton- und Spannbetondecken werden die tragenden Teile der Gipsplatten-Deckenbekleidungen und Unterdecken an bei der Herstellung der Decke einbetonierten Halterungen (z. B. Schienen, Halteschalen), an nachträglich eingesetzten Dübeln oder an nachträglich mit Bolzensetzwerkzeugen nach DIN 7260-1 eingetriebenen Setzbolzen befestigt.

Eine Verankerung an einbetonierten Holzlatten ist nicht zulässig.

6.2.2 Einbetonierte Halterungen

Die zulässige Tragkraft von einbetonierten Halterungen ist nach technischen Baubestimmungen rechnerisch nachzuweisen. Ist eine Beurteilung nach den anerkannten Regeln der Technik nicht möglich, so ist der Nachweis der Brauchbarkeit für den Verwendungszweck zu führen, z. B. durch eine allgemeine bauaufsichtliche Zulassung.

6.2.3 Dübel

Es dürfen nur Dübel verwendet werden, deren Brauchbarkeit für den Verwendungszweck nachgewiesen worden ist, z. B. durch eine allgemeine bauaufsichtliche Zulassung.

6.2.4 Setzbolzen

Es dürfen nur Setzbolzen verwendet werden, deren Brauchbarkeit für den Verwendungszweck nachgewiesen worden ist, z. B. durch eine allgemeine bauaufsichtliche Zulassung.

6.3 Verankerung an Stahlprofilen und Stahltrapez-Profilkonstruktionen

An Stahlprofilen darf die Unterkonstruktion mit Bügeln oder Schellen aus Flach- bzw. Rundstahl, durch Schweißen, mit Blechschrauben, Bohrschrauben, gewindefurchenden Schrauben, Hohlnieten oder Setzbolzen verankert werden.

An Stahltrapez-Profilkonstruktionen darf die Unterkonstruktion mit z. B. Blechschrauben, Bohrschrauben, gewindefurchenden Schrauben oder Hohlnieten, an ausbetonierten Konstruktionen mit z. B. Setzbolzen verankert werden.

Die Tragfähigkeit der Stahlprofile und Stahltrapez-Profilkonstruktionen darf dadurch nicht unzulässig vermindert werden.

Die Eignung der Bügel oder Schellen aus Flach- oder Rundstahl ist durch Prüfzeugnis einer anerkannten Prüfstelle nachzuweisen. Die Sicherheit gegen Versagen muss mindestens $\nu = 3$ betragen.

Bei Schweißarbeiten ist die Qualifikation der Schweißer nach DIN 18800-7 nachzuweisen. Nach den Schweißarbeiten muss der Korrosionsschutz (siehe DIN EN 13964:2004-06, Tabelle 8) sichergestellt sein.

Die Brauchbarkeit der Verankerungselemente ist für den jeweiligen Verwendungszweck bauaufsichtlich nachzuweisen. Für Setzbolzen bei ausbetonierten Stahltrapez-Profilkonstruktionen gilt 6.2.4 sinngemäß.

6.4 Verankerung an Holzkonstruktionen

An Holzkonstruktionen wird die Unterkonstruktion – sofern sie nicht unmittelbar angeschraubt wird – durch Abhänger nach 5.3 nach DIN 1052 befestigt.

7 Korrosions- und Holzschutz der tragenden Teile

7.1 Korrosionsschutz

Unterkonstruktionen, Abhänger und Verbindungselemente aus Metall müssen mindestens einen Korrosionsschutz nach Tabelle 2 aufweisen.

7.2 Holzschutz

Für den vorbeugenden Holzschutz von Unterkonstruktionen gelten DIN 68800-1, DIN 68800-2 und DIN 68800-3.

7.3 Kontaktkorrosion und Verträglichkeit von Korrosionsschutzsystemen mit Holzschutzmitteln

Es gelten die Festlegungen nach DIN EN 13964:2004-06, 4.8.5.

8 Brand-, Wärme- und Schallschutz

Sofern an Gipsplatten-Deckenbekleidungen und Unterdecken Anforderungen aus Gründen des Brand-, Wärme- und Schallschutzes gestellt werden, richten sich diese nach den hierfür geltenden Normen DIN 4102-1 bis DIN 4102-4 und DIN 4102-6, DIN EN 1364-2, DIN 4108 und DIN 4109.

Dabei sind die Einflüsse angrenzender Bauteile (z. B. nicht tragende Trennwände, Fassaden) und der Anschluss der Deckenbekleidungen und Unterdecken an diesen zu berücksichtigen.

Tabelle 2: Mindestanforderungen an den Korrosionsschutz von Profilen, Abhängern und Verbindungselementen aus Metall

Spalte	1	2		3		4
Zeile	Umweltbedingungen	Profile, Abhänger, Verbindungselemente				
		Metallüberzug und Beschichtung				
		Bandverzinkung[a] nach DIN EN 10327	Beschichtung	Galvanische Verzinkung[b] nach DIN 50961 oder Feuerverzinkung[b] nach DIN EN 10244-2	Beschichtung[c]	Korrosionsschutz für Aluminiumwerkstoffe (siehe auch DIN 4113-1)
		Schichtdicken einseitig μm		Schichtdicken einseitig μm		
1	Bauteile in geschlossenen Räumen, z. B. in Wohnungen (einschl. Küche, Bad), Büroräumen, Schulen, Krankenhäusern und Verkaufsstätten	7	nicht erforderlich	5^b	nicht erforderlich	nicht erforderlich
2	Bauteile im Freien und Bauteile, zu denen die Außenluft ständig Zugang hat, z. B. in offenen Hallen und auch verschließbaren Garagen. Bauteile in geschlossenen Räumen mit oft auftretender sehr hoher Luftfeuchtigkeit bei normaler Raumtemperatur, z. B. in gewerblichen Küchen, Bädern, Wäschereien, in Feuchträumen von Hallenbädern. Bauteile, die häufiger starker Kondensatbildung und chemischen Angriffen nach DIN 4030 ausgesetzt sind.	$20 + 20^d$		$5^b + 80$		Passivierung oder Beschichtung, bestehend aus Haftgrundmitteln und 20 μm Grundbeschichtung
3	Bauteile, die besonders korrosionsfördernden Einflüssen ausgesetzt sind, z. B. durch ständige Einwirkung angreifender Gase oder Tausalze oder starken chemischen Angriffen nach DIN 4030.	Hochwertige Korrosionsschutzsysteme nach DIN 55928-8 auswählen				Anodische Oxidschicht 20 μm oder Beschichtung, bestehend aus Haftgrundmitteln, 20 μm Grundbeschichtung und ≥ 20 μm Deckbeschichtung

[a] 1 μm einseitig entspricht ungefähr 14 g/m² Zinküberzug, verteilt auf beide Seiten des Bandes.
[b] 1 μm einseitig entspricht ungefähr einem einseitigen Zinküberzug von 7 g/m².
[c] mindestens Deckbeschichtung nach DIN 55928-8:1994-07, Tabelle 4, erforderlich; die freiliegenden, verzinkten Teile sind nachträglich mit zinkverträglicher Beschichtung zu versehen.
[d] 20 μm Bandverzinkung + 20 μm Beschichtung auf jeder Seite entspricht Korrosionsschutzklasse III nach DIN 55928-8:1994-07, Tabelle 3.

Gipskartonplatten
Arten, Anforderungen, Prüfung

Auszug aus **DIN 18 180** (01.2007)

F

Vorwort

Die Überarbeitung von DIN 18180:1989-09 wurde vom NA 005-09-10 AA „Gips und Gipsprodukte" vorgenommen. Grund für diese Überarbeitung (Restnorm) ist die Anpassung an die Europäische Norm DIN EN 520 sowie die Beibehaltung wesentlicher Festlegungen für die Beschaffenheit und Kennzeichnung der Gipsplatten. Die Werte der Tabelle 2 wurden an die Prüfverfahren der EN 520 angepasst.

1 Anwendungsbereich

Diese Norm gilt für Gipsplatten nach DIN EN 520. Sie gilt sinngemäß auch für werkmäßig mechanisch bearbeitete Plattenarten, wie z. B. Zuschnitt-Gipsplatten und gelochte Gipsplatten.

Gipsplatten werden insbesondere als Wand- und Deckenbekleidungen, als Beplankungen für Trennwände und Vorsatzschalen sowie für die Herstellung vorgefertigter Bauteile verwendet.

Für die Verarbeitung gilt DIN 18181. Bei Trennwänden und Vorsatzschalen sind DIN 4103-1, DIN 4103-4 und DIN 18183-1, bei Unterdecken und Deckenbekleidungen ist DIN 18168 zusätzlich zu beachten.

3 Begriffe

Für die Anwendung dieses Dokuments gelten die Begriffe nach DIN EN 520 und der folgende Begriff.

3.1 Gipsplatte

nach DIN EN 520:2005-03

ANMERKUNG Gipsplatten können werkmäßig mechanisch – z. B. durch Zuschneiden, Bohren, Anfasen – oder in anderer Weise – z. B. durch Beschichten – weiterbearbeitet werden.

4 Plattenarten und Verwendung

ANMERKUNG Gipsplatten nach 4.1 und 4.2.1 sind als Baustoffe der Klasse A2 in DIN 4102-4 und als Baustoffe der Klasse A2 – s1,d0 CWFT nach DIN EN 13501-1 gemäß Kommissionsentscheidung 2003/43/EC als Anhang B in DIN EN 520:2005-03 aufgenommen.

4.1 Bandgefertigte Gipsplatten

4.1.1 Bauplatten (GKB)

Bauplatten zum Befestigen auf flächiger Unterlage, zum Ansetzen als Wand-Trokkenputz nach DIN 18181 und zur Herstellung von Gips-Verbundplatten nach DIN 18184; Bauplatten ab 12,5 mm Dicke bei baustellenmäßiger Verarbeitung zum Befestigen auf Unterkonstruktion für Wand- und Deckenbekleidungen nach DIN 18181, für Decklagen an Unterdecken und Deckenbekleidungen nach DIN 18168 sowie für die Beplankung von Trennwänden und Vorsatzschalen nach DIN 18183 und von nichttragenden inneren Trennwänden nach DIN 4103-4.

4.1.2 Feuerschutzplatten (GKF)

Feuerschutzplatten für Anwendungsbereiche nach 4.1.1 mit Anforderungen an die Feuerwiderstandsdauer der Bauteile (Anwendung nach DIN 4102-4 oder entsprechend einem Prüfzeugnis einer dafür bauaufsichtlich anerkannten Prüfstelle).

4.1.3 Bauplatten-imprägniert (GKBI)

Bauplatten-imprägniert können für die Anwendungsbereiche nach 4.1.1 Verwendung finden. Sie haben zusätzlich eine verzögerte Wasseraufnahme entsprechend H2 nach DIN EN 520.

4.1.4 Feuerschutzplatten-imprägniert (GKFI)

Feuerschutzplatten-imprägniert können für die Anwendungsbereiche nach 4.1.2 Verwendung finden. Sie haben zusätzlich eine verzögerte Wasseraufnahme entsprechend H2 nach DIN EN 520.

4.1.5 Putzträgerplatten (GKP)

Putzträgerplatten werden vorwiegend als Putzträger auf Unterkonstruktionen verwendet.

4.2 Werkmäßig mechanisch bearbeitete Platten

4.2.1 Zuschnitt-Gipsplatten

Zuschnitt-Gipsplatten sind im Regelfall rechteckig zugeschnittene Platten. Quadratische Zuschnitt-Gipsplatten werden als Gips-Kassetten bezeichnet.

4.2.2 Gelochte Gipsplatten

Gelochte Gipsplatten sind Gipsplatten mit durchgehenden Löchern verschiedener Form (z. B. Rundlöcher, Schlitze); die Löcher können in besonderen Lochfeldern und Mustern angeordnet sein. Quadratische gelochte Gipsplatten werden als gelochte Gipsplattenkassetten bezeichnet.

5 Beschaffenheit

Die bandgefertigten Gipsplatten haben kartonummantelte Längskanten nach DIN EN 520. Die Querkanten sind nicht kartonummantelt.

Die Längskanten sind in Bild 1 bis Bild 5 dargestellt.

Bild 1. Abgeflachte Kante (AK)

Bild 2. Volle Kante (VK)

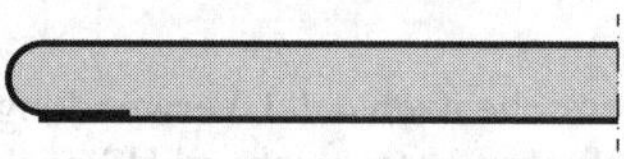

Bild 3. Runde Kante (RK)

Bild 4. Halbrunde Kante (HRK)

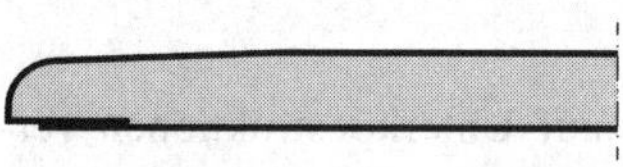

Bild 5. Halbrunde abgeflachte Kante (HRAK)

7 Bezeichnung

Gipsplatten werden bezeichnet mit der Benennung nach DIN EN 520, der DIN-Hauptnummer, dem Kurzzeichen der Plattenart, der Dicke, Länge und der Ausbildung der Längskanten.

BEISPIEL

Bezeichnung einer Bauplatte (GKB) der Dicke 12,5 mm und der Länge 2 000 mm mit abgeflachter Längskante (AK):

Gipsplatte DIN 18180 — GKB 12,5 — 2000 AK

8 Kennzeichnung

Jede Gipsplatte nach 4.1 ist zusätzlich zur CE-Kennzeichnung nach DIN EN 520 mit einem Hinweis auf das Herstellwerk, Herstelldatum, die DIN-Hauptnummer und dem Kurzzeichen der Plattenart zu versehen.

Dieser Aufdruck ist in folgenden Farben auszuführen:

Blau bei Bauplatten (GKB)
bei Bauplatten-imprägniert (GKBI)
bei Putzträgerplatten (GKP)

Rot bei Feuerschutzplatten (GKF)
bei Feuerschutzplatten-imprägniert (GKFI)

BEISPIEL Marke XYZ, Werkzeichen, DIN 18180 GKF

Die Kennzeichnung ist auf der Plattenrückseite so anzubringen, dass sie in Längsrichtung der Gipsplatten verläuft. Imprägnierte Gipsplatten können zur besseren Unterscheidung mit einem grünen Karton ausgestattet werden.

10 Konformitätsbewertung

Für die Konformitätsbewertung von Gipsplatten nach DIN 18180 (einschließlich der flächenbezogenen Masse, der Maße, der Bruchlast und des Elastizitätsmoduls) gilt DIN EN 520:2005-03, Abschnitt 6. Der Nachweis hat durch den Hersteller im Rahmen der Erstprüfung und der werkseigenen Produktionskontrolle zu erfolgen.

11 Lieferschein

Nach dieser Norm hergestellte und überwachte Gipsplatten sind mit Lieferscheinen auszuliefern, die mindestens folgende Angaben enthalten:

a) Hersteller und Werk;

b) Anzahl und Bezeichnung der gelieferten Gipsplatten;

c) Tag der Lieferung;

d) Empfänger.

F

Gipsplatten im Hochbau – Verarbeitung

Auszug aus **DIN 18181** (02.2007)

Inhalt

1 Anwendungsbereich

Diese Norm gilt für die Verarbeitung von Gipsplatten nach DIN EN 520 und DIN 18180, Gipsplatten-Verbundelementen zur Wärme- und Schalldämmung nach DIN EN 13950 und Gipsplattenprodukte aus der Weiterverarbeitung nach DIN EN 14190 auf der Baustelle.

3 Begriffe

Für die Anwendung dieses Dokuments gelten die in DIN EN 520, DIN 18180, DIN EN 13950, DIN EN 13964, DIN EN 14190 und DIN 18182-1 angegebenen Begriffe.

4 Lagerung, Transport und Einbau

Gipsplatten sind bei Lagerung, Transport und Einbau vor Durchfeuchtung zu schützen.
Nach dem Einbau dürfen Gipsplatten keiner länger währenden Durchfeuchtung ausgesetzt werden.

5 Verarbeitung mit Unterkonstruktion

5.1 Unterkonstruktionen

5.1.1 Allgemeines

Die Unterkonstruktion darf aus Metall, Holz oder anderen geeigneten Werkstoffen bestehen. Sie muss eine ebene Auflage für die Gipsplatten bilden.

Stöße in der Unterkonstruktion sind versetzt anzuordnen; die zu stoßenden Teile sind dabei in geeigneter Weise zu verbinden.

Werden Teile der Unterkonstruktion, z. B. für Öffnungen, unterbrochen, ist eine Auswechselung vorzunehmen.

Im Bereich der Bewegungsfugen nach Abschnitt 8 muss die Unterkonstruktion getrennt werden.

5.1.2 Metallunterkonstruktion

Für Unterkonstruktionen aus Metall werden im Regelfall Profile aus Stahlblech nach DIN 18182-1 und Metallprofile für Unterkonstruktionen von Gipsplattensystemen nach DIN EN 14195 verwendet.

5.1.3 Holzunterkonstruktion

Das für die Unterkonstruktionen verwendete Holz muss mindestens die Sortierklasse S 10 (MS 10) nach DIN EN 1912 aufweisen.

Der Feuchtegehalt des Holzes darf höchstens 20 % Massenanteile betragen.

Im Innenbereich ist üblicherweise kein Holzschutz erforderlich. Falls jedoch ein Schutz gegen biologische oder sonstige Einwirkungen erforderlich ist, sind entsprechende Maßnahmen nach DIN EN 335-2, DIN EN 350-1, DIN EN 351-1, DIN EN 460 und/oder DIN EN 599-1 zu treffen.

F

5.2 Unterkonstruktion für leichte Deckenbekleidungen und Unterdecken

Die Unterkonstruktion für leichte Deckenbekleidungen und Unterdecken besteht im Regelfall aus Tragprofilen oder Traglatten, ohne oder mit quer dazu angeordneten Grundprofilen bzw. Grundlatten. Die Tragprofile oder Traglatten tragen die Decklage aus Gipsplatten (Beplankung). Die Unterkonstruktion ist an tragenden Bauteilen zu verankern.

Bei Schraubverbindungen von Grundlatten und Traglatten sind die Latten an jedem Kreuzungspunkt miteinander durch hierfür genormte oder zugelassene Verbindungselemente zu verbinden. Dabei darf je Kreuzungspunkt abweichend von DIN 1052-1 eine Schraube angeordnet werden. Die Eindringtiefe nach 5.4.1.5 ist einzuhalten, sie muss jedoch mindestens 24 mm betragen.

Abhänger und Verbindungselemente sind nach DIN EN 13964 zu wählen.

Tabelle 1 enthält Angaben über zulässige Stützweiten für Grundprofile bzw. Grundlatten und Tragprofile bzw. Traglatten. Die in dieser Tabelle angegebene Gesamtlast besteht aus der Eigenlast der Decke und gegebenenfalls vorhandenen Zusatzlasten. Dabei dürfen unmittelbar an der Beplankung befestigte Eingelasten 0,06 kN je Plattenspannweite nach Tabelle 2 und je Meter nicht überschreiten.

5.3 Unterkonstruktion für Trennwände und freistehende Vorsatzschalen

Für die Unterkonstruktion von Trennwänden und freistehenden Vorsatzschalen gelten DIN 18183 und DIN 4103-4.

5.4 Verbindung mit der Unterkonstruktion

5.4.1 Feste Verbindung

5.4.1.1 Einlagige Beplankung

Gipsplatten mit geschlossenen Sichtflächen sind bei einlagiger Beplankung mit versetzten Querstößen im Verband anzubringen. Querstöße sind mit einem Versatz von mindestens 400 mm anzuordnen.

5.4.1.2 Mehrlagige Beplankung

Bei mehrlagigen Beplankungen sind die einzelnen Plattenlagen mit zueinander versetzten Fugen zu verlegen und mit der Unterkonstruktion zu verbinden.

Die unterste Beplankungslage ist nach 5.4.1.1 auszuführen. Kreuzfugen sind nicht zulässig. Bei Brandschutzanforderungen sind alle Plattenlagen nach 5.4.1.1 auszuführen.

5.4.1.3 Zusätzlich aufgeklebte Plattenlagen

Auf ein- oder mehrlagig beplankte Trennwände und Vorsatzschalen, die nach 5.4.1.1, 5.4.1.2 und 5.4.1.4 ausgeführt sind, darf eine zusätzliche Plattenlage aufgeklebt werden.

5.4.1.4 Befestigung

Die Gipsplatten dürfen in Querbefestigung oder Längsbefestigung angebracht werden.

Bei Querbefestigung muss die Rückseitenstempelung rechtwinklig, bei Längsbefestigung parallel zu den Tragprofilen oder Traglatten verlaufen.

Für die zulässigen Spannweiten der Gipsplatten gilt Tabelle 2. Die Abstände der Verbindungselemente vom Plattenrand müssen bei kartonummantelten Kanten mindestens 10 mm, bei geschnittenen Kanten mindestens 15 mm betragen.

5.4.1.5 Befestigungsmittel

Für die Abstände der Befestigungsmittel gilt Tabelle 3.

Das Befestigen der Gipsplatten auf der Unterkonstruktion erfolgt mit Schnellbauschrauben, Klammern oder Nägeln nach DIN 18182-2, DIN 18182-3 und DIN 18182-4 sowie DIN EN 14566 (DIN 18182-2, DIN 18182-3, und DIN 18182-4 werden teilweise durch DIN EN 14566 nach deren Erscheinen ersetzt).

Die erforderliche Mindestlänge ergibt sich aus der jeweils vorhandenen Beplankungsdicke und der notwendigen Mindesteindringtiefe.

Die Befestigungsmittel dürfen nur so weit versenkt werden, wie es für ein einwandfreies Verspachteln erforderlich ist.

Die Eindringtiefe s muss bei Holzunterkonstruktionen betragen:

- für Schnellbauschrauben $s \geq 5\ d_N$
- für Klammern $s \geq 15\ d_N$
- für Nägel, glatt $s \geq 12\ d_N$
- für Nägel gerillt $s \geq 8\ d_N$

Dabei ist d_N der Nenndurchmesser bei Schnellbauschrauben, der Drahtdurchmesser bei Klammern und der Schaftdurchmesser bei Nägeln.

Bei Unterkonstruktionen aus Metall muss die Länge der Schnellbauschrauben so bemessen sein, dass diese das Metallprofil um mindestens 10 mm durchstoßen.

Im Bereich von Decken und Dachschrägen dürfen Klammern und glatte Nägel nur mit Beharzung bzw. nur gerillte Nägel verwendet werden.

F

Tabelle 1: Zulässige Stützweiten für Unterkonstruktionen von Decken mit Beplankungsdicken ≥ 12,5 mm

<table>
<tr><td>Spalte</td><td colspan="2">1</td><td>2</td><td>3</td><td>4</td></tr>
<tr><td rowspan="2">Zeile</td><td colspan="2" rowspan="2">Unterkonstruktionen</td><td colspan="3">Zulässige Stützweiten[a b], in mm, bei einer Gesamtlast</td></tr>
<tr><td>bis 0,15 kN/m²</td><td>über 0,15 kN/m² bis 0,30 kN/m²</td><td>über 0,30 kN/m² bis 0,50 kN/m²</td></tr>
<tr><td colspan="6">Profile aus Stahlblech nach DIN 18182-1 und DIN EN 14195[d]</td></tr>
<tr><td>1</td><td>Grundprofil, in mm</td><td>CD 60 × 27 × 06</td><td>900</td><td>750</td><td>600</td></tr>
<tr><td>2</td><td>Tragprofil, in mm</td><td>CD 60 × 27 × 06</td><td>1 000</td><td>1 000</td><td>750</td></tr>
<tr><td colspan="6">Holzlatten (Breite × Höhe), in mm</td></tr>
<tr><td>3</td><td rowspan="3">Grundlatte, direkt befestigt</td><td>48 × 24</td><td>750</td><td>650</td><td rowspan="2">600</td></tr>
<tr><td>4</td><td>50 × 30</td><td>850</td><td>750</td></tr>
<tr><td>5</td><td>60 × 40</td><td>1 000</td><td>850</td><td>700</td></tr>
<tr><td>6</td><td rowspan="2">Grundlatte abgehängt</td><td>30 × 50[c]</td><td>1 000</td><td>850</td><td>700</td></tr>
<tr><td>7</td><td>40 × 60</td><td>1 200</td><td>1 000</td><td>850</td></tr>
<tr><td>8</td><td rowspan="2">Traglatte</td><td>48 × 24</td><td>700</td><td>600</td><td>500</td></tr>
<tr><td>9</td><td>50 × 30</td><td>850</td><td>750</td><td>600</td></tr>
<tr><td colspan="6">[a] Unter Stützweite ist bei Grundprofilen oder Grundlatten der Abstand der Abhängungen und bei Tragprofilen oder Traglatten der Achsabstand der Grundprofile oder Grundlatten zu verstehen.
[a] Bei Anforderungen an den Brandschutz sind gegebenenfalls kleinere Stützweiten nach DIN 4102-4 einzuhalten.
[c] Nur in Verbindung mit Traglatten von 50 mm Breite und 30 mm Höhe.
[d] Für andere Profile nach DIN 18182-1 und DIN EN 14195 sind anwendungstechnische Nachweise gesondert zu erbringen.</td></tr>
</table>

Tabelle 2: Spannweiten der Gipsplatten

<table>
<tr><td>Spalte</td><td>1</td><td>2</td><td>3</td><td>4</td></tr>
<tr><td rowspan="2">Zeile</td><td rowspan="2">Plattenart</td><td rowspan="2">Plattendicke
mm</td><td colspan="2">Spannweite bei Plattenanordnung, in mm</td></tr>
<tr><td>Querbefestigung
max.</td><td>Längsbefestigung
max.</td></tr>
<tr><td colspan="5">Trennwände und Vorsatzschalen</td></tr>
<tr><td>1</td><td rowspan="4">Gipsplatten mit geschlossener Sichtfläche</td><td>12,5[a]</td><td>625</td><td rowspan="4">625</td></tr>
<tr><td>2</td><td>15[a]</td><td>750</td></tr>
<tr><td>3</td><td>18</td><td>900</td></tr>
<tr><td>4</td><td>25</td><td>1 250</td></tr>
<tr><td colspan="5">Deckenbekleidungen und Unterdecken[b]</td></tr>
<tr><td>5</td><td rowspan="3">Gipsplatten mit geschlossener Sichtfläche</td><td>12,5</td><td>500</td><td rowspan="3">420</td></tr>
<tr><td>6</td><td>15</td><td>550</td></tr>
<tr><td>7</td><td>18</td><td>625</td></tr>
<tr><td>8</td><td rowspan="2">gelochte Gipsplatten[c]</td><td>9,5</td><td rowspan="2">320</td><td rowspan="2">[d]</td></tr>
<tr><td>9</td><td>12,5</td></tr>
<tr><td>10</td><td>Gips-Putzträgerplatten</td><td>9,5</td><td>500</td><td>–</td></tr>
</table>

[a] Spannweite im Bereich keramischer Beläge
- bei einlagiger Beplankung ≤ 500 mm;
- bei mehrlagiger Beplankung ≤ 625 mm.

[b] Bei Anforderungen an den Brandschutz gilt DIN 4102-4.

[c] Angaben gelten auch für Vorsatzschalen.

[d] Bei Lochkassetten nach DIN EN 14190 mit einer Seitenlänge bis 625 mm ist Längsbefestigung mit einer Spannweite bis 320 mm zulässig.

Tabelle 3: Abstände der Befestigungsmittel

Spalte	1	2	3	4
Zeile	Plattenart	Abstände der Befestigungsmittel, in mm		
		Schnellbauschrauben nach DIN 18182-2 und E DIN EN 14566 max.	Klammern[a] nach DIN 18182-3 und E DIN EN 14566 max.	Nägel[b] nach DIN 18182-4 und E DIN EN 14566 max.
Trennwände und Vorsatzschalen[c]				
1	Gipsplatten mit geschlossener Sichtfläche	250	80	120[d]
2	gelochte Gipsplatten	170	80	120
Deckenbekleidungen und Unterdecken[c]				
3	Gipsplatten mit geschlossener Sichtfläche, gelochte Gipsplatten	170	80	120

[a] Klammern sind so einzutreiben, dass der Winkel zwischen Klammerrücken und Kartonfaserrichtung etwa 45° beträgt.
[b] Die Abstände gelten auch für von Hand eingetriebene Gipsplattennägel.
[c] Bei mehrlagiger Beplankung dürfen für die unteren Plattenlagen die Abstände der Befestigungsmittel bis zum 3fachen vergrößert werden.
[d] Bei Konstruktionen ohne Brandschutzanforderungen 170 mm.

5.4.2 Lösbare Verbindung

Gipsplatten können bei Trennwänden und Vorsatzschalen lösbar über Klemmverbindungen mit der Unterkonstruktion verbunden werden. Dabei muss die Auflagerbreite für die Gipsplatte 10 mm und die Breite des Profils für die Einfassung des Plattenrandes mindestens 4 mm betragen. Ein Versatz der Längsfuge ist nicht erforderlich.

5.4.3 Freie Auflagerung von Gipsplatten

Für Gipsplatten mit allseitig freier Auflagerung (Einlegemontage) gelten für die Spannweiten der Platten die Werte nach Tabelle 4.

Bei Überschreitung der Spannweiten nach Tabelle 4 sind die Gipsplatten rückseitig auszusteifen; für deren Spannweiten gilt Tabelle 2.

Tabelle 4: Spannweiten bei allseitig freier Auflagerung

Spalte	1	2	3	4
Zeile	Plattenart	Plattendicke mm	Spannweite, in mm	
			quadratische Platten	rechteckige Platten[a]
1	Gipsplatten mit geschlossener Sichtfläche	≥ 12,5	625	420
2	gelochte Gipsplatten	12,5	420	320

[a] Die Angaben gelten für die kürzere Spannrichtung.

6 Verarbeitung ohne Unterkonstruktion

6.1 Wand-Trockenputz

Als Wand-Trockenputz werden Gipsplatten nach DIN EN 520 und DIN 18180 oder Gipsplatten-Verbundelemente zur Schall- und Wärmedämmung nach DIN EN 13950 in der Regel mit Kleber auf Gipsbasis nach DIN EN 14496 unmittelbar an senkrechte Bauteile angesetzt. Die Mittenabstände der Befestigungspunkte oder Befestigungsstreifen aus Kleber auf Gipsbasis sind wie folgt zu wählen:

- bei Plattendicken < 12,5 mm ≈ 400 mm
- bei Plattendicken ≥ 12,5 mm ≈ 550 mm

Im Bereich von Waschbecken, Konsolen, Schornsteinwangen ist vollflächig anzusetzen.

Bei ebenem Untergrund können Gipsplatten auch im Dünnbettverfahren angesetzt werden.

Der Untergrund muss trocken, frostfrei, ausreichend tragfähig und gegen aufsteigende und durchschlagende Feuchte geschützt sein. Glatter oder stark saugender Untergrund muss vor dem Ansetzen des Wandtrockenputzes vorbehandelt werden. Unebenheiten des Untergrundes bis 20 mm dürfen mit Ansetzgips ausgeglichen werden. Größere Unebenheiten sind durch Auffüllen (z. B. Streifen aus Gipsplatten) auszugleichen.

6.2 Angesetzte Vorsatzschalen

Angesetzte Vorsatzschalen sind in Verbindung mit plattenförmigen Dämmstoffen angesetzte Gipsplatten.

Bei der Ausführung von Vorsatzschalen durch getrennte Verlegung von Dämmstoffplatten und Gipsplatten sind die Dämmstoffe am Untergrund mit Kleber auf Gipsbasis oder geeigneten Klebern sinngemäß nach 6.1 dicht gestoßen anzusetzen.

Bei Verwendung von Faserdämmstoffplatten ist deren Fläche vor dem Ansetzen der Gipsplatten mit Kleber auf Gipsbasis vollflächig zu überziehen. Anschließend sind die Gipsplatten mit streifenförmig oder vollflächig dünn aufgetragenem Kleber auf Gipsbasis anzusetzen.

Die Verarbeitung von Vorsatzschalen aus werkmäßig hergestellten Gipsplatten-Verbundelementen nach DIN EN 13950 erfolgt sinngemäß nach 6.1.

7 Verspachtelung der Fugen[1)]

Das Verspachteln darf erst erfolgen, wenn keine größeren Längenänderungen der Gipsplatten, z. B. infolge von Feuchte- und Temperaturänderungen, auftreten. Für das Verspachteln sollte die Raumtemperatur 10 °C nicht unterschreiten [1].

F

[1)] Fugen sind sowohl Stoßstellen zwischen Gipsplatten als auch zwischen Gipsplatten und anschließenden Bauteilen.

Das Verspachteln erfolgt mit gipsgebundenen Materialien zum Verspachteln von Gipsplattenfugen nach DIN EN 13963.

Die Fugen werden je nach Kantenausbildung der Gipsplatten mit oder ohne Bewehrungsstreifen mit den dafür geeigneten Spachtelmassen geschlossen. Bei mehrlagiger Beplankung ist in den unteren Plattenlagen ein Füllen der Fugen ausreichend.
Die sichtbaren Teile der Befestigungsmittel sind stets zu verspachteln. [2] Die Fugenverspachtelung ist nach der geforderten Qualitätsstufe gemäß Merkblatt [2] auszuführen.

8 Bewegungs-/Dehnfugen [3]

Bewegungsfugen des Rohbaues sind in die Konstruktionen mit Gipsplatten zu übernehmen.

Wand- und Deckenflächen aus Gipsplatten mit geschlossener Oberfläche mit Seitenlängen über 15 m erfordern die Anordnung von Dehnfugen. Diese sind ferner erforderlich bei wesentlich eingeengten Deckenflächen, z. B. bei Einschnürungen durch Wandvorsprünge.

Gipsplatten sind von Bauteilen aus anderen Baustoffen zu trennen; das gilt auch für thermisch hoch beanspruchte Einbauten, wie z. B. Einbauleuchten.

9 Verarbeitung von Gips-Putzträgerplatten

Gips-Putzträgerplatten dürfen fest nach 5.4.1 oder mit Klemmverbindungen in Queranordnung an der Unterkonstruktion befestigt werden. Der Achsabstand der Tragprofile oder Traglatten darf 500 mm nicht überschreiten. Zwischen den abgerundeten Längskanten der Gips-Putzträgerplatten ist ein Abstand von etwa 5 mm einzuhalten.

Die Querkanten der Gips-Putzträgerplatten werden dicht gestoßen.
Bei dem Verputzen sind die Fugen an den Längskanten mit einem langsam versteifenden, pastenförmig angemachten Gips so auszudrücken, dass sich auf der Plattenrückseite ein beidseitig übergreifender Wulst bildet. Gips-Putzträgerplatten sind nach Herstellerangaben mit dafür geeigneten Gipsmörteln zu verputzen.

10 Verarbeitung von Gipsplatten in Feuchträumen von Wohnbereichen oder Räumen ähnlicher Beanspruchung

In Räumen mit nutzungsbedingt zeitweise hoher Luftfeuchte ist der Einbau von Gipsplatten zulässig, wenn durch geeignete Lüftungsmöglichkeiten die anfallende hohe Luftfeuchte innerhalb eines üblichen Nutzungszyklus wieder abgeführt werden kann. Vorzugsweise sind für diese Anwendungsfälle Gipsplatten des Typs H2 (siehe DIN EN 520), beziehungsweise GKBI/GKFI nach DIN 18180 zu verwenden.

Für Räume mit nutzungsbedingt ständig hoher Luftfeuchte sind Gipsplatten im Regelfall nicht geeignet. Ist bei zweckbestimmter Nutzung mit zeitweisem Wasserbeschlag der Flächen zu rechnen, z.B. im Wandbereich häuslicher Duschen, so sind die Oberflächen, Anschlussfugen und freiliegenden Schnittflächen (z.B. für Installationsdurchführungen) in geeigneter Weise abzudichten. Abdichtungen und Oberflächenbeschichtungen, z.B. mit Fliesen, müssen so aufeinander abgestimmt sein, dass sowohl die abdichtende Wirkung als auch der dauerhafte Halt der Beschichtung sichergestellt werden.

Literaturhinweise

[1] Merkblatt Nr. 1, Baustellen-Bedingungen,
Hinweise und Richtlinien für Trockenbauarbeiten mit Gipsplatten-Systemen, herausgegeben durch die Industriegruppe Gipsplatten im Bundesverband der Gipsindustrie e.V.

[2] Merkblatt Nr. 2, Verspachtelung von Gipsplatten; Oberflächengüten,
Hinweise und Richtlinien für Trockenbauarbeiten mit Gipsplatten-Systemen, herausgegeben durch die Industriegruppe Gipsplatten im Bundesverband der Gipsindustrie e.V.

[3] Merkblatt Nr. 3, Gipsplattenkonstruktionen, Fugen und Anschlüsse,
herausgegeben durch die Industriegruppe Gipsplatten im Bundesverband der Gipsindustrie e.V.

[4] ZDB-Merkblatt Januar 2005
Hinweise für die Ausführung von Verbundabdichtungen mit Bekleidungen und Belägen aus Fliesen und Platten für den Innen- und Außenbereich, Stand: Januar 2005, Ersatz für Ausgabe August 2000,
herausgegeben durch den Fachverband deutsches Fliesengewerbe im Zentralverband des Deutschen Baugewerbes

[5] ZDB-Merkblatt Mai 2001
Putz und Trockenbau in Feuchträumen mit Bekleidungen aus keramischen Fliesen und Platten oder Naturwerksteinen,
herausgegeben durch den Fachverband deutsches Fliesengewerbe im Zentralverband des Deutschen Baugewerbes

Gipsplatten-Verbundelemente mit Polystyrol- oder Polyurethan-Hartschaum als Dämmstoff

Auszug aus **DIN 18 184** (10.2008)

Inhalt

1 Anwendungsbereich

Diese Norm gilt für Gipsplatten-Verbundelemente, die als Wand- und Deckenbekleidungen verwendet werden. Sie werden auf einer Unterkonstruktion mechanisch befestigt. An senkrechten Bauteilen können sie mit Unterkonstruktion oder durch Kleben angesetzt werden. Für die Verarbeitung gilt DIN 18181.
Für das Brandverhalten gilt DIN EN 13950. Diese Norm kann nur in Verbindung mit DIN EN 13950 angewandt werden.

ANMERKUNG Diese Norm kann sinngemäß auch für Verbundelemente mit Mineralwolledämmstoffen nach DIN EN 13162 oder für Gipsfaserplatten-Verbundelemente angewendet werden.

3 Begriffe

Für die Anwendung dieses Dokuments gelten die Begriffe nach DIN EN 13950.

3.1 Gipsplatten-Verbundelemente

Gipsplatten und werkmäßig verbundene Dämmstoffplatten aus Polystyrol-Hartschaum (EPS), extrudiertem Polystyrolschaum (XPS) oder Polyurethan-Hartschaum (PUR)

ANMERKUNG Zwischen den Gipsplatten und den Dämmstoffplatten können dampfsperrende Schichten angeordnet sein.

4 Bezeichnung

Gipsplatten-Verbundelemente sind nach EN 13950 zu bezeichnen.

5 Anforderungen

5.1 Ausgangsstoffe

Für die Herstellung müssen Gipsplatten nach DIN 18180 und Dämmstoffplatten aus EPS nach DIN EN 13163, XPS nach DIN EN 13164 oder PUR-Hartschaum nach DIN EN 13165 verwendet werden.

Einmaliges Stoßen der Dämmschicht auf der Gipsplatte ist zulässig; der Stoß muss dicht ausgeführt werden.

5.2 Maße

Die Längen und Breiten der Gipsplatten-Verbundelemente richten sich nach den Maßen der verwendeten Gipsplatten. Als Maße für die Gipsplatten-Verbundelemente gelten die Regelmaße der verwendeten Gipsplatten, z. B. Breite (1 250 ± 5) mm Länge (2 500 ± 5) mm

Die Dämmschicht ist zur Sicherstellung dichter Fugenstöße an den Längs- bzw. Querkanten nach Bild 1 oder Bild 2 anzuordnen.

Der Überstand der Dämmschicht gegenüber der Gipsplatte darf in Längsrichtung jeweils 8 mm und in Querrichtung jeweils 5 mm nicht überschreiten. Dabei dürfen die Überstände an einer Plattenlängsseite nicht mehr als 5 mm voneinander abweichen.

Gipsplatten-Verbundelemente nach dieser Norm werden in der Regel mit den Schichtdicken nach Tabelle 1 hergestellt.

F

Tabelle 1: Schichtdicken für die Gipsplatten-Verbundelemente

Maße in Millimeter

Schichtdicke	
Gipsplatten *s*1	**Dämmschicht** *s*2 (Nennmaße)
≥ 6,5	20
≥ 9,5	20
	30
≥ 12,5	20
	30
	40
	50
	60
	80

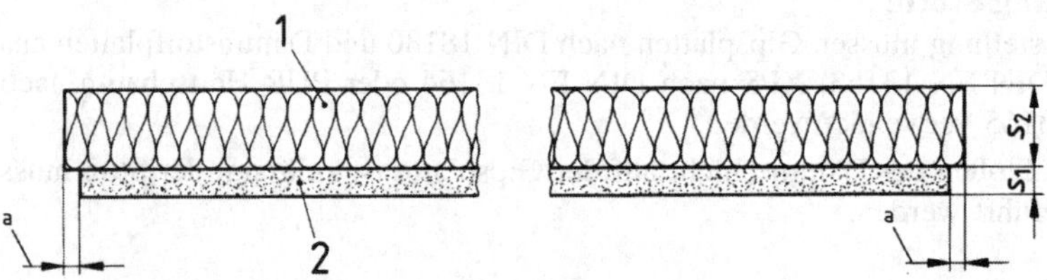

Legende
1 Dämmschicht
2 Gipsplatte
a Überstand

Bild 1. Schnitt durch ein Gipsplatten-Verbundelement mit zweiseitigem Überstand

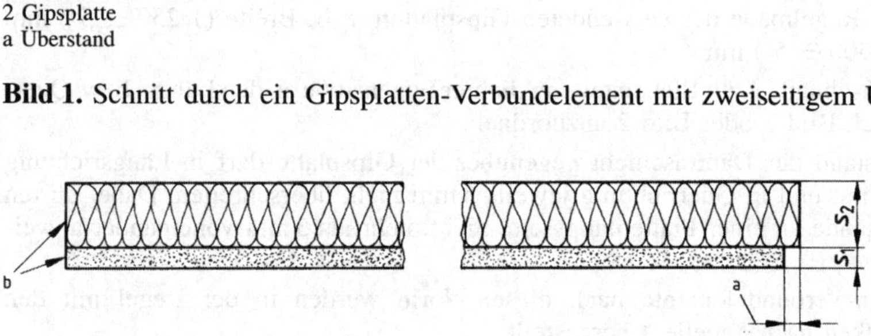

Legende
a Überstand
b bündig

Bild 2. Schnitt durch ein Gipsplatten-Verbundelement mit einseitigem Überstand

6 Kennzeichnung

Gipsplatten-Verbundelemente sind nach DIN EN 13950 zu kennzeichnen. Zusätzlich sind die Gipsplatten-Verbundelemente mit DIN 18184 zu kennzeichnen. Der Aufdruck kann in folgenden Farben ausgeführt werden:

Bei Verwendung von Polystyrol-Hartschaum als Platten in blauer Schrift.

Bei Verwendung von Polyurethan-Hartschaum als Platten in schwarzer Schrift.

Außerdem müssen die verwendeten Dämmstoffplatten nach DIN EN 13163, DIN EN 13164 und DIN EN 13165 gekennzeichnet sein.

Literaturhinweise

DIN EN 520, *Gipsplatten — Begriffe, Anforderungen und Prüfverfahren*

DIN EN 13162, *Wärmedämmstoffe für Gebäude — Werkmäßig hergestellte Produkte aus Mineralwolle (MW) — Spezifikation*

Elastische Bodenbeläge –

Spezifikation für Linoleum mit und ohne Muster

Auszug aus **DIN EN 548** (05.2011)

Inhalt

1 Anwendungsbereich

Diese Europäische Norm legt die Eigenschaften von Linoleum mit und ohne Muster fest, das entweder in Form von Platten oder auch als Rollen geliefert wird.

Um den Verbraucher bei seiner Auswahl zu unterstützen, enthält dieses Dokument ein Klassifizierungssystem (siehe EN 685) auf Basis der Nutzungsintensität, das zeigt, wo für diese Bodenbeläge ein zufriedenstellender Nutzen möglich wäre. Die Norm legt auch die Bedingungen zur Kennzeichnung fest.

Der Begriff „Linoleum" wird häufig fälschlicherweise auch für andere Bodenbeläge, oft für solche auf Basis von Polyvinylchlorid oder Elastomeren, verwendet. Derartige Materialien sind nicht in dieses Dokument eingeschlossen.

3 Begriffe

Für die Anwendung dieses Dokuments gelten die folgenden Begriffe.

3.1 Linoleum-Zement

Bindemittel des Linoleums, bestehend aus einem Gemisch aus Leinöl und/oder anderen trocknenden pflanzlichen Ölen, Baumharz und durchschnittlichen Sikkativen, das durch einen oxidativen Vernetzungsvorgang in eine halbelastische Masse umgewandelt wird

3.2 Linoleum

Produkt, hergestellt durch Kalandrieren einer oder mehrerer Schicht(en) eines homogenen Gemisches aus Linoleum-Zement, Kork- und/oder Holzmehl, Pigmenten und anorganischen Füllstoffen, die eine Faserverstärkung und/oder einen Faserstoffrücken enthalten. Das Produkt wird anschließend durch einen oxidativen Vernetzungsvorgang in den endgültigen Zustand gebracht.

ANMERKUNG Die einzigen sich vernetzenden Bindungen in Linoleum sind die, die sich während Oxidationsvorgangs bilden.

3.3 Oberflächenschicht(en)

Schicht oder Schichten mit demselben Bindemittel auf einem Trägermaterial oder Rücken

4 Identifizierung

Linoleum wird dadurch identifiziert, dass es in einer Lösung von 0,5 mol/l Kaliumhydroxid in Methanol aufgelöst werden kann und durch Bestimmung des Gehaltes an Bindemittel und des Ascherückstandes.

Bei Prüfung nach EN 670 muss der Mindestgehalt an Bindemittel 30 % betragen.

Bei Prüfung nach EN 670 muss der Maximalgehalt an anorganischen Füllstoffen (Ascherückstand) 50 % betragen.

5 Anforderungen

5.1 Allgemeine Anforderungen

Alle Klassen von ungemustertem und gemustertem Linoleum müssen die für sie relevanten allgemeinen Anforderungen, die in Tabelle 1 festgelegt sind, erfüllen, wenn sie nach den vorgegebenen Verfahren geprüft werden.

F

Tabelle 1: Allgemeine Anforderungen

Eigenschaft	Anforderung	Prüfverfahren
Rollen: Länge m Breite mm	Keine Abweichung unter die Nennwerte	EN 426
Platten: Seitenlänge mm Rechtwinkligkeit und Geradheit mm bei einer Seitenlänge ≤ 400 mm > 400 mm	Abweichung von der Nennlänge ≤0,15 % bis max. 0,5 mm Zulässige Abweichung an jedem Punkt ≤ 0,25 ≤ 0,35	EN 427
Maßänderung von Platten durch Veränderung der Luftfeuchte %	Veränderung ≤ 0,1	EN 669
Gesamtdicke: mm Mittelwert Einzelwerte	Nennwert ± 0,15 Nennwert ± 0,20	EN 428
Dicke der kalandrierten Oberflächenschicht	Mindestens 0,80 mm	EN 429
Stuhlrollenversuch	Es darf zu keiner Schichtentrennung und zu keinen Störungen auf der Oberfläche, außer einer leichten Veränderung des Erscheinungsbildes kommen	EN 425
Flächenbezogene Masse g/m^2 Mittelwert	Nennwert ± 10 %	EN 430
Resteindruck nach konstanter Belastung Mittelwert mm Nenndicke: ≤ 3,2 mm ≤ 4,0 mm	≤ 0,15 ≤ 0,20	EN 433
Biegsamkeit von Bahnen (Nenn-)Dicke – Dorndurchmesser 2,0 mm – 30 mm 2,5 mm – 40 mm 3,2 mm – 50 mm 4,0 mm – 60 mm	Keine Rissbildung beim Biegen um den zugehörigen Dorn	EN 435:1994 Verfahren A
Farbbeständigkeit gegenüber künstlichem Licht	Mindestens 6	EN ISO 105-B02:1999, Verfahren 3[a]

[a] Vor einem Vergleich des Probestücks soll die Referenzprobe zusammen mit dem Blauwolltuch und der Xenonlampe bestrahlt werden, bis ein Kontrast nach der Blauwollskala Ref. 2 entsteht, der dem Kontrast nach der Grauskala 3 entspricht. Dieser Schritt ist erforderlich, um den dem Linoleum eigenen „Reifeschleier" vor Erzielung der stabilen Färbung aufzuheben.

5.2 Klassifizierungsanforderungen

Das Schema für die Klassifizierung von elastischen Bodenbelägen ist in EN 685 beschrieben. Die Anforderungen für Linoleum mit und ohne Muster unter Berücksichtigung dieses Schemas beziehen sich auf die Nenndicke des Linoleums, wie in Tabelle 2 dargestellt.

Tabelle 2: Klassifizierungsanforderungen

Klasse	Symbol	Verwendungsbereich	Nennwert der Gesamtdicke mm
		Wohnen	
21		mäßig	2,0
22		normal	2,0
22+		normal	2,0
23		stark	2,0
		Gewerblich	
31		mäßig	2,0
32		normal	2,0
33		stark	2,5
34		sehr stark	2,5[a]

Fortsetzung siehe nächste Seite.

F

Tabelle 2 (Fortsetzung)

Klasse	Symbol	Verwendungsbereich	Nennwert der Gesamtdicke mm
		Leichtindustriell	
41		mäßig	2,0[a]
42		normal	2,5[a]
43		stark	[b]

[a] Andere Dicken, z. B. 3,2 mm und 4,0 mm, dürfen festgelegt werden, um besonderen Kundenerfordernissen zu entsprechen.

[b] Alle Anforderungen für Klasse 43 sollten unter Beachtung der Gebrauchsspezifikation in Absprache zwischen den beteiligten Kreisen bestimmt und vereinbart werden.

6 Kennzeichnung

Ungemusterte und gemusterte Linoleum-Bodenbeläge und/oder deren Verpackung müssen folgende Kennzeichnung tragen:

a) Nummer und Datum dieses Dokuments, d. h. EN 548:2011;

b) Kennzeichnung des Herstellers oder der Lieferfirma;

c) Produktbezeichnung;

d) Farbe/Muster sowie Chargen- und Rollennummer, falls zutreffend;

e) Klasse/Symbol passend für das Produkt;

f) für Rollen: Länge, Breite und Dicke;

g) für Platten: Maße einer Platte und die in der Packung enthaltenen Quadratmeter.

Elastische Bodenbeläge

Spezifikation für Linoleum mit und ohne Muster mit Korkmentrücken

Auszug aus **DIN EN 687** (09.97)*)

1 Anwendungsbereich

Diese Europäische Norm legt die allgemeinen Eigenschaften von ungemusterten und gemusterten Linoleum-Bodenbelägen mit Korkmentrücken fest, die in Form von Rollen geliefert werden.

Um den Verbraucher bei seiner Auswahl zu unterstützen, enthält diese Norm ein Klassifizierungssystem (siehe EN 685) auf Basis der Nutzungsintensität, das zeigt, wo für diese Bodenbeläge ein zufriedenstellender Nutzen möglich wäre. Die Norm legt auch die Anforderungen zur Kennzeichnung fest.

Der Begriff „Linoleum" wird häufig fälschlicherweise auch für andere Bodenbeläge, oft für solche auf Basis von Polyvinylchlorid oder Elastomeren, verwendet. Derartige Materialien sind nicht in dieser Norm eingeschlossen.

2 Normative Verweisungen

Diese Europäische Norm enthält durch datierte oder undatierte Verweisungen Festlegungen aus anderen Publikationen. Diese normativen Verweisungen sind an den jeweiligen Stellen im Text zitiert, und die Publikationen sind nachstehend aufgeführt. Bei datierten Verweisungen gehören spätere Änderungen oder Überarbeitungen dieser Publikationen nur zu dieser Europäischen Norm, falls sie durch Änderung oder Überarbeitung eingearbeitet sind. Bei undatierten Verweisungen gilt die letzte Ausgabe der in Bezug genommenen Publikation.

EN 425

Elastische Bodenbeläge – Stuhlrollenversuch

EN 426

Elastische Bodenbeläge – Bestimmung von Breite, Länge, Ebenheit und Geradheit von Bahnen

EN 428

Elastische Bodenbeläge – Bestimmung der Gesamtdicke

EN 429

Elastische Bodenbeläge – Bestimmung der Dicke der Schichten

F

*) *Neuausgabe 2011 konnte wegen Redaktionsschluss leider nicht mehr berücksichtigt werden. Bei der Neuausgabe gibt es jedoch nur redaktionelle Änderungen.*

EN 430
Elastische Bodenbeläge – Bestimmung der flächenbezogenen Masse

EN 433
Elastische Bodenbeläge – Bestimmung des Resteindruckes nach konstanter Belastung

EN 435
Elastische Bodenbeläge – Bestimmung der Biegsamkeit

prEN 670
Elastische Bodenbeläge – Erkennung von Linoleum und Bestimmung des Gehaltes an Bindemittel und anorganischen Füllstoffen

EN 685
Elastische Bodenbeläge – Klassifizierung

EN 20105-B02
Textilien – Farbechtheitsprüfung – Teil B02: Lichtechtheit mit künstlichem Licht (Xenonbogenlicht) (ISO 105-B02:1988)

3 Definitionen

Für die Anwendung dieser Norm gelten folgende Definitionen:

3.1 Linoleum-Cement: Bindemittel in Linoleum, bestehend aus einem Gemisch aus Leinöl und/oder anderen trocknenden pflanzlichen Ölen, Baumharz und normalen Sikkativen, das durch einen oxidativen Vernetzungsvorgang in eine halbelastische Masse umgewandelt wird.

3.2 Linoleum mit Korkmentrücken: Produkt, hergestellt durch Kalandrieren eines homogenen Gemisches aus Linoleum-Cement, Kork- und/oder Holzmehl, Pigmenten und anorganischen Füllstoffen auf einem Korkmentrücken. Das Produkt wird dann durch einen oxidativen Vernetzungsvorgang in den endgültigen Zustand gebracht.

3.3 Korkment: Rücken oder Unterlage, hergestellt durch Kalandrieren einer homogenen Mischung aus Linoleum-Cement, Korkgranulat, Pigment und anorganischen Füllstoffen auf einem Faserstoffrücken. Das Produkt wird dann durch einen oxidativen Vernetzungsvorgang in den endgültigen Zustand gebracht.

ANMERKUNG: Die einzigen chemischen Vernetzungen in Linoleum sind diejenigen, die durch das Oxidationsverfahren gebildet werden.

4 Identifizierung

Linoleum wird dadurch identifiziert, daß es in einer Lösung von 0,5 mol/l Kaliumhydroxid in Methanol aufgelöst werden kann, und durch Bestimmung des Gehaltes an Cement und des Ascherückstandes.

Bei Prüfung nach prEN 670 muß der Mindestgehalt an Linoleum-Cement 30 % betragen.
Bei Prüfung nach prEN 670 muß der Maximalgehalt an anorganischen Füllstoffen (Ascherückstand) 50 % betragen.

Korkment wird dadurch identifiziert, daß es in einer Lösung von 0,5 mol/l Kaliumhydroxidlösung in Methanol aufgelöst werden kann.

5 Anforderungen

5.1 Allgemeine Anforderungen

Alle Arten von Linoleum mit Korkmentrücken müssen die entsprechenden allgemeinen Anforderungen, festgelegt in Tabelle 1, erfüllen, wenn sie in Übereinstimmung mit den darin genannten Prüfverfahren geprüft wurden.

5.2 Klassifizierungsanforderungen

Das Schema für die Klassifizierung ist in EN 685 beschrieben. Die Anforderungen für ungemustertes und gemustertes Linoleum mit Korkmentrücken unter Berücksichtigung dieses Schemas beziehen sich auf die Nenndicke der Linoleum-Komposition, wie in Tabelle 2 dargestellt.

Tabelle 1: Allgemeine Anforderungen

Eigenschaft	Anforderung	Prüfverfahren
Rollen: Länge: m Breite: mm	 Keine Abweichung unter die Nennwerte	EN 426
Gesamtdicke: mm Nennwert Mittelwert Einzelwerte	 ≥ 4,0 Nennwert ± 0,20 Nennwert ± 0,25	EN 428
Dicke der Linoleum-Schichten mm (Mittelwert) Einzelwerte	 Nennwert ± 0,15 Nennwert ± 0,20	EN 429
Flächenbezogene Masse: g/m^2 (Mittelwert)	Nennwert ± 10 %	EN 430
Resteindruck nach konstanter Belastung (Mittelwert): mm	≤ 0,40	EN 433
Biegsamkeit um einen Dorn von 60 mm Durchmesser	Keine Rißbildung.	EN 435 Verfahren A
Farbbeständigkeit gegenüber künstlichem Licht	6 min	EN 20105-B02: Verfahren 3[1)]
Auswirkung von Stuhlrollen	Keine Beschädigung darf sichtbar sein.	EN 425

[1)] Vor einem Vergleich des Probestücks muß die Referenzprobe zusammen mit dem Blauwolltuch mit der Xenonlampe bestrahlt werden, bis ein Kontrast nach der Blauwollskala Ref. 2 entsteht, der dem Kontrast nach der Grauskala 3 entspricht. Dieser Schritt ist erforderlich, um den dem Linoleum eigenen „Reifeschleier" vor Erzielung der stabilen Färbung aufzuheben.

F

Tabelle 2: Klassifizierung

Klasse	Symbol	Verwendungsbereich	Nenndicke der Linoleum-Komposition mm
21		Wohnen mäßig	1,5
22		Wohnen normal	1,5
23		Wohnen stark	1,5
31		Gewerblich mäßig	1,5
32		Wohnen normal	1,5
33		Gewerblich stark	2,0
41	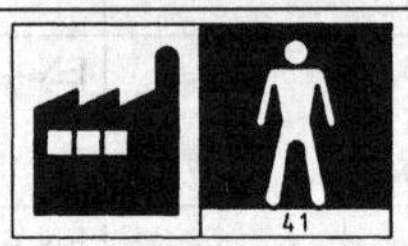	Industriell mäßig	2,0

6 Kennzeichnung

Bodenbeläge aus ungemustertem und gemustertem Linoleum mit Korkmentrücken und/oder deren Verpackung müssen folgende Kennzeichnung tragen:

a) Nummer und Datum dieser Europäischen Norm, d. h. EN 687:1997;

b) Identifizierung des Herstellers oder der Lieferfirma;

c) Produktname;

d) Farbe/Muster sowie Chargen- und Rollennummer;

e) Klasse/Symbol, passend für das Produkt;

f) die Länge, Breite und Dicke der Rollen.

Holzfußböden
Mosaikparkettelemente

Auszug aus **DIN EN 13488** (05.2003)

Änderungen

Gegenüber DIN 280-2:1990-04 wurden folgende Änderungen vorgenommen:

– EN 13488:2002 wurde übernommen

Inhalt

F

Einleitung

Diese Norm gehört zu einer Reihe von Normen über Holzfußböden sowie Wand- und Deckenbekleidungen aus Holz.

Diese Norm legt die Merkmale von Mosaikparkett fest. Sie beruht auf gegenwärtig in der Industrie gültigen Normen zu Maßen und Merkmalen sowie auf Funktionen, die durch Prüfung nachgewiesen wurden.

Über Mosaikparkett liegen bereits fundierte Kenntnisse vor; die Werte für die Produktmerkmale sind durch langjährige Anwendung und Erfahrung bestätigt. Prüfergebnisse werden daher nicht benötigt. Bei neuen Produkten müssen die technischen Daten durch Prüfung nachgewiesen werden.

Das Erscheinungsbild des Parkettbodens wird im Wesentlichen durch die Holzart, die Sortierung und das Verlegemuster beeinflusst.

1 Anwendungsbereich

Diese Europäische Norm legt die Erscheinungsklassen, Maße und andere Merkmale von Massivholz-Mosaikparkettlamellen, Mosaikwürfeln, Mosaikparkett-Verlegeeinheiten und Mosaikparketttafeln mit und ohne Oberflächenbehandlung für die Verwendung als Fußbodenbelag in Innenräumen fest.

3 Begriffe

Für die Anwendung dieser Europäischen Norm gelten die in EN 844-1:1995, EN 844-3:1995, EN 844-4:1997, EN 844-6:1997, EN 844-7:1997, EN 844-9:1997, EN 844-10:1998, EN 844-11:1998, EN 844-12:2000 und EN 13756:2002 angegebenen und die folgenden Begriffe.

3.1 Mosaikparkettlamelle

Element aus Massivholz, roh, mit kleinen Abmessungen und rechteckiger Form, mit flachen Schmalseiten [EN 13756:2002]

3.2 Mosaikwürfel

Kante an Kante zusammengefügte Parkettlamellen gleicher Abmessung, die ein Quadrat bilden

ANMERKUNG Die Abmessung des Quadrates entspricht der Länge der Parkettlamellen.

3.3 Mosaikparkett-Verlegeeinheit

vorgefertigte Verlegeeinheit, die durch eine bestimmte Anordnung der Mosaikparkettlamellen ein wiederholbares Muster ergibt, z. B. Würfel oder andere Muster

3.4 Mosaikparketttafel

vorgefertigte Verlegeeinheit, die aus Mosaikwürfeln gleicher Abmessung Kante an Kante schachbrettartig zusammengefügt ist

4 Produktanforderungen

4.1 Holzarten und Muster

Die Holzart muss festgelegt werden.

Eine Liste der für Mosaikparkett nach dieser Norm meistverwendeten Holzarten ist in Anhang A angegeben.

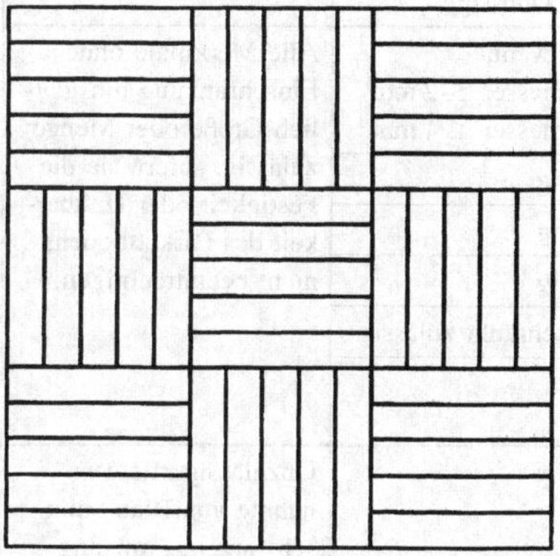

Bild 1. Mosaikparketttafel mit Mosaikwürfeln

Falls nicht anders vereinbart, müssen Mosaikparketttafeln aus Mosaikwürfeln entsprechend Bild 1 zusammengefügt werden. Andere Muster sind in Anhang B dargestellt.

4.2 Erscheinungsbild

4.2.1 Allgemeine Regeln

Die Tabellen 1 bis 3 enthalten die Sortierregeln in Bezug auf das Erscheinungsbild der Oberseite und der nicht sichtbaren Teile (Rückseite und Schmalseiten) von Mosaikparkettlamellen für die meistverwendeten Holzarten, wie sie in dieser Norm definiert sind.

Merkmale müssen nach EN 1310 gemessen werden (Äste müssen nach dem in 4.1 von EN 1310:1997 angegebenen allgemeinen Verfahren beurteilt werden). Schädlingsbefall wird nach EN 1311 gemessen.

Die Sortierung erfolgt in die drei Erscheinungsklassen ○, △ und □.

Eine Sortierung „Freie Klasse" beruht auf den in Anhang C dargelegten Grundsätzen.

Die Oberseite muss die gesamte sichtbare Oberfläche des Elementes einbeziehen.

F

Die Oberseite darf keine Insektenfraßstellen aufweisen, das Holz muss gesund sein. Jahrringlagen sowie Holzstrahlen sind zulässig.

4.2.2 Regeln für die meistverwendeten Holzarten

4.2.2.1 *Quercus spp.* (Eiche) und tropische Laubhölzer

Regeln für Eiche und tropische Laubhölzer sind in Tabelle 1 angegeben.

Tabelle 1: Sortierregeln für *Quercus spp. (Eiche) und tropische Laubhölzer*

Merkmale	Oberseite des Elementes Klasse		
	○	△	□
Gesunder Splint	Unzulässig	Zulässig	
Äste gesund Schwarze Äste	Zulässig, wenn – Durchmesser ≤ 2 mm – Durchmesser ≤ 1 mm	Zulässig, wenn – Durchmesser ≤ 2 mm – Durchmesser ≤ 1 mm	Alle Merkmale ohne Einschränkung hinsichtlich Größe oder Menge zulässig, sofern sie die Festigkeit oder Haltbarkeit des Parkettbodens nicht beeinträchtigen.
Seichte Risse	Unzulässig	Unzulässig	
Rindeneinwuchs	Unzulässig	Unzulässig	
Blitzrisse	Unzulässig	Unzulässig	
Faserneigung	Uneingeschränkt zulässig	Uneingeschränkt zulässig	
Farbunterschiede	Geringfügige Unterschiede zulässig	Zulässig[a]	
Schädlingsbefall	Unzulässig	Unzulässig	Unzulässig mit Ausnahme von Bläue und schwarzem Fraßgang
Nicht sichtbare Teile			
Alle Merkmale ohne Einschränkung hinsichtlich Größe oder Menge zulässig, sofern sie die Festigkeit oder Haltbarkeit des Parkettbodens nicht beeinträchtigen.			
[a] Eichen-Braunkern.			

4.2.3 *Fagus sylvatica* (Buche) und *Fraxinus excelsior* (Esche)

Die Regeln für Buche und Esche entsprechen den Angaben in Tabelle 1, mit besonderen Anforderungen für Buche in Tabelle 2 und für Esche in Tabelle 3.

Tabelle 2: Besondere Sortierregeln für *Fagus sylvatica* (Buche)

Merkmale	Oberseite des Elementes Klasse		
	○	△	□
Gesunder Splint	Nicht zutreffend	Nicht zutreffend	Nicht zutreffend
Gesunder Rotkern	Unzulässig	Zulässig	Zulässig

Tabelle 3: Besondere Sortierregeln für *Fraxinus excelsior* (Esche)

Merkmale	Oberseite des Elementes		
	Klasse		
	○	△	□
Gesunder Splint	Nicht zutreffend	Nicht zutreffend	Nicht zutreffend
Gesunder Braunkern	Unzulässig	Zulässig	Zulässig

4.2.4 Freie Klasse

Die freie Sortierung umfasst jede für Parkett verwendbare Holzart, deren mittlere HB-Härte mindestens 10 N/mm^2 beträgt. Die Härte ist nach EN 1534 zu messen. Die freie Sortierung umfasst jede vom Hersteller angebotene oder vom Käufer verlangte Klassenbildung. Die Anteile oder Beschränkungen von Merkmalen müssen in den Unterlagen/Datenblättern des Herstellers nach Anhang C detailliert aufgeführt und nach Tabelle C.1 angegeben werden.

ANMERKUNG 10 N/mm^2: annähernd 1 kgf/mm^2

4.2.5 Natürliche Farben

Holzfarben werden hauptsächlich von der Holzart bestimmt.

ANMERKUNG Jedes Holz weist nach längerer Lichteinwirkung Farbänderungen auf.

4.3 Feuchtegehalt

Mosaikparkettlamellen ohne Oberflächenbehandlung müssen für alle Holzarten bei der Erstauslieferung einen Feuchtegehalt von 7 % bis 11 %, Mosaikparkettlamellen mit Oberflächenbehandlung einen Feuchtegehalt von 6 % bis 10 % aufweisen.

Der Feuchtegehalt ist nach EN 13 183-2 mit einem elektrischen Messgerät zu ermitteln. Im Streitfall muss der Feuchtegehalt mittels Darrverfahren an aus der Mitte des Elementes entnommenen Proben nach EN 13 183-1 bestimmt werden.

4.4 Geometrische Eigenschaften

4.4.1 Allgemeines

Sämtliche Maße werden für eine Bezugsfeuchte von 9 % angegeben außer den Maßen für Kastanie und Seekiefer, die für eine Bezugsfeuchte von 10 % angegeben werden.

Sofern nichts Gegenteiliges bekannt ist, ist davon auszugehen, dass die Dicke und Breite eines Holzstückes je 1 % Feuchtezunahme über die Bezugsfeuchte hinaus um 0,25 % zunimmt bzw. je 1 % Feuchteabnahme unter die Bezugsfeuchte um 0,25 % abnimmt.

Die Verfahren zur Messung der geometrischen Eigenschaften sind in EN 13 647 angegeben.

4.4.2 Mosaikparkettlamelle

4.4.2.1 Mosaikparkettlamelle ohne Oberflächenbehandlung

Die Maße einer Mosaikparkettlamelle ohne Oberflächenbehandlung müssen Tabelle 4 entsprechen.

Tabelle 4: Maße Maße in Millimeter

Dicke	Breite	Länge[a]
8	≤ 35	115 bis 165

[a] Für besondere Parkettmuster kann die Länge < 115 mm betragen (siehe z. B. Bild B.4)

Die angegebenen Maße beziehen sich auf Bild 2.

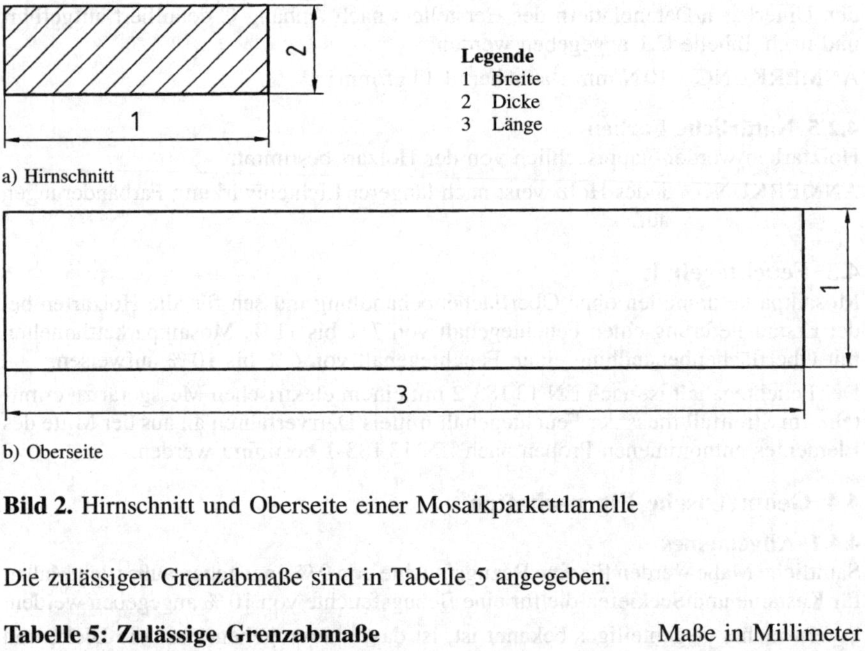

Legende
1 Breite
2 Dicke
3 Länge

a) Hirnschnitt

b) Oberseite

Bild 2. Hirnschnitt und Oberseite einer Mosaikparkettlamelle

Die zulässigen Grenzabmaße sind in Tabelle 5 angegeben.

Tabelle 5: Zulässige Grenzabmaße Maße in Millimeter

Dicke	Breite	Länge
± 0,3	± 0,1	± 0,2

4.4.2.2 Mosaikparkettlamelle mit Oberflächenbehandlung

Mosaikparkettlamellen mit Oberflächenbehandlung müssen eine Dicke von (7,5 ± 0,3) mm aufweisen. Die Länge und die Breite müssen Tabelle 4 entsprechen.

4.4.3 Mosaikparketttafel ohne Oberflächenbehandlung
Die Breite und die Länge werden durch die Maße der Mosaikwürfel bestimmt.

Die zulässigen Abweichungen für Mosaikparketttafeln ohne Oberflächenbehandlung betragen

– für die Breite und die Länge: (+ 0,30/– 0,15) %.

4.4.4 Mosaikparketttafel mit Oberflächenbehandlung
Die Breite und die Länge werden durch die Maße der Mosaikwürfel bestimmt.

Die zulässigen Abweichungen für die Tafeln betragen:

– für die Breite und die Länge: ± 0,1 %

– für die Rechtwinkligkeit, gemessen über die Breite: ± 0,2 %

Die Mosaikwürfel können untereinander durch Nut- und Federprofile verbunden sein.

Die Dicke über der Nut muss mindestens 3,0 mm betragen.

4.4.5 Andere Mosaikparkett-Verlegeeinheiten
Andere Mosaikparkett-Verlegeeinheiten, siehe Anhang B.

Die Breite und die Länge werden durch die Maße der Mosaikparkettlamellen bestimmt.

5 Kennzeichnung
Jede vom Hersteller zum Zeitpunkt der Erstauslieferung festgelegte Einheit muss wie folgt eindeutig gekennzeichnet werden:

– Art des Produktes (Mosaikparkettlamelle, Mosaikparkett-Verlegeeinheit, Mosaikparkettwürfel oder Mosaikparketttafel) – gegebenenfalls unter Nennung des Handelsnamens;

– Angabe der Erscheinungsklasse (○, △ und □ oder entsprechende Angabe der freien Klasse/n);

– Art der Oberflächenbehandlung;

– Dicke, Breite und Länge der Mosaikparkett-Verlegeeinheit, in Millimeter;

– gegebenenfalls die Anzahl der Mosaikparkettlamellen je Würfel;

– Anzahl der Mosaikparkett-Verlegeeinheiten;

– Gesamtfläche in Quadratmeter;

– Handelsname der Holzart;

– Muster, falls zutreffend;

– wenn vertraglich festgelegt, die Dauerhaftigkeitsklasse (EN 460) oder die Schutzbehandlung (EN 351-1) gegen biologischen Befall;

– gegebenenfalls Trägermaterial auf der Oberseite oder Unterseite;

– Verweis auf diese Norm EN 13488.

F

Keramische Fliesen und Platten

Begriffe, Klassifizierung, Gütemerkmale und Kennzeichnung

Auszug aus **DIN EN 14 411** (03.2007)

Inhalt

1 Anwendungsbereich

Diese Europäische Norm legt Begriffe für (durch Strangpress- und Trockenpresstechniken hergestellte) keramische Fliesen und Platten der ersten handelsüblichen Güteklasse sowie die entsprechenden Anforderungen und Kennzeichnungskriterien fest.

Fliesen und Platten, die nicht der ersten handelsüblichen Güteklasse entsprechen, sind nach den Vorgaben von Anhang Q ebenfalls einbezogen.

Diese Europäische Norm gilt weder für Fliesen und Platten, die durch andere als die üblichen Strangpress- oder Trockenpressprozesse hergestellt wurden, noch für dekoratives Zubehör und Verzierungen (wie zum Beispiel Kanten, Ecken, Sockel, Wölbungen, Kehlungen, Bördelränder, Stufen, gekrümmte Fliesen/ Platten und weiteres Zubehör) und Mosaiks (d. h. Teile, die in eine Fläche von 7 cm × 7 cm hineinpassen, siehe Handelsnomenklatur).

ANMERKUNG EN ISO 10545 beschreibt die Prüfverfahren, die erforderlich sind, um die in dieser Europäischen Norm aufgeführten Produktmerkmale zu bestimmen. EN ISO 10545 besteht aus mehreren Teilen, von denen jeder Teil ein bestimmtes Prüfverfahren oder ein damit zusammenhängendes Phänomen beschreibt.

3 Begriffe

Für die Anwendung dieses Dokuments gelten die Begriffe nach ISO 1006:1983 und die folgenden Begriffe.

3.1 keramische Fliesen und Platten

dünne Platten aus Tonen und/oder anderen anorganischen Rohstoffen

ANMERKUNG 1 Fliesen und Platten werden im Allgemeinen als Bodenbeläge und als Bekleidung von Wänden verwendet. Sie werden in der Regel durch Strangpressen (Verfahren A) oder Trockenpressen (Verfahren B) bei Raumtemperatur geformt, können jedoch auch durch andere Verfahren geformt werden; anschließend werden sie getrocknet und dann bei Temperaturen gebrannt, die ausreichen, um die geforderten Eigenschaften zu entwickeln. Fliesen und Platten können glasiert (GL) oder unglasiert (UGL) sein und sind nicht brennbar sowie lichtecht.

ANMERKUNG 2 Vollkommen dicht gesinterte (oder porzelanhaltige) Fliesen und Platten weisen eine Wasseraufnahme unter 0,5 % auf.

3.2 Glasur

gesinterte Deckschicht

3.3 engobierte Oberfläche

Deckschicht auf Tonbasis mit mattem Aussehen, die wasserdurchlässig oder wasserundurchlässig sein kann

ANMERKUNG Fliesen und Platten mit engobierter Oberfläche gelten als unglasiert.

3.4 polierte Oberfläche

Oberfläche einer glasierten oder unglasierten Fliese/Platte, der bei der Herstellung nach dem Brennen durch mechanisches Polieren ein glänzendes Aussehen verliehen wird

3.5 stranggepresste Fliesen und Platten

Fliesen und Platten, die in bestimmter Länge von einem Strang abgeschnitten werden, der mit einer Strangpresse aus der plastischen Masse geformt wurde

ANMERKUNG 1 In dieser Europäischen Norm wird für stranggepresste Fliesen und Platten eine Klassifizierung in Fliesen und Platten „Präzision" und Fliesen und Platten „Natur" vorgenommen. Die Klassifizierung hängt von den verschiedenen technischen Merkmalen ab, die in den normativen Anhängen A bis F und R aufgeführt sind.

ANMERKUNG 2 Traditionelle Begriffe, die für stranggepresste Produkte verwendet werden, sind „Spaltplatte" und „einzeln gezogene Platte" (quarry tiles) Sie bezeichnen gewöhnlich als Doppel- bzw. Einzelplatten geformte Fliesen und Platten. Der Begriff „einzeln gezogene Platte" bezieht sich nur auf stranggepresste Fliesen und Platten mit einer Wasseraufnahme von höchstens 6 %.

ANMERKUNG 3 Stranggepresste Fliesen und Platten werden mit dem Buchstaben A bezeichnet (siehe Tabelle 1).

3.6 trockengepresste Fliesen und Platten

Fliesen und Platten, die aus einer fein gemahlenen Masse unter hohem Druck in Formen gepresst werden

ANMERKUNG Trockengepresste Fliesen und Platten werden mit dem Buchstaben B bezeichnet (siehe Tabelle 1).

3.7 Abstandhalter

Vorsprünge entlang bestimmter Kanten von Fliesen und Platten, so dass bei Verlegung zweier Fliesen/Platten in Reihe die Vorsprünge an den benachbarten Kanten einen Abstand zwischen den Fliesen/Platten schaffen, der nicht kleiner als die festgelegte Fugenbreite ist

ANMERKUNG 1 Die Abstandhalter sind so angeordnet, dass das Verfugen mit Mörtel so ermöglicht wird, dass die Abstandhalter danach nicht mehr sichtbar sind.

ANMERKUNG 2 Trockengepresste Fliesen und Platten dürfen auch mit anderen Abstandhaltersystemen hergestellt werden; in diesem Fall gelten die vom Hersteller angegebenen Werkmaße.

ANMERKUNG 3 Die Verwendung von Abstandhaltern ist in Bild 2 dargestellt.

3.8 Wasseraufnahme

E

Wasseraufnahme als Massenanteil in %, gemessen nach EN ISO 10545-3

3.9 Beschreibung von Maßen

siehe Bilder 1 und 2

F

ANMERKUNG Diese Maße sind nur für rechtwinklige Fliesen und Platten definiert. Werden die Maße von nicht rechtwinkligen Fliesen und Platten gefordert, werden diese durch das kleinste umschreibende Rechteck definiert.

3.9.1 Nennmaß

Maß zur Beschreibung des Produktes

3.9.2 Werkmaß

W

für die Herstellung festgelegtes Maß einer Fliese/Platte, mit dem das Istmaß innerhalb der festgelegten zulässigen Abweichungen übereinstimmen muss

ANMERKUNG Es wird durch die Maße Länge, Breite und Dicke festgelegt.

3.9.3 Istmaß

Maß, das durch Messen der Oberfläche einer Fliese oder Platte nach EN ISO 10545-2 erhalten wird

3.9.4 Koordinierungsmaß

C

Werkmaß zuzüglich Fugenbreite

3.9.5 modulares Maß

Maße auf der Grundlage des Moduls M sowie dessen Vielfachem und Teilprodukten, mit Ausnahme von Fliesen und Platten mit einer Ansichtsfläche kleiner als 9 000 mm^2

ANMERKUNG Siehe ISO 1006, in der 1 M = 100 mm ist.

3.9.6 nichtmodulare Maße

Maße, die nicht auf dem Modul M beruhen

ANMERKUNG 1 Siehe ISO 1006, in der 1 M = 100 mm ist.

3.9.7 Toleranz

Differenz zwischen den zulässigen Grenzmaßen

3.10 Produktgruppe

keramische Fliesen und Platten, die im selben Werk nach einem festgelegten Verfahren (Strangpressen oder Trockenpressen) hergestellt werden und eine bestimmte Porosität oder Wasseraufnahme aufweisen

3.11 Familie innerhalb einer Produktgruppe

keramische Fliesen und Platten, die im selben Werk hergestellt werden und bei denen die Prüfergebnisse für ein beliebiges Produkt innerhalb der Familie auch für alle weiteren Produkte in der Familie gelten

ANMERKUNG Familien können bezüglich der Merkmale des Körpers (gleiche Maße und Dicke) oder der Merkmale in Bezug auf die Oberflächenbeschaffenheit (gleiche Zusammensetzung und Eigenschaften der Glasur und/oder der Dekoration) definiert werden.

4 Klassifizierung

4.1 Grundlage der Klassifizierung

Keramische Fliesen und Platten werden nach ihrem Herstellungsverfahren und ihrer Wasseraufnahme in Gruppen eingeteilt (siehe 3.8 und Tabelle 1). Die Gruppen geben jedoch keine Hinweise auf den Verwendungszweck der Produkte.

Tabelle 1: Klassifizierung der keramischen Fliesen und Platten im Hinblick auf Wasseraufnahme und Formgebung

Formgebung	Gruppe I $E \leq 3\,\%$	Gruppe II_a $3\,\% < E \leq 6\,\%$	Gruppe II_b $6\,\% < E \leq 10\,\%$	Gruppe III $E > 10\,\%$
A **stranggepresst**	Gruppe AI_a $E \leq 0{,}5\,\%$ (siehe Anhang M) Gruppe AI_b $0{,}5\,\% < E \leq 3\,\%$ (siehe Anhang A)	Gruppe AII_{a-1}[a] (siehe Anhang B)	Gruppe AII_{b-1}[a] (siehe Anhang D)	Gruppe AIII (siehe Anhang F)
		Gruppe AII_{a-2}[a] (siehe Anhang C)	Gruppe AII_{b-2}[a] (siehe Anhang E)	
B **trockengepresst**	Gruppe BI_a $E \leq 0{,}5\,\%$ (siehe Anhang G)	Gruppe BII_a (siehe Anhang J)	Gruppe BII_b (siehe Anhang K)	Gruppe $BIII_b$ (siehe Anhang L)
	Gruppe BI_b $0{,}5\,\% < E \leq 3\,\%$ (siehe Anhang H)			

[a] Gruppen AIIa und AIIb werden in zwei Teile (Teile 1 und 2) mit verschiedenen Produktspezifikationen unterteilt.

[b] Gruppe BIII trifft ausschließlich auf glasierte Fliesen und Platten zu. Es besteht eine geringe Anzahl trockengepresster unglasierter Fliesen und Platten, die mit einer Wasseraufnahme über 10 % hergestellt werden und auf die diese Produktgruppe nicht zutrifft.

4.2 Herstellungsverfahren

Es bestehen die folgenden beiden Herstellungsverfahren:

- Verfahren A, stranggepresste Fliesen und Platten (siehe 3.5);
- Verfahren B, trockengepresste Fliesen und Platten (siehe 3.6).

4.3 Gruppen der Wasseraufnahme (E)

Es gibt folgende drei Gruppen der Wasseraufnahme:

a) Fliesen und Platten mit geringer Wasseraufnahme (Gruppe I), $E \leq 3\,\%$

Gruppe I wird zusätzlich unterteilt in:

a1) für stranggepresste Fliesen und Platten:

1) $E \leq 0{,}5\,\%$ (Gruppe AI_a);

2) $0{,}5\,\% < E \leq 3\,\%$ (Gruppe AI_b).

a2) für trockengepresste Fliesen und Platten:

3) $E \leq 0{,}5\,\%$ (Gruppe BI_a);

4) $0{,}5\,\% < E \leq 3\,\%$ (Gruppe BI_b).

b) Fliesen und Platten mit mittlerer Wasseraufnahme (Gruppe II),
$3\% < E \leq 10\%$

Gruppe II wird für stranggepresste Fliesen und Platten zusätzlich unterteilt in:
b1) für stranggepresste Fliesen und Platten:

1) $3\% < E \leq 6\%$ (Gruppe AII_a, Teile 1 und 2);
2) $6\% < E \leq 10\%$ (Gruppe AII_b, Teile 1 und 2).

b2) für trockengepresste Fliesen und Platten:

3) $3\% < E \leq 6\%$ (Gruppe BII_a);
4) $6\% < E \leq 10\%$ (Gruppe BII_b).

c) Fliesen und Platten mit hoher Wasseraufnahme (Gruppe III), $E > 10\%$

5 Gütemerkmale

Die Gütemerkmale keramischer Fliesen und Platten in verschiedenen Verwendungen sind in Tabelle 2 aufgeführt.

9 Kennzeichnung und Spezifikationen

Fliesen und Platten und/oder deren Verpackung sind mit den folgenden Angaben zu kennzeichnen:

1) Kennzeichen des Herstellers und/oder Warenzeichen sowie Herkunftsland;
2) Kennzeichen der 1. Güteklasse;
3) Verweisung auf den entsprechenden Anhang dieser Europäischen Norm, d. h. EN 14411:2006, und Klassifizierung („Präzision" oder „Natur"), sofern zutreffend;
4) Nenn- und Werkmaße;
5) Oberflächenbeschaffenheit, d. h. glasiert (GL) oder unglasiert (UGL).

BEISPIELE

Keramische Fliese/Platte der 1. Güteklasse nach EN 14411, Anhang A, Präzision
25 cm × 12,5 cm (W 240 mm × 115 mm × 10 mm) GL

Keramische Fliese/Platte 1. Güteklasse nach EN 14411, Anhang A, Natur
15 cm × 15 cm (W 150 mm × 150 mm × 12 mm) UGL

10 Bestellung

Bei der Aufgabe einer Bestellung sind Einzelheiten wie Maße, Dicke, Oberflächenbeschaffenheit, Farbe, Profil, Verschleißklasse bei glasierten Fliesen und Platten sowie weitere Eigenschaften zwischen den Vertragspartnern zu vereinbaren.

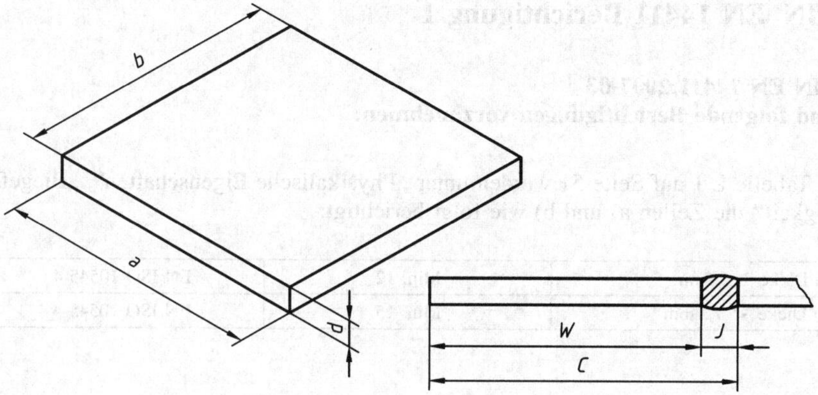

Legende
Koordinierungsmaß (*C*) = Werkmaß (*W*) + Fuge (*J*)
Werkmaß (*W*) = Maße der Ansichtsfläche (*a*), (*b*) und Dicke (*d*)

Bild 1. Fliese/Platte

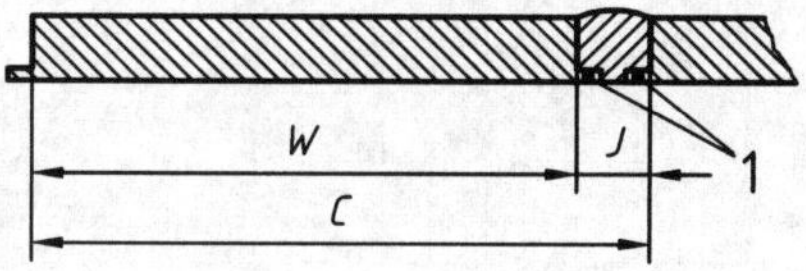

Legende
1 Abstandhalter
Koordinierungsmaß (*C*) = Werkmaß (*W*) + Fuge (*J*)
Werkmaß (*W*) = Maße der Ansichtsfläche (*a*), (*b*) und Dicke (*d*)

Bild 2. Fliese/Platte mit Abstandhalter

F

DIN EN 14411 Berichtigung 1

In
DIN EN 14411:2007-03
sind folgende Berichtigungen vorzunehmen:

In Tabelle L.1 auf Seite 51 werden unter „Physikalische Eigenschaften", „Biegefestigkeit" die Zeilen a) und b) wie folgt berichtigt:

a) Dicke $\geq$ 7,5 mm	Min. 12	EN ISO 10545-4
b) Dicke $<$ 7,5 mm	Min. 15	EN ISO 10545-4

Bodenklinkerplatten

nach **DIN 18158** (9.86)

Anwendungsbereich und Zweck

Diese Norm gilt für unglasierte Bodenklinkerplatten, die vorwiegend zu Bodenbelägen im gewerblichen und im Wohnbereich, z. B. auf Balkonen und Terrassen, sowie für Gehwege verwendet werden.

Begriff und Eigenschaften

Bodenklinkerplatten nach dieser Norm werden aus Ton, Lehm oder tonigen Massen im Trockenpreßverfahren geformt und bei Temperaturen über 1000 °C gebrannt. Dem Rohmaterial dürfen andere Stoffe, z. B. Fluß- oder Magerungsmittel, zugesetzt werden.

Bodenklinkerplatten haben ein dichtes Materialgefüge; sie sind biege-, druck- und abriebfest sowie widerstandsfähig gegen Witterungseinflüsse, Frosteinwirkung und verschiedene chemische Einflüsse.

Formen und Maße

Bodenklinkerplatten haben vorwiegend rechteckige Form. Die Ansichtsflächen können eben oder profiliert sein. Die Kanten können gefast oder ungefast sein.

Koordinierungsmaße *C* (Nennmaße) mm	Werkmaße *W*		
	Breite *b* mm	Länge *a* mm	Dicke *s* mm
300 × 300	290	290	10; 15;
250 × 250	240	240	20; 25;
125 × 250	115	240	30; 35
200 × 200	194	194	oder
100 × 200	94	194	40

Bezeichnung

Bodenklinkerplatten werden nach den Koordinierungsmaßen (Nennmaßen) und dem Werkmaß der Dicke bezeichnet.

Beispiel: Bezeichnung einer Bodenklinkerplatte mit den Werkmaßen $b = 115$ mm, $a = 240$ mm (125 × 250) und $s = 20$ mm:

Bodenklinkerplatte DIN 18158 – 125 × 250 × 20

Farbe sowie die Beschaffenheit der Oberfläche und der Kanten sind besonders zu vereinbaren.

F

Festlegungen für Mörtel im Mauerwerksbau

Teil 1: Putzmörtel

Auszug aus **DIN EN 998-1** (12.2010)

Inhalt

Einleitung

Die Eigenschaften von Putzmörtel hängen wesentlich von der Art des Bindemittels bzw. der Bindemittel und deren Mischungsverhältnissen ab. Spezielle Eigenschaften werden durch die Art der verwendeten Gesteinskörnungen, Zusatzmittel und/oder sonstigen Zusatzstoffe erzielt.

Bei Putzmörteln wird unterschieden:

a) nach dem Herstellungskonzept zwischen
  - Mörtel nach Eignungsprüfung und
  - Mörtel nach Rezept;

b) nach Herstellungsort oder Herstellungsart zwischen
  - Werkmörtel;
  - werkmäßig hergestelltem Mörtel und
  - Baustellenmörtel;

c) nach den Eigenschaften und/oder dem Verwendungszweck zwischen
  - Normalputzmörtel;
  - Leichtputzmörtel;
  - Edelputzmörtel;
  - Einlagenputzmörtel für außen;
  - Sanierputzmörtel;
  - Wärmedämmputzmörtel.

Putzmörtel erreichen ihre endgültigen Eigenschaften erst nach ausreichender Verfestigung am Baukörper. Sie erfüllen Funktionen, die von den Eigenschaften der verwendeten Ausgangsstoffe und der Dicke ihrer Schichten abhängen. Zugleich dienen sie der Oberflächengestaltung eines Bauwerks.

Aufgrund der regional unterschiedlichen Bautraditionen und unterschiedlicher Ausgangsstoffe ist es nicht möglich, genormte Mischungsverhältnisse für Mörtel nach Rezept für alle Länder Europas festzulegen. Daher sollten den Festlegungen für solche Mischungsverhältnisse (Rezepturen) und Anwendungsbereiche die Praxis und die Erfahrungen, die am Anwendungsort vorliegen, zugrunde gelegt werden.

1 Anwendungsbereich

Diese Europäische Norm gilt für im Werk hergestellten Putzmörtel aus anorganischen Bindemitteln, die als Außenputz und als Innenputz für Wände, Decken, Pfeiler und Trennwände verwendet werden. Sie enthält Definitionen und Leistungsanforderungen.

Diese Norm gilt nicht für Mörtel, deren Hauptbindemittel Gips ist.

Gips kann als zusätzliches Bindemittel mit Luftkalk verwendet werden. Wenn Luftkalk das aktive Grundbindemittel ist, ist der Putzmörtel durch diese Norm erfasst. Wenn Gips das aktive Grundbindemittel ist, wird der Mörtel durch EN 13 279 abgedeckt. Die Klassifizierung ist vom Hersteller des Putzmörtels vorzunehmen.

Brandschutzmörtel und Akustikputzmörtel, Mörtel zur Instandhaltung und zur Oberflächenbehandlung von Bauteilen wie Ausgleichsmassen, Anstriche, Beschichtungen, organische Putze, die in dünnen Schichten aufgetragen werden, und vorgefertigte Elemente (z. B. Gipskartonplatten) sind nicht Gegenstand dieser Norm.

Diese Norm gilt für Putzmörtel nach Abschnitt 3 mit Ausnahme von Baustellenmörtel. Diese Norm oder Teile dieser Norm können jedoch in Zusammenhang mit Anwendungsvorschriften und nationalen Normen auch für Baustellenmörtel angewendet werden.

3 Begriffe und Abkürzungen

Für die Anwendung dieser Europäischen Norm gelten die folgenden Begriffe und Abkürzungen.

3.1 Putzmörtel

Gemisch aus einem oder mehreren anorganischen Bindemitteln, Gesteinskörnungen, Wasser und gegebenenfalls Zusatzstoffen und/oder Zusatzmitteln, das als Außen- oder Innenputz verwendet wird

3.2 Frischputzmörtel

vollständig gemischter, gebrauchsfertiger Mörtel

3.3 Mörtelarten, definiert nach Herstellungskonzept

3.3.1 Putzmörtel nach Eignungsprüfung

Mörtel, dessen Zusammensetzung und Herstellungsverfahren vom Hersteller so ausgewählt werden, dass bestimmte Eigenschaften erreicht werden (Eignungsprüfungskonzept)

3.3.2 Putzmörtel nach Rezept

in vorbestimmten Mischungsverhältnissen hergestellter Mörtel, dessen Eigenschaften aus den vorgegebenen Anteilen der Bestandteile abgeleitet werden (Rezeptkonzept)

3.4 Mörtelarten, definiert nach Ort oder Art der Herstellung

3.4.1 Werkputzmörtel

Mörtel, der in einem Werk zusammengesetzt und gemischt wird. Es kann sich hierbei um „Trockenmörtel" handeln, der gemischt ist und lediglich die Zugabe von Wasser erfordert, oder um „Nassmörtel", der gebrauchsfertig geliefert wird

3.4.2 Werkmäßig hergestellter Putzmörtel

3.4.2.1 werkmäßig vorbereiteter Putzmörtel

Mörtel, der aus Ausgangsstoffen besteht, die im Werk abgefüllt, zur Baustelle geliefert und dort nach Herstellerangaben und -bedingungen gemischt werden

3.4.2.2 Kalk-Sand-Werk-Vormörtel

Mörtel, der aus Ausgangsstoffen besteht, die im Werk zusammengesetzt und gemischt werden, der zur Baustelle geliefert wird, und dem dort weitere Bestandteile nach Anweisung des Werkes oder von diesem geliefert (z. B. Zement) beigefügt werden

3.4.3 Baustellenputzmörtel
Mörtel, der aus den einzelnen Ausgangsstoffen auf der Baustelle zusammengesetzt und gemischt wird

3.5 Putzmörtel nach der Art der Eigenschaften und/oder dem Verwendungszweck

3.5.1 Normalputzmörtel
Mörtel ohne besondere Eigenschaften. Er kann als Mörtel nach Rezept und/oder als Mörtel nach Eignungsprüfung hergestellt werden

3.5.2 Leichtputzmörtel
Mörtel nach Eignungsprüfung mit einer Trockenrohdichte des Festmörtels unterhalb eines bestimmten Wertes (siehe Tabelle 2, L1)

3.5.3 Edelputzmörtel
farbiger Putzmörtel

ANMERKUNG Die Farbe wird z. B. mit Pigmenten oder farbigen Gesteinskörnungen erreicht.

3.5.4 Einlagenputzmörtel für außen
Mörtel nach Eignungsprüfung, der in einer Lage verarbeitet wird und dieselben Funktionen erfüllt, die von einem mehrlagigen Außen-Putzsystem gefordert werden und der üblicherweise farbig ist. Einlagenputzmörtel für außen können mit normalen und/ oder leichten Gesteinskörnungen hergestellt werden

3.5.5 Sanierputzmörtel
Mörtel nach Eignungsprüfung, der für das Verputzen von feuchten Mauerwerken, die wasserlösliche Salze enthalten, geeignet ist. Diese Mörtel weisen eine hohe Porosität und Wasserdampfdiffusion sowie eine verminderte kapillare Leitfähigkeit auf.

3.5.6 Wärmedämmputzmörtel
Mörtel nach Eignungsprüfung mit spezifischen wärmedämmenden Eigenschaften

3.6 Weitere Begriffe

3.6.1 deklarierter Wert
Wert, von dessen zuverlässiger Einhaltung der Hersteller unter Berücksichtigung der Prüfgenauigkeit und der im Rahmen des Herstellungsverfahrens liegenden Schwankungen ausgeht

3.6.2 Außen- bzw. Innenputz
Materialien und Putzsysteme für den Außen- bzw. den Innengebrauch

3.6.3 Putzsystem
eine Reihe von Lagen von Putzen, die auf den Putzgrund in Verbindung mit einer eventuellen Verwendung eines Putzträgers und/oder einer Putzarmierung und/oder einer Untergrundvorbehandlung aufgebracht werden können

ANMERKUNG In manchen Fällen kann die Untergrundvorbehandlung aus einer zusätzlichen Putzlage zum spezifizierten Putzsystem bestehen.

3.6.4 Putzlage

eine Lage, die in einem oder in mehreren Arbeitsgängen mit demselben Putzmörtel vor dem Verfestigen der vorherigen Putzlage (frisch auf frisch) ausgeführt wird

3.6.5 Unterputz

untere Lage oder Lagen eines Putzsystems

3.6.6 Oberputz

oberste Lage eines mehrlagigen Putzsystems, die eine dekorative Funktion erfüllen kann

3.7 Abkürzungen

GP: Normalputzmörtel

LW: Leichtputzmörtel

CR: Edelputzmörtel

OC: Einlagenputzmörtel für außen

R: Sanierputzmörtel

T: Wärmedämmputzmörtel

FP: Bruchbild

4 Ausgangsstoffe

Die Ausgangsstoffe müssen Eigenschaften aufweisen, die zur Herstellung eines fertigen Produktes, das den Anforderungen dieser Norm genügt, geeignet sind. Der Hersteller hat aufzuzeichnen, wie die Eignung der Ausgangsstoffe festgestellt wurde.

5 Anforderungen

5.1 Allgemeines

Den in dieser Norm beschriebenen Anforderungen und Eigenschaften liegen die Prüfverfahren und andere in dieser Norm enthaltene Verfahren zugrunde. Für diese Prüfungen sind Mörtelproben nach EN 1015-2 zu entnehmen.

Die Konformitätskriterien, die in Tabelle 2 für Festmörtel und in 5.3 für Frischmörtel angegeben sind, beziehen sich auf die Erstprüfung (siehe 8.2) und auf die Prüfung von Lieferungen (siehe Anhang A). Die Konformitätskriterien zur Bewertung der laufenden Produktion sind in der Dokumentation der werkseigenen Produktionskontrolle festzulegen (siehe 8.3).

ANMERKUNG Die Mörteleigenschaften unter Laborbedingungen sind nicht immer unmittelbar mit den Mörteleigenschaften auf der Baustelle vergleichbar.

5.2 Eigenschaften des Festmörtels

5.2.1 Allgemeines

Die unterschiedlichen Verwendungsmöglichkeiten und Beanspruchungen erfordern, dass Putzmörtel unterschiedliche Eigenschaften aufweist und unterschiedlichen Leistungsanforderungen genügt. Zu diesem Zweck sind die Druckfestigkeit, die Wasseraufnahme und die Wärmeleitfähigkeit nach Tabelle 1 zu klassifizieren. Die Eigenschaften, die für den jeweiligen Verwendungszweck und/oder für die jeweilige Produktart von Bedeutung sind, sind nach Tabelle 2 zu deklarieren. Die deklarierten Werte und/oder Klassen müssen den in Tabelle 2 festgelegten Anforderungen entsprechen.

Sofern für den Verwendungszweck, für den der Putzmörtel in den Handel gebracht wird, erforderlich, dürfen weitere, zusätzlich zu den in Tabelle 2 aufgeführte Eigenschaften für jede Mörtelart, für die keine Anforderungen festgelegt sind (durch einen Strich gekennzeichnet), angegeben werden.

Das Brandverhalten und die Dauerhaftigkeit von Mörteln sind gemäß den folgenden Festlegungen anzugeben.

5.2.2 Brandverhalten

Putzmörtel dürfen ohne Prüfung der Brandverhaltensklasse A1 zugeordnet werden, wenn der Gehalt an homogen verteilten organischen Stoffen ≤ 1 % der Masse oder des Volumens beträgt (wobei der größere Wert maßgebend ist).

Putzmörtel, deren Gehalt an homogen verteilten organischen Stoffen mehr als 1 % der Masse oder des Volumens beträgt (der größere Wert ist maßgebend), sind nach EN 13 501-1 zu klassifizieren. Die entsprechende Brandverhaltensklasse ist anzugeben.

ANMERKUNG Es wird auf den Beschluss der Europäischen Kommission 96/603/EG in der geänderten Fassung hingewiesen, nach dem nicht brennbare Mörtel, die masse- oder volumenmäßig nicht mehr als 1 % homogen verteilte organische Stoffe enthalten (der größere Wert ist maßgebend), ohne Prüfung der Brandverhaltensklasse A1 zugeordnet werden.

5.2.3 Dauerhaftigkeit

5.2.3.1 Einlagenputzmörtel

Der Frostwiderstand von Einlagenputzmörtel ist durch Prüfung der Haftzugfestigkeit und der Wasserdurchlässigkeit nach der Bewitterung zu beurteilen (siehe Tabelle 2, L4 und L7).

5.2.3.2 Alle Putzmörtel ausgenommen Einlagenputzmörtel

Solange kein europäisches Prüfverfahren zur Verfügung steht, ist der Frostwiderstand nach den am vorgesehenen Verwendungsort des Putzmörtels geltenden Bestimmungen zu beurteilen und anzugeben.

Tabelle 1: Klassifizierung der Eigenschaften von Festmörtel

Eigenschaften	Kategorien	Werte
Druckfestigkeit nach 28 Tagen	CS I CS II CS III CS IV	0,4 N/mm^2 bis 2,5 N/mm^2 1,5 N/mm^2 bis 5,0 N/mm^2 3,5 N/mm^2 bis 7,5 N/mm^2 $\geq$ 6 N/mm^2
Kapillare Wasseraufnahme	W 0 W 1 W 2	Nicht festgelegt $C \leq 0{,}40\ kg/(m^2 \cdot min^{0,5})$ $C \leq 0{,}20\ kg/(m^2 \cdot min^{0,5})$
Wärmeleitfähigkeit	T 1 T 2	$\leq 0{,}1\ W/(m \cdot K)$ $\leq 0{,}2\ W/(m \cdot K)$

Tabelle 2: Zusammenfassung der Anforderungen an Festmörtel

Nr.	Prüfparameter	Prüfverfahren	Normalputzmörtel	Leichtputzmörtel	Edelputzmörtel	Einlagenputzmörtel für außen	Sanierputzmörtel	Wärmedämmputzmörtel
L1	Trockenrohdichte (kg/m³)	EN 1015-10	Deklarierter Bereich der Werte	Deklarierter Bereich der Werte $\leq$ 1300 kg/m³	Deklarierter Bereich der Werte	Deklarierter Bereich der Werte	Deklarierter Bereich der Werte	Deklarierter Bereich der Werte
L2	Druckfestigkeit (Kategorien)	EN 1015-11[a]	CS I bis Cs IV	CS I bis Cs III	CS I bis Cs IV	CS I bis CS IV	CS II	CS I bis CS II
L3	Haftzugfestigkeit (N/mm² und Bruchbild A, B oder C)	EN 1015-12	$\geq$ deklarierter Wert und Bruchbild	$\geq$ deklarierter Wert und Bruchbild	$\geq$ deklarierter Wert und Bruchbild	—	$\geq$ deklarierter Wert und Bruchbild	$\geq$ deklarierter Wert und Bruchbild
L4	Haftzugfestigkeit nach Bewitterung (N/mm² und Bruchbild A, B oder C)	EN 1015-21	—	—	—	$\geq$ deklarierter Wert und Bruchbild	—	—
L5	Kapillare Wasseraufnahme (Kategorien) (für Mörtel zur Verwendung in Außenbauteilen)	EN 1015-18	W 0 bis W 2	W 0 bis W 2	W 0 bis W 2	W 0 bis W 2	$\geq$ 0,3 kg/m² nach 24 h	W 1
L6	Wassereindringung nach der Prüfung der Wasseraufnahme (in mm)	EN 1015-18	—	—	—	—	$\leq$ 5 mm	—
L7	Wasserdurchlässigkeit auf bestimmten Untergründen nach der Bewitterung (ml/cm² nach 48 h)	EN 1015-21	—	—	—	$\leq$ 1 ml/cm² nach 48 h	—	—
L8	Koeffizient der Wasserdampfdurchlässigkeit (μ) (für Mörtel zur Verwendung in Außenbauteilen)	EN 1015-19[a, b]	$\leq$ deklarierter Wert	$\leq$ deklarierter Wert	$\leq$ deklarierter Wert	$\leq$ deklarierter Wert	$\leq$ 15	$\leq$ 15

F

Tabelle 2: *(fortgesetzt)*

Nr.	Prüfparameter	Prüfverfahren	Normalputzmörtel	Leichtputzmörtel	Edelputzmörtel	Einlagenputzmörtel für außen	Sanierputzmörtel	Wärmedämmputzmörtel
L9	Wärmeleitfähigkeit (Mittelwerte für $\lambda_{10,dry,mat}$) (W/(m·K))[c] für Mörtel zur Verwendung in Bauteilen, an die wärmeschutztechnische Anforderungen gestellt werden	EN 1745:2002, Tabelle A.12	Tabellierter Mittelwert (P = 50 %)	Tabellierter Mittelwert (P = 50 %)	Tabellierter Mittelwert (P = 50 %)	Tabellierter Mittelwert (P = 50 %)	Tabellierter Mittelwert (P = 50 %)	—
L10		EN 1745:2002, 4.2.2	—	—	—	—	—	T 1: ≤ 0,10 T 2: ≤ 0,20
L11	Brandverhalten (Klasse)	EN 1305-1	Nach 5.2.2 anzugeben					
L12	Dauerhaftigkeit	—	Nach 5.2.3 anzugeben					

a Zur Bestimmung der Lagerbedingungen ist der Luftkalkgehalt als Calciumhydroxid $Ca(OH)_2$ zu berechnen.

b Im Gegensatz zum Prüfverfahren nach EN 1015-19, mit dem der Feuchtedurchlasskoeffizienz Λ (in $kg/m^2 \cdot s \cdot Pa$) bestimmt wird, wird in dieser Norm der Wasserdampf-Diffusionskoeffizient μ ermittelt.

Die Berechnung von μ aus Λ erfolgt nach der folgenden Gleichung: $\mu = \frac{1,94 \cdot 10^{-10}}{\Lambda}$.

Dabei entspricht $1,94 \cdot 10^{-10}$ dem Wasserdampfdiffusionsfaktor in Luft bei 20 C und 101 325 Pa Atmosphärendruck.

c Ein anderes Fraktil darf verwendet werden. Wenn dies der Fall ist, ist das verwendete Fraktil zusammen mit dem zusätzlichen Wert für $\lambda_{10,dry,mat}$ anzugeben.

5.3 Eigenschaften des Frischmörtels

5.3.1 Verarbeitbarkeitszeit

Die Verarbeitbarkeitszeit ist vom Hersteller anzugeben. Sofern die Probenahme aus einer Putzmörtellieferung in Übereinstimmung mit EN 1015-2 und die Prüfung nach EN 1015-9 erfolgen, darf die Verarbeitbarkeitszeit den deklarierten Wert nicht unterschreiten.

Die Verarbeitbarkeitszeit ist nur bei Putzmörteln zu prüfen, die Zusatzmittel zur Lenkung des Abbindevorgangs enthalten, z. B. bei im Werk hergestelltem Nassmörtel.

5.3.2 Luftgehalt

Sofern für die vorgesehenen Verwendungszwecke, für die der Putzmörtel in den Handel gebracht wird, erforderlich, ist der Bereich, in den der Luftgehalt des jeweiligen Mörtels fällt, vom Hersteller anzugeben. Sofern die Probenahme aus einer Putzmörtellieferung in Übereinstimmung mit EN 1015-2 und die Prüfung nach EN 1015-9 erfolgen, muss der Luftgehalt im angegebenen Bereich liegen.

Bei Putzmörteln mit porösen Gesteinskörnungen darf der Luftgehalt auch durch Prüfung der Rohdichte des Frischmörtels nach EN 1015-6 geprüft werden.

5.4 Mischen auf der Baustelle

Sofern bestimmte Mischgeräte, -verfahren oder -zeiten erforderlich sind, sind diese vom Hersteller anzugeben. Die Mischzeit wird von dem Zeitpunkt an gemessen, in dem alle Bestandteile zugegeben worden sind.

6 Bezeichnung von Putzmörteln

Die Bezeichnung muss die folgenden Angaben enthalten:

- Nummer, Titel und Ausgabedatum dieser Europäischen Norm;
- Produktname und/oder Mörtelart nach 3.5.1 bis 3.5.6;
- Name des Herstellers;
- Herstellungsdatum oder ein entsprechender Code.

Die Eigenschaften des Mörtels sind, wie erforderlich, durch Angabe von bestimmten Werten oder Kategorien nach Tabelle 2 für Festmörtel und nach 5.3 für Frischmörtel zu bezeichnen.

7 Kennzeichnung und Etikettierung

Die Bezeichnung (siehe Abschnitt 6) oder die Abkürzung für die Bezeichnung ist auf der Verpackung, auf dem Lieferschein oder einem dem Produkt beigegebenen Datenblatt des Herstellers oder in sonstigen Begleitinformationen anzugeben.

ANMERKUNG Für die CE-Kennzeichnung und Etikettierung gilt ZA.3. Wird dort festgelegt, dass die CE-Kennzeichnung durch die gleichen Angaben ergänzt werden soll, die in diesem Abschnitt festgelegt sind, gelten die Anforderungen nach diesem Abschnitt als erfüllt.

F

ZA.3 CE-Kennzeichnung und Etikettierung

Der Hersteller oder sein im EWR ansässiger Bevollmächtigter ist verantwortlich für das Anbringen der CE-Kennzeichnung. Das CE-Kennzeichen muss der Richtlinie 93/68/EWG entsprechen und ist auf der Verpackung oder auf einem an dem Produkt befestigten Etikett oder auf den Begleitdokumenten, z. B. dem Lieferschein, anzubringen. Dem CE-Kennzeichen sind die folgenden Angaben hinzuzufügen:

- Name oder Bildzeichen und eingetragene Anschrift des Herstellers;
- die letzten beiden Ziffern des Jahres, in dem das Zeichen angebracht wurde;
- Verweisung auf diese Europäische Norm;
- Beschreibung des Produktes: siehe Produktart gemäß 3.5.1 bis 3.5.6 dieser Norm und die vorgesehenen Verwendungszwecke gemäß Tabelle ZA.1 dieses Anhangs;
- Angaben zu den maßgebenden wesentlichen Eigenschaften, die in Tabelle ZA.1 aufgeführt sind in Form von deklarierten Werten und, falls maßgebend, Stufe oder Klasse, die für jede wesentliche Eigenschaft, wie in Spalte „Anmerkungen/Art der Deklaration" der Tabelle ZA.1 aufgeführt, anzugeben sind;
- „Keine Leistung festgestellt" für Eigenschaften, auf die dies zutrifft.

Die Option „Keine Leistung festgestellt" (NPD) darf nicht angewendet werden, wenn für die Eigenschaft ein obligatorischer Grenzwert angegeben ist. Die Option „NPD" darf hingegen angewendet werden, sofern die Eigenschaft für einen bestimmten Verwendungszweck nicht Gegenstand gesetzlicher Bestimmungen ist.

Bild ZA.1 enthält ein Beispiel zu den Angaben, die auf der Verpackung, dem Etikett, und/oder in den Begleitdokumenten enthalten sein müssen.

	CE-Konformitätskennzeichnung, bestehend aus dem CE-Kennzeichen nach Richtlinie 93/68/EWG
Firma XY, PSF 21, B-1050 **10**	*Name oder Bildzeichen und eingetragene Anschrift des Herstellers* *Die letzten beiden Ziffern des Jahres, in dem das Kennzeichen angebracht wurde*
EN 998-1:2010 Normalputzmörtel für außen **Brandverhalten:** Klasse A1 **Haftzugfestigkeit:** 0,3 N/mm² – **Bruchbild:** B **Biegehaftzugfestigkeit:** xx (N/mm²) **Wasseraufnahme:** W 1 **Koeffizient der Wasserdampfdurchlässigkeit:** μ 25 **Wärmeleitfähigkeit:**($\lambda_{10,dry}$) 0,93 W/mK (tabellierter Mittelwert; P = 50 %) **Dauerhaftigkeit:** (Frostwiderstand): Beurteilung nach den am vorgesehenen Verwendungsort des Putzmörtels geltenden Bestimmungen	*Nummer dieser Europäischen Norm* *Beschreibung des Produkts* und *Angaben über Eigenschaften, für die gesetzliche Bestimmungen gelten*

Bild ZA.1: Beispiel für die Angaben der CE-Kennzeichnung

Zusätzlich zu den oben angegebenen besonderen Angaben zu gefährlichen Substanzen sollten dem Produkt, sofern erforderlich und in geeigneter Form, Dokumente beigefügt werden, in denen alle übrigen gesetzlichen Bestimmungen über gefährliche Substanzen, die nach Angabe des Herstellers beachtet wurden, sowie alle Informationen, die auf Grund dieser gesetzlichen Bestimmungen erforderlich sind, aufgeführt werden.

ANMERKUNG Europäische gesetzliche Bestimmungen ohne nationale Abweichungen brauchen nicht angegeben zu werden.

01234	*CE-Konformitätskennzeichnung, bestehend aus dem CE-Kennzeichen nach Richtlinie 93/68/EWG* *Kennnummer der Zertifizierungsstelle* [a]
Firma XY, PSF 21, B-1050 **11** 01234-BPR-00234	*Name oder Bildzeichen und eingetragene Anschrift des Herstellers* *Die letzten beiden Ziffern des Jahres, in dem das Kennzeichen angebracht wurde* *Nummer des Zertifikats* [b]
EN 771-4:2011 Porenbetonstein der Kategorie I, xxx × yyy × zzz mm **Maße:** Länge (mm), Breite (mm), Höhe (mm) **Grenzabmaße:** Klasse TLMB Ebenheit: 1,0 mm Planparallelität: 1,0 mm **Form und Ausbildung:** Siehe beigefügte Zeichnung (Mauerstein der Gruppe 1 nach EN 1996-1-1) **Charakteristische Druckfestigkeit:** xx N/mm^2 (senkrecht zur Lagerfläche, geschnittenes Prisma) (Kat. I) **Maßbeständigkeit:** übliche Feuchtedehnung: NPD **Haftscherfestigkeit:** durch Prüfung: xx (N/mm^2) **Biegehaftzugfestigkeit:** NPD **Brandverhalten:** Euroklasse A1 **Wasseraufnahme:** „Darf nicht in exponierter Lage verwendet werden." **Wasserdampfdiffusionskoeffizient:** xxx **Luftschalldämmung:** Brutto-Trockenrohdichte: xxx kg/m^3 Form und Ausbildung: wie oben **Wärmeleitfähigkeit:** xx W/(mK) ($\lambda_{10,dry,unit}$, S2) **Frostwiderstand:** „Darf nicht in exponierter Lage verwendet werden." **Gefährliche Substanzen:** Siehe nachstehende Anmerkung	*Nummer der Europäischen Norm* *Produktbeschreibung* *und* *Angaben zu Eigenschaften, die gesetzlichen Bestimmungen unterliegen* [a] Die Angabe der notifizierten Stelle ist nur für das System 2+ erforderlich. [b] Die Angabe der Nummer des Zertifikats ist nur für das System 2+ erforderlich.

ANMERKUNG Angaben zu gefährlichen Substanzen erfolgen nur bei Bedarf sowie in geeigneter Form (siehe ZA.3).

Beispiel für die Angaben für Porenbetonsteine der Kategorie I, die für alle möglichen Verwendungszwecke vorgesehen sind und in Ländern in Verkehr gebracht werden, in denen keine Bestimmungen zum Schwinden vorliegen.

Bild ZA.2: Beispiel für die Angaben zur CE-Kennzeichnung für die Kategorie I

Zusätzlich zu den oben angegebenen spezifischen Angaben zu gefährlichen Substanzen sollten dem Produkt bei Bedarf in geeigneter Form Dokumente beigefügt werden, in denen alle übrigen gesetzlichen Bestimmungen über gefährliche Stoffe aufgeführt werden, deren Einhaltung beansprucht wird, sowie alle Angaben, die aufgrund dieser gesetzlichen Bestimmungen erforderlich sind.

ANMERKUNG 1 Europäische gesetzliche Bestimmungen ohne nationale Abweichungen brauchen nicht angegeben zu werden.

ANMERKUNG 2 Das Anbringen des CE-Kennzeichens bedeutet, dass das Produkt, wenn es mehr als einer geltenden Richtlinie unterliegt, allen zutreffenden Richtlinien entspricht.

F

Putz und Putzsysteme – Ausführung

Auszug aus **DIN V 18 550** (04.2005)

Inhalt

Vorwort

Diese Vornorm wurde vom Normenausschuss Bauwesen (NABau), Fachbereich 06 „Mauerwerksbau“, Arbeitskreis 06.01.06 „Putzmörtel“ des Arbeitsausschusses 06.01.00 „Mauerwerksbau“, erarbeitet.

Eine Vornorm ist das Ergebnis einer Normungsarbeit, das wegen bestimmter Vorbehalte zum Inhalt oder wegen des gegenüber einer Norm abweichenden Aufstellungsverfahrens vom DIN noch nicht als Norm herausgegeben wird.

Zur vorliegenden Vornorm wurde kein Entwurf veröffentlicht.

Erfahrungen mit dieser Vornorm sind erbeten

– vorzugsweise als Datei per E-Mail an nabau@din.de in Form einer Tabelle. Die Vorlage dieser Tabelle kann im Internet unter www.din.de/stellungnahme abgerufen werden;
– oder in Papierform an den Normenausschuss Bauwesen (NABau) im DIN, 10772 Berlin (Hausanschrift: Burggrafenstr. 6, 10787 Berlin).

Diese Vornorm beschreibt die Putzeigenschaften und die bei der Herstellung, Verarbeitung und Beurteilung verwendeten Begriffe, sie legt die Anforderungen je nach der Aufgabe des Putzes fest.

Es werden die Regeln für die Verarbeitung von Putzmörteln mit mineralischen Bindemitteln angegeben.

Bewährte Baustellenmörtel können sinngemäß nach dieser Vornorm verarbeitet werden.

Die Anhänge A und B sind normativ, der Anhang C ist informativ.

Putze übernehmen je nach den Eigenschaften der verwendeten Mörtel bzw. Beschichtungsstoffe und der Dicke des Belages bestimmte bauphysikalische Aufgaben. Zugleich dienen sie der Oberflächengestaltung eines Bauwerkes.

Änderungen

Gegenüber DIN 18 550-1:1985-01, DIN 18 550-2:1985-01, DIN 18 550-3:1991-03 und DIN 18 550-4:1993-08 wurden folgende Änderungen vorgenommen:

a) Produktregeln für Putzmörtel mit mineralischen Bindemitteln durch DIN EN 998-1 ersetzt;
b) Ausführungsregeln für Innen- und Außenputze teilweise überarbeitet und in einem Teil zusammengefasst;
c) Zuordnung der Druckfestigkeitskategorien der Putzmörtel nach DIN EN 998-1 zu den Putzmörtelgruppen P I bis P III.

Frühere Ausgaben

DIN 18 550:1955-10, 1967-06; Beiblatt 1 zu DIN 18 550:1967-06; DIN 18 550-1:1985-01; DIN 18 550-2:1985-01; DIN 18 550-3:1991-03; DIN 18 550-4:1993-08

1 Anwendungsbereich

Diese Vornorm gilt für die Verwendung von Putzen nach DIN EN 998-1 und DIN 1168 auf Wänden und Decken von Baukörpern, die den geltenden Normen, insbesondere DIN 1045, DIN 1053-1, DIN 4103-1 und DIN 4232, entsprechen und kann sinngemäß auch auf ähnliche Putzgründe, z. B. bei Altbauten, angewendet werden.

Oberflächenbehandlungen von Bauteilen, wie z. B. gespachtelte Glätt- und Ausgleichsschichten, Wischputz, Schlämmputz, Bestich, Rappputz sowie Imprägnierungen und Anstriche, sind keine Putze im Sinne dieser Norm.

F

Flächenbekleidungen aus vorgefertigten Teilen, wie z. B. Gipskartonplatten, sind nicht Gegenstand dieser Norm.

3 Begriffe

Für die Anwendung dieser Vornorm gelten die in DIN EN 998-1, DIN 1168 und DIN 18 558 angegebenen und die folgenden Begriffe.

3.1 Putz

ein an Wänden und Decken ein- oder mehrlagig in bestimmter Dicke aufgetragener Belag aus Putzmörteln oder Beschichtungen mit putzartigem Aussehen, der seine endgültigen Eigenschaften erst durch Verfestigung am Baukörper erreicht

3.2 Putzgrund

das Bauteil, welches verputzt wird

3.3 Putzträger

flächig ausgebildete Materialien, die dazu dienen, das Haften des Putzes zu verbessern oder einen von der tragenden Konstruktion weitgehend unabhängigen Putz zu ermöglichen

3.4 Putzbewehrung/Putzarmierung

Einlagen im Putz, die zur Verminderung der Rissbildung dienen

3.5 Außenputz

auf Außenflächen aufgebrachter Putz

3.6 Innenputz

auf Innenflächen aufgebrachter Putz

3.7 Putzweise

Art der Ausführung bzw. der Oberflächenbehandlung

3.8 Wärmedämmputzsystem

Putzsystem aus aufeinander abgestimmtem, wärmedämmendem Unterputz und wasserabweisendem Oberputz

3.9 Standzeit

notwendige Aushärtungs- und Trocknungszeit vom Auftrag einer Putzlage bis zum Auftragen der nächsten Putzlage bzw. Beschichtung

3.10 Nachbehandlung

eventuell notwendige Maßnahmen nach dem Putzauftrag

4 Hinweise für die Planung von Putzarbeiten

4.1 Allgemeines

Putze dienen zur Gestaltung von Oberflächen und zur Erfüllung von bauphysikalischen Aufgaben (z. B. Witterungsschutz, Feuchteregulierung, Wärmeschutz, Schallschutz, Raumakustik).

4.2 Wesentliche Grundlagen

Die Planung muss Festlegungen enthalten, die so detailliert sind, dass sie eine geeignete Anleitung für die Ausführung der Arbeiten darstellen. Für das Verputzen muss der Planer die folgenden Punkte berücksichtigen:

a) Beschaffenheit und Zustand des Putzgrundes;

b) Umgebungsbedingungen des zu verputzenden Bauteils;

c) die Anforderungen an den Putz bzw. das Putzsystem;

d) Auswahl der Putzmörtelgruppe, der Druckfestigkeitskategorie, der Kategorie der kapillaren Wasseraufnahme und der Putzweise.

4.3 Putzgrund

Saugvermögen, Rauigkeit und Feuchtigkeit des Putzgrundes beeinflussen die Haftung des Putzes. Daher sind gegebenenfalls Putzgrundvorbehandlungen (Grundierungen, Haftbrücken u. Ä.) notwendig. Planung und Ausschreibung sollen diese Maßnahmen berücksichtigen.

Zur Minimierung der Rissbildung bei unterschiedlichen Putzgründen (z. B. Mischmauerwerk, Dämmplatten, Betongurte) sind besondere Maßnahmen notwendig. Dies ist z. B. der Auftrag eines Armierungsputzes mit eingebettetem alkalibeständigem Glasgittergewebe nach dem Auftragen und dem Erhärten des Unterputzes.

Konstruktive Verformungen des Putzgrundes (z. B. Verdrehungen des Deckenauflagers, Schwinden, Setzungen) sollten vor dem Verputzen im Wesentlichen abgeschlossen sein, um die Gefahr einer Rissbildung zu minimieren.

Bewegungsfugen des Bauwerks müssen an gleicher Stelle und mit gleicher Bewegungsmöglichkeit übernommen werden.

Beim Verputzen von gerissenen Putzgründen (z. B. Altbau) sind spezielle Maßnahmen notwendig, wie z. B. Armierung des Putzes, Unterkonstruktionen, Putzträger.

Lösliche Salze, insbesondere Sulfate, können in Putzgründen aus Mauerwerk sowie in alten Putzgründen vorkommen. Salze in Verbindung mit Feuchte haben verschiedene schädliche Auswirkungen, die zur Zerstörung des Putzes, des Putzgrundes, zu Rissen und zum Verlust der Putzhaftung sowie zur Korrosion von nicht korrosionsbeständigem Metall führen können. Daher sind entsprechende Maßnahmen vor der Putzausführung zu planen.

Bei feuchten und salzbelasteten Untergründen sollte die Verwendung von Sanierputzen eingeplant werden.

4.4 Kellerwandaußenputz/Außensockelputz

Wenn der Putz in Kontakt mit dem Erdreich kommt, sind besondere Abdichtungsmaßnahmen zum Schutz vor Feuchtigkeit notwendig und zu planen. Hierbei können Abdichtungsmaßnahmen nach DIN 18 195 oder z. B. mineralische Dichtschlämmen verwendet werden. Zusätzlich sind Schutzschichten (z. B. Noppenfolien, Dränplatten) für den mechanischen Schutz zu verwenden.

Im Spritzwasserbereich und im Bereich von Dauerfeuchte sind geeignete Putzträger und -profile einzuplanen.

4.5 Architektonische Gestaltung/Detailplanung

Die Detailplanung und -ausführungen der architektonischen Gestaltungselemente können das Erscheinungsbild und die Dauerhaftigkeit des Putzes beeinflussen.

Durch die sorgfältige Planung, insbesondere des Feuchteschutzes der Fassade, durch einen ausreichenden Dach- und Fensterbanküberstand oder die Ausbildung von Gesimsen an der Fassade wird das Risiko der Verschmutzung und/oder der Bildung von Algen und Pilzen verringert.

Der Witterung ausgesetzte waagerechte oder schräg geneigte Flächen sind als Putzoberflächen nicht geeignet (z. B. Frostschäden, Verschmutzung).

4.6 Oberflächenqualitäten von Innenputzen

Bei der Planung muss die Oberflächenbeschaffenheit beschrieben werden. Diese wird in vier Qualitätsstufen eingeteilt, siehe Anhang B.

5 Einteilung der Putze

5.1 Putze mit mineralischen Bindemitteln (mineralische Putze)

Für mineralische Putze sind Putzmörtel nach DIN EN 998-1 und DIN 1168 zu verwenden. In Abhängigkeit von der Mörtelart erfolgt eine Unterteilung in die Putzmörtelgruppen P I bis P IV (siehe Tabelle 1). Mit der Einteilung in P I bis P IV sind keine Anforderungen an die Druckfestigkeit verbunden.

Tabelle 1 – Putzmörtelgruppen

Putzmörtelgruppe	Mörtelart
P I	Luftkalkmörtel, Wasserkalkmörtel, Mörtel mit hydraulischem Kalk
P II	Kalkzementmörtel, Mörtel mit hochhydraulischem Kalk oder mit Putz- und Mauerbinder
P III	Zementmörtel mit oder ohne Zusatz von Kalkhydrat
P IV	Gipsmörtel und gipshaltige Mörtel

5.2 Putze mit organischen Bindemitteln (Kunstharzputze)

Für Kunstharzputze sind Beschichtungen mit putzartigem Aussehen nach DIN 18 558 zu verwenden und in folgende Typen zu unterscheiden:

– P Org 1 Anwendung als Außen- und Innenputze;
– P Org 2 Anwendung als Innenputz.

5.3 Putzarten

a) Putze, die allgemeinen Anforderungen genügen;
b) Putze, die zusätzlichen Anforderungen genügen:
– wasserhemmender Putz,
  – wasserabweisender Putz,
  – Innenwandputz mit erhöhter Abriebfestigkeit,
– Innenwand- und Innendeckenputz für Feuchträume,
– Wärmedämmputz;
c) Putze für Sonderzwecke:
  – Sanierputz,
  – Putz als Brandschutzbekleidung,
  – Putz mit Strahlungsabsorption,
  – schallabsorbierender Putz (Akustikputz).

5.4 Putzsysteme

Die Lagen eines Putzes, die in ihrer Gesamtheit und in Wechselwirkung mit dem Putzgrund die Anforderungen an den Putz erfüllen, werden als Putzsystem bezeichnet. In bestimmten Fällen kann auch ein einlagiger Putz als Putzsystem bezeichnet werden. Bewährte Putzsysteme sind in den Tabellen 2, 3 und 5 angegeben.

5.5 Putzanwendungsbereich

5.5.1 Allgemeines

Der Putzanwendungsbereich kennzeichnet den Putz nach seiner örtlichen Lage am Bauwerk und der dadurch gegebenen Beanspruchungsart.

5.5.2 Außenputz

Es werden unterschieden:

a) Außenwandputz;
b) Außensockelputz im spritzwassergefährdeten Bereich;
c) Kellerwandaußenputz im Bereich der Erdanschüttung;
d) Außendeckenputz auf Deckenuntersichten, die der Witterung ausgesetzt sind.

5.5.3 Innenputz

Es werden unterschieden:

a) Innenwandputz für Räume üblicher Luftfeuchte einschließlich der häuslichen Küchen und Bäder;

F

b) Innenwandputz für Feuchträume (z. B. gewerbliche Küchen);
c) innendeckenputz für Räume üblicher Luftfeuchte einschließlich der häuslichen Küchen und Bäder;
d) Innendeckenputz für Feuchträume (z. B. gewerbliche Küchen).

6 Putzlagen, Putzträger, Putzbewehrung

6.1 Putzlage, Unterputz, Oberputz

Eine Putzlage wird in einem Arbeitsgang durch eine oder mehrere Schichten des gleichen Mörtels bzw. des Beschichtungsstoffes (einschließlich des erforderlichen Grundanstrichs) hergestellt. Es gibt ein- und mehrlagige Putze. Untere Lagen werden Unterputz, die oberste Lage wird Oberputz genannt.

Der Spritzbewurf ist keine Putzlage; er dient lediglich der Vorbereitung des Putzgrundes.

6.2 Putzträger

Putzträger müssen dauerndes Haften des Putzes sicherstellen. Sie müssen nach Norm oder nach den Vorschriften der Hersteller befestigt werden. Werden einzelne Bauteile, die als Putzgrund ungeeignet sind, mit einem Putzträger überspannt, so muss dieser allseitig mindestens 200 mm auf den umgebenden geeigneten Putzgrund übergreifen und in der Regel auf diesem, nicht auf dem überspannten Bauteil befestigt werden.

Als Putzträger können z. B. metallische Putzträger, Gipskarton-Putzträgerplatten nach DIN 18 180, Holzwolle- und Holzwollemehrschicht-Platten nach DIN EN 13 168, Ziegeldrahtgewebe und Rohrmatten verwendet werden.

6.3 Putzbewehrung/Putzarmierung

Putzbewehrungen/-armierungen sind Einlagen im Putz, z. B. aus Metall, aus mineralischen Fasern oder Kunststofffasern, die zur Verminderung der Gefahr von Rissbildungen im Putz dienen. Konstruktionsbedingte Rissbildungen (z. B. Durchbiegungen von Decken und Unterzügen, Schwind-, Kriech- und Temperaturverformungen tragender Bauteile) können mit Putzbewehrungen nicht verhindert werden.

Wird eine Erhöhung des Risswiderstandes des Putzes durch eine Putzbewehrung/-armierung für erforderlich gehalten, so ist diese zur Erfüllung ihrer Aufgabe in die zugbefastete Zone des Putzes straff und faltenfrei einzulegen. Putzbewehrungen müssen im Allgemeinen in der oberen Hälfte der Putzlage, möglichst oberflächennah, liegen. Die Überlappung von Putzbewehrungen muss mindestens 100 mm betragen. Auf benachbarte Bauteile muss die Überlappung mindestens 200 mm betragen.

Auf bestehenden Putzen/Unterputzen (z. B. zur Überarbeitung bereits gerissener oder rissgefährdeter Putze) sollten Armierungsputze mit Armierungsgewebe eingesetzt werden.

Bei metallischen Putzbewehrungen/-armierungen soll die Verbindung der Putzbewehrung/-armierung mit dem Putzgrund auf das notwendige Befestigen beschränkt werden, um nicht unnötig Verformungen des Putzgrundes auf die Bewehrung zu übertragen.

Putzbewehrungen/-armierungen können je nach Aufgabenstellung ganzflächig oder teilflächig eingesetzt werden und müssen aus Werkstoffen bestehen, die ihre Eigenschaften insbesondere im Hinblick auf chemische und physikalische Einflüsse nicht nachteilig verändern sowie das Putzsystem nicht schädigen. Putzbewehrungen/-armierungen sind daher auf den Putzgrund, die Putzart sowie die Zusammensetzung des Putzmörtels abzustimmen.

Wenn bei gipshaltigen Putzen eine Gewebeeinlage eingebaut wird, muss die Putzlage in zwei Schichten (nass in nass) ausgeführt werden.

7 Anforderungen an Putz

7.1 Allgemeine Anforderungen an Innen- und Außenputz

Die Putzmörtel müssen DIN EN 998-1, DIN 1168 bzw. DIN 18 558 entsprechen. Putze müssen gleichmäßig am Putzgrund, die einzelnen Lagen gut aneinander haften. Innerhalb der einzelnen Lagen soll der Mörtel ein gleichmäßiges Gefüge besitzen. Die Festigkeit des Putzes ist dem jeweiligen Putzgrund anzupassen. Abriebfestigkeit und Oberflächenbeschaffenheit sind nach der Putzanwendung auszuwählen.
Die Oberfläche des Putzes soll frei von Rissen sein. Haarrisse in begrenztem Umfang sind nicht zu bemängeln, wenn sie den technischen und optischen Wert des Putzes nicht beeinträchtigen (Hinweise zur Bewertung siehe Anhang C).

7.2 Putzaufbau

Der Aufbau eines Putzes richtet sich nach den Anforderungen an den Putz und nach der Beschaffenheit des Putzgrundes.

In den Tabellen 2, 3 und 5 sind bewährte Putzsysteme angegeben, bei denen die Anforderungen an die jeweiligen Putzarten für die verschiedenen Putzanwendungen als erfüllt angesehen werden.
Bei Verwendung anderer Putzsysteme ist ein Nachweis der Eignung erforderlich. Bei Verwendung unterschiedlicher Mörtel für die einzelnen Lagen ist deren gegenseitige Beeinflussung zu berücksichtigen. Bei der Auswahl des Mörtels ist darüber hinaus zu berücksichtigen, ob der Putz später mit anderen Stoffen beschichtet werden soll. Der Putzaufbau ist so zu wählen, dass die Aufnahme der in den einzelnen Putzlagen auftretenden Spannungen gewährleistet ist (siehe 8.1).
Bei den Putzsystemen nach den Tabellen 2, 3 und 5 ist dies bereits berücksichtigt. In begründeten Fällen kann ein Putzsystem gewählt werden, das von den vorstehenden Grundsätzen abweicht (z. B. Wärmedämmputz, Armierungsputz auf Unterputz, dünnschichtige Oberputze).

7.3 Putzdicke

7.3.1 Allgemeines

Die Erfüllung physikalischer Aufgaben erfordert die Einhaltung bestimmter Putzdicken.

F

7.3.2 Innen- und Außenputze

Die mittlere Dicke von Putzen bzw. Putzsystemen, die allgemeinen Anforderungen genügen, muss außen 20 mm (zulässige Mindestdicke 15 mm) und innen 15 mm betragen (zulässige Mindestdicke 10 mm), bei einlagigen Innenputzen aus Werk-Trokkenmörtel sind 10 mm ausreichend (zulässige Mindestdicke 5 mm). Einlagige wasserabweisende Putze aus Werkmörtel sollen an Außenflächen eine mittlere Dicke von 15 mm (erforderliche Mindestdicke 10 mm) aufweisen. Die jeweils zulässigen Mindestdicken müssen sich auf einzelne Stellen beschränken.

Für die Erfüllung besonderer Anforderungen können andere Dicken erforderlich werden.

7.3.3 Putze mit besonderen Eigenschaften

7.3.3.1 Wärmedämmputz

Der Unterputz muss mindestens 20 mm und soll in der Regel höchstens 100 mm dick sein. Bei größeren Dicken sind besondere Maßnahmen erforderlich.

Die mittlere Dicke des Oberputzes, der auf Wärmedämmputz mit EPS-Leichtzuschlag aufgebracht wird, muss einschließlich eines gegebenenfalls erforderlichen Ausgleichsputzes 8 mm (Mindestdicke 6 mm, Höchstdicke 12 mm) betragen. Dabei muss der Ausgleichsputz mindestens 4 mm dick sein. Bei Wärmedämmputzen mit anderen Leichtzuschlägen sind für die Dicke des Oberputzes die Herstellervorschriften zu beachten.

7.3.3.2 Sanierputz

Die Gesamtputzdicke des ein- oder mehrlagigen Sanierputzes beträgt mindestens 20 mm.

7.3.3.3 Dünnlagenputz

Bei Dünnlagenputzen als Innenputz sind besondere Anforderungen an die Ebenheit des Untergrundes zu stellen. Dünnlagenputze werden einlagig in einer Dicke von 3 mm bis 5 mm aufgetragen.

7.3.3.4 Putze mit besonderen Anforderungen an Schall-, Brand- und Strahlenschutz

Bei diesen Putzen richtet sich die Putzdicke nach den gestellten Anforderungen.

7.4 Außenputz

7.4.1 Witterungsbeständigkeit

Über die allgemeinen Anforderungen nach 7.1 hinaus muss das Putzsystem witterungsbeständig sein, d. h. insbesondere der Einwirkung von Feuchte und wechselnden Temperaturen widerstehen.

Das Putzsystem gilt als witterungsbeständig, wenn es entsprechend Tabelle 2 aufgebaut oder die Witterungsbeständigkeit nachgewiesen ist.

7.4.2 Regenschutz

Hinsichtlich des Regenschutzes wird entsprechend den Beanspruchungsgruppen nach DIN 4108-3 zwischen wasserhemmenden und wasserabweisenden Putzsystemen unterschieden.

7.4.2.1 Wasserhemmende Putzsysteme

Putzsysteme gelten als wasserhemmend, wenn sie nach Tabelle 2, Zeile 9 bis 16, aufgebaut sind und die wasserhemmenden Eigenschaften nachgewiesen werden. Hierzu muss (müssen) die den Regenschutz hauptsächlich bewirkende(n) Putzlage bzw. Putzlagen bei der Prüfung an dem entsprechenden Mörtel oder Putz nach Anhang A folgende Anforderungen erfüllen:

$0{,}5 < w < 2{,}0\,\mathrm{kg/(m^2 \cdot h^{0,5})}$

7.4.2.2 Wasserabweisende Putzsysteme

Putzsysteme gelten als wasserabweisend, wenn sie nach Tabelle 2, Zeile 17 bis 24, aufgebaut sind und die wasserabweisenden Eigenschaften nachgewiesen werden. Hierzu muss (müssen) die den Regenschutz hauptsächlich bewirkende(n) Putzlage bzw. Putzlagen bei der Prüfung an dem entsprechenden Mörtel oder Putz nach Anhang A folgende Anforderungen erfüllen:

$w \times s_d \leq 0{,}2\,\mathrm{kg/(m \cdot h^{0,5})}$

$w \leq 0{,}5\,\mathrm{kg/(m^2 \cdot h^{0,5})}$[1)]

$s_d \leq 2{,}0\,\mathrm{m}$

Dabei ist

w der Wasseraufnahmekoeffizient in $\mathrm{kg/(m^2 \cdot h^{0,5})}$;

s_d die diffusionsäquivalente Luftschichtdicke in m.

7.4.3 Außensockelputz

Außensockelputze müssen ausreichend fest, wasserabweisend und widerstandsfähig gegen kombinierte Einwirkung von Feuchte und Frost sein, wie z. B. Putze aus Mörteln mit mineralischen Bindemitteln der Kategorie CS IV nach DIN EN 998-1 (siehe Tabelle 2, Zeilen 26 bis 32). Mineralische Oberputze im Sockelbereich sollen eine Druckfestigkeit von $2{,}5\,\mathrm{N/mm^2}$ nicht unterschreiten.

Organische Oberputze müssen der Mörtelgruppe P Org 1 entsprechen.

Außensockelputze auf Mauerwerk aus Steinen der Druckfestigkeitsklassen ≤ 8 sollen jedoch aus Mörteln mit hydraulischen Bindemitteln der Kategorie CS III nach DIN EN 998-1 hergestellt werden und die Anforderungen an wasserabweisende Putzsysteme (siehe 7.4.2.2) erfüllen.

Bei Außensockelputzen auf Dämmplatten sind kunstharzmodifizierte mineralische Haftmörtel zur Vorbehandlung des Putzgrundes notwendig.

F

---

1) Diese Anforderung gilt bei mineralischen Putzen auch als erfüllt, wenn bei der Prüfung nach 28 d der Wasseraufnahmekoeffizient bis um den Faktor 2 größer ist; bei der Ermittlung von $w \times s_d$ wird in diesem Fall der Wasseraufnahmekoeffizient w mit $0{,}5\,\mathrm{kg/(m^2 \cdot h^{0,5})}$ angesetzt.

7.4.4 Kellerwandaußenputz

Kellerwandaußenputze als Träger von Beschichtungen müssen aus Mörteln mit hydraulischen Bindemitteln der Kategorie CS IV nach DIN EN 998-1 hergestellt werden (siehe Tabelle 2, Zeile 25).

Bei Mauerwerk aus Steinen der Druckfestigkeitsklassen ≤ 8 sollte jedoch die Mindestdruckfestigkeit für CS IV von 6 N/mm² nicht wesentlich überschritten werden. Kellerwandaußenputz im erdberührten Bereich muss zusätzlich abgedichtet werden.

7.5 Innenputz

7.5.1 Allgemeine Anforderungen

Innenwand- und Innendeckenputze müssen die allgemeinen Anforderungen nach 7.1 erfüllen. Bei Innenputzen aus Mörteln mit mineralischen Bindemitteln, an die übliche Anforderungen, z. B. als Träger von Anstrichen und Tapeten, gestellt werden, müssen die Mörtel nach DIN EN 998-1 der Kategorie CS II oder DIN 1168 entsprechen. Ein Nachweis ist nicht erforderlich, wenn Putzsysteme nach der Tabelle 3, Zeile 1 bis 9, gewählt werden.

7.5.2 Innenwand- und Innendeckenputz für Feuchträume

Innenwand- und Innendeckenputze für Feuchträume müssen gegen langzeitig einwirkende Feuchte beständig sein. Daher scheiden für diese Putzanwendung Putzsysteme unter Verwendung von Mörteln mit Baugips nach DIN 1168 aus; für häusliche Küchen und Bäder sind solche Putzsysteme jedoch geeignet.

Wandbekleidungen und Beläge auf dem Putz, wie keramische Fliesen, die einer direkten Wasserbelastung, z. B. in Duschkabinen und im Wannenbereich, ausgesetzt sind, erfordern besondere Maßnahmen.

8 Auswahl von Putzsystemen

8.1 Allgemeines

Die an einen Putz zu stellenden Anforderungen (siehe Abschnitt 7) sind vom Putzsystem in seiner Gesamtheit zu erfüllen, wobei der Nachweis der Eigenschaften nach DIN EN 998-1, DIN 1168 und DIN 18 558 zu erfolgen hat. Die Eigenschaften der verschiedenen Putzlagen eines Systems sollen so aufeinander abgestimmt sein, dass die in den Berührungsflächen der einzelnen Putzlagen und des Putzgrundes z. B. durch Schwinden oder Temperaturdehnungen auftretenden Spannungen aufgenommen werden können. Diese Forderung kann bei Putzen mit mineralischen Bindemitteln im Allgemeinen dann als erfüllt angesehen werden, wenn die Festigkeit des Oberputzes geringer als die Festigkeit des Unterputzes ist oder beide Putzlagen gleich fest sind. Bei der Festigkeitsabstufung zwischen Putzgrund und Unterputz ist diese Regel sinngemäß anzuwenden. Ausnahmen hierzu siehe 7.2.

Im Allgemeinen ist eine Vorbereitung des Putzgrundes erforderlich, die auf die Art des Putzgrundes und auf die des Putzsystems abgestimmt werden muss.

8.2 Anwendung bewährter Putzsysteme

In den Tabellen 2, 3 und 5 sind bewährte Putzsysteme für verschiedene Anwendungsbereiche und Hinweise angegeben. Bei Anwendung dieser Putzsysteme sowie sach- und fachgerechter Ausführung können jeweils die in Abschnitt 7 genannten Anforderungen als erfüllt angesehen werden.

Bei Außenputzen muss jedoch sichergestellt sein, dass Unterputze für Kunstharzputze überwiegend hydraulisch erhärten und eine Mindestdruckfestigkeit von $\geq 3{,}5$ N/mm^2 aufweisen (siehe 8.3).

Tabelle 2 – Putzsysteme für Außenputze

Zeile	Anforderungen bzw. Putzanwendung	Mörtelgruppe für Unterputz	Druckfestigkeitskategorie des Unterputzes nach DIN EN 998-1	Mörtelgruppe bzw. Beschichtungsstoff-Typ für Oberputz	Druckfestigkeitskategorie des Oberputzes nach DIN EN 998-1
1		–	–	P I	CS I
2		P I	CS I	P I	CS I
3 a		–	–	P II	CS II
3 b		–	–	P II	CS III
4 a		P II	CS II	P I	CS I
4 b	ohne besondere Anforderung	P II	CS III	P I	CS I
5 a		P II	CS II	P II	CS II
5 b		P II	CS III	P II	CS II
5 c		P II	CS III	P II	CS III
6		P II	CS III	P Org 1	–
7		–	–	P Org 1[a]	–
8		–	–	P III	CS IV
9		P I	CS I	P I	CS I
10		–	–	P I	CS I
11 a		–	–	P II	CS II
11 b		–	–	P II	CS III
12 a		P II	CS II	P I	CS I
12 b	wasserhemmend	P II	CS III	P I	CS I
13 a		P II	CS II	P II	CS II
13 b		P II	CS III	P II	CS II
13 c		P II	CS III	P II	CS III
14		P II	CS III	P Org 1	–
15		–	–	P Org 1[a]	–
16		–	–	P III	CS IV

F

Tabelle 2 – *(Fortsetzung)*

Zeile	Anforderungen bzw. Putzanwendung	Mörtelgruppe für Unterputz	Druckfestigkeitskategorie des Unterputzes nach DIN EN 998-1	Mörtelgruppe bzw. Beschichtungsstoff-Typ für Oberputz	Druckfestigkeitskategorie des Oberputzes nach DIN EN 998-1
17	wasserabweisend	P I	CS I	P I	CS I
18 a		P II	CS II	P I	CS I
18 b		P II	CS III	P I	CS I
19		–	–	P I	CS I
20 a		–	–	P II	CS II
20 b		–	–	P II	CS III
21 a		P II	CS II	P II	CS II
21 b		P II	CS III	P II	CS II
21 c		P II	CS III	P II	CS III
22		P II	CS III	P Org 1	–
23		–	–	P Org 1[a]	–
24		–	–	P III	CS IV
25	Kellerwandaußenputz	–	–	P III[b]	CS IV
26	Außensockelputz	–	–	P III[b]	CS IV
27		P III	CS IV	P III[b]	CS IV
30		P III	CS IV	P II[b]	CS III
31		P II	CS III	P II[b]	CS II[c]
32[d]		P II	CS II[c]	P II[b]	CS II[c]

[a] Nur bei Beton mit geschlossenem Gefüge als Putzgrund.
[b] Ein SockelPutz sowie ein Kellerwandaußenputz sind im erdberührten Bereich immer abzudichten. Der Putz dient als Träger der vertikalen Abdichtung.
[c] > 2,5 N/mm²
[d] Gilt nur für Sanierputze.

Sind in den Tabellen nur in einer Spalte Mörtelgruppen oder Beschichtungsstoff-Typen genannt, so bedeutet dies, dass die jeweiligen Anforderungen von einem damit hergestellten einlagigen Putz erfüllt werden können.

8.3 Anwendung anderer Putzsysteme

Sollen andere als in den Tabellen 2, 3 und 5 angegebene Putzsysteme angewendet werden, so sind Eignungsprüfungen für das vorgesehene Putzsystem durchzuführen. Die Art und der Umfang der Eignungsprüfungen sind für jedes dieser Putzsysteme festzulegen. Mit den Prüfungen sind die für den speziellen Anwendungsbereich geforderten Eigenschaften nachzuweisen. Die dabei ermittelten Kennwerte müssen so bemessen sein, dass bei der späteren Herstellung des Putzes das Erreichen der geforderten Eigenschaften mit Sicherheit möglich ist.

Tabelle 3 – Putzsysteme für Innenputze

Zeile	Anforderungen bzw. Putz-anwendung	Mörtelgruppe für Unterputz	Druckfestigkeits-kategorie des Unterputzes nach DIN EN 998-1	Mörtelgruppe bzw. Beschich-tungsstoff-Typ für Oberputz[a]	Druckfestigkeits-kategorie des Oberputzes nach DIN EN 998-1
1		–	–	P I	CS I
2		P I	CS II	P I	CS I
3		–	–	P II	CS II
4 a		P II	CS II	P I	CS I
4 b		P II	CS II	P II	CS II
4 c		P II	CS II	P IV	[b]
4 d		P II	CS II	P Org 1	–
4 e		P II	CS II	P Org 2	–
5		–	–	P III	CS IV
6 a		P III	CS III	P I	CS I
6 b	übliche Beanspruchung	P III	CS III	P II	CS II
6 c		P III	CS IV	P II	CS III
6 d		P III	CS IV	P III	CS IV
6 e		P III	CS III	P Org 1	–
6 f		P III	CS III	P Org 2	–
7		–	–	P IV	[b]
8 a		P IV	[b]	P I[d]	CS I
8 b		P IV	[b]	P II[d]	CS II
8 c		P IV	[b]	P IV	[b]
8 d		P IV	[b]	P Org 1	–
8 e		P IV	[b]	P Org 2	–
9 a		–	–	P Org 1[c]	–
9 b		–	–	P Org 2[c]	–

Tabelle 3 – *(Fortsetzung)*

Zeile	Anforderungen bzw. Putzanwendung	Mörtelgruppe für Unterputz	Druckfestigkeitskategorie des Unterputzes nach DIN EN 998-1	Mörtelgruppe bzw. Beschichtungsstoff-Typ für Oberputz[a]	Druckfestigkeitskategorie des Oberputzes nach DIN EN 998-1
10	Feuchträume	–	–	P II	CS II
11		P II	CS II	P I[d]	CS I
12 a		P II	CS II	P II	CS II
12 b		P II	CS III	P Org 1	–
13 a		–	–	P III	CS III
13 b		–	–	P III	CS IV
14 a		P III	CS III	P II	CS II
14 b		P III	CS IV	P III	CS IV
14 c		P III	CS III	P Org 1	–
14 d		P III	CS IV	P Org 1	–
15		–	–	P Org 1[c]	–

[a] Oberputze dürfen mit abschließender Oberflächengestaltung oder ohne ausgeführt werden (z. B. bei zu beschichtenden Flächen).
[b] Druckfestigkeit $\geq 2{,}0\,\text{N/mm}^2$
[c] Nur bei Beton mit geschlossenem Gefüge als Putzgrund.
[d] Dünnlagige Oberputze.

9 Putzausführung

9.1 Berücksichtigung der Witterungseinflüsse

Es muss sichergestellt sein, dass die Luft- und Bauteiltemperatur nicht unter +5 °C liegt bzw. bis zum ausreichenden Erhärten des Putzes nicht darunter absinkt.

Um einen zu schnellen Wasserentzug aus dem frischen Putz durch starken Sonnenschein (hohe Oberflächentemperaturen) und/oder Wind zu verhindern (Gefahr der Rissbildung, Festigkeitsabfall), sind, vorzugsweise für Außenputze, besondere Schutzmaßnahmen/Nachbehandlung (z. B. Abhängen, Feuchthalten) erforderlich.

9.2 Putzgrund – Anforderungen und Vorbereitung

9.2.1 Allgemeines

Für eine gute Haftung des Putzes am Untergrund ist die Beschaffenheit des Putzgrundes von wesentlichem Einfluss. Es ist daher eine Prüfung des Putzgrundes vorzunehmen. Dazu gehören:

- Prüfung nach Augenschein;
- Wischprobe;
- Kratzprobe;

– Benetzungsprobe;
– Temperaturmessung.

Die Ergebnisse der Prüfung sollten dokumentiert werden.

Der Putzgrund soll so maßgerecht sein, dass der Putz in gleichmäßiger Dicke aufgetragen werden kann. Falls ein Ausgleich erforderlich ist, sind die Regeln für den Putzaufbau zu beachten (siehe 7.2).

Der Putzgrund muss
– ebenflächig,
– tragfähig,
– ausreichend formstabil,
– staubfrei und frei von Verunreinigungen

sein.

Sichtbare putzschädigende Ausblühungen sind zu beseitigen oder unschädlich zu machen. Der Putzgrund muss frostfrei sein, und die Bauteiltemperatur muss $\geq +5\,°C$ betragen.

Als Putzgrund nicht geeignete Flächen (z. B. Holz- und Stahlbauteile) sind mit Putzträgern zu überspannen.

9.2.2 Vorbereitung des Putzgrundes

Zur Vorbereitung bzw. Vorbehandlung des Putzgrundes gehören alle Maßnahmen, die einen festen und dauerhaften Verbund zwischen Putz und Putzgrund fördern, z. B. durch Vergleichmäßigung oder Verminderung des Wasserentzugs des Mörtels durch den Putzgrund mittels einer Grundierung.

Zu den nach der Putzgrundprüfung erforderlichen Maßnahmen zählen z. B.:
– Entfernen von losen Teilen und Staub,
– Anbringen von Putzbewehrung und/oder Putzträger,
– Aufrauen der Oberfläche,
– Austrocknung der Oberfläche,
– Aufbringen von Haftbrücken oder Grundierungen,
– Ausgleichen des Putzgrundes.

Zu den aufzubringenden Materialien zählen insbesondere:
– nicht voll deckender (warzenförmiger) Spritzbewurf,
– voll deckender Spritzbewurf,
– kunstharzmodifizierte mineralische Haftbrücke (Haftmörtel),
– Haftbrücke auf Basis organischer Bindemittel,
– Grundierung (Aufbrennsperre) auf Basis organischer Bindemittel.

9.2.3 Gipshaltige Putze

Bei stark saugenden Putzgründen oder Mauerwerk aus verschiedenen Baustoffen ist zur Reduktion bzw. zur Vergleichmäßigung des Saugvermögens eine geeignete Grundierung (Aufbrennsperre) aufzutragen, die vor dem Verputzen abgetrocknet sein muss.

F

Die Putzgründe sollten vor dem Verputzen ihre Ausgleichsfeuchte erreicht haben (vom Untergrundhersteller zu erfragen) und saugfähig sein. Bei Normalbeton sollte die Restfeuchte einen Masseanteil von 3 % im Oberflächenbereich bis 3 cm Tiefe nicht überschreiten.

Putzgründe mit hohen Feuchtegehalten dürfen erst nach weiterer Trocknung verputzt werden, ansonsten ist ein Verputzen mit gipshaltigen Materialien nicht möglich, es sei denn, es wird ein flächiger mechanisch befestigter Putzträger verwendet.

Auf schwach oder nicht saugenden Betonflächen ist vor dem Putzauftrag eine geeignete Haftbrücke (gefüllt mit mineralischen Zuschlägen) aufzutragen. Die Haftbrücke muss vor dem Putzauftrag getrocknet und fest sein. Dabei darf die Untergrund- und Verarbeitungstemperatur von +5 °C nicht unterschritten werden.

Gegebenenfalls kann eine Bewehrung des Putzes erforderlich sein (z. B. wegen unterschiedlichen Schwindverhaltens oder mangelnder Stabilität der Untergründe).

9.2.4 Kalk- bzw. Kalkzement-Putze

Bei stark saugenden Putzgründen ist im Regelfall eine Vorbehandlung (geeigneter Haftmörtel, voll deckender Spritzbewurf), die Verwendung eines speziellen Putzmaterials oder einer geeigneten Verfahrensweise (zweischichtiges Spritzen „nass in nass“ in einer Putzlage) notwendig.

Bei Beton als Putzgrund ist zur Putzgrundvorbereitung ein geeigneter Haftmörtel aufzubringen oder ein geeigneter Putzmörtel zu verwenden.

9.2.5 Feuchter und salzhaltiger Putzgrund

Putzschädigend können Ausscheidungen auf dem Putzgrund sein, die aus wasserlöslichen Salzen, insbesondere Sulfaten, Chloriden oder Nitraten, bestehen. Durch das hygroskopische Verhalten solcher Salze wird in der Regel auch der Feuchtegehalt des Putzgrundes erhöht. Zum Verputzen feuchter und/oder salzhaltiger Putzgründe dienen Sanierputze.

9.3 Aufbringen des Mörtels und Standzeiten

Der Mörtel für die einzelnen Putzlagen ist von Hand oder mit einer Maschine möglichst gleichmäßig dick aufzubringen und ebenflächig zu verziehen oder zu verreiben. Die folgende Lage darf erst aufgebracht werden, wenn die vorhergehende ausreichend trocken und so fest ist, dass sie eine neue tragen oder eine neue an ihr haften kann. Die Standzeit beträgt mindestens einen Tag je mm Putzdicke. Bei feuchten und kalten Witterungsverhältnissen ist die Standzeit entsprechend zu verlängern.

Auf einen Haftmörtel oder einen Spritzbewurf darf die erste Putzlage erst aufgetragen werden, wenn der Mörtel ausreichend erhärtet ist, frühestens jedoch nach einem Tag.

Die Oberfläche des Unterputzes ist, soweit erforderlich, aufzurauen. Vor Aufbringen des Oberputzes ist der Unterputz gegebenenfalls je nach Mörtelart und der Witterung entsprechend anzunässen.

Werden Putzlehren aus Mörtel angelegt, so müssen sie aus dem gleichen Mörtel bestehen wie der auszuführende Putz. Bei Ein-, Zu- und Beiputzarbeiten sowie bei Ausbesserungen soll die gleiche Mörtelgruppe oder Mörtel vergleichbarer Zusammensetzung verwendet werden.

Mineralische Putze sind vor zu schneller Austrocknung zu schützen und nötigenfalls durch Benetzen mit Wasser feucht zu halten, damit sie nicht zu schnell austrocknen.

Nach Fertigstellung von Innenputzen sind die Räume häufig kurzfristig zu lüften (Querlüftung empfehlenswert), um überschüssige Feuchte abzuführen.

9.4 Putzweise

9.4.1 Allgemeines

Die Putzweise kennzeichnet den Putz nach der Ausführung, insbesondere der Oberflächenbearbeitung.

Entsprechend der Putzweise werden die Putze nach der Art ihrer Oberflächenbehandlung und der dadurch entstehenden Struktur eingeteilt.

9.4.2 Geglätteter Putz

Er erhält seine Oberfläche durch Bearbeitung mit der Glättkelle (Traufel).

9.4.3 Gefilzter Putz

Er erhält seine Oberfläche durch Bearbeitung mit der Filz-, Schwamm- oder Holzscheibe.

9.4.4 Geriebener Putz oder Reibeputz

Er wird je nach Art des verwendeten Werkzeugs (Kunststoff- oder Holzscheibe, Traufel und dergleichen) und des Materials z. B. als Münchener Rauputz, Rillenputz, Scheibenputz bezeichnet.

9.4.5 Kellenwurfputz

Er erhält seine Struktur ausschließlich durch das Anwerfen des Mörtels. Im Regelfall wird ein Zuschlag grober Körnung verwendet.

9.4.6 Modellierputz

Er wird nach dem Auftrag mittels Kelle oder Traufel bearbeitet bzw. frei strukturiert (z. B. Kellenstrichputz, Altdeutscher Putz).

9.4.7 Spritzputz

Er wird durch mehrfaches Aufspritzen eines feinkörnigen, dünnflüssigen Mörtels mittels Spritzputzgerät hergestellt.

9.4.8 Kratzputz

Er wird durch Kratzen mit einem Nagelbrett, einem Sägeblatt oder einer Ziehklinge hergestellt. Hierdurch wird die bindemittel- und damit spannungsreiche Oberfläche des angetragenen Oberputzes entfernt. Durch das herausspringende Korn entsteht die hierfür charakteristische Putzstruktur. Der richtige Zeitpunkt des Kratzens richtet sich nach dem Erhärtungsverlauf des Putzes. Er ist dann erreicht, wenn das Korn beim Kratzen herausspringt und nicht im Nagelbrett hängen bleibt.

Kratzputze sind nach dem Erhärten von losen Teilen zu befreien. Dennoch können sich beim Abreiben mit der Hand einzelne Teilchen lösen lassen, was nicht zu bemängeln ist.

9.4.9 Waschputz

Er erhält seine Struktur durch Abwaschen der an der Oberfläche befindlichen, noch nicht erhärteten Bindemittelschlämme. Er erfordert ausgewählte Zuschläge grober Körnung sowie einen Unterputz, der mindestens der Kategorie CS III nach DIN EN 998-1 entspricht.

10 Wärmedämmputzsysteme

10.1 Allgemeines

Unter Verwendung von Zuschlägen niedriger Rohdichte lassen sich Mörtel mit erhöhter Wärmedämmung herstellen. Wärmedämmputze sind solche, die einen Rechenwert für die Wärmeleitfähigkeit $\leq 0{,}2$ W/(m · K) aufweisen. Diese Anforderung gilt als erfüllt, wenn die Trockenrohdichte des erhärteten Mörtels $\leq 600\,kg/m^3$ beträgt.

Zur Putzdicke siehe 7.3.3.1.

10.2 Anforderungen an den Mörtel für den Unterputz

10.2.1 Druckfestigkeit des Festmörtels

Die Druckfestigkeit des Festmörtels muss mindestens 0,40 N/mm^2 (CS I nach DIN EN 998-1) betragen.

10.2.2 Wärmeleitfähigkeit

Der Bemessungswert l beträgt für Wärmedämmputzmörtel der Kategorien T1 und T2:

- T1 : $\lambda = 0{,}12$ W/(m · K)
- T2 : $\lambda = 0{,}24$ W/(m · K)

Wird im Rahmen der CE-Kennzeichnung ein Nennwert für die Wärmeleitfähigkeit λ_D deklariert, gelten die Bemessungswerte für die Kategorie I von Tabelle 4. Wird darüber hinaus nachgewiesen, dass der in der technischen Spezifikation des jeweiligen Wärmedämmputzmörtels festgelegte Grenzwert λ_{grenz} eingehalten wird, gelten die Bemessungswerte für die Kategorie II von Tabelle 4.

Tabelle 4 – Bemessungswert der Wärmeleitfähigkeit für Wärmedämmputz nach DIN EN 998-1

Kategorie I		Kategorie II	
Nennwert[a] W/(m · K), P = 90 % λ_D	Bemessungswert[c] W/(m · K) λ^d	Grenzwert[b] W/(m · K) λ_{grenz}	Bemessungswert[c] W/(m · K) λ^e
0,079	0,084	0,066	0,070
0,080	0,096	0,075	0,080
0,090	0,108	0,085	0,090
0,100	0,120	0,094	0,100
0,120	0,144	0,113	0,120
0,140	0,168	0,132	0,140
0,160	0,192	0,150	0,160

[a] Entspricht dem deklarierten Wert $\lambda_{10,dry}$ nach DIN EN 998-1.
[b] Der Wert λ_{grenz} (größter nachzuweisender Einzelwert) ist im Rahmen der technischen Spezifikation des jeweiligen Wärmedämmputzmörtels festzulegen.
[c] Bemessungswert (Rechenwert).
[d] $\lambda = \lambda_D \times 1{,}2$
[e] $\lambda = \lambda_{grenz} \times 1{,}05$

10.2.3 Brandverhalten

Es dürfen nur solche Putze verwendet werden, deren Brandverhalten einer Klasse nach DIN EN 13 501-1 zugeordnet ist.

10.2.4 Wasseraufnahme

Der Unterputz muss wasserhemmend sein (siehe 7.4.2.1).

10.3 Anforderungen an den Mörtel für den Oberputz

10.3.1 Druckfestigkeit des Festmörtels

Die Druckfestigkeit des Festmörtels muss mindestens 0,80 N/mm^2 betragen und darf 3,0 N/mm^2 nicht überschreiten.

10.3.2 Wasseraufnahme des Oberputzes

Der Oberputz muss wasserabweisend sein (siehe 7.4.2.2).

10.4 Anwendung und Ausführung von Wärmedämmputzsystemen

Die Zeitspanne zwischen Fertigstellung des Unterputzes und Aufbringen des Oberputzes muss mindestens 7 d betragen, bei größeren Dicken des Unterputzes jedoch mindestens 1 d je 5 mm Dicke.

Bei ungünstigen Witterungsbedingungen (hohe Luftfeuchte und niedrige Temperaturen) sind diese Zeiten zu verlängern.

Bei nicht tragfähigen und bei nicht oder mangelhaft saugenden Altputzen oder bei solchen Putzgründen, die mit Anstrichen versehen sind, sind für Wärmedämmputzsysteme wellenförmige oder ebene Putzträger aus geschweißtem Drahtnetz mit jeweils besonderen Befestigungselementen erforderlich (siehe 6.2).

F

11 Leichtputzmörtel

11.1 Anforderungen

Leichtputze und die dazugehörigen Oberputze müssen aus Werkmörtel nach DIN EN 998-1 hergestellt werden.

Oberputz auf Leichtputz soll der Kategorie CS I bzw. CS II nach DIN EN 998-1 entsprechen.

Das Putzsystem muss wasserabweisend sein (siehe 7.4.2.2).

11.2 Putzaufbau von Leichtputzen

Der Putzaufbau richtet sich nach den Anforderungen an den Putz und nach der Beschaffenheit des Putzgrundes. Bei dem Putzsystem müssen die mechanischen und physikalischen Eigenschaften des Unterputzes und des Oberputzes aufeinander abgestimmt sein.

In Tabelle 5 sind Putzsysteme für Außenputze angegeben, bei denen die Anforderungen an den Putz als erfüllt angesehen werden können. Für Innenputze gilt Tabelle 2.

Bei Verwendung anderer Putzsysteme ist ein Nachweis der Eignung erforderlich (siehe 8.3).

Tabelle 5 – Putzsysteme für Außenputze mit Leichtputz

Anforderungen an das Putzsystem	Unterputz Leichtputzmörtel entsprechend Mörtelgruppe	Druckfestigkeitskategorie des Unterputzes nach DIN EN 998-1	Oberputzmörtel[a] entsprechend Mörtelgruppe	Druckfestigkeitskategorie des Oberputzes nach DIN EN 998-1
Wasserabweisend nach 7.4.2.2	–		P I	CS I
	–		P II	CS II
	P II	CS II	P I	CS I
	P II	CS II	P II	CS II
	P II	CS III	P II	CS II/CS III[b]

[a] Leichtputze mit organischem Zuschlag mit porigem Gefüge sind außen nur als Unterputze zu verwenden.
[b] Wird ein Leichtputz als Sockelputz verwendet, ist er im erdberührten Bereich immer zusätzlich abzudichten.

11.3 Putzausführung von Leichtputzen

Soweit nichts anderes bestimmt ist, gelten für die Anwendung des Putzes die Abschnitte 7 bis 9 sinngemäß.

Bei Verwendung von Leichtputz als Untergrund für Beläge, z. B. keramische Fliesen, sind die Angaben des Herstellers zu beachten.

Bei der Farbbeschichtung von Leichtputzen mit organischen Zuschlägen auf Innenwänden sind ausschließlich wässrige Systeme zu verwenden, um ein Auflösen der Zuschläge durch Lösungsmittel zu vermeiden.

12 Putze für Sonderzwecke

12.1 Sanierputz

Mit der Abkürzung R werden in DIN EN 998-1 Sanierputzmörtel beschrieben. Es handelt sich um Eignungsprüfungsmörtel zum Verputzen feuchter salzhaltiger Mauerwerke. Diese Mörtel weisen eine hohe Porosität und Wasserdampfdiffusion sowie eine verminderte kapillare Leitfähigkeit auf.

Fallweise genügt ein Sanierputzmörtel nach DIN EN 998-1 höheren Belastungen feuchter, salzhaltiger Untergründe nicht. Gegebenenfalls wird dann die Anwendung von Sanierputzsystemen, bestehend aus Sanierputz, Sanierputzgrundputz und gegebenenfalls Spritzbewurf, erforderlich. Solche Systeme, die höheren Belastungen, z. B. hinsichtlich der Salzresistenz, genügen, werden von verschiedenen Werkmörtelherstellern angeboten und sind nach den Herstellerangaben zu verarbeiten.

ANMERKUNG Hinweise für bestimmte Sanierputzsysteme sind im WTA-Merkblatt „Sanierputzsysteme" enthalten.

12.2 Putz als Brandschutzbekleidung

Anforderungen an den Putz als Brandschutzbekleidung sind in DIN 4102-4 geregelt.

12.3 Putz mit Strahlenabsorption

Die Anforderungen insbesondere an Zusammensetzung und Putzdicke sind unter Beachtung der einschlägigen Richtlinien für den Strahlenschutz im Einzelfall festzulegen.

12.4 Schallabsorbierende Putze (Akustikputze)

Der bevorzugte Anwendungsbereich von Akustikputzen liegt dort, wo nur geringe Aufbauhöhen zur Verfügung stehen.

Die Schallabsorption wird in DIN EN ISO 11 654 in sechs Klassen eingeteilt. Entsprechend diesen Anforderungen muss der Putzhersteller eine Schallabsorptionsklasse angeben. In VDI 3755 werden weitere Erläuterungen gegeben.

F

Kunstharzputze

Begriffe, Anforderungen, Ausführung

Auszug aus **DIN 18 558** (1.85)

1 Anwendungsbereich

Diese Norm gilt für Kunstharzputze auf Wand- und Deckenflächen. Sie werden als Oberputz auf Unterputz aus Mörteln mit mineralischen Bindemitteln oder auf Beton mit geschlossenem Gefüge[1]) verwendet. Für Unterputze aus Mörtel mit mineralischen Bindemitteln gelten DIN 18 550-1 und -2.

2 Zweck

Diese Norm enthält die Beschreibung der

- Eigenschaften von Beschichtungsstoffen für die Herstellung von Kunstharzputzen,
- Eigenschaften von Kunstharzputzen und
- die bei der Herstellung, Verarbeitung und Beurteilung verwendeten Begriffe. Sie legt ferner Anforderungen fest und regelt die Überwachung.

3 Begriffe und Einteilung

3.1 Kunstharzputz

Kunstharzputze sind Beschichtungen[2]) mit putzartigem Aussehen. Für die Herstellung von Kunstharzputzen werden Beschichtungsstoffe aus organischen Bindemitteln in Form von Dispersionen oder Lösungen und aus Zuschlägen/Füllstoffen mit überwiegendem Kornanteil 4 0,25 mm verwendet.

Kunstharzputze erfordern einen vorherigen Grundanstrich[2]).

Beschichtungsstoffe für die Herstellung von Kunstharzputzen, im weiteren nur als Beschichtungsstoff bezeichnet, werden im Werk gefertigt und verarbeitungsfähig geliefert. Mit Ausnahme geringer Zugaben von Verdünnungsmitteln (Wasser oder organisches Lösemittel) zur Regulierung der Konsistenz sind Veränderungen der Beschichtungsstoffe unzulässig.

3.2 Beschichtungsstoff-Typen

Nach Anwendung und Bindemittelanteil werden 2 Typen von Beschichtungsstoffen unterschieden (siehe Tabelle 1).

---

[1]) Für die Anwendung von Kunstharzputz auf bewehrten Bauteilen aus Gasbeton nach DIN 4223 (z. Z. Entwurf) liegt das Merkblatt Nr. 11 „Beschichtungen, Tapezier- und Klebearbeiten auf Gasbeton", herausgegeben vom Bundesausschuß Farbe und Sachwertschutz, Börsenstraße 1, 60313 Frankfurt/Main, vor.

[2]) Begriff siehe DIN 55 945.

Tabelle 1 Beschichtungsstoff-Typen

Beschichtungsstoff-Typ	für Kunstharzputz als
P Org 1	Außen- und Innenputz
P Org 2	Innenputz

3.3 Ausgangsstoffe

3.3.1 Organische Bindemittel

Organische Bindemittel im Sinne dieser Norm sind Polymerisatharze als Kunststoffdispersion[3)] oder als Lösung.

3.3.2 Zuschlag

Es wird zwischen mineralischem und organischem Zuschlag unterschieden. Zuschläge zur Herstellung von Beschichtungsstoffen werden auch als Füllstoffe bezeichnet.

3.3.2.1 Mineralischer Zuschlag

Mineralischer Zuschlag ist ein Gemenge (Haufwerk) aus ungebrochenen und/oder gebrochenen Körnern von natürlichen und/oder künstlichen mineralischen Stoffen, die

– ein dichtes Gefüge besitzen, z. B. Natursand, Brechsand, Granulat (Zuschlag mit dichtem Gefüge)
– ein poriges Gefüge besitzen, z. B. Perlit, Blähton, geblähte Schmelzflüsse (Zuschlag mit porigem Gefüge)

(aus: DIN 18 550-1 (01.85)).

3.3.2.2 Organischer Zuschlag

Organischer Zuschlag ist ein Gemenge (Haufwerk) aus Körnern organischer Stoffe, die

– ein dichtes Gefüge besitzen, z. B. Kunststoffgranulate (Zuschlag mit dichtem Gefüge)
– ein poriges Gefüge besitzen, z. B. geschäumte Kunststoffe (Zuschlag mit porigem Gefüge)

(aus: DIN 18 550-1 (01.85)).

3.3.3 Zusätze

3.3.3.1 Zusatzmittel

Zusatzmittel im Sinne dieser Norm sind Hilfsmittel, die die Eigenschaften des Beschichtungsstoffes und/oder des Kunstharzputzes durch chemische und/oder physikalische Wirkung beeinflussen und in geringer Menge zugegeben werden; hierzu gehören z. B. Filmbildehilfsmittel, Entschäumer, Verdickungsmittel.

F

[1)] Begriff siehe DIN 55 947.

3.3.3.2 Zusatzstoffe

Zusatzstoffe im Sinne dieser Norm sind Stoffe, die die Eigenschaften des Beschichtungsstoffes und/oder Kunstharzputzes beeinflussen und deren Stoffraumanteil im Gegensatz zu den Zusatzmitteln nicht vernachlässigt werden darf; hierzu gehören z. B. Weiß- und Buntpigmente.

3.3.4 Verdünnungsmittel

Verdünnungsmittel im Sinne dieser Norm sind Flüssigkeiten, die zur Einstellung der Verarbeitungskonsistenz von Beschichtungsstoffen verwendet werden; je nach Bindemittelart des Beschichtungsstoffes wird Wasser oder organisches Lösemittel verwendet.

3.6 Putzanwendung

Die Putzanwendung kennzeichnet den Kunstharzputz nach seiner örtlichen Lage am Bauwerk und der dadurch gegebenen Beanspruchung.

Hiernach werden unterschieden:

a) Außenputz
   - auf aufgehenden Flächen
   - für Sockel im Bereich oberhalb der Anschüttung
   - für Deckenuntersichten

b) Innenputz
   - für Wände in Räumen mit üblicher Luftfeuchte einschließlich der häuslichen Küchen und Bäder
   - für Wände in Feuchträumen
   - für Decken in Räumen mit üblicher Luftfeuchte einschließlich der häuslichen Küchen und Bäder
   - für Decken in Feuchträumen

3.7 Oberflächenstrukturen und -effekte

Je nach Art des Beschichtungsstoffes, des Auftragverfahrens und der Oberflächenbehandlung werden Kunstharzputze nach Oberflächenstrukturen bzw. -effekten unterschieden:

Kratzputz, Reibeputz, Rillenputz, Spritzputz, Rollputz, Buntsteinputz, Modellierputz, Streichputz.

4 Bezeichnung

Bezeichnung eines Beschichtungsstoffes für Außen- und Innenputz (P Org 1):

Beschichtungsstoff DIN 18 558 – P Org 1

Bezeichnung eines Beschichtungsstoffes für Innenputz (P Org 2):

Beschichtungsstoff DIN 18 558 – P Org 2

8.2 Anwendung bewährter Putzsysteme

Für die Verwendung von Kunstharzputz aus Beschichtungsstoffen nach dieser Norm sind in den Tabellen 2 bis 5 bewährte Putzsysteme für verschiedene Anwendungsbereiche angegeben. Bei Anwendung dieser Systeme sowie sach- und fachgerechter Ausführung können jeweils die in Abschnitt 6 (nicht abgedruckt) genannten Anforderungen an den Putz ohne weiteren Nachweis als erfüllt angesehen werden.

8.3 Anwendung anderer Putzsysteme

Sollen andere als in den Tabellen 2 bis 5 angegebene Putzsysteme angewendet werden, so sind Eignungsprüfungen für das vorgesehene Putzsystem durchzuführen.

Estriche im Bauwesen –

Teil 1: Allgemeine Anforderungen, Prüfung und Ausführung

Auszug aus **DIN 18 560-1** (09.2009)

Inhalt

1 Anwendungsbereich

Diese Norm gilt für Estriche aus Estrichmörteln und Estrichmassen nach DIN EN 13 813, die unter Verwendung von Calciumsulfat, Gussasphalt, Kunstharz, kaustische Magnesia oder Zement hergestellt sind.

ANMERKUNG Wird für Baustellenestrichmörtel eine Konformitätserklärung nach DIN EN 13813 abgegeben, ist eine CE-Kennzeichnung nicht erforderlich. Eine CE-Kennzeichnung für Estrich (Estrichkonstruktionen) nach DIN 18560-2, DIN 18560-3, DIN 18560-4 und DIN 18560-7 ist nicht vorgesehen.

3 Begriffe

Für die Anwendung dieser Norm gelten die in DIN EN 13 318 angegebenen Begriffe.

4 Kurzzeichen

Die Bezeichnungen für die verschiedenen Estricharten sind in DIN 18 560-2, DIN 18 560-3, DIN 18 560-4 und DIN 18 560-7 angegeben. Kurzzeichen für Estrichmörtel werden nach DIN EN 13 813 nach dem verwendeten Bindemittel wie folgt gebildet:

- CA Calciumsulfatestrich;
- AS Gussasphaltestrich;
- MA Magnesiaestrich;
- SR Kunstharzestrich;
- CT Zementestrich.

5 Allgemeine Anforderungen

5.1 Allgemeines

Ein Estrich muss in jeder Schicht hinsichtlich Dicke, Rohdichte und mechanischer Eigenschaften möglichst gleichmäßig sein und eine ebene Oberfläche mit Ebenheitstoleranzen nach DIN 18 202 aufweisen, die eine für den Verwendungszweck ausreichende Oberflächenfestigkeit aufweisen muss.

Werden bei Magnesia-, Kunstharz- und Zementestrich für besondere Anwendungsgebiete zusätzliche Anforderungen an den Verschleißwiderstand gestellt, müssen die Kennwerte für diese Anforderungen auf die Festigkeitsklassen abgestimmt werden.

Material- und herstellungsbedingte Farb- und Strukturunterschiede in der Oberfläche des Estrichs sind zulässig.

F

5.2 Dicke

Die Dicke eines Estrichs sowie die Ober- bzw. Nutzschichtdicke eines ein- oder mehrschichtigen Estrichs müssen auf die jeweilige Estrichbauart und den jeweiligen Verwendungszweck des Estrichs abgestimmt sein. Wenn nicht anders festgelegt, ist die Dicke eines Estrichs aus den Werten nach Tabelle 1, erste Spalte, und die Ober- bzw. Nutzschichtdicke eines mehrschichtigen Estrichs bzw. die Dicke einer Hartstoffschicht aus den Werten nach Tabelle 2, erste Spalte, zu wählen.

Bei der Prüfung der Dicke dürfen die Werte der zweiten und dritten Spalten der Tabelle 1 bzw. Tabelle 2 nicht unterschritten werden.

Tabelle 1 – Estrichdicken

Estrichdicke mm		
Nenndicke	kleinster Einzelwert	Mittelwert
10	≥[a]	≥ 10
15	≥[a]	≥ 15
20	≥ 15	≥ 20
25	≥ 20	≥ 25
30	≥ 25	≥ 30
35	≥ 30	≥ 35
40	≥ 35	≥ 40
45	≥ 40	≥ 45
50	≥ 45	≥ 50
60	≥ 50	≥ 60
70	≥ 60	≥ 70
80	≥ 70	≥ 80
> 80[b]	≥[a]	≥ Nenndicke

[a] Diese Werte sind im Einzelfall zu vereinbaren.

[b] Betontechnologische Grundsätze nach DIN EN 206-1 sind zu berücksichtigen.

Tabelle 2 – Ober- bzw. Nutzschichtdicke ein- oder mehrschichtiger Estriche bzw. Dicke einer Hartstoffschicht

Ober- bzw. Nutzschichtdicke mm		
Nenndicke	kleinster Einzelwert	Mittelwert
< 4	≥ Nenndicke – 20 %	≥ Nenndicke
4	≥ 3	≥ 4
5	≥ 3	≥ 5
6	≥ 4	≥ 6
8	≥ 5	≥ 8
10	≥ 6	≥ 10
15	≥ 10	≥ 15
20	≥ 15	≥ 20

5.3 Trockenrohdichte

Für Magnesiaestrich gelten für die Trockenrohdichte die Rohdichteklassen nach Tabelle 3.

Anforderungen an die Trockenrohdichte sind nur zu stellen, wenn dies wegen der Wärmeleitfähigkeit und/oder der Eigenlast erforderlich ist.

Tabelle 3 – Rohdichteklassen für Magnesiaestriche

Rohdichteklasse	Trockenrohdichte kg/dm³	
	Mittelwert jeder Serie	Größter Einzelwert
0,4	≤ 0,4	0,5
0,8	≤ 0,8	0,9
1,2	≤ 1,2	1,3
1,4	≤ 1,4	1,5
1,6	≤ 1,6	1,7
1,8	≤ 1,8	1,9
2,0	≤ 2,0	2,1
2,2	≤ 2,2	2,3

F

5.4 Mechanische Kennwerte

Die Klassen der mechanischen Kennwerte sind nach DIN EN 13 813 festzulegen.

Im Allgemeinen genügen Calciumsulfat-, Magnesia-, Kunstharz- und Zementestriche den vorgesehenen Beanspruchungen, wenn sie der angegebenen Druck- und Biegezugfestigkeitsklasse entsprechen. Das Gleiche gilt für Gussasphaltestriche bei Einhaltung der angegebenen Härteklasse.

Hochbeanspruchbare Estriche nach DIN 18 560-7 müssen darüber hinaus weitere Anforderungen, z. B. an den jeweiligen Verschleißwiderstand oder an die Oberflächenhärte, erfüllen. Um den Verschleißwiderstand auf Dauer sicherzustellen, dürfen Zementestrichmörtel für hochbeanspruchbare Estriche nach DIN 18 560-7 nur aus Zementen nach DIN EN 197-1 bzw. DIN 1164, die sich nach DIN 1045-2 für die Expositionsklassen „Verschleiß" XM 1, XM 2 und XM 3 eignen, hergestellt werden.

5.5 Brandverhalten

Es dürfen nur solche Estrichmörtel und Estrichmassen verwendet werden, deren Brandverhalten einer Klasse nach DIN EN 13 501-1 zugeordnet ist.

ANMERKUNG Der Anwendungsbereich der Estrichmörtel und Estrichmassen hinsichtlich ihres Brandverhaltens wird durch die Bauordnung der Länder durch Hinweise in der Bauregelliste oder sonstige Verordnungen, wie z. B. durch die Versammlungsstättenverordnung usw., geregelt.

Zementestrichmörtel, Calciumsulfatestrichmörtel und Magnesiaestrichmörtel können der Klasse A 1 (A_{fl}) zugeordnet werden, wenn der Massenanteil an organischen Substanzen 1 % nicht überschreitet.

5.6 Wärmeschutz

Werden an den Estrich Anforderungen an den Wärmeschutz gestellt, dürfen nur solche Estrichmörtel und Estrichmassen verwendet werden, deren Wärmeleitfähigkeit vom Mörtelhersteller nach DIN EN 13 813 (bzw. bauaufsichtlicher Zulassung) angegeben wird.

5.7 Schallschutz

Werden an den Estrich Anforderungen an den Schallschutz gestellt, dürfen nur solche Estrichmörtel und Estrichmassen verwendet werden, deren Schallschutzeigenschaften im System nach der Normenreihe DIN 4109 vorliegen oder hierfür ein bauaufsichtlich geregelter Nachweis vorliegt.

5.8 Estrich im Freien

Als Estrich im Freien eignen sich Gussasphalt- und Zementestriche. Hierfür sind Gussasphaltestriche in der Regel der Härteklasse IC 40 nach DIN EN 13 813 zu verwenden. Zementestriche sind, wenn sie durch Taumittel beansprucht werden, in Anlehnung an DIN 1045-1 herzustellen.

Estriche im Bauwesen –

Teil 2: Estriche und Heizestriche auf Dämmschichten (schwimmende Estriche)

Auszug aus **DIN 18 560-2** (09.2009)

Inhalt

F

1 Anwendungsbereich

Diese Norm gilt zusammen mit DIN 18 560-1, DIN EN 13 318 und DIN EN 13 813 für Estriche auf Dämmschichten (im Folgenden schwimmende Estriche genannt), die Anforderungen an den Wärme- und/oder Schallschutz zu erfüllen haben. Als Heizestriche (siehe Bild 1) dienen sie außerdem zur Aufnahme der Heiz-/Kühlelemente (z. B. Rohre) für die Raumheizung/-kühlung.

Für schwimmende Estriche, die hohen Beanspruchungen unterliegen, gilt zusätzlich DIN 18 560-7.

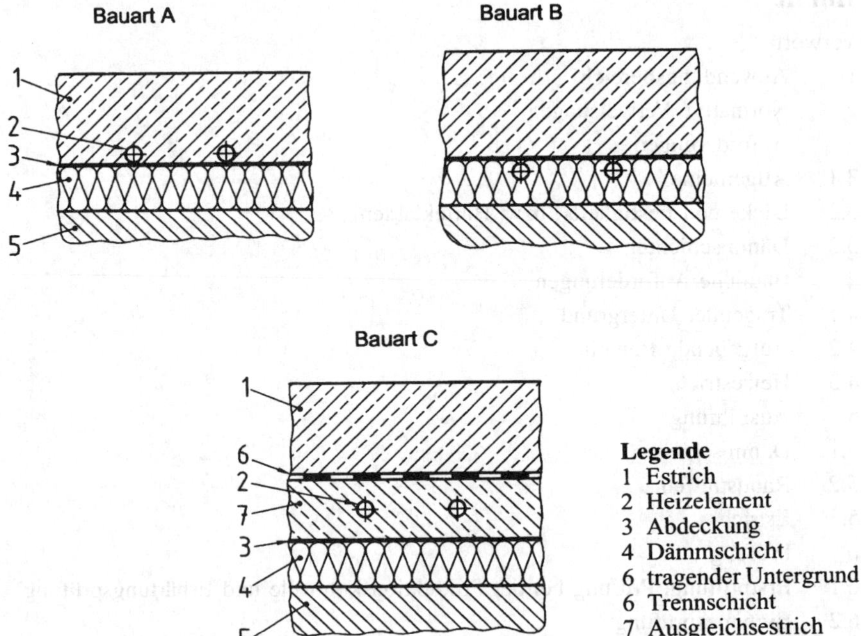

Bild 1 – Bauarten von Heizestrichen

3 Anforderungen

3.1 Allgemeines

Schwimmende Estriche müssen die allgemeinen Anforderungen nach DIN EN 13 813 und DIN 18 560-1 erfüllen. In der Regel werden jedoch keine Anforderungen an den Verschleißwiderstand gestellt.

Bei Heizestrichen werden folgende Bauarten (siehe Bild 1) unterschieden (siehe DIN EN 1264-4):

- A Systeme mit Rohren innerhalb des Estrichs;
- B Systeme mit Rohren unterhalb des Estrichs;
- C Systeme mit Rohren im Ausgleichsestrich, auf den der Estrich mit einer zweilagigen Trennschicht aufgebracht wird.

Bei Warmwasser-Fußbodenheizungen darf die Temperatur im Bereich der Heizelemente im Estrich

- bei Gussasphaltestrichen 45 °C,
- bei Calciumsulfat- und Zementestrichen 55 °C

auf Dauer nicht überschreiten.

Bei Elektro-Fußbodenheizungen darf die Temperatur im Bereich der Heizelemente im Estrich

- bei Gussasphaltestrichen und Calciumsulfatestrichen 55 °C,
- bei Zementestrichen 65 °C

auf Dauer nicht überschreiten.

3.2 Dicke und Festigkeits- bzw. Härteklassen

3.2.1 Unbeheizte Estriche

Für unbeheizte Estriche sind die Estrich-Nenndicken in Abhängigkeit von der Nutzlast bzw. der lotrechten Einzellast nach DIN 1055-3, der Art des Estrichs und der Zusammendrückbarkeit der Dämmschicht C den Tabellen 1 bis 4 zu entnehmen.

Bei lotrechten Nutzlasten, die höher als 5 kN/m^2 nach DIN 1055-3 sind, sind die Estrichnenndicken vom Planer festzulegen.

Bei Gussasphaltestrichen ist die Temperatur des Estrichs in der Nutzung zu beachten (siehe DIN 18 560-3 und DIN 18 560-4). Ferner können in unbeheizten Räumen oder in Räumen mit niedrigen Temperaturen andere Härteklassen als nach den Tabellen 1 bis 4 erforderlich werden.

Bei anderen als den angegebenen Biegezugfestigkeitsklassen ist eine von den Tabellen 1 bis 4 abweichende Nenndicke möglich. Die Mindestdicke muss jedoch 30 mm betragen. Die Nenndicke des Estrichs darf unter Stein- und keramischen Belägen 40 mm bei Calciumsulfat-Fließestrichen (CAF) und 45 mm bei allen anderen Estrichen nicht unterschreiten. Bei geringeren Nenndicken ist eine Prüfung auf Tragfähigkeit und auch auf Durchbiegung nach 6.2 durchzuführen. Bei dieser Prüfung darf der Prüfkörper unter einer Prüflast von 400 N nicht brechen und die Durchbiegung bei Estrichen darf höchstens 0,15 mm betragen.

Tabelle 1 – Nenndicken und Biegezugfestigkeit bzw. Härte unbeheizter Estriche auf Dämmschichten[1)] für lotrechte Nutzlasten ≤ 2 kN/m²

Estrichart	Biegezugfestigkeitsklasse bzw. Härteklasse nach DIN EN 13813	Estrichnenndicke[a] in mm bei einer Zusammendrückbarkeit der Dämmschicht c[d] ≤ 5 mm[b]	Bestätigungsprüfung: Biegezugestigkeit b_{BZ} N/mm²		Eindringtiefe mm	
			kleinster Einzelwert	Mittelwert	bei (22 ± 1) °C	bei (40 ± 1) °C
Calciumsulfat-Fließestrich CAF	F4	≥ 35	≥ 3,5	≥ 4,0	–	–
	F5	≥ 30	≥ 4,5	≥ 5,0	–	–
	F7	≥ 30	≥ 6,5	≥ 7,0	–	–
Calciumsulfatestrich CA	F4	≥ 45	≥ 2,0	≥ 2,5	–	–
	F5	≥ 40	≥ 2,5	≥ 3,5	–	–
	F7	≥ 35	≥ 3,5	≥ 4,5	–	–
Gussasphaltestrich AS	IC 10	≥ 25	–	–	≤ 1,0	≤ 4,0
Kunstharzestrich SR	F7	≥ 35	≥ 4,5	≥ 5,5	–	–
	F10	≥ 30	≥ 6,5	≥ 7,0	–	–
Magnesiaestrich MA	F4[c]	≥ 45	≥ 2,0	≥ 2,5	–	–
	F5	≥ 40	≥ 2,5	≥ 3,5	–	–
	F7	≥ 35	≥ 3,5	≥ 4,5	–	–
Zementestrich CT	F4	≥ 45	≥ 2,0	≥ 2,5	–	–
	F5	≥ 40	≥ 2,5	≥ 3,5	–	–

[a] Bei Dämmschichten ≤ 40 mm kann bei Calciumsulfat-, Kunstharz-, Magnesia- und Zementestrichen die Estrichnenndicke um 5 mm reduziert werden. Die Mindestdicke von 30 mm darf nicht unterschritten werden (außer bei Gussasphalt).

[b] Bei Gussasphaltestrichen darf die Zusammendrückbarkeit der Dämmschichten nicht mehr als 3 mm betragen.

[c] Die Oberflächenhärte bei Steinholzestrichen muss mindestens SH 30 nach DIN EN 13813 entsprechen.

[d] Bei höherer Zusammendrückbarkeit (≤ 10 mm) muss die Estrichnenndicke um 5 mm erhöht werden.

[1)] Die Dämmschicht kann aus einer oder mehreren Lagen aus den für die vorgesehene Art des Estrichs geeigneten Dämmstoffen bestehen; die Zusammendrückbarkeiten werden addiert.

Tabelle 2 – Nenndicken und Biegezugfestigkeit bzw. Härte unbeheizter Estriche auf Dämmschichten[1)] für lotrechte Nutzlasten (Einzellasten bis 2,0 kN[2)], Flächenlasten ≤ 3 kN/m²[2)])

Estrichart	Biegezug-festigkeits-klasse bzw. Härte-klasse nach DIN EN 13813	Estrich-nenndicke[a] mm bei einer Zusam-mendrück-barkeit der Dämm-schicht C ≤ 5 mm[b]	Bestätigungsprüfung			
			Biegezugestigkeit β_{BZ} N/mm²		Eindringtiefe mm	
			kleinster Einzel-wert	Mittel-wert	bei (22 ± 1) °C	bei (40 ± 1) °C
Calciumsulfat-Fließestrich CAF	F4	≥ 50	≥ 3,5	≥ 4,0	–	–
	F5	≥ 45	≥ 4,5	≥ 5,0	–	–
	F7	≥ 40	≥ 6,5	≥ 7,0	–	–
Calciumsulfat-estrich CA	F4	≥ 65	≥ 2,0	≥ 2,5	–	–
	F5	≥ 55	≥ 2,5	≥ 3,5	–	–
	F7	≥ 50	≥ 3,5	≥ 4,5	–	–
Gussasphaltestrich AS	IC 10	≥ 30	–	–	≤ 1,0	≤ 4,0
	ICH 10	≥ 40	–	–	≤ 1,0	≤ 2,0
Kunstharzestrich SR	F7	≥ 50	≥ 4,5	≥ 5,5	–	–
	F10	≥ 40	≥ 6,5	≥ 7,0	–	–
Magnesiaestrich MA	F4[c]	≥ 65	≥ 2,0	≥ 2,5	–	–
	F5	≥	≥ 2,5	≥ 3,5	–	–
	F7	55 ≥ 50	≥ 3,5	≥ 4,5	–	–
Zementestrich CT	F4	≥ 65	≥ 2,0	≥ 2,5	–	–
	F5	≥ 55	≥ 2,5	≥ 3,5	–	–

[a] Bei Dämmschichten ≤ 40 mm kann bei Calciumsulfat-, Kunstharz-, Magnesia- und Zementestrichen die Estrichnenndicke um 5 mm reduziert werden. Die Mindestdicke von 30 mm darf nicht unterschritten werden (außer bei Gussasphalt).
[b] Bei Gussasphaltestrichen darf die Zusammendrückbarkeit der Dämmschichten nicht mehr als 3 mm betragen.
[c] Die Oberflächenhärte bei Steinholzestrichen muss mindestens SH 30 nach DIN EN 13813 entsprechen.

[1)] Die Dämmschicht kann aus einer oder mehreren Lagen aus den für die vorgesehene Art des Estrichs geeigneten Dämmstoffen bestehen; die Zusammendrückbarkeiten werden addiert.
[2)] Bei Einzellasten sind für deren Aufstandsflächen im Allgemeinen zusätzliche Überlegungen erforderlich. Dasselbe gilt für Fahrbeanspruchung.

Tabelle 3 – Nenndicken und Biegezugfestigkeit bzw. Härte unbeheizter Estriche auf Dämmschichten[1] für lotrechte Nutzlasten (Einzellasten bis 3,0 kN[2]), Flächenlasten ≈ 4 kN/m^2)

Estrichart	Biegezug-festigkeits-klasse bzw. Härte-klasse nach DIN EN 13 813	Estrich-nenndicke[a] in mm bei einer Zusam-mendrück-barkeit der Dämm-schicht *C* ≤ 3 mm[b]	Bestätigungsprüfung			
			Biegezugfestigkeit β_{BZ} N/mm^2		Eindringtiefe mm	
			kleinster Einzel-wert	Mittel-wert	bei (22 ± 1) °C	bei (40 ± 1) °C
Calciumsulfat-Fließestrich CAF	F4	≥ 60	≥ 3,5	≥ 4,0	–	–
	F5	≥ 50	≥ 4,5	≥ 5,0	–	–
	F7	≥ 45	≥ 6,5	≥ 7,0	–	–
Calciumsulfat-estrich CA	F4	≥ 70	≥ 2,0	≥ 2,5	–	–
	F5	≥ 60	≥ 2,5	≥ 3,5	–	–
	F7	≥ 55	≥ 3,5	≥ 4,5	–	–
Gussasphaltestrich AS	IC 10	≥ 30	–	–	≤ 1,0	≤ 4,0
	IHC 10	≥ 40	–	–	≤ 1,0	≤ 2,0
Kunstharzestrich SR	F7	≥ 55	≥ 4,5	≥ 5,5	–	–
	F10	≥ 45	≥ 6,5	≥ 7,0	–	–
Magnesiaestrich MA	F4[b]	≥ 70	≥ 2,0	≥ 2,5	–	–
	F5	≥ 60	≥ 2,5	≥ 3,5	–	–
	F7	≥ 55	≥ 3,5	≥ 4,5	–	–
Zementestrich CT	F4	≥ 70	≥ 2,0	≥ 2,5	–	–
	F5	≥ 60	≥ 2,5	≥ 3,5	–	–

[a] Bei Dämmschichten ≤ 40 mm kann bei Calciumsulfat-, Kunstharz-, Magnesia- und Zementestrichen die Estrichnenndicke um 5 mm reduziert werden.
[b] Die Oberflächenhärte bei Steinholzestrichen muss mindestens SH 30 nach DIN EN 13 813 entsprechen.

[1] Die Dämmschicht kann aus einer oder mehreren Lagen aus den für die vorgesehene Art des Estrichs geeigneten Dämmstoffen bestehen; die Zusammendrückbarkeiten werden addiert.
[2] Bei Einzellasten sind für deren Aufstandsflächen im Allgemeinen zusätzliche Überlegungen erforderlich. Dasselbe gilt für Fahrbeanspruchung.

Tabelle 4 – Nenndicken und Biegezugfestigkeit bzw. Härte unbeheizter Estriche auf Dämmschichten[1)] für lotrechte Nutzlasten (Einzellasten bis 4,0 kN[2)], Flächenlasten ≈ 5 kN/m²)

Estrichart	Biegezugfestigkeitsklasse bzw. Härteklasse nach DIN EN 13813	Estrichnenndicke[a] in mm bei einer Zusammendrückbarkeit der Dämmschicht $C \leq 3$ mm[b]	Bestätigungsprüfung			
			Biegezugfestigkeit β_{BZ} N/mm²		Eindringtiefe mm	
			kleinster Einzelwert	Mittelwert	bei (22 ± 1) °C	bei (40 ± 1) °C
Calciumsulfat-Fließestrich CAF	F4	≥ 65	≥ 3,5	≥ 4,0	–	–
	F5	≥ 55	≥ 4,5	≥ 5,0	–	–
	F7	≥ 50	≥ 6,5	≥ 7,0	–	–
Calciumsulfatestrich CA	F4	≥ 75	≥ 2,0	≥ 2,5	–	–
	F5	≥ 65	≥ 2,5	≥ 3,5	–	–
	F7	≥ 60	≥ 3,5	≥ 4,5	–	–
Gussasphaltestrich AS	IC 10	≥ 35	–	–	≤ 1,0	≤ 4,0
	ICH 10	≥ 40	–	–	≤ 1,0	≤ 2,0
Kunstharzestrich SR	F7	≥ 60	≥ 4,5	≥ 5,5	–	–
	F10	≥ 50	≥ 6,5	≥ 7,0	–	–
Magnesiaestrich MA	F4[b]	≥ 75	≥ 2,0	≥ 2,5	–	–
	F5	≥ 65	≥ 2,5	≥ 3,5	–	–
	F7	≥ 60	≥ 3,5	≥ 4,5	–	–
Zementestrich CT	F4	≥ 75	≥ 2,0	≥ 2,5	–	–
	F5	≥ 65	≥ 2,5	≥ 3,5	–	–

[a] Bei Dämmschichten ≤ 40 mm kann bei Calciumsulfat-, Kunstharz-, Magnesia- und Zementestrichen die Estrichnenndicke um 5 mm reduziert werden.

[b] Die Oberflächenhärte bei Steinholzestrichen muss mindestens SH 30 nach DIN EN 13813 entsprechen.

[1)] Die Dämmschicht kann aus einer oder mehreren Lagen aus den für die vorgesehene Art des Estrichs geeigneten Dämmstoffen bestehen; die Zusammendrückbarkeiten werden addiert.

[2)] Bei Einzellasten sind für deren Aufstandsflächen im Allgemeinen zusätzliche Überlegungen erforderlich. Dasselbe gilt für Fahrbeanspruchung.

3.2.2 Heizestriche

Die Biegezugfestigkeitsklasse von Calciumsulfat- und Zement-Heizestrichen muss in Abhängigkeit von den Nutzlasten den Tabellen 1 bis 4 entsprechen. Die Estrichnenndicken sind bei Calciumsulfat- und Zement-Heizestrichen nach den Tabellen 1 bis 4 zu wählen und bei Bauart A zusätzlich um den Außendurchmesser des Heizrohres *d* zu erhöhen. Die Rohrüberdeckung muss bei der Biegezugfestigkeitsklasse F4 mindestens 45 mm der Nenndicke, bei Fließestrichen dieser Biegezugfestigkeitsklasse CAF-F4 mindestens 40 mm der Nenndicke betragen.

Bei anderen als den angegebenen Biegezugfestigkeitsklassen sind von den um den Außendurchmesser bei Bauart A erhöhten Werten nach den Tabellen 1 bis 4 abweichende Dicken möglich. Dabei muss eine Rohrüberdeckung von mindestens 30 mm eingehalten werden. Zudem muss bei Estrichen mit geringerer Dicke eine Prüfung auf Tragfähigkeit, bei Stein- und keramischen Belägen auch auf Durchbiegung nach 6.2 durchgeführt werden. Bei dieser Prüfung darf der Probekörper unter einer Prüflast von 400 N nicht brechen, und die Durchbiegung bei Estrichen unter Stein- und keramischen Bodenbelägen darf höchstens 0,15 mm betragen.

Wird bei Bauart C als Ausgleichsestrich Calciumsulfatestrich verwendet, muss die mit dem CM-Gerät gemessene Feuchte bei Aufbringen der Trennschicht unter 0,3 % liegen.

Ausgleichsestriche bei der Bauart C neigen wegen der geringen Überdeckung der Heizelemente zu Schwindrissen, die jedoch in der Regel ihre Funktionsfähigkeit nicht beeinträchtigen. Sie haben keine lastverteilende Funktion.

Bei Gussasphalt-Heizestrichen ist nur die Härteklasse IC 10 nach DIN EN 13 813 zulässig. Die Mindestnenndicke des Estrichs muss in Abhängigkeit von der Verkehrslast, abweichend von den Tabellen 1 bis 4, folgenden Werten entsprechen:

- bei einer Nutzlast $\leq 2{,}0\,\text{kN/m}^2$, Nenndicke ≥ 35 mm;
- bei einer Nutzlast $> 2{,}0\,\text{kN/m}^2$ und $\leq 5{,}0\,\text{kN/m}^2$, Nenndicke ≥ 40 mm.

Die Rohrüberdeckung muss mindestens 15 mm betragen.

3.3 Dämmschichten

Die Dämmschichten müssen aus Dämmstoffen nach DIN EN 13 162, DIN EN 13 163 DIN EN 13 164, DIN EN 13 165, DIN EN 13 166, DIN EN 13 167, DIN EN 13 168, DIN EN 13 169, DIN EN 13 170 und DIN EN 13 171 bestehen, deren stoffliche Eignung für Anforderungen an den Wärmeschutz und/oder den Schallschutz schwimmender Estriche in DIN V 4108-10 oder in anderen Anwendungsnormen ausgewiesen ist. Andere Dämmstoffe dürfen verwendet werden, wenn ihre Gebrauchstauglichkeit den bauaufsichtlichen Vorschriften entsprechend nachgewiesen ist.

Die Dämmschicht muss für die vorgegebene Verkehrslast als geeignet ausgewiesen sein. Die Zusammendrückbarkeit *c* ergibt sich aus der Differenz zwischen der Lieferdicke *dL* und der Dicke unter der Belastung *dB*. Sie ist aus der Kennzeichnung der Dämmstoffe ersichtlich, z. B. 20 – CP3: $dL = 20$ mm, $c = 3$ mm. Bei mehreren Lagen sind die Zusammendrückbarkeiten der einzelnen Lagen zu addieren. Die Zusammendrückbarkeit von geeigneten, druckbelastbaren Wärmedämmstoffen ist bei der Addition mit dem Wert 0 anzusetzen.

Bei einigen Kunstharzestrichmörteln können bestimmte Dämmstoffe durch Bindemittelbestandteile und/oder Lösemittel angegriffen werden. Daher sind entsprechende Schutzmaßnahmen zu ergreifen.

Bei Gussasphaltestrichen müssen Dämmschichten aus Schüttungen oder aus Dämmstoffen oder aus Dämmplatten mit geringer Steifigkeit mit einer ausreichend dicken, verformungsbeständigen Dämmplatte abgedeckt werden. Dämmschichten unter Gussasphaltestrichen müssen stofflich oder durch zusätzliche Maßnahmen einer kurzzeitigen Einbautemperatur bis 250 °C standhalten.

Bei Heizestrichen darf die Zusammendrückbarkeit *c* der Dämmschicht in Abhängigkeit von der Nutzlast nicht mehr als 5 mm bzw. 3 mm, bei Gussasphalt-Heizestrichen nicht mehr als 3 mm betragen. Werden Trittschall- und Wärmedämmstoffe in einer Dämmschicht zusammen eingesetzt, muss der Dämmstoff mit der geringeren Zusammendrückbarkeit oben liegen. Dies gilt nicht für trittschalldämmende Heizsystemplatten und auch nicht für die Fälle des Rohrausgleichs mit Wärmedämmplatten.

Bei Heizestrichen mit elektrischer Beheizung muss die oberste Lage der Dämmschicht kurzzeitig gegen eine Temperaturbeanspruchung von 90 °C widerstandsfähig sein.

4 Bauliche Anforderungen

4.1 Tragender Untergrund

Der tragende Untergrund muss zur Aufnahme des schwimmenden Estrichs ausreichend trocken sein und eine ebene Oberfläche haben. Ebenheit und Winkeltoleranzen müssen DIN 18 202 entsprechen. Er darf keine punktförmigen Erhebungen, Rohrleitungen oder Ähnliches aufweisen, die zu Schallbrücken und/oder Schwankungen in der Estrichdicke führen können.

Für Heizestriche aus Fertigteilen sind darüber hinaus die besonderen Anforderungen des Herstellers an die Ebenheit des tragenden Untergrunds zu beachten.

Falls Rohrleitungen auf dem tragenden Untergrund verlegt sind, müssen sie festgelegt sein. Durch einen Ausgleich ist wieder eine ebene Oberfläche zur Aufnahme der Dämmschicht – mindestens jedoch der Trittschalldämmung – zu schaffen. Die dazu erforderliche Konstruktionshöhe muss eingeplant sein.

Ausgleichsschichten müssen im eingebauten Zustand eine gebundene Form aufweisen. Schüttungen dürfen verwendet werden, wenn ihre Brauchbarkeit nachgewiesen ist. Druckbelastbare Dämmstoffe dürfen als Ausgleichsschichten verwendet werden.

Fugen im tragenden Untergrund müssen vollkantig sein, eine gleichmäßige Breite aufweisen und geradlinig verlaufen.

Soll die Oberfläche des schwimmenden Estrichs im Gefälle liegen, so muss dies bereits im tragenden Untergrund vorhanden sein, damit der Estrich in gleichmäßiger Dicke hergestellt werden kann.

Abdichtungen gegen Bodenfeuchte und nicht-drückendes Wasser sind vom Bauwerksplaner festzulegen und vor Einbau des Estrichs herzustellen (siehe DIN 18 195-4 und DIN 18 195-5).

4.2 Aufgehende Bauteile

Aufgehende Bauteile, für die ein Wandputz vorgesehen ist, müssen vor dem Verlegen der Dämmschichten verputzt sein.

4.3 Heizestriche

Bei der Planung von Heizestrichen sind die Heizkreise und die Estrichfelder aufeinander abzustimmen.

Bewegungsfugen dürfen nicht von Heizelementen gekreuzt werden. Anschlussleitungen, die Bewegungsfugen kreuzen müssen, sind in geeigneter Weise, z. B. durch Rohrhülsen von etwa 0,3 m Länge, zu schützen (siehe auch 5.3.3).

5 Ausführung

5.1 Dämmschicht

5.1.1 Verlegen

Zur Herstellung der Dämmschicht müssen die Dämmstoffe dicht gestoßen verlegt werden. Mehrlagige Dämmschichten sind so zu verlegen, dass die Stöße gegeneinander versetzt sind. Dabei dürfen höchstens zwei Lagen aus Trittschalldämmstoffen bestehen.

Die Dämmschicht muss vollflächig auf der Unterlage aufliegen. Hohlstellen sind durch geeignete Maßnahmen zu beseitigen.

5.1.2 Abdecken

Vor dem Aufbringen des Estrichs muss die Dämmschicht mit einer Polyethylenfolie von mindestens 0,15 mm Dicke oder mit einem anderen Erzeugnis vergleichbarer Eigenschaften abgedeckt werden. Bei Heizestrichen sind Polyethylenfolien von mindestens 0,15 mm Dicke zu verwenden. Die einzelnen Bahnen müssen sich an Stößen auf mindestens 80 mm überdecken.

Zur Abdeckung sind auch andere Stoffe oder Maßnamen zulässig, wenn eine den oben genannten Stoffen gleichwertige Funktion des Abdeckens nachgewiesen wird.

Bei Gussasphaltestrich ist eine temperaturbeständige Abdeckung der Dämmschicht mit Rippenpappe, Rohglasvlies oder Ähnlichem erforderlich.

Bei Kunstharzestrichen ist sicherzustellen, dass die Abdeckung gegen Bindemittelbestandteile und/oder Lösemittel beständig ist.

Die Abdeckung ist an den Rändern bis zur Oberkante des Randstreifens nach 5.2 hoch zu führen, sofern der Randstreifen nicht selbst die Funktion der Abdeckung erfüllt.

Bei Fließestrichen und Kunstharzestrichen ist die Abdeckung der Dämmschicht z. B. durch Verkleben oder Verschweißen so auszubilden, dass sie bis zum Erstarren des Estrichs flüssigkeitsdicht ist.

Abdeckungen können nicht als geeignete Maßnahmen zum dauerhaften Schutz der Dämmschicht gegen Feuchte angesehen werden.

5.1.3 Schutzmaßnahmen

Die Dämmschicht ist, falls erforderlich, durch geeignete Maßnahmen vor Feuchte, z. B. durch Dampfsperren, zu schützen. Solche Maßnahmen sind vom Planer bei der Bauwerksplanung festzulegen. Die Dämmschicht und ihre Abdeckung dürfen auch beim Einbau des Estrichs und gegebenenfalls der Heizelemente nicht, z. B. durch Verwendung ungeeigneter Kniebretter, in ihrer Funktionsfähigkeit beeinträchtigt werden. Für den Transport des Estrichmörtels über die Dämmschicht mit Karren müssen Bohlen oder Ähnliches verlegt werden. Ebenso sind andere, auch kurzzeitige größere Belastungen der Dämmschicht zu vermeiden, damit ihre dämmende Wirkung nicht herabgesetzt wird.

5.2 Randstreifen

An Wänden und anderen aufgehenden Bauteilen, z. B. Türzargen, Rohrleitungen, sind schalldämmende Randstreifen (Randfugen) anzuordnen.

Bei Gussasphaltestrichen müssen Randstreifen gegen die kurzzeitige Einbautemperatur von 250 °C beständig sein. Sollen auf Gussasphaltestrichen harte Beläge (z. B. Parkett, Fliesen) verlegt werden, muss der Randstreifen so dick sein, dass die Fuge zwischen Estrich und Wand etwa 10 mm beträgt.

Die Randstreifen müssen mindestens bis zur Oberfläche des Oberbelages reichen. Die Randstreifen müssen bei einlagigen Dämmschichten auf dem tragenden Untergrund aufstehen.

Bei mehrlagigen Dämmschichten muss der Randstreifen vor dem Einbringen der Dämmschicht für die Schalldämmung verlegt sein. Der Randstreifen muss gegen Lageveränderung beim Einbringen des Estrichs gesichert sein. Die überstehenden Teile des Randstreifens und der hochgezogenen Abdeckung dürfen erst nach Fertigstellung des Fußbodenbelages, bzw. bei textilen und elastischen Belägen erst nach Erhärtung der Spachtelmasse, abgeschnitten werden. Randstreifen müssen bei Heizestrichen eine Bewegung von mindestens 5 mm ermöglichen.

5.3 Estrich

5.3.1 Allgemeines

Der Estrich ist nach DIN 18 560-1 herzustellen.

Bei Heizestrichen auf Basis von Calciumsulfat oder Zement dürfen nur solche Zusatzmittel verwendet werden, die den Volumenanteil der Luftporen des Mörtels um nicht mehr als 5 % erhöhen.

5.3.2 Bewehrung

Eine Bewehrung von Estrichen auf Dämmschicht ist grundsätzlich nicht erforderlich.

Das Entstehen von Rissen kann durch eine Bewehrung nicht verhindert werden. In manchen Fällen kann eine Bewehrung zweckmäßig sein. Es wird zwischen einer Gitter- und einer Faser-Bewehrung unterschieden.

Bei einer Bewehrung aus Stahlmatten, Betonstahlmatten nach DIN 488-4 (mit Maschenweiten 150 mm × 150 mm) oder Betonstahlgitter (Maschenweite 50 mm bis

F

70 mm, Stabdurchmesser 2 mm bis 3 mm, Stahlfestigkeit $\geq 500 N/mm^2$) sollen die Verbreiterung von auftretenden Rissen und der Höhenversatz der Risskanten minimiert werden.

Bei einer Bewehrung aus Fasern soll die Bildung von Schrumpf- bzw. Frühschwindrissen verringert werden.

Die Wahl der Bewehrung (Zweck, Art und Ausführung) obliegt dem Planer und ist im Leistungsverzeichnis anzugeben.

Die Bewehrung ist im Bereich von Bewegungsfugen zu unterbrechen.

5.3.3 Estrichfugen

Über die Anordnung der Fugen ist ein Fugenplan zu erstellen, aus dem Art und Anordnung der Fugen zu entnehmen sind. Der Fugenplan ist vom Bauwerksplaner zu erstellen und als Bestandteil der Leistungsbeschreibung dem Ausführenden vorzulegen.

Über Bauwerksfugen sind auch im Estrich Fugen anzuordnen (Bewegungsfugen). Außerdem ist der Estrich vor aufgehenden Bauteilen durch Fugen zu trennen (Randfugen). Darüber hinaus notwendige Fugen sind so anzuordnen, dass möglichst gedrungene Felder entstehen. Bewegungsfugen innerhalb der Estrichfläche sind gegebenenfalls gegen Höhenversatz zu sichern.

Die Herstellung von Fugen ist aus bauphysikalischen Gründen erforderlich. Entsprechend ihrer Funktion haben die Fugen folgende Aufgaben:

- Bewegungsfugen nehmen Formänderungen des Estrichs in alle Richtungen auf.
- Randfugen sind Bewegungsfugen im Randbereich des Estrichs und vermindern Schallübertragungen vom Fußboden zu angrenzenden und durchdringenden Bauteilen (so genannte Schallbrücken).
- Scheinfugen sind Sollbruchstellen für das Verkürzen des Estrichs.
- Arbeitsfugen sind wie Scheinfugen zu behandeln.

Nach dem Erhärten und Austrocknen des Estrichs sollten Scheinfugen kraftschlüssig, z. B. durch Vergießen mit Kunstharz, geschlossen werden. Die derart hergestellten und geschlossenen Scheinfugen müssen nicht beim Einbau der Bodenbeläge berücksichtigt werden, d. h., sie müssen nicht deckungsgleich in die Bodenbeläge übernommen werden.

Bei Heizestrichen sind in Türdurchgängen in der Regel Bewegungsfugen anzuordnen. Innerhalb einer Heizfläche mit unterschiedlich beheizten Heizkreisen (keine Randzonen) sind in der Regel zwischen diesen auch Bewegungsfugen anzuordnen.

Werden in Heizestrichen Scheinfugen in Türlaibungen und Türdurchgängen angeordnet und diese als Fugen auch in Stein- oder Keramikbelägen übernommen, sollten diese Scheinfugen nicht geschlossen werden.

Bei der Festlegung von Fugenabständen, Fugenbreite und Estrichfeldgrößen sind die Art des Bindemittels, der vorgesehene Bodenbelag, die Geometrie der Fläche und die Beanspruchung durch Nutzlasten und Temperaturänderung zu berücksichtigen. Bei Heizestrichen, die zur Aufnahme von Stein- oder keramischen Belägen vorgesehen sind, müssen außerdem die unterschiedlichen thermischen Ausdehnungskoeffizienten von Estrich und Bodenbelag und die Raumtemperaturbegrenzung bei der Planung und Ausführung mit einbezogen werden.

Bei der Anordnung der Fugen sind die allgemeinen Regeln der Technik und die technischen Informationen und Merkblätter der Fachverbände zu berücksichtigen.

7 Bezeichnung

Schwimmende Estriche sind mit der Benennung „Estrich", der DIN-Hauptnummer, dem Kurzzeichen für Estrichmörtelart und der Biegezugfestigkeits- bzw. Härteklasse nach DIN EN 13 813 und darüber hinaus mit dem Buchstaben „S" (für „schwimmend") sowie der Nenndicke der Estrichschicht in mm zu bezeichnen.

Heizestriche sind ferner mit dem Buchstaben „H" und der Überdeckung der Heizelemente in mm zu bezeichnen.

BEISPIEL 1

Calciumsulfatestrich der Biegezugfestigkeitsklasse 4 (F4), schwimmend (S), mit 40 mm Nenndicke:

Estrich DIN 18 560 – CA – F4 – S 40

BEISPIEL 2

Zementestrich der Biegezugfestigkeitsklasse 4 (F4), schwimmend (S), mit 70 mm Nenndicke, als Heizestrich (H), mit einer Überdeckung der Heizelemente von 45 mm:

Estrich DIN 18 560 – CT – F4 – S 70 H 45

F

Estriche im Bauwesen –

Teil 3: Verbundestriche

Auszug aus **DIN 18 560-3** (03.2006)

Änderungen

Gegenüber DIN 18 560-3:1992-05 wurden folgende Änderungen vorgenommen:

a) Festlegungen aus DIN EN 13 813 wurden gestrichen;

b) die Prüfverfahren wurden unter Bezugnahme auf die Normen der Reihe DIN EN 13 892 aktualisiert;

c) die normativen Verweisungen wurden aktualisiert;

d) die Normbezeichnung hat sich geändert.

Inhalt

1 Anwendungsbereich

Diese Norm gilt zusammen mit DIN EN 13 813 und DIN 18 560-1 für Estriche, die im Verbund mit dem tragenden Untergrund hergestellt werden. Sie haben den Zweck, die Oberfläche eines tragenden Untergrundes nutzfähig zu gestalten. Sie können unmittelbar (ohne Belag) genutzt oder mit einem Belag versehen werden.

Für Verbundestriche, die hohen Beanspruchungen unterliegen, gilt zusätzlich DIN 18 560-7.

Diese Norm gilt nicht für die Verlegung von starren Belägen wie Fliesen und Platten direkt in Dickbettmörtel.

3 Anforderungen

3.1 Allgemeines

Verbundestriche müssen die allgemeinen Anforderungen nach DIN 18 560-1 erfüllen. Anforderungen an den Schleifverschleiß können nur an unmittelbar genutzte Verbundestriche gestellt werden.

3.2 Dicke

Die Dicke von Verbundestrichen ist nach DIN 18 560-1 zu wählen. Sie sollte aus fertigungstechnischen Gründen nicht weniger als etwa das Dreifache des Größtkorns des Zuschlages betragen. Bei Gussasphaltestrichen sollte die Estrich-Nenndicke 20 mm nicht unterschreiten.

Die Estrich-Nenndicke sollte bei einschichtigem Estrich

– 40 mm bei Gussasphaltestrichen und

– 50 mm bei Calciumsulfat-, Kunstharz-, Magnesia- und Zementestrichen

nicht überschreiten.

ANMERKUNG Die Dicke von Verbundestrichen ist nicht maßgebend für ihre Beanspruchbarkeit, da der Verbund des Estrichs mit dem tragenden Untergrund die Übertragung aller statischen und dynamischen Kräfte sicherstellt.

3.3 Festigkeitsklasse bzw. Härteklasse

Die Festigkeitsklasse des Estrichmörtels bzw. Härteklasse der Estrichmasse für den Verbundestrich muss auf die Art der Nutzung und der Beanspruchung abgestimmt werden. Sie muss mindestens Tabelle 1 entsprechen.

Tabelle 1 – Festigkeitsklasse, Härteklasse

Estrichmörtelart	Festigkeitsklasse bzw. Härteklasse nach DIN EN 13 813 bei Nutzung	
	mit Belag	ohne Belag
Calciumsulfatestrich	≥ C20/F3	≥ C25/F4
Kunstharzestrich	≥ C20/F3	≥ C25/F4
Magnesiaestrich	≥ C20/F3	≥ C25/F4
Zementestrich	≥ C20/F3	≥ C25/F4
Gussasphaltestrich		
– für beheizte Räume	IC 10 oder IC 15	
– für nicht beheizte Räume und im Freien	IC 15 oder IC 40	
– für Kühlräume	IC 40 oder IC 100	

3.4 Verschleißwiderstandsklasse

Wird ein Verbundestrich unmittelbar genutzt, kann eine Verschleißwiderstandsklasse gefordert werden.

Wird zur Erhöhung des Verschleißwiderstandes eine Einstreuung vorgesehen, ist die je m² aufzubringende Einstreumenge anzugeben; es sind Hartstoffe nach DIN 1100 zu verwenden. Der Verschleißwiderstand ist unter Verwendung des zum Bau des Verbundestrichs vorgesehenen Zementestrichmörtels und der Einstreuung bei der Erstprüfung nachzuweisen. Diese Oberflächenvergütung ist nicht mit der Hartstoffschicht nach DIN 18 560-7 vergleichbar.

4 Bauliche Anforderungen

4.1 Tragender Untergrund

Der tragende Untergrund muss die statischen und konstruktiven Anforderungen erfüllen. Die möglichen Arten des tragenden Untergrundes und ihre Eignung für die einzelnen Estrichmörtelarten enthält Tabelle 2.

Die Ebenheit der Oberfläche des tragenden Untergrundes muss die Ebenheitstoleranzen nach DIN 18 202 aufweisen, sofern nicht ein Zementestrich „frisch auf frisch“ auf einen Betonuntergrund aufgebracht wird.

Tabelle 2 – Eignung tragender Untergründe für Verbundestriche

Estrichmörtelart	Untergrund						
	Beton	Calcium-sulfat-estrich	Mag-nesia-estrich	Zement-estrich	Guss-asphalt-estrich[a]	Holz[b]	Stahl[b]
Calciumsulfatestrich	+	+	○	+	○	○	○
Gussasphaltestrich	○	–	–	○	+	○	○
Kunstharzestrich	+	○	○	+	○	○	○
Magnesiaestrich[c]	+	○	+	+	○	+	○
Zementestrich	+	○	–	+	○	○	○

Zeichenerklärung:
+ geeignet
○ mit besonderen Maßnahmen (Untergrund und/oder Produkte) geeignet
– nicht geeignet

[a] sowie andere bitumengebundene Trag- und Deckschichten
[b] bei ausreichender Biegesteifigkeit
[c] Bei Stahlbetondecken ist eine Sperrschicht vorzusehen.

Rohrleitungen, Kabel usw. dürfen nicht auf dem tragenden Untergrund verlegt sein (siehe auch 4.2). Zum kraftübertragenden Verbund muss die Untergrundoberfläche eine ausreichende Festigkeit, eine griffige und saubere – bei Magnesiaestrichen auch geschlossene – Struktur aufweisen und möglichst frei von Rissen und losen Bestandteilen sein. Sie darf außerdem nicht durch Öl, Kraftstoff, Mörtelreste, Anstrichmittel oder Ähnliches verschmutzt sein.

Besteht der tragende Untergrund aus Beton, dürfen Anreicherungen von Feinstteilen sowie Betonzusatzmittel und Nachbehandlungsmittel den Verbund mit dem Estrich nicht beeinträchtigen.

Ist die Oberfläche des tragenden Untergrundes nicht so beschaffen, dass sie dem Estrich eine ausreichende Haftung bietet, müssen besondere Maßnahmen zur Sicherung des Verbundes getroffen werden, z. B. die mechanische Bearbeitung der Oberfläche und/oder die Anordnung von speziellen Haftbrücken.

Sich öffnende Risse im tragenden Untergrund können in diesem Bereich zu Rissen im Verbundestrich führen.

Bei Kunstharzestrichen muss der tragende Untergrund eine Oberflächenzugfestigkeit von mindestens 1,0 N/mm^2 bei nicht befahrbaren Systemen und mindestens 1,5 N/mm^2 bei befahrbaren Systemen aufweisen.

Fugen im tragenden Untergrund müssen gerade, fluchtend und vollkantig sein. Sie sollten möglichst als Pressfugen ausgebildet sein; Bewegungsfugen sind möglichst schmal zu halten.

4.2 Ausgleichsestrich

Ein Ausgleichsestrich ist erforderlich, wenn der tragende Untergrund größere Unebenheiten aufweist oder wenn Rohrleitungen oder Kabel darauf verlegt sind. Der Ausgleichsestrich muss mit dem Untergrund fest verbunden sein, und er muss Rohrleitungen und Kabel so überdecken, dass er seinerseits als tragender Untergrund geeignet ist.

4.3 Einbauteile aus Metall

Einbauteile aus Metall müssen, falls erforderlich, mit einem auf das Bindemittel des Estrichs abgestimmten Korrosionsschutz versehen sein.

4.4 Estrichfugen

Über Bauwerksfugen sind Bewegungsfugen im Estrich auszubilden.

ANMERKUNG Wenn Schein- oder Pressfugen bzw. Risse des tragenden Untergrundes nicht im Estrich übernommen werden, können in diesem Bereich Risse im Estrich entstehen, die jedoch in der Regel seine Gebrauchsfähigkeit nicht beeinträchtigen.

4.5 Kantenschutz

Werden als Kantenschutz Metallprofile vorgesehen, so müssen sie im tragenden Untergrund verankert werden.

4.6 Fugenfüllung

Fugen im Estrich sollten mit Fugenmassen oder Fugenprofilen versehen werden, die die Estrichfugen ausfüllen, vor Verschmutzung schützen und auf die vorgesehene Belastung abgestimmt sind.

6 Ausführung

Die Estriche sind nach DIN 18 560-1 herzustellen.

7 Bezeichnung

Verbundestriche sind mit der Benennung „Estrich", der DIN-Hauptnummer, dem Kurzzeichen für die Estrichmörtelart sowie der Druck- und der Biegezugfestigkeits- bzw. Härteklasse nach DIN EN 13 813 und darüber hinaus mit dem Buchstaben „V" (für Verbund) sowie mit der Nenndicke der Estrichschicht in mm zu bezeichnen.

Wird ein Verbundestrich unmittelbar genutzt, sind die Verschleißwiderstandsklassen nach DIN EN 13 813 anzugeben:

bei Zementestrichen:	für den Verschleißwiderstand nach Böhme (A),
bei Kunstharzestrichen:	für den Verschleißwiderstand nach Rolling wheel (RWA) oder BCA (AR)

und

bei Magnesiaestrichen:	die Oberflächenhärte (SH).

BEISPIEL 1

Bezeichnung eines Zementestrichs (CT) der Druckfestigkeitsklasse C30, der Biegezugfestigkeitsklasse F5, der Verschleißwiderstandsklasse A 15 als Verbundestrich (V), mit 25 mm Nenndicke:

Estrich DIN 18 560 – CT – C 30 – F 5 – A 15 – V 25

BEISPIEL 2

Bezeichnung eines Kunstharzestrichs (SR) der Verschleißwiderstandsklasse nach BCA AR2, der Schlagfestigkeit IR 20, der Haftzugfestigkeitsklasse B 1,5 als Verbundestrich (V), mit 3 mm Nenndicke:

Estrich DIN 18 560 – SR – C 40 – F 10 – AR 2 – IR 20 – B 1,5 – V 3

F

Estriche im Bauwesen – Teil 4: Estriche auf Trennschicht

Auszug aus **DIN 18 560-4** (04.2004)

Änderungen

Gegenüber DIN 18 560-4:1992-05 wurden folgende Änderungen vorgenommen:

a) Festlegungen aus DIN EN 13 813 wurden in DIN 18 560-4 gestrichen;

b) die Prüfverfahren wurden unter Bezugnahme auf die Normen der Reihe DIN EN 13 892 aktualisiert;

c) Die normativen Verweisungen wurden aktualisiert.

Inhalt

1 Anwendungsbereich

Diese Norm gilt zusammen mit DIN EN 13 813 und DIN 18 560-1 für Estriche, die von dem tragenden Untergrund durch eine dünne Zwischenlage (Trennschicht) getrennt sind. Diese Estriche haben den Zweck, die Oberfläche eines tragenden Untergrundes nutzfähig zu gestalten. Sie können unmittelbar (ohne Belag) genutzt oder mit einem Belag versehen werden.

Für Estriche auf Trennschicht, die hohen Beanspruchungen unterliegen, ist zusätzlich DIN 18 560-7 zu beachten.

3 Anforderungen

3.1 Allgemeines

Estriche auf Trennschicht müssen die allgemeinen Anforderungen nach DIN EN 13 813 und DIN 18 560-1 erfüllen. Anforderungen an den Verschleißwiderstand können nur an unmittelbar genutzte Estriche gestellt werden.

3.2 Dicke

Die Dicke von Estrichen auf Trennschicht ist nach DIN 18 560-1 zu wählen. Sie sollte aus fertigungstechnischen Gründen nicht weniger als etwa das Dreifache des Größtkorns des Zuschlages betragen.

Die Estrichnenndicke sollte bei einschichtigem Estrich

- 15 mm bei Kunstharzestrichen,
- 25 mm bei Gussasphaltestrichen,
- 30 mm bei Calciumsulfat- und Magnesiaestrichen sowie
- 35 mm bei Zementestrichen

nicht unterschreiten.

3.3 Festigkeitsklasse bzw. Härteklasse

Die Festigkeitsklasse bzw. Härteklasse des Estrichs auf Trennschicht muss auf die Art der Nutzung und der Beanspruchung vom Planer abgestimmt werden. Sie muss mindestens Tabelle 1 entsprechen.

F

Tabelle 1 – Festigkeitsklasse, Härteklasse

Estrichart	Festigkeitsklasse bzw. Härteklasse nach DIN EN 13 813 bei Nutzung	
	mit Belag	ohne Belag
Calciumsulfatestrich	≥ F4	≥ F4
Kunstharzestrich	≥ F7	≥ F7
Magnesiaestrich	≥ F4	≥ F7
Zementestrich	≥ F4	≥ F4
Gussasphaltestrich		
– für beheizte Räume	IC 10 oder IC 15	
– für nicht beheizte Räume und im Freien	IC 15 oder IC 40	
– für Kühlräume	IC 40 oder IC 100	

3.4 Verschleißwiderstandsklasse nach Böhme

Wird ein Estrich auf Trennschicht unmittelbar genutzt, kann eine Verschleißwiderstandsklasse gefordert werden.

Wird zur Erhöhung des Verschleißwiderstandes eine Einstreuung vorgesehen, ist die je m^2 aufzubringende Einstreumenge anzugeben; es sind Hartstoffe nach DIN 1100 zu verwenden. Der Verschleißwiderstand ist unter Verwendung des zum Bau des Estrichs auf Trennschicht vorgesehenen Zementestrichmörtels und der Einstreuung bei der Erstprüfung nachzuweisen. Diese Oberflächenvergütung ist nicht mit Hartstoffschichten nach DIN 18 560-7 vergleichbar.

4 Bauliche Anforderungen

4.1 Tragender Untergrund und Ausgleichsestrich

Der tragende Untergrund muss die statischen und konstruktiven Anforderungen erfüllen und eine ebene, gratfreie Oberfläche mit Ebenheitstoleranzen nach DIN 18 202 aufweisen.

Der tragende Untergrund darf keine punktförmigen Erhebungen, Rohrleitungen oder Ähnliches aufweisen. Falls Rohrleitungen auf dem tragenden Untergrund verlegt sind, müssen sie festgelegt sein. Durch einen Ausgleichsestrich ist wieder ein tragender Untergrund mit einer ebenen, gratfreien Oberfläche zur Aufnahme der Trennschicht herzustellen. Die Oberfläche darf keine punktförmigen Erhebungen, losen Bestandteile oder Mörtelreste aufweisen.

Fugen im tragenden Untergrund müssen gerade, fluchtend und vollkantig sein. Sie sollten als Pressfugen ausgebildet sein. Bewegungsfugen sind möglichst schmal zu halten.

4.2 Einbauteile aus Metall

Einbauteile aus Metall müssen, falls erforderlich, mit einem auf das Bindemittel des Estrichs abgestimmten Korrosionsschutz versehen sein.

4.3 Estrichfugen

Über Bauwerksfugen und an den Rändern sind Bewegungs- bzw. Randfugen auszubilden. Darüber hinaus notwendige Fugen sind so anzuordnen, dass möglichst gedrungene Felder entstehen. Über die Anordnung der Fugen ist ein Fugenplan zu erstellen, aus dem Art und Anordnung der Fugen zu entnehmen sind. Der Fugenplan ist vom Bauwerksplaner zu erstellen und als Bestandteil der Leistungsbeschreibung dem Ausführenden vorzulegen.

Bei der Festlegung von Fugenabständen und Estrichfeldgrößen sind die Art des Bindemittels, der vorgesehene Belag und die Beanspruchung, z. B. durch Temperatur, zu berücksichtigen.

Fugen im Estrich sollten mit Fugenmassen oder Fugenprofilen, die die Estrichfugen ausfüllen und vor Verschmutzung schützen, versehen werden.

6 Ausführung

6.1 Trennschicht

Die Trennschicht ist in der Regel zweilagig, bei Calciumsulfat- und Gussasphaltestrich einlagig auszuführen. Bei zweilagiger Verlegung dürfen Abdichtungen und Dampfsperren als eine Lage der Trennschicht gelten.

Für die Trennschicht ist

- Polyethylenfolie von mindestens 0,1 mm Dicke,
- kunststoffbeschichtetes Papier von mindestens 0,15 mm Dicke,
- bitumengetränktes Papier von mindestens 100 g/m^2 Flächengewicht,
- Rohglasvlies von mindestens 50 g/m^2 Flächengewicht

oder ein anderes Erzeugnis mit vergleichbaren Eigenschaften zu verwenden.

Bei Gussasphaltestrichen ist eine temperaturbeständige, nicht komprimierbare Trennschicht zu verwenden.

Die Lagen der Trennschicht sollten glatt und ohne Aufwerfungen verlegt werden. Bei Calciumsulfat-, Kunstharz-, Magnesia- und Zementestrich sind Randstreifen zu stellen, und die Trennschicht ist zur Ausbildung der Randfuge an angrenzenden Bauteilen hochzuziehen, sofern der Randstreifen nicht die Funktion der Trennschicht erfüllt.

6.2 Estrich

Der Estrich ist nach DIN 18 560-1 auszuführen.

F

7 Bezeichnung

Estriche auf Trennschicht sind mit der Benennung „Estrich", der DIN-Hauptnummer, dem Kurzzeichen für Estrichart sowie der Druck- und Biegezugfestigkeits- bzw. Härteklasse nach DIN EN 13 813 und darüber hinaus mit dem Buchstaben „T" (für Trennschicht) und der Nenndicke der Estrichschicht in mm zu bezeichnen. Wird ein Estrich auf Trennschicht aus Zementestrichmörtel unmittelbar genutzt, ist eine Verschleißwiderstandsklasse nach Böhme (A) anzugeben.

BEISPIEL

Gussasphaltestrich (AS) der Härteklasse 15 (IC 15), als Estrich auf Trennschicht (T) mit 25 mm Nenndicke:

Estrich DIN 18 560 – AS – IC 15 – T 25

F.4 Holz- und Holzwerkstoffe

Spanplatten

Anforderungen

Auszug aus **DIN EN 312** (10.2010)

Inhalt

1 Anwendungsbereich

Diese Europäische Norm legt Anforderungen an flach- oder kalandergepresste, unbeschichtete Spanplatten, wie in EN 309 definiert, fest.

ANMERKUNG 1 Auf diese Norm wird in EN 13 986 für Anwendungen im Bauwesen Bezug genommen. Die in dieser Norm geregelten Produkte werden in EN 13986 als kunstharzgebundene Spanplatten bezeichnet.

Die in dieser Norm angegebenen Werte beziehen sich auf Produkteigenschaften; es sind keine charakteristischen Werte, die für konstruktive Berechnungen verwendet werden können.

ANMERKUNG 2 Solche charakteristischen Werte (z. B. für konstruktive Berechnungen in EN 1995-1-1) sind entweder in EN 12 369-1 angegeben oder werden durch Prüfung nach EN 789, EN 1058 und ENV 1156 ermittelt.

Sie enthält zusätzliche Informationen über weitere Eigenschaften für bestimmte Verwendungszwecke.

ANMERKUNG 3 Spanplatten nach dieser Norm können als P 1- bis P 7-Platten bezeichnet werden. Die Plattentypen P 4 bis P 7 sind zur Ausführung von tragenden oder aussteifenden Bauteilen vorgesehen, z. B. Wand-, Fußboden-, Dachkonstruktionen oder I-Trägern (siehe EN 1995-1-1 und/oder Leistungsnormen).

Diese Norm gilt nicht für Strangpressplatten und Flachspanplatten. Hierfür gelten EN 14755 bzw. EN 15197.

4 Klassifizierung

Folgende 7 Plattentypen werden unterschieden:

P 1 Platten für allgemeine Zwecke zur Verwendung im Trockenbereich

P 2 Platten für Inneneinrichtungen (einschließlich Möbel) zur Verwendung im Trockenbereich

P 3 Platten für nicht tragende Zwecke zur Verwendung im Feuchtbereich

P 4 Platten für tragende Zwecke zur Verwendung im Trockenbereich

P 5 Platten für tragende Zwecke zur Verwendung im Feuchtbereich

P 6 Hoch belastbare Platten für tragende Zwecke zur Verwendung im Trockenbereich

P 7 Hoch belastbare Platten für tragende Zwecke zur Verwendung im Feuchtbereich

5 Allgemeine Anforderungen an alle Plattentypen

Spanplatten müssen bei Auslieferung aus dem Herstellwerk die allgemeinen Anforderungen erfüllen, die in Tabelle 1 aufgeführt sind. Für bestimmte Verwendungen von Spanplatten (siehe Leistungsnorm EN 12 871) gelten besondere Grenzabmaße für die unter Nr. 1 aufgeführten Eigenschaften. Bei Zuschnitten oder nach zusätzlicher mechanischer Bearbeitung (Nut- und Federprofil oder Ähnliches) dürfen bei den Eigenschaften Nr. 1, 2 und 3 besondere Toleranzwerte vereinbart werden.

Tabelle 1 – Allgemeine Anforderungen bei Auslieferung

Nr.	Eigenschaft	Prüfverfahren	Anforderung
1[a]	Grenzabmaße	EN 324-1	
	– Dicke (geschliffene Platten) innerhalb und zwischen Platten		± 0,3 mm
	– Dicke (ungeschliffene Platten) innerhalb und zwischen Platten		– 0,3 mm + 1,7 mm
	– Länge und Breite		± 5 mm
2[a]	Kantengeradheitstoleranz	EN 324-2	1,5 mm je m
3[a]	Rechtwinkligkeitstoleranz	EN 324-2	2 mm je m
4	Plattenfeuchte	EN 322	5 % bis 13 %
5[a]	Rohdichte-Grenzabweichungen, bezogen auf die mittlere Rohdichte innerhalb der Platte	EN 323	± 10 %
6[b]	Formaldehydabgabe nach EN 13 986 Klasse E 1 Perforatorwert	EN 120	Gehalt ≤ 8 mg/100 g absolut trockene Platte[d]
	Ausgleichskonzentration[c]	ENV 717-1	Abgabe ≤ 0,124 mg/m³ Luft
	Klasse E 2 Perforatorwert	EN 120	Gehalt > 8 mg/100 g absolut trockene Platte ≤ 30 mg/100 g absolut trockene Platte
	Ausgleichskonzentration[c]	ENV 717-1	Abgabe > 0,124 mg/m³ Luft

[a] Die Werte gelten für einen Feuchtegehalt, der sich im Material bei einer relativen Luftfeuchte von 65 % und einer Temperatur von 20 °C einstellt.

[b] Die Perforatorwerte gelten für eine Materialfeuchte H von 6,5 %. Bei Spanplatten mit anderen Materialfeuchten (Bereich 3 % $\leq H \leq$ 10 %) ist der Perforatorwert mit einem Faktor F zu multiplizieren, der sich aus folgender Gleichung ergibt: $F = -0{,}133\ H + 1{,}86$

[c] Erforderlich für die Erstprüfung solcher Produkte, die nicht als bewährte Produkte gelten. Für bewährte Produkte darf die Erstprüfung auch auf Grund vorhandener Daten der Prüfungen nach EN 120 oder ENV 717-1 aus der werkseigenen Produktionskontrolle oder einer Fremdüberwachung vorgenommen werden.

[d] Bisherige Erfahrungen haben gezeigt, dass der gleitende Halbjahres-Mittelwert der im Rahmen der werkseigenen Produktionskontrolle ermittelten Werte nach EN 120 6,5 mg Formaldehyd je 100 g Plattenmasse nicht überschreiten sollte, um diesen Grenzwert einzuhalten.

ANMERKUNG In bestimmten Ländern sind nur Produkte der Formaldehydklasse E1 zulässig.

F

15 Nachweis der Übereinstimmung

15.1 Allgemeines

Der Nachweis der Übereinstimmung mit dieser EN muss nach den in Tabellen 1 bis 12 (nicht abgedruckt) aufgeführten Prüfverfahren erfolgen.

15.2 Fremdüberwachung

Die Fremdüberwachung des Produktionsbetriebs, falls notwendig, muss nach EN 326-2 erfolgen.

Eine Abnahmeprüfung eines einzelnen Loses von Platten muss nach EN 326-3 erfolgen.

Bezüglich des nach EN 120 bestimmten Formaldehydpotenzials muss sowohl bei der Fremdüberwachung als auch bei der Abnahmeprüfung eines einzelnen Loses von Platten der Mittelwert von mindestens drei geprüften Platten die entsprechende Anforderung der Tabelle 1 erfüllen. Zusätzlich darf keine der Einzelplatten die obere Toleranzschwelle von + 10 % überschreiten.

15.3 Werkseigene Produktionskontrolle

Die werkseigene Produktionskontrolle muss nach EN 326-2 erfolgen.

Die in den Tabellen 1 bis 11 (nicht abgedruckt) aufgeführten Eigenschaften sind zu überwachen, wobei die Zeitabstände zwischen den Prüfungen nicht größer sein dürfen als in Tabelle 13 (nicht abgedruckt) angegeben. Die Probenahme muss nach Zufallsgesichtspunkten erfolgen. Andere Prüfverfahren und/oder nicht klimatisierte Prüfkörper dürfen verwendet werden, wenn eine gültige Korrelation zu den angegebenen Prüfverfahren nachgewiesen werden kann (siehe EN 326-2).

Jede Anforderung bezüglich Formaldehydpotenzial (Perforatorwert) muss durch den 95 %-Quantil(Fraktil-)Wert nachgewiesen werden, der auf den Prüfergebnissen von Einzelplatten basiert. Der 95 %-Quantil-(Fraktil-)Wert darf höchstens so groß wie der entsprechende Wert in Tabelle 1 (nicht abgedruckt) sein.

Tabelle 13 – Maximale Zeitabstände zwischen den Prüfungen für jede Fertigungslinie

Eigenschaft	Maximaler Zeitabstand zwischen den Prüfungen
Plattenfeuchte	8 h je Plattentyp
Formaldehydpotenzial[a] Klasse E 1 Klasse E 2	24 h je Plattentyp 1 Woche je Plattentyp
Alle anderen in Tabelle 1 aufgeführten Eigenschaften	8 h je Plattentyp und Dickenbereich
Feuchtebeständigkeit Option 1 Option 2	1 Woche 8 h[b]
Alle anderen in den Tabellen 2 bis 11 aufgeführten Eigenschaften	8 h[b]

[a] Die Erfahrung hat gezeigt, dass manche Plattentypen wenig oder gar keinen Formaldehyd abgeben. In diesen Fällen dürfen die Zeitabstände zwischen den Prüfungen vergrößert werden. In jedem Fall bleibt der Hersteller bzw., falls notwendig, die Überwachungsstelle verantwortlich für den Nachweis der Übereinstimmung mit dieser Norm.

[b] Wenn mehrere Dickenbereiche in einer 8-h-Schicht gefertigt werden, ist die werkseigene Produktionskontrolle so durchzuführen, dass mindestens eine Platte je Dickenbereich und Produktionswoche geprüft wird.

16 Kennzeichnung

16.1 Platten, die im Europäischen Wirtschaftsraum zur Verwendung im Bauwesen in den Verkehr gebracht werden

Platten nach dieser Europäischen Norm, die im Europäischen Wirtschaftsraum zur Verwendung im Bauwesen, wie in der Bauproduktenrichtlinie (89/106/EWG) definiert, in den Verkehr gebracht werden, sind nach den Festlegungen nach DIN 13986 zu kennzeichnen.

16.2 Andere Platten

Bei anderen Platten nach dieser Europäischen Norm ist jede Platte oder jeder Stapel vom Hersteller deutlich durch dauerhaften Aufdruck mit mindestens den folgenden Angaben in dieser Reihenfolge zu kennzeichnen:

a) dem Namen des Herstellers, der Handelsmarke oder dem Zeichen;

b) der Nummer dieser Europäischen Norm EN 312;

c) dem Plattentyp, z. B. P 5;

d) der Nenndicke;

e) der Formaldehyd-Klasse;

f) der Chargennummer oder Herstellungswoche und -jahr.

Zusätzlich dürfen die Platten farbig gekennzeichnet werden, indem eine Reihenfolge von 25 mm breiten, farbigen Streifen senkrecht in der Nähe einer Ecke angebracht werden. Eine Farb-Kennzeichnung erfolgt freiwillig. Wenn sie erfolgt, muss sie dem System nach Anhang A entsprechen. Diese Norm schließt das Einfärben von Platten oder gewissen Schichten der Platten nach üblicher nationaler Praxis nicht aus.

Anhang A

(normativ)

Freiwilliges Farb-Kennzeichnungs-System für Spanplatten

Es werden jeweils zwei Farben verwendet. Die erste Farbe gibt an, ob die Platte für allgemeine oder für tragende Zwecke vorgesehen ist (ein oder zwei Streifen dieser Farbe werden benutzt). Die zweite Farbe gibt an, ob die Platte zur Verwendung im Trockenbereich oder im Feuchtbereich geeignet ist.

Folgende Farben werden verwendet:

- erste Farbe – weiß: allgemeine Zwecke;
- erste Farbe – gelb: tragende Zwecke;
- zweite Farbe – blau: Trockenbereich;
- zweite Farbe – grün: Feuchtbereich.

Tabelle A.1 – Farb-Kennzeichnung von Spanplatten nach Europäischen Normen

Anforderung	Farb-Kennzeichnung	Plattentyp
Allgemeine Zwecke, trocken	Weiß, Weiß, Blau	P1
Inneneinrichtungen, trocken	Weiß, Weiß	P2
Nicht tragende Zwecke, feucht	Weiß, Grün	P3
Tragende Zwecke, trocken	Gelb, Gelb, Blau	P4
Tragende Zwecke, feucht	Gelb, Gelb, Grün	P5
Tragende Zwecke, hoch belastbar, trocken	Gelb, Blau	P6
Tragende Zwecke, hoch belastbar, feucht	Gelb, Grün	P7

Holzwerkstoffe zur Verwendung im Bauwesen – Eigenschaften, Bewertung der Konformität und Kennzeichnung

Auszug aus **DIN EN 13 986** (03.2005)

Nationales Vorwort

Diese Europäische Norm wurde vom Technischen Komitees CEN/TC 112 „Holzwerkstoffe" (Sekretariat: DIN) erarbeitet.

Der zuständige Arbeitsausschuss im DIN ist der NHM AA 2.15 „Spiegelausschuss zu CEN/TC 112 und ISO/TC 89 – Holzwerkstoffe".

Für die Anwendung von Holzwerkstoffen im Bauwesen ist DIN V 20 000-1 zu beachten.

Es wird darauf hingewiesen, dass Holzwerkstoffe der Formaldehyd-Klasse E2 und Holzwerkstoffe mit einem Gehalt an Pentachlorphenol von mehr als 5 ppm auf Grund von gesetzlichen Bestimmungen (Chemikalien-Verbotsverordnung) in Deutschland nicht in den Verkehr gebracht werden dürfen.

Änderungen

Gegenüber DIN EN 13 986:2002-09 wurden folgende Änderungen vorgenommen:

a) Ergänzung zum Mandat M 113 bezüglich Formaldehydabgabe bei Verwendung im Außenbereich in den Tabellen 3 und 6 berücksichtigt.

b) Änderungen der Anforderungen an Spanplatten in EN 312, an Sperrholz in EN 636 und an MDF in prEN 622-5 berücksichtigt.

c) Furnierschichtholz (LVL) in den Tabellen 1 bis 7 berücksichtigt.

d) Angaben in 6.2 zur werkseigenen Produktionskontrolle und in 6.3 für die Erstprüfung des Produktes erweitert und präzisiert.

e) Anforderungen an die Kennzeichnung in Abschnitt 7 und in ZA.3.1 genauer beschrieben.

f) Kennzeichnung für mit Holzschutzmittel behandelte Platten ergänzt (siehe Tabellen 13 und 14).

g) Anhang ZA unter Berücksichtigung der neuen Darstellungsweise überarbeitet.

Frühere Ausgaben

DIN 68/05:1958-12, 1963-03

DIN 68 705-1: 1968-01

DIN 68 705-3: 1968-01, 1981-12

DIN 68 705-4: 1968-07, 1981-12

DIN 68 705-5: 1980-10

DIN 68 754-1: 1976-02
DIN 68 761-3: 1967-09
DIN 68 763: 1973-09, 1980-07, 1990-09
DIN EN 13 986: 2002-09

Inhalt

Dieses Dokument ersetzt EN 13 986:2002.

Im Vergleich zu EN 13 986:2002 wurden folgende Änderungen vorgenommen:

a) Ergänzung zum Mandat M 113 bezüglich Formaldehydabgabe bei Verwendung im Außenbereich in den Tabellen 3 und 6 berücksichtigt.

b) Änderungen der Anforderungen an Spanplatten in EN 312, an Sperrholz in EN 636 und an MDF in prEN 622-5 berücksichtigt.

c) Furnierschichtholz (LVL) in den Tabellen 1 bis 7 berücksichtigt.

d) Angaben in 6.2 zur werkseigenen Produktionskontrolle und in 6.3 für die Erstprüfung des Produktes erweitert und präzisiert.

e) Anforderungen an die Kennzeichnung in Abschnitt 7 genauer beschrieben.

f) Anhang ZA unter Berücksichtigung der neuen Darstellungsweise überarbeitet.

1 Anwendungsbereich

Diese Europäische Norm definiert Holzwerkstoffe für die Verwendung im Bauwesen und legt deren wesentliche Eigenschaften fest. Sie beschreibt geeignete Prüfverfahren zur Bestimmung dieser Eigenschaften für Holzwerkstoffe, roh, beschichtet, furniert oder lackiert:

- für die Innenverwendung als tragende Bauteile im Trockenbereich[1)];
- für die Innen- oder geschützte Außenverwendung als tragende Bauteile im Feuchtbereich[2)];
- für die Verwendung als tragende Bauteile im Außenbereich[3)];
- für die Innenverwendung als nichttragende Bauteile im Trockenbereich[1)];
- für die Innen- oder geschützte Außenverwendung als nichttragende Bauteile im Feuchtbereich[2)];
- für die Verwendung als nichttragende Bauteile im Außenbereich[3)];
- für die Verwendung als tragender Unterboden auf Lagerhölzern im Trocken-[1)], Feucht-[2)] oder Außenbereich[3)];
- für die Verwendung als tragende Dachschalung auf Balken im Trocken-[1)], Feucht-[2)] oder Außenbereich[3)];
- für die Verwendung als tragende Wandbeplankung auf Rippen im Trocken-[1)] Feucht-[2)] oder Außenbereich[3)].

Die Norm beschreibt die Bewertung der Konformität dieser Erzeugnisse sowie die Anforderungen an ihre Kennzeichnung.

Diese Norm gilt für Holzwerkstoffe zur Verwendung im Bauwesen in Form von Massivholzplatten, Furnierschichtholz (LVL)[4)], Sperrholz, Platten aus langen, schlanken, ausgerichteten Spänen (OSB), kunstharzgebundenen und zementgebundenen Spanplatten, Faserplatten nach dem Nassverfahren (harte Platten, mittelharte Platten, poröse Platten) und Platten nach dem Trockenverfahren (MDF). Sie können chemische Substanzen zur Verbesserung des Brandverhaltens und der Widerstandsfähigkeit gegen biologischen Befall z. B. durch Pilze und Insekten enthalten.

Diese Norm gilt nicht für Holzwerkstoffe zur Verwendung außerhalb des Bauwesens.

---

1) Der Trockenbereich ist in 3.8.2 definiert. Platten dieser Art sind für die Verwendung in der biologischen Gefährdungsklasse 1 nach EN 335-3 geeignet.

2) Der Feuchtbereich ist in 3.8.3 definiert. Platten dieser Art sind für die Verwendung in den biologischen Gefährdungsklassen 1 und 2 nach EN 335-3 geeignet.

3) Der Außenbereich ist in 3.8.4 definiert. Platten dieser Art sind für die Verwendung in den biologischen Gefährdungsklassen 1, 2, 3 und 4 nach EN 335-3 geeignet.

4) Die Anforderungsnorm prEN 14 279 für Furnierschichtholz (LVL) als plattenförmiges Produkt ist in Vorbereitung. prEN 14 374 – Holzbauwerke: Furnierschichtholz (LVL) für tragende Zwecke – wird in CEN/TC 124 erarbeitet.

3 Begriffe

Für die Anwendung dieser Europäischen Norm gelten die folgenden Begriffe.

3.1 Holzwerkstoff

Massivholzplatte, Furnierschichtholz (LVL), Sperrholz, Platte aus langen, schlanken ausgerichteten Spänen (OSB), kunstharzgebundene Spanplatte, zementgebundene Spanplatte oder Faserplatte

3.2 Massivholzplatte (SWP)

Holzwerkstoff, wie in EN 12 775 definiert, bestehend aus Holzstücken, die an ihren Schmalseiten oder falls mehrlagig auch an ihren Breitseiten miteinander verklebt sind

3.2.1 Massivholzplatte für die Innenverwendung als tragendes Bauteil im Trockenbereich

Massivholzplatte mit den Leistungseigenschaften aus EN 13 353 für den Platten-Typ SWP/1, die in 4.1 aufgeführt sind

ANMERKUNG Die entsprechenden Leistungseigenschaften für den Typ SWP/1 und ihre Anforderungen bei tragender Verwendung sind in Tabelle A.1 angegeben.

3.2.2 Massivholzplatte für die Innenverwendung als tragendes Bauteil im Feuchtbereich

Massivholzplatte mit den Leistungseigenschaften aus EN 13 353 für den Platten-Typ SWP/2, die in 4.2 aufgeführt sind

ANMERKUNG Die entsprechenden Leistungseigenschaften für den Typ SWP/2 und ihre Anforderungen bei tragender Verwendung sind in Tabelle A.1 angegeben.

3.2.3 Massivholzplatte für die Verwendung als tragendes Bauteil im Außenbereich

Massivholzplatte mit den Leistungseigenschaften aus EN 13 353 für den Platten-Typ SWP/3, die in 4.3 aufgeführt sind

ANMERKUNG Die entsprechenden Leistungseigenschaften für den Typ SWP/3 und ihre Anforderungen bei tragender Verwendung sind in Tabelle A.1 angegeben.

3.2.4 Massivholzplatte für die Innenverwendung als nichttragendes Bauteil im Trockenbereich

Massivholzplatte mit den Leistungseigenschaften aus EN 13 353 für den Platten-Typ SWP/1, die in 4.4 aufgeführt sind

ANMERKUNG Die entsprechenden Leistungseigenschaften für den Typ SWP/1 und ihre Anforderungen bei nichttragender Verwendung sind in Tabelle A.1 angegeben.

3.2.5 Massivholzplatte für die Innenverwendung als nichttragendes Bauteil im Feuchtbereich

Massivholzplatte mit den Leistungseigenschaften aus EN 13 353 für den Platten-Typ SWP/2, die in 4.5 aufgeführt sind

ANMERKUNG Die entsprechenden Leistungseigenschaften für den Typ SWP/2 und ihre Anforderungen bei nichttragender Verwendung sind in Tabelle A.1 angegeben.

3.2.6 Massivholzplatte für die Verwendung als nichttragendes Bauteil im Außenbereich

Massivholzplatte mit den Leistungseigenschaften aus EN 13 353 für den Platten-Typ SWP/3, die in 4.6 aufgeführt sind

ANMERKUNG Die entsprechenden Leistungseigenschaften für den Typ SWP/3 und ihre Anforderungen bei nichttragender Verwendung sind in Tabelle A.1 angegeben.

3.3 Furnierschichtholz (LVL)

Holzwerkstoff, wie in prEN 14 279 definiert, bestehend aus Furnieren, deren Fasern überwiegend in der gleichen Richtung angeordnet sind

ANMERKUNG Die entsprechenden Leistungseigenschaften und ihre Anforderungen sind in Tabelle A.10 angegeben.

3.4 Sperrholz

Holzwerkstoff, wie in EN 313-2 definiert, aus einem Verbund miteinander verklebter Lagen, wobei die Faserrichtungen aufeinanderfolgender Lagen meistens rechtwinklig zueinander verlaufen

3.4.1 Sperrholz für die Innenverwendung als tragendes Bauteil im Trockenbereich

Sperrholz mit den Leistungseigenschaften aus EN 636 für den Platten-Typ EN 636-1, die in 4.1 aufgeführt sind

ANMERKUNG Die entsprechenden Leistungseigenschaften und ihre Anforderungen sind in Tabelle A.2 angegeben.

3.4.2 Sperrholz für die Innenverwendung als tragendes Bauteil im Feuchtbereich

Sperrholz mit den Leistungseigenschaften aus EN 636 für den Platten-Typ EN 636-2, die in 4.2 aufgeführt sind

ANMERKUNG Die entsprechenden Leistungseigenschaften und ihre Anforderungen sind in Tabelle A.2 angegeben.

3.4.3 Sperrholz für die Verwendung als tragendes Bauteil im Außenbereich

Sperrholz mit den Leistungseigenschaften aus EN 636 für den Platten-Typ EN 636-3, die in 4.3 aufgeführt sind

ANMERKUNG Die entsprechenden Leistungseigenschaften und ihre Anforderungen sind in Tabelle A.2 angegeben.

3.4.4 Sperrholz für die Innenverwendung als nichttragendes Bauteil im Trockenbereich

Sperrholz mit den Leistungseigenschaften aus EN 636 für den Platten-Typ EN 636-1, die in 4.4 aufgeführt sind

ANMERKUNG Die entsprechenden Leistungseigenschaften und ihre Anforderungen sind in Tabelle A.2 angegeben.

3.4.5 Sperrholz für die Innenverwendung als nichttragendes Bauteil im Feuchtbereich

Sperrholz mit den Leistungseigenschaften aus EN 636 für den Platten-Typ EN 636-2, die in 4.5 aufgeführt sind

ANMERKUNG Die entsprechenden Leistungseigenschaften und ihre Anforderungen sind in Tabelle A.2 angegeben.

3.4.6 Sperrholz für die Verwendung als nichttragendes Bauteil im Außenbereich

Sperrholz mit den Leistungseigenschaften aus EN 636 für den Platten-Typ EN 636-3, die in 4.6 aufgeführt sind

ANMERKUNG Die entsprechenden Leistungseigenschaften und ihre Anforderungen sind in Tabelle A.2 angegeben.

3.5 Platte aus langen, schlanken, ausgerichteten Spänen (OSB)

Holzwerkstoff, wie in EN 300 definiert, bestehend aus mehreren Schichten, die ihrerseits aus Holzspänen (Strands) bestimmter Gestalt und Dicke unter Verwendung eines Bindemittels hergestellt wurden. Die Strands in den Außenschichten sind parallel zur Plattenlänge oder -breite ausgerichtet; die Strands in der Mittelschicht bzw. in den Mittelschichten können zufällig angeordnet sein oder sind im Allgemeinen rechtwinklig zu den Strands der Außenschichten ausgerichtet

3.5.1 OSB für die Innenverwendung als tragendes Bauteil im Trockenbereich

OSB mit den Leistungseigenschaften aus EN 300 für den Platten-Typ OSB/2, die in 4.1 aufgeführt sind

ANMERKUNG Die entsprechenden Leistungseigenschaften für den Typ OSB/2 und ihre Anforderungen sind in Tabelle A.3 angegeben.

F

3.5.2 OSB für die Innenverwendung als tragendes Bauteil im Feuchtbereich

OSB mit den Leistungseigenschaften aus EN 300 für den Platten-Typ OSB/3 (allgemeine tragende Verwendung) oder OSB/4 (hochbelastbar), die in 4.2 aufgeführt sind

ANMERKUNG 1 Die entsprechenden Leistungseigenschaften für die Typen OSB/3 und OSB/4 und ihre Anforderungen sind in Tabelle A.3 angegeben.

ANMERKUNG 2 EN 300 wird derzeit überarbeitet, um auch Platten mit einer Dicke von mehr als 25 mm zu berücksichtigen. Die Anforderungen an diese Platten gelten erst dann, wenn die überarbeiteten EN 300 veröffentlicht worden ist.

3.5.3 OSB für die Innenverwendung als nichttragendes Bauteil im Trockenbereich

OSB mit den Leistungseigenschaften aus EN 300 für den Platten-Typ OSB/l, die in 4.4 aufgeführt sind

ANMERKUNG Die entsprechenden Leistungseigenschaften für den Typ OSB/1 und ihre Anforderungen sind in Tabelle A.3 angegeben.

3.5.4 OSB für die Innenverwendung als nichttragendes Bauteil im Feuchtbereich

OSB mit den Leistungseigenschaften aus EN 300 für den Platten-Typ OSB/3, die in 4.5 aufgeführt sind

ANMERKUNG 1 Die entsprechenden Leistungseigenschaften für den Typ OSB/3 und ihre Anforderungen sind in Tabelle A.3 angegeben.

ANMERKUNG 2 EN 300 wird derzeit überarbeitet, um auch Platten mit einer Dicke von mehr als 25 mm zu berücksichtigen. Die Anforderungen an diese Platten gelten erst dann, wenn die überarbeiteten EN 300 veröffentlicht worden ist.

3.6 Spanplatte

(siehe kunstharzgebundene Spanplatte, zementgebundene Spanplatte)

3.6.1 kunstharzgebundene Spanplatte

Holzwerkstoff, wie in EN 309 definiert, hergestellt durch Verpressen unter Hitzeeinwirkung von kleinen Teilen aus Holz (z. B. Holzspänen, Hobelspänen, Sägespänen) und/oder anderen lignozellulosehaltigen Teilchen (z. B. Flachsschäben, Hanfschäben, Bagasse) mit Klebstoffen.

3.6.1.1 kunstharzgebundene Spanplatte für die Innenverwendung als tragendes Bauteil im Trockenbereich

kunstharzgebundene Spanplatte mit den Leistungseigenschaften aus EN 312 für den Platten-Typ P 4 oder Platten-Typen einer höheren Qualitätsstufe, die in 4.1 aufgeführt sind

ANMERKUNG Die entsprechenden Leistungseigenschaften für den Typ P4 und höher und ihre Anforderungen sind in Tabelle A.4 angegeben.

3.6.1.2 kunstharzgebundene Spanplatte für die Innenverwendung als tragendes Bauteil im Feuchtbereich

kunstharzgebundene Spanplatte mit den Leistungseigenschaften aus EN 312 für die Platten-Typen P 5 oder P 7, die in 4.2 aufgeführt sind

ANMERKUNG Die entsprechenden Leistungseigenschaften für die Typen P 5 und P 7 und ihre Anforderungen sind in Tabelle A.4 angegeben.

3.6.1.3 kunstharzgebundene Spanplatte für die Innenverwendung als nichttragendes Bauteil im Trockenbereich

kunstharzgebundene Spanplatte mit den Leistungseigenschaften aus EN 312 für den Platten-Typ P 1 oder Platten-Typen einer höheren Qualitätsstufe, die in 4.4 aufgeführt sind

ANMERKUNG Die entsprechenden Leistungseigenschaften für den Typ P 1 und höher und ihre Anforderungen sind in Tabelle A.4 angegeben.

3.6.1.4 kunstharzgebundene Spanplatte für die Innenverwendung als nichttragendes Bauteil im Feuchtbereich

kunstharzgebundene Spanplatte mit den Leistungseigenschaften aus EN 312 für die Platten-Typen P 3, P 5 oder P 7, die in 4.5 aufgeführt sind

ANMERKUNG Die entsprechenden Leistungseigenschaften für die Typen P 3, P 5 und P 7 und ihre Anforderungen sind in Tabelle A.4 angegeben.

3.6.1.5 Spanplatte nach dem Strangpressverfahren für die Innenverwendung als nichttragendes Bauteil im Trockenbereich

kunstharzgebundene Spanplatte mit den Leistungseigenschaften aus prEN 14 755 für die Platten-Typen ES, ET, ESL oder ETL in prEN 14 755, die in 4.4 aufgeführt sind

ANMERKUNG Die entsprechenden Leistungseigenschaften für die Typen ES, ET, ESL und ETL und ihre Anforderungen sind in Tabelle A.4 angegeben.

3.6.2 zementgebundene Spanplatte

Holzwerkstoff, wie in EN 633 definiert, hergestellt durch Verpressen von kleinen Teilen aus Holz oder anderen Teilchen pflanzlichen Ursprungs mit einem hydraulischen Zement und möglichen Zusätzen

3.6.2.1 zementgebundene Spanplatte für die Verwendung im Trocken-, Feucht- und Außenbereich

zementgebundene Spanplatte mit den Leistungseigenschaften aus EN 634-2, die in Abschnitt 4 aufgeführt sind

ANMERKUNG Die entsprechenden Leistungseigenschaften von zementgebundenen Spanplatten und ihre Anforderungen sind in Tabelle A.5 angegeben.

F

3.7 Faserplatte

Holzwerkstoff, wie in EN 316 definiert, hergestellt aus Lignozellulosefasern unter Anwendung von Hitze und/oder Druck. Die Bindung beruht entweder auf:

- der Verfilzung der Fasern und deren inhärenter Verklebungseigenschaft oder
- auf der Zugabe eines synthetischen Bindemittels.

Weitere Zusatzstoffe können verwendet werden.

3.7.1 harte Platte

Faserplatte, wie in EN 316 definiert, mit einer Rohdichte $\geq 900\,kg/m^3$, hergestellt aus Lignozellulosefasern nach dem Nassverfahren, d. h. mit einer Faserfeuchte von mehr als 20 % im Stadium der Plattenformung, unter Anwendung von Hitze und Druck

3.7.1.1 harte Platte für die Innenverwendung als tragendes Bauteil im Trockenbereich

harte Platte mit den Leistungseigenschaften aus EN 622-2 für den Platten-Typ HB.LA, die in 4.1 aufgeführt sind

ANMERKUNG Die entsprechenden Leistungseigenschaften für den Typ HB.LA und ihre Anforderungen sind Tabelle A.6 angegeben.

3.7.1.2 harte Platte für die Innenverwendung als tragendes Bauteil im Feuchtbereich

harte Platte mit den Leistungseigenschaften aus EN 622-2 für den Platten-Typ HB.HLA1 oder HB.HLA2, die in 4.2 aufgeführt sind

ANMERKUNG Die entsprechenden Leistungseigenschaften für die Typen HB.HLA1 und HB.HLA2 und ihre Anforderungen sind in Tabelle A.6 angegeben.

3.7.1.3 harte Platte für die Innenverwendung als nichttragendes Bauteil im Trockenbereich

harte Platte mit den Leistungseigenschaften aus EN 622-2 für den Platten-Typ HB, die in 4.4 aufgeführt sind

ANMERKUNG Die entsprechenden Leistungseigenschaften für den Typ HB und ihre Anforderungen sind in Tabelle A.6 angegeben

3.7.1.4 harte Platte für die Innenverwendung als nichttragendes Bauteil im Feuchtbereich

harte Platten mit den Leistungseigenschaften aus EN 622-2 für den Platten-Typ HB.H, die in 4.5 aufgeführt sind

ANMERKUNG Die entsprechenden Leistungseigenschaften für den Typ HB.H und ihre Anforderungen sind Tabelle A.6 angegeben

3.7.1.5 harte Platten als nichttragendes Bauteil für die Verwendung im Außenbereich

harte Platte mit den Leistungseigenschaften aus EN 622-2 für den Platten-Typ HB.E, die in 4.6 aufgeführt sind

ANMERKUNG Die entsprechenden Leistungseigenschaften für den Typ HB.E und ihre Anforderungen sind in Tabelle A.6 angegeben.

3.7.2 mittelharte Platte

Faserplatte, wie in EN 316 definiert, mit einer Rohdichte ≥ 400 kg/m³ bis < 900 kg/m³, hergestellt aus Lignozellulosefasern nach dem Nassverfahren, d. h. mit einer Faserfeuchte von mehr als 20 % im Stadium der Plattenformung, unter Anwendung von Hitze und Druck. Mittelharte Faserplatten geringer Dichte haben einen Dichtebereich von 400 kg/m³ bis < 560 kg/m³, mittelharte Faserplatten hoher Dichte haben einen Dichtebereich von 560 kg/m³ bis < 900 kg/m³.

3.7.2.1 mittelharte Platte für die Innenverwendung als tragendes Bauteil im Trockenbereich

mittelharte Platte mit den Leistungseigenschaften aus EN 622-3 für den Platten-Typ MBH.LA1 (allgemeine tragende Verwendung) oder MBH.LA2 (hochbelastbar), die in 4.1 aufgeführt sind

ANMERKUNG Die entsprechenden Leistungseigenschaften für die Typen MBH.LA1 und MBH.LA2 und ihre Anforderungen sind in Tabelle A.7 angegeben.

3.7.2.2 mittelharte Platte für die Innenverwendung als tragendes Bauteil im Feuchtbereich

mittelharte Platte mit den Leistungseigenschaften aus EN 622-3 für den Platten-Typ MBH.HLS1 (allgemeine tragende Verwendung) oder MBH.HLS2 (hochbelastbar), die in 4.2 aufgeführt sind

ANMERKUNG Die entsprechenden Leistungseigenschaften für die Typen MHB.HLS1 und MBH.HLS 2 und ihre Anforderungen sind in Tabelle A.7 angegeben.

3.7.2.3 mittelharte Platte für die Innenverwendung als nichttragendes Bauteil im Trockenbereich

mittelharte Platte mit den Leistungseigenschaften aus EN 622-3 für den Platten-Typ MBL oder MBH, die in 4.4 aufgeführt sind.

ANMERKUNG Die entsprechenden Leistungseigenschaften für die Typen MBL und MBH und ihre Anforderungen sind in Tabelle A.7 angegeben.

3.7.2.4 mittelharte Platte für die Innenverwendung als nichttragendes Bauteil im Feuchtbereich

mittelharte Platte mit den Leistungseigenschaften aus EN 622-3 für den Platten-Typ MBL.H oder MBH.H, die in 4.5 aufgeführt sind

ANMERKUNG Die entsprechenden Leistungseigenschaften für die Typen MBL.H und MBH.H und ihre Anforderungen sind in Tabelle A.7 angegeben.

3.7.2.5 mittelharte Platte für die Verwendung als nichttragendes Bauteil im Außenbereich

mittelharte Platte mit den Leistungseigenschaften aus EN 622-3 für den Platten-Typ MBL.E oder MBH.E, die in 4.6 aufgeführt sind

ANMERKUNG Die entsprechenden Leistungseigenschaften für die Typen MBL.E und MBH.E und ihre Anforderungen sind in Tabelle A.7 angegeben.

3.7.3 poröse Platte

Faserplatte, wie in EN 316 definiert, mit einer Rohdichte $< 400\,kg/m^3$, hergestellt aus Lignozellulosefasern nach dem Nassverfahren, d. h. mit einer Faserfeuchte von mehr als 20 % im Stadium der Plattenformung, unter Anwendung von Hitze und Druck

3.7.3.1 poröse Platte für die Innenverwendung als tragendes Bauteil im Trockenbereich

poröse Platte mit den Leistungseigenschaften aus EN 622-4 für den Platten-Typ SB.LS, die in 4.1 aufgeführt sind

ANMERKUNG Die entsprechenden Leistungseigenschaften für den Typ SB.LS und ihre Anforderungen sind in Tabelle A.8 angegeben.

3.7.3.2 poröse Platte für die Innenverwendung als tragendes Bauteil im Feuchtbereich

poröse Platte mit den Leistungseigenschaften aus EN 622-4 für den Platten-Typ SB.HLS, die in 4.2 aufgeführt sind

ANMERKUNG Die entsprechenden Leistungseigenschaften für den Typ SB.HLS und ihre Anforderungen sind in Tabelle A.8 angegeben.

3.7.3.3 poröse Platte für die Innenverwendung als nichttragendes Bauteil im Trockenbereich

poröse Platte mit den Leistungseigenschaften aus EN 622-4 für den Platten-Typ SB, die in 4.4 aufgeführt sind

ANMERKUNG Die entsprechenden Leistungseigenschaften für den Typ SB und ihre Anforderungen sind in Tabelle A.8 angegeben.

3.7.3.4 poröse Platte für die Innenverwendung als nichttragendes Bauteil im Feuchtbereich

poröse Platte mit den Leistungseigenschaften aus EN 622-4 für den Platten-Typ SB.H, die in 4.5 aufgeführt sind

ANMERKUNG Die entsprechenden Leistungseigenschaften für den Typ SB.H und ihre Anforderungen sind in Tabelle A.8 angegeben.

3.7.3.5 poröse Platte für die Verwendung als nichttragendes Bauteil im Außenbereich

poröse Platte mit den Leistungseigenschaften aus EN 622-4 für den Platten-Typ SB.E, die in 4.6 aufgeführt sind

ANMERKUNG Die entsprechenden Leistungseigenschaften für den Typ SB.E und ihre Anforderungen sind in Tabelle A.8 angegeben.

3.7.4 Faserplatte nach dem Trockenverfahren (MDF)

Holzwerkstoff, wie in EN 316 definiert, hergestellt aus Lignozellulosefasern nach dem Trockenverfahren, d. h. mit einer Faserfeuchte von weniger als 20 % im Stadium der Plattenformung, mit einem zugegebenen Bindemittel unter Anwendung von Hitze und Druck

3.7.4.1 MDF für die Innenverwendung als tragendes Bauteil im Trockenbereich

MDF mit den Leistungseigenschaften aus prEN 622-5 für den Platten-Typ MDF.LA, die in 4.1 aufgeführt sind

ANMERKUNG Die entsprechenden Leistungseigenschaften für den Typ MDF-LA und ihre Anforderungen sind in Tabelle A.9 angegeben.

3.7.4.2 MDF für die Innenverwendung als tragendes Bauteil im Feuchtbereich

MDF mit den Leistungseigenschaften aus prEN 622-5 für den Platten-Typ MDF.HLS, die in 4.2 aufgeführt sind

ANMERKUNG Die entsprechenden Leistungseigenschaften für den Typ MDF.HLS und ihre Anforderungen sind in Tabelle A.9 angegeben.

3.7.4.3 MDF für die Innenverwendung als nichttragendes Bauteil im Trockenbereich

MDF mit den Leistungseigenschaften aus prEN 622-5 für den Platten-Typ MDF die in 4.4 aufgeführt sind

ANMERKUNG Die entsprechenden Leistungseigenschaften für den Typ MDF und ihre Anforderungen sind in Tabelle A.9 angegeben.

3.7.4.4 MDF für die Innenverwendung als nichttragendes Bauteil im Feuchtbereich

MDF mit den Leistungseigenschaften aus prEN 622-5 für den Platten-Typ MDF.H, die in 4.5 aufgeführt sind

ANMERKUNG Die entsprechenden Leistungseigenschaften für den Typ MDF.H und ihre Anforderungen sind in Tabelle A.9 angegeben.

3.7.4.5 MDF für die Innenverwendung als nichttragendes Bauteil in Unterdeckplatten in Dächern und Wänden im Feuchtbereich

MDF mit den Leistungseigenschaften aus prEN 622-5 für den Platten-Typ MDF.RWH, die in 4.5 aufgeführt sind

ANMERKUNG 1 Die Anforderungen an MDF.RWH werden bei einer Überarbeitung von EN 622-5 festgelegt. Diese Norm gilt erst dann für MDF.RWH, wenn die überarbeitete EN 622-5 veröffentlicht worden ist.

ANMERKUNG 2 Die entsprechenden Leistungseigenschaften für den Typ MDF.RWH und ihre Anforderungen sind in Tabelle A.9 angegeben.

3.7.4.6 UL-MDF für die Innenverwendung als nichttragendes Bauteil im Trockenbereich

Ultra-leicht-MDF mit den Leistungseigenschaften aus prEN 622-5 für den Platten-Typ UL-MDF, die in 4.4 aufgeführt sind

ANMERKUNG 1 Die Anforderungen an UL-MDF werden bei einer Überarbeitung von EN 622-5 festgelegt. Diese Norm gilt erst dann für UL-MDF, wenn die überarbeitete EN 622-5 veröffentlicht worden ist.

ANMERKUNG 2 Die entsprechenden Leistungseigenschaften für den Typ UL-MDF und ihre Anforderungen sind in Tabelle A.9 angegeben.

3.7.4.7 L-MDF für die Innenverwendung als nichttragendes Bauteil im Trockenbereich

Leicht-MDF mit den Leistungseigenschaften aus prEN 622-5 für den Platten-Typ L-MDF, die in 4.4 aufgeführt sind

ANMERKUNG 1 Die Anforderungen an L-MDF werden bei einer Überarbeitung von EN 622-5 festgelegt. Diese Norm gilt erst dann für L-MDF, wenn die überarbeitete EN 622-5 veröffentlicht worden ist.

ANMERKUNG 2 Die entsprechenden Leistungseigenschaften für den Typ L-MDF und ihre Anforderungen sind in Tabelle A.9 angegeben.

3.7.4.8 L-MDF für die Innenverwendung als nichttragendes Bauteil im Feuchtbereich

Leicht-MDF mit den Leistungseigenschaften aus prEN 622-5 für den Platten-Typ L-MDF.H, die in 4.5 aufgeführt sind

ANMERKUNG 1 Die Anforderungen an L-MDF.H werden bei einer Überarbeitung von EN 622-5 festgelegt. Diese Norm gilt erst dann für IL-MDF.H, wenn die überarbeitete EN 622-5 veröffentlicht worden ist.

ANMERKUNG 2 Die entsprechenden Leistungseigenschaften für den Typ L-MDF.H und ihre Anforderungen sind in Tabelle A.9 angegeben.

3.8 Allgemeine Begriffe

3.8.1 tragende Verwendung

Verwendung einer Platte unter lasttragenden Bedingungen als Teil eines Gebäudes oder anderer Konstruktionen

3.8.2 Trockenbereich

Bedingungen entsprechend Nutzungsklasse 1 nach prEN 1995-1-1, gekennzeichnet durch einen Feuchtegehalt des Materials, der einer Temperatur von 20 °C und einer relativen Luftfeuchte der umgebenden Luft entspricht, die nur für einige Wochen pro Jahr einen Wert von 65 % übersteigt

3.8.3 Feuchtbereich
Bedingungen entsprechend Nutzungsklasse 2 nach prEN 1995-1-1, gekennzeichnet durch einen Feuchtegehalt des Materials, der einer Temperatur von 20 °C und einer relativen Luftfeuchte der umgebenden Luft entspricht, die nur für einige Wochen pro Jahr einen Wert von 85 % übersteigt.

3.8.4 Außenbereich
Bedingungen entsprechend Nutzungsklasse 3 nach prEN 1995-1-1, gekennzeichnet durch Klimaverhältnisse, die zu höheren Feuchtegehalten als in Nutzungsklasse 2 führen

3.8.5 technische Klasse
Produkt-Leistungsklasse, die ein normgerechtes Zuordnen von Produktleistung und Verwendungszweck erleichtern soll

3.8.6 Brandverhalten
Verhalten eines Bauproduktes, mit dem es infolge seiner Zersetzung das Feuer, dem es unter festgelegten Bedingungen ausgesetzt ist, beeinflusst

[EN 13 501-1:2002]

3.8.7 unbeschichtete Platte
Holzwerkstoff ohne Beschichtung, Lackierung oder Furnier auf den Oberflächen

3.8.8 beschichtete Platte
Holzwerkstoff, der mit einer oder mehreren Beschichtungen oder Filmen überzogen ist, beispielsweise mit imprägniertem Papier, Kunststoff, Kunstharzfolie, Metall

3.8.9 lackierte Platte
Holzwerkstoff, der mit einer Lackschicht überzogen ist, die funktionellen oder dekorativen Zwecken dient und üblicherweise in flüssiger Form aufgebracht wird

3.8.10 furnierte Platte
mit einem Furnier beschichteter Holzwerkstoff

3.8.11 tragender Unterboden
eine bauliche Anordnung von Lagerhölzern mit einer Abdeckung aus Holzwerkstoffen

ANMERKUNG Die Leistungseigenschaften sind in EN 12 871 angegeben.

3.8.12 tragende Wandbeplankung
Holzwerkstoff, der in der Lage ist, einer Wandkonstruktion mechanische Festigkeit zu verleihen

ANMERKUNG Die Leistungseigenschaften sind in EN 12 871 angegeben.

3.8.13 tragende Dachschalung
eine bauliche Anordnung von Balken mit einer Abdeckung aus Holzwerkstoffen

ANMERKUNG Die Leistungseigenschaften sind in EN 12 871 angegeben.

4 Erforderliche Leistungseigenschaften für Holzwerkstoffe zur Verwendung im Bauwesen

4.1 Holzwerkstoffe für die Innenverwendung als tragende Bauteile im Trockenbereich

Um die Erfüllung der Anforderungen an die in Abschnitt 3 definierten Holzwerkstoffe (siehe auch Anhang A) und die Feststellung der Formaldehyd-Klasse (siehe Anhang B) sicherzustellen, sind die Leistungseigenschaften 1 bis 6 nach Tabelle 1 zu bestimmen. Falls erforderlich, sind die übrigen Leistungseigenschaften (7 bis 15 nach Tabelle 1) zu bestimmen.

Tabelle 1 – Leistungseigenschaften für Holzwerkstoffe für die Innenverwendung als tragende Bauteile im Trockenbereich

Nr.	Leistungseigenschaft	Massivholzplatte	Sperrholz und Furnierschichtholz	OSB	Spanplatte	Zementgebundene Spanplatte	Faserplatte
1	Biegefestigkeit	5.1					
2	Biegesteifigkeit (Elastizitätsmodul)	5.2					
3	Qualität der Verklebung	5.3		–			
4	Querzugfestigkeit	–		5.4			
5	Dauerhaftigkeit (Dickenquellung)	–		5.5			
6	Formaldehydabgabe	5.7					
7	Brandverhalten	5.8					
8	Wasserdampfdurchlässigkeit	5.9					
9	Luftschalldämmung	5.10					
10	Schallabsorption	5.11					
11	Wärmeleitfähigkeit	5.12					
12	Festigkeit und Steifigkeit für tragende Verwendung	5.13					
13	Mechanische Dauerhaftigkeit	5.16					
14	Biologische Dauerhaftigkeit	5.17					
15	Gehalt an Pentachlorphenol	5.18					

ANMERKUNG Die Leistungseigenschaften für Holzwerkstoffe zur Verwendung als tragender Unterboden auf Lagerhölzern, tragende Dachschalung auf Balken und als tragende Wandbeplankung auf Rippen sind in Tabelle 7 angegeben.

4.2 Holzwerkstoffe für die Innenverwendung als tragende Bauteile im Feuchtbereich

Um die Erfüllung der Anforderungen an die in Abschnitt 3 definierten Holzwerkstoffe (siehe auch Anhang A) und die Feststellung der Formaldehyd-Klasse (siehe Anhang B) sicherzustellen, sind die Leistungseigenschaften 1 bis 7 entsprechend Tabelle 2 zu bestimmen. Falls erforderlich, sind die übrigen Leistungseigenschaften (8 bis 16 nach Tabelle 2) zu bestimmen.

Tabelle 2 – Leistungseigenschaften für Holzwerkstoffe für die Innenverwendung als tragende Bauteile im Feuchtbereich

Nr.	Leistungseigenschaft	Massivholzplatte	Sperrholz und Furnierschichtholz	OSB	Spanplatte	Zementgebundene Spanplatte	Faserplatte[a]
1	Biegefestigkeit	5.1					
2	Biegesteifigkeit (Elastizitätsmodul)	5.2					
3	Qualität der Verklebung	5.3		–			
4	Querzugfestigkeit	–		5.4			
5	Dauerhaftigkeit (Dickenquellung)	–		5.5			
6	Dauerhaftigkeit (Feuchtebeständigkeit)	5.6.5		5.6.1	5.6.2	5.6.3	5.6.4
7	Formaldehydabgabe	5.7					
8	Brandverhalten	5.8					
9	Wasserdampfdurchlässigkeit	5.9					
10	Luftschalldämmung	5.10					
11	Schallabsorption	5.11					
12	Wärmeleitfähigkeit	5.12					
13	Festigkeit und Steifigkeit für tragende Verwendung	5.13					
14	Mechanische Dauerhaftigkeit	5.16					
15	Biologische Dauerhaftigkeit	5.17					
16	Gehalt an Pentachlorphenol	5.18					

ANMERKUNG Die Leistungseigenschaften für Holzwerkstoffe zur Verwendung als tragender Unterboden auf Lagerhölzern, tragende Dachschalung auf Balken und als tragende Wandbeplankung auf Rippen sind in Tabelle 7 angegeben.

[a] Unter diesen klimatischen Bedingungen ist die Verwendung von mittelharten Platten hoher Dichte (MBH) sowie Platten nach dem Trockenverfahren (MDF) für tragende Zwecke lediglich auf Moment- oder Kurzzeitbelastungen beschränkt.

4.3 Holzwerkstoffe zur Verwendung als tragende Bauteile im Außenbereich

Um die Erfüllung der Anforderungen an die in Abschnitt 3 definierten Holzwerkstoffe (siehe auch Anhang A) und die Feststellung der Formaldehyd-Klasse (siehe Anhang B) sicherzustellen, sind die Leistungseigenschaften 1 bis 7 nach Tabelle 3 zu bestimmen. Falls erforderlich, sind die übrigen Leistungseigenschaften (8 bis 15 nach Tabelle 3) zu bestimmen.

Tabelle 3 – Leistungseigenschaften für Holzwerkstoffe zur Verwendung als tragende Bauteile im Außenbereich

	Leistungseigenschaft	Massivholzplatte	Sperrholz und Furnierschichtholz	Zementgebundene Spanplatte
1	Biegefestigkeit	5.1		
2	Biegesteifigkeit (Elastizitätsmodul)	5.2		
3	Qualität der Verklebung	5.3		–
4	Querzugfestigkeit	–		5.4
5	Dauerhaftigkeit (Dickenquellung)	–		5.5
6	Dauerhaftigkeit (Feuchtebeständigkeit)	5.6.5		5.6.3
7	Formaldehydabgabe	5.7		
8	Brandverhalten	5.8		
9	Wasserdampfdurchlässigkeit	5.9		
10	Luftschalldämmung	5.10		
11	Wärmeleitfähigkeit	5.12		
12	Festigkeit und Steifigkeit für tragende Verwendung	5.13		
13	Mechanische Dauerhaftigkeit	5.16		
14	Biologische Dauerhaftigkeit	5.17		
15	Gehalt an Pentachlorphenol	5.18		

Diese Holzwerkstoffe sollten bei der Verwendung nicht mit Untergrund, Erdboden oder Wasser in direkte Berührung kommen.

ANMERKUNG Die Leistungseigenschaften für Holzwerkstoffe zur Verwendung als tragender Unterboden auf Lagerhölzern, tragende Dachschalung auf Balken und als tragende Wandbeplankung auf Rippen sind in Tabelle 7 angegeben.

4.4 Holzwerkstoffe für die Innenverwendung als nichttragende Bauteile im Trockenbereich

Um die Erfüllung der Anforderungen an die in Abschnitt 3 definierten Holzwerkstoffe (siehe auch Anhang A) und die Feststellung der Formaldehyd-Klasse (siehe Anhang B) sicherzustellen, sind die Leistungseigenschaften 1 bis 4 entsprechend Tabelle 4 zu bestimmen. Falls erforderlich, sind die übrigen Leistungseigenschaften (5 bis 11 nach Tabelle 4) zu bestimmen.

Tabelle 4 – Leistungseigenschaften für Holzwerkstoffe für die Innenverwendung als nichttragende Bauteile im Trockenbereich

Nr.	Leistungseigenschaft	Massivholzplatte	Sperrholz und Furnierschichtholz	OSB	Spanplatte	Zementgebundene Spanplatte	Faserplatte
1	Alterungsbeständigkeit (Biegefestigkeit)	–	5.1				
2	Qualität der Verklebung	5.3		–			
3	Querzugfestigkeit	–		5.4			
4	Formaldehydabgabe	5.7					
5	Brandverhalten	5.8					
6	Wasserdampfdurchlässigkeit	5.9					
7	Luftschalldämmung	5.10					
8	Schallabsorption	5.11					
9	Wärmeleitfähigkeit	5.12					
10	Biologische Dauerhaftigkeit	5.17					
11	Gehalt an Pentachlorphenol	5.18					

4.5 Holzwerkstoffe für die Innenverwendung als nichttragende Bauteile im Feuchtbereich

Um die Erfüllung der Anforderungen an die in Abschnitt 3 definierten Holzwerkstoffe (siehe auch Anhang A) und die Feststellung der Formaldehyd-Klasse (siehe Anhang B) sicherzustellen, sind die Leistungseigenschaften 1 bis 6 nach Tabelle 5 zu bestimmen. Falls erforderlich, sind die übrigen Leistungseigenschaften (7 bis 13 nach Tabelle 5) zu bestimmen.

Tabelle 5 – Leistungseigenschaften für Holzwerkstoffe für die Innenverwendung als nichttragende Bauteile im Feuchtbereich

Nr.	Leistungseigenschaft	Massivholzplatte	Sperrholz und Furnierschichtholz	OSB	Spanplatte	Zementgebundene Spanplatte	Faserplatte
1	Alterungsbeständigkeit (Biegefestigkeit)	–	5.1				
2	Qualität der Verklebung	5.3		–			
3	Querzugfestigkeit	–		5.4			
4	Dauerhaftigkeit (Dickenquellung)	–		5.5			
5	Dauerhaftigkeit (Feuchtebeständigkeit)	5.6.5		5.6.1	5.6.2	5.6.3	5.6.4
6	Formaldehydabgabe	5.7					
7	Brandverhalten	5.8					
8	Wasserdampfdurchlässigkeit	5.9					
9	Luftschalldämmung	5.10					
10	Schallabsorption	5.11					
11	Wärmeleitfähigkeit	5.12					
12	Biologische Dauerhaftigkeit	5.17					
13	Gehalt an Pentachlorphenol	5.18					

4.6 Holzwerkstoffe zur Verwendung als nichttragende Bauteile im Außenbereich

Um die Erfüllung der Anforderungen an die in Abschnitt 3 definierten Holzwerkstoffe (siehe auch Anhang A) und die Feststellung der Formaldehyd-Klasse (siehe Anhang B) sicherzustellen, sind die Leistungseigenschaften 1 bis 5 nach Tabelle 6 zu bestimmen. Falls erforderlich, sind die übrigen Leistungseigenschaften (6 bis 11 nach Tabelle 6) zu bestimmen.

Tabelle 6 – Leistungseigenschaften für Holzwerkstoffe für die Verwendung als nichttragende Bauteile im Außenbereich

<table>
<tr><th>Nr</th><th>Leistungseigenschaft</th><th>Massivholzplatte[a]</th><th>Sperrholz[a] und Furnierschichtholz</th><th>Zementgebundene Spanplatte</th><th>Faserplatte[a,b]</th></tr>
<tr><td>1</td><td>Alterungsbeständigkeit (Biegefestigkeit)</td><td>–</td><td colspan="3">5.1</td></tr>
<tr><td>2</td><td>Qualität der Verklebung</td><td colspan="2">5.3</td><td colspan="2">–</td></tr>
<tr><td>3</td><td>Querzugfestigkeit</td><td colspan="2">–</td><td colspan="2">5.4</td></tr>
<tr><td>4</td><td>Dauerhaftigkeit (Feuchtebeständigkeit)</td><td colspan="2">5.6.5</td><td>5.6.3</td><td>5.6.4</td></tr>
<tr><td>5</td><td>Formaldehydabgabe</td><td colspan="4">5.7</td></tr>
<tr><td>6</td><td>Brandverhalten</td><td colspan="4">5.8</td></tr>
<tr><td>7</td><td>Wasserdampfdurchlässigkeit</td><td colspan="4">5.9</td></tr>
<tr><td>8</td><td>Luftschalldämmung</td><td colspan="4">5.10</td></tr>
<tr><td>9</td><td>Wärmeleitfähigkeit</td><td colspan="4">5.12</td></tr>
<tr><td>10</td><td>Biologische Dauerhaftigkeit</td><td colspan="4">5.17</td></tr>
<tr><td>11</td><td>Gehalt an Pentachlorphenol</td><td colspan="4">5.18</td></tr>
</table>

[a] Diese Holzwerkstoffe sollten bei der Verwendung nicht mit Untergrund, Erdboden oder Wasser in direkte Berührung kommen.

[b] Diese Holzwerkstoffe dürfen im Außenbereich nur dann verwendet werden, wenn sie mit einem in der Außenverwendung bewährten Oberflächenschutz auf den gefährdeten Breit- und Schmalseiten versehen sind, z. B. Versiegelung.

4.7 Holzwerkstoffe für die Innenverwendung als tragender Unterboden auf Lagerhölzern, tragende Dachschalung auf Balken sowie als tragende Wandbeplankung auf Rippen

Um die Erfüllung der Anforderungen an die in Abschnitt 3 definierten Holzwerkstoffe (siehe auch Anhang A) und die Feststellung der Formaldehyd-Klasse (siehe Anhang B) sicherzustellen, sind die Leistungseigenschaften 1 bis 7 nach Tabelle 7 zu bestimmen. Falls erforderlich, sind die übrigen Leistungseigenschaften (8 bis 18 nach Tabelle 7) zu bestimmen.

Tabelle 7 – Leistungseigenschaften für Holzwerkstoffe für die Verwendung als tragender Unterboden auf Lagerhölzern, tragende Dachschalung auf Balken sowie als tragende Wandbeplankung auf Rippen

Nr	Leistungseigenschaft	Massivholzplatte	Sperrholz und Furnierschichtholz	OSB	Spanplatte	Zementgebundene Spanplatte	Faserplatte
1	Biegefestigkeit	5.1					
2	Biegesteifigkeit (Elastizitätsmodul)	5.2					
3	Qualität der Verklebung	5.3		–			
4	Querzugfestigkeit	–		5.4			
5	Dauerhaftigkeit (Dickenquellung)	–		5.5			
6	Dauerhaftigkeit (Feuchtebeständigkeit)[a]	5.6.5		5.6.1	5.6.2	5.6.3	5.6.4
7	Formaldehydabgabe	5.7					
8	Brandverhalten	5.8					
9	Wasserdampfdurchlässigkeit	5.9					
10	Luftschalldämmung	5.10					
11	Schallabsorption	5.11					
12	Wärmeleitfähigkeit	5.12					
13	Festigkeit und Steifigkeit für tragende Verwendung	5.13					
14	Stoßwiderstand	5.14					
15	Festigkeit und Steifigkeit unter Punktlast für tragende Verwendung[b]	5.15					
16	Mechanische Dauerhaftigkeit	5.16					
17	Biologische Dauerhaftigkeit	5.17					
18	Gehalt an Pentachlorphenol	5.18					

[a] Nur für Einsatzzwecke unter Feuchtbedingungen
[b] Nur für tragende Unterböden auf Lagerhölzern und Dachschalungen auf Balken

5.14.3 Wandbeplankung auf Rippen

Der Stoßwiderstand ist nach EN 596 in Verbindung mit EN 12 871 zu bestimmen.

5.15 Festigkeit und Steifigkeit unter Punktlast für tragende Verwendung

5.15.1 Unterbogen auf Lagerhölzern

Die Festigkeit und Steifigkeit ist nach EN 1195 in Verbindung mit EN 12 871 zu bestimmen.

ANMERKUNG Das Prinzip der Stoßscherung („punching shear“) wird in EN 12 871 berücksichtigt, indem bei der nach EN 1195 durchzuführenden Punktlast-Prüfung des Holzwerkstoffes dessen Leistung bei verschiedenen Kontaktflächen bestimmt wird.

5.15.2 Dachschalung auf Balken

Die Festigkeit und Steifigkeit ist nach EN 12 871 zu bestimmen und zu bewerten.

5.16 Mechanische Dauerhaftigkeit

Die mechanische Dauerhaftigkeit ist entweder nach ENV 1156 zu bestimmen, oder die entsprechenden Korrekturfaktoren k_{mod} und k_{def} dürfen aus prEN 1995-1-1 entnommen werden.

5.17 Biologische Dauerhaftigkeit

Die Gefährdungsklassen, in denen ein Erzeugnis verwendet werden darf, sind den entsprechenden Teilen von EN 335 zu entnehmen.

ANMERKUNG Für Sperrholz sollte ENV 1099 als Leitfaden verwendet werden.

5.18 Gehalt an Pentachlorphenol

Holzwerkstoffe enthalten üblicherweise weniger als 5 ppm Pentachlorphenol (PCP). Bei einer Verwendung von Rohstoffen, die PCP enthalten, ist das Erzeugnis nach den Verfahren zu prüfen, die in dem Land gelten, in dem das Erzeugnis verwendet werden soll. Wird der Wert von 5 ppm überschritten, ist die zusätzliche Angabe „PCP > 5 ppm“ in die Kennzeichnung aufzunehmen.

ANMERKUNG 1 Ein Europäisches Prüfverfahren ist im CEN/TC 38 „Dauerhaftigkeit von Holz und Holzprodukten“ als CEN/TR 14 823 erarbeitet worden.

ANMERKUNG 2 In bestimmten Ländern sind Produkte mit einem PCP-Gehalt von mehr als 5 ppm nicht zulässig.

F

6 Bewertung der Konformität

6.1 Allgemeines

Die Übereinstimmung eines Holzwerkstoffes mit den Anforderungen dieser Norm und mit den angegebenen Werten (einschließlich der Klassen) ist nachzuweisen durch:

- werkseigene Produktionskontrolle durch den Hersteller;
- Erstprüfung des Produktes;
- falls erforderlich Erstinspektion des Werkes und laufende Überwachung.

6.2 Werkseigene Produktionskontrolle

Der Hersteller muss ein System der werkseigenen Produktionskontrolle einrichten, dokumentieren und aufrechterhalten, um sicherzustellen, dass die auf den Markt gebrachten Erzeugnisse den angegebenen Leistungseigenschaften entsprechen. Die werkseigene Produktionskontrolle muss Verfahren, regelmäßige Überprüfungen und Auswertungen der Ergebnisse zur Kontrolle der Roh- und Hilfsstoffe, der Produktionseinrichtungen, des Herstellungsprozesses und des Erzeugnisses umfassen. Sie muss ausführlich genug sein, um die Konformität des Erzeugnisses sicher nachweisen zu können.

Wenn der Hersteller ein System der werkseigenen Produktionskontrolle betreibt, das den Anforderungen von EN ISO 9001 entspricht und auf die Anforderungen dieser Norm abgestimmt ist, gelten diese Bedingungen als erfüllt.

Alle Ergebnisse von Überprüfungen oder Auswertungen, die ein Eingreifen erfordern, sowie die durchgeführten Maßnahmen sind aufzuzeichnen. Die Maßnahmen, die zu ergreifen sind, wenn Anforderungen oder andere Bedingungen nicht eingehalten wurden, sind festzuhalten.

Der Hersteller hat die geforderten Leistungseigenschaften der Platten nach EN 326-2 zu überwachen. Die Leistungseigenschaften, die für die vorgesehene Verwendung von Bedeutung sind (siehe Tabellen 1 bis 7), sind hierbei mindestens so häufig zu überwachen, wie in Tabelle 12 angegeben. Die Probenahme hat zufallsweise zu erfolgen.

6.3 Erstprüfung des Produktes

Eine Erstprüfung des Produktes ist bei der ersten Anwendung dieser Norm vorzunehmen, sofern nicht bereits Prüfungen nach den Festlegungen dieser Norm durchgeführt werden (gleiches Produkt, gleiche Eigenschaften, gleiches Prüfverfahren, gleiches Verfahren der Probenahme, gleiches Verfahren zur Bescheinigung der Konformität usw.). Außerdem ist eine Erstprüfung des Produktes vorzunehmen zu Beginn der Herstellung eines neuen Produkttyps oder zu Beginn eines neuen Herstellungsverfahrens, wenn die angegebenen Eigenschaften hierdurch beeinflusst werden können. Die Erstprüfung des Produktes muss alle Leistungseigenschaften umfassen, die für die vorgesehene Verwendung von Bedeutung sind (siehe Tabellen 1 bis 7). Wenn die Werte der Tabellen 8 bis 11 verwendet werden oder wenn einzelne Anforderungen für eine bestimmte Endverwendung oder für eine technische Klasse nicht relevant sind, ist der

Nachweis der entsprechenden Eigenschaften nicht erforderlich. Der Hersteller muss jedoch die Rohdichte nach EN 323 und die Dicke nach EN 324-1 bzw. nach EN 325 bestimmen, um sicherzustellen, dass die aus den Tabellen in Abschnitt 5 entnommenen Werte eingehalten werden.

6.4 Erstinspektion des Werkes und laufende Überwachung

Falls erforderlich ist eine Erstinspektion des Werkes und der werkseigenen Produktionskontrolle sowie eine laufende Überwachung der werkseigenen Produktionskontrolle nach EN 326-2 vorzunehmen. Dabei sind alle Leistungseigenschaften zu berücksichtigen, die für die vorgesehene Verwendung von Bedeutung sind (siehe Tabellen 1 bis 7).

7 Kennzeichnung

Die Kennzeichnung hat die für die vorgesehene Verwendung bedeutsamen Eigenschaften zu umfassen (siehe Tabellen 1 bis 7), wobei die in Tabelle 13 oder Tabelle 14 aufgeführten Elemente anzuwenden sind.

Die vollständige Kennzeichnung muss in den kommerziellen Begleitpapieren enthalten sein, wenn sie nicht vollständig auf dem Produkt selbst, auf einem daran angebrachten Etikett oder auf der Verpackung erscheint. Die Kennzeichnung darf teilweise auf dem Produkt selbst, auf einem daran angebrachten Etikett oder auf der Verpackung angebracht werden.

Tabelle 13 – Anforderungen an die Kennzeichnung auf Grund der Technischen Klassen

– Angabe dieser Norm – Technische Klasse nach Anhang A – Brandverhalten Euroklasse: A2, B, C, D, E oder F (falls erforderlich, zusätzlich Rauch- und Abtropfklasse) oder entsprechende Klasse für Fußböden, mit Angabe der Einbau- und Befestigungsbedingungen, wenn abweichend von Tabelle 8 – Formaldehyd-Klasse: E1 oder E2 nach Anhang B – Gehalt an Pentachlorphenol[a]: – „PT" (mit Holzschutzmitteln behandelt) wenn das Produkt gegen biologischen Befall besonders behandelt worden ist (siehe ANMERKUNGEN in ZA.1 und ZA.3.1)
[a] Keine Angabe bei einem Pentachlorphenol-Gehalt $\leq$ 5 ppm, ansonsten „> 5 ppm".

F

Tabelle 14 – Anforderungen an die Kennzeichnung auf Grund deklarierter Werte nach den Tabellen 1 bis 7

Angabe dieser Norm	EN 13 986
Produkt-Typ	Nach Tabellen 1 bis 7
Nutzungsklasse	Nach prEN 1995-1-1
Leistungseigenschaften	Einheit des deklarierten Wertes oder Klasse
Biegefestigkeit und/oder Alterungsbeständigkeit	N/mm² oder Klasse (für Sperrholz)
Biegesteifigkeit (Elastizitätsmodul)	N/mm² oder Klasse (für Sperrholz)
Verklebungsqualität	Klasse nach EN 314-2 für Sperrholz oder nach CEN/TS 13 354 für Massivholzplatten
Querzugfestigkeit	N/mm²
Dauerhaftigkeit (Dickenquellung)	%
Stoßwiderstand für tragende Verwendung	mm oder J
Dauerhaftigkeit (Feuchtebeständigkeit) Option 1: Verbleibende Querzugfestigkeit nach Zyklustest Verbleibende Dickenquellung nach Zyklustest Verbleibende Biegefestigkeit nach Zyklustest (für OSB) Option 2: Verbleibende Querzugfestigkeit nach Kochprüfung Verbleibende Biegefestigkeit nach Kochprüfung (für HB.HLA2, MBH.H, MBH.E und MBH.HLS2) Verbleibende Biegefestigkeit nach Zyklustest (für OSB)	 N/mm² % N/mm² N/mm²
Brandverhalten	Klasse (falls erforderlich, zusätzlich Rauchklasse und Abtropfklasse)
Wasserdampfdurchlässigkeit (Wasserdampf-Diffusionswiderstand)	(–)
Formaldehyd	Klasse E1 oder E2 und wenn gewünscht mg/100 g atro Platte oder mg/m² h oder mg/m³ Kammerluft
Luftschalldämmung	dB
Schallabsorption	(–)
Wärmeleitfähigkeit	W/(m · K)
Festigkeit und Steifigkeit für tragende Verwendung	N/mm²
Festigkeit und Steifigkeit unter Punktlast für tragende Verwendung	N und N/mm
Mechanische Dauerhaftigkeit Korrektur der Last (Festigkeit) k_{mod} Korrektur der Steifigkeit (Kriechen) k_{def}	 (–) (–)
Gehalt an Pentachlorphenol	Keine Angabe oder „> 5 ppm“
Wenn das Produkt gegen biologischen Befall besonders behandelt worden ist (siehe ANMERKUNG in ZA.1 und ZA.3.1)	„PT“

ANMERKUNG Tabelle 14 darf für zusätzliche Angaben zu Produkten, die mit einer technischen Klasse in Anhang A übereinstimmen, verwendet werden.

[a] Keine Angabe bei Pentachlorphenolgehalt ≤ 5 ppm, ansonsten „> 5 ppm“.

G Rohbaukonstruktionen

Mauerwerk

Berechnung und Ausführung

Auszug aus **DIN 1053-1** (11.96)

Inhalt

1 Anwendungsbereich und normative Verweisungen

Diese Norm gilt für die Berechnung und Ausführung von Mauerwerk aus künstlichen und natürlichen Steinen.

Mauerwerk nach dieser Norm darf entweder nach dem vereinfachten Verfahren (Voraussetzungen siehe Abschnitt 6.1) oder nach dem genaueren Verfahren (siehe Abschnitt 7.3, *nicht abgedruckt*) berechnet werden.

Bei der Wahl der Bauteile sind auch die Funktionen der Wände hinsichtlich des Wärme-, Schall-, Brand- und Feuchteschutzes zu beachten. Bezüglich der Vermauerung mit und ohne Stoßfugenvermörtelung siehe Abschnitt 9.2.1 und 9.2.2.

Es dürfen nur Baustoffe verwendet werden, die den in dieser Norm genannten Normen entsprechen.

ANMERKUNG: Die Verwendung anderer Baustoffe bedarf nach den bauaufsichtlichen Vorschriften eines besonderen Nachweises der Brauchbarkeit, z. B. durch eine allgemeine bauaufsichtliche Zulassung.

2 Begriffe

2.1 Rezeptmauerkwerk (RM)

Rezeptmauerwerk ist Mauerwerk, dessen Grundwerte der zulässigen Druckspannungen σ_0 in Abhängigkeit von Steinfestigkeitsklassen, Mörtelarten und Mörtelgruppen nach den Tabellen 4 a und 4 b festgelegt werden.

2.2 Mauerwerk nach Eignungsprüfung (EM)

Mauerwerk nach Eignungsprüfung ist Mauerwerk, dessen Grundwerte der zulässigen Druckspannungen σ_0 aufgrund von Eignungsprüfungen nach DIN 1053-2 und nach Tabelle 4 c bestimmt werden.

2.3 Tragende Wände

Tragende Wände sind überwiegend auf Druck beanspruchte, scheibenartige Bauteile zur Aufnahme vertikaler Lasten, z. B. Deckenlasten, sowie horizontaler Lasten, z. B. Windlasten. Als „Kurze Wände" gelten Wände oder Pfeiler, deren Querschnittsflächen kleiner als 1000 cm^2 sind. Gemauerte Querschnitte kleiner als 400 cm^2 sind als tragende Teile unzulässig.

2.4 Aussteifende Wände

Aussteifende Wände sind scheibenartige Bauteile zur Aussteifung des Gebäudes oder zur Knickaussteifung tragender Wände. Sie gelten stets auch als tragende Wände.

2.5 Nichttragende Wände

Nichttragende Wände sind scheibenartige Bauteile, die überwiegend nur durch ihre Eigenlast beansprucht werden und auch nicht zum Nachweis der Gebäudeaussteifung oder der Knickaussteifung tragender Wände herangezogen werden.

2.6 Ringanker

Ringanker sind in Wandebene liegende horizontale Bauteile zur Aufnahme von Zugkräften, die in den Wänden infolge von äußeren Lasten oder von Verformungsunterschieden entstehen können.

2.7 Ringbalken

Ringbalken sind in Wandebene liegende horizontale Bauteile, die außer Zugkräften auch Biegemomente infolge von rechtwinklig zur Wandebene wirkenden Lasten aufnehmen können.

3 Bautechnische Unterlagen

Als bautechnische Unterlagen gelten insbesondere die Bauzeichnungen, der Nachweis der Standsicherheit und eine Baubeschreibung sowie etwaige Zulassungs- und Prüfbescheide.

Für die Beurteilung und Ausführung des Mauerwerks sind in den bautechnischen Unterlagen mindestens Angaben über

a) Wandaufbau und Mauerwerksart (RM oder EM),

b) Art, Rohdichteklasse und Druckfestigkeitsklasse der zu verwendenden Steine,

c) Mörtelart, Mörtelgruppe,

d) aussteifende Bauteile, Ringanker und Ringbalken,

e) Schlitze und Aussparungen,

f) Verankerungen der Wände,

g) Bewehrungen des Mauerwerks,

h) verschiebliche Auflagerungen

erforderlich.

5 Baustoffe

5.1 Mauersteine

Es dürfen nur Steine verwendet werden, die DIN 105-1, DIN 106-1 und DIN 398, DIN 1057-1, DIN 4165, DIN 18 151 und DIN 18 152 und DIN 18 153 entsprechen.

Für die Verwendung von Natursteinen gilt Abschnitt 12.

5.2 Mauermörtel

5.2.1 Anforderungen

Es dürfen nur Mauermörtel verwendet werden, die den Bedingungen des Anhanges A entsprechen.

5.2.2 Verarbeitung

Zusammensetzung und Konsistenz des Mörtels müssen vollfugiges Vermauern ermöglichen. Dies gilt besonders für Mörtel der Gruppen III und III a. Werkmörteln dürfen auf der Baustelle keine Zuschläge und Zusätze (Zusatzstoffe und Zusatzmittel) zugegeben werden. Bei ungünstigen Witterungsbedingungen (Nässe, niedrige Temperaturen) ist ein Mörtel mindestens der Gruppe II zu verwenden.

Der Mörtel muß vor Beginn des Erstarrens verarbeitet sein.

5.2.3 Anwendung

5.2.3.1 Allgemeines

Mörtel unterschiedlicher Arten und Gruppen dürfen auf einer Baustelle nur dann gemeinsam verwendet werden, wenn sichergestellt ist, daß keine Verwechslung möglich ist.

G

5.2.3.2 Normalmörtel (NM)
Es gelten folgende Einschränkungen:

a) Mörtelgruppe I:
   - Nicht zulässig für Gewölbe und Kellermauerwerk, mitAusnahme bei der Instandsetzung von altem Mauerwerk, das mit Mörtel der Gruppe I gemauert ist.
   - Nicht zulässig bei mehr als zwei Vollgeschossen und bei Wanddicken kleiner als 240 mm, dabei ist als Wanddicke bei zweischaligen Außenwänden die Dicke der Innenschale maßgebend.
   - Nicht zulässig für Vermauern der Außenschale nach Abschnitt 8.4.3.
   - Nicht zulässig für Mauerwerk EM.

b) Mörtelgruppe II und IIa:
   - Keine Einschränkung.

c) Mörtelgruppen III und IIIa:
   - Nicht zulässig für Vermauern der Außenschale nach Abschnitt 8.4.3. Abweichend davon darf MG III zum nachträglichen Verfugen und für diejenigen Bereiche von Außenschalen verwendet werden, die als bewehrtes Mauerwerk nach DIN 1053-3 ausgeführt werden.

5.2.3.3 Leichtmörtel
Es gelten folgende Einschränkungen:

- Nicht zulässig für Gewölbe und der Witterung ausgesetztes Sichtmauerwerk (siehe auch 8.4.2.2 und 8.4.3).

5.2.3.4 Dünnbettmörtel
Es gelten folgende Einschränkungen:

- Nicht zulässig für Gewölbe und für Mauersteine mit Maßabweichungen der Höhe von mehr als 1,0 mm (Anforderungen an Plansteine).

6 Vereinfachtes Berechnungsverfahren

6.1 Allgemeines

Der Nachweis der Standsicherheit darf mit dem gegenüber Abschnitt 7 vereinfachten Verfahren geführt werden, wenn die folgenden und die in Tabelle 1 enthaltenen Voraussetzungen erfüllt sind:

- Gebäudehöhe über Gelände nicht mehr als 20 m,
- Stützweite der aufliegenden Decken $l \geq 6{,}0$ m, sofern nicht die Biegemomente aus dem Deckenwinkel durch konstruktive Maßnahmen, z. B. Zentrierleisten, begrenzt werden; bei zweiachsig gespannten Decken ist für l die kürzere der beiden Stützweiten einzusetzen.

Tabelle 1: Voraussetzungen für die Anwendung des vereinfachten Verfahrens

	Bauteil	Voraussetzungen d mm	h_s	p kN/m²
1	Innenwände	≥ 115 < 240	$\leq 2{,}75$ m	≤ 5
2		≥ 240	–	
3	einschalige Außenwände	≥ 175[1] ≥ 240	$\leq 2{,}75$ m	
4		< 240	$\leq 12 \cdot d$	
5	Tragschale zweischaliger Außenwände und zweischalige Haustrennwände	≥ 115[2] < 175[2]	$\leq 2{,}75$ m	≤ 3[3]
6		≥ 175 < 240		≤ 5
7		≥ 240	$\leq 12 \cdot d$	

1) Bei eingeschossigen Garagen und vergleichbaren Bauwerken, die nicht zum dauernden Aufenthalt von Menschen vorgesehen sind, auch $d \leq 115$ mm zulässig.

2) Geschoßanzahl maximal zwei Vollgeschosse zuzüglich ausgebautes Dachgeschoß; aussteifende Querwände im Abstand $\leq 4{,}50$ m bzw. Randabstand von einer Öffnung $\leq 2{,}0$ m.

3) Einschließlich Zuschlag für nichttragende innere Trennwände.

Als Gebäudehöhe darf bei geneigten Dächern das Mittel von First- und Traufhöhe gelten.

Ist die Gebäudehöhe größer als 20 m oder treffen die in diesem Abschnitt enthaltenen Voraussetzungen nicht zu oder soll die Standsicherheit des Bauwerkes oder einzelner Bauteile genauer nachgewiesen werden, ist der Standsicherheitsnachweis nach Abschnitt 7 zu führen.

8.1.2 Tragende Wände

8.1.2.1 Allgemeines

Wände, die mehr als ihre Eigenlast aus einem Geschoß zu tragen haben, sind stets als tragende Wände anzusehen. Wände, die der Aufnahme von horizontalen Kräften rechtwinklig zur Wandebene dienen, dürfen auch als nichttragende Wände nach Abschnitt 8.1.3 ausgebildet sein.

Tragende Innen- und Außenwände sind mit einer Dicke von mindestens 115 mm auszuführen, sofern aus Gründen der Standsicherheit, der Bauphysik oder des Brandschutzes nicht größere Dicken erforderlich sind.

Die Mindestmaße tragender Pfeiler betragen 115 mm × 365 mm bzw. 175 mm × 240 mm.

Tragende Wände sollen unmittelbar auf Fundamente gegründet werden. Ist dies in Sonderfällen nicht möglich, so ist auf ausreichende Steifigkeit der Abfangkonstruktion zu achten.

8.1.3 Nichttragende Wände

8.1.3.1 Allgemeines

Nichttragende Wände müssen auf ihre Fläche wirkende Lasten auf tragende Bauteile, z. B. Wand- oder Deckenscheiben, abtragen.

8.1.3.2 Nichttragende Außenwände

Bei Ausfachungswänden von Fachwerk-, Skelett- und Schottensystemen darf auf einen statischen Nachweis verzichtet werden, wenn

a) die Wände vierseitig gehalten sind (z. B. durch Verzahnung, Versatz oder Anker),

b) die Bedingungen nach Tabelle 9 erfüllt sind und

c) Normalmörtel mindestens der Mörtelgruppe IIa oder Dünnbettmörtel oder Leichtmörtel LM 36 verwendet werden.

In Tabelle 9 ist ε das Verhältnis der größeren zur kleineren Seite der Ausfachungsfläche.

Bei Verwendung von Steinen der Festigkeitsklassen ≥ 20 und gleichzeitig bei einem Seitenverhältnis $\varepsilon = h/l \geq 2{,}0$ dürfen die Werte der Tabelle 9, Spalten 3, 5 und 7, verdoppelt werden (*h*, *l* Höhe bzw. Länge der Ausfachungsfläche).

Tabelle 9: Größte zulässige Werte der Ausfachungsfläche von nichttragenden Außenwänden ohne rechnerischen Nachweis

1	2	3	4	5	6	7
Wanddicke *d*	Größte zulässige Wert[1] der Ausfachungsfläche über Gelände von					
	0 bis 8 m		8 bis 20 m		20 bis 100 m	
	$\varepsilon = 1{,}0$ m²	$\varepsilon \geq 2{,}0$ m²	$\varepsilon = 1{,}0$ m²	$\varepsilon \geq 2{,}0$ m²	$\varepsilon = 1{,}0$ m²	$\varepsilon \geq 2{,}0$ m²
115[2]	12	8	8	5	6	4
175	20	14	13	9	9	6
240	36	25	23	16	16	12
≥ 300	50	33	35	23	25	17

1) Bei Seitenverhältnissen $1{,}0 \geq \varepsilon < 2{,}0$ dürfen die größten zulässigen Werte der Ausfachungsflächen geradlinig interpoliert werden.

2) Bei Verwendung von Steinen der Festigkeitsklassen ≥ 12 dürfen die Werte dieser Zeile um $^1/_3$ vergrößert werden.

8.1.3.3 Nichttragende innere Trennwände

Für nichttragende innere Trennwände, die nicht durch auf ihre Fläche wirkende Windlasten beansprucht werden, siehe DIN 4103-1.

8.3 Schlitze und Aussparungen

Schlitze und Aussparungen, bei denen die Grenzwerte nach Tabelle 10 eingehalten werden, dürfen ohne Berücksichtigung der Bemessung des Mauerwerks ausgeführt werden.

Vertikale Schlitze und Aussparungen sind auch dann ohne Nachweis zulässig, wenn die Querschnittsschwächung, bezogen auf 1 m Wandlänge, nicht mehr als 6 % beträgt

und die Wand nicht drei- oder vierseitig gehalten gerechnet ist. Hierbei müssen eine Restwanddicke nach Tabelle 10, Spalte 8, und ein Mindestabstand nach Spalte 9 eingehalten werden.
Alle übrigen Schlitze und Aussparungen sind bei der Bemessung des Mauerwerks zu berücksichtigen.

8.4 Außenwände

8.4.1 Allgemeines

Außenwände sollen so beschaffen sein, daß sie Schlagregenbeanspruchungen standhalten. DIN 4108-3 gibt dafür Hinweise.

Tabelle 10: Ohne Nachweis zulässige Schlitze und Aussparungen in tragenden Wänden (in mm)

1	2	3	4	5	6
Wanddicke	Horizontale und schräge Schlitze[1], nachträglich hergestellt		Vertikale Schlitze und Aussparungen, nachträglich hergestellt		
	Schlitzlänge		Tiefe[4]	Einzelschlitzbreite[5]	Abstand der Schlitze und Aussparungen von Öffnungen
	unbeschränkt Tiefe[3]	≤ 1,25 m lang[2] Tiefe			
≥ 115	–	–	≤ 10	≤ 100	
≥ 175	0	≤ 25	≤ 30	≤ 100	
≥ 240	≤ 15	≤ 25	≤ 30	≤ 150	≤ 115
≥ 300	≤ 20	≤ 30	≤ 30	≤ 200	
≥ 365	≤ 20	≤ 30	≤ 30	≤ 200	

[1] Horizontale und schräge Schlitze sind nur zulässig in einem Bereich ≤ 0,4 m ober- oder unterhalb der Rohdecke sowie jeweils an einer Wandseite. Sie sind nicht zulässig bei Langlochziegeln.

[2] Mindestabstand in Längsrichtung von Öffnungen ≥ 490 mm, vom nächsten Horizontalschlitz zweifache Schlitzlänge.

[3] Die Tiefe darf um 10 mm erhöht werden, wenn Werkzeuge verwendet werden, mit denen die Tiefe genau eingehalten werden kann. Bei Verwendung solcher Werkzeuge dürfen auch in Wänden ≥ 240 mm gegenüberliegende Schlitze mit jeweils 10 mm Tiefe ausgeführt werden.

[4] Schlitze, die bis maximal 1 m über den Fußboden reichen, dürfen bei Wanddicken ≥ 240 mm bis 80 mm Tiefe und 120 mm Breite ausgeführt werden.

[5] Die Gesamtbreite von Schlitzen nach Spalte 5 und Spalte 7 darf je 2 m Wandlänge die Maße in Spalte 7 nicht überschreiten. Bei geringeren Wandlängen als 2 m sind die Werte in Spalte 7 proportional zur Wandlänge zu verringern.

1	7	8	9	10
Wanddicke	Vertikale Schlitze und Aussparungen in gemauertem Verband			
			Mindestabstand der Schlitze und Aussparungen	
	Breite[5)]	Restwanddicke	von Öffnungen	untereinander
≥ 115	–	–		
≥ 175	≤ 260	≥ 115	≥ 2fache Schlitzbreite bzw. ≥ 365	≥ Schlitzbreite
≥ 240	≤ 385	≥ 115		
≥ 300	≤ 385	≥175		
≥ 365	≤ 385	≥ 240		

8.4.2 Einschalige Außenwände

8.4.2.1 Geputzte einschalige Außenwände

Bei Außenwänden aus nicht frostwiderstandsfähigen Steinen ist ein Außenputz, der die Anforderungen nach DIN 18 550-1 erfüllt, anzubringen oder ein anderer Witterungsschutz vorzusehen.

8.4.2.2 Unverputzte einschalige Außenwände (einschaliges Verblendmauerwerk)

Bleibt bei einschaligen Außenwänden das Mauerwerk an der Außenseite sichtbar, so muß jede Mauerschicht mindestens zwei Steinreihen gleicher Höhe aufweisen, zwischen denen eine durchgehende, schichtweise versetzte, hohl-raumfrei vermörtelte, 20 mm dicke Längsfuge verläuft (siehe Bild 8). Die Mindestwanddicke beträgt 310 mm. Alle Fugen müssen vollfugig und haftschlüssig vermörtelt werden.

Bei einschaligem Verblendmauerwerk gehört die Verblendung zum tragenden Querschnitt. Für die zulässige Beanspruchung ist die im Querschnitt verwendete niedrigste Steinfestigkeitsklasse maßgebend.

Soweit kein Fugenglattstrich ausgeführt wird, sollen die Fugen der Sichtflächen mindestens 15 mm tief flankensauber ausgekratzt und anschließend handwerksgerecht ausgefugt werden.

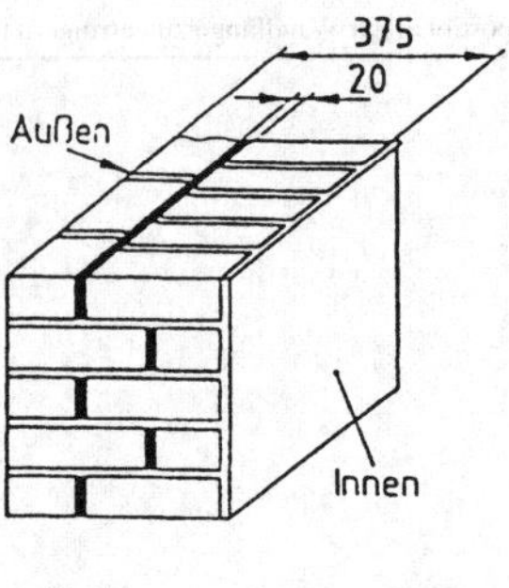

Bild 8. Schnitt durch 375 mm dickes einschaliges Verblendmauerwerk (Prinzipskizze)

8.4.3 Zweischalige Außenwände

8.4.3.1 Konstruktionsarten und allgemeine Bestimmungen für die Ausführung

Nach dem Wandaufbau wird unterschieden nach zweischaligen Außenwänden

- mit Luftschicht
- mit Luftschicht und Wärmedämmung
- mit Kerndämmung
- mit Putzschicht.

Bei Anordnung einer nichttragenden Außenschale (Verblendschale oder geputzte Vormauerschale) vor einer tragenden Innenschale (Hintermauerschale) ist folgendes zu beachten:

a) Bei der Bemessung ist als Wanddicke nur die Dicke der tragenden Innenschale anzunehmen. Wegen der Mindestdicke der Innenschale siehe Abschnitt 8.1.2.1. Bei Anwendung des vereinfachten Verfahrens ist Abschnitt 6.1 zu beachten.

b) Die Mindestdicke der Außenschale beträgt 90 mm. Dünnere Außenschalen sind Bekleidungen, deren Ausführung in DIN 18 515 geregelt ist.

Die Mindestlänge von gemauerten Pfeilern in der Außenschale, die nur Lasten aus der Außenschale zu tragen haben, beträgt 240 mm.

Die Außenschale soll über ihre ganze Länge und vollflächig aufgelagert sein. Bei unterbrochener Auflagerung (z. B. auf Konsolen) müssen in der Abfangebene alle Steine beidseitig aufgelagert sein.

c) Außenschalen von 115 mm Dicke sollen in Höhenabständen von etwa 12 m abgefangen werden. Sie dürfen bis zu 25 mm über ihr Auflager vorstehen. Ist die 115 mm dicke Außenschale nicht höher als zwei Geschosse oder wird sie alle zwei Geschosse abgefangen, dann darf sie bis zu einem Drittel ihrer Dicke über ihr Auflager vorstehen. Für die Ausführung der Fugen der Sichtflächen von Verblendschalen siehe Abschnitt 8.4.2.2.

d) Außenschalen von weniger als 115 mm Dicke dürfen nicht höher als 20 m über Gelände geführt werden und sind in Höhenabständen von etwa 6 m abzufangen. Bei Gebäuden bis zwei Vollgeschossen darf ein Giebeldreieck bis 4 m Höhe ohne zusätzliche Abfangung ausgeführt werden. Diese Außenschalen dürfen maximal 15 mm über ihr Auflager vorstehen. Die Fugen der Sichtflächen von diesen Verblendschalen sollen in Glattstrich ausgeführt werden.

e) Die Mauerwerksschalen sind durch Drahtanker aus nichtrostendem Stahl mit den Werkstoffnummern 1.4401 oder 1.4571 nach DIN 17 440 zu verbinden (siehe Tabelle 11). Die Drahtanker müssen in Form und Maßen Bild 6 entsprechen. Der vertikale Abstand der Drahtanker soll höchstens 500 mm, der horizontale Abstand höchstens 750 mm betragen.

An allen freien Rändern (von Öffnungen, an Gebäudeecken, entlang von Dehnungsfugen und an den oberen Enden der Außenschalen) sind zusätzlich zu Tabelle 11 drei Drahtanker je m Randlänge anzuordnen.

Tabelle 11: Mindestanzahl und Durchmesser von Drahtankern je m² Wandfläche

		Drahtanker	
		Mindestanzahl	Durchmesser
1	mindestens, sofern nicht Zeilen 2 und 3 maßgebend	5	3 mm
2	Wandbereich höher als 12 m über Gelände oder Abstand der Mauerwerksschalen über 70 bis 120 mm	5	4 mm
3	Abstand der Mauerwerksschalen über 120 bis 150 mm	7 oder 5	4 mm 5 mm

Andere Verankerungsarten der Drahtanker sind zulässig, wenn durch Prüfzeugnis nachgewiesen wird, daß diese Verankerungsart eine Zug- und Druckkraft von mindestens 1 kN bei 1,0 mm Schlupf je Drahtanker aufnehmen kann. Wird einer dieser Werte nicht erreicht, so ist die Anzahl der Drahtanker entsprechend zu erhöhen.

Die Drahtanker sind unter Beachtung ihrer statischen Wirksamkeit so auszuführen, daß sie keine Feuchte von der Außen- zur Innenschale leiten können (z. B. Aufschieben einer Kunststoffscheibe, siehe Bild 9).

Andere Ankerformen (z. B. Flachstahlanker) und Dübel im Mauerwerk sind zulässig, wenn deren Brauchbarkeit nach den bauaufsichtlichen Vorschriften nachgewiesen ist, z. B. durch eine allgemeine bauaufsichtliche Zulassung.

Bei nichtflächiger Verankerung der Außenschale, z. B. linienförmig oder nur in Höhe der Decken, ist ihre Standsicherheit nachzuweisen.

Bei gekrümmten Mauerwerksschalen sind Art, Anordnung und Anzahl der Anker unter Berücksichtigung der Verformung festzulegen.

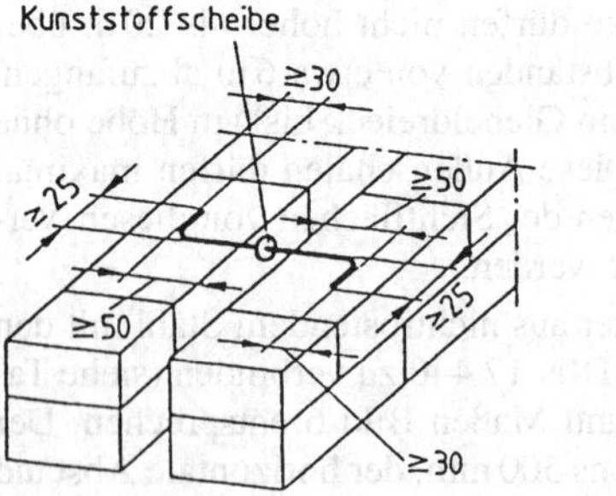

Bild 9. Drahtanker für zweischaliges Mauerwerk für Außenwände

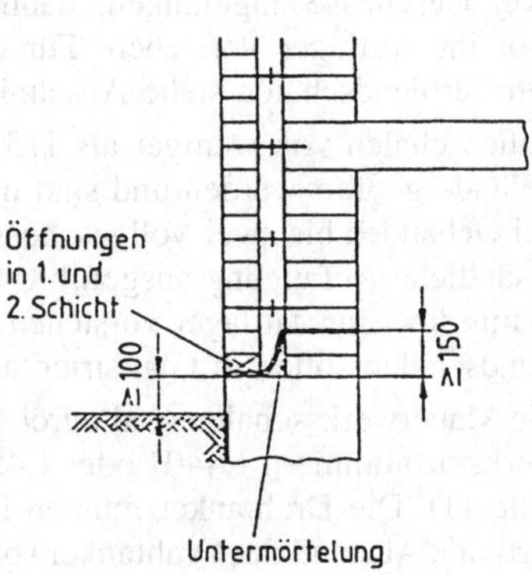

Bild 10. Fußpunktausführung bei zweischaligem Verblendmauerwerk (Prinzipskizze)

f) Die Innenschalen und die Geschoßdecken sind an den Fußpunkten der Zwischenräume der Wandschalen gegen Feuchtigkeit zu schützen (siehe Bild 10). Die Abdichtung ist im Bereich des Zwischenraumes im Gefälle nach außen, im Bereich der Außenschale horizontal zu verlegen. Dieses gilt auch bei Fenster- und Türstürzen sowie im Bereich von Sohlbänken.

   Die Aufstandsfläche muß so beschaffen sein, daß ein Abrutschen der Außenschale auf ihr nicht eintritt. Die erste Ankerlage ist so tief wie möglich anzuordnen. Die Dichtungsbahn für die untere Sperrschicht muß DIN 18 195-4 entsprechen. Sie ist bis zur Vorderkante der Außenschale zu verlegen, an der Innenschale hochzuführen und zu befestigen.

g) Abfangekonstruktionen, die nach dem Einbau nicht mehr kontrollierbar sind, sollen dauerhaft gegen Korrosion geschützt sein.

h) In der Außenschale sollen vertikale Dehnungsfugen angeordnet werden. Ihre Abstände richten sich nach der klimatischen Beanspruchung (Temperatur, Feuchte usw.), der Art der Baustoffe und der Farbe der äußeren Wandfläche. Darüber hinaus muß die freie Beweglichkeit der Außenschale auch in vertikaler Richtung sichergestellt sein.

   Die unterschiedlichen Verformungen der Außen- und Innenschale sind insbesondere bei Gebäuden mit über mehrere Geschosse durchgehender Außenschale auch bei der Ausführung der Türen und Fenster zu beachten. Die Mauerwerksschalen sind an ihren Berührungspunkten (z. B. Fenster-und Türanschlägen) durch eine wasserundurchlässige Sperrschicht zu trennen.

   Die Dehnungsfugen sind mit einem geeigneten Material dauerhaft und dicht zu schließen.

8.4.3.2 Zweischalige Außenwände mit Luftschicht

Bei zweischaligen Außenwänden mit Luftschicht ist folgendes zu beachten:

a) Die Luftschicht soll mindestens 60 mm und darf höchstens 150 mm dick sein. Die Dicke der Luftschicht darf bis auf 40 mm vermindert werden, wenn der Fugenmörtel mindestens an einer Hohlraumseite abgestrichen wird. Die Luftschicht darf nicht durch Mörtelbrücken unterbrochen werden. Sie ist beim Hochmauern durch Abdecken oder andere geeignete Maßnahmen gegen herabfallenden Mörtel zu schützen.

b) Die Außenschalen sollen unten und oben mit Lüftungsöffnungen (z. B. offene Stoßfugen) versehen werden, wobei die unteren Öffnungen auch zur Entwässerung dienen. Das gilt auch für die Brüstungsbereiche der Außenschale. Die Lüftungsöffnungen sollen auf 20 m^2 Wandfläche (Fenster und Türen eingerechnet) eine Fläche von jeweils etwa 7500 mm^2 haben.

c) Die Luftschicht darf erst 100 mm über Erdgleiche beginnen und muß von dort bzw. von der Oberkante Abfangkonstruktion (siehe Abschnitt 8.4.3.1, Aufzählung c)) bis zum Dach bzw. bis Unterkante Abfangkonstruktion ohne Unterbrechung hochgeführt werden.

8.4.3.3 Zweischalige Außenwände mit Luftschicht und Wärmedämmung

Bei Anordnung einer zusätzlichen matten- oder plattenförmigen Wärmedämmschicht auf der Außenseite der Innenschale ist zusätzlich zu 8.4.3.2 zu beachten:

a) Der lichte Abstand der Mauerwerksschalen darf 150 mm nicht überschreiten.

b) Die Luftschichtdicke von mindestens 40 mm darf nicht durch Unebenheit der Wärmedämmschicht eingeengt werden. Wird diese Luftschichtdicke unterschritten, gilt Abschnitt 8.4.3.4.

c) Hinsichtlich der Eigenschaften und Ausführung der Wärmedämmschicht ist Abschnitt 8.4.3.4, Aufzählung a, sinngemäß zu beachten.

8.4.3.4 Zweischalige Außenwände mit Kerndämmung

Zusätzlich zu 8.4.3.2 gilt:

Der lichte Abstand der Mauerwerksschalen darf 150 mm nicht überschreiten. Der Hohlraum zwischen den Mauerwerksschalen darf ohne verbleibende Luftschicht verfüllt werden, wenn Wärmedämmstoffe verwendet werden, die für diesen Anwendungsbereich genormt sind oder deren Brauchbarkeit nach den bauaufsichtlichen Vorschriften nachgewiesen ist, z. B. durch eine allgemeine bauaufsichtliche Zulassung.

In Außenschalen dürfen glasierte Steine oder Steine mit Oberflächenbeschichtungen nur verwendet werden, wenn deren Frostwiderstandsfähigkeit unter erhöhter Beanspruchung geprüft wurde.[1)]

Auf die vollfugige Vermauerung der Verblendschale und die sachgemäße Verfugung der Sichtflächen ist besonders zu achten.

Entwässerungsöffnungen in der Außenschale sollen auf 20 m^2 Wandfläche (Fenster und Türen eingerechnet) eine Fläche von mindestens 5000 mm^2 im Fußpunktbereich haben.

Als Baustoffe für die Wärmedämmung dürfen z. B. Platten, Matten, Granulate und Schüttungen aus Dämmstoffen, die dauerhaft wasserabweisend sind, sowie Ortschäume verwendet werden.

Bei der Ausführung gilt insbesondere:

a) Platten- und mattenförmige Mineralfaserdämmstoffe sowie Platten aus Schaumkunststoffen und Schaumglas als Kerndämmung sind an der Innenschale so zu befestigen, daß eine gleichmäßige Schichtdicke sichergestellt ist.

   Platten- und mattenförmige Mineralfaserdämmstoffe sind so dicht zu stoßen, Platten aus Schaumkunststoffen so auszubilden und zu verlegen (Stufenfalz, Nut und Feder oder versetzte Lagen), daß ein Wasserdurchtritt an den Stoßstellen dauerhaft verhindert wird.

   Materialausbruchstellen bei Hartschaumplatten (z. B. beim Durchstoßen der Drahtanker) sind mit einer lösungsmittelfreien Dichtungsmasse zu schließen.

   Die Außenschale soll so dicht, wie es das Vermauern erlaubt (Fingerspalt), vor der Wärmedämmschicht errichtet werden.

---

1) Mauerziegel nach DIN 52 252-1, Kalksandsteine nach DIN 106-2.

b) Bei lose eingebrachten Wärmedämmstoffen (z. B. Mineralfasergranulat, Polystyrolschaumstoff-Partikeln, Blähperlit) ist darauf zu achten, daß der Dämmstoff den Hohlraum zwischen Außen- und Innenschale vollständig ausfüllt. Die Entwässerungsöffnungen am Fußpunkt der Wand müssen funktionsfähig bleiben. Das Ausrieseln des Dämmstoffes ist in geeigneter Weise zu verhindern (z. B. durch nichtrostende Lochgitter).

c) Ortschaum als Kerndämmung muß beim Ausschäumen den Hohlraum zwischen Außen- und Innenschale vollständig ausfüllen. Die Ausschäumung muß auf Dauer in ihrer Wirkung erhalten bleiben.

   Für die Entwässerungsöffnungen gilt Aufzählung b) sinngemäß.

8.4.3.5 Zweischalige Außenwände mit Putzschicht

Auf der Außenseite der Innenschale ist eine zusammenhängende Putzschicht aufzubringen. Davor ist so dicht, wie es das Vermauern erlaubt (Fingerspalt), die Außenschale (Verblendschale) vollfugig zu errichten.

Wird statt der Verblendschale eine geputzte Außenschale angeordnet, darf auf die Putzschicht auf der Außenseite der Innenschale verzichtet werden.

Für die Drahtanker nach Abschnitt 8.4.3.1, Aufzählung e), genügt eine Dicke von 3 mm.

Bezüglich der Entwässerungsöffnungen gilt der Abschnitt 8.4.3.2, Aufzählung b), sinngemäß. Auf obere Entlüftungsöffnungen darf verzichtet werden.

Bezüglich der Dehnungsfugen gilt Abschnitt 8.4.3.1, Aufzählung h).

8.5.2 Gewölbte Kappen zwischen Trägern

Bei vorwiegend ruhender Verkehrslast nach DIN 1055-3 ist für Kappen, deren Dicke erfahrungsgemäß ausreicht (Trägerabstand bis etwa 2,50 m), ein statischer Nachweis nicht erforderlich.

Die Mindestdicke der Kappen beträgt 115 mm.

Es muß im Verband gemauert werden (Kuff oder Schwalbenschwanz). Die Stichhöhe muß mindestens $^1/10$ der Kappenstützweite sein.

Die Endfelder benachbarter Kappengewölbe müssen Zuganker erhalten, deren Abstände höchstens gleich dem Trägerabstand des Endfeldes sind. Sie sind mindestens in den Drittelpunkten und an den Trägerenden anzuordnen. Das Endfeld darf nur dann als ausreichendes Widerlager (starre Scheibe) für die Aufnahme des Horizontalschubes der Mittelfelder angesehen werden, wenn seine Breite mindestens ein Drittel seiner Länge ist. Bei schlankeren Endfeldern sind die Anker über mindestens zwei Felder zu führen. Die Endfelder als Ganzes müssen seitliche Auflager erhalten, die in der Lage sind, den Horizontalschub der Mittelfelder auch dann aufzunehmen, wenn die Endfelder unbelastet sind. Die Auflager dürfen durch Vormauerung, dauernde Auflast, Verankerung oder andere geeignete Maßnahmen gesichert werden.

Über den Kellern von Gebäuden mit vorwiegend ruhender Verkehrslast von maximal 2 kN/m^2 darf ohne statischen Nachweis davon ausgegangen werden, daß der Horizontalschub von Kappen bis 1,3 m Stützweite durch mindestens 2 m lange, 240 mm dicke und höchstens 6 m voneinander entfernte Querwände aufgenommen wird, wobei diese gleichzeitig mit den Auflagerwänden der Endfelder (in der Regel Außenwände) im Verband zu mauern sind oder, wenn Loch- bzw. stehende Verzahnung angewendet wird, durch statisch gleichwertige Maßnahmen zu verbinden sind.

Mauerwerk

Teil 100: Berechnung auf der Grundlage des semiprobabilistischen Sicherheitskonzepts

Auszug aus **DIN 1053-100** (09.2007)

Inhalt

1 Anwendungsbereich

Diese Norm gilt für die Berechnung von Mauerwerk aus künstlichen und natürlichen Steinen nach dem semiprobabilistischen Sicherheitskonzept. Mauerwerk nach dieser Norm darf entweder nach dem vereinfachten Verfahren (Voraussetzungen siehe 8.1) oder nach dem genaueren Verfahren (siehe Abschnitt 9) berechnet werden.

Innerhalb eines Bauwerkes, das nach dem vereinfachten Verfahren berechnet wird, dürfen einzelne Bauteile nach dem genaueren Verfahren bemessen werden.

Bei der Wahl der Bauteile sind auch die Funktionen der Wände hinsichtlich des Wärme-, Schall-, Brand- und Feuchteschutzes zu beachten.

Für Bauteile, Konstruktionsdetails, Ausführung und Eignungsprüfungen sowie Kontrollen und Güteprüfungen auf der Baustelle gilt DIN 1053-1.

3 Begriffe

Für die Anwendung dieser Norm gelten die in DIN 1053-1 angegebenen Begriffe.

4 Bautechnische Unterlagen

Es gilt DIN 1053-1:1996-11, Abschnitt 3.

5 Sicherheitskonzept

5.1 Allgemeines

Mauerwerk ist in der Regel im Grenzzustand der Tragfähigkeit nachzuweisen. In diesem Zustand muss gewährleistet sein, dass der Bemessungswert der Beanspruchungen E_d in einem Querschnitt den Bemessungswert des Tragwiderstandes R_d dieses Querschnittes nicht überschreitet. Die Bemessungswerte des Tragwiderstandes R_d sind die durch den Teilsicherheitsbeiwert γ_M dividierten und gegebenenfalls mit einem Abminderungsbeiwert zur Berücksichtigung der Lastdauer und weiterer Einflüsse multiplizierten charakteristischen Festigkeitswerte. Die Bemessungswerte der Beanspruchungen E_d ergeben sich aus den charakteristischen Werten E_k multipliziert mit dem Teilsicherheitsbeiwert γ_F. Einzelheiten zum Teilsicherheitsbeiwert γ_F enthalten Anhang A und DIN 1055-100.

Die wesentlichen Grundlagen des für alle Baustoffe einheitlich geltenden Teilsicherheitskonzeptes enthält DIN 1055-100. Die für Mauerwerk wichtigen Teile werden im Anhang A wiedergegeben.

5.2 Einwirkungen

Die charakteristischen Werte der Einwirkungen sowie die zugehörigen Teilsicherheitsbeiwerte sind DIN 1055 und gegebenenfalls bauaufsichtlichen Ergänzungen und Richtlinien zu entnehmen.

5.3 Tragwiderstand

Grundlage des Tragwiderstandes sind die charakteristischen Werte f_k der Baustoff-Festigkeiten als 5 %-Fraktilwerte nach 8.9 und 9.9. Die Teilsicherheitsbeiwerte γ_M zur Bestimmung des Bemessungswertes des Tragwiderstandes sind Tabelle 1 zu entnehmen.

Tabelle 1 – Teilsicherheitsbeiwerte g_M für Baustoffeigenschaften

	γ_M	
	Normale Einwirkungen	Außergewöhnliche Einwirkungen
Mauerwerk	$1{,}5 \cdot k_0$	$1{,}3 \cdot k_0$
Verbund-, Zug- und Druckwiderstand von Wandankern und Bändern	2,5	2,5

Dabei ist in Tabelle 1:

k_0 ein Faktor zur Berücksichtigung unterschiedlicher Teilsicherheitsbeiwerte γ_M bei Wänden und „kurzen Wänden“ nach DIN 1053-1:1996-11, 2.3. Es gilt:

$k_0 = 1{,}0$ für Wände;

$k_0 = 1{,}0$ für „kurze Wände“, die aus einem oder mehreren ungetrennten Steinen oder aus getrennten Steinen mit einem Lochanteil von weniger als 35 % bestehen und nicht durch Schlitze oder Aussparungen geschwächt sind;

$k_0 = 1{,}25$ für alle anderen „kurzen Wände“.

6 Mauerwerksfestigkeiten

6.1 Allgemeines

Die charakteristischen Zug-, Druck- und Schubfestigkeiten von Mauerwerk werden als 5 %-Fraktilwerte angegeben.

6.2 Charakteristische Druckfestigkeit

Die charakteristische Druckfestigkeit f_k von Mauerwerk ist definiert als Festigkeit, die im Kurzzeitversuch an Prüfkörpern nach DIN 18 554-1 gewonnen, als 5%-Fraktile ausgewertet und auf die theoretische Schlankheit Null bezogen ist.

Für Rezeptmauerwerk (RM) sind die charakteristischen Festigkeiten f_k aus den Tabellen 4 und 5 in Abhängigkeit von den Steinfestigkeitsklassen und den Mörtelgruppen zu entnehmen.

Für Mauerwerk aus Natursteinen gelten die charakteristischen Festigkeiten f_k nach Anhang B.

7 Baustoffe

Es dürfen nur Steine verwendet werden, die DIN V 105-1, DIN V 105-2, DIN 105-3 bis DIN 105-5, DIN V 106-1, DIN V 106-2, DIN 398, DIN 1057-1, DIN V 4165, DIN V 18 151, DIN V 18 152 und DIN V 18 153 entsprechen.

Für die Verwendung von Natursteinen gilt Anhang B.

Tabelle 3 – Verformungskennwerte für Kriechen, Schwinden, Temperaturänderung sowie Elastizitätsmoduln

Mauersteinart	Endwert der Feuchtedehnung (Schwinden, chemisches Quellen)[a]		Endkriechzahl		Wärmedehnungskoeffizient		Elastizitätsmodul	
	$\varepsilon_{\mathrm{f}\infty}$ [a]		φ_{∞} [b]		α_{T}		E [c]	
	Rechenwert	Wertebereich	Rechenwert	Wertebereich	Rechenwert	Wertebereich	Rechenwert	Wertebereich
	mm/m				10^{-6}/K		MN/m²	
1	2	3	4	5	6	7	8	9
Mauerziegel	0	+ 0,3 bis – 0,2	1,0	0,5 bis 1,5	6	5 bis 7	1100 f_{k}	950 bis 1300 f_{k}
Kalksandsteine[d]	– 0,2	– 0,1 bis – 0,3	1,5	1,0 bis 2,0	8	7 bis 9	950 f_{k}	800 bis 1300 f_{k}
Leichtbetonsteine	– 0,4	– 0,2 bis – 0,5	2,0	1,5 bis 2,5	10 8[e]	8 bis 12	1600 f_{k}	1300 bis 1750 f_{k}
Betonsteine	– 0,2	– 0,1 bis – 0,3	1,0	–	10	8 bis 12	2400 f_{k}	2000 bis 2700 f_{k}
Porenbetonsteine	– 0,2	+ 0,1 bis – 0,3	1,5	1,0 bis 2,5	8	7 bis 9	800 f_{k}	650 bis 950 f_{k}

[a] Verkürzung (Schwinden): Vorzeichen minus; Verlängerung (chemisches Quellen): Vorzeichen plus

[b] $\varphi_{\infty} = \varepsilon_{\mathrm{k}\infty}/\varepsilon_{\mathrm{el}}$; $\varepsilon_{\mathrm{k}\infty}$ Endkriechdehnung: $\varepsilon_{\mathrm{el}} = \sigma/E$

[c] E Sekantenmodul aus Gesamtdehnung bei etwa 1/3 der Mauerwerksdruckfestigkeit; charakteristische Druckfestigkeit f_{k} nach Tabellen 5, 6 und 7

[d] Gilt auch für Hüttensteine

[e] Für Leichtbeton mit überwiegend Blähton als Zuschlag

Nichttragende innere Trennwände

Trennwände aus Gips-Wandbauplatten

Auszug aus **DIN 4103-2** (11.2010)

1 Anwendungsbereich

Diese Norm gilt für die Ausführung von nichttragenden inneren Trennwänden aus Gips-Wandbauplatten nach DIN EN 12859. Sie legt die Bedingungen fest, unter denen die Anforderungen nach DIN 4103-1 als nachgewiesen gelten.

Bei entsprechender Ausführung übernehmen die Wände Aufgaben des Brand-, Wärme- und/oder Schallschutzes. Die Wände können einschalig oder mehrschalig mit getrennten Schalen ausgeführt sein und bei speziellen Brandschutzanforderungen oder größeren Wandhöhen auch als Verbundkonstruktionen erstellt werden.

3 Wandmaße

Die Tabellen 1 bis 3 geben die zulässigen Wandhöhen und Wandlängen an, bis zu denen Trennwände aus Gips-Wandbauplatten mit Anschlüssen nach 4.2 ohne besonderen Nachweis ausgeführt werden dürfen.

Bei abweichenden Wandmaßen ist im Einzelfall ein Nachweis nach DIN 4103-1 zu führen.

Die Wände dürfen seitlich an Zwischenauflager angeschlossen werden; die zulässigen Maße gelten dann für die einzelnen Wandabschnitte. Raumhohe Zargen und Stiele gelten bei entsprechender Ausführung als seitliche Halterung (Zwischenauflagerung).

Werden Wände nicht bis unter die Decke geführt, so können sie als ausreichend gehalten angesehen werden, wenn sie den Bedingungen nach Tabelle 3 entsprechen. Darüber hinaus gehenden Anforderungen, bedingt z. B. durch den Einbau von Lichtbändern oder anderen Bauelementen, kann durch zusätzliche konstruktive Maßnahmen wie vertikale oder horizontale Zwischenauflager/Aussteifungen (z. B. Flachstürze, Stahlprofile) entsprochen werden.

4 Wandaufbau

4.1 Allgemeines

Der Aufbau der Wände erfolgt in der Weise, dass Gips-Wandbauplatten mit durchlaufenden waagerechten Fugen im Verband zusammengefügt und dabei mit Gipskleber für Gips-Wandbauplatten nach DIN EN 12860 verbunden werden. Ihre Standsicherheit erhalten die Wände durch den Plattenverbund und den Anschluss an die angrenzenden Bauteile.

Die Wände benötigen keinen Putz; sie werden im Fugenbereich oder ganzflächig verspachtelt. Wandflächen, auf denen keramische Fliesen angesetzt werden, dürfen nicht verspachtelt werden. Aus den Fugen ausgetretener Gipskleber ist aufzunehmen oder nach dem Erhärten oberflächenbündig abzustoßen.

Metallteile, die in die Wände eingebaut werden, sind erforderlichenfalls ausreichend gegen Korrosion zu schützen.

Trennwände können, abhängig von der Fußbodenkonstruktion, auf die Rohdecke oder bei üblichen Raumhöhen und unter Berücksichtigung der schalltechnischen Anforderungen auch auf einen geeigneten schwimmenden Estrich gestellt werden.

4.2 Anschlüsse an die angrenzenden Bauteile

4.2.1 Allgemeines

Die Wände werden an den angrenzenden Bauteilen befestigt. Bei der Wahl der Art des Anschlusses sind auch eventuelle Verformungen der angrenzenden Bauteile zu berücksichtigen. In der Regel erfolgt der Anschluss elastisch oder gleitend. Nur bei vernachlässigbaren Zwängungskräften und wenn keine Anforderungen an den Schallschutz – insbesondere die Schalllängsleitung – bestehen, darf der Anschluss starr ausgebildet werden.

Haben die Wände Anforderungen an den Brandschutz zu erfüllen, ist bei der Ausführung der Anschlüsse DIN 4102-4:1994-07, 4.1.4, zu beachten.

4.2.2 Anschlussarten

4.2.2.1 Elastische Anschlüsse

Zur Herstellung elastischer Anschlüsse werden Randanschlussstreifen nach Tabelle 4 zwischen Wand und angrenzenden Bauteilen dichtgestoßen und hohlraumfrei eingebaut. Dabei sollten die Randanschlussstreifen nicht überspachtelt werden, um die Flankenübertragung (Schalllängsleitung) wirksam zu reduzieren. Andernfalls ist die Spachtelung durch Trennschnitt unmittelbar an dem angrenzenden Bauteil wieder zu trennen. Besonders bewährt haben sich breitere Randanschlussstreifen, die nach Verspachtelung flächenbündig abzuschneiden sind (siehe Bilder 1, 2 und 4).

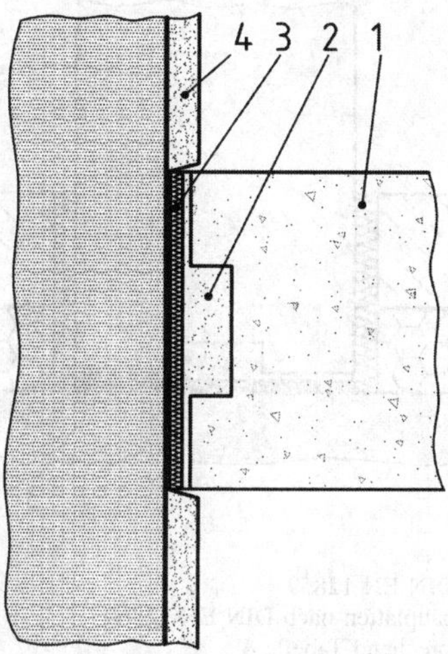

Legende
1 Gips-Wandbauplatte nach DIN EN 12859
2 Gipskleber für Gips-Wandbauplatten nach DIN EN 12860
3 Randanschlussstreifen entsprechend Tabelle 4
4 Innenputz mit Trennschnitt

Bild 1. Beispiel für einen elastischen Wandanschluss

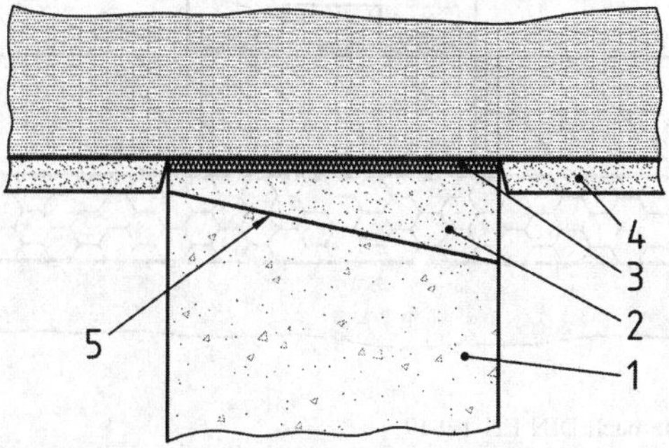

Legende
1 Gips-Wandbauplatte nach DIN EN 12859
2 Füllgips
3 Randanschlussstreifen entsprechend Tabelle 4
4 Deckenputz mit Trennschnitt
5 Kante der Gips-Wandbauplatte gerade oder angeschrägt

Bild 2. Beispiel für einen elastischen Deckenanschluss

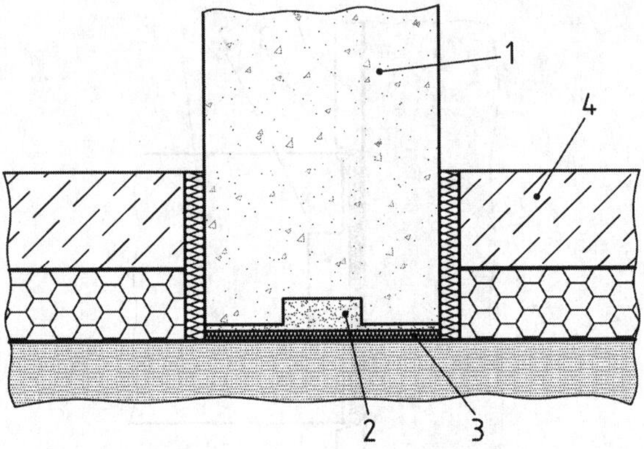

Legende
1 Gips-Wandbauplatte nach DIN EN 12859
2 Gipskleber für Gips-Wandbauplatten nach DIN EN 12860
3 Randanschlussstreifen entsprechend Tabelle 4
4 schwimmender Estrich

Bild 3. Beispiel für einen elastischen Bodenanschluss auf Rohdecke

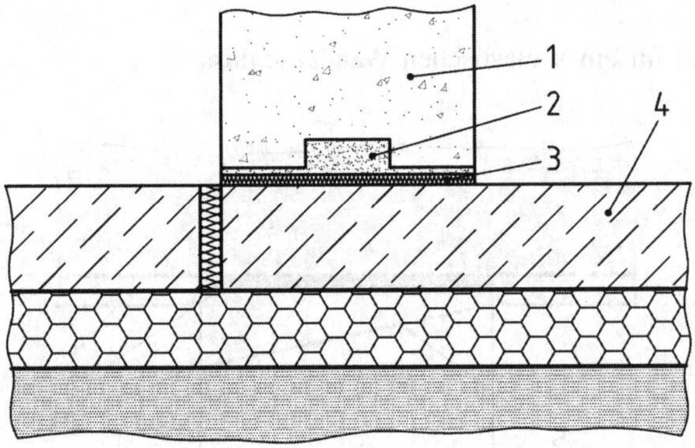

Legende
1 Gips-Wandbauplatte nach DIN EN 12859
2 Gipskleber für Gips-Wandbauplatten nach DIN EN 12860
3 Randanschlussstreifen entsprechend Tabelle 4
4 schwimmender Estrich

Bild 4. Beispiel für einen elastischen Bodenanschluss auf schwimmendem Estrich

4.2.2.2 Gleitende Anschlüsse

Gleitende Anschlüsse werden durch Anordnung von entsprechenden Profilen an den angrenzenden Bauteilen oder durch bauseits vorhandene Nuten hergestellt. Dabei muss das Gleiten der Wand im Anschluss durch geeignete Maßnahmen sichergestellt sein (siehe Bild 5).

Maße in Millimeter

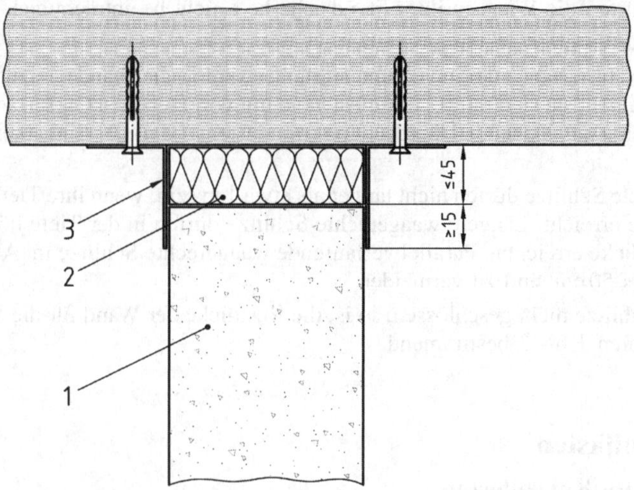

Legende

1 Gips-Wandbauplatte nach DIN EN 12859
2 Mineralwolle-Dämmstoff
3 L-Profil 60 mm × 40 mm × 2 mm

Bild 5. Beispiel für einen gleitenden Deckenanschluss

4.2.2.3 Starre Anschlüsse

Seitliche und untere Anschlüsse werden ohne vorherigen Einbau von Randanschlussstreifen mit Gipskleber für Gips-Wandbauplatten nach DIN EN 12860 hergestellt. Starre Deckenanschlüsse werden durch Füllen der Anschlussfuge mit für diese Anwendung vorgesehenen Füllgipsen ausgeführt.

5 Wandöffnungen und Schlitze

5.1 Wandöffnungen

Große Wandöffnungen (z. B. für Türen) werden beim Aufbau der Wände angelegt oder später ausgesägt. Über diesen Wandöffnungen können je nach deren Größe und Lage zusätzliche konstruktive Maßnahmen (z. B. Einlegen von Schlitzbandstahl, T-Profilen) erforderlich sein.

Kleine Wandöffnungen, deren lichte Maße kleiner sind als 1/4 der Wandhöhe oder der Wandlänge oder deren Gesamtfläche kleiner als 1/10 der Wandfläche ist, dürfen ohne Abminderung der zulässigen Abmessungen nach Tabelle 2 oder Tabelle 3 ausgespart werden. Sie dürfen ausgesägt, ausgefräst oder gebohrt werden.

Ausnehmungen (Schalterdosen etc.) dürfen nicht gestemmt werden.

5.2 Schlitze

Schlitze dürfen die Wand in ihrer Standsicherheit nicht beeinträchtigen.

Schlitze dürfen nicht gestemmt werden.

Schlitze für Installationsleitungen und ähnliches sind in die Wände einzufräsen oder einzuschneiden; sie sind mit für diese Anwendung vorgesehenen Gipsen so zu schließen, dass eine ausreichende Überdeckung (mindestens 1 cm) der Einbauteile vorhanden ist.

Waagerechte Schlitze dürfen nicht länger als etwa 1 m sein, wenn ihre Tiefe die halbe Wanddicke erreicht. Längere waagerechte Schlitze dürfen in der Tiefe höchstens 1/3 der Wanddicke erreichen. Parallel verlaufende waagerechte Schlitze im Abstand von weniger als 50 cm sind zu vermeiden.

Werden Schlitze nicht geschlossen, so ist die Restdicke der Wand für die Wandmaße nach Tabellen 1 bis 3 bestimmend.

6 Konsollasten

6.1 Leichte Konsollasten

Leichte Konsollasten ($\leq$ 0,4 kN/m) nach DIN 4103-1 (z.B. Bilder, kleine Bücherregale, kleine Wandschränke) dürfen ohne weiteren Nachweis z.B. mit Bilderhaken, Spreizdübeln oder Schraubdübeln an den Wänden angebracht werden.

6.2 Schwere Konsollasten

Konsollasten über 0,4 kN/m bis 1,0 kN/m Wandlänge, deren vertikale Wirkungslinie (Hebelarm) höchstens 0,5 m von der Wandoberfläche entfernt ist (z.B. Hängeschränke, Waschbecken und dergleichen), dürfen ohne Nachweis an Wänden befestigt werden, sofern die Wanddicke mindestens 8 cm beträgt und die Wandhöhe – unabhängig von der Art des Wandanschlusses an den angrenzenden Bauteilen – 2/3 der Werte nach Tabelle 1 nicht überschreitet. Zur Befestigung sind auf die jeweilige Last abgestimmte Befestigungsmittel entsprechend der Vorschrift der Hersteller zu verwenden.

ANMERKUNG Abweichend von DIN 4103-1 ist bei Gips-Wandbauplatten ein Hebelarm von 0,5 m zulässig.

Bei darüber hinaus gehenden Werten für die Vertikallast oder bei längerem Hebelarm darf das Konsolmoment von 0,5 kNm/m nicht überschritten werden.

Tabelle 1: Max. zulässige Wandhöhe *h* für Wände, die mindestens oben und unten angeschlossen sind, eine beliebige Wandlänge *l* besitzen und große Wandöffnungen aufweisen dürfen

Belastung	Max. zulässige Wandhöhe h[b] in mm bei der Plattendicke und der Plattenart[c] nach DIN EN 12859										Randlagerung
	60 mm			80 mm			100 mm			≥ 140 mm[d]	
	L	M	D	L	M	D	L	M	D	D	
Einbaubereich 1[a] nach DIN 4103-1	3 500	3 500	3 500	4 500	4 500	4 500	7 000	7 000	7 000	8 000	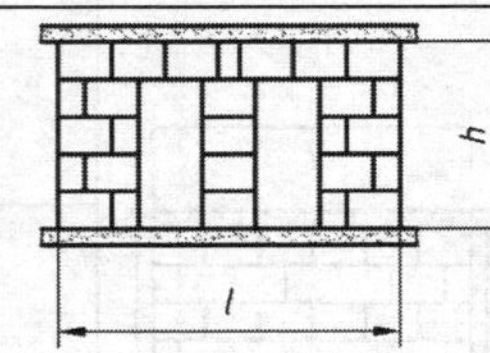
Einbaubereich 2[a] nach DIN 4103-1	2 000	2 000	2 000	3 000	4 000	4 000	4 500	5 500	5 500	7 500	

[a] Nach DIN 4103-1 werden folgende Einbaubereiche unterschieden:
- Einbaubereich 1: Bereiche mit geringer Menschenansammlung, wie sie z. B. in Wohnungen, Hotel-, Büro- und Krankenräumen und ähnlich genutzten Räumen, einschließlich der Flure, vorausgesetzt werden müssen.
- Einbaubereich 2: Bereiche mit großer Menschenansammlung, wie sie z. B. in größeren Versammlungsräumen, Schulräumen, Hörsälen, Ausstellungs- und Verkaufsräumen und ähnlich genutzten Räumen vorausgesetzt werden müssen. Hierzu zählen auch stets Trennwände zwischen Räumen mit einem Höhenunterschied der Fußböden ≥ 1,00 m.

[b] Für Wände über 5 000 mm Höhe, an die Brandschutz-Anforderungen nach DIN 4102-4 gestellt werden, ist ein entsprechender Nachweis zu führen.

[c] Nach DIN EN 12859 werden entsprechend der Rohdichte folgende Plattenarten unterschieden:
- hohe Rohdichte: $1\,100\,kg/m^3 \leq \rho \leq 1\,500\,kg/m^3$ (D);
- mittlere Rohdichte: $800\,kg/m^3 \leq \rho < 1\,100\,kg/m^3$ (M);
- niedrige Rohdichte: $600\,kg/m^3 \leq \rho < 800\,kg/m^3$ (L).

[d] Zwei- oder mehrschalige Verbundkonstruktionen, deren Schalen mit Gipskleber nach DIN EN 12860 schubfest verklebt sind.

Tabelle 2: Max. zulässige Wandlänge *l* in Abhängigkeit von der Wandhöhe *h* bei Wänden, die keine großen Wandöffnungen aufweisen und 4-seitig angeschlossen sind

Belastung	Höhe h[b] mm	Max. zulässige Wandhöhe *l* in mm bei der Plattendicke und der Plattenart[c] nach DIN EN 12859										Randlagerung
		60 mm			80 mm			100 mm			≥ 140 mm[d]	
		L	M	D	L	M	D	L	M	D	D	
Einbaubereich 1[a] nach DIN 4103-1	3 000											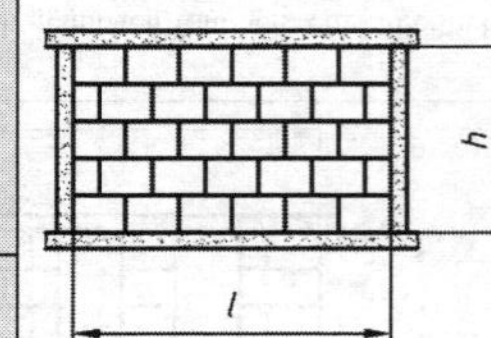
	3 500	7 000				Wandlänge beliebig						
	4 000											
	4 500		9 000	12 000								
	5 000				12 500							
	5 500					13 750	15 000					
	6 000											
	6 500		nur mit Nachweis möglich									
	7 000											
	7 500											
Einbaubereich 2[a] nach DIN 4103-1	3 000	4 500	5 000	6 000	6 000							
	3 500							Wandlänge beliebig				
	4 000											
	4 500					8 000	10 000					
	5 000		nur mit Nachweis möglich									
	5 500											
	6 000							16 500				
	6 500											

Fußnoten [a] bis; [d] siehe Tabelle 1

Tabelle 3: Max. zulässige Wandlänge *l* in Abhängigkeit von der Wandhöhe *h* bei Wänden, die keine großen Wandöffnungen aufweisen und 3-seitig (d.h. unten und seitlich) angeschlossen sind

Belastung	Höhe h[b] mm	Max. zulässige Wandhöhe *l* in mm bei der Plattendicke und der Plattenart[c] nach DIN EN 12859: 60 mm			80 mm			100 mm			≥ 140 mm[d]	Randlagerung
		L	M	D	L	M	D	L	M	D	D	
Einbaubereich 1[a] nach DIN 4103-1	1 500											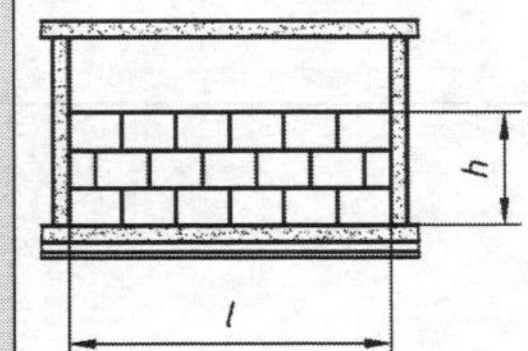
	2 000											
	2 500	2 500										
	3 000		3 000				Wandlänge beliebig					
	3 500											
	4 000			4 500								
	4 500				4 500							
	5 000											
	5 500					5 500						
	6 000						6 500					
	6 500		nur mit Nachweis möglich					6 500				
	7 000								7 000	8 000	8 000	
Fortsetzung nächste Seite												

G

Tabelle 3: (*fortgesetzt*)

Belastung	Höhe h[b] mm	Max. zulässige Wandhöhe l in mm bei der Plattendicke 60 mm			80 mm			100 mm			≥ 140 mm[d]	Randlagerung
		und der Plattenart[c] nach DIN EN 12859										
		L	M	D	L	M	D	L	M	D	D	
Einbaubereich 1[a] nach DIN 4103-1	1 500	–	1 500	2 000								
	2 000							Wandlänge beliebig				
	2 500				2 500							
	3 000					3 000						
	3 500											
	4 000		nur mit Nachweis möglich				4 000	4 000				
	4 500								4 500			
	5 000									5 000	8 000	

Fußnoten [a] bis; [d] siehe Tabelle 1

Tabelle 4: Beispiele für zu verwendende Randanschlussstreifen bei elastischen Anschlüssen

Anschlussbereich		
am Boden	**an den Seiten**	**an der Decke**
BITUMENFILZ[a] $\rho \geq 300\,kg/m^3$	BITUMENFILZ[a] $\rho \geq 300\,kg/m^3$	BITUMENFILZ[a] $\rho \geq 300\,kg/m^3$
PRESSKORK $\rho \geq 250\,kg/m^3$	PRESSKORK $\rho \geq 250\,kg/m^3$	PRESSKORK $\rho \geq 250\,kg/m^3$
MINERALWOLLE-DÄMMSTOFF Zusammendrückbarkeit $c \leq 3$ mm[c] Dicke $d \leq 13$ mm	MINERALWOLLE-DÄMMSTOFF Zusammendrückbarkeit $c \leq 3$ mm[c] Dicke $d \leq 13$ mm	MINERALWOLLE-DÄMMSTOFF Zusammendrückbarkeit $c \leq 3$ mm[c] Dicke $d \leq 13$ mm
PE-SCHWERSCHAUM $\rho \geq 60\,kg/m^3$ Dicke $d \leq 10$ mm[b]	PE-SCHWERSCHAUM $\rho \geq 60\,kg/m^3$ Dicke $d \leq 6$ mm[b]	PE-SCHWERSCHAUM $\rho \geq 60\,kg/m^3$ Dicke $d \leq 10$ mm[b]

[a] Bituminierte Filzstreifen oder bitumenimprägnierte Wollfilzpappstreifen.
[b] Ausgenommen Randanschlussstreifen aus Mineralwolle-Dämmstoff.
[c] Nach DIN EN 13162.

Nichttragende innere Trennwände

Unterkonstruktion in Holzbauart

DIN 4103-4 (11.88)

1 Anwendungsbereich

Diese Norm gilt für nichttragende innere Trennwände mit Unterkonstruktion in Holzbauart (im folgenden kurz Trennwände genannt) einschließlich ihrer Anschlüsse an die benachbarten Bauteile.

Werden die Festlegungen dieser Norm von einer gewählten Konstruktion erfüllt, so gilt der Nachweis der Einhaltung der Anforderungen nach DIN 4103-1 als erbracht.

Anmerkung: Werden im Einzelfall weitergehende qualitative Ansprüche an die Trennwände gestellt (z. B. bezüglich ihres Schwingungsverhaltens bei dynamischer Einwirkung wie Türenschlagen), dann sollte vor allem die Querschnittshöhe *h* gegenüber den Mindestwerten nach Tabelle 1 vergrößert werden.

Zur Begrenzung der klimatisch bedingten Formänderungen gelten die Werte nach Tabelle 1 für Wände mit Holzwerkstoffbeplankungen unter der Voraussetzung, daß der Unterschied der relativen Feuchte der Raumluft zu beiden Seiten der Trennwände längerfristig (für die Dauer von Tagen oder Wochen) gering bleibt, z. B. gelten sie für Aufenthaltsräume in Wohnungen mit üblicher Beheizung und Belüftung. Dagegen ist die Querschnittshöhe *h* für Trennwände mit Holzwerkstoffbeplankungen zwischen Räumen mit unterschiedlicher Luftfeuchte zu vergrößern, wenn nicht andere Maßnahmen ergriffen werden (z. B. dampfsperrende Oberfläche).

Die Dicke von Holzwerkstoffen ohne dampfsperrende Oberflächen sollte zur Begrenzung klimatisch bedingter Formänderungen über die Werte nach Tabelle 3 hinaus vergrößert werden.

2 Begriff

Trennwände bestehen aus der Unterkonstruktion (nach Bild 1) unter Verwendung von Holz oder Holzwerkstoffen mit einer ein- oder beidseitigen (statisch nicht mitwirkenden) Bekleidung oder (statisch mitwirkenden) Beplankung.

3 Werkstoffe

3.1 Unterkonstruktionen

a) Vollholz oder verleimtes Holz, Güteklasse II, nach DIN 4074-1; bezüglich der Holzfeuchte ist DIN 1052-1 zu beachten.

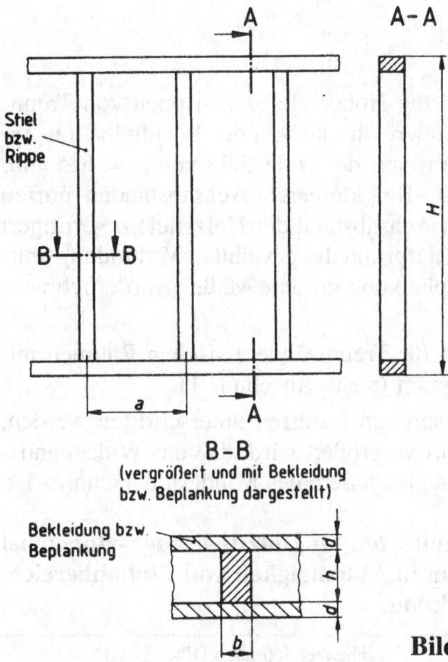

Bild 1. Konstruktion von Trennwänden

b) Flachpreßplatten nach DIN 68 763, Normtyp je nach Anwendungsbereich nach DIN 68 800-2, Emissionsklasse E 1 nach der Richtlinie über die Verwendung von Spanplatten (Formaldehyd-Richtlinie) hinsichtlich der Vermeidung unzumutbarer Formaldehydkonzentrationen in der Raumluft.

3.2 Bekleidungen oder Beplankungen

a) Bretterschalung.
b) Holzwerkstoffe:
Spanplatten nach DIN 68 761-1 und -4, DIN 68 763, DIN 68 764-1 und -2, DIN 68 765,
Sperrholz nach DIN 68 705-2 bis -5,
harte Holzfaserplatten nach DIN 68 750, DIN 68 751 und DIN 68 754-1.
c) Gipskartonplatten nach DIN 18 180[1)]
d) Ebene Asbestzement-Tafeln nach DIN 274-4.
e) Andere Werkstoffe, deren Brauchbarkeit (z.B. durch Zulassung, Prüfzeugnis) nachgewiesen ist. Dazu gehören Gipsfaserplatten, mineralisch gebundene Flachpreßplatten.

[1)] Für Montagewände aus Gipskartonplatten auf Metallunterkonstruktion gilt DIN 18 183.

4 Maße

4.1 Unterkonstruktion aus Holz

Die erforderlichen Mindestquerschnitte für die Holzstiele bzw. -rippen von Trennwänden gehen in Abhängigkeit vom Einbaubereich und von der Wandhöhe aus Tabelle 1 hervor. Sie gelten für einen Achsabstand der Holzstiele von a = 625 mm; Öffnungen bleiben dabei unberücksichtigt. Bei kleineren Achsabständen dürfen die Querschnittsbreiten b proportional zum Achsabstand der Holzstiele a verringert werden. Sie gelten ferner nur, solange nicht aufgrund der gewählten Verbindungsmittel zwischen Holz und Bekleidung oder Beplankung größere Maße erforderlich werden.

Die angegebenen Querschnittswerte gelten für Trennwände zwischen Räumen mit annähernd gleichen klimatischen Verhältnissen (siehe Abschnitt 1).

Die in Tabelle 1 aufgeführten Querschnittsbreiten b dürfen unterschritten werden, wenn die Querschnittshöhe h zugleich derart vergrößert wird, daß das Widerstandsmoment des neuen Querschnitts mindestens gleich dem des Mindestquerschnitts ist.

Tabelle 1: Erforderliche Mindestquerschnitte *b/h* für Holzstiele oder -rippen bei einem Achsabstand *a* = 625 mm in Abhängigkeit von Einbaubereich, Wandhöhe und Wandkonstruktion

	Einbaubereich nach DIN 4103-1					
	1			2		
Wandhöhe *H*	2600	3100	4100	2600	3100	4100
Wandkonstruktion	Mindestquerschnitte *b/h*					
Beliebige Bekleidung[1)]	60/60		60/80	60/80		
Beidseitige Beplankung aus Holzwerkstoffen[2)] oder Gipsbauplatten[3)], mechanisch verbunden[4)]	40/40	40/60	40/80	40/60	40/60	40/80
Beidseitige Beplankung aus Holzwerkstoffen, geleimt[5)]	30/40	30/60	30/80	30/40	30/60	30/80
Einseitige Beplankung aus Holzwerkstoffen[5)] oder Gipsbauplatten, mechanisch verbunden	40/60		60/60	60/60		

1) Zum Beispiel Bretterschalung.
2) Genormte Holzwerkstoffe und mineralisch gebundene Flachpreßplatten.
3) Siehe Abschnitt 4.4.3.
4) Siehe Abschnitt 4.4.
5) Wände mit einseitiger, aufgeleimter Beplankung aus Holzwerkstoffplatten können wegen der zu erwartenden, klimatisch bedingten Formänderungen (Aufwölben der Wände) allgemein nicht empfohlen werden.

Beispiel: Der Querschnitt 60 mm × 60 mm nach Tabelle 1 kann durch den Querschnitt 40 mm × 80 mm ersetzt werden, da für 40 mm × 80 mm $W = 4 \cdot 8^2/6 = 42{,}7\,\text{cm}^3 > W = 6 \cdot 6^2/6 = 36\,\text{cm}^3$ für 60 mm × 60 mm ist.

Liegt die tatsächliche Wandhöhe zwischen den in Tabelle 1 vorgegebenen Werten, dann dürfen die erforderlichen Querschnitte durch lineare Interpolation ermittelt werden.

Die Maße der waagerechten Hölzer am Kopf- und Fußpunkt der Wände sind konstruktiv zu wählen.

4.2 Unterkonstruktion aus Spanplatten

Anstelle von Holz dürfen auch Spanplatten nach DIN 68 763 für die Unterkonstruktion verwendet werden, wenn eine beidseitige Beplankung aus mindestens 13 mm dicken Spanplatten nach DIN 68 763 durch Verleimung aufgebracht wird. Unter Beplankungsstößen sind jedoch Holzrippen anzuordnen. Das gilt nicht für Elementstöße (siehe auch Bild 2).

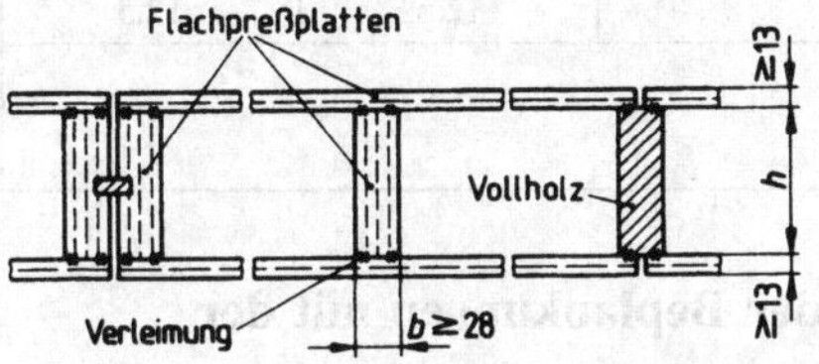

Bild 2. Trennwände mit Unterkonstruktion aus Spanplatten nach DIN 68 763

Die Mindestbreite *b* der Spanplatten-Rippen beträgt 28 mm. Als Rippenhöhe *h* sind für die Einbaubereiche 1 und 2 in Abhängigkeit von der Wandhöhe *H* die Mindestwerte nach Tabelle 2 einzuhalten, die konstruktiv gewählt sind.

Tabelle 2: Mindesthöhe von Spanplatten-Rippen

H	*h* mind.
2600	60
3100	80
4100	100

4.3 Bekleidungen und Beplankungen

Die erforderlichen Mindestdicken der Bekleidungen oder Beplankungen von Trennwänden sind für 2 Unterstützungsabstände in Tabelle 3 aufgeführt.

Zwischen den Werten für die beiden Unterstützungsabstände *a* darf linear interpoliert werden.

G

Tabelle 3: Mindestdicken *d* von Bekleidungen oder Beplankungen in Abhängigkeit vom Unterstützungsabstand

	d min.	
Unterstützungsabstand *a*	1250/2	1250/3
Holzwerkstoffe, organisch oder mineralisch gebunden ohne zusätzliche Bekleidung mit zusätzlicher Bekleidung[1]	 13[3] 10	 10 8
Bretterschalung	≈ 12	≈ 12
Gipsbauplatten[2]	12,5	12,5

[1] Zum Beispiel mit Bretterschalung, Gipsbauplatten.
[2] Siehe Abschnitt 4.4.3.
[3] Für mineralisch gebundene Platten Mindestdicke 12 mm.

4.4 Verbindung der Bekleidungen oder Beplankungen mit der Unterkonstruktion

4.4.1 Holzwerkstoffplatten

Erfolgt die Verbindung mit Hilfe von mechanischen Verbindungsmitteln, z. B. Nägeln, Klammem, Schrauben, dann darf der Abstand der Verbindungsmittel untereinander 80 d_v nicht überschreiten, jedoch nicht größer sein als 200 mm; dabei ist d_v der Durchmesser des Verbindungsmittels. Die übrigen Festlegungen nach DIN 1052-1 sind einzuhalten.

Werden die Beplankungen aufgeleimt, dann ist DIN 1052-1 zu beachten.

4.4.2 Bretterschalungen

Die Befestigung mit mechanischen Verbindungsmitteln darf beliebig sein, sollte jedoch den üblichen Handwerksregeln entsprechen.

4.4.3 Gipsbauplatten

Gipsbauplatten im Sinne dieser Norm sind Gipskartonplatten nach DIN 18 180 und Gipsfaserplatten.

Die Befestigung ist auf der Grundlage von DIN 18 181 mit mechanischen Verbindungsmitteln durchzuführen.

4.5 Verbindung der lotrechten mit den waagerechten Hölzern

Eine Verbindung dieser Hölzer untereinander ist nicht erforderlich, wenn eine ein- oder beidseitige Beplankung aus plattenförmigen Werkstoffen vorliegt. Im anderen Fall, z. B. bei Bretterschalungen, ist die Verbindung konstruktiv zu wählen, z. B. über 2 Stichnägel je Verbindungsstelle oder über gleichwertige Maßnahmen.

5 Anschluß der Trennwände an angrenzende Bauteile 5.1 Allgemeines

Der Anschluß der Trennwände an angrenzende Bauteile kann als fester Anschluß oder als gleitender Anschluß ausgebildet werden (siehe Bild 3). Der gleitende Anschluß ist z. B. für den Anschluß Trennwand an die obere Decke vorzusehen, wenn mit einer größeren Durchbiegung der Decke zu rechnen ist.

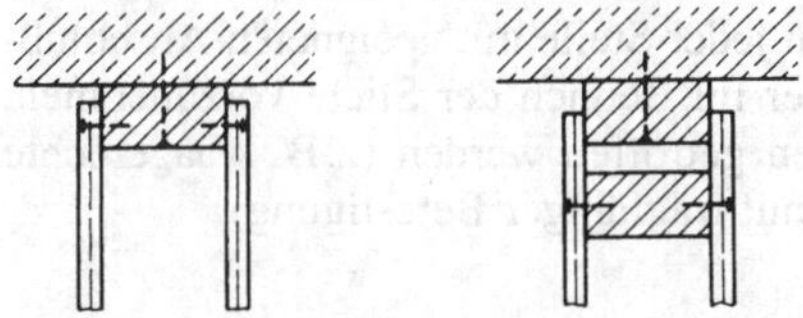

a) fester Anschluß   b) gleitender Anschluß

Bild 3. Anschluß von Trennwänden an angrenzende Bauteile

5.2 Ausbildung

5.2.1 Regelfall (siehe Bild 4)

Die Trennwände sind am Kopf- und Fußpunkt mindestens mit einer Holzschraube von 6 mm Durchmesser je Meter Wandlänge oder über Verbindungsmittel mit gleicher Tragfähigkeit an die angrenzenden Bauteile anzuschließen. Für den seitlichen Anschluß an angrenzende Wände sind konstruktiv je Seite mindestens 2 Holzschrauben von 6 mm Durchmesser oder statisch gleichwertige Verbindungsmittel zu wählen.

5.2.2 Sonderfall (siehe Bild 5)

Bei Trennwänden mit beidseitiger Beplankung aus genormten Holzwerkstoffen oder Gipsbauplatten bis zu einer Länge von L = 5000 mm genügt eine Befestigung an angrenzenden Holzbauteilen mit mindestens 2 Holzschrauben von 12 mm Durchmesser je Seite, wenn die Trennwände am Fußpunkt aufsitzen.

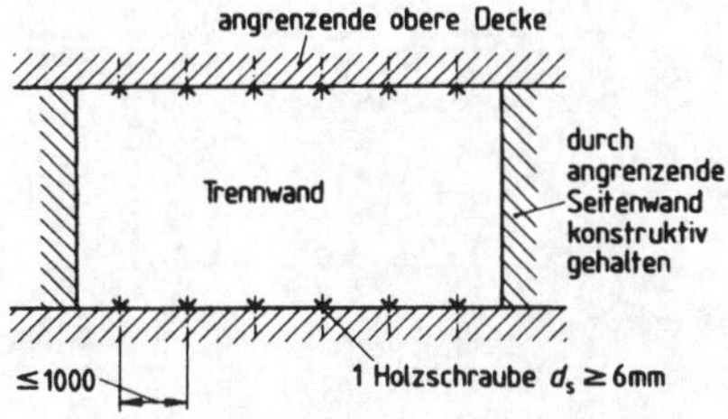

Bild 4. Anschlußmöglichkeiten für Trennwände an angrenzende Bauteile (Regelfall)

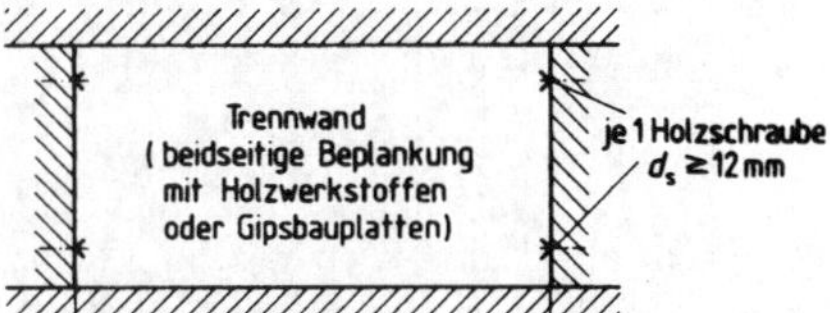

Bild 5. Anschlußmöglichkeiten für Trennwände an angrenzende Bauteile (Sonderfall)

G

6 Anbringen von leichten Konsollasten

Die Trennwände sind für die Aufnahme leichter Konsollasten nach DIN 4103-1 ohne weiteren Nachweis geeignet. Der Anschluß der Konsollasten kann bei plattenförmigen Beplankungen nach Abschnitt 3 an jeder Stelle mit geeigneten Anschlußmitteln erfolgen; bei Bretterschalungen ist er im Bereich der Stiele vorzunehmen, wenn nicht andere konstruktive Maßnahmen getroffen werden (z. B. waagerechte Zwischenhölzer, ausreichend dicke Bretter mit tragfähiger Befestigung).

Nichttragende innere Trennwände (Mauerwerk)

Für nichttragende innere Trennwände, die nicht rechtwinklig zur Wandfläche durch Wind beansprucht werden, ist DIN 4103-1 (07.84) maßgebend.

Abhängig vom Einbauort werden nach DIN 4103-1 zwei unterschiedliche Einbaubereiche unterschieden.

Einbaubereich I:

Bereiche mit geringer Menschenansammlung, wie sie z. B. in Wohnungen, Hotel-, Büro- und Krankenräumen sowie ähnlich genutzten Räumen einschließlich der Flure vorausgesetzt werden können.

Einbaubereich II.

Bereiche mit großen Menschenansammlungen, wie sie z. B. in größeren Versammlungs- und schulräumen, Hörsälen, Ausstellungs- und Verkaufsräumen und ähnlich genutzten Räumen vorausgesetzt werden müssen.

Aufgrund neuer Forschungsergebnisse hat die Deutsche Gesellschaft für Mauerwerksbau ein Merkblatt über „Nichttragende Trennwände (4. Auflage, 2008)“ herausgegeben. Die folgenden Ausführungen basieren auf diesem Merkblatt. Bei Einhaltung der in den folgenden Tafeln angegebenen Grenzabmessungen ist kein statischer Nachweis erforderlich.

Grenzmaße für vierseitig gehaltene Wände ohne Auflast[1)3)], und dreiseitig gehaltene Wände mit einem vertikalen freien Rand[*)]

Wanddicke cm	max. Wandlänge in m (Tabellenwerte) im Einbaubereich I (*oberer Wert*)/Einbaubereich II (*unterer Wert*)					
	Wandhöhe in m					
	2,5	3,0	3,5	4,0	4,5	≤ 6,0
5,0[2)]	3,0 1,5	3,5 2,0	4,0 2,5	– –	– –	– –
6,0	4,0 2,5	4,5 3,0	5,0 3,5	5,5 –	– –	– –
7,0[2)]	5,0 3,0	5,5 3,5	6,0 4,0	6,5 4,5	7,0 5,0	– –
9,0	6,0 3,5	6,5 4,0	7,0 4,5	7,5 5,0	8,0 5,5	– –
10,0[2)]	7,0 5,0	7,5 5,5	8,0 6,0	8,5 6,5	9,0 7,0	– –
11,5	10,0 6,0	10,0 6,5	10,0 7,0	10,0 7,5	10,0 8,0	– –
17,5	12,0 12,0	12,0 12,0	12,0 12,0	12,0 12,0	12,0 12,0	12,0 12,0
24,0	12,0 12,0	12,0 12,0	12,0 12,0	12,0 12,0	12,0 12,0	12,0 12,0

1) Für Porenbetonsteine gelten die angegebenen Werte bei Verwendung von Normalmörtel der MG III oder Dünnbettmörtel. Bei Wanddicken < 17,5 cm und Verwendung der MG II oder IIa sind die Werte für die zulässigen Wandlängen zu halbieren.

2) Für Kalksandsteine (trockene Kalksandsteine sind vorzunässen) gelten die angegebenen Werte bei Verwendung von Normalmörtel der Mörtelgruppe III oder Dünnbettmörtel bei Wanddicken < 11,5 cm. Bei Wanddicken ≥ 11,5 ist Normalmörtel mindestens der Mörtelgruppe IIa oder Dünnbettmörtel zu verwenden.

3) Auf die Vermörtelung von Stoßfugen kann unter bestimmten Bedingungen (siehe Merkblatt DGfM, Abschnitt 9) verzichtet werden.

*) **Bei dreiseitiger Halterung (ein freier vertikaler Rand) gelten die halben Tabellenwerte.**

Grenzmaße für vierseitig gehaltene Wände mit Auflast[2)3)], und dreiseitig gehaltene Wände, ein freier vertikaler Rand[*)]

Wanddicke cm	max. Wandlänge in m (Tabellenwerte) im Einbaubereich I (*oberer Wert*)/Einbaubereich II (*unterer Wert*)					
	Wandhöhe in m					
	2,5	3,0	3,5	4,0	4,5	≤ 6,0
5,0[1)]	5,5 2,5	6,0 3,0	6,50 3,5	– –	– –	– –
6,0	6,0 4,0	6,5 4,5	7,0 5,0	– –	– –	– –
7,0[1)]	8,0 5,5	8,5 6,0	9,0 6,50	9,5 7,0	– 7,5	– –
9,0	12,0 7,0	12,0 7,5	12,0 8,0	12,0 8,5	12,0 9,0	– –
10,0[1)]	12,0 8,0	12,0 8,5	12,0 9,0	12,0 9,5	12,0 10,0	– –
11,5	12,0 12,0	12,0 12,0	12,0 12,0	12,0 12,0	12,0 12,0	– –
17,5	12,0 12,0	12,0 12,0	12,0 12,0	12,0 12,0	12,0 12,0	12,0 12,0
24,0	12,0 12,0	12,0 12,0	12,0 12,0	12,0 12,0	12,0 12,0	12,0 12,0

1) Für Kalksandsteine (trockene Kalksandsteine sind vorzunässen) gelten die angegebenen Werte bei Verwendung von Normalmörtel der Mörtelgruppe III oder Dünnbettmörtel bei Wanddicken < 11,5 cm. Bei Wanddicken ≥ 11,5 ist Normalmörtel mindestens der Mörtelgruppe IIa oder Dünnbettmörtel zu verwenden.

2) Für Porenbetonsteine gelten die angegebenen Werte bei Verwendung von Normalmörtel der MG III oder Dünnbettmörtel. Bei Wanddicken < 17,5 cm ist auch Normalmörtel mindestens der MG II zulässig. Werden Wanddicken ≤ 10 cm mit Normalmörtel der MG II und IIa ausgeführt, so sind die Werte für die zulässigen Wandlängen zu halbieren.

3) Auf die Vermörtelung von Stoßfugen kann unter bestimmten Bedingungen (siehe Merkblatt DGfM, Abschnitt 9) verzichtet werden.

*) **Bei dreiseitiger Halterung (ein freier vertikaler Rand) gelten die halben Tabellenwerte.**

Grenzmaße für dreiseitig gehaltene Wände (der obere Rand ist frei) ohne Auflast[1)2)]

Wanddicke cm	max. Wandlänge in m (Tabellenwerte) im Einbaubereich I (*oberer Wert*)/Einbaubereich II (*unterer Wert*)							
	Wandhöhe in m							
	2,0	2,25	2,50	3,0	3,50	4,0	4,5	≤ 6,0
5,0[3)]	3,0	3,5	4,0	5,0	6,0	–	–	–
	1,5	2,0	2,5	–	–	–	–	–
6,0	5,0	5,5	6,0	,70	8,0	9,0	–	–
	2,5	2,5	3,0	3,5	4,0	–	–	–
7,0[3)]	7,0	7,5	8,0	9,0	10,0	10,0	10,0	–
	3,5	3,5	4,0	4,5	5,0	6,0	7,0	–
9,0	8,0	8,5	9,0	10,0	10,0	12,0	12,0	–
	4,0	4,0	5,0	6,0	7,0	8,0	9,0	–
10,0[3)]	8,0	9,0	10,0	12,0	12,0	12,0	12,0	–
	5,0	5,0	6,0	7,0	8,0	9,0	10,0	–
11,5	8,0	9,0	10,0	12,0	12,0	12,0	12,0	–
	6,0	6,0	7,0	8,0	9,0	10,0	10,0	–
17,5	12,0	12,0	12,0	12,0	12,0	12,0	12,0	12,0
	8,0	9,0	10,0	12,0	12,0	12,0	12,0	12,0
24,0	12,0	12,0	12,0	12,0	12,0	12,0	12,0	12,0
	8,0	9,0	10,0	12,0	12,0	12,0	12,0	12,0

1) Auf die Vermörtelung von Stoßfugen kann unter bestimmten Bedingungen (siehe Abschnitt 9) verzichtet werden.
2) Für Porenbetonsteine gelten die angegebenen Werte bei Verwendung von Normalmörtel der Mörtelgruppe III oder Dünnbettmörtel. Bei Verwendung der Mörtelgruppen II und IIa sind die Werte entsprechend [4] abzumindern.
3) Für Kalksandsteine (trockene Kalksandsteine sind vorzunässen) gelten die angegebenen Werte bei Verwendung von Normalmörtel der Mörtelgruppe III oder Dünnbettmörtel bei Wanddicken < 11,5 cm. Bei Wanddicken ≥ 11,5 ist Normalmörtel mindestens der Mörtelgruppe IIa oder Dünnbettmörtel zu verwenden.

Dachabdichtungen – Abdichtungen für nicht genutzte Dächer – Teil 1: Begriffe, Anforderungen, Planungsgrundsätze

Auszug aus **DIN 18 531-1** (05.2010)

Inhalt

1 Anwendungsbereich

DIN 18531-1 definiert Begriffe und legt Anforderungen an die allgemeinen Eigenschaften, die Arten der Beanspruchung, die Planung des Bauwerks und den Untergrund der Dachabdichtung fest.

Zusammen mit DIN 18531-2, DIN 18531-3 und DIN 18531-4 gilt diese Norm für die Planung und Ausführung von Abdichtungen für nicht genutzte Dächer aus bahnenförmigen Stoffen bei Neubauten sowie für Instandhaltung und Dacherneuerung.

Sie gilt auch für Abdichtungen von extensiv begrünten Dachflächen.

Diese Norm gilt nicht für

- Dachdeckungen und Unterdächer,
- Abdichtungen von genutzten Dachflächen wie Terrassen, Parkdecks und intensiv begrünte Dachflächen (siehe DIN 18195-5),
- Abdichtungen von Balkonen (siehe DIN 18195-5)

3 Begriffe

Für die Anwendung dieses Dokuments gelten die folgenden Begriffe.

ANMERKUNG Die unter diesen Begriffen verwendeten Definitionen gelten für Dachabdichtungen

3.1 Abschluss

Ausbildung einer Dachabdichtung am Dachrand

3.2 Anschluss

Verbindung der Dachabdichtung mit aufgehenden oder sie durchdringenden Bauteilen

ANMERKUNG Es werden starre und bewegliche Anschlüsse unterschieden.

3.3 Anwendungskategorie

Anwendungszuordnung für Dachabdichtungen, bei der hinsichtlich der Planung und der Bemessung unterschiedliche Anforderungen gestellt werden

3.4 Auflast

Abdeckung einer Dachabdichtung oder eines Dachaufbaus zur Sicherung gegen Windlasten

3.5 Ausgleichsschicht

Schicht, die Rauhigkeiten und Unebenheiten, die im Toleranzbereich des jeweiligen Untergrundes liegen, ausgleichen oder überbrücken kann

3.6 Beanspruchungsklasse

Zusammenfassung mechanischer und thermischer Beanspruchungsstufen zu kombinierten Beanspruchungen von Dachabdichtungen

3.7 Beanspruchungsstufe

abgestufte Beanspruchung infolge mechanischer oder thermischer Einwirkungen auf Dachabdichtungen

3.8 Bewegungsfuge

Zwischenraum zwischen zwei Bauwerksteilen oder Bauteilen, um deren unterschiedliche Bewegungen zwängungsfrei zu ermöglichen

3.9 Dachabdichtung

wasserdichtes Bauteil auf Dachflächen zum Schutz eines Bauwerkes gegen das Eindringen von Niederschlagswasser

ANMERKUNG Die Dachabdichtung besteht aus einer über die gesamte Dachfläche reichenden, wasserdichten Schicht. Zur Dachabdichtung gehören auch Anschlüsse, Abschlüsse und die Abdichtung über Bewegungsfugen.

3.10 Dachaufbau

Folge der einzelnen Funktionsschichten des Daches oberhalb der Tragkonstruktion, z. B. Ausgleichsschicht, Dampfsperre, Wärmedämmung, Dachabdichtung, Oberflächenschutz, Auflast, deren Art und Anordnung von der jeweiligen Konstruktionsart abhängig ist

3.11 Dachneigung

Neigung der Dachfläche gegen die Waagerechte. Das Maß der Dachneigung wird ausgedrückt als Steigung der Dachfläche gegen die Waagerechte oder als Winkel zwischen Dachfläche und der Waagerechten

ANMERKUNG Die Dachneigung wird in Prozent (%) oder als Winkel in Grad (°) angegeben.

3.12 Dampfdruckausgleichsschicht

zusammenhängende Luftschicht unter der Dachabdichtung zum flächigen Ausgleich des Wasserdampfdruckes aus eingebauter und/oder eindiffundierter Feuchtigkeit

3.13 Dampfsperre

eine den Diffusionsvorgang im Dachaufbau einschränkende Schicht mit einer für die Funktion des Dachaufbaus ausreichenden wasserdampfdiffusionsäquivalenten Luftschichtdicke s_d (siehe DIN 4108-3)

3.14 Durchdringung

Bauteil, das die Abdichtung durchdringt, z. B. Rohrleitung, Dunstrohr, Ablauf, Verankerung

3.15 Eigenschaftsklasse

Abstufungen thermischer und mechanischer Produkteigenschaften, denen die Abdichtungsprodukte aufgrund ihrer spezifischen Stoffeigenschaften zugeordnet werden können

3.16 Extensivbegrünung
besteht aus Pflanzen mit besonderer Anpassung an die jeweiligen Standortbedingungen, die sich weitgehend selbst erhalten und weiterentwickeln. Die Extensivbegrünung bildet eine Form des schweren Oberflächenschutzes und stellt im Sinne dieser Norm keine Nutzung dar. Hierin unterscheidet sie sich von der Intensivbegrünung

ANMERKUNG Charakteristisch sind geringe Aufbauhöhe und geringes Gewicht.

3.17 flüssig aufzubringende Dachabdichtung
flüssig durch Rollen, Spritzen oder Gießen aufzubringender Abdichtungsstoff, der zusammen mit anderen Komponenten (z. B. Grundierung, Einlage, Oberflächenschutz) im ausreagierten oder erhärteten Zustand eine nahtlose Abdichtungsschicht ergibt

3.18 lineare Befestigung
in Reihe angeordnete punktweise mechanische Einzelbefestigung

3.19 Linienbefestigung
mechanische Befestigung mit Metallprofilen bzw. Verbundblechen

3.20 Luftdichtheit
Beschaffenheit von Konstruktionen zur Vermeidung von Wärmeverlusten durch unkontrollierten Luftaustausch und zur Vermeidung von Tauwasserbildung infolge von Konvektion feuchter Luft

ANMERKUNG Bei sachgerecht verklebten bzw. gefügten Dachabdichtungen findet in der Fläche bei den praktisch auftretenden Luftdruckdifferenzen kein Luftdurchgang im Sinne eines Luftaustausches mit der Außenluft statt.

3.21 Mindestschichtdicke
Schichtdicke bei flüssig aufzubringenden Dachabdichtungen im ausreagierten oder erhärteten Zustand, die nicht unterschritten werden darf

3.22 Nenndicke
effektive Dicke e_{eff} als schichtdickenbezogene Produktbezeichnung bei Kunststoff- und Elastomerbahnen

ANMERKUNG Für die Abdichtung wirksame Dicke der Dachbahn, einschließlich Oberflächentextur oder Kaschierung von $\leq 80\,g/m^2$.

3.23 nicht genutzte Dachfläche
nur zum Zwecke der Pflege, Wartung und allgemeinen Instandhaltung begehbare Dachfläche

3.24 Nutzungsdauer
Zeitraum, in dem die von der Dachabdichtung geforderte Leistung hinsichtlich der Dichtigkeit unter den Beanspruchungsbedingungen bei ordnungsgemäßer Wartung erwartet werden kann

ANMERKUNG Die Wirtschaftlichkeit der Nutzungsdauer setzt grundsätzlich voraus, dass maßgebliche Faktoren z. B. Kosten für Entwurf, Bau und Nutzung, Kosten für Nutzungsausfall infolge Versagen, Kosten für Instandhaltung in angemessener Weise berücksichtigt werden.

3.25 Oberflächenschutz
Abdeckung einer Dachabdichtung zum Schutz vor mechanischer, thermischer und/ oder atmosphärischer Beanspruchung

ANMERKUNG Es wird zwischen leichtem und schwerem Oberflächenschutz unterschieden.

3.26 Plastizitätsspanne
Temperaturdifferenz zwischen Wärmestandfestigkeit und Kaltbiegeverhalten bei Bitumen- und Polymerbitumenbahnen

3.27 Schleppstreifen
streifenförmige Trennlagen aus geeigneten Stoffen zur Sicherstellung einer unverklebten Zone

3.28 Schutzlage
oberhalb der Dachabdichtung angeordnete Lage zum Schutz vor Einwirkungen von außen, z. B. mechanischen Beanspruchungen

ANMERKUNG Eine Schutzlage zählt nicht als Abdichtungslage.

3.29 Trägerlage
Bahn zur Aufnahme von flüssig aufzubringenden Dachabdichtungen bei nicht unmittelbar zur Aufbringung geeigneten Untergründen

3.30 Tragkonstruktion
statisch tragende Unterkonstruktion, auf die der Dachaufbau aufgebracht wird

3.31 Trennschicht/-lage
Schicht oder Lage zur flächigen oder teilflächigen Trennung der Dachabdichtung oder der Dampfsperre von darunter liegenden Bauteilen oder Schichten

3.32 Untergrund der Dachabdichtung
Fläche, auf die die Dachabdichtung unmittelbar aufgebracht wird

4 Anforderungen an die Dachabdichtung

Dachabdichtungen müssen das Eindringen von Niederschlagswasser in das zu schützende Bauwerk verhindern. Die Art der Stoffe, die Anzahl der Lagen und deren Anordnung sowie das Verfahren zur Herstellung der Dachabdichtung müssen in ihrem Zusammenwirken und unter Berücksichtigung der Bewegungen des Untergrundes die Funktion der Dachabdichtung sicherstellen.

Stoffe und Bauteile des Dachaufbaus müssen untereinander und mit anderen Stoffen und Bauteilen, mit denen sie in Berührung kommen, verträglich sein. Bei Unverträglichkeiten sind zur Vermeidung von Schäden geeignete Maßnahmen, z. B. die Anordnung von Trennschichten/-lagen, vorzusehen.

Die Eigenschaften von Dachabdichtungen dürfen sich unter den üblichen Einwirkungen und den daraus resultierenden Beanspruchungen, mit denen unter den örtlichen Verhältnissen und bei dem gewählten Abdichtungsaufbau zu rechnen ist, nicht so verändern, dass die Funktion und der Bestand während der Nutzungsdauer der Dachabdichtung beeinträchtigt werden.

Diese Anforderungen werden von einer Dachabdichtung während einer wirtschaftlich angemessenen Nutzungsdauer dann erfüllt, wenn sie nach den Bestimmungen der Normen DIN 18531-1 bis DIN 18531-4 geplant, bemessen, ausgeführt und instand gehalten wird. Weitere Voraussetzungen sind, dass die eine Dachabdichtung tragenden, durchdringenden und begrenzenden Bauwerksteile sach- und abdichtungsgerecht geplant und hergestellt werden.

5 Beanspruchungen – Arten und Klassifizierungen

5.1 Allgemeines

Auf Dachabdichtungen können unterschiedliche Beanspruchungen einwirken; die üblicherweise zu erwartenden Beanspruchungen sind in 5.2 bis 5.6 genannt. Darüber hinausgehende Beanspruchungen, z. B. chemische Einwirkungen, können weiterführende Maßnahmen erforderlich machen, die vom Planer festzulegen sind.

5.2 Feuchte

Die Dachabdichtung muss den Einwirkungen von Niederschlägen sowie der Beanspruchung aus vorübergehend stehendem Wasser standhalten. Darüber hinaus ist eventuell vorhandene Baufeuchte und die durch die Nutzung des Gebäudes zu erwartende Nutzungsfeuchte zu berücksichtigen.

5.3 Mechanische Beanspruchung

5.3.1 Allgemeines

Dachabdichtungen müssen die auf sie einwirkenden, planmäßig zu erwartenden Lasten auf tragfähige Bauteile weiterleiten und dürfen dadurch nicht geschädigt werden. Ferner müssen sie den planmäßigen Formänderungen der Tragkonstruktion und von Stoffen des Dachschichtenaufbaus, z. B. Längenänderungen und Bewegungen im Bereich der Stoßfugen von Dämmplatten, standhalten.

Es wird zwischen folgenden mechanischen Beanspruchungsstufen unterschieden:

5.3.2 Stufe I: Hohe mechanische Beanspruchung

Eine hohe mechanische Beanspruchung der Abdichtung liegt vor, wenn mindestens eine der folgenden Beanspruchungsbedingungen gegeben ist:

a) Beanspruchungen aus dem Untergrund und/oder der Tragkonstruktion der Dachabdichtung z. B. bei:
   - element- und plattenförmigen Untergründen, wie Betonfertigteile, Betondielen, wenn sie nicht mit Maßnahmen zur Querkraftübertragung versehen sind, durch die unterschiedliche Verformung der Einzelelemente sowohl an ihren Längs- als auch an den Querfugen vermieden werden;
   - harten Dämmstoffen (XPS) soweit diese Fugen aufweisen, deren Bewegungen sich auf die Abdichtung auswirken können;
   - Tragkonstruktionen aus Stahltrapezprofilen;
   - Schalungen aus Holz oder Holzwerkstoffen als Untergrund für die Abdichtung.

b) Beanspruchungen durch die Art der Lagesicherung der Dachabdichtung z. B. bei lose liegenden Bahnen mit mechanischer Befestigung.

c) Beanspruchungen infolge weicher Unterlage z. B. bei Mineralfaserdämmstoffen

d) Beanspruchungen durch Arbeiten auf der Dachabdichtung z. B. bei:
   - Dachflächen oder -bereichen, die häufig zu Inspektion oder Wartung begangen werden;
   - Extensivbegrünung.

e) Beanspruchungen durch sonstige mechanische Einwirkungen während der Nutzungsdauer
   z. B. bei Dachabdichtungen, die in besonders hagelschlaggefährdeten Gebieten ausgeführt werden.

5.3.3 Stufe II: Mäßige mechanische Beanspruchung

Von einer mäßigen Beanspruchung der Dachabdichtung kann ausgegangen werden, wenn die unter 5.3.2 beschriebenen erhöhten Beanspruchungen nicht vorliegen oder durch geeignete Maßnahmen ausgeschlossen werden können.

5.4 Thermische Beanspruchung

Dachabdichtungen müssen so geplant und ausgeführt sein, dass sie bei den üblicherweise zu erwartenden Oberflächentemperaturen (– 20 °C bis + 80 °C) funktionsfähig bleiben. Es wird zwischen den folgenden thermischen Beanspruchungsstufen unterschieden:

a) Stufe A – Hohe thermische Beanspruchung

Als thermisch hoch beansprucht gelten Dachabdichtungen, die witterungsbedingt starken thermischen Wechselbeanspruchungen ausgesetzt sind. Dies sind z. B. Abdichtungen ohne Oberflächenschutz oder mit nur leichtem Oberflächenschutz.

b) Stufe B – Mäßige thermische Beanspruchung

Als thermisch mäßig beansprucht gelten Dachabdichtungen, bei denen keine starken Aufheizungen, schnelle Temperaturänderungen oder direkte Witterungsbeanspruchungen auftreten, z. B. Abdichtungen unter einer Kiesschüttung, Umkehrdächer und extensiv begrünte Dächer.

5.5 Beanspruchung durch Wurzelwachstum

Bei extensiver Begrünung treten Beanspruchungen durch Wurzelwachstum auf.

5.6 Sonstige Beanspruchung

Dachabdichtungen können fotochemischen Einflüssen, kombinierten und wechselnden Einwirkungen von UV-Strahlung, Ozon sowie chemischen und biogenen Beanspruchungen unterliegen.

5.7 Beanspruchungsklassen

Durch die Kombination der vorgenannten mechanischen und thermischen Beanspruchungsstufen werden vier Beanspruchungsklassen gebildet. Sie sind als Planungsvorgabe anzusehen, auf die im Einzelfall die jeweilige Dachabdichtung abzustimmen ist (siehe Abschnitt 6).

Tabelle 1: Beanspruchungsklassen für Dachabdichtungen

	Hohe mechanische Beanspruchung Stufe I	Mäßige mechanische Beanspruchung Stufe II
Hohe thermische Beanspruchung Stufe A	IA	IIA
Mäßige thermische Beanspruchung Stufe B	IB	IIB

6 Anforderungen an die Planung

6.1 Allgemeines

Die Beanspruchungs- und Einflussgrößen, die für die Funktion und den Bestand des Dachaufbaus von Bedeutung sind, müssen bereits bei der Planung des Bauwerks und der Dachabdichtung sowie bei der Auswahl der Stoffe berücksichtigt werden. Dabei ist die Wechselwirkung zwischen der Dachabdichtung und den darunter/darüber liegenden Schichten zu berücksichtigen. Die Art der Dachabdichtung und ihre Bemessung ist von dem gewählten Dachaufbau (z. B. nicht belüftet oder belüftet), von der Tragkonstruktion, von der Beanspruchung und Nutzung des Bauwerks abhängig. Einzelangaben siehe DIN 18531-3. Die Stoffe sind nach DIN 18531-2 auszuwählen.

Wärmedämmung, Dampfsperre und Luftdichtheitsschicht sind wesentliche Bestandteile des Feuchte- und Wärmeschutzes für das Bauwerk. Bemessung und Festlegung der Ausführungsart und der Details der bauphysikalischen Funktionsschichten sind durch den Planer vorzunehmen.

Dächer mit Abdichtungen müssen den bestehenden Brandschutzvorschriften für Bedachungen der Landesbauordnungen entsprechen. Zusätzlich sind die Anforderungen an das Brandverhalten der zu verwendenden Stoffe einzuhalten.

6.2 Anwendungskategorien für Dachabdichtungen

6.2.1 Allgemeines

Je nach geplantem Anwendungszweck werden 2 Kategorien für Dachabdichtungen nach 6.3.2 und 6.3.3 unterschieden.

Neben der Standardausführung der Anwendungskategorie K1 wird eine höherwertige Ausführung der Anwendungskategorie K2 definiert. Bei ihr ist eine erhöhte Zuverlässigkeit, eine längere Nutzungsdauer und/oder ein geringerer Instandhaltungsaufwand zu erwarten.

Abdichtungen der Anwendungskategorie K2 erfordern nicht nur höhere Anforderungen an die zu verwendenden Stoffe und den Systemaufbau sondern auch erhöhte Anforderungen an die Planung des Gefälles, die Anordnung der Entwässerungselemente und die Detailgestaltung.

Die Bemessung der Dachabdichtung für die Anwendungskategorien erfolgt nach DIN 18531-3.

6.2.2 Anwendungskategorie K1 (Standardausführung)

Dachabdichtungen, an die übliche Anforderungen gestellt werden sind der Anwendungskategorie K1 zuzuordnen. Voraussetzung ist, dass grundsätzlich eine Mindestneigung der Abdichtungsebene von 2 % eingehalten wird. Für Dächer und/oder Dachbereiche mit einem Gefälle < 2 % gelten für die Dachabdichtung hinsichtlich der Stoffauswahl die Bemessungsregeln für die Anwendungskategorie K2 (siehe DIN 18531-3:2005-10, Abschnitt 4).

6.2.3 Anwendungskategorie K2 (höherwertige Ausführung)

Dachabdichtungen, an die durch Planer/Bauherren (z. B. aufgrund höherwertiger Gebäudenutzung, Hochhäuser, Dächer mit erschwertem Zugang) erhöhte Anforderungen gestellt werden, sind der Kategorie K2 zuzuordnen. Hierbei ist ein Gefälle von mindestens 2 % in der Abdichtungsebene und mindestens 1 % im Bereich von Kehlen einzuhalten.

6.3 Bauphysikalische Anforderungen

6.3.1 Tauwasserschutz

Die Schichten unterhalb der Dachabdichtung sind so anzuordnen, zu dimensionieren und auch an An- und Abschlüssen von Durchdringungen so zu gestalten, dass die Dachabdichtung und/oder ihre Einbauteile nicht unterseitig in schädigendem Umfang durch Tauwasser belastet werden (siehe DIN 4108-3).

6.3.2 Wärmebrücken

Besondere Anforderungen (z. B. bei Niedrigenergiehausstandard) an die Gestaltung der Tragkonstruktion und die Befestigung der Dachabdichtung zur Vermeidung von

Wärmebrücken, sind vom Planer in der Ausschreibung festzulegen und anzugeben (siehe DIN 4108-3).

6.3.3 Luftdichtheit

Bei wärmegedämmten Dächern ist im Regelfall die Luftdichtheit des Daches durch luftdichte Bauteile/Schichten (Dampfsperre, Stahlbetondecke) unter der Wärmedämmung herzustellen.

Sollen andere Schichten des Dachaufbaus als Luftdichtheitsschicht dienen, so ist dies planerisch zu berücksichtigen und als besondere Anforderung bei der Leistungsbeschreibung und bei den Angaben zu den Details festzulegen. Auf die Vermeidung schädigender bzw. den Wärmeschutz des Daches herabmindernde Konvektionsströme innerhalb der Konstruktion ist dann besonders zu achten. Bis zu welcher Leckrate Dachdurchdringungen, Bewegungsfugen, An- und Abschlüsse noch als luftdicht gelten können, hängt vom Grad der Beheizung, von der Höhe der Luftfeuchte und den Luftdruckbedingungen des Raumes unter der Dachfläche ab.

Bei Aufenthaltsräumen gilt das Bauteil als „luftdicht“, wenn die Anforderungen nach DIN 4108-7 erfüllt werden.

6.3.4 Überdruck und hohe Luftfeuchte

Raumklimabedingungen, die ungewöhnliche, über das übliche Sorgfaltsmaß hinausgehende Anforderungen an die Verlegetechnik und die Ausführung der An- und Abschlüsse sowie Durchdringungen stellen, müssen in der Ausschreibung vom Planer definiert und mit Angabe der daraus abzuleitenden Konsequenzen dem Ausführenden bekannt gegeben werden. Solche Bedingungen liegen z. B. bei klimatisierten Räumen mit Luftüberdruck und in Räumen mit hoher Luftfeuchte (z. B. Schwimmhallen) vor.

6.4 Dachneigung

Für die Ableitung des Niederschlagswassers sind Dachabdichtungen grundsätzlich mit einem Gefälle von mindestens 2 % zu planen. Das Gefälle kann durch die Tragkonstruktion, durch eine zusätzliche Gefälleschicht (z. B. Estrich) oder eine Gefälledämmschicht erreicht werden.

Dächer und/oder innen liegende Rinnen und Kehlen mit einem Gefälle unter 2 % erfordern auf Grund erhöhter Beanspruchung aus stehendem Wasser besondere Maßnahmen.

6.5 Dachentwässerung

Dachentwässerungen sind im Regelfall nach DIN EN 12056-3 und DIN 1986-100 zu planen und auszuführen.

Die Abläufe von Innenentwässerungen sind grundsätzlich an den tiefsten Stellen der zu entwässernden Teilflächen vorzusehen. Dafür sind bei der Planung die am Bauwerk zu erwartenden Verformungen und Durchbiegungen zu berücksichtigen.

Bei Freispiegelentwässerung, insbesondere aber bei einer Dachentwässerung mit Druckströmung ist mit einem vorübergehenden Wasseranstau zu rechnen.

Zusätzliche Maßnahmen können dabei erforderlich werden.

Dachabläufe sind grundsätzlich mit ihren Flanschaußenkanten im Abstand von mindestens 0,30 m zu den Außenkanten anderer Durchdringungen, Fugen, Dachaufbauten oder zu aufgehenden Bauteilen zu planen.

Dachabläufe müssen zu Wartungszwecken frei zugänglich sein.

6.6 An- und Abschlusshöhen

Die Höhe der Anschlüsse an aufgehende Bauteile ist grundsätzlich bei Dachneigungen bis 5 ° (8,8 %) mit mindestens 0,15 m und bei Dachneigungen über 5° (8,8 %) mit mindestens 0,10 m über Oberfläche Belag oder Kiesschüttung zu planen.

Die Höhe der Abschlüsse am Dachrand ist grundsätzlich bei Dachneigungen bis 5° (8,8 %) mit mindestens 0,10 m und bei Dachneigungen über 5° (8,8 %) mit mindestens 0,05 m über Oberfläche Belag oder Kiesschüttung zu planen.

Die Anschlusshöhen sind gegebenenfalls zu erhöhen, (z. B. in schneereichen Gebieten, bei Anstaugefahr in Sheddachrinnen).

6.7 Durchdringungen

Der Abstand von Durchdringungen untereinander (von Flanschaußenkante zu Flanschaußenkante) und zu anderen Bauteilen, z. B. Bewegungsfugen, An- und Abschlüssen muss im Regelfall mindestens 0,30 m betragen.

6.8 Dachaufbauten

Auf der Dachabdichtung aufgestellte Aggregate und Anlagen sind so anzuordnen und hinsichtlich der Tragkonstruktion sowie evtl. erforderlicher Zu- und Ableitungen so zu gestalten, dass gegebenenfalls notwendige Durchdringungen fachgerecht ausführbar sind und die Abdichtung und ihre An- und Abschlüsse für Wartungszwecke zugänglich bleiben. Der Mindesthöhenabstand zur Dachabdichtung sollte 0,50 m betragen.

6.9 Windsogsicherung

Zur Sicherung von Dächern mit Abdichtungen gegen Abheben durch Windkräfte ist DIN 18531-3:2005-10, Abschnitt 7 zu beachten. Wenn von diesen Anforderungen abgewichen wird, ist ein Einzelnachweis zu erbringen.

6.10 Maßnahmen gegen Wasserunterläufigkeit

Besonders bei großen Dachflächen sollten durch planerische Maßnahmen die Auswirkungen von Unterläufigkeit der Dachabdichtung an Leckstellen minimiert werden. Bei verklebten Dachbahnen kann dies durch vollflächige Verklebung auf einem wasserundurchlässigen Untergrund erfolgen. Bei Abdichtungen auf wasserdurchlässigen Dämmschichten mit Dampfsperren kann dies durch regelmäßige Abschottung des Dämmstoffquerschnitts erreicht werden. Die Lage der Abschottung wird planerisch vorgegeben und in Plänen dokumentiert. Für Dächer der Anwendungskategorie K2 sollten solche Maßnahmen ebenfalls vorgesehen werden.

7 Anforderungen an den Untergrund von Dachabdichtungen

7.1 Allgemeines

Dachabdichtungen benötigen einen weitgehend lückenlosen, stetig verlaufenden Untergrund. Er muss eben sauber und frei von Fremdkörpern sein und muss so geführt und gestaltet sein, dass die Abdichtung handwerklich zuverlässig verlegbar und fügbar ist. Wenn die Anforderungen an die Oberflächenbeschaffenheit des Untergrundes nicht erfüllt werden, sind gegebenenfalls Ausgleichsmaßnahmen oder Trennschichten/-lagen einzuplanen. Die Breite von Flächen zwischen Aufkantungen (z. B. Flächen zwischen Lichtbändern/Glasdächern, mit Bahnen ausgekleidete Rinnen) sollte 0,30 m nicht unterschreiten.

7.2 Beton (Ortbeton)/Zementestrich

Flächen aus Beton oder Estrich müssen ausreichend erhärtet und oberflächentrocken sein. Die Oberfläche muss stetig verlaufend, geschlossen, sowie frei von Kiesnestern und Graten sein.

7.3 Betonfertigteile

Flächen aus Betonfertigteilen müssen nach der Verlegung eine stetig verlaufende Oberfläche aufweisen. Die Fugen zwischen den Fertigteilen müssen geschlossen oder abgedeckt sein.

7.4 Holzschalung aus Vollholz

Für Schalung aus Vollholz gilt DIN 1052-1.

Holzschalung ist grundsätzlich aus lufttrockenen, gespundeten Brettern (Nut und Feder) herzustellen. Die Nenndicke der Schalung darf bei mechanischer Befestigung der Dachabdichtung 24 mm nicht unterschreiten. Die Schalung muss der Sortierklasse S10 nach DIN 4074-1 entsprechen. Die Bretter sollten höchstens 0,16 m breit sein. Für den Holzschutz sind die Normen der Reihe DIN 68800 zu beachten. Falls chemischer Holzschutz nach DIN 68800-3 vorgesehen ist, darf das verwendete Holzschutzmittel die Dachabdichtung nicht schädlich beeinflussen. Andernfalls sind Trennlagen anzuordnen.

7.5 Schalung aus Holzwerkstoffen

Für Schalung aus Holzwerkstoffen gilt DIN 1052.

Kunstharzgebundene Holzspanplatten müssen nach DIN EN 13986 Plattentyp P5 oder P7 DIN EN 312 und Bau-Furniersperrholz muss Typ BFU 100 G nach DIN 68705-3, OSB-Platten DIN EN 300 Typ OSB/3 oder OSB/4 entsprechen. Die Platten müssen trocken, gleichmäßig dick sein und dürfen keine Binde- und Schutzmittel enthalten, die den Dachaufbau schädlich beeinflussen. Falls chemischer Holzschutz nach DIN 68800-3 vorgesehen ist, darf das verwendete Holzschutzmittel die Dachabdichtung nicht schädlich beeinflussen. Andernfalls sind Trennlagen anzuordnen.

Die Kantenlänge der Platten sollte 2,05 m nicht überschreiten.

Bei mechanischer Befestigung der Dachabdichtung darf die Nenndicke des Holzwerkstoffes 22 mm nicht unterschreiten.

7.6 Dachkonstruktionen mit Stahltrapezprofilen

Die Stahltrapezprofile müssen DIN 18807-1, DIN 18807-2 und DIN 18807-3 entsprechen.

Für den Korrosionsschutz der Stahltrapezprofile gilt DIN 18807-1. Die Blechdicke von Stahltrapezprofilen sollte im Hinblick auf mechanische Belastungen bei Ausführung der Dachabdichtungsarbeiten in der Anwendungskategorie K1 mindestens 0,88 mm und in der Anwendungskategorie K2 mindestens 1,0 mm betragen.

Die Stahltrapezprofile müssen so verlegt sein, dass ihre Obergurte eine ebene Fläche bilden, damit der Untergrund der Dachabdichtung ebenflächig aufgeklebt oder mechanisch befestigt werden kann (siehe DIN 18807-3).

Soll bei Stahltrapezprofilen die Luftdichtheit durch eine Dampfsperre erreicht werden, sind besondere Voraussetzungen für die Fügung der Bahnennähte erforderlich (z. B. flächige Unterlage, Blechstreifen unter Quernähten).

7.7 Wärmedämmschichten

Für die Wärmedämmung von Dächern mit Abdichtungen dürfen nur solche Dämmstoffe verwendet werden, die bauaufsichtlich eingeführten Normen, allgemeinen bauaufsichtlichen oder europäischen technischen Zulassungen entsprechen. Dabei sind die Anforderungen an die Verwendbarkeits- und Übereinstimmungsnachweise bzw. die Konformitätsbescheinigungsverfahren zu berücksichtigen.

Wärmedämmschichten können aus genormten Dämmstoffen bestehen, z. B. nach DIN EN 13162, DIN EN 13163, DIN EN 13164, DIN EN 13165, DIN EN 13166, DIN EN 13167 und DIN EN 13169.

Bei der Verwendung von genormten Dämmstoffen sind die anwendungsbezogenen Anforderungen der DIN V 4108-10 zu beachten.

Platten mit Verfalzungen müssen so ausgebildet sein, dass sich Bewegungen in der Dämmschicht nicht großflächig auswirken können.

Werden Platten verwendet, deren temperaturbedingte Längenänderung nachteilig auf die Dachabdichtung einwirkt, ist eine Trennung zwischen Dämmschicht und Dachabdichtung vorzusehen.

Bei Tragkonstruktionen aus Stahltrapezprofilen müssen Dämmschichten in ihrer Art und ihrer Dicke auf den Abstand der Obergurte der Stahltrapezprofile abgestimmt sein.

7.8 Vorhandene Dachabdichtungen

Werden neue Dachabdichtungen auf vorhandene aufgebracht, erfordert dies je nach Art und Zustand der Altabdichtung gegebenenfalls Maßnahmen zur Vorbereitung des Untergrundes nach DIN 18531-4:2010-05, 5.4.1.

Dachabdichtungen – Abdichtungen für nicht genutzte Dächer Teil 2: Stoffe

Auszug aus **DIN 18531-2** (05.2010)

Inhalt

1 Anwendungsbereich

DIN 18531-2 legt die Anforderungen an die Eigenschaften der zu verwendenden Stoffe für Dachabdichtungen fest und unterteilt diese in Eigenschaftsklassen.

Zusammen mit DIN 18531-1, DIN 18531-3 und DIN 18531-4 gilt diese Norm für die Planung und Ausführung von Abdichtungen für nicht genutzte Dächer aus bahnenförmigen Stoffen und flüssig aufzubringenden Dachabdichtungen auf Basis einer Europäischen Technischen Zulassung (ETA) nach der Zulassungsleitlinie ETAG 005 bei Neubauten, sowie für Instandhaltung und Dacherneuerung.

Sie gilt auch für Abdichtungen von extensiv begrünten Dachflächen.

Diese Norm gilt nicht für:

- Dachdeckungen und Unterdächer,
- Abdichtungen von genutzten Dachflächen wie Terrassen, Parkdecks und intensiv begrünten Dachflächen (siehe DIN 18195-5),
- Abdichtungen von Balkonen (siehe DIN 18195-5),

3 Begriffe

Für die Anwendung dieses Dokuments gelten die Begriffe nach DIN 18531-1.

4 Stoffe

4.1 Allgemeines

Die in DIN 18531-1 genannten Anforderungen an die Dachabdichtung müssen durch entsprechende Eigenschaften der zu verwendenden Stoffe sichergestellt werden. Die Stoffe müssen unter Berücksichtigung ihrer Einbauart und den jeweiligen Beanspruchungen im Zusammenwirken mit den anderen Teilen der Dachabdichtung und des Dachaufbaus insbesondere folgenden Anforderungen genügen:

- Wasserdichtheit bei den zu erwartenden Beanspruchungen;
- ausreichende Standfestigkeit, Dehnfähigkeit und Reißfestigkeit unter den zu erwartenden Temperaturen, Verformungen und Windbelastungen;
- ausreichende Perforationsfestigkeit bei bestimmungsgemäßem Gebrauch der Dachabdichtung;
- ausreichende Dimensionsstabilität unter den zu erwartenden Temperaturen;
- ausreichende Widerstandsfähigkeit gegen UV-Strahlung, unter gleichzeitiger Einwirkung von Wasser, sofern sie ungeschützt der direkten Witterung ausgesetzt sind;
- ausreichende Widerstandsfähigkeit gegen Angriffe durch Mikroorganismen;
- ausreichende Widerstandsfähigkeit gegen Durchwurzelung bei extensiv begrünten Dächern;
- Brandverhalten nach Landesbauordnung.

Die maßgebenden Eigenschaften dürfen sich im eingebauten Zustand unter den gegebenen Einwirkungen nicht so verändern, dass die Nutzungsdauer der Dachabdichtung nicht erreicht werden kann.

Die in dieser Norm genannten Stoffe sind zur Herstellung von Dachabdichtungen nach DIN 18531-3 geeignet.

4.2 Eigenschaftsklassen für Abdichtungsstoffe

Damit die Dachabdichtungen den in DIN 18531-1 definierten Anwendungskategorien und Beanspruchungsklassen genügen, sind sie nach DIN 18531-3 zu bemessen und aus Abdichtungsbahnen oder flüssig aufzubringenden Stoffen nach dieser Norm herzustellen, die allein oder in Kombination untereinander bestimmte mechanische und thermische Eigenschaften aufweisen.
Die Baustoffklasse entsprechend dem Brandverhalten der Produkte und der Widerstand der damit hergestellten Bedachung gegen Flugfeuer und strahlende Wärme ist nach den Anforderungen der Landesbauordnung gesondert nachzuweisen.

Der Widerstand gegen Durchwurzelung ist, falls erforderlich, durch das Abdichtungsprodukt selbst oder durch zusätzliche Maßnahmen (z.B. Wurzelschutzbahnen) sicherzustellen.

Zu den Beanspruchungsklassen für Dachabdichtungen nach DIN 18531-1 werden in Tabelle 1 entsprechende Eigenschaftsklassen für Abdichtungsprodukte als Kombination mechanischer und thermischer Eigenschaften definiert:

Tabelle 1: Eigenschaftsklassen der Abdichtungsstoffe

Eigenschaftsklasse	Hoher mechanischer Widerstand	Mäßiger mechanischer Widerstand
Widerstand gegen hohe thermische Beanspruchung	E1	E3
Widerstand gegen mäßige thermische Beanspruchung	E2	E4

Aufgrund ihrer spezifischen Eigenschaften werden Bitumen- und Polymerbitumenbahnen nach Tabelle 2, Kunststoff- und Elastomerbahnen nach Tabelle 3, flüssig aufzubringende Dachabdichtungen nach Tabelle 4, einer der in Tabelle 1 angegebenen Eigenschaftsklassen zugeordnet.

4.3 Anwendungstypen

Bei Abdichtungsbahnen werden nach DIN V 20000-201 vier Anwendungstypen unterschieden:

- DE Bahnen für einlagige Dachabdichtung;
- DO Bahnen für die Oberlage einer mehrlagigen Dachabdichtung;
- DU Bahnen für die untere Lage einer mehrlagigen Dachabdichtung;
- DZ Bahnen für die Zwischenlage bzw. zusätzliche Lage einer mehrlagigen Dachabdichtung.

Flüssig aufzubringende Dachabdichtungen sind einlagige Dachabdichtungen und dem Anwendungstyp DE zuzuordnen.

Dachabdichtungen – Abdichtungen für nicht genutzte Dächer – Teil 3: Bemessung, Verarbeitung der Stoffe, Ausführung der Dachabdichtungen

Auszug aus **DIN 18 531-3** (05.2010)

Inhalt

1 Anwendungsbereich

DIN 18531-3 legt die Anforderungen an den Aufbau der Dachabdichtung und der Lagesicherung, deren Ausführung und an die Verarbeitung der Stoffe fest. Darüber hinaus werden die erforderlichen Maßnahmen zur Sicherung gegen Abheben durch Windkräfte festgelegt.

Zusammen mit DIN 18531-1, DIN 18531-2 und DIN 18531-4 gilt diese Norm für die Planung und Ausführung von Abdichtungen für nicht genutzte Dächer aus bahnenförmigen Stoffen und flüssig aufzubringenden Dachabdichtungen nach DIN 18531-2 bei Neubauten sowie für Instandhaltung und Dacherneuerung.

Sie gilt auch für Abdichtungen von extensiv begrünten Dachflächen.

Diese Norm gilt nicht für:

- Dachdeckungen und Unterdächer;
- Abdichtungen von genutzten Dachflächen wie Terrassen, Parkdecks und intensiv begrünten Dachflächen (siehe DIN 18195-5);
- Abdichtungen von Balkonen (siehe DIN 18195-5).

3 Begriffe

Für die Anwendung dieser Norm gelten die in DIN 18531-1 angegebenen Begriffe.

4 Bemessung

4.1 Allgemeines

Die Bemessung ist die Festlegung des Aufbaus der Dachabdichtung und der Lagesicherung. Sie ist unter Berücksichtigung der in DIN 18531-1 definierten Anwendungskategorien K1 und K2 und der Beanspruchungsklassen IA, IB, IIA und IIB vorzunehmen. Die Zuordnung der Dachabdichtung zu den Kategorien und Klassen hat unter Berücksichtigung der für den Einzelfall maßgebenden Anwendungsbedingungen zu erfolgen. Die Dachabdichtung ist mit Stoffen nach DIN 18531-2 herzustellen. Weitere besondere Beanspruchungen (siehe DIN 18531-1:2005-10, 5.5 und 5.6) sind gegebenenfalls zu berücksichtigen.

4.2 Bemessung von Dachabdichtungen aus Bitumen- und Polymerbitumenbahnen

Die Verwendung von Bitumen- und Polymerbitumenbahnen in Dachabdichtungen einer bestimmten Anwendungskategorie und Beanspruchungsklasse richtet sich nach der Art und den Eigenschaftsklassen der Bahnen, sowie bei mehrlagiger Ausführung der Dachabdichtung nach der Kombination, in der die Produkte verwendet werden (siehe Tabelle 1).

Für die den jeweiligen Produkten zugeordneten Eigenschaftsklassen gilt DIN 18531-2.

Kaschierlagen aus Bitumenbahnen auf roll- und klappbaren Wärmedämmbahnen sind als untere Abdichtungslage dann zulässig, wenn sie aus Bahnen nach DIN 18531-2:2005-10, Tabelle 3, Nummer 1 und 3 bis 9 bestehen und eine Lieferlänge von mindestens 2,50 m aufweisen. Dabei müssen Überlappungen der Kaschierung mindestens 80 mm breit sein und dicht verklebt werden.

Tabelle 1: Bemessung von Dachabdichtungen aus Bitumen- und Polymerbitumenbahnen

Anwendungskategorie der Dachabdichtung	Beanspruchungsklasse der Dachabdichtung	Dachabdichtung[a] (Lagen und erforderliche Eigenschaftsklasse)	
K1	IA, IB, IIA, IIB	zweilagig	obere Lage: E1
			untere Lage: E2
	IIA, IIB	zweilagig	obere Lage: E1
			untere Lage E4[b]
	IA, IB, IIA, IIB	einlagig	E1[c]
K2	IA, IB, IIA, IIB	zweilagig	obere Lage: E1
			untere Lage: E1

[a] Die Dachabdichtung kann durch zusätzliche Lagen mit Bahnen nach DIN 18531-2:2010-05, Tabelle 2 bzw. durch Schutzlagen ergänzt werden.
[b] Mindestens DIN 18531-2:2010-05, Tabelle 2, Nummer 2.
[c] DIN 18531-2:2010-05, Tabelle 2, Nummer 11.

Bei begrünten Dachflächen mit Ausnahme der An- und Abschlussbereiche darf als obere Lage auch eine Bahn nach DIN 18531-2:2010-05, Tabelle 2, Nummer 12 verwendet werden.

Für Dachabdichtungen unter schwerem Oberflächenschutz nach 5.9.3 dürfen als Oberlage sowohl bestreute (siehe 5.9.2) als auch nicht bestreute Bahnen verwendet werden.

4.3 Bemessung von Dachabdichtungen aus Kunststoff- und Elastomerbahnen

Die Verwendung von Kunststoff- und Elastomerbahnen in Dachabdichtungen einer bestimmten Anwendungskategorie und Beanspruchungsklasse richtet sich nach der Art der verwendeten Polymere, der Bahnendicke sowie der Art von gegebenenfalls verwendeten Einlagen und Kaschierungen. Für alle Beanspruchungsklassen können

Bahnen der Eigenschaftsklasse E1 in einlagiger Verlegung verwendet werden. Für die Anwendungskategorien K1 und K2 sind Mindestnenndicken der Bahnen nach Tabelle 2 erforderlich.

Bitumenverträgliche Kunststoff- oder Elastomerbahnen können auch auf einer unteren Lage aus Bitumenbahnen voll- oder teilflächig verklebt werden. Für die obere Lage aus Kunststoff- oder Elastomerbahnen gelten bei Dachabdichtungen der Anwendungskategorie K1 und K2 die gleichen Anforderungen wie für die einlagige Verlegung (siehe Tabelle 2).

Tabelle 2: Bemessung von Dachabdichtungen aus Kunststoff- und Elastomerbahnen

	1	2	3
	Stoff	**Anwendungskategorie K1**	**Anwendungskategorie K2**
		Mindestnenndicke der Bahnen der Eigenschaftsklasse E1, einlagige Verlegung mm	
1	ECB Ethylencopolymerisat-Bitumen nach DIN 18531-2:2010-05, Tabelle 3, Nummern 1 und 2	2,0	2,3
2	EVA Ethylen-Vinylacetat-Terpolymer nach DIN 18531-2:2010-05, Tabelle 3, Nummern 3 bis 5	1,2	1,5
3	FPO Flexibles Polyolefin nach DIN 18531-2:2010-05, Tabelle 3, Nummern 6 und 7	1,2	1,5
4	PE-C chloriertes Polyethylen nach DIN 18531-2:2010-05, Tabelle 3, Nummern 8 bis 11	1,2	1,5
5	PIB Polyisobutylen nach DIN 18531-2:2010-05, Tabelle 3, Nummer 12	1,5	1,5[a]
6	PVC-P Polyvinylchlorid weich nach DIN 18531-2:2010-05, Tabelle 3, Nummer 13	1,5	1,8

Fortsetzung siehe nächste Seite.

Tabelle 2 (Fortsetzung)			
	1	2	3
	Stoff	Anwendungs-kategorie K1	Anwendungs-kategorie K2
		Mindestnenndicke der Bahnen der Eigenschaftsklasse E1, einlagige Verlegung mm	
7	PVC-P Polyvinylchlorid weich nach DIN 18531-2:2010-05, Tabelle 3, Nummern 14 bis 23	1,2	1,5
8	TPE Thermoplastisches Elastomer nach DIN 18531-2:2010-05, Tabelle 3, Nummern 24 und 25	1,2	1,5
9	EPDM Ethylen-Propylen-Dien-Terpolymer nach DIN 18531-2:2010-05, Tabelle 3, Nummern 26 und 27	1,3	1,6
10	EPDM Ethylen-Propylen-Dien-Terpolymer nach DIN 18531-2:2010-05, Tabelle 3, Nummer 28 und 29	1,3	1,6
11	EPDM Ethylen-Propylen-Dien-Terpolymer nach DIN 18531-2:2010-05, Tabelle 3, Nummern 30, 32 und 33	1,1	1,3
12	IIR Isobutylen-Isopren-Copolymer nach DIN 18531-2:2010-05, Tabelle 3, Nummer 31	1,2	1,5

[a] Zusätzliche Bedingungen:
- Verhalten unter simuliertem Hagelschlag nach DIN EN 13583 auf hartem Untergrund: mindestens 25 m/s;
- Perforationsverhalten nach DIN EN 12691: dicht bei Fallhöhe 700 mm;
- Falzen in der Kälte nach DIN EN 495-5: keine Risse bei −40 °C.

4.4 Bemessung von flüssig aufzubringenden Dachabdichtungen

Für flüssig aufzubringende Dachabdichtungen dürfen Stoffe nach DIN 18531-2:2010-05, Tabelle 4, verwendet werden.

Die Verwendung von flüssig aufzubringenden Dachabdichtungen in einer bestimmten Anwendungskategorie erfordert den Nachweis bestimmter Leistungsstufen der DIN 18531-2:2010-05, Anhang A, sowie die Einhaltung bestimmter Mindestschichtdicken der Abdichtung.

Die zu verwendende Einlage muss Teil der Zulassung sein.

G

Für flüssig aufzubringende Dachabdichtungen der Anwendungskategorien K1 und K2 sind die Mindestschichtdicken und Leistungsstufen nach Tabelle 3 einzuhalten.

Flüssig aufzubringende Dachabdichtungen gelten als einlagige Dachabdichtungen und sind der Eigenschaftsklasse E1 zugeordnet.

Tabelle 3: Bemessung von flüssig aufzubringenden Dachabdichtungen

<table>
<tr><th>Stoffe</th><th>Anwendungskategorie</th><th>Mindestdicke[a]</th><th>Beanspruchungsklassen</th><th>Leistungsstufen</th></tr>
<tr><td rowspan="3">Flexible ungesättigte Polyesterharze (UP)

Flexible Polyurethanharze (PUR) 1K, 2K

Flexible reaktive Polymethylmethacrylateharze (PMMA)</td><td rowspan="2">K1</td><td rowspan="2">1,8</td><td>IA, IIA, IB, IIB</td><td>Klimazone M
Erwartete Nutzungsdauer W3
Dachneigung[b] S1, S2, S3, S4
Nutzlast P4
Tiefste Oberflächentemperatur TL3
Höchste Oberflächentemperatur TH3</td></tr>
<tr><td>IIA, IIB</td><td>Klimazone M
Erwartete Nutzungsdauer W3
Dachneigung[b] S1, S2, S3, S4
Nutzlast P3
Tiefste Oberflächentemperatur TL3
Höchste Oberflächentemperatur TH3</td></tr>
<tr><td>K2</td><td>2,1</td><td>IA, IIA, IB, IIB</td><td>Klimazone S
Erwartete Nutzungsdauer W3
Dachneigung[b] S1, S2, S3, S4
Nutzlast P4
Tiefste Oberflächentemperatur TL4
Höchste Oberflächentemperatur TH4</td></tr>
<tr><td colspan="5">[a] Kein Einzelwert darf die Mindestschichtdicke um mehr als 5 % unterschreiten. Wenn die in der Europäischen Technischen Zulassung angegebene Mindestschichtdicke höher ist als die in dieser Norm geforderte Mindestschichtdicke, so gilt der höhere Wert.
[b] Unabhängig von der tatsächlichen Dachneigung sind alle Neigungsstufen S1 bis S4 nachzuweisen.</td></tr>
</table>

5 Ausführung

5.1 Allgemeines

Dachabdichtungen dürfen bei Witterungsverhältnissen, die sich nachteilig auf die zu erbringende Leistung auswirken, nur ausgeführt werden, wenn besondere Maßnahmen ergriffen werden. Solche Witterungsverhältnisse sind z.B. Temperaturen unter +5 °C, Nässe, Schnee und Eis oder starker Wind.

Hinsichtlich der Anforderungen an den Untergrund von Dachabdichtungen ist DIN 18531-1:2010-05, Abschnitt 7, zu beachten.

5.2 Trennschicht/-lage

Die Anordnung einer Trennlage zwischen Dachabdichtung und Untergrund ist erforderlich, wenn chemische Unverträglichkeit zwischen diesen Bauteilen besteht oder die Beschaffenheit des Untergrundes ein Perforationsrisiko bedeutet. Die Anordnung einer Trennschicht oder Trennlage kann außerdem dann erforderlich sein, wenn Bewegungen des Untergrundes ein Rissrisiko für die Abdichtung darstellen. Trennlagen müssen aus Stoffen nach DIN 18531-2 hergestellt werden. Diese dürfen lose verlegt oder teilflächig verklebt werden. Die Funktion einer Trennschicht/-lage kann auch durch eine geeignete Dachabdichtungsbahn erreicht werden, die auf dem Untergrund lose verlegt oder teilflächig verklebt wird.

Im Einzelfall kann zur Erfüllung der Brandschutzanforderungen der Einbau einer Trennlage, z. B. aus Rohglasvlies, erforderlich werden.

5.3 Trägerlage

Die Anordnung einer Trägerlage unter flüssig aufzubringenden Dachabdichtungen ist bei Unterlagen mit Stoßfugen erforderlich, z. B. bei Wärmedämmstoffen, Schalungen, und/oder, wenn chemische Unverträglichkeit zwischen diesen Bauteilen besteht. Trägerlagen müssen aus Stoffen nach DIN 18531-2 hergestellt werden. Die Trägerlage muss hinsichtlich der mechanischen Eigenschaften geeignet sein, die Lagesicherung zu gewährleisten.

5.4 Wärmedämmschicht

Die im Dachaufbau eingebauten Wärmedämmschichten dienen vor allem der Verminderung von Transmissionswärmeverlusten und dem Tauwasserschutz. Außerdem können Wärmedämmschichten als konstruktive Maßnahme zur Gefällegebung genutzt werden.

Werden Wärmedämmstoffe als Unterlage für die Dachabdichtung verwendet, gelten u. a. folgende Anforderungen:

- Die Verwendung von Wärmedämmstoffen im Dachaufbau erfolgt nach DIN 4108-10.
- Die Dämmung ist so einzubauen, dass sich die Dämmstoffkanten insbesondere an An- und Abschlüssen nicht schädigend auf die Dachabdichtung auswirken können.
- Falzungen müssen so ausgebildet sein, dass sich Bewegungen der Dämmplatten nicht großflächig auswirken können.
- Die Seitenlängen von Hartschaum-Dämmplatten sollten nicht größer als 1,25 m sein.
- Werden Dämmplatten verwendet, deren temperaturbedingte Längenänderung sich nachteilig auf die Dachabdichtung auswirken kann, ist eine vollflächige Trennung zwischen Dämmschicht und Dachabdichtung vorzusehen.

Werden Dämmschichten über der Abdichtung angeordnet, die damit direkter Feuchtigkeitseinwirkung ausgesetzt sind, müssen entsprechend geeignete Stoffe, z. B. Polystyrol-Extruderschaum, verwendet werden. Bei diesem System sind DIN 4108-2 und die bauaufsichtlichen Anforderungen für Wärmedämmungen im Umkehrdach zu beachten.

5.5 Dampfdruckausgleichschicht

Dampfdruckausgleich wird durch eine zusammenhängende Luftschicht erreicht. Sie ist erforderlich, wenn mit Feuchtigkeit unter der Dachabdichtung gerechnet werden muss, deren Wasserdampfdruck sich nicht im Gefüge der Wärmedämmung entspannen kann. Zur Herstellung einer Dampfdruckausgleichschicht darf die Dachabdichtung bzw. bei mehrlagigen Dachabdichtungen die erste Lage der Dachabdichtung punkt- oder unterbrochen streifenweise aufgeklebt oder lose verlegt werden. Gleiches gilt für Trägerlagen unter flüssig aufzubringenden Dachabdichtungen.

5.6 Dachabdichtung

5.6.1 Allgemeines

Dachabdichtungen können stoffabhängig ein- oder mehrlagig ausgeführt werden. Bei einlagigen Dachabdichtungen muss die verwendete Bahn (Lage) die an die Abdichtung zu stellenden Anforderungen alleine erfüllen. Dabei ist den ausführungs- und nutzungsbedingten Erfordernissen, wie

- Sicherheit der Nahtausführung;
- Sicherheit gegen mechanische Beschädigung und
- Ausführung der An- und Abschlüsse

in gleicher Weise Rechnung zu tragen, wie bei mehrlagigen Dachabdichtungen.

5.6.2 Dachabdichtung aus Bitumen- oder Polymerbitumenbahnen

Dachabdichtungen aus Bitumen- oder Polymerbitumenbahnen werden in der Regel mehrlagig ausgeführt.

Die Lagesicherung der Dachabdichtung erfolgt durch Auflast, mechanische Befestigung oder teilflächige Verklebung. Auf geeigneter Unterlage z.B. Beton, Schaumglas, kaschierter oder anderer dafür geeigneter Wärmedämmung, kann die Dachabdichtung vollflächig aufgeklebt werden.

Bei mehrlagiger Dachabdichtung sind die einzelnen Lagen parallel zueinander und mit Versatz zu verlegen und untereinander vollflächig zu verkleben.

Eine hohlraumfreie Verklebung ist unter Baustellenbedingungen nicht immer erzielbar. Einzelne, z.B. durch Unebenheiten entstehende, geringfügige Hohlräume können nicht ausgeschlossen werden.

Bei einlagigen Dachabdichtungen aus Polymerbitumenbahnen nach DIN 18531-2:2010-05, Tabelle 3, Nummer 11 muss das Gefälle der Unterlage mindestens 2,0 % betragen. An- und Abschlüsse sind mehrlagig auszuführen; an Kehlen sollte die Abdichtung verstärkt werden (z.B. Zulagestreifen). Einlagige Abdichtungen aus Polymerbitumenbahnen dürfen nicht unter begrünten Flächen angeordnet werden.

5.6.3 Dachabdichtung aus Kunststoff- oder Elastomerbahnen

Dachabdichtungen aus Kunststoff- oder Elastomerbahnen werden einlagig ausgeführt. Die Lagesicherung kann, je nach Eignung der Bahn, durch lose Verlegung mit Auflast, mechanische Befestigung oder Verklebung erfolgen.

Je nach Beschaffenheit des Untergrundes sind Trenn- und/oder Brandschutzlagen unter der Abdichtung anzuordnen. Werkseitig aufgebrachte Kaschierungen können diese Funktion übernehmen.

Bei Verlegung ohne Trenn-/Kaschierlagen auf Bitumenbahnen sind nur bitumenverträgliche Kunststoff- oder Elastomerbahnen zu verwenden. Diese können auch voll- oder teilflächig verklebt verlegt werden.

5.6.4 Flüssig aufzubringende Dachabdichtungen

Flüssig aufzubringende Dachabdichtungen auf Basis UP, PUR, PMMA gelten als einlagige Abdichtungen und bestehen aus einer oder mehreren Komponenten, die vor Ort flüssig und nahtlos vollflächig unter Verwendung einer Einlage aufgetragen werden und chemisch ausreagieren. Sie können direkt, z.B. auf Beton, Estrich oder einer bahnenförmigen Unterlage, aufgebracht werden. Zur Vermeidung von chemischen Unverträglichkeiten oder Überbrückung von Fugen und Stößen der Unterlage, z.B. aus Schalung oder unkaschierten Wärmedämmstoffen, müssen zusätzliche Trägerlagen (z.B. Bitumen-/Kunststoffbahnen) angeordnet werden. Die Werkstoffe müssen untereinander dauerhaft verträglich sein.

5.7 Schutzlage

Die Schutzlage ist eine oberhalb der Dachabdichtung angeordnete, flächig verlegte Lage zum Schutz vor mechanischen Einwirkungen. Bei mechanischer Beanspruchung der Dachabdichtung (z.B. extensiver Begrünung, Wartungswege) ist über dieser eine Schutzlage nach DIN 18531-2 vorzusehen. Die Anordnung der Schutzlage kann auf die beanspruchten Bereiche begrenzt werden.

5.8 Durchwurzelungsschutz

Der Durchwurzelungsschutz ist bei Dachbegrünung erforderlich und kann von der Dachabdichtung selbst erbracht werden. Bei mehrlagigen Dachabdichtungen ist der Durchwurzelungsschutz von der obersten Lage zu erbringen Es darf auch eine zusätzliche Lage verlegt werden. An- und Abschlüsse sind so auszuführen, dass diese nicht von Wurzeln hinterwachsen werden.

5.9 Oberflächenschutz

5.9.1 Allgemeines

Ein Oberflächenschutz ist in Abhängigkeit von der Dachneigung und/oder der Art der Bahnen der obersten Lage auszuwählen.

5.9.2 Leichter Oberflächenschutz bei Polymerbitumenbahnen

Ein leichter Oberflächenschutz besteht aus einer bereits bei der Bahnenherstellung aufgebrachten Bestreuung (Schiefer, Granulat) der Oberseite einer Bahn.

5.9.3 Schwerer Oberflächenschutz

5.9.3.1 Gesteinsschüttung/Plattenbeläge

Als schwerer Oberflächenschutz sind Gesteinsschüttungen (vornehmlich aus natürlichen, ungebrochenen Gesteinskörnungen) der Korngruppe 16/32 nach DIN EN 13242 bzw. TL Gestein-StB 04, mindestens 50 mm dick, und/oder Plattenbeläge auf z.B.

Splittbett zu verwenden, die bei lose verlegten Dachabdichtungen gleichzeitig die erforderliche Auflast bilden können (siehe auch 6.2.2.3 und 7.3.4).

Bei einer einlagigen Abdichtung wird die Anordnung einer Schutzlage unter einer Gesteinsschüttung empfohlen.

Bei pneumatischer Förderung der Gesteinskörnung ist mit erhöhtem Bruchanteil und einer hohen Aufprallgeschwindigkeit zu rechnen. In diesem Fall ist bei einlagigen Abdichtungen die Anordnung einer Schutzlage erforderlich.

Dachabdichtungen mit einem Oberflächenschutz aus Gesteinsschüttung und/oder Plattenbelag erfüllen ohne Nachweis die bauaufsichtlichen Anforderungen an das Verhalten von Bedachungen bei Brandbeanspruchung von außen.

5.9.3.2 Extensive Dachbegrünung

Die extensive Dachbegrünung stellt einen schweren Oberflächenschutz dar. Zur Lagesicherung der Dachbegrünung können insbesondere in der Anwuchsphase zusätzliche Maßnahmen, z. B. Erosionsschutzgewebe erforderlich werden. Die Eignung als Auflast zur Windsogsicherung muss gesondert nachgewiesen werden.

An- und Abschlüsse sowie Durchdringungen sind von Bewuchs freizuhalten. Dafür sind Streifen aus Gesteinsschüttungen oder Plattenbelägen anzuordnen. Die Brandschutzbestimmungen der Länder sind zu beachten.

6 Verarbeitung der Stoffe

6.1 Verarbeitung von Bitumen- und Polymerbitumenbahnen

6.1.1 Überlappung und Nahtverbindung

Bitumenbahnen müssen an den Längs- und Quernähten bei mehrlagigen Dachabdichtungen mindestens 80 mm, bei einlagigen Dachabdichtungen mindestens 100 mm überlappt werden.

Die Überlappung der Bahnen sollte mit dem Wasserlauf geführt werden. Kreuzstöße sind durch versetzt angeordnete Bahnen zu vermeiden. Die Nahtverbindungen erfolgen durch Verkleben.

Nahtverbindungen von einlagigen Abdichtungen mit Polymerbitumenbahnen nach DIN 18531-2:2010-05, Tabelle 2, Nummer 11 werden im Schweißverfahren mit Flamme oder mit Warmgas hergestellt. Die Mindestfügebreite im Längsnahtbereich beträgt beim Schweißverfahren mit Flamme 30 mm, beim Warmgasschweißen 60 mm, im Quernahtbereich und bei allen Nahtverbindungen auf beschieferten Bahnen stets 100 mm.

6.1.2 Verklebung

6.1.2.1 Allgemeines

Für die Verklebung der Bitumenbahnen auf dem Untergrund, untereinander sowie der Nahtverbindungen sind entweder das Schweißverfahren, das Gießverfahren oder das Kaltselbstklebeverfahren anzuwenden. In Sonderfällen kann auch das Bürstenstreichverfahren angewandt werden.

Zur Verklebung der Abdichtung auf dem Untergrund können darüber hinaus auch geeignete Kaltklebstoffe verwendet werden.

6.1.2.2 Schweißverfahren

Im Schweißverfahren dürfen nur Bahnen nach DIN 18531-2:2010-05, Tabelle 2, Nummern 2 bis 7, 9, 11 und 12, verarbeitet werden.

6.1.2.3 Gießverfahren

Im Gießverfahren können Bahnen nach DIN 18531-2:2010-05, Tabelle 2, Nummern 1, 8 und 13, verarbeitet werden. Folienkaschierte Bahnen sind hierfür nicht geeignet.

Für das Gießverfahren werden ungefüllte Klebemassen nach DIN 18531-2 verwendet.

6.1.2.4 Bürstenstreichverfahren

Im Bürstenstreichverfahren können Bahnen nach DIN 18531-2:2010-05, Tabelle 2, Nummern 1, 8 und 13, verarbeitet werden. Folienkaschierte Bahnen sind hierfür nicht geeignet.

Für das Bürstenstreichverfahren werden ungefüllte Klebemassen nach DIN 18531-2 verwendet.

6.1.2.5 Kaltselbstklebeverfahren

Im Kaltselbstklebeverfahren dürfen nur Bahnen nach DIN 18531-2:2010-05, Tabelle 2, Nummer 10, verarbeitet werden.

Der Untergrund und die Nahtbereiche müssen für eine Kaltklebung geeignet und/oder vorbereitet sein. Außerdem ist die Untergrund- und Umgebungstemperatur nach Herstellerangabe zu beachten.

6.1.3 Lose Verlegung

Lose verlegte Dachabdichtungen können entweder mit Auflast oder durch mechanische Befestigung gegen Windsog gesichert werden. 7.3 ist zu beachten.

Befestigungsmittel dürfen bei mehrlagiger Abdichtung im Nahtbereich eingeklebt werden. Bei der Verwendung von Befestigungsmitteln im Nahtbereich einlagiger Abdichtungen muss die Mindestverschweißbreite neben dem Lastverteilteller eingehalten werden.

Bei der Ausführung ist darauf zu achten, dass der Abstand von mindestens 1 cm zwischen Haltetellerkante und Bahnenkante eingehalten wird. Für die Klemmwirkung ist ein ausreichend druckfester Untergrund erforderlich.

Bei der Nahtverschweißung mit Flamme ist die Hitzebeständigkeit des Befestigungsmittels zu berücksichtigen.

6.2 Verarbeitung von Kunststoff- und Elastomerbahnen

6.2.1 Überlappung und Fügetechnik

Bei Kunststoff- und Elastomerbahnen muss die Überlappung für Baustellennähte mindestens 40 mm betragen. Bei mechanischen Befestigungen im Nahtbereich ist die Überlappung entsprechend zu erhöhen.

Kreuzstöße sind durch versetzt angeordnete Bahnen zu vermeiden.

Für die Herstellung der Nahtverbindungen auf der Baustelle gelten die in Tabelle 4 aufgeführten Fügeverfahren und die Mindestfügebreiten für die jeweiligen Stoffe.

Zur Herstellung der Verbindungen müssen die Verbindungsstellen trocken und frei von Verunreinigungen sein. Hierbei sind die Angaben der Hersteller, z.B. Materialverträglichkeit und Schweißparameter, zu beachten.

6.2.1.1 Quellschweißen

Beim Quellschweißen werden die Fügeflächen durch Einbringen von Quellschweißmittel angelöst und durch Druck miteinander verbunden. Mit dem Ausdiffundieren des Quellschweißmittels entsteht eine homogene Nahtverbindung.

6.2.1.2 Warmgasschweißen

Beim Warmgasschweißen werden die Fügeflächen der Bahnenüberlappungen durch Warmgas plastifiziert und durch Druck miteinander verbunden, sodass eine homogene Nahtverbindung entsteht. Die Schweißung erfolgt mit elektronisch regelbaren Schweißmaschinen oder mit regelbaren Handschweißgeräten.

Elastomerbahnen können nur warmgasgeschweißt werden, wenn die Fügeflächen werkseitig mit einer plastifizierbaren Beschichtung versehen sind.

6.2.1.3 Heizkeilschweißen

Beim Heizkeilschweißen werden die Fügeflächen durch einen Heizkeil plastifiziert und unter Druck miteinander verbunden, sodass eine homogene Nahtverbindung entsteht.

Elastomerbahnen können mit Heizkeil nur geschweißt werden, wenn die Fügeflächen werkseitig mit einer plastifizierbaren Beschichtung versehen sind.

6.2.1.4 Dichtrand/Abdeckband

Der werkseitig vorkonfektionierte Dichtrand der Bahn wird im Längsnahtbereich mit der Oberfläche der darunterliegenden Bahn verbunden und angedrückt. Quernähte werden mit einem Abdeckband abgedichtet.

6.2.1.5 Kleben mit Kontaktklebstoff

Kontaktklebstoffe werden vollflächig auf die Fügeflächen in der vom Hersteller vorgeschriebenen Schichtdicke aufgetragen. Die Bahnenüberlappung wird nach einer temperatur- und lüftungsabhängigen Abtrockenzeit mit Druck zusammengefügt. Es dürfen nur Klebstoffe und Reinigungsmittel verwendet werden, die vom Hersteller für den jeweiligen Stoff zugelassen sind. Die Breite der Überlappung und Klebung beträgt abweichend von 6.2.1 mindestens 50 mm.

6.2.1.6 Kleben mit Polymerbitumen

Bei werkseitig vorkonfektionierten Elastomerbahnen mit unterseitiger Polymerbitumenbeschichtung wird die Bahnenüberlappung durch Warmgas erwärmt und durch Druck miteinander verbunden.

Die Breite der Überlappung beträgt abweichend von 6.2.1 mindestens 60 mm.

6.2.1.7 Heißvulkanisation (Hot Bonding) für Elastomerbahnen

Nahtverbindung durch Heißvulkanisation (Hot Bonding) wird zur werksseitigen Vorfertigung von Planen angewendet.

Tabelle 4: Fügeverfahren und Mindestfügebreite

Fügeverfahren	Stoff	Mindestfügebreite mm
Quellschweißen	EVA PE-C PIB PVC-P	30 30 30 30
Warmgasschweißen oder Heizkeilschweißen	ECB EVA FPO PE-C PVC-P TPE Elastomere[a]	20 20 20 20 20 20 30
Dichtrand/Abdeckband	PIB Elastomere	40 40
Kontaktklebstoffe	Elastomere	50
Heißvulkanisation (Hot Bonding)	Elastomere	20
Warmgasschweißen mit Polymerbitumen	Elastomere	60

[a] Thermoplastisch beschichtet oder mit vorkonfektioniertem thermoplastischen Dichtrand.

6.2.2 Verlegearten

Verlegearten von Kunststoff- oder Elastomerbahnen:

- Kleben nach 6.2.2.1;
- lose Verlegung mit mechanischer Befestigung nach 6.2.2.2;
- lose Verlegung mit Auflast nach 6.2.2.3.

6.2.2.1 Kleben

Bei dieser Verlegeart müssen alle Lagen auf der Unterlage und/oder über die einzelnen Klebeebenen miteinander verbunden sein. Es ist sicherzustellen, dass die Nahtüberlappungen frei von Klebstoffen oder Heißbitumen bleiben. Bei der Verklebung von Kunststoff- und Elastomerbahnen sind produktbezogene Systemklebstoffe zu verwenden.

6.2.2.1.1 Lösemittelhaltige Klebstoffe

Lösemittelhaltige Klebstoffe werden direkt auf feste, staub-/fettfreie, trockene und geeignete Untergründe (z.B. Bitumenbahnen, Kaschierlagen) durch Rollen oder Spritzen aufgebracht. Bevor die Bahnen in den Klebstoff eingerollt oder eingeklappt und mit einem Besen angedrückt werden, muss der Klebstoff hinreichend ablüften.

G

6.2.2.1.2 Einkomponenten-Polyurethanklebstoffe

PUR- Dachbahnenklebstoffe werden direkt auf feste, staub-/fettfreie und trockene bis baufeuchte Untergründe (z. B. Bitumenbahnen, Kaschierlagen) durch das Ausgießen des Klebstoffes aus den Gebinden streifenförmig, bzw. vollflächig aufgetragen. Der Einsatz von Klebstoffauftragsgeräten wird empfohlen. Nach dem Einrollen oder -klappen der Bahn in den Klebstoff ist diese anzudrücken.

6.2.2.1.3 Lösemittelfreie Dispersionsklebstoffe

Lösemittelfreie Dispersionsklebstoffe werden auf feste, staub-/fettfreie und trockene bis baufeuchte Untergründe (z. B. Bitumenbahnen, Kaschierlagen) durch das Ausgießen des Klebstoffes aus den Gebinden streifenförmig aufgetragen und vollflächig verteilt. Nach dem Einrollen oder -klappen der Bahn in den Klebstoff ist diese anzudrücken.

6.2.2.1.4 Heißbitumen

Mit Heißbitumen können nur bitumenverträgliche Bahnen verklebt werden. Die Klebung wird im Gießverfahren (siehe 6.1.2.3) oder im Bürstenstreichverfahren (siehe 6.1.2.4) ausgeführt. Die Bahn ist in die Klebemasse einzurollen.

6.2.2.1.5 Flämmverfahren

Beim Flämmverfahren wird die Heißbitumenklebemasse in ausreichender Menge auf einen festen, ebenflächigen, staubfreien, trockenen und bitumenverträglichen Untergrund gegossen und gleichmäßig verteilt. Zum Verkleben der bitumenverträglichen Bahn ist die Bitumenschicht durch Wärmezufuhr wieder aufzuschmelzen und die Bahn darin auszurollen. Statt der Bitumenschicht darf bei diesem Verfahren auch eine Polymerbitumenschweißbahn oder eine Bitumenschweißbahn nach DIN 18531-2:2010-05, Tabelle 2, Nummern 2 bis 7 und 9, verwendet werden.

6.2.2.1.6 Bahnen mit Selbstklebeschicht

Bei diesem Verfahren werden Bahnen mit unterseitiger Selbstklebeschicht nach DIN 18531-2:2010-05, Tabelle 3, verwendet.

Der Untergrund muss für eine Kaltklebung geeignet oder vorbereitet sein. Die Untergrund- und Umgebungstemperatur nach Herstellerangabe ist zu beachten.

Nach Abziehen des Trennpapiers oder der Trennfolie wird die Selbstklebebahn unter Druck teil- oder vollflächig aufgeklebt. Fügeverfahren und Mindestfügebreite nach Tabelle 4.

6.2.2.2 Lose Verlegung mit mechanischer Befestigung

Bei dieser Verlegeart werden die lose verlegten Bahnen durch eine mechanische Befestigung gegen Windsog gesichert (7.3 ist zu beachten).

6.2.2.2.1 Befestigung in der Überlappung

Die lineare punktweise Einzelbefestigung wird im überdeckten Bahnenrand angeordnet. Bei der Ausführung ist darauf zu achten, dass der Abstand von mindestens 1 cm zwischen Lastverteilteller und Bahnenkante eingehalten wird. Für die Klemmwirkung ist ein ausreichend druckfester Untergrund erforderlich.

6.2.2.2.2 Nahtunabhängige Befestigung

Hierbei wird die Dachabdichtung durch nahtunabhängig angeordnete Einzelbefestigungen oder Befestigungsprofile mit Befestigungsmittel mechanisch befestigt. Durch Überschweißen mit Bahnenstreifen oder -zuschnitten werden diese Befestigungen abgedichtet.

6.2.2.2.3 Unterseitige Befestigung

Kunststoffbahnen können mit Streifen oder Tellern aus Bahnenmaterial oder aus Verbundblechen mit Einzelbefestigungen in der Unterkonstruktion befestigt werden. Darauf wird die Dachabdichtung systemspezifisch befestigt.

6.2.2.3 Lose Verlegung mit Auflast

Bei dieser Verlegeart werden die Bahnen mit Auflast gegen Windsog gesichert. 7.3 ist zu beachten.

6.3 Verarbeitung von flüssig aufzubringenden Dachabdichtungen

6.3.1 Allgemeines

Flüssig aufzubringende Dachabdichtungen sind grundsätzlich vollflächig haftend aufzubringen. Einzelne, z. B. durch Unebenheiten entstehende, geringfügige Hohlstellen können nicht ausgeschlossen werden und beeinträchtigen die Funktion in der Regel nicht.

Eine Vorbehandlung des Untergrundes ist erforderlich (z. B. Säubern, Trocknen, gegebenenfalls Grundieren).

Bei der Ausführung von flüssig aufzubringenden Dachabdichtungen ist der Feuchtegehalt des Untergrundes zu beachten. Auf mineralischen Untergründen ist die Untergrundfeuchtigkeit zu prüfen. Bei Beton und Estrich darf der Feuchtegehalt maximal 6 % Massenanteile betragen, es sei denn der Hersteller fordert niedrigere Werte.

ANMERKUNG Ein geeignetes Verfahren ist die Messung mit dem CM-Gerät.

Bei der Ausführung der Arbeiten muss die Oberflächentemperatur des Untergrundes mindestens 3 K über der Taupunkttemperatur der Umgebungsluft liegen. Bei Unterschreitung kann sich auf der Oberfläche ein trennend wirkender Feuchtigkeitsfilm bilden. Die werkstoffbedingten Grenzwerte hinsichtlich der Luftfeuchte und Temperatur sind vom Hersteller anzugeben und zu beachten. Der ermittelte Feuchtegehalt und die Temperaturbedingungen des Untergrundes sowie die Lufttemperatur und -feuchte sind zu dokumentieren.

Wenn die hier und unter DIN 18531-1:2010-05, Abschnitt 7, genannten Anforderungen an die Oberflächenbeschaffenheit des Untergrundes nicht erfüllt werden, sind gegebenenfalls Trägerlagen (siehe 5.3) einzuplanen. Bei Bewegungen in Untergründen, z. B. bei Montagefugen von Bauteilen, sind konstruktive Maßnahmen, z. B. Anordnung von Schleppstreifen, vorzusehen.

Flüssig aufzubringende Dachabdichtungen müssen mindestens zweischichtig mit Einlage ausgeführt werden. Dies kann durch Streichen, Rollen oder Spritzen erfolgen. Es müssen Einlagen mit einem Flächengewicht von mindestens 110 g/m² eingesetzt werden. Sie ist in eine vorgelegte Menge Flüssigkunststoff hohlraumfrei einzuarbeiten und „frisch in frisch“ abzudecken. Sie bestehen in der Regel aus zwei Komponenten, die in flüssiger Form vor dem Verarbeiten gemischt werden und nach der Verarbeitung chemisch ausreagieren. Die Komponenten sind in der Zulassung (ETA) festgelegt. Die für die Verarbeitung zur Verfügung stehende Zeit (Verarbeitungszeit, Topfzeit) ist begrenzt. Bei manchen Systemen sind die Wartezeiten zwischen dem Auftragen der einzelnen Schichten (Intervallzeit) nach oben und gegebenenfalls nach unten begrenzt. Flüssig aufzubringende Dachabdichtungen, die mit der Luftfeuchtigkeit ausreagieren (1-komponentige Polyurethansysteme), benötigen keine zusätzliche Komponente. Hohe Temperaturen beschleunigen, niedrige Temperaturen verzögern den Reaktionsverlauf der Abdichtung.

Neben den Angaben aus der Zulassung (ETA) sind die Verarbeitungszeit, Intervallzeiten, Temperaturbedingungen und das unverschlüsselte Haltbarkeitsdatum vom Hersteller anzugeben.

Werden flüssig aufzubringende Dachabdichtungen auf Trägerlagen aufgebracht, gelten für die Lagesicherheit Maßnahmen nach 7.3 (siehe auch DIN 18531-4).

Weiterhin gelten für die Verarbeitung von flüssig aufzubringenden Dachabdichtungen die in der Zulassung (ETA) festgelegten Verarbeitungsanweisungen.

6.3.2 Schichtdicke

Die Mindestschichtdicke der fertigen Dachabdichtung muss für die Anwendungskategorie K1 1,8 mm, für die Anwendungskategorie K2 2,1 mm betragen, es sei denn, in der Zulassung wird eine höhere Mindestschichtdicke gefordert. Die zur Erreichung der Mindestschichtdicke erforderliche Materialmenge je Quadratmeter ist vom Hersteller anzugeben.

Damit diese Mindestschichtdicken erreicht werden, sind die flüssig aufzubringenden Dachabdichtungen in so großer Menge aufzubringen, dass Verarbeitungstoleranzen, Unebenheiten, Rauhigkeiten des Untergrundes ausgeglichen werden. Die verarbeitete Menge je Quadratmeter ist zu dokumentieren.

Zur Bewertung der Schichtdicke können eine Referenzprobe auf gleicher Unterlage erstellt oder Proben aus der fertigen Abdichtung entnommen werden. Die Referenzprobe ist der Baudokumentation beizufügen.

6.3.3 Überlappungen

Die einzelnen Bahnen der Einlage müssen sich in der Fläche mindestens 50 mm überlappen.

Bei längeren Arbeitsunterbrechungen ist der Überlappungsbereich von mindestens 50 mm Breite, z. B. durch Anschleifen oder Anlösen nach Vorgabe des Herstellers, vorzubehandeln.

6.3.4 Übergänge auf bahnenförmige Abdichtungen

Werden Übergänge von flüssig aufzubringenden Abdichtungen auf bahnenförmige Abdichtungen ausgeführt, sind die Materialverträglichkeit, die Haftfestigkeit und die Wasserdichtheit sicherzustellen.

7 Lagesicherung

7.1 Maßnahmen zur Aufnahme horizontaler Kräfte

Bei Dächern mit Abdichtungen können Horizontalkräfte in der Abdichtungsebene auftreten. Sie sind abhängig von Unterkonstruktion, Wärmedämmung, Auflast und Abdichtungsart. Zur Vermeidung nachteiliger Auswirkungen auf den Dachaufbau sind Maßnahmen zur Aufnahme horizontaler Kräfte erforderlich:

- bei lose verlegten einlagigen Abdichtungen;
- bei Unterkonstruktionen aus Stahltrapezprofilen (außer bei vollflächig verklebtem Schichtenaufbau mit Schaumglas);
- bei Dachaufbauten ohne schweren Oberflächenschutz und Wärmedämmstoffen aus Hartschaum, die mit Kaltklebstoff mit Nachklebeeffekt verklebt sind.

Zur Aufnahme der Horizontalkräfte ist die Dachabdichtung an Dachrändern, Rinnen, Anschlüssen an aufgehenden Bauteilen, Bewegungsfugen, Lichtbändern, Lichtkuppeln usw. mechanisch in der tragenden Unterkonstruktion zu befestigen. Diese Maßnahmen sind nur dann voll wirksam, wenn sie in der Abdichtungsebene, am Übergang zu senkrechten oder geneigten Flächen, angeordnet und ausgeführt werden. Einbinden oder Einklemmen in höherliegende Randprofile oder unter Randabdeckungen sowie Verklebungen sind keine Befestigungen in diesem Sinne.

Die Befestigung der Abdichtung mit der Unterkonstruktion kann durch Linienbefestigung oder durch lineare Befestigung erfolgen. Linienbefestigungen werden mit Metallbändern, Profilen aus Metall oder Verbundblech ausgeführt. Diese sollten mit mindestens drei Befestigern je Meter mit der tragenden Unterkonstruktion verbunden werden. Lineare Befestigungen sind in Reihe angeordnete punktweise Einzelbefestigungen. Diese sollten mit mindestens drei Befestigungselementen je Meter ausgeführt werden.

Bei Dachabdichtungen, die gegen Abheben durch Windkräfte mittels mechanischer Befestigung gesichert sind, darf auf zusätzliche Maßnahmen zur Aufnahme horizontaler Kräfte verzichtet werden, wenn die Anzahl, Anordnung und Art der mechanischen Befestigung geeignet ist, die horizontalen Kräfte aufzunehmen.

7.2 Maßnahmen zur Lagesicherung bei Dächern mit über 3° Gefälle

Bei Flächen mit einem Gefälle über 3° (~ 5 %) sind zusätzliche Maßnahmen notwendig, die verhindern, dass die Schichten des Dachaufbaues insbesondere bei Erwärmung durch Sonneneinstrahlung in Richtung des Gefälles abgleiten.

Folgende konstruktive Maßnahmen sind einzeln oder kombiniert anzuwenden:

- Sicherung der Dachbahnen am oberen Rand durch versetzte Nagelung mit höchstens 0,10 m Nagelabstand;
- Befestigung unter Verwendung von Metallbändern bzw. Verbundblechen;
- Durchziehen der Bahnen über den First und kopfseitige Befestigung;
- Einbauen von Stützkonstruktionen zur Fixierung von Dämmschichten und Abdichtungslagen;
- Einbauen von zusätzlichen Nagelleisten bei nicht nagelbarem Untergrund;
- mechanische Befestigung in der Fläche, z. B. mit Einzelbefestigern.

In Bezug auf die Abdichtung können zusätzlich folgende Maßnahmen erforderlich werden:

- Verwendung von Bahnen mit hoher Wärmestandfestigkeit;
- für Klebeschichten Verwendung von standfester Klebemasse oder anderer geeigneter Klebstoffe;
- Verwendung von Dachbahnen mit hoher Zugfestigkeit;
- Verlegung der Bahnen in Gefällerichtung;
- Unterteilen der Bahnenlängen.

Bahnenteilung im Übergangsbereich wegen unterschiedlicher Erwärmung aneinandergrenzender Teilflächen infolge Sonneneinstrahlung und Schattenwirkung, z. B. bei Shedflächen.

7.3 Maßnahmen zur Sicherung gegen Abheben durch Windkräfte

7.3.1 Allgemeines

Durch Sicherungsmaßnahmen müssen Kräfte, die auf die Dachabdichtung einwirken, in die Unterlage abgeleitet werden. Diese Anforderung gilt für geschlossene Gebäude bis 25 m Höhe und/oder Dächer mit geschlossener Unterlage als erfüllt, wenn eine der beschriebenen Sicherungsmaßnahmen ausgeführt wird. Andernfalls ist ein Einzelnachweis unter Berücksichtigung der Lastannahmen nach DIN 1055-4 zu erbringen. Für die Bemessung der Sicherungsmaßnahmen sind die Dachflächen unter Berücksichtigung von DIN 1055-4 in Eckbereich (F), Randbereich (G), Innenbereich (H) und Innenbereich (I) zu unterteilen.

Die Maßnahmen zur Sicherung gegen Abheben durch Windkräfte erfolgen durch

- Kleben nach 7.3.2;
- mechanische Befestigung nach 7.3.3;
- Auflasten nach 7.3.4.

7.3.2 Sicherung durch Kleben

7.3.2.1 Allgemeines

Wird die Lagesicherheit der Dachabdichtung durch Aufkleben auf die Unterlage hergestellt, muss die Unterlage selbst so ausreichend fest sein, dass die sich aus den Windlasten ergebenden Kräfte aufgenommen werden.

Die Verklebung von Dachabdichtungen ist mit den in 6.1.2 und 6.2.2.1 beschriebenen Klebesystemen auszuführen.

7.3.2.2 Dachabdichtung aus Bitumen- und Polymerbitumenbahnen

Dachabdichtungen sind bei geschlossenen Gebäuden bzw. geschlossener Unterlage bis zu einer Höhe von 25 m ausreichend lagesicher, wenn sie den Anforderungen nach Tabelle 5 entsprechen.

Bei Gebäuden in windexponierten Lagen können zusätzliche Maßnahmen erforderlich werden.

Tabelle 5: Klebung von Bitumen- und Polymerbitumenbahnen

Dachbereiche	Heißbitumen	Kaltbitumen[a]
Innenbereich (I)	10 % der Fläche	2 Streifen je m^2, Streifenbreite 40 mm
Innenbereich (H)	20 % der Fläche	3 Streifen je m^2, Streifenbreite 40 mm
Randbereich (G)	30 % der Fläche	3 Streifen je m^2, Streifenbreite 40 mm
Eckbereich (F)[a]	40 % der Fläche	4 Streifen je m^2, Streifenbreite 40 mm

[a] Verbrauch etwa 10 g/m/Streifen

7.3.2.3 Dachabdichtungen aus Kunststoff- und Elastomerbahnen

Für die Verklebung von Kunststoff- und Elastomerbahnen sind aufgrund der verschiedenen systemspezifischen Randbedingungen keine einheitlichen Angaben möglich. Die Angaben der Hersteller sind zu beachten.

7.3.3 Sicherung durch mechanische Befestigung

Die Lagesicherheit kann durch eine mechanische Befestigung in der statisch wirksamen Schicht des Dachaufbaus, z. B. durch Einzelbefestiger oder Breitkopfstifte (Nägel), hergestellt werden.

Befestigungsmittel müssen über einen ausreichenden Korrosionsschutz verfügen.

Die Befestigungselemente müssen so beschaffen sein und so verankert werden, dass sie die zu erwartenden Kräfte dauerhaft aufnehmen und weiterleiten können. Mit Ausnahme von Breitkopfstiften müssen die Befestigungselemente für eine dynamische Ausreißkraft von mindestens 0,4 kN konstruiert sein. Ihre Eignung ist nachzuweisen. Durch die mechanische Befestigung darf die Wasserundurchlässigkeit der Dachabdichtung nicht beeinträchtigt werden. Die zu befestigenden Bahnen müssen so beschaffen sein, dass sie unter der zu erwartenden Beanspruchung nicht aus den Befestigungsmitteln ausreißen.

Die Befestigung kann als lineare Befestigung oder Linienbefestigung erfolgen.

Lineare Befestigungen bei Abdichtungslagen werden im Überlappungsbereich angeordnet oder mit zusätzlichen Dachbahnstreifen überdeckt.

Linienbefestigungen bei Abdichtungslagen werden in erforderlichen Abständen angeordnet und mit zusätzlichen Dachbahnstreifen überdeckt. Bei Kunststoffbahnen dürfen auch Verbundbleche verwendet werden.

Die Dachabdichtung ist einschließlich eventueller weiterer Schichten des Dachaufbaus, z. B. Dampfsperre, Wärmedämmung, mit Befestigungselementen in der für die Windsogsicherung statisch wirksamen Schicht des Untergrundes, bei Stahltrapezprofilen auf den Obergurten der Stahltrapezprofile zu befestigen.

Die Anzahl der Befestigungen muss für die verschiedenen Bereiche der Dachfläche im Einzelfall bemessen werden. Für die Festlegung der Windlasten ist DIN 1055-4 maßgebend.

Die Anzahl der Befestigungselemente ist im Regelfall unabhängig von der errechneten Anzahl mit mindestens 2 Stück je Quadratmeter bei linearer Befestigung zu bemessen.

G

Bei Befestigung von Bitumenbahnen mit Breitkopfstiften ist die untere Lage der Dachabdichtung im Bereich der Bahnenüberlappungen mit korrosionsgeschützten Breitkopfstiften nach DIN EN 10230-1 mit extra großem Flachkopf, Kopfdurchmesser > 9 mm, auf die Unterlage zu nageln. Zur Verbesserung der Lagesicherheit können bei Verwendung von 1 m breiten Bahnen weitere Nagelreihen vorgesehen werden. Der Schaft von Befestigungsmitteln aus Kupfer oder Edelstahl muss aufgeraut sein.

7.3.4 Sicherung durch Auflast

Damit die Auflast nicht durch Einwirkung der Schwerkraft abrutschen kann, eignen sich Dachabdichtungen mit Auflast in der Regel nur für Dächer bis 3° Gefälle.

Wird eine Gesteinsschüttung als Auflast verwendet, so muss sie aus natürlichem, ungebrochenem Gestein der Korngruppe 16/32 nach DIN EN 13242 bzw. TL Gestein-StB 04 bestehen, wobei Abweichungen hinsichtlich des Über- und Unterkorns zulässig sind. Die Mindestdicke der Gesteinsschüttung muss unabhängig von der erforderlichen Auflast im Einbauzustand 50 mm betragen.

Als Auflast dürfen auch entsprechend dimensionierte Betonplatten, Betonverbundpflaster, Vegetationssubstrate oder Ähnliches verwendet werden.

Vegetationstragschichten für extensive Begrünungen dürfen zur Lagesicherung genutzt werden, sofern ihr Flächengewicht zur Beschwerung ausreicht und das Substrat ausreichend verwehsicher/lagesicher ist. Bei unzureichendem Flächengewicht ist der darunterliegende Schichtenaufbau auf andere Weise, z. B. durch mechanische Befestigung, ausreichend zu sichern.

Für die Bemessung der Vegetationssubstrate als Auflast ist die Trockenmasse anzusetzen.

Bei einer Dachhöhe über 25 m sind im Rand- und Eckbereich Platten, Pflastersteine oder eine Kombination aus Kiesschüttung und Platten bzw. Rasengittersteinen vorzusehen.

Die erforderliche Auflast muss für die verschiedenen Bereiche der Dachfläche im Einzelfall bemessen werden.

8 Detailausbildung

8.1 Allgemeines

8.1.1 Planerische Voraussetzungen

Die Dichtheit und Dauerhaftigkeit der gesamten abgedichteten Dachfläche ist wesentlich von der zuverlässigen Funktionsfähigkeit der Dachdetails abhängig. Die Ausführung der Dachdetails muss daher mindestens der gleichen Anwendungskategorie der Dachfläche entsprechen.

Die Zuverlässigkeit von Dachdetails wird wesentlich davon mitbestimmt, ob die abzudichtenden, anschließenden Bauteile eine einfache Führung und den einfachen Anschluss der Abdichtung selbst ermöglichen. Die Planung hat daher durch die Gestaltung der anschließenden Bauteile (Dachrand, aufgehende Bauteile), die Führung des Verlaufs von Bewegungsfugen sowie die Anordnung von Durchdringungen und Dachentwässerungselementen und durch eine sinnvolle Montagefolge anderer Gewerke (z. B. Fensterelemente, Fassadenbekleidungen) die Voraussetzung für eine sachgerechte Ausführbarkeit der Abdichtungsdetails zu schaffen.

Die Anzahl von Dachdurchdringungen ist durch planerische Maßnahmen auf das unverzichtbare Maß zu reduzieren. Bei auf der Dachfläche angeordneten Aggregaten sollten z. B. die Stützen – unter Verwendung geeigneter Schutzlagen und lastverteilender Auflagen – auf der durchlaufenden Abdichtung angeordnet werden.

Dachdetails sollten so ausgebildet und gestaltet sein, dass diese zur Überprüfung und Wartung stets zugänglich sind.

Bei Dachflächen, die der Anwendungskategorie K1 entsprechen, sind An- und Abschlüsse, die nur unter hohem Demontageaufwand bzw. nach Zerstörung von anderen Bauteilschichten zugänglich werden, nach Anwendungskategorie K2 auszuführen.

8.1.2 Anforderungen

8.1.2.1 Dichtheit

Anschlüsse, Abschlüsse, Übergänge und Durchdringungen müssen – falls erforderlich, mit der Hilfe von Einbauteilen – so geplant und hergestellt sein, dass sie nicht hinter- oder unterlaufen werden können. Die dazu erforderlichen konstruktiven und abdichtungstechnischen Maßnahmen sind auf die zu erwartende Beanspruchung abzustimmen.

8.1.2.2 Sicherung des oberen Abschlusses

Der obere Abschluss der Abdichtung darf weder abrutschen noch sich ablösen. Dazu sind im Regelfall besondere Einbauteile erforderlich – es sei denn, der Haftverbund zum Untergrund oder die konstruktive Situation schließen auch ohne besondere Randverwahrung ein Ablösen und Abrutschen der Abdichtung aus.

8.1.2.3 Bewegung der Unterkonstruktion

Anschlüsse, Abschlüsse, Übergänge und Durchdringungen dürfen auch bei zu erwartenden Bewegungen der Bauteile ihre Funktion nicht verlieren; gegebenenfalls sind dafür besondere Maßnahmen zu treffen. Es ist insbesondere zu unterscheiden zwischen Anschlüssen und Abschlüssen an Bauteilen, die mit der Unterkonstruktion fest verbunden sind (starre Anschlüsse) und Anschlüssen an Bauteilen, die gegenüber der Unterkonstruktion Bewegungen unterworfen sind (bewegliche Anschlüsse). Bewegliche Anschlüsse liegen nicht nur im Verlauf von Bewegungsfugen vor. Verformt sich z. B. die Unterkonstruktion unabhängig von den anschließenden Bauteilen (z. B. Schalung auf Holzunterkonstruktion neben Mauerwerk oder Tragschale aus Stahltrapezprofil neben Fassadenpaneel), so sind ebenfalls Relativbewegungen zu erwarten, die bei der Gestaltung des Anschlusses zu berücksichtigen sind.

8.1.2.4 Materialverträglichkeit

An- und Abschlüsse sollten aus den gleichen Stoffen wie die Dachabdichtung hergestellt werden. Werden unterschiedliche Stoffe verwendet, so müssen diese für den Zweck geeignet und untereinander dauerhaft verträglich sein.

8.1.2.5 Wartung
Zu wartende Bauteile (z. B. Abläufe) sind so anzuordnen, dass eine einfache Zugänglichkeit gewährleistet ist. Auch An- und Abschlüsse sollten so gestaltet werden, dass sie für eine Inspektion und den Austausch zugänglich bleiben.

8.2 Anschlüsse

8.2.1 Art der Abdichtung am Anschluss
Grundsätzlich ist an Anschlüssen die Abdichtung mit der gleichen Lagenzahl und Stoffart wie in der Dachfläche auszuführen. Werden unterschiedliche Werkstoffe verwendet, so müssen diese für den jeweiligen Zweck geeignet und untereinander dauerhaft verträglich sein. Materialverträglichkeit, Haftfestigkeit und Wasserdichtheit sind sicherzustellen.
Bei Übergängen von flüssig aufzubringenden Dachabdichtungen auf bahnenförmige Stoffe muss der Anschluss mindestens 100 mm auf die Bahn geführt werden.

Anschlüsse aus Bitumenbahnen sind mindestens zweilagig auszuführen. Am Übergang vom Dach sollte bei aufgehenden Bauteilen und aufgekanteten Dachrändern bei Abdichtungen mit Bitumenbahnen ein Keil angeordnet werden. Anschlüsse mit Bitumenbahnen können auch mit eingeklebten Blechen, Anschlüsse mit Kunststoffbahnen auch mit Verbundblechen hergestellt werden. Anschlüsse mit eingeklebten Blechen in Bitumenbahnen dürfen nur bei Anwendungskategorie K1 angewendet werden, diese sind Wartungsdetails und sollten zugänglich sein.

Im Bereich der Anschlüsse sind die Bitumenbahnen abzusetzen.

Bei vorgesetzten Außenwandbekleidungen, die nicht regendicht sind, muss der Anschluss hinter diesen an der Wand hochgeführt und abgedichtet werden.

8.2.2 Anschlusshöhen
Die Abdichtung ist im Hinblick auf die Wasserbeanspruchung aus Oberflächen- und Spritzwasser im Regelfall

- bei Dachneigungen bis 5° mindestens 0,15 m;
- bei Dachneigung über 5° mindestens 0,10 m

über die Abdichtungsebene hochzuführen. Bei Dachabdichtungen mit Schutzschichten, Bekiesungen oder Extensivbegrünungen gilt das oben angegebene Maß ab Oberkante dieser Schichten.

In schneereichen Gebieten und bei besonderen konstruktiven Situationen (z. B. Sheddach-Rinnen) ist gegebenenfalls eine größere Anschlusshöhe erforderlich.

8.2.3 Vor Wasserbeanspruchung geschützt liegende Anschlüsse
Sind die Anschlüsse fachgerecht hochgeführt und ist der Abdichtungsrand durch eine abdeckende Wandbekleidung vor einer Wasserbeanspruchung geschützt und durch die Abdeckung oder eine Verklebung gegen Abrutschen gesichert, sind an Anschlüssen keine weiteren Einbauteile erforderlich. Muss ein gegen Hinterlaufen geschützt liegender Bahnenrand lediglich zusätzlich gegen Abrutschen gesichert werden, so kann dies mit Hilfe einer Holzbohle oder durch Nagelbänder oder – bei Kunststoffbahnen – durch Verbundbleche geschehen.

Bei flüssig aufzubringenden Dachabdichtungen mit ausreichender Haftung am Untergrund kann auf eine mechanische Befestigung am oberen Rand verzichtet werden.

8.2.4 Wasserbeanspruchte Anschlüsse

Sind Anschlüsse an aufgehenden Bauteilen frei bewittert oder durch Spritzwasser unmittelbar belastet, so sind sie durch Klemmprofile, Klemmschienen oder angeschweißte Verbundbleche linienförmig an ausreichend eben hergestellten Untergründen im Regelfall im Abstand von 0,2 m zu fixieren. Nagelbänder dürfen nicht verwendet werden. Bei flüssig aufzubringenden Dachabdichtungen mit ausreichender Haftung am Untergrund kann auf eine mechanische Befestigung am oberen Rand verzichtet werden.

Zusätzlich ist die Abdichtung durch Überhangstreifen oder mit einer ausreichend dimensionierten Dichtstofffase gegen Hinterlaufen zu sichern. Lediglich durch Dichtstofffasen gesicherte wasserbeanspruchte Anschlüsse sind der Anwendungskategorie K1 zuzuordnen.

Die Dichtstofffasen sind regelmäßig zu warten.

Bei tragfähiger und hinterlaufsicherer Unterlage, z. B Metall, wasserundurchlässiger Beton, kann bei flüssig aufzubringenden Dachabdichtungen auf eine zusätzliche Abdichtung des oberen Randes verzichtet werden. Solche Anschlüsse sind der Anwendungskategorie K1 zuzuordnen.

Bei senkrechten Fugen im Anschlussbereich, z. B. bei Fugen von Betonfertigteilen oder Bauwerksfugen, muss der Anschluss so ausgebildet werden, dass eine Bewegung über dem Fugenbereich möglich ist. Klemmschienen dürfen über beweglichen Fugen nicht durchlaufen.

8.3 Abschlüsse

Grundsätzlich ist an Abschlüssen die Abdichtung mit der gleichen Lagenzahl und Stoffart wie in der Dachfläche auszuführen. Werden unterschiedliche Werkstoffe verwendet, so müssen diese für den jeweiligen Zweck geeignet und untereinander dauerhaft verträglich sein. Hinsichtlich der Ausführung von Abschlüssen bei flüssig aufzubringenden Dachabdichtungen gilt 8.2. Abschlüsse aus Bitumenbahnen sind mindestens zweilagig auszuführen. Abschlüsse von Dachabdichtungen – ausgenommen im Bereich von Dachrinnen – müssen als Randaufkantungen mit Dachrandabdeckungen oder Randaufkantungen mit Dachrandabschlussprofilen hergestellt werden.

Die Höhe der Abdichtung muss im Regelfall

- bei Dachneigung bis 5° (8,8 %) mindestens 0,10 m;
- bei Dachneigung über 5° (8,8 %) mindestens 0,05 m

über die Abdichtungsebene hochgeführt werden. Bei Dachabdichtungen mit Schutzschichten, Bekiesung oder Extensivbegrünung gilt das oben angegebene Maß ab Oberkante dieser Schichten.

Dachrandabdeckungen sollten in der Regel ein Gefälle zur Dachseite hin aufweisen.

Die Abdichtungsbahnen des Abschlusses sind in der Regel bei Dachrandaufkantungen so bis zur Außenkante des Dachrandes zu führen und so zu befestigen, dass auch Wasser unter der Dachrandabdeckung abgeleitet wird.

Dachrandabschlussprofile müssen so konstruiert und montiert sein, dass sich die thermischen Längenänderungen der Profile nicht nachteilig auf die Abdichtung auswirken können.

8.4 Bewegungsfugen

8.4.1 Grundsätzliches

Die Ausbildung von Bewegungsfugen in Dachflächen muss auf die jeweilige Art der Dachabdichtung sowie auf die Art, Richtung, Größe und Häufigkeit der zu erwartenden Bewegungen abgestimmt sein.

Je nach Art und Größe der Bewegungen sind zwischen Fugen des Typs I und Fugen des Typs II zu unterscheiden. Dabei ist zu berücksichtigen, dass in der Regel beide Bewegungsarten an einem Bauwerk auftreten und sich überlagern, wobei die Ausbildung dann nach Typ II erfolgen muss. Ein Sonderfall sind Umkehrdächer, bei denen im Einzelfall Fugenbewegungen des Typs I maßgeblich sein können.

Bewegungen der Fugenflanken relativ zueinander können senkrecht zur Abdichtungsebene (z. B. Setzungen), parallel zur Abdichtungsebene (z. B. Dehnung) und als Scherung sowie in der Kombination von Einzelbewegungen auftreten.

Die Scherungsbewegungen ergeben sich in der Regel bei abgewinkelten Fugenverläufen, bei denen z. B. eine Dehnung in einem Fugenabschnitt sich als Scherung in einem dazu winklig stehenden anderen Fugenabschnitt auswirkt.

Die Dachabdichtung ist gegebenenfalls entlang der Fuge mit einer mechanischen Befestigung zur Aufnahme von horizontalen Kräften zu versehen (siehe 7.1).

a) Fugentyp I

Fugentyp I sind Fugen für langsam ablaufende und einmalige oder selten wiederholte Bewegungen, z. B. Setzungsbewegungen, Schwindverkürzungen oder Längenänderungen durch jahreszeitliche Temperaturschwankungen (Dehnungen) in oberseitig wärmegedämmten Dachflächen.

Dabei sollten die Bewegungen der Fugenflanken sowohl für Einzelbewegungen aus z. B Setzung, Dehnung oder Scherung als auch für kombinierte Bewegungen folgende Maße nicht überschreiten:

- 5 mm generell bei Abdichtungen mit Bitumenbahnen, bei Abdichtungen mit verklebten Kunststoff- und Elastomerbahnen sowie bei flüssig aufzubringenden Dachabdichtungen;
- 10 mm bei Abdichtungen mit lose verlegten Kunststoff-, Elastomer- und Bitumenbahnen.

Bei Überschreitung dieser Maße ist die Abdichtung über der Fuge nach Fugentyp II auszuführen.

b) Fugentyp II

Fugentyp II sind Fugen für schnell ablaufende oder häufig wiederholte Bewegungen, z. B. Längenänderungen durch tageszeitliche Temperaturschwankungen. Der Fugentyp II liegt weiterhin vor bei oberseitig ungedämmten Dachflächen.

8.4.2 Abdichtung von Fugen des Typs I

Über der Fuge darf die Dachabdichtung vereinfacht in ebener Ausführung durchlaufen. Die Abdichtung ist über der Fuge erforderlichenfalls durch geeignete Maßnahmen, z. B. durch Stützbleche, so zu unterlegen, dass ein Einsinken der Abdichtung in den Fugenspalt verhindert wird.

Dachabdichtungen aus verklebten Bitumenbahnen sowie aus verklebten Kunststoff- oder Elastomerbahnen dürfen über Fugen mit Bewegungen bis 5 mm eben durchgeführt werden. Es sind Schleppstreifen von mindestens 200 mm Breite unter der Abdichtung anzuordnen. Bei flüssig aufzubringenden Dachabdichtungen sind Schleppstreifen von mindestens 50 mm Breite anzuordnen.

Bei lose verlegten Kunststoff- oder Elastomerbahnen und Bitumenbahnen darf die Dachabdichtung über Fugen mit Bewegungen bis 10 mm über den Fugen durchgezogen werden, wenn die Bahnen im Fugenbereich unterstützt sind.

8.4.3 Abdichtung von Fugen des Typs II

Unter Berücksichtigung der Größe und Häufigkeit der Fugenbewegungen ist die Art der Abdichtung im Einzelfall über der Fuge festzulegen, z. B. durch Unterbrechen der Flächenabdichtung und

- schlaufenartige Anordnung geeigneter Abdichtungsstoffe;
- Anordnung von Fugenbändern mit Einklebeflansch;
- mit Hilfe vorgefertigter Fugenkonstruktionen mit integrierten Kunststoff- oder Elastomer-Dichtungsprofilen oder
- mit Hilfe von Los- und Festflanschkonstruktionen und Einbau von Fugenbändern.

Fugenausbildungen des Typs II können aus der Abdichtungsebene herausgehoben werden, z. B. durch Anordnung von Dämmstoffkeilen oder durch Aufkantungen. Teilflächen von Dächern, die durch Heraushebungen getrennt werden, sind unabhängig voneinander zu entwässern.

Bei Fugen des Typs II sollte der Schnittwinkel von Fugen untereinander und mit Kehlen oder Kanten nicht wesentlich vom rechten Winkel abweichen. Die Fugen sollten nicht durch Bauwerksecken führen und nicht in einer Kehle oder Kante verlaufen. Ihr Abstand zu parallel verlaufenden Kehlen oder Kanten muss im Regelfall mindestens 0,50 m betragen. Ist dieses Maß nicht einzuhalten, muss die Fuge mit einer Hilfskonstruktion verlagert oder eine Sonderkonstruktion eingesetzt werden.

8.5 Dachentwässerungen

Für die Anordnung und Bemessung der Dachabläufe und Notüberläufe ist DIN 18531-1:2010-05, 6.5, zu beachten. Fabrikmäßig vorgefertigte Dachabläufe müssen der Normenreihe DIN EN 1253 entsprechen.

Bei wärmegedämmten Dächern mit Dampfsperren sind in der Regel die Dachabläufe zweiteilig auszubilden.

Dachabläufe und Notüberläufe sind so einzubauen, dass sie sich durch Relativbewegungen zwischen Dachuntergrund und Dachabdichtung nicht so weit schräg stellen oder verschieben, dass eine Beeinträchtigung der Entwässerungsfunktion entsteht. Der Grundkörper muss mit dem Untergrund verbunden werden.

In der Abdichtungsebene sind Flansche von Dachabläufen in der Regel in die Unterlage einzulassen. Der Anschluss an Einbauteile kann mit Klebeflanschen, Klemmflanschen, integrierten Anschlussbahnen oder mit Los- und Festflanschen ausgeführt werden.

Erfolgt die Entwässerung von Dachflächen über vorgehängte Rinnen, ist als Übergang ein Traufblech anzuordnen. Dieses kann eingeklebt oder als Stützblech überklebt werden. Eingeklebte Traufbleche sind der Anwendungskategorie K1 zuzuordnen.

Bei ungeschützten Dachabdichtungen aus Bitumenbahnen und bitumenhaltigen Kunststoffbahnen sind bei Rinnen aus Zinkblech Maßnahmen zum Korrosionsschutz erforderlich.

Abläufe sind in der Regel durch Kies-/Laubfangkörbe vor Verstopfung zu schützen. Bei Dächern mit schwerem Oberflächenschutz bzw. Extensivbegrünung sind die Entwässerungselemente so abzudecken, dass ein Zusetzen des Ablaufs sicher vermieden wird. Dachabläufe müssen zu Wartungszwecken frei zugänglich sein und sind regelmäßig zu warten.

8.6 Durchdringungen

Der Abstand von Durchdringungen untereinander und zu anderen Bauteilen (z. B. Bewegungsfugen, An- und Abschlüssen) muss im Regelfall mindestens 0,30 m betragen. Maßgebend ist dabei die Flanschaußenkante.

Die Anschlüsse der Abdichtung an Durchdringungen sind nach 8.2 auszubilden oder mit Klebeflanschen, Klemmflanschen oder besonderen Einbauteilen an die durchdringenden Bauteile anzuschließen.

Der Anschluss der Dachabdichtung an Dunstrohre erfolgt mit vorgefertigten Formstücken aus Metall, Einbauelementen aus Kunststoff, Anschlussmanschetten oder mit Kunststoff- oder Elastomerbahnen bzw. mit flüssig aufzubringenden Dachabdichtungen. Die Klebeflansche sind in die Dachabdichtung einzubinden. Das obere Ende von Formstücken oder Manschetten muss gegen Hinterlaufen gesichert sein. Unmittelbar bewitterte Anschlüsse mit einer Abdichtung durch Dichtstofffase sind der Anwendungskategorie K1 zuzuordnen und sind Wartungsdetails. Die Formstücke müssen so gestaltet sein, dass sie den zu erwartenden Bewegungen des durchdringenden Bauteils (z. B. bei Antennenmasten) Rechnung tragen.

8.7 Lichtkuppeln, Lichtbänder und Rauch- und Wärmeabzugsanlagen (RWA)

Lichtkuppel- und RWA-Elemente bestehen aus einem Aufsetzkranz und darauf getrennt angeordneten Lichtschalen bzw. Abzugsklappen. Einteilige Kuppelelemente mit Kleberand dürfen nicht verwendet werden. Die Oberkante des Aufsetzkranzes sollte mindestens 0,15 m über Oberfläche Abdichtung bzw. Schutzschicht liegen. Das Nennmaß des Aufsetzkranzes sollte 2,5 m nicht überschreiten. Nebeneinander angeordnete Aufsetzkränze sollen einen Mindestflanschabstand von 0,50 m aufweisen.

Anschlüsse an Lichtbänder werden nach 8.2 ausgeführt.

Anschlüsse von Dachabdichtungen an Aufsatzkränze können sowohl durch Eindichten des horizontalen Flansches als auch durch vollständiges Einfassen des Aufsatzkranzes bis zum oberen Rand hergestellt werden. Bei Eindichtung des horizontalen Flansches mit Bitumen- und Polymerbitumenbahnen und flüssig aufzubringenden Dachabdichtungen muss dieser mindestens 0,12 m breit sein und mindestens 0,05 m aus der Abdichtungsebene herausgehoben sein.
Kunststoffbahnen können auf systemkonforme Lichtkuppelflansche direkt aufgeschweißt werden.
Mögliche Bewegungen zwischen dem starren Rand des Aufsetzkranzes und der Dachfläche (z. B. Tragschalen aus Stahltrapezprofilen) sind bei der Gestaltung des Anschlusses zu berücksichtigen.

8.8 Blitzschutzanlagen

Durch die Anlagenteile der Blitzschutzsysteme darf die Dichtigkeit des Daches nicht beeinträchtigt werden. Blitzschutzmaßnahmen sind mit in die Planung einzubeziehen. Dabei sind die Regelungen nach DIN EN 62305-1 bis DIN EN 62305-4 zu beachten.

Bei der Durchführung der Halterungen und Fangleitungen durch die Dachabdichtung ist 8.6 zu beachten. Die Blitzschutzanlagen sind einer regelmäßigen Inspektion zu unterziehen.

Bei Dachneigung > 5 % oder bei mechanisch befestigten Dachbahnen ist eine Sicherung der Dachleitungshalter für Blitzschutzfangleitungen gegen Verschieben zu empfehlen. Diese wird bei Kunststoffbahnen systembedingt durch spezielle Formteile erreicht.

9 Kennzeichnung eingebauter Dachabdichtungswerkstoffe

Eingebaute Dachabdichtungsstoffe sind in der Regel auf der Dachfläche eindeutig zu kennzeichnen. Dazu ist z. B. ein Kennzeichnungsschild aus beständigem Material (etwa 250 mm × 100 mm) mit einer witterungsbeständigen Aufschrift oder Aufprägung zu versehen, die mindestens folgende Informationen enthält:

a) Kurzzeichen für Anwendungstyp, Eigenschaftsklasse und Produktmerkmale nach DIN V 20000-201 für bahnenförmige Dachabdichtungen bzw. nach DIN 18531-2 für flüssig aufzubringende Dachabdichtungen;

b) Hersteller;

c) Handelsnamen;

d) Ausführungsjahr der Dachabdichtung;

e) ausführendes Unternehmen.

Darüber hinaus können weitere wichtige Informationen für Nutzer und Verarbeiter aufgeführt werden.

Das Kennzeichnungsschild ist vom Ausführenden an gut einsehbarer Stelle, z. B. an der Aufkantung der Dachabdichtung, fest anzubringen. Das Kennzeichnungsschild sollte in maximal 5 m Entfernung vom vorgesehenen Haupt-Zugang der Dachfläche (Treppenhausturm, Zugangstür zur Dachfläche, Lichtkuppel über Treppenhaus, feststehende Leiter, nahe liegende Anleiterungsmöglichkeit) oder an der dieser Zugangsstelle nächstgelegenen Aufkantung montiert werden.

Beispiel (Maßstab)

Kurzzeichen:	DE / E1 / PVC-P-NB-E-GV-1,5	Ausführungsjahr:	6/2007
Handelsname:	DINOPlan	Hersteller:	DINOTEC
Ausführendes Unternehmen:	Klaus Dicht GmbH, Karlsruhe		

Weitere Informationen:
Nicht mit Auflast (Kies/Begrünung) versehen! Dachhaut bei Temperaturen unter 0 °C nicht betreten!

Dachabdichtungen – Abdichtungen für nicht genutzte Dächer Teil 4: Instandhaltung

DIN 18 531-4 (05.2010)

Inhalt

1 Anwendungsbereich

DIN 18531-4 legt Anforderungen an die Inspektion und Wartung sowie Instandsetzung und Erneuerung des Dachaufbaus fest.

Zusammen mit DIN 18531-1, DIN 18531-2 und DIN 18531-3 gilt diese Norm für die Planung und Ausführung von Abdichtungen für nicht genutzte Dächer aus bahnenförmigen und flüssig aufzubringenden Stoffen nach DIN 18531-2 bei Neubauten sowie für Instandhaltung und Dacherneuerung.

Sie gilt auch für Abdichtungen von extensiv begrünten Dachflächen.

Diese Norm gilt nicht für

- Dachdeckungen und Unterdächer;
- Abdichtungen von genutzten Dachflächen wie Terrassen, Parkdecks und intensiv begrünten Dachflächen (siehe DIN 18195-5);
- Abdichtungen von Balkonen (siehe DIN 18195-5).

3 Begriffe

Für die Anwendung dieses Dokuments gelten die Begriffe nach DIN 18531-1 und die folgenden Begriffe.

3.1 Erneuerung des Dachaufbaus

Maßnahmen zum kompletten Ersatz eines nicht mehr funktionstüchtigen oder eines verbesserungsbedürftigen Dachaufbaus

3.2 Erneuerung der Dachabdichtung

Maßnahmen zum Ersatz einer nicht mehr funktionstüchtigen Dachabdichtung

3.3 Inspektion

Maßnahmen zur Feststellung und Beurteilung des Ist-Zustandes der Dachabdichtung

3.4 Instandhaltung

Inspektion, Wartung, Instandsetzung und Erneuerung der Dachabdichtung

ANMERKUNG Beispiele für Maßnahmen der Instandhaltung der Dachabdichtung und der Dacherneuerung siehe Tabelle 1.

3.5 Instandsetzung

Maßnahmen zur Wiederherstellung des Soll-Zustandes der Dachabdichtung

3.6 Wartung

Maßnahmen zur Erhaltung des Soll-Zustandes der Dachabdichtung

4 Inspektion und Wartung

4.1 Übersicht für Maßnahmen der Instandhaltung und der Dacherneuerung

Tabelle 1: Beispiele für Maßnahmen der Instandhaltung der Dachabdichtung und der Dacherneuerung

	1	2	3
1	Instandhaltung	Inspektion	Aufnahme des Zustandes der Dachabdichtung, der An- und Abschlüsse sowie der Durchdringungen. Die Ergebnisse der Inspektion können Basis für die Festlegung eventuell erforderlicher Wartungs-, Instandsetzungs- oder Dacherneuerungsmaßnahmen sein.
2		Wartung	z. B. Entfernen von unerwünschten Ablagerungen und Fremdbewuchs, Reinigen der Entwässerungsanlagen (siehe 4.2)
3		Instandsetzung	a) Kleinere Instandsetzungsarbeiten, z. B. – erneutes Absichern von Wandanschlussprofilen; – Schutzanstriche auf korrosionsgefährdeten Metallteilen; – Ausbessern kleinerer Schadstellen in der Abdichtung. b) Größere Instandsetzungsarbeiten sind nach genauer Voruntersuchung (siehe 5.3) festzulegen, z. B. – Ausbessern größerer Schadstellen in der Abdichtung; – Regenerierung vorhandener Dachabdichtungen durch Aufbringen einer neuen Abdichtungslage (siehe 5.4.3).
4		Erneuerung der Dachabdichtung	Maßnahmen zum Ersatz einer nicht mehr funktionstüchtigen Dachabdichtung und ihrer An- und Abschlüsse – bei Belassen der vorhandenen Dachabdichtung; – nach Entfernen der vorhandenen Dachabdichtung; – mit Zusatzdämmung; – mit Zusatzdämmung als Gefälledämmung.
5	Erneuerung des Dachaufbaus		Maßnahme zum kompletten Ersatz eines nicht funktionstüchtigen oder eines verbesserungsbedürftigen Dachschichtenaufbaus – einschließlich aller An- und Abschlüsse.

4.2 Inspektion

Dachabdichtungen erreichen ihre erwartete Nutzungsdauer nur bei regelmäßiger Inspektion und Wartung. Die Überprüfung der Dachflächen und ihrer An- und Abschlüsse sollte durch eine fachkundige Person erfolgen. Dazu sollte ein entsprechender Inspektions- und Wartungsvertrag abgeschlossen werden. Die Ergebnisse der Inspektion sind schriftlich zu dokumentieren. Das Protokoll sollte Angaben zu den festgestellten Mängeln, zu gegebenenfalls erforderlichen weiteren Voruntersuchungen und zur Art und Dringlichkeit von notwendigen Instandhaltungsmaßnahmen enthalten.

4.3 Wartungsarbeiten

Die Wartung umfasst zum Beispiel:

– die Beseitigung von Verschmutzungen und unerwünschtem Pflanzenbewuchs (bei Extensivbegrünungen sind insbesondere die nicht begrünten Randstreifen von Bewuchs freizuhalten);

- die Reinigung von Dachabläufen und Dachrinnen;
- die Beseitigung von Kiesverwehungen;
- die Reinigung von Be- und Entlüftungsöffnungen soweit dies ohne Einrüstungen möglich ist.

Im Rahmen von Wartungsarbeiten können auch kleinere Instandsetzungsarbeiten durchgeführt werden.

Wartungen sollten 1- bis 2-mal jährlich erfolgen.

5 Instandsetzung und Erneuerung des Dachaufbaus

5.1 Allgemeines

Instandsetzungs- und Dacherneuerungsarbeiten werden erforderlich, wenn vorhandene Mängel und Schäden behoben werden müssen, die technische Lebensdauer der Abdichtung abgelaufen ist, oder das Dach einer geänderten Nutzung der darunter befindlichen Räume, einer geänderten Dachflächennutzung, z. B. bei nachträglich aufgeständerten Solaranlagen, oder geänderten Anforderungen, z. B. zum Wärmeschutz, angepasst werden soll.

5.2 Zielfestsetzung

Grundsätzlich ist das Hauptziel von Instandsetzungen die Wiederherstellung einer den anerkannten Regeln der Technik entsprechenden Dachabdichtung. Die dazu erforderlichen Arbeiten müssen auf den vorhandenen Zustand des Daches und die ermittelten Mängel und Schäden abgestimmt werden.

Wertverbessernde Zielsetzungen, wie die Erhöhung des Qualitätsniveaus und der Wirtschaftlichkeit, die Verbesserung des Wärme- und Schallschutzes oder die Berücksichtigung ökologischer Gesichtspunkte, z. B. extensive Dachbegrünung, sind vor Beginn der Voruntersuchungen (siehe 5.3) festzulegen.

Soll das Ziel der Instandsetzungen lediglich eine auf eine kurzfristige Reststandzeit des Gebäudes oder Daches abgestimmte Reparatur sein, so ist dies ausdrücklich zu vereinbaren. Dann können gegebenenfalls die Voruntersuchungen eingeschränkt werden oder ganz entfallen.

5.3 Voruntersuchungen

Vor Instandsetzungen und Dacherneuerungen sind Bestandsaufnahmen, Zustandsfeststellungen und – beim Vorliegen von Schäden – Ursachenermittlungen durchzuführen, gegebenenfalls sind Sonderfachleute hinzuzuziehen.

Art und Umfang der Voruntersuchungen sind abzustimmen auf z. B.:

- die Art und den Aussagewert vorliegender Dokumente;
- das Schadensbild des Altdaches;
- die Ziele und die Art der geplanten Maßnahmen.

Folgende Untersuchungen können z. B. erforderlich werden:

- Bei einer geplanten wesentlichen Erhöhung der Dachlasten sowie bei Schadensbildern, die Schädigungen des Dachtragwerks vermuten lassen, ist die Tragfähigkeit der Dachkonstruktion zu überprüfen und der Zustand des Tragwerks zu untersuchen.
- Überprüfung des vorhandenen Dachaufbaues hinsichtlich der Erfüllung brandschutztechnischer Anforderungen.
- Bei Nutzungsänderungen, die eine erhöhte Temperatur- und Feuchtebelastung erwarten lassen und beim Einbau von Schichten, die die bauphysikalische Situation verändern, ist das Dach bauphysikalisch zu untersuchen.
- Sollen die vorhandenen Dachschichten auf dem Dach verbleiben, so ist zu untersuchen, ob sie weiterhin funktionsfähig sind oder sich zumindest im Schichtenpaket nicht schädigend auswirken werden und ob sie untereinander und mit der Tragunterkonstruktion positionsstabil und lagesicher verbunden sind.
- Lässt das Schadensbild eine Durchfeuchtung der vorhandenen Dämmschichten erwarten, so ist – soweit die Dämmschichten nicht entfernt werden sollen – der Durchfeuchtungsgrad stichprobenartig zu untersuchen.
- Sollen neue Abdichtungen auf bestehende Dachschichten unmittelbar verlegt oder verklebt werden, so ist die Verträglichkeit zur vorhandenen Unterlage zu untersuchen.
- Die Überprüfung der Gefälle- und Entwässerungssituation.
- Sind Schäden am Altdach auf die Konzeption der An- und Abschlüsse zurückzuführen oder wird durch die geplanten Maßnahmen der Aufbau des Daches erhöht, so sind die Anschlussausbildungen im Detail auf ihre weitere Eignung zu prüfen.
- Überprüfung des vorhandenen Dachaufbaus hinsichtlich der Erfüllung brandschutztechnischer Anforderungen.

Die Ergebnisse der Bestandsaufnahme sind zu dokumentieren.

5.4 Maßnahmen

5.4.1 Vorbereitungsarbeiten

Werden vorhandene Dachabdichtungen belassen, so sind folgende Vorbereitungsarbeiten in der Regel notwendig:

Zur Vorbereitung des Untergrundes sind größere Wellen, Blasen und Falten aufzuschneiden. Grobe Verkrustungen sind abzustoßen, Schmutzablagerungen zu entfernen. Wenn die Klebetechnik oder der Zustand des Untergrundes es erforderlich machen, ist der Untergrund, z. B. mit Voranstrich, Grundierung oder Primer, vorzubehandeln.

5.4.2 Instandsetzung durch Überarbeitung von Einzelfehlstellen

Beschädigungen können durch Aufschweißen oder Aufkleben von Bahnen sowie durch Aufbringen von Flüssigkunststoffen beseitigt werden, die denen der vorhandenen Dachabdichtungen entsprechen oder mit der Unterlage verträglich sind und wasserdicht gefügt werden können. Die zu verwendenden Abdichtungsstoffe müssen DIN 18531-2 entsprechen.

Um die Übertragung von Spannungen auf die neue(n) Abdichtungslage(n) zu verhindern, sind Risse in der Dachabdichtung vor dem Überkleben mit einem lose verlegten und einseitig fixierten Schleppstreifen abzudecken.

5.4.3 Instandsetzung durch einlagiges Überarbeiten der Dachabdichtung

Wenn die Dachabdichtung noch funktionsfähig ist, kann sie durch Aufbringen einer neuen Abdichtungslage nach DIN 18531-3 regeneriert werden. Dies setzt voraus, dass nicht mit Feuchtigkeit unter, zwischen oder über der vorhandenen Abdichtung gerechnet werden muss, es sei denn, einer möglichen Blasenbildung wird durch weitere Maßnahmen (z. B. Umkehrdach-Dämmung) entgegengewirkt.

5.4.4 Erneuerung der Dachabdichtung ohne zusätzliche Wärmedämmung

Ist die Dachabdichtung im Gegensatz zu den darunter liegenden Schichten nicht mehr funktionsfähig, kann sie nach entsprechender Vorbereitung (siehe 5.4.1) nach DIN 18531-3 erneuert werden.

Die vorhandene Dachabdichtung kann dabei auf dem Dach verbleiben, wenn sie sich im Schichtenaufbau nicht schädigend auswirkt. Abhängig vom Ergebnis der Voruntersuchung (siehe 5.3) und von der gewählten Abdichtung sind gegebenenfalls Trenn- und/oder Ausgleichsschichten erforderlich.

5.4.5 Erneuerung der Dachabdichtung und zusätzliche Wärmedämmung

Eine Zusatzdämmung kann als Trenn- und Schutzschicht wirken und eine geeignete Unterlage für eine neue Dachabdichtung schaffen. Die Zusatzdämmung kann auch nach der Erneuerung der Dachabdichtung als Umkehrdach-Dämmung ausgeführt werden.

Bei gefällelosen Dächern sollte eine zusätzliche Wärmedämmung zweckmäßigerweise in Form einer Gefälledämmung ausgebildet sein, sie bewirkt zugleich eine bessere Abführung des Niederschlagswassers auf der Dachabdichtung.

Die Schichten des vorhandenen Dachaufbaus dürfen sich nicht schädigend auf die zusätzliche Wärmedämmung und die neue Dachabdichtung auswirken. Andernfalls sind sie vollständig zu demontieren.

Die Maßnahmen zur Lagesicherung des Dachaufbaus sind unter Berücksichtigung statischer Gegebenheiten vorzunehmen.

Zusatzdämmungen vergrößern die Dicke des Dachaufbaus; die Konsequenzen für die Dachan- und -abschlüsse sind einzuplanen.

5.4.6 Erneuerung des gesamten Dachaufbaus

Der gesamte Dachaufbau ist zu erneuern, wenn sich aus der Voruntersuchung ergibt, dass der Zustand der Tragdecke und/oder der Dachschichten den kompletten Abriss des Dachaufbaus erforderlich macht. Die neue Abdichtung des Dachaufbaus muss nach DIN 18531-1 bis DIN 18531-3 geplant und ausgeführt werden.

Normenverzeichnis

(Reihenfolge nach DIN-Nummern)

+) In mindestens einem Bundesland bauaufsichtlich eingeführt (Oktober 2011).

*) In der Bauregelliste A enthalten (Stand Oktober 2011).

Gesetzes- und Verordnungsverzeichnis

Stichwortverzeichnis